中国 精神文明建设年鉴

CHINA CULTURAL AND ETHICAL PROGRESS YEARBOOK

杭州市：文明城市　温馨家园

四通八达　畅通无阻

绿化环境　美化家园

古老城市　焕发青春

晨练

深圳市：生机盎然的精神文明窗口

加强城市规划管理　努力创建文明城市

创造优美环境　塑造城市形象

丰富的群众文化活动

安居乐业的家园

交通文明看南京

新街口广场车辆行人各行其道

市区路口安装先进交通信号设备

北京东路交通诱导彩色显示屏

北京市的社区晨练

北京市小学生在抗日战争纪念雕塑园举行主题队日活动

北京市西单广场文化节　传播文明树新风

上海市开展儿童健康咨询活动

南昌铁路局开展文明优质服务活动

上海市开展“崇尚科学，破除迷信”社区文化活动

上海市卢湾区文明社区建设点评台

兰州医学院第一附属医院开展献爱心活动

福建省广大妇女参加全民健身活动

平安保险公司杭州分公司的公益使者们获得首批时间“储蓄卡”

甘肃省天水市“十星级文明户”创建活动

兰州市开展学雷锋活动

南京市警务工作进社区

广西壮族自治区组织科技下乡

青海省现代文明进草原

云南省实施文明走廊工程

林业英雄伊春市林管局退休工人马永顺

富而思进的领头雁宁波市蔬菜开发公司总经理张建昌

模范民政干部射洪县民政局局长蔡绍福

公安模范河北省公安厅副厅长刘金国

献身教育事业的凤城市东方红小学原校长包全杰

情注真理的国防大学政治理论教研室主任许志功

书记大姐小鸭集团党委书记李淑敏

思想政治工作的模范西单
友谊集团总经理刘秀玲

优秀政工干部武警江门
市支队原副政委邵荣雁

魔芋大王安徽大学高级实验师何家庆

好支书常熟市蒋巷村党支部书记常德盛

第三批全国文明风景旅游区示范点

云南昆明世界园艺博览园

福建厦门鼓浪屿

宁夏沙湖

第三批全国文明风景旅游区示范点

江西南昌滕王阁

山西五台山中心区寺庙群

第三批全国文明风景旅游区示范点

河南洛阳龙门石窟全景

河南洛阳龙门石窟

重庆大足石刻

第三批全国文明风景旅游区示范点

吉林长春净月潭

山东青岛崂山龙潭瀑

浙江温州雁荡山大龙湫

中国精神文明建设年鉴

(2001)

中国精神文明建设年鉴编辑委员会 编

学习出版社

中国精神文明建设年鉴(2001)
ZHONGGUO JINGSHEN WENMING JIANSHE NIANJIAN
中国精神文明建设年鉴编辑委员会 编

学习出版社出版发行
地址:北京市西长安街5号
电话:010-66065654 66067331
邮政编码:100806

彩色印刷:北京恒智彩印有限公司
正文印刷:新世纪印刷厂
装订:北京恒智彩印有限公司
新华书店经销
2002年2月出版

ISSN 1009—9891
CN 11—4620/D
定价:300.00元(含光盘)
海外定价:860.00元

中央精神文明建设指导委员会

主　任：丁关根	中共中央政治局委员、 书记处书记、 中央宣传部部长
副主任：李铁映	中共中央政治局委员、 中国社科院党组书记、院长

成　员：

曹庆泽	中共中央纪委副书记
胡光宝	中共中央办公厅副主任
姜异康	中共中央办公厅副主任、 中央文明办副主任
李铁林	中共中央组织部副部长
刘云山	中共中央宣传部常务副部长、 中央文明办主任
刘延东	中共中央统战部副部长
陈冀平	中央政法委副秘书长
刘奇葆	国务院副秘书长、 中央文明办副主任
汪　洋	国家发展计划委副主任
张天保	教育部副部长
朱丽兰	科学技术部部长
祝春林	公安部政治部主任
项怀诚	财政部部长
俞正声	建设部部长
孙家正	文化部部长
张文康	卫生部部长
张维庆	国家计生委主任
钱冠林	海关总署署长
金人庆	税务总局局长
解振华	环保总局局长
徐光春	广播影视总局局长
李志坚	体育总局党组书记、副局长
王众孚	国家工商局局长
于友先	新闻出版署署长
何光玮	国家旅游局局长

江蓝生 中国社科院副院长

袁守芳 总政治部副主任

张俊九 全国总工会副主席、书记处第一书记

周　强 共青团中央书记处第一书记

顾秀莲 全国妇联副主席、书记处第一书记

胡振民 中央文明办专职副主任

《中国精神文明建设年鉴》编辑委员会

出版说明

《中国精神文明建设年鉴》（以下简称《文明年鉴》）是系统汇集我国精神文明建设重要文献和基本情况的资料性年刊。2001年卷收集的是2000年精神文明建设信息资料。

《文明年鉴》的编辑宗旨是，宣传邓小平、江泽民关于社会主义精神文明建设的理论，党和国家关于精神文明建设的方针政策，全面反映群众性精神文明创建活动进展情况，总结经验，提供信息，积累成果，为精神文明建设工作服务。

《文明年鉴》编委会由中央文明办、中央有关部委和系统文明办、各省（区、市）文明办的负责同志组成。编委会下设编辑部，由上述单位和学习出版社参加编辑工作的人员组成。编撰《文明年鉴》是精神文明建设的一项基础性工程。年鉴编辑部力求收入年鉴的信息资料具有系统性、可靠性和实用性，能够起到了解中央精神，借鉴先进经验，指导现实工作，保存历史资料的作用。

《文明年鉴》内容侧重于思想道德建设，特别是群众性精神文明创建活动。2001年卷设9个专栏：文献·讲话；法规·文件；概况综述；创建活动；先进典型；经验交流；理论成果；大事记；附录（组织机构、获奖名单、统计数据）。各个专栏的内容顺序按照行政序列、专题逻辑、时间先后编排。这9个专栏的内容综合起来，基本涵盖了全国精神文明建设的各个方面，比较系统地反映了2000年我国精神文明建设的实际进展情况。

《文明年鉴》的稿件由中央文明办、各部门、各系统、各省（区、市）文明办和年鉴编辑部撰写或选编。其中文献·讲话、大事记专栏的内容来源于权威媒体发表的文章和消息；法规·文件专栏中，中央和部委级的资料均在权威媒体公布过，省（区、市）的资料由各单位文明办提供；创建活动、先进典型、经验交流专栏的内容大部分由相关的文明办提供，其余选自权威媒体；理论成果专栏的理论文章选自报刊杂志，并做了摘编，图书简介由相关出版社责任编辑或原书作者撰写；附录部分的统计资料由编辑部根据《中国统计年鉴》选编。编辑部组织特约编辑对与本单位本地区相关的稿件内容进行审核，保证了信息的准确性。

《文明年鉴》的编辑出版工作，得到了中央文明委、中央文明办领导同志的关心和指导，得到了各部委、各系统、各省（区、市）文明委和文明办的大力支持，在此一并表示诚挚的感谢！

中国精神文明建设年鉴编辑部

2001 年 12 月

总 目

目　　录

文献·讲话

法规·文件

第六届全国职工职业道德十佳标兵

第十一届中国十大杰出青年

第三届中国十大女杰

先进单位

第六届全国职工职业道德建设十佳单位

经验交流

理论成果

理论文章摘要

图书简介

大　事　记

附 录

组织机构

表彰与获奖者名单

统计资料

文献·讲话

LITERATURE AND SPEECHES

江泽民：提高全民族的科学素质

——序《院士科普书系》

（1999 年 12 月 23 日）

人类走到了又一个千年之交。

人类的文明进程至少已有 6000 余年。地球上各个民族共同创造了人类文明的灿烂之花。中华文明同古埃及文明、古巴比伦文明、古印度文明、古希腊文明等一起，是人类文明的发源地。

15 世纪之前，以中华文明为代表的东方文明曾遥遥领先于当时的西方文明。从汉代到明代初期，中国的科学技术在世界上一直领先长达 14 个世纪以上。在那个时期，影响世界文明进程的重要发明中，相当部分是中华民族的贡献。

后来，中国逐渐落后了。中国为什么落后？近代从林则徐以来许多志士仁人就不断提出和思索这个历史课题。但都没有找到正确的答案。以毛泽东同志、邓小平同志为代表的中国共产党人作出了惟一正确的回答：中国落后，是由于生产力的落后和社会政治的腐朽。西方列强对中国的欺凌，更加剧了中国经济的落后和国家的衰败。而落后就要挨打。所以要进行革命，通过革命从根本上改变旧的生产关系和政治上层建筑，为解放和发展生产力开辟道路。于是，就有了 80 多年前孙中山先生领导的辛亥革命，就有了 50 年前我们党领导的新民主主义革命的胜利，以及随后进行的社会主义革命的成功。无论是革命还是我们正在进行的社会主义改革，都是为了解放和发展生产力。

邓小平同志提出的“科学技术是第一生产力”的著名论断，使我们对科学技术在经济和社会发展中的地位与作用的认识，有了新的飞跃。我们应该运用这一真理性的认识，深刻总结以往科学技术发展的历史经验，把我国科技事业更好地推向前进。中国古代科技有过辉煌的成果，但也有不足，主要是没有形成实验科学传统和完整的学科体系，科学技术没有取得应有的社会地位，更缺乏通过科技促进社会生产力发展的动力和机制。为什么近代科学技术首先在文艺复兴后的欧洲出现，而未能在中国出现，这可能是原因之一吧。而且，我国历史上虽然有着伟大而丰富的文明成果和优良的文化传统，但相对说来，全社会的科学精神不足也是一个缺陷。鉴往开来，继承以往的优秀文化，弥补历史的不足，是当代中国人的社会责任。

在新的世纪中，中华民族将实现伟大的复兴。在一个占世界人口 1/5 的发展中大国里，再用 50 年的时间基本实现现代化，这又是一项惊天动地的伟业。为实现这个光辉的目标，我们应该充分发挥社会主义制度的优越性，坚持不懈地实施科教兴国战略。

科教兴国，全社会都要参与，科学家和教育家更应奋勇当先，在全社会带头弘扬科学精神，传播科学思想，倡导科学方法，普及科学知识。科教兴国也要抓好基本建设。编辑出版高质量的科普图书，就是一项基本建设，对于提高全民族的科学素质，是很有意义的。在《院士科普书系》出版之际，写了上面这些话，是为序。

（2000 年 6 月 5 日《人民日报》）

江泽民：在首都各界迎接新世纪和新千年庆祝活动上的讲话

（1999年12月31日）

女士们，先生们，同志们，朋友们：

2000年到来的钟声，就要鸣响在我们这个星球的寥廓上空。人类文明的发展，即将进入一个新世纪，开启一个新千年。今夜，在世界的东方与西方、南方与北方，各国人民无分民族、无分信仰，都在为这一历史时刻的来临而欢欣鼓舞。

首先，我向全国各族人民和海外侨胞，向世界各国的朋友们，祝贺新年快乐！并致以新世纪、新千年的最良好祝愿！

此时此刻，最能引起人们回顾既往，瞻望前程。只有正确地总结历史，才能更好地走向未来。

一千年来，人类历史发生了沧桑巨变。人类文明从古代文明发展到了现代文明。人类社会经过封建社会进入了资本主义社会，并且在一些国家诞生了崭新的社会主义制度。人类的经济活动进到了工业经济时代，并正在转入高新技术产业迅猛发展的时期。人类创造了以往数千年无法比拟的巨大物质与精神财富。人类对世界的认识和改造，突破一个又一个必然王国而不断地向着自由王国飞跃。

一千年来，人类文明取得的一切成就，都是在推陈出新的社会变革和科技进步中实现的。著名的文艺复兴运动，打破了欧洲中世纪的黑暗神学统治。和平与正义的伟大力量，战胜了各种横行世界的“霸主”及其发动的非正义战争。历时几个世纪的殖民主义体系，终于在本世纪风起云涌的民族解放运动中宣告终结。各国人民的卓越创造和广泛交流，汇成了推动历史前进的浩荡动力。要和平、求发展已成为当今世界的时代潮流。

早在这一千年前，中华民族就以发展了几千年的灿烂文明而著称于世界，并将这种领先地位一直保持到15世纪。后来由于生产力发展的迟缓和社会政治的腐朽，中国逐渐落后了，以至于近代陷入了遭受列强欺凌的半殖民地半封建社会的悲惨境地。但是，中华民族没有屈服，而是前仆后继地进行艰苦卓绝的斗争。以毛泽东同志为代表的中国共产党，坚持把马克思主义基本原理同中国具体实际相结合，领导人民经过伟大的革命终于在本世纪中叶建立了新中国。中国从此进入了建设社会主义的新时代。现在，中国人民沿着邓小平同志开创的改革开放之路正在向现代化的彼岸阔步前进。

进步终究要战胜落后，科学终究要战胜愚昧，正义终究要战胜邪恶，这是历史不断昭示人们的科学真理。世界和平与发展的崇高事业是不可阻挡的。

面对新的世纪之交和千年之交，每个国家有远见的政治家都应从历史的高度思考：未来的世界应该是一个什么样的世界，应该为实现这样一个世界作出什么样的贡献。

我们希望，在未来的世界，各个国家和各个民族能够始终和睦相处、友好合作、共同发展，能够建立起公正合理的国际政治经济新秩序，能够实现持久和平和普遍繁荣，各国人民都能够按照自己的意愿创造并享受美好的生活。世界正在走向多极化，这是历史发展的必然趋势，也是各国人民的共同愿望。中国人民愿与各国人民一道，为反对霸权主义和强权政治，推动多极化进程，创造世界美好的未来而共同奋斗！

我们坚信，在新世纪里，中国人民将坚定不移地沿着建设有中国特色社会主义道路继续前进，中国的社会主义制度将经过不断改革而更加巩固和完善，中国的发展将通过各个地区的共同进步达到普遍繁荣，中华民族将在完成祖国统一和建立富强民主文明的社会主义现代化国家的基础上实现伟大的复兴！

(2000年1月1日《人民日报》)

江泽民：在全国政协新年茶话会上的讲话

(2000年1月1日)

同志们，朋友们：

今天是2000年元旦佳节，也是人们迎接新世纪、新千年的特殊时刻。今天凌晨，我们在中华世纪坛举行了隆重的庆祝活动。现在，我们又在这里欢聚一堂，共度2000年元旦。我代表中共中央、国务院、中央军委，向各民主党派和各人民团体，向全国广大工人、农民、知识分子，向中国人民解放军指战员、武警官兵和公安干警，向香港特别行政区同胞、澳门特别行政区同胞和台湾同胞、海外侨胞，向关心和支持中国现代化建设的国际友人，致以节日的问候。祝大家新年好！

1999年，是我国发展历史上很不平凡的一年。在中国共产党的领导下，全国各族人民同心同德、努力奋斗，战胜了来自国内外的严峻挑战和困难，改革开放和各项建设事业取得了新的成绩，为我们实现跨世纪发展的宏伟目标进一步打下了坚实的基础。

1999年，是中华人民共和国成立50周年。我们举行了盛大的庆祝活动，全面检阅了我国社会主义现代化建设取得的辉煌成就，极大地增强了全国各族人民建设有中国特色社会主义的信心。我们按照邓小平同志提出的“一国两制”方针，顺利恢复了对澳门行使主权，在完成祖国统一大业的道路上又迈出了重要一步。

1999年，根据国际国内形势的需要，我们进行了三场政治斗争，并取得了重大的胜利。我们坚决反对以美国为首的北约袭击我驻南使馆的野蛮行径，维护了祖国的主权和尊严，激发了广大人民的爱国主义热情。

我们开展了反对李登辉抛出的所谓“两国论”的斗争，有力地维护了祖国统一，打击了台湾分裂势力的嚣张气焰。我们果断处理了“法轮功”邪教组织，清除了这个危害人民利益和社会政治稳定的祸患，用事实教育了广大干部群众。这三场斗争的胜利，其政治意义和影响将是深远的。

面对复杂的国际经济环境和国内经济发展的新形势新情况，我们继续全面贯彻扩大内需的方针，加强农业的基础地位，积极推进国有企业的改革和脱困工作，努力克服亚洲金融危机的影响，继续扩大对外开放，实现了预期的经济增长目标。我国农业获得较好收成，工业生产平稳增长，外贸出口转降为升，金融运行比较平稳，财政收入显著增加，人民生活继续改善，社会保持稳定。“神舟”号飞船试验飞行成功，标志着我们在航天技术上取得了新的重大突破。实践证明，只要全党和全国上下团结奋斗，我们就能战胜一切困难和风险，不断向前迈进。

在过去的一年里，我们在县级以上党政领导班子和领导干部中开展“三讲”教育，解决党性党风方面存在的突出问题取得了明显成效，进一步提高了领导干部贯彻党的基本理论、基本路线的自觉性和坚定性。

党的十五届四中全会对国有企业的跨世纪发展作出了全面部署，继续发挥国有企业在国民经济中的支柱作用。农业、科技、教育、金融等各项改革继续深化。国有企业下岗职工基本生活费、城镇居民最低生活保障水平、离退休人员养老金标准提高。加强生态环境建设，治理江河湖泊，取得了重要进展。我们作出了实施西部大开发的战略决策。中央党政机关同所办经济实体和管理的直属企业脱钩的工作，取得了很大成绩。党政机关的机构改革继续进行。反对腐败、打击走私和各种犯罪活动的斗争深入发展。党的建设、民主法制建设、精神文明建设都有新的进步。军队和国防建设进一步加强。

我们坚持独立自主的和平外交政策，对外工作取得了新的进展。我们进一步加强了与周边国家的睦邻友好关系，进一步巩固和发展了同广大发展中国家的团结合作，同西方大国的关系继续改善和发展。我们坚持正确的谈判方针和原则，灵活掌握谈判的时机和分寸，与美国等国家达成了中国加入世界贸易组织的双边协议，为解决我国加入世贸组织问题创造了重要条件。我们在联合国、亚太经合组织、与东盟领导人非正式会晤等多边外交场合积极发挥作用。我们坚决反对以强凌弱的霸权主义和强权政治。我国的国际威望和地位进一步提高。我们将继续为促进世界的和平与发展，为建立公正合理的国际新秩序作出不懈的努力。

政治多极化和经济全球化趋势都在发展。国际形势总体上趋向缓和，和平与发展仍然是时代的主题。机遇大于挑战，希望多于困难。我们必须加强发展的紧迫感，扭住经济建设这个中心不放，只争朝夕地去增强我们的经济实力、国防实力和民族凝聚力，争取在21世纪的激烈国际竞争中取得更加主动的地位。

2000年是世纪之交的一年，也是实现“九五”计划和本世纪末重要奋斗目标的最后一年，深化改革、促进发展、保持稳定的任务都很重。全国各族人民和各界人士要在中国共产党的领导下，进一步认清形势、明确任务，抓住机遇、开拓进取，坚定信心、团结奋斗。我们要坚定不移地坚持以党的基本理论和基本路线为指导，全面贯彻落实党的十五大和十五届三中全会、四中全会精神，继续实施中央推进改革开放和经济建设的一系列政策措施。要突出抓好国有企业的改革和发展，抓好经济结构的调整，抓好科技进步和扩大内需的工作，以利继续保持国民经济的持续快速健康发展。稳定和加强农业的基础地位，任何时候都不能放松。今年是实现国有企业改革和脱困三年目标的决战之年，要加快建立现代企业制度的步伐，加大技术改造的力度，特别要积极探索解决深层次的矛盾和问题。要继续加强精神文明建设和思想政治工作，深入开展党风廉政建设。正在进行的“三讲”教育取得了明显的成果，要继续按照中央的部署搞好下一阶段的“三讲”教育。各地各部门都要把进一步改善人民群众的生活，作为处理好改革、发展、稳定关系的大事抓好抓实。维护社会稳定，是我们实现各项工作目标的前提。对任何可能导致不稳定的因素，思想上要高度重视，工作上要妥善解决。对敌对势力进行的各种破坏活动，要依法予以坚决打击。

香港、澳门回归祖国，标志着近代西方列强侵占中国领土的历史宣告终结，标志着实现祖国的完全统一已取得了重大进展。解决台湾问题，最后完成祖国统一的神圣使命更加突出地摆在包括台湾同胞、海外侨胞在内的全国各族人民面前。应该坚信，台湾问题是一定能够得到解决的。

海峡两岸关系已有了长足的进展，两岸经济相互促进，人员往来大幅增长，各项交流日益展开，台湾同胞在祖国大陆的投资已具有了一定规模。鼓噪一时的所谓“两国论”遭到了海内外一切爱国同胞的强烈谴责，而且在国际上得不到任何响应和支持。国际社会普遍认同一个中国的原则，实行一个中国的政策。台湾是中国领土一部分的地位是不能改变的。我们坚持“和平统一、一国两制”的方针没有改变。我在五年前提出的发展两岸关系、推进祖国和平统一进程的八项主张没有改变。我们寄希望于台湾当局，更寄希望于台湾人民。我们愿意同一切主张一个中国原则、发展两岸关系的台湾各党派、团体和人士接触交往，增信释疑，推进共识。我们再次呼吁，在条件成熟时，在一个中国原则的基础上进行海峡两岸的对话与谈判，什么问题都可以谈，台湾人民和各界人士的利益都将得到充分的考虑。我们充分重视台湾与港澳的不同特点。按照“一国两制”方针解决台湾问题，实现和平统一的内容可以比港澳更为宽松。我必须强调指出，一个中国的原则是和平统一的基础和前提。为了实现祖国的完全统一，对任何分裂中国主权和领土完整，进行所谓“台湾独立”、损害两岸中国人民根本利益的严重分裂活动，我们绝不会坐视不管。

在这个新的世纪之交和千年之交的重要时刻，我们回顾过去，展望未来，更加充满了前进的必胜信念。中华民族在几千年的历史进程中为人类文明作出了不可磨灭的贡献。20世纪的100年，是中国人民从逆境中顽强奋斗，最终掌握了自己的命运，走上全面振兴的康庄大道的100年。20世纪开始的时候，由于帝国主义列强的侵略和封建统治的腐朽，中国人民处于水深火热之中。在中国共产党的领导下，中国人民前仆后继、浴血奋斗，推翻了封建主义、帝国主义和官僚资本主义的统治，建立了新中国。经过新中国成立后建设社会主义的艰苦探索，我们走上了改革开放的伟大道路。今日之中国，正以强劲的姿态屹立于世界的东方。今日之中国人民，正沿着建设有中国特色社会主义道路大踏步地走向前方。中国在20世纪的历史反复说明，只有在中国共产党的领导下，紧跟时代前进的潮流，始终走适合自己国情的路，我们才能真正掌握中国发展的命运，实现振兴中华的伟大目标。

在过去的一年中，人民政协围绕中心、服务大局，积极履行政治协商、民主监督、参政议政职能，为促进我国的经济发展和社会全面进步作出了重要贡献。在新的一年里，希望人民政协继续发挥自己的特点和优势，紧紧围绕国家的工作大局，进一步开展对改革、发展、稳定的重大问题的研究，进一步建言献策，进一步反映群众的真情实况，为促进改革开放和现代化建设、维护社会稳定作出新的贡献。

同志们，朋友们，我们所从事的事业是伟大的事业，有着无比光明的前途。中国的社会主义现代化，中华民族的伟大复兴，已是跃出东方地平线的一轮绚丽红日，这轮红日是注定要高高升起来的，它的美丽霞光正在照耀祖国的大好河山。我们深知前进的道路不会平坦，必须做好战胜各种困难和风险的充分准备。我相信，只要全国各族人民和各界爱国人士同心同德，脚踏实地，艰苦奋斗，不懈努力，就一定能够创造出无愧于前人的光辉业绩。

谢谢大家！

(2000年1月2日《人民日报》)

江泽民：致全国双拥模范城（县）命名大会的贺信

(2000年1月12日)

新年伊始，全国双拥模范城（县）命名大会在北京举行。我代表党中央、国务院、中央军委，对会议的召开表示热烈祝贺！

拥军优属、拥政爱民，是我党、我军和我国各族人民的优良传统，是我们特有的政治优势。军政军民的坚强团结极为重要。它对我们促进国家发展和军队建设，维护国家安全和社会稳定，以及战胜各种严重自然灾害，已经并将继续发挥重大的作用。

全面推进建设有中国特色社会主义事业，努力增强我国的经济实力、国防实力和民族凝聚力，实现中华民族的伟大复兴，始终需要广大军民同心同德，艰苦奋斗。我们要适应新形势和新任务的要求，继续深入扎实地做好双拥工作，不断巩固和发展军政军民团结的大好局面。

全军和武警部队要忠实履行全心全意为人民服务的宗旨，坚定不移地贯彻服从国家建设大局的方针，积极支持和参加国家改革与建设事业，为民造福，为国兴利。军队和国防建设关系国家的长治久安，是全党和全国各族人民的共同事业。各级党委、政府都要关心和支持军队建设，在干部群众中深入开展以爱国主义为核心的国防教育，认真抓好拥军优属各项政策法规的落实，积极配合部队完成教育训练、战备执勤等各项任务。要在全社会进一步发扬和保持军爱民、民拥军，军民团结一家亲的优良风尚。

军民团结如一人，试看天下谁能敌。在党中央的领导下，军政军民同呼吸、共命运、心连心，我国改革开放和社会主义现代化建设就一定能不断从胜利走向更大的胜利。

预祝大会圆满成功！

（2000年1月13日《人民日报》）

江泽民：在中央纪委第四次全体会议上的讲话

（2000年1月14日）

中央纪委这次全会，是在新的世纪之交和千年之交的重要历史时刻召开的，具有不同寻常的意义。尉健行同志所作的工作报告，我完全同意。各级党委和纪委要认真贯彻落实这次会议的精神，推动党风廉政建设和反腐败斗争继续深入发展，取得新的成果。今天，我想着重讲一讲从严治党问题。

一、充分认识新形势下从严治党的重大意义

当今世界处在重大而深刻的变动之中，科技进步日新月异，综合国力竞争日趋激烈，我们既面临着难得的发展机遇，又面临着严峻的挑战。我们党正在领导全国各族人民为实现跨世纪发展的宏伟目标而奋斗，改革处于攻坚阶段，发展处于关键时期，研究和解决前进道路上出现的新情况、新问题需要我们继续付出艰苦的努力。中国共产党是领导建设有中国特色社会主义伟大事业的核心力量。工农兵学商，党是领导一切的。当今中国的事情办得怎么样，关键取决于我们党，取决于党的思想、作风、纪律、组织状况和战斗能力、领导水平。党的性质、党在国家和社会生活中所处的地位、党肩负的历史使命，要求我们治国必先治党，治党务必从严。治党始终坚强有力，治国必会正确有效。

从严治党，是我们党的优良传统和宝贵经验，也是我们党的一贯方针。坚定不移地贯彻好这个方针，是保持党的先进性和纯洁性，增强党的凝聚力和战斗力的重要保证。党的十五大提出了面向新世纪推进党的建设的战略任务，重申了从严治党的方针，并提出了明确的工作要求，这是具有全局意义和长远意义的。全党同志特别是领导干部，必须充分认识它的极端重要性。

我们党的发展进程，是与20世纪中国和中华民族的发展进程紧密联系在一起的。我们党从小到大，领导全国各族人民取得的革命、建设和改革的伟大成就，都是在近100年中国和世界发生巨大变化的历史条件下实现的。作为一个马克思主义的政党，必须始终注重总结历史，善于运用辩证唯物主义和历史唯物主义的世界观、方法论，从对历史规律的不断认识和把握中找到指导我们前进的正确方向、道路与经验，不断开辟未来发展的新境界。

在充满挑战与希望的21世纪里，我们党应该怎么加强自身建设，我们国家应该怎么奋发图强，怎么保持党的事业兴旺发达和国家长治久安，这是全党同志特别是高中级领导干部要首先和经常考虑的非常重大的问题。其中一个极为重要的方面，就是要全面研究我们党70多年的历史，并结合世界社会主义事业的曲折历程来进行总结和反思。

20世纪的一个重要特征，就是社会主义的兴起，以及在世界政治格局发生变化、国际经济竞争和科技进步不断发展的条件下社会主义同资本主义展开的长期较量与激烈斗争。从列宁领导十月革命取得胜利，到第二次世界大战后中国等一批国家建立起社会主义制度，社会主义显示了蓬勃的生命力，深刻地改变了世界政治力量的对比。而到20世纪末，发生了东欧剧变、苏联解体，社会主义的发展遇到了严重曲折。在中国，由于邓小平同志领导我们实施改革开放的新政策，开辟了建设有中国特色社会主义的光辉道路，社会主义事业焕发出了新的生机。这样一个错综复杂、变化深刻的历史进程，向人们、向一切马克思主义者和共产党人提出了许多重大的课题。世界社会主义的这种发展变化究竟是什么原因引起的？中国共产党和中国社会主义事业应该如何在已有成就的基础上继续开辟光明的未来？把这些问题思考和研究清楚了，我们党就会更好地巩固和加强自己，更好地领导人民在新的世纪谱写出中国历史发展的新篇章。这是中国共产党作为执政党，对国家、对人民、对历史所应该采取的负责态度。

几十年来，我们党为民族的独立解放和国家的发展繁荣进行了不懈的奋斗，作出了最大的牺牲和贡献，因而赢得了全国各族人民的衷心爱戴和拥护。但是，我们也要清醒地看到，经过这样长一个历史过程，我们党在新时期所处的国内外环境、党的队伍的构成等等，都同过去大不一样了。在新的形势下，党内也经常产生一些不容忽视的问题，一些惰性的、消极的甚至腐朽的东西逐渐滋生起来，从思想上、作风上和组织上严重侵蚀着党员、干部队伍，影响着党的凝聚力、战斗力的增强和党同群众关系的加强。这些年来，虽然我们始终强调要加强党的思想政治建设和组织建设，加强党风廉政建设和反腐败斗争，取得的成绩也不小，但党员领导干部中的违纪犯法、腐化堕落案件仍时有发生，有些案情之恶劣，涉案人数之多，是新中国建立以来所没有过的。“法轮功”问题的出现，给了我们很深刻的教训，其中一个发人深省的问题就是一批党员、干部参与其中。相当一些在职的地、县级领导干部参与了“法轮功”活动。有的在职和离退休干部，甚至个别入党几十年的老干部，竟然成了“法轮功”组织的骨干。还有极少数人私欲恶性膨胀，为了达到目的，竟然勾结或利用黑社会势力置他人于死地。近年来，在领导干部中发生的谋官害命或报复杀人案已有多起。这些触目惊心的事例，难道还不需要引起我们各级党委和领导同志的高度警觉吗？对党内存在的问题，决不能视而不见，讳疾忌医，而应该坚决纠偏补弊，激浊扬清，认真加以解决。这也是中国共产党作为执政党，对国家、对人民、对历史所应该采取的负责态度。

从总体上说，我们党是有战斗力的，党的组织和党员干部队伍是好的。这是主流，是基本的方面。看不到这一点，是不对的、有害的。但看不到存在的问题，或者对问题的严重性和危害性估计不足，同样是不对的、有害的。产生这些问题的原因很多，既有客观方面的原因，也有主观方面的原因，既有现实的原因，也有历史的原因。以美国为首的西方国家加紧实施“西化”、“分化”我国的战略图谋，千方百计地企图用它们的那一套政治观点、意识形态和生活方式影响我们。随着改革的深化和社会主义市场经济的发展，经济成分、利益主体、社会组织和社会生活方式日趋多样化，给人们的思想观念和人与人之间的关系不可避免地会带来这样那样一些影响，包括一些消极的影响。历史上产生并遗留下来的一些腐朽落后的东西，在今天的社会生活中依然有某些存在的条件。这些都必然会反映到党内来。这种复杂的社会环境，对党员、干部保持共产党人和人民公仆的革命本色提出了严峻的挑战，也使党的建设遇到了许多前所未有的新矛盾、新问题。这就向我们提出，越是改革开放，越是发展社会主义市场经济，越要从严治党。如果治党不严，纪律松弛，组织涣散，发展下去不是没有亡党亡国的危险啊！对此，全党同志务必始终保持清醒的头脑。在新的国内外环境中，如何保证我们党始终保持工人阶级先锋队性质，始终代表最广大人民群众的利益，始终经得起各种风险和困难的考验，始终坚强有力地发挥好领导核心作用，这是面向新世纪加强党的建设必须进一步解决好的最重大的课题，也是决定社会主义在中国的跨世纪发展中进一步巩固和充分显示优越性的根本问题。解决好这个问题，需要从思想、政治、作风、纪律和组织、制度上全面推进党的建设这个新的伟大工程。而这种全面推进，又始终离不开坚持从严治党的方针。

二、坚决落实从严治党的方针

改革开放一开始，邓小平同志和我们党就充分估计到了实行改革开放的新政策和新环境，必然会给党的发展壮大带来新的动力和活力，但也可能对党员、对干部队伍带来这样那样的一些消极影响，因而反复强调要全面加强和改进党的建设。20年来，我们不仅提出了新时期党的建设的总目标，并且围绕不断提高领导水平和执政水平，不断增强拒腐防变的能力这两大课题，进行了大量的工作。1989年以来，我们及时总结了当年春夏之交发生的那场政治风波的严重教训，对加强党的建设采取了一系列重要措施，多次强调治党要严，特别是加大了党风廉政建设和反腐败斗争的工作力度，进一步明确了反腐败斗争的指导思想、基本原则、工作格局和领导体制。党的十四大以来，我多次到中央纪委全会讲话。这几年，党的建设取得的成绩总的看是显著的，但党内新发生的问题也不少。这是为什么？各级领导同志应该进行严肃的思考。

我看，党内存在的一些消极腐败现象之所以屡禁不止，有的情况还日趋严重，一个重要原因，就是相当一些地方和单位的党组织和领导者治党不严，对党员干部特别是领导干部疏于教育、疏于管理、疏于监督。一些地方和单位的领导班子软弱涣散，思想上、政治上不强，不能正确处理发展经济与加强党的建设的关系，一手硬、一手软，党不管党的问题没有真正解决。有的领导干部对出现的问题，不仅不能见微知著，而且在问题已经比较严重了还麻木不仁，甚至包着、护着，该教育的不教育，该批评的不批评，该查处的不查处。有的搞"好人主义"和庸俗的关系学，面对错误的思想行为缺少正气，尤其是对亲近自己的所谓"熟人"，能为自己办事的所谓"能人"，有点影响的所谓"名人"，处在重要位置上的所谓"要人"，以及所谓"有背景"的人和自己的亲人，即使问题严重，也往往宽容有加，甚至姑息养奸。有的不能正确总结历史教训，把从严治党同"左"的做法混为一谈，以为"严"就是"左"，对错误的东西放弃了批评和斗争。还有的官僚主义严重，做官当老爷，根本不了解群众的呼声，饱食终日，无所用心。我谈这些，主要是从党组织和领导干部的角度，对妨碍和影响从严治党的因素作些分析，目的是希望各级党委和领导同志高度重视从严治党，深入思考贯彻这个方针为什么乏力的原因，以便对症下药，排除障碍，坚定态度，把中央关于从严治党的要求真正落到实处。

落实从严治党的方针，不是一时一事的要求，必须全面贯穿于党的思想、政治、组织、作风、纪律和制度建设的各方面工作，切实体现到对各级党组织、广大党员和干部进行教育、管理、监督等各个环节中去。党的十五大明确提出了从严治党的要求，各级党组织一定要认真贯彻落实。这就是要严格按党章办事，按党的制度和规定办事；要对党员特别是领导干部严格要求，严格管理，严格监督；要在党内生活中讲党性，讲原则，开展积极的思想斗争，弘扬正气，反对歪风；要严格按照党章规定的标准发展党员，严肃处置不合格党员；要严格执行党的纪律，坚持在纪律面前人人平等。这五条，相互联系，不可分割，都很重要。各级党组织和全体党员、干部，都要认真按照这些要求去做，领导干部更要以身作则，严以律己，起好带头作用。

落实好从严治党的方针，必须坚持党要管党。各级党委都要建立和健全抓党的建设的责任制，一级管好一级，一级带动一级，一直抓到支部、抓到党员。各级都要严格实行集体领导与个人分工负责相结合，出了问题要分清责任，不能拿"经过集体讨论决定"等理由来搪塞应负的责任，要按照责任制予以追究。管党的要求落实了，从严治党才有组织保证。

在从严治党中，首先要治理好领导班子和领导干部。大量事实说明，把从严治理领导班子和领导干部这个关键抓住了、抓好了，才能在下级、在基层、在群众中有说服力，才能把从严治党的各项工作做好。关于这个问题，中央已有许多规定和要求，我想再强调四个方面：

第一，对领导干部一定要严格要求、严格教育。关于对领导干部的要求，党章和党的有关规定都是明确的，中央对高级干部还提出了政治家素质的五条要求。各级党委要依据这些标准，严格要求和教育领导干部。如果降低了标准，就容易导致要求不严。一旦发现干部中有了不良苗头要及时提醒，认真帮助，出了问题一定要果断、严肃处理。还要针对领导干部中可能出现的问题，早打招呼，把哪些能做、哪些不能做，什么必须坚持、什么必须反对等要求，明白无误地讲清楚，并严加督促。

对领导干部严格要求、严格管理，要同领导干部自觉地严格自律结合起来。内因是事物变化的决定性因素。建立在我们党的党性基础上的严格自律，对每个党员干部的进步和提高起着决定性的作用。中央所以反复强调领导干部要“讲学习、讲政治、讲正气”，要自重、自省、自警、自励，努力提高自身素质，基本道理就在这里。“物必自腐，而后虫生。”掌握这种生活哲理，对于我们党的各级领导干部增强党性修养的自觉性，十分重要。在新的历史条件下，领导干部面临的诱惑和考验很多，一定要经常打扫头脑中的灰尘，做到警钟长鸣，切不可丧失警惕。

由于长期的和平建设环境和生活条件的改善，不思进取、贪图享乐、骄奢淫逸的思想，在一些人身上滋长起来，这是很多问题发生的一个重要原因。我在几年前就说过，领导干部要把执行党的现行政策同坚持党的最高理想和党章对党员领导干部提出的要求统一起来，处理好“先富”与共同富裕的关系。现在看来，这个问题还没有引起各级领导干部的普遍重视和全面正确的理解，有的至今仍存在模糊认识。允许一部分地区、一部分人通过诚实劳动和合法经营先富起来，是党和国家的一项大政策，目的是为了加速经济发展、通过先富带后富，最终达到共同富裕。应该充分认识到，党提出这项政策，是符合经济发展不平衡和事物波浪式前进的规律的，也只有实行这样的政策，才能从根本上打破困扰我们多年、挫伤人们积极性的“平均主义”，充分调动和发挥广大劳动者的积极性、主动性和创造性。正因为这样，党提出这项政策，首先是面对广大劳动群众的，就是说对处于生产和建设第一线的广大工人、农民、知识分子和同他们一块搞生产、搞建设的基层党员，应鼓励他们通过诚实劳动和合法经营先富起来。作为党和国家的各级领导干部，不能看到群众和基层党员中有人先富起来就坐不住了，就想自己也先富起来。各级领导干部应该依靠国家给予的工资收入来安排生活。虽然现在绝大多数领导干部工资收入并不高，比较清苦，但必须坚持“吃苦在前、享受在后”的原则。你是领导干部，就应该有这种觉悟和奉献精神。不能想着在工资收入之外再去捞点什么外快，赚点什么好处。如果领导干部整天都想着自己先富起来，那就不对了，而且很危险。一旦产生了这样的思想，就很容易利用手中掌握的权力去搞以权谋私，权钱交易，必然损害国家和人民的利益。对党的领导干部来说，不管是革命、建设还是改革时期，“吃苦在前，享受在后”这个原则不能变。大家一定要正确理解和执行党的富民政策，千方百计地帮助群众特别是贫困地区的群众富裕起来。领导干部自己则应该带头吃苦，甘于奉献，要有“先天下之忧而忧，后天下之乐而乐”的精神。这样的道理和要求，要向各级领导干部经常讲、反复讲。领导干部的精神境界高了，思想防线真正牢固了，都自觉按照党的原则和要求行事，很多问题就可以防患于未然。

这里我还想强调一下，领导干部一定要管住管好自己的配偶和子女。中国早就有“修身齐家治国平天下”的古训。家都治不好，何谈治党治国？这几年，在领导干部中，治家不严，对配偶子女利用自己的地位和权力的影响谋取非法利益视而不见、不闻不问，甚至庇护亲属违法犯罪的人，不是在减少，而是在增加，教训十分深刻。领导干部手中的权力是人民赋予的，只能用来为人民谋利益，绝不能把它当做自己和家庭成员谋取私利的手段。我们是共产党人，决不能搞封建社会那种“封妻荫子”、“一人得道、鸡犬升天”的腐败之道！能不能做到这点，是对每一个领导干部很现实、很严肃的考验。这次中央纪委全会重申领导干部不准利用职权和职务上的影响为配偶子女谋取非法利益等规定，是很必要的，具有很强的现实针对性，各级领导干部都要严格执行。

现在有一种所谓的“59现象”。在接近退休年龄的领导干部中，有的人感觉到自己快要退下来了，就放松对自己的要求，认为可以抓紧捞一把了，不然就没有机会了，结果走上了违法犯罪的邪路。必须针对这个情况，加紧研究，加强防范。关键还是教育领导干部特别是高级干部要保持革命晚节，不断加强党性锻炼，加强思想政治修养，做到永远忠诚老实，廉洁奉公。共产党人时时刻刻都应该把党和人民的利益放在首位，对个人的名利地位应该看得淡一些。我们来到这个世界上，对名位钱财之类，生不带来，死不带去，总要多做些有益于国家、社会和人民的事，这才是人生价值的根本体现。元曲和《红楼梦》中都有“赤条条来去无牵挂”这样的话，我们有什么个人的东西不能割舍啊？我国历史上有许多格言警句和诗词歌赋，都是劝人要奋发向上，淡泊处世，不要为了一点蜗角虚名，蝇头小利而蝇营狗苟地生活。老子就说过：“祸莫大于不知足，咎莫大于欲得。”我不是说要大家“看破红尘”，那是一种消极的生活态度。我们共产党人的哲学是奋斗的哲学，要为党、为国家、为民族、为人民的利益而不懈奋斗。对个人的名利，要看得开一些，否则很难经受住改革开放和发展社会主义市场经济这种新的社会环境的考验。

第二，对领导干部的选拔任用一定要严格把关。选贤任能，事关重大。各级党委一定要全面贯彻干部队伍“四化”方针和德才兼备原则，防止片面性和简单化；一定要坚持任人惟贤，反对任人惟亲；一定要搞五湖四海，反对“以人划线”和“以地域划线”；一定要注重对干部思想政治素质包括道德品质的考察，不要只重才而轻德。尤其要注意充分发扬民主，走好群众路线，坚持群众公认原则，做到多数人不赞成的不提名，未经组织人事部门认真考察的不讨论，集体讨论时多数人不同意提拔任用的不通过。要及时发现和选拔那些真正是政治坚定、实绩突出、清正廉洁、群众拥护，艰苦朴素、实事求是、作风正派、脚踏实地干工作的干部，对其中优秀的要委以重任。对于政治信仰动摇，工作不负责任，热衷于投机钻营、跑官要官、争权夺利、拉帮结伙，以及弄虚作假、虚报浮夸的人，不仅不能提拔，还要严厉批评，问题严重的要坚决查处。要逐级建立健全用人失察责任追究制度，对选拔任用干部违反干部政策、不按规定行事造成失误的，要严肃追究责任。对在干部任用上搞以权谋私、权钱交易、受贿卖官的，一经发现就要抓住不放，坚决查处，严惩不贷。

第三，对领导干部一定要严格监督。从这些年和最近揭露出来的一些大案要案来看，一些领导干部搞权钱交易、权色交易，简直到了利令智昏、利欲熏心、胆大包天、无法无天的地步！据了解，这几年查处的领导干部违纪违法案件，大多数是群众举报或查办其他案件牵带出来而获得线索的，这在很大程度上反映出对领导干部的监督软弱乏力。这里面的突出问题，就是还没有完全形成有效的监督管理制度和机制，越是高级干部越缺少有力的监督和管理。看来，这是干部工作中的一个薄弱环节。在这方面，已有的制度要坚决执行并继续完善，没有的要赶紧建立。这是当务之急。要纠正干部工作中重选拔任用，轻任后监督的现象。不管是谁，有了问题都要严肃对待，加大监督力度，特别要加强主动监督，把监督的关口往前移，加强事前防范。现在的社会情况和人际关系比过去复杂得多，要有效地监督领导干部确实有难度。但越是有难度，就越要下功夫改进和加强监督工作，努力做到领导干部的权力行使到哪里，领导活动延伸到哪里，党组织的监督就实行到哪里。对领导干部工作时间内的表现要监督，工作时间以外的活动也要注意。各级党委都应根据形势发展的要求，从不同层次、不同岗位领导活动的特点出发，积极探索对领导干部实施有效监督的途径和办法，努力提高监督水平。

邓小平同志曾经指出，领导干部的情况，上级不是能天天看到的，下级也不是能天天看到的，而同级的领导成员之间彼此是最熟悉的。小平同志这个思想很深刻，具有很强的现实指导作用。我们有些领导班子缺少正常的相互监督和帮助，一团和气、息事宁人，回避和掩盖矛盾，当“好好先生”。这些干部实际上已经自觉不自觉地当了庸俗哲学的俘虏。这种状况必须改变。各级领导班子要切实负起责任，在班子成员之间努力保持讲党性、讲原则的同志关系，该提醒的及时提醒，该批评的及时批评，该制止的及时制止。这样做，才是对同志的真心爱护。

第四，对领导干部中发生的违纪违法行为一定要严肃查处。要坚决改变失之于宽、失之于软的现象。越是高级干部，越是名人，他们中发生的违纪违法事件越要严肃查处，因为这些人影响大，违纪犯法的危害大，抓住典型处理了，效果也大。当年，我们党果断处理了刘青山、张子善案件，对党员、干部进城后注意反腐倡廉、拒腐防变起了很大的警戒作用。为了保证改革开放和现代化建设的顺利进行，为了教育、爱护和警醒广大干部，为了维护法纪的尊严，对敢于无视法纪、违法犯罪的干部，必须用重典。不论是谁，不论职务多高，该受什么处分就给什么处分，该重判的坚决重判，决不手软。否则，腐败之风刹不住，也难以服众。案情重、影响大的典型案件，要把问题和教训讲透，教育大家提高认识，引以为戒。有的可以公之于众，形成强大声势，增强群众信心。各级领导同志对查处干部违法违纪案件，不准说情，更不准袒护和包庇。对瞒案不报、压案不办，或设置障碍、阻挠查处的，纪检机关要严肃处理。

我们党是围绕自己的政治纲领、按照自己的政治路线、为实现自己的政治目标而组织起来的马克思主义政党，必须有铁一样的纪律。全党纪律严明，朝气蓬勃，我们才能无往而不胜。现在，有的党员干部在报刊书籍和讲坛上，对党的路线方针政策，对中央已经作出决定的重大理论问题和历史结论，公开发表反对意见。有的公然歪曲党的历史、诋毁党的领袖人物和党的优良传统，散布违反马克思主义的错误观点，在干部群众中和意识形态领域造成了恶劣的影响。还有的党员干部，对党的方针政策和重大决策采取阳奉阴违的态度，合意的才执行，不合意的就不执行。这都是严重违反党的政治纪律的行为，必须引起各级党委和全党同志的密切注意和警觉。存在上述问题的人，要认真检查自己的错误，回到正确的立场上来。有关党组织要及时找他们谈话，严肃指出其错误，教育和帮助他们转变思想认识。对于经教育不改、仍继续公开反对党的政治主张、坚持错误立场的，要给予应有的党纪处分。对于境外一些刊物、媒体别有用心制造的政治谣言，领导干部要提高警惕，做到不信、不传。近年来，中央纪委加大了查处党员干部违反政治纪律行为的工作力度，是正确的和必要的。要加紧工作，以事实为依据，以法纪为准绳，查处几件这方面的典型案例，以维护党的政治纪律的严肃性。

三、坚持从制度上确保从严治党方针的贯彻实施

在新的历史时期，如何始终保持全党同志按照党的奋斗目标，按照国家和人民的最高利益来行动，维护和加强党的坚强团结和高度统一，始终是我们面临的一个极为重要的任务。总结多年的实践经验，从严治党，关键在于建立起一整套便利、管用、有约束力的机制，使党的各级组织对党员、干部实行有效的管理和监督，及时发现矛盾、解决问题，使党的肌体始终保持健康。

邓小平同志早就提出，要实现社会主义民主的制度化、法律化，使这种制度和法律不因领导人的改变而改变，不因领导人看法和注意力的改变而改变。最重要的是要坚持和完善能够保证党的领导坚强有力和社会主义兴旺发达的一整套制度，并用法律、法规、政策、纪律、教育等各种手段来保障这套制度能够得到严格遵守。我们要珍惜由千百万烈士流血牺牲建立和建设起来的社会主义政权，坚持社会主义制度不能动摇。西方的那一套资产阶级民主模式绝不能搞，搞了中国必然会乱。但也必须不断加强和改善我们党和国家各个方面的制度，使之更加成熟、完善。我们在这方面已进行了不少努力，今后还要继续加强这方面的探索和实践。去年以来，在县级以上党政领导班子和领导干部中集中开展的“三讲”教育，取得了明显的成绩。事实再次说明，我们这个党是有力量、有办法解决自身存在的问题的。这次“三讲”教育，为加强党的建设、建立一套从严治党的机制提供了许多重要启示。各级党委要认真总结经验，并运用到健全党的领导工作制度、党内生活制度、干部工作制度、权力监督制度等各个方面。要坚持不懈地加强对全体党员特别是领导干部的思想政治教育，并努力探索和创造出一套新形势下进行思想政治教育的有效方式与方法，不能都是老一套的办法。只要建立健全了从严治党的一整套制度和机制，大家都自觉坚持和维护这套制度和机制，同时又不断加强党的思想政治建设，我们党就一定会建设得更加组织严密、更加行动一致、更加团结有力、更加朝气蓬勃。

现在我们党已经有6000多万党员，这么大的一支队伍，要管理好不容易。如果放松管理，肯定会出问题，甚至出大问题。我在1989年6月就提出，共产党的力量和作用，主要不在于党员的数量，而在于党员的素质。数量和质量是辩证统一的关系。没有数量就没有质量。但如果数量过大，不能保持统一的品质，就会影响到质量。我们党的队伍，也有个数量和质量的关系。党员队伍过于庞大，必然会增加管理上的难度。1949年，党员数量是449万，占总人口的0.83%，1998年底已增加到6100多万，占总人口的5%多。有大量的新生力量加入党，当然是好事，但同时必须加强对党员的教育管理，不断提高全体党员的素质。基层组织是我们党的细胞。如果细胞都发生了病变，党的整个肌体就不可能健康，最后甚至可能垮掉。我们早就提出，要防止出现“基础不牢、地动山摇”的现象。当务之急，最重要的是必须从根本上扭转一些基层组织软弱涣散的状况。要深入基层，摸清情况，因地制宜，分类指导，关键要建立和健全保证基层组织健康发展的制度和机制。如果基层党组织长期处于松松垮垮、软弱涣散、瘫痪半瘫痪状态，在群众中不起任何战斗堡垒作用，不起政治核心作用，这样的党组织、党员再多又有什么用呢？而且势必影响党在群众中的作用、声誉和形象。兵贵于精，不能允许滥竽充数的现象存在。坚持从严治党的方针，首先要把好入口关，严格按照“坚持标准、保证质量、改善结构、慎重发展”的要求做好发展党员的工作。同时要抓好教育管理，对于确实不符合党员标准的，不能留在党内，这样才能形成党员队伍“吐故纳新”、保持活力的机制。切实管好6000多万党员，这是当前党的建设面临的一个很突出的重大问题。党的建设必须从对基层组织和每个党员干部的思想、作风和组织性纪律性的管理与教育抓起，而且要锲而不舍地抓下去。

党的纪律检查机关对贯彻落实从严治党的方针负有重大责任。希望你们进一步加强学习，提高自身素质，自觉讲政治、讲正气。不仅自己要廉洁奉公，而且要认真履行职责，敢于碰硬，严肃执纪，严厉惩处腐败分子和各种违法乱纪的人。要深入研究新形势下开展党风廉政建设和反腐败斗争的特点和规律，解放思想、实事求是，大胆实践、勇于探索，及时总结经验，不断提高工作水平。各级党委要加强对纪检监察工作的领导，坚决支持他们按照有关政策和规定严肃查处各种违纪违法案件，帮助他们解决工作中遇到的困难。

春节即将来临，我向你们并通过你们向纪检监察战线的全体同志拜个早年，祝大家身体健康，阖家幸福，工作取得更大成绩。

（2000年4月2日《人民日报》）

江泽民：关于教育问题的谈话

（2000年2月1日）

最近，看了两份材料，一份反映浙江省金华市第四中学高二年级一名学生，因忍受不了学习成绩名次和家长的压力，用榔头打死了母亲；另一份反映浙江省温州市永嘉县桥头镇中学两名学生因勒索钱财将一同学乱刀砍死。今天的《光明日报》还报道，河南省安阳市一学生家长，因自己的儿子没有被评上“三好学生”和当上少先队大队长，带人把班主任给打了。这样的材料，以前也看到一些，确实触目惊心，引起了我的深思。正确引导和帮助青少年学生健康成长，使他们能够德、智、体、美全面发展，是一个关系我国教育发展方向的重大问题。我们常委同志和有关方面的负责同志，都要认真思考这个问题，并采取切实有效的措施，加强和改进教育工作。

新中国成立以来，党和政府高度重视发展人民教育，花了很大精力，我国的教育事业得到了巨大发展，为社会主义建设培养了大批优秀人才。解放前，我国大约有4亿多人口，80%是文盲，受教育的人数很少。现在，我国人口已经达到12.5亿，在校受教育的人数为2.4亿。这个成就是了不起的。

教育是一个系统工程，要不断提高教育质量和教育水平，不仅要加强对学生的文化知识教育，而且要切实加强对学生的思想政治教育、品德教育、纪律教育、法制教育。老师作为“人类灵魂的工程师”，不仅要教好书，还要育好人，各个方面都要为人师表。加强和改进教育工作，不只是学校和教育部门的事，家庭、社会各个方面都要一起来关心和支持。只有加强综合管理，多管齐下，形成一种有利于青少年学生身心健康发展的社会环境，年轻一代才能茁壮成长起来。

现在，大多数家庭都是独生子女，生活条件也好了，家长有“望子成龙”的心情，希望子女能够受到更好的教育，也是自然的。我们的学校、教育部门以及党和国家的其他部门，都要注意做工作，把家长希望子女成才的迫切愿望、教师教书育人的心情和学生学习的积极性，引导到正确的方向上来，全面提高青少年的素质。千万不能由于对这些问题处理不当，引发一些消极的甚至反面的后果来。现在一些学生负担很重，结果形成了很大的心理压力。这不利于青少年学生的健康成长。还有一些学校和地方，对学生的知识教育和学校的设施建设抓得比较紧，而对学生的思想品德、纪律法制教育，对学生在校外活动的情况，抓得比较松，有些学生在社会上接受了不良影响，有的甚至走上了违法犯罪的道路。这些问题，必须引起各级党委、政府和各级教育部门的高度重视，对学生的教育工作特别是思想品德教育、纪律法制教育，校内校外，课内课外，都要抓紧，一点放松不得。

学校与家庭要求和鼓励青少年勤奋学习、刻苦钻研是对的，不经过艰苦的学习和锻炼，年轻人是很难成长起来的，但一定要有正确的指导思想和教育方法。古时候，有刺股悬梁、穿壁引光、积雪囊萤、燃糠自照等勤奋好学的故事，主要是要教育青少年树立好学上进的志向。如果方法不对或不适当，也会导致适得其反的结果。这方面的教训不少，要引以为戒。不能整天把青少年禁锢在书本上和屋子里，要让他们参加一些社会实践，打开他们的视野，增长他们的社会经验。学校是培养人才的重要园地，教育是崇高的社会公益事业。在我们的国家里，各级各类学校，都要认真贯彻执行教育为社会主义事业服务、教育与社会实践相结合的教育方针。在实行改革开放、发展社会主义市场经济新的复杂环境里，坚持这样的教育方针是极为重要的。

现在我国高等教育发展很快，去年高校招生的数量大幅度增加。但我们国家人口多，人人都上大学仍是不现实的。也不是只有上了大学，才能成为人才。社会需要的人才是多方面的。“三百六十行，行行出状元。”封建时代，有“万般皆下品，惟有读书高”、“洞房花烛夜，金榜题名时”、“书中自有黄金屋，书中自有颜如玉”的说法。这里面有着封建主义的思想糟粕和经济社会不发展的局限性。今天不能再这样去考虑问题。21世纪，我国既需要发展知识密集型产业，也仍然需要发展各种劳动密集型产业，经济建设和社会发展对人才的要求是多样化的。这是我国的国情和经济社会全面发展的客观要求。社会主义改革开放和现代化建设，为年轻一代的成长提供了广阔的舞台，只要他们有为祖国、为人民贡献青春的志向，满腔热情地投入到建设祖国的伟大事业中去，认真学习和掌握实践知识与技能，把自己的聪明才智奉献给祖国和人民，就一定能够成长为有用之才。学校接受的还只是基本教育，尽管这个基本教育十分重要，但毕竟不是人生所受教育的全部，做到老学到老，人才的成长最终要在社会的伟大实践和自身的不断努力中来实现。这个观点，要好好地在全社会进行宣传。

我所以说教育是个系统工程，就是说对教育事业，全社会都要来关心和支持。尤其是要加强对青少年学生进行爱国主义、集体主义、社会主义的思想教育，帮助他们树立正确的世界观、人生观、价值观。这项工作不仅教育部门要做，宣传思想部门、政法部门以及其他部门都要做，全党、全社会都要来做。学校和学生中一定要发扬正气，绝不能让歪风邪气抬头。对学生中发生的不良行为，要加强思想教育，对违法行为，一定要依法严肃处理，千万不能姑息养奸。近期，对于一些学校内和周围社会治安情况不好的状况，要集中治理一下。对于学生中存在的歪风邪气，学校和有关部门必须旗帜鲜明地加以反对，并要加强对学生家长的工作。要经常地在学生中开展纪律法制教育，增强他们的纪律法制观念，使他们懂得遵纪守法的道理。要切实保证学生有一个安静、和谐、健康的学习环境。我们是共产党领导的社会主义国家，这一点是应该做到的，也必须做到。

希望各级党委和政府的领导同志，要高度重视教育和青少年学生的思想工作。坚持经济建设为中心不能动摇，同时要切实抓好社会主义精神文明建设，否则经济建设最终也搞不上去。总之，抓好教育和青少年学生的思想工作，直接关系到我们实施科教兴国战略能否取得成功，关系到我国社会主义现代化建设能否取得成功，大家都要从这样的高度来认识问题，开展工作。

（2000 年 3 月 1 日《人民日报》）

江泽民在广东茂名高州市领导干部“三讲”教育会议上发表讲话

（2000 年 2 月 20 日）

江泽民在广东省高州市领导干部“三讲”教育会议上发表重要讲话强调，“三讲”教育仍是今年党建工作的重中之重，各级党委必须切实抓好，并且要把“三讲”教育同贯彻中央关于今年改革、发展、稳定工作的各项部署紧密结合，做到相互促进。江泽民指出，县（市）这一级，在我们党和国家的工作中处于承上启下的重要地位，是国家经济发展、社会安定和政权稳固的重要基础。县（市）党政领导班子和领导干部，处在改革、发展、稳定的第一线，直接联系着广大的工人、农民、知识分子群众，担负着把党的路线方针政策贯彻落实到城乡基层的重要职责。县（市）领导班子和领导干部都要充分认识“三讲”教育的重要性，在“三讲”教育中努力学习、深刻反思，发扬成绩、克服缺点，总结过去、鞭策未来，以更好的精神状态和更出色的工作，为党和人民建功立业。

江泽民指出，在全国县级以上党政领导班子和领导干部中用整风精神开展“讲学习、讲政治、讲正气”教育，着重解决党性党风方面存在的突出问题，这是我们党面向新世纪为加强自身建设而采取的一项重大举措。在新的世纪里，我们要巩固和发展一个多世纪以来中国人民的伟大奋斗成果，把老一辈无产阶级革命家开创的社会主义事业全面推向前进，达到预期的宏伟目标；我们要正确应对国内外错综复杂的环境，坚定不移地完成改革和建设的各项任务；我们要使党始终保持工人阶级先锋队性质，始终代表最广大人民群众的利益，始终成为社会先进生产力的代表，始终领导全国各族人民促进社会生产力的发展，始终坚强有力地发挥好领导核心作用，必须结合新的历史条件进一步从思想上、组织上和作风上把党建设好。开展“三讲”教育，就是为了更好地推进党的建设，为党在新世纪的奋斗进一步做好思想、政治和组织准备。

江泽民强调，结合党在一定历史时期的任务，通过集中学习教育，提高党的领导干部的思想政治水平，解决党内存在的突出问题，是我们党加强自身建设的一个行之有效的方法。历史的经验表明，党的建设必须贯穿于党领导人民不断奋斗的全部过程，并为不断实现党的奋斗目标提供强有力的保证。参加“三讲”教育的同志们，都要从党和国家长治久安的高度深刻认识搞好这次“三讲”教育的必要性、重要性和紧迫性，自觉地积极地投身到“三讲”教育中来。

江泽民说，去年 12 月，中央政治局常委进行了“三讲”，方法也是以自学为主，以个人讲为主，开展批评与自我批评，以自我批评为主，坚持和风细雨，通过总结经验教训，进一步加强和改进工作。中央政治局常委同志发扬党的理论联系实际、密切联系群众、批评与自我批评的作风，认真总结十年来的工作实践和基本经验，认真思考当前和今后改革与发展中的一些重大问题，取得了很好的效果。通过这次“三讲”，中央政治局常委同志都感到，认真总结工作，严格剖析自己，认真听取同志们和群众的意见，对加强党性修养和党性锻炼，提高思想政治水平，加强和改进工作，都很有好处。

江泽民指出，县（市）领导班子、领导干部应以讲政治为核心，着重从坚定对马克思主义的信仰和对建设有中国特色社会主义的信念，增强全面贯彻落实党的路线方针政策的自觉性和坚定性，牢固树立全心全意为人民服务的思想，严格遵守民主集中制的各项规定，树立求真务实、埋头苦干、依靠群众、发扬民主的好作风等方面查找和解决问题。县（市）领导班子和领导干部都应通过这次教育，提高“讲学习、讲政治、讲正气”的自觉性，真正在思想上有明显提高，政治上有明显进步，作风上有明显转变，纪律上有明显增强。

江泽民强调，在这次“三讲”教育中，县（市）领导班子和领导干部都要在学习党的基本理论和这次“三讲”教育规定的文件上下苦功夫，都要实事求是、一分为二地估量自己，都要正确运用批评与自我批评的武器，都要认真倾听群众的意见，都要认真进行整改。省区市委和地（市）委负责同志，要按照中央的要求，切实加强对县（市）“三讲”教育工作的领导，抓好统一部署、检查督促、总结经验和个别指导的工作。省、自治区、直辖市党委和地（市）委的负责同志都要联系一个县（市），坚持“解剖麻雀”、取得经验、由点到面的重要领导方法，坚持一般与个别相结合、领导与群众相结合的工作方法。各级党委都要注意把搞好“三讲”教育和推动当前的改革、发展、稳定结合起来。县（市）领导工作处于第一线，改革开放和建设的任务很重，一定要牢牢把握经济建设这个中心，把各方面工作的安排想得周到细致一些，切实抓紧抓好。

江泽民强调，21世纪的前20年，是党和人民事业发展的至关紧要的时期，也是现在的县（市）级干部经受锻炼、增加经验、发挥才干的至关紧要的时期。大家要充分意识到自己的历史责任，适应新要求、迎接新考验，努力提高自己。中央的路线方针政策，我们的各项工作，能否最终落实到城乡基层，真正变成人民群众的自觉行动，关键要看县（市）的工作。县（市）工作做得好，我们党和国家的长治久安才有坚实的城乡群众基础和社会基础。县（市）领导干部责任重大，要坚持不懈地认真刻苦地学习马克思列宁主义、毛泽东思想、邓小平理论。全国两千多个县（市）的领导同志，如果都能不断地提高自己的思想理论素质，都能全面正确地理解和贯彻落实党的路线方针政策，对于实现和保持全党思想上的统一、政治信念上的坚定、组织上行动上的一致，其意义是十分重大的。要做好一个县的工作，涉及政治、经济、文化的各个方面，县（市）领导干部的学习也应是多方面的，不仅要认真学习理论，还要学习现代经济、科技、法律、管理、历史等方面的知识，这样才能做好工作。

江泽民指出，坚定不移、不折不扣地贯彻执行党的路线方针政策，百折不挠、克服一切困难去坚决落实党的路线方针政策，是党对每一个领导干部的基本政治要求。我国有两千多个县（市），情况千差万别，贯彻落实中央的方针政策，开展各个方面的工作，不能千篇一律，必须因地制宜，紧密结合本地的实际去做，这样才能把中央的方针政策真正落到实处。

江泽民说，县（市）领导干部面对大量的城乡基层工作，直接同广大群众打交道，应该保持反映民情民意的敏锐性。深入群众，就要与群众同甘共苦，与群众一起摸爬滚打，关心群众的疾苦，切实帮助群众解决实际困难，做群众的贴心人。当前，我们的农业发展已进入新的阶段，农业、乡镇企业都在进行结构调整，增加农民收入的任务很重。国有企业的改革和发展也处于攻关阶段，结构调整、资产重组、技术改造、产业升级的任务很重，一些地方下岗职工较多。在这样的情况下，我们的各级领导干部，特别是处于第一线的县（市）领导干部，比任何时候都要更加增强群众观点，更加加强群众工作，更加注意工作方法，更加关心和体贴群众。越是工作任务艰难，也越是对我们领导干部的智慧、品格最重要的考验和锻炼的时刻。广大县（市）领导干部特别是年轻干部，要勇于在群众工作的实践中接受锻炼，经受考验，增长才干。所有县（市）的领导干部都同广大群众保持最密切的联系，群众的意见、呼声和疾苦能及时反映上来，群众的实践经验能及时总结出来，中央和省地的决策、部署能及时传达和贯彻到群众中去，我们县（市）的工作就会做得更加切合实际、有声有色，整个党和国家的工作也就会更加顺利地向前发展。

江泽民强调，改造客观世界和改造主观世界，始终是每个党员和党的领导干部的两项重要任务。改造主观世界，关键是要陶冶革命情操，提高精神境界，牢固地树立正确的世界观、人生观和价值观，牢固地树立为党和人民的事业不懈奋斗的信念。包括县（市）在内的各级领导干部都要坚持说老实话、办老实事、做老实人，坚持自重、自省、自警、自励。共产党人更应自觉地加强个人的思想修养，加强对自己主观世界的改造。每一个领导干部都应好好想一想，参加革命是为什么？在领导岗位上应该做什么？将来身后应该留点什么？把这些问题想清楚了，想正确了，我们就能做到一身正气，堂堂正正。共产党人是立党为公的，是全心全意为民族、为国家的利益而奋斗的。每一个共产党员和党的领导干部，都要廉洁奉公，艰苦奋斗，在拜金主义、享乐主义、极端个人主义和酒绿灯红的侵蚀影响面前，一尘不染，始终保持高尚的道德情操，自觉锻炼意志品质，真正养成共产党人的高风亮节。

（2000 年 2 月 21 日《人民日报》）

江泽民在广东考察工作发表重要讲话

（2000 年 2 月 21—25 日）

江泽民 2 月 21—25 日在广东考察工作，围绕加强新时期党的建设和推进高新技术产业发展这两个题目进行调研。他强调，要把中国的事情办好，关键取决于我们党，取决于党的思想、作风、组织、纪律状况和战斗力、领导水平。只要我们党始终成为中国先进社会生产力的发展要求、中国先进文化的前进方向、中国最广大人民的根本利益的忠实代表，我们党就能永远立于不败之地，永远得到全国各族人民的衷心拥护并带领人民不断前进。

江泽民指出，深圳以及其他经济特区的发展变化，是党的十一届三中全会以来的路线方针政策带来的伟大成就的一个生动反映，是我国 20 多年来实现的历史性变革的一个很好的缩影，也是对中国共产党领导和社会主义制度的优越性的一个有力印证。实践已经雄辩地说明，邓小平同志领导我们党制定的改革开放的政策，开辟的建设有中国特色社会主义的伟大事业，是完全正确的，是我们实现国家繁荣富强和人民共同富裕的康庄大道。

江泽民指出，经过 20 多年的改革开放，我国的经济和社会发展取得了巨大的成就，人民生活水平显著提高。这是很了不起的。越是在这样的情况下，我们越有必要在广大干部群众特别是在发展较快地区的干部群众中开展“致富思源、富而思进”的教育活动，使广大干部和群众都弄清楚，为什么我们能够取得改革和建设的显著成就，怎样坚定信念，戒骄戒躁，在已经取得的成绩的基础上继续不懈地奋斗。要使广大干部群众都充分认识到，党的正确领导和社会主义制度集中力量办大事的优越性，邓小平同志指导我们党制定的改革开放和现代化建设的正确的路线方针政策，是我国实现经济和社会快速发展的根本保证。这样做的目的，就是为了激励全国人民继续沿着改革开放和社会主义现代化建设的正确道路奋勇前进，实现我国跨世纪发展的宏伟目标。

江泽民指出，总结我们党 70 多年的历史，可以得出一个重要的结论，这就是，我们党所以赢得人民的拥护，是因为我们党作为中国工人阶级的先锋队，在革命、建设、改革的各个历史时期，总是代表着中国先进社会生产力的发展要求，代表着中国先进文化的前进方向，代表着中国最广大人民的根本利益，并通过制定正确的路线方针政策，为实现国家和人民的根本利益而不懈奋斗。在新的历史条件下，我们党如何更好地代表中国先进社会生产力的发展要求，更好地代表中国先进文化的前进方向，更好地代表中国人民的根本利益，要紧密结合国内外形势的变化，紧密结合我国社会生产力的最新发展和经济体制的深刻变革的实际，紧密结合人民群众对物质文化生活提出的新的发展要求，紧密结合我们党员干部队伍发生的重大变化，来深入思考这个重大问题。因为我们党是代表先进生产力的发展要求的，所以全党同志的一切奋斗，归根到底都是为了解放和发展社会生产力，党的一切方针政策都要最终促进社会生产力的不断发展，促进国家经济实力的不断增强；因为我们党是代表先进文化的前进方向的，所以全党同志必须始终坚持马克思主义为指导，努力继承和发展中华民族的一切优秀文化传统，努力学习和吸收一切外国的优秀文化成果，从而不断地创造和推进有中国特色社会主义文化，使社会主义物质文明和精神文明协调发展，使社会全面进步；因为我们党是代表最广大人民群众的根本利益的，所以全党同志的一切工作都是全心全意为人民服务的，都是为了实现好、发展好和维护好人民的利益，任何脱离群众、任何违反群众意愿和危害群众利益的行为，都是不允许的。所有的共产党员和领导干部，都要深刻认识和牢牢把握这三个“代表”，用以指导自己的思想和行动，这样才能使自己真正成为一个合格的党员，合格的党的领导干部。

江泽民指出，我们党的党员已经达到6000多万，这么大的一支队伍，要管理好不容易。现在党的建设同新形势新任务不相适应的地方还相当不少，党内在思想上、组织上、作风上存在的不符合甚至违背党和人民利益的问题也相当不少，需要研究解决的新情况新问题也不少。各级党委都要根据当地党的建设的实际情况，确定一批关系党建工作全局的重要题目，深入进行调查研究，摸清情况，并制定加强工作的措施，把党建工作扎扎实实地推向前进。

江泽民指出，100年前，当20世纪来临之际，世界科技进步取得了重大的突破，对当时和以后世界生产力的发展产生了难以估量的影响。而当时处在政治黑暗、兵荒马乱、民不聊生的悲惨境地的中国，根本没有可能去追赶世界科技发展的先进潮流。现在，当21世纪来临之际，无论是中国的面貌还是世界的经济社会生活，同100年前比已发生了历史性的巨变。世界科技又出现了新的重大突破，为世界生产力的发展打开了新的广阔的前景。当今的社会主义中国完全有条件、有能力去追赶世界科学技术发展的先进潮流，实现中华民族的更大发展。关键是我们要抓住机遇，把自己的事情做好。经过改革开放以来20多年的努力，我国经济建设和社会发展取得了举世瞩目的成就，东部地区的发展更快一些。东部地区条件比较好，应该努力率先基本实现社会主义现代化，为建设有中国特色社会主义作出更大的贡献。

江泽民指出，面向21世纪，我国经济的进一步发展，必须大力依靠科技创新和体制创新。从这个意义上说，我们推进改革开放和现代化建设的任务更艰巨了。如何在新的国内外条件下通过科技创新和体制创新增创经济发展的新优势，要加紧研究和实践。要抓紧通过科技进步和创新来实现我们经济结构的战略性调整，抓紧实施“走出去”的战略，抓紧建立和完善发展社会主义市场经济所必需的一整套制度和机制。

江泽民说，加快中西部地区发展，是党中央为推进我国跨世纪发展作出的重大决策。东部地区应积极为西部地区的发展提供资金、技术、人才、信息、管理等方面的支持，并通过产业转移和协作，促进西部地区的发展。西部大开发战略，也必然会给东部地区带来更多的发展机遇，东部地区可以更充分地利用西部地区的资源和市场来促进自己的发展。

江泽民指出，建设有中国特色社会主义，包括发展物质文明和精神文明两个方面，必须实现经济、社会的协调发展和全面进步。改革开放以来，全党同志在坚持以经济建设为中心的同时，为加强社会主义精神文明建设做了大量工作，也取得了显著的成绩。这一点要肯定。但是，必须清醒地看到，大力加强社会主义精神文明建设，仍然是摆在我们全党面前的一项重要而紧迫的任务。各级党委和政府在坚持以经济建设为中心的同时，要切实抓好精神文明建设，进一步做到物质文明建设和社会主义精神文明建设都能同时交出优异的答卷。

江泽民强调，开展党风廉政建设，教育和管理，德治和法治，必须双管齐下。教育抓好了，德治加强了，干部的思想政治素质和精神境界提高了，就可以有力地防范和减少违法乱纪问题的发生。管理抓好了，法治加强了，就可以堵塞引发违法犯罪的漏洞，依照法纪惩处违法乱纪分子，对广大干部和群众又可以起到警戒和教育作用。对各级领导干部必须加紧进行思想政治教育。经济发展了，生活条件好了，领导干部仍然要保持艰苦奋斗的优良作风。所有领导干部都要珍惜邓小平同志制定的改革开放政策，珍惜我们党领导人民进行改革开放和现代化建设赢得的历史荣誉，堂堂正正地做人，老老实实地工作，终生全心全意地为人民服务。各级领导干部都要牢固树立和大力发扬艰苦奋斗、脚踏实地、埋头苦干的工作作风。所有干部特别是年轻干部思想上必须十分明确，当干部，当领导，都是要为党和人民的利益工作的，都要时刻准备着为党和人民牺牲与贡献自己的一切。共产党员特别是领导干部都要忠心耿耿、任劳任怨地为党和人民而工作而奋斗，有了这种精神，就一定能够在工作中作出成绩。

(2000年2月26日《人民日报》)

江泽民在中央人口资源环境工作座谈会上发表讲话

(2000年3月12日)

江泽民在中央人口资源环境工作座谈会上强调，切实做好计划生育、资源管理和环境保护的工作，对于实现我国跨世纪发展的宏伟目标具有全局性的重大意义。在改革开放和社会主义现代化建设的过程中，我们必须始终把经济发展与人口资源环境工作紧密结合起来，统筹安排，协调推进。

江泽民说，根据我国经济和社会发展的远景目标，到2010年，全国人口要控制在14亿以内；基本改变环境恶化的状况，使城乡环境有比较明显的改善；对加强国土资源的保护和合理开发利用也确定了具体目标。这是摆在全党同志和全国人民面前的一项艰巨而重要的任务。

江泽民指出，我国是世界上人口最多的发展中国家，人均资源很有限，必须始终坚持把控制人口、节约资源、保护环境放在重要的战略位置。惟其如此，我们才能实现可持续发展。在21世纪，我们要继续大力抓好稳定低生育水平，合理利用和严格管理资源，保护和创造良好生态环境的工作。能不能坚持做好人口资源环境工作，关系到我国经济和社会的安全，关系到我国人民生活的质量，关系到中华民族生存和发展的长远大计。各级党委、政府，人口资源环境部门和其他有关部门，都要充分认识这方面工作的极端重要性和艰巨性，牢固树立“打持久战”的思想，克服盲目乐观和麻痹松懈情绪，坚持不懈地抓下去。全党和全国上下要下定决心，努力实现我们确定的人口资源环境目标，以保证我国跨世纪发展的宏伟目标的实现。

江泽民说，在新的世纪里，要认真全面贯彻落实党中央、国务院作出的《关于加强人口与计划生育工作稳定低生育水平的决定》。要进一步采取综合措施，建立完备的调控体系，努力稳定低生育水平。要健全适应社会主义市场经济发展要求的人口与计划生育工作管理机制，形成党政负责、部门配合、群众参与、优势互补、齐抓共管的格局。要继续坚持污染防治与生态保护并重的方针，努力控制污染物排放总量，加强重点城市、流域、区域海域的污染防治工作，以改善环境质量，促进生态平衡。要实行最严格的资源管理制度，坚持“在保护中开发，在开发中保护”的总原则不动摇。要努力提高资源利用水平和效率，走出一条资源节约型的经济发展路子。

江泽民说，实施西部大开发战略，促进中西部地区加快发展，是党中央、国务院作出的一项关系我国现代化建设全局的重大决策。西部大开发战略要实施好，必须实现人口资源环境的良性循环。要处理好发展经济与控制人口的关系，经济要发展，人口要控制，人口素质要提高。西部地区资源丰富，要把那里的资源优势转变为经济优势，必须坚持合理利用和节约资源的原则。要把加强生态环境保护和建设作为西部大开发的重要内容和紧迫任务，坚持预防为主，保护优先，搞好开发建设的环境监督管理。切实避免走先污染后治理、先破坏后恢复的老路。

江泽民指出，在新的世纪里，我国的人口资源环境工作只能加强，不能削弱。各级党委和政府一定要切实加强和改进对人口资源环境工作的领导，狠抓落实，一以贯之，务求实效。各级政府和有关部门在编制经济社会发展“十五”计划和长远规划时，要根据人口资源环境与经济社会协调发展的要求，明确人口资源环境的工作目标和任务，制定切实可行的政策措施。计划生育、资源勘查与管理、环境保护工作，都是有着显著社会效益的公益性事业，各地要按照中央的要求，确保对这些领域的投入到位。要调动社会各方面的积极性，建立多元化、多渠道的投资机制。要加强人口资源环境工作队伍的建设，努力提高基层的人口资源环境工作的质量。

江泽民强调，对计划生育、资源管理和环境保护工作，实行党政一把手亲自抓、负总责不变，既定的人口资源环境政策和目标不变。要坚持和完善各级党委、政府对人口资源环境工作的目标责任制，做到责任到位，认真落实。党政主要领导要抓好协调工作，组织各方面力量，对人口资源环境问题进行综合治理。在进行经济社会发展决策时，要认真贯彻可持续发展的思想，统筹考虑人口资源环境与经济社会发展，正确处理近期与远期、局部与全局的关系，把经济社会发展建立在人口资源环境良性循环的基础上，而绝不能以牺牲环境和浪费资源为代价换取经济的一时增长。

江泽民指出，要完善人口资源环境方面的法律法规，为加强人口资源环境工作提供强有力的法律保障，促进人口资源环境工作走上法制化、制度化、规范化、科学化的轨道。人口资源环境行政主管部门，要依法实行统一的监督管理，提高执法效果。对违法行为，要依法予以追究，构成犯罪的要依法惩处。各级党委和政府要严格按照法律、政策和规划办事。党员干部特别是领导干部要做实行计划生育、保护资源和环境的模范。

江泽民要求，各级党委、政府要加强思想政治工作、宣传工作、群众工作和组织工作，把党和国家关于人口资源环境的方针政策落实到各行各业，落实到基层，落实到群众中去。要坚持相信群众、依靠群众、尊重群众、服务群众的工作原则。在工作中切忌官僚主义、教条主义和形式主义。工会、共青团、妇联和计划生育协会等群众组织，要充分发挥自己的作用，共同促进人口资源环境工作。全党、全国上下都要加倍努力，确保我国新世纪人口资源环境工作目标的顺利实现，更好地造福于中华民族。

（2000年3月13日《人民日报》）

江泽民：在全国劳动模范和先进工作者表彰大会上的讲话

（2000年4月29日）

同志们：

在“五一”国际劳动节前夕，我们隆重表彰全国劳动模范和先进工作者，是很有意义的。首先，我代表党中央、国务院，向全国各族广大工人、农民、知识分子和全体劳动人民，向中国人民解放军指战员、武警部队官兵和公安干警，向香港特别行政区同胞、澳门特别行政区同胞和台湾同胞、海外侨胞，致以节日的祝贺！向全国各条战线的劳动模范和先进工作者致以崇高的敬意！在此，我还要代表全国各族劳动人民，向全世界劳动人民，致以节日的问候！

人民，是推动历史前进的动力。在中国共产党的领导下，中国人民以坚定的信念和勤劳的双手，自力更生，艰苦奋斗，在建设社会主义的伟大进程中不断创造辉煌的成就。现在，全国各族人民正按照党的十五大提出的跨世纪发展的宏伟目标，满怀信心地向着新世纪前进。

全国劳动模范和先进工作者，是亿万劳动群众的杰出代表。他们对祖国和人民无限忠诚，爱岗敬业，勇于创新，无私奉献，严于律己，弘扬正气，在平凡的岗位上作出了不平凡的业绩，是建设社会主义物质文明和精神文明的先锋。他们的思想和行动，体现了中国工人阶级的高贵品格。他们不愧为我们民族的精英、国家的脊梁、社会的中坚和人民的楷模。

我们肩负的改革开放和现代化建设的任务光荣而艰巨。伟大的事业需要伟大的精神力量。全社会都要努力学习和弘扬革命和建设先辈们的崇高精神，学习和弘扬不断涌现的先进模范人物的崇高精神，以坚定的信心和旺盛的热情投身到建设有中国特色社会主义事业中去。实践反复证明，以先进思想和高尚精神武装起来的中国人民，是能够战胜任何艰难险阻的，他们已经并将继续创造出一个又一个的人间奇迹。

学习先进模范人物的活动，是社会主义精神文明建设的重要组成部分，要贯穿于我国现代化建设的全部进程。全国人民都要以先进模范人物为榜样，努力树立远大的理想和坚韧不拔的奋斗精神，努力用先进的思想道德和现代科学文化知识武装自己，努力贯彻执行党和国家的方针政策，努力做到识大体顾大局、正确对待改革中利益关系的调整，努力在生产和工作中发挥自己的智慧和创造力，努力维护民族团结、国家安全和社会稳定。要在全社会始终倡导和保持学习先进、争当先进的良好风尚，让先进模范人物的崇高精神发扬光大、代代相传。各地区、各部门都要关心先进模范人物的工作、学习和生活，充分发挥他们在各项事业中的模范带头作用。

我们搞改革开放和现代化建设，是为了人民群众的利益，也惟有紧紧依靠人民群众才能成功。一切工作都必须有利于把人民群众的利益实现好、维护好、发展好，有利于把人民群众的积极性引导好、保护好、发挥好。这是我们党和国家工作的根本基点。各级党委和政府要始终不渝地坚持全心全意为人民服务的宗旨，坚持全心全意依靠工人阶级的方针，坚持群众路线的工作方法。

我们想问题、办事情，都要充分考虑可能给群众工作和生活带来的影响，使改革的力度、发展的速度同社会可以承受的程度相适应。我们所有的领导干部，都要始终关心群众的疾苦，倾听群众的呼声，满腔热情地帮助群众解决困难，扎扎实实地为群众办实事。尤其要重视困难群众的生活和工作问题，积极做好下岗职工基本生活保障和再就业工作，抓紧推进扶贫攻坚工作。推进社会主义政治建设，一个很重要的内容就是要努力扩大基层民主。要通过厂务公开、村务公开、政务公开等形式，使人民群众依法进行民主选举、民主决策、民主管理、民主监督，切实保障人民群众当家做主的权利。

工会、共青团、妇联等群众团体，要充分发挥联系广大人民群众的桥梁和纽带作用，把人民群众紧密地团结在党和政府的周围。每一个共产党员和领导干部，都要始终与人民群众同甘共苦，坚决同一切漠视群众疾苦的官僚主义作风和各种消极腐败现象作斗争。只有保持同人民群众最密切的联系，只有一切为了群众、一切依靠群众，我们的改革和建设才能获得最广泛、最可靠的力量源泉，不断地从胜利走向新的胜利。

我们将坚持奉行独立自主、广泛联系的方针，在独立、平等、互相尊重、互不干涉内部事务的原则基础上，进一步加强同世界各国工人阶级和广大劳动人民的团结，为维护劳动人民权益和世界和平，促进人类社会的发展和进步作出应有的贡献。

同志们，让我们高举马克思列宁主义、毛泽东思想、邓小平理论伟大旗帜，紧密团结在党中央周围，抓住机遇，开拓进取，为在21世纪里把我国建设成为富强、民主、文明的社会主义现代化国家而努力奋斗！

（2000年4月30日《人民日报》）

江泽民在江苏、浙江、上海考察工作发表重要讲话

（2000年5月8—15日）

江泽民在江苏、浙江、上海考察工作时强调：在迈向新世纪的征途上，我们党要解决好诸多复杂矛盾和困难，经受住新的考验和锻炼，把我们的伟大事业推向前进，必须按照“三个代表”的要求，进一步提高执政水平和领导水平。只有解决好这个问题，我们党才能永远得到全国各族人民的衷心拥护并带领人民不断前进。

江泽民指出，人类就要进入一个新的世纪。国际形势已经和正在发生广泛而深刻的变化，国内改革和建设出现了许多新情况、新特点。我们肩负的任务光荣而艰巨，面临的挑战和困难也是多方面的。我们党要带领全国各族人民实现跨世纪发展的宏伟目标，战胜前进道路上可能出现的各种风险和困难，必须进一步增强党的凝聚力和战斗力，必须抓紧解决党内存在的突出问题，必须适应新的情况不断提高党的领导水平和执政能力。这样，我们才能在复杂的国内外形势下保证中国现代化建设的航船始终沿着正确的航向前进，在激烈的国际竞争中始终立于不败之地。

江泽民指出，始终代表中国先进生产力的发展要求、中国先进文化的前进方向、中国最广大人民的根本利益，是我们党的立党之本、执政之基、力量之源。按照“三个代表”的要求抓党的建设，同新时期党的建设新的伟大工程的总目标总要求是一致的。推进党的思想建设、政治建设、组织建设和作风建设，都应贯穿“三个代表”的要求。各级党委要全面贯彻党的十五大关于加强党的建设的总体部署，抓住用邓小平理论武装全党这个根本，围绕不断提高领导水平和执政水平、增强拒腐防变和抵御风险的能力这两大历史性课题，全面推进党建工作。

江泽民说，坚持和完善社会主义公有制为主

体、多种所有制经济共同发展的基本经济制度；坚持和完善社会主义市场经济体制，使市场在国家宏观调控下对资源配置起基础性作用；坚持和完善按劳分配为主体的多种分配方式；深化改革，扩大开放，推进“两个根本性转变”，这些都是现阶段进一步解放和发展我国社会生产力，调动广大人民群众积极性的必然要求。在新的历史条件下，我国社会生活发生了广泛而深刻的变化，社会经济成分、组织形式、利益分配和就业方式等的多样化还将进一步发展。这必然会给我国政治、经济、社会、文化生活带来深刻影响，给我们党执政和领导各项事业提出新的更高要求。充分认识和准确把握我国社会已经和正在发生的深刻变化，对加强新时期党的建设具有重大意义。希望大家紧密结合实际，加紧进行思考和研究，积极探索在新形势下加强党的建设的有效途径和办法。

江泽民指出，各级党委要按照中央的部署，全面抓好党的建设的各项工作，特别要把“三个代表”的要求贯彻落实到党的基层组织建设各项工作中去。党的基层组织是党的全部工作和战斗力的基础。加强党的基层组织建设的工作，必须坚持不懈地抓下去，一刻也不能放松。一定要使分布在全国各条战线、直接联系着社会各阶层群众的基层党组织，不仅能在平时改革、发展、稳定等工作中发挥积极作用，而且在遇到突发事件、面临各种政治风浪时也能显示出强大的战斗力。

江泽民指出，要紧紧围绕推进国有企业改革和发展加强企业党组织建设。我们党是工人阶级的先锋队，全心全意依靠工人阶级是党和国家的一条根本方针。无论现在和将来，我们党要始终保持自己的工人阶级先锋队性质不变，始终做到“三个代表”，就必须全心全意依靠工人阶级，充分发挥广大职工群众的积极性、主动性和创造性，团结带领广大职工走在企业发展和国家现代化建设的前列。把加强党的建设和建立现代企业制度统一起来抓，正是增强企业活力、创建有中国特色现代企业制度的内在要求。

江泽民强调，党的农村基层组织是农村各种组织和各项工作的领导核心。我国农业和农村经济的发展已进入了新的阶段。县（市）以上党委，要帮助农村基层党组织尽快适应这个新变化，大力提高党支部一班人的素质，增强群众观点和政策观念，掌握市场经济知识和农业科技知识，学会依法行事，认真改进作风。农村基层党组织应坚决贯彻执行党在农村的基本政策，同时重视扶持农村改革中出现的新事物，积极带领农民群众深化农村改革，调整好农业结构，帮助农民增收减负，维护农村社会稳定，加快致富奔小康的步伐。

江泽民说，非公有制经济是我国社会主义市场经济的重要组成部分。在我们社会主义国家中，坚持共产党的领导，国有经济控制国民经济命脉、对经济发展起主导作用，应该积极鼓励和引导非公有制经济健康发展，发挥它们在活跃城乡经济、满足社会多方面需要、增加就业、促进国民经济发展等方面的重要作用，促进它们在国内外市场竞争中增强竞争力，完善企业管理，提高技术水平和产品档次。在非公有制企业开展党建工作是一个新领域。各级党委特别是主要领导同志的思想认识要跟上客观形势的发展，抓紧在非公有制经济组织开展党的工作，加强党的建设。这是我们党确立和巩固社会主义初级阶段基本经济制度，引导非公有制经济健康发展的需要，也是加强党同在非公有制企业劳动的广大职工群众的联系，巩固党在新形势下执政的群众基础的需要。凡是已具备条件的非公有制经济组织，都应建立党组织，都要在企业职工中发挥政治核心作用。党组织要按照政策积极做好团结、教育、引导私营企业主的工作，把他们团结在党组织的周围，使他们支持在企业中建立党组织，拥护党的各项政策，依法经营企业，关心和保障职工权益，为国家和社会作出贡献。

江泽民强调，在加强党的基层组织建设方面，各地、各部门按照中央的要求，针对出现的新情况新问题，在实践中采取了新的办法和措施，并取得了一定的成效。要注意及时总结经验，不断加以完善。我们党长期形成的建设基层组织的行之有效的好传统、好经验、好做法必须坚持，同时又必须以改革的精神研究和解决新问题，坚持在实践中加强，在加强中不断探索新形式、新途径、新方法，以保证我们党更好地带领广大人民推进建设有中国特色社会主义的伟大事业。

江泽民指出，全党同志特别是领导干部都要用“三个代表”来指导自己的思想和行动。党的各项工作，都要坚持、体现和贯彻“三个代表”的要求。要坚持把“三个代表”的要求落实到坚定正确地执行党的路线方针政策中去，落实到党的各项工作中去，落实到建设一支高素质的干部队伍中去，落实到从严治党中去。各级领导干部要进一步加强学习，认真总结正确贯彻党的路线方针政策同全面体现“三个代表”的要求有机结合的经验，提高自己的思想理论水平。每一个党的领导干部，都要结合自己所在地区、部门的实际，创造性地开展工作，使党的路线方针政策和中央的工作部署切实落到实处。要善于根据客观情况的变化，及时察觉和研究前进中的新问题新矛盾，不断从人民群众在实践中创造的新鲜经验中吸取营养，不断改进和完善自己的工作。

江泽民强调，没有邓小平同志领导我们党坚持贯彻解放思想、实事求是的思想路线，坚持改革，锐意创新，就没有今天我们党和国家事业发展的大好局面。要坚定不移地坚持理论联系实际的优良作风，进一步解放思想，实事求是，大胆创新，开拓进取，绝不能因循守旧，固步自封。我们现在面临的和可能遇到的矛盾和问题很多，而且往往错综复杂、相互交织，但归根到底，是要正确认识和处理新的历史条件下解放和发展社会生产力与调整完善生产关系，根据经济基础的发展自觉改革和调整上层建筑中不相适应的部分。这就要求全党同志在贯彻党的理论、路线和方针政策时，在从事的各项事业中，都要牢记落实“三个代表”的要求，看看我们所采取的措施、所做的工作，是不是符合“三个代表”的要求，符合的就毫不动摇地坚持，不完全符合需要调整补充的积极调整补充，不符合的就勇于实事求是地纠正，以利我们的改革和建设不断向前迈进，充分体现共产党人的先进性和时代精神。

江泽民指出，我们党要做到“三个代表”，关键在于建设一支能够适应新形势新任务要求的高素质领导干部队伍，特别是要培养和选拔好跨世纪担当重任的一批接班人。党和人民的事业需要的人才是多方面的，政治、经济、文化、科技、外交、教育、法律、军事等工作的开展，都需要聚集和造就大批优秀人才。人才是一个国家发展最重要的资源。当今世界，争夺人才的竞争异常激烈。我们要有政治远见，及早研究对策，真正把培养和使用好各类人才作为党和人民事业兴旺发达的大事来看待、来落实。要下定决心，加大力度，促进干部人事制度改革的进一步展开和深化，把党管干部的原则同改进管理干部的方法结合好，努力形成优秀人才脱颖而出、健康成长的机制和一整套办法。

江泽民强调，在新的历史条件下，按照“三个代表”的要求来加强党的建设，既是一项紧迫的现实任务，也是一项长期的历史任务，要贯穿于我们党领导人民进行现代化建设的全过程。在改革和建设中，广大党员、干部的实践是丰富多彩的、充满活力的。我们党要做到“三个代表”，必须做到能够切实掌握并领导他们的实践，始终走在我国经济和社会发展的前列。这就要求我们善于抓住问题，摸实情况，掌握有说服力的第一手资料，然后经过科学的提炼、概括和总结，从中找出带规律性的东西，用以指导工作。全党上下要深入基层，深入群众，调查研究，总结实践，为加强新时期党的建设做好基础性工作。各级党委特别是主要负责同志，都要紧密结合国内外形势的变化，紧密结合我国社会生产力的最新发展和经济体制深刻变革的实际，紧密结合人民群众对物质文化生活提出的新的发展要求，紧密结合我们党员干部队伍状况发生的新情况新变化，抓住那些对加强和改进党的建设必须研究解决的重大理论问题和重大现实问题，进行深入的思考和调研，努力从理论与实践的结合上寻找正确解决问题的答案。

（2000年5月16日《人民日报》）

江泽民接受美国《科学》杂志独家专访

（2000年5月17日）

江泽民在接受美国《科学》杂志主编埃利斯·鲁宾斯坦专访中回答了提问。

关于中国科技事业的发展，江泽民说，在中国，人们很重视科学技术。中国历史悠久，在科技领域有过辉煌的成就。自明朝末年起，中国开始在科技领域落后于其他国家。从牛顿力学，到爱因斯坦的相对论，再到最新的互联网，世界科技日新月异地发展。中国为什么从那时开始落在了后面？总体来说，原因在于长期存在的封建制度。明朝时长城被修复、加固，封建统治者停止人们出洋，后来又实行“海禁”，中国与其他国家交往的大门被关闭了。新中国成立以来，中国政府始终高度重视科技事业。现在，我们正在实施科教兴国战略，以推动国家的建设和发展。

关于国际合作，江泽民说，中国人民为自己的古老文明而骄傲。但另一方面，我们不能停止学习世界上所有的优秀文明成果，一天也不能停。我们按照平等互利、成果共享、尊重知识产权的原则开展国际合作。通过国际合作，实现人才交流和资源、信息、科研设备的共享，不仅促进了科学技术自身的发展，而且将会带动经济贸易合作与交流。孔子曾说，三人行，必有吾师焉。他还说，知之为知之，不知为不知，是知也。中国科技界在国际合作中广泛学习了先进的科研理论和管理方法，提高了研究开发能力，改善了工程和产品质量并取得了良好的经济和社会效益，同时，也对当代科学事业的发展，作出了自己的贡献。希望中国科学家能更充分地活跃于国际合作的大舞台，参与更多的科学研究计划。

在谈到中国政府将采取什么新举措来加强国际科技合作时，江泽民说，中国政府将积极支持推进中国全球性和区域性科学研究与高新技术产业化合作网络，例如，建立类似中以、中澳合作基金和中国—亚太经合组织科技产业合作基金。我们不仅要鼓励中国的科学家积极参与像欧盟第五个框架研究计划，有选择地支持参与国际大科学合作项目，而且还要在国家级重大科研计划和科技研发基地建设中，对外开放和吸引国外的科研机构和科学家参与中国的基础研究计划和高技术研究计划。

在谈到中国建造重大科学研究设施的能力时，江泽民说，我们把重大科学设施的建设作为推动科学技术发展的重大部署之一。这些年来，我们已经建成了一批有影响的重大科学工程，如北京正负电子对撞机、兰州重离子加速器、合肥托克马克装置、清华低温核反应堆等。这些设施的建设和运行，增强了中国的科研能力，拓展了探索未知世界的能力。目前，中国正在建设一些重大科学装置。中国政府在“十五”期间还将进一步加强重大科学装置的建设，提高基础研究的能力。我们希望与世界各国进一步拓宽科学合作的渠道，积极参加更多的大科学装置的国际合作项目。

关于基础研究和应用研究，江泽民说，翻开科技发展的历史，我们知道，基础研究的成果为整个人类社会带来了巨大的突破和进步，也促进了应用科学的发展；而应用科学的不断发展，也必然对基础科学研究提出更高的要求。可以说，如果没有量子理论，就不会有微电子技术。如果没有相对论，就没有原子弹，也不会有核电站。人们有时可能并不了解在基础研究中的一项突破能在哪些具体领域被应用。创立量子理论的科学家当初并不了解，也不能预见到未来微电子技术的发展。我们的研究力量要在基础研究和应用研究、技术开发方面有一个合理的配置。当然，还要考虑到经济发展水平和每个国家的实际。像美国这样经济发展水平很高的国家应在基础研究方面有更大的投入。

我们要为科学家创造良好宽松的科研环境，鼓励科学家的自由选题和探索；在科研机构，建立符合科学自身发展规律的新机制；继续增加政府对基础研究的投入，鼓励部门、地方、企业和民间基金等多种形式对基础研究的支持；在基础研究领域开展广泛的国际交流与合作。

在谈到哪些科学研究领域最有可能为中国的未来繁荣发展提供支持时，江泽民说，许多新的交叉科学研究领域都可能对中国未来的繁荣发展产生重要影响。信息科学、生命科学、材料科学和资源环境科学研究领域对中国未来的可持续发展至关重要。

在谈到吸引人才回国服务时，江泽民说，科技竞争是人才竞争。中国政府坚持“支持留学、鼓励回国、来去自由”的留学方针。1978 年至 1999 年，中国各类出国留学人员近 32 万人。这一时期出国留学人员总和是 1872 年至 1978 年 100 多年间出国留学人员总数（约 13 万多人）的两倍多。改革开放 20 多年来，中国还接受了来自 160 多个国家和地区的留学生 34 万多人次。1978 年以来，中国出国留学人员中已有 11 万人学成回国，而且发挥了很好的作用。当然，由于各种原因，目前还有相当一部分出国人员不能或暂时不能回国工作，这是可以理解的。对此，中国政府各部门正采取各种措施，为他们创造更加便利的工作和生活条件，实施更加开放的政策，建立灵活的机制。此外，各地方政府建立的各类留学人员创业园区，也为他们在园内进行科技开发和成果转化发挥了“孵化器”作用。随着中国经济的发展和科研条件的进一步改善，学成回国的人员将会越来越多。

在谈到互联网问题时，江泽民说，随着互联网的发展，如今我们有了好的条件，可以获得世界上的大量信息。中国有大量的网络用户，其中 24—35 岁年龄段的人上网人数最多。信息的增值作用体现在它的“共享性”和“开放性”上。不仅是中国的年轻人，全世界的年轻人、学者、科技人员都应该充分利用互联网和其他一切交流手段。

在谈到教育改革和科学普及时，江泽民说，中国教育体系有不少好的传统，中国的基础教育培养了一大批世界公认的、优秀的科学家和工程技术人员，为世界文明进步作出了重要贡献。科学知识的积累是应该鼓励的，当然在前辈基础上的创新更应该鼓励。我们正在对教育体系进行改革，如推进素质教育，促进教育与科研的结合，鼓励创新人才的成长等。提高全民族素质、培养优秀人才将是一项长远的“系统工程”。这就是所谓的“十年树木、百年树人”。作为发展中国家，中国需要不断提高全体公民的科学文化素质。一方面，大力加强科普宣传工作，在全社会倡导爱科学、学科学的良好风气，弘扬科学精神和创新精神，提倡科学方法。另一方面，全面推进九年制义务教育，进行课程改革，并通过创建课外活动基地和科学馆，加强对中小学生的科学知识、创新意识的培养，推进素质教育。

关于高科技的影响，江泽民说，防止基因歧视、保护个人隐私、贯彻知情选择和实现公正原则，都是我们十分关注的问题。科学自由的原则一定要坚持，但科学的发展要为人类服务，不能危害人类自身。中国政府正在研究制定有关规章制度，促进、引导、规范和保障科学的健康发展。生物技术，尤其是对基因的研究，必将给人类带来福音，电信技术和纳米技术的进步也会对未来的社会产生深远的、积极的影响。世界各国都关注确保人们不受互联网的负面信息的影响，能健康成长。传媒业发展的速度很快。我们现在直接面对来自各界的信息，但要确保一点，即所有的事实都不应被歪曲。互联网也如此。不然，人们就会问，如何在网上区别事实与歪曲呢?

我们应当充分尊重他人的知识产权，同时又要善于保护自己的知识产权。在相互尊重、平等互利的原则基础上开展国际合作，对各方都有利。至于遗传资源问题，中国在 1998 年 6 月发布了《人类遗传资源管理暂行办法》，其出发点是在该原则下促进国际合作和交流。中国政府鼓励中国科学家与国外同行在这一领域进行合作，所限制的只是少数个人和公司以科研名义采集标本从事商业活动。《办法》施行以来，中国科研机构与一些国家科研机构的合作进展良好。

（2000 年 6 月 19 日《人民日报》）

江泽民：在中国科学院第十次中国工程院第五次院士大会上的讲话

（2000年6月5日）

我很高兴来参加中国科学院第十次院士大会和中国工程院第五次院士大会。今天，这里胜友如云，高朋满座。首先，我代表党中央、国务院和中央军委，向大会表示热烈的祝贺！向为我国科技事业和经济建设作出杰出贡献的两院院士，向辛勤工作在各条战线上的广大科技工作者，致以崇高的敬意！

这次会议，是两院迎接新世纪的一次盛会。在这世纪交替的重要历史时刻，如何推进我国的科技进步和创新，发挥科学技术第一生产力的重大作用，为我国经济和社会发展不断提供强大的推动力量，使我国在未来激烈的国际竞争中获得新的更大的发展，是我们必须认真思考的重大课题。

在20世纪里，科学技术取得了前所未有的进展，推动人类社会经济文化生活发生了深刻的变化。在这100年中，中国发生了历史性的巨变。20世纪来临的时候，八国联军侵入了北京，中华民族正陷入空前的民族危机和灾难之中。也就是在这一时期，量子论、相对论等具有划时代意义的科学成果相继出现。这些科学技术的重大突破，对当时和以后世界科技和生产力的发展产生了重大影响。而当时的中国，政治黑暗，社会动荡，民不聊生，根本没有可能跟上世界科技的先进潮流，爱国科学家们的报国之志无从实现。在中国共产党的领导下，我国各族人民经过艰苦卓绝的斗争，到本世纪中叶赢得了民族独立和人民解放，建立了人民当家作主的新中国，为我国科技和各项事业的蓬勃发展创造了根本的政治条件。新中国成立后特别是改革开放以来，我们党和国家高度重视科技事业，广大科技工作者艰苦奋斗，顽强拼搏，勇攀高峰，创造了“两弹一星”等一个又一个举世瞩目的科技奇迹，在许多重要领域取得了大量科技成果，有力地推动了我国的经济建设和社会发展。我国有今天这样良好的发展局面和国际地位，是与我国一代又一代科技工作者的辛勤劳动分不开的。

中国这100年的历程，说明了一个深刻的道理：一个国家的科技事业与这个国家的命运是紧密相关的，科学家的事业与自己祖国和民族的命运是联系在一起的；只有在实现国家独立、安全、稳定的前提下科技事业才能不断发展，只有献身于祖国和人民事业的科学家才能大有作为。

世界科学技术正在发生新的重大突破，以信息科学和生命科学为代表的现代科技的突飞猛进，为世界生产力的发展打开了新的广阔前景。我们面临着难得的发展机遇，也面临着严峻的挑战。在世界政治走向多极化、经济日趋全球化的条件下，我们要实现跨世纪发展的战略目标，必须加紧推进科技进步和创新，为社会主义现代化建设不断提供强大的科技支持。这就是我国当代科技工作者的历史使命。我国政治稳定，经济发展，有坚实的物质技术基础，完全有条件、有能力去追赶世界科技的先进潮流。如果不加快我国经济和科技事业的发展，努力缩小与世界先进水平的差距，我们就难以在激烈的国际竞争中掌握主动。中国在发展，世界也在发展。时不我待啊！全国广大科技工作者一定要肩负起时代赋予的历史使命，以只争朝夕的精神去工作、去奋斗。党中央和全国人民对广大科技工作者寄予厚望。在建设有中国特色社会主义的伟大事业中，广大科技工作者一定能够创造出无愧于时代的非凡业绩。

面对世界经济和科技发展的新形势，我们必

须在全国兴起一个科技进步和创新的高潮。我们要抓紧实施科教兴国战略和可持续发展战略，抓紧国家创新体系建设，抓紧推进科技创新和知识创新，在加强基础科学研究的同时，特别要加快高新技术的发展和产业化，积极推进科技体制改革，加速科技成果向现实生产力的转化，以利大力促进我国的经济建设，提高各行各业的科学技术现代化水平。

经济建设和科技事业的发展，需要党和国家制定正确的方针政策，需要各级党委和政府大力支持，需要广大科技工作者不懈努力，也需要全国各族人民共同参与。在科技事业的发展中，科学家的作用十分重要，但仅仅靠科学家的努力还不够，必须动员全社会的力量共同支持和参与，这样才能形成科技发展最深厚的基础。坚持与人民群众的生产实践紧密结合，坚持与经济建设和社会发展的现实要求紧密结合，科学技术才能获得最根本的动力和产生更大的威力。应形成全国方方面面共同促进科学发展的良好气氛，应在全党全社会大力弘扬科学精神，普及科学知识，树立科学观念，提倡科学方法。弘扬科学精神更带根本性和基础性。有了科学精神的武装，大家就会更加自觉地学习科学知识，树立科学观念，掌握科学方法。

科学精神的内涵很丰富，最基本的要求是求真务实，开拓创新。弘扬科学精神，就要坚持解放思想、实事求是，勇于面对科技发展和各项工作中的新情况新问题，通过研究和反复实践，不断创新，不断前进；就要热爱科学、崇尚真理，依据科学原理和科学方法进行决策，按照科学规律办事；就要勤于学习、善于思考，努力用科学理论、科学知识以及人类创造的一切优秀文明成果武装自己；就要甘于奉献、攀登高峰，为祖国为人民贡献一切智慧和力量，敢于战胜前进道路上的任何困难和艰险，始终勇往直前。科学界要大力弘扬科学精神，各条战线、各个部门都要大力弘扬科学精神。总之，要使实事求是、探索求知、崇尚真理、勇于创新的精神在全党全社会大大发扬起来。

我多次说过："创新是一个民族的灵魂，是一个国家兴旺发达的不竭动力。"科学的本质就是创新，要不断有所发现，有所发明。面对世界科技进步日新月异的挑战，面对我国现代化建设提出的巨大科技需求，我们必须开阔眼界，紧跟世界潮流，抓住那些对我国经济、科技、国防和社会发展具有战略性、基础性、关键性作用的重大科技课题，抓紧攻关，自主创新。历史反复证明，推进科技发展，关键要敢于和善于创新。有没有创新能力，能不能进行创新，是当今世界范围内经济和科技竞争的决定性因素。历史上的科学发现和技术突破，无一不是创新的结果。20世纪相对论、量子论、基因论、信息论的形成，都是创新思维的成果。正是基于物质科学、生命科学和思维科学等的突破性进展，人类创造了超过以往任何一个时代的科学成就和物质财富。21世纪，科技创新将进一步成为经济和社会发展的主导力量。形势逼人啊！我们不加紧努力，与世界先进水平的差距就会进一步拉开。掌握前人积累的科技成果，扬弃旧义，创立新知，并传播到社会，延续至后代，不断转化成生产力和社会财富，这是知识传承和发展的通途。关键是要能够在已有的基础上不断进行创新。我们要坚持有所为、有所不为的方针，瞄准世界科技发展的前沿，力争在有条件的领域实现突破，力争在基础科学上有所发现，在技术上有所发明，努力实现我国科学技术的跨越式发展。小平同志明确指出，中国要在世界高技术领域占有一席之地。希望我国广大科技工作者，牢记自己的历史使命，坚持创新、创新、再创新！

世界总是处在矛盾运动和变化之中的，不可能一成不变。我们的事业在不断前进。我们的政策措施和思想观念、工作方法，必须适应这种变化而不断发展和勇于创新。我们要坚持解放思想、实事求是，一切从实际出发，主观与客观相统一，理论与实践相统一，及时提出适应实践发展要求的方针政策，及时改革生产关系中不适应生产力发展、上层建筑中不适应经济基础发展的环节。这是辩证唯物主义和历史唯物主义最基本的要求，也是马克思主义的科学方法论。马克思、恩格斯、列宁和毛泽东同志、邓小平同志，他们都善于根据实际情况的发展变化提出新的思想和理论，为我们树立了坚持科学精神、创新精神的光辉典范。马克思主义是最讲科学精神、创新精神的。坚持马克思主义，最重要的就是要坚持马克思主义的科学原理和科学精神、创新精神，善于根据客观情况的变化，及时察觉和研究前进中的新情况新问题，不断从人民群众在实践中创造的新鲜经验中吸取营养，不断改进和完善我们的工作。在前进的道路上，绝不能墨守成规，裹足不前。我们提出按照“三个代表”的要求加强党的建设，就是要研究新的情况和新的实践，解答建设有中国特色社会主义进程中提出的重大问题，把现代化建设和党的自身建设不断推向前进。

在全党全社会大力倡导和弘扬科学精神、创新精神，是一项十分重要而艰巨的任务。经过长期的努力，我国科技普及工作取得了很大成绩，宣传科学观念和弘扬科学精神正在蔚然成风。由于我国教育科技文化水平还不发达，发展也不平衡，由于长期存在的封建主义文化残余的影响，一些封建愚昧和迷信落后的东西在群众中还有一定的市场，一些新形态的迷信、伪科学时有泛起。一些领导干部在工作中不讲科学甚至违背科学原理和规律行事的现象还不时发生。这说明，在全党全社会弘扬科学精神，还需要我们继续进行努力。有了一些科学知识，不等于就有了坚定的科学精神。科学精神要以马克思主义的科学原理为指导，经过长期的学习和实践磨炼，才能真正树立起来。要坚持不懈地在全体人民中普及科学知识，提倡科学方法，弘扬科学精神，努力形成在全社会学习科学、相信科学、依靠科学的良好气氛。尤其要加强对广大青少年的科学教育，使他们从小就养成科学观念，逐步培养起科学精神。最近，100多位院士参与了“院士科普书系”的编写工作，已经写出了50多本书稿，即将陆续出版。这是一项很有意义的工作。作为代表国家最高科技水平的科学家和工程师，两院院士应该努力在科学和工程技术的先进领域里进行发明创造，同时应该为全民族科技文化水平的提高倾注心血。一个国家的科技文化水平，不仅要看其在世界先进水平上的成就，而且要看其全社会的科技文化水平。全社会科技文化水平不断得到提高，就可以为经济和科技事业的发展提供强大的后劲。这是辩证统一的。坚持不懈地弘扬科学精神，是全党也是广大科技工作者义不容辞的责任。一切科技工作者，都应高举科学的旗帜，坚持唯物主义，反对唯心主义，坚持辩证法，反对形而上学，都应满腔热情地推进科学普及。各级党委和政府对这方面的工作，要统筹规划，制定措施，扎实推进。

各级领导干部特别是高级干部，要带头学习科学知识，带头弘扬科学精神，带头在工作中运用科学方法。在处理一些涉及科学和工程技术方面的重大问题时，要听取科学家和工程师们的意见与建议，作为决策的依据和参考。现在世界新知识、新发明、新事物、新产业层出不穷。领导干部不学习、不研究、不思考这些新的变化，就会落后于形势，从而也就很难做好领导工作。领导干部的学习是多方面的，其中对科技知识的学习就是十分重要的方面。马克思、恩格斯、列宁和毛泽东同志、邓小平同志，都十分注重了解和学习科技知识，并善于运用科学技术的新突破来发展和完善理论。1883年，马克思逝世的时候，恩格斯曾经写道：“没有一个人能像马克思那样，对任何领域的每个科学成就，不管它是否已实际应用，都感到真正的喜悦。但是，他把科学首先看成是历史的有力的杠杆，看成是最高意义上的革命力量。而且他正是把科学当做这种力量来加以利用，在他看来，他所掌握的渊博的知识，特别是有关历史的一切领域的知识，用处就在这里。”领导干部，不论是在部门工作还是在地方工作，不论是从事全局的工作还是从事局部的工作，都必须学习科学知识，贯彻科学精神，讲求科学方法，为群众作出表率。有的领导干部不学习科技知识，或者看了也是装装门面，并没有用科学精神武装自己，反而热衷于封建迷信的东西，烧香拜佛、求签问卜，在群众中造成了恶劣的影响。这样的人，还配当共产党员吗？还配做领导干部吗？对这样一些领导干部，有关部门要加强教育，并责令其改正，坚持不改的，要批评和处理。还有的领导干部安于现状，不思进取，对工作敷衍了事，得过且过，缺乏创新精神；有的领导干部口头上科教兴国喊得很响，但迟迟不见落实、不见行动。这些都是不符合党的要求的。各级领导干部都要关注科学技术的进步，与科学家交朋友。对科学技术上的发明创造，不管是历史上的还是现时代的，是国内的还是国外的，大家都应努力去了解。各级领导干部的科学知识丰富起来了，科学精神在头脑中扎根了，我们的各项工作就会做得更好。

关于加紧培养人才的问题，我1998年参加两院大会时曾经突出地讲过。今天，我还要强调一下这个问题。我们党和国家事业的兴旺发达和长治久安，需要一大批各行各业的优秀人才。我国科技事业的发展，也需要培养和造就一代年轻科技人才。这是一项十分紧迫而重大的战略性任务。现在看得越来越清楚，当今和未来世界的竞争，从根本上说是人才的竞争。我国要跟上世界科技进步的步伐，加快科技创新和知识创新，必须有一批又一批的优秀年轻人才脱颖而出。建设有中国特色社会主义的伟大时代，应该是百舸争流、人才辈出的时代。唐朝诗人孟浩然写道："人事有代谢，往来成古今。"科技进步也好，社会发展也好，总是在昨天超越前天、今天超越昨天、明天又超越今天的历史运动中前进的。这是自然界和人世间的一般规律。要不拘一格地选用年轻人，努力从学习、工作、体制、政策、环境等方面创造条件，让年轻英才不断涌现出来。这应成为我们推动科技创新、知识创新和其他各个方面创新的重要指导思想。年轻人风华正茂，思维敏捷，接受新事物快，富有创造精神，但一定要牢固树立科学精神，刻苦钻研科学知识，一定要有把自己的青春和智慧奉献给祖国与人民的远大志向。这样才能大有作为。年长的同志要热情帮助并真诚提携年轻的同志，鼓励他们赶上和超过自己，不要怕年轻人超过自己。"江山代有才人出。"惟有英才不断涌现，我们的事业才能始终充满发展的活力。

最后，希望两院院士和广大科技工作者，坚持弘扬科学精神，努力登攀科学高峰，为推进我国经济建设和社会发展服务。在新的世纪里，我们要实现现代化，实现中华民族的伟大复兴，还任重道远。大家要继续努力奋斗，不断作出新的业绩。

(2000年6月7日《人民日报》)

江泽民：在全国党校工作会议上的讲话

(2000年6月9日)

同志们：

中央召开这次全国党校工作会议，主要是部署贯彻中央刚刚作出的面向21世纪加强和改进党校工作的决定。锦涛同志已就如何进一步做好党校工作讲了话，所讲的意见我都赞成。刚才几位同志的发言，讲得都很好。我们党历来对党校工作十分重视。各级党校承担着一个重要任务，就是要为党培养造就一大批优秀中青年干部而努力。今天，我就想谈谈关于加紧培养适应新世纪要求的中青年领导干部问题。

不断培养中青年领导干部，始终是我们党的一项战略任务。毛泽东同志、邓小平同志都把这项工作放在关系党的事业兴旺发达和几千万烈士用鲜血换来的红色江山永不变色的高度来认识和强调。全党同志必须认清当前国内外形势的新情况新特点，认清我们党在新的世纪里所要完成的繁重任务，认清我们党的建设的实际状况，从而进一步认识到培养造就一大批适应新世纪要求的中青年领导干部的极端重要性和紧迫性。

从国际形势看，这些年来，世界上发生了不少事，天下仍很不太平，霸权主义和强权政治有新的发展，但各国人民要和平、求发展的时代大趋势没有变。在可以预料的较长时期内，我们可以争取到一个和平的国际环境。我们必须清醒地看到，由于世界力量对比严重失衡，美国在经济、科技、军事上处于超强地位，世界走向多极化的进程不会一帆风顺，将会经历一个较长的发展过程。经济全球化作为一个客观进程，具有两重性。西方发达国家力图主导经济全球化，发展中国家总体上处于弱势，如果没有正确的对策就会落入更加不利的地位。世界科学技术的突飞猛进，对经济和社会发展的作用越来越重要和直接。西方发达国家的科技实力明显占优势，发展中国家面临实现技术跨越的机遇，也面临着巨大的压力。当今各国特别是大国之间的关系，集中表现为包括经济实力、科技实力、国防实力、民族凝聚力在内的综合国力的较量与竞争。这种全球政治和经济发展的特点，在21世纪将持续很长一段时间。西方敌对势力不愿意看到社会主义中国发展壮大，加紧对我国实施“西化”、“分化”的战略图谋不会改变，我们与西方敌对势力在渗透与反渗透、颠覆与反颠覆方面的斗争将是长期的复杂的，有时甚至会是十分尖锐的。我们必须保持高度警惕，善于把握大局，审时度势，既要坚持原则立场，又要讲求斗争艺术，坚定地抓住机遇加快我国的发展，坚决维护我国的利益和安全。

从国内形势看，我国社会主义现代化建设将进入一个新的发展时期。我国现处在社会主义初级阶段。这个初级阶段，是完成国家的工业化和实现国家经济的社会化、市场化、现代化的历史长过程，总的目标是到下个世纪中叶基本实现社会主义现代化，实现中华民族的伟大复兴。在这个长过程中，我们已经历了若干个具体的发展阶段，还要继续经历若干个具体的发展阶段。经过20多年的改革开放和快速发展，我国的生产力水平、供求关系、体制环境、对外经济联系都发生了重大变化。在加快工业化的过程中，我们又面临着国民经济信息化的新任务。我们要在胜利完成第二步战略目标的基础上，开始实施第三步战略目标，全面建设小康社会并继续向现代化目标迈进。我们有信心、有条件、有能力完成这一任务。但是我们也应清醒地认识到，完成这个任务有难度有风险，具有很大的艰巨性和复杂性。巩固农业的基础地位，推进经济结构的战略性调整，实施科教兴国战略和可持续发展战略，搞好西部大开发，建立比较完善的社会主义市场经济体制，应对加入世界贸易组织后面临的机遇和风险，处理好改革、发展、稳定的关系，都要求我们继续增加知识和经验，提高领导水平。

从党的建设看，这些年来，我们坚持用邓小平理论武装全党，围绕不断提高党的领导水平和执政水平，增强广大党员、干部拒腐防变和抵御风险的能力这两大历史性课题，全面推进党的建设，取得了很大的成绩。但是也要看到，党的各级组织和广大党员、干部如何适应新形势新任务的要求，不断增强凝聚力和战斗力，发挥先锋模范作用的问题，并没有完全解决。加强和改进党的建设，解决党内存在的突出问题，还有大量工作要做。

当前，党的干部队伍又处在一个新老交替的重要时期。党的十一届三中全会以来，我们按照“革命化、年轻化、知识化、专业化”的要求，采取积极措施，培养和选拔了大批优秀年轻干部。我们这一届政治局的同志，基本上都是当年从中央部门和地方上比较年轻的同志中选拔出来的。现在各部门、各地区的领导干部都是在80年代或90年代，从当时比较年轻的同志中选拔出来的。与20年前相比，我们干部队伍的平均年龄降下来了，文化程度提上去了，有了很大的变化。这几年和今后几年新老干部交替的数量比较大。不仅新中国成立前成长起来的干部，而且“文革”前党培养出来的干部，都将陆续退下来，一大批“文革”后成长起来的年轻干部要走上更重要的领导岗位。这个新老交替的工作一定要做好。邓小平同志曾经深刻地指出：“政治路线确立了，要由人来具体地贯彻执行。由什么样的人来执行，是由赞成党的政治路线的人，还是由不赞成的人，或者是由持中间态度的人来执行，结果不一样。”问题的关键是，我们选人要力求选得准，选上来后培养、帮助和监督工作要抓得很紧。选拔和培养中青年领导干部的问题，我想得很多。这个问题如果解决得不好，我们就难以向毛泽东同志、邓小平同志和革命先辈们交代，难以向党和人民交代。

1938年，毛泽东同志曾经指出：“中国共产党是在一个几万万人的大民族中领导伟大革命斗争的党，没有多数才德兼备的领导干部，是不能完成其历史任务的。”“政治路线确定之后，干部就是决定的因素。因此，有计划地培养大批的新干部，就是我们的战斗任务。”现在，我们党在一个有12.6亿人口的大国中执政，要在复杂的国内外形势下带领全国各族人民推进艰巨的现代化事业，没有一大批德才兼备的领导干部，肯定是不行的。当今和未来的世界竞争，从根本上说是人才的竞争。这种人才竞争是全面的，包括领导人才在内的各个方面各个层次的人才，都面临着各种竞争和斗争的检验与考验。历史和现实都表明，一个政党，一个国家，能不能不断培养出优秀的领导人才，在很大程度上决定着这个政党、这个国家的兴衰存亡。中国的社会主义事业能不能巩固和发展下去，中国能不能在未来激烈的国际竞争中始终强盛不衰，关键就要看我们党能不能不断培养造就一大批高素质的领导人才。如果这个问题解决得不好，我们就难以在新世纪里经受住各种风险的考验，难以实现党和国家既定的奋斗目标。全党同志都要从这样的政治高度来认识培养优秀中青年领导干部的重大意义，紧迫地而不是松懈地、认真地而不是敷衍地按照中央的要求把这项工作抓紧抓好。

今年2月，我在广东考察时提出，各级党的组织和全党同志都应按照“三个代表”的要求，全面加强和改进党的建设，使我们党永远立于不败之地，永远得到全国各族人民的衷心拥护并带领人民不断前进。我提出这个问题，是经过了长时期思考的。在实行改革开放和发展社会主义市场经济的条件下，“建设一个什么样的党、怎样建设党”，是一个重大的现实问题，直接关系到我们党和国家的前途命运。党的十四届四中全会和十五大提出的党的建设的新的伟大工程，就是回答这个问题的。我们在加强和改进党的建设上已取得了一些新的经验。我感到，我们要坚持毛泽东同志、邓小平同志关于党的建设的理论和一系列重要思想，集中起来最重要的，就是要在思想上和行动上坚持这“三个代表”。这是我们党的立党之本、执政之基、力量之源。

希望全党同志特别是高级干部要结合“三个代表”的要求，认真回顾我们党的奋斗历程，认真思考我们党在长期实践中取得的正反两方面历史经验，特别要认真思考改革开放以来我们党为什么能经受住国内外各种风险考验的基本经验，思考怎样解决我们党内存在的问题、更好地带领人民完成跨世纪发展的任务。把这些问题想好了，思路和工作方向都明确了，加强新时期党的建设，培养造就一大批中青年领导干部的工作，就可以做得更好。

我们党是在日益复杂的国内外环境中履行执政职能，制定各项政策和开展各项工作的。我们在前进道路上不可能一帆风顺，必然会遇到来自国内外的各种困难和风险。远的不说，只要看一看十五大以来这两年多时间，我们就遇到了亚洲金融危机和严重洪涝灾害的考验，发生了美国悍然袭击我驻南使馆、“法轮功”组织聚众闹事、李登辉抛出分裂祖国的所谓“两国论”以及主张“台独”的陈水扁在台湾地区选举中当选等重大事件。可以说，形势常常是变幻莫测，不以我们的意志为转移的。这些突发事件发生了，我们就要去应对和处理。这些年来，我们积累了一条重要的经验：形势越复杂，任务越繁重，斗争越尖锐，我们就越要坚持邓小平理论和党的基本路线、基本方针、基本纲领，坚定不移地集中精力把经济建设搞上去，坚定不移地为实现党在社会主义初级阶段的总目标和总任务而不懈奋斗。不论发生什么事情，这些基本的东西都不能变。这就是我们的主心骨。有了这个主心骨，我们就能任凭风浪起，稳坐钓鱼船，真正做到抓住机遇而不丧失机遇，开拓进取而不因循守旧。各级领导干部都要从思想上理论上牢固地确立这些基本的东西，从而在处理纷繁复杂的问题时有一个主心骨。培养中青年领导干部，必须让他们明确这一点，在任何时候都要毫不动摇地坚持这些基本的东西。要注意让中青年领导干部在各种重大斗争中经受风浪的考验。凡是在重大斗争和突发事件中，能够保持清醒头脑，站稳脚跟，并组织和带领群众战胜困难的人，就应该予以重用或重点培养。总之，要努力培养出一大批政治上坚定、具有抵御各种风险的能力、善于驾驭复杂局面的优秀年轻干部。

在培养中青年领导干部这项重大任务中，党校应该也完全可以发挥重要的作用。党校工作是党的事业的重要组成部分，搞好党校教育对于党和国家的发展具有现实和长远的重要意义。各级党校的工作，都要自觉地同党和国家的大局联系起来。各级党校的同志都要从国内外的形势发展和党的建设的实际要求出发，兢兢业业地做好工作，为培养中青年领导干部多作贡献。

建设好我们的党，首先要提高党的各级领导干部的思想政治素质，特别是要努力提高中青年领导干部的思想政治素质，使之成为忠诚于马克思主义、坚持走有中国特色社会主义道路、会治党治国的新一代政治家。广大中青年干部是我们党和国家的希望，代表着我们党和国家的未来。培养中青年领导干部的工作，不仅要抓紧，而且要抓好。在这个问题上，我们一定要十分清醒，十分坚定。

第一，要大力加强中青年领导干部的党性修养，使他们始终坚持全心全意为人民服务的根本宗旨。广大中青年领导干部要通过党的历史和马克思主义党建理论的系统学习，通过党性党风教育，不断提高自身的政治素质。最重要的是要树立起全心全意为人民服务的思想，一辈子始终不渝。党的事业需要中青年干部，当干部总得有一定的岗位和权力，但中青年干部自己不能整天想着当大官，而应该多想想怎么为党和人民干一番事业。有的人整天想着升官，最后发展到跑官、要官、买官，这是根本违背党的宗旨的。这种歪风邪气，必须坚决制止。党和人民殷切希望广大中青年领导干部自觉加强党性修养，要胸有大志，脚踏实地，诚心诚意地为人民谋利益；要牢固树立正确的世界观、人生观、价值观，严以律己，以身作则，经得起权力、金钱、女色的考验，坚决抵制各种腐败行为和错误思潮；要坚持发扬民主，密切联系群众，勇于开展批评与自我批评，坚决反对官僚主义和形式主义，做一个党的好干部、人民的好公仆。

第二，要大力拓宽中青年领导干部的视野，使他们能够善于观察世界大势和正确把握时代要求。我们党在创立的时候，就是由一批先进的知识分子，传播马克思列宁主义，并努力把马克思列宁主义这一最先进的思想同工人阶级这个中国最先进阶级的斗争实践结合起来，代表着中国和世界进步的时代潮流。中国共产党在中国各族人民的心目中，总是社会进步的象征、民族兴盛的希望。十一届三中全会以来，我们党在邓小平理论的指导下，坚持解放思想、实事求是的思想路线，深刻总结我国和其他国家建设社会主义的历史经验，适应时代进步的潮流，大胆地进行改革开放，以宽广的胸怀学习和借鉴世界各国包括资本主义国家创造的一切进步成果，领导全国人民开创了建设有中国特色社会主义的新局面。在世界社会主义运动遭受严重挫折的时候，我们党能够继续执政和发展，社会主义在中国能够充满新的生机，这是一个重要原因，也是一条宝贵的经验。全党同志特别是中青年领导干部务必加强学习和实践，使自己具有开阔的视野，学会敏锐地观察世界政治、经济、科技、文化等各种变化，始终走在时代发展、改革开放和现代化建设的前列。历史上，不看世界发展的大势，固步自封，作茧自缚，导致国家和民族衰亡的例子比比皆是。例如，清朝从 1644 年到 1911 年共延续了 268 年。从 1661 年到 1796 年是史称的“康乾盛世”。在这个时期，中国的经济水平在世界上是领先的。乾隆末年，中国经济总量居世界第一位，人口占世界 1/3，对外贸易长期出超。也正是在这一时期，西方发生了工业革命，科学技术和生产力快速发展。但是，当时的清朝统治者却不看这个世界的大变化，夜郎自大，闭关自守，拒绝学习先进的科学技术。最后，在短短一百多年的时间里，就大大落后于西方国家，直至在西方列强的坚船利炮面前不堪一击。这个历史的教训刻骨铭心啊！我们现在这代中青年领导干部是在改革开放的环境中成长起来的，总的说来，具有知识比较广博、视野比较开阔、思想比较活跃等优点。但是，这并不等于就已经对世界发展的大势和时代进步的原因具备了科学的认识，还需要在刻苦的学习和工作实践中不断提高。党校在培训中青年领导干部时，要使他们对当代世界经济、政治、科技、法制、军事等等有较深刻的了解和把握，努力培育他们的世界眼光，使他们不断增强对世界的了解和分析判断能力。这一点十分重要。

第三，要大力培养中青年领导干部的战略思维能力，使他们善于从实际出发不断研究解决改革、发展、稳定中的重大问题。我们党高度重视理论学习和研究，就是为了用正确的理论去指导实际问题的解决。坚持理论联系实际，注重研究带全局性的战略问题，是我们党的优良传统。我们现在家大业大，工作头绪多、任务重，面临的问题十分复杂，而且层出不穷。如果我们的领导干部对理论学习不重视，对重大实际问题不进行战略性的思考和研讨，是很难做好领导工作的，而且是很危险的。党的十五大号召全党同志，要以我国改革开放和现代化建设的实际问题、以我们正在做的事情为中心，着眼于马克思主义理论的运用，着眼于对实际问题的理论思考，着眼于新的实践和新的发展。这个任务十分重要，我们做得还很不够，要大大加强起来。如果我们的各级领导干部包括中青年领导干部都能坚持这样做，并不断取得新的成绩，我们党的事业和各项工作就能不断开拓新的境界。党校要按照这个要求来培养中青年领导干部，通过一系列调查研究和战略问题研讨，帮助他们增长研究解决重大现实问题的才干，养成对重大现实问题进行战略思考的能力。

第四，归根到底，要大力提高中青年领导干部的理论素养，使他们真正掌握马克思主义的立场、观点和方法。马克思主义是科学，是我们的思想政治信仰。马克思主义传入中国以来，在同中国实际相结合的过程中实现了两次历史性的飞跃，产生了毛泽东思想和邓小平理论两大理论成果。马列主义、毛泽东思想、邓小平理论是一脉相承的统一的科学体系，是我们党的指导思想。邓小平理论对于解决当代中国社会主义的前途和命运问题具有直接的指导意义。经过这几年持续深入开展的理论武装工作，全党对邓小平理论的学习取得了一定的进步，但不能估计过高。现在四十岁上下的年轻干部，一般都接受了马克思主义和党的优良传统的教育，但还不够系统、扎实。他们对中国的历史和现状有不少了解，但还不够深入、广泛。他们也经受了一定的党内生活和社会实践的锻炼，但还不够全面、严格。也就是说，这一代年轻干部，还缺乏马克思主义基本理论的扎实功底，缺乏对中国历史和现实的系统了解，缺乏党内生活和艰苦环境的严格锻炼。缺什么就要补什么。理论知识、历史知识可以通过书本学习来获得，品格、意志的锻炼主要靠在艰苦的实践中去解决。努力提高各级领导干部特别是中青年领导干部的马克思主义理论水平，是党的事业不断开拓前进的必然要求，也是中青年领导干部自身成长的必然要求。党校要始终把马列主义、毛泽东思想、邓小平理论作为各门课程的理论基础。要重点学习《邓小平文选》，学习十一届三中全会以来党和国家的重要文献，同时精读马列和毛泽东同志的重要著作。要使领导干部能够始终坚持并正确运用马克思主义的基本原理，又能够不断吸取新经验新思想，不断增强科学精神和创新精神，敢于和善于创造性地开展工作。各级领导干部特别是中青年领导干部都具备了这样的理论素养，我们未来的事业就大有希望了。

全党同志特别是高级干部，要有战略眼光，要有老一辈无产阶级革命家的那种高瞻远瞩和宽阔胸襟，切实把培养造就一大批适应新世纪要求的中青年领导干部这项重大的政治任务完成好。做出了党和人民满意的工作业绩，培养了党和人民放心的接班人，我们才算完成了自己的历史使命。这方面的工作，中央已经作出了部署，大家都要认真贯彻落实。这里，我要强调三点。

第一，选人不拘一格，用人用其所长。这是古今中外成功的用人之道。选拔中青年领导干部，要解放思想，坚决破除论资排辈、求全责备、迁就照顾等陈旧落后的观念，不拘一格选人才。选拔干部当然要讲台阶、论资历。必要的台阶和资历是干部积累领导经验所需要的。但千万不能搞形式主义，千篇一律，应该是讲台阶而不抠台阶，论资历而不唯资历。如果台阶过细过繁，太看重资历，优秀人才怎么脱颖而出？年轻人肯定有缺点和不足。看人要看大节、看主流、看发展，不能求全责备。有缺点和不足，关键是要帮助他们改正和弥补。改正和弥补了，就好。用人用其所长，就是要扬长避短，善用他的特长，把他放到最适合于发挥他的优势的岗位上。这对干部本人、对党的事业都有好处。用非所长，对干部本人、对党的事业都是一种损失。通才和全才毕竟是少数。但我们的高级干部，特别是各地区各部门的主要负责人，是负责全面工作的，他们的知识和才干应力求全面，既懂自然科学知识，又懂社会科学知识，既有丰富的书本知识，又有丰富的实践经验，这样才能把全面的领导工作担当好。任用干部，要坚持德才兼备的原则。具有坚定的政治立场和信念，具有真才实学和开拓精神，这些都是基本要求。但“德”和“才”都不是抽象的，而是具体的。衡量一个干部是否符合“德”、“才”标准，既要看本人的素质，更要看工作实绩。我国有12亿多人口，我们党有6300万党员，各类干部有4100多万人，人才肯定是有的，关键看我们的工作做得怎么样。要大力拓宽知人识人渠道，搞五湖四海，走群众路线。我们的原则应该是：坚持任人惟贤，反对任人惟亲；既要德才兼备，又不求全责备；既要坚持标准，又要不拘一格。要不断深化干部人事制度改革，形成干部能上能下的机制，用制度为优秀年轻干部脱颖而出、健康成长创造良好的环境和条件。

第二，中青年领导干部的健康成长，自身努力是内因，党组织培养是外因，内因与外因要紧密结合。培养，在干部的成长过程中有着重要的作用。一些好的苗子，如果我们没有及时发现，并有计划地进行培养和锻炼，也可能就自生自灭了。对于看准了的、有发展潜力的苗子，一定要精心加以培养。培养不是溺爱，也不能拔苗助长，而是要真正让年轻干部在工作实践中得到艰苦的磨练，增长才干和胆识。培养有多种方式。理论教育和学习是培养，基层锻炼是培养，使用也是培养，而且是更重要的培养。一个领导干部的思想水平、工作能力和领导才能，需要在领导工作的实践中形成。没有一定的领导岗位这个舞台，领导才能就无法提高，也难以真正考察和识别干部。对那些基本素质具备的中青年干部，要大胆放到相应的领导岗位上去。实践证明，把年轻干部放到一些关键岗位、艰苦环境和情况复杂、矛盾突出、困难较多的地方去锻炼和培养，对他们的提高和成熟很有好处。凡是在这些地方和岗位作出实绩的，就继续提拔使用。不愿到困难的地方去，或去了干不出成绩，就不是优秀干部，就不能提拔重用。领导干部必须经受考验。年轻干部如果不知艰苦，不经过摔打，很可能就成为温室里的花朵，是经不起什么风浪的。从积累领导经验的角度讲，使用是最好的培养，是提高和识别干部的最好方法。

第三，我们从事的事业是空前广大的，需要的人才是多方面的。政治、经济、文化、科技、教育、军事、外交等各方面的工作，都需要大批的高素质的中青年领导干部。无论从事什么工作的干部，政治上必须合格。在这个前提下，还必须具备所从事工作的专长。比如说，加强农业基础地位，推进科技兴农，带领农民群众致富奔小康，就需要善于做新时期农村、农业、农民工作的人才；推进两个根本性转变，推进经济结构的战略性调整，搞好国有企业，就需要熟悉宏观经济、熟悉企业工作、善于驾驭市场的人才；进行对外开放，加入世界贸易组织，把“引进来”和“走出去”有机结合起来，就需要懂得国际经济、了解国际经济法、熟悉国外市场情况的人才；开展外交工作，维护我国的主权、利益和安全，就需要能够坚持党的外交方针政策，善于开展国际交往和斗争的人才；维护祖国统一，反对“台独”，加强对台湾人民的工作，就需要了解台湾情况，熟悉台湾民情，又善于开展对台工作的人才；迎接世界新军事革命的挑战，加强军队的革命化、现代化、正规化建设，就需要政治思想素质过硬、懂得现代军事的人才，如此等等。总之，党和人民的事业需要的人才是多方面的、全方位的。对不同领域人才的要求及其成长规律也是不同的。做好优秀中青年领导干部的培养选拔工作，要针对不同部门、不同工作的特点来进行。应努力形成各方面人才百舸争流、各显其能的局面。一批批优秀中青年领导干部茁壮成长，才能得到充分发挥，我们的事业才有不断成功的把握。

我以上说的三点，也可以用前人的三句诗来表述：第一句是龚自珍的“我劝天公重抖擞，不拘一格降人才”；第二句是郑板桥的“千磨万击还坚劲，任尔东西南北风”；第三句是朱熹的“等闲识得东风面，万紫千红总是春”。就是说，培养中青年领导干部，一要不拘一格，二要加强磨练，三要人才辈出。

通过党校和各种类型的干部学校培训干部，是培养和提高干部的重要途径。我们党成立之初，就曾建议和帮助孙中山创办黄埔军校，并提议以国共合作的形式举办农民运动讲习所，为当时的国民革命培养干部。后来我们党又创办过红军大学、抗日军政大学等等，一直到延续至今的党校。党通过这些学校培养了大批治党、治国、治军的人才。1943 年 8 月 8 日，毛泽东同志在中央党校第二部开学典礼上讲话指出：“我们办党校，就是要使我们同志的政治水平和理论水平提高一步，使我们党更加统一。”这次中央通过了面向 21 世纪加强和改进党校工作的决定，进一步明确党校教育是全国各级党政领导干部培训轮训的主渠道，明确党校要深化教学改革以全面提高领导干部的素质，等等。各级党委要认真贯彻落实这个《决定》，加强对党校工作的领导，充分发挥好党校在培养中青年领导干部中的作用。

我建议各级党委的主要负责同志，不妨到党

校多走走，讲讲课，开开座谈会，参加一些重要问题的研讨。我到中央工作以来，多次到中央党校开会作报告。中央在中央党校举办了多次省部级主要领导同志参加的研讨班，我都同大家进行了座谈并发表了意见。这不仅有利于同大家沟通信息、统一思想，对我自己也是一种学习和提高。各级党委的主要负责同志给大家讲讲课，把自己的经验、想法和思考的问题与大家交流交流，有利于年轻干部的成长。各级党委要帮助党校解决一些实际问题，为加强党校的教师和干部队伍的思想政治业务建设，加强教学手段和基础设施的现代化建设积极创造条件。各级党校都要坚持从严治校，加强教学和学员的管理，不断提高教师的素质和教学质量。

许多同志都反映，脱产到党校学习一段时间很有必要，也很有收获。但是，在时间安排上，学习与工作难免会存在一些矛盾。解决这个问题，还是要靠各级党委。我们正处在一个重要的历史时期，改革和建设的任务千头万绪，不学习就会落后于时代进步的潮流，也会落后于人民群众。为了做好党的工作，每一个领导干部都必须学习、学习、再学习。各级党委都要从党的事业的大局来考虑干部的学习问题，合理安排好工作与学习的时间，保证中青年领导干部到党校进行脱产培训轮训。干部在党校学习的状况，应作为干部使用和选拔的重要依据，把对干部的培训轮训与对干部的使用结合起来。这一工作，坚持下去，必有好处。

我衷心希望，各级党校不断为党的事业作出新的贡献。

（2000年7月17日《人民日报》）

江泽民在宁夏、甘肃考察工作时发表重要讲话

（2000年6月14—20日）

江泽民在宁夏、甘肃考察工作时强调：时代在发展，形势在变化，我们必须紧跟世界发展进步的潮流，始终代表中国先进生产力的发展要求、先进文化的前进方向和最广大人民群众的根本利益，坚决解决党内存在的突出问题，确保我们党能够始终保持自己的先进性和蓬勃生机，始终率领人民不断开拓建设有中国特色社会主义的新境界。

江泽民指出：全党和全国人民都要从实现社会主义现代化的战略目标、维护国家统一和稳定、逐步达到社会主义共同富裕和实现中华民族伟大复兴的高度，深刻认识西部大开发确系百年大计、千秋功业，抓住机遇，团结奋斗，扎扎实实地把西部大开发这项世纪工程搞好。

江泽民指出，改革开放以来，邓小平同志带领我们党，在改革开放和现代化建设的新实践中，为加强和改进党的建设提出了一系列重大方针政策，并取得了显著成就和积累了新的经验。我们必须在此基础上，继续根据形势和任务的发展不断推进党的建设。创新是一个民族的灵魂，是一个国家兴旺发达的不竭动力，也是一个政党永葆生机的源泉。创新，包括理论创新、体制创新、科技创新及其他创新。20多年来，我们党领导人民进行改革开放和现代化建设取得的伟大成就，都是与我们不断进行的理论创新、体制创新、科技创新等分不开的。邓小平理论的形成和发展，就是我们党在新时期坚持理论创新的集中体现和取得的最伟大的成果。其他的一切创新都在这种理论创新的指导下和推动、影响下进行的。现在，面对国际国内的新情况新问题，我们必须继续坚持以马列主义、毛泽东思想、邓小平理论为指导，坚持党的一切从实际出发，解放思想，实事求是的思想路线，紧跟时代发展的潮流，不断研究新情况，解决新问题，形成新认识，开辟新境界。

江泽民说，我们进行体制创新，就是要不断

完善适应发展社会主义市场经济、全面建设有中国特色社会主义要求的各方面的体制。我们进行科技创新，就是要使科学技术成为我国跨世纪发展的强大推动力量。我们进行理论创新，就是要使我们党的基本理论在继承的基础上不断吸取新的实践经验、新的思想而向前发展。马克思、恩格斯、列宁和毛泽东同志、邓小平同志都为我们作出了理论创新的光辉典范。马克思主义的发展史，告诉我们一个深刻的道理：社会实践是不断发展的，我们的思想认识也必须不断前进，不断根据实践的要求进行创新。思想解放、理论创新，是引导社会前进的强大力量。我们始终要坚持以马列主义、毛泽东思想特别是邓小平理论为指导，这一点丝毫不能动摇。同时，我们也必须根据新的实践不断进行新的探索，不断为实践提出新的理论指导。党的十五大提出，坚持邓小平理论，在实践中继续丰富和创造性地发展这个理论，这是党中央领导集体和全党同志的庄严历史责任。全党同志都要把这项任务当作自己的神圣职责，集中全体人民的智慧，共同研究和回答关系我们党和国家事业发展全局的新的重大战略问题，保证我们党始终走在时代发展的前列，真正做到“三个代表”。

江泽民指出，要落实好“三个代表”的要求，必须坚持和发扬毛泽东同志倡导的党的理论联系实际、密切联系群众、批评与自我批评的优良作风。只有坚持理论联系实际，用理论来指导实践，又在实践中不断发展理论，马克思主义才能不断发展，实践才能不断前进。形势越复杂，任务越繁重，困难越多，全党同志越要坚持一切为了群众，一切依靠群众，从群众中来，到群众中去的群众路线。坚持“三个代表”的要求，最根本的就是要统一体现在不断实现人民群众的根本利益上。全党同志特别是领导干部，都要关心群众的疾苦，倾听群众的呼声，准确把握广大人民群众的思想脉搏，诚心诚意地为人民办实事。不掩饰缺点和失误，勇于纠正缺点和失误，是共产党人的政治本色，也是党的事业不断发展的重要保证。各级党组织和领导干部，都要积极开展批评与自我批评。全党都要大力发扬党的优良作风，扎扎实实地落实“三个代表”的要求，不断提高我们党的战斗力和凝聚力。

江泽民说，进行西部大开发，加快中西部地区发展，是党中央在国际形势发生新的变化、我国经济进入一个新的发展时期作出的重大决策。经过20多年的改革和发展，我国相继实现了现代化建设的第一步和第二步战略目标。我们要向第三步战略目标不断迈进，必须继续深化改革，扩大开放，推进两个根本性转变，加快经济结构的战略性调整，增强经济发展的后劲。实施西部大开发，加快中西部地区的发展，将为21世纪我国经济的发展开拓新的广阔空间，是保持我国经济持续快速健康发展的重大战略措施，对于我们国家未来的繁荣昌盛和长治久安，具有极其重大的意义。

江泽民指出，当前广大干部群众热情很高，对西部开发充满了希望。各级党委和政府一定要把人民群众的积极性引导好、保护好、发挥好，使之成为西部大开发的强大动力。要因势利导，讲求实效，充分认识和运用我们在长期经济建设中取得的有益经验，认真按经济规律和科学规律办事，推动西部大开发有序、快速、高效地展开。

江泽民强调，西部大开发具有重大的经济意义和政治意义，国家必须予以重点支持。国家要制定支持西部开发的财税、金融、外资外贸、吸引人才和科技教育等方面政策。西部地区面貌的根本改变，需要许多代人的持续努力。我们必须充分做好长期艰苦奋斗的思想准备，同时又要有只争朝夕的精神。要坚持立足当前、着眼长远、量力而行、逐步推进的方针。要坚持有所为、有所不为，搞好科学规划，选准实施重点，集中财力物力解决一些关系西部发展全局的重大问题，以带动西部开发的全局。要根据西部各地的经济优势，选好投资项目，努力提高经济效益，同时在开发和建设中要高度注重社会和生态效益。要始终既重视物质文明建设又重视精神文明建设，既重视经济发展又重视社会发展，使物质文明建设和精神文明建设相得益彰，相互促进。西部地区广大干部、群众要大力发扬自力更生、艰苦奋斗的精神，认真分析并善于发挥自己的优势，在不断开拓创新中形成地区自我发展的良性机制，走出一条西部开发的新路子。力争用5到10年时间，在促进西部地区的经济繁荣、社会进步、民族团结和山川秀美上有一个新的良好开局。

江泽民强调，要继续贯彻邓小平同志“两个大局”的战略思想。在加快中西部地区发展的同时，继续发挥东部地区在全国经济发展中的带头作用。东部地区要增创新优势，更上一层楼，有条件的地方率先基本实现现代化，同时要积极探索形成与中西部地区互惠互利的合作机制，通过各种方式帮助和支持中西部地区加快发展。中部地区要充分发挥承东启西的区位优势，加快发展。西部各省区市要加强交流，搞好经济协作和联合建设，充分发挥西部开发的整体优势。要努力形成我国东、中、西部地区相互支持、相互促进、协调发展的良好格局。

江泽民说，人才是决定我们事业成败的一个关键因素。西部大开发，人才是关键。西部地区在考虑发展思路、制定发展规划时，都要制定人才规划和政策措施。解决人才问题，既要立足当前，又要着眼未来；既要注重使用现有人才，又要重视培养后备人才；既要积极吸引国内各地和从国外回来的优秀人才，又要充分发挥本地人才的作用。要大力实施科教兴国战略，制定并实施一套因地制宜的政策和措施，创造良好的用人环境，吸引和鼓励优秀人才在西部大开发的舞台上大显身手。

江泽民指出，建设有中国特色社会主义的伟大事业，为一切有志人才提供了施展才华的广阔舞台，关键是各级领导干部要有识才的慧眼，用才的气魄，爱才的感情，聚才的方法，善于用事业来吸引和凝聚人才，为各种人才提供他们发挥聪明才智的天地，激励他们为国家为人民建功立业。关心和爱护干部，用建立在革命和建设的共同事业基础上的深厚感情来凝聚干部，是我们党的干部工作的一贯要求，也是我们始终要坚持的优良传统。对人才一定要爱惜，越是条件艰苦、工作繁重、环境困难，越要关心他们，以情感人，大家更好地团结起来共同奋斗。要尽可能地为人才创造良好的工作和生活条件，加快建立有利于留住人才、吸引人才、人尽其才的收入分配机制。各级党委、政府和各级组织人事部门，要努力为西部大开发提供坚强有力的组织人事保证。

江泽民说，民族团结，是我国发展兴盛、人民安居乐业的重要保证。做好党的民族工作和宗教工作，加强各民族的团结，保持社会政治的稳定，关系党和国家事业发展的大局和全国的安定团结，也关系西部大开发战略的实施。我国各民族共同发展、共同繁荣的良好局面，是各族人民共同努力的结果，来之不易，要特别珍惜。各级党委和政府，特别是西部地区的党委和政府，要进一步贯彻落实好党的民族政策和宗教政策，把民族工作和宗教工作做得更好。我们党把马克思主义关于民族和宗教问题的基本理论与我国的具体实际相结合，形成了一整套正确的民族政策和宗教政策，必须长期坚持。同时，我们要注意研究新情况新问题，总结新鲜经验，进一步丰富和发展党的民族政策和宗教政策。

(2000年6月22日《人民日报》)

江泽民在中央思想政治工作会议上发表重要讲话

(2000年6月28日)

江泽民在中央思想政治工作会议上发表重要讲话指出：世界正在发生深刻的变化，中国正在进行完善和发展社会主义制度的自我变革。党的思想政治工作面临的形势更复杂、任务更繁重、工作更艰巨了。党的思想政治工作决不是可有可无、无所作为，而是必不可少、大有可为的。面对新形势新情况，思想政治工作在继承和发扬优良传统的基础上，必须在内容、形式、方法、手段、机制等方面努力进行创新和改进，特别要在增强时代感，加强针对性、实效性、主动性上下功夫。这要成为今后加强和改进思想政治工作的重点。

江泽民说，党的思想政治工作是经济工作和其他一切工作的生命线，是团结全党和全国各族人民实现党和国家各项任务的中心环节，是我们党和社会主义国家的重要政治优势。只有充分发挥思想政治工作这一政治优势，才能保证经济工作和其他工作的正确发展方向，才能保证党的路线方针政策落实到各项工作和群众中去，才能及时排除和战胜各种错误东西的干扰，才能巩固和发展全国各族人民共同奋斗的思想政治基础，从而为经济工作和其他工作提供强大的动力与保证。

江泽民说，新形势新任务以及思想政治工作的现实状况，要求我们必须大力加强和改进党的思想政治工作。这是保证我们党始终做到代表中国先进生产力的发展要求、中国先进文化的前进方向、中国最广大人民的根本利益的必然要求。加强和改进党的思想政治工作，必须全面贯彻落实"三个代表"的要求，这是党团结和带领人民建设有中国特色社会主义的长期战略方针。

江泽民指出，做好新时期的思想政治工作，必须从国际和国内、历史和现实的角度，深刻分析新形势下对广大干部群众的思想活动发生作用的客观环境及其基本特点，正确审视和解决那些影响干部群众思想活动的重大理论问题和实际问题，为我们进行新时期的思想政治工作提供一个根本的比较切合实际的基础。江泽民在讲话中提出并精辟阐述了如何认识社会主义发展的历史进程、如何认识资本主义发展的历史进程、如何认识我国社会主义改革实践过程对人们思想的影响、如何认识当今的国际环境和国际政治斗争带来的影响等当前直接影响干部群众思想活动的重大问题，希望全党同志共同深入研究，从思想上政治上进一步取得科学认识。

江泽民在谈到如何加强和改进党的思想政治工作时，强调了四点。第一，要紧密结合我国社会主义改革和建设、国际形势发展变化的新实际，加强对马克思主义的研究和宣传，不断增强马克思主义理论的说服力和战斗力。加强和改进思想政治工作，最根本的是坚持和巩固马克思主义在我国意识形态领域的指导地位。坚持马克思主义的指导地位，最基础的工作是用马克思列宁主义、毛泽东思想、邓小平理论武装全党，教育人民。要使这种理论武装工作富有成效，必须大力弘扬理论联系实际的学风，坚持马克思主义的科学精神和基本原理，坚持解放思想、实事求是，努力对当前亟须进行理论引导或说明的突出问题，作出科学的、有说服力的、符合实际的解释和说明，充分发挥理论在思想政治工作中的基础性作用。必须坚持唱响主旋律，打好主动仗，科学生动地宣传马克思主义，引导干部和群众不断克服和抵制错误的、落后的、腐朽的思想文化的影响与侵蚀。在事关政治方向和根本原则的问题上，一定要旗帜鲜明，理直气壮，毫不含糊。

第二，要紧密结合干部群众在思想认识和工作、生活中产生的新问题，突出加强理想信念教育，不断增强全体人民的凝聚力。理想信念教育，必须紧密结合干部、群众的思想实际，有的放矢，对症下药，不能照本宣科，空喊口号。要坚持从实际出发，把先进性要求与广泛性要求有机结合起来。最根本的，就是要坚持进行爱国主义、集体主义、社会主义教育，动员全国各族人民为建设有中国特色社会主义事业，为把我国建设成为富强民主文明的社会主义现代化国家而共同奋斗。开展思想政治工作，要注意因地制宜，因人制宜，因事制宜，因时制宜。不同地区、不同部门、不同领域的干部和群众，所处的环境、承担的任务、面临的问题不同，其思想活动的特点和要求也会有不同。做工作一定要把握这些特点和要求，有针对性地进行。广大工人、农民、知识分子、干部是建设社会主义事业的基本力量，思想工作必须全面做好。特别是在我们实施重大改革决策时，要进行广泛的宣传和细致的思想工作，以取得群众的理解和支持。具体情况具体分析、具体问题具体解决，这是马克思主义活的灵魂，是唯物辩证法的基本要求。党的思想政治工作也应坚持运用好这个活的灵魂和坚持贯彻好这个基本要求。

第三，要紧密结合发展社会主义市场经济的新要求，努力加强社会主义道德教育，不断提高全体人民的思想道德素质。法律和道德作为上层建筑的组成部分，都是维护社会秩序、规范人们思想和行为的重要手段，它们相互联系、相互补充。道德规范与法律规范应该相互结合，统一发挥作用。建设社会主义道德体系是一个系统工程，必须坚持正确处理公平与效率的关系，坚持先进性要求与广泛性要求相结合，坚持“三个有利于”标准，坚持继承和发扬民族优良传统并积极吸收外来优秀文化成果。要正确认识和处理各种利益关系，努力形成把国家和人民利益放在首位而又充分尊重公民个人合法利益的社会主义义利观。要广泛开展群众性精神文明创建活动，不断推动社会主义道德体系的形成和完善。

第四，要紧密结合社会精神文化生活的新发展，努力探索出一套行之有效的方式、方法、手段和机制，不断提高思想政治工作的感召力和渗透力。改革开放以来，我国人民的精神文化生活有了许多新的发展。加强和改进思想工作，过去行之有效的好传统、好办法要坚持，更重要的是要适应新情况，不断探索新的方式、方法、手段和机制。要力求做到生动活泼，群众喜闻乐见，切忌形式主义、教条主义，切忌简单生硬。思想工作必须讲求春风化雨，润物无声，耐心细致，潜移默化。人民群众中蕴藏着丰富而实际的教育资源。对群众在实践中形成和表现出来的好思想、好品德，对基层创造的新鲜经验和好的作法，要及时总结推广。要重视和充分运用信息网络技术，使思想政治工作提高时效性，扩大覆盖面，增强影响力。

江泽民说，党的思想政治工作本质上是群众工作，是宣传群众、教育群众、引导群众、提高群众的工作，因此必须坚持走群众路线。各级领导干部一定要牢固树立群众观点，带着对人民群众的深厚感情去做思想政治工作，老老实实向人民群众学习，诚心诚意为人民群众服务。

江泽民强调，我们加强和改进思想政治工作，归根到底是为社会主义经济基础服务的。要防止和纠正思想政治工作与经济工作脱节的“两张皮”现象，一定要紧密结合经济工作和各项业务工作一道去做，把工作做到人民群众的物质生产和精神生产的实际活动中去。必须切实了解群众的思想和利益要求，掌握群众情绪，研究群众思想观念的变化。要把做群众思想工作与帮助群众解决实际问题结合起来，既讲道德又办实事，既以理服人又以情感人，在办实事中贯穿思想教育，通过解决现实问题引导群众提高精神境界。

江泽民指出，思想政治工作是全党的工作，所有的党员和党的领导干部都要做。同时，又必须建设一支政治强、业务精、纪律严、作风正的专兼结合的思想政治工作队伍。基层思想政治工作队伍建设，要做到组织落实、人员落实、责任明确、制度健全。要充实基层思想政治工作部门，优化政工干部队伍的结构。这要作为一件大事抓紧去做。

江泽民指出，党委书记主管思想政治和意识形态工作，这是我们党的一个好传统。各级党委都必须大力加强对思想政治和意识形态工作的领导。不重视、不会做思想政治工作，不可能成为成熟的领导干部。思想政治工作是一门科学，各级领导干部和政工干部都要努力认识和掌握它的基本知识和规律。各级党组织都要切实承担起做党的思想政治工作的职责。要建立党委统一领导，党政各部门和工会、共青团、妇联等人民团体齐抓共管、各负其责的思想政治工作体制，建立健全思想政治工作责任制。一切思想文化阵地，都应成为我们宣传科学理论、传播先进文化、塑造美好心灵的阵地。思想文化单位生产和传播精神产品，必须把社会效益放在第一位，努力做到社会效益和经济效益的正确结合。各级党委都要增强阵地意识，切实加强对思想文化阵地的领导。各级党委特别是主要领导干部都要围绕思想政治领域的重大问题，深入实际进行调查研究，准确地把握社会思想状况和动向，以利加强工作的针对性。

江泽民强调，党的思想政治工作能否做好，很大程度上还取决于我们党的自身建设和各级领导干部的言行表现。要求群众做到的，党员干部首先要做到。中央提出，治国必先治党，治党务必从严，有着十分重大的政治意义，全党同志要坚定不移地在工作中加以贯彻。全党都要坚持不懈地按照“三个代表”的要求加强党的建设，始终发扬党的三大优良作风，使党在人民群众中的威望不断加强和提高，为做好党的思想政治工作提供根本保证。希望全党同志振奋精神，增强信心，知难而进，共同奋斗，努力开创一个生动活泼、扎实有力、促进党和国家长治久安的思想政治工作新局面。

（2000年6月29日《人民日报》）

江泽民：科学在中国：意义与承诺

——为美国《科学》杂志撰写社论

（2000年6月30日）

即将过去的20世纪，是科学技术空前辉煌和科学理性充分发展的世纪。相对论、量子论、信息论和基因论的形成，标志着科学技术沿着微观和宏观这两个相反的路径，不断走向极端和本原，走向复杂和综合。正是基于物质科学、生命科学和思维科学等的突破性进展，人类创造了超过以往任何一个时代的科学成就和物质财富，为世界文明进步的新飞跃奠定了坚实基础。

中国是具有悠久历史的文明古国。古代的许多重大发现和发明为人类文明的进步作出了不可磨灭的贡献。由于封建主义制度的腐朽和外国列强的侵略，近代以后中国曾深深陷入落后和屈辱的境地。中华人民共和国成立以来，中国的科学家和工程师发挥聪明才智，创造性地解决了许多重大科学技术问题，在一些重要领域里迅速缩小与世界先进水平的差距，有力地促进了中国经济和社会的发展。中国不但成功地实现了12亿多人口的温饱无虞，而且人民生活和社会文明水平正在不断提高。

中国正处于发展的关键时期，面临着优化经济结构、合理利用资源、保护生态环境、促进地区协调发展、提高人口素质、彻底消除贫困等一系列重大任务。完成这些任务，都离不开科学的发展和进步。这就对中国的科技进步提出了紧迫的要求。

早在80年代末，邓小平先生就提出了“科学技术是第一生产力”的著名论断，这已成为中国发展的一个重要指导思想。我们提出并组织实施科教兴国战略和可持续发展战略，努力使经济增长从过度依赖资源消耗和规模扩张转到更多地依赖科技进步和劳动者素质的提高。

知识经济的发展正在给人们带来新的机遇和挑战。这再一次证明，知识和技术创新是人类经济、社会发展的重要动力源泉。中国将致力于建设国家创新体系，通过营造良好的环境，推进知识创新、技术创新和体制创新，提高全社会创新意识和国家创新能力，这是中国实现跨世纪发展的必由之路。

中国政府支持科学家在国家需求和科学前沿的结合上开展基础研究，尊重科学家独特的敏感和创造精神，鼓励他们进行“好奇心驱动的研究”。在未来50年甚至更长的时期里，中国的发展将在很大程度上依赖于今天基础研究和高技术研究的创新成就，依赖于这些研究所必然孕育的优秀人才。

中国是一个发展中国家，推进科学发展必须坚持“有所为，有所不为”。我们将集中力量在动植物基因（例如水稻基因的重组和转移）、信息科学、神经科学、人工智能、生态科学、数学、凝聚态物理和地球科学等方面取得新进展。中国科学家还应在一些国际合作的大科学领域中作出自己的贡献。过去20年，中美科技合作对双方科学界是互惠互利的，在高能物理、地震、古生物学、海洋科学、自然灾害预防、水资源、环境保护、公共卫生、生物多样性等领域取得过举世瞩目的成绩。

当前中国加入世界贸易组织的步伐进一步加快。中国同外部世界的联系更加密切，有利于世界经济贸易的发展，也有利于推动世界科技的交流与合作。在掌握全球气候变化、控制沙漠化、保护生物多样性等重大科学问题上，中国的参与是必不可少的。我相信，各种社会制度、经济模式、文化传统和发展水平的国家积极开展科技交流与合作，对合作各方和整个世界的发展都是有利的。

中国的科技发展离不开世界，世界科技的进步也需要中国。中国科学家将一如既往，积极参与科学技术的国际交流与合作，努力为世界科技发展和人类进步事业作出更大的贡献。

（2000 年 7 月 3 日《人民日报》）

江泽民在会见诺贝尔奖获得者时的讲话

（2000 年 8 月 5 日）

国家主席江泽民在北戴河会见 6 位获诺贝尔奖的国际著名科学家时指出，在激烈的国际竞争中，我国面临着优化经济结构、合理利用资源、保护生态环境、促进地区协调发展、提高人口素质、彻底消除贫困等严峻任务。关键要大力发展中国的科学技术，为经济建设和社会进步提供强大的动力与保障。我们将坚持不懈地贯彻落实“科教兴国”战略和可持续发展战略，建设和完善国家创新体系，大力培养和积极引进人才，全面提高全民族的科学文化素质，在全社会努力弘扬科学精神，促进科技成果更好地转化为现实生产力。

江泽民指出，在 21 世纪，科技伦理的问题将越来越突出。核心问题是，科学技术进步应服务于全人类，服务于世界和平、发展与进步的崇高事业，而不能危害人类自身。建立和完善高尚的科学伦理，尊重并合理保护知识产权，对科学技术的研究和利用实行符合各国人民共同利益的政策引导，是 21 世纪人们应该注重解决的一个重大问题。

江泽民指出，20 世纪，科学技术突飞猛进，科学理念进步发展，人类文明取得了前所未有的成就。相对论、量子论、基因论、信息论等科学技术成就的取得，为人类正确认识大自然，为世界生产力的发展和人类社会的进步提供了新知识和强大的动力，打开了广阔的前景，也对人类的政治、经济、文化生活的深刻变革产生了重要影响。现在，科学技术的发展，在物质科学领域深入到基本粒子世界，在生命科学领域深入到分子水平，在思维科学领域主要是数学与脑智科学的进步。这标志着 20 世纪人类在科学技术方面取得了辉煌成就，也预示了 21 世纪世界科学技术的发展方向。科学技术作为第一生产力，已经成为经济发展和社会进步的最具革命性的推动力量。

江泽民说，科学技术在 21 世纪必将更深入、更快速地向前发展，必将对人类社会和人自身的发展产生更加深刻的影响。我们应该充分估量未来科学技术对经济和社会发展的巨大作用。在 21 世纪，信息科学和生命科学将是最活跃、发展最迅速、影响最广泛的科技领域，生物技术、新材料、先进制造技术、洁净高效能源、航空航天、环境保护领域将不断取得新突破，人类将继续拓展对宇宙空间、海洋、地球深部的研究探索，将更加注重人、自然、社会的协调发展。现代科学技术的进步，开拓了许多过去难以想象的新领域，光子计算机、生物计算机、量子计算机的研究，就是例子。在下个世纪里，科学研究应更加重视与人类前途命运攸关的全球性问题，尤其要加强跨学科交叉研究，进一步走向极端条件与物质本原、系统综合与统一，进一步加强科学与技术的相互渗透和融合，形成新科学的重要生长点。科学技术没有国界，对宇宙起源、生命本质和物质世界本原的研究，更需要大量的人力、物力、财力，超出了一个国家可以支撑的范围。因此，应该大力加强国际科学技术的交流与合作，做到优势互补，成果共享。

江泽民指出，中国是世界上最大的发展中国

家，人均资源不足，发展很不平衡，实现现代化的任务很繁重，需要进行长期的艰苦努力。我们正在制定指导中国下个世纪头五年经济和社会发展的第十个五年计划。推进科学技术的发展，很重要的一项条件是形成科学研究、技术开发、社会生产和市场需求、社会投入、政府支持之间的良性体制，在全社会形成尊重知识、尊重人才、鼓励创新的文化氛围。我们要继续深化改革，进一步加强科学、技术、生产之间的有机联系，促进科技创新和知识创新。

江泽民说，科学的本质就是创新。整个人类历史，就是一个不断创新、不断进步的过程。没有创新，就没有人类的进步，就没有人类的未来。当代科学技术的发展，更加雄辩地证明了这一点。对中国来说，大力推进科技创新、实现技术发展的跨越极为重要。我们必须紧跟世界潮流，抓住那些对我国经济、科技、国防和社会发展具有战略性、基础性、关键性作用的重大科技课题，抓紧攻关，自主创新。同时，我们也要积极加强同国际科技界的交流与合作，努力学习和运用世界先进科技成果。

江泽民指出，科学技术极大地提高了人类控制自然和人自身的能力。但是，科学技术在运用于社会时所遇到的问题也越来越突出。工业的发展带来水体和空气的污染，大规模的开垦和过度放牧造成森林与草原的生态破坏。信息科学和生命科学的发展，提出了涉及人自身尊严、健康、遗传以及生态安全和环境保护等伦理问题，引起了人们的高度关注。因特网可以迅速、广泛地传播大量有用的信息，但也存在大量信息垃圾和虚假信息。如何区别网上哪些信息是真实的？哪些信息是被歪曲的？科学技术本身难以做到这一点。

江泽民最后指出，当今世界，人类面临着两大课题，一是和平问题，一是发展问题。这两大课题的解决，都与科学技术发展有密切关系。随着经济全球化的发展和科学技术的突飞猛进，各国都面临着新的机遇，也面临着新的挑战。发展中国家特别是贫困国家面临的挑战更加严峻。这一状况必须引起各国政府的共同关注。现在，南北差距问题、贫富问题越来越突出。发达国家与发展中国家在科技发展水平上存在的严重不平衡，更加重了南北差距。信息技术的发展，促进了信息产业的迅速成长，也带动了经济增长。但这种增长及其带来的利益主要集中在发达国家。全世界大量贫困人口还没有享受到信息技术发展的实惠。科学技术越发展，人们越应该重视并着力解决当今世界富国和穷国之间存在的科技差距问题，推动各国实现共同发展、普遍繁荣。实现这个目标，需要各国政府和人民共同努力，更需要全世界科学家共同努力。我们应该努力用科学技术的成果来免除许多国家和人民所遭受的暴力、愚昧与贫困之苦，增进全人类和平与发展之福。

（2000 年 8 月 6 日《人民日报》）

江泽民：在第十六届世界计算机大会开幕式上的讲话

（2000 年 8 月 21 日）

主席先生，各位代表，女士们，先生们：

今天，国际信息处理联合会主办的第十六届世界计算机大会，在这里隆重开幕了。这是世界信息界跨世纪的一次盛会。各国专家和企业家集聚一堂，交流学术观点，展示技术成果，探讨发展趋势，这将对世界信息技术的发展产生重要的影响。我代表中国政府，向大会表示热烈的祝贺！向出席会议的全体代表表示诚挚的欢迎！

20世纪，人类取得了辉煌的科技成就。从量子理论、相对论的创立，脱氧核糖核酸双螺旋结构的发现，信息科学的诞生，到人类基因组序列“工作框架图”的绘就，世界科技发生了深刻的革命，社会生产力极大提高。可以预计，21世纪，科学技术的进一步发展，特别是信息技术和生命科学的不断突破，将对世界政治、经济、文化生活产生更加深刻的影响。专家们认为，在下世纪初叶，数字化将成为信息技术发展的新动力，集成电路将进入集成系统发展的新阶段，密集波分复用通信系统的传输能力将极大提高，个人移动通信、因特网的技术和能力将成倍提高。我们应深刻认识信息技术的伟大力量，积极推进信息技术的发展。

地球的物质资源是有限的。人类要实现持续的发展，必须在资源开发和利用上找到新的途径。信息技术的发展，使人类能够将潜藏在物质运动中的巨大信息资源挖掘出来，加以利用。信息资源已经成为与物质资源同等重要的资源，其重要作用正在与日俱增。信息高速、广泛传送的特点，使世界形成了一个没有边界的信息空间。万水千山，天上人间，信息广泛传送。远程教育、远程医疗、电子商务、电子邮件、虚拟现实的发展，使人们的生产、学习和生活方式发生着深刻的变化。随着知识创新和技术创新的不断推进，物质生产与知识生产相结合，硬件制造与软件制造相结合，传统经济与信息网络技术相结合，将形成推动21世纪经济和社会发展的强大动力。

值得注意的是，各国的信息网络化水平目前还很不平衡。发达国家具有信息技术优势，拥有越来越多的信息资源，成为信息富国。发展中国家信息技术相对落后，不仅经济、社会发展水平较低，在信息化方面也相对贫困。当今世界，信息化水平差距不是在缩小，而是在进一步扩大。这种状况不改变，南北差距就会进一步拉大，世界经济也难以健康发展。发达国家有义务在技术、资金和人才方面帮助发展中国家，加快它们的信息化进程。

因特网的迅猛发展，对世界经济增长和各国人民加强交往具有重要作用。但必须看到，因特网上也存在一些令人不安的问题：反科学、伪科学、不健康的甚至十分有害的信息垃圾泛滥；有些人有目的地发布不符合事实的信息，误导人们对真实情况的认知；个人隐私、企业秘密难以保全，黑客攻击甚至造成通信中断、网络瘫痪。为了促进因特网健康发展，我们主张制定国际因特网公约，共同加强信息安全管理，充分发挥因特网的积极作用。

中国政府高度重视发展信息产业，正在大力推进国民经济和社会信息化。中国还是一个发展中国家，工业化的任务尚未完成，又面临实现信息化的艰巨任务。我们的战略是：在完成工业化的过程中注重运用信息技术提高工业化的水准，在推进信息化的过程中注重运用信息技术改造传统产业，以信息化带动工业化，发挥后发优势，努力实现技术的跨越式发展。

面对新的世纪和新的千年，这次大会，对于计算机、通信、电视等信息技术对新世纪人类发展的作用，应作出前瞻性的正确估计，让信息技术更好地为人类造福。最后，我预祝大会圆满成功！祝各位代表在北京期间愉快！

谢谢！

(2000年8月22日《人民日报》)

江泽民在长春主持召开东北三省党的建设和“十五”期间经济社会发展座谈会时发表重要讲话

（2000年8月27日）

江泽民在东北三省党的建设和“十五”期间经济、社会发展座谈会上强调，经济建设是中心，社会主义的根本任务是发展社会生产力，这一点我们不能有丝毫动摇。全面加强党的建设，保持党的生机和活力，是推进现代化建设的根本保证。全党同志要认清形势，扎实工作，为实现党在新世纪的伟大任务而努力奋斗。

江泽民指出，推进我国的跨世纪发展，关键在党。按照“三个代表”的要求全面加强党的建设，重在实践和落实。中央多次强调，全党同志要学习、学习、再学习，落实、落实、再落实。狠抓落实，要作为当前全党的一项重要任务。现在，我们面临的环境是复杂多变的，担任的工作也是千头万绪的，这就要求我们的领导干部特别是高级干部必须努力做到科学判断形势，正确把握大局，妥善处理各种矛盾和问题，把中央的路线方针政策落实好。

江泽民指出，实现经济和社会发展的目标，集聚全国的力量参与激烈的国际竞争，都需要全党保持高度的思想一致、行动一致。随着经济体制改革的深入和社会主义市场经济的发展，各地区、各部门在处理本地区、本部门的工作与国家全局的发展和稳定的关系上面临着新的课题和考验。中央一再倡导各地方和中央各部门的同志要充分发挥自己在工作中的主动性、积极性、创造性，而这种主动性、积极性、创造性，应该是既有利于局部的利益和发展，又有利于国家全局的利益和发展。全面贯彻党的路线方针政策，是实现党和国家全局利益的保证，也是做好地方和部门工作的前提。越是发展社会主义市场经济，越是要发挥各方面的主动性、积极性、创造性；越是要增强全局观念，自觉在大局下行动，坚决保证中央政令畅通，坚决维护全党的坚强团结，维护社会主义国家的集中统一。

江泽民指出，国际国内形势变化很大很快，我们承担的任务很繁重很复杂，要做好改革、发展、稳定等各项工作，领导干部都必须具备马克思主义的政治敏感性，善于从政治的高度发现和解决问题，增强工作的原则性、系统性、预见性、创造性。领导干部只有迅速适应客观事物和环境的变化，才能掌握工作的主动权。领导干部，不论是干哪一行的，都应该学习马克思主义哲学，努力掌握唯物辩证法，做到既能审时度势，对不断变化的新情况作出准确判断和及时有效的处置，又能驾驭全局，根据事物发展的规律，把党的路线方针政策贯彻落实好，积极主动地做好工作。

江泽民强调，整个党和国家工作最坚实的基础就在基层。党的路线方针政策和工作部署，必须实实在在地落实到各个地区、各个部门的各个方面，才能具有成效。衡量一个领导干部的政治水平和领导能力，不仅要看抓面上工作的能力，而且也要看抓基层工作的能力。“三个代表”的要求，最终要体现在维护和发展最广大人民的根本利益上来。把党的路线方针政策和工作部署落实到基层，落实到工人、农民、知识分子和其他劳动群众身上，这是对我们工作成效的最终检验。江泽民强调，青年是国家的未来，民族的希望。抓好发展青年党员、培养和选拔青年干部工作，是一项关系党和国家长治久安的战略任务。要加强对青年党员、青年干部的教育和引导。青年党员、青年干部要继承和发扬党的优良传统和作风，弘扬艰苦奋斗精神，牢固树立群众观点，自觉接受艰苦复杂环境的锻炼和考验，在建设有中国特色社会主义的伟大实践中升华自己的意志、品格和精神境界。各级党委要高度重视青年党员、青年干部工作，对他们既要热情关心，更要严格要求，敢于把一些重要的、关键性的工作任务压给他们，使他们在实践中得到锻炼提高。要进一步研究青年党员干部的成长规律，切实做好培养选拔年轻干部的工作。

江泽民指出，全党同志都要增强党的意识。党的意识是执政党带有根本性的问题。越是在发展社会主义市场经济的条件下，共产党员越要牢固树立党的意识，不能忘记自己作为共产党员的职责，不能忘记党员先进性的时代要求。每一个党员、每一个干部都要自觉遵守党的章程，百折不挠地贯彻执行党的路线方针政策，自觉在政治上思想上接受党组织的领导，自觉地维护党的威信。

江泽民指出，今后5到10年，是我国经济和社会发展的重要时期，对我国在新世纪的发展至关重要。进入新世纪，发展要有新思路。发展是硬道理，是我国现代化建设的一个长期指导思想，是新世纪我国经济和社会发展的主题。我们胜利实现了现代化建设的第一步、第二步战略目标。从现在起，要开始实施第三步战略部署。从新世纪开始，我国将进入全面建设小康社会并加快推进现代化的新的发展阶段。这是我国现代化进程中的一个新台阶。我们必须在这个新的起点上，继续推进改革开放和现代化建设，坚持速度和效益、数量和质量、规模和结构的统一，转变增长方式，保持较快的发展，不断提高经济增长的质量和效益。经过新中国成立50多年特别是改革开放20多年的建设和发展，我们在客观上和主观上都具备有利条件，关键是要善于发挥我们自己的优势，推动我国加快发展。

江泽民强调，积极推进经济结构的战略性调整，推动两个根本性转变，保持国民经济持续快速健康发展，是新世纪之初我国经济发展的主线。对于经济结构的问题，早认识、早调整、早主动，见事迟、调整慢、就被动。把经济结构理顺，才能真正提高经济增长的质量，才能进一步扩大内需，增强发展的后劲。今后5到10年是我国经济结构调整的重要时期。我们要坚持在发展中推进经济结构调整，在经济结构调整中保持快速发展，以全面提升产业结构，提高我国农业、工业、服务业的水平和效益，合理调整生产力布局，推动地区经济协调发展和城乡经济良性互动，实现可持续发展。经济结构调整必须大力采用新的科技成果。我国正处于加快工业化的过程中，又面临着运用科技革命成果特别是信息技术改造和提升传统产业的难得机遇，必须以信息化带动工业化，发挥后发优势，实现社会生产力的跨越式发展。全党同志都要从我国长远发展的战略高度认识经济结构调整的重大意义，积极主动地把这项工作做好。

江泽民强调，要坚持通过改革进行体制创新，完善社会主义市场经济体制，使生产关系和上层建筑适应生产力与经济基础不断发展的要求。全党同志必须增强解放思想、实事求是的坚定性和自觉性，毫不动摇地坚持市场取向的改革，在完善社会主义市场经济体制方面迈出实质性的步伐。要继续按照十五届四中全会的精神，推进国有企业改革，推动国有大中型企业建立规范的现代企业制度，加强企业科学管理。继续推进行政管理体制改革和机构改革，进一步转变政府职能，实现政企分开，减少政府对经济事务的行政性审批。我国处于并将长期处于社会主义初级阶段，社会生产力水平的多层次性和所有制结构的多样性将长期存在。我们要坚持公有制为主体、多种所有制经济共同发展的基本经济制度，为各类企业发展创造平等竞争的环境，支持和鼓励私营、个体企业健康发展。要坚持对外开放的基本国策，以更加积极的姿态参与国际竞争与合作，进一步推动全方位、多层次、宽领域的对外开放，发展开放型经济，使我国的对外开放达到一个新的水平。

江泽民指出，要坚定不移地实施科教兴国战略，大力推进科技创新和进步，切实抓好人才队伍建设，为经济发展和社会进步提供强大动力。要根据经济和社会发展的需要，根据我们的优势和条件，明确科技发展的主攻方向，坚持有所为、有所不为的方针，总体跟进，重点突破。要加强自主创新，大力协同，集中力量在信息技术、生物技术、新材料技术、先进制造技术等关键领域取得突破。深化科技体制改革，形成符合市场经济要求和科技发展规律的新机制。积极推进国家创新体系建设，促进企业成为科技进步和创新的主体，支持民营科技型企业发展，充分调动科技人员的积极性和创造性。要把培养、吸引和用好人才作为一项重大战略任务切实抓好，在普遍提高劳动者素质的基础上，建设一支宏大的高素质人才队伍。推动干部人事制度改革创新，加快建立有利于各类优秀人才脱颖而出、人尽其才的机制，建立和完善人才市场体系。

江泽民强调，满足人们日益增长的物质文化生活需要，提高人民生活水平，是党和国家各项工作的根本出发点。把人民群众的利益实现好、维护好、发展好，这是正确处理改革、发展、稳定关系的结合点。要按照全面建设小康社会并加快推进现代化的要求，把提高人民收入水平和生活质量提到重要位置，保证人民更好地安居乐业。在经济发展的同时，要不断增加城乡居民收入，特别是低收入者的收入。要建立健全按劳分配为主体、多种分配方式并存的分配制度，把按劳分配与按生产要素分配结合起来，鼓励资本、技术等生产要素参与收益分配，真正把各方面的积极性、创造性发挥出来。科学技术工作和经营管理工作在社会生产中起的作用越来越重要。应根据现代化生产的实际情况，进一步认识劳动和劳动价值问题。要千方百计地扩大就业门路，用发展的办法提高人民生活水平。加快建立和完善职工失业、养老、医疗保险制度，加强和完善城镇居民最低生活保障制度。继续抓好开发式扶贫，重视解决城乡生产、生活困难的群众的实际问题，把工作做到千家万户。

江泽民最后指出，全党同志要更加紧密地团结起来，坚持贯彻党的基本理论和基本路线，带领全国各族人民继续团结奋斗，开拓前进，为新世纪我国改革开放和现代化建设创造一个好的开局。

(2000 年 8 月 29 日《人民日报》)

江泽民：在会见第二十七届奥运会中国体育代表团时的讲话

(2000 年 10 月 3 日)

今天，我们怀着十分高兴的心情，热烈欢迎中国体育代表团从悉尼载誉归来。在第二十七届奥运会上，我国体育健儿团结奋斗，顽强拼搏，取得我国在奥运史上的最好成绩，金牌和奖牌总数名列第三，实现了新的突破。这是祖国的光荣、人民的骄傲。我代表党中央、国务院和全国各族人民，向你们表示衷心的祝贺！向全国广大体育工作者表示亲切的慰问！

在这届奥运会举行期间，党中央、国务院和全国各族人民，以及海外华侨华人一直都在关注着你们。全国上下为你们取得的优异成绩感到由衷的高兴，为你们在赛场上的出色表现感到无比的自豪。每当你们获得奖牌，每当升起鲜艳的五星红旗，每当奏响雄壮的国歌，全国人民的心情都激动万分。你们发扬爱国主义、集体主义、社会主义精神，恪守体育道德，坚持公正竞赛，发挥运动技能，取得了运动成绩和精神文明的双丰收。你们没有辜负祖国和人民的殷切期望。你们的表现，再一次向世人展示了中国人民自强不息、奋发进取的精神风貌，体现了中华民族自立于世界民族之林的坚强信心和力量。

这次奥运会上我国体育健儿取得的优异成绩，

是大家共同努力的结果。这要归功于有关部门和代表团坚强领导、有效组织，运动员们刻苦训练、奋力拼搏，教练员们辛勤工作、正确指导。这要归功于科研人员精心研究、科学策划，工作人员齐心协力、有力保障，陪练人员甘当人梯、默默奉献。这也要归功于你们亲人们的全力支持。这次奥运会期间，广大新闻工作者不辞辛劳，进行了令人鼓舞的报道。广大海外侨胞对中国体育健儿热情鼓励、大力相助，表现了他们心向祖国、热爱祖国的深情厚意，这是特别值得称颂的。这一切充分说明，全体中国人团结一心，就一定能创造出举世瞩目的伟大业绩。

体育竞赛有名次，而发扬不畏强手、奋勇争先的精神没有先后。这届奥运会上，我们有些项目、有些运动员虽然没有取得奖牌，但他们赛出了水平、赛出了斗志，同样值得称赞。我们历来主张“胜不骄，败不馁”。只要认真总结经验，善于学习，刻苦训练，必将取得更大的成绩。

奥运会是世界上规模最大的体育盛会，是奥林匹克运动和奥林匹克精神的集中展现。我国一向是奥林匹克运动的积极支持者和参与者，一向坚持奥林匹克运动所提倡的团结、友谊、进步和公平、公正、公开的原则，努力为发展奥林匹克运动，为促进人类和平与发展的崇高事业作出自己的贡献。北京正在申办2008年奥运会，中国政府和人民将全力予以支持。

体育健儿们胜利归来之时，正值国庆佳节。新中国成立51年来，我国社会主义事业取得了伟大成就，体育事业也取得了巨大进步。在党的领导下，在全国各条战线的支持下，体育战线的广大运动员、教练员、科研人员和工作人员为提高我国的运动技术水平和促进群众体育的发展，进行了艰苦的努力，取得了卓越的成就。中华体育精神是我国社会主义精神文明的重要组成部分，是中华民族的宝贵精神财富。全国各个行业、各条战线的同志们都要大力发扬振兴中华、为国争光的爱国主义精神，大力发扬顽强拼搏、争创一流的革命英雄主义精神，勇于创新，力攀高峰，同心同德地把建设有中国特色社会主义的伟大事业不断推向前进。

接下来，你们还要向人民汇报，参加“奥运健儿祖国西部行”活动。希望你们虚心向人民学习，再接再厉，开拓进取，为新世纪我国体育事业和社会主义现代化建设的发展作出更大贡献！

（2000年10月4日《人民日报》）

江泽民：关于改进党的作风

（2000年10月11日）

综观国际国内形势，进入新世纪，继续推进现代化建设、完成祖国统一、维护世界和平与促进共同发展，是我们必须抓好的三大任务。党的建设，是实现这三大任务的根本保证。我们必须坚持党要管党、从严治党的方针，全面加强党的思想、组织和作风建设，切实解决党内存在的各种问题，使我们党不断提高领导水平和执政能力，不断增强拒腐防变和抵御各种风险的能力，永葆生机和活力。

今年初，我在广东考察工作时，讲了我们党要始终代表中国先进生产力的发展要求，代表中国先进文化的前进方向，代表中国最广大人民的根本利益。这“三个代表”的要求，是根据我们党的性质、宗旨和历史经验、现实需要提出来的，也是为了在新的时期新的实践中更好地全面落实毛泽东思想、邓小平理论关于党的建设的要求提出来的，是我们党的立党之本、执政之基、力量之源，是我们加强新时期党的建设的基本方针。要使全党同志深刻认识和全面、正确地把握“三个代表”的要求，还有大量的工作要做，首先需要从理论和实践的结合上进一步加以研究，进一步进行阐述。全党要围绕这个题目，紧密结合国内外形势的变化，紧密结合我国生产力发展和经济体制的深刻变革，紧密结合人民群众物质文化生活的发展要求，紧密结合党员干部队伍发生的重大变化，调查研究，形成共识，作出回答。我们开展的各项工作，都要贯彻落实“三个代表”的要求，看看我们所采取的措施、所做的工作，是不是符合“三个代表”的要求，符合的就毫不动摇地坚持，不符合的就勇于实事求是地纠正。

我们党已经拥有6300万党员，这么大的队伍要管理好不容易。党内确实存在一些同党的性质、宗旨不相符的突出问题，如果我们不下最大的决心加以解决，就会带来严重的后果。一些腐败案件触目惊心，必须引起全党的高度警觉。90年代以来，一些执政几十年的政党先后下台，有的已经衰亡。其中的根本原因是党的内部出了问题。认真分析这些政党的兴衰，加以借鉴，对我们加强党的建设很有意义。历史和现实都表明，一个政权也好，一个政党也好，其前途与命运最终取决于人心向背，不能赢得最广大群众的支持，就必然垮台。我们现在总的形势是好的，但也面临着不少问题，既有内忧也有外患，切不可掉以轻心。关键是在搞好现代化建设的同时，要全面加强和改进党的建设，努力提高党的凝聚力和战斗力，始终保持党和人民群众的密切联系，这样我们才能经得起各种风浪的考验，不断把建设有中国特色社会主义事业推向前进。

今天，我想着重讲一下加强党的作风建设问题。党的作风问题，也是党的形象问题，作风不正，形象好不了，必然脱离群众、脱离实际。切不可小看了作风问题。我们要完成现代化建设必须要有好的作风，否则正确的路线不能得到很好的贯彻，党的工作也会受到严重影响。希望全党上下要努力改进思想作风、学风和工作作风。

第一，关于思想作风。解放思想，实事求是，是马克思主义活的灵魂。这是我们认识新事物、适应新形势、完成新任务的根本思想武器。这20多年中国改革和发展的历程，就是在邓小平理论的指导下，全党同志总结以往的历史经验和教训，坚持一切从实际出发，解放思想，实事求是，不断探索创新，从而不断推进建设有中国特色社会主义事业的伟大历程。如果没有全党的解放思想、实事求是，就不可能有改革开放和现代化建设一系列的新政策，也就不可能有今天这样党和国家事业发展的大好局面。

搞社会主义现代化，发展社会主义市场经济，没有现成的经验和模式，必须在实践中探索和创造。改革开放以来，邓小平同志抓住“什么是社会主义、怎样建设社会主义”这个根本问题，深刻揭示社会主义的本质，把对社会主义的认识提高到新的水平。在新的历史时期，全党必须继续坚持解放思想、实事求是的思想路线，继续抓住社会主义本质这个根本问题，大胆探索、实践和创造，这是坚持党的基本路线，建设有中国特色社会主义的思想保证。建设有中国特色社会主义的实践在继续前进，我们对有中国特色社会主义的探索和认识也要不断继续下去，永远不能停滞。解放思想、实事求是的目的，就是为了使我们党和国家的事业不断适应国情与时代、形势与任务的要求而向前发展，始终兴旺发达。任何安于现状、因循守旧，不思进取、无所作为的思想，都不利于党和国家事业的发展。解放思想与实事求是是统一的，应一以贯之。不解放思想，教条主义盛行，不可能做到实事求是；离开实事求是，脱离实际，脱离亿万群众创造性的实践，不是真正的思想解放。在工作比较顺利的时候，不能头脑发热，忘乎所以，不要提出不切实际的要求。在工作遇到困难的时候，不能灰心丧气，畏首畏尾，要善于在困难的条件下开拓新的局面。全党同志首先是各级领导干部必须始终坚持马克思主义历史的、实践的、发展的观点，坚持实践是检验真理的惟一标准，发挥历史的主动性和革命的创造性，不断研究和解决新问题。

第二，关于学风。中央反复强调，全党要加强学习，要结合新的实践，学习、学习、再学习。学习是多方面的，首先要加强对马克思主义理论的学习。学习马列主义、毛泽东思想和邓小平理论，关键是要掌握其理论实质，善于把其基本原理运用于社会主义改革和现代化建设的新实践，并在理论与实践的结合中勇于创新。不能搞教条主义，不能拘泥于一些具体的论述。马克思主义的生命力，就是在于它在实践中能够不断创新。马克思主义理论的每一次重大突破，社会主义实践的每一次历史性飞跃，都是马克思主义基本原理与具体实践相结合进行理论创新的结果。马克思、恩格斯、列宁和毛泽东同志、邓小平同志都是理论创新的典范。在建设社会主义的进程中，坚持马克思主义的基本原理，最重要的就是要坚持生产关系必须适应生产力发展的论断，通过改革开放不断解放和发展社会生产力，逐步实现全体人民的共同富裕。这是历史唯物主义的真谛。理论创新的源泉在实践，实践的主体是人民群众。理论创新，必须尊重人民群众的首创精神，坚持实践标准和“三个有利于”标准。不能拿本本去框实践，而是要用实践去发展本本。这是我们树立和发扬好的学风的最根本的要求。只有抱着这样的态度，才能把马克思主义的精髓学深学透，把马克思主义的真理用好用活。对马克思主义经典作家著作的学习和运用，不能搞照抄照搬的教条主义、本本主义，对国外包括西方国家东西的学习和借鉴，也要采取分析的实事求是的态度，也不能搞照抄照搬的教条主义、本本主义，一切都要从我国的国情出发，从建设有中国特色社会主义的实际出发。

第三，关于工作作风。现在，在工作作风方面存在的问题，群众反映最大的是两个问题，一是形式主义，二是官僚主义。这必须引起全党上下的高度重视，必须痛下决心把这两股歪风煞住，越快越好。我们做工作，需要有一定的形式，没有形式，内容也表现不出来，但不能搞形式主义。搞形式主义，要害是只图虚名，不务实效。比如，有的干部做工作，不去认真领会中央精神，也不去了解下情，习惯于做表面文章，喊口号；有的沉湎于文山会海、应酬接待，不能深入基层；有的热衷于沽名钓誉，哗众取宠，应付上级，应付群众；有的搞各种名目的所谓“达标”活动，形式上热热闹闹，实则劳民伤财；有的只说空话套话，不干实事；有的报喜不报忧，掩盖矛盾和问题，以致酿成恶果。现在发生的一些严重的突发性事件和群体性事件，有些让人想都想不到的事件，其中一个重要原因，是由于工作不落实、不扎实、不切实。工作部署了，没有抓到底，口号提出来了，没有落实。结果流于形式，浮于表面，没有实效。这种风气如果不纠正，不仅会导致党的路线方针政策无法落实，而且必然会出乱子，甚至出大乱子。官僚主义作风，要害是脱离群众、做官当老爷。在一些地方和部门，有的干部无所用心，有的作威作福、欺压群众，引起了干部和群众的强烈不满。对官僚主义作风，我们不仅要认识它的危害性，而且要深刻认识它产生的根源。官僚主义，在很大程度上源于我国封建社会形成的“官本位”意识。所谓“官本位”，就是“以官为本”，一切为了做官，有了官位，就什么东西都有了，“一人得道，鸡犬升天”。这种“官本位”意识，流传了几千年，至今在我国社会生活中仍然有着很深的影响。一些共产党员和党的领导干部，也自觉不自觉地做了这种“官本位”意识的俘虏，于是跑官、买官、卖官的现象出来了；弄虚作假，虚报浮夸，骗取荣誉和职位的现象出来了；明哲保身，不思进取，但求无过，一切为了保官的现象出来了；以权谋私的现象出来了。当前，“官本位”意识的要害，就是对党和国家的事业不负责，对民族和人民的利益不负责任，只对自己或亲属或小团体负责。其危害极大。因此，对于历史上遗留下来的“官本位”意识，必须狠狠批判和坚决破除。我曾经说过，每一个领导干部都应好好想一想，参加革命是为什么？现在当干部应该做什么？将来身后应该留点什么？这些问题，我们每个领导干部都应经常想一想。我们共产党人是全心全意为党和国家、为民族和人民的利益而奋斗的，有什么个人的东西不能抛弃呢？

“实干兴邦，空谈误国。”形式主义作风和官僚主义作风，是我们党的一大祸害。全党上下，全国上下，必须狠煞形式主义、官僚主义的歪风。各级领导干部必须时时处处坚持重实际、说实话、务实事、求实效，必须大力发扬脚踏实地、埋头苦干的工作作风。大家都要坚定地贯彻中央的路线方针政策，努力结合自己的工作实际创造性地做好工作，想群众之所虑，急群众之所难，谋群众之所求，扎扎实实地解决好关系改革发展稳定全局和影响群众生产生活的各种紧迫问题，以改进工作作风的实际行动取信于民。

明年是新世纪的第一年，我们将迎来建党 80 周年。我们党从成立以来，为中华民族和中国人民建立了不朽的功勋。要通过广泛深入的教育和宣传，使全体党员和全国各族人民进一步明确，只有在中国共产党的领导下，坚持走建设有中国特色社会主义道路，才能发展中国，才能实现中华民族的伟大复兴。同时，要使全体党员干部进一步明确，我们党要承担起建设有中国特色社会主义的重大使命，带领全国各族人民不断前进，必须按照“三个代表”的要求，扎扎实实地加强党的建设，全面推进党的建设的新的伟大工程。总之，我们要利用纪念建党80周年的重要时机，回顾历史、总结经验，着眼现实、解决问题，展望未来、增强信心。

（这是江泽民同志在中国共产党第十五届中央委员会第五次全体会议上讲话的一部分。原载《求是》杂志2001年第1期）

（2000年12月30日《人民日报》）

江泽民：在首都各界纪念中国人民志愿军抗美援朝出国作战50周年大会上的讲话

（2000年10月25日）

同志们：

今天，首都各界在这里隆重集会，纪念中国人民志愿军抗美援朝出国作战50周年。全党、全军和全国各族人民要努力学习和发扬中国人民志愿军的伟大爱国主义精神和革命英雄主义精神，更加奋发地投身于建设有中国特色社会主义的伟大事业。

50年前，由中华优秀儿女组成的中国人民志愿军，高举保卫和平、反抗侵略的正义旗帜，雄赳赳，气昂昂，跨过鸭绿江，与朝鲜人民军并肩作战，进行了两年零九个月的殊死战斗，赢得了伟大的胜利。

抗美援朝战争的胜利，是世界爱好和平人民的伟大胜利，是维护正义、反对强权的英勇壮举，是爱国主义和革命英雄主义的壮丽史诗，是中国人民为维护世界和平和人类进步事业建立的巍峨丰碑。

50年来，我们始终铭记着老一辈无产阶级革命家和中国人民志愿军建立的不朽历史功勋。世界发展的进程雄辩地证明，党中央当年作出中国人民志愿军出国作战的重大决策，对维护世界和平，维护中国人民、朝鲜人民以及一切被压迫、被奴役人民的独立和自由，对降低新的世界大战爆发的危险，具有十分重大的意义。此时此刻，我们要向毛泽东同志、周恩来同志、刘少奇同志、朱德同志、邓小平同志、陈云同志以及彭德怀同志等已故的老一辈无产阶级革命家，表示最深切的怀念！

50年来，我们始终铭记着用鲜血浇灌和平之花、用生命捍卫人类正义的志愿军指战员，以及所有为这场斗争的胜利作出贡献的人们。我代表党中央、国务院、中央军委，向所有健在的志愿军老战士和伤残荣誉军人，向全力支援志愿军的全国各族人民和参战支前人员，各民主党派、工商界和无党派人士，各人民团体，致以崇高的敬意！向志愿军的烈属和家属，表示亲切的慰问！

50年来，我们始终缅怀为了祖国、为了和平和自由而在这场战争中英勇牺牲的烈士们。他们的英名，将永远镌刻在人民共和国的史册上，永远镌刻在人类和平、发展、进步的史册上。我提议，全体起立，为在抗美援朝战争中捐躯的烈士们默哀。

英雄的朝鲜人民，在金日成同志和朝鲜劳动党的领导下，与强大的敌人进行了不屈不挠的斗争，赢得了中国人民和全世界人民的尊敬。朝鲜政府和人民关心、爱护并积极支援志愿军，两国人民和军队休戚与共，生死相依，用鲜血凝成了伟大的战斗友谊。我们还要向当年支援中国人民志愿军作战的原苏联政府和人民，以及世界上一切爱好和平的国家和人民、友好组织和友好人士，表示衷心的感谢！

中华民族是热爱和平、热爱自由的民族。半个世纪前发生的这场战争，完全是帝国主义侵略者强加给中国人民的。中国近代饱受西方列强欺凌和侵略，战乱连绵不断，人民困苦不堪。在中国共产党的领导下，经过长期的艰苦斗争，中国人民终于获得了民族独立和社会解放，于1949年10月1日建立了新中国。当时，中国百废待兴，百业待举。中国人民最深切的愿望，中国共产党最迫切的任务，是医治战争的创伤，恢复国民经济，巩固人民政权，实现中国人民早就盼望的祖国统一、国家富强、安居乐业的理想。经过了长期战争磨难的中国人民，深知和平的宝贵，最积极地维护和平，最坚决地反对战争。但是，中国人民的这个真诚愿望却受到了粗暴的挑战。

朝鲜内战爆发后，美国杜鲁门政府悍然派兵进行武装干涉，发动对朝鲜的全面战争，同时派遣海军第七舰队入侵台湾海峡。侵朝美军不顾中国政府的多次警告，越过三八线，直逼中朝边境的鸭绿江和图们江，出动飞机轰炸我东北边境的城市和乡村，把战火烧到了中国的国土上，直接威胁到朝鲜民主主义人民共和国的独立和自由，威胁到新生的中华人民共和国的安全，威胁到远东和世界的和平。

在这个危急关头，应朝鲜党和政府的请求，党中央和毛泽东同志高瞻远瞩，审时度势，以雄伟的气魄和非凡的胆略，作出了抗美援朝、保家卫国的历史性决策。1950年10月19日，中国人民志愿军奉命开赴朝鲜战场，10月25日首战告捷，以大无畏英雄气概，毅然承担起了保卫和平的历史使命。

抗美援朝战争，是第二次世界大战结束后，第一场大规模的国际性局部战争，交战双方武器装备对比极为悬殊。美国先后投入近200万军队，使用了除原子弹以外的所有先进武器，掌握着战场的制空权和制海权，地面部队全部机械化。中国人民志愿军的武器装备相当落后，基本上是靠步兵和少量炮兵、坦克兵作战。后期参战的少量空军只能掩护后方主要交通运输线和局部的空中作战，不能直接支援地面部队作战。在幅员狭小的朝鲜半岛上，双方投入战场的最高兵力达300多万，兵力密度、敌方空中轰炸密度和许多战役战斗的炮火密度都是空前的。

在党中央和毛泽东同志的英明领导下，志愿军充分发挥政治优势和我军的光荣传统，与朝鲜人民军一道，面对世界上最强大的敌人，在极为艰难的条件下，扬长避短，以灵活机动的战略战术和一往无前的英雄气概，进行了艰苦卓绝的作战。志愿军指战员始终发扬祖国和人民利益高于一切、为了祖国和民族的尊严而奋不顾身的爱国主义精神，英勇顽强、舍生忘死的革命英雄主义精神，不畏艰难困苦、始终保持高昂士气的革命乐观主义精神，为完成祖国和人民赋予的使命、慷慨奉献自己一切的革命忠诚精神，以及为了人类和平与正义事业而奋斗的国际主义精神，这也就是伟大的抗美援朝精神。这种精神永远是中国人民的宝贵财富。

在这场异常残酷的战争中，广大志愿军指战员赴汤蹈火，视死如归，谱写了气吞山河的英雄壮歌，创造了人类战争史上以弱胜强的光辉典范。他们冒着零下30多摄氏度的严寒，在白雪皑皑的崇山峻岭中纵横驰骋、浴血奋战。他们在山头被敌人炮火炸低两米的情况下，坚守阵地，决不后退一步。他们在敌人密集轰炸、严密封锁下，建成打不断、炸不烂的钢铁运输线。他们搏击长空，以“空中拼刺刀”的勇气，创造出世界空战史的奇迹。他们在极为艰难困苦的条件下，一把炒面一把雪，顽强拼搏，经受住了生命极限的考验。在志愿军的行列中，先后涌现了杨根思、黄继光、邱少云等30多万名英雄功臣和近6000个功臣集体，以及罗盛教这样光彩照人的国际主义战士。

中国人民志愿军指战员，不愧为党的忠诚战士，不愧为中华民族的英雄儿女，不愧为祖国安全和世界和平的坚强卫士。祖国人民把一个崇高的称号送给了他们，称他们为“最可爱的人”。今天，部分志愿军英模代表和老战士出席了大会，让我们以热烈的掌声向他们致敬！

在抗美援朝战争中，中国人民志愿军为和平而战，为正义而战，打出了新中国的国威、军威，充分体现了中国人民不畏强暴、维护和平的决心和力量，体现了中华民族的浩然正气，极大地提高了中国的国际地位，赢得了世界各国人民的尊敬。我军经受了现代战争的洗礼，锻炼出了一大批适应现代战争需要的军事人才，创造了依靠劣势装备打赢现代战争的一系列新经验、新战法，促进了我国军事思想和军事科学技术的发展。我军由单一兵种作战过渡到现代军兵种联合作战，向现代化方向迈进了一大步，使我军建设进入一个新的发展阶段。志愿军惊天地、泣鬼神的英勇壮举，极大地提高了全国人民的自信心和自豪感，增强了中华民族的凝聚力。抗美援朝战争的胜利，有力地向世人证明了一个真理，也就是毛泽东同志所宣告的："外国帝国主义欺负中国人民的时代，已由中华人民共和国的成立而永远宣告结束了。"

50年前在朝鲜半岛发生的这场战争，是一场关系和平与战争、民主与反民主的斗争。中国人民志愿军出国作战，保卫和平，反抗侵略，完全是正义之举。千千万万优秀的中华儿女为了世界和平，为了正义，为了朝鲜人民的独立和自由，献出了宝贵的生命。中国人民志愿军尊重朝鲜人民的风俗习惯，爱护朝鲜的一山一水一草一木，不拿朝鲜人民的一针一线。停战以后，中国人民志愿军积极帮助朝鲜人民医治战争创伤，重建家园。1958年10月，中国人民志愿军全部凯旋回国。

回顾50年来的国际风云变幻，审视当今世界和平与发展的形势，我们更加深切地体会到，抗美援朝战争的胜利，对维护世界和平、推动人类进步具有重大而深远的历史意义。这个胜利，打乱了帝国主义扩大势力范围的战略部署，维护了远东以及世界的和平。这个胜利，充分显示了掌握了自己命运的人民捍卫自己选择的发展道路和生活方式的坚强决心，有力地促进了世界多样化发展的历史进程和人类的进步事业。这个胜利，为世界一切被压迫、受欺凌的民族和人民，树立了敢于斗争、敢于胜利，奋勇起来掌握自己命运的典范，大大鼓舞了被压迫、被奴役人民争取解放的正义斗争。这个胜利，保卫了中朝两国的安全，也为中朝两国的社会主义革命和建设事业创造了良好的条件。这个胜利，极大地提高了全国各族人民建设新中国的信心和热忱，我国经济恢复工作和开始大规模建设的目标提前实现。我们纪念抗美援朝战争的胜利，就是要以历史和现实的眼光对这场战争加以观察与总结，以利更好地促进人类和平与发展的崇高事业。

当今世界，正在向着政治多极化、经济全球化的方向发展，科技进步日新月异，全球和亚太地区的局势发生了深刻的变化。和平与发展，是不可抗拒的历史潮流。和平之可贵，在于赢得和平不易，维护和平也不易。维护和促进世界持久和平与安全，必须推动建立和平稳定、公正合理的国际政治经济新秩序，彻底摈弃冷战思维，建立适应时代要求的互信、互利、平等、合作的新型安全观。世界各个国家、各种力量、各种组织，都应顺应时代发展的潮流，把维护和平作为义不容辞的职责。历史已经证明，以强化军事同盟、加强军备为手段，不能营造持久的和平。必须遵守和平共处五项基本原则和《联合国宪章》的宗旨与原则，尊重各国人民的自主选择和世界多样性的发展特点。中国一贯主张，各国的事情由各国人民自己来管，世界上的事情要由各国商量解决。国家之间的矛盾和争端，应通过平等对话和协商来解决。谁都不能搞霸权主义和强权政治，谁都不应把自己的价值观念和社会制度强加于人，谁都无权干涉别国内政，动辄使用武力，侵犯别国主权，破坏别国的统一和民族团结。中国坚持独立自主的和平外交政策，始终不渝地维护世界和平，促进各国的共同发展。中国永远是维护世界和平、促进世界进步的坚定力量。

在即将过去的20世纪里，人类经历了两次世界大战，经历了无数的武装冲突和局部战争，也经历了持续40多年的冷战，付出了惨重的代价。经历了20世纪的风风雨雨，世界各国人民殷切希望新世纪能够成为一个持久和平的世纪，一个各国人民能够全力创造自己幸福生活的世纪。世界各国都应为此而共同努力。

我们纪念抗美援朝战争的胜利，就是要更好地学习广大志愿军指战员的崇高精神和伟大品格，大力弘扬爱国主义和革命英雄主义，按照"三个代表"的要求全面加强党的建设，扎扎实实地做好党和国家的各项工作。

人类即将进入新的世纪，我国各族人民正在党的领导下，满怀信心地把建设有中国特色社会主义的伟大事业全面推向前进。这一伟大事业的前景是无限光明的，但前进的道路不会一帆风顺。

我们要继续解放思想，实事求是，万众一心，开拓前进，勇于克服一切艰难险阻，勇于战胜各种新的挑战，不断提高我国的经济实力、国防实力和民族凝聚力，不断夺取改革开放和现代化建设的新胜利。

全党和全国各族人民要坚持以马列主义、毛泽东思想、邓小平理论和党的基本路线为指导，按照党的十五大确定的跨世纪发展的宏伟蓝图，为实现我国的社会主义现代化，为早日完成祖国统一大业，为争取对世界和平与发展作出更大的贡献而不懈奋斗！

（2000 年 10 月 26 日《人民日报》）

江泽民：在深圳经济特区建立20周年庆祝大会上的讲话

（2000 年 11 月 14 日）

同志们、朋友们：

今天，我们在这里隆重集会，庆祝我国兴办经济特区 20 周年。我代表党中央、国务院，向所有为经济特区建设作出贡献的同志们，向经济特区的广大建设者们，致以热烈的祝贺和诚挚的问候！向在座的各位来宾，向关心支持经济特区建设的港澳同胞、台湾同胞、海外侨胞和各国朋友，表示热烈的欢迎和衷心的感谢！

兴办经济特区，是我们党和国家为推进社会主义改革开放和现代化建设作出的重大决策。1978 年 12 月，党的十一届三中全会决定，把全党工作的重点转移到社会主义现代化建设上来，实行改革开放，动员全党和全国各族人民为把我国建设成为社会主义的现代化强国而进行新的长征。这是新中国成立以来我党历史上具有深远意义的伟大转折。

改革开放的总设计师邓小平同志，率领全党同志解放思想、实事求是，全面观察当今时代特征和国际形势，总结国际国内社会主义建设的历史和现实经验，进行了艰苦的探索，在建设有中国特色社会主义的理论和实践上都取得了重大成就。为了推进改革开放和现代化建设，邓小平同志创造性地提出建立经济特区。根据他的倡议，党中央、国务院经过认真的考察和权衡，决定兴办深圳、珠海、汕头、厦门四个经济特区，实行特殊政策和灵活措施，发挥它们对全国改革开放和现代化建设的重要窗口和示范作用。80 年代中期到 90 年代初，党中央、国务院又先后决定开放 14 个沿海城市以及沿海经济开放区和沿边沿江地区，加快内陆省、自治区对外开放步伐，兴办海南经济特区，开发开放上海浦东新区，逐步在全国形成多层次、多渠道、全方位对外开放的新格局。实践证明，兴办经济特区这个具有远见卓识的创举，对推动我国改革开放和现代化建设的进程，丰富我们对建设有中国特色社会主义的认识，具有重要而深远的理论和实践意义。

20 多年来，在党中央、国务院的领导和全国的支持下，经济特区在全国的改革和建设中发挥了十分重要的作用。在坚持社会主义基本制度的前提下，经济特区率先进行改革，为探索有中国特色社会主义的现代化建设道路，积累了新鲜经验。经济特区，在由过去的计划经济向社会主义市场经济转变的历史进程中发挥了重要的试验场作用，在实行对外开放的历史进程中发挥了重要的窗口和基地作用，在我国各地区共同发展的历史进程中发挥了重要的示范、辐射和带动作用，在完成祖国统一大业的历史进程中对香港、澳门的顺利回归并保持繁荣稳定发挥了重要的促进作用。

1980年，我来深圳就筹建经济特区进行考察时，深圳还是一个边陲小镇。20年弹指一挥间，现在的深圳已成为一座美丽的现代化城市。深圳和其他经济特区、浦东新区的发展，是改革开放以来我国实现历史性变革和取得伟大成就的一个精彩缩影与生动反映，也是对党的正确领导和社会主义制度优越性的一个有力印证。

经济特区创立发展的20年，是沿着有中国特色社会主义道路开拓前进的20年，是认真贯彻党的十一届三中全会以来的路线方针政策不断发展的20年，是经济特区广大干部群众解放思想、实事求是、敢于实践、大胆创新的20年。经济特区的实践，向世界展示了社会主义中国的勃勃生机和光明前景。

改革开放以来，我国社会生产力不断发展，综合国力大大增强，人民生活显著改善，国际地位日益提高。我国的面貌发生了巨大变化。这充分说明，坚持党的"一个中心、两个基本点"的基本路线和建设有中国特色社会主义的伟大道路，是中国实现现代化、中华民族实现伟大复兴的必由之路。

人类即将迈入新的世纪，我国将进入全面建设小康社会、加快推进社会主义现代化的新的发展阶段。世界政治多极化、经济全球化和科技进步的继续发展，为我们的现代化建设提供了必须紧紧抓住的难得机遇，也给我们带来了必须认真应对的严峻挑战。在世界范围的激烈竞争面前，不进则退。全党同志和全国人民首先是各级领导干部应该居安思危，增强发展的紧迫感，继续坚定不移地贯彻党的基本理论和基本路线，向着社会主义现代化建设的第三步战略目标前进。

在新的历史条件下，经济特区要认真总结成功经验，抓紧解决存在的问题，继续"增创新优势，更上一层楼"，努力创造新的业绩，率先基本实现现代化。发展经济特区，是建设有中国特色社会主义事业的重要组成部分，将贯穿我国改革开放和现代化建设的全过程。发展是硬道理。经济特区要继续当好改革开放和现代化建设的排头兵，继续争当建设有中国特色社会主义的示范地区，继续充分发挥技术的窗口、管理的窗口、知识的窗口和对外政策的窗口的作用，努力形成和发展经济特区的中国特色、中国风格、中国气派。这是历史赋予经济特区的光荣使命。

社会实践在不断发展，我们的思想认识也必须不断前进，不断根据实践的要求进行创新。这样我们的事业才能永葆生机和活力。面对国际国内的新情况、新问题，我们必须坚持学习和努力实践马列主义、毛泽东思想、邓小平理论，坚持党的解放思想，实事求是，一切从实际出发的思想路线，紧跟时代发展的潮流，在建设有中国特色社会主义的历史进程中，不断研究新情况，解决新问题，形成新认识，开辟新境界。经济特区要在邓小平理论和党的基本路线、基本纲领的指引下，继续积极研究、探索、解决改革和发展中面临的理论与实践问题，把各项事业更好地推向前进。

经济特区要带头加快体制创新，率先为全国建立比较完善的社会主义市场经济体制积极探索和实践。进行体制创新的重要目的，就是要克服生产关系和上层建筑中妨碍生产力发展的因素，不断解放和发展生产力。要坚持公有制为主体、多种所有制经济共同发展的基本经济制度，继续推进国有企业改革，鼓励、支持、引导个体和私营企业健康发展，加强市场体系建设，加快政府职能转变，实行依法行政，深化分配制度改革和完善社会保障制度，同时深入研究当代经济科技发展提出的新要求，加快建立和完善发展社会主义市场经济所必需的一整套制度和机制。要适应我国加入世界贸易组织的新形势，把"引进来"和"走出去"紧密结合起来，不失时机地实施"走出去"战略，更好地利用国内外"两种资源、两个市场"，在更大范围内进行专业化、集约化和规模化的跨国经营，努力形成我们参与国际市场竞争的新优势和占据有利地位。全国各地都应努力这样做，经济特区更应走在前面。

经济特区要带头大力推进科技创新，在加快结构调整和产业优化升级、实现经济增长方式的根本转变上创造新鲜经验。科技的进步和创新已成为推动经济社会发展的重要决定性因素。要全面实施科教兴国战略，密切跟踪世界科学技术发展的最新成果，大力增强核心技术和重要应用技术的创新能力，努力开拓科技创新的新领域，实现技术跨越式发展。要继续探索科技与经济紧密结合的新路子，加强以企业为主体的技术创新体系建设，建立和完善能够优化配置国内外科技资源的技术开发体制，强化知识、信息、资源、人才的聚集效应。抓紧建立风险投资机制，发展资本市场，支持高新技术产业化。通过科技创新和经济结构的战略性调整，形成新的经济、产业、技术优势，抢占高新技术及其产业化的制高点，努力把经济特区建设成为重要的高新技术研究开发基地、成果转化基地、产品出口加工基地和成果交易中心。

经济特区要带头增强服务全国的大局意识，加强与内地的经济技术交流与合作，积极支持实施西部大开发战略。党中央决定实施西部大开发战略，与兴办经济特区一样，都是为推进全国改革开放和现代化建设而作出的重大战略决策。经济特区的发展，始终离不开全国人民的支持。要充分发挥经济特区在资金、技术、人才、信息、管理等方面的优势，按照市场经济的客观规律，支持企业到西部投资，实现资源优势互补。继续加强对西部欠发达地区的对口扶持，做好扶贫帮困工作，为逐步实现全国人民的共同富裕多作贡献。

经济特区要带头始终不渝地坚持“两手抓，两手都要硬”的方针，大力加强社会主义精神文明建设，交好物质文明建设和精神文明建设两份答卷。经济特区处于改革开放的前沿，搞好社会主义精神文明建设尤为重要。要做到既善于学习和借鉴人类文明的一切优秀成果，又善于继承和发扬中华民族一切优秀的思想、道德、文化传统，有效抵御各种消极腐朽思想文化的侵蚀，始终保持社会主义的精神风貌。要坚持进行“致富思源、富而思进”教育，把广大干部群众的力量凝聚到率先基本实现社会主义现代化上来。要坚持贯彻执行党和国家的各项方针政策，坚持依法治国，依法办事、依法治理，下大力气创造良好的民主法制环境，保持社会安定团结。

经济特区要带头按照“三个代表”的要求全面加强党的建设，不断提高党组织的战斗力和凝聚力，增强拒腐防变的能力。搞好党的建设，是我们实现社会主义现代化的根本保证。要紧密结合实际，不断探索新的历史条件下加强和改进党的思想、组织、作风建设的新路子。要坚持党要管党和从严治党的方针，搞好党风廉政建设和反腐败斗争。大力培养和锻炼一支特别能吃苦耐劳、特别能开拓前进、特别能尽职尽责的党员和干部队伍，领导干部尤其要模范地遵循党的宗旨，全心全意为人民服务，自觉做到廉洁自律，坚决抵制各种腐朽思想的侵蚀和金钱美色的诱惑，努力在实践“三个代表”方面发挥表率作用。

同志们、朋友们，在20世纪的百年间，中华民族历经沧桑，中国人民在中国共产党的领导下奋起斗争，取得了举世瞩目的伟大成就，中华民族的命运发生了历史性的巨变。展望新的世纪，中国人民将继续坚定不移地沿着邓小平同志开创的建设有中国特色社会主义道路奋勇前进，我国经济特区也必将迎来更加美好的未来。

（2000年11月15日《人民日报》）

江泽民在全国统战工作会议上发表重要讲话

（2000年12月4日）

江泽民在全国统战工作会议上就做好进入新世纪党的统战工作发表重要讲话。他指出：统一战线工作的根本任务就是争取人心、凝聚力量，为实现党和国家的宏伟目标而团结奋斗。进入新世纪，党对统一战线的基本要求是：高举爱国主义、社会主义旗帜，团结一切可以团结的力量，调动一切积极因素，化消极因素为积极因素，为建设有中国特色社会主义的经济、政治、文化服务，为维护安定团结的政治局面服务，为实现祖国完全统一服务，为维护世界和平与促进共同发展服务。

江泽民强调，在新的世纪里，只有坚持发展我们党领导的最广泛的爱国统一战线，团结全体中华儿女共同奋斗，实现中华民族的伟大复兴，才更有成功的把握。统一战线作为党的一个重要法宝，绝不能丢掉；作为党的一个政治优势，绝不能削弱；作为党的一项长期方针，绝不能动摇。全党同志，特别是各级领导干部，都要从战略的高度充分认识统一战线的地位和作用，更加自觉地支持和做好党的统战工作。

江泽民指出，在我们党近 80 年的光辉历程中，统一战线始终是党的工作全局中一个极为重要的方面，它为团结和带领全国各族人民，联合各方面的积极力量而共同实现党的奋斗目标发挥了重大作用。历史经验证明，我们必须始终高度重视统一战线，充分发挥统一战线的重要作用，广泛团结一切可以团结的力量，以推动党和人民的事业不断从胜利走向胜利。

江泽民指出，实现社会主义现代化，是全国各族人民的共同理想和奋斗目标。到下个世纪中叶基本实现我国的现代化，任务仍十分艰巨繁重。这就需要我们继续巩固和发展最广泛的爱国统一战线，把各方面的智慧和力量都凝聚起来，把大家的积极性和创造性都发挥出来。统一战线要在社会各界中多做协调关系、化解矛盾、理顺情绪的工作，以减少阻力，增加助力，形成合力，为经济建设创造一个良好的社会政治环境。

江泽民强调，发展社会主义民主政治，关键在加强社会主义政治制度建设。我们必须坚持并不断完善人民代表大会制度和共产党领导的多党合作、政治协商制度以及民族区域自治制度，使广大人民的意志在国家政治和社会生活中得到更充分的体现。人民代表大会制度和共产党领导的多党合作、政治协商制度以及民族区域自治制度，体现了统一战线大团结、大联合的宗旨。要进一步发挥统一战线的作用，不断发展社会主义民主，为建设有中国特色社会主义事业提供更广泛的政治动力。

江泽民强调，统一战线汇集了大量知识分子和专家学者，他们在继承发展中华民族的优秀文化传统，学习吸收外国的先进科技文化成果，提高全民族思想道德素质和科学文化素质等方面，发挥着重要作用。我们必须高举爱国主义和社会主义的旗帜，把先进性要求和广泛性要求结合起来，努力发挥统一战线对推动文化建设的积极作用，同时加强统一战线内部的思想道德和科学文化建设，促进全社会共同理想和精神支柱的牢固确立，促进全民族科学文化素质的不断提高。

江泽民指出，随着我国社会的发展，爱国统一战线已成为全体社会主义劳动者、拥护社会主义的爱国者、拥护祖国统一的爱国者的最广泛的联盟。改革开放和现代化建设的实践，对党的统一战线工作提出了新的更高的要求。我们要努力巩固和发展最广泛的爱国统一战线，使海内外中华儿女为实现中国的现代化和中华民族的伟大复兴而达到新的团结和联合。

江泽民指出，确立和实行适合国情的政治制度和政党制度，对一个国家的发展和稳定具有极为重要的意义。中国共产党领导的多党合作和政治协商制度是我国的一项基本政治制度。我们必须充分认识这项基本政治制度的优越性，把它坚持好、完善好、落实好。这项制度，是中国人民长期奋斗的成果，也是中国人民政治经验和智慧的结晶。我国政党制度的显著特征在于：共产党领导、多党派合作，共产党执政、多党派参政，各民主党派不是在野党和反对党，而是同共产党亲密合作的友党和参政党，共产党和各民主党派在国家重大问题上进行民主协商、科学决策，集中力量办大事，共产党与各民主党派互相监督，促进共产党领导的改善和参政党建设的加强。

江泽民指出，世界各国的历史传统、经济文化水平和社会制度不同，其政治制度和政党制度也必然不同。衡量中国的政治制度和政党制度，最根本的是要从中国的国情出发，从中国革命、建设和改革实践的效果着眼，一是看能否促进社会生产力的持续发展和社会全面进步；二是看能否实现和发展人民民主，增强党和国家的活力，保持和发挥社会主义制度的特点与优势；三是看能否保持国家政局的稳定和社会安定团结；四是看能否实现和维护最广大人民的根本利益。坚定不移地坚持中国共产党的领导，坚定不移地坚持和完善人民代表大会制度、共产党领导的多党合作和政治协商制度，是关系巩固中国的社会主义制度，关系全国各族人民根本利益的重大政治原则，绝不能有丝毫的含糊和动摇。

江泽民强调，要建立健全配套措施，使多党合作进一步规范化、制度化。各级党委进行重大决策，要同民主党派、无党派人士进行协商。要扩大民主党派的知情范围和参与程度，进一步搞好参政议政。特别是要完善民主监督机制，畅通下情上达的渠道，加大民主监督力度。我们党是执政党，必须自觉倾听人民群众和民主党派的意见，自觉接受人民群众和民主党派的监督，始终保持清醒的头脑，始终兢兢业业工作而不致懈怠。没有监督，就难以有效防止腐败。坚持“长期共存、互相监督、肝胆相照、荣辱与共”的方针，主要是民主党派监督共产党。要鼓励各民主党派当我们的诤友，能够说心里话，敢于讲不同意见。各级党委和领导干部要主动接受民主党派的监督，闻过则喜，从善如流，特别要听得进逆耳之言，容得下尖锐批评，有则改之，无则加勉。广纳群言，以收众益，这应成为我们党的各级领导干部的座右铭。

江泽民指出，充分发挥人民政协政治协商、民主监督和参政议政的重要作用，是坚持与完善共产党领导的多党合作和政治协商制度的必然要求。各级党委要把人民政协的政治协商，作为共产党领导的多党合作和政治协商的一个重要形式，作为科学决策的一个重要环节和发扬社会主义民主的一条重要渠道，在工作中认真加以落实。

江泽民说，我国知识分子作为工人阶级的一部分，也作为工人阶级中科技文化水平较高的一部分，在改革开放和现代化建设中起着越来越重要的作用。他们的作用发挥得好不好，直接关系我国社会主义现代化事业的全局。全面做好知识分子工作，充分发挥广大知识分子的作用，是全党同志和党的所有工作部门的一项重要任务。要适应新情况新变化，进一步落实和完善党的知识分子政策，着重做好培养人才、用好人才、吸引人才的工作。统战部门要反映情况，掌握政策，协调关系，举荐人才，密切同党外知识分子的联系，充分听取他们的意见和建议，帮助他们在自己的专业领域和社会上发挥更大作用。

江泽民说，国内外的历史和现实都充分证明，没有民族问题、宗教问题的正确解决，就没有国家的团结、稳定和统一。我们必须继续巩固和发展社会主义的民族关系，坚持和完善民族区域自治制度，加快民族地区的经济发展、社会进步和群众生活的改善，促进各民族共同繁荣。在各民族干部群众中要坚持广泛开展马克思主义民族观、党的民族政策的宣传教育。在西部大开发中，要把国家对民族地区的开发与这些地区的发展繁荣和少数民族群众的具体利益结合起来，让少数民族和民族地区真正得到实惠，尤其要抓紧解决那些关系群众切身利益的问题。要进一步巩固和发展我们党同宗教界的爱国统一战线，全面贯彻执行党的宗教政策，保障公民宗教信仰自由，依法管理宗教事务，积极引导宗教与社会主义社会相适应。宗教界人士和信教群众要遵守国家的法律、法规和方针政策，宗教活动要服从和服务于国家的最高利益与民族的整体利益，宗教界人士要努力挖掘和发扬宗教中的积极因素，为祖国统一、民族团结和社会发展多作贡献。

江泽民说，坚持公有制为主体、多种所有制经济共同发展的基本经济制度，是由我国的社会主义性质和初级阶段国情决定的。公有制经济是社会主义市场经济的主体，国有经济在国民经济中起着主导的作用。非公有制经济是社会主义市场经济的重要组成部分，它在满足人民多样化的需要，增加就业，促进国民经济的发展中起着积极的作用。在改革开放的进程中，在党的富民政策的指引下，通过诚实劳动、合法经营先富起来的个体劳动者和私营企业主，不仅是党和政府的政策允许的，也是光荣的，他们为建设有中国特色社会主义事业贡献了力量，应该受到社会的尊重。对个体私营等非公有制经济要继续鼓励、引导，使之健康发展，充分发挥积极作用。同时，我们应本着“团结、帮助、引导、教育”的方针，着眼于非公有制经济健康发展和非公有制经济人士健康成长，帮助他们树立在党的领导下走建设有中国特色社会主义道路的信念，做到爱国、敬业、守法，在加快自身企业发展的同时，也要开展“致富思源、富而思进”活动，帮助更多的人走上富裕之路。

江泽民说，解决台湾问题，实现祖国完全统一，是大势所趋，人心所向。我们要按照“和平统一、一国两制”方针，充分调动和发挥统一战线各阶层、各党派、各团体和各界人士的爱国热情，广泛团结和联合大陆同胞、港澳同胞、台湾同胞和海外侨胞，共同反对“台独”、反对分裂，促进祖国早日完成统一。台湾同胞和海外侨胞，只要坚持一个中国原则，拥护祖国统一，不论什么阶层、什么党派、什么团体、什么人，我们都要同他们加强联系，广泛团结，努力形成全体中华儿女共同致力于实现祖国完全统一的政治局面。

江泽民最后强调，加强和改善党对统一战线工作的领导，是进入新世纪开创统战工作新局面的根本保证。全党特别是领导干部要从贯彻“三个代表”要求的高度，发扬党的统战工作的优良传统，认真总结经验，不断探索创新，进一步提高对统一战线工作的领导水平。各级党委要把统战工作作为关系党和国家全局的大事摆上议事日程，精心研究部署，切实加强领导。党政主要领导同志要亲自做统战工作，广交党外朋友，做好思想政治工作。全党、全社会都要支持统战工作。统一战线工作面临的新形势和新任务，要求统战部门必须进一步加强自身建设。各级统战干部要全面提高政治、理论、业务素质，努力使自己成为具有坚定的立场、民主的作风、广博的知识、创新的精神，深受党外朋友欢迎的合格的统战干部。

（2000年12月5日《人民日报》）

江泽民在中央纪委第五次全体会议上发表重要讲话

（2000年12月26日）

江泽民在中央纪委第五次全体会议上发表重要讲话强调，进入新世纪，按照“三个代表”的要求把党建设得更加坚强，推动党风廉政建设和反腐败斗争深入开展，是全党同志需要进一步思考和解决的重大课题。

江泽民强调，各级党委要坚持“两手抓、两手都要硬”的战略方针，加强统一领导，坚定不移地贯彻党中央关于反腐倡廉的方针政策和各项工作部署，坚持标本兼治，加大治本工作的力度，努力从源头上预防和治理腐败，维护和促进改革、发展、稳定的大局。要深入研究在发展社会主义市场经济和对外开放的条件下腐败现象产生的特点与规律，以利提出有效的新办法、新措施，推动反腐倡廉工作深入开展。

江泽民说，在加强党风廉政建设和反腐败斗争的问题上，党中央的决心是坚定的、旗帜是鲜明的，全党同志和广大人民群众是坚决拥护和全力支持的，我们采取的方针政策也是切合实际和有成效的。我们坚持一手抓改革开放，一手抓惩治腐败，明确了反腐败斗争的指导思想、基本原则、领导体制和工作机制、工作格局，反腐倡廉工作不断取得阶段性成果，为维护改革、发展、稳定的大局创造了有利条件。

江泽民指出，这些年来，我们在反腐倡廉的实践中形成了重要认识和经验。一是党风廉政建设与反腐败斗争关系党和国家的生死存亡，全党同志一定要坚持以马列主义、毛泽东思想、邓小平理论为指导，坚持党的基本路线，紧紧围绕经济建设这个中心，服从和服务于改革、发展、稳定的大局，锲而不舍地把党风廉政建设和反腐败斗争进行到底。二是反腐倡廉工作具有长期性、艰巨性和复杂性，必须坚持不懈地与腐败现象进行斗争，既要有持久作战的思想，又要有紧迫感。三是反腐倡廉工作要贯穿改革开放的全过程，以保证改革开放政策的正确执行，保证建设有中国特色社会主义事业沿着正确的航向前进。四是反腐倡廉是全党全社会的大事，要坚持党委统一领导、党政齐抓共管、纪委组织协调、部门各负其责、依靠群众支持和参与的反腐败领导体制和工作机制，坚持领导干部廉洁自律、查处大案要案、纠正部门和行业不正之风为主要内容的反腐败三项工作一起抓的工作格局，战略上总体规划，战术上分阶段部署，从群众反映最强烈的问题抓起，不断取得反腐败斗争的阶段性成果。五是实行标本兼治、综合治理，教育是基础，法制是保证，监督是关键，通过深化改革，不断铲除腐败现象滋生蔓延的土壤。六是始终坚持党要管党、从严治党，从严治党必须全面贯穿于党的思想、政治、作风、纪律和组织、制度建设，切实体现到对各级党组织、广大党员和干部进行教育、管理、监督等各个环节中去。正确把握以上认识和经验，并在实践中加以贯彻，对加强党风廉政建设和深入开展反腐败斗争具有重要的意义。这些认识和经验，在今后的实践中还要不断加以丰富和发展。

江泽民强调，我们党已经历了近 80 年的历史，为中国人民、为中华民族建立了不朽的功绩。前 28 年是为夺取全国政权、建立新中国而奋斗的时期。在这个时期，我们党团结和带领全国各族人民，与国内外敌人进行了殊死斗争，付出了巨大牺牲。后 50 多年，是我们党掌握全国政权、履行执政职能的时期。在这个时期，我们党团结和带领全国各族人民进行社会主义革命、建设和改革，开辟了建设有中国特色社会主义的新道路，取得了各项事业的巨大成就。在这两个不同的历史时期里，我们党的地位发生了重大变化，从一个为夺取全国政权而奋斗的党成为一个掌握着全国政权的执政党，成为一个连续执政 50 多年的党。党的地位的变化，党员和干部的地位的变化，对各级党组织和每个党员、干部都是一个新的极大的考验，也给我们党的自身建设提出了新的课题。

江泽民指出，全党同志必须始终十分警惕党执政后地位的变化可能带来的影响，始终坚持党的性质和宗旨，始终不脱离群众，始终保持蓬勃的生机和旺盛的生命力，要经得起执政的考验。历史和现实都表明，执政党的建设和管理，比没有执政的政党要艰难得多。我们党是马克思主义的执政党，必须自觉地坚持不懈地从思想上、政治上、组织上、作风上全面加强党的建设。越是执政时间长了，越要抓紧党的自身建设，越要加强对党员和干部的管理，不能有一丝一毫的放松。

江泽民指出，成为执政党特别是长期执政以后，我们遇到的一个突出问题，就是如何使广大党员和干部始终树立正确的利益观。我们党一直要求，所有的共产党员和党的各级干部，都必须坚持党和人民的利益高于一切，个人利益服从党和人民的利益，吃苦在前，享受在后，决不允许以权谋私。这从我们党执政的那一天起，就是十分明确的。领导干部一定要树立正确的利益观，要“先天下之忧而忧，后天下之乐而乐”，时刻把人民的利益、党和国家的利益放在首位。不论社会怎么发展，对共产党员来说，全心全意为人民服务这个宗旨不能变，吃苦在前、享受在后这个原则不能变。

江泽民强调，共产党员和党的干部，要代表党和人民掌好权、用好权，必须努力提高自己的思想道德素质和科学文化素质，这也是做好执政工作，防止发生腐败现象的重要条件。加强学习，对提高人的精神境界很有益处，对自觉抵制消极腐败现象也很有益处。学习搞好了，掌握的理论知识和科学文化知识多了，政治认识和精神境界提高了，讲政治、讲正气才讲得起来。勤于学习，善于学习，不仅有利于我们更好地改造客观世界，也有利于我们更好地改造主观世界。全党同志特别是领导干部，一定要坚持学习、学习、再学习。

江泽民强调，我们反腐败，代表了最广大人民的意志，提高了党在人民群众中的威望。反腐败斗争也教育了广大党员干部，使大家从中受到警示，得到了政治考验和党性锻炼。我们提出“三个代表”的要求，并强调按照“三个代表”要求全面加强党的建设，根本的目的就在于保证我们党能够始终保持与人民群众的血肉联系。全党同志特别是领导干部，都要始终做到从“三个代表”要求的政治高度看待党风廉政建设和反腐败斗争，坚定不移地把这项工作推向前进。

江泽民说，治标和治本，是反腐败斗争相辅

相成、互相促进的两个方面。治标，严惩各种腐败行为，把腐败分子的猖獗活动抑制下去，才能为反腐败治本创造前提条件。治本，从源头上预防和治理腐败现象，才能巩固和发展反腐败已经取得的成果，从根本上解决腐败问题。当前，反腐败斗争应该逐步加大治本的工作力度，努力从源头上预防和治理腐败。

江泽民强调，要将预防腐败现象寓于各项重要政策和措施之中，制定经济、社会、文化发展的政策，出台重大的改革措施，制定法律、法规和规章，都要把反腐倡廉作为有机组成部分考虑进去，做到存利去弊，完善决策，未雨绸缪，预防在先。要依靠发展民主、健全法制来预防和治理腐败现象，加强社会主义民主政治建设和法制建设，使人民群众在民主选举、民主决策、民主管理、民主监督中发挥更加积极的作用。要通过体制创新逐步铲除腐败现象产生的土壤和条件，针对容易产生腐败现象的具体体制、制度和薄弱环节，通过深化改革和体制创新，建立结构合理、配置科学、程序严密、相互制约的权力运行机制。要从思想上筑牢反腐倡廉、拒腐防变的堤防，坚持马列主义、毛泽东思想、邓小平理论，坚持讲学习、讲政治、讲正气，着力在解决世界观、人生观、价值观问题上下功夫，教育和引导广大党员干部加强思想政治修养，坚定理想信念，锻炼意志品质，提高精神境界，保持高尚的道德情操，追求积极向上的生活情趣。要促进反腐倡廉各项工作的协调发展，各级党委和政府，各地区和各部门必须协调行动，努力形成各部门一起动手，各领域协调行动，各种手段配合运用，全方位、多方面从源头上预防和治理腐败现象的局面。

江泽民强调，要进一步改进工作作风，坚决反对和克服形式主义、官僚主义，深入实际，深入基层，深入群众，为反腐倡廉工作奠定坚实的群众基础。怎样深入群众、依靠群众，形成及时发现、揭露和解决腐败现象的有力机制，要作为深入开展反腐倡廉工作的一个重大课题来研究。

（2000 年 12 月 27 日《人民日报》）

李鹏在实施预防未成年人犯罪法座谈会上发表讲话

（2000 年 6 月 5 — 7 日）

李鹏委员长在座谈会上强调指出，家庭、学校、政府和社会要共同努力，认真贯彻落实未成年人保护法和预防未成年人犯罪法，切实采取措施预防未成年人犯罪，保护未成年人权益，为青少年的健康成长创造良好环境。

李鹏强调，目前青少年犯罪现象在我国有逐渐增加的趋势，并呈现出低龄化和犯罪手段成人化的倾向，需要引起全社会的关注。预防未成年人犯罪的工作重点应放在家庭和学校。青少年的世界观、人生观和道德观念还未定型，而他们大部分时间是在家庭和学校里度过的，父母、老师是他们学习的榜样，父母的言行、老师的教育对他们起着关键性的作用。

李鹏指出，家庭和学校应当树立正确的教育观、求职观。古人云“养不教，父之过”，“教不严，师之惰”。现代社会情况虽然发生了很大变化，但从近年来一些青少年犯罪的恶性案件情况看，其中一个很大的原因在于家庭和学校教育，在于父母不切实际的“望子成龙”的想法、“逼子成龙”的做法，在于我们过去注重的是应试教育，而不是素质教育。我们现有的教育条件不可能让每个人都能上大学，也不是所有人都必须走上大学这个“独木桥”。“三百六十行，行行出状元”，每个人干一行，爱一行，就能出成绩，对社会作贡献。要让爱岗敬业成为一种社会风气。学校要减负，是指减轻学生们过重的学习负担，但思想品德教育不能放松，培养青少年高尚情操和品德的工作应当进一步增强。

李鹏指出，有些学校老师和家长在孩子犯有过错时，动辄对他们进行体罚，这将对孩子的健康成长产生不利的影响。家庭、学校教育要循循善诱，运用科学的方法教育孩子。对青少年犯罪要在依法惩处的同时，也给予他们出路。少管所、工读学校、劳教所在对青少年的管理上，要满腔热情，动之以情，晓之以理，促使他们转变、转化。当他们重新回到社会后，不能歧视他们，要做好安置帮教工作，让他们感受到社会的温暖，要防止青少年二次犯罪。

李鹏指出，青少年犯罪往往是由于受到周围环境影响，被流氓团伙、教唆犯唆使、胁迫、引诱造成的；有些违法经营的文化娱乐场所也对青少年产生负面影响，诱发他们违法犯罪。要把打击黄赌毒行为、偷盗行为等纳入社会综合治理范围，加大对流氓团伙、教唆青少年犯罪行为的打击力度，加强青少年易涉足活动场所的治安管理，以杜绝对青少年的恶劣影响，防止利用青少年进行犯罪活动。

李鹏强调，未成年人保护法和预防未成年人犯罪法是两部关系紧密的姊妹法，是我们预防青少年犯罪，保护青少年权益的法律武器。要加强对这两部法律的学习，增强宣传声势，加大执法力度。依法治国，建设社会主义法治国家，就要从娃娃抓起，要采取学校开办法制课或讲座等形式，提高青少年的法制意识和法制观念；学校不仅要有好的教学质量，还要有好的校风，要把德育工作放在重要位置；要对青少年进行自我保护的教育，让他们接触社会，了解社会，增强自我保护意识；要重视社区的作用，完善社区预防青少年犯罪的功能。李鹏希望地方人大结合各地区的实际情况，有针对性地制定地方性法规，在预防青少年犯罪，保护未成年人权益方面采取有效措施，共青团组织也要在这方面发挥应有的作用。

(2000年6月8日《人民日报》)

李鹏：《法律常识系列丛书》序

(2000年9月29日)

全国人大常委会办公厅和全国人大常委会法制工作委员会编辑出版这套通俗的《法律常识系列丛书》，是一件很有意义的事情。

党的十五大提出依法治国、建设社会主义法治国家。九届全国人大二次会议把党领导人民治理国家的这一基本方略载入了我国宪法。实现这一目标，一方面要继续加强立法，做到有法可依；另一方面要严格执法，做到有法必依、执法必严、违法必究。实现这一目标，同时要用极大的努力，在全体人民中普及法律常识，提高全社会的法律意识和法制观念。加强法制重要的是要进行教育，根本问题是教育人。

自1985年以来，全国人大常委会已先后三次就五年普法教育问题作出决定。在这期间，亿万人民群众学法、用法的热情很高，认真遵守法律、严格依法办事的良好风尚，也正在成为越来越多的干部、群众的自觉行动。但是，在全社会培育和树立法律意识，仍然是一个长期的、艰巨的任务，必须通过新闻、出版、文学艺术、学校教育等各种方式和渠道，坚持不懈地把普法教育工作抓下去。

普法教育应该把法律的规定同人民群众日常的工作、学习、生活紧密地结合起来，同广大干部依法履行职责的实际紧密地结合起来；一定要用人民群众最容易懂的语言和最容易接受的方式去进行，才能引起广大干部和人民群众学法的兴趣和热情。这是普法教育中应当努力把握的联系实际的观点和群众的观点。我衷心地希望，这套丛书的出版，将对我国的普法教育工作有所贡献。

(2000年9月30日《人民日报》)

朱镕基在国务院第二次廉政工作会议上的讲话

(2000年2月17日)

朱镕基强调，各级政府要切实把廉政建设和反腐败工作作为政府工作的一项重大任务，认真按照中央的统一部署和要求，以高度的政治责任感，自觉坚持“两手抓，两手都要硬”的方针，依法行政，从严治政，标本兼治，综合治理，切实加强。

朱镕基强调指出，我们的政府是人民政府，廉洁从政是最起码的要求。一年来各级政府把廉政建设和反腐败工作放在十分重要的位置，做了大量的工作，取得了比较明显的进展。通过开展“三讲”教育，领导干部的党性觉悟和廉洁自律意识得到加强；揭露和查处了一批大案要案；大力纠正行业和部门不正之风，解决了群众关心和反映强烈的一些问题；加大了从源头上治理腐败的工作力度。同时也要清醒地看到，政府机关的廉政建设和反腐败工作与中央的要求和人民群众的期望仍有比较大的差距，还存在一些比较突出的问题。有些地方和部门领导干部廉洁从政的各项规定还没有得到很好落实，奢侈浪费现象比较严重；有的行政执法机关和人员有法不依、执法不公的问题仍然存在；群众反映强烈的有些不正之风问题还没有得到根本性治理；有些领导干部弄虚作假，虚报浮夸；有的基层干部作风粗暴，甚至横行乡里。这说明党风廉政建设和反腐败斗争的任务还相当艰巨。我们要保持清醒头脑，正视存在的问题，并且坚定信心，持之以恒地抓下去，不断取得阶段性成果，把工作一步一步地向前推进。

朱镕基强调，中央关于今年改革和发展的大政方针已经明确，政府的工作任务也有了具体部署。今年是世纪交替之年，完成改革和发展的各项任务意义十分重大。新的形势和任务对政府廉政建设和反腐败斗争提出了新的要求。要坚持依法行政，从严治政，建设廉洁、勤政、务实、高效政府，继续执行“约法三章”和“五项要求”，进一步把廉政建设和反腐败斗争推向深入。

朱镕基指出，今年政府机关的廉政建设和反腐败工作要突出重点，着重抓好以下几个方面的工作。

第一，全面贯彻《廉政准则》，进一步加强领导干部廉洁自律工作，加大监督检查的力度。廉政首先要靠自律。在市场经济的大潮中，各级领导干部更要做到自持、自律、自警，要经得起各种诱惑的考验。不仅要加强自身修养，严格自律，而且要管好自己的亲属和身边工作人员。中央关于领导干部廉洁从政的准则和有关规定，是政府机关工作人员的行为规范，必须不折不扣地贯彻执行。

第二，大力查办各类违纪违法案件，集中力量突破一批大案要案。对重大案件要一查到底。不管涉及哪个部门、哪个人，都要一个一个地揭露出来，一个一个严肃查处，绝不徇情，绝不手软。

第三，继续大力纠正部门和行业不正之风，认真解决群众关心和反映强烈的突出问题。要继续清理和刹住向农民和企业乱收费、乱罚款、乱摊派的歪风。要坚决制止各种达标评比之类的活动。大力纠正医药购销中的不正之风，保证群众用药安全有效和把国家、群众不合理的负担减下来。继续整治中小学和其他教育机构的乱收费问题，以减轻群众负担。

第四，厉行勤俭节约，反对奢侈浪费。要认真贯彻落实中央《关于党政机关厉行节约制止奢侈浪费行为的若干规定》。坚决刹住一些机关、单位违反规定建设和超标准装修办公楼和楼堂馆所之风，坚决制止各种名目的办“节”、剪彩以及公款旅游、请客送礼、吃喝玩乐。今年要加大这方面的查处力度，抓住典型，严肃处理，公开曝光。要大力精简会议和文件。部署工作要尽量利用现代通信和传播工具；不得召开没有准备、没有主题、不解决实际问题的会议；必须召开的会议也要尽量缩短时间，减少与会人员；国务院领导同志原则上不参加部门的会议。

第五，深化改革，加强监督制约机制，从源头上预防和治理腐败。继续推进政府机构改革，进一步转变政府职能。要通过改革，建立办事高效、运转协调、行为规范的行政管理体系和工作机制。各级政府和政府工作人员，都必须严格按照法定的权限和程序履行职责，对失职和滥用权力的，要予以追究。继续推进政企分开。进一步深化行政管理制度改革，全面落实和深化财政性资金“收支两条线”管理，推行政府采购制度，推行会计委派制度和领导干部任期经济责任审计制度。

朱镕基强调，各部门、各级政府要切实负起责任，加强对廉政建设和反腐败斗争的领导。认真落实党中央、国务院《关于实行党风廉政建设责任制的规定》，要严格执行廉政建设责任追究制度。

朱镕基指出，中央国家机关在廉政建设和反腐败方面应该有更高的标准、更严格的要求，要为各级政府机关作出表率。要进一步巩固和深化“三讲”教育的成果，认真落实整改措施，继续加强廉政建设。

朱镕基要求，各级政府、各部门要积极支持监察、审计等部门的工作，为他们创造更好的工作条件。监察、审计等部门要坚持原则，敢于碰硬，不怕得罪人，并不断提高自己的工作水平。

朱镕基最后说，在新的一年里，我们要在以江泽民同志为核心的党中央领导下，抓好经济工作的同时，更有成效地抓好廉政建设和反腐败斗争，励精图治，奋发进取，全面完成今年改革发展的各项任务，胜利迈向新世纪。

（2000年2月18日《人民日报》）

朱镕基：从严治政　全面加强管理

（2000年3月）

1999年，在错综复杂的国内外环境下，我国改革开放和现代化建设继续全面推进，各条战线都取得了新的成绩，实现了预定的工作目标。总体形势是好的，有些方面比预料的还要好。主要标志是：经济增长质量和效益提高，国有企业改革和脱困取得重要进展，科技教育和社会事业全面发展，城乡人民生活继续改善，社会主义精神文明和民主法制建设进一步加强，社会保持稳定。这些成绩的取得，是以江泽民同志为核心的党中央统揽全局、正确领导的结果，是全国上下认真贯彻中央关于进一步扩大内需的决策和一系列方针政策、共同奋斗的结果。

中央关于改革和发展的大政方针已经明确，国家的一些主要法律法规也已经公布，国务院对今年的政府工作也有了具体部署。要把这些真正落到实处，实现各项目标，必须付出极大的努力，其中关键的一点是一定要切实从严治政，在全面加强管理上下功夫。

管理是一个老话题，但还必须大讲特讲。因为我国在管理方面的问题还远没有解决。这里说的管理，包括加强监督和进行整顿。不仅企业要加强管理，工业、农业、财税、金融、贸易、科技、教育、文化、卫生等各行各业都要加强管理。政府机关更要突出抓好管理，进一步转换职能，转变工作方式和作风，大力提高服务水平和工作效率。只有各方面在加强科学管理上下大功夫、真功夫、硬功夫，向管理要效率、要质量、要效益，才能真正贯彻落实好中央的方针政策和各项改革措施，促进经济和社会事业健康发展。

全面加强管理是当务之急。目前，生产、建设、流通以及其他各个领域普遍存在着的管理松懈、纪律松弛、制度形同虚设、工作秩序混乱的现象，严重影响到中央方针政策的贯彻落实，阻碍着各项改革的顺利推进，已到非下决心整治不可的时候了。更要看到，我国加入世界贸易组织以后，对外开放将进入新的阶段，我们面临着日趋激烈的国际竞争，既有良好的机遇，也面临严峻的挑战。如果不在管理上高标准、严要求，就难以提高我国经济的竞争力和抗风险能力。因此无论是认真贯彻落实既定的方针、政策和措施，还是适应形势发展的需要，我们都要有紧迫感，狠抓管理，尽快取得明显成效。

首先，要切实加强企业的科学管理。我国国有企业改革和发展没有轻巧的道路可走，必须老老实实地改善和加强经营管理，建立一套现代企业制度。否则，就难以适应市场经济的要求。国有企业一定要围绕建立现代企业制度，实现改革和脱困的目标，眼睛向内，从严治企。加强企业的科学管理，要重点抓好以财务成本管理和质量管理为中心的各项管理。在推进政企分开的同时，抓紧做好国有大中型企业监事会和总会计师的委派工作，切实加强对国有企业的监管。要进一步整顿企业领导班子，特别要选择一些德才兼备的年轻干部充实到企业领导班子里面去。前一段时间，重大安全事故时有发生，根子也在管理不严。因此，必须高度重视和切实加强安全生产管理，及时消除事故隐患。

其次，要突出抓好财经管理，严肃财税和金融纪律。这主要包括：坚持依法治税，维护税法的统一性和权威性；加强预算外资金管理，认真实行执收执罚部门“收支两条线”的管理办法；继续清理和整顿各种名目的乱收费、乱罚款、乱摊派，特别是要清理整顿农村、企业、教育等方面的“三乱”。银行、证券、保险系统的从严管理和监督十分重要，要切实加强金融机构的外部监管和内部监控。中国人民银行要抓紧研究全面考核商业银行的办法，制定一套科学的指标体系，对各个商业银行的经营状况作出正确评价，以真正落实责任制，做到奖惩严明。要大力整饬社会信用，严格结算纪律。国有大中型企业和重点金融机构设立监事会的工作要抓紧进行，监事会由国务院统一派驻，监事会对国务院负责，并代表国务院对国有资产质量和保值增值状况实施监督。认真清理和整顿经济鉴证类社会中介机构，切实解决“乱办、乱管、乱执业”等突出问题。有关部门对这项工作已作出部署，应当抓紧认真做好。搞好这些管理，要更好地发挥行政监察和审计部门的监督作用。

第三，进一步整顿、规范流通和建筑领域秩序，强化市场监管。目前，我国流通领域中的各种违法活动仍较严重，有些是屡禁不止，严重影响和干扰了社会主义市场经济的正常发展和运行。因此，要依法严厉打击制售假冒伪劣商品、走私贩私和其他商业欺诈等违法活动，绝不手软。同时，坚决制止各种分割、封锁市场的地方保护主义和不正当竞争行为，保证正常的公平竞争的市场秩序，促进全国统一市场的建立。现在，建筑领域的问题相当严重，非大力整顿不可。要健全和规范有形建筑市场，严肃查处建设单位规避招标或搞假招标的行为，坚决制止勘察、设计、施工、监理等单位转包工程和违法分包的做法。今年要在整顿建筑市场方面取得明显成效。要加强对建设工程全方位、全过程的监督管理，确保建设工程质量。建设单位、勘察单位、设计单位、施工单位、工程监理单位都要对建设工程质量负责，对违反工程质量规定的，必须坚决依法惩处。

在全面加强管理上下大功夫，务必要大力整章建制，标本兼治，建立健全严格的责任制。不依规矩，无以成方圆，必须做到有章可循，有章必循，违章必究。这样，各项管理也才能落到实处。加强管理，最重要的是要以对党和人民高度负责的精神，敢于坚持原则，敢于碰硬。要反对庸俗作风、好人主义。否则，强化管理就只会成为一句空话。

江泽民同志在中央纪委第四次全体会议上强调："治国必先治党，治党务必从严"。我们一定要认真贯彻江泽民同志重要讲话的精神，把加强廉政建设和反腐败斗争作为从严治政的一项重要内容来抓，促进全面管理的加强和深入。加强廉政建设，惩治腐败，事关国家兴衰。政府一定要廉洁、勤政、务实、高效，并把廉洁放在第一位。首先是廉政，其次才是勤政，没有这两点，就根本对不起人民。没有廉政，也就谈不上勤政、务实、高效。今年要加大工作力度，全面贯彻《廉政准则》，继续执行"约法三章"和"五项要求"。我们的政府是人民的政府，人民政府的根本职责是全心全意为人民服务，廉洁从政是最起码的要求。古人早就说过："政者，正也；子帅以正，孰敢不正"。各级政府机关和每个工作人员，都要做到清正廉明，恪尽职守，不辜负人民的殷切期望。

反腐倡廉也必须从严格加强管理抓起。腐败现象之所以屡禁不止，一个重要原因，就是有些部门、单位对干部失于教育，失于管理，失于监督。必须进一步深化行政管理体制改革，强化监督制约机制，严格执行各项法律和规章制度，从源头上预防和治理腐败。

（本文为朱镕基总理在国务院第五次全体会议上的讲话）

（2000年3月10日《人民日报》）

朱镕基：在中共中央纪念李富春蔡畅同志诞辰100周年座谈会上的讲话

（2000年5月22日）

同志们：

今年5月22日和5月14日，分别是李富春、蔡畅同志诞辰100周年。李富春同志是我们党和国家的卓越领导人、我国社会主义经济建设的奠基者和组织者之一，蔡畅同志是我国妇女运动的先驱和卓越领导者、国际进步妇女运动的著名活动家。这一对同年同月诞生的终生革命伴侣，是久经考验的忠诚的共产主义战士、杰出的无产阶级革命家，为中国革命和建设事业作出了不可磨灭的重要贡献。今天，中共中央在这里举行纪念座谈会，回顾他们的生平，追思他们的业绩，以表达对他们的缅怀和敬仰之情。

李富春和蔡畅同志在法国勤工俭学期间，由于共同的信仰和志向产生真挚的感情，1923年结为伉俪。这以后，两位革命家相濡以沫，把深厚的情感融入对真理的孜孜追求和为崇高事业的不懈奋斗之中，成为党内外的楷模。

追思他们的业绩，我们应当学习他们爱国主义的伟大精神，为民族振兴、祖国富强而贡献力量。李富春和蔡畅同志出生在八国联军占领我国首都北京，整个中华民族蒙受奇耻大辱的年代。他们青年时期就爱国忧民，毕生以国家独立、民族振兴、社会进步、人民幸福为己任。为了中国的独立和人民的解放，他们在革命战争的岁月中出生入死，奋不顾身；为了新中国的繁荣和富强，他们在和平建设的年代里呕心沥血，殚精竭虑。我们要以李富春和蔡畅同志的爱国主义精神激励全党和全国人民，始终坚持以经济建设为中心，努力把中国建设成为富强、民主、文明的社会主义现代化国家，实现中华民族在21世纪的伟大复兴。

追思他们的业绩，我们应当学习他们对党和人民的无限忠诚，坚定对马克思主义的信仰、对社会主义的信念，增强对改革开放和现代化建设的信心、对党和政府的信任。李富春和蔡畅同志很早就接受并信仰马克思主义，是中国共产党最早的党员之一。一旦确立了这个信仰，他们就义无反顾，坚贞不渝。无论是反动势力的白色恐怖，还是二万五千里长征的艰难困苦，无论是建设时期曾经发生的严重困难，还是“文化大革命”的巨大浩劫，都丝毫没有动摇他们对党和人民的赤胆忠心。即使受到某些误解甚至身处逆境，他们也是既坚持真理，又顾全大局。我们要像李富春和蔡畅同志那样百折不挠，不怕任何困难和挫折，坚定建设有中国特色社会主义的共同理想，在改革攻坚和经济发展中，充满信心地完成历史和时代赋予我们的崇高使命。

追思他们的业绩，我们应当学习他们实事求是、求真务实、勤勤恳恳的思想作风和工作作风，脚踏实地做好各项工作。在长期领导经济工作的过程中，李富春同志以实干家在党内外著称。他注重实践，深入基层，足迹遍布祖国的大江南北、工矿农村。他从实际出发，不断总结经验，在经济工作中提出许多适合国情的思想和政策主张，对我国经济建设和社会发展产生了重要作用。蔡畅同志在妇女工作的领导岗位上，多次深入基层调查研究，了解妇女的疾苦和困难、帮助她们解决实际问题。我们要大力发扬这种实事求是、注重实干的作风，在改革开放和经济发展的过程中，不断研究来自实际的新情况、新问题，力戒表面文章和形式主义，不务虚名，讲求实效，把中央确定的各项方针、政策和任务落到实处。

追思他们的业绩，我们应当学习他们谦虚谨慎、严于律己、艰苦奋斗、大公无私的崇高情操，保持共产党人的革命气节和高尚品格。李富春和蔡畅同志德高望重，功勋卓著，但待人谦和，从不居功自傲。对于“大跃进”中出现的问题，李富春同志多次从国家计委主任的角度主动承担责任。他们身居党和国家领导的高位，却平易近人，节俭朴素，既严格要求自己，也严格要求儿女和亲属，始终保持人民公仆的本色。李富春同志在弥留之际与蔡畅同志相约，在他去世后将他们生前的全部积蓄作为党费上交给中央；蔡畅同志病中留下遗嘱，后事从简，不举行遗体告别仪式，不开追悼会，他们都在生命的最后时刻再次表现出共产党人的高风亮节。我们要以李富春和蔡畅同志为榜样，在全党特别是党的各级领导干部中间牢固树立正确的世界观、人生观和价值观，按照“讲学习、讲政治、讲正气”的要求，加强党性修养，倡导廉洁自律，反对腐败奢靡，自觉抵制各种腐朽思想的侵蚀，进一步端正党风，并带动整个社会形成健康、积极、向上的良好风气。

同志们，缅怀李富春和蔡畅同志的丰功伟绩，我们欣喜地看到老一辈无产阶级革命家开创的事业已经大大向前推进，前途无限美好。让我们高举邓小平理论的伟大旗帜，紧密地团结在以江泽民同志为核心的党中央周围，忠实地代表中国先进社会生产力的发展要求、中国先进文化的前进方向和中国最广大人民的根本利益，努力落实党的十五大提出的各项任务，抓住机遇，开拓进取，在新世纪继续创造建设有中国特色社会主义伟大事业的光明前景。

（2000 年 5 月 23 日《人民日报》）

朱镕基：为世界环境日发表的电视讲话

（2000 年 6 月 5 日）

同志们、朋友们：

在千年更迭之际，联合国把今年世界环境日的主题确定为：“环境千年，行动起来”。这反映了世界各国人民改善环境、创建美好未来的共同愿望，也是全球环境与发展相协调的历史呼唤。

回首千年特别是工业革命以来，人类创造了

前所未有的巨大物质财富,同时也付出了沉重的环境代价。生态破坏、环境污染对人类生存和发展构成严重威胁。解决环境问题已成为刻不容缓的重大任务。在新千年到来的时候,世界各国人民应当携手行动起来,保护好地球——我们共同的家园。

中国高度重视环境问题，把环境保护作为一项基本国策，制定了一系列保护环境的法律法规和措施，为改善环境状况进行了不懈的努力。特别是近几年来，结合经济结构调整，加大了环境保护和生态建设的力度，取得了积极成果。但是，我们必须清醒地看到，我国环境污染仍相当严重，生态环境恶化的趋势还没有得到根本遏制。今年连续发生的沙尘暴天气，再次向我们敲响了警钟。保护生态、改善环境是一项长期而艰巨的任务。

跨入新世纪，我们将向现代化建设第三步战略目标迈进，环境保护面临着更大的压力和挑战。我们必须认真实施可持续发展战略，把环境保护和生态建设放到更加重要的位置。要坚持统筹规划，依靠科技进步，加大资金投入，加强污染治理，大力植树种草，搞好水土保持，改善生态环境。我们相信，通过全国人民坚韧不拔的努力，就一定能够使中华大地水更清、天更蓝，山川更加秀美。

中国政府将继续坚持国际环境合作的原则，积极关注和参与全球环境问题的解决，履行国际环境公约，为保护全球环境做出应有的贡献。

（2000年6月5日《人民日报》）

朱镕基考察中国科学院知识创新工程时发表讲话

（2000年9月25日）

朱镕基强调，科技实力和人才是衡量一个国家实力的重要标志，是实施可持续发展战略的必要条件。他指出，中国科学院知识创新工程试点实行两年多来，进展顺利，成效明显，意义深远，要继续努力，为全面推进知识创新工程试点奠定坚实基础。

朱镕基说，国与国之间，发达国家与发展中国家之间的差距，最根本的是科技实力和人才素质的差距。在当今时代，科技不但是第一生产力，而且决定了经济发展的前途。把科技水平搞上去，人才队伍建设好，经济发展就有了可靠保证和坚实基础。他强调，增强科技实力，首先要把基础研究搞上去。基础研究上不去，达不到国际先进水平，科技和经济的发展就缺乏后劲，就难以实现我们的目标。中国科学院在基础研究方面担负着重大任务，这也是我国繁荣富强的基础。希望中科院充分认识自己肩负的历史责任，继续努力，做好基础研究工作。

朱镕基对中科院提出了三点具体要求。第一，建立吸引人才的机制。科学发展需要大批优秀人才，要继续抓好组织结构创新，使更多优秀的年轻科技人才能够脱颖而出。还要大胆吸引和使用国外及港澳等地优秀科技人才。第二，要创造能够留住人才、发挥人才作用的机制。要使人才感到心情舒畅，在这个地方只要努力奋斗，就能创造自己的辉煌，就能为国家作出自己应有的贡献。我们必须创造一种机制，激励他们能够最大限度地发挥自己的聪明才智和创造力。朱镕基还联系到奥运会的情况，高兴地说，这几天大家都很关注奥运会的赛情，看到我国体育健儿在奥运会上顽强拼搏，到昨天已经夺得18块金牌，奖牌总数在世界名列第二，都很激动，都为我国体育事业人才辈出而欢欣鼓舞，全国人民都感谢他们为祖国争了光，我代表国务院向他们表示热烈祝贺和衷心感谢！我国奥运健儿的这种为国争光的拼搏精神将极大地鼓舞全国各条战线尤其是科技战线的同志们，在各自的工作岗位上，努力创造国际一流水平。第三，基础研究方面，既要加强国际交流，瞄准国际先进水平，又要面向国内产业，不断拓宽自己的眼界。基础研究与产业发展相结合就能产生巨大的生产力和意想不到的经济效益，并反过来促进和推动基础研究的发展。

（2000 年 9 月 26 日《人民日报》）

朱镕基：关于制定国民经济和社会发展第十个五年计划建议的说明（节选）

（2000 年 10 月 9 日）

二、关于“十五”时期的主要目标和任务

“十五”计划是我国进入新世纪的第一个五年计划，是开始实施现代化建设第三步战略部署的第一个五年计划，也是社会主义市场经济体制初步建立后的第一个五年计划。制定一个切实可行而又鼓舞人心的“十五”计划，作为我们在新世纪初经济和社会发展的行动纲领，具有十分重要的意义。

新世纪开始的五年到十年，是我国经济和社会发展的重要时期，是进行经济结构战略性调整的重要时期，也是完善社会主义市场经济体制和扩大对外开放的重要时期。《建议》根据党的十五大关于跨世纪发展的总体部署和当前的现实情况，从经济发展、改革开放、科技教育、精神文明与民主法制建设和人民生活等方面，提出了“十五”的主要奋斗目标和任务，强调要把发展作为主题，把结构调整作为主线，把改革开放和科技进步作为动力，把提高人民生活水平作为根本出发点。

《建议》一个重要指导思想，就是明确指出“十五”计划的主题是发展，要坚持以经济建设为中心不动摇，抓住机遇，加快发展。这是正确估量国际国内形势所作出的科学决断。当今世界，现代科技突飞猛进，经济全球化趋势不断发展，产业结构调整步伐加快，国际竞争更加激烈。这既向我们提出了严峻挑战，更为我们提供了迎头赶上新科技革命、实现生产力跨越式发展的历史性机遇。新的机遇、新的挑战，又一次把我们推到了实现中华民族伟大复兴的历史关头。我们能否抓住机遇，乘势而上，今后五年的工作至关重要。就国内形势来说，“十五”期间，结构调整将进入关键时期，改革处于攻坚阶段，加入世贸组织使我们面临许多新的问题，各方面的任务相当繁重，种种深层次的矛盾需要解决。克服困难，完成任务，把我们的事业进一步推向前进，归根结底要靠发展。发展是硬道理。“十五”计划必须是抓住机遇、加快发展的计划，在坚持速度与效益统一的基础上保持较快的发展速度。不然，我们在国内遇到的矛盾和困难就会更多更大，就有在新一轮国际竞争中落伍的危险。经过新中国成立 50 多年特别是改革开放以来的建设和发展，我们奠定了比较雄厚的物质技术基础，积累了丰富经验，形成了建设有中国特色社会主义的正确路线、方针和政策。只要我们坚持正确的路线、方针、政策，积极进取，勇于创新，充分发挥各种有利条件和因素的作用，就完全可以在一个较长时期保持国民经济以较快的速度发展。

要保持经济快速发展，必须以提高经济效益为中心，对经济结构进行战略性调整。这是制定“十五”计划的主线。我国已经到了以结构调整促进经济发展的阶段，不调整就不能继续前进，不调整就不能健康发展。这种调整，不是一般意义上的适应性调整，而是新技术革命带动的、对经济的全局和长远发展具有重大影响的战略性调整；不是局部的调整，而是包括产业结构、地区结构和城乡结构在内的，以提高经济的整体素质和竞争能力、实现可持续发展为目标的全面调整。我们要坚持在发展中推进经济结构调整，在经济结构调整中保持经济快速发展。

要保持经济快速发展，必须进一步改革开放。改革开放是强国富民的必由之路，也是调整经济结构、促进经济发展的强大动力。必须把体制创新摆在突出位置，通过深化市场取向的改革，使生产关系适应生产力、上层建筑适应经济基础的要求，进一步解放和发展生产力。要进一步扩大对外开放，抓紧做好加入世贸组织的各项应对工作，趋利避害，提高竞争能力；在“引进来”的同时，实施“走出去”的战略，更好地利用国内外两个市场、两种资源。

要保持经济快速发展，必须充分依靠科技和人才。当今生产力的发展，科学技术起着决定性作用；当今世界的竞争，说到底是科技和人才的竞争。我们要缩小与发达国家的差距，增强综合国力，就必须把科技进步作为又一强大动力，进一步实施科教兴国战略，加快科技进步和创新，培养、吸引和用好人才，使科技和教育有一个新的更大的发展。

保持经济快速发展，是为了不断改善人民生活。这是我们发展经济的出发点和归宿，也是扩大内需、促进经济增长的迫切需要。必须把提高人民生活水平摆到重要位置，扩大就业门路，增加居民收入，合理调节收入分配关系，健全社会保障体系，保证人民群众向更加宽裕的小康生活迈进。

《建议》是对“十五”期间国民经济和社会发展的指导方针、重要任务和总体部署提出意见，重点要解决经济和社会发展的问题。《建议》还不是“十五”计划《纲要》，它着重解决重大的战略性、宏观性和政策性问题。《建议》经全会批准以后，国务院要据以编制“十五”计划《纲要》，经全国人民代表大会审议通过后颁布实施。编制《纲要》要有必要的指标和项目，但也不能像过去的计划列得那么多、规定得那么细，而且大多数指标是预测性、指导性的。《纲要》还要提出相应的具体政策和措施，主要以经济手段引导经济活动，而不是采取行政指令干预企业经营。这是适应社会主义市场经济体制的要求，编制计划指导思想和方法的进一步转变。这也是这次《建议》的一个鲜明特色。

五、关于发展科技教育和培养人才

高度重视科技教育的作用，把科技和人才问题摆到突出的战略位置，这是《建议》体现时代精神的一个显著特点。

“十五”期间，要加强技术创新，发展高新技术，提高产业技术水平。重点要抓好以下三个方面：第一，积极推进具有战略意义的高技术研究。集中力量在信息技术、生物技术、新材料技术、先进制造技术、航天航空技术等关键技术领域取得突破。在一些关系国家经济命脉和安全的高技术领域，提高自主创新能力。要不失时机地选择一批有市场需求和前景的高新技术，通过实施重大高新技术工程项目，促进高技术成果转化，带动和促进新兴产业的成长。第二，为改造和提高传统产业，促进传统产业升级提供技术支持。要选择装备制造等重点领域，加快开发能够推动产业结构升级的共性技术、关键技术和配套技术。第三，加强基础研究和应用基础研究，为科技进步和创新不断提供技术储备。要瞄准世界科学技术发展前沿，选择我国具有一定优势、对国民经济和社会发展有重大意义的研究领域，集中力量，重点突破。

加快科技进步与创新，要进一步深化科技体制改革，形成符合市场经济要求和科技发展规律的新机制，进一步解决科技与经济脱节问题。国家要从多方面创造有利于科技进步与创新的良好环境和条件。加快建立风险投资机制，发展创业板资本市场，支持高新技术产业化。推进国家创新体系建设，加强产学研结合，发展科技型中小企业。完善知识产权保护制度。多渠道、多层次地增加对科技的投入，除国家要逐步增加投入外，企业要成为科技投入的主体。

人才是最重要、最宝贵的资源。在当今新技术革命迅速发展的情况下更是如此。要把培养、吸引和用好人才作为一项重大的战略任务。普遍提高劳动者素质，建设一支宏大的、高素质人才队伍。要大力发展教育，积极推进教育改革，提高人才培养质量。适应信息革命和我国加入世贸组织的新形势，尤其要培养一大批急需的各方面的专业人才。继续普及九年义务教育和扫除青壮年文盲，扩大高中阶段教育和高等教育规模。积极发展各类职业教育和培训。加强人才队伍建设，积极营造用好人才、吸引人才的良好环境。要培养一支高素质的领导人才队伍。加大干部人事制度改革的力度，更新用人观念，广开渠道，为年轻优秀领导人才的成长、选拔和任用创造条件。

八、关于社会主义精神文明和民主法制建设

加强社会主义精神文明和民主法制建设，对于全面提高国民素质，增强民族凝聚力，为改革开放和现代化建设提供强大精神动力和政治法律保障，有极其重要的意义，必须高度重视并切实抓好。

《建议》充分体现两手抓、两手都要硬的方针，在筹划经济建设的同时，对社会主义精神文明建设也作了全面部署。要坚持不懈地进行党的基本理论和基本路线教育，弘扬爱国主义、集体主义、社会主义精神，在全社会形成和巩固共同理想和精神支柱。努力建立适应社会主义市场经济发展的思想道德体系。大力倡导社会公德、家庭美德和职业道德。重视对社会思潮及其表现形式的研究和引导。加强各种思想文化阵地尤其是新闻网站的建设和管理。加强科普宣传教育，大力开展群众性精神文明创建活动。面对世界各种思想文化的相互激荡，面对人民群众日益增长的文化需求，要坚持为人民服务、为社会主义服务的方向和百花齐放、百家争鸣的方针，促进哲学社会科学发展，繁荣文学艺术、新闻出版、广播影视等各项文化事业，提高全社会的文化生活质量。要坚持把社会效益放在首位、社会效益和经济效益相统一的原则，深化文化体制改革，继续实行和完善支持文化事业的有关政策。

发展社会主义民主政治，依法治国，建设社会主义法治国家，是社会主义现代化的重要目标。要毫不动摇地坚持和完善我国的基本政治制度。适应经济体制改革和现代化建设的要求，“十五”期间要继续推进政治体制改革，加强民主法制建设。推进决策的科学化、民主化，进一步扩大基层民主，保证人民群众依法直接行使民主权利。随着社会主义市场经济体制的初步建立，要重点建立和完善适应社会主义市场经济体制的法律体系，推进政府工作法制化，从严治政，依法行政。推进司法改革，严格执法，公正司法。健全依法行使权力的制约机制，加强对权力运行的监督，使廉政建设法制化。要切实把社会治安综合治理措施落实到基层，严厉打击危害国家安全和社会治安的刑事犯罪和各种恶势力，扫除黄赌毒等社会丑恶现象。

十、关于加强和改进党的领导

实现“十五”计划目标，夺取建设有中国特色社会主义事业的新胜利，关键在党。只有把党建设好，切实改进和加强党的领导，才能确保“十五”计划任务的圆满完成，确保我国改革开放和现代化建设的顺利进行。

江泽民同志最近指出，我们党要始终成为中国先进社会生产力的发展要求、中国先进文化的前进方向、中国最广大人民的根本利益的忠实代表。这是我们党的立党之本、执政之基、力量之源。我们要按照这一重要思想，全面加强党的建设，充分发挥党的领导核心作用，团结和带领全国人民实现“十五”计划的各项任务。国际国内形势给我们党提出了新的要求、新的考验。我们要以马克思主义、毛泽东思想、邓小平理论为指导，坚持解放思想、实事求是的思想路线，用历史唯物主义和辩证唯物主义的宽广眼界观察世界，把握大局，研究新问题，总结新经验，不断提高党的执政水平，提高驾驭经济和社会发展全局的能力。实现“十五”目标是亿万人民的共同事业，我们的力量来自群众。我们要坚持群众路线，拓宽党在各个领域联系群众的渠道，善于从人民群众的实践中寻找解决问题的办法。“十五”时期，我们要着眼于各项事业的长远发展和人才的总体需求，加强各级领导班子建设特别是年轻干部队伍建设。反腐倡廉关系到党的生死存亡和现代化建设事业的兴衰成败，是党心民心所向。我们要根据社会主义市场经济条件下反腐败斗争的新形势、新特点和新规律，全面开展反腐倡廉教育，深入进行反腐败斗争，建立健全监督和管理制度，从思想上、制度上、机制上遏制腐败现象。

(2000年10月19日《人民日报》)

李瑞环在会见参加张君秋诞辰80周年纪念演出活动的艺术家时发表讲话

（2000年10月13日）

李瑞环在会见时提出，要不断继承和发扬老一辈艺术家的精湛艺术和优秀品德，为振兴京剧艺术多做扎实的工作，使京剧艺术这一中华民族的文化瑰宝放射出更加璀璨的光辉。

李瑞环说，今年是京剧艺术大师张君秋先生诞辰80周年。举行纪念张君秋先生诞辰80周年的系列演出活动，必将对弘扬张派艺术，推动京剧发展起到重要的促进作用。

李瑞环说，张君秋为京剧艺术事业，为京剧艺术教育工作做出了不可磨灭的贡献。天津市青年京剧团能拥有一批全国公认的优秀演员，能演出许多高水平的剧目，均得益于张君秋指导的“百日集训”和一大批老艺术家的悉心传授，作为弘扬民族优秀文化一大工程的京剧音配像工作，也是在张君秋的积极操办和亲自指导下进行的。

李瑞环指出，要继承张君秋等老一辈艺术家的优秀艺术，要在继承的基础上不断有所创新，使京剧艺术这一中华民族的优秀文化发扬光大。他希望大家都要为振兴京剧艺术多做扎扎实实的工作，用自己的实际行动来纪念这位京剧大师。

（2000年10月14日《人民日报》）

胡锦涛在全国第三次“三讲”教育工作会议上的讲话（摘要）

（2000年1月5日）

胡锦涛指出，目前，全国省部级领导班子、领导干部的“三讲”集中教育已经告一段落，中央、国家机关司处和绝大多数地市厅局的“三讲”集中教育也基本告一段落。总的看，进展是顺利的、健康的，领导班子、领导干部在思想、政治、作风、纪律上都有明显进步，基本上达到了中央的要求。主要成效表现在，增强了树立正确理想和信念的自觉性，坚定了建设有中国特色社会主义的决心和信心；增强了政治意识、大局意识和责任意识，提高了正确执行党的路线方针政策的坚定性和自觉性；增强了贯彻执行民主集中制的自觉性和维护团结的责任感，提高了解决领导班子自身矛盾的能力；增强了全心全意为人民服务的宗旨观念和廉洁自律意识，提高了拒腐防变的自觉性；增强了工作的责任心和主动性，激发了开拓进取精神，有力地推动了当前改革、发展、稳定等各项工作。对于前一段“三讲”集中教育取得的成效，必须充分肯定。但也不能对成绩估计过高。各地各部门都要一分为二地看待前一段的工作，任何满足现状，止步不前，都是有害的。

在谈到前一段“三讲”教育的基本经验时，胡锦涛概括为：第一，大力弘扬马克思主义学风，联系实际学习理论，始终立足于教育提高干部；第二，坚持高标准、严要求，引导干部正确认识自己，不断激发提高自身素质的内在动力；第三，坚定地相信和依靠群众，充分发扬民主，有领导有计划地实行开门整风；第四，切实拿起批评与自我批评的武器，开展积极的健康的思想斗争，使领导干部在严肃认真、生动活泼的党内生活中增强党性锻炼；第五，从上到下加强领导，明确责任，一级抓一级，一级带一级。

胡锦涛说，一年来的实践证明，以江泽民同志为核心的党中央作出的在县级以上党政领导班子、领导干部中用整风精神开展“三讲”教育的决定，是促进提高领导水平和执政水平、增强拒腐防变和抗御风险能力两大课题逐步解决，有效地推进党的建设新的伟大工程的一个正确决策。

关于“三讲”教育下一步的工作，胡锦涛要求，集中教育已经告一段落的地方和单位，要深入搞好思想教育，强化整改措施，继续扎扎实实解决问题，巩固和扩大已经取得的成果。要认真学习贯彻中央关于进一步搞好“三讲”教育的指示精神，组织一次“回头看”的活动，看“讲学习、讲政治、讲正气”的自觉性是不是真正得到了提高，看前一段群众反映的突出问题是不是得到了解决，看本地区、本部门的各项工作是不是有了明显的改进。要积极落实整改方案，着力解决好存在的问题。尤其对干部群众反映强烈的突出问题，凡有条件解决的，一定要采取切实有力的措施尽快加以解决。要切实加强制度建设，规范领导行为。根据“三讲”集中教育中查摆出的问题，反映出的制度漏洞，有针对性地建章立制，健全领导工作制度、党内生活制度、干部工作制度、机关管理制度、权力监督制度等。要紧紧依靠群众，坚持开门整改。整改进展情况要向群众通报，接受群众监督。整改的成效如何，最终要用群众是否满意来检验。

胡锦涛强调指出，县（市）一级在我们党的组织结构、国家政权结构以及全局工作中处于承上启下的重要地位，是国家经济发展、社会安定和政权稳固的重要基础。搞好县（市）的“三讲”教育具有特殊重要的意义，各级党委要高度重视，周密安排，精心部署，精心指导，下功夫把这件事做好。总的仍然要按照中央文件的规定和江泽民同志在去年纪念“七一”座谈会上的讲话精神进行，坚持高标准、严要求，从县（市）的实际出发，着重解决以下五个方面的问题：一是要坚定对马克思主义的信仰和对建设有中国特色社会主义、最终实现共产主义的信念。要提高思想理论素养，增强正确认识和判断形势的能力，提高政治鉴别力和政治敏锐性。二是要坚决、全面地执行党的路线方针政策和中央的重大决策。注意从当地实际出发，脚踏实地做好工作。防止和克服随意性、片面性、绝对化、简单化和“有令不行，有禁不止”。三是要牢固树立全心全意为人民服务的思想，坚持廉洁自律，增强抵御各种腐朽思想侵蚀的能力。四是要严格遵守民主集中制的各项规定。五是要树立求真务实、真抓实干，依靠群众、商量办事的好作风。县（市）“三讲”教育，要始终立足于提高干部的思想政治水平，增强党性。要坚定不移地发动群众，开门整风。要正确掌握政策，公道正派、实事求是地对待每个干部的功过是非。特别是对那些坚决贯彻党的路线方针政策，工作积极努力，能坚持党性原则，对坏人坏事和歪风邪气敢抓敢管的干部，既要热心帮助他们提高认识、克服缺点、弥补不足，又要保护其积极性。要建立和落实领导责任制，发挥好巡视组的作用。

胡锦涛强调，在改革开放和发展社会主义市场经济条件下，如何进一步加强党的建设，使我们党始终保持工人阶级先锋队的性质，更好地代表最广大人民群众的利益，能经得起各种风险和困难的考验，更加坚强有力地发挥好领导核心作用，这依然是我们要进一步解决好的一个重大问题。做好今年的党建工作，一要高举邓小平理论伟大旗帜，推动全党的理论武装工作继续向前发展。要用好前一段“三讲”集中教育中组织学习的经验，认真改进干部的理论学习，大力发扬马克思主义学风，切实兴起学习新高潮。二要进一步加强领导班子建设，积极推进干部人事制度改革。特别要把培养和选拔优秀年轻干部作为重要政治责任、历史责任，努力抓紧抓好。三要继续以农村和国有企业为重点，研究新情况，解决新问题，进一步加强和改进党的基层组织建设。四要进一步加强党员教育管理，发展新党员工作，一定要严格遵循“坚持标准、保证质量、改善结构、慎重发展”的方针。五要密切结合经济体制改革、政治体制改革加强党风廉政建设，推动反腐败斗争深入发展。六要坚持和完善“党要管党”的制度，努力提高党建工作水平。

（2000年1月6日《人民日报》）

胡锦涛在全国宣传部长会议上发表讲话

（2000年1月11日）

胡锦涛强调，宣传思想战线要在以江泽民同志为核心的党中央领导下，高举邓小平理论伟大旗帜，坚决贯彻党的基本路线和党在新时期指导宣传思想工作的一系列方针和原则，坚持唱响主旋律、打好主动仗，最大限度地发挥好党的宣传思想工作的优势，把全党的思想更好地统一起来，把全国各族人民的力量更好地凝聚起来，为实现我国跨世纪发展的宏伟目标而奋斗。

胡锦涛说，在过去一年里，各级宣传部门认真贯彻中央精神，加强组织领导，把握正确导向，团结教育群众，积极地推进了改革开放和现代化建设。特别是在去年进行的三场重大政治斗争中，在推动贯彻落实党的十五届四中全会和中央经济工作会议精神的工作中，在庆祝新中国成立50周年和澳门回归祖国的活动中，都做了卓有成效的舆论引导工作，发挥了重要作用。实践再次证明，宣传思想战线的同志们高举邓小平理论伟大旗帜，同以江泽民同志为核心的党中央保持一致，认真贯彻落实中央精神、把握正确导向是坚定自觉的；贯彻唱响主旋律、打好主动仗的方针，坚持以经济建设为中心，促进改革发展，维护社会稳定是坚定自觉的；密切同群众联系，倾听群众呼声，反映群众要求，全心全意为人民服务是坚定自觉的。党的宣传思想工作队伍是忠诚于祖国、忠诚于人民、忠诚于社会主义事业的，是经得起考验、值得信赖的。

胡锦涛指出，人类即将跨入21世纪。从现在起到下个世纪的前20年特别是前10年，对我们党、国家和人民，是一个至关紧要的时期。能否抓住时机，加快发展，胜利实现十五大提出的奋斗目标，关系到我们在新世纪世界发展格局中能否掌握战略主动权，能否处于更加有利的地位。这是时代向当代中国共产党人提出的新考验。在新的形势下，巩固全国人民团结奋斗的思想基础，特别是坚定共产党员和广大干部的理想信念，始终是我们必须高度重视的一项十分重要而艰巨的思想政治建设任务。

胡锦涛说，唱响主旋律、打好主动仗，是新形势新任务对宣传思想工作的基本要求。我们讲“唱响主旋律”，最主要的，就是要高举马列主义、毛泽东思想和邓小平理论的伟大旗帜，坚持用党的基本理论、基本路线、基本纲领宣传教育干部和群众，用爱国主义、集体主义、社会主义和艰苦创业精神宣传教育干部和群众，用一切有益于人们身心健康的精神产品占领思想文化阵地，大力弘扬社会正气和时代精神，以激励、调动和发挥人民群众建设有中国特色社会主义的积极性，不断推进改革开放和现代化建设的各项事业。我们讲“打好主动仗”，就是要总结并运用好我们党领导意识形态工作的历史经验和新鲜经验，正确分析和认识社会主义初级阶段宣传思想领域的特点，遵循思想道德和文化建设的客观规律，坚持从实际出发，坚持重在建设，以积极进取、科学务实的态度，研究新情况，解决新问题。在各项工作中贯穿讲政治的要求，增强原则性、系统性、预见性和创造性，立场坚定，旗帜鲜明，始终坚持正确的方向。

胡锦涛强调，要很好地总结“三讲”教育中组织理论学习的经验，引导、组织干部认真读书，进一步造成学习理论的浓厚空气，切实加强马克思主义的学风建设，不仅要自觉运用马克思主义指导改造客观世界，而且要自觉运用马克思主义指导改造主观世界。思想理论界的同志要重视对国际国内重大理论和实际问题进行深入调查研究，撰写出一批有分量、有深度、说服力强、能产生重大影响的文章，理直气壮地宣传科学真理，明白无误地划清原则是非，正确客观地回答现实问题，引导干部和群众坚决沿着有中国特色社会主义道路不断前进。

胡锦涛强调，必须坚持党性，坚持实事求是，坚持团结稳定鼓劲、正面宣传为主的方针，努力为改革开放和现代化建设营造良好的舆论环境。在搞好党的重大方针政策宣传的同时，一定要针对干部群众普遍关心的热点难点问题，做好解疑释惑、提高认识的工作，引导群众正确认识形势，看到光明前景，积极参与和支持改革，自觉维护社会稳定。

胡锦涛强调，加强思想政治工作，是全党的一件大事，是宣传思想工作的重中之重。思想政治工作的核心内容，是理想信念教育。在整个改革开放和现代化建设中，都要坚持不懈地进行理想信念教育，坚持不懈地进行党的基本理论、基本路线教育，坚持不懈地进行马克思主义唯物论、无神论和科学精神的教育。当前，思想政治工作的环境、任务、内容和渠道都发生了很大变化，必须适应变化了的情况，在继承和发扬优良传统的基础上，认真研究新形势下思想政治工作的特点和规律，积极开辟新途径，探索新办法，总结新经验。要注意把思想政治工作同经济工作和各项业务工作结合起来，寓思想教育于实际工作之中；把先进性的要求和广泛性的要求结合起来，加强工作针对性；把教育引导群众与切实服务群众结合起来，诚心诚意为群众排忧解难。

胡锦涛强调，各级宣传文化单位的领导干部，要强化阵地意识，做到“守土有责”。要坚持一手抓繁荣，一手抓管理。要把唱响主旋律同满足人民群众多方面需求结合好，多出思想性和艺术性相统一的优秀作品。要继承我们民族的优秀文化遗产、优秀文化传统，同时博采世界各国之长，吸收各民族的优秀文化成果。要认真加强对宣传文化阵地的管理，同时积极探索新的条件下管理文化市场的有效途径和方法，保证文化市场的健康繁荣。

胡锦涛最后要求各级党委切实加强对宣传思想工作的领导。他指出，宣传思想工作是党的工作的重要组成部分，也是全党的共同任务。中央要求领导干部要讲政治，而重视不重视宣传思想工作和精神文明建设，就是衡量讲不讲政治的重要方面。各级党委要尽快健全加强宣传思想工作的领导责任制，加强对思想文化领域的形势和宣传思想工作的研究，不断提高领导水平。要努力建设一支高素质的宣传思想工作队伍，特别是要提高宣传思想战线各级领导班子和领导干部讲学习、讲政治、讲正气的自觉性。要认真执行江泽民同志关于培养一大批既熟悉党的路线方针政策，又熟悉理论、新闻、出版、文艺工作业务的专门人才的指示，积极落实政治家办报、政治家管宣传、政治家管文化的要求。对宣传干部要多关心、多体谅、多支持、多爱护，充分发挥他们的积极性，鼓励他们作出更大的贡献。

（2000 年 1 月 12 日《人民日报》）

胡锦涛在全国双拥模范城（县）命名大会上的讲话（摘要）

（2000年1月12日）

胡锦涛指出，坚持军民一致，加强军政军民团结，是我们党三代领导核心的一贯思想，是我们从胜利走向胜利的重要法宝。在以江泽民同志为核心的党中央、中央军委的领导下，广大军民在改革开放和现代化建设中相互支持，在维护国家安全、统一和社会稳定中密切配合，在抵御各种严重自然灾害中并肩战斗，军政军民团结显示了不可战胜的强大力量。

胡锦涛说，我们正处在世纪之交的重要历史时期，既面临着难得的发展机遇，也面临严峻的挑战。我们要战胜前进道路上的种种困难和风险，把建设有中国特色社会主义伟大事业全面推向21世纪，实现中华民族的伟大复兴，需要全党全军全国各族人民万众一心、艰苦奋斗。在党的领导下，把军政军民团结的伟大作用充分发挥出来，把广大军民同心同德干事业的积极性充分调动起来，这是我们的事业必定要胜利的基本保证。各级党政军领导一定要从民族振兴、人民幸福和国家长治久安的战略高度，充分认识加强军政军民团结的重要性，把双拥工作摆在事关全局的重要位置，坚持不懈地抓紧、抓实、抓好。

胡锦涛说，江泽民同志最近反复强调，要使社会主义中国永远立于不败之地，必须不断增强我国的经济实力、国防实力和民族凝聚力。这是着眼于我们国家和民族的根本利益，充分估量当今国际局势的发展变化，深刻总结历史和现实经验得出的科学结论。军政军民团结既是凝聚中华民族的强大精神力量，也是推动经济和社会发展的强大物质力量。不断巩固和加强军政军民团结，对于增强我国的综合国力，捍卫国家的主权、安全和统一，具有重要的意义。我们要适应形势和任务的需要，紧紧围绕实现我国现代化建设的跨世纪发展目标，努力做好双拥工作，更好地发挥军政军民团结在改革发展稳定中的积极作用。要始终坚持用共同的理想把军心民心凝聚起来、振奋起来，引导广大军民深入学习邓小平理论，广泛开展国防教育，进一步激发广大军民建设和保卫祖国的政治热情。要牢固树立经济建设与国防建设统筹兼顾、协调发展的思想，人民解放军和武警部队要继续贯彻服从国家建设的方针，为加快国民经济和社会发展建立新的功勋；地方各级党委、政府和人民群众，要一如既往地关心和支持军队建设，为提高部队战斗力创造良好的条件。要把维护社会稳定摆在双拥工作的突出位置，从讲政治的高度看待和处理军政军民关系，以坚强的军政军民团结促进社会稳定。

胡锦涛指出，在跨世纪发展的征途上，双拥工作面临着光荣而又艰巨的任务。为了使双拥工作更好地适应新形势新任务的要求，必须坚持在继承中创新、在改革中前进。各地各部队要切实加强领导，健全组织机构，形成党政军群齐抓共管、广大军民积极参与的生动局面。

胡锦涛最后说，“军民团结如一人，试看天下谁能敌”。让我们在以江泽民同志为核心的党中央领导下，高举邓小平理论的伟大旗帜，进一步做好双拥工作，巩固和发展军政军民同呼吸、共命运、心连心的大好局面，为改革开放和社会主义现代化建设作出新的贡献！

（2000年1月13日《人民日报》）

胡锦涛：为推进祖国新世纪大业做好全面准备

——在中国少年先锋队第四次全国代表大会上的祝词

（2000年6月1日）

亲爱的少先队员小朋友们、代表同志们：

今天是“六一”国际儿童节，也是中国少年先锋队第四次全国代表大会隆重开幕的日子。刚才，江泽民总书记等中央领导同志亲切会见了全体与会代表，充分体现了党中央对少年儿童的巨大关怀和对少先队工作的高度重视。在这里，我代表党中央、国务院，向大会表示热烈的祝贺，向全国各族小朋友表示节日的祝愿，向为红领巾事业付出心血和汗水的广大少先队辅导员、少年儿童工作者表示崇高的敬意和诚挚的问候！

第三次全国少代会以来，少先队在党的领导和共青团的带领下，主动适应时代发展的要求，着眼于提高少年儿童的全面素质，广泛开展了“跨世纪中国少年雏鹰行动”、“手拉手”等一系列富有成效的活动，坚持用正确的思想启迪少先队员，用科学的知识充实少先队员，用生动的实践锻炼少先队员，用先进的典型激励少先队员，为促进少年儿童的成长进步发挥了重要作用。广大少年儿童在星星火炬的旗帜下，自学、自理、自护、自强、自律，全面发展，茁壮成长。实践一再表明，少先队事业的蓬勃发展，是党的事业始终保持生机和活力的重要源泉；少年儿童的健康成长，是国家和民族永远兴旺发达的希望所在。

少先队员小朋友们，我们正处在世纪交替的重要时刻，一个充满希望的新世纪就要到来。这对于你们来说，具有非同寻常的意义，因为你们的人生历程是与祖国在新世纪的前进步伐紧紧相伴的。10年后，我国的综合国力将再上一个大台阶，人民的小康生活将更加宽裕，到那时你们20岁左右，正是羽翼丰满、蓄势待发的年华；20年后，到建党100年时，我国国民经济将更加发展，各项制度将更加完善，到那时你们30岁左右，正是风华正茂、大有作为的时候；50年后，到世纪中叶建国100年时，我国将基本实现现代化，建成富强民主文明的社会主义国家，到那时你们正处在人生的收获季节，多姿多彩的幸福生活将充分展现在你们面前。你们的确是幸运的一代，也是肩负重任的一代。今天你们是天真烂漫的红领巾，明天将成为建设祖国的生力军，现代化建设第三步战略目标要靠你们去实现，中华民族的伟大复兴要靠你们去奋斗。党和人民殷切希望你们，按照德、智、体、美全面发展的要求，在学校里做一个好学生，在家庭中做一个好孩子，在社会上做一个好少年，为长大以后推进祖国新世纪大业做好全面准备。

推进新世纪大业，就要从小树立远大理想。理想是人生的太阳，是催人奋进的动力。少年有志，国家有望。不论今后你们想当工人、农民、解放军，还是想做科学家、企业家、艺术家，都要把个人的奋斗志向同国家的前途命运紧紧联系在一起，把个人今天的成长进步同祖国明天的繁荣昌盛紧紧联系在一起，牢固树立起振兴中华的雄心壮志，立志为民族争光、为祖国争光。只有这样，才能保持正确的人生航向，真正成就一番事业。

推进新世纪大业，就要从小养成优良品德。这是一个人做人做事的根本。只要人人心中有国家、心中有集体、心中有他人，我们的社会就会变得更加美好。你们要继承和发扬中华民族的传统美德，学习和实践社会主义道德，从一点一滴、一言一行做起，逐步养成文明礼貌、团结互助，诚实守信、遵纪守法，勤俭节约、热爱劳动的好品行，努力成为一个品德高尚的人，一个有益于社会、有益于人民的人。

推进新世纪大业，就要从小培养过硬本领。过硬的本领是一个人成功的基础，在科学技术飞速发展、竞争日趋激烈的今天更是这样。你们一定要以强烈的求知欲和上进心，发愤读书，刻苦学习各门功课，打好知识基础。还要积极参加形式多样的课外校外活动，接触自然，了解社会，开阔眼界，增长见识，不断提高实践能力。特别要学会独立思考，培育创新精神，敢于在前人的基础上超越前人。

推进新世纪大业，就要从小锻炼强健体魄。这是建设祖国、保卫祖国的本钱。当代少年儿童不应该是温室里的花朵，而要勇做搏击风雨的雄鹰。要坚持体育锻炼，养成良好的卫生习惯，不断增强体质。要磨炼勇敢顽强的意志，不向困难低头，不被挫折压倒，以乐观向上、积极进取的精神状态迎接未来的挑战。

少先队是少年儿童健康成长的摇篮，也是少先队员学习社会主义和共产主义的大学校。面对新的世纪，少先队要更好地担负起培养千百万社会主义事业合格建设者和接班人的光荣任务，就必须坚持以邓小平理论为指导，全面贯彻党的教育方针，始终把竭诚为少年儿童健康成长服务作为全部工作的出发点和落脚点，切实把广大少年儿童团结好、教育好、带领好，让星星火炬代代相传。在工作内容上，要重点抓好少先队员思想品德教育和实践能力培养，通过开展健康有益、生动活泼、独具特色的活动，努力使爱国主义、集体主义和社会主义思想在他们幼小的心灵里深深扎根，使优良品德和高尚情操在他们日常的行为中逐步形成，使他们动脑动手的能力和适应社会的本领不断得到增强。在活动方式上，要充分照顾少年儿童的特点，以正面教育为主，以激励为主，注重引导小队员们自己管理自己，自己教育自己，自主开展活动，争做少先队组织的小主人。在组织建设上，要积极适应经济社会发展的新形势，进一步巩固学校少先队组织，建立健全城市社区和农村少先队组织，努力把全体少年儿童都团结和组织起来，使他们在集体中健康快乐地成长。共青团担负着党赋予的全团带队的光荣职责，要进一步加强对少先队的领导，支持少先队创造性地开展工作。教育行政部门要把少先队工作纳入学校工作的总体布局，帮助少先队更好地发挥作用。

少先队辅导员和少年儿童工作者是少先队员的亲密朋友和指导者，从事着面向未来、塑造未来的崇高事业。长期以来，同志们以对党的教育事业的忠诚和对少年儿童的热爱，辛勤耕耘，默默奉献，像蜡烛一样，燃烧了自己，照亮了孩子，有的甚至付出了毕生的精力。党和人民感谢你们，敬重你们，也必然会从各方面更加关心和支持你们。希望同志们不负重托，继续发扬甘为人梯的精神，按照全面推进素质教育的要求，不断提高思想政治素质和业务素质，努力把培养祖国下一代的工作做得更好。

我们党历来非常重视对少年儿童的教育培养。以毛泽东、邓小平、江泽民同志为核心的党的三代领导集体，都从关系党和国家前途命运的战略高度，对少年儿童倾注了无限的关爱，寄予了殷切的期望。最近，江泽民同志又作出了一系列重要指示，为我们做好新时期少年儿童工作指明了方向。全党全社会首先是各级党委和政府，都应当以对未来极端负责的精神，更加关心少年儿童的成长，更加重视少年儿童工作，下大气力解决好少年儿童教育中存在的突出问题。要大力加强少年儿童素质教育。牢固树立正确的教育观和人才观，积极推进教育改革和发展，着力加强思想政治教育、品德教育、纪律教育和法制教育，注重培养创新精神和实践能力，认真做好减轻中小学生过重课业负担的工作，更好地促进少年儿童全面发展。要切实维护少年儿童合法权益。一方面要继续为少年儿童特别是贫困地区、少数民族地区的少年儿童创造更好的就学条件，争取让每一个孩子都能受到九年义务教育；另一方面要采取有力措施，坚决扫除和打击各种危害少年儿童身心健康的社会丑恶现象和违法犯罪行为，不断净化少年儿童成长的社会环境。要进一步加大对少年儿童事业的投入。尤其要把少年儿童活动设施建设放到突出位置来抓，既要管好、用好现有少年儿童活动阵地，并积极鼓励一切健康有益的文化体育场所尽可能免费向孩子们开放，又要进一步增加财政投入，广泛动员社会力量，想方设法为孩子们建设更多更好的活动场所。同时，还要为少年儿童提供优秀的精神产品。教育培养少年儿童是一项艰巨而复杂的系统工程，学校、家庭、社会各个方面都要密切配合，齐抓共管，努力形成全社会关心少年儿童、爱护少年儿童、为少年儿童办好事、为少年儿童作表率的良好风尚。

少先队员小朋友们：少年时代是美好人生的开端，远大的理想在这里孕育，高尚的情操在这里萌生，良好的习惯在这里养成，生命的辉煌在这里奠基。你们一定要珍惜、要努力啊！党和人民相信你们，一定能够走好人生的第一步，一定能够成长为有理想、有道德、有文化、有纪律的社会主义新人，一定能够肩负起建设有中国特色社会主义伟大事业的神圣使命。你们一定能行！让我们更加紧密地团结在以江泽民同志为核心的党中央周围，迎着新世纪的曙光，向着祖国美好的明天，奋勇前进吧！

（2000年6月2日《人民日报》）

胡锦涛在天津考察时发表讲话

（2000年6月18—20日）

胡锦涛在天津考察时强调，加强城市社区建设是城市经济社会协调发展的必然要求，对于深化改革、促进经济发展、提高群众生活质量、维护社会稳定、巩固党的执政基础，都具有重要的意义。

胡锦涛说，随着改革的深化、经济的发展和城市化进程的加快，城市基层社会结构正在发生深刻的变化，城市社区的工作对象扩大了，职能增加了，其地位和作用显得越来越重要，加强城市社区建设已经成为我国城市改革和发展面临的一项重要而紧迫的任务。

胡锦涛说，社区工作千头万绪，说到底是要服务于人民，造福于人民，这是社区建设的基本立足点，是党的全心全意为人民服务的宗旨和“三个代表”的重要思想在社区建设中的集中体现。要健全服务设施，完善服务功能，进一步做好社区服务、社区卫生、社区文化、社区环境、社区治安等工作，以满足群众多方面的需求，推动社区建设全面发展。

胡锦涛强调，在社区建设中要突出抓好以党组织为核心的社区组织建设。社区党组织在社区各种组织中处于领导核心地位。只有坚持以党组织为核心，才能协调各方形成建设社区的合力，才能保证社区工作的健康发展。加强社区党的建设，当前最主要的就是要解决好扩大覆盖面、增强凝聚力的问题。一是要紧紧围绕搞好社区管理和服务开展党的建设，通过充分发挥党组织的战斗堡垒作用和党员的先锋模范作用，确保社区各项任务的顺利完成。二是要进一步建立健全社区党的组织，按照党章的有关规定，结合社区党员分布的实际情况，及时调整社区党的基层组织的设置，努力做到凡是有党员的地方就有党的组织，凡是有党组织的地方就有党的工作和活动，通过党的工作和活动把广大群众团结凝聚起来。三是要努力建设一支高素质的社区工作者队伍，在充分发挥现有社区干部作用的同时，采取有效措施，及时充实社区干部队伍，尤其要把那些政治素质好、文化程度较高、工作能力较强、热爱社区工作的优秀年轻干部选拔到社区领导岗位上来，以增强社区领导班子的生机和活力。四是要切实改进领导方法，既要发挥社区党组织的领导核心作用，又要积极支持和保障居民自治组织依法开展活动。同时，还要注意搞好配套建设，进一步把社区群团组织和其他中介组织建设好。

（2000年6月21日《人民日报》）

胡锦涛：在实现中华民族伟大复兴的进程中谱写更加壮丽的青春之歌

——在全国青联九届一次全委会和全国学联二十三大上的祝词

(2000年7月11日)

青年朋友们、同学们、同志们：

中华全国青年联合会第九届委员会第一次会议和中华全国学生联合会第二十三次代表大会今天隆重开幕了。这是全国广大青年和青年学生十分关注的一件大事。首先，我代表党中央、国务院，向大会表示热烈的祝贺！向出席会议的全体委员和代表，向全国各族各界青年、大中学生和留学生、港澳台青年同胞、国外青年侨胞，致以亲切的问候和良好的祝愿！

上届全国青联、全国学联大会以来，各级青联、学联组织在党的领导下，高举爱国主义和社会主义旗帜，围绕大局，发挥优势，进一步拓宽工作领域，丰富工作内容，开展了许多富有成效的活动，有力地促进了青年和青年学生的成长进步，为我国改革开放和现代化建设作出了积极贡献。广大青年和青年学生主动适应时代的要求，刻苦学习，积极实践，自强不息，艰苦创业，在社会主义物质文明和精神文明建设中发挥着越来越重要的作用，在人生和事业的道路上迈出了新的可喜的步伐。特别是在百年未遇的特大洪涝灾害的严峻考验面前，在新中国成立50周年和香港、澳门回归祖国的喜庆日子里，在捍卫国家主权和尊严、维护祖国统一的复杂斗争中，广大青年和青年学生的高度社会责任感和强烈爱国主义精神、敢于战胜一切困难的巨大勇气和顽强毅力得到了集中的体现。事实充分证明，当代青年的确是奋发向上、大有希望的一代，是开拓进取、大有作为的一代。党和国家为有这样一代青年而感到欣慰和自豪。

青年朋友们、同学们、同志们，综观世纪之交的天下大势，和平与发展依然是时代的主题。政治多极化和经济全球化趋势的发展，对人类政治、经济、文化生活将产生广泛而深刻的影响。以信息技术和生物技术为代表的高新技术及其产业突飞猛进，为生产力的发展和社会的进步开辟了新的广阔前景。所有这一切，既给中国在新世纪的发展带来新的历史机遇，也提出了新的严峻挑战。我们只有牢牢地抓住机遇，勇敢地面对挑战，卧薪尝胆，加倍努力，不断增强国家的经济实力、科技实力、国防实力和民族凝聚力，才能在未来激烈的国际竞争中争取更加主动的地位，逐步把我国建设成为富强民主文明的社会主义现代化国家。未来属于青年，未来取决于青年，未来更需要青年去创造。广大青年一定要肩负起时代赋予的重任，牢记江泽民主席向青年一代提出的“四个统一”的要求，为实现中华民族的伟大复兴作出新的更大的贡献。

希望广大青年胸怀祖国，牢固树立振兴中华的雄心壮志。爱国主义是我们国家几千年发展进步的重要力量源泉，是我们民族生生不息的强大精神支柱。近代以来，正是在伟大的爱国主义精神感召和激励下，一代又一代中华儿女为实现振兴中华这个共同理想，上下求索，不懈奋斗。今天，历史的接力棒传到了当代青年手中。成大业者必先立大志。每一位有志青年，无论身在何处，无论在什么岗位，都应当心系祖国，心系民族，自觉把个人的抱负同全民族的共同理想统一起来，把个人的奋斗融会到振兴中华的历史洪流中去，这样才能获得强大而持久的前进动力，才能在服务祖国和人民中实现自己最大的人生价值。在当代中国，爱国主义同社会主义本质上是统一的。改革开放20年来中华大地发生的历史巨变雄辩地证明：邓小平理论是指导中国人民在改革开放中胜利实现现代化的科学理论，建设有中国特色的社会主义是中国走向繁荣富强的正确道路。在振兴中华的征途上，广大青年只有坚持邓小平理论不动摇，坚定跟党走建设有中国特色社会主义道路的信念，才能始终保持正确的人生航向，不断战胜前进中的各种艰难险阻，胜利到达理想的彼岸。

希望广大青年勤奋学习，用人类创造的一切优秀文明成果丰富自己。必须认识到，人类同知识的关系从来没有像现在这样密切，知识对经济和社会发展的作用也从来没有像现在这样重要。当代青年要跟上时代前进的步伐，就必须以只争朝夕的紧迫感，勤于学习，敏于求知，不断充实和提高自己。不仅要在学生时期发愤读书，而且要在走上工作岗位以后继续抓紧学习，不断进行知识更新，真正把学习作为终身的任务。不仅要钻研专业知识和岗位技能，而且要开阔视野，努力扩大知识面，优化知识结构。不仅要努力学习科学文化知识，而且要树立科学观念，掌握科学方法，培养科学精神，进一步提高辨别是非真伪的能力。人的本领需要从书本中获取，更需要通过实践的锻炼来提高。大凡在事业上有所成就的人，无不经历过社会实践的磨炼和艰难困苦的考验。他们的成才道路表明，一个人同人民群众的社会实践结合得越紧，收获就越大，进步也就越快。当代青年要真正成为国家的有用之才，就必须在学习书本知识的同时，自觉向实践学习，向人民群众学习，向老一辈学习，从亿万人民创造历史的伟大实践中汲取营养、增长才干。

希望广大青年注重修养，努力追求高尚的精神境界。良好的道德风尚和新型的人际关系是我国社会主义社会文明进步的重要标志。青年素有开风气之先的光荣传统，在道德修养上应该有更高的追求。这不仅会对社会进步产生积极的影响，也会对自己一生的奋斗产生长远而巨大的作用。我国是一个具有悠久历史和灿烂文化的文明古国，在长期的发展中形成了自己的传统美德，需要当代青年努力加以继承和发扬。同时，我国各族人民在建设社会主义的伟大进程中又形成了新的道德观念、道德规范、道德风尚，这些同样需要当代青年努力加以学习和实践。当前，广大青年尤其要进一步强化责任意识和奉献精神，在行使个人权利的时候，一定要尽到对国家和人民应尽的责任与义务，识大体，顾大局，自觉遵纪守法，努力维护安定团结的大好局面；在对待个人利益的时候，一定要把国家和人民的利益放在首位，关心集体，热心公益，扶贫帮困，见义勇为，为人民、为社会多做好事。道德修养重在自觉，贵在坚持。只要注意从自身做起，从一时一事做起，日积月累，持之以恒，就能逐步达到一个高尚的精神境界。

希望广大青年锐意创新，在继承前人的基础上不断超越前人。创新能力愈益成为一个国家、一个民族生存和发展的决定性因素。中国作为一个发展中国家，能不能实现跨越式发展，尽快缩小与发达国家的差距，关键取决于我们是否敢于和善于创新，是否能在理论创新、体制创新、科技创新和其他创新方面有重大的突破。青年人风华正茂，思维敏捷，接受新事物快，有着巨大的创造活力，是实现创新的一支重要方面军。在创新过程中要注意把革故鼎新的勇气和科学求实的态度有机结合起来，既要解放思想，大胆探索，扬弃旧义，创立新知，又要实事求是，追求真理，尊重规律，循序渐进，不断开创我们事业发展的新境界。创新的过程也是一个艰苦奋斗的过程。只有立足本职，埋头苦干，不畏艰难，百折不挠，才能不断攻克新的难关，攀登新的高峰。创新不仅意味着一些关键领域和重要方面的重大突破，也包括各项工作的具体改进。如果人人都能在自己的岗位上不断有所改进、有所创造，我们的事业就一定会获得不竭的发展动力。

青联和学联都是中国共产党领导下的青年群众组织，青联又是最广泛的青年爱国统一战线组织。面对新的世纪、新的任务，青联、学联组织一定要坚持以马列主义、毛泽东思想和邓小平理论为指导，弘扬爱国、团结、进步的光荣传统，充分发挥自身优势，努力把各项工作做得更好。一是要多做巩固中华青年大团结的工作。要继续高举爱国主义和社会主义旗帜，进一步把各族各界、海内海外中华青年的智慧和力量凝聚到为祖国的强盛和统一奋斗上来。要大力加强与港澳地区青年的联系，共同为贯彻“一国两制”方针和香港、澳门基本法，确保香港和澳门的繁荣稳定贡献力量。解决台湾问题，实现祖国完全统一，是包括台湾同胞在内的全中国人民的崇高愿望和神圣使命，也是包括台湾青年在内的全国各族青年共同的历史责任。要进一步增进海峡两岸青年的沟通与交往，促进两岸经济、文化交流和人员往来；要毫不动摇地坚持一个中国的原则，坚决同各种企图分裂祖国的活动作斗争。海峡两岸青年携起手来，为早日实现祖国和平统一共同奋斗。二是要多做促进青年成才和发展的工作。要根据我国现代化建设的需要特别是国家实施科教兴国、可持续发展和西部大开发战略的要求，积极为青年人才的脱颖而出和发挥更大作用创造条件、铺路搭桥。要高度重视和切实加强青年思想政治工作，着力在增强时代感，加强针对性、实效性、主动性上下功夫，进一步帮助青年树立正确的世界观、人生观、价值观。同时，要千方百计为有困难的青年和青年学生办实事办好事，切实维护青年的合法权益。三是要多做增进我国青年同世界各国青年友谊的工作。要积极扩大与国外青年和青年组织的友好交往，特别要加强同周边国家和发展中国家青年和青年组织的交流合作，携手推进人类的和平进步事业。不断加强自身建设，是做好新时期青联、学联工作的基础和保证。各级青联、学联组织要以改革的精神认真研究当前面临的新情况、新问题，切实改进工作方法和活动方式，努力把工作提高到一个新水平。

关注未来，就要关注青年。我们党历来都把青年作为未来发展的希望。各级党委一定要站在事关国家、民族前途命运的战略高度，更加重视青年和青年工作。要进一步加强对青联、学联工作的领导，及时研究工作中的一些重大问题，使青联、学联工作继续沿着正确的方向发展。共青团要更好地发挥在青联中的核心作用和对学联的指导作用，帮助它们依照法律和各自的章程独立自主、创造性地开展工作。社会各方面都要相互协调，密切配合，为青年一代的健康成长创造更加有利的社会环境。

青年朋友们、同学们、同志们，建设有中国特色社会主义的伟大时代，是一个百舸争流、英才辈出的时代。在这个时代，青年的创造活力可以得到最大程度的发挥，青年的成才愿望可以得到最充分的实现。党和国家殷切希望广大青年，积极响应时代的召唤，努力朝着有理想、有道德、有文化、有纪律的目标迈进，在新世纪谱写出更加壮丽的青春之歌。让我们紧密团结在以江泽民同志为核心的党中央周围，万众一心，发愤图强，为实现中华民族的伟大复兴努力奋斗！

(2000年7月12日《人民日报》)

胡锦涛在全国农村“三个代表”重要思想学习教育工作会议上发表讲话

(2000年12月3日)

胡锦涛强调，在全国农村开展“三个代表”重要思想学习教育活动，是深入贯彻落实党的十五大和十五届三中、五中全会精神，深入贯彻落实江泽民同志关于“三个代表”的重要思想，切实提高农村基层干部素质，增强农村基层党组织凝聚力和战斗力的一项重大决策；是加强和改进党对农村工作的领导，推动农业和农村经济结构的战略性调整，促进农村经济发展和社会全面进步的一项重大举措。各级党委和领导干部一定要以高度的政治责任感和历史使命感来对待这次学习教育活动，按照中央的要求和部署，下大气力把这次学习教育活动抓紧、抓实，抓出明显的成效。

胡锦涛强调，深入开展“三个代表”重要思想的学习教育活动，是我们党在新世纪解决好农业、农村和农民问题的一项重要基础建设，是事关改革、发展、稳定全局的一件大事。中央的这一决定，是经过充分调查研究，在全面、客观地分析我国农村基层现状，认真总结试点经验的基础上作出的。只要领导重视，工作扎实，就能够确保这次学习教育活动取得好的效果，有力地推动农村的各项工作，有力地促进农村社会稳定。

胡锦涛指出，这次学习教育活动，要严格按照中央规定的指导思想、目标要求、方针政策和方法步骤进行，尤其要注意把握好四个问题。第一，要着眼于提高广大农村基层干部的素质。在学习教育活动全过程，都要立足于用“三个代表”重要思想武装农村基层干部，特别要增强他们全心全意为人民服务的观念，增强带领农民群众调整经济结构、发展农村经济的本领，增强做好新形势下群众工作的能力，增强坚持“两手抓，两手都要硬”的自觉性。第二，要把学习教育与促进农村工作结合起来。不能脱离农村的中心工作，就学习教育抓学习教育，也不能简单地用解决具体问题来代替学习教育。要通过这次学习教育活动，切实促进农村突出问题的解决，使增加农民收入、减轻农民负担、转变干部工作作风、加强农村精神文明建设和民主法制建设等各项工作都有新的进展。在学习教育中，各地都要从实际出发，分析和找准本地存在的具体问题，有什么问题就解决什么问题，什么问题突出就重点解决什么问题。第三，要始终坚持正面教育、自我教育为主。首先要下功夫抓好学习提高这个基础环节，安排一定的集中读书时间，组织广大农村基层干部逐篇认真学习规定的文件。在学习提高的基础上，运用理论武器检查自己在思想和工作方面存在的主要问题，总结经验教训，明确努力方向。第四，要坚持上下结合，综合治理，标本兼治。属于县（市）领导机关在农村工作指导上存在的问题，县（市）委就要承担责任并认真加以解决；属于县（市）部门的问题，县（市）主管领导要出面协调解决；属于乡镇的问题，县（市）要督促他们加以解决。

胡锦涛强调，要保证这次学习教育活动按照中央的统一部署和要求进行并达到预期目的，关键在于加强领导。各级党委要把这项工作作为农村基层组织建设的重中之重，列入重要议事日程，精心部署，周密安排，真正做到认识到位，措施到位，工作到位，落实到位。要实行领导责任制，一级抓一级。地方各级党委都要切实负起领导责任。县（市）委是抓好这次学习教育活动的关键，县（市）委书记要认真履行“第一责任人”的职责。乡镇党委书记、县（市）部门党员主要负责同志要切实履行直接责任人的职责。省、地、县三级党委都要有专门的工作机构，对学习教育活动进行具体领导和指导。各级党委要深入调查研究，加强分类指导。首先要重点抓好县（市）部门和乡镇的学习教育活动。要坚持高标准、严要求，做到有布置、有检查、有落实、有总结，坚决防止和克服形式主义，严防走过场。

（2000年12月4日《人民日报》）

胡锦涛在全国“三讲”教育工作总结会议上的讲话（摘要）

（2000年12月16日）

胡锦涛强调，要以邓小平理论和江泽民同志关于“三个代表”的重要思想为指导，用好“三讲”教育的成功经验，认真贯彻落实党要管党、从严治党的方针，全面推进党的建设新的伟大工程。

胡锦涛说，在全国县级以上党政领导班子、领导干部中用整风精神开展以“讲学习、讲政治、讲正气”为主要内容的党性党风教育，历时两年，现在已基本结束。两年来，“三讲”教育自始至终在各级党委领导下，严格按照中央确定的指导思想和工作部署有计划有步骤地进行，整个教育工作进展是顺利的，发展是健康的，成效是明显的，基本达到了中央提出的目标要求。通过“三讲”教育，领导干部普遍受到了一次深刻的马克思主义教育，提高了学习理论、增强党性锻炼的自觉性，进一步明确了前进方向；普遍增强了政治意识、大局意识、责任意识，提高了坚持党的基本路线和基本纲领、同党中央保持高度一致的自觉性；普遍受到了一次群众观点、群众路线的再教育，强化了坚持和实践党的根本宗旨的意识，促进了作风的转变和拒腐防变自觉性的提高；普遍经受了一次严格的党内生活锻炼，党的观念得到增强，贯彻民主集中制原则的自觉性和解决领导班子自身问题的能力有了提高；普遍增强了党要管党、书记带头抓党建的意识，提高了治党的能力和水平。

胡锦涛指出，“三讲”教育的实践证明，中央关于“三讲”教育的决策和制定的指导思想、目标要求、方针原则和方法步骤是完全正确的，各级党委（党组）贯彻落实中央的决策是认真的。这次教育在提高领导干部思想政治素质方面发挥的积极作用，对党和国家跨世纪发展产生的深远影响，将会随着时间的推移和实践的发展进一步显示出来。

胡锦涛指出，这次“三讲”教育在总结和继承以往成功经验的基础上，在探索一条不搞政治运动、妥善解决党内问题、提高干部素质的新路子上迈出了新的重要步伐，创造和积累了一些和平时期加强党的建设特别是领导干部队伍思想政治建设的重要经验。主要是：（一）科学认识党所面临的新形势新任务和所处的客观环境，实事求是地分析领导干部队伍的现状，从实际出发采取正确的方针、原则和政策，是解决党内存在的突出问题的重要前提和保证。（二）推动领导干部用科学理论武装头脑，必须大力弘扬理论联系实际的马克思主义学风，在改造客观世界的同时改造主观世界。（三）加强对领导干部的思想教育，必须着眼于启发自觉性，并把内因与外因有机结合起来，坚定地相信和依靠群众。（四）促进领导干部党性党风方面存在问题的解决，必须坚决克服党内政治生活中的庸俗习气，开展积极健康的思想斗争。（五）搞好领导干部队伍思想政治建设，必须紧紧围绕贯彻党的基本路线和全党全国工作大局来进行，用思想教育推动各项工作不断发展。（六）认真贯彻党要管党的原则和从严治党的方针，必须实行严格的领导责任制，逐级建立运转有效的工作机制。胡锦涛强调，“三讲”教育取得的经验十分宝贵，一定要很好地运用到今后党的建设的各方面工作中去，把我们党建设得更好。

胡锦涛指出，这次“三讲”集中教育不可能解决所有的问题，在地区之间、部门之间以及领导班子和领导干部之间，受教育和解决问题的程度也不平衡，而且形势在发展，情况在变化，党性党风问题的解决也不会一劳永逸。我们要一分为二地估价这次“三讲”教育，充分认识巩固和扩大“三讲”教育成果的艰巨性，充分认识推动领导干部“讲学习、讲政治、讲正气”的长期性，从而保持清醒的头脑，在今后的实践中牢牢把握经济建设这个中心不动摇，紧紧抓住党的建设这个关键不放松，及时研究和解决党的建设中存在的突出问题，把党的建设不断提高到新的水平。胡锦涛还就以“三个代表”重要思想为指导，用好“三讲”教育经验，努力开创党建工作新局面，提出了明确的要求。

(2000年12月17日《人民日报》)

尉健行：坚定信心　加大力度 深入推进党风廉政建设和反腐败斗争（节选）

(2000年1月12日)

二、2000年党风廉政建设和反腐败的任务

深入扎实地做好2000年党风廉政建设和反腐败工作，对于进一步发展反腐败斗争好的形势，保证今年全党工作任务的完成，具有重要的意义和作用。2000年党风廉政建设和反腐败工作的总体要求是：坚持以邓小平理论和党的基本路线为指导，坚决贯彻党的十五大和十五届三中全会、四中全会精神，认真坚持从严治党的方针，继续按照领导干部廉洁自律、查处违纪违法案件、纠正部门和行业不正之风的三项工作格局，以改革创新的精神，坚持标本兼治，着重在加强监督检查、狠抓任务落实、从源头预防和治理腐败上下功夫，取得党风廉政建设和反腐败斗争的新成效。

（一）进一步落实和深化领导干部廉洁自律工作

继续执行《廉政准则》和制止奢侈浪费行为的有关规定，重点抓好以下几项工作：

领导干部要严格执行不准利用职权和职务上的影响为配偶、子女谋取非法利益的规定。利用职权和职务上的影响为配偶、子女谋取非法利益，已经成为当前一些领导干部违纪违法的一个突出问题。为此，重申和提出以下规定：（1）省(部)、地（厅）级领导干部的配偶、子女，不准在该领导干部管辖的业务范围内个人从事可能与公共利益发生冲突的经商办企业活动；不准在该领导干部管辖的地区和业务范围内的外商独资企业或中外合资企业担任由外方委派、聘任的高级职务。凡有不符合此项规定的领导干部，必须如实地向党组织报告并予以纠正。拒不纠正的，该领导干部应当辞去现任职务，或者给予其组织处理。(2) 不准领导干部的配偶、子女利用领导干部的职权和职务上的影响收受礼金、有价证券和贵重物品。违反规定的，要追究领导干部本人的责任。

当前，一些领导干部接受公款安排的旅游活动和用公款为领导干部住宅配备电脑的现象有发展之势。为此特规定：（1）不准接受下属单位或地方、部门及企业事业单位用公款安排的私人旅游活动。违反规定的，要对领导干部本人和接待单位负直接责任的主管人员给予相应的纪律处分。(2) 不准用公款为领导干部住宅配备电脑，已经配备的要坚决纠正。不准用公款为领导干部住宅电脑支付上网费用。

领导干部利用住房制度改革之机以权谋私问题在一些地方和部门比较突出，要认真予以纠正。各地区、各部门都要从各自实际情况出发，有针对性地提出领导干部廉洁自律工作的重点内容。

深入开展领导干部廉洁自律工作，要立足于

教育，狠抓已有各项规定的落实，关键是要切实加强监督检查的力度。各地区、各部门领导班子都要把执行上述规定的情况作为民主生活会的主要内容，认真自查自纠。县级领导班子和领导干部要按照中央统一部署，认真开展“三讲”教育，把廉洁自律工作同“三讲”教育有机结合起来。要巩固“三讲”教育的成果。各级领导班子都要运用“三讲”教育的经验，认真开展批评与自我批评，充分发挥领导班子内部相互监督的作用。在继续重点抓好县（处）级以上领导干部廉洁自律工作的同时，也要认真抓好国有企业和乡镇基层领导干部廉洁自律工作。各级党委、政府和纪检监察机关要加强对执行领导干部廉洁自律规定情况的监督检查，对违反规定又不自查自纠的，一经发现，要从严进行处理。要进一步健全巡视制度，加强巡视组在领导干部廉洁自律工作中的监督、指导作用，推动廉洁自律各项规定的落实。

（二）集中力量突破一批大案要案

要加大查办案件工作的力度，严厉惩处腐败分子。坚持重点查办党政领导机关、行政执法机关、司法机关、经济管理部门和县（处）级以上领导干部的违纪违法案件，加大对金融、证券、房地产、土地批租转租、物资采购等领域及司法、干部人事工作中违纪违法案件的查处力度。注意查办走私贩私、骗税骗汇的案件，查办国有企业领导人员违纪违法、国有资产严重流失的案件，以及农村基层干部违纪违法案件。切实加大查办违反政治纪律案件的力度，严格执行中央关于处理“法轮功”等邪教组织的有关规定，坚决查处党员干部违反政治纪律的行为。

各级纪检监察机关要集中力量查办比较重要或复杂的案件。要加强同经济管理和监督部门的联系，加大对重点经济领域监督检查的力度，通过执法监察、专项检查和巡视等多种方式，主动发现大案要案线索。要健全查办大案要案组织协调机制，加强反腐败协调小组的工作。各级纪检、法院、检察、公安、监察、审计等部门要紧密配合，形成查办案件的整体合力。要严格依纪依法处理违纪违法案件，坚决纠正在惩处方面存在的失之于宽、失之于软的问题。要善于利用矛盾，讲究斗争策略，认真执行区别对待的政策，推进大案要案的突破。

要坚持党委对查办案件工作的统一领导。上级纪检监察机关和实行垂直领导系统的人员到下级查办案件，要主动接受当地党委的领导。各级党委和政府要支持纪检监察等执纪执法机关依纪依法办案。上级纪检监察机关要加强对下级纪检监察机关办案工作的指导和督促检查。对那些长期有案不办的纪检监察机关的领导干部，要严格按照党风廉政建设责任制的规定予以追究。对那些瞒案不报、压案不查、干扰办案的地区和部门的领导干部，必须严肃追究责任。

（三）突出重点纠正部门和行业不正之风

要重点抓好纠正医药购销中不正之风的工作。围绕保证群众用药安全有效和把社会医药费用不合理负担减下来的目标，继续狠抓落实。要巩固取缔非法药品集贸市场的成果，加强监控，防止反弹；继续整顿药品生产经营秩序，严肃查处医药购销中的违纪违法行为；进一步规范药品价格，加强医疗单位药品采购的管理。有关部门要明确责任，各司其职，协调配合，确保工作目标的实现。

要坚持纠建并举的方针和谁主管谁负责的原则。要抓好对国债专项资金和社会保障基金使用情况的执法监察，重点检查和揭露资金安排使用中的突出问题，对挤占挪用、损失浪费等违纪违法行为要严肃查处。要继续抓好减轻农民负担和企业负担工作，巩固治理公路“三乱”和中小学校乱收费的成果，持续开展民主评议行风和创建文明行业的活动。各地区、各部门还要从实际出发，重点解决一两个群众反映强烈的问题。

坚持反腐败三项工作格局，要切实加大从源头上预防和治理腐败工作的力度，推动三项工作任务的落实。重点抓好以下几项工作：

1. 全面落实“收支两条线”规定。实行“收支两条线”管理，是从源头上预防和治理腐败的一项重要举措，对于加强财政管理和整顿财经秩序，促进依法行政和公正执法具有重要作用。今年，在巩固已有工作成果的基础上，从中央一级所有64个执收执罚部门一直到县，都要全面落实“收支两条线”规定。重点是进一步完善规范，强化监管。要按照实行“收支两条线”管理的六条标准，一条一条地抓好落实，一条一条地检查考核，任何地区和部门都不能强调情况特殊降低标准和工作要求。对继续搞坐收坐支，截留、挪用、私分收费收入和罚没款以及公款私存、私设“小金库”等顶风违纪违法行为，要严格按照《违反行政事业性收费和罚没收入“收支两条线”管理规定行政处分暂行规定》，发现一起，查处一起，严格执行纪律。

2. 积极推行政府采购制度。实行政府采购制度有利于提高财政资金的使用效益，有利于促进廉政建设。这项工作近年来已有许多成功的试点。今年，中央一级、省一级、副省级城市和省会城市市一级，以及有条件的地（市）一级党政机关和事业单位，都要实行政府采购制度。财政部门要认真履行对政府采购工作的管理和监督职责，按照公开、公平、公正、效益和质量的原则，建立健全有关制度，严格规范采购行为。监察、审计等部门要加强对政府采购行为的监督检查，逐步建立有效的监督制约机制。

3. 稳步推行会计委派制度。今年要在党政机关、财政拨款的事业单位及有政府授权收费或罚没职能的事业单位，继续试行会计委派制度。有条件的国有中小型企业，也可以继续试行会计委派制度。

4. 发扬社会主义民主，加强群众监督工作。今年，全国范围的乡（镇）政权机关都要推行政务公开，有条件的县、地（市）级等政权机关也可以实行政务公开。要以抓好财务公开为重点，进一步推进村务公开制度的落实。要把村务公开与乡（镇）政务公开结合起来。要坚持和完善以职工代表大会为基本形式的企业民主管理、民主监督，深入推进厂务公开制度。在干部人事工作中要坚持、完善民主推荐和民主评议制度，推行领导干部任前公示、竞争上岗等制度。

要继续加强有形建筑市场建设，规范工程招标投标管理，进一步形成公开、公正、平等的竞争机制。要加强领导，采取有力措施，认真做好地方各级党政机关与所办经营性企业脱钩的工作。要积极推行县级以下党政领导干部任期经济责任审计制度。各地区、各部门要从实际出发，积极主动地探索从源头上预防和治理腐败的有效途径和办法。

三、做好2000年党风廉政建设和反腐败工作必须强调的几个问题

（一）认真贯彻十五届四中全会精神，大力加强国有企业党风廉政建设

加强国有企业党风廉政建设是贯彻党的十五届四中全会精神，推进国有企业改革和发展的重要举措。国有企业党风廉政建设必须紧紧围绕企业生产经营进行，加强和改善党的领导，坚持全心全意依靠工人阶级，为实现国有企业改革和发展的战略目标提供政治保证。

搞好国有企业党风廉政建设，关键是国有企业领导班子和领导人员要带头遵纪守法，廉洁自律。国有企业领导人员作为代表国家对国有企业进行经营管理的国家工作人员，必须认真执行《廉政准则》等有关规定。当前尤其要做到：(1)不准个人擅自决定企业的大额度资金运作、生产经营和企业改革的重大决策、重要的人事任免等事项。(2)不准将国有资产转移到个人名下或其他企业谋取非法利益；未经投资者批准，不准以个人名义在国（境）外注册公司或投资参股。(3)不准利用职权为配偶、子女及其他亲属经商办企业提供便利和优惠条件；不准配偶、子女个人从事可能侵害该企业利益的生产经营活动。(4)不准弄虚作假，谎报成绩；不准授意、指使、强令财会人员做假账或设立法定账册以外的任何账册。(5)不准擅自兼任下属企业或其他企业的领导职务，经批准兼职的不得领取兼职工资或其他报酬。

国有企业党风廉政建设必须与企业经营管理紧密结合，把党风廉政建设的要求贯穿于企业的各项管理制度和规范之中。要按照现代企业制度的内在要求，建章立制，狠抓管理薄弱环节。当前特别要强调：一是建立健全重大决策失误追究制度；二是实行财务审批、物资公开竞价采购制度和工程项目招标投标制度；三是积极推进厂务公开制度，坚持企业职代会对企业领导班子成员每年进行一次民主评议、民主测评的制度，严格执行企业业务招待费使用情况向职代会报告的制度。

要加强企业效能监察，围绕企业经营管理存在的效益、效率、质量、安全等方面的重大问题，主动发现、揭露和处理挥霍浪费、营私舞弊、侵吞国有资产等行为，堵塞管理漏洞。要认真落实对国有企业领导人员任期经济责任审计的规定，加强对企业经济活动的审计和监督，督促企业依法经营。同时，要为企业改革、发展创造良好的外部环境。

省以上纪检监察机关和中央企业纪工委、监察局要制定措施，加强和健全国有企业纪检监察机构。企业党委、纪委和企业的行政、业务部门要互相配合，共同负起责任，抓好企业党风廉政建设。

（二）进一步贯彻落实党风廉政建设责任制，严格执行责任追究的规定

深入抓好党风廉政建设责任制规定的贯彻落实，是督促领导班子和领导干部对职责范围内的党风廉政建设和反腐败斗争全面负责，促进全党动手共同加强党风廉政建设的重要措施。全面落实党风廉政建设责任制，关键是加大监督检查力度，狠抓责任追究工作。

各级党委、政府以及纪检监察机关和主管部门要着重从以下几个方面加强监督检查：一是本地区、本部门出现重大经济损失的；二是本地区、本部门发生重大事故和恶性事件的；三是本地区、本部门不正之风严重、群众反映强烈、长期得不到治理的；四是领导干部配偶、子女利用该领导干部职权和职务上的影响获取非法利益、造成恶劣影响的。通过监督检查，对确属领导干部负有责任的，要坚决依据责任追究的规定处理。纪检监察机关要切实履行监督职能，把责任追究作为一项重要工作认真抓好。对于有问题不去检查、有责任不去追究的，要追究纪检监察机关的责任。

（三）切实抓好党风廉政建设宣传教育

党风廉政建设宣传教育是加强党风廉政建设和反腐败斗争的一项基础性工作。各级党委、政府和纪检监察机关必须高度重视，加强领导，全面贯彻党中央关于加强宣传教育工作的一系列重要指示精神，认真执行《中共中央关于加强和改进思想政治工作的若干意见》，紧紧围绕党风廉政建设和反腐败工作任务，切实加大宣传教育力度。

坚持正面宣传为主，把握正确的舆论导向。要大力宣传邓小平党风廉政建设理论，宣传以江泽民同志为核心的党中央关于反腐败工作的指导思想、方针政策和重大决策，把广大干部群众的思想统一到党中央关于反腐败的决策和部署上来。要加强反腐败斗争形势的宣传，特别是宣传十五大以来党风廉政建设和反腐败斗争不断取得的成效，用雄辩的事实驳斥国内外敌对势力别有用心的攻击和诬蔑，进一步增强广大干部群众对反腐败斗争的必胜信心。要联系党风廉政建设的实际，针对党员干部和人民群众关心的热点问题和存在的疑惑，从理论与实践的结合上进行有说服力的宣传。要重视和善于发挥新闻舆论监督的作用，同时要严格新闻宣传纪律。要选择典型的违纪违法案件进行深入报道，营造反腐败的舆论氛围。

要把理想信念教育作为核心内容，引导广大党员干部树立正确的世界观、人生观和价值观，增强拒腐防变的能力。要在广大党员干部中普遍深入开展学习《中国共产党纪律处分条例（试行）》、《行政监察法》等党纪政纪和法律法规的活动。要运用正反两方面典型开展形象生动、具体深入的党性党风党纪教育，弘扬正气，鞭挞丑恶，增强党员干部的是非观念和遵纪守法的自觉性。

做好党风廉政建设宣传教育工作，需要全党共同努力，各部门密切配合。纪检监察机关要与宣传、组织、文化、广播电视、出版等部门建立定期联系制度，加强统筹协调，形成党风廉政建设宣传教育的合力。要充分发挥报刊、电视台、广播电台等新闻媒体在宣传中的主导作用，通过开办专栏、撰写评论、制作专题节目等多种形式，推动党风廉政建设舆论宣传工作。要充分运用电影电视、戏剧、曲艺等艺术形式，力争创作几部在全国有广泛影响的反腐倡廉文艺精品。

（四）按照从严治党的要求，以改革的精神加强纪检监察机关自身建设

纪检监察干部队伍是一支党和人民信赖的队伍，在党风廉政建设和反腐败斗争中做了大量艰苦的工作，作出了应有的贡献。同时要看到，纪检监察干部处在反腐败斗争的第一线，担负着十分艰巨的任务，面临着腐蚀与反腐蚀斗争的严峻考验。各级纪检监察机关必须高度警惕我们的干部受腐蚀的现实危险性，把思想政治建设放在队伍建设的首位。要结合“三讲”教育，抓住理想信念这个根本，加强政治理论教育和思想政治工作的针对性和有效性，切实提高纪检监察干部始终忠诚于党的事业的坚定性，保持共产党人的本色和革命正气，敢于同各种错误思想和行为作坚决斗争。要加强教育培训工作，努力提高纪检监察干部的素质。当前，要把纪检监察业务知识和社会主义市场经济的相关知识作为教育培训的重

要内容，使纪检监察干部掌握必要的金融、财经、法律和现代科学知识，提高在新形势下开展纪检监察工作的能力。

必须进一步加强纪检监察机关的纪律建设。要大力强化政治纪律，提高纪检监察干部的党性观念。要把严格遵守工作纪律尤其是办案纪律作为一件大事来抓。中央纪委、监察部制定的《关于中央纪委监察部机关若干纪律的规定》，对机关工作人员遵守政治纪律、保密纪律、工作纪律和办案纪律提出了具体要求，并规定了违反纪律的处理办法。地方各级纪检监察机关可参照这一规定健全本机关的纪律。要加强对纪检监察干部特别是办案人员执行纪律情况的监督检查，对于违反纪律的必须严肃处理。

要按照中央的要求和部署，认真搞好纪检监察机关的机构改革。要坚决贯彻江泽民同志关于“在地方各级机构改革中，纪检监察机关只能加强，不能削弱”的精神，从适应反腐败斗争任务的需要和履行纪检监察两项职能的要求出发，科学合理地设置内部机构和配备人员。要把机构改革同干部人事制度改革相结合，优化领导班子结构，加大干部交流力度，建立健全激励和约束机制，使优秀干部脱颖而出，把不称职干部调整下来，以增强干部队伍的生机和活力。

要加强对派驻纪检监察机构的领导和管理，充分发挥派驻机构的作用。纪检监察机关要把派驻纪检监察机构的组织建设和干部管理工作纳入统一规划，加强和改进派驻机构的工作。派驻机构主要领导的人选，要由纪委在考察的基础上提出，征求驻在部门党组（党委）的意见。要建立健全派驻机构向上级纪委定期报告工作制度、重要事项及时报告制度和纪委对派驻机构工作考核制度。省级党和国家机关派驻纪检监察机构的编制应单列，由省（区、市）纪检监察机关统一管理。有的地方对派驻机构进行垂直管理的试点，是一种积极的尝试，要有领导地进行。

各级党委、政府要加强对纪检监察工作的领导。地方纪委书记应参加同级党委书记办公会，以有利于加强党风廉政建设工作。党委、政府领导班子和主要负责人要经常听取纪检监察工作汇报，及时地检查、指导工作，关心、保护纪检监察干部，为他们提供必要的工作条件。

党的十五大明确要求：“力争在今后五年内使党政机关和干部队伍中腐败现象蔓延的势头得到遏制，党风廉政建设和反腐败工作取得新的明显成效，保证党的十五大确定的目标和任务顺利实现。”2000 年是实现这一目标至为关键的一年。全党同志一定要紧密团结在以江泽民同志为核心的党中央周围，高举邓小平理论伟大旗帜，深入贯彻党的十五大和十五届三中全会、四中全会精神，统一认识，坚定信心，再接再厉，狠抓落实，坚决完成今年党风廉政建设和反腐败各项任务，为实现反腐败目标努力奋斗，保证和促进社会主义改革开放和现代化建设事业顺利前进。

（此文为尉健行同志 2000 年 1 月 12 日在中共中央纪律检查委员会第四次全体会议上的报告）

（2000 年 3 月 3 日《人民日报》）

李岚清听取新闻出版署党组汇报时的谈话

（2000 年 1 月）

李岚清说，新闻出版工作围绕党的中心任务，唱响主旋律，打好主动仗，努力宣传邓小平理论，宣传改革开放的伟大成就，出版了一大批优秀出版物，为营造良好的社会文化环境作出了积极贡献。

李岚清指出，各级新闻出版机构，是宣传思想工作和精神文明建设的重要部门，在社会主义市场经济条件下，承担着“一手抓繁荣、一手抓管理”的重要任务，承担着为改革开放和现代化建设提供思想舆论保障的政治责任。为了正确有效地履行职能，新闻出版部门必须实行政企分开，推动新闻出版业在改革中健康发展。在地方机构改革中，新闻出版部门不能取消，其政府机构性质也不能改变。各级党委和政府要切实关心、重视和支持新闻出版部门的工作。

李岚清强调，新闻出版战线要强化阵地意识，努力繁荣社会主义文化市场。要认真贯彻落实《中共中央关于加强和改进思想政治工作的若干意见》和江泽民总书记最近的重要指示精神，坚持以科学的理论武装人，以正确的舆论引导人，以高尚的精神塑造人，以优秀的作品鼓舞人。多出内容健康向上、艺术品位高的作品，多出思想性强、有重要学术价值的作品，多出宣传科学知识、科学思想、科学精神和科学方法的科普作品，用积极健康、丰富多彩的精神产品占领文化阵地和市场。他特别强调，出书要考虑人民群众的实际需要，让普通百姓买得起、看得懂、用得上，防止和克服铺张浪费、形式主义等不良现象。

李岚清指出，社会主义市场经济实质上包括两个市场，即物质产品市场和精神产品市场，这两个市场建设得好不好，都直接关系到社会主义事业的全局。他认为，越是改革开放和发展市场经济，越要加强新闻出版管理，决不能放松对精神产品的编辑、生产、销售的监督和依法管理。所有新闻出版单位要坚持把社会效益放在首位，力求社会效益与经济效益的统一。坚决反对惟利是图、见利忘义的行为，使社会主义文化市场在保持繁荣的同时不断得到净化。

（2000年1月22日《人民日报》）

李岚清：加强和改进教育工作促进青少年健康成长

（2000年3月2日）

今年春节前，江泽民同志针对当前影响青少年健康成长的问题发表了重要谈话，要求切实采取有效措施加强和改进教育工作。认真学习和贯彻江泽民同志的谈话精神，对于更加广泛地调动全社会关心支持教育事业和青少年健康成长的积极性，开创我国教育工作的新局面，具有重大而深远的意义。

一、认真学习江泽民同志的重要谈话，提高认识，统一思想

新中国成立以来，党和政府高度重视发展人民教育，花了很大精力，我国的教育事业取得了巨大进步，为社会主义建设培养了大批优秀人才。以江泽民同志为核心的党中央十分关心、高度重视教育事业和青少年的思想工作，作出了一系列重大决策和重要指示，为新时期教育事业的发展奠定了基础，指明了方向。

江泽民同志的谈话，不仅仅是针对个别偶发事件的，而是在科学分析国际形势与我国面临的机遇和挑战的基础上，从国运兴衰、民族复兴的高度，对教育工作作出的重要指示。当今世界，科学技术日新月异，知识经济初见端倪，经济全球化的趋势日益发展，国际竞争日趋激烈。教育在一个国家经济、社会发展中的地位和作用越来越重要。今天的青少年学生各方面素质如何，将直接关系到社会主义事业的成败。江泽民同志这次谈话，抓住了教育工作的根本，深刻指出了当前教育工作中存在的薄弱环节，提出了明确的方向、目标、任务和要求，对于我们在发展社会主义市场经济条件下，全面贯彻党的教育方针，推动我国教育改革和发展，具有极其重要的指导作用。

一个时期以来，我国教育领域应试教育的倾向比较突出，出现了重智育、轻德育，重书本知识、轻社会实践，重死记硬背、轻创新精神和能力培养，重校内教育、轻社会教育的现象，特别是纪律和法制教育十分薄弱，全社会都来关心和支持教育的风气还没有完全形成。一些地方由此产生了不少问题，有的后果还相当严重，应当引起我们深刻思考并很好地加以总结。当前，我们要认真学习领会江泽民同志的谈话，切实把思想统一到这个谈话和第三次全国教育工作会议的精神上来，全面贯彻教育为社会主义事业服务、教育与社会实践相结合的教育方针，以提高国民素质为根本宗旨，以培养学生的创新精神和实践能力为重点，努力造就“有理想、有道德、有文化、有纪律”的，德、智、体、美等全面发展的社会主义事业建设者和接班人。要以此为契机，在各级党委、政府和各有关部门特别是教育系统，以及全社会各有关方面，开展广泛深入的学习讨论，提高认识，转变观念，为加强和改进教育工作，全面推进素质教育，开创全社会关心青少年健康成长的新局面，打下坚实的思想基础。

二、切实加强和改进学校教育工作

党的十一届三中全会以来，我国教育事业的改革和发展取得了重大成就。教育规模迅速扩大，教育结构不断优化，各级各类教育都有了长足的发展，教育质量也有明显提高。与此同时，教育设施、教师待遇及住房等工作和生活条件也有了明显改善，教师队伍比较稳定，热爱教育事业、为教育事业辛勤耕耘的风气正在形成。但是，我们在看到成绩的同时，也必须看到存在的问题，特别是要充分认识江泽民同志在谈话中指出的问题的严重性，采取更加切实有效的措施，进一步加强和改进教育工作。

1. 端正教育思想，转变教育观念，全面贯彻党的教育方针

面向21世纪，我国教育的根本任务是什么，是智育惟一、单纯追求升学率，还是全面提高国民素质？这方面的思想观念问题不解决好，整个教育工作就做不好，就会偏离正确的轨道，实施全面素质教育就是一句空话。有的同志口头上也讲素质教育，但在实际工作中，还是智育惟一、片面追求升学率。有的地方给教育部门和学校下达升学指标，有的学校按学生考试情况给教师排队，按分数给学生排队并张榜公布，有的还根据排队情况施以奖惩，造成极大的“应试”压力，客观上没有给德育、体育、美育和思想政治教育留下空间和时间。因此，要推进全面素质教育，首先必须认真贯彻党的教育方针，端正教育思想、转变教育观念。各级领导干部要带头转变观念，在评价一个地方的教育工作时，首先要看它贯彻教育方针的情况，看它实施全面素质教育的成效。

2. 采取切实有效措施，认真抓好全面素质教育

现在基础教育的教材，在内容上存在着偏多、偏深、偏旧的状况，对思想品德、创造思维和审美观念的培养体现不够；在教育方法上偏重于灌输，而疏于启发学生的好奇心、求知欲和想象力，忽视学生继续学习能力的培养；在课程设置和课时安排上偏重于智育，而疏于德育、体育、美育以及劳动锻炼和社会实践；在考核评价方面偏重于考察对知识的记忆，而疏于对知识运用、创造性思维能力和全面素质的评价，等等。因此，要通过改革教材、教学大纲、教学方法、教学手段、考试评价内容和方法等措施，正确引导学校、教师实施素质教育，使青少年在德、智、体、美等方面得到全面发展，健康成长。

我们不赞成“为应试而教，为应试而学”和把应试作为教学惟一目的的“应试教育”，并不是不要考试，而是要改革考试的目的、内容和方法，使考试符合实施全面素质教育的要求。考试要注意考察学生的知识运用能力，促进学生创造性思维的培养。对中小学教育教学的评价，应以有利于素质教育的实施，促进学生的全面发展为宗旨。

学生课业负担过重是基础教育的一大顽症。实施全面素质教育，必须下决心坚决纠正课业负担过重，学生心理压力过大的状况，在“减负”的同时，多留一些时间和空间进行全面素质教育，加强青少年思想政治品德的培养。“减负”本身是一个系统工程。教育部门已经出台了初中招生不得举行或变相举行选拔性书面考试的规定，各地要认真执行。要进一步改进包括高考在内的各类考试的内容和方法，建立有利于促进学生全面发

展的考试制度和评价制度。要加快课程、教材和教育方法的改革。“减负”的目的是为了“增效”，是为了更有效地促进学生在德智体美等方面全面发展。各级教育行政部门和学校在“减负”的同时，要采取多种形式安排丰富多彩的文艺、体育、科技、社会实践等中小学生所喜爱的活动，加强对学生课外活动的指导与管理，不能放任不管，把“减负”简单化。减轻学生过重的课业负担，决不意味着不要勤奋学习，更不意味着可以降低教学质量，相反，我们任何时候都要教育青少年好学上进。

3.加强学生思想品德教育和社会实践能力的培养

各类学校都要把思想政治教育、品德教育、纪律教育、法制教育放在重要位置，由浅入深、循序渐进地把这些方面的教育列入教学大纲，安排必要的课时，并通过生动活泼的形式和参与社会实践活动来进行。要加强思想品德课程建设，改进教学内容和方法，把思想品德教育渗透到教学的各个环节，时时处处注重学生高尚思想和优良品德的培养以及良好行为习惯的养成。学校德育工作要有针对性和实效性，根据不同年龄段，采取学生易于理解的内容和方式，对他们进行爱国主义、集体主义、社会主义思想教育。到了一定年龄，要对他们进行比较系统的马克思列宁主义、毛泽东思想、邓小平理论的教育。在高等学校，文科学生要学一些自然学科知识，理工科学生也要学一些人文学科知识。学生不管学什么学科，都要学习辩证唯物主义和历史唯物主义知识，为树立正确的世界观、人生观、价值观奠定理论基础。

学校教育不仅要传授书本知识，还应培养学生的敬业精神和团队意识，使他们努力学习和掌握所学学科的实际应用技能，具有创造力和继续学习的能力，学会正确做人和善于同别人合作共事。对学生不仅要“授人以鱼”，更要“授人以渔”，教会他们有效学习的方法，帮助他们获得打开知识宝库的“钥匙”。学校应制订学生参与社区服务和社会实践活动的措施，对学生进行理论知识和实践能力的全面培养，进行安全教育和必要的生存训练。青年志愿者活动、“手拉手活动”、社区服务、城乡学校结对子，以及夏令营、军事训练、小民警、小交警、模拟法庭等活动，还有大学生利用假期科技扶贫和支教等活动，都应当更普遍地开展起来。活动内容要丰富多彩，方法上讲究实效，防止形式主义。

要通过必要的课堂教学和社会活动，帮助学生牢固树立纪律和法制观念，养成遵纪守法、诚实笃信的好习惯、好作风，增强抵御各种歪风邪气的能力。学校教育要积极配合家庭教育、社会教育。每一个学校都要成为无暴力、无酗酒、无毒品的地方，中小学还应成为无烟学校。所有学校都应成为汲取知识、追求真理的殿堂，成为具有良好纪律和充满好学上进之风的高尚场所。

4.加强教师队伍建设，特别是加强师德师风建设

振兴民族的希望在教育，办好教育要靠广大教师。我国有1000多万教师。江泽民同志在谈话中指出：“老师作为‘人类灵魂的工程师’，不仅要教好书，还要育好人，各个方面都要为人师表”。这体现了党和国家对教师的基本要求。历代教育家所倡导的“为人师表”、“以身作则”、“循循善诱”、“诲人不倦”、“躬行实践”等，既是师德规范，又是教师良好人格的体现。教师的一言一行无不给学生留下深刻的印象，有的甚至影响学生一辈子。因此，教师一定要在思想政治上、道德品质上、学识学风上，全面以身作则，自觉率先垂范，真正为人师表。

长期以来，广大教师献身于人民教育事业，忠于职守，辛勤耕耘，为我国教育的改革和发展，为社会主义现代化建设事业做出了重大贡献，涌现了一大批爱岗敬业、成绩卓著、师德高尚、堪称楷模的优秀教师。但是，我们也应该看到，当前教师队伍中也有一些人素质较低，无论在师德和教学水平上都不符合要求。有的校长只强调教师把书教好，把学生的学习成绩和升学率提上去，而忽视对教师的师德要求，对本校在师德方面出现的一些问题不能旗帜鲜明地加以反对和制止。为了全面推进素质教育，我们必须在继续大力弘扬尊师重教良好风尚的同时，切实加强教师队伍建设。首先要加强师德教育，在教育系统普遍进行一次师德师风检查。要加强班主任工作，发挥班主任在学生德育工作中的骨干作用。要抓紧制定和完善教师队伍建设与管理的法规体系，把好

教师入口关，对不合格的要转岗分流，特别是师德不合格的必须尽快调整出教师队伍。要适应时代发展需要，强化教师培训工作。寒暑假期间组织教师集中学习、培训等行之有效的传统做法应当尽快恢复起来。要利用远程教育等现代科技手段加速对教师的培训，力争在2002年以前完成对全国中小学教师的新一轮培训，并在此基础上建立起严格规范的教师继续教育制度，逐步完善教师竞争上岗的制度，不断优化教师队伍结构，提高教师素质，更新充实教师的知识和技能。

5. 努力适应新世纪对人才多样化的需求，加快教育体制改革和教育结构调整

面对新世纪的机遇和挑战，经济和社会的发展呼唤着科技的大发展，更呼唤着教育的大发展。目前我国适龄青年能够接受高等教育的人数只有10.5%左右，显然是不能适应需要的。因此，高等教育的规模还要扩大。我们迫切需要进一步扩大受高等教育人员的比例，然而要做到人人上大学既不可能也不需要。社会需要是多方面、多层次的，“三百六十行，行行出状元”。我国社会主义现代化建设为青年人提供了施展才华的广阔舞台，并非只有上了大学，才能成为人才。成才的道路是多样化的，一张文凭终身受用的时代已经过去，在当代社会，真正需要看重的是素质、能力、业绩，不单单是文凭、学历。一个人不论是否有文凭，也不论在什么岗位，只要有报国之心、学习之志，德技俱馨，有锲而不舍的创新精神，就一定可以成为优秀人才，为国家作出贡献。

当前，加快教育改革和发展，重点要抓好以下几件大事：一是坚持基本普及九年义务教育和基本扫除青壮年文盲“两基”重中之重的方针不动摇。要确保今年如期实现“两基”目标。目前通过“普九”验收的地区，要切实抓好巩固提高工作。二是通过理顺高校管理体制和调整结构，实行后勤社会化，发展远程教育等措施，进一步扩大高校招生规模，提高培养高层次人才的数量和质量，缓解高校升学竞争的压力。三是进一步发展中、高等职业教育，大力培养有一定理论功底和实践能力的各类应用型人才。架设职业学校通向普通高校的“立交桥”，使职业学校毕业的学生也有进一步深造的机会。四是大力发展普通高中教育，解决初中毕业生上高中难的问题。五是建立终身教育体系，通过多种形式特别是利用计算机网络、卫星电视等现代化手段，实施终身教育，使人才素质能够适应时代发展的需要。

三、重视和改进家庭教育

家庭教育、学校教育、社会教育是教育的三大支柱，三者缺一不可。搞好家庭教育，首先必须转变家长的观念，提高家长的自身素质。要对学生家长进行正确的成才观、人才观教育，使他们能正确地对孩子进行家庭教育。家长望子成龙，希望孩子受到更好的教育，这种心情是可以理解的。但是，如果对孩子提出不切实际的过高要求，忽视了全面健康的发展，或主观上要求孩子学习好，而方法不对或不适当，都会导致适得其反的结果。家长要以身作则，用律己正己的思想行为来影响孩子，成为他们的良师益友；要多鼓励孩子，充分尊重他们的人格，学会循循善诱，讲究方式方法，提高他们的自信心和上进心。家长对孩子不能只注意在校的学习成绩，也要关心思想品德方面的修养，注意他们在社会上可能受到的不良影响。有的家长成天把孩子禁锢在家里学习，不注意开拓孩子视野，增长社会实践经验等，也不利于学生的健康成长。家庭教育应当由经验育人向科学育人转变，由片面注重书本知识向注重教孩子正确做人转变，由简单命令向平等沟通转变。

各级党政领导都有责任关心和支持家庭教育，各级教育部门更要承担起指导和组织家庭教育的责任，中小学、幼儿园要积极配合、热情帮助家长进行家庭教育。各级工会、共青团、妇联等群众团体要采取具体措施，进一步办好家长学校，开展丰富多彩的家长教育活动。广大教师和各界专家要以各种方式和途径，成为家庭素质教育的辅导者。

四、全社会都要关心青少年的健康成长

青少年的教育离不开社会这个大环境。现实生活中存在着与社会进步极不相称的、不利于青少年健康成长的丑恶现象。现在有些地方，街头书摊上渲染色情和暴力的书刊屡禁不止；影视节目中渲染暴力的作品太多；游戏光盘中也有大量不健康的东西；不少录像放映厅、歌舞厅、卡拉OK厅等场所进行着不健康的甚至淫秽的活动。而青少年宫、博物馆、科技馆这些本应大力开展青少年教育活动的地方，却办起了家具展览、展销

等等。近年来未成年人犯罪逐年增加，青少年吸毒问题也有发展趋势，这不能不令人警醒和深思。事实告诉我们，教育不仅是教育部门的事情，也是全社会的共同责任，需要各方面与教育部门一道努力，齐抓共管，为青少年健康成长营造良好的社会环境。

一是要大力宣传江泽民同志谈话精神和党的教育方针，进一步加大对青少年学生进行爱国主义、集体主义、社会主义思想教育的宣传力度。要更多地播放有益于青少年健康成长的广播影视节目，加快内容健康的国产动画片等影视作品的制作生产，多出版有利于学生德、智、体、美全面发展的书籍报刊精品，抓好青少年思想政治读物的出版、宣传、推荐和发行工作，为广大青少年提供丰富的精神食粮。要在全社会大力宣传正确的教育观、成才观，宣传减轻中小学生过重课业负担的必要性。加强对中小学教学辅导读物的管理和规范，采取有效措施，整顿教辅图书的市场秩序，坚决制止向学生强行推销摊派教辅材料、报刊等加重学生课业和经济负担的行为。深入持久开展“扫黄”、“打非”斗争，加强对电子游艺和音像产品的市场管理，严禁任何单位和个人向中小学生推销、演示、提供宣传凶杀、暴力、恐怖、色情的电子游艺产品和软件产品。要加强国际互联网和国内网站的管理，努力为青少年健康成长营造良好的文化氛围。

二是要为学生开展丰富多彩的课外活动，提高综合素质，提供必要的条件。青少年宫、文化馆、图书馆、美术馆、博物馆、科技馆、体育场馆等，都要对中小学生参加活动给予支持，被改作其他营业性用途的要清理、整顿、清退。上述设施严重不足的地方，各级政府要有计划地兴建。凡挤占、挪用、出租学校和社会公益事业的体育、文娱、科技等场馆设施的，要限期腾退。有条件的国家重点实验室要向青少年学生开放，培养青少年热爱科学、向往科学的远大志向。

三是要注重学生的身体锻炼和体质提高。体育、卫生部门要尽快完善和实施学生健身强体的各项规划和有关标准。要指导学生了解和掌握合理的饮食营养结构，掌握科学的生理卫生知识，养成文明的生活方式，培养健康的心理素质。

四是要加强对学校中党团组织和少先队组织建设的领导。充分发挥共青团、学生会、少先队的优势，密切联系青少年思想实际开展丰富多彩的主题教育活动，全面加强青少年思想政治教育工作。组织学生广泛开展各种社会实践活动，丰富学生的阅历和社会生活知识。

五是要加强对学校内部和周边环境的综合治理，保证学生有一个安静、和谐、健康、安全的学习环境。要加强对学校建筑和设施的安全检查和管理，及时发现问题，消除事故隐患。严厉打击危害学校正常秩序，侵害青少年学生的各类违法犯罪活动，保障师生的人身安全。

六是要全面推进与素质教育相适应的社会用人制度改革。要转变传统的人才观念，形成使用人才重素质、重实际能力的风气。当前不少企业、事业和行政单位在招收职工时一味强调高学历。这种用人上片面的人才观和不合常理的做法，导致片面追求高学历的倾向愈演愈烈，是造成学生负担日益加重的原因之一，必须尽快加以纠正。劳动、人事部门要进一步改革用人制度，努力创造人尽其才、才尽其能的社会环境。

七是有关方面特别是教育系统和社会科学研究机构，要把教育规律和青少年成长规律作为关系国家前途命运的重大课题，进行深入研究，更快、更多地拿出既有较强理论指导作用，又有较高应用价值的研究成果。

五、各级党委和政府要加强对教育工作的领导

加强和改进教育工作，关心和重视青少年的健康成长，是一项战略性任务，是各级党委和政府义不容辞的责任。对照江泽民同志谈话的精神，各级党委和政府的领导同志，特别是主要领导同志都应当深刻反思一下，在我们的头脑中，教育工作特别是青少年教育究竟摆在什么样的位置？我们究竟对教育状况了解多少、关心多少、研究了几次？措施够不够？关心青少年的健康成长，就是关心千家万户群众的利益，就是关心国家的未来。各级党委和政府的领导同志要把青少年教育作为精神文明建设的重要内容，把优化社会育人环境摆在全局工作的重要位置。切记在发展经济的同时必须重视教育而不能忽视教育，更不能以牺牲教育、牺牲青少年的健康成长为代价来换取暂时的经济发展。

教育是一个宏大的系统工程，在这个系统中各级党政部门和领导干部的作用是非常关键的。要建立健全领导干部联系学校的制度，各级党政领导干部要到学校去调研，讲党课，作形势报告。要进一步加大教育投入，关心教职工的生活，解决好拖欠教师工资的问题，进一步倡导全社会尊师重教的风气。同时，还要把治理群众反映强烈的乱收费、乱摊派、乱办班，作为教育战线纠正行业不正之风和落实“三讲”教育整改措施的重点，切实抓紧抓好，维护教育的形象。

优化社会育人环境，各级党委和政府责无旁贷，要切实负起责任，统筹规划，协调新闻宣传、出版、文化、科技、公安政法、劳动人事等部门以及社会有关方面，共同关心和支持教育事业，切实保证学生有一个安静、和谐、健康的学习环境。

科教兴国，重在落实。全国上下都要积极行动起来，围绕全面学习贯彻落实江泽民同志重要谈话精神，开展一次大学习、大讨论、大落实的活动，采取有效措施，切实加强和改进教育工作，为实现中华民族在新世纪的伟大复兴而努力奋斗。

（这是李岚清同志3月2日在学习贯彻江泽民同志关于教育问题重要谈话报告会上的讲话摘要）

（2000年4月7日《人民日报》）

李岚清在中国科学院第十次院士大会 中国工程院第五次院士大会闭幕时发表讲话

（2000年6月9日）

李岚清指出，要充分认识科学技术对于发展社会生产力、建设有中国特色社会主义文化和实现最广大人民根本利益的巨大作用。我们所从事的科技工作，都是在党的领导下为中国最广大人民谋利益的崇高事业。

李岚清发表了题为《坚定地担负起发展第一生产力的历史重任》的讲话。他说，科学技术是第一生产力，科技进步是经济发展的决定性因素，我们党要代表中国先进社会生产力的发展要求，就必须大力发展科学技术，把经济建设转到依靠科技进步和提高劳动者素质的轨道上来，不断增强我国的经济实力和综合国力。同时，科学技术又是精神文明建设的重要基石，是建设有中国特色社会主义文化的重要内容。当代新科技革命，不仅有力地推动了经济的发展，而且对于人类的思想、文化和精神文明产生了不可估量的影响。我们要代表中国先进文化的前进方向，就必须大力发展科学技术，在全社会弘扬科学精神、普及科学知识，不断提高全民族的科学文化素质。从根本上说，这一切都反映了中国最广大人民的根本利益。

李岚清希望两院院士团结广大科技工作者，把中央的要求自觉落实到科研工作实践中去，在本职岗位上勤奋工作，锐意创新，努力做科技成果产业化的积极实践者，做知识创新的勇敢开拓者，做优秀青年科技人才的热情培育者，做科学精神的辛勤传播者，为我国科技事业的大发展作出应有贡献。他说，只有完成转化特别是实现了产业化，科技成果才能真正变成国家经济和社会发展的巨大推动力量。作为一个发展中的大国，加速科技成果产业化，既是转变我国经济增长方式、实现经济结构调整、增强综合国力的现实需要，也是在新世纪实现第三步战略目标、实现中华民族伟大复兴的长远需要。在科技成果产业化实践中，两院院士具有不可替代的重要作用。

李岚清指出，基础研究、知识创新是新技术、新发明的先导，是科技与经济发展的源泉和后盾。我们必须从国家长远发展的战略高度，进一步加强基础研究，努力获得一流的知识创新成果，增强我国的自主创新能力和国际影响力。两院院士是推动知识创新的主力军，要继续发扬开拓创新的精神，在原创性的基础科研方面力争有更大作为。要从我国的国情出发，贯彻江泽民同志提出的“有所为，有所不为”的方针，突出重点，统筹兼顾，力争在优势领域取得突破。提高知识创新水平，需要有利于创新的环境。营造这样一个环境，一方面要靠加快体制改革，建立和完善各种激励创新的政策和机制，进一步加大科技投入等。另一方面，要靠广大科技工作者发扬团结协作的精神，树立学术民主的风气。他说，不同学科、不同学术思想、不同学派要相互学习，在学习、交流、讨论和碰撞中迸发新的创意火花。对别人的探索，要热情鼓励；对别人的成功，要虚心学习；对别人的失败，要给予宽容。只有这样，我们才能取长补短、不断进步，我们的科技事业才能蒸蒸日上、不断发展。

李岚清强调，科学的未来在于青年，优秀青年科技人才不断涌现是科技事业蓬勃发展的希望。科学技术的进步是没有止境的。“长江后浪推前浪”是不可抗拒的自然规律。注意发现、培养和造就优秀人才，历来是一种“大家风范”。对青年科技人才，在科研工作上要放手使用，在科研方法上要悉心指导，在学术态度上要言传身教。在当前改革开放和发展市场经济的社会条件下，广大院士和老一辈科学家，要特别注意在思想作风和学术态度上对青年一代进行传帮带，教育他们继承和发扬爱国主义的光荣传统，坚定献身科学事业的决心和取得新成就的信心；向他们传授治学之道和为人准则，使他们成为学识渊博、人格高尚的优秀科技人才；要教育他们防止和克服急于求成、急功近利的浮躁情绪，培养刻苦钻研、锲而不舍的科学态度，养成勤奋严谨、谦虚谨慎的科学作风。要通过新老科学家的共同努力，在科学界牢固树立求真务实、开拓创新的科学精神，形成比探索、比创造、比贡献的良好风尚。

李岚清最后说，在全社会普及科学知识、树立科学思想、弘扬科学精神、传播科学方法，是实施科教兴国战略，提高人民群众素质，促进社会主义物质文明和精神文明健康发展的需要，也是消除愚昧迷信和各种伪科学、反科学的毒害，维护社会稳定，保证改革开放和社会主义现代化建设顺利进行的需要。两院院士和广大科技工作者，要带头树立科学的世界观，自觉地进行马列主义、毛泽东思想、邓小平理论的再学习、再提高，从根本上增强辨别是与非、科学与迷信的能力。要把普及科学知识作为自己的神圣职责，进一步克服“重科研，轻科普”的观念，增强为人民服务的意识，在搞好科研工作的同时，积极撰写科普文章，举办科普知识讲座，深入基层、深入群众，为传播科技知识，提高人民群众的思想道德素质和科学文化水平而勤奋工作。

(2000年6月10日《人民日报》)

李岚清：在九届人大常委会第十七次会议上关于实施科教兴国战略工作情况的报告

(2000年8月24日)

委员长、各位副委员长、秘书长、各位委员：

实施科教兴国战略，是以江泽民同志为核心的党中央，根据邓小平科技教育思想，深刻分析世界科技革命发展进程和我国社会主义现代化建设实际作出的重大决策。自1995年作出这一决策以来，党和国家为推进这一战略的实施采取了一系列政策措施，取得了很大成绩。党的十五大后，国务院把实施科教兴国战略作为最大任务，进一步加大工作力度，使这项工作在过去的基础上又取得了新的进展。今天，我代表国务院向全国人大常委会报告科教兴国战略的实施情况，请审议。

一、改革开放以来我国科技、教育改革和发展情况的简要回顾

我们党和国家历来重视发展科教事业。改革开放以后，党中央提出了把科技、教育摆在经济社会发展的优先地位，促进科技、教育与经济社会发展紧密结合的战略要求，经过多年持续的努力，我国科技、教育在改革和发展中取得了丰硕成果，为社会主义现代化建设提供了强有力的支持。

科技事业不断进步。1985年3月，中共中央发布了《关于科学技术体制改革的决定》，科技体制改革启动。1992年以后，科技系统按照“稳住一头，放开一片”的方针，进行了以结构调整、人才分流和机制转变为重点的改革试点。1995年中央召开全国科技大会，提出了实施科教兴国战略的目标、任务和要求，科技体制改革进入调整结构与转变机制相互促进的新阶段。在十多年改革的推动下，我国科技工作已初步形成了面向经济建设主战场、发展高新技术及其产业、加强基础研究三个层次的战略格局，实施了重点基础研究规划、科技攻关计划、863计划、火炬计划、星火计划、燎原计划以及国家工程研究中心建设计划、国家重点工业性实验计划等一系列重大科技行动，进行了部分国家重点实验室关键设备更新，组织实施了国家重大科学工程的建设，科技进步在经济社会发展中的作用日益增强。

教育发展取得显著成绩。1985年中共中央作出了关于教育体制改革的决定，1993年中共中央、国务院发布了《中国教育改革和发展纲要》，明确了本世纪末教育改革与发展的目标、任务和措施。基本普及九年制义务教育和基本扫除青壮年文盲工作顺利推进，到1997年底，已经有1882个县、6个省市实现了“两基”目标，覆盖了全国65%的人口地区，全国青壮年文盲率下降到6%。对教育结构进行了调整，中等职业教育发展迅速，职业学校学生占高中阶段学生的比例由改革开放初期的5%提高到现在的50%以上，从根本上改变了中等教育结构单一的状况。高等教育也得到长足发展，规模稳步扩大，改革全面展开。国家大力倡导尊师重教的良好风尚，经过多年努力，教师待遇得到提高，特别是通过实施“广厦工程”，教师住房条件明显改善。同时努力解决民办教师问题，通过考核将符合条件的民办教师转为公办教师，稳定了教师队伍。

科技和教育立法工作取得重大进展。全国人大及其常委会先后审议通过了《著作权法》、《科学技术进步法》、《促进科技成果转化法》、《专利法》，审议通过了《中华人民共和国学位条例》、《义务教育法》、《教师法》、《教育法》、《职业教育法》、《高等教育法》。国务院制订了《社会力量办学条例》等16项教育行政法规。我国科技、教育法律体系的框架基本形成。

这些成绩的取得，为我们进一步实施科教兴国战略积累了经验，奠定了基础。

二、本届政府在实施科教兴国战略方面的主要工作

科教兴国，重在落实。十五大以来，结合经济体制改革的深化和经济结构的战略性调整，我国科教兴国战略的实施进入了一个全面推进的新阶段，在一些关键问题上取得了重大进展。概括起来，主要是：抓住一个中心环节，努力推进十项工作。

“抓住一个中心环节”，就是始终把促进科技、教育与经济发展和社会进步的结合作为关键，坚持不懈地实施科教兴国战略。改革开放以来，我国科技和教育事业获得较快发展，但科技、教育与经济和社会发展需要脱节的问题始终没有从根本上得到解决。造成这一问题的原因很多，从科技和教育方面来说，主要有以下几点：一是体制上分割。管理体制条块分割，科研单位、高校和社会经济领域彼此隔离，企业未能成为技术创新的主体，科研与市场需求和生产需要缺乏紧密联系，大量科技成果得不到及时转化。二是力量上分散。有限的科技和教育资源得不到合理配置和充分利用，不适应现代科学技术和教育发展的要求。三是机制上落后。科研机构和学校在内部用人制度、分配制度、奖惩制度等方面存在平均主义和论资排辈现象，科研人员和教职员工的主动性和创造性还没有得到充分发挥，不利于科技创新和培养创新人才。四是观念上滞后。科研工作重完成课题和发表论文的数量、轻市场需求和成果转化；教育不适应培养高素质创新人才的要求，存在为应付考试而学、为应付考试而教的“应试教育”倾向，影响青少年的全面发展和国民整体素质的提高，特别是影响创新人才的培养。五是投入不足。由于多种因素的制约，无论是对教育还是科技，其经费的投入尚处于一个较低的水平。总之，科技、教育与经济和社会发展相脱节，不仅制约我国科技和教育事业的发展，而且严重影响我国经济和社会的全面进步。因此，我们把进一步解决这个问题作为实施科教兴国战略的中心环节。首先，从组织领导入手，加强了对科技、教育、经济这三者在改革、发展上的组织协调。1998年6月，国务院成立了国家科技教育领导小组，朱镕基同志任组长，我任副组长。成员除科技、教育部门的主要负责同志外，还吸收了国务院综合部门的负责同志参加。第二，进一步明确工作思路。去年，党中央、国务院先后作出了《关于深化教育改革，全面推进素质教育的决定》和《关于加强技术创新，发展高科技，实现产业化的决定》，相继召开了全国教育工作会议和全国技术创新大会，对面向新世纪推进科教兴国战略的实施进行了重点部署。第三，努力从体制、机制、政策以及思想观念等各个方面促进科技、教育与经济和社会发展的结合。通过全面深化科技、教育体制改革，加快建立适应社会主义市场经济、有利于产学研结合的新型科技和教育体制。由于牢牢抓住这一“中心环节”，明确教育的重点是深化教育体制改革，全面推进素质教育，科技的重点是加强技术创新，发展高科技，实现产业化，使科教兴国战略的目标更加清晰，措施更加扎实，容易被广大科技教育工作者及社会各界理解和接受，从而有利于实现科技、教育改革与发展在深层次上的突破。

努力推进10项工作，主要是：

第一，加大投入，切实支持科教事业的发展。科技教育发展离不开必要的物质保证。近年来，在财政负担很重的情况下，政府采取一系列措施，保持了对科技教育投入总量的逐年增长。1999年全国科技经费筹集总额为1460亿元，比上年增长12.5%，其中研究与开发经费678亿元，增长17%。从1998年起五年内，中央财政陆续投入25亿元用于国家重点基础研究。1999年国家对基础研究的总投入为49亿元左右。从1998年至2000年，连续较大幅度地增加自然科学基金对创新课题的支持，并安排经费54亿元，支持中科院开展知识创新工程试点工作。在加大投入的同时，改革投入方式，实行公开公平评估选题制，由对科研机构、科技人员的一般支持，变为以课题和项目为主的重点支持。

在教育投入上，党中央、国务院决定，从1998年起中央本级财政支出中教育经费所占比例，连续五年每年提高一个百分点。仅此一项，中央本级财政1998年到2000年实际增加教育经费183亿元，五年累计可超过400亿元。在中央决策的影响和带动下，约有20个省、市提出，今后3至5年内，省本级财政支出中教育经费所占比例每年增加1至2个百分点。1998年，全国教育经费总投入2949亿元，其中预算内教育经费1565亿元，增长幅度高于财政经常性收入增长1.41个百分点；1999年又比1998年增长13.56%。国家财政性教育经费占GNP的比例，由1997年的2.49%提高到1999年的2.79%，扭转了徘徊不前的状况，当然这离4%的目标还有很大距离，我们还要继续努力。国家完善了资助高校经济困难学生的政策措施，建立了各种奖学制度和助学贷款制度。非义务教育阶段的成本分担机制也得到逐步完善。

第二，应用型科研机构改革取得重要突破。为从体制上解决科研机构长期存在的科技和经济“两张皮”问题，国务院于去年初决定对10个国家局所属242个应用型科研机构进行管理体制改革，通过转成企业、进入企业和转为中介机构等方式全部实行企业化转制，并为此制定了一系列鼓励政策。比如，对这些科研机构原有的正常事业费继续拨付，主要用于解决转制前已经离退休人员的社会保障问题；基本建设项目投资在过去五年平均水平的基础上，结合在建项目实际情况，继续由中央给予两年的补助支持；从转制之年起五年内，免征企业所得税、技术转让收入营业税和科研开发自用土地的使用税等。目前第一批应用型科研机构的企业化转制工作基本结束，转制后科技人员心态稳定，机构运行平稳，科研机构面向市场发展的积极性和主动性明显增强，多数转制院所的经济效益和科研课题经费都有提高，呈现良好发展势头。

同时，积极促进科研机构、高校和企业之间多种形式的合作。主要是：鼓励有条件的科研机构与高校合并或共建重点实验室、工程研究中心、网络式科研中心；鼓励高校、科研机构和企业的科研人员相互兼职或互派访问学者，联合培养研究生，共享科研设备和资料；鼓励科研机构进入企业，高校在企业建立实习基地和运用自己的科技成果开办中小型科技企业等。目前，在高校集中的地区已经建立了15个高校科技园，高新技术企业销售收入超亿元的高等学校已有50多所。

第三，积极推进中科院知识创新工程试点工作，着力提高源头创新能力。创新是一个民族的灵魂，是国家兴旺发达的不竭动力，增强自主创新能力是确保我国在21世纪激烈的国际竞争中占据主动的关键所在。在党中央的高度重视下，1998年启动了中科院知识创新工程试点。中科院开展了深层次的运行机制改革，进行了建院五十年来涉及面最广、影响最为深远的学科布局和组织结构调整。通过调整和改革，初步形成了生物工程、基因技术、信息与自动化、能源、新材料以及农业高新技术、人口与健康、生态与环境、空间技术和地球科学等重要方向的学科布局。有9000余名科研人员进入知识创新工程试点，从国内外引进近200名优秀人才参与试点工作，取得了一批重大科技创新成果。1999年中科院登记的科技成果达792项，比前三年的平均成果数增长25%。两年来，该院专利申请量也有显著增加，其中60%为发明专利，远高于全国水平。

第四，加强技术创新，加速科技成果产业化。创新的科技成果只有完成转化并面向市场实现产业化，才能真正成为巨大的生产力。针对我国科技成果转化不够、产业化程度低的问题，我们重点抓了以下几项工作：一是确立了技术跨越的发展战略。围绕国民经济、社会发展和国家安全的重大需求，突出重点，力求在一些重要领域取得突破。包括加快农业和农村经济发展关键技术的创新和推广应用；大力发展以信息、生物、新材料、航天等为主的高技术产业，重点推进软件产业发展和集成电路设计与制造，加速电子信息技术等对传统产业的改造与提升；加强生态环境保护和资源综合开发利用领域的技术创新和科技产业化工作；加强军民两用技术等研究开发。国家努力为促进科技成果产业化创造良好的政策环境。国务院对促进高技术产业发展和运用高新技术改造传统产业，制定实行了若干优惠政策，加大了贷款支持力度。二是大力发展科技型中小企业特别是民营科技企业。国务院设立了国家科技型中小企业技术创新基金，以扶持这类企业增强发展的活力与后劲。1999年底全国民营科技企业总数达7.9万家，比1998年增加13%以上；企业资产总额1.4万多亿元，增长了37%；企业总收入超过1万亿元，增长36%。三是进一步办好高新技术产业开发区和高校科技园区，加快孵化科技型中小企业。重点抓好几个具有战略发展意义的高新技术园区，使其成为国家科技成果产业化的重要基地。加大国家高新技术产业开发区综合配套改革的力度，增强为科技型企业转化高新技术成果提供服务的功能。四是大力发展与技术创新相关的中介服务。鼓励发展信息、咨询、中介服务、法律、金融等方面的科技服务机构，建立技术转移的通畅渠道，加速技术转移和科技成果转化。

第五，改革内部管理体制和分配制度，充分调动科技人员创新创业的积极性。科研机构和高校的科技人员中蕴藏着巨大的能量，为使这些能量在经济建设的主战场上释放出来，国务院按照《促进科技成果转化法》的要求，制定了有关政策，落实技术与管理参与分配的原则，激励广大科技人员从事技术创新和科技成果产业化工作。比如，高新技术成果作价入股可达到公司或企业注册资本的35%，只要双方同意还可以超过这个比例。对科研机构、高等学校转化职务成果，可以从转化的净收入中提取不低于20%或不低于科技成果入股作价金额20%的股份，奖励成果完成人或对转化有贡献的人员。允许国有高新技术企业从近年国有净资产增值部分中拿出一定比例作为股份，奖励有贡献的职工特别是科技人员和经营管理人员。

在科研机构和科技企业内部，全面推行聘用制，实行专业技术职务聘任与岗位聘用并轨，根据自身发展需要，自主决定本单位不同职务等级的任职条件和比例，自主决定内部分配，拉开收入档次。在高校，广泛开展新一轮内部管理体制改革，进一步精简内部机构，结合选课制等竞争机制的实施，使分配向重点岗位、骨干人员倾斜，做到优劳优酬、优绩优酬，创造学术带头人和其他拔尖人才脱颖而出的良好环境。制定政策措施，培养、留住和吸引高层次人才，尤其是吸引海外高层次人才以各种方式为国服务。

建立和完善国家科技评价体系和奖励制度。国务院发布了新的国家科学技术奖励条例，对奖励制度进行了改革。主要精神是，强化国家需要和市场导向，根据各种科技活动的不同特点，实行相应的评价标准和方法，精简奖项数目，提高奖励力度。正确利用奖励这一杠杆，引导科技人员进行知识创新、技术创新和科技成果转化，激励他们创业。

第六，全面推进素质教育。我国教育中存在的“应试教育”倾向，既不利于学生在德智体美等方面全面发展，也不利于培养学生的创造精神和创新能力。要改变这种现状，必须全面推进素质教育。去年党中央、国务院对此作出决定之后，我们在落实上采取了一系列措施，例如：狠抓教育观念、教育思想的转变，特别是江泽民同志就教育问题发表重要谈话后，加大学习和宣传力度，促使社会各界进一步增强搞好素质教育的责任感、使命感和紧迫感，努力形成全党全社会共同关心青少年健康成长的良好局面；加快教材、课程和教学方法的改革，推进现代教育技术、方法和手段的运用，并采取坚决措施，减轻中小学生过重的课业负担，强化中小学生思想品德教育和社会实践能力的培养；改革考试评价制度，取消小学升初中的考试，在高考的内容和方法上逐步体现综合素质的导向，并实行春、秋两季招生试点，较大规模地扩大高中阶段和高校的招生数量，构建职业教育、成人教育和普通高等教育之间的“立交桥”，逐步改变千军万马过“独木桥”的现象，缓解了全面推进素质教育的瓶颈制约。

第七，努力完成基本普及九年制义务教育和基本扫除青壮年文盲工作。这是关系提高全民族素质的重要任务。我们在过去工作的基础上，坚持“两基”工作“重中之重”的地位不动摇，继续实施国家资助“贫困地区义务教育工程”，加强了对各地“两基”工作的督促检查。截至1999年底，实现“两基”的县（市、区）累计达到2428个，人口覆盖率达到80%；青壮年文盲率已降至5.5%以下。预计到今年底，可如期实现《纲要》提出的“两基”目标。

第八，积极推动高等教育改革，多种形式发展高等教育。我国的高等教育要适应当今科技发展进程中多学科交叉渗透的趋势和培养高素质创新人才的需要，就必须改变长期存在的条块分割、行业部门办学校、学科偏窄、学校规模偏小、力量分散的状况，对教育资源进行优化配置，提高办学质量和办学效益。近年来，在多年改革试点的基础上，按照“共建、调整、合作、合并”等多种方式，加快了高等教育管理体制改革的步伐。1998年实施了对国务院9个撤并部门所属165所高等学校管理体制的调整；1999年实施了对5个军工总公司59所高等学校管理体制的调整；今年又对49个部门所属258所高等学校的管理体制进行了调整。在整个管理体制改革过程中，原国务院部委管理的400余所高校多数改为由中央和地方共建、以地方为主管理，一些需由国家管理的学校由行业主管部门划归教育部管理；全国有612所高校合并组建为250所；各地广泛开展合作办学，加强学科建设，建立了一些高校园区，不少高校互相开放实验室、互聘兼课教师、相互选课和承认学分，联合组建统一的后勤服务实体，初步实现了高等教育资源的优化配置和优势互补。这项改革涉及面广，而且由于校内行政管理机构的大量精简，必然会触及一大批干部的切身利益，因此，在改革的方法上，采取了积极稳妥的步骤，通过反复酝酿，统一思想，经验引路，逐步推进。改革的过程虽然历经八年，但始终比较平稳。目前，按照《中国教育改革和发展纲要》提出的目标，我国高等教育管理体制改革任务基本完成。这次改革，适应了经济社会发展和科技进步对高层次人才的要求，有利于增强高校知识创新和培养创新人才的能力，为21世纪高等教育的进一步发展奠定了基础。

与我国经济、社会发展的需要相适应，1999年，党中央、国务院作出了扩大高等教育规模的决定，全国各类高等学校实际招生280万人，其中，普通高校招生约160万人，增长47.4%，高考录取率达到49%，比1998年提高了13个百分点。高等教育毛入学率达到10.5%，比1998年提高了0.7个百分点。今年，普通高校招生超过200万人，比去年增长25%以上。

随着高等教育的进一步发展和高校扩大招生，学校后勤设施严重不足，"学校办社会"问题已经成为高校发展的严重制约因素。针对这一问题，我们不失时机地进行了高校后勤社会化改革。去年，在总结上海等地成功经验的基础上，国务院决定用三年左右的时间基本完成高校后勤社会化改革的目标。其中在学生公寓建设上，提出了"421工程"，即通过运用市场机制，利用社会力量进行建设和管理，达到大学本科生4人一间、硕士生2人一间、博士生1人一间的标准，基本解决学生宿舍过于拥挤的局面；学校食堂、购物等条件也将得到改善。目前，各省、自治区、直辖市和高校都已行动起来，形成了政府统一规划指导、社会各方面积极参与的良好局面，一个为高等教育服务的产业正在迅速兴起。

在推进高校改革和发展的过程中，我们始终注意加强高校党的建设。每年召开一次高校党建工作会议，每次会议都按照中央的精神和要求，集中研究和解决一两个突出问题，今年重点是贯彻江泽民同志"三个代表"的重要思想，进一步加强和改进党的建设与思想政治工作，特别是加强培养和发展青年知识分子入党的工作。这对高校的稳定也起到了重要保证作用。

第九，提高职业教育质量，积极鼓励社会力量办学。我们是"穷国办大教育"，让人人都上大学既不可能也不需要。现代化建设需要多方面的掌握各种技能的人才。所以，我们一方面加大各级政府对中等职业教育的统筹力度，深化办学体制和运行机制改革，大力推进教育教学改革，着力提高中等职业教育的质量和适应性。另一方面，积极发展高等职业教育。目前全国已有高等职业学校162所，原有部分专科学校也正在向高等职业教育方向发展，还有部分普通高校举办了高等职业教育。与此同时，使接受过职业教育的学生也可以考入普通高校继续深造，这座"立交桥"的出现不仅拓宽了人才成长的渠道，而且有利于促进职业学校提高教育质量。

社会力量办学正在成为我国教育事业发展的组成部分。截至去年底，已有社会力量举办的普通中学和职业中学3500余所；具有颁发学历文凭资格的高等学校37所，其他非学历高等教育机构1000余所，1999年共计招生95万人。在鼓励社会力量办学的同时，采取措施，加强了对民办学校的管理。

第十，进一步改善教师的工作和生活条件。教师承担着发展教育的直接责任。为使广大教师安居乐业，我们结合住房制度改革加快了教师住房建设步伐。据教育部门统计，近两年全国用于教师住房建设的资金加上前几年的投入达千亿元，到今年底预计共建成教师住房1.4亿平方米。按照不把高校筒子楼带入21世纪的要求，1998和1999两年中央专项投入加上学校及主管部门配套资金共计40.5亿元，对中央部委属高校1800多栋筒子楼进行改造，约有6万多户高校青年教师迁入新居。目前，中央部委属高校筒子楼改造已经完成，地方高校筒子楼改造任务也将在年底结束。各地普遍反映，这是教师住房条件改善最快的时期。在城市和经济发展较好的乡镇，教师收入也有了较大增长，教师已逐步成为令人尊重而羡慕的职业。

三、突出重点，进一步推进科教兴国战略的实施

科教兴国是带有根本性和长期性的大战略。既要抓紧当前，又要有长远打算，不能急功近利，政府要"一届接着一届干"。当前，我国正在进行经济结构的战略性调整，并研究制定国民经济和社会发展"十五"计划。面对知识经济正在到来、即将加入WTO的形势，加速推进科教兴国战略显得更为重要。我们将在继续全面抓好落实的同时，针对工作中存在的问题，突出重点，以切实的措施、务实的作风，把各项工作做得更加扎实有效。

为了使科学技术第一生产力的作用得到更充分的发挥，必须顺应世界新科技革命的潮流，努力加强科技创新，实现技术发展的跨越，并大力发展高科技产业，加快用高新技术改造传统产业的步伐。为此，在应用研究方面，要进一步巩固和发展企业化转制的成果。目前，按照第一批242个科研机构转制的经验，国务院其他部门和地方政府所属应用型科研机构的转制正在加快进行，并可望在今年底基本完成。应用型科研机构转制以后，要建立现代企业制度，建立与市场经济相适应的新的运行机制，实行竞争上岗，采取有利于激励创新、有利于加快科研成果转化的内部分配方式，把广大科研人员创新创业的积极性充分调动起来。同时，对公益型科研机构也要进行分类改革。在基础研究方面，要力争在优势领域取得突破。国家将实施第二期高技术研究计划即S 863计划。按照江泽民同志提出的“有所为、有所不为”的方针，切实加强战略高技术研究和原创性基础研究，集中力量在有相对优势或战略必争的关键领域取得突破，提高我国在信息、生物、新材料、航天等领域的自主创新能力，增强发展的后劲。

国民素质的提高和大批人才的涌现是保证科教兴国战略顺利实施的基础和关键。为此，我们要进一步办好各级各类教育。一是不断巩固和提高基本普及九年制义务教育和基本扫除青壮年文盲工作的成效。“十五”期间，要进一步推进我国西部地区的“两基”工作。与此同时，把工作重点放在巩固提高上，着力推进素质教育，提高教育质量和办学水平。义务教育阶段的学制要逐步统一起来，一些地区的“五·三”、“五·四”学制要尽快统一为“六·三”学制，并使小学与初中阶段以多种方式相连接，以利于义务教育阶段学生全面发展。在农村要继续实施农科教相结合、三教统筹，加强对农村适用人才的培养。二是适应人口发展现状和就业市场对劳动者素质要求不断提高的新情况，加快发展高中阶段教育。充分发挥现有教育资源的作用，适时调整教育结构，并积极鼓励社会力量办学，多办一些高中，力争“十五”期间使城镇初中毕业生基本能够通过多种形式升入高中阶段学习。同时，继续坚持“两条腿走路”，下大力气改进中等职业教育的办学模式、提高办学质量，加快高等职业教育的发展。各级政府要支持办好一批示范型高等或中等职业学校，提高职业教育的整体水平。三是随着高等教育规模的扩大，进一步提高高等教育质量。在积极推进高校内部改革和后勤社会化改革的同时，启动“新世纪高等教育教学改革工程”，按照21世纪知识经济时代对人才的要求，加强对学校发展的规划，中央和各省（自治区、直辖市）政府合作，有重点地办好一批基础好、潜力大的高等学校。以培养创新人才为目标，拓宽专业口径，调整培养结构，改革课程、教材和教学方法，加强德育和人文知识素养的培育，发展多媒体和网络远程教育，大力培养信息、软件、微电子、生物、新材料等高技术领域的创新人才和现代经营管理人才，以适应“十五”期间经济结构调整和持续发展的要求。有条件的高校要继续办好科技园区，促进科技成果的转化。

西部大开发，科教要先行。科教兴国战略应贯彻于西部开发的各个方面。一是要从西部地区经济和社会发展的实际出发，充分利用先进科学技术成果。加快科技成果的推广应用，重点推广农业优良品种、旱作和节水农业、资源综合利用及深加工、新材料、新能源和生态环境保护等方面的先进技术以及军民两用技术，使西部地区的基础设施建设和生态环境建设等各项事业在较高的技术层面和起点上发展。二是加大对西部教育发展的支持力度。扎实推进“东部地区学校对口支援西部贫困地区学校工程”和“西部大中城市学校对口支援本省（自治区、直辖市）贫困地区学校工程”，提高西部地区教育发展水平。“十五”期间将实施“中小学危房改造工程”，用两年左右时间完成所有中小学危房的改造，其中对贫困地区，中央将适当予以资助。同时，支持西部每个省（自治区、直辖市）重点办好一所较高水平的大学，为西部开发培养高素质的人才。为了解决一些地方出现的教师工资发放困难等实际问题，国务院已决定把教师工资发放纳入公务员工资发放保障体系中统一组织实施。今后，各级财政部门将建立教师工资专户，县级财政收入和各项补助首先按编制内教师工资额划入工资专户，确保教师工资发放的资金来源。各省财政部门要负责这项工作的监督和落实，对财力不足、难以落实的县，省财政实行专项转移支付办法予以保证。中央对地方转移支付新增部分，也首先用于工资发放。

最后，我还想强调的是，全国人大代表、常委会各位委员对实施科教兴国战略给予了热情关心、有效监督和大力支持。在这里，我代表国务院对大家表示衷心的感谢。我相信，有以江泽民同志为核心的党中央的正确领导，有全国人民的团结奋斗，有广大科技教育工作者的不懈努力，科教兴国战略的实施一定能够不断顺利推进，我国新世纪改革和发展的宏伟目标一定能够实现。

（2000年8月25日《人民日报》）

李岚清在全国文化工作座谈会上发表讲话

（2000年9月28日）

李岚清强调，要深入学习贯彻江泽民同志“三个代表”的重要思想和关于文化工作的指示精神，始终坚持中国先进文化的前进方向，进一步加强文化建设，促进社会主义文化艺术的繁荣发展，为改革开放和现代化建设提供良好的社会氛围和人文环境。

李岚清指出，江泽民同志“三个代表”的重要思想，是在发展社会主义市场经济条件下，对我们党的性质、宗旨和任务的全面诠释。我们要从立党之本、执政之基和力量之源的高度深刻认识“三个代表”的重要意义，增强贯彻落实“三个代表”的自觉性和坚定性。“三个代表”是一个相互联系、相互促进、辩证统一的整体。代表中国先进社会生产力的发展要求，是前提和基础；代表中国先进文化的前进方向，是条件和保证；代表中国最广大人民的根本利益，是目的和归宿。建设先进文化，既能满足人民群众日益增长的精神文化生活需要，又能为生产力的发展提供精神动力和智力支持。文化战线的各级党组织都要以“三个代表”重要思想为指导，全面加强自身建设，成为领导广大文化工作者贯彻党的路线方针政策、繁荣和发展有中国特色社会主义文化的坚强堡垒。

李岚清指出，文化工作在两个文明建设中承担着重要的责任，繁荣社会主义文艺是文化艺术工作者的天职。繁荣文艺，创作是基础，创新是关键。广大文化艺术工作者特别是文化界的共产党员，都要身体力行“三个代表”的重要要求，把它作为思想和行为的准则，落实到工作实践中去。文化艺术工作者要牢记自己的社会责任，坚持正确的指导方针，克服浮躁情绪，摒弃狭隘的功利思想，以“宁坐板凳十年冷，不写文章半句空”的求真精神，潜心钻研业务，苦练过硬本领，不断追求更高的精神和艺术境界，提高艺术修养和创作水平。要坚持面向社会、面向基层、面向广大人民群众，坚持为人民服务、为社会主义服务的方向，深入群众，深入生活，满腔热情地反映亿万人民在党的领导下建设现代化国家的伟大实践，讴歌生活中的真善美，鞭挞社会上的假恶丑，把源于生活又高于生活的更多的艺术精品奉献给人民。同时，要善于吸收和利用当代新的科技成果，不断丰富和提高艺术的表现力、感染力，充分采取各种新的传播手段，增强文化艺术的宣传效果。

李岚清强调，面对世界范围内各种思想文化的相互激荡，我们要坚持用社会主义先进文化占领阵地。要唱响主旋律，提倡多样化，在全社会大力宣传马克思主义、毛泽东思想特别是邓小平理论，教育和引导人民群众树立科学的世界观、人生观、价值观；要坚持解放思想、实事求是，尊重科学、崇尚真理，旗帜鲜明地反对愚昧迷信，通过多种艺术形式和表现手法，在全社会大力普及现代科技知识，弘扬科学思想、科学精神，鼓励和引导广大群众追求丰富健康的精神生活，依靠科学技术摆脱贫穷和愚昧，实现富裕和文明，在全社会形成学科学、用科学的良好风尚。

李岚清指出，繁荣文艺，必须建设一支强大的高素质的文化工作队伍。要培养和造就大批文学、音乐、戏剧、舞蹈、美术、电影、电视、新闻、出版等各领域的专业人才，特别是德艺双馨的作家、艺术家；建设一支适应新形势新任务要求的高素质的文化工作领导干部队伍，特别是培养和选拔好跨世纪担当重任的年轻领导干部。老一代文化工作者和艺术家在发挥自身作用的同时，要为发现、培养和扶持年轻人才贡献力量。要加强文化艺术工作者的团结，摒弃“文人相轻”的陋习，提倡“文人相亲”的新风，创造有利于文化艺术繁荣的环境和气氛，调动所有文化和艺术工作者的积极性、创造性，共同为有中国特色社会主义的文化建设添砖加瓦。

李岚清最后强调，各级党委、政府要认真履行对文化建设的领导责任，坚持两手抓，两手都要硬，不断加强和改善对文化工作的领导。要把文化建设纳入经济和社会发展的总体规划之中，认真研究、部署和落实。要进一步落实和完善文化经济政策，综合利用财政、税收、信贷等经济杠杆，加快文化产业的发展，调整文化事业布局，重点扶持一批重要的文化机构和重点文化项目。要在抓好专业文化艺术工作的同时，大力推动群众性的文化艺术活动，对基层各项文化设施建设和正常运行费用给予积极支持和必要保证。同时，要坚持一手抓繁荣、一手抓管理，加快文化法制建设。通过经济、法律、行政等手段，加强对精神产品生产、传播的管理。对那些不利于社会主义精神文明建设、明显不适合我国国情、不为广大人民群众所接受的某些高档娱乐场所和活动进行有效的限制和收缩。对电子游戏厅、夜总会、豪华歌舞厅等娱乐场所，要认真加以整顿，该取缔的要坚决取缔。对“扫黄打非”要真抓实干，常抓不懈。特别要注意研究和抵御西方敌对势力利用高新技术和信息网络对我进行文化渗透，坚决反对和防止“精神鸦片”对人民的毒害，清除一切有害的文化垃圾，为我国的改革开放和社会主义现代化建设创造良好的思想舆论和文化环境。

（2000年9月29日《人民日报》）

李岚清：学习夏衍，为建设中国先进文化而奋斗

——在纪念夏衍诞辰100周年座谈会上的讲话

（2000年10月26日）

同志们：

在杰出的革命文艺家夏衍诞辰100周年之际，我们在这里纪念他，追思他光辉的人生历程，缅怀他对中国革命和文化建设的卓越贡献，是为了继承和发扬这位文化巨匠高尚的革命情操、不朽的创新精神与崇高的人格风范，激励广大文化艺术工作者齐心协力，开拓进取，为促进新世纪有中国特色社会主义文化的繁荣和发展而努力奋斗。

夏衍诞生于世纪之初、逝世于世纪之末。在夏衍的人生历程中，深深地刻下了中国人民在中国共产党领导下浴血奋斗，发愤图强，推翻三座大山的残酷压迫，洗刷民族耻辱，重塑华夏辉煌的历史轨迹。作为中国新文化运动的先驱者之一和忠诚的共产主义战士，夏衍不仅以突出的创作成就给我们留下了珍贵的文化遗产，更以执著的人生追求给我们留下了无价的精神财富。

献身理想，矢志不渝，是夏衍革命人生的突出特征。从1919年在家乡参加“五四”运动，到赴日留学期间接受马克思主义；从1924年经孙中山先生介绍加入国民党，到1927年大革命失败后加入中国共产党；从30年代在上海等地领导进步文化运动，到新中国成立后从事党的文化战线的领导工作，不论是在白色恐怖笼罩的地下斗争岁月里，还是在社会主义革命和建设时期，也不论身在领导岗位还是“文革”中身处逆境，夏衍都始终保持着坚定的马克思主义理想信念，将个人

的一生与党和国家的命运，与时代发展、社会进步和人民的愿望紧密联系在一起，并为之进行坚韧不拔的努力，将自己燃烧的激情、非凡的才华和毕生的心血，全部奉献给了中国共产党领导的人民革命，奉献给了中国的文化艺术事业。夏衍的一生，始终闪耀着共产主义理想信念的光辉。他不愧为20世纪中国先进知识分子的典范，不愧为广大文艺工作者的楷模。

贴近时代，不断创新，是夏衍文艺生涯的基本格调。夏衍不仅是我们党领导的伟大人民革命运动中文化战线的一位卓越领导人，也是一位坚持文艺正确方向，大力弘扬先进文化的勇敢实践者。民主革命时期，他受党委派进入文学、戏剧和电影界，作为左翼文化运动创始人和中国电影与现代戏剧的拓荒者，开创了中国电影艺术的第一个辉煌时期和中国现实主义戏剧、文学的创作道路，有力地支持了人民革命事业。新中国成立后，他作为文化战线的重要领导人之一，坚定地贯彻毛泽东文艺思想，始终把传播和运用马克思主义，弘扬优秀民族文化传统，作为推进中国现代电影、戏剧、文学创作及新闻工作的指南，在文化艺术众多领域为建设中国先进文化作出了重要贡献。与此同时，夏衍在不同历史时期也身体力行地创作了大批与时代同步、与人民同心、具有深刻影响的文艺作品，对于引导和带动广大文艺工作者，繁荣创作，为党领导的革命和建设事业服务，为中国最广大的人民群众服务，发挥了表率作用。

严肃敬业，勤奋耕耘，是夏衍奋斗历程的鲜明主线。夏衍多才多艺、学识广博，又具有中华优秀知识分子干一行、爱一行、钻一行的敬业精神，一生为创建中国先进文化呕心沥血，勤奋耕耘，在电影、戏剧、文学、新闻、统战、外交等诸多领域都有重要建树。在电影艺术领域，他译介传播了苏联的进步电影理论，成功创作和改编了《风云儿女》、《祝福》、《林家铺子》、《烈火中永生》等蜚声中外的十余部电影。夏衍担任国家电影工作领导职务后，认真贯彻党的文艺工作方针、政策，遵循电影艺术规律，重视创作，关心新人成长，推动了电影事业的繁荣。在戏剧和文学领域，夏衍创作的话剧《上海屋檐下》、《法西斯细菌》、《芳草天涯》等十余部作品，成为中国戏剧长廊中的传世佳作。他翻译的高尔基的名著《母亲》，对中国进步文学创作产生了广泛影响。他的报告文学《包身工》，成为中国报告文学的开山之作。夏衍的作品，植根于生活的沃土，充满对祖国对人民的深情，反映了时代精神和中国先进文化的前进方向，具有很强的艺术感染力，成为中国现代文学艺术宝库的重要组成部分。夏衍在文化艺术领导工作中积累的丰富经验和他创作的艺术精品是留给我们的宝贵财富，对进一步推动我国文化事业的发展与繁荣，将产生长远的影响。

襟怀宽广，谦虚自律，是夏衍人格魅力的重要内涵。夏衍的一生，经历了近百年中国社会的变迁。他历尽坎坷而不改追求，贡献卓著而不居功自傲，德高望重而不脱离群众。他襟怀坦白、光明磊落，严于律己、宽厚待人，淡泊名利、清正廉洁，成为海内外众多文化人的挚友与知音。他在文化、新闻、统战、外交等领域，与国内外各界人士真诚合作、广交朋友，赢得了广泛的尊重和爱戴，为吸引、凝聚各界优秀人才投身中国革命和建设事业，作出了重要贡献。他将自己一生收藏的珍贵文物全部捐献给国家，将获得的“国际文化交流奖”奖金全部捐给了教育事业。就在辞世前几个月，他在病床上还表示：“做了一些工作，有些工作没有做好，甚至还犯过错误。我愿为我的国家和民族继续工作到生命的最后一刻。”这是一个忠诚的共产党员的心声，是夏衍崇高人格魅力再一次迸发的耀眼光芒。

伟大的理想塑造了一个伟大的战士，真理的追求铸就了一段辉煌的人生。在我们就要跨入21世纪，开始实现中华民族伟大复兴新的征程的时候，我们纪念和学习夏衍，对于广大文化艺术工作者进一步贯彻和实践江泽民同志“三个代表”的重要思想，建设中国先进文化，是一个很好的激励；对于少数理想模糊、信念动摇的人，责任淡漠、追名逐利的人，浮躁浅薄、脱离生活的人，“文人相轻”、不讲团结的人，也是一个很好的教育。

同志们，新的世纪即将开局，新的征程就要起步。崇高的事业需要崇高的精神，辉煌的时代产生辉煌的艺术。在新的形势下，始终坚持中国先进文化的前进方向，促进社会主义文化艺术的繁荣发展，满足人民日益增长的精神文化需求，为我国经济发展和社会全面进步提供思想保证、精神动力和智力支持，营造良好的社会氛围和人文环境，这是广大文化艺术工作者肩负的光荣而艰巨的历史责任。我们要继承和发扬夏衍对崇高理想的坚定信念和生命不息、奋斗不止的精神，树立正确的世界观、人生观、价值观，坚持“为人民服务，为社会主义服务”的方向和“百花齐放，百家争鸣”的方针，像夏衍那样勤于实践、勇于创新，深入生活、贴近人民，创作出更多无愧于时代的优秀作品。让我们紧密团结在以江泽民同志为核心的党中央周围，同心同德，努力奋斗，为建设有中国特色社会主义文化作出更大的贡献！

（2000年10月27日《人民日报》）

丁关根在中央文明委第七次全体会议上发表讲话（摘要）

（2000年2月23日）

丁关根指出，高度重视思想政治工作，是我们党的优良传统和政治优势。以江泽民同志为核心的党中央，全面分析国际国内新形势，把抓紧党的思想政治工作作为我国改革和建设中带全局性、战略性、前瞻性的一个重大问题，提到全党面前。强调越是深化改革、扩大开放，越是发展社会主义市场经济，越要重视和加强这方面的工作。这一点，要在全党特别是领导干部中经常讲、反复讲。我们一定要遵照江泽民总书记的要求，进一步增强政治意识、大局意识、责任意识，把加强和改进思想政治工作作为一项重大而紧迫的任务，贯穿到精神文明建设各项工作之中，切实抓出成效，为促进改革发展、维护社会稳定提供强大的精神动力和有力的思想保证。

丁关根要求，以理想信念教育为核心，大力开展党的基本理论、基本路线、基本纲领的教育，大力开展爱国主义、集体主义、社会主义的教育，大力开展世界观、人生观、价值观的教育，大力开展讲学习、讲政治、讲正气的教育，大力开展科学知识、科学思想、科学方法、科学精神的教育，引导广大干部群众坚定对马克思主义的信仰，坚定对社会主义的信念，增强对改革开放和现代化建设的信心，增强对党和政府的信任。

丁关根指出，要把加强和改进思想政治工作的着力点放在基层。多开展适合群众需要、为群众欢迎的活动，城市抓社区，农村抓村镇，行业抓窗口。多宣传介绍基层思想政治工作的好经验，使群众通过身边事例、身边人物，真切感受到思想政治工作在加强。要坚持把思想政治工作同各项业务工作紧密结合起来，把解决思想问题同解决实际问题紧密结合起来，把教育群众同服务群众紧密结合起来。尊重人、理解人、关心人，善于从群众最关心、与群众切身利益最密切的问题入手，把工作做到群众的心坎上。对下岗职工和进城务工人员，要及时了解思想状况，关心他们的实际困难，满腔热情教育引导。要加强对青少年学生的思想工作，为青少年身心健康成长创造良好氛围，帮助他们树立正确理想信念，增强纪律法制观念。要努力建立一支密切联系群众、关心群众生活、善于做群众工作的基层思想政治工作队伍。加强思想政治工作，关键是以身作则，共产党员要做全社会的表率，领导干部要做全党的表率。

丁关根强调，要增强阵地意识，大力唱响主旋律，大力弘扬社会正气，广泛宣传思想政治工作的先进典型和工作经验。组织一批有分量、有深度的文章，有针对性、有说服力地回答群众关心的问题。出版一批好的图书、影视作品，陶冶情操，寓教于乐，丰富群众文化生活。展览馆、博物馆、科技馆、图书馆、文化馆、电影院、娱乐场所、旅游景点等，都要成为精神文明建设的阵地。近年来形成的三大创建活动、“讲文明树新风”、“三下乡”、送温暖、心连心、手拉手、希望工程、志愿者、青年文明号、五好家庭、星级文明户、人民满意的公务员、军警民共建、百城万店无假货等，群众欢迎，效果明显，要抓住不放，更好发挥示范作用。

丁关根指出，要认真学习《毛泽东邓小平江泽民论思想政治工作》，深入研究新时期思想政治工作的新特点、新方式、新内容，真正摸出些带规律性的新东西来，增强针对性和实效性。围绕贯彻江泽民总书记的重要指示精神和中央《关于加强和改进思想政治工作的若干意见》，各部门、各单位要作出具体安排，认认真真地抓，锲而不舍地抓，有计划有步骤地抓，齐抓共管，形成合力，落到实处，务求实效。

（2000年2月24日《人民日报》）

丁关根在中国京剧优秀青年演员研究生班首届学员毕业典礼上发表讲话

（2000年3月29日）

丁关根希望中国京剧优秀青年演员研究生一定要牢记江泽民总书记提出的“德艺双馨，继往开来”的殷切希望，不辜负党和政府的亲切关怀，不辜负导师们的辛勤培养，把献身京剧艺术作为自己毕生追求，自尊、自爱、自重、自强，堂堂正正做人，认认真真演戏，为中国京剧艺术的繁荣发展作出新的贡献。

丁关根指出，同学们的学业结束了，但毕业并不意味着大功告成，它标志着一个学习阶段的结束，又一个艺术深造新阶段的开始。艺海无涯、学无止境，知识的积累和艺术的提高是勤奋学习、苦练内功、不断升华的过程。要进一步加强文化学习，加强艺术实践，增强底蕴，提高素质，多演戏、演好戏，始终保持艺术创造的旺盛活力。要十分珍视京剧研究生的称号，增强责任意识，把京剧艺术的接力棒从老一辈艺术家手里接过来、传下去，领衔担纲、勇挑重任，立志成为承前启后、继往开来的新一代京剧艺术家，成为新世纪京剧振兴的生力军。

丁关根强调，作为一个优秀演员不仅要重艺，更要重德。艺德是艺术家的立身之本。京剧是一门综合艺术，任何一次成功的演出都是众多艺术家相互配合、团结协作的结晶。青年演员要学习老一辈艺术家严于律己、团结合作、敬业奉献的精神，像珍惜生命一样，珍惜艺术家之间的团结和友谊。多看别人的长处，多学别人的优点，既能当“红花”，也甘当“绿叶”。荣誉面前要谦虚谨慎、戒骄戒躁，知名度越高越要严格要求自己。虚心好学，锐意进取，努力把自己培养成德艺双馨的京剧艺术家。

丁关根指出，创新是艺术的生命。京剧要跟上时代步伐，必须坚持继承创新。只有随着时代发展而发展，在继承优秀传统的基础上有所创新、有所前进，京剧艺术才能赢得观众、赢得市场。青年演员要努力传承本流派的艺术特色，切实掌握前辈艺术家传授的技艺，同时要广泛吸收其他流派、剧种乃至其他艺术门类的精华，融会贯通，博采众长。要增强创新意识，敢演新戏、敢走新路，在艺术的创新中形成自己的新流派，在剧目的创新中留下老观众、培养新观众。

（2000年3月30日《人民日报》）

丁关根：认真学习“三个代表” 身体力行“三个代表” 深入宣传“三个代表”

（2000年7月25日）

江泽民总书记强调指出：“只要我们党始终成为中国先进社会生产力的发展要求、中国先进文化的前进方向、中国最广大人民的根本利益的忠实代表，我们党就能永远立于不败之地，永远得到全国各族人民的衷心拥护并带领人民不断前进。”这一重要思想，高屋建瓴，总揽全局，言简意赅，含义深刻，是总结150多年国际共产主义运动和我们党近80年历史经验得出的科学结论，是对马克思主义政党建设基本规律的科学概括，是对新的历史条件下解决好如何不断提高党的领导水平和执政水平，如何不断增强党的拒腐防变和抵御风险能力的科学回答。这一重要思想，集中体现党的根本性质，集中体现社会主义本质要求，是毛泽东、邓小平建党理论的继承和发展。

“三个代表”是我们党的立党之本、执政之基、力量之源。中国共产党历经磨难，千锤百炼，由小到大，由弱到强，从胜利走向胜利，所以能够领导人民推翻三座大山，建立新中国；所以能够领导人民进行改革开放，建设社会主义现代化；所以能够领导人民战胜国际国内风险，把中国社会主义事业推向一个崭新的阶段，最根本的就是坚持了“三个代表”，做到了“三个代表”。我们党始终站在时代前列，不断解放和发展生产力；始终结合时代任务，不断建设和繁荣先进文化；始终把握时代脉搏，不断巩固和加强同人民群众的血肉联系，实现和维护人民群众的根本利益，从而得到全国各族人民的衷心拥护和爱戴。

坚持“三个代表”，是我们党在新形势下面临的紧迫课题。我们党是一个有6300万党员的执政党，比许多国家的人口还要多。治理这么一个大党，确实不容易，又非做好不可。办好中国的事情，关键在党，党要管党，从严治党。治国必先治党，治党务必从严。在迈向新世纪的征途上，在实现跨世纪宏伟目标的进程中，我们会遇到各种复杂矛盾和困难，经受各种新的风险和考验。只有按照“三个代表”的要求，大力加强党的建设，保持党的先进性和战斗力，我们才能在复杂的国内外形势下保持现代化建设的正确方向，在激烈的国际竞争中立于不败之地。要认真贯彻落实“三个代表”的要求，紧密联系改革建设的实际，抓紧解决党内存在的突出问题，积极探索新形势下加强党的思想、组织、作风建设的有效途径和办法。要深入推进思想理论建设，坚持以马列主义、毛泽东思想特别是邓小平理论为指导，坚持党的基本路线不动摇。要解放思想，实事求是，坚持理论联系实际，努力研究回答关系党和国家事业发展全局的新的重大问题，研究回答现实生活中提出的、干部群众关心的重大思想理论问题，不断丰富和发展理论。要切实抓紧党的基层组织建设，增强党的凝聚力和战斗力。党的基层组织是党的全部工作和战斗力的基础。基础不牢，地动山摇。着力解决一些基层组织软弱涣散的状况，把广大群众更好地团结、凝聚在党的周围，把党的方针政策和各项任务落到实处。要大力加强党风廉政建设，认真实践全心全意为人民服务的宗旨，严格对党员、干部的教育、管理和监督，反对官僚主义，清除腐败现象，坚决维护党的崇高威信和良好形象。

实践“三个代表”，是每个党员和干部应尽的责任。“三个代表”，根本是“先进”，关键在“代表”，既是对党的总体要求，又是对每个党员的具体要求。每个党员、干部都应自觉地坚持、体现和贯彻“三个代表”，把“三个代表”的要求落实到模范执行党的路线方针政策之中，落实到带领广大群众推进改革建设的各项工作之中。身教重于言教，示之以行比晓之以理、动之以情更重要。党的干部要成为全党的表率，党员要成为全社会的表率。广大党员、干部特别是各级领导干部，一定要以身作则，率先垂范，讲学习、讲政治、讲正气，在改造客观世界的同时不断改造自己的主观世界，牢固树立正确的理想信念，牢固树立正确的世界观、人生观、价值观，在纷繁复杂的形势面前始终保持清醒头脑，保持正确前进方向。要密切联系群众，虚心向群众学习，了解群众意愿，反映群众呼声，多为人民群众办实事办好事。要自重、自省、自警、自励，发扬艰苦奋斗的优良作风，经受住权力、金钱、美色的考验，千万不能贪图安逸、追求享受。多想想参加革命参加工作是为了什么，在领导岗位上应该做点什么，将来给后世留点什么。要兢兢业业，恪尽职守，堂堂正正做人，老老实实工作，全心全意为人民服务。

宣传“三个代表”，是宣传思想战线的重大任务。宣传思想战线一定要在抓好自身学习贯彻的同时，把继续宣传“三个代表”放在突出位置。要加大宣传力度，在“深入”上下功夫，把“三个代表”的宣传贯穿到各方面的宣传工作中去，贯穿到正在进行的“三讲”教育中去。努力引导广大党员和干部群众进一步认识“三个代表”重大现实意义和深远历史意义，进一步领会“三个代表”的深刻内涵和精神实质，进一步落实“三个代表”的重要内容和基本要求。要宣传加强和改进党的思想政治工作，必须全面贯彻落实“三个代表”的要求，这是党团结和带领人民建设有中国特色社会主义的长期战略方针。要宣传各级党组织贯彻“三个代表”重要思想的好措施、好经验，宣传广大党员实践这一重要思想的好事迹、好做法，推广典型，弘扬正气，营造良好舆论氛围，促进党的建设的深入发展，实现党的建设新的伟大工程的总目标。

（2000年7月25日《人民日报》）

丁关根在全国创建文明社区工作座谈会上发表讲话（摘要）

（2000年9月8日）

丁关根强调，深入开展创建文明社区工作，是加强思想政治工作和精神文明建设的迫切需要，是加强城市建设和城市管理的迫切需要，是改善居民生活环境、维护社会政治稳定的迫切需要，是密切党同群众关系、巩固党的执政基础的迫切需要。创建文明社区工作大有潜力，大有可为，大有希望。我们一定要充分认识创建文明社区工作的重要意义，进一步增强责任感和紧迫感，认认真真、扎扎实实把创建文明社区工作抓紧抓好。

丁关根指出，创建文明社区是创建文明城市活动中蓬勃兴起的新生事物，是人民群众在党的领导下创造美好生活的生动实践，是把精神文明建设任务落实到基层的有效载体。创建文明社区工作要坚持以邓小平理论和党的基本路线为指导，认真贯彻江泽民同志关于“三个代表”的重要思想，紧紧围绕经济建设这个中心，切实做到两手抓，两手都要硬，解放思想，实事求是，团结鼓劲，增强信心，勇于实践，开拓创新，促进改革发展，维护社会稳定，为全党全国工作大局服务。

丁关根强调，服务人民，造福人民，是创建文明社区的基本立足点，也是保持创建活动生命力的关键。要以群众的需要为第一信号，关心群众疾苦，倾听群众呼声，带着深厚的感情，多做得人心、暖人心、稳人心的工作。紧紧抓住群众最关心、反映最强烈的“急、难、愁”问题，每年办几件作用大、影响大的实事，把工作做到群众心坎上，使社区群众得到实实在在的利益。要坚持一切从实际出发，因地制宜，量力而行，分步推进，务求实效。要适应城市发展水平，适应社区建设要求，适应群众承受能力。坚决反对官僚主义、形式主义。要坚持以提高居民素质和社区文明程度为主要目标，努力建设环境优美、秩序优良、服务优质、管理优化的现代城市社区，形成崇尚先进、团结互助、扶正祛邪、积极向上的社区道德风尚，促进城市两个文明建设协调发展。要把加强思想政治工作放在创建文明社区的突出位置，把解决思想问题同解决实际问题结合起来，把教育群众同切实服务群众结合起来，增强工作的针对性和实效性，扩大工作覆盖面，加强思想文化阵地建设，把社区内的文体活动场所建成宣传科学理论、传播先进文化、塑造美好心灵、弘扬社会正气的阵地。

丁关根要求，各级党委和政府要把创建文明社区摆上重要日程，把创建文明社区纳入城市和城区经济社会发展的总体规划，统筹安排，循序渐进，持续发展。要发挥基层党组织在创建文明社区工作中的核心作用，努力做到凡是有党员的地方就有党的组织，凡是有党组织的地方就有党的工作和活动，就要发挥党的凝聚力、战斗力。要建设一支高素质的社区工作队伍，推荐那些思想品质好、善于联系群众、热爱社区工作、热心公益事业的同志参加社区管理工作，努力形成一支由专职干部、志愿人员、居民群众共同组成的社区工作队伍。要狠狠地抓，一天不放松地抓，从具体事情抓起，推动创建文明社区活动向广度和深度发展。

(2000年9月8日《人民日报》)

丁关根：在中国记者节庆祝大会上的讲话

(2000年11月8日)

今天，我们在这里隆重集会，热烈庆祝中国记者节。

在党中央关心下，经国务院批准，每年11月8日为中国记者节。这体现了党和国家对新闻事业的高度重视，体现了社会各界对新闻职业的充分尊重，体现了党中央对新闻工作者的亲切关怀。受党中央委托，谨向辛勤工作在新闻战线的全体同志致以节日的祝贺和诚挚的问候，向为党的新闻事业繁荣发展做出重要贡献的老一辈新闻工作者表示崇高的敬意，向所有关心支持新闻工作的同志们表示衷心的感谢。

新闻工作是党和人民的喉舌，是我国社会主义事业的重要组成部分。新闻记者是有社会影响、受到群众尊重的一种职业。革命战争年代，在党的领导和爱国精神感召下，进步的革命的新闻工作者，追求光明，献身理想，伸张正义，甘洒热血，为中国人民解放事业的胜利作出了重要贡献。新中国成立50多年特别是改革开放20多年来，广大新闻工作者热情投入社会主义建设和改革的伟大实践，积极宣传马列主义、毛泽东思想、邓小平理论，积极宣传党的路线方针政策，真实反映我国人民艰苦创业的精神风貌，真实记载祖国蓬勃发展的历史进程，为经济发展和社会全面进步提供了有力的舆论支持。新闻工作者常年紧张工作，非常辛苦，不管严寒酷暑，不管白天黑夜，奔波在现场，奋笔于案头，神州大地、世界各处都有他们的足迹。他们热爱祖国、热爱人民，坚持党性、坚持真理，深入生活、深入实际，勇于拼搏、勇于创新，涌现出许多德才兼备、可歌可颂的杰出人才，留下了许多享誉中外、传之久远的名篇佳作。广大新闻工作者的出色工作和动人业绩，得到党和人民的充分肯定，得到社会各界的广泛好评。

现在，我国经济发展，政治稳定，民族团结，社会进步，形势很好。党的十五届五中全会，通过了《关于制定国民经济和社会发展第十个五年计划的建议》，提出了“十五”期间的奋斗目标和任务，明确了“十五”期间发展的主题和主线，描绘了我国在新世纪第一个五年经济和社会发展的宏伟蓝图。宣传思想战线要认真学习贯彻五中全会精神，积极全面准确深入地宣传五中全会精神，动员全党全国各族人民把思想统一到全会的精神上来，把力量凝聚到落实全会提出的各项任务上来，促进改革发展，维护社会稳定，奋力实现新世纪的三大任务。

面对新形势新要求，广大新闻工作者一定要坚持同以江泽民同志为核心的党中央保持一致，高举邓小平理论伟大旗帜，坚持党的基本路线，坚持新闻工作的方针原则，进一步增强政治意识、大局意识、责任意识，唱响主旋律，打好主动仗，牢牢把握正确舆论导向。一切思想文化阵地，都要宣传科学理论，传播先进文化，塑造美好心灵，弘扬社会正气。

一定要时时刻刻想着人民，全心全意为人民服务。人民记者为人民，新闻工作者要与时代同行，与人民共进。及时报道人民群众的生动实践和精神风貌，关心群众疾苦，倾听群众呼声，维护群众利益，帮助群众排忧解难。认真做好热点引导，切实加强舆论监督，多做得人心、暖人心的工作，多做增进团结、增进理解的工作。

一定要转变作风，改进文风。要深入一线，实地采访，多用群众的鲜活语言，多写群众喜闻乐见的报道，多写短通讯、短新闻、现场新闻，写新、写实、写活，有思想、有风格、有情感，真实可信，文笔生动，亲切有味，讲实话、鼓实劲、求实效，增强新闻宣传的准确性、鲜明性、生动性，增强吸引力、感染力、说服力。

一定要抓住历史机遇，加快新闻事业改革发展的步伐，壮大实力，增强活力，赢得群众，赢得市场。要积极主动，加大力度，深入创新，稳步推进。要充分考虑意识形态工作的特点，适应社会主义市场经济体制和精神文明建设的要求。要加强党的领导，有利于发挥宣传文化工作者的积极性，有利于促进事业的健康繁荣发展。

一定要以江泽民总书记“三个代表”的重要思想为指导，切实推进新闻队伍建设。加强理论和业务学习，发扬敬业精神，遵守职业道德，严禁有偿新闻，做到政治强、业务精、纪律严、作风正，真正使我们的新闻工作者成为时代进步的忠实记录者，成为物质文明和精神文明的积极建设者。

同志们，我们正处在中华民族复兴的伟大时代，正面临千载难逢的大好机遇，正进入全面建设小康社会、加快推进现代化的新的发展阶段。新的世纪，新的起点，新的里程碑。能够有幸记载中国人民创造奇迹的壮丽历程，记载祖国母亲的灿烂辉煌，记载社会主义在中国的成功实践，这是我们每一位新闻工作者的光荣和自豪，也是历史赋予广大新闻工作者的重任和使命。让我们坚定信心，振奋精神，团结一致，开拓进取，为我们的党、我们的祖国、我们的人民，贡献自己的一切！

（2000年11月9日《人民日报》）

丁关根：在纪念中国人民广播事业暨中央人民广播电台创建60周年大会上的讲话

（2000年12月29日）

今天我们大家欢聚一堂，共庆中国人民广播事业暨中央人民广播电台创建60周年。受党中央委托，向中央人民广播电台和辛勤工作在广播战线的全体同志表示热烈的祝贺和亲切的问候，向为党的广播事业做出重要贡献的老一辈广播工作者致以诚挚的敬意，向所有关心、支持中国人民广播事业的同志们、朋友们表示衷心的感谢。

中国人民广播事业和中央人民广播电台走过了60年光辉历程。它诞生在革命圣地延安，经历了抗日烽火和解放战争的严峻考验，成长于社会主义革命和建设的创业时期，繁荣于改革开放和现代化建设的伟大时代。党中央对发展中国人民广播事业、办好中央人民广播电台历来十分重视。中央三代领导核心毛泽东、邓小平、江泽民同志都给予了亲切关怀，作过许多重要指示。为纪念中国人民广播事业暨中央人民广播电台创建60周年，江泽民总书记亲笔祝贺并作重要批示，充分肯定了人民广播事业和中央人民广播电台60年取得的成就，并提出了殷切期望。《批示》言简意赅，内涵深刻，对进一步办好广播事业具有重大的指导意义，一定要认真学习、认真贯彻。

在党中央领导下，60年来，一代又一代广播工作者以饱满的政治热情，良好的精神风貌，精湛的技术业务，积极投身推翻旧世界的艰苦斗争和建设新中国的火热生活，为中国革命的胜利和社会主义建设、改革事业的发展做出了不可磨灭的贡献。他们政治坚定，旗帜鲜明，工作勤奋，积极宣传马列主义、毛泽东思想、邓小平理论，积极宣传党的路线方针政策。他们胸怀大局，心系人民，敬业奉献，热情讴歌中华民族翻天覆地的巨大变化，热情讴歌中国人民创造历史的奋发精神。他们深入采访，精心制作，认真播出，创办了一大批名牌栏目，推出了一大批优秀作品，涌现了一大批深受群众喜爱的名记者名播音员，形成了热爱祖国、热爱人民，坚持党性、坚持真理，深入实际、深入群众，严格纪律、严格要求，敢于拼搏、敢于胜利的优良传统。中国人民广播事业、中央人民广播电台的创业史、奋斗史，为党的新闻工作创造了可贵的精神财富，在中国新闻发展史上谱写了重要篇章。

中国人民广播事业是党的新闻事业的重要组成部分。作为现代化的大众传媒，广播具有传播迅速、收听方便、覆盖面广、感染力强的独特优势，在我国的经济、政治、科技、教育和文化生活中发挥着重要影响。我国是一个幅员辽阔、拥有12亿多人口的大国，广播与人民群众的思想、工作和生活联系密切，在城乡各地特别是边远农牧区，广播的作用不可忽视、不可替代，广播事业大有希望、大有作为。当前，我们正处在民族复兴的伟大时代，正进入全面建设小康社会、加快推进现代化的新的发展阶段。新的形势、新的任务，对广播事业提出了新的要求。希望广播工作者充分认识自己肩负的重任，振奋精神，团结奋斗，发挥优势，办出特色，在继承优良传统的基础上，锐意进取、开拓创新，使中国广播事业在新的世纪有一个新的提高、新的发展、新的局面。

开创中国广播工作新局面，必须牢牢把握正确舆论导向。广播是党和人民的喉舌，是党同人民群众密切联系的桥梁和纽带，是宣传科学理论、传播先进文化、塑造美好心灵、弘扬社会正气的阵地。一定要坚持党的基本理论和基本路线，坚持“三个代表”的要求，坚持政治家办台，坚持对党负责与对人民负责的一致性，坚持团结稳定鼓劲、正面宣传为主，进一步增强政治意识、大局意识、责任意识，唱响主旋律、打好主动仗，振奋精神、鼓舞士气，促进改革发展、维护社会稳定，更好地为人民服务、为社会主义服务、为全党全国工作大局服务。

开创广播工作新局面，必须树立精品意识，努力提高节目质量，增强广播宣传的吸引力和感染力，赢得听众、赢得市场。要加大信息量，增强时效性，加强深度报道，进一步做好典型宣传、热点引导和舆论监督工作。要精心规划、精心设计，贴近群众、贴近生活，适应不同听众需求，开办更多高水平、高质量、有新意、有品位的栏目和节目，推出更多思想性、艺术性、知识性、趣味性俱佳的好作品，给青少年以知识和教益，给老年人以温馨和欢乐，给奋进中的建设者开拓者以信心和力量。

开创广播工作新局面，必须抓住机遇，深化改革，加快发展。近些年来，我国广播事业在改革中迅速发展，在发展中不断改革。面对新的形势，我们一定要抓住历史机遇，加快改革发展步伐，不断壮大实力。改革要以发展为主题，以结构调整为主线，积极主动，加大力度，开拓创新，稳步推进。改革要充分考虑社会主义意识形态的特点，适应社会主义市场经济体制的需要，符合精神文明建设的要求，确保党对广播事业的领导。改革要有利于发挥广播工作者的积极性和创造性，有利于社会效益和经济效益的统一，有利于促进广播事业的健康繁荣发展、更好地满足人民群众日益增长的精神文化需求。

开创广播工作新局面，必须按照“三个代表”的要求，切实加强广播宣传队伍建设。广播工作岗位十分光荣，党和人民把话筒交给我们，这是信任，更是责任。希望大家珍视自己的职责和使命，树立强烈的事业心和责任心，把心思和精力用在办好广播事业上。要学习学习再学习，深入深入再深入，从改革和建设的火热生活中，从人民群众创造美好未来的实践中汲取智慧和营养，努力提高自己的政治素质、精神境界和业务水平。要大力加强领导班子建设，讲学习、讲政治、讲正气，勤奋工作，守土有责，清正廉洁，以身作则。要建设一支政治强、业务精、纪律严、作风正的广播宣传队伍，努力创造有利于优秀人才脱颖而出的良好环境，培养和造就一大批名记者、名编辑、名播音员、名评论员和优秀管理、技术人才。

同志们：回顾过去，60 年的光辉历程，60 年的辛勤硕果，我们为广播事业取得的成就感到振奋、感到自豪；展望未来，我们对广播事业发展的美好前景充满激情、充满信心。人类即将进入 21 世纪，我国各族人民正昂首阔步迈向中华民族伟大复兴的历史征程。新的世纪、新的起点，为我国广播事业的新发展提供了千载难逢的大好机遇，为我们广播工作者施展聪明才智提供了前所未有的广阔舞台。让我们高举邓小平理论伟大旗帜，紧密团结在以江泽民同志为核心的党中央周围，深入贯彻党的十五大和十五届五中全会精神，认真学习“三个代表”，深入宣传“三个代表”，身体力行“三个代表”，把党和政府的声音传送到四面八方，把最好的精神食粮奉献给千家万户，把中国的良好形象展现给世界人民，在新的时代创造出中国广播事业新的辉煌。

(2000 年 12 月 30 日《人民日报》)

李铁映：学习哲学 研究哲学

（2000年2月29日）

哲学，作为系统化、理论化的世界观和方法论，历来被看做最高意义上的“智慧之学”。而马克思主义创始人则进一步揭示了哲学与社会实践、哲学与历史进步之间的内在联系。他们把哲学称做“时代精神的精华”和“文明的活的灵魂”。他们认为，不同时代的真正哲学，是每个时代最精深的思想成果，是每种社会文明的精神实质的集中体现。这一极其深刻的科学论断，不仅指明了哲学在整个人类生活中的地位和作用，而且也为理解哲学的历史状况和命运，提供了一条最重要、最可靠的线索。

记得马克思在谈到德国人民的解放时，曾用非常明确的语言指出：“这个解放的头脑是哲学。”这个比喻非常精辟地说明了先进哲学的社会意义。从历史上看，哲学的发展，总是意味着人的思想的解放，哲学首先是“头脑的解放”；而思想的解放，又从来是启动和引导整个解放事业的中枢，从而成为“解放的头脑”。人类社会的发展、进步、革新，首先要解放头脑、解脱精神束缚，这样才能有创造的动力和创造的能力。

昔日欧洲的文艺复兴运动，虽然首先从文艺领域发起，却是以一种崭新的人文主义哲学观念为武器，才有了冲破封建主义宗教统治的思想力量；虽然文艺复兴的最显著成果，是科学和艺术的大发展，但其最后完成之“功”还是在哲学。如果没有近代唯物主义哲学对宗教神学的清算，不知道还会有多少个布鲁诺被送上刑场。

众所周知，马克思发现剩余价值规律，并使社会主义从空想变成科学，从而改变了人类的历史。但他的伟大贡献之“功”，也发端于哲学上的革命变革——创立了历史唯物主义这一全新的、能够科学地揭示人类历史发展规律的世界观方法论体系。

在我们党的历史上，能够打破教条主义和经验主义的束缚，纠正“左”、右倾机会主义的错误，恢复并发扬实事求是的优良作风，进而推动革命和建设事业顺利前进的最强有力保证，归根到底也是“功”在马克思主义哲学。

这里所说的“功”，有两层含义：一是指功劳，即贡献；二是指能够作出以上贡献的“功夫”、“功力”，即世界观、方法论的功底。两者相比较，显然后者是根本，是前者的基础和条件。

因此，我们伟大事业的缔造者——马克思主义创始人及其继承人，都非常重视哲学。恩格斯曾说：一个民族想要站在科学的高处，就一刻也不能没有理论思维。而要锻炼和提高理论思维的能力、水平，除了学习以往的哲学史，没有别的更好的途径。毛泽东同志在延安时期，号召全党学习、研究马克思主义哲学，并把这种学习、研究与指导中国革命的具体实践结合起来。邓小平同志80年代初曾批评一些领导干部埋头事务工作，“不懂哲学”，忽视哲学，思想方法和工作方法简单、片面的倾向，强调要学好马克思主义哲学，以指导各项工作。江泽民同志近年来发表了多次重要讲话，一再强调全党同志特别是领导干部，一定要从讲政治的高度看待学习，加强学习。并指出，在各方面的学习中，首先要学好马克思主义哲学。

也许有人还不太理解：为什么在以经济建设为中心的今天，邓小平、江泽民同志仍然强调要学习哲学、研究哲学？不理解，是因为还没有站在社会发展全局的高度来看待我们的事业，也就是说，思想还要不断解放。而进一步解放思想，仍然是目前形势对我们的客观要求，是保证我们的事业顺利前进的思想条件。

邓小平同志说：“我们干的事业是全新的事

业。”建设有中国特色的社会主义，是一项前无古人的伟大创举。在全面推进这一伟大事业时，只有使人的思想达到应有的高度，才能摆脱陈旧观念和僵化思维的束缚，才能对改革、发展和稳定有全面的、辩证的理解，从而创造性地工作，开拓出新的局面。解放思想与实事求是并不是矛盾的：解放思想所要达到的应有态度，正是实事求是，就是要学会按照实事求是思想路线的要求，去思考和行动；惟有坚定不移地做到实事求是，才能不受一切偏见的干扰，敢于和善于从实际出发，做一切有利于人民的事，而这也正是解放思想的涵义。

与上述要求相比，我们不能说现在思想解放的任务已经结束了。目前，我国改革已进入攻坚阶段，发展正处于关键时期。为了完成党中央提出的各项任务，我们不仅需要科学、技术，需要物质、资金，需要各种知识和人才，需要一切有益的东西，同时，我们更需要解放思想，需要通过解放思想所焕发起来的决心、胆识和智慧。而要做到这一点，就需要哲学的指导。

同时，为了提高实践活动的自觉性、预见性和有效性，任何重大决策都必须建立在科学研究、充分论证的基础上，一切科学预测与管理，都必须建立在对社会客观规律正确认识的基础上。而认识规律只能依靠理论思维，不可能仅仅靠经验的观察和直观的思维来完成。因此，对待理论思维的态度、理论思维能力发展的状况，直接关系着建设有中国特色社会主义事业的成败。哲学是理论思维的高级形态，是观察、认识和指导实践、科学研究的根本立场、观点和方法。每一个有足够生活经历的人，头脑中都会有一定的哲学思想、一定的观念和方法。这些思想时刻都在起作用。问题是要清醒地意识到那是什么哲学，是先进的还是落后的，是正确的还是错误的。只有用科学的、先进的哲学武装头脑，才能引导我们掌握科学的精神和方法，防止唯心论、形而上学和主观主义的泛滥，使各项事业沿着正确的轨道健康发展。这就要求我们认真、扎实地学好马克思主义哲学。

当然，重视哲学还有更广泛的意义。这就是哲学在整个精神文明中的基础性和指导性作用。我们的社会主义事业，归根到底是以促进人和社会的全面发展为目标的事业。我们要的共同富裕，不仅仅是国家和人民在物质、经济上的富裕，也是在精神生活上的富裕和文明。哲学作为一门关系到世界观、历史观、人生观和价值观的学问，其任务不仅在于为各项工作提供认识工具，而且在于为整个精神文化提供必要的基础理论、观念和方法。社会精神文明的其他领域，如科学、文化、教育、道德、艺术、法律、政治乃至人们的日常生活方式等等之中，无不渗透和体现着一定的哲学思想、信念、观念和思想方法。因此，哲学的状况必然在深层次上影响着精神文明的状况。要使我国的社会主义精神文明日益发展，就必须不断丰富、发展和普及哲学，去抵御愚昧落后文化的影响，铲除各种迷信邪说泛滥的土壤，从而提升人的素质。懂得哲学、会用哲学的人是聪明的人，在精神生活里也是富有的、幸福的人，因为他迈上的是一条通向“自由王国”的道路。

在世纪之交、千年之交，人类社会正经历着一场有史以来最广泛而深刻的变革。一些旧的模式遇到了尖锐的挑战，原有的经济格局、政治格局正在打破。世界各国、各民族都在探索新的模式，争取有利于自己发展的新格局。人们不得不进行紧张的观察、思考、探索和比较。谁能够正确认识和解决人类的问题，谁就能够抓住机遇，争得优势，走在世界的前头。而解决问题只有靠解放思想、实事求是、大胆创新。未来几十年的世界性竞争，将是一种比思想、比知识、比创新的竞争。这一切，都与哲学有密切的关系，或者可以说，将受到哲学发展的深远影响。

世界的变化，为我们这个有12亿多人口、五千多年文明的中华民族提供了新的机遇。我国党和人民高举邓小平理论的旗帜，正在满怀信心地投入建设有中国特色社会主义的事业，探索一条崭新的社会发展道路。这条道路，是马克思主义与中国实际相结合的产物，也是面对当代世界新形势所作出的新创造。我们相信，只要首先把我们自己的事情做好，把改革开放的大好形势巩固发展下去，我们就一定能够达到目标，把祖国建设成为一个富强、民主、文明的社会主义现代化国家。在这个过程中，我们同样离不开、并且比别人更需要重视哲学的繁荣、发展和创新。

总之，我们的事业需要哲学，中华民族21世纪的振兴需要哲学。没有哲学、特别是没有马克思主义哲学与时俱进的发展，就不可能有真正的思想解放；而没有思想的解放，就不可能有高水平的、创造性的工作和精神文明。在把我们的事业全面推向21世纪的关键时刻，要进一步解放思想，就必须高度重视哲学、发展哲学，让哲学充分发挥“解放的头脑”的作用。

（此文是作者1999年10月在“新中国哲学50年”学术研讨会上的讲话，发表时有删改）

（2000年2月29日《人民日报》）

李铁映：研究和发展社会主义理论

（2000年10月17日）

20世纪是具有特殊意义的世纪，在这个世纪里曾发生过许多重大事件。但是，对人类社会发生了如此深刻影响、并将继续影响着21世纪的，莫过于社会主义制度的横空出世。从此，社会主义与资本主义两种制度、两种思想体系，在相当长的历史时期里主宰着人类历史，规定着时代的本质，影响着世界的格局。

社会主义是作为资本主义的对立物而产生的。它作为更高级的社会形态，是对资本主义社会形态的一种否定。但这种否定不是简单的否弃，而是扬弃，即是在吸纳了资本主义创造的一切有价值东西的基础上的否定。人类社会形态更替的逻辑总是这样，前一种社会形态为后一种社会形态的出现准备了物质的和精神的条件。一旦社会变革的时机到来，新的社会形态取代旧的社会形态便成为历史的必然。这是不可能抗拒的历史法则。依据这个法则，资本主义也不可能是永恒的，它同已经退出历史舞台的旧的社会形态一样，迟早要被社会主义所取代。

社会主义作为一种思潮，从英国人莫尔于1516年发表《乌托邦》算起，迄今快500年了。社会主义由空想变为科学，从1848年《共产党宣言》问世起，也已经一个半世纪了。在这一个半世纪里，社会主义经历了对这种学说的理论论证、完善和发展，经历了由理论变成现实的波澜壮阔的斗争历程。其间，有高潮和低潮，有凯歌行进的时期，也有受挫、甚至局部失败的记录。人类进入阶级社会以来，任何一种社会形态在历史上的出现，都伴随着激烈的阶级冲突，都经历了胜利与挫折、复辟与反复辟的长期的斗争过程。这似乎已是人类社会发展的规律。社会主义作为一种全新的社会形态，它同历史上已出现过的社会形态有本质的不同，它要根本变革旧的剥削制度和这种剥削制度赖以存在的旧的生产关系，建立一个没有阶级压迫、没有剥削、实现人与人之间真正平等和人的自由全面发展的社会。所以，社会主义革命是更为深刻、更为彻底的变革，正如《共产党宣言》所讲“共产主义革命就是同传统的所有制关系进行最彻底的决裂；毫不奇怪它在自己的发展进程中要同传统的观念实行最彻底的决裂。”正因如此，社会主义的实现必然会经历更长期、更艰苦的斗争，会出现更大的曲折。20世纪社会主义发展的历史已经清楚地证明了这一点。

20世纪作为千年之交的世纪，它给人类历史打上了深深的印记，这就是它诞生了世界上第一个社会主义制度，开创了人类历史发展的新纪元。人类社会从此开始了从资本主义向社会主义更高历史阶段的过渡。以列宁领导的布尔什维克党带领俄国人民进行伟大的十月革命，建立了苏维埃共和国，在世界上产生了第一个社会主义国家。随后，在包括中国在内的其他一些国家也相继建立了社会主义制度，以至出现了一个社会主义阵营。无论后来出现了怎样的挫折，都不能否定这是20世纪人类历史上最伟大的壮举，它对人类社会发生了重大而深远的影响。世界政治格局也因而出现了很大变化，即改变了资本主义的一统天下，出现了社会主义同资本主义同时存在、既相互联系和交往，又相互竞争和斗争的新局面。21世纪也将是20世纪开始的这样一个大格局的直接继续。

20世纪社会主义实践的伟大历史意义就在于：一是为人类社会开辟了崭新的发展道路，展示了美好的前景；二是在很大程度上遏制了帝国主义在全世界的扩张，并改变了世界的政治格局，出现了社会主义同资本主义并存、共处、竞争和斗争的复杂局面；三是社会主义制度的建立，消灭了剥削和压迫，实现了真正的平等和民主，改变了工人阶级和劳动人民的历史地位，事实证明了社会主义制度优于资本主义制度；四是社会主义阵营的出现和社会主义运动的发展，导致了殖民体系的瓦解，使绝大多数殖民地国家取得了国家独立，人民解放的胜利。总之，社会主义制度的产生，推动了人类历史的进步。它作为一种新生事物有着不可抗拒的生命力和吸引力，就连它的敌人也不能无视它的存在，并从社会主义那里学习和借鉴了许多好的东西。无论社会主义是成功、辉煌，还是暂时的挫折，甚至是失败，这都是人类社会的伟大探索、宝贵遗产。人类必将继承这份遗产继续进行探索和奋争而最终实现社会主义。

与人类历史相比，社会主义制度的存在还很短暂，但在短短半个多世纪里，它已显示出自己的优越性和强大的生命力，得到工人阶级和广大劳动人民的拥护。尽管20世纪末期发生了苏联解体、东欧剧变，但这并不能说明历史就此转向，更不表明社会主义已经失败。这只是社会主义实现过程中出现的一个小的波折。邓小平以历史唯物主义观点深刻分析了这一历史事件，他指出："我坚信，世界上赞成马克思主义的人会多起来的，因为马克思主义是科学。它运用历史唯物主义揭示了人类社会发展的规律。封建社会代替奴隶社会，资本主义代替封建主义，社会主义经历一个长过程发展后必然代替资本主义。这是社会历史发展不可逆转的总趋势，但道路是曲折的。……一些国家出现严重曲折，社会主义好像被削弱了，但人民经受锻炼，从中吸取教训，将促使社会主义向着更加健康的方向发展。"（《邓小平文选》第3卷第382—383页）这些高屋建瓴的分析，为我们研究重大历史事件提供了理论指导，增强了对社会主义的必胜信心。

当前，世界社会主义运动处于低潮，但并不意味着马克思主义理论研究也处于低潮，相反，世界范围内研究马克思主义、研讨社会主义的热潮却在悄然兴起。短短几年间，世界性的马克思主义国际学术讨论会一个紧接一个，这些会议的与会学者和自愿参加的群众达上千人乃至数千人，其中影响比较大的有：1995年为纪念恩格斯逝世100周年，在巴黎举办的"马克思主义—百年回顾与探索"大型国际研讨会；1996年4月有10多个国家千余名学者在纽约召开的"社会主义再展望"国际学术会议；同年7月在英国伦敦云集世界各地6000多人，举行了声势浩大的"'96伦敦马克思大会"；1998年3月有60多个国家和地区1500多名马克思主义学者聚集巴黎，召开"纪念《共产党宣言》发表150周年国际大会"，接着，是年秋天在巴黎又召开了"第二届国际马克思大会"，来自世界各地的500多名学者参加了研讨活动；前不久在美国召开了有2000多名学者参加的"2000年世界社会主义学者大会"。此外，今年11月还将在巴黎举行题为"全球化与人类解放"马克思主义学术国际讨论会。至于在世界其他地区召开的各种研讨社会主义问题的小型讨论会更是不计其数。

这种现象的出现决非偶然。它是当今社会矛盾的反映，是世界进步人士要求变革社会的情绪的表现。当今诸多社会问题和社会矛盾重新激起人们研究马克思主义的热情。为了解决当代社会问题和全球性问题，人们到马克思主义那里寻找思想武器。于是，便出现了法国《世界报》所说的"回归马克思"的热潮。"让马克思主义活起来"，"《共产党宣言》仍将是21世纪的宣言"，就成为这些国际学术会议的主调。

革命低潮对马克思主义是一个严峻考验，但也是一个很好的发展机遇。社会主义经过近百年的实践，积累了极其丰富的经验，但也有十分惨痛的教训，各种问题、各种矛盾暴露得也比较充分。马克思主义者在总结，在反思，反社会主义的敌对势力在诘难，在攻击。所有这一切，都有利于我们去思考、探讨和研究，结合对当前社会主义实践经验的总结，以丰富和发展马克思主义。众所周知，列宁正是在低潮时期，批判了第二国际修正主义，研究了资本主义发展的新阶段，结合新的实际，研究和发展了马克思主义哲学、政治经济学和科学社会主义学说，领导俄国工人阶级取得了社会主义革命的胜利，迎来了国际共产主义运动的新高涨。今天，我们又面临着这样的时期。历史将发展马克思主义和向前推进社会主义事业的重任，赋予了全世界的马克思主义者。上述一系列马克思主义理论研讨活动，就是实现这一历史任务的一个重要方面。

法共政治局委员、《马克思园地》负责人弗·拉扎尔夫人在巴黎纪念《共产党宣言》发表150周年国际大会的开幕词中讲到："取代资本主义的选择是什么？人类解放的前景是什么？这两个问题值得在世界范围展开最广泛、最深入和最富创造性的讨论。因为在马克思提出解放全人类口号150年后的今天，《宣言》依然具有伟大意义。马克思揭示了资本主义给人类带来的灾难。150年来，为着人类的解放，各国人民和无数志士仁人雄心勃勃地进行了众多的探索和尝试，但也经历了许多苦难、悲剧和失败。值此世纪之交，面对社会生活的新挑战，我们认为，所有的进步势力应在保持各自特性的同时，摈弃几十年间形成的分歧，共同思考，一起工作和进行讨论。"她动情地说，"《共产党宣言》不是一般的书，它不是冰，而是碳，放在锅里能使水沸腾起来。我们为什么不让历史重新沸腾起来呢?"可见，关心世界社会主义的前途命运，探讨世界社会主义面临的问题和前景，总结20世纪社会主义历史经验，特别是苏东社会主义国家演变的沉痛教训，是当前各国马克思主义者都关注的重要问题。拉扎尔夫人这些撼动人心的话语，道出了世界进步人类的心声，表达了各国马克思主义者共同探讨社会主义理论，推动社会主义事业前进的强烈愿望。

我们中国共产党人和中国广大马克思主义学者，对于研究和发展科学社会主义学说肩负着特殊重要的历史责任。正如江泽民总书记在纪念中国共产党成立78周年座谈会上所讲的："我们共产党人的根本政治信仰是社会主义和共产主义，世界观是马克思主义的辩证唯物主义和历史唯物主义，这是任何时候都丝毫不能动摇的，一个党员特别是领导干部，如果在思想上动摇了这些根本的东西，也就动摇了共产党人的根本政治立场，就必然偏离正确的政治方向。"江泽民同志还专门就世界社会主义跟踪研究做出过重要批示。这充分表现了中国共产党第三代领导集体对世界社会主义运动的关注，对研究马克思主义和用科学理论武装广大党员干部的高度重视。

理论研究和创新，是社会变革和社会进步的先导。面对国际国内出现的新情况、新问题，加强对马克思主义和社会主义问题的研究，具有重大而深远的意义。它涉及到是否能坚持和发展马列主义、毛泽东思想和邓小平理论的重大问题，涉及到是否能坚定对社会主义和共产主义的信仰问题，涉及到如何坚定不移地走有中国特色社会主义道路，保持社会主义旗帜永远不倒的问题。立足于时代的新高度，结合新的实践经验，研究和发展社会主义理论，已经成为马克思主义在当代发展的突出问题。就国际范围而言，它涉及如何支持世界正义事业，向前推进世界社会主义事业的大问题。这是一个十分光荣而艰巨的历史任务，我们应该为此而付出极大的努力。《当代世界社会主义研究丛书》（分三套系列：《当代世界社会主义研究国外学者丛书》、《当代世界社会主义研究国内学者丛书》、《当代世界社会主义研究资料丛书》)，就是试图在马克思主义和世界社会主义研究方面，在翻译和介绍国内外社会主义研究成果方面，作出自己应有的贡献。

（2000年10月17日《光明日报》）

钱其琛：深刻开掘和研究龙文化的精神内涵

（2000年4月3日）

海内外华人都以龙作为自己的民族文化标志，都把自己作为龙的传人。作为千年转折、世纪更替过渡点的公元2000年，恰好是中华民族传统文化中的龙年，这无疑使海内外华人感到鼓舞。“华夏文化纽带工程”组委会将与国家体育总局、海南省政府一起，在海南省东方市举办第一届中国龙文化艺术节；并将持续开展龙文化的学术和艺术活动。我对此表示热烈的祝贺。

我感到，我们必须深入开掘和研究龙文化的内涵和底蕴，只有这样，才能使我们对龙文化的认识和理解达到科学而不是盲目、深刻而不是肤浅、全面而不是片面的境界。龙年发表的一些关于龙文化的研究文章都指出，龙是中华民族力量的象征，龙也是中华民族奋发开拓、自强不息精神的代表，飞龙在天、龙腾虎跃、生龙活虎等成语就形象地描述了龙的这种活力。这些论述无疑是十分正确的。但是龙并不是曾经存在过的动物，而是中华文化精神象征的产物。在世界各民族的历史文化发展过程中，往往使用某种动物的形象作为民族、城邦的象征、徽记。比如狮、虎、鹰等等。至今欧洲一些国家的国徽上还保留着这些形象。但这种图像都是具体的、单一的动物，戴着皇冠，或举着宝剑，甚至加成双头。而中华民族的文化创造物和文化象征却是想象和抽象的产物。龙既能在空中腾飞，又能在水中遨游，还能在陆地上行走。从它诞生的那一天起，就体现了中华民族追求天、地、人沟通和统一，即追求人与自然沟通和统一的宝贵精神。这种精神以后也体现在中华民族的各种文化典籍中，是我们今天必须珍惜和吸取的思想财富。

龙为什么具有上述这种力量，体现上述这种精神，似乎一直缺少一种较为深刻的文化概括。我认为，从更为深层次的意义上说，龙文化首先体现出中华民族团结合力的精神内涵。由于华夏儿女都能在龙的这种精神内涵中找到自己的位置，看到自己的前景，因此便共同赋予了龙这种与天地沟通和统一的力量。我们首先可以从龙的形象构成中予以论证。众所周知，尽管各种具体说法不同，但大家都一致承认，龙的形象是许多动物形象的综合提升，如说龙“角似鹿、头似驼、项似蛇、腹似蜃、鳞似鱼、爪似鹰、掌似虎、耳似牛”，在远古时代，中华民族的各个部落都是以动物为其图腾的。在中华民族逐步走向融合统一的进程中，龙成为大家公认的文化标志，说明龙的形象是各个部落动物图腾的综合构成，反映了各民族的共同意愿。据资料记载，黄帝会盟各部落，以龙作为大家的共同图腾；中国历史上最后一个部落联盟，又是中国历史上第一个王朝的夏朝，也是以龙作为共同的图腾。可见，龙的形象，最初就是中华民族团结合力的象征。我们也可以从流传下来的关于龙的民俗民风中予以考证。众所周知，舞龙和赛龙舟原来都是祭祀龙的仪式。而舞龙和赛龙舟都需要运用集体的合力来完成，无法运用单个人的力量去运作。在这种集体的合作中，如果单个人的力量不能融入整个集体的节奏中去，所有人都会招致失败。我们可以将舞狮和舞龙作个比较。舞狮也是中华民族的艺术瑰宝，它至少需要两个人极其默契的配合，而舞龙人员的默契配合，可以根据舞龙的长度，达到十人、几十人、乃至上百人之多。不久前，香港特区青年与内地青年在八达岭长城举行的龙舞长城活动，竟有5000多人共舞一条3048米的长龙，创造了纪录。可见，舞龙、赛龙舟这样的传统文化项目，最好地体现了龙文化“团结就是力量”的精神内涵。

还需要指出的是，由于龙是中华民族集体力

量的象征，能够对中华民族团结合力作出贡献的带头人，就往往被看成龙的具体化身。在中华民族的历史文化传说中，盘古、伏羲、女娲、黄帝等代表人物，都是龙的部分或全部化身。这种善良的愿望，以后曾被封建统治者所利用，他们自称“真龙天子”，把自己的身躯称做“龙体”，把自己的衣服称做“龙袍”，等等，企图以此来维护和延续自己的统治。但是，凡不能真正为中华民族谋利益，不能真正追求中华民族团结统一的统治者，都会被华夏儿女唾弃。

龙，是中华民族团结凝聚的象征；龙文化，揭示了“团结就是力量”的深刻真理。祝愿首届中国龙文化艺术节圆满成功！

（2000年4月3日《人民日报》）

罗干在加强娱乐服务场所管理暨电子游戏经营场所专项治理工作电视电话会议上发表讲话

（2000年6月30日）

罗干指出，娱乐服务场所是社会主义精神文明建设的一个重要窗口。针对娱乐服务场所存在的突出问题，开展专项治理行动，采取有力措施，坚决遏制卖淫嫖娼、赌博、吸毒贩毒等社会丑恶现象，培育和发展文明、健康的群众性文化娱乐活动，不仅是保护广大人民群众根本利益和反腐败斗争的迫切需要，也是贯彻落实江泽民总书记“三个代表”重要思想的实际行动，是实践党和政府全心全意为人民服务宗旨的具体体现，是推进社会主义精神文明建设和保持社会稳定的重要措施。

罗干要求，各地、各有关部门要严格控制娱乐服务场所的发展规模，今后一律不再审核、审批新的电子游戏、歌舞娱乐、桑拿按摩、录像放映等娱乐服务场所；对现有的娱乐服务场所要全面进行清理整顿，并严格按照有关规定进行重新审核登记；对重新审核后予以保留的娱乐服务场所要制定明确的经营条件，限定营业时间并严格管理。对存在卖淫嫖娼、赌博、吸毒贩毒等问题的场所，公安、文化、工商行政管理部门要及时依法处置。要进一步加强娱乐服务场所管理制度建设，尽快形成行之有效的管理机制，使娱乐服务场所管理有章可循。要逐步建立对管理部门及其工作人员的监督制约机制，促使其廉洁、勤政、务实、高效地开展工作。要进一步建立和完善群众监督举报机制，主动接受社会各界和广大人民群众的监督。要加大扫除卖淫嫖娼、赌博、吸毒贩毒等社会丑恶现象的工作力度。对那些组织、强迫、引诱、介绍、容留妇女卖淫和聚众赌博、吸毒贩毒的场所和人员，要依法严厉打击。

罗干特别指出，一些地方的娱乐、服务场所之所以问题严重，与当地党政领导、主管部门及其工作人员的认识程度、工作力度有着直接的关系。为解决这一问题，严肃追究失职渎职领导干部的责任，中纪委、监察部正在研究制定有关规定。他要求，要认真落实党政领导干部责任制，各地要把扫除卖淫嫖娼、赌博、吸毒贩毒等社会丑恶现象的成效，作为考核地方党政领导干部工作实绩的一项重要内容。今后，凡卖淫嫖娼、赌博、吸毒贩毒等社会丑恶现象泛滥，娱乐服务场所案件、事故频发，群众反映强烈的地方，要按照党纪、政纪追究当地党政领导的责任。对那些默许、支持、纵容、包庇卖淫嫖娼、赌博、吸毒贩毒等违法犯罪活动的领导干部，一经发现，要严肃查处。要严格执行部门责任制，今后凡因管理不力，导致在其管辖区域内卖淫嫖娼、赌博、吸毒贩毒等社会丑恶现象和违法违规经营活动形成气候、规模，社会影响恶劣的，要坚决追究当地主管部门及其领导的责任。

（2000年7月1日《人民日报》）

罗干在全国预防青少年违法犯罪工作经验交流会上发表讲话

（2000年9月21日）

罗干强调，搞好预防青少年违法犯罪工作，事关党和国家的前途命运，事关社会治安的稳定，事关千家万户的安宁和人民群众的根本利益。各级党委、政府和各有关部门一定要以江泽民总书记“三个代表”的重要思想和关于教育问题的重要谈话精神为指针，进一步提高对预防和减少青少年违法犯罪工作的重要性和紧迫性的认识，增强责任感和使命感，大力加强青少年教育，积极预防和减少青少年违法犯罪，为我国改革开放和经济建设创造良好的社会治安环境。

罗干指出，改革开放以来，党和政府十分重视预防青少年违法犯罪工作，作出了一系列重大决策和重要指示。今年2月，江泽民总书记从国运兴衰、民族复兴的高度，发表了关于教育问题的重要谈话，引起了全党的高度重视。各地进一步加大了青少年法制教育和预防青少年违法犯罪工作的力度，取得了比较明显的成效。他同时指出，目前青少年违法犯罪比例仍然较高，问题比较突出。

罗干指出，对青少年的教育涉及到学校教育、家庭教育和社会教育，三者缺一不可，必须紧密配合，形成合力。有关部门和社会各界要充分发挥各自的优势，共同做好青少年教育工作，消除不利于青少年健康成长的社会丑恶现象，减少诱发青少年违法犯罪的因素。

罗干指出，目前违法犯罪青少年多数是辍学生、失学生，学校中有不良行为的学生，社会闲散青少年，盲目外出务工的青年农民以及刑释解教人员。加强对这些特殊群体青少年的教育和管理是做好预防青少年违法犯罪工作的重点。各级政法部门一定要切实履行职能，坚决打击侵犯青少年人身安全和合法权益的违法犯罪活动，对一些治安秩序混乱、青少年缺乏安全感的地方、路段、场所，尤其是对治安不好的学校及校园周边地区，要及时组织专门力量开展集中整治，限期改变面貌。

罗干要求，各级党委、政府一定要把预防青少年违法犯罪工作作为一项事关改革开放成败、事关国家民族兴衰的大事摆上议事日程，切实加强领导，定期分析形势，及时掌握预防青少年违法犯罪的工作动态，解决工作中的困难和问题。各级社会治安综合治理委员会要在党委、政府的领导下，加强对预防青少年违法犯罪工作的领导和协调，真正使这项工作管理有组织、工作有计划、事情有人干，切实负起“管人育人”的责任。各大中城市要积极举办预防青少年违法犯罪展览。各级综治机构要切实承担起组织、指导、协调预防青少年违法犯罪工作的职责，要加大对预防青少年违法犯罪工作的检查、考核力度，把这项工作的成绩作为衡量各地各部门综治工作好坏的重要依据。

（2000年9月22日《人民日报》）

曾庆红在全国干部人事制度改革经验交流会上发表讲话

（2000年7月16日）

曾庆红强调，要以邓小平理论和党的十五大精神为指导，按照“三个代表”的要求，认真落实《深化干部人事制度改革纲要》提出的各项任务，不断研究深化改革中出现的新情况、新问题，大胆实践，勇于创新，把解放思想和实事求是结合起来，把继承干部工作的优良传统和改革创新结合起来，把自上而下的推动和自下而上的探索结合起来，进一步加快干部人事制度改革步伐，努力为建设适应新世纪要求的高素质干部队伍提供制度保证。

曾庆红指出，党中央非常重视干部人事制度改革。党的十五大从推进党的建设新的伟大工程的总目标出发，对深化干部人事制度改革提出了明确要求。近年来，江泽民同志就深化干部人事制度改革，建立和完善能上能下、充满活力、促进优秀人才脱颖而出的用人机制问题，作过一系列重要指示，前不久又明确指出，要坚持把“三个代表”的要求落实到建设一支高素质干部队伍中去。胡锦涛同志在全国培养选拔年轻干部工作座谈会和全国党校工作会议上的讲话中，都强调要进一步加快干部人事制度改革，下决心、花力气在重要环节上取得突破。这些重要指示和要求，为我们进一步深化干部人事制度改革指明了方向。要认真学习，深刻领会，把握时代趋势，从全局和战略高度，进一步增强深化干部人事制度改革的紧迫感和责任感。

曾庆红说，改革开放以来，在党中央的领导下，干部人事制度改革随着经济体制改革和政治体制改革的推进，逐步展开，不断深化，取得了很大成绩，积累了丰富的经验，摸索出了一些带有规律性的东西，概括起来主要有六个方面：必须坚持组织路线为政治路线服务的正确方向，与建立社会主义市场经济体制和发展社会主义民主政治要求相适应；必须坚持党管干部原则，改进党管干部方法；必须着眼于建设一支高素质的干部队伍，创造优秀人才脱颖而出的良好环境；必须实行分类管理，搞好配套改革；必须尊重群众的首创精神，鼓励各地各部门大胆创新；必须以制度建设为根本，走规范化、法制化的路子。这些好的经验，为我们开拓干部人事制度改革的新境界、打开新局面、实现新突破奠定了坚实基础。

曾庆红强调，实现《纲要》提出的改革目标，必须统筹协调，整体推进，重点突破。当前和今后一个时期，要把解决干部能上能下问题，作为深化干部人事制度改革的着力点和突破口，努力在以下几个重要环节上取得明显进展：一是要以观念创新为基本前提，进一步解放思想。要破除论资排辈、求全责备等陈旧落后观念，进一步增强创新意识，把积极探索和大胆创新贯穿于溶化于干部人事制度改革的每一个环节、每一项工作，凡是符合“三个有利于”的标准，符合“三个代表”的要求，有利于优秀人才脱颖而出、干部能上能下的制度和办法，就大胆地试、大胆地闯、大胆地干。二是要以扩大民主为改革方向，进一步扩大群众在选人用人上的知情权、参与权、选择权和监督权。要坚持和完善民主推荐、民意测验和民主评议制度。加大干部任前公示制的推广力度，争取三至五年内在地厅级以下领导干部中普遍实行。积极推行公开选拔领导干部和党政机关干部竞争上岗制度。三是要以解决干部“能下”为工作重点，进一步加大改革攻关力度。要抓紧建立健全党政领导干部任期制、任职试用期制、辞职制度及部分领导职务聘任制，使干部“能下”逐步制度化。同时抓紧研究建立和完善“能下”的各项配套措施，努力营造“能下”的社会环境。四是要以完善考核为关键环节，进一步健全择优汰劣机制。要尽快研究制定一套科学的考核指标体系，细化不同类型、不同层次干部的考核评价标准，扩大考核范围，改进考核方法，建立健全干部考核责任制。五是要以推进交流为重要措施，进一步增强干部队伍的活力。六是要以加强监督为根本保证，进一步完善制约制度和措施。加强对干部选拔任用工作的监督，尽快建立干部推荐责任制、干部考察责任制。

曾庆红指出，深化干部人事制度改革是一场广泛而深刻的革命，是干部人事工作从思想观念、工作方法到管理体制和运行机制的全面创新，必须有坚强的组织领导来保证。各级党委要把干部人事制度改革作为事关全局的工作摆上重要议事日程。在工作中，一定要坚持“三支队伍”一起抓，对党政机关、国有企业、事业单位干部人事制度改革，进行通盘考虑，根据不同特点，实行分类指导，使之相互协调，整体推进。组织部门要在党委的领导下，协同有关部门对干部人事制度改革进行统筹规划、狠抓落实。要充分发挥思想政治工作的优势，加强对干部人事制度改革的宣传，为深化干部人事制度改革创造良好的社会环境。

（2000 年 7 月 17 日《人民日报》）

曾庆红在全国干部监督工作会议上发表讲话

（2000 年 9 月 16 日）

曾庆红强调，面对新形势新任务，我们党比以往任何时候都更加迫切需要重视和加强监督工作。组织部门的监督是党内监督的重要组成部分，担负着对领导干部和干部选拔任用工作进行监督的重要职责。我们要以邓小平理论和党的十五大精神为指导，按照江泽民同志关于“三个代表”的重要思想，总结经验，认清形势，统一思想，增强做好新时期干部监督工作的历史使命感和时代紧迫感，积极探索新形势下干部监督工作的有效途径和方法，努力提高组织部门干部监督工作的水平和质量，为建设一支适应新世纪要求的高素质干部队伍提供保证。

曾庆红指出，加强新形势下的干部监督工作，是事关党的建设和国家政权建设的一个重大问题，是整个干部工作的一个重要环节，是从政治上关心、爱护干部的有效措施，也是依法治国、发展社会主义民主政治、推进政治体制改革的必然要求。我们一定要从关心党的生死存亡、国家政权的巩固与否、社会主义事业的兴衰成败的战略高度，深刻认识加强监督的重要性和紧迫性，把加强新形势下的干部监督工作作为组织部门的一项重大而紧迫的课题，认真研究，着力解决。

曾庆红强调，加强对领导干部特别是党政“一把手”的监督，是从严治党、建设好领导班子和领导干部队伍的关键环节，也是干部监督工作的重点。加强对领导干部的监督，就要强化领导干部的自我监督，强化上级的监督，强化班子内部的监督，强化群众的监督，强化审计监督，强化组织部门的日常管理和监督。组织部门的监督，应以干部行使权力过程中的表现为主要内容，以完善干部管理机制、加强事前防范为基本途径，以实施组织调整为主要手段。强化组织部门的监督，要以正面教育为主，以预防为主，以事前监督为主，防患于未然；要把及时发现问题与全面评价干部结合起来，把批评帮助与表彰先进结合起来，把严格约束与鼓励大胆探索、开拓创新结合起来，充分发挥干部监督的正面导向和激励鼓舞作用。在突出抓好对领导干部特别是主要领导干部监督的同时，还要把执纪执法和掌管人、财、物等关键部门、关键岗位的领导干部，双重管理的领导干部，国有企业的领导干部以及年轻干部作为监督的重点对象。

曾庆红指出，要努力在对干部选拔任用工作监督上取得新的突破。《党政领导干部选拔任用工作暂行条例》，是我们党规范干部选拔任用工作的重要法规，是保证党的干部路线方针政策正确执行的有力武器，也是搞好干部选拔任用工作监督的基本依据。在对执行《条例》的监督上要有新思路，要把对执行《条例》的监督关口往前移，变事后检查为事前、事中监督，变被动督查为主动防范，变亡羊补牢为未雨绸缪，从干部选拔任用的源头上防止不正之风和腐败现象的发生；把对《条例》执行情况的检查经常化、规范化，各地各部门要注意把普遍检查与重点抽查结合起来，把上级检查与自我检查结合起来，把督查组检查与部门监督结合起来，把监督贯穿于干部选拔任用工作的全过程；对违反《条例》的行为要加大查处力度。凡是违反《条例》的行为，不管涉及到什么人，都要严肃批评，限期改正；造成用人失察失误的，要追究责任。在扩大干部选拔任用工作的民主监督上要有新举措，进一步扩大干部推荐、干部考察和干部任用中的民主。在建立和完善干部选拔任用责任制上要迈出新步伐，尽快建立和完善干部推荐责任制、干部考察责任制和用人失察失误责任追究制。

曾庆红强调，要以创新精神推动干部监督工作开创新局面，要在继承的基础上创新，努力实现干部监督的观念创新，扎实推动干部监督的工作创新，积极探索干部监督的制度创新。要在加强的基础上改进，改革传统的干部监督方法，更新干部监督的手段，扩大干部监督的范围。要在巩固的基础上提高，切实提高民主生活会质量，提高监督工作的针对性和提高舆论监督的质量。

曾庆红说，干部监督工作任务重、难度大、要求高、政策性强，各级党委要进一步加强对干部监督工作的领导，切实把这项工作抓紧抓好。党委主要负责同志对所在地区或部门的干部监督负总责，既要自觉接受组织监督和群众监督，又要真正担负起监督同级和下级的责任。监督工作任务重，困难多，容易得罪人，各级党委和组织部门要全力支持从事干部监督工作的同志，关心他们的学习、工作和生活。要加强组织部门的干部监督机构和队伍建设，充实力量，改善结构，加强培训，提高素质，改进方法。要加强干部监督理论的研究，积极探索新形势下干部监督工作的特点和规律，为搞好干部监督工作提供理论支持。同时，要深入实际，调查研究，认真总结在监督实践中探索出来的一些好经验、好做法，并及时进行科学规范，逐步推广。

（2000年9月17日《人民日报》）

曾庆红：以“三个代表”的重要思想为指导加强党建理论研究

（2000年11月1日）

江泽民同志提出的“三个代表”的重要思想，继承和发展了马克思主义建党学说。我们要以“三个代表”的重要思想为指导，加强党建理论研究工作。

一、胸怀全局，与时俱进，充分认识“三个代表”的思想对党建理论研究的重要指导意义

今年以来，江泽民同志就加强党的建设问题，集中地、连续地提出了许多重要的思想和观点。

比如，实现跨世纪发展的宏伟目标，关键要把党建设好；必须按照“三个代表”的要求，全面加强党的思想、组织、作风建设；治国必先治党，治党务必从严；抓党的建设首先要抓好党的思想政治建设；人才是决定事业成败的一个关键因素，要抓紧培养和造就一大批适应新世纪要求的中青年领导干部；党的意识是执政党带有根本性的问题，全党同志都要增强党的意识，等等。这些都是江泽民同志站在党的事业兴旺发达和国家长治久安的战略高度，在回顾历史、立足现实、前瞻未来的基础上提出来的，是密切联系、相互贯通的。特别是“三个代表”的重要思想，是对马克思主义建党学说的新发展，是对党的性质、宗旨和根本任务的新概括，是对新形势下加强党的建设提出的新要求，也为我们进一步做好党建理论研究工作，提供了强大的思想武器。

第一，“三个代表”的思想强调始终保持党的先进性，明确了党建理论研究的新要求。“三个代表”的思想，突出强调了始终保持党的先进性问题。我们党的先进性，是建立在唯物史观对人类社会发展规律科学认识基础上的，是同党在各个时期的历史任务紧密联系的，是由工人阶级先锋队的性质决定的。在新民主主义革命中，我们党的先进性，集中体现在以毛泽东同志为核心的第一代中央领导集体，把马克思列宁主义的普遍原理与中国实际相结合，从实现最广大人民的根本利益出发，创造性地提出了新民主主义革命的理论、路线和方针政策，依靠工人阶级和巩固的工农联盟，结成广泛的革命统一战线，领导全国人民实现了民族的解放和国家的独立。新中国成立后，我们党领导全国各族人民有步骤地实现了从新民主主义到社会主义的转变，并且取得了建设社会主义的巨大成就。在社会主义现代化建设的新时期，党的先进性集中体现在以邓小平同志为核心的第二代中央领导集体，科学地总结了建国以来正反两方面的经验，正确把握基本国情，深刻认识时代特征和世界发展变化的总趋势，果断地作出了党的工作重心进行战略转移和实行改革开放的重大决策，逐步形成了党在社会主义初级阶段的基本理论和基本路线，成功地走出了一条建设有中国特色社会主义的新道路。以江泽民同志为核心的第三代中央领导集体，从我们党面向充满希望与挑战的新世纪，如何把党建设得更加坚强、更加充满生机与活力，更好地带领全国人民全面推进建设有中国特色社会主义事业的战略高度，强调我们党必须始终代表中国先进社会生产力的发展要求、代表中国先进文化的前进方向、代表中国最广大人民的根本利益。江泽民同志提出的“三个代表”，高度概括了毛泽东思想、邓小平理论关于党建理论的深刻内涵，是我们党的立党之本、执政之基、力量之源，是党的先进性的集中体现和科学表述。它既为进一步加强党的建设指明了方向，也向党建理论研究提出了新的要求。应该看到，我们党作为工人阶级的先锋队，在本质上是具有先进性的。但要始终保持党的先进性，关键在于党要审时度势、与时俱进，加强自身建设，自觉适应时代的要求。面向21世纪的中国共产党，最重要的是要全面坚持“三个代表”，始终当好“三个代表”，永远走在时代前列，永葆党的生机与活力。这就要求党建理论研究具有前瞻性。江泽民同志指出：“没有先进理论武装的党，不可能是先进的党；没有先进理论武装的共产党员，不可能发挥先进战士的作用；拒绝用先进理论武装头脑的人，就不会有真正的党性，就没有资格存身于工人阶级先锋队的行列。”总的看，近年来党建理论研究工作取得了不少成绩，呈现出了新的气象。但同迅速发展的国内外形势和党建工作面临的任务要求相比，还存在一些不相适应的问题，有些方面还显得相对滞后。党建理论研究工作者，必须进一步解放思想、实事求是，要以宽广的眼界、敏锐的目光，及时发现带有倾向性、苗头性的问题；要以前瞻的思考、战略的思维，及时发现和分析新情况，探索规律性的东西；要以改革的精神、创新的思路，善于提出解决问题的对策和建议，努力在党建理论上有所创新，有所前进，把党的建设新的伟大工程不断推向前进。

第二，“三个代表”的思想内在联系的整体性，拓宽了党建理论研究的新视野。“三个代表”全面体现了有中国特色社会主义的本质和党的性质，是一个统一的整体。三者相互联系、相互贯通、相互促进，统一于建设有中国特色社会主义的伟大实践和党的自身建设的实践。代表先进社会生产力的发展要求，是实现其他两个“代表”

的前提和基础。生产力的发展，又离不开生产关系和上层建筑，离不开包括思想道德和科学文化在内的社会主义文化建设。代表最广大人民的根本利益，是代表先进社会生产力和先进文化的出发点和落脚点。全面坚持“三个代表”的要求，最根本的就是要统一体现在坚定不移地推进改革开放和现代化建设，不断满足人民群众日益增长的物质和文化生活的需要。按照“三个代表”的要求建设好我们的党，是面向新世纪加强党的建设的大思路，也为新形势下加强党建理论研究拓宽了新视野。用“三个代表”的思想指导党建理论研究，一方面要求我们了解世纪之交国际形势发生的深刻变化，正确判断世界的基本走向，了解当前世界格局多极化、经济全球化、信息网络化趋势等对党的建设产生的影响，善于把党的建设和党建理论研究工作放在国际大背景中去认识、去思考。用“三个代表”的思想指导党建理论研究，另一方面还要求我们深入研究国内大变革对党的建设产生的重大而深刻的影响，善于把党建理论研究放在全党全国工作的大局中来思考，放在我国社会生产力与生产关系、经济基础与上层建筑矛盾运动的历史进程中来分析，紧密结合人民群众对物质文化生活提出的新要求，紧密结合我们党员干部队伍发生的重大变化来进行。也就是说，不仅要从党的思想、组织和作风建设方面进行研究，而且还要放到党所领导的建设有中国特色社会主义的经济、政治、文化相统一的伟大实践中去研究；不仅要对我们党自身建设的经验进行研究，而且还要对外国执政党建设的经验教训进行研究。要克服那种就党建谈党建、就理论谈理论的研究方法，用新的思路、新的视野、新的方法，开辟党建理论研究工作的新境界。

第三，“三个代表”的思想体现的鲜明的实践性，提出了党建理论研究的新课题。江泽民同志关于“三个代表”的重要思想，是在国际国内形势深刻变化的历史条件下，为进一步回答建设一个什么样的党和怎样建设党的重大现实问题，经过深刻的思考而提出来的，具有丰富的思想内涵、鲜明的时代特征和很强的现实针对性。要把“三个代表”的思想落实到党的建设的各项工作中去，关键是要结合新的实践回答和解决党建工作面临的新课题。比如，在党的思想建设方面，面对国际国内形势的深刻变化，如何加强党的理论武装和思想政治工作，使广大干部群众正确认识社会主义和资本主义发展的历史进程，正确认识我国社会主义改革和开放的实践过程，以及当代国际环境和国际政治斗争对人们的思想带来的影响，进一步坚定理想信念和建设有中国特色社会主义的信心。在党的组织建设方面，在改革开放和发展社会主义市场经济条件下，如何全面提高领导干部素质，解决好不断提高领导水平和执政水平、增强拒腐防变和抵御风险能力这两大历史性课题，始终保持党的工人阶级先锋队性质，更好地代表最广大人民的根本利益；如何坚持和健全党的民主集中制，维护和加强党的坚强团结与高度统一；如何在社会出现“四个多样化”的环境中，教育、管理好6300多万党员，增强他们的宗旨观念和党的意识，发挥共产党员的先锋模范作用；如何在抓好以农村和国有企业为重点的党的基层组织建设的同时，把街道、社区和非公有制经济组织中的党建工作放在更加突出的位置。在党的作风建设方面，如何落实从严治党的方针，进一步加大反腐败斗争的力度，切实加强党风廉政建设，完善党规党法，建立一套便利、管用、真正有约束力的制度和机制，加强对党员领导干部特别是一把手的监督；如何通过深化干部人事制度改革，扩大干部人事工作中的民主，加强事前防范和主动监督，从源头上防止干部选拔任用中的不正之风和腐败现象，等等。所有这些问题，都是新形势下全面推进党的建设必须进一步加以解决的重大课题。只有认真研究、切实解决好这些重大课题，党的建设才能扎扎实实地推进。总之，我们一定要充分认识“三个代表”的思想对加强和改进党建理论研究工作的重要指导意义，增强进一步搞好党建理论研究的历史责任感和时代紧迫感，为推进党的建设新的伟大工程作出应有的贡献。

二、抓住机遇，把握规律，开创党建理论研究工作的新局面

我们党历来十分重视党的建设和党建理论研究工作。党的十一届三中全会以来，以邓小平同志为核心的党中央把马克思列宁主义建党学说、毛泽东建党思想创造性地运用于当代中国的实际，围绕在改革开放和现代化建设条件下建设一个什么样的党、怎样建设党的问题，开创了党的建设新的伟大工程。以江泽民同志为核心的第三代中央领导集体继往开来，在坚持以经济建设为中心的同时，聚精会神地抓党建，创造性地推进这个新的伟大工程，努力解决党的建设面临的新课题，在理论上有新的建树，在实践中有新的进展。近年来，我们用邓小平理论武装全党的工作取得重大进展，在县级以上党政领导班子、领导干部中开展的"三讲"集中教育取得明显成效，党风廉政建设和反腐败斗争力度不断加大。今年以来，江泽民总书记先后四次深入到8个省区市，就党的建设的若干重大问题，进行系统的调研，召开了一系列座谈会，提出了"三个代表"等重要思想。李鹏、朱镕基、李瑞环、胡锦涛、尉健行、李岚清等中央政治局常委同志，也根据中央的统一安排，分别深入到江苏、河北、浙江、四川、辽宁、陕西等省，就县级领导班子和领导干部开展"三讲"教育的情况，深入调查研究，并直接对县（市）领导干部进行动员。这些重大举措在全党全社会引起了强烈反响，带动了各级党委抓党建、研究党建，形成了全党重视抓党建的浓厚氛围。这为党建研究工作提供了前所未有的大好机遇。我们一定要抓住机遇，积极探索，把握规律，努力提高党建理论研究工作的水平。

第一，坚持以马克思主义为指导，始终把握正确的研究方向。我们党是中国工人阶级的先锋队，以马克思主义作为党的指导思想的理论基础。党之所以能永葆先进性，就在于它是用马克思主义这个最科学、最先进的世界观和方法论武装起来的党；党之所以能永葆生机和活力，就在于作为党的指导思想的马克思主义，是一个在实践中不断丰富和发展的思想体系，具有与时俱进的理论品格。在马克思列宁主义与中国实际相结合的过程中，先后出现过两次历史性飞跃，产生了毛泽东思想和邓小平理论两大理论成果。当前，在改革开放和发展社会主义市场经济条件下，面对社会经济成分、组织形式、利益分配和就业方式日趋多样化，各种思想文化相互激荡的新情况，我们尤其要旗帜鲜明地坚持马克思主义的指导地位，决不能搞什么"指导思想多元化"。江泽民同志明确指出："如果放弃马克思主义的指导地位，在指导思想上搞多元化，势必导致人心大乱，天下大乱，给党和国家带来灾难。"苏共下台、苏联解体和东欧剧变的重要原因之一，就是放弃了马克思列宁主义的指导地位，丢掉了老祖宗。这个深刻教训应当牢牢记取。我们只有始终坚持以马列主义、毛泽东思想、邓小平理论为指导，才能始终保持头脑清醒，不被历史长河中的旋涡和逆流所迷惑；才能登高望远，深刻认识社会发展和党的建设的客观规律，保证党建理论研究始终坚持正确的方向。

第二，坚持理论联系实际的学风，以我们正在做的事情为中心开展党建研究。理论联系实际是马克思主义的一条重要原则，是我们党的优良学风和党风的重要体现，是一切理论研究包括党建理论研究能够具有科学性和生命力的根本保证。党建研究坚持理论联系实际，就是要以我们正在做的事情为中心，着眼于马克思主义理论的运用，着眼于对实际问题的理论思考，着眼于新的实践和新的发展。江泽民同志强调指出："新时期党的建设工作，必须紧紧围绕贯彻党的基本路线来进行，必须联系党的中心任务来开展，必须朝着党的建设的总目标来加强。"这是新时期党建理论研究必须联系的最大实际。党建理论研究的课题应该围绕这个实际来提出，党建理论的发展应该由这个实际来推动，党建理论研究的成效应该用解决这个实际问题的实践来衡量。离开我国实际和时代发展来研究党建理论，没有意义；静止地孤立地来研究党建理论，没有出路；不敢或不善于抓住社会变革中的重点难点问题来研究党建理论，没有作为。党律理论研究工作，要敢于抓住实践中的重点、难点、热点问题，进行研究和分析，为广大党员干部和群众解疑释惑，为党中央科学决策提出建议，为推进党建理论的发展贡献智慧和力量。在这方面，被我们说明的现实问题越多、越普遍、越深刻，我们党建理论研究的成绩就越大。

第三，坚持在继承的基础上创新，努力在党建理论研究上取得新突破。辩证唯物主义和历史唯物主义认为，任何事物都处在运动变化之中，都是在继承与创新的过程中不断发展的。继承是创新的前提，创新是最好的继承。党建理论研究只有坚持继承和创新的统一，才能不断开创工作的新局面，推动理论的新发展，永葆党的生机与活力。也就是说，老祖宗不能丢，又要讲出新话；

经典著作要认真读，又要写出新篇章；优良传统要弘扬，又要创造新办法。我们要认真继承长期以来特别是新的历史时期形成的党建理论研究的好传统、好做法。同时，适应新的形势和任务的要求，党建理论研究必须不断开拓创新。创新是一个民族昌盛和国家兴旺发达的不竭动力，也是一个政党永葆生机的源泉。一个立志走在时代前列的马克思主义政党，必定是在理论上不断创新的党。党建理论的创新是马克思主义理论创新的一个重要组成部分。党建理论工作者，在这方面肩负着重要的责任，应当奋发有为。在研究工作上，要以“三个代表”的重要思想为指导，来开展党建理论研究工作。在认识和实践中，符合“三个代表”要求的就坚持，不完全符合的就补充完善，不符合的就勇于纠正。在研究领域上，要按照“三个代表”的要求拓宽研究范围，做到党的建设实践推进到哪里，党建理论研究就延伸到哪里；党的事业发展到哪里，党建理论研究就跟踪到哪里。在研究手段上，要高度重视和充分运用现代科技成果，比如运用信息网络技术、计算机技术和先进的统计方法，把定性分析和定量分析结合起来，把基础理论研究和应用理论研究结合起来，使党建理论研究工作适应党的建设新的伟大工程的需要，适应发展社会主义市场经济的需要，适应社会主义现代化建设的需要。

第四，坚持党性和科学性的统一，多出导向正确、思想深刻的精品。党建理论研究的对象是党，应有鲜明的党性。党建理论又是一门相对独立的学科，也应有严谨求实的科学性。党性与科学性是相互依存、相互作用、辩证统一的。坚持党建理论研究工作的党性，就是要求党建理论研究工作者在研究活动中增强党的意识和政治意识，站稳党的立场，自觉为坚持党的性质，增强党的活力，巩固党的执政和领导地位，推进党的伟大事业服务。党建理论工作者必须认识到，理论导向正确是党和人民之福，理论导向错误是党和人民之祸，从而自觉在党建理论研究中坚持党性原则。坚持党建理论研究的科学性，就是要坚持解放思想、实事求是、一切从实际出发的思想路线，把大胆探索的勇气和科学求实的精神结合起来，积极探索党的建设的客观规律，得出科学的结论。坚持党性与科学性的统一，还要正确处理好政治与学术的关系。党建理论研究是一种科研活动，要在坚持正确方向的前提下，坚持“百花齐放、百家争鸣”的方针，活跃学术空气，繁荣学术研究，开展健康的学术争鸣和学术讨论，应当允许人们在认识世界和追求真理过程中有不同看法甚至出现某种偏差。要坚持是什么问题，就按照什么问题解决的原则，不要随意扣帽子、打棍子、抓辫子。要通过正常的学术活动，坚持真理，修正错误。要通过不断活跃学术研究，积极推动党建理论的发展。要努力多出导向正确、思想深刻的精品，用党的建设的伟大成就鼓舞人，用党的建设的经验教训警示人，用党的建设的宏伟目标激励人，充分发挥党建理论在推进党的事业中的重要作用。

第五，坚持专业理论研究与群众的广泛参与相结合，充分尊重广大党员和干部在党的建设实践中的首创精神。党的建设理论，需要有一大批专家学者进行专业性的研究，以便形成科学的理论体系。同时，党建理论研究工作必须坚持走群众路线，尊重基层和群众的首创精神，善于从广大群众创造的经验中汲取理论创新的丰富营养。党建理论研究的生命力，就在于党建专业理论工作者与党务工作者的紧密结合，在于同广大党员、干部思想和工作实际的紧密结合，在于同广大人民群众实践的紧密结合。要注意防止和克服那种脱离实际、脱离群众、孤军作战和封闭式的研究方式，进一步把专业研究与群众的实践结合起来，努力形成通过走群众路线推动党建理论创新的良好机制。

三、加强学习，发挥优势，为推进党的建设新的伟大工程作出新贡献

全国党的建设研究会，是全国性的党建理论与实践的研究和学术交流的群众性社会团体，聚集了一大批长期从事党务工作的领导同志和党建理论研究的专家学者。总的说，研究会的同志们政治上强，对党的历史和优良传统比较熟悉，实践经验比较丰富，理论水平比较高。这是研究会的突出优势和有利条件，要充分加以运用和发挥。党建研究会要在加强党建理论研究、培养和发现理论研究人才、推进党的建设新的伟大工程中发挥更大的作用。大家要牢记党中央的殷切期望，不断学习，深入调研，加强组织协调，努力把党建理论研究工作提高到一个新的水平。这里，我提几点希望，与大家共勉。

第一，加强学习，努力提高战略思维能力。最近，江泽民同志在东北考察工作时再次强调，要学习、学习、再学习。我理解，总书记之所以这样强调学习问题，主要是因为国际国内形势变化很大很快，以信息科学和生命科学为代表的现代科学技术突飞猛进，新学科、新知识、新观点大量涌现，新事物层出不穷，新矛盾不断发生，我们要科学地判断形势，正确地把握方向，扎实地做好工作，就必须不断加强学习，不断提高学习的水平和质量。党建理论研究工作者要积极响应江泽民同志的号召，不断加强学习。要学习马列主义建党学说、毛泽东建党思想和邓小平党建理论，学习江泽民同志关于党的建设的一系列重要论述特别是"三个代表"的重要思想。学习要联系思想和工作实际，在提高思想认识水平和研究复杂问题的能力上下功夫。此外，还要努力学习政治、经济、科技、历史、法律等方面的知识，特别要加强对我们党的历史的学习和研究，这对于提高思想认识水平和理论研究水平具有重要意义。现在，经济、科技的发展，依法治国方略的实施，社会生活和管理的新变化，同党的建设的关系越来越密切。党建理论研究的综合性和与其他学科的交叉性将越来越明显。党建理论研究应该积极吸取并充分运用其他领域取得的正确的理论研究成果。党建理论工作者要学习做好工作所必须的一切知识，提高对重大问题进行战略思考的能力。

第二，深入调研，认真总结党建工作的新经验。调查研究是我们党在长期革命和建设事业中形成的一种行之有效的工作方法，是实事求是思想路线在党的工作中的具体体现。党建理论是一门政治性、政策性和实践性很强的科学。调查研究不仅是理论研究的基础，也是多出成果的源泉。江泽民同志在广东考察工作时要求，"各级党委都要根据当地党的建设的实际情况，确定一批关系党建工作全局的重要题目，深入进行调查研究"。党建研究会作为各级党委在党建工作上的咨询组织和参谋助手，更应当按照江泽民同志的要求，深入实际，调查研究，努力认识和掌握社会主义现代化建设和党的自身建设中带有规律性的东西。各省区市党建研究会，都要根据自己的实际，每年提出若干个重点课题，深入进行调查研究。同时，要注意总结基层在党建实践中创造的新经验，供各级党委乃至中央决策时参考。

第三，组织协调，调动社会各方面力量开展多种形式的研究活动。目前，全党重视党建、研究党建的大气候已经形成。全国党建研究会要广泛团结和组织党建理论工作者与党务工作者，积极协调和借助各方面的研究力量，集中精兵强将，形成合力，共同开展研究，对一些重大课题进行攻关，全面推进党建理论研究工作。全国党建研究会的办事机构设在中央组织部，在工作中，要同部里的组织局、研究室、党建研究所、党建研究杂志社等有关部门，加强协调，密切配合，互相支持。对一些重大的课题，还要请中央纪委、中央宣传部、中央政策研究室和中央党校等部委一道进行研究，或者请他们提供帮助。要多拿出一些高质量的研究成果，为加强党建工作提出对策和建议。

（这是曾庆红同志在全国党建研究会第三次会员代表大会上的讲话，发表时略有删节）

（2000 年 11 月 1 日《人民日报》）

中共中央关于制定国民经济和社会发展第十个五年计划的建议（节选）

（2000年10月11日中国共产党第十五届中央委员会第五次全体会议通过）

从新世纪开始，我国将进入全面建设小康社会，加快推进社会主义现代化的新的发展阶段。在复杂的国内外形势下，经过全党和全国各族人民的共同努力，第九个五年计划胜利完成，国民经济和社会发展取得巨大成就。20多年的改革开放和发展，使我国的生产力水平迈上了一个大台阶，商品短缺状况基本结束，市场供求关系发生了重大变化；社会主义市场经济体制初步建立，市场机制在配置资源中日益明显地发挥基础性作用，经济发展的体制环境发生了重大变化；全方位对外开放格局基本形成，开放型经济迅速发展，对外经济关系发生了重大变化。我们已经实现了现代化建设的前两步战略目标，经济和社会全面发展，人民生活总体上达到了小康水平，开始实施第三步战略部署。这是中华民族发展史上一个新的里程碑。

今后五到十年，是我国经济和社会发展的重要时期，是进行经济结构战略性调整的重要时期，也是完善社会主义市场经济体制和扩大对外开放的重要时期。根据党的十五大提出的远景目标，第十个五年计划期间（2001至2005年）经济和社会发展的主要目标是：国民经济保持较快发展速度，经济结构战略性调整取得明显成效，经济增长质量和效益显著提高，为到2010年国内生产总值比2000年翻一番奠定坚实基础；国有企业建立现代企业制度取得重大进展，社会保障制度比较健全，完善社会主义市场经济体制迈出实质性步伐，在更大范围内和更深程度上参与国际经济合作与竞争；就业渠道拓宽，城乡居民收入持续增加，物质文化生活有较大改善，生态建设和环境保护得到加强；科技教育加快发展，国民素质进一步提高，精神文明建设和民主法制建设取得明显进展。

发展是硬道理，是解决中国所有问题的关键。实现现代化建设的宏伟目标，解决经济和社会生活中存在的矛盾和问题，不断提高人民的生活水平，必须保持较快的发展速度。当前，经济全球化趋势增强，科技革命迅猛发展，产业结构调整步伐加快，国际竞争更加激烈。发达国家在经济上科技上占优势的压力、霸权主义和强权政治的压力将长期存在。对于当今世界形势的深刻变化和发展趋势给我国带来的机遇和挑战，我们要有清醒的认识，增强紧迫感和忧患意识。要积极进取，努力提高我国的综合国力和国际竞争力，决不能因循守旧，丧失发展机遇。国内外形势要求我们，必须坚定不移地贯彻党的十五大精神，坚持以经济建设为中心不动摇，抓住机遇，加快发展。

实现国民经济持续快速健康发展，必须以提高经济效益为中心，对经济结构进行战略性调整。经济结构存在的问题，主要是产业结构不合理，地区发展不协调，城镇化水平低，这是当前我国经济发展中的突出矛盾。把经济结构问题解决好，才能扩大国内需求，增加有效供给，也才能切实提高国民经济的整体素质，在日趋激烈的国际竞争中赢得主动。要坚持在发展中推进经济结构调整，在经济结构调整中保持快速发展。经济结构战略性调整的主要任务是：优化产业结构，全面提高农业、工业、服务业的水平和效益；合理调整生产力布局，促进地区经济协调发展；逐步推进城镇化，努力实现城乡经济良性互动；着力改善基础设施和生态环境，实现可持续发展。继续完成工业化是我国现代化进程中的艰巨的历史性任务。大力推进国民经济和社会信息化，是覆盖现代化建设全局的战略举措。以信息化带动工业化，发挥后发优势，实现社会生产力的跨越式发展。

推动经济发展和结构调整必须依靠体制创新和科技创新。要深化改革，充分发挥市场机制的作用，推进国有经济布局和所有制结构调整，使生产关系适应生产力发展的要求，进一步解放和发展生产力；继续实施科教兴国战略，加快科技进步和人才培养，充分发挥科学技术作为第一生产力的决定性作用。完成“十五”计划，保持经济持续快速健康发展，有赖于在体制改革和科技进步方面取得突破性进展，推进经济体制和经济增长方式的根本性转变。

“十五”计划是进入新世纪的第一个五年计划，是开始实施现代化建设第三步战略部署的第一个五年计划，也是社会主义市场经济体制初步建立后的第一个五年计划。制定“十五”计划，要把发展作为主题，把结构调整作为主线，把改革开放和科技进步作为动力，把提高人民生活水平作为根本出发点。要全面估量加入世界贸易组织后的新形势，充分体现发展社会主义市场经济的要求。面对改革开放和现代化建设新阶段的形势和任务，必须坚持党的基本理论、基本路线和基本纲领，进一步解放思想，实事求是，正确处理改革、发展、稳定的关系，推动经济发展和社会全面进步。为此，必须着重研究和解决重大的战略性、宏观性和政策性问题。

八、促进科技进步和创新

科技进步和创新，是增强综合国力的决定性因素。按照有所为、有所不为的方针，总体跟进，重点突破，提高科技持续创新能力，实现技术跨越式发展，为经济结构战略性调整和现代化建设不断提供强大的技术支持。

科技进步和创新的重点任务是，加强技术创新，发展高新技术，提升产业技术水平。积极推进具有战略意义的高技术研究，集中力量在信息技术、生物技术、新材料技术、先进制造技术、航空航天技术等关键领域取得突破，在一些关系国家经济命脉和安全的高技术领域，提高自主创新能力。通过实施重大高新技术工程项目，促进高技术成果转化，力争在亚微米深亚微米集成电路的设计和制造、高性能计算机、光电子材料与器件、生物工程药物、生物芯片、农业生物工程等领域，实现产业化。加快推进传统产业技术升级，选择装备制造、农产品深加工、资源综合利用等若干重点领域，加快开发能够推动结构升级的共性技术、关键技术和配套技术。加强基础研究和应用基础研究，瞄准世界科学技术发展前沿，选择我国具有一定优势、对国民经济和社会发展有重大意义的研究领域，集中力量，重点突破，力争在基因组学、信息科学、纳米科学、生态科学和地球科学等方面取得新进展。

体制创新是科技进步和创新的保证。要深化科技体制改革，形成符合市场经济要求和科技发展规律的新机制，优化科技资源配置，加强技术集成，进一步解决科技与经济脱节问题。推进国家创新体系建设，促进企业成为技术进步和创新的主体。加强产学研结合，鼓励应用开发型科研院所进入企业或改制为企业。建立服务功能社会化、网络化的科技中介服务体系，建立风险投资机制，发展资本市场，支持高新技术产业化。加大国家和全社会的科技投入，提高投资效益。完善促进科技创新的政策环境，形成鼓励科技创新的社会环境。扩大国际科学技术交流与合作，鼓励外资企业在我国设立研究开发机构，支持我国科技企业到国外进行研究开发，促进资源和信息共享。加强科普工作，在全社会大力弘扬科学精神。

九、大力开发人才资源，加快发展教育事业

人才是最宝贵的资源。当今和未来的国际竞争，说到底是人才的竞争。要把培养、吸引和用好人才作为一项重大的战略任务切实抓好。普遍提高劳动者素质，建设一支宏大的、高素质的人才队伍，尤其是培养一大批急需的信息、金融、财会、外贸、法律和现代管理等专业人才。

教育是培养人才的基础，对经济和社会发展具有先导性、全局性的作用，要适度超前发展。发展教育，要面向现代化、面向世界、面向未来，走改革和创新之路。更新教材内容，改进教学方法，改革考试制度，着力推进素质教育，重视培养创新精神和实践能力，促进学生德智体美全面发展，提高人才培养质量。提高教育现代化、信息化水平，大力发展现代远程教育。合理调整和配置现有教育资源，加强学科建设，根据人才需求结构调整专业设置。优化教师结构，建设高素质的教师队伍。继续深化教育管理体制和办学体制改革，积极鼓励多种形式的社会办学。增加国家对教育的投入。继续普及九年义务教育和扫除青壮年文盲，扩大高中阶段教育和高等教育规模。积极发展各类职业教育和培训。完善继续教育制度，逐步建立终身教育体系。

加强人才队伍建设，努力营造用好人才、吸引人才的良好环境，形成尊重知识、尊重人才、鼓励创业的社会氛围。加快建立有利于各类优秀人才脱颖而出、人尽其才的机制。高度重视青年人才的培养和使用。优化人才的专业、年龄结构，促进人才在产业、地区的合理分布。完善知识产权保护制度。建立和完善机制健全、运行规范、服务周到、指导监督有力的人才市场体系，促进人才合理流动。采取多种措施吸引和聘用海外高层次人才。继续实行支持留学、鼓励回国、来去自由的方针，鼓励留学人员回国工作或以适当方式为祖国服务。

领导人才是社会主义现代化事业继往开来、开拓前进的关键因素。必须从战略高度，着眼于各项事业的长远发展和人才的总体需求，培养和造就一支坚持走有中国特色社会主义道路，有较高政治理论素养和开拓精神，掌握现代科学文化和管理知识，并经过实践考验的各级各类高素质领导人才队伍。加强各级领导干部特别是年轻干部队伍建设，把这项工作作为决定我国未来发展前途的大事来抓。要加大干部人事制度改革的力度，更新用人观念，广开渠道，为年轻优秀领导人才的成长、选拔和任用创造条件。

十、加强人口和资源管理，重视生态建设和环境保护

实施可持续发展战略，是关系中华民族生存和发展的长远大计。

继续严格控制人口数量，努力提高人口素质。稳定现行计划生育政策，保持低生育水平，促进优生优育。重点做好农村特别是中西部农村的计划生育工作。加强对流动人口计划生育的管理。加强计划生育宣传教育和法制建设。重视人口老龄化趋势，努力解决老龄人口社会保障和精神文化生活问题。

合理使用、节约和保护资源，提高资源利用率。依法保护和开发水、土地、矿产、森林、草原、海洋等国土资源。加强资源勘探，建立健全资源有偿使用制度。完善国家战略资源储备制度。严格执行基本农田保护制度，切实保护耕地。推进资源的深加工和综合利用。

加强生态建设，遏制生态恶化。大力植树种草，推进东北、华北、西北防护林体系建设，抓好长江上游、黄河上中游等天然林保护工程，提高国土森林覆盖率。加大防沙治沙力度，加快小流域治理，减少水土流失。加强草原建设，防止超载过牧，遏制草原退化和荒漠化。广泛开展城市绿化。抓紧环京津生态圈工程建设。加强自然保护区和生态示范区建设，保护陆地和海洋生物多样性。

加大环境保护和治理力度。强化城市大气污染、水污染、垃圾污染和噪音污染的综合治理，使大中城市环境质量得到明显改善。重视农村污染的治理。控制和治理工业污染，加快推广清洁生产技术。继续抓好重点流域、区域、海域的污染治理。大力发展环保产业，加强环境保护关键技术和工艺设备的研究开发。健全环境、气象和地震监测体系。加强防灾减灾工作。完善生态建设和环境保护的法律法规，加强执法和监督。开展环保教育，提高全民环保意识。

十五、加强社会主义精神文明建设

建设社会主义精神文明，发展有中国特色社会主义文化，是社会主义现代化建设的重要内容和保证。在改革日益深入，开放不断扩大，各种思想文化相互激荡的背景下，必须坚持两手抓、两手都要硬，切实加强精神文明建设，满足人民群众日益增长的多方面的精神文化需求，全面提高国民素质，增强民族凝聚力，为改革开放和现代化建设提供强大的思想保证、精神动力和智力支持。

坚持不懈地进行党的基本理论和基本路线教育，巩固和加强马克思主义的指导地位，弘扬爱国主义、集体主义、社会主义精神，在全社会形成共同理想和精神支柱。努力建立适应社会主义市场经济发展的思想道德体系。提倡自力更生、艰苦奋斗的创业精神，形成全民族奋发向上的强大动力。大力倡导社会公德、家庭美德和职业道德，特别是加强青少年的思想政治和道德品质教育。重视对社会思潮及其表现形式的研究和引导。加强对新闻舆论、国民教育、社会文化、休闲娱乐等各种思想文化阵地尤其是新闻网站的建设和管理。加强科普宣传教育，反对封建迷信活动。大力开展群众性精神文明创建活动，倡导科学文明健康的生活方式。

坚持为人民服务、为社会主义服务的方向和百花齐放、百家争鸣的方针，以繁荣社会主义文化为中心，弘扬民族优秀文化，吸收外国文化有益成果，抵制不良文化，提高全社会的文化生活质量。重视发展哲学社会科学，加强对理论和实践重大问题的研究，推进学科建设和理论创新。坚持新闻舆论的正确导向，发展新闻出版、广播影视等各项事业。繁荣文学艺术创作，努力提高精神产品的质量，生产出更多的无愧于时代和人民的艺术精品。加强科技馆、文化馆、博物馆、图书馆和青少年活动场所等文化设施建设。坚持把社会效益放在首位、社会效益和经济效益相统一的原则，深化文化体制改革，建立科学合理、灵活高效的管理体制和文化产品生产经营机制。继续实行支持文化事业发展的有关政策，增加对重要新闻媒体和公益文化事业的投入。加强文物保护工作。完善文化产业政策，加强文化市场建设和管理，推动有关文化产业发展。

十六、加强社会主义民主法制建设

发展社会主义民主政治，依法治国，建设社会主义法治国家，是社会主义现代化的重要目标。要坚持和完善工人阶级领导的、以工农联盟为基础的人民民主专政，坚持和完善人民代表大会制度和共产党领导的多党合作、政治协商制度以及民族区域自治制度。适应经济体制改革和现代化建设的要求，继续推进政治体制改革，加强民主法制建设。

加强民主政治建设，发展社会主义民主。加强人民代表大会的立法和监督工作，密切人大代表同人民的联系，推进决策科学化、民主化。实行民主选举、民主决策、民主管理和民主监督，保证人民依法享有广泛的权利和自由，尊重和保障人权。加强城乡基层政权机关和群众性自治组织建设，扩大公民有序的政治参与，引导人民群众依法管理自己的事情。完善村民自治，加强社区民主建设，坚持和完善以职工代表大会为基本形式的企业民主管理制度。进一步扩大基层民主，实行政务、厂务、村务公开。

加强法制建设。重点建立和完善适应社会主义市场经济体制的法律体系，规范市场经济条件下的财产关系、信用关系和契约关系，维护市场秩序，保护公平竞争。推进政府工作法制化，从严治政，依法行政。完善公务员制度。加快推行执法责任制、评议考核制，提高行政执法水平。推进司法改革，完善司法保障，强化司法监督，依法独立行使审判权和检察权，严格执法，公正司法。健全依法行使权力的制约机制，加强对权力运行的监督，使廉政建设法制化。深入开展社会主义法制教育，提高全体人民首先是各级领导干部的法制观念。

稳定是改革、发展的前提。认真研究社会稳定面临的新情况新问题，正确处理新时期人民内部矛盾，确保社会稳定。进一步落实党的民族政策，发展平等、团结、互助的社会主义新型民族关系，促进各民族共同繁荣和进步。全面贯彻党的宗教政策，保障公民宗教信仰自由，依法管理宗教事务，积极引导宗教与社会主义社会相适应。依法打击民族分裂活动和利用宗教进行非法活动，取缔邪教。切实把社会治安综合治理措施落实到基层，严厉打击危害国家安全和社会治安的刑事犯罪和各种恶势力，扫除黄赌毒等社会丑恶现象。

实现“十五”计划的目标，夺取建设有中国特色社会主义事业的新胜利，关键在党。要不断提高党的执政水平，特别是提高驾驭经济和社会发展全局的能力。加强对经济和社会发展重大问题的研究，正确处理改革、发展、稳定，中央和地方，西部开发和东、中部发展，市场机制和宏观调控，经济发展和社会全面进步等重大关系。坚持群众路线，拓宽党在各个领域联系群众的渠道，善于从人民群众的实践中寻找解决问题的办法。各级党委要总揽全局、协调各方，充分发挥党的领导核心作用。

按照始终代表中国先进生产力的发展要求、中国先进文化的前进方向、中国最广大人民的根本利益的指导思想，全面加强党的建设，坚持从严治党，增强党的凝聚力和战斗力，巩固党的执政基础。要着眼于事业发展和新老交替与合作，加强干部队伍和各级领导班子建设。重视党的基层组织和党员队伍建设，加强和改进党的思想政治工作和群众工作。要讲学习、讲政治、讲正气。发扬党的优良作风，求真务实，真抓实干，反对和克服形式主义、官僚主义。深入开展反腐败斗争，积极探索社会主义市场经济条件下反腐败斗争的特点和规律，建立健全监督和管理制度，努力从源头上遏制腐败现象的滋生蔓延。

展望新世纪，任重道远。面对世界日新月异的新发展新变化，面对我国社会主义现代化建设的新形势新任务，共产党人必须站在时代的前列，肩负起历史的重任；必须以马列主义、毛泽东思想、邓小平理论为指导，观察形势，把握大局，敢于面对困难，善于解决矛盾，不断把我们的事业推向前进；必须坚持解放思想、实事求是的思想路线，加强学习，积极探索，不断积累新的实践经验，不断创造新的理论成果，使我们党永葆生机和活力，使我国社会主义现代化建设更加顺利。

全党动员起来，紧密团结在以江泽民同志为核心的党中央周围，高举邓小平理论伟大旗帜，振奋精神，开拓进取，扎实工作，团结带领全国各族人民，为实现“十五”目标，为建设富强民主文明的社会主义现代化国家和早日完成祖国统一大业而努力奋斗！

（2000年10月19日《人民日报》）

中共中央　国务院关于做好2000年农业和农村工作的意见（节选）

四、加快农业科技进步

推进农业和农村经济结构的战略性调整，必须深化科技体制改革，大力开展新的农业科技革命，逐步建立具有世界先进水平的农业科技创新体系，高效率转化科研成果的技术推广体系，不断提高农民科学文化素质的农业教育培训体系。农业科技工作要以市场为导向，以提高农业效益、改善生态环境为主要目标，重点发展优质高产高效技术，农产品精深加工及综合利用技术，农产品贮藏、保鲜、包装技术，以节水灌溉为重点的降耗增效技术，以生物措施为重点的生态环境建设技术。既要追踪世界农业科技发展的前沿，又要满足结构调整的现实需要；既要重视基础研究、开发研究，又要重视技术推广；既要发展高新技术，又要重视常规技术；既要集中力量开展关键技术攻关，又要注重产前、产中、产后技术的集成配套；既要重视培养一批学术带头人，又要注重提高农业科技队伍的整体素质和农民的科学文化素质。有关部门要抓紧制订和实施《农业科技发展纲要》，推进新的农业科技革命。

大力推广先进实用技术，支持农业结构调整，是当前农业科技工作的首要任务。县乡两级农业技术推广机构是农技推广的基本力量，要在继续做好定性、定编、定员工作的基础上，增加推广经费，改善工作条件，提高人员素质，充分发挥他们的作用。为完善农业技术推广机制，提高服务水平，从今年起，各级财政要拨出专项经费作为启动资金，支持各地以现有乡镇技术推广机构为基础，有计划、有重点地创办一批农业科技示范场，使之成为农业新技术试验示范基地、优良种苗繁育基地、实用技术培训基地，在结构调整中发挥带动作用。

要切实推进科研机构的成果转化，建立农业技术创新体系，实现科技成果产业化。抓紧建设具有国际先进水平的重点实验室和科学园区，并制定扶持政策，培育具有国际竞争力的农业先进技术产业集团。各地也要从结构调整的实际需要出发，扶持具有一定优势的研究机构，以多种形式进入企业，或创办研究、开发、应用一体化的企业。

要切实抓好先进技术的引进工作。鼓励各地从发挥资源优势、形成产业特色出发，积极引进先进技术。对重大技术引进项目和合资、合作的农业项目，要在项目配套资金和相关配套条件方面给予支持。

六、加强农村基础设施和生态环境建设

加强农业基础设施建设，改善农业生态环境，是稳定提高农业综合生产能力的根本途径，也是顺利推进农业和农村经济结构调整的基本保证。要充分利用国家实行积极财政政策、粮食库存较多的有利条件，加大投资力度，更大规模地开展以水利为重点的农业基础设施建设，以植树种草、水土保持为重点的生态环境建设，以公路、电网、供水、通讯为重点的农村生产生活设施建设，进一步夯实我国的农业基础。

生态建设要坚定不移地实施天然林资源保护工程，落实好国家对天然林禁伐地区、停伐企业和被关闭的小型木材加工企业的各项扶持政策；加大封山育林、飞播造林、人工造林力度，加快荒山绿化；在以往过度开垦造成生态破坏的地区，有计划、分步骤地退耕还林、还草、还湖；在干旱风沙地区，加强草原保护，推进防沙治沙和防护林体系建设，控制土地荒漠化扩大的趋势；采取紧急措施，遏制森林病虫害的蔓延。治理水土流失是生态建设的重要措施，要坚持不懈地抓紧抓好。西部是我国生态环境最脆弱的地区，尽快恢复和扩大林草植被对经济社会发展具有重要意义，要作为生态环境建设的重点，结合实施西部大开发战略，采取“退耕还林（草）、封山绿化、以粮代赈、个体承包”等综合性措施，集中力量，加快治理。生态环境建设，特别是退耕还林（草）工作，政策性强，涉及农民切身利益，务必尊重农民意愿，周密筹划，突出重点，先易后难，分步实施，注重实效。各地要从本地区实际情况出发，抓紧制定科学的规划和具体实施办法，首先选择条件好的地方进行试点，取得经验，逐步扩大。

八、加强农村基层组织、民主法制和精神文明建设

农村工作要始终坚持两手抓。当前和今后一个时期，在集中精力抓好农业和农村经济结构战略性调整的同时，必须切实抓好农村基层组织建设、民主法制建设和社会主义精神文明建设，促进农村经济社会全面发展。农村基层组织建设是一项长期的基础性工作，在农业和农村经济发展的新阶段，只能加强，不能削弱。今年农村基层组织建设工作，中央组织部已经作出具体部署，各地要认真贯彻落实。要以提高农村基层干部队伍的整体素质为重点，下大气力培训好农村基层干部。今冬明春，要分期分批集中培训农村基层干部和党员，提高他们的素质，增强他们带领群众发展经济、依法办事、善于做群众工作的本领。深入扎实地开展创建“五个好”村党支部、“六个好”乡镇党委和农村基层建设先进县活动。继续抓好后进村和贫困村的整顿，着力选好村党支部书记和乡镇党委书记。加强村级组织配套建设，依法推进村民自治。既要坚持发挥党支部的领导核心作用，又要支持村委会依法履行职能。加快乡镇机构改革步伐，抓紧清理乡镇超编人员。农村社会主义精神文明建设，要针对新阶段的新情况，开展党的基本路线和农村政策教育、社会主义和集体主义精神教育、移风易俗教育、民主法制教育、科学文化教育。进一步搞好创建文明户、文明村镇活动，积极推进城乡共建、工农共建、村企共建、军民共建等多种形式的共建活动。提倡科学，破除封建迷信；提倡文明，克服愚昧落后；提倡节俭，反对铺张浪费。切实抓好农村计划生育工作。继续组织好文化、科技、卫生“三下乡”活动。加强农村文化设施建设，扩大广播、电视覆盖面。农村社会治安综合治理，要继续抓好“严打”整治专项斗争，重点打击地痞、村霸等流氓恶势力。坚决打击和取缔“法轮功”等邪教组织，依法加强对民间组织的管理。深入开展“扫黄打非”斗争，加大扫除“黄、赌、毒”等丑恶现象的力度。在加大整治力度的同时，积极开展基层安全创建活动，建立健全法律咨询服务体系和信息报送体系；做好民事调解工作，及时化解矛盾，减少群体性事件发生，维护农村社会稳定。

（2000年2月14日《人民日报》）

全国生态环境保护纲要（节选）

（国家环保总局制订，国务院批准印发）

生态环境保护是功在当代、惠及子孙的伟大事业和宏伟工程。坚持不懈地搞好生态环境保护是保证经济社会健康发展，实现中华民族伟大复兴的需要。为全面实施可持续发展战略，落实环境保护基本国策，巩固生态建设成果，努力实现祖国秀美山川的宏伟目标，特制订本纲要。

二、全国生态环境保护的指导思想、基本原则与目标

（一）全国生态环境保护的指导思想和基本原则

4. 全国生态环境保护的指导思想。高举邓小平理论伟大旗帜，以实施可持续发展战略和促进经济增长方式转变为中心，以改善生态环境质量和维护国家生态环境安全为目标，紧紧围绕重点地区、重点生态环境问题，统一规划，分类指导，分区推进，加强法治，严格监管，坚决打击人为破坏生态环境行为，动员和组织全社会力量，保护和改善自然恢复能力，巩固生态建设成果，努力遏制生态环境恶化的趋势，为实现祖国秀美山川的宏伟目标打下坚实基础。

5. 全国生态环境保护的基本原则。坚持生态环境保护与生态环境建设并举。在加大生态环境建设力度的同时，必须坚持保护优先、预防为主、防治结合，彻底扭转一些地区边建设边破坏的被动局面。

坚持污染防治与生态环境保护并重。应充分考虑区域和流域环境污染与生态环境破坏的相互影响和作用，坚持污染防治与生态环境保护统一规划，同步实施，把城乡污染防治与生态环境保护有机结合起来，努力实现城乡环境保护一体化。

坚持统筹兼顾，综合决策，合理开发。正确处理资源开发与环境保护的关系，坚持在保护中开发，在开发中保护。经济发展必须遵循自然规律，近期与长远统一、局部与全局兼顾。进行资源开发活动必须充分考虑生态环境承载能力，绝不允许以牺牲生态环境为代价，换取眼前的和局部的经济利益。

坚持谁开发谁保护，谁破坏谁恢复，谁使用谁付费制度。要明确生态环境保护的权、责、利，充分运用法律、经济、行政和技术手段保护生态环境。

（二）全国生态环境保护的目标

6. 全国生态环境保护目标是通过生态环境保护，遏制生态环境破坏，减轻自然灾害的危害；促进自然资源的合理、科学利用，实现自然生态系统良性循环；维护国家生态环境安全，确保国民经济和社会的可持续发展。

近期目标。到2010年，基本遏制生态环境破坏趋势。建设一批生态功能保护区，力争使长江、黄河等大江大河的源头区，长江、松花江流域和西南、西北地区的重要湖泊、湿地，西北重要的绿洲，水土保持重点预防保护区及重点监督区等重要生态功能区的生态系统和生态功能得到保护与恢复；在切实抓好现有自然保护区建设与管理的同时，抓紧建设一批新的自然保护区，使各类良好自然生态系统及重要物种得到有效保护；建立、健全生态环境保护监管体系，使生态环境保护措施得到有效执行，重点资源开发区的各类开发活动严格按规划进行，生态环境破坏恢复率有较大幅度提高；加强生态示范区和生态农业县建设，全国部分县（市、区）基本实现秀美山川、自然生态系统良性循环。

远期目标。到2030年，全面遏制生态环境恶化的趋势，使重要生态功能区、物种丰富区和重点资源开发区的生态环境得到有效保护，各大水系的一级支流源头区和国家重点保护湿地的生态环境得到改善；部分重要生态系统得到重建与恢复；全国50%的县（市、区）实现秀美山川、自然生态系统良性循环，30%以上的城市达到生态城市和园林城市标准。到2050年，力争全国生态环境得到全面改善，实现城乡环境清洁和自然生态系统良性循环，全国大部分地区实现秀美山川的宏伟目标。

四、全国生态环境保护的对策与措施

（一）加强领导和协调，建立生态环境保护综合决策机制

21. 建立和完善生态环境保护责任制。要把地方各级政府对本辖区生态环境质量负责、各部门对本行业和本系统生态环境保护负责的责任制落到实处。明确资源开发单位、法人的生态环境保护责任。实行严格的考核、奖罚制度。对于严格履行职责，在生态环境保护中做出重大贡献的单位和个人，应给予表彰、奖励。对于失职、渎职，造成生态环境破坏的，应依照有关法律法规予以追究。要把生态环境保护和建设规划纳入各级经济和社会发展的长远规划和年度计划，保证各级政府对生态环境保护的投入。建立生态环境保护与建设的审计制度，确保投入与产出的合理性和生态效益、经济效益与社会效益的统一。

22. 积极协调和配合，建立行之有效的生态环境保护监管体系。国务院各有关部门要各司其职，密切配合，齐心协力，共同推进全国生态环境保护工作。环保部门要做好综合协调与监督工作，计划、农业、林业、水利、国土资源和建设等部门要加强自然资源开发的规划和管理，做好生态环境保护与恢复治理工作。在国家确定生态环境重点保护与监管区域的基础上，地方各级政府要结合本地实际，确定本辖区的生态环境重点保护与监管区域，形成上下配套的生态环境保护与监管体系。西部地区各级政府和有关部门要把搞好西部地区的生态环境保护和建设放在优先位置，确保国家西部大开发战略的顺利实施。

23. 保障生态环境保护的科技支持能力。各级政府要把生态环境保护科学研究纳入科技发展计划，鼓励科技创新，加强农村生态环境保护、生物多样性保护、生态恢复和水土保持等重点生态环境保护领域的技术开发和推广工作。在生态环境保护经费中，应确定一定比例的资金用于生态环境保护的科学研究和技术推广，推动科研成果的转化，提高生态环境保护的科技含量和水平。建立早期预警制度，加强生态环境恶化趋势的预测预报。

24. 建立经济社会发展与生态环境保护综合决策机制。各地要抓紧编制生态功能区划，指导自然资源开发和产业合理布局，推动经济社会与生态环境保护协调、健康发展。制定重大经济技术政策、社会发展规划、经济发展计划时，应依据生态功能区划，充分考虑生态环境影响问题。自然资源的开发和植树种草、水土保持、草原建设等重大生态环境建设项目，必须开展环境影响评价。对可能造成生态环境破坏和不利影响的项目，必须做到生态环境保护和恢复措施与资源开发和建设项目同步设计，同步施工，同步检查验收。对可能造成生态环境严重破坏的，应严格评审，坚决禁止。

（二）加强法制建设，提高全民的生态环境保护意识

25. 加强立法和执法，把生态环境保护纳入法治轨道。严格执行环境保护和资源管理的法律、法规，严厉打击破坏生态环境的犯罪行为。抓紧有关生态环境保护与建设法律法规的制定和修改工作，制定生态功能保护区生态环境保护管理条例，健全、完善地方生态环境保护法规和监管制度。

26. 认真履行国际公约，广泛开展国际交流与合作。认真履行《生物多样性公约》、《国际湿地公约》、《联合国防治荒漠化公约》、《濒危野生动植物国际贸易公约》和《保护世界文化和自然遗产公约》等国际公约，维护国家生态环境保护的权益，承担与我国发展水平相适应的国际义务，为全球生态环境保护做出贡献。广泛开展国际交流与合作，积极引进国外的资金、技术和管理经验，推动我国生态环境保护的全面发展。

27. 加强生态环境保护的宣传教育，不断提高全民的生态环境保护意识。深入开展环境国情、国策教育，分级开展生态环境保护培训，提高生态环境保护与经济社会发展的综合决策能力。重视生态环境保护的基础教育、专业教育，积极搞好社会公众教育。城市动物园、植物园等各类公园，要增加宣传设施，组织特色宣传教育活动，

向公众普及生态环境保护知识。进一步加强新闻舆论监督，表扬先进典型，揭露违法行为，完善信访、举报和听证制度，充分调动广大人民群众和民间团体参与生态环境保护的积极性，为实现祖国秀美山川的宏伟目标而努力奋斗。

（2000年12月22日《人民日报》）

国务院关于实施西部大开发若干政策措施的通知（节选）

实施西部大开发战略，加快中西部地区发展，是我国现代化战略的重要组成部分，是党中央高瞻远瞩、总揽全局、面向新世纪作出的重大决策，具有十分重大的经济和政治意义。为体现国家对西部地区的重点支持，国务院制定了实施西部大开发的若干政策措施。现将有关问题通知如下：

一、制定政策的原则和支持的重点

（一）制定政策的原则。实施西部大开发是一项宏大的系统工程和艰巨的历史任务，既要有紧迫感，又要充分做好长期艰苦奋斗的思想准备。要坚持从实际出发，按客观规律办事，积极进取、量力而行，立足当前、着眼长远，统筹规划、科学论证，突出重点、分步实施，防止一哄而起，反对铺张浪费，不搞“大呼隆”。要加快转变观念，加大改革开放力度，贯彻科教兴国和可持续发展战略，把发挥市场机制作用同搞好宏观调控结合起来，把西部地区广大干部群众发扬自力更生精神同各方面支持结合起来。

（二）重点任务和战略目标。当前和今后一段时期，实施西部大开发的重点任务是：加快基础设施建设；加强生态环境保护和建设；巩固农业基础地位，调整工业结构，发展特色旅游业；发展科技教育和文化卫生事业。力争用5到10年时间，使西部地区基础设施和生态环境建设取得突破性进展，西部开发有一个良好的开局。到21世纪中叶，要将西部地区建成一个经济繁荣、社会进步、生活安定、民族团结、山川秀美的新西部。

（三）重点区域。西部开发的政策适用范围，包括重庆市、四川省、贵州省、云南省、西藏自治区、陕西省、甘肃省、宁夏回族自治区、青海省、新疆维吾尔自治区和内蒙古自治区、广西壮族自治区。实施西部大开发，要依托亚欧大陆桥、长江水道、西南出海通道等交通干线，发挥中心城市作用，以线串点，以点带面，逐步形成我国西部有特色的西陇海兰新线、长江上游、南（宁）贵（阳）昆（明）等跨行政区域的经济带，带动其他地区发展，有步骤、有重点地推进西部大开发。

五、吸引人才和发展科技教育的政策

（一）吸引和用好人才。制定有利于西部地区吸引人才、留住人才、鼓励人才创业的政策。随着工资改革，建立艰苦边远地区津贴，提高西部地区机关和事业单位人员的工资水平，逐步使其达到或高于全国平均水平。依托西部开发的重点任务、重大建设项目及重要研究课题，提供良好的工作和生活条件，吸引国内外专门人才投身于西部开发。改革户籍管理制度，允许到西部地区投资经营和参加开发的其他地区居民保留原籍户口，凡在西部地区地级以下城市（含地级市）和小城镇有合法固定住所、稳定职业或生活来源的人员，可根据本人意愿办理城镇常住户口，鼓励农业富余劳动力合理转移和跨地区人口合理流动。扩大东部和西部地区之间的干部交流。中央有关部门、东部地区大专院校和科研机构，要加强对西部地区提供智力服务和人才支持。加强西部地区引进国外智力工作。依托中央有关部门和沿海经济较发达地区，加强对西部地区领导干部、少数民族干部的培养和公务员、专业技术人员、企业管理人员的培训。

（二）发挥科技主导作用。加大各类科技计划经费向西部地区的倾斜支持力度，逐步提高科技资金用于西部地区的数额。围绕西部开发的重点任务，加强科技能力建设，组织对关键共性技术的攻关，加快重大技术成果的推广应用和产业化步伐。支持军转民技术产业化的发展。支持西部地区科研机构、高校加强有特色的应用研究和基础研究。深化科技体制改革，加快从事应用研究的科研机构向企业转化，加强产学研联合，推动科技与经济的紧密结合。允许并提高西部地区企业在销售额中提取开发经费的比例。加大科技型中小企业创新基金对西部地区具备条件项目的支持力度。对科技人员在西部地区兴办科技型企业，简化工商登记，提高股权、期权和知识产权入股比例的上限。

（三）增加教育投入。继续实施贫困地区义务教育工程，加大国家对西部地区义务教育的支持力度，增加资金投入，努力加快实现九年义务教育。对西部地区高等学校建设予以支持，扩大东、中部地区高校在西部地区的招生规模。加大实施东部地区学校对口支援西部贫困地区学校工程以及西部地区大中城市学校对口支援农村贫困地区学校工程的力度。建设西部地区远程教育体系。加强对农村基层干部和农民的科学文化知识教育培训。

（四）加强文化卫生建设。国家安排的补助地方文化设施建设、广播电视建设投资和文物经费，向西部地区倾斜。进一步落实国家文化宣传单位经济政策，繁荣文艺创作。推进自然村“村村通”广播电视建设，进一步扩大广播电视有效覆盖面。促进边疆地区和少数民族地区文化事业发展。支持西部地区文化建设和精神文明建设。加强对西部地区卫生、计划生育建设的支持力度，重点建立健全农村初级卫生保健体系。

以上政策措施，主要适用于当前和今后10年（2001—2010年）。随着西部大开发战略的实施，将作进一步完善。所规定的各项政策措施及其细则，自2001年1月1日起开始实施。

（2000年12月28日《人民日报》）

中央纪委 中央组织部 中央宣传部 发出关于利用胡长清等重大典型案件对党员干部进行警示教育的意见

为进一步加强对广大党员干部的党性党风党纪教育，推动党风廉政建设和反腐败斗争的深入开展，中央纪委、中央组织部、中央宣传部近日联合发出《关于利用胡长清等重大典型案件对党员干部进行警示教育的意见》，决定今年第三季度集中一段时间，主要在县级以上党政领导班子和领导干部中开展以胡长清等重大典型案件为反面教材的警示教育。胡长清、成克杰从党的高级干部堕落为腐败分子，最根本的原因在于他们背弃了共产主义理想信念，私欲极度膨胀，把党和人民赋予的权力作为谋取个人私利的手段，教训极其深刻。《意见》指出，剖析胡长清等典型案件，并以此在党内开展警示教育，对广大党员干部牢固树立正确的世界观、人生观、价值观，努力实践江泽民同志“三个代表”的重要思想，保持和发扬艰苦奋斗的优良传统和作风，对党政领导干部廉洁从政，严守党纪国法，对认真贯彻从严治党的方针，切实加强对党员干部的教育、管理和监督，保持党的先进性具有重要现实意义。

为开展好这次教育活动，中央纪委办公厅编辑了《邓小平论党员领导干部廉洁自律》，中央纪委宣教室、中央组织部组织局、中央宣传部宣教局编发了《以案施教　警钟长鸣——胡长清案件警示教育材料》和专题片《胡长清案件警示录》。《意见》要求广大党员干部在认真学习有关教材的基础上，联系本地区、本部门发生的典型案件，结合自己的思想和工作实际进行讨论。

《意见》还要求，警示教育活动要由各级党委（党组）统一领导，纪委和组织、宣传部门共同负责；要与贯彻落实中央思想政治工作会议精神以及正在开展的“三讲”教育和“三讲”教育“回头看”结合起来。各级党的组织对教育活动中反映出的问题要给予充分重视，并研究采取切实可行的办法，加强对党员干部的教育、管理和监督。

（2000年8月1日《人民日报》）

刘云山在全国科普工作会议上的讲话（摘要）

（1999年12月14日）

这次全国科普工作会议，是贯彻中央《关于加强科学技术普及工作的若干意见》和《关于加强和改进思想政治工作的若干意见》的重要会议。党中央、国务院对这次会议非常重视。江泽民总书记给会议致信，对科普工作作了重要指示，明确提出了科普工作的指导思想，我们要认真学习、贯彻和落实。下面，我从宣传思想工作和精神文明建设的角度，就科普宣传工作讲几点意见：

第一，充分认识科普宣传在实施科教兴国战略、加强思想政治工作和推进精神文明建设中的重要地位和作用

科学技术普及程度是反映一个民族文明水平的重要标志，我们党和国家历来十分重视科普宣传工作。十一届三中全会以后，随着科教兴国战略的提出，更加强调科普工作和科普宣传，着力提高全民族的科学文化素质。1996年，我们召开第一次全国科普工作会议，发出《关于加强科普宣传工作的通知》，要求把科普宣传作为宣传工作者的重要责任和光荣使命，对开展科普宣传作了部署。各地和各有关部门认真贯彻会议精神，采取有力措施，做了大量工作，科普宣传得到加强。同时，必须清醒看到，由于中国有几千年的封建文化传统，迷信愚昧思想有着深厚的土壤，提高人们科学文化素质，开展科普宣传工作，仍是一个长期任务。“法轮功”滋生蔓延的情况说明，科学知识、科学思想、科学精神、科学方法在全民中的普及教育还远远不够，科普宣传在内容、形式和效果等方面也存在着一些不适应的地方。我们一定要从“法轮功”事件中吸取教训，进一步提高对科普宣传工作重要性和紧迫性的认识。

加强科普宣传是实施科教兴国和可持续发展战略的需要。科学技术是第一生产力，是经济发展和社会进步的决定性因素。普及科学技术，全面提高人民群众的科学技术素质，事关国家富强和民族振兴的百年大计，是我国实现现代化的必由之路。完成这个伟大的战略任务，科普宣传工作起着十分重要的作用。只有通过广泛宣传，才能迅速传递科技信息，使人们及时了解党和国家发展科技事业的方针政策和各种科学道理，加快科技普及步伐；才能发挥社会宣传的优势，扩大科普社会覆盖，推动科普工作走向深入；才能扩大科学技术的影响，增强人们的科学意识，在全社会形成“学科学、用科学、爱科学、讲科学”的良好风尚和舆论环境。

加强科普宣传是加强和改进思想政治工作的需要。在科学技术高度发达的今天，知识对人们思想道德观念的影响越来越大，同时，科学与迷信，知识与愚昧的斗争并未停止。因此，今年中央17号文件明确要求把科普宣传作为思想政治教育的一项重要内容。我们必须按照这个要求，大力加强科普宣传工作，用科学思想和科学精神武装党员，教育人民，引导人们形成与科技发展相适应的思维方式和价值观念，树立科学的世界观、人生观、价值观，坚定理想信念，巩固和占领思想阵地，为改革开放和现代化建设提供强有力的思想保证。

加强科普宣传是建设高度社会主义精神文明的需要。贫穷不是社会主义，愚昧更不是社会主义。江泽民总书记指出：“科学技术是精神文明建设的重要基石。”“我们不仅要靠科学技术提高物质文明水平，而且要靠科学技术提高的力量推进社会主义精神文明建设”。科普宣传是精神文明建设的重要组成部分。加强科普宣传，有利于全面培育“四有”新人，形成科学、文明、健康的生活方式，提高城乡文明程度。我们要高举科学的旗帜，把加强马克思主义唯物论和无神论教育，普及科学知识、科学思想、科学精神、科学方法，作为精神文明建设的一项长期战略任务切实抓好。

第二，进一步明确当前和今后一个时期科普宣传的主要任务

我国现代化建设正处在由第二步战略目标向第三步战略目标迈进的关键时期，迫切需要把现代科学扎根于民众之中，促进科教兴国和可持续发展战略的实施。科普宣传要适应这个形势，着重抓好以下几个方面的工作：

一是要深入揭批“法轮功”宣扬的歪理邪说。这是当前科普宣传的首要任务。我们同李洪志及其“法轮功”组织的斗争，关系到共产党人的根本信仰，关系到全国人民团结奋斗的根本思想基础，关系到党和国家的前途命运，是一场争夺群众、争夺阵地的严肃政治斗争，也是一场科学与迷信、文明与愚昧相较量的思想斗争。李洪志及其“法轮功”组织所宣扬的一套歪理邪说，是同现代科学和现代文明根本对立的。当前，我们同“法轮功”组织的斗争已经取得决定性胜利。但是，在思想领域彻底肃清“法轮功”流毒的任务还远没有完成，我们不能有丝毫松懈。要继续深入揭批李洪志及其反科学的“法轮大法”，运用科学的武器，彻底揭穿“法轮大法”伪科学、反科学的荒谬实质，批驳所谓的“神创说”、“业力说”、“末日说”、“科学灾难说”、“救世说”，帮助“法轮功”练习者从歪理邪说的思想禁锢和精神枷锁下解脱出来，夺取这场斗争的彻底胜利。

二是要广泛宣传马克思主义唯物论和无神论。马克思主义是与科学共命运的。马克思主义的辩证唯物主义和历史唯物主义，是科学的世界观和方法论，是认识世界和改造世界的强大思想武器。要用唯物史观和科学思想武装全党，广泛宣传马克思主义的基本原理、基本观点，帮助和引导人们划清唯物论与唯心论、无神论与有神论、科学与迷信、文明与愚昧、进步与落后的界限，增强识别和抵制封建迷信及各种伪科学的能力，树立科学的世界观。要联系社会上存在的求神问卦、相面算命、神怪洞府等迷信、愚昧现象，旗帜鲜明地揭露和批判各种迷信愚昧思想和伪科学，以及其他五花八门的歪理邪说。要联系邪教在世界上的种种表现，介绍国外打击、取缔邪教的做法，从根本上动摇和清除迷信、愚昧思想赖以生存的社会基础。

三是要大力普及与人民群众日常生产、工作和生活密切相关的科技知识。随着我国经济社会的深刻变化和小康社会的到来，人民群众精神文明需求日益增长，求知的欲望日益强烈。科普宣传必须重视科普对象的这些新特点，在宣传基本科学知识的基础上，坚持不懈地普及那些与工农业生产和日常工作密切相关的实用知识，帮助人们不断提高业务素质；坚持不懈地普及那些与群众日常生活密切相关的休闲娱乐、科学健身和生老病死等方面的知识，帮助人们不断丰富生活内容，提高生活情趣。

四是要突出宣传科学思想、弘扬科学精神、倡导科学方法。当前和今后一个时期，要在普及科学知识的基础上，着重普及科学思想、科学精神、科学方法，推动科普宣传工作不断深化。从一定意义上讲，对科学精神、科学思想和科学方法的宣传，比对科学知识的宣传更具根本性、更重要，当然，任务也更艰巨。要让科学所具有的精神因素为广大人民群众所了解，帮助他们掌握思想武器，树立追求真理、敢于创新的精神；让他们学会科学的认知方法，按照科学规律办事，增强辨别真伪是非的能力；让他们知道，科学是符合客观规律的真理，相信科学就是相信真理，从而使科学思想、科学理念植根于民族精神，转化为全社会的思维方式和价值准则，迎接21世纪知识经济时代的挑战。

五是要重视宣传先进典型和先进经验。在推动我国科技事业发展过程中，涌现了许多先进集体和先进个人，他们是坚持和实践科学思想、科学精神的榜样。要大力弘扬“两弹一星”精神，广泛宣传用科技振兴企业、富裕农村的先进经验。要让那些为经济建设和社会进步作出突出贡献的科技工作者，在电视上有影、电台上有声、报纸上有名，受到全社会的敬仰和尊重。

第三，积极探索和不断拓宽科普宣传的渠道

目前，科学技术的发展日新月异，促使经济社会状况乃至人们生活方式发生重大变革，科学更加社会化，社会也更加科学化。科普宣传必须适应新形势的要求，解放思想，实事求是，开拓进取，善于创新，努力把工作提高到新的水平。

一是充分发挥大众传媒的主渠道作用。图书、报刊、广播、电视等大众传媒，具有覆盖面广、时效性强、信息量大、形象直观等优势，是传播科学技术的重要途径和重要阵地，是开展科普宣传最便捷、最开放、最有效的形式。我们要把科学技术及时普及到人民群众中去，在人民与科技之间架起一座联系的桥梁，就必须充分发挥新闻出版部门在科普宣传中的重要作用。各级电台、电视台要继续办好现有的科普节目，积极创办新的专栏、专题，在黄金时段安排播出一定比例的科普内容。要有计划地拍摄和播放一批科教影视作品。党报党刊要进一步重视科普宣传，逐步扩大版面，提高科普宣传质量。特别需要强调的是，各类传媒要把科普宣传贯穿到日常的宣传中。所有的宣传都要讲科学，体现科学精神，提高宣传内容的科技含量。要利用最新科技手段开展科普宣传，特别是要占领因特网这一最新传媒阵地。要鼓励和提倡新闻出版工作者学习科技知识，树立精品意识，逐步提高创作水平，推出一批群众欢迎的科普作品，努力营造尊重科学、相信科学、依靠科学、崇尚科学的浓厚氛围。

二是重视发挥文艺的科普宣传功能。用文艺的形式宣传科学，具有其他工作难以替代的作用。60年代出了一本《不怕鬼的故事》，毛泽东同志给予很高的评价，在社会上产生很大影响。最近，中国社科院又编辑出版了《不信神的故事》，反映也很好。70—80年代创作出版的一批反映爱因斯坦、居里夫人等科学巨匠的文学作品，唤醒和激发了亿万人民特别是青少年的科技意识。我们要高度重视小说、传记、卡通等各种文艺形式的科普创作，鼓励艺术家们积极投入到科普文学和科普艺术的创作中来，把饱含科技思想的文艺精品奉献给人民。要加强科普出版工作，鼓励出版更多题材健康、内容丰富、图文并茂的科普读物。新闻传媒要积极评价优秀科普作品，使之扩大影响，增强效益。

三是把群众性精神文明创建活动作为科普宣传的重要载体。以“讲文明、树新风”为主要内容的群众性精神文明创建活动，是亿万人民移风易俗、改造社会、建设美好生活的伟大创造，也是开展科普宣传的有效形式。创建文明城市、文明村镇、文明行业，都要着眼提高人们的思想道德和科学文化素质，把科普宣传贯穿其中，使群众在参与中受到科普教育，强化科技意识。要大力发展村镇文化、社区文化、企业文化、校园文化、机关文化，广泛开展群众性文体活动，寓科普宣传于各项活动之中。要抓好城市的科普宣传，重点放在社区，办好社区科普画廊、科普报栏、科普公益广告。要抓好农村的科普宣传，通过开展“三下乡”和创建十星级文明户，传播现代科学观念和知识。要把科普宣传作为检验创建活动水平和质量的重要指标，愚昧迷信现象严重的地方，不能评为文明城市、文明村镇、文明行业和文明单位。

四是利用各类科普阵地广泛开展科普宣传活动。经过多年建设，我们已经有了一大批科普宣传阵地。今后，要继续加强这方面的建设，更好地发挥它们的作用。各类博物馆、科技馆、实验室、科技活动中心等，是对公众进行科普宣传、开展科普活动、实施科普教育的重要阵地和场所，要举办各种生动活泼的科普讲座、报告、展览等活动，面向社会、服务群众，形成一个经常化、社会化的科普宣传网络。

第四，做好科普宣传工作应注意把握的几个问题

一要紧紧围绕经济建设这个中心。这是科普宣传必须始终坚持的指导思想。世界正在迈向知识经济时代，推进我国现代化建设，必须充分发挥科学技术第一生产力的作用。科技知识及其传播将成为支撑整个社会经济运行的基本条件，对知识经济和信息时代的国家发展尤其具有重要意义。科普宣传是科技与社会互动的重要中介。要通过宣传科学技术面向经济建设主战场、经济建设要依靠科学技术的方针，增强人们对科学技术与经济发展关系的认识，引导人们树立依靠科技发展经济的观念。科普宣传要紧跟时代科学技术发展的潮流，注意适应市场经济的需要，传播最新的科学思想、科技信息、先进技术，满足经济结构调整和产品升级换代的迫切需求，支持国家、企业的技术创新和技术改造，促进开发大西北战略的实施。尤其要重视和加强贫困地区、少数民族地区的科普宣传工作。扶贫要扶智，治贫先治愚。科普宣传要帮助中西部地区广大党员干部和群众解放思想，转变观念，增强运用科技发展经济、增加收入、改善生活的能力。

二要面向群众，服务群众。人民群众需要科技，科技也需要人民群众。一个民族孕育少数科技精英容易，提高整个民族的科学素质却很艰难。科普宣传的生命力，来自人民群众的热情关注和广泛参与，能够回答群众关心的生产生活中的实际问题。我们的科普宣传应当贴近生产、贴近生活、贴近实际，面向人民群众，注重提高他们的科技兴趣，丰富他们的科技知识，把工作做得实实在在，富有成效。当人民群众在科普宣传中尝到甜头，就能认识科学的价值，就能积极投入到科技活动中来，就能使科普宣传具有广泛的群众基础。

三要扩大科普宣传的覆盖面。青少年是祖国的未来，民族的希望。对他们开展科普宣传，应给予特别的关心和重视。要把科普作为素质教育的重要内容，在抓好课堂主渠道教育的同时，辅之以各种课外科普活动，使他们从小养成学科学、爱科学的良好习惯，锻炼创造能力和动手能力，为青少年跟上科技发展步伐，迎接知识经济的挑战提供机会和条件。党员干部是各项事业的骨干，是科普宣传的重要对象。要在党员教育和干部培训中增加科普教育的内容，抓好科普教材的编写，把对科学思想、科学知识的掌握作为考核干部素质的重要标准，引导党员干部、特别是领导干部带头学习科学技术，带头宣传科学思想，带头反对愚昧迷信，为全社会树立良好的榜样。科普宣传也要面向知识分子，要引导社会科学工作者学习自然科学知识，引导自然科学工作者学习辩证唯物主义和历史唯物主义。要重视对老年人进行科普宣传，针对老年人的特点，重点介绍医药卫生、科学健身、延年益寿的知识和方法，使他们不仅老有所养、老有所乐，而且老有所学、老有所教。

四要全面普及自然科学和社会科学知识。科学包括自然科学和社会科学。普及社会科学知识，也是科普宣传的重要内容。马克思早就预言，自然科学和社会科学迟早是要融合的，“正像关于人的科学将包括自然科学一样，自然科学往后也将包括关于人的科学：这将是一门科学。”要帮助人们了解人类社会产生、发展、变化的一般过程，了解世界和中国的历史，普及哲学、经济学、法学、文学等方面的知识，使人们在物质生活改善的同时，提高精神境界，保持身心健康，促进社会的和谐与安宁。

五要讲究宣传艺术，增强实际效果。我国是一个发展中国家，城市与农村情况不一样，沿海与内地不一样，不同行业、不同人群的情况千差万别。科普宣传必须因地制宜、区别对待，从内容到方式都要有所侧重，不断增强针对性。要做到深入浅出，通俗易懂，生动活泼，趣味性强，力求思想性、知识性、趣味性相统一，让人们看得懂，听得进。要联系社会上的一些热点问题，组织科技论坛，开办知识讲座，通过摆事实、讲道理，帮助广大群众明白事理，澄清是非，提高认识水平和鉴别能力。科普宣传必须坚持正面宣传为主的方针，但也要注意运用反面教材，特别要联系人们身边的那些违背科学而给生产生活带来危害的事例，进行生动具体的宣传教育。

六要准确、鲜明地进行科普宣传。各级宣传部门在科普宣传中要严格把握政策，增强纪律观念。要准确宣传党和政府发展科学技术的方针政策，准确宣传党的知识分子政策，准确宣传党的宗教政策，保持科普宣传的正确导向。要增强政治敏锐性和政治鉴别力，对各种违反科学事实、科学原则和科学精神的歪理邪说，对种种反科学、伪科学的“奇闻怪事”和招摇撞骗行为，对那些求神弄鬼的封建迷信活动，要旗帜鲜明地予以揭露、批评和反对。要注意严格把关，坚决防止腐朽、反动的东西利用大众传媒向社会扩散。

第五，切实加强对科普宣传工作的领导

科普宣传是整个宣传工作的重要组成部分。各级宣传部门要把这项工作纳入思想政治工作和精神文明建设的整体布局，摆上重要议事日程，做到分工明确，制度健全，责任到人。领导干部要带头深入实际，调查研究，了解情况，掌握动态，及时总结经验，解决问题，不断提高领导和工作水平。

精心制定宣传规划，认真组织实施。宣传、文化、新闻、出版部门要按照这次会议的精神，根据科技部、中宣部和中国科协联合下发的《2000—2005年科学技术普及工作纲要》的要求，结合各自实际，明确科普宣传的任务和目标，加强工作交流和督促检查，有计划、有步骤地推动科普宣传群众化、社会化和经常化。

加强协调，形成合力。科普宣传是全党全社会的共同任务。科技部门、宣传部门、科协组织要加强协调，搞好分工，相互配合，其他有关部门和单位也要积极支持和参与。科技工作者要有宣传意识，宣传工作者要有科技意识，要把两个积极性发挥好。各级科协和专业科普队伍，是开展科普宣传的重要力量，宣传部门要充分依靠和支持他们做好经常性的科普宣传。新闻出版、广播影视、文化教育、文学艺术部门，各行各业特别是与工农业生产和人民生活密切相关的行业和部门，都应该有自己的科普宣传队伍。从事科普宣传的专家、学者，特别是在国内外享有盛誉的著名科学家，为广大青少年所崇敬，要充分发挥他们在科普宣传中的带动作用。工会、妇联、共青团等群众组织，以及企业、机关、学校、街道、农村都要关心、参与和支持科普宣传，把各方力量凝聚起来，努力形成一个科普宣传工作的新格局。

加强科普宣传队伍建设。科普宣传是一项创新性劳动，科普工作者是人类灵魂的工程师。要重视提高广大科普工作者的思想业务素质，经常开展培训，组织他们参加各种科普活动，在实践中建立一支精干、高效、有战斗力的科普宣传队伍。实事求是地说，从事科普宣传、科普创作是比较清苦的，各级领导要关心他们、支持他们。对作出突出贡献的，要进行表彰和奖励，必要时给予重奖。通过建立健全激励机制，把科普宣传工作者的积极性和创造性调动好、发挥好、保护好。

当前，科普宣传工作既承担着艰巨任务，又面临着大好时机。宣传思想战线的同志一定要认真贯彻中央关于加强科普宣传工作的要求，抓住机遇，乘势而上，锲而不舍，持之以恒，全面推进各项工作，掀起科普宣传的新高潮，为提高中华民族的思想道德和科学文化素质，在新的世纪持续推进改革开放和社会主义现代化建设，做出应有的贡献。

（《精神文明建设》2000 年第 4 期）

刘云山：在全国农村精神文明建设工作座谈会上的讲话

（2000 年 8 月 27 日）

全国农村精神文明建设工作座谈会的主要议题是，进一步贯彻中央思想政治工作会议精神，认真学习落实江泽民总书记关于“三个代表”的重要思想，总结交流经验，研究部署工作，推动农村精神文明建设深入发展。下面，我围绕会议主题讲几点意见。

一、两年来，农村精神文明建设取得了新的进展

1998 年文登会议后，各地围绕农民致富奔小康这个中心，普遍加大农村精神文明建设的力度，在实践中创造了不少新的经验和好的做法，涌现了一批先进单位和先进地区。农村精神文明建设与全国精神文明建设一样，呈现出积极、健康、向上的发展态势，在推动农村经济发展、提高农民素质、维护社会稳定等方面，发挥了重要作用。

1. 各级领导进一步重视。各级领导对加强农村精神文明建设重要性的认识不断深化，工作的自觉性、主动性、有效性得到增强。辽宁、福建、广西等地定期召开工作会议，对农村精神文明建设工作及时作出部署。内蒙古、黑龙江、新疆等地制定了农村精神文明建设的总体规划，下发了具体实施办法。天津、山东、重庆等地的主要领导亲自带队，深入农村，深入群众，开展调查研究。河南、宁夏、甘肃等地建立健全农村精神文明建设机制，明确一把手负总责，其他领导分工负责，一级抓一级，一级带一级，确保各项任务的落实。

2. 思想教育的内容进一步充实。各地把提高农民的思想道德和科学文化素质作为农村精神文明建设的重中之重，在创建活动中十分注意突出思想教育的内涵。北京围绕庆祝新中国成立50周年和迎接澳门回归祖国，组织形式多样的活动，对农民进行爱党、爱国、爱社会主义教育。上海、江苏、浙江、广东等地适应现代化建设的需要，进行了以提高素质为目标的“现代农民教育”。河南组织开展农村政策法纪教育，有力促进了农村社会稳定。在深入揭批“法轮功”的斗争中，中央文明办、中国科协联合举办“崇尚科学文明、反对迷信愚昧”大型图片展览，各地也组织了系列科普宣传活动，引导农民自觉抵制封建迷信和愚昧落后思想的侵蚀。江总书记视察广东时的重要讲话发表后，全国农村广泛开展了“致富思源、富而思进”教育活动，引导干部群众联系改革开放以来的巨大成就，回顾过去，思考未来，明确方向，坚定信念，为在新世纪继续推进农村社会主义现代化建设奠定巩固的思想基础。

3. 创建活动的形式进一步多样。各地从自身实际出发，不断探索农村精神文明建设的新载体、新领域，创建活动有了新的发展、新的提高。福建、安徽从抓文明县城建设入手，吸收借鉴创建文明城市的做法，努力提高县城文明水平，进而向农村延伸。河北衡水在“三下乡”中，坚持送建结合，为基层培养一支不走的文化科技卫生工作队，促使“三下乡”变为“三扎根”。湖北宜昌开展理论、科技、文化、法律“四进家”活动，开阔了农民眼界，增强了农民致富奔小康的本领。江苏南京开展评选“五爱好人家”活动，倡导科学、文明、健康的生活方式，推动精神文明建设进村入户。

4. 各种支持和投入进一步增加。近两年，不少地方在财力比较紧张的情况下，想方设法拨出专款用于农村精神文明建设。贵州先后投入400多万元，为全省每个村建起了图书室，还为60个贫困县配备了电影、电视器材。中央各部委也发挥自己的优势，支持农村文化阵地建设。中宣部、中央文明办组织实施“百县乡镇宣传文化工程”，帮助19个省（区）建成和在建900多个乡镇宣传文化站。中央和国务院11部委组织开展的文化科技卫生“三下乡”活动，据不完全统计，几年来送图书2.7亿多册，送戏600多万场，送电影2000多万场；科技人员下乡近800万人次，举办科技培训班200万次；下乡医疗队25万支，培训乡村医务人员2600多万人次。

5. 群众参与的积极性进一步提高。各地在农村精神文明建设中，注意调动农民群众的积极性、主动性、创造性。湖北、江西、陕西等地农民参加创建“十星级文明户”活动的热情很高，为了争当“星级文明户”，出现了妻子劝丈夫戒赌、儿女劝父母交粮纳税、孙子孙女劝爷爷奶奶不搞封建迷信的生动事迹。辽宁采用奖励的办法，推动创建文明村镇活动步步深入，全省99%的乡镇、97%的村、82%的农户都开展或参与了创建活动。

6. 先进典型的示范作用进一步扩大。这两年，全国和各地都树立了一批先进典型，推出了一批示范点。在建国50周年前夕，中央文明委专门表彰了500个创建文明村镇活动的先进单位。吉林总结推广了长春市三专村坚持改水改厕的做法，带动全省农村改善生活环境。辽宁抚顺市毛公村、山东邹城市张庄镇、河北栾城县等典型经验，通过中央新闻单位的集中宣传，在全国产生了很大反响。

在肯定成绩的同时，必须清醒看到，各地工作发展还不平稳，有的地方对农村精神文明建设抓得不紧，一些薄弱环节没有得到明显改变，工作中还存在针对性、实效性不强的现象。这些问题，必须引起我们的高度重视，并采取有力措施予以克服和解决。

二、认真贯彻中央思想政治工作会议精神，切实做好农村精神文明建设的各项工作

前不久召开的中央思想政治工作会议，是一次十分重要的会议。江泽民总书记在会上发表的重要讲话，是新形势下思想政治工作的纲领性文献，也是农村精神文明建设的强大思想武器。我们要把学习贯彻江总书记重要讲话精神与全面贯彻落实“三个代表”的要求结合起来，与学习贯彻党的三代领导核心关于精神文明建设的一系列重要论述结合起来，与贯彻落实党在农村的一系列方针政策结合起来，与农村两个文明建设的实际结合起来，融会贯通在农村精神文明建设的实践之中。

改革开放以来，特别是近10年来，我国农村经济、社会、文化发生了全面而深刻的变化，农业和农村经济发展进入一个新的阶段，农村精神文明建设遇到了许多新情况新问题，面临着新的机遇和挑战。农村社会经济成分、组织形式、经济利益、就业方式的多样化，导致了农民的思想观念、道德意识、价值取向、文化认同趋于多样化；随着我国进入小康社会，农村科学文化事业的发展与广大农民日益增长的精神文化需求不相适应的矛盾日益突出；各种非马克思主义和反马克思主义思想与我们争夺群众、争夺阵地的斗争还将长期存在；封建迷信活动、邪教和非法宗教，在农村中还有一定市场；一些领导干部腐化堕落，严重损害了党的形象和威信。我们要清醒认识这些新的情况和存在的问题，抓住机遇，迎接挑战。应当看到，现在加强农村精神文明建设的条件十分有利，马列主义、毛泽东思想、邓小平理论是我们统一思想、凝聚力量的强大思想武器；以江泽民同志为核心的党中央具有驾驭复杂局势的能力，是我们战胜任何风险的根本保证；日益强大的经济实力，是加强农村精神文明建设的物质条件；在实践中形成的一系列正确方针政策和行之有效的工作机制，是我们继续前进的工作基础；广大农民群众参与精神文明建设的积极性和热情，是做好工作的内在动力。我们一定要从全局和战略的高度，充分认识加强农村精神文明建设的重要性和紧迫性，坚持正确的指导思想和方针原则，加大工作力度，突出活动重点，把农村精神文明建设进一步推向深入。

1. 要把思想道德教育作为农村精神文明建设的基础性工作。江总书记最近反复强调思想道德教育的重要性，指出：理想信念教育是党的思想政治工作的核心内容，并要求全党“要紧密结合发展社会主义市场经济的新要求，努力加强社会主义道德教育”。我们要把提高农民思想文化素质作为农村精神文明建设的根本任务，贯穿于工作的各个环节和整个过程。要坚持不懈地进行党的基本理论、基本路线、基本纲领教育，正确的世界观、人生观、价值观教育，爱国主义、集体主义、社会主义和艰苦创业精神教育，社会公德、职业道德、家庭美德教育，民主法制和形势政策教育。鼓励和支持一切有利于解放和发展社会主义生产力的思想道德，一切有利于国家统一、民族团结、社会进步的思想道德，一切有利于追求真善美、抵制假恶丑、弘扬社会正气的思想道德，一切有利于履行公民权利与义务、用诚实劳动争取美好生活的思想道德，引导农村干部群众牢固树立建设有中国特色社会主义的共同理想和精神支柱，积极投身农村两个文明建设。

工作中要注意把握以下几点：第一，要从实际出发，充分考虑农村的实际和农民的接受能力，着眼多数，鼓励先进，区分层次，循序渐进。要有的放矢，对症下药，针对农民群众生产生活中关注的热点、难点、疑点问题，作出科学的、有说服力的、符合实际的解答，消除他们思想上的困惑和疑虑，满怀信心地建设社会主义新农村。第二，要与党的农村各项方针政策的宣传教育结合起来，把政策原原本本地交给农民群众，帮助他们了解这些政策的出台背景和具体内容，认识到这些政策从根本上都是为了促进农村的发展，为了农民的富裕，从而更加自觉地执行党的农村政策，使这些政策产生更好的效果。第三，要讲求方式方法，注重农村特色，多用农民群众熟悉的语言、身边的事情，采取农民群众容易理解、容易接受的办法，增强感召力、渗透力、吸引力，做到春风化雨、润物无声、耐心细致、潜移默化。切忌照本宣科、生搬硬套，避免形式主义、教条主义。

2. 要把搞好科普、移风易俗作为农村精神文明建设的重要任务。江总书记指出，要把科普工作作为实施“科教兴国”战略的重要任务和社会主义精神文明建设的重要内容，切实加强起来。改革开放20年来，我国农村发生了深刻变化，农民的科学文化素质有了较大提高。但在广大农村，封建迷信、愚昧落后的思想还有一定的市场，旧观念、旧风俗、旧习惯还不同程度地存在。改变这种状况，必须广泛进行马克思主义的唯物论和无神论教育，大力普及科学知识、弘扬科学精神、宣传科学思想、传播科学方法，帮助农民群众划清科学与迷信、文明与愚昧的界限，自觉抵制“法轮功”等歪理邪说，移风易俗，除旧布新，从根本上铲除愚昧迷信赖以存在和蔓延的社会土壤，逐步在农村形成科学文明、健康向上的生活方式和社会风尚。

工作中要注意把握以下几点：第一，要注意普及与农民群众生产生活密切相关的科学知识，特别是有关自然现象、社会进化、医疗卫生、科学健身和生老病死等知识，用现代科学对封建迷信、伪科学进行揭露和批判。第二，要从农民群众日常生活中普遍存在的一些问题入手，提倡正确的婚恋观、家庭观和生育观，婚事新办、丧事简办，讲文明、讲礼貌、讲卫生，革除陈规陋习，树立文明新风。第三，要与农村社会综合治理结合起来，运用法律、行政、经济、教育等手段，对封建迷信、黄赌毒、宗族势力等丑恶现象进行整治。

3. 要加强农村思想文化阵地建设。加强农村思想文化阵地建设，是农村精神文明建设的重要条件。江总书记多次强调，思想文化阵地，马克思主义、无产阶级的思想不去占领，各种非马克思主义、非无产阶级的思想甚至反马克思主义的思想就会去占领。我们必须强化阵地意识，扩大阵地范围，下功夫建设好农村广播电视网、村镇文化站、图书室、阅报栏、电影放映点以及农民夜校、乡镇党校等各种思想文化阵地，做到每个县都有图书馆、文化馆，每个村镇都有图书室、文化站，都能听到广播、看到电视，逐步形成覆盖农村各个层面的阵地网络，用健康向上的思想文化占领农村阵地，为农民提供良好的精神食粮，决不给错误的东西、危害人民特别是青少年身心健康的东西提供传播渠道。

工作中要注意把握以下几点：第一，要把农村思想文化阵地建设，纳入农村精神文明建设的总体规划，摆上应有的位置，有计划、有步骤地实施。第二，要注意研究农村思想文化阵地建设中出现的新情况，努力探索加强农村思想文化阵地建设的规律和办法，坚持建设与管理并重，逐步建立健全各类阵地的管理制度，把社会效益放在首位，正确把握阵地的发展方向。第三，要增加经济投入，各地、各部门要针对不同类别的阵地，制定不同的投入办法，不断改善农村思想文化阵地的条件，使农村思想文化阵地的作用得到更好的发挥。要注意在政策、资金和人才上，对西部地区给予必要的倾斜。

4. 要坚持开展创建文明户、文明村活动。创建文明户、文明村活动，是在实行家庭联产承包责任制过程中，农民群众的一个创造，对推动农村经济发展和社会进步发挥了重要作用，成为农村精神文明建设的重要载体。各地在创建活动中，要从抓户、抓村入手，继续广泛、深入地开展“十星级”文明户、“评三户”、文明庭院和文明村等创建活动，并逐步向纵深延伸，经过几年的努力，使全国每个乡镇都有一批文明村，每个村都有一批文明户。

工作中要注意把握以下几点：第一，要把创建文明户、文明村活动，作为农村工作和精神文明建设一项长期的任务，将其列入规划，形成制度，做到常抓不懈，动态管理，不能时紧时松，抓抓停停，更不能一评了之。第二，创建文明户、文明村的标准要简单明了，具体实在，群众认可，便于操作，便于评比，便于群众监督。第三，要增强精品意识，着力培养一批高标准的示范村、标兵户，充分发挥他们的辐射和带动作用。第四，要采取多种办法，吸引更多的农户和村参加到创建活动中来，不断扩大活动的覆盖面。

5. 要积极推进创建文明小城镇活动。目前，我国农村已经基本解决温饱问题，逐步进入小康阶段，越来越多的农民离开农村，进厂进城，农业产业化、农村城镇化的趋势日益明显，发展小城镇已经成为中国农村实现现代化的必由之路。农村精神文明建设要适应国民经济和农村产业结构调整的新形势，配合国家发展小城镇的战略，在抓好创建文明户、文明村的基础上，积极推动创建文明小城镇活动的开展，力争经过10年左右的时间，将一批基础较好的小城镇建设成具有优美环境、优良秩序、优质服务和文化繁荣、功能健全、生活方便、具有较强辐射能力的区域性经济文化中心，成为农村精神文明建设新的亮点。

工作中要注意把握以下几点：第一，要因地制宜。各地开展创建文明小城镇活动，总的要求是一致的，但不同条件和类型地区的创建重点要有所不同。具体怎么搞，必须从当地实际出发，注重实际效果，不能互相攀比，搞“一刀切”。第二，要根据小城镇既区别于城市又不同于农村的特点，注意借鉴和吸收创建文明城市、文明社区和文明村、文明户的成功经验，在实践中形成具有自身特色的创建办法。第三，要抓好试点，以点带面。创建文明小城镇对全国多数地区来说是个新的事物，各地要加强调查研究，抓好工作试点，及时总结新鲜经验，搞好示范引导，不断提高创建活动的水平。

6. 要广泛开展以城带乡、城乡共建活动。以城带乡、城乡共建，是农村精神文明建设进一步发展深化的内在需要。从世界各国的情况看，一个国家和地区实现现代化的过程，既是农村城市化的过程，也是城市文明向农村辐射、延伸的过程。以城带乡、城乡共建的开展，可以更充分地发挥城市的示范带动作用，做到资源共享，优势互补，不仅有利于农村精神文明建设，也有利于城市精神文明建设。辽宁开原在这方面进行了积极的探索。1998 年以来，他们从本地实际出发，精心制定城乡共建活动方案，采用“强强联合”的办法，组织城里的文明单位和农村的文明村结对子，调动共建双方的积极性，帮助农村改善文化设施，美化村容村貌，提高农民素质，创建了一批高标准的文明村和文明单位，形成了以城带乡、城乡共建的良好局面。各地要结合自己的实际，学习借鉴开原的成功经验，广泛开展以城带乡、城乡共建活动。

工作中要注重把握以下几点：第一，要坚持自愿原则，既要积极引导，大力推动，又要民主协商，自愿联合，防止强迫命令、拉郎配。领导认识要到位，群众也要有积极性。第二，要发挥两个优势，既要发挥城市在人才、文化、信息、技术、管理、物资等方面的优势，帮助和带动农村的发展；也要发挥农村在土地、环境、资源、劳动力等方面的优势，支持城市的建设，探索市场经济条件下城乡共建的机制，使城乡携手，共同发展。第三，要务求实效，从大处着眼，小处着手，选好切入点，找准合作项目，实实在在地为农村和农民办一些事情，解决一些难题。防止只挂名，不办事。

以上六个方面，是对全国农村精神文明建设讲的。各地主要抓什么、怎么抓，还是要从自己的实际出发，认真分析，抓住重点，力争使工作有新的进展。这里，我再强调两项工作，一是“致富思源、富而思进”教育。今年 2 月，江总书记在广东视察时提出，要在广大干部群众特别是发展较快地区的干部群众中开展“致富思源、富而思进”教育活动。为贯彻落实江总书记的这一指示精神，中组部、中宣部联合发出《关于组织开展“致富思源、富而思进”教育活动的通知》，前不久，又在京联合召开了部分省（区、市）工作汇报会，安排部署了下一步的工作。各地要充分认识开展“双思”教育的重要性、紧迫性，按照《通知》要求和汇报会上的部署，紧密联系农村现代化建设的实际，在巩固前一段成果的基础上，努力把这一活动向面上推开，向纵深拓展。要继续在提高认识上下功夫，在宣传发动上下功夫，在组织落实上下功夫，在增强实际效果上下功夫，引导农村广大干部群众把思想统一到江总书记视察广东时的重要讲话精神上来，做到思出方向，思出办法，思出信心，思出干劲，进一步推动农村的改革和发展。二是文化科技卫生“三下乡”。十四届六中全会以来，各地广泛开展“三下乡”活动，为农村和农民办了大量实事，深受农民群众的欢迎。实践证明，“三下乡”意义深远，影响重大，作用显著，是一条加强农村精神文明建设的重要途径，必须抓住不放，深入开展。中宣部、中央文明办等 11 部委将联合召开会议，对下一步的“三下乡”工作进行部署，同时，表彰两年来涌现出的先进集体和先进个人，推动这项活动广泛、深入、持久地开展下去。对今年底、明年初的“三下乡”工作，各地要早规划、早安排、早行动，力争在元旦、春节期间掀起一个“三下乡”的新高潮。

三、适应形势发展要求，努力提高农村精神文明建设工作的水平

今后 5 至 10 年，是我国改革开放和社会主义现代化建设至关重要的时期。在这个时期，经济要有一个新发展，将在实现第二步战略目标的基础上向第三步战略目标迈进；改革要有一个新突破，将在整体推进的同时，在一些重要环节取得大的进展；稳定要有一个新局面，将继续巩固安定团结的大好形势，保证党和国家的长治久安。这一切不仅要求物质文明建设有一个大发展，而且要求精神文明建设也必须有一个大发展。我国是一个农业大国，12 亿多人口 9 亿在农村，农业、农村、农民问题始终是我国改革和建设的根本问题。能不能搞好农村精神文明建设，关系到农村经济持续发展和社会全面进步，关系到社会主义精神文明建设的整体水平，关系到建设有中国特色社会主义伟大事业的兴衰成败。

党中央历来十分重视农业、农村、农民问题，重视农村的精神文明建设。在有关农村工作的一系列重要会议、重要文件和重要讲话中，反复强调农村精神文明建设的战略地位、目标任务和工作要求。我们一定要认真学习贯彻江总书记在中央思想政治工作会议上的重要讲话精神，以“三个代表”的重要思想为指导，深入分析新形势下对农村干部群众思想活动和综合素质发生作用的客观环境及其基本特点，努力解决那些影响农村干部群众思想活动和综合素质的重大理论问题和实际问题，进一步提高农村精神文明建设的水平。

1. 坚持服从服务于农村经济发展这个中心。为农村经济发展服务，是农村精神文明建设的一条根本原则和成功经验。我国正处于社会主义初级阶段，经济发展很不平衡，多数农村生产力比较落后，市场化程度低，科技教育文化水平不高，发展农村经济、提高农业生产力水平是亿万农民的心愿和改变农村落后面貌的关键。农村精神文明建设必须紧紧围绕经济建设这个中心来展开，把工作做到农民群众发展经济的实际过程中去，把着力点集中到激发农民群众参与改革和建设的积极性、创造性上来，不断促进农村社会生产力的发展，为农民脱贫致富奔小康、建设社会主义新农村提供强大的精神动力、智力支持和正确的思想保证。

2. 坚持把提高农民素质作为根本任务。农村发展水平的高低主要取决于农民的素质。当前，随着农村经济的发展，产业结构的调整，开放程度的扩大，对农民素质的要求越来越高。沿海地区的农村要率先实现现代化，中部地区的农村要加快发展，西部地区的农村要摆脱贫困，都必须不断提高农民素质。农村精神文明建设要始终把提高农民的思想道德素质和科学文化素质，作为一项基础性工程来抓。开展创建活动和思想教育，不管采取什么形式和方法，都要把着眼点放在提高农民素质上，引导农民解放思想，增强能力，跟上时代前进的步伐，成为一代有理想、有道德、有文化、有纪律的社会主义新型农民。

3. 坚持从农村的实际出发。实事求是，一切从实际出发，是农村精神文明建设的一条基本要求。制定教育规划，设计创建活动，提出工作要求，都要符合农村和农民的实际，既要积极进取，又要循序渐进；既要统一部署，又要因地制宜；既要鼓励先进，又要着眼多数，绝不能急于求成，急功近利。要抓好基层，夯实基础，一件事情一件事情地去做，一个问题一个问题地解决，一个层面一个层面地拓展，推动农村精神文明建设稳步向前发展。对认准的事情，受农民群众欢迎的事情，要主题不变，狠狠地抓，一天不放松地抓，抓出结果，抓出成效，坚决防止和克服形式主义。

4. 坚持一切为了农民群众、一切依靠农民群众。农村精神文明建设，从本质上讲是群众工作，必须体现党的群众路线。农村精神文明建设所做的一切工作，都是为了广大农民群众的利益。农民群众是农村精神文明建设的主体，农村精神文明建设只有把贯彻中央精神和反映农民意愿统一起来，真心实意地为群众服务，尊重群众的首创精神，善于从群众中汲取营养和力量，才能拥有深厚的群众基础，得到群众的拥护和支持。农村精神文明建设要在依靠群众、服务群众方面做出更大的努力，使党的群众路线在农村精神文明建设中发挥更大的威力，使广大农民群众在农村精神文明建设中发挥更大的作用。在实际工作中，必须坚持民主原则和疏导方针，尊重人、理解人、关心人，以情动人，以理服人；坚持把解决群众的思想问题与解决实际问题结合起来，为群众办实事、办好事；坚持从具体事情抓起，从农民群众关心的事情做起；坚持动员和组织农民群众参与各种创建活动，引导群众在参与中受到教育，得到提高。

5. 坚持在实践中不断改进创新。江总书记最近反复强调创新问题，指出：“创新是一个民族进步的灵魂，是一个国家兴旺发达的不竭动力。”创新是需要，是发展，是进步。改革开放以来，农村精神文明建设的过程就是一个不断改进创新的过程。创建文明村镇活动，评选“十星级”文明户，文化科技卫生“三下乡”活动，以城带乡、城乡共建等很多做法，都是改进创新的结果。实践无止境，认识无止境，改进创新无止境。尤其是在农村社会经济结构、物质条件、社会环境和农民思想观念发生很大变化的情况下，如果只是机械地重复过去的老方式、老办法，就不可能收到好的效果。要在内容、形式、方法、手段、机制等方面勇于探索，大胆创新，研究新情况，解决新问题，总结新经验，使农村精神文明建设在改进中加强，在创新中提高，始终保持强大的生机与活力。

四、加强组织领导，把农村精神文明建设的各项任务落到实处

加强和改进农村精神文明建设，关键在组织领导，这是贯彻中央思想政治工作会议精神、把各项工作任务落实到农村基层的重要保证。各地从事农村精神文明建设工作的同志，一定要认真学习贯彻“三个代表”的重要思想，进一步增强政治意识、大局意识、责任意识，牢牢把握工作的主动权，扎扎实实地做好各项工作，做到让中央满意，让人民满意。

1. 要加强农村精神文明建设的战略性思考。明年人类将进入新的世纪，我国将进入全面建设小康社会的新的历史阶段。面对新的形势和任务，我们要增强工作的前瞻性和预见性，加强对农村精神文明建设重大问题的研究和思考。要在各级党委的领导下，根据国家“十五”计划和2010年发展目标，结合本地的实际，精心制定与今后5至10年国民经济和社会发展相适应的农村精神文明建设总体规划，并在这个基础上作出落实总体规划的具体安排，把长期目标与近期目标、战略性任务与战役性任务结合起来，循序渐进，分步实施。

2. 要动员各方面力量关心和支持农村精神文明建设。农村精神文明建设是一项复杂的社会系统工程，涉及到农村经济和社会生活的方方面面，必须调动党政各部门、社会各方面参与农村精神文明建设的积极性。各级党委宣传部和文明委及其办公室要认真履行组织、协调、服务、指导的职能，不断完善议事制度和工作制度。文明委各成员单位，要积极主动地支持农村精神文明建设，为农村、农民多办实事好事。中央和地方新闻单位要及时宣传报道各地涌现出来的好典型、好经验、好做法，为农村精神文明建设创造良好的舆论环境。

3. 要进一步完善工作机制。加强农村精神文明建设的组织领导，重要的是要有一套有效的工作机制。要通过必要的制度，保证农村两个文明建设一起研究，一起部署，一起检查，一起考核；要通过强有力的约束，保证上级部署的各项任务能够真正落实下去，做到有始有终，防止“上面热下面冷”或虎头蛇尾；要通过健全的机制，保证在实际工作中干多和干少不一样，干好和干坏不一样，调动部门和基层抓好农村精神文明建设的积极性，增强做好这项工作的内在活力。

4. 要保持良好的精神状态。现在，农村精神文明建设工作的任务很大，责任很大，难度也很大。这次工作座谈会的要求能不能落实，很大程度上取决于我们的精神状态。各级宣传部和文明办的同志，要以对党和人民高度负责的态度，改进作风，深入基层，兢兢业业、尽心尽力地做好各项工作，既讲高效率，又讲高质量，切忌粗枝大叶，草率浮躁，只求过得去，不求过得硬。任何时候、任何情况下，都要保持良好的精神状态，做到振奋精神，开拓进取，满怀信心，知难而进，努力开创农村精神文明建设的新局面。

（引自《在希望的田野上》，学习出版社2000年版）

刘云山：进一步推动创建文明社区工作深入发展

——在全国创建文明社区工作座谈会上的讲话（摘要）

（2000年9月7日）

一、认清形势，进一步发展创建文明社区的良好工作态势

创建文明社区活动，是人民群众在党的领导下建设美好生活的新实践，是把精神文明建设任务落实到基层的新载体，也是加强党的群众工作和思想政治工作的新方式。近年来，创建文明社区活动在一些城市蓬勃兴起、迅速拓展，有力地推动了社区建设和城市发展，促进了市民文明素质、群众生活质量和城市文明程度的提高。许多城市涌现出一批文明程度较高、各方面工作较好的文明小区和文明社区。总的看，创建文明社区的社会影响正在不断扩大，并呈现出扎实推进、健康向上的良好发展态势。概括起来，主要表现在以下几个方面：

1. 引起了城市党政领导高度重视。许多城市的党政领导把创建文明社区工作摆上重要议事日程，实行领导责任制，做到党委统一领导，党政主要领导亲自抓。一些城市成立了创建文明社区工作领导小组，研究解决创建活动遇到的重要问题，协调各方面工作。许多地方制定了创建文明社区的整体规划、工作制度和实施方案，从干部配备、经费投入、设施建设等方面为创建工作提供有力保证。

2. 得到了各部门各行业系统大力支持。有关政府职能部门、行业系统和人民团体，从市民群众对城市建设、管理、服务的新要求出发，把工作重心下移到基层，把业务工作延伸到社区，开展了富有成效的工作。许多驻区单位发挥自身优势，从多方面对社区精神文明建设给予扶持。在一些社区内形成了社区资源共享、事务共商、活动共办、文明共建的良好氛围。

3. 吸引了广大居民群众积极参与。创建工作给群众带来了实实在在的利益，使居民群众逐步加深了对社区的认同感和归属感，赢得了群众对创建文明社区工作的拥护和支持，群众参与创建文明社区工作的自觉性越来越强，参与面越来越广，参与程度越来越深。

4. 扩大了创建工作覆盖面。从创建活动内容看，逐步从优抚性、福利性服务这一单项任务向社区文化、社区教育、社区管理、社区综合服务等全方位任务发展，创建活动范围逐步由点上向面上延伸。

5. 取得了比较明显的工作成效。发展社区服务，加强社区管理，完善社区设施，居民的生活环境和生活质量逐步得到改善，解决了一些与群众工作、生活密切相关的突出问题，密切了党和政府同人民群众的关系。

在充分肯定成绩和经验的同时，我们也要清醒地看到，从全国来看，创建文明社区工作还处在起步阶段。在相当数量的城市，尤其是经济欠发达的城市，这方面的工作还刚刚启动；实现创建文明社区正常运转的领导体制和工作机制还不够健全，许多已经显现的问题亟待我们研究解决；目前许多城市的社区建设、社区管理和社区服务的现状，同城市现代化和人民群众的要求，还有不小差距；随着改革开放的深入发展和人民群众生活水平的普遍提高，对社区各项工作势必提出更高的标准，我们的工作还会遇到新情况、新问题。我们一定要始终保持良好的精神状态和清醒的头脑，进一步增强责任感、使命感和紧迫感，增强工作的积极性、主动性和创造性，巩固已有成果，加强薄弱环节，提高工作水平。

二、提高认识，进一步增强做好创建文明社区工作的责任感和紧迫感

从新世纪开始，我国将进入全面建设小康社会并加快推进现代化建设的新的发展阶段。城市在这一历史进程中担负着十分繁重的任务。随着城市自身的经济、社会结构发生深刻变化，社区在加强城市管理、服务市民生活、促进社会进步方面的作用将越来越大，社区建设在城市改革、发展、稳定大局中的地位将日显重要。大力加强社区建设，已经成为加强城市两个文明建设的一项基础工程，成为事关我们党在城市的执政基础和群众基础的一项重要政治任务。近年来，江总书记对加强社区建设作了一系列重要指示，为做好创建文明社区工作指明了方向。我们一定要认真学习领会，从政治的高度、全局的高度、时代的高度，充分认识深入开展创建文明社区工作的重要现实意义和深远历史意义。

一是更好地为城市改革、发展、稳定大局服务的迫切需要。在逐步完善社会主义市场经济体制，不断深化党政机构改革和企业制度改革的过程中，大量的社会管理、服务和公共事务从企业和政府职能中分离出来，迫切需要由社区来承担。深入开展创建文明社区活动，广泛动员和组织各方面力量加强社区工作，有助于进一步做好下岗职工再就业和社会保障工作，为深化国有企业改革创造良好的外部条件；有助于党政机关在改革中比较顺利地做到政企职责分开、政社职责分开，实现“小政府、大社会”的改革目标；有助于适应城市管理重心下移的要求，强化社区的综合管理职能，改善社区的居民生活环境和经济运行环境；有助于发挥社区作为第一道防线的作用，及时把各种社会矛盾和问题解决在基层，维护城市社会稳定。

二是更好地满足居民群众日益增长的物质文化需求的迫切需要。改革开放以来，我国城市数量不断增加，规模不断扩大，对配置公共设施、完善服务功能、提高管理水平提出了新的要求。特别是随着小康社会的到来，人民群众对生活环境、生活质量的要求不断提高，对精神文化生活的需求呈现出快速增长的态势。深入开展创建文明社区活动，以解决群众反映强烈的问题为工作重点，以形式多样的共建活动为抓手，能够调动有关部门和驻区单位的积极性，把社区管理和服务工作带动起来；能够通过为居民办更多的实事，在衣、食、住、行等方面为居民提供越来越周到的服务；能够通过资源共享、设施开放，更好地满足居民学习知识、掌握技能、健身强体、娱乐身心等方面的精神文化需求；能够通过引导群众身体力行社会主义思想道德，形成平等友爱、团结互助、共同前进的人际关系，传播健康、文明、科学的生活观念，从多方面促进居民素质和社区文明程度的提高。

三是把思想政治工作落实到基层的迫切需要。改革开放和社会主义市场经济的深入发展，使我国城市基层社会结构和社会情况已经并将继续发生复杂而深刻的变化，也使得城市基层思想政治工作和群众工作的环境、任务、内容、渠道、对象等，都发生了很大变化。由于不适应社会生活的这些新变化，在一些社区，出现了思想政治工作覆盖不到位，针对性不强以及手段滞后等问题。创建文明社区，为新形势下加强党的思想政治工作和群众工作，提供了一个重要载体和有效途径。通过开展创建文明社区活动，有助于促进基层党组织建设，充分发挥他们的战斗堡垒作用，使党的路线方针政策和工作部署实实在在落实到城市基层；有助于协调有关部门和人民团体发挥各自优势，齐抓共管建设好社区这个重要阵地；有助于把思想教育寓于服务之中、寓于娱乐之中、寓于管理之中、寓于参与之中，使我们党宣传群众、教育群众、引导群众、提高群众的工作，能够真正深入到群众生产和生活中去，进一步增强工作的针对性和实效性。

四是整体推进群众性精神文明创建工作的迫切需要。深入开展创建文明社区活动，有利于把争当文明市民、文明家庭、文明楼院、文明小区和文明城区等不同层面的创建活动贯串起来，形成浓厚的争先创优氛围；有利于创建工作由点到面，连点成片，滚动发展，最终实现建成文明城市的工作目标；有利于促进有关部门和行业在参与创建文明社区工作中，提高自身服务水平和服务质量，实践服务群众、奉献社会的创建文明行业宗旨；有利于增强城市在政治、经济、文化、社会等方面对周边地区的辐射、示范和导向作用，以城带乡，提高创建文明村镇的工作水平。因此，抓好创建文明社区工作，必将有力地推动群众性精神文明创建工作整体发展，不断迈上新台阶。

三、突出重点，进一步推动创建文明社区工作深入发展

认真贯彻落实中央文明委提出的创建文明社区的工作任务和工作要求，必须突出重点，抓好重点，带动创建工作全面发展。

1. 抓教育。努力实现以思想道德修养、科学教育水平、民主法制观念为主要内容的公民素质的显著提高，是创建文明社区活动一项长期的根本性的任务。当前特别要着力改变社区思想政治工作薄弱的状况，促进与社会主义市场经济相适应的思想道德体系逐步建立和完善。要把加强和改进社区思想道德教育作为一条主线，贯穿到创建文明社区各项工作中，切实抓紧抓好。

一要抓好思想道德教育。要围绕树立正确的理想信念，着力加强党的基本理论、基本路线、基本纲领教育，广泛开展形势政策教育。大力加强爱国主义、集体主义、社会主义教育，加强以为人民服务为核心、以集体主义为原则的社会主义道德建设。二要抓好科普教育。要坚持不懈地通过各种形式普及科技知识，培养居民现代科学文明的生活观念和生活方式，在社区内形成尊重科学、相信科学、依靠科学、崇尚科学，反对迷信愚昧、抵制各种歪理邪说的健康氛围。三要抓好民主法制教育。要深入开展普法教育，不断增强居民的法律意识和法制观念。使居民自觉遵守法律，依法保护自身合法权益。要把法制教育与民主教育结合起来，引导居民依法管理自己的事情，维护社区的秩序，实现社区的安定团结。

在抓教育过程中，要努力做到：第一，认真研究社区群众思想活动的新变化，结合不同人群的特点，有针对性地开展教育。特别要抓住那些对居民思想活动有普遍影响的理论问题和实际问题，做好解惑释疑、提高认识、统一思想、凝聚人心的工作。第二，要紧密结合社区居民日常工作和生活实际，采取群众喜闻乐见、通俗易懂、形象生动的形式开展教育，切忌简单生硬、照本宣科、套话连篇。第三，要把开展教育与组织多种形式的道德实践活动结合起来，引导广大居民从我做起，从一言一行做起，从身边事做起，在社会做个好公民，在单位做个好职工，在家庭做个好成员，使社会主义的思想道德风尚在实践中不断发扬光大。

2. 抓活动。多种形式的群众性创建活动，是引导群众自我教育，组织群众为自己创造美好生活、共建美好家园的有效途径。深入开展创建文明社区活动，要充分利用社区直接面向居民、面向家庭的优势，按照主题不变、充实内容、一抓到底、务求实效的要求，认真抓好深受群众欢迎、具有广泛社会影响的“名牌项目”，精心设计群众喜闻乐见、便于参与的活动方式，把社区居民最大限度地动员起来，吸引群众参与进来。

一要抓好“讲文明树新风”活动。今年活动的重点是“倡导文明新风，共建美好家园”活动。要通过这一活动，促进创建文明社区工作深入发展。这次会议之后，要进一步加大工作力度。二要抓好创建文明家庭、文明楼院、文明小区活动。要通过开展这些活动，使创建文明社区工作更加贴近群众、深入人心，真正落到实处。三要抓好各种形式的共建活动。要充分发挥有关部门、行业系统和人民团体的积极性，在社区内广泛开展多种形式的共建活动，使创建文明社区工作同驻区单位的创建工作相互促进，共同提高。

在抓活动过程中，要努力做到：第一，坚持从具体事情抓起，从居民关心的事情做起，多为群众办实事、办好事，决不能脱离群众、搞形式主义。第二，要把帮助社区内老年人、下岗职工等有特殊困难的群体作为工作重点。第三，要把行业、部门和人民团体开展的各具特色的创建活动，纳入创建文明社区的统一部署，作出统筹安排，使上面的千条线在创建文明社区工作中拧成一股绳，形成社区搭台、各方唱戏、优势互补、群众受益的整体效应。

3. 抓阵地。深入开展创建文明社区工作，一定要增强阵地意识，积极开展形式多样、健康有益的群众性文体活动，努力满足居民不断增长的精神文化需要，用马克思主义和一切健康向上的思想文化占领社区阵地。

一要抓好社区教育阵地建设。要把各类社区学校都建成传播社会主义精神文明的重要阵地。二要抓好社区文化阵地建设。要促使社区内各类文化场所向居民开放，为群众服务。同时鼓励驻区单位的文体设施向社区居民开放，实现资源共享。三要抓好休闲娱乐阵地建设。对社区内一切营业性休闲娱乐场所提出要求，坚持正确的经营方向，努力提高休闲娱乐活动的文化含量，做到寓教于乐。

在抓阵地过程中，要把握好：第一，建好阵地。本着尽力而为、量力而行的原则，加强社区科教文体设施建设，特别要多建设一些老年人和青少年的活动场所。第二，用好阵地。充分运用各类活动场所，大力加强社区文化、广场文化、企业文化、校园文化、楼院文化的建设，营造有利于加强精神文明建设的良好氛围。第三，管好阵地。引导文化场所的管理者和经营者坚持把社会效益放在第一位，做到社会效益和经济效益的正确结合。绝不允许传播封建迷信、伪科学、消极思想和各种文化糟粕。要坚持开展对黄赌毒等社会丑恶现象的专项治理斗争，彻底清除腐朽、落后的文化垃圾。

4. 抓管理。管理是规范居民行为、养成良好习惯的一个有效办法，是为居民提供优美环境、优良秩序、优质服务的重要工作环节。在创建文明社区工作中，要引导群众自我教育、自我管理，同时配合有关部门、单位采取措施加强社区管理，使自律与他律、内在约束与外在约束结合起来，促进社区文明程度的不断提高。

一要抓好社区环境的综合治理。会同有关部门，从群众反映最强烈的问题抓起，采取有效的治理和防范措施，切实解决环境脏乱、治安不好、风气不正等问题。二要抓好社区物业管理的规范服务。通过开展创建文明社区活动，切实加强对物业管理人员的职业道德教育，引导他们增强社区意识和群众观念，促进社区物业管理单位建立健全服务规范，认真实施服务规范，并向居民公开承诺，接受群众监督。三要抓好社区规章制度建设。要制定、完善并广泛宣传《社区公约》、《居民守则》等区规民约，做到家喻户晓，引导居民自我约束。要抓紧建立健全与社区精神文明建设有关的规章制度，把创建文明社区的目标要求融入科学有效的日常管理工作中去。通过建章立制、付诸实施，把创建活动取得的成果巩固下来，把成功的作法坚持下去，推广开来。

在抓管理过程中，要把握好：第一，把科学规范的严格管理同耐心细致的思想教育结合起来。第二，要把动员群众力量与发挥管理部门的作用结合起来，把集中整治与长效管理结合起来。第三，在加强管理的同时，要积极推行制度公开，规范服务，文明执法，提高管理工作的透明度，切实保障社区的公共利益和居民的合法权益。

5. 抓队伍。动员和组织群众为实现自己的共同利益而团结奋斗，是实现党的各项任务的重要法宝。深入开展创建文明社区活动，要在党委政府的领导下，把大量的具体工作交给群众自己去管、自己去做，发动社会力量去办。要建设一支思想素质较好、工作能力较强的创建工作骨干队伍，在社区内形成横到边、纵到底，层层有人管、事事有人抓的工作网络。

一要建设一支在创建活动中发挥表率作用的社区党员队伍。要充分发挥社区党组织在创建工作中的领导作用和组织保证作用。把社区内无主管单位的党员动员和组织起来，积极参与创建文明社区活动，以共产党员标准严格要求自己，发挥模范带头作用。要积极倡导在职党员自觉接受社区党组织的领导，带头参加各项创建活动。二要建设一支在创建工作中老有所为的“五老”队伍。充分发挥离退休老干部、老党员、老教师、老劳模、老工人在加强社区思想政治工作和群众工作方面的积极作用。三要建设一支由多方面人才组成的志愿者队伍。要努力通过宣传引导、组织发动，不断扩大社区志愿者队伍。要引导青少年志愿者多做敬老助残，为社区有特殊困难的群众提供无偿服务的工作。要发现和培养一批思想文化素质较高、有一定专长的志愿者，担任社区的青少年校外辅导员、文体活动辅导员、科普宣传员。

在抓队伍过程中，要注意做到：第一，加强群众骨干队伍的培训工作。使他们开阔眼界、增长本领、提高素质。第二，要关心他们的工作和生活。为他们创造良好的工作环境和必要的工作条件，帮助他们解决工作和生活中遇到的实际困难，使他们有用武之地，无后顾之忧。

四、加强领导，进一步提高创建文明社区工作水平

在新形势下深入开展创建文明社区工作，一

定要认真贯彻江泽民总书记在中央思想政治工作会议上的重要讲话精神，把“三个代表”的要求全面落实到各项工作中去。要坚持解放思想、实事求是的思想路线，紧紧围绕经济建设这个中心，围绕改革、发展、稳定的大局，围绕人民群众的需要，创造性地开展工作，在实践中不断探索和创新，在发展中逐步改进和完善。要切实加强领导，组织精神文明建设的实际工作者和理论工作者，对创建文明社区工作进行比较全面的调查和深入的理论政策研究，着重解决创建文明社区中一些带根本性、原则性的问题，在增强工作的前瞻性、主动性、针对性、实效性上下功夫。

1. 制定规划，增强创建工作的前瞻性。要结合学习贯彻十五届五中全会精神，认真制定创建文明社区工作的规划，并纳入城市经济社会发展的总体规划。要对创建文明社区的标准、任务和要求，作出明确规定；对创建工作的进程作出总体安排，要有明确的量化工作目标。通过制定规划，使干部群众对工作任务、目标、要求做到心中有数，进一步增强创建工作的计划性和预见性。

2. 要完善机制，增强创建工作的主动性。要适应新形势和新要求，建立健全保证创建文明社区工作正常运转的领导机制和工作机制，加强领导，理顺关系，有效调动和组织各方面力量积极主动地开展工作。一要通过成立领导小组、指导委员会、办公会议等，形成城市和城区两级创建文明社区工作领导机制。二要通过成立社区创建工作协调委员会、工作委员会、联席会议、社区代表议事会等，形成以街道党（工）委、办事处为主导，以居委会为依托，驻区单位、行业部门、群众代表共同参与的文明社区共建机制。三要通过组织创建竞赛活动、建立评先公示制、定期表彰先进集体和个人等方式，形成创建文明社区的激励机制。四要通过成立创建工作顾问委员会、召开居民代表大会、组成业主管理委员会、设立监督电话等途径，形成创建文明社区的监督机制。五要通过城市、城区两级政府投入一点，职能部门和驻区单位承担一点，居民群众筹集一点等多条渠道，逐渐形成规范有效的创建文明社区筹资机制。

3. 要分类指导，增强创建工作的针对性。我国城市经济社会发展水平差异很大，精神文明创建工作基础也有较大差别。只有加强分类指导，才能有针对性地解决发展不平衡的问题，使各类城市和各类社区的创建工作水平普遍得到提高。

加强分类指导，就要坚持因市制宜、因区制宜、因人制宜、因时制宜，分清情况，区分对象，讲究方式方法。一要注意区别经济发达与不发达地区、中心城市与其他城市、新城区与老城区，确定不同的阶段性目标和工作要求。二要鼓励各类社区从自身的社会、经济、文化特点出发，扬长避短，发挥优势，形成自己的特色，创出自己的“名牌项目”。三要抓好不同类型的先进典型宣传。要在抓好现有先进典型和示范点巩固提高的同时，注意随着形势的发展，根据推动面上工作的需要，树立新的示范点，选择和培养更多的先进典型。努力做到各个层次、各个方面都有典型。

4. 要创新方法，增强创建工作的实效性。面对社会的深刻变革和形势的迅速发展，我们必须在继承党的思想政治工作的优良传统，借鉴一切有益做法的基础上，着力探索和创造工作的新形式、新方法、新手段，使创建文明社区活动不断增强感召力和渗透力，始终保持蓬勃生机。

（《精神文明导刊》2001 年第 1 期）

胡振民：在全国农村精神文明建设工作座谈会上的总结讲话

（2000年8月29日）

一、关于这次会议的总体评价

这次会议的主要任务是，深入学习贯彻江泽民总书记在中央思想政治工作会议上的重要讲话精神，认真分析农村精神文明建设形势，总结交流农村精神文明建设经验，研究部署农村精神文明建设工作。三天来，大家围绕会议主题，听取了中宣部常务副部长、中央文明办主任刘云山所作的报告，辽宁开原以及河北衡水市、内蒙古锡林郭勒盟、黑龙江绥化市、江苏张家港杨舍镇、福建省文明办、山东济南天桥区北园镇、湖北襄樊市、广东东莞市、重庆荣昌县、四川犍为县、陕西耀县孙原村、吉林省文明办等12个单位在大会上介绍了经验，实地参观考察了开原电信局、马圈子村、高家窝棚村、商业步行街、农村信用合作联社、三道沟子村等共建先进单位，分三组进行了热烈讨论。大家解放思想，实事求是，开动脑筋，畅所欲言，会上会下，切磋探讨，气氛十分活跃。经过与会同志的共同努力，会议取得了圆满成功，达到了预期的目的。大家一致认为，这是一次统一思想、提高认识的会议，一次交流经验、互相学习的会议，一次总结过去、规划未来的会议，一次研究新情况、探索新办法的会议，一次振奋精神、团结鼓劲的会议。概括起来，这次会议主要有以下几个特点：

1. 时机很好。我们这次会议是在中央思想政治工作会议结束不久、人类即将进入新世纪、我国即将进入全面建设小康社会的重要历史时刻召开的。江泽民总书记在中央思想政治工作会议上的重要讲话，既是开创思想政治工作的纲领性文件，也是加强和改进农村精神文明建设的强大思想武器，为这次会议指明了正确方向。我们抓住全党深入学习贯彻中央思想政治工作会议精神的有利时机，及时召开这个会议，集中研究加强和改进农村思想政治工作和精神文明建设的问题，符合中央的要求，符合农村广大干部群众的愿望。经过20年的改革和发展，我国农业和农村已经进入一个新的发展阶段。这次会议，大家以“三个代表”重要思想为指导，紧紧围绕新阶段农业和农村发展面临的新形势、新任务，深入思考事关农村精神文明建设全局的重大问题，这对推进新世纪农村精神文明建设具有重要意义。

2. 主题鲜明。中央思想政治工作会议结束后，关根同志反复强调，当前宣传思想战线第一位的工作，就是认真学习、宣传、贯彻、落实中央思想政治工作会议精神，把思想统一到江泽民总书记重要讲话上来。要深入学习、吃透精神，融会贯通，结合实际，把会议提出的各项任务落到实处。为此，中宣部先后召开了全国宣传部长会、理论工作座谈会、网络工作座谈会、部分省区市宣传部长座谈会，中央文明委召开了第八次全体会议。我们这次会议也是按照关根同志的要求，认真贯彻落实中央思想政治工作会议的一个重要举措。这次会议的主题十分鲜明，就是紧密结合农村精神文明建设的实际，深入学习贯彻落实江泽民总书记在中央思想政治工作会议上的重要讲话精神。刘云山同志的工作报告，紧紧围绕着这个主题，系统总结了党的十五届三中全会以来农村精神文明建设的新进展、新经验，深刻分析了农村精神文明建设的新情况、新问题，全面部署了当前和今后一个时期农村精神文明建设的主要任务，明确提出了做好工作的具体要求。大家一致反映，讲话内容丰富，切合实际，具有很强的针对性、指导性和可操作性，是指导农村精神文明建设的一个好文件。

3. 领导重视。中央文明委始终高度重视农村精神文明建设工作，在年初安排工作时，就决定召开全国农村精神文明建设工作座谈会。关根同志对这次会议非常重视，会前，专门听取了会议准备工作的汇报，对开好会议作了重要指示，提出明确要求。辽宁省委对农村精神文明建设非常重视，并坚持从辽宁的具体省情出发，积极探索加强农村精神文明建设的大思路。省委书记闻世震同志鲜明地提出，精神文明建设要整体推进，就必须适应城市化的社会发展趋势，充分发挥城市的示范作用，走一条以城带乡，以乡促城，城乡一体，共同发展的路子。1998 年，开原城乡共建精神文明的活动开始不久，省委就敏锐地抓住这个新生事物给以热情支持和充分肯定，并在全省进行推广。今年，又把城乡共建写进了省委加强和改进思想政治工作的决定，明确提出精神文明建设"城市学大连、农村学开原"，全省形成了城乡共建的良好势头。省委宣传部、文明办多次向中宣部、中央文明办推荐开原的经验。昨天，吉林重要会议一结束，闻世震同志马上赶到开原，同全体代表一起，进行现场参观考察，今天下午，又出席我们的会议作重要讲话，这充分表明了辽宁省委的高度重视。所有这些都为我们这次会议取得圆满成功创造了良好条件。

4. 准备充分。去年 12 月 31 日，江泽民总书记对宣传思想工作和精神文明建设作出重要批示，强调宣传思想工作和精神文明建设，事关建设有中国特色社会主义事业的大局，越是深化改革、扩大开放，越是发展社会主义市场经济，越要重视和加强这方面的工作。这一点，要在全党特别是领导干部中经常讲、反复讲。今年年初，中央决定在"七一"前后召开全国思想政治工作会议，研究加强和改进新形势下党的思想政治工作问题，实际上也是研究加强和改进新形势下精神文明建设工作问题。为了准备这个会议，中央有关部门和各省、区、市，围绕加强和改进思想政治工作和精神文明建设进行了一系列深入的调查研究，其中包括对农村精神文明建设的调查研究。为开好这次会议，各地宣传部、文明办又专门对农村精神文明建设情况作了系统总结。这些都为这次会议作了充分准备。此外，辽宁省委、铁岭市委、开原市委对这次会议非常重视，省委书记闻世震同志、省委副书记张行湘同志、省委常委、宣传部长张锡林同志先后到开原实地考察，检查指导。铁岭市委、开原市委把这次会议作为当地的一件大事来抓，认真做好各项筹备工作。这次会议所以能够开得有虚有实，有听的，有看的，内容丰富，生动活泼，与辽宁省委、铁岭市委、开原市委做的大量工作是分不开的。

5. 经验实在。这次会议在开原召开，既是工作座谈会，又具有现场会性质。开原以城带乡、城乡共建精神文明的做法，适应了广大农民致富奔小康，全面提高物质文化生活质量的迫切需要；适应了用社会主义思想占领农村文化阵地，提高农民思想道德和科学文化素质的迫切要求；适应了转变机关作风和行业风气，密切党群关系、干群关系的迫切要求，有效地促进了城乡两个文明建设的协调发展，得到了广大干部群众的衷心拥护，具有深厚的群众基础和旺盛的生命力，为我们提供了一条大面积整体推进精神文明建设的新思路，具有普遍意义和推广价值。河北衡水市、内蒙古锡林郭勒盟、黑龙江绥化市、江苏张家港杨舍镇、福建省文明办、山东济南天桥区北园镇、湖北襄樊市、广东东莞市、重庆荣昌县、四川犍为县、陕西耀县孙原村、吉林省文明办等 12 个单位的经验，从不同角度、不同侧面，反映了农村精神文明建设的新进展，值得各地借鉴和学习。

二、关于这次会议的主要收获

这次会议时间不长，但大家感到收获不小，特别是在事关农村精神文明建设的一些重大问题上进一步形成了共识。概括起来说，主要有以下几个方面：

1. 进一步认清了农村精神文明建设的形势。改革开放 20 多年来、特别是党的十三届四中全会以来，以江泽民同志为核心的党中央，认真吸取过去由于"一手硬、一手软"酿成大祸的严重教训，采取一系列重大举措，从多方面加强精神文明建设。宣传思想战线认真贯彻落实中央的精神，高度重视农村精神文明建设，不断加大工作力度，取得了明显成效。尽管在实际工作中，还存在这样那样的问题，但从总体上、宏观上、主流上和发展趋势上看，全国农村精神文明建设取得了长足的进步，呈现出前所未有的可喜局面。中国农民的精神面貌发生了重大而深刻的变化，爱国主义、集体主义、社会主义思想，科学文明、开拓进取、健康向上以及其他与改革开放和现代化建设相适应的思想观念、道德风尚，成为当代中国农民精神世界的主流。

在充分肯定成绩的同时，我们也清醒地看到，在农村精神文明建设中，还存在着不少问题，有的还相当严重。一些地方拜金主义、享乐主义、极端个人主义发展蔓延；邪教、非法宗教活动和封建迷信活动猖獗；黄赌毒等社会丑恶现象屡禁不止，甚至越演越烈；“一手硬、一手软”的问题在一部分领导干部中依然严重存在，有的甚至对邪教、非法宗教活动和封建迷信活动，对黄赌毒等社会丑恶现象见怪不怪，听之任之，以至纵容支持。这些问题，如果任其发展蔓延，不仅会影响农村精神文明建设，而且会影响农村改革发展稳定的大局。

另外，我们还清醒地看到，农村精神文明建设是在国际国内形势正在发生复杂而深刻变化的情况下进行的，不可避免地要受到这两个大环境的影响。从国际上看，世界政治多极化、经济全球化和信息网络化进一步发展，特别是随着我国加入 WTO 以后，既为我们抓住机遇，发展自己，提供更加有利的条件，但由于国际力量对比总体上西强我弱的局面短期内无法根本改变，我们也将长期面对西方意识形态、思想观念和文化产品的巨大冲击、渗透和影响。从国内来看，随着社会主义市场经济的深入发展，社会经济成分、组织形式、物质利益和就业方式多样化趋势日益明显，这既为经济和社会发展注入新的生机与活力，也不可避免地会产生一些负面影响。农村精神文明建设从环境到内容，从对象到渠道，都发生了很大变化，面临的形势将更加复杂，任务将更加繁重，工作将更加艰巨。对此，我们一定要有一个清醒的认识和足够的思想准备。

2. 增加了做好农村精神文明建设工作的信心。大家一致认为，在新的国际国内形势下，推进农村精神文明建设，的确遇到了许多前所未有的复杂情况，但是，正如邓小平同志在国内发生“89政治风波”，国际上苏东剧变、社会主义运动出现严重曲折时指出的：“对国际形势还要继续观察，有些问题不是一下子看得清楚，总之不能看成一团漆黑，不能认为形势恶化到多么严重的地步，不能把我们说成是处在多么不利的地位。”“对我们有利的条件存在着，机遇存在着，问题是要善于把握。”应该看到，现在同 10 年前相比，总的形势发生了有利于我国的重大变化，但仍然是机遇与挑战并存，希望与困难同在。机遇和挑战、希望与困难是辩证的、相对的，在一定条件下是可以互相转化的。面对机遇和希望，抓得住、抓得好，可以变被动为主动；抓不住、抓不好，有机遇和希望也会丧失。面对挑战和困难，善于应对，可以变挑战为机遇，变不利为有利。尤其应该看到，马列主义、毛泽东思想、邓小平理论，为我们统一思想、凝聚力量提供了强大思想武器；以江泽民同志为核心的党中央具有驾驭复杂形势的能力，为我们战胜任何风险提供了根本保证；日益强大的经济实力，为加强农村精神文明建设提供了物质条件；在实践中形成的一系列正确的方针政策和行之有效的工作机制，为我们继续前进提供了坚实的工作基础；广大农民群众参与精神文明建设的积极性和热情，为我们做好工作提供了强大的内在动力。只要我们保持一个良好的精神状态，坚定信心，知难而进，抓住机遇，开拓进取，就一定能够开创农村精神文明建设的新局面。

3. 进一步明确了农村精神文明建设工作的主要任务。大家一致认为，云山同志的讲话，立足农村改革和发展的全局，立足提高农民的思想道德素质和科学文化素质这一根本任务，立足培养有理想、有道德、有文化、有纪律的新型农民这一根本目标，提出了今后一个时期农村精神文明建设的六项主要任务。全面完成这六项任务，需要从多方面努力，其中最重要的：

一是要在巩固提高延伸辐射上下功夫。我们国家是一个拥有 12 亿人口的大国，各地发展不平衡，情况千差万别。加强农村精神文明建设，必须从示范点抓起。1997 年，我们在全国推出了 200 个创建文明村镇示范点，各地也都推出了自己的一批示范点。去年，中央文明委在全国表彰了 500 个创建文明村镇活动的先进单位，各地也都表彰了一批先进单位。近年来，我们还在全国重点宣传了河南林州、湖北竹山、山东文登的经验，各地也都宣传了一批先进经验。现在，我们又推出辽宁开原以城带乡、城乡共建的经验。对这些先进地区和先进单位，要抓住不放，加强领导，帮助它们巩固已有的成果，提高创建活动的水平和质量，充分发挥它们的辐射作用，带动越来越多的地方和单位跨入先进行列。

二是要在大面积整体推进上下功夫。城市是经济、政治和人们精神生活的中心，是现代社会发展的主要动力。从某种意义上说，实现现代化的过程，也是农村城市化的过程，是城市文明向农村辐射和扩散的过程。这是人类社会发展的共同趋势，是不以人的意志为转移的客观规律。但是在不同社会制度下，这一自然历史过程的长短，完全可以有所不同。我们应该充分发挥社会主义制度可以集中力量办大事的优越性，更加自觉地走出一条以城带乡、以乡促城、城乡一体、共同发展的新路子。开原的经验，已经充分证明了这一点。同时，还要看到，社会主义思想道德集中体现着精神文明建设的性质和方向，加强农村精神文明建设必须把提高农民的思想道德素质放在首位。但是加强思想道德建设决不能靠空洞说教，要求做到生动活泼，群众喜闻乐见。多年来，我们开展的文化、科技、卫生“三下乡”活动，既是满足广大农民提高物质文化生活水平的迫切需要，也是对农民潜移默化进行思想道德教育的有效载体。开原和全国各地的经验，也充分证明了这一点。这次会议的一个重要共识，就是要在全国有领导、有组织、有计划、有步骤地推广开原的经验，坚持以提高农民素质、提高农民生活质量、提高农村文明程度为目标，以“三下乡”、“三扎根”为主要内容，以城乡共建为基本思路，把农村精神文明建设大面积地整体推向前进。

同时，还要看到，经过20年改革开放，我国农村城镇化的趋势日益明显。十五届三中全会明确提出了发展小城镇的大战略，最近中央又发出了《关于促进小城镇健康发展的若干意见》。我们一定要配合发展小城镇战略的实施，不失时机地把创建文明小城镇活动摆上重要议事日程，力争经过10年左右的时间，将一批基础较好的小城镇建设成规模适度、规划科学、功能健全、环境整洁、具有较强辐射能力的农村区域性经济文化中心，成为农村精神文明建设的新的亮点。

三是要在强化阵地意识、加强阵地建设上下功夫。江泽民总书记多次指出，思想文化阵地，马克思主义、无产阶级的思想不去占领，各种非马克思主义、非无产阶级的思想甚至反马克思主义的思想就会去占领。强调，从上到下的一切文化阵地，一切群众教育文化娱乐场所，一切精神文化产品，都应该成为宣传科学理论、传播先进文化、塑造美好心灵的阵地。我们一定要按照总书记的要求，进一步强化阵地意识，下功夫建设好农村广播电视网、村镇文化站、图书室、电影放映点以及农民夜校、乡镇党校等各种思想文化阵地，逐步形成覆盖农村各个层面的阵地网络，用健康向上的思想文化占领农村阵地，为农民提供良好的精神食粮，决不给错误的东西、危害人民特别是青少年身心健康的东西提供传播渠道。

四是要在多办实事上下功夫。江泽民总书记指出，精神文明建设工作着眼点，一定要放在与群众利益密切相关、为群众所欢迎的事情上。每年要办几件作用大、影响大的实事。这样才能动员广大人民群众积极参与，也会有利于密切党和政府同人民群众的关系，增强人民群众对党和政府的信任和拥护。这要成为我们加强农村精神文明建设的座右铭。要始终不渝地把精神文明建设的目标、任务同农民群众的切身利益结合起来，从群众最关心的事情做起，多做得人心、暖人心、稳人心的工作。对符合农民意愿、受到农民欢迎的事情，要狠狠地抓，一天也不放松地抓，把好事办实，实事办好。

五是要在建立健全机制上下功夫。农村精神文明建设是一项系统工程，涉及到农村经济和社会生活的各个方面，必须建立健全党委统一领导，党政各部门和工会、共青团、妇联等人民团体齐抓共管、各负其责的领导体制和工作机制。同时，还要适应发展社会主义市场经济的新形势，注意研究农村精神文明建设中的利益机制问题，坚持以共同需要为前提，以共同提高为目的，以共同利益为动力，使农村精神文明建设始终保持旺盛的生机和活力。

4.进一步增强了农村精神文明建设必须改进和创新的紧迫感。会议期间，大家认真总结了近年来的农村精神文明建设工作的基本经验，比如：农村精神文明建设必须坚持以马列主义、毛泽东思想和邓小平理论为指导，决不能在指导思想上搞多元化；必须坚持以经济建设为中心，为农村改革发展稳定的大局服务；必须坚持从农村的实际出发，把先进性要求与广泛性要求结合起来；必须坚持一靠教育二靠法制，把思想道德教育和依法加强对农村各个方面的管理结合起来；必须坚持解决思想问题同解决实际问题相结合，为农民群众办好事、实事；必须充分调动社会各方面的积极性，坚持齐抓共管等。继续坚持丰富和发展这些经验对于加强和改进农村精神文明建设有重要意义。同时，必须清楚看到，随着改革的深化，我国农村经济和社会生活已经和正在发生深刻的变化。农村精神文明建设如果不能适应这种变化，只是简单地重复过去的老方式、老办法，就难以收到好的效果，甚至适得其反。要坚持解放思想、实事求是，紧密结合农村经济社会文化生活的新发展，在内容、形式、方法、手段、机制等方面进行创新和改进，努力增强工作的时代感和针对性、实效性、主动性。这要成为我们今后加强和改进农村精神文明建设的重点。

5. 进一步提高了做好农村精神文明建设工作的责任感和使命感。江泽民总书记关于"三个代表"的重要思想，不仅是在新的历史条件下全面加强党的建设的伟大纲领，也是做好新形势下农村精神文明建设各项工作的行动指南。在农村，代表先进生产力的发展要求，不但要继续深化农村改革，自觉调整生产关系同生产力发展不相适应的部分，而且必须要看到人是生产力中最活跃最革命的因素，大力加强精神文明建设，努力提高农民的思想道德和科学文化素质。代表先进文化的前进方向，不仅要用先进的思想文化占领农村阵地，坚持不懈地对广大农民群众进行爱国主义、集体主义、社会主义教育，而且要努力营造积极向上的文化氛围，教育和引导农民群众移风易俗，逐步形成科学健康文明的生活方式。代表最广大人民的根本利益，不仅要不断满足农民群众日益增长的物质生活需要，而且要不断满足农民群众日益增长的精神文化需要。在新的历史条件下，能不能建设高度的物质文明，关系到党与农民群众的关系和党的事业兴衰成败；能不能建设高度的精神文明，同样关系到党与农民群众的关系和党的事业兴衰成败。我们必须从"三个代表"的高度，充分认识农村精神文明建设的重要意义，进一步增强做好工作的责任感和使命感，切实把农村精神文明建设工作做得更好。

三、关于这次会议精神的传达贯彻

1. 要及时向当地党委负责同志汇报会议精神。主要是汇报好云山同志在会议上的讲话精神，同时，要汇报好辽宁开原的经验和各地的经验，使各地党委进一步加强对农村精神文明建设的领导。

2. 要制定农村精神文明建设的规划。党的十五届五中全会即将召开。会后各地都将按照会议精神，制定经济和社会发展的"十五"规划。各地宣传部门和精神文明建设部门要抓住这个有利时机，制定本地区农村精神文明建设的规划，并把它纳入当地经济社会发展的总体规划。制定的农村精神文明建设规划，要有明确目标，有切实措施，有实施步骤。对创建文明户、文明村、文明小城镇、文明县城，都要有具体安排。要按照规划，分期分批，逐步实施，力争用5年、10年、20年的时间，把全国绝大多数村镇建设成为文明单位。

3. 要加大对农村精神文明建设的投入。当前，不少地方农村精神文明建设投入偏低，制约了工作的开展。要随着经济的发展逐步增加投入，力争在几年内，使农村精神文明建设投入不足的状况有较大改善。要适应社会主义市场经济的要求，建立规范有效的筹资机制，逐步形成对农村精神文明建设多渠道投入体制。同时，要注意防止加重农民和企业负担。

4. 要加强对农村精神文明建设的调查研究。从事农村精神文明建设的同志，要经常深入农村基层，深入农民群众，了解农村两个文明建设的实际状况，了解农民群众的思想动态。要关心群众疾苦，倾听群众呼声，尊重群众的首创精神，注意发现、善于总结、及时推广他们创造的好经验、好做法，增强工作的主动性、针对性、实效性。

5. 要认真抓好这次会议精神的贯彻落实。各地宣传部和文明办要结合当地实际情况，及时把这次会议精神传达下去，并提出具体措施和方案，加强对基层工作的指导和督促检查，狠抓落实。请各地在年底前把贯彻落实会议的情况报中宣部、中央文明办。

（引自《在希望的田野上》，
学习出版社2000年版）

胡振民：认真贯彻中央思想政治工作会议精神深入开展创建文明风景旅游区活动

——在全国创建文明风景旅游区工作座谈会上的书面讲话

(2000年9月15日)

我就认真贯彻中央思想政治工作会议精神，深入开展创建文明风景旅游区活动，讲几点意见。

一、认清形势，进一步发展创建文明风景旅游区的良好工作态势

改革开放以来，随着我国经济迅速发展，对外交流日益扩大，人民生活水平不断提高，旅游事业在国民经济发展中的地位和作用越来越重要，与广大群众精神文化生活的关系越来越密切。适应形势发展的要求，建设部、国家旅游局和各地党委、政府大力加强风景旅游区的精神文明建设工作，涌现出了一批先进单位，在展示我国壮丽的自然景观和悠久的历史文化方面，在促进对外开放、推动经济发展方面，在建设和传播社会主义精神文明方面，发挥了重要作用。

1996年，党的十四届六中全会作出《中共中央关于加强社会主义精神文明建设若干重要问题的决议》，这是我们党指导精神文明建设的跨世纪行动纲领，对推动精神文明建设的发展具有里程碑的意义。按照《决议》要求，1997年，中央精神文明建设指导委员会成立，江泽民总书记在中央文明委第一次全体会议上作了重要讲话。中央文明委成立后，首先在全国广泛开展了“讲文明树新风”活动，重点解决文明言行、交通秩序、环境卫生、服务质量问题，产生了良好的社会反响，取得了实实在在的效果。1998年按照中央文明委关于“讲文明树新风”活动要在巩固、提高、延伸、辐射上下功夫和主题不变，充实内容，一抓到底，抓出成效的要求，中央文明办会同建设部、国家旅游局联合开展了以倡导文明开发、文明经营、文明服务、文明管理为基本要求的创建全国文明风景旅游区活动。1998年6月，在各地推荐的基础上，按照环境整洁优美、基础设施齐备、服务热情周到、经营文明守法、安全保障得力、治安秩序优良、资源保护完好、管理严格规范的标准，经过认真审核和考察，确定了安徽黄山风景区、江西庐山风景区、四川峨眉山风景区、山东泰山风景区、广西桂林漓江（叠彩山至阳朔）风景旅游线、广东肇庆星湖风景区、浙江杭州西湖风景区环湖景区、北京颐和园、河北承德避暑山庄、江苏苏州园林虎丘山风景区等10个景区为首批全国文明风景旅游区示范点。1999年，推出了云南昆明石林风景名胜区、福建武夷山风景名胜区、辽宁鞍山千山风景名胜区、江苏扬州蜀岗—瘦西湖风景名胜区、河北秦皇岛山海关景区、广东深圳湾华侨城旅游度假区、贵州黄果树风景名胜区、陕西华山风景名胜区、湖北武汉东湖风景名胜区、北京八达岭长城景区等10个景区为第二批全国文明风景旅游区示范点。这次会上，我们又推出了云南昆明世界园艺博览园、福建厦门鼓浪屿、吉林长春净月潭风景名胜区、宁夏沙湖、江西南昌滕王阁、浙江雁荡山风景旅游区、山西五台山风景名胜区、山东青岛崂山风景区、河南洛阳龙门风景名胜区、重庆大足石刻风景旅游区等10个景区为第三批全国文明风景旅游区示范点。

创建文明风景旅游区示范点推出后，经过各地认真推广，特别是中央和各地新闻单位的大力宣传，产生了广泛的社会影响，发挥了很好的示范带动作用，有力地推动了创建活动的广泛开展，促进了风景旅游区的两个文明建设，促进了我国旅游事业的健康发展。总的看，创建文明风景旅游区活动呈现出扎实推进、健康向上的良好发展态势。概括起来，主要表现在以下几个方面：

一是创建文明风景旅游区活动全面展开。继首批全国示范点推出后，许多省、区、市都把创建文明风景旅游区活动纳入了当地精神文明创建工作的总体布局，作为创建活动的一项重点工程，摆上了工作的重要日程，采取有效措施，加大工作力度。河北、山西、内蒙古、辽宁、江苏、浙江、安徽、福建、江西、广东、广西、湖南、海南、云南、贵州、陕西等地还从当地实际出发，推出了一批省级以及地市级的文明风景旅游区示范点，涌现出一批不同类型、不同层次的先进群体。在全国初步形成了上下联动，左右配合，影响较大，效果明显的良好局面。

二是示范点两个文明建设水平显著提高。各个示范点以荣誉为动力，不断加大创建工作力度，许多单位在服务质量、环境秩序、内部管理、硬件建设等各个方面上了一个大的台阶。特别是在亚洲金融危机对我国旅游业造成不利影响的情况下，多数示范点的游客数量与旅游经济收入都有较大幅度的增长。去年“十一”和今年“五一”期间，在游人爆增的情况下，又克服种种困难，经受住了新的考验，实现了经济效益与社会效益双丰收，维护了文明风景旅游区示范点的良好声誉，有的示范点做到了接待10多万人次无一投诉。

三是创建文明风景旅游区活动成为群众性精神文明创建活动的又一名牌。近年来，群众性精神文明创建活动在实践中逐步形成了一些名牌项目，如“三大创建”、文化科技卫生“三下乡”、“百城万店无假货”等。开展创建文明风景旅游区的活动，不仅得到了各地、各风景旅游区的积极响应，而且越来越引起了各级党委政府的重视和关心，越来越得到社会各界的广泛关注和认同，越来越受到人民群众的欢迎和好评。创建文明风景旅游区活动，已经成为各地发展旅游事业、促进风景旅游区两个文明建设协调发展的重要抓手，成为群众性精神文明创建活动中的又一亮点和名牌。

四是形成了文明办和建设、旅游部门密切配合、相互支持、齐抓共建的良好局面。各地普遍反映，文明办和行业主管部门联合开展创建活动，既能够充分发挥各自的优势，把创建活动与相关业务工作有机结合起来，又避免了重复布置、多头评比，使基层能够更好地集中精力抓好创建工作。现在，抓创建文明风景旅游区活动，已经成为各级文明办和建设、旅游主管部门的一项重要工作。许多地方逐步摸索出了一套分工负责、密切合作、优势互补、齐抓共管的创建工作机制，保证了创建活动的深入开展。

五是促进了旅游经济的健康发展。开展创建文明风景旅游区活动，使风景旅游区普遍在文明开发、文明经营、文明服务、文明管理上作文章、下功夫，促进了旅游业的快速健康发展，并带动了相关行业的发展。仅以今年“五一”期间为例，全国城乡居民国内旅游达到4600万人次，旅游消费达181亿元，分别比去年“十一”增长15%和27%。这一旅游消费热潮，有力地刺激了铁道、交通、民航、城市出租汽车和餐饮、商业的发展。据统计，5月1—6日，铁路共发送旅客2364.7万人次，比去年同期增长24.2%，5月1—7日，民航共完成旅客运输量170万人次，比春节假期期间增长34%，公路日客运量比春运期间增长25%以上，许多城市的商场，在这7天内的销售业绩比平时增长2倍左右。

在充分肯定成绩的同时，也要清醒地看到，目前，创建活动的发展还不平衡，一些地方还存在不少问题。如：面对广大群众迅速增长的旅游需求，一些地方的配套服务设施还很不适应，不能满足旅客需要；有的环境脏乱、治安不好；有的服务低劣，违反规定乱收费、哄抬物价、假冒伪劣，侵害游客利益；有的违反国家有关法规乱建乱修庙宇和封建迷信场所，用封建迷信活动招揽诱导游客；有的导游人员素质不高甚至在讲解中宣扬封建迷信的东西；还有的存在“黄、赌、毒”现象等。特别是假日旅游黄金周期间，一些问题尤为突出，如交通制约问题，重点景区缺乏预报和疏导、人满为患的问题，住宿设施严重不足的问题，商业、银行、医院等社会服务系统的工作跟不上的问题，旅游服务和管理不适应的问题，等等。这些问题，严重制约旅游事业的快速健康发展，极大影响文明行业创建活动，广大群众很有意见，必须采取有效措施，认真加以解决。

我们一定要正确认识形势，保持清醒头脑，加大工作力度，巩固已有成果，加强薄弱环节，提高工作水平。

二、提高认识，进一步增强做好创建文明风景旅游区工作的责任感和紧迫感

从新世纪开始，我国将进入全面建设小康社会并加快推进现代化建设的新的发展阶段。我们要在实现第二步战略目标的基础上，开始实施第三步战略部署。随着改革开放的深入发展，人民生活水平的日益提高，人们在旅游休闲方面的物质精神需求正在迅速增长，今后还会有更大的提升和扩张，加强风景旅游区两个文明建设在促进经济发展和社会全面进步中将显得越来越重要。创建文明风景旅游区，提高风景旅游区两个文明建设水平，对于促进经济发展，对于满足人民群众的物质精神需求，对于树立中国的良好形象，都具有十分重要的意义。我们一定要从政治的高度、全局的高度、战略的高度，充分认识深入开展创建文明风景旅游区工作的重要现实意义和深远历史意义。

1. 创建文明风景旅游区是服务经济建设的迫切需要。早在改革开放之初，邓小平同志就明确指出："旅游事业大有文章可做，要突出地搞，加快地搞"，并具体阐明了发展旅游业的基本思路、奋斗目标和工作方针，为我国旅游业的发展指明了正确方向。以江泽民同志为核心的第三代中央领导集体，高度重视旅游事业的发展，从加快经济结构的战略性调整、扩大内需、促进经济增长和社会发展的总体需要出发，把旅游业确定为国民经济新的增长点。在两代中央领导集体的领导下，我国旅游业得到了迅速发展，取得了巨大成绩，入境旅游、国内旅游、出境旅游三大市场全面发展，以超前于国民经济增长速度、超前于世界旅游业增长速度的势头发展。1996 年提前实现了小平同志提出的本世纪末实现创汇 100 亿美元的宏伟目标。去年我国旅游业总收入超过 4000 亿元，占国内生产总值的 4.88%，成为国民经济的新增长点和消费亮点。

同时，必须看到，我国是旅游资源大国，但还不是世界旅游强国。1998 年我国旅游外汇收入 126 亿美元（1999 年是 141 亿美元），居亚洲第一，世界第七。但与世界第六的德国相比，差 32 亿美元，只相当于世界第一的美国的 18%。从国内旅游看，虽然旅游市场规模已居世界之首，但由于人均消费低，总产出水平并不高。1998 年国内旅游总收入为 2391 亿元人民币（1999 年是 2831 亿元），折成美元为 280 亿，只相当于墨西哥的水平。目前我国旅游经济占整个国民经济的比重，距离发达国家的水平还有很大差距。全球旅游业总产出占全球 GDP 总量的 10.7%，全球居民旅游消费支出占全球总消费支出的 11.3%，全球旅游业的资本投资占全球总投资的 11.9%。相形之下，我国现阶段的水平还不到这些指数的一半。我们在旅游资源开发，旅游基础设施配套建设、旅游交通、旅游管理、旅游人才培训、科技对旅游业发展的贡献率等方面，与世界旅游强国都有不少的差距。抓住机遇，加快发展，提高水平，缩小差距，在拉动内需，刺激消费，搞活市场方面；在扩大对外开放，赚取外汇，积累建设资金方面；在促进经济结构调整，拉动相关产业的发展方面；在增加就业机会，维护社会稳定方面；在促进经济增长和社会全面进步等方面，做出更大贡献，已经成为摆在我们面前的一项重要任务。深入开展创建文明风景旅游区活动，大有潜力，大有可为，大有希望。

2. 创建文明风景旅游区是更好地满足人民群众日益增长的物质文化需求的迫切需要。随着我国进入全面建设小康社会并加快推进现代化建设的新的发展阶段，人民群众生活水平不断提高，闲暇时间逐渐增多，对旅游的需求快速增长。现在，外出休闲旅游观光已经成为广大群众精神文化生活的重要内容，人民群众对风景旅游区的环境、治安、管理，对服务、讲解、经营的要求都越来越高。能不能最大限度地满足人民群众这种日益增长的精神文化需求，归根结底，涉及到党和政府与人民群众的关系，涉及到建设有中国特色社会主义的根本目的，涉及到在新的历史条件下，我们党能否始终代表最广大人民群众的根本利益。坚持以江泽民总书记关于"三个代表"重要思想为指导，以人民群众拥护不拥护、满意不满意、高兴不高兴为标准，深入开展创建文明风景旅游区活动，真心诚意地为广大游客提供热情、周到、满意的服务，切实维护广大游客的合法权益，满足人民群众物质文化生活需要，已经成为形势发展赋予我们的光荣历史责任。

3. 创建文明风景旅游区是旅游业健康快速发展的内在迫切需要。旅游业是物质文明与精神文明的交汇点，旅游服务是硬件水平与软件水平的结合。旅游消费，不仅是物质消费，而且是精神文化消费。人们出外旅游，是希望在食、住、行、游、购、娱等方面都得到优质的服务，同时能开阔眼界，增长知识，陶冶情操，得到美的享受。旅游事业要有一个大发展，不仅要重视物质文明建设，而且必须重视和加强精神文明建设。只重视物质文明，不重视精神文明，旅游事业不可能有大的发展，即使一时发展了，也不可能持久。景区的两个文明建设都搞好了，才能够树立良好的形象，传播良好的声誉，吸引更多的游客，更好地促进旅游经济的发展。

4. 创建文明风景旅游区是加强和改进思想政治工作的迫切需要。高度重视思想政治工作是我们党的优良传统和政治优势。改革开放以来，特别是党的十三届四中全会和十四大以来，我们党采取一系列重要措施，加强和改进思想政治工作，取得了明显成效，在促进改革发展稳定方面发挥了重要作用。同时，又必须看到，经过20年改革开放，我国社会情况发生了复杂而深刻的变化，人民的精神文化生活有了许多新的发展，人们接受信息、休闲娱乐的方式、方法和手段发生了很大变化，一些新的传播媒体和文化娱乐场所吸引了大量群众，社会成员流动的数量、范围、方式不断扩大，思想政治工作机制不适应的问题十分突出。加强和改进思想政治工作，过去行之有效的好传统好办法要坚持，更重要的是要适应新情况不断探索新的方式、方法、手段和机制，力求做到生动活泼，群众喜闻乐见，切忌形式主义、教条主义，切忌简单生硬。实践证明，包括创建文明风景旅游区在内的各种群众性精神文明创建活动是加强和改进思想政治工作的重要载体，是对群众进行思想教育，提高全社会文明程度的有效途径，是在新形势下加强党的群众工作的新方式。更加广泛深入扎实地开展创建文明风景旅游区活动，有利于把思想道德教育寓于服务之中，寓于讲解之中，寓于游览娱乐之中，通过集中展示祖国的大好河山、悠久历史、灿烂文化，潜移默化、润物无声，使广大游客在参观游览中，受到感染、教育和熏陶，提高思想道德素质和科学文化素质。

5. 创建文明风景旅游区是整体推进群众性精神文明创建活动的迫切需要。群众性精神文明创建活动是人民群众移风易俗、改造社会的伟大创造，是把两个文明建设任务有机结合落实到基层的重要载体，是人民群众在党的领导下为自己创造美好生活的有效途径。党的十四大以来，特别是党的十四届六中全会以后，在以江泽民同志为核心的党中央的充分肯定和大力倡导下，多种形式的精神文明创建活动蓬勃发展，逐步形成了以“讲文明树新风”为主要内容，以创建文明城市、文明村镇、文明行业为主要形式，多种创建活动共同发展的工作格局，在提高公民素质、城乡文明程度和群众生活质量方面日益发挥出重要作用。为了进一步推进三大创建活动，最近，中宣部、中央文明办在辽宁召开了农村精神文明建设工作座谈会，对农村精神文明建设工作作出了部署；前几天，刚刚在南京召开了全国创建文明社区工作座谈会，对城市精神文明建设工作作出了部署。旅游业是一个关联度很高的行业，面向五湖四海的游客，涉及众多行业，综合性强，带动面大。创建文明风景旅游区活动是创建文明行业的重要组成部分，不仅对旅游行业自身有很好的示范作用，而且对相关行业的创建工作也能够产生很好的带动作用。抓好这项工作，对进一步发展精神文明建设的好形势，整体推进群众性精神文明创建活动具有重要意义。

总之，我们一定要充分认识做好创建文明风景旅游区工作的重要性，始终保持良好的精神状态，增强责任感、使命感和紧迫感，增强工作的积极性、主动性和创造性，把工作做得更深、更细、更实。

三、突出重点，进一步推动创建文明风景旅游区工作深入发展

前不久召开的中央思想政治工作会议是一次具有全局意义的重要会议。江总书记在会议上的重要讲话，从国际国内两个大局的高度，深刻阐明了一系列带有根本性、全局性的重大理论和实践问题，既是开创思想政治工作新局面的纲领性文献，也是开创精神文明建设新局面的纲领性文献。中央思想政治工作会议结束以来，关根同志反复强调，当前思想战线第一位的工作，就是认真学习、宣传、贯彻、落实中央思想政治工作会议精神，把思想统一到江泽民总书记重要讲话上来，把会议提出的各项任务落到实处。我们要紧密结合创建文明风景旅游区的实际，认真贯彻落实总书记在中央思想政治工作会议上的讲话精神和“三个代表”的重要思想，针对工作中存在的问题和薄弱环节，突出重点，加大力度，推动创建文明风景旅游区工作全面发展。当前，要着重抓好这样几点。

1. 抓阵地，把风景旅游区建设成为传播社会主义精神文明的重要场所。江总书记多次强调，思想文化阵地，马克思主义、无产阶级的思想不去占领，各种非马克思主义、非无产阶级的思想甚至反马克思主义的思想就会去占领。在中央思想政治工作会议的讲话中明确要求，从上到下的一切文化阵地，一切群众教育文化娱乐场所，一切精神文化产品，都应该成为宣传科学理论、传播先进文化、塑造美好心灵的阵地。风景旅游区既是为人民群众服务和展示文明形象的重要窗口，也是对群众进行潜移默化教育的重要阵地。因此，创建文明风景旅游区，一定要增强阵地意识，把各类风景旅游区都建设成为传播精神文明的重要场所。

一要开展思想教育。要运用各种方式对广大游人进行爱国主义教育，进行中华民族悠久历史和灿烂文化教育，进行革命传统教育，进行科学文明思想的教育，使广大群众在游览祖国大好河山、风景名胜的同时，陶冶高尚情操，激发爱国热情，受到生动教育。要大力宣传马克思主义唯物论无神论思想，使崇尚科学文明、反对封建迷信蔚然成风。

二要丰富文化内涵。要挖掘、增加景区景点的文化含量，丰富文化内涵，提高文化品位，用健康向上的文化生活占领阵地。风景旅游区的文化娱乐场所，要开展健康向上、丰富多彩、具有民族特色的文化活动，杜绝不健康的东西。

三要加强讲解工作。风景旅游区的宣传品和解说词要宣传中华民族优秀历史文化和伟大祖国壮美山河，注重科学性、知识性和趣味性相统一。景区景点导游在讲解中要注重科学文明，严禁散布封建迷信、低级庸俗的东西。

四要制止封建迷信。前不久，中央文明办、建设部、国家旅游局、国家宗教事务局联合发出了《关于坚决制止风景旅游区封建迷信活动的通知》。各地、各风景旅游区要按照《通知》要求，对景区景点存在的各种封建迷信活动认真进行一次检查，严禁未经主管部门批准修建庙宇寺观等建筑，严禁在风景旅游区内设置各种封建迷信活动场所，严禁在风景旅游区内和环景区、景点区域及道路两旁设立各种以看相、算命为名骗取游人钱财的摊点。要对景区的宣传品和解说词认真做一次清理，对存在封建迷信、格调低下、庸俗有害问题的要坚决予以纠正。工作中要注意把握政策界限，坚持党的民族宗教政策，把封建迷信活动和正常的宗教活动区别开来，同优秀传统文化区别开来，同正常的民族习俗区别开来。

2. 抓服务，使创建文明风景旅游区活动真正做到人民群众满意。服务人民，奉献社会是我们一切工作的出发点和落脚点。风景旅游区只有狠抓服务，才能赢得人民群众的信任，受到人民群众的欢迎，取得良好的社会效益；也才能够赢得市场，赢得游客，在激烈的市场竞争中立于不败之地。

一要提高职工素质。提高人的素质，是精神文明建设的核心和根本。景区的形象、声誉、服务、管理，都要通过景区职工去体现。创建文明风景旅游区，必须首先加强对干部职工的教育和培训，通过组织学习有关政策和业务知识等各种方式，提高他们的思想道德素质，牢记为人民服务的宗旨，掌握过硬的业务本领，养成良好的职业道德，遵守工作规章和纪律，在一言一行中树立良好的职业形象。

这里，我想特别强调一下导游工作。导游人员处在第一线，直接和广大游客打交道，他们可以说是一个景区形象的代表和“窗口”，直接关系到景区的服务质量和整体水平。中央领导同志对导游队伍建设十分关注，多次指示要对导游人员不讲政治、不讲科学、不讲文明的现象予以整顿。各地要加强对导游人员的培训、教育，严格实行持证上岗制度。对素质低下，不能胜任工作的导游要取消导游资格。

二要牢固树立以游客为中心的意识。创建文明风景旅游区要坚持以游客为中心，想游客之所想，急游客之所急，办游客之所需，真心诚意为游客服务。坚持这样做，不仅对游客有利，而且对景区也有利；不仅会有良好的社会效益，而且最终会在经济效益上反映出来。在这个问题上，老景区、名景区要特别注意克服“酒好不怕巷子深”，“皇帝女不愁嫁”的旧观念，改变吃老本、吃名气、吃地位、怠慢游客的现象。

三要加强规范服务。创建工作要经常化、制度化，规范服务是个好方法。1998 年、1999 年中央文明办与各有关部门向全社会推出了两批 12 个行业的规范服务标准和措施。在这里，我们正式提出，旅游行业也要适时推出规范服务的标准和措施。各个风景旅游区都要实行规范服务。都要从本地实际出发，制定包括服务标准、服务程序、服务承诺、服务言行等各项服务规范。规范一经制定，就要普及到每一个相关人员，坚决贯彻执行。

3. 抓管理，保证创建文明风景旅游区活动扎实深入开展。提高风景旅游区的两个文明建设水平，加强管理非常重要。管理出素质、管理出秩序、管理出文明，风景旅游区工作先进与落后的差别，很大程度上表现在管理水平的差别。风景旅游区要在加强管理上狠下功夫。

一要保持环境整洁。环境卫生是“门面”。一个景区工作做得怎么样，管理水平如何，最直观的就是环境卫生。要坚持各种保洁制度，保持景区景点的清洁卫生，使各个景区都做到风景引人，环境宜人。

二要维护市场秩序。风景旅游区特别是各级示范点要加强旅游市场管理，采取有力措施制止强买强卖、假冒伪劣、以次充好、坑蒙拐骗、围追游客、野蛮待客、乱收费、乱罚款等群众深恶痛绝的现象。

三要强化安全措施。各景区要把旅游安全放在十分突出的位置抓紧抓好。要加强景区的安全设施建设，健全规章，勤于检查，落实安全责任制，发现事故苗头及时采取措施，坚决防患于未然。要抓好社会治安综合治理，切实保证游客人身和财物安全，坚决杜绝各类恶性事件。

四要健全投诉机制。风景旅游区要健全投诉机制，一方面要做到投诉方便、有人受理、及时处理、妥善解决，维护正常旅游秩序，保护旅游者的合法权益。另一方面要学会从投诉中寻找不足和差距，分析哪些是共性问题，哪些是特殊情况；哪些是个别人的问题，哪些是管理上的漏洞，针对不同问题采取相应对策，切实改进工作。

4. 抓基础，为创建文明风景旅游区活动提供可靠保障。发展旅游业，硬件非常重要，只有把食、住、行、游、购、娱这些基础设施抓好，旅游资源才能转化为旅游产品，才能产生良好的经济效益和社会效益。同时，必须看到，相对于硬件而言旅游事业软件更为重要，旅游事业的竞争更多的是软件因素的竞争。创建活动要着眼于长远，着眼于风景旅游区的可持续发展，坚持硬件、软件一起抓，打牢创建文明风景旅游区活动的基础。

一要加强基础设施建设。各景区要按照规划，加大投入，下力气搞好道路交通、住宿饮食、商业网点、运输工具、文化娱乐等基础设施建设，满足广大游客的需要。

二要搞好资源保护。要正确处理旅游资源开发和保护的关系，旅游景区的开发建设必须坚持可持续发展战略，自觉探索旅游业经济效益、生态效益和社会效益的统一。要坚持“全面规划、严格保护、合理开发、永续利用”的原则，认真制定和严格执行规划，加强旅游资源的保护和生态环境的建设，坚决杜绝破坏性开发，防止“建设性破坏”。另一方面，要确立在开发中保护，在经营中保护的观念。如果不抓好开发，不创造一定的经济效益，没有经济基础，也谈不上保护。

三要特别重视法规建设。要建立健全与风景旅游区有关的法律法规，依法进行景区的保护、开发、建设、经营和管理。做好这项工作，有长远意义。现在全国一些地方的景区已经通过立法来保证各项工作的正常进行，效果很好。各地都要重视法规建设，着手开展这方面的工作。

5. 抓关键，在实践中检验创建文明风景旅游区活动的成效。检验创建文明风景旅游区活动的成效，既要看日常工作，更要看关键时刻是否过得硬。越是关键时刻，越能检验我们的工作成效，也最能集中展示我们的创建成果。这个关键时刻，当前突出表现在每年的春节、五一、十一三个旅游黄金周。黄金周推动了旅游业以及铁道、交通、民航、城市出租汽车和餐饮、商业等相关行业的发展，有力地拉动了内需，满足了人民群众的旅游需求，丰富了节日生活。但在这个期间也暴露出一些问题，除了相关配套设施滞后外，投诉大都集中在服务、物价、卫生、安全、假冒伪劣、敲诈勒索等方面。有一些景区面对旅游的空前火爆，管理跟不上，环境脏乱，治安秩序不好，服务标准降低，甚至哄抬物价、欺诈游客的事情时有发生。广大群众不满意，景区的形象受到损害，同时也严重制约了假日旅游的健康发展。我们这次会议的一项重要内容，就是动员和部署假日旅游的准备工作。会议结束后，国庆旅游黄金周即将来到。请各地和所有风景旅游区都要按照国务院办公厅转发的九部门《关于进一步发展假日旅游若干意见》的要求，做好各种相关预案，把问题尽可能想在前面，做好充分准备，经受住考验，保证旅游接待工作圆满成功。

四、加强领导，进一步提高创建文明风景旅游区工作水平

1. 抓好巩固提高延伸辐射。开展创建文明风景旅游区活动的实践证明，从示范点抓起，重点突破，逐步推开，整体推进，是一种行之有效的办法。现在我们有了30个全国一级的文明风景旅游区示范点，一些省、市也推出了自己的示范点。希望所有示范点，都要不断巩固成果，提高水平。要认真总结经验，巩固已有成绩，确定新的目标，采取新的举措，做出新的成绩。要谦虚谨慎，互相学习，取人之长，补己之短。要及时推广先进经验，经常组织交流观摩，不断提高创建工作水平。同时，各级文明办、建设、旅游部门都要重视创建活动的延伸和辐射。延伸，就是要使示范点向下延伸，所有省区市都要推出自己的示范点，尽快形成多层次、多类型的示范点网络；辐射，就是要发挥示范点的辐射效应，不仅要抓好景区的创建活动，而且要带动围绕旅游服务的交通、民航、铁道、餐饮、住宿、商业、旅行社等各行业的创建文明行业活动，使辐射面更宽、影响面更大。只要我们沿着以点带线、以线带面的思路坚持不懈地抓下去，创建文明风景旅游区活动就能不断向前推进。

2. 加强分类指导。我国的旅游资源丰富，景区面广点多，情况千差万别。从地域上看，既有自然条件好，经济发达地区的景区，又有自然条件差，地处内陆的景区；从类型上看，既有名山大川自然风光，又有亭塔楼园人文景观；从建成时间上看，既有历史上早已成名的景点，也有近年来才开发建设的新景区；从管理体制上看，既有建设、园林、旅游部门管理的景区，也有文化、文物、宗教等部门管理的景点。因此，在开展创建文明风景旅游区活动中，一定要加强分类指导。要针对不同景区的不同特点，总结各具特色的做法和经验加以推广。要把解决广大游人反映强烈的突出问题作为活动的重点，有针对性开展工作。各地都要坚持一批景区一批景区地抓，一个问题一个问题地解决，一个层面一个层面地拓展，使创建文明风景旅游区活动在不同类型景区都能够深化下去，取得成效。

3. 强化监督检查。要加强对各级创建文明风景旅游区活动示范点的监督检查。示范点的称号既意味着对过去工作的充分肯定，也意味着对今后工作提出了更高要求。示范点的牌子，既是表扬和荣誉，更是压力和动力。示范点公布以后，人民群众、社会各界、新闻媒体都会给以更多的关注，会以更加严格的标准来要求。在宣传、学习示范点先进经验的同时，也会用更加严格的标准来审视、监督那里的工作。各级文明办和建设、旅游部门要加强对示范点的指导、检查和督促。对各级示范点都要实行动态管理，发现问题，及时解决，不搞终身制。中央文明办、建设部、国家旅游局将采取适当方式，对示范点进行抽查。对工作滑坡、群众意见大的要给予警告，限期进行整改，不符合示范点标准的要取消称号，以保证示范点的先进性。

4. 做好规划部署。各地文明办、建设、旅游部门要抓好创建文明风景旅游区的规划工作。各省、区、市文明办要和建设、旅游主管部门一起，深入调查研究，对本地有多少景区、分为多少类型、工作基础怎么样、存在哪些突出问题、需要从什么地方进行努力，都要做到胸中有数。要把创建文明风景旅游区列入当地精神文明建设的总体规划之中，在制订与“十五”规划相配套的精神文明建设规划时，制订创建文明风景旅游区5年—20年规划，明确目标，落实责任，分步实施。力争用5年的时间使省属风景旅游区基本都能建成文明风景旅游区，用10年的时间使市地级风景旅游区基本都能建成文明风景旅游区，用20年的时间使全国所有风景旅游区都能建成文明风景旅游区。

5. 加强配合协作。创建文明风景旅游区活动涉及部门很多，是一项系统工程。各级文明办、建设、旅游以及其他有关部门，要在党委和政府的领导下，加强协调，多协商、多沟通、多理解，互相支持，互相配合，发挥整体优势。风景旅游区内的公安、工商、税务、卫生等单位也要密切合作，形成合力。要克服浮躁情绪，坚决防止“花架子”和形式主义，扎实工作，持之以恒，务求实效。要注意发挥新闻媒体的作用，积极做好创建文明风景旅游区的宣传工作。同时，要发挥新闻媒体的舆论监督作用。对广大群众反映强烈的问题，对个别景区环境和服务脏、乱、差的状况以及侵害群众利益的事件，要在新闻媒体上曝光，给予批评，督促这些景区改进工作，改变面貌。

三年来，创建文明风景旅游区工作力度越来越大，影响越来越广，已经取得了很大成效，形势很好。这是认真贯彻落实中央指示精神的结果，是各地各部门关心重视的结果，是社会各个方面和广大人民群众积极支持的结果，也是建设、旅游部门、文明办和风景旅游区同志们团结奋斗、共同努力的结果。大家工作很努力、很辛苦、很有成效，请允许我代表中央文明办向同志们表示衷心的感谢和诚挚的问候。

同志们，当前，中国旅游业的发展面临着前所未有的良好机遇，党中央、国务院和各级党委、政府更加重视发展旅游业，江泽民总书记、李鹏委员长和朱镕基总理等中央领导同志视察各地工作时多次谈发展旅游，对旅游业寄予厚望；旅游业正在被培育成为国民经济新的增长点，它必将在扩大内需、优化经济结构、带动就业等方面发挥越来越大的作用；实施西部大开发战略，将西部地区的资源优势尽快转化为经济优势，是旅游业发展的重大机遇；对外开放取得的新成果特别是我国即将加入WTO，也为旅游业的发展注入新的动力和活力。做好创建文明风景旅游区工作，提高风景旅游区的两个文明建设水平，意义重大，任重道远。让我们共同努力，振奋精神，扎实工作，推动创建文明风景旅游区活动深入发展，更好地为人民服务，为社会主义服务，为全党全国工作大局服务，使所有的风景旅游区都以崭新的风貌迎接新的世纪！

（《精神文明建设》2000年第64期）

胡振民关于精神文明建设的谈话

（2000年12月20日）

中央文明办专职副主任胡振民在接受记者的采访说，今年是党和国家各项事业取得巨大成就的一年，也是群众性精神文明创建工作取得显著进步的一年。一年来，在党中央的正确领导下，在全党全社会的共同努力下，在以讲文明树新风为主要内容，以创建文明城市、文明行业、文明村镇为主体的各项群众性精神文明创建工作中，认真贯彻江泽民总书记关于“三个代表”的重要思想和关于精神文明建设的重要批示精神，坚持围绕中心，服务大局，从与群众利益密切相关的事情抓起，广泛吸引群众参与，初步形成整体推进、全面拓展的发展态势，为促进改革发展、维护社会稳定、密切党群关系发挥了积极作用，得到了各级党政领导的普遍重视和广大群众的热烈欢迎，日益呈现出蓬勃生机和旺盛的活力。

胡振民说，党的十五届五中全会在规划未来五至十年国民经济和社会发展的宏伟蓝图时，把加强精神文明建设摆到了重要位置，提出了明确要求。江泽民总书记在会上特别强调，发展必须是物质文明和精神文明的协调发展，要始终坚持“两手抓，两手都要硬”的方针，大力推进社会主义精神文明建设，不断提高全民族的思想道德素质和科学文化素质，为现代化建设提供强大的精神动力和智力支持。为此，我们一定要继续高举邓小平理论的伟大旗帜，始终遵循“三个代表”的要求，认真贯彻落实党的十五大和十五届五中全会精神，紧紧围绕中央总的工作部署，抓住机遇，乘势而上，积极主动，扎实工作，努力开创群众性精神文明创建工作的新局面，为满足人民群众日益增长的多方面精神文化需求，为给改革开放和现代化建设提供强大的思想保证、精神动力和智力支持，作出更大贡献。

关于2001年精神文明建设的主要目标，胡振民说，一是进一步加大创建文明城市、文明村镇、文明行业的工作力度。创建文明城市以社区为重点，以大中城市为龙头，认真贯彻落实中央文明委《关于在城市深入开展创建文明社区工作的若干意见》和中办、国办转发的《关于在全国推进城市社区建设的意见》，切实把创建文明社区工作引向深入。创建文明村镇以农户为基础，以小城镇特别是县城为重点，坚持以城带乡、城乡共建。要按照中央的统一部署，紧密配合正在全国农村开展的“三个代表”重要思想学习教育活动，促进农村两个文明建设协调发展。创建文明行业以“服务人民、奉献社会”为宗旨，以“窗口”行业和执法部门为重点，继续推行和完善优质规范服务，进一步提高行业的文明程度和服务质量。

二是一如既往地抓好“名牌”项目。继续开展“讲文明树新风”活动，“百城万店无假货”活动，文化、科技、卫生“三下乡”活动，“创建文明风景旅游区”活动，创文明机关、当人民公仆、做人民满意的公务员活动。广泛开展青年文明号、五好文明家庭、安全文明社区、创建平安大道、婚育新风进万家、创文明单位以及军民共建、警民共建等活动。要在巩固提高、务求实效上下功夫。

三是切实加强西部地区的精神文明建设。配合中央西部大开发战略的实施，切实做好“西部开发助学工程”、资助建设“百县宣传文化中心工程”以及文化科技卫生“三下乡”向西部倾斜等各项工作。

四是加强基层阵地建设。加大投入，加强管理，把基层思想文化阵地建设好。大力开展健康有益、丰富多彩的群众性文体活动，继续推进社区文化、村镇文化、企业文化、校园文化的发展。强化阵地意识，坚持守土有责，一切宣传思想文化阵地，都要宣传科学理论、传播先进思想文化、塑造美好心灵、弘扬社会正气，绝不给错误的东西提供传播渠道。

(2000年12月21日《人民日报》)

法规·文件

LAWS AND DOCUMENTS

中华人民共和国国家通用语言文字法

(2000年10月31日第九届全国人民代表大会常务委员会第十八次会议通过 2000年10月31日中华人民共和国主席令第37号公布)

目　　录

第一章　总　　则

第一条　为推动国家通用语言文字的规范化、标准化及其健康发展，使国家通用语言文字在社会生活中更好地发挥作用，促进各民族、各地区经济文化交流，根据宪法，制定本法。

第二条　本法所称的国家通用语言文字是普通话和规范汉字。

第三条　国家推广普通话，推行规范汉字。

第四条　公民有学习和使用国家通用语言文字的权利。

国家为公民学习和使用国家通用语言文字提供条件。

地方各级人民政府及其有关部门应当采取措施，推广普通话和推行规范汉字。

第五条　国家通用语言文字的使用应当有利于维护国家主权和民族尊严，有利于国家统一和民族团结，有利于社会主义物质文明建设和精神文明建设。

第六条　国家颁布国家通用语言文字的规范和标准，管理国家通用语言文字的社会应用，支持国家通用语言文字的教学和科学研究，促进国家通用语言文字的规范、丰富和发展。

第七条　国家奖励为国家通用语言文字事业做出突出贡献的组织和个人。

第八条　各民族都有使用和发展自己的语言文字的自由。

少数民族语言文字的使用依据宪法、民族区域自治法及其他法律的有关规定。

第二章　国家通用语言文字的使用

第九条　国家机关以普通话和规范汉字为公务用语用字。法律另有规定的除外。

第十条　学校及其他教育机构以普通话和规范汉字为基本的教育教学用语用字。法律另有规定的除外。

学校及其他教育机构通过汉语文课程教授普通话和规范汉字。使用的汉语文教材，应当符合国家通用语言文字的规范和标准。

第十一条　汉语文出版物应当符合国家通用语言文字的规范和标准。

汉语文出版物中需要使用外国语言文字的，应当用国家通用语言文字作必要的注释。

第十二条　广播电台、电视台以普通话为基本的播音用语。

需要使用外国语言为播音用语的，须经国务院广播电视部门批准。

第十三条　公共服务行业以规范汉字为基本的服务用字。因公共服务需要，招牌、广告、告示、标志牌等使用外国文字并同时使用中文的，应当使用规范汉字。

提倡公共服务行业以普通话为服务用语。

第十四条　下列情形，应当以国家通用语言文字为基本的用语用字：

（一）广播、电影、电视用语用字；

（二）公共场所的设施用字；

（三）招牌、广告用字；

（四）企业事业组织名称；

（五）在境内销售的商品的包装、说明。

第十五条 信息处理和信息技术产品中使用的国家通用语言文字应当符合国家的规范和标准。

第十六条 本章有关规定中，有下列情形的，可以使用方言：

（一）国家机关的工作人员执行公务时确需使用的；

（二）经国务院广播电视部门或省级广播电视部门批准的播音用语；

（三）戏曲、影视等艺术形式中需要使用的；

（四）出版、教学、研究中确需使用的。

第十七条 本章有关规定中，有下列情形的，可以保留或使用繁体字、异体字：

（一）文物古迹；

（二）姓氏中的异体字；

（三）书法、篆刻等艺术作品；

（四）题词和招牌的手书字；

（五）出版、教学、研究中需要使用的；

（六）经国务院有关部门批准的特殊情况。

第十八条 国家通用语言文字以《汉语拼音方案》作为拼写和注音工具。

《汉语拼音方案》是中国人名、地名和中文文献罗马字母拼写法的统一规范，并用于汉字不便或不能使用的领域。

初等教育应当进行汉语拼音教学。

第十九条 凡以普通话作为工作语言的岗位，其工作人员应当具备说普通话的能力。

以普通话作为工作语言的播音员、节目主持人和影视话剧演员、教师、国家机关工作人员的普通话水平，应当分别达到国家规定的等级标准；对尚未达到国家规定的普通话等级标准的，分别情况进行培训。

第二十条 对外汉语教学应当教授普通话和规范汉字。

第三章　管理和监督

第二十一条 国家通用语言文字工作由国务院语言文字工作部门负责规划指导、管理和监督。

国务院有关部门管理本系统的国家通用语言文字的使用。

第二十二条 地方语言文字工作部门和其他有关部门，管理和监督本行政区域内的国家通用语言文字的使用。

第二十三条 县级以上各级人民政府工商行政管理部门依法对企业名称、商品名称以及广告的用语用字进行管理和监督。

第二十四条 国务院语言文字工作部门颁布普通话水平测试等级标准。

第二十五条 外国人名、地名等专有名词和科学技术术语译成国家通用语言文字，由国务院语言文字工作部门或者其他有关部门组织审定。

第二十六条 违反本法第二章有关规定，不按照国家通用语言文字的规范和标准使用语言文字的，公民可以提出批评和建议。

本法第十九条第二款规定的人员用语违反本法第二章有关规定的，有关单位应当对直接责任人员进行批评教育；拒不改正的，由有关单位作出处理。

城市公共场所的设施和招牌、广告用字违反本法第二章有关规定的，由有关行政管理部门责令改正；拒不改正的，予以警告，并督促其限期改正。

第二十七条 违反本法规定，干涉他人学习和使用国家通用语言文字的，由有关行政管理部门责令限期改正，并予以警告。

第四章　附　　则

第二十八条 本法自2001年1月1日起施行。

（2000年11月2日《人民日报》）

全国人民代表大会常务委员会

关于维护互联网安全的决定

（2000年12月28日第九届全国人民代表大会常务委员会第十九次会议通过）

我国的互联网，在国家大力倡导和积极推动下，在经济建设和各项事业中得到日益广泛的应用，使人们的生产、工作、学习和生活方式已经开始并将继续发生深刻的变化，对于加快我国国民经济、科学技术的发展和社会服务信息化进程具有重要作用。同时，如何保障互联网的运行安全和信息安全问题已经引起全社会的普遍关注。为了兴利除弊，促进我国互联网的健康发展，维护国家安全和社会公共利益，保护个人、法人和其他组织的合法权益，特作如下决定：

一、为了保障互联网的运行安全，对有下列行为之一，构成犯罪的，依照刑法有关规定追究刑事责任：

（一）侵入国家事务、国防建设、尖端科学技术领域的计算机信息系统；

（二）故意制作、传播计算机病毒等破坏性程序，攻击计算机系统及通信网络，致使计算机系统及通信网络遭受损害；

（三）违反国家规定，擅自中断计算机网络或者通信服务，造成计算机网络或者通信系统不能正常运行。

二、为了维护国家安全和社会稳定，对有下列行为之一，构成犯罪的，依照刑法有关规定追究刑事责任：

（一）利用互联网造谣、诽谤或者发表、传播其他有害信息，煽动颠覆国家政权、推翻社会主义制度，或者煽动分裂国家、破坏国家统一；

（二）通过互联网窃取、泄露国家秘密、情报或者军事秘密；

（三）利用互联网煽动民族仇恨、民族歧视，破坏民族团结；

（四）利用互联网组织邪教组织、联络邪教组织成员，破坏国家法律、行政法规实施。

三、为了维护社会主义市场经济秩序和社会管理秩序，对有下列行为之一，构成犯罪的，依照刑法有关规定追究刑事责任：

（一）利用互联网销售伪劣产品或者对商品、服务作虚假宣传；

（二）利用互联网损害他人商业信誉和商品声誉；

（三）利用互联网侵犯他人知识产权；

（四）利用互联网编造并传播影响证券、期货交易或者其他扰乱金融秩序的虚假信息；

（五）在互联网上建立淫秽网站、网页，提供淫秽站点链接服务，或者传播淫秽书刊、影片、音像、图片。

四、为了保护个人、法人和其他组织的人身、财产等合法权利，对有下列行为之一，构成犯罪的，依照刑法有关规定追究刑事责任：

（一）利用互联网侮辱他人或者捏造事实诽谤他人；

（二）非法截获、篡改、删除他人电子邮件或者其他数据资料，侵犯公民通信自由和通信秘密；

（三）利用互联网进行盗窃、诈骗、敲诈勒索。

五、利用互联网实施本决定第一条、第二条、第三条、第四条所列行为以外的其他行为，构成犯罪的，依照刑法有关规定追究刑事责任。

六、利用互联网实施违法行为，违反社会治安管理，尚不构成犯罪的，由公安机关依照《治安管理处罚条例》予以处罚；违反其他法律、行政法规,尚不构成犯罪的,由有关行政管理部门依法给予行政处罚;对直接负责的主管人员和其他直接责任人员,依法给予行政处分或者纪律处分。

利用互联网侵犯他人合法权益，构成民事侵权的，依法承担民事责任。

七、各级人民政府及有关部门要采取积极措施，在促进互联网的应用和网络技术的普及过程中，重视和支持对网络安全技术的研究和开发，增强网络的安全防护能力。有关主管部门要加强对互联网的运行安全和信息安全的宣传教育，依法实施有效的监督管理，防范和制止利用互联网进行的各种违法活动，为互联网的健康发展创造良好的社会环境。从事互联网业务的单位要依法开展活动，发现互联网上出现违法犯罪行为和有害信息时，要采取措施，停止传输有害信息，并及时向有关机关报告。任何单位和个人在利用互联网时，都要遵纪守法，抵制各种违法犯罪行为和有害信息。人民法院、人民检察院、公安机关、国家安全机关要各司其职，密切配合，依法严厉打击利用互联网实施的各种犯罪活动。要动员全社会的力量，依靠全社会的共同努力，保障互联网的运行安全与信息安全，促进社会主义精神文明和物质文明建设。

(2000 年 12 月 29 日《人民日报》)

中共中央　国务院

关于严禁擅自修建已故领导同志纪念设施的通知

《通知》指出，中央历来十分重视用已故老一辈革命家的光辉业绩和革命风范教育广大干部群众。多年来，经中央批准修建的已故老一辈革命家的纪念设施，在对广大干部群众特别是对青少年进行革命传统教育和爱国主义教育方面发挥了重要作用。同时，中央多次强调，修建已故领导同志纪念设施必须严格控制；确有必要修建的，必须经党中央、国务院批准；未经批准，各地一律不得擅自修建。但是，中央的这些规定在一些地方至今没有得到很好地执行，个别地方擅自修建已故领导同志纪念设施的情况越来越严重。有的已故领导同志的生前战友和部下不坚持原则，为修建纪念设施到处找熟人、写条子、疏通关系，甚至给当地施压；有的地方领导碍于故情，对已故领导同志生前战友、部下和亲属提出的不适当要求，一味迁就；有的地方受经济利益驱动，把修建已故领导同志陵园、墓地作为建设新的旅游人文景观的途径；个别地方甚至以为已故领导同志修建纪念设施为名向社会集资、摊派。为了坚决制止上述错误做法，《通知》重申并提出以下要求：

一、各级党委、政府和广大党员领导干部要从讲政治的高度，充分认识中央严禁擅自修建已故领导同志纪念设施决定的重要意义。我们党是全心全意为人民服务的党，党的性质和宗旨决定了党必须把为人民谋利益作为自己全部活动的出发点和归宿。已故领导同志生前参加革命的目的是为人民谋利益，而不是要在身后留下昭示自己功劳的纪念场所。擅自为已故领导同志修建纪念设施，违背了已故领导同志生前参加革命的初衷，愧对于为中国革命和建设事业牺牲了的无数革命先烈。我国土地资源有限，人均耕地本来就少，擅自划出耕地、林地，甚至在风景名胜区为已故领导同志修陵建墓，不仅是对土地等资源的严重浪费，也是对子孙后代不负责任的做法。特别是在目前我国经济发展水平还不高，还有几千万贫困人口、几百万下岗职工的情况下，耗费大量人力、财力、物力修建纪念设施，不仅严重脱离了群众，而且损害了共产党人的形象。我国改革开放的总设计师邓小平同志为中国人民的解放和社会主义建设事业奉献了一生，辞世前嘱托后事从简，捐献角膜，骨灰撒入大海。邓小平同志以他为党和国家建立的不朽功勋和后事从简的表率作用，在人民群众心目中树起了永久的历史丰碑，为全党全国树立了光辉榜样。邓小平同志逝世两年多来，一些地方提出为邓小平同志修建纪念设施，但邓小平同志亲属多次向中央表示，不要为邓小平同志修建纪念设施。中央尊重邓小平同志及其亲属的意愿，至今没有为邓小平同志修建一处纪念设施。全党同志特别是党的高级干部及其亲属要带头学习邓小平同志的革命风范，坚决遵守中央的规定和要求，绝不做有违党的宗旨和脱离人民群众的事。

二、今后，确需修建的已故领导同志纪念设施，统一由党中央、国务院统筹规划和安排，各地区、各部门不得再就此问题向中央提出申请和报告。经党中央、国务院规划和安排并责成有关地区或部门负责修建的纪念设施，承建地区和部门必须严格按照党中央、国务院批准的方案组织施工，不得擅自扩大建设规模和突破投资概算。

三、未经党中央、国务院规划和安排，任何地方和单位都不得擅自为已故领导同志修建、扩建纪念馆、纪念亭、纪念碑、陵园、陵墓，树立塑像，建立个人故居和其他纪念设施。凡未经党中央、国务院规划和安排擅自修建、扩建纪念设施的，计划部门不得立项，土地行政主管部门不得办理土地审批，财政部门不得拨款，城乡建设规划部门不得安排建设规划。

四、已故领导同志的故居和生前工作过的场所应正常使用，不得擅自辟为纪念地。已故领导同志的骨灰要按有关规定妥善安置。已安放在北京八宝山革命公墓和其他城市革命公墓中的已故领导同志骨灰，一般不要迁往他处安葬或安放。已故领导同志亲属要求并经批准移往他处安葬或安放的，应一次全部迁出。重新安葬或安放时，不得占用耕地、林地，不得迁入风景名胜区，不得在烈士陵园内新建纪念设施；占地面积按照《殡葬管理条例》和《国务院办公厅转发民政部关于进一步加强公墓管理意见的通知》（国办发〔1998〕25号）的有关规定执行；不立塑像，不搞评价性碑文，不作宣传报道。

五、各级党委、政府和各有关部门要坚持原则，坚决按规定办事，绝不能迫于人情而乱批、乱建纪念设施。已故领导同志亲属或生前身边工作人员可以向组织反映自己的要求，但绝不能利用已故领导同志生前的影响和声望到他们生活和工作过的地方要地要钱。对已故领导同志亲属或生前身边工作人员提出的不适当要求，有关地方、部门和单位要理直气壮地做好劝导工作，说服他们严格遵守党和国家有关规定，自觉维护已故领导同志的形象。对不听劝阻、对地方施加压力，执意要求修建纪念设施的已故领导同志亲属和生前身边工作人员，其所在单位要进行严肃处理。任何单位和个人都不准以修建、扩建纪念设施为名搞集资、搞摊派、搞募捐、拉赞助。

六、对未经党中央、国务院批准，目前正在建设的纪念设施，必须立即停建，并做出妥善处理。对位于风景名胜区、历史文化保护区内的不符合规划要求、影响景观风貌的纪念设施，应立即拆除。对即将建成但尚可改造的，应改建为其他社会经济文化福利设施。对违反规定动用财政资金或靠集资、摊派修建、扩建纪念设施的单位主要负责人和直接责任人，要依照党纪、政纪的有关规定进行严肃处理。对以修建、扩建纪念设施为名挪用扶贫资金和其他专项资金或从事其他违法活动的，要依法追究单位领导人和直接责任人的法律责任。

七、各省、自治区、直辖市党委和人民政府接到本通知后，要立即对本地区为已故领导同志修建、扩建纪念设施的情况进行一次全面检查清理，逐一详细登记，并对违反规定修建的纪念设施提出处理意见，向党中央、国务院作出负责任的专题报告。中央将适时派出检查组，对贯彻落实本通知精神的情况进行督促检查。

《通知》指出，所称已故领导同志，是指生前担任省、部级以上领导职务的同志。对为已故其他领导同志修建纪念设施的，参照本通知精神执行。

（2000年2月22日《人民日报》）

违反行政事业性收费和罚没收入收支两条线管理规定行政处分暂行规定

（2000年2月12日中华人民共和国国务院令第281号发布）

第一条 为了严肃财经纪律，加强廉政建设，落实行政事业性收费和罚没收入“收支两条线”管理，促进依法行政，根据法律、行政法规和国家有关规定，制定本规定。

第二条 国家公务员和法律、行政法规授权行使行政事业性收费或者罚没职能的事业单位的工作人员有违反“收支两条线”管理规定行为的，依照本规定给予行政处分。

第三条 本规定所称“行政事业性收费”，是指下列属于财政性资金的收入：

（一）依据法律、行政法规、国务院有关规定、国务院财政部门与计划部门共同发布的规章或者规定以及省、自治区、直辖市的地方性法规、政府规章或者规定和省、自治区、直辖市人民政府财政部门与计划（物价）部门共同发布的规定所收取的各项收费；

（二）法律、行政法规和国务院规定的以及国务院财政部门按照国家有关规定批准的政府性基金、附加。

事业单位因提供服务收取的经营服务性收费不属于行政事业性收费。

第四条 本规定所称“罚没收入”，是指法律、行政法规授权的执行处罚的部门依法实施处罚取得的罚没款和没收物品的折价收入。

第五条 违反规定，擅自设立行政事业性收费项目或者设置罚没处罚的，对直接负责的主管人员和其他直接责任人员给予降级或者撤职处分。

第六条 违反规定，擅自变更行政事业性收费或者罚没范围、标准的，对直接负责的主管人员和其他直接责任人员给予记大过处分；情节严重的，给予降级或者撤职处分。

第七条 对行政事业性收费项目审批机关已经明令取消或者降低标准的收费项目，仍按原定项目或者标准收费的，对直接负责的主管人员和其他直接责任人员给予记大过处分；情节严重的，给予降级或者撤职处分。

第八条 下达或者变相下达罚没指标的，对直接负责的主管人员和其他直接责任人员给予降级或者撤职处分。

第九条 违反《收费许可证》规定实施行政事业性收费的，对直接负责的主管人员和其他直接责任人员给予警告处分；情节严重的，给予记过或者记大过处分。

第十条 违反财政票据管理规定实施行政事业性收费、罚没的，对直接负责的主管人员和其他直接责任人员给予降级或者撤职处分；以实施行政事业性收费、罚没的名义收取钱物，不出具任何票据的，给予开除处分。

第十一条 违反罚款决定与罚款收缴分离的规定收缴罚款的，对直接负责的主管人员和其他直接责任人员给予记大过或者降级处分。

第十二条 不履行行政事业性收费、罚没职责，应收不收、应罚不罚，经批评教育仍不改正的，对直接负责的主管人员和其他直接责任人员给予警告处分；情节严重的，给予记过或者记大过处分。

第十三条 不按照规定将行政事业性收费纳入单位财务统一核算、管理的，对直接负责的主管人员和其他直接责任人员给予记过处分；情节严重的，给予记大过或者降级处分。

第十四条 不按照规定将行政事业性收费缴入国库或者预算外资金财政专户的，对直接负责的主管人员和其他直接责任人员给予记大过处分；情节严重的，给予降级或者撤职处分。

不按照规定将罚没收入上缴国库的，依照前款规定给予处分。

第十五条 违反规定，擅自开设银行账户的，对直接负责的主管人员和其他直接责任人员给予降级处分；情节严重的，给予撤职或者开除处分。

第十六条 截留、挪用、坐收坐支行政事业性收费、罚没收入的，对直接负责的主管人员和其他直接责任人员给予降级处分；情节严重的，给予撤职或者开除处分。

第十七条 违反规定，将行政事业性收费、罚没收入用于提高福利补贴标准或者扩大福利补贴范围、滥发奖金实物、挥霍浪费或者有其他超标准支出行为的，对直接负责的主管人员和其他直接责任人员给予记大过处分；情节严重的，给予降级或者撤职处分。

第十八条 不按照规定编制预算外资金收支计划、单位财务收支计划和收支决算的，对直接负责的主管人员和其他直接责任人员给予记过处分；情节严重的，给予记大过或者降级处分。

第十九条 不按照预算和批准的收支计划核拨财政资金，贻误核拨对象正常工作的，对直接负责的主管人员和其他直接责任人员给予记过处分；情节严重的，给予记大过或者降级处分。

第二十条 对坚持原则抵制违法违纪的行政事业性收费、罚没行为的单位或者个人打击报复的，给予降级处分；情节严重的，给予撤职或者开除处分。

第二十一条 实施行政处分的权限以及不服行政处分的申诉，按照国家有关规定办理。

第二十二条 违反本规定，构成犯罪的，依法追究刑事责任。

第二十三条 本规定自发布之日起施行。

（2000年2月18日《人民日报》）

互联网信息服务管理办法

（中华人民共和国国务院令第292号发布）

第一条 为了规范互联网信息服务活动，促进互联网信息服务健康有序发展，制定本办法。

第二条 在中华人民共和国境内从事互联网信息服务活动，必须遵守本办法。

本办法所称互联网信息服务，是指通过互联网向上网用户提供信息的服务活动。

第三条 互联网信息服务分为经营性和非经营性两类。

经营性互联网信息服务，是指通过互联网向上网用户有偿提供信息或者网页制作等服务活动。

非经营性互联网信息服务，是指通过互联网向上网用户无偿提供具有公开性、共享性信息的服务活动。

第四条 国家对经营性互联网信息服务实行许可制度；对非经营性互联网信息服务实行备案制度。

未取得许可或者未履行备案手续的，不得从事互联网信息服务。

第五条 从事新闻、出版、教育、医疗保健、药品和医疗器械等互联网信息服务，依照法律、行政法规以及国家有关规定须经有关主管部门审核同意，在申请经营许可或者履行备案手续前，应当依法经有关主管部门审核同意。

第六条 从事经营性互联网信息服务，除应当符合《中华人民共和国电信条例》规定的要求外，还应当具备下列条件：（一）有业务发展计划及相关技术方案；（二）有健全的网络与信息安全保障措施，包括网站安全保障措施、信息安全保密管理制度、用户信息安全管理制度；（三）服务项目属于本办法第五条规定范围的，已取得有关主管部门同意的文件。

第七条 从事经营性互联网信息服务，应当向省、自治区、直辖市电信管理机构或者国务院信息产业主管部门申请办理互联网信息服务增值电信业务经营许可证（以下简称经营许可证）。

省、自治区、直辖市电信管理机构或者国务院信息产业主管部门应当自收到申请之日起60日内审查完毕，作出批准或者不予批准的决定。予以批准的，颁发经营许可证；不予批准的，应当书面通知申请人并说明理由。

申请人取得经营许可证后，应当持经营许可证向企业登记机关办理登记手续。

第八条 从事非经营性互联网信息服务，应当向省、自治区、直辖市电信管理机构或者国务院信息产业主管部门办理备案手续。办理备案时，应当提交下列材料：（一）主办单位和网站负责人的基本情况；（二）网站网址和服务项目；（三）服务项目属于本办法第五条规定范围的，已取得有关主管部门同意的文件。

省、自治区、直辖市电信管理机构对备案材料齐全的，应当予以备案并编号。

第九条 从事互联网信息服务，拟开办电子公告服务的，应当在申请经营性互联网信息服务许可或者办理非经营性互联网信息服务备案时，按照国家有关规定提出专项申请或者专项备案。

第十条 省、自治区、直辖市电信管理机构和国务院信息产业主管部门应当公布取得经营许可证或者已履行备案手续的互联网信息服务提供者名单。

第十一条 互联网信息服务提供者应当按照经许可或者备案的项目提供服务，不得超出经许可或者备案的项目提供服务。

非经营性互联网信息服务提供者不得从事有偿服务。

互联网信息服务提供者变更服务项目、网站网址等事项的，应当提前30日向原审核、发证或者备案机关办理变更手续。

第十二条 互联网信息服务提供者应当在其网站主页的显著位置标明其经营许可证编号或者备案编号。

第十三条 互联网信息服务提供者应当向上网用户提供良好的服务，并保证所提供的信息内容合法。

第十四条 从事新闻、出版以及电子公告等服务项目的互联网信息服务提供者，应当记录提供的信息内容及其发布时间、互联网地址或者域名；互联网接入服务提供者应当记录上网用户的上网时间、用户账号、互联网地址或者域名、主叫电话号码等信息。

互联网信息服务提供者和互联网接入服务提供者的记录备份应当保存60日，并在国家有关机关依法查询时，予以提供。

第十五条 互联网信息服务提供者不得制作、复制、发布、传播含有下列内容的信息：（一）反对宪法所确定的基本原则的；（二）危害国家安全，泄露国家秘密，颠覆国家政权，破坏国家统一的；（三）损害国家荣誉和利益的；（四）煽动民族仇恨、民族歧视，破坏民族团结的；（五）破坏国家宗教政策，宣扬邪教和封建迷信的；（六）散布谣言，扰乱社会秩序，破坏社会稳定的；（七）散布淫秽、色情、赌博、暴力、凶杀、恐怖或者教唆犯罪的；（八）侮辱或者诽谤他人，侵害他人合法权益的；（九）含有法律、行政法规禁止的其他内容的。

第十六条 互联网信息服务提供者发现其网站传输的信息明显属于本办法第十五条所列内容之一的，应当立即停止传输，保存有关记录，并向国家有关机关报告。

第十七条 经营性互联网信息服务提供者申请在境内境外上市或者同外商合资、合作，应当事先经国务院信息产业主管部门审查同意；其中，外商投资的比例应当符合有关法律、行政法规的规定。

第十八条 国务院信息产业主管部门和省、自治区、直辖市电信管理机构，依法对互联网信息服务实施监督管理。

新闻、出版、教育、卫生、药品监督管理、工商行政管理和公安、国家安全等有关主管部门，在各自职责范围内依法对互联网信息内容实施监督管理。

第十九条 违反本办法的规定，未取得经营许可证，擅自从事经营性互联网信息服务，或者超出许可的项目提供服务的，由省、自治区、直辖市电信管理机构责令限期改正，有违法所得的，没收违法所得，处违法所得3倍以上5倍以下的罚款；没有违法所得或者违法所得不足5万元的，处10万元以上100万元以下的罚款；情节严重的，责令关闭网站。

违反本办法的规定，未履行备案手续，擅自从事非经营性互联网信息服务，或者超出备案的项目提供服务的，由省、自治区、直辖市电信管理机构责令限期改正；拒不改正的，责令关闭网站。

第二十条 制作、复制、发布、传播本办法第十五条所列内容之一的信息，构成犯罪的，依法追究刑事责任；尚不构成犯罪的，由公安机关、国家安全机关依照《中华人民共和国治安管理处罚条例》、《计算机信息网络国际联网安全保护管理办法》等有关法律、行政法规的规定予以处罚；对经营性互联网信息服务提供者，并由发证机关责令停业整顿直至吊销经营许可证，通知企业登记机关；对非经营性互联网信息服务提供者，并由备案机关责令暂时关闭网站直至关闭网站。

第二十一条 未履行本办法第十四条规定的义务的，由省、自治区、直辖市电信管理机构责令改正；情节严重的，责令停业整顿或者暂时关闭网站。

第二十二条 违反本办法的规定，未在其网站主页上标明其经营许可证编号或者备案编号的，由省、自治区、直辖市电信管理机构责令改正，处5000元以上5万元以下的罚款。

第二十三条 违反本办法第十六条规定的义务的，由省、自治区、直辖市电信管理机构责令改正；情节严重的，对经营性互联网信息服务提供者，并由发证机关吊销经营许可证，对非经营性互联网信息服务提供者，并由备案机关责令关闭网站。

第二十四条 互联网信息服务提供者在其业务活动中，违反其他法律、法规的，由新闻、出版、教育、卫生、药品监督管理和工商行政管理等有关主管部门依照有关法律、法规的规定处罚。

第二十五条 电信管理机构和其他有关主管部门及其工作人员，玩忽职守、滥用职权、徇私舞弊，疏于对互联网信息服务的监督管理，造成严重后果，构成犯罪的，依法追究刑事责任；尚不构成犯罪的，对直接负责的主管人员和其他直接责任人员依法给予降级、撤职直至开除的行政处分。

第二十六条 在本办法公布前从事互联网信息服务的，应当自本办法公布之日起60日内依照本办法的有关规定补办有关手续。

第二十七条 本办法自公布之日起施行。

（2000年10月9日《人民日报》）

广播电视设施保护条例

（中华人民共和国国务院令第295号发布）

第一章 总 则

第一条 为了维护广播电视设施的安全，确保广播电视信号顺利优质地播放和接收，制定本条例。

第二条 在中华人民共和国境内依法设立的广播电视台、站（包括有线广播电视台、站，下同）和广播电视传输网的下列设施的保护，适用本条例：

（一）广播电视信号发射设施，包括天线、馈线、塔桅（杆）、地网、卫星发射天线及其附属设备等；

（二）广播电视信号专用传输设施，包括电缆线路、光缆线路（以下统称传输线路）、塔桅

(杆)、微波等空中专用传输通路、微波站、卫星地面接收设施、转播设备及其附属设备等；

(三)广播电视信号监测设施，包括监测接收天线、馈线、塔桅(杆)、测向场强室及其附属设备等。

传输广播电视信号所利用的公用通信等网络设施的保护和管理，依照有关法律、行政法规的规定执行。

第三条 县级以上人民政府应当将广播电视设施的规划和保护纳入城乡建设总体规划，并加强广播电视设施保护的宣传教育工作。

县级以上人民政府负责广播电视行政管理工作的部门或者机构(以下统称广播电视行政管理部门)负责所管辖的广播电视设施的保护工作，并采取措施，确保广播电视设施的安全。

第四条 任何单位和个人均有保护广播电视设施的义务。

禁止任何单位和个人侵占、哄抢、私分、截留、破坏广播电视设施。

任何单位和个人对危害广播电视设施的行为，均有权制止并向有关部门报告。

第二章 保护措施

第五条 广播电视设施管理单位负责广播电视设施的维护和保养，保证其正常运行。

广播电视设施管理单位应当在广播电视设施周围设立保护标志，标明保护要求。

第六条 禁止危及广播电视信号发射设施的安全和损害其使用效能的下列行为：

(一)拆除或者损坏天线、馈线、地网以及天线场地的围墙、围网及其附属设备、标志物；

(二)在中波天线周围250米范围内建筑施工，或者以天线外250米为计算起点兴建高度超过仰角3度的高大建筑；

(三)在短波天线前方500米范围内种植成林树木、堆放金属物品、穿越架空电力线路、建筑施工，或者以天线外500米为计算起点兴建高度超过仰角3度的高大建筑；

(四)在功率300千瓦以上的定向天线前方1000米范围内建筑施工，或者以天线外1000米为计算起点兴建高度超过仰角3度的高大建筑；

(五)在馈线两侧各3米范围内建筑施工，或者在馈线两侧各5米范围内种植树木、种植高秆作物；

(六)在天线、塔桅(杆)周围5米或者可能危及拉锚安全的范围内挖沙、取土、钻探、打桩、倾倒腐蚀性物品。

第七条 禁止危及广播电视信号专用传输设施的安全和损害其使用效能的下列行为：

(一)在标志埋设地下传输线路两侧各5米和水下传输线路两侧各50米范围内进行铺设易燃易爆液(气)体主管道、抛锚、拖锚、挖沙等施工作业；

(二)移动、损坏传输线路、终端杆、塔桅(杆)及其附属设备、标志物；

(三)在标志埋设地下传输线路的地面周围1米范围内种植根茎可能缠绕传输线路的植物、倾倒腐蚀性物品；

(四)树木的顶端与架空传输线路的间距小于2米；

(五)在传输线路塔桅(杆)、拉线周围1米范围内挖沙、取土，或者在其周围5米范围内倾倒腐蚀性物品、堆放易燃易爆物品；

(六)在传输线路塔桅(杆)、拉线上拴系牲畜、悬挂物品、攀附农作物。

第八条 禁止危及广播电视信号监测设施的安全和损害其使用效能的下列行为：

(一)移动、损坏监测接收天线、塔桅(杆)及其附属设备、标志物；

(二)在监测台、站周围违反国家标准架设架空电力线路，兴建电气化铁路、公路等产生电磁辐射的设施或者设置金属构件；

(三)在监测台、站测向场强室周围150米范围内种植树木、高秆作物、进行对土地平坦有影响的挖掘、施工；

(四)在监测天线周围1000米范围内建筑施工，或者以天线外1000米为计算起点修建高度超过仰角3度的建筑物、构筑物或者堆放超高的物品。

第九条 禁止危及广播电视设施安全和损害其使用效能的下列行为：

(一)在广播电视设施周围500米范围内进行爆破作业；

(二)在天线、馈线、传输线路及其塔桅

(杆)、拉线周围500米范围内进行烧荒;

(三)在卫星天线前方50米范围内建筑施工,或者以天线前方50米为计算起点修建高度超过仰角5度的建筑物、构筑物或者堆放超高的物品;

(四)在发射、监测台、站周围1500米范围内兴建有严重粉尘污染、严重腐蚀性化学气体溢出或者产生放射性物质的设施;

(五)在发射、监测台、站周围500米范围内兴建油库、加油站、液化气站、煤气站等易燃易爆设施。

第十条 新建、扩建广播电视设施,应当遵守城乡建设总体规划,按照国家有关规定选址,避开各种干扰源。

第十一条 广播电视信号发射设施的建设,应当符合国家有关电磁波防护和卫生标准;在已有发射设施的场强区内,兴建机关、工厂、学校、商店、居民住宅等设施的,除应当遵守本条例有关规定外,还应当符合国家有关电磁波防护和卫生标准。

第十二条 在标志埋设广播电视传输线路两侧2米范围内堆放笨重物品、种植树木及平整土地的,应当事先征得广播电视设施管理单位的同意,并采取有效防范措施后,方可进行。

第十三条 在天线、馈线周围500米范围外进行烧荒等活动,可能危及广播电视设施安全的,应当事先通知广播电视设施管理单位,并采取有效防范措施后,方可进行。

第十四条 在天线、馈线周围种植树木或者农作物的,应当确保巡视、维修车辆的通行;巡视、维修车辆通行,对树木或者农作物造成损失的,由广播电视设施管理单位按照国家有关规定给予补偿。

对高度超越架空传输线路保护间距要求的树木,广播电视设施管理单位有权剪除其超越部分。

第十五条 在广播电视传输线路上接挂收听、收视设备,调整、安装有线广播电视的光分配器、分支放大器等设备,或者在有线广播电视设备上插接分支分配器、其他线路的,应当经广播电视设施管理单位同意,并由专业人员安装。

第十六条 在天线场地敷设电力、通讯线路或者在架空传输线路上附挂电力、通讯线路的,应当事先征得广播电视设施管理单位同意,并在专业人员的指导下进行施工。

第十七条 广播电视设施管理单位的专用供电、供水、通信等,有关部门或者单位应当予以保障。

广播电视设施管理单位应当按照有关广播电视行政管理部门的要求,对重要的广播电视设施配备备用电源、水源等设施。

第十八条 进行工程建设,应当尽量避开广播电视设施;重大工程项目确实无法避开而需要搬迁广播电视设施的,城市规划行政主管部门在审批前,应当征得有关广播电视行政管理部门同意。

迁建工作应当坚持先建设后拆除的原则。迁建所需费用由造成广播电视设施迁建的单位承担。迁建新址的技术参数应当按照国家有关规定报批。

第十九条 确需在已有广播电视信号空中专用传输通路内兴建建设工程的,城市规划行政主管部门在审批前,应当征得有关广播电视行政管理部门同意。

因建设工程阻挡空中专用传输通路,需要建立广播电视空中信号中继站的,建设单位应当承担所需费用并给予相应的经济补偿。

第三章 罚 则

第二十条 违反本条例规定,在广播电视设施保护范围内进行建筑施工、兴建设施或者爆破作业、烧荒等活动的,由县级以上人民政府广播电视行政管理部门或者其授权的广播电视设施管理单位责令改正,限期拆除违章建筑、设施,对个人处1000元以上1万元以下的罚款,对单位处2万元以上10万元以下的罚款;对其直接负责的主管人员及其他直接责任人员依法给予行政处分;违反治安管理规定的,由公安机关依法给予治安管理处罚;构成犯罪的,依法追究刑事责任。

第二十一条 违反本条例规定,损坏广播电视设施的,由县级以上人民政府广播电视行政管理部门或者其授权的广播电视设施管理单位责令改正,对个人处1000元以上1万元以下的罚款,对单位处2万元以上10万元以下的罚款;对其直接负责的主管人员及其他直接责任人员依法给予行政处分;违反治安管理规定的,由公安机关依法给予治安管理处罚;构成犯罪的,依法追究刑事责任。

第二十二条 违反本条例规定，在广播电视设施保护范围内有下列行为之一的，由县级以上人民政府广播电视行政管理部门或者其授权的广播电视设施管理单位责令改正，给予警告，对个人可处以2000元以下的罚款，对单位可处以2万元以下的罚款：

（一）种植树木、农作物的；

（二）堆放金属物品、易燃易爆物品或者设置金属构件、倾倒腐蚀性物品的；

（三）钻探、打桩、抛锚、拖锚、挖沙、取土的；

（四）拴系牲畜、悬挂物品、攀附农作物的。

第二十三条 违反本条例规定，未经同意，擅自实施下列行为之一的，由县级以上人民政府广播电视行政管理部门或者其授权的广播电视设施管理单位责令改正，对个人可处以2000元以下的罚款，对单位可处以1万元以下的罚款：

（一）在广播电视传输线路保护范围内堆放笨重物品、种植树木、平整土地的；

（二）在天线、馈线保护范围外进行烧荒等的；

（三）在广播电视传输线路上接挂、调整、安装、插接收听、收视设备的；

（四）在天线场地敷设或者在架空传输线路上附挂电力、通信线路的。

第二十四条 违反本条例规定，未经城市规划主管部门批准和广播电视行政管理部门同意，擅自进行建设工程的，由城市规划主管部门依照有关法律、法规的规定给予处罚。

第二十五条 广播电视行政管理部门、城市规划主管部门、公安机关的工作人员违反本条例规定，滥用职权、玩忽职守、徇私舞弊，造成广播电视设施严重损害或者严重影响其使用效能，构成犯罪的，依法追究刑事责任；尚不构成犯罪的，依法给予行政处分。

第二十六条 损坏广播电视设施无法恢复原状的，当事人应当依法承担赔偿责任。

第四章 附 则

第二十七条 本条例自公布之日起施行。1987年4月24日国务院发布的《广播电视设施保护条例》同时废止。

（2000年11月14日《人民日报》）

中央精神文明建设指导委员会
关于在城市深入开展创建文明社区工作的若干意见

（文明委〔2000〕5号）

为贯彻落实江泽民同志关于加强社区建设的重要指示和中央思想政治工作会议精神，加强社区精神文明建设，发挥社区在城市改革、发展、稳定方面的作用，现就在全国城市深入开展创建文明社区活动，提出如下意见。

一、创建文明社区工作的重要性和紧迫性

（1）在创建文明城市工作中逐步兴起的创建文明社区活动，是人民群众在党的领导下创造美好生活的生动实践，是把精神文明建设落实到基层的有效载体，改革开放以来，特别是党的十四届六中全会以来，创建文明社区工作呈现出扎实推进、持续发展的良好态势。社区环境明显改观，社区管理得到加强，社区风气逐步好转，文明楼院、文明小区数量不断增多，对促进改革、发展、稳定发挥了积极作用。实践证明，深入开展创建文明社区活动，对于促进城市经济社会协调发展、提高群众生活质量、加强思想政治工作、维护社会稳定，都具有重要意义。

(2) 我国正处在改革的攻坚阶段和发展的关键时期。随着改革的深化和经济的发展，城市基层社会结构和人们的就业方式、生活方式正在发生深刻变化，城市居民与社区的关系越来越密切，城市社区在城市改革、发展、稳定中的地位和作用越来越重要。加强城市社区建设已经成为我国城市改革和发展面临的一项重要而紧迫的任务。深入开展创建文明社区工作，是加强思想政治工作和精神文明建设的迫切需要，是加强城市建设和城市管理的迫切需要，是改善居民生活环境、维护社会政治稳定的迫切需要，是密切党同群众关系、巩固党的执政基础的迫切需要。创建文明社区工作大有潜力，大有可为，大有希望。各级文明委和有关部门必须从维护改革发展稳定的高度，紧密结合我国改革发展的新情况，紧密结合人民群众进入小康社会对物质文化生活提出的新要求，充分认识创建文明社区工作的重要意义，进一步增强责任感和紧迫感，认认真真、扎扎实实地把创建文明社区工作抓紧抓好。

二、创建文明社区工作的方针原则

(3) 坚持邓小平理论和党的基本路线，认真贯彻江泽民同志关于“三个代表”的重要思想。要以提高居民素质和社区文明程度为主要目标，按照巩固、提高、延伸、辐射的工作思路，努力建设环境优美、秩序优良、服务优质、管理优化的现代城市社区，形成崇尚先进、团结互助、扶正祛邪、积极向上的社区道德风尚，促进城市两个文明建设协调发展。

(4) 坚持以经济建设为中心，为全党全国工作大局服务。要紧紧围绕深化改革、扩大开放、促进发展、维护稳定，密切配合党和政府的中心任务开展工作，努力把社区干部群众的思想统一到党的路线方针政策上来，把广大居民的智慧和力量凝聚到落实社会主义现代化建设的各项任务上来。

(5) 坚持一切为了群众，一切依靠群众。要始终遵循全心全意为人民服务的宗旨，把服务群众、造福人民作为全部工作的出发点和落脚点，以群众欢迎不欢迎、赞成不赞成作为评价创建工作的根本标准。紧紧抓住群众最关心、反映最强烈的“急、难、愁”问题，每年办几件作用大、影响大的实事，把工作做到群众心坎上，使社区群众得到实实在在的利益。要尊重群众的创造精神，围绕社区居民相互帮助和自我服务，采取群众喜闻乐见的活动方式，把群众参与创建活动的积极性引导好、保护好、发挥好。

(6) 坚持教育与管理相结合。要把教育的内容和要求寓于生动活泼的活动之中，增强教育的吸引力和感染力。要综合运用教育、舆论、行政、法律等多种手段，把教育与管理、内在约束与外在约束结合起来，提高文明素质，增强自律意识，形成扶正祛邪、扬善惩恶的良好社会环境。

(7) 坚持一切从实际出发。要因地制宜，点面结合，分步推进，务求实效。注意区别发达地区与欠发达地区、中心城市与其他城市、新城区与老城区的不同情况，适应城市发展水平，适应社区建设要求，适应群众承受能力。既要积极进取，又要量力而行。坚决防止脱离实际、脱离群众，坚决反对官僚主义、形式主义。

三、创建文明社区的主要任务

(8) 开展社区教育，提高居民素质。要紧密结合干部群众在思想认识和工作生活中产生的新问题，以理想信念为核心，着力加强党的基本理论、基本路线、基本纲领教育，加强形势政策教育，引导广大干部群众“致富思源，富而思进”，坚定对建设有中国特色社会主义的信念、对改革开放和现代化建设的信心、对党和政府的信任。加强爱国主义、集体主义、社会主义和艰苦奋斗教育，引导居民爱祖国、爱城市、爱社区，齐心协力共建美好家园。加强社会公德、职业道德和家庭美德教育，树立良好的社会道德风尚，形成团结互助、平等友爱、共同前进的新型人际关系。宣传普及科学知识、科学思想、科学精神和科学方法，在社区内形成崇尚科学、破除迷信、抵制歪理邪说的良好氛围。

(9) 搞好综合治理，保障安居乐业。要坚持治标与治本结合，近期和长远兼顾，从解决脏、乱、差问题入手，加强日常保洁管理，加强对烟尘、噪声和水污染等的防治，搞好社区绿化美化，不断改善环境质量。要积极开展法制教育，建立健全规范居民行为的规章制度，引导社区居民增强法律意识，自觉遵纪守法，养成良好行为习惯，并积极同各种违法犯罪行为作斗争。加强防火、防盗、防自然灾害、防破坏的“四防”宣传教育，落实各项防范和管理措施，切实保障社区居民的人身和财产安全。要建立社区治安综合治理网络，完善群防群治体系。认真做好人民调解工作,积极疏导化解各种矛盾纠纷。要严厉打击各种违法犯罪行为,坚决扫除黄、赌、毒等各种社会丑恶现象。

（10）发展社区服务，提高生活质量。要积极倡导社区志愿者服务。发动社区居民发挥各自特长和优势，热心参与群众性互助服务。要大力发展面向社区残疾人、老年人、优抚对象和困难群众的福利性服务，配合有关部门做好社会保障工作。开展预防、医疗、保健、康复、健康教育、计划生育咨询等社区卫生服务。社区物业管理要根据委托合同规定，切实履行职责，提供相应服务。要逐步引入竞争机制，努力降低管理成本。要端正服务方向，讲求职业道德，自觉接受社区居民的监督，努力提高社区物业管理水平和服务质量，为居民提供全面、方便、优质的经营性服务。

（11）开展文体活动，丰富文化生活。要大力发展广场文化、企业文化、楼院文化、家庭文化，充分利用各类文体活动中心、图书室、影剧院、文化宫、俱乐部等文化场馆，经常组织具有社区特色的群众性文体活动，丰富居民精神文化生活，增强社区文化的凝聚力，形成科学文明健康的生活方式。

（12）加强设施建设，完善社区功能。要结合城市新区建设、旧区改造，有计划有步骤地完善社区的环卫、服务、医疗、计划生育、通信、交通、文体、社会福利等设施，努力建设和开辟更多面向广大群众、便于群众参与的公益性文化体育场所，特别要设法多建设一些老年人和青少年学生的活动场所。同时要十分重视现有资源的开发利用，本着自愿互惠的原则，实现社区资源共享。提倡和鼓励驻区单位向社区居民开放文体设施和服务设施。

四、加强社区思想政治工作

（13）把加强思想政治工作放在创建文明社区的突出位置。党的思想政治工作，是经济工作和其他一切工作的生命线，是团结全党和全国人民实现党和国家各项任务的中心环节，也是创建文明社区的基础工作和基本保证。要紧密结合不断发展变化的新形势，深入分析对社区居民的思想发生作用的客观环境及其基本特点，认真研究社区思想政治工作的规律，不断探索新的方式、方法、手段和机制，把思想政治工作的任务落实到创建文明社区各项工作之中。

（14）增强社区思想政治工作的针对性和实效性。要坚持经常深入基层、深入群众，认真调查研究群众思想活动的新情况新变化，针对工人、知识分子、干部、军人、离退休人员和进城务工人员的不同特点，进行耐心细致的工作。对干部群众关心的热点、难点问题，及时作出有说服力的回答。要坚持把解决思想问题同解决实际问题结合起来，把教育群众同切实服务群众结合起来，把开展面对面的说服教育同发挥大众传媒的宣传引导作用结合起来，努力提高思想政治工作的感召力和渗透力。

（15）扩大社区思想政治工作的覆盖面。社区要与学校、家庭相互配合，对青少年进行法制教育、道德教育和科普教育，组织他们参与社区的志愿服务、义务劳动和文体活动。要积极创造有利于青少年健康成长的社区环境，注重发挥青少年在创建文明社区中的生力军作用。要重视做好老龄人口的思想引导工作，帮助他们解决生活上的问题，开展健康有益的文体活动，使他们老有所学，老有所养，老有所乐。要注意发挥离退休的老党员、老干部、老教师、老工人、老劳模在社区思想政治工作中的积极作用。要努力帮助下岗职工解决实际困难，积极提供就业机会，同时引导他们树立正确的择业观念，增强自强自立精神，帮助他们掌握新的劳动技能。对非公有制单位工作人员、个体工商户以及进城务工经商人员，要及时了解他们的思想状况，切实承担起对他们的管理和教育责任。

（16）加强社区思想文化阵地建设。要把社区内的爱国主义教育基地、市民学校、民工夜校、文化场馆，以及广场、公园等一切居民经常聚集的场所，建设成为宣传科学理论、传播先进文化、塑造美好心灵、弘扬社会正气的阵地。要加强对文化娱乐场所和书报销售摊点的管理，各类经营性娱乐场所要在提高居民素质和社区文明程度方面发挥积极作用，决不能传播封建迷信、伪科学、腐朽思想和文化垃圾。要紧密围绕“倡导文明新风、共建美好家园”，充分发挥创建文明家庭、文明楼院、文明小区，以及志愿者、送温暖、献爱心等群众性创建活动的载体作用，引导居民在参与创建活动中自我教育、自我服务、自我管理、自我约束，不断提高自身素质。

五、加强对创建文明社区工作的领导

（17）各级党委和政府要把创建文明社区工作摆上重要日程。要制定创建文明社区长远规划，把创建文明社区纳入城市和社区经济社会发展的总体规划。要明确阶段性目标，提出工作措施，统筹安排，循序渐进，持续发展。要坚持抓基层、打基础，从创建文明小区抓起，争取每年建成一批文明小区。各省会城市、自治区首府和沿海沿交通干线大城市要率先建成一批文明社区，充分发挥它们的辐射带动作用。要把创建文明社区的工作成效作为评选创建文明城市的一项重要条件。

（18）充分发挥基层党组织在创建文明社区工作中的核心作用。街道党（工）委要着力抓好建立和健全党的基层组织，特别要注意加强社区内各类经济组织、社会组织的党组织建设，进一步增强基层党组织在创建文明社区工作中的凝聚力和战斗力。要依靠和协调驻区机关、企事业单位和部队的党组织，发动和组织在职党员积极参与和支持创建文明社区工作，切实发挥先锋模范作用。

（19）努力建设一支高素质的社区工作队伍。要根据创建文明社区的需要，结合城市管理体制改革和党政机构改革，加强街道办事处和居委会的建设，推荐那些思想品质好、善于联系群众、热爱社区工作、热心公益事业的同志参加社区管理工作。同时，要根据社区工作特点，努力建设一支主要由志愿者组成的文体活动辅导员、科普宣传员、校外辅导员等创建文明社区的骨干队伍。要依照国家有关规定，不断完善社区干部的民主选举和民主监督制度，密切社区党群、干群关系。

（20）加强统筹协调，形成工作合力。在上级党委和政府的统一领导下，积极发挥街道党（工）委、办事处的主导作用，有关部门的职能作用，驻区单位的配合作用，调动各方力量，增强整体效应。要把创建文明社区工作与其他创建活动紧密结合起来，推动以“讲文明树新风”为主要内容的各种群众性创建活动向社区延伸。要在社区内广泛开展军民共建、警民共建、区域共建等活动。创建文明行业、文明单位活动，要把参与创建文明社区作为一项重要内容，同时把社区群众对行业、单位参与社区创建工作的满意程度，作为评选文明行业、文明单位的一个重要标准。组织、宣传、民政、教育、科技、公安、建设、文化、卫生、环保、计划生育、体育、工商等有关部门和工会、共青团、妇联、科协等人民团体，要按照创建文明社区的统一部署，发挥各自优势，开展各具特色的活动。各地文明办要加强与有关方面的联系与合作，切实履行好组织、协调、督促、检查的职责。

中央纪委

关于领导干部配偶子女经商办企业范围划定的通知

中央纪委日前发出通知，要求纪检监察机关对规定的执行情况进行监督检查，抓好落实。

今年初召开的中央纪委第四次全会提出，省（部）、地（厅）级领导干部的配偶、子女，不准在该领导干部管辖的业务范围内个人从事可能与公共利益发生冲突的经商办企业活动。为贯彻、落实这一精神，中央国家机关各部门针对各自的职责范围和业务特点，相继作出规定，界定了本部门、本系统司（局）级以上领导干部的配偶、子女不得经商办企业的具体行业、领域、经营范围和经营项目。公安部规定公安机关司（局）级以上领导干部的配偶、子女不准在该领导干部任职单位管辖的地区从事营业性歌厅、舞厅、游艺厅、夜总会等娱乐业以及洗浴按摩等行业的经营活动；不准从事公安机关各种证、牌、照制作，警服、警械和警用器材的生产、销售以及消防产品的生产、销售、维修和建筑消防工程设计、施工等经营活动等。国家计委规定司（局）级以上领导干部的配偶、子女不准从事国家计委负责安排的国家拨款建设项目、国家重大项目以及重大外资项目、境外项目的投标活动；不准从事向国家计委申请审批项目及计划指标分配当事单位的价格鉴证、工程咨询等有偿社会中介和法律服务活动；不准从事国家计委管理的国家物资储备业务范围内的定货、储备、轮换和国家投放等经营活动等。财政部规定部领导和主管会计、资产评估、财务咨询机构的司（局）级领导干部，其配偶、子女不准在会计师事务所、资产评估事务所、财务咨询公司等社会中介机构中任职；非主管会计、资产评估、财务咨询机构的司（局）级领导干部，其配偶、子女从事会计、资产评估、财务咨询等社会中介服务行业的，不准承接该领导干部所在机构管辖和联系的部门或单位的社会中介服务业务。卫生部规定司（局）级以上领导干部的配偶、子女不准在该领导干部所在部门管辖范围内向医疗卫生单位推销药品、医疗器械等；不准个人从事医疗卫生单位由政府投资或审批项目的投标、承包活动等。国土资源部规定司（局）级以上领导干部的配偶、子女不准从事房地产开发、土地开发、土地拍卖的投标等交易、经营活动等。国家税务总局规定司（局）级以上领导干部的配偶、子女不准在该领导干部管辖的地区个人或合伙经办税务代理和税务咨询等有偿中介业务；不准在该领导干部管辖的业务范围内从事税务票证印制、税务服装制作、税控设备购置以及税务机关的基建工程和大宗物品采购等投标、承包等活动。

中央纪委的通知指出，中央国家机关各部门制定的具体规定同样适用于地方对口部门的司（局）级领导干部以及省、地（市）党委、政府分管该部门的领导干部。各省、自治区、直辖市党委要按照干部管理权限抓好中央国家机关各部门制定的具体规定的落实，纪检监察机关负责对规定执行情况进行监督检查。通知要求各地各部门要在今年10月底之前完成清理纠正工作，对违反规定的坚决纠正，或者领导干部的配偶、子女退出所从事的经商办企业活动，或者领导干部本人辞去现任职务或给予其组织处理。对今年集中清理后领导干部的配偶、子女个人从事可能与公共利益发生冲突的经商办企业活动的，对领导干部本人一律以违纪论处。

（2000年9月29日《人民日报》）

中共中央办公厅　国务院办公厅

关于加强青少年学生活动场所建设和管理工作的通知

改革开放以来，在党中央关于“全党全社会都来关心少年儿童健康成长”的号召下，青少年学生校外活动场所建设得到各级党委、人民政府和社会各界的重视，有了长足的发展。但是，在青少年学生校外活动场所建设和管理方面，也存在不容忽视的问题，无论在数量上、布局上、规模上，都难以满足2.4亿青少年学生健康成长的需要。为了贯彻落实江泽民总书记关于“原有少儿活动场所严禁移作它用。同时各级政府还要尽可能设法多建设一些健康的青少年活动场所和设施”等批示的精神，全面推进素质教育，为广大青少年学生创造良好的社会育人环境，经党中央、国务院同意，现就加强青少年学生校外活动场所建设和管理工作有关问题通知如下：

一、认真加强青少年学生校外活动场所的管理

（一）地方各级党委和人民政府，中央和国家机关各有关部门近期要对青少年学生校外活动场所和设施进行一次全面检查，针对检查中存在的问题，及时进行整改。凡挤占、出租青少年学生活动场所的，必须在规定时限内予以腾退；凡挪用青少年学生活动场所的，要立即予以改正。各级财政部门要对需进行维修和更新设施的青少年学生活动场所优先给予经费支持，重点保障。

（二）由国家和省、自治区、直辖市有关部门命名的“爱国主义教育基地”、“青少年科技教育基地”、“德育基地”等场馆、设施，要低费或积极创造条件免费向青少年学生开放。全国各级革命博物馆、纪念馆、陈列馆、展览馆、革命烈士陵园等单位，要执行《中共中央办公厅、国务院办公厅关于转发〈中央宣传部、国家教委、民政部、文化部、国家文物局、共青团中央关于加强革命文物工作的意见〉的通知》（中办发〔1998〕2号）精神，对中小学校师生有组织的参观活动实行免费，对普通高等学校师生有组织的参观活动可实行免费或半价优惠。地方各级党委和人民政府，中央和国家机关各有关部门要制定具体政策、措施，对上述活动予以保障。

（三）其他各类博物馆、纪念馆、科技馆、文化馆（站）、体育场（馆）、影剧院、工人文化宫（俱乐部）等公共文化设施和企事业单位、社会团体所属的文化体育设施及校外教育设施，必须坚持公益性原则，增加向青少年学生开放的时间，节假日免费或低费向青少年学生开放。地方各级人民政府和各有关部门要在资金、税收政策等方面给予必要的支持。

（四）各级各类学校要充分利用学校内部的各种活动场所、设施和实验室、语音室、计算机室等功能教室，安排好青少年学生的课外活动和校园文化生活，节假日也要向学生开放。要配合社区教育活动，与所在社区的青少年活动场所建立密切联系，积极创造条件丰富青少年学生的校外文娱、体育、科技活动。

二、切实做好青少年学生校外活动场所的规划和建设工作

（五）地方各级人民政府要设法多建设健康的青少年学生校外活动场所和设施。“十五”期间，国家将对缺乏青少年学生校外活动场所的地区，特别是中西部贫困地区给予资金支持。各级人民政府要将面向青少年学生的活动场所和公共文化、体育设施建设纳入国民经济和社会发展规划。青少年学生校外活动场所作为公益性设施，所需建设投资以各级人民政府投入为主。各级人民政府计划部门要高度重视，调整投资结构，加大投资力度。各级人民政府要认真做好“十五”期间青少年宫和活动中心的建设规划，根据实际需要和建设条件，在充分利用现有设施的基础上，新建和扩建一批青少年宫和活动中心，特别是科技、体育、文化等活动场所，大力改善青少年学生校外活动场所条件。在城市建设、旧城改建、居住区建设中必须严格按照国家有关法规和标准的规定，建设青少年学生校外活动场所，并注重内部设施和软件建设，力争到“十五”末期，全国90%以上的县（市）至少有一所青少年宫或活动中心等青少年学生校外活动场所。

（六）各级人民政府财政部门要高度重视，调整支出结构，加大对青少年学生校外活动场所的资金投入。中小城市人民政府财政部门要尽可能增加投入，用于建设青少年学生活动场所。各级财政部门支持青少年学生开展课外活动和维修青少年学生活动场所的经费开支，可以在地方财政对教育经费增加的一个百分点中安排。如果本地区尚未对教育经费采取增加一个百分点的政策，也要克服困难千方百计挤出资金，积极支持青少年学生活动场所建设。

除了各级人民政府的财政资金投入外，还可以从体育彩票和福利彩票的公益金中拿出一部分，专门用于补助青少年校外活动场所的建设和维护。请财政部会同国家体育总局、民政部制定经费筹集意见。

（七）要积极鼓励和支持社会力量兴办青少年学生校外活动场所和捐助各种活动设施及经费。积极发展以社区为依托、公办和民办相结合的青少年学生校外活动场所。地方各级人民政府和国务院有关部门要因地制宜，制定优惠政策，如减免土地出让金、免征配套费等，以引导社会资金，鼓励和支持社会力量兴办公益性的青少年学生活动场所。

三、全社会都要积极支持青少年学生活动场所建设和管理工作

（八）新闻宣传、广播影视、新闻出版、文化艺术等部门要加强对青少年学生的宣传教育工作。宣传部门要及时宣传各地加强青少年学生校外活动场所建设和管理的好经验、好做法。继续加强爱国主义教育示范基地建设，充分发挥示范基地的作用，加大宣传力度。广播影视和新闻出版部门要创作生产和发行播映更多的弘扬主旋律、有益于青少年健康成长的精神产品。充分发挥优秀影视作品在青少年学生教育中的作用。加大投入力度，认真做好儿童影视片的制作和发行放映工作。加强文化市场管理，严格审查制度，严禁播放和出售渲染凶杀、暴力和不健康内容的文化作品。要深入持久地开展“扫黄”、“打非”斗争。国家设立的图书馆、文化馆等公益性文化设施要为青少年学生提供免费服务。

（九）公安、政法、文化、工商等部门要认真贯彻执行《中华人民共和国未成年人保护法》、《中华人民共和国预防未成年人犯罪法》、《娱乐场所管理条例》和《音像制品管理条例》，要切实加强对营业性歌舞娱乐场所、电子游艺厅、录像厅等社会文化场所的管理。加大治理力度，坚决取缔各类非法社会文化场所。校园周围 200 米以内不得开办电子游艺厅。游艺娱乐场所中设置的电子游戏机，除法定节假日外，不得向未成年人提供。所有营业性舞厅、卡拉 OK 厅等娱乐场所不得接待未成年人。在 2000 年 6 月 30 日以前，所有歌舞娱乐场所和设有电子游戏机的游艺娱乐场所应当在其入口的显著位置悬挂禁止或限制未成年人进入的标志牌。对设置带有赌博功能的电子游戏机和非法定节假日允许未成年人入内的电子游戏厅，要坚决予以取缔。对社会文化娱乐场所，要从严审批，加强日常管理和对经营管理人员的法制培训工作。

（十）税务部门要采取措施，鼓励公益性青少年学生活动场所的发展。对公益性青少年学生活动场所、单位暂免征企业所得税；社会力量通过非营利性的社会团体和国家机关对青少年学生校外活动场所（包括新建）的捐赠，在缴纳企业所得税和个人所得税前全额扣除。省级人民政府对游戏厅的营业税，一律按 20% 的税率征收。对账证不全、核定征税的游戏厅，相应提高税收定额。由国家税务总局制定具体实施办法。

（十一）教育、文化、科技、体育等部门要把做好引导和安排青少年学生课余生活及活动场所的建设和管理工作列入重要日程。教育部门要将所辖的校外教育机构和各级各类学校的活动场所、设施建设及管理作为教育督导检查的重要内容。科技部门要积极创造条件，加快青少年科技教育基地的建设，推动有条件的科研机构面向青少年学生设立开放日。要在社区和旅游景点开辟青少年科普教育阵地。有条件的国家和高等学校重点实验室要定期向青少年学生开放。体育部门要采取措施，督促所有向群众开放的公共体育场馆对大中小学生参加体育健身活动提供优惠服务。

（十二）工会、共青团、妇联和科协等群众团体要积极配合政府有关部门，共同做好青少年学生校外教育工作。工人文化宫、俱乐部等要扩大服务范围，面向青少年学生开放。青少年宫、青少年科技活动中心和妇女儿童活动中心等以青少年为主要服务对象的校外活动场所，要坚持把社会效益放在首位，积极接纳青少年学生参加各种校外活动，决不允许进行以营利为目的的经营性活动。

四、切实加强对青少年学生校外教育工作的领导

（十三）为了加强对青少年学生校外教育工作的领导，成立“全国青少年校外教育工作联席会议”，统筹协调和指导全国青少年学生校外教育工作以及青少年学生校外活动场所建设和管理工作。地方也可参照成立相应的协调机构。全国青少年学生校外教育工作由教育部牵头，中央和国家机关各有关部门、群众团体共同参与，做好青少年学生校外教育工作。全国青少年校外教育工作联席会议办公室设在教育部。

（十四）地方各级党委和人民政府，中央和国家机关各有关部门、群众团体要从实施科教兴国战略、推进两个文明建设的高度，以对党和人民高度负责的态度，把青少年学生校外教育工作以及青少年学生活动场所的建设和管理工作作为一件大事来抓。地方党委和人民政府主要负责同志要负总责，统筹协调各有关部门和群众团体，切实加强对青少年学生活动场所的规划、建设、管理、监督、检查工作的领导，落实目标管理责任制。

（十五）各省、自治区、直辖市党委和人民政府，中央和国家机关各有关部门、群众团体要根据本通知精神，结合本地区、本部门、本单位实际，制定加强青少年学生校外教育工作以及青少年学生校外活动场所建设和管理工作的规划及具体措施，将建设规划及贯彻落实本通知情况于2000年10月底前报教育部，由教育部汇总后报党中央、国务院。中共中央办公厅、国务院办公厅将在2000年底前，组织有关部门对各地区、各部门和各单位的贯彻落实情况进行检查，并通报检查结果。

（2000年7月4日《人民日报》）

中央组织部　中央宣传部

关于学习《毛泽东邓小平江泽民论思想政治工作》的通知

各省、自治区、直辖市党委组织部、宣传部，中央直属机关工委组织部、宣传部，中央国家机关工委组织部、宣传部，解放军总政治部，新疆生产建设兵团党委组织部、宣传部：

江泽民总书记指出，加强和改进新形势下党的思想政治工作，是全党的一件大事。高度重视思想政治工作，是我们党的优良传统和政治优势。在长期的革命和社会主义建设历史进程中，毛泽东、邓小平、江泽民三代中央领导人，根据不同历史时期党的任务，阐发了关于思想政治工作一系列重要思想，这是我们党的宝贵精神财富，是我们党思想政治工作理论和实践的高度概括，是加强和改进新形势下思想政治工作的强大思想武器，具有重要指导意义，必须认真学习，深刻领会，积极贯彻。

为了帮助广大干部群众更好地学习毛泽东、邓小平、江泽民同志关于思想政治工作的论述，深入贯彻落实《中共中央关于加强和改进思想政治工作的若干意见》（中发〔1999〕17号文件），大力推进以理想信念教育为核心的思想政治工作，中央宣传部编辑了《毛泽东邓小平江泽民论思想政治工作》。各级党组织要把学习《毛泽东邓小平江泽民论思想政治工作》作为今年党员干部学习的一项重要内容，纳入规划，科学安排。

学习《毛泽东邓小平江泽民论思想政治工作》，要同学习其原著结合起来，同贯彻落实十五大精神和中发〔1999〕17号文件精神结合起来，同加强和改进思想政治工作的实践结合起来，全面准确地掌握基本观点和精神实质，全面准确地掌握思想政治工作的方针原则、主要内容和方式方法。

学习《毛泽东邓小平江泽民论思想政治工作》，要坚持理论联系实际的马克思主义学风，适应形势发展的要求，深入研究新时期思想政治工作应该具备的新特点、新方式、新内容，真正摸出些带规律性的新东西来，增强针对性和实效性。要以理想信念教育为核心，大力开展党的基本理论、基本路线、基本纲领的宣传教育，大力开展爱国主义、集体主义、社会主义的宣传教育，大力开展世界观、人生观、价值观的宣传教育，大力开展讲学习、讲政治、讲正气的宣传教育，大力开展科学知识、科学思想、科学方法、科学精神的宣传教育，坚定对马克思主义的信仰，坚定对社会主义的信念，增强对改革开放和现代化建设的信心，增强对党和政府的信任。

2000年2月21日

中央宣传部　中央文明办　国家内贸局　国家工商局　国家质量技术监督局　共青团中央

关于在2000年深入开展“百城万店无假货”活动的通知

（中宣发〔2000〕2号）

通知说，各有关部门要充分认识深入开展“百城万店无假货”活动的重要意义，在党委和政府的领导下，认真贯彻党的十五届四中全会精神，落实《中共中央关于加强和改进思想政治工作的若干意见》，加强协调配合，精心抓好活动的规划、部署和指导。要把“百城万店无假货”活动与创建文明城市、文明行业、文明企业结合起来，按照“巩固成果，加大力度，搞好延伸，稳步推进”的原则，将活动提高到一个新的水平。

通知要求各地大力推广南京市湖南路“百城万店无假货”活动示范街教育与管理并重，创建促文明、文明促繁荣、繁荣出效益的经验，在全国大中城市中，继续开展形式多样的创建示范街活动。各地要积极创造条件，力争使地级以上的城市都有一条示范街。要进一步扩大“百城万店无假货”活动示范街的范围，完善“五服务一体化”的具体措施。各示范店要加强内部管理，认真履行质量承诺，坚持推行无障碍退货、提供咨询服务等做法，为消费者提供更多的便利。在“3·15”前，有关部门将在全国再推出100家“百城万店无假货”活动示范店。同时还将在适当时候，从各地选择10个条件具备的专业批发市场，作为首批全国“百城万店无假货”活动的示范市场推出。

通知指出，各地要认真抓好烟酒、食品、饮料和家用电器等与人民生活关系密切的商品的质量治理整顿。商业零售业要认真执行国家内贸局《关于加强商品流通质量工作的意见》的有关规定，提高商品服务质量。饮食服务业要认真执行国家规定的技术质量标准和操作规程，严禁使用过期变质原材料，不得在商品中掺杂、掺假，以假充真，以次充好，严格价格标准，制止不合理收费。要严厉惩治制售假冒伪劣商品的违法行为，工商行政管理部门和质量技术监督部门要集中力量抓好一批重点商品、重点地区、重点市场的打假工作，端窝挖点堵源头，狠抓大案要案的查处，并向社会公布结果。

各地要继续以城市示范街、示范店为骨干，发展连锁、代理、配送等新的营销方式，组织货源下乡，向农民提供货真价实质优的日用消费品和农用物资，介绍识假、防假、打假知识。30条全国“百城万店无假货”活动示范街所在的城市，在春节前后，要重点组织好送货下乡。在“3·15”期间，要集中开展一次大型的打假宣传咨询活动。各级团组织要动员内贸系统青年职工，参加以遏制假货、技术创新、管理创新、营销创新、服务创新和企业增效为主要内容的“百城万店青年文明号促销创效”活动，对活动中做出成绩的先进集体，将授予“青年文明号”称号。

通知说，下半年将组织有关部门对全国“百城万店无假货”示范街、店进行复查。各地要按照示范街的6条标准，示范店的5条标准先行自查，对不合格的示范街、店要限期整改。对有名无实的示范街、店，将取消其称号。有关部门年底将对全国“百城万店无假货”活动进行总结，推广经验，表彰先进。通知还要求中央和地方新闻单位及时报道各地开展“百城万店无假货”活动的经验和做法，反映社会各界的呼声和要求。

（2000年1月6日《人民日报》）

中央宣传部　农业部　财政部　广电总局
新闻出版署　共青团中央　全国妇联

关于做好《中国农民基本常识读本》学习宣传工作的通知

通知说，在中央领导同志亲切关怀下，国务院研究室等有关部门编写出版了《中国农民基本常识读本》。江泽民总书记为本书题写了书名，并作了序。

通知强调，要充分认识在农村普及科学文化知识的重要性。改革开放20多年来，我国农村发生了历史性的巨大变化，农村经济发展和社会文明程度得到进一步提高。但是也要看到，在广大农村，农民的文化知识整体水平还不高，一些封建迷信、愚昧落后、陈规陋习还不同程度地存在，与建立社会主义市场经济体制的要求不相适应，普及文化和科学技术知识的任务还很艰巨。要通过多种形式组织广大农民和农村基层干部学习市场经济知识、现代农业技术知识、社会发展知识和现代科学常识，提高识别和抵制封建迷信及各种伪科学的能力，提高思想道德素质和科学文化素质。调动他们的生产积极性和创造性，积极参与市场竞争，积极参与产业结构调整，积极发展社会公益事业，守法经营，勤劳致富，为建设美好家园贡献力量。

通知提出，为了使乡镇干部能够尽快看到这套读物，由中宣部、财政部、农业部购书15万套，免费发送到全国所有乡镇，这体现了中央对广大农民的关心。为了使更多的农民和农村基层干部看到《中国农民基本常识读本》这套读物，同时又不增加农民和农村基层干部的负担，建议各省、区、市财政部门拨出专款购书，赠送到每一个行政村，保证每个村至少有1套书。有条件的省、自治区、直辖市，也可向每个村民小组赠书1套。

通知要求，中央、地方各有关部门要把学习宣传农村经济、技术、社会、科学基本常识列入文化、科技、卫生“三下乡”的重要内容，把《中国农民基本常识读本》作为农民和农村基层干部培训学习的书目，利用今冬明春的农闲时间，对农村基层干部和农民进行培训，在农村开展一场普及社会主义市场经济知识、现代农业技术、社会发展知识和现代科学常识的活动；农村基层党、团组织，要组织党员干部、青年团员带头学习现代科学文化知识，起到骨干和模范的作用；农村基层妇联组织，也要组织广大妇女进行学习。要切实采取有力措施，调动农民自我学习、自我教育、自我提高的积极性。

通知要求，新闻单位要对宣传《中国农民基本常识读本》介绍的有关知识作出安排，利用现有的专题、专栏，有计划有步骤地选载《中国农民基本常识读本》的内容，宣传农民学习科技文化知识应用于实践并取得实际效果的先进典型，推动和引导农村普及科学文化知识活动的深入开展。

通知指出，提高农民的思想道德素质和科学文化素质是一项长期任务，要常抓不懈，持之以恒。要研究新形势下开展这项工作的方式、方法，针对农村及农民的实际情况，总结推广典型的经验，及时发现解决问题，扎实有效地开展农民读书用书活动。宣传、农业、财政、新闻出版、广播电视等部门及共青团、妇联组织要密切配合，发挥各自的优势和作用，齐心协力地做好这项工作。

（2000 年 1 月 18 日《人民日报》）

中央宣传部　中央文明办　国家内贸局
国家工商局　国家质量技术监督局　共青团中央

公布全国“百城万店无假货”活动示范街、示范店标准

全国“百城万店无假货”活动示范街标准是：

1. 各商家严格执行《产品质量法》、《反不正当竞争法》，严把进货关，不出售假冒伪劣商品和“三无”商品。消费者购买到假冒伪劣商品，商家必须按《消费者权益保护法》的有关规定退赔。

2. 各商家严格执行物价政策和国家规定的定价原则，明码实价，质价相符。不搞虚假宣传演示、虚假让利、虚假优惠等欺诈行为，不搞价外不合理收费。

3. 各商家在经营中一律使用经计量监督部门检测认定的标准量器和衡器，公平交易，童叟无欺。

4. 各商家严格执行“新三包”政策，服务规范，诚实守信。顾客购买大件商品，要按承诺范围送货上门，实行安装、调试一条龙服务。

5. 各商家保持购物环境干净整洁，店堂店貌美观大方，营业员着装得体、举止端正、用语文明、待客热情。

6. 示范街成立由宣传、商业（贸易）、工商管理、技术监督以及消协、个协等部门人员组成的指导小组，协调有关工作，督促各商家认真处理消费者投诉，做到投诉不出柜组，不出商店，不出街区，保证投诉完结率达到 100%。

全国“百城万店无假货”活动示范店标准是：

1. 实行商品质量责任制，建立健全严格的质量管理、质量监督、质量保证体系。

2. 认真执行国家有关法规，把好商品采购关、仓库保管关、柜台上货关，不以次充好，不掺杂使假，不经销“三无”商品和假冒伪劣商品，实行商品质量先行负责制，保证消费者购物无风险。

3. 坚持明码标价、质价相符，不搞价外收费，反对任何方式的虚假让利。

4. 遵守商业职业道德准则，严格服务标准，执行国家“新三包”规定，坚持“三为主”商品退换原则，履行对消费者的各项服务承诺。

5. 实行营业员、服务人员挂牌上岗，设立评议台、意见箱，公布举报监督电话，保证投诉完结率100%。

(2000年3月14日《人民日报》)

国务院残工委　中宣部　中央文明办　教育部
公安部　民政部　司法部　人事部　劳动保障部
铁道部　交通部　文化部　卫生部　民航总局
广电总局　国内贸易局　全国总工会
共青团中央　全国妇联　中国科协
解放军总政　中国残联

关于开展第十次“全国助残日”活动的通知

(〔2000〕残工委字第01号)

各省、自治区、直辖市人民政府残疾人工作协调委员会、党委宣传部、精神文明建设指导委员会办公室，政府教育、公安、民政、司法、人事、劳动保障、铁路、交通、文化、卫生、广播影视、商业（委、厅、局），民航各管理局、航空公司，工会、团委、妇联、科协、残联，各军区，各军、兵种，各总部，军事科学院，国防大学，国防科学技术大学，武警部队政治部：

今年5月21日是第十次法定“全国助残日”，组织好本次“全国助残日”活动，对于在世纪之交倡导人道主义，实现残疾人平等、参与、共享的目标，培育和谐友爱的人际关系和团结互助的社会环境，使残疾人与全国人民一道满怀信心地跨入新世纪，具有特别重要的意义。

一、主题：志愿者助残

二、背景与意义

我国有6000万残疾人，是一个特殊而困难的群体，他们在生活保障、劳动就业、医疗康复、文化教育、平等参与社会生活以及维护自身合法权益等方面存在着不同程度的障碍，需要得到特别的扶助。这种扶助既需要依靠党和政府，也需要广泛动员社会力量来实现。

志愿者助残活动是组织社会力量扶助残疾人的一种重要形式。志愿者助残活动在我国已开展十余年，得到社会各界的支持和广大残疾人的欢迎，也受到党和国家的高度重视。80年代后期，我国部分城市开展社区志愿者服务；90年代初，“中国青年志愿者行动”等各种形式的志愿者活动逐步开展，为广大人民群众特别是为残疾人提供了多方面的服务。新千年伊始，江泽民总书记对青年志愿者工作作了重要批示，指出“青年志愿者行动，是当代社会主义中国一项十分高尚的事业”，“是大有希望的事业”，“努力做好这项事业，有利于在全社会树立奉献、友爱、互助、进步的时代新风”。江总书记的重要批示，不仅充分肯定了青年志愿者行动，也为全社会广泛开展志愿者助残活动指明了方向。

开展志愿者助残活动，为残疾人提供经常的、切实有效的服务，既能为他们排忧解难，帮他们融入社会，也有助于形成良好的社会风尚，是人道主义的具体体现，是社会文明进步的标志，符合近年来国际社会志愿者行动蓬勃发展的趋势。2001年是联合国确定的“国际志愿者年”，进一步深入开展志愿者助残活动对于推动我国开展志愿者行动，予广大残疾人以切实的帮助，改善残疾人的生存状况，促进残疾人实现平等、参与、共享的目标，推动精神文明建设和残疾人事业在新世纪持续发展，都具有积极的意义。

三、措　施

1. 各地要在助残日前召开当地残疾人工作协调委员会会议或政府办公会议，检查《中国残疾人事业九五计划纲要》的执行情况；提出新的为残疾人办实事的年度工作目标；结合本次助残日主题，总结和部署志愿者助残工作。

2. 请各地领导及有关部门负责人在助残日期间走访、慰问残疾人和助残志愿者。首都和各地应采取表彰报告会、座谈会、巡回演讲、咨询服务等形式推进志愿者助残活动的开展。

3. 各有关部门、机关、团体、企事业单位、学校、城乡社区基层组织要结合各自特点，发挥自身优势，在助残日期间组织形式多样、切实有效的志愿者助残活动。

——广大党员、干部与更多的残疾人“帮扶结对”，在志愿者助残活动中起模范带头作用。

——各行各业志愿者走进残疾人家庭，为他们排忧解难，提供家政、医疗康复、职业培训、家教辅导等切实有效的服务。

——与残疾人密切相关的部门和窗口服务行业，设立志愿者助残服务岗，逐步形成志愿者助残服务网络，使“残疾人优先”落到实处。

——社区要把志愿者助残活动纳入社区服务总体工作，倡导邻里互助，实行分片包干，社区单位与残疾人签订“助残协议书”，落实责任，帮扶到户。

——各级学校应将志愿者助残活动纳入社会实践活动之中。

——农村志愿者助残以帮残疾人脱贫致富为重点，解决生活困难，传授生产科技知识，帮农、帮牧、帮副；科技、文化、卫生“三下乡”应适当侧重帮扶残疾人。

4. 继续广泛开展“青年志愿者助残行动”、“手拉手红领巾助残”活动；“雏鹰争章”、“巾帼建功”、“双学双比”、“送温暖”、“法律援助”及“军民共建”、“警民共建”等活动要把助残作为一项主要内容；在创建“文明社区”活动中将志愿者助残作为重要评选条件之一。

5. 各地残联组织要以本次助残日为契机，建立健全基层志愿者助残联络站，摸清志愿者资源和残疾人需求，切实做好沟通与协调工作，成为残疾人与志愿者之间的桥梁和纽带；会同有关部门认真做好助残日活动的策划、组织、实施和志愿者助残先进的表彰工作。同时，也要在残疾人中开展志愿者活动，进行互助并为社会提供志愿者服务；在助残日期间组织残疾人上街为群众提供义务服务；结合当地实际，组织残疾人开展感谢志愿者助残集体和个人的活动。

6. 教育、人事、劳动和社会保障部门逐步建立志愿者助残激励机制，充分调动志愿者的积极性，使志愿者助残活动规范有序地开展。

四、宣　传

1. 各地党委宣传部要将助残日活动的宣传报道工作纳入宣传计划，统一部署，形成宣传规模。

2. 中央和各地新闻单位要结合本次助残日主题，大力宣传报道志愿者助残先进典型及志愿者在助残日期间形式多样的助残活动；广泛报道各级党政领导、有关部门负责人走访慰问残疾人、看望助残志愿者，以及社会各界为残疾人志愿服务的感人场面。

3. 各地要充分利用电脑网络、公益广告、宣传橱窗、标语口号等宣传手段营造热烈的社会助残氛围。

附件：第十次全国助残日宣传口号（略）

2000年3月14日

中央宣传部　教育部　团中央　全国学联

关于深入开展2000年度大中专学生志愿者暑期文化科技卫生“三下乡”社会实践活动的通知

今年活动的主题是：向新世纪迈进，在实践中成才。通知要求各地要抓住世纪交替的契机，通过“三下乡”社会实践活动，进一步激发青年学生成长进步、勇于实践的主动性、积极性和创造性，进一步增强青年学生建设祖国、振兴中华的责任感、使命感和紧迫感。要坚持“受教育，长才干，做贡献”的原则，引导广大青年学生在丰富生动的社会实践中加深对邓小平理论的理解，把爱国热情转化为成才报国的实际行动，在促进农村特别是西部地区经济社会发展中提高自身素质，实现全面发展。

今年的重点活动有：依据当地经济和社会发展的实际需要，大力开展科技扶贫，传播和推广科学技术，帮助群众解决技术难题，为当地培训科技人才；企业帮扶，围绕地方企业特别是乡镇企业的实际需要，开展技术创新、产品开发、营销、管理等方面的服务工作；文化宣传，组织学生文艺队到农村巡回演出，丰富农民群众精神文化生活，倡导健康文明生活方式，宣传科学，反对迷信；支教扫盲，培训中小学师资，帮助青壮年文盲提高文化水平；医疗服务，为农民进行健康普查和常见病治疗，开展卫生宣传咨询，为农村送医、送药；环境保护，组织学生积极参与“保护母亲河”行动，宣传倡导环保观念。

据悉，为更好地发挥高学历青年人才在服务农村两个文明建设中的作用，今年还将重点组织百支博士团“三下乡”志愿服务行动。活动按照“按需设项，据项组团，双向受益”的原则，实行项目化运作，办实事，求实效，为农村两个文明建设特别是西部大开发作出实实在在的贡献。

（2000年5月23日《人民日报》）

中央宣传部　中央文明办关于转发中央机构编制委员会办公室

《关于中央文明委办公室“三定”问题的函》的通知

（文明办〔2000〕7号）

各省、自治区、直辖市党委宣传部、文明办，中直机关工委宣传部、文明办，中央国家机关工委宣传部、文明办，中央金融工委宣传部、文明办，中央文明委各成员单位文明办：

根据中央机构编制委员会办公室的意见，在这次机构改革中，中央文明委办公室的领导体制、主要职能及内设机构没有变化，不再重新制定“三定”方案，继续执行中央办公厅“厅字〔1997〕23号”文件的有关规定。现将中央机构编制委员会办公室《关于中央文明委办公室“三定”问题的函》转发你们，供参考。

2000年8月24日

附件：

中央机构编制委员会办公室关于中央文明委办公室“三定”问题的函

（文明办〔2000〕7号）

中央宣传部、中央文明委办公室：

鉴于《中共中央办公厅关于印发〈中央精神文明建设指导委员会办公室职能配置、内设机构和人员编制方案〉的通知》（厅字〔1997〕23号）下发以来，中央文明委办公室的领导体制、主要职能及内设机构未发生变化；《中共中央办公厅关于印发〈中共中央宣传部职能配置、内设机构和人员编制方案〉的通知》（厅字〔2000〕18号）也对有关“规划部署全国性群众精神文明建设活动的任务，由中央文明委办公室负责”作了明确规定，因此在这次机构改革中，中央文明委办公室不再重新制定“三定”方案，继续执行（厅字〔1997〕23号）文件。

2000年7月30日

中央宣传部　中央文明办　教育部
关于实施“西部开发助学工程”的通知

（文明办〔2000〕8号）

内蒙古、广西、重庆、四川、贵州、云南、西藏、陕西、甘肃、宁夏、新疆、青海省（区、市）和新疆生产建设兵团党委宣传部、文明办、教委（教育厅）：

为配合中央实施西部大开发战略，帮助西部地区培养人才，中央文明委决定组织实施“西部开发助学工程”。现将有关事项通知如下：

一、总体安排

从2000年至2004年（学年）的5年间，每年在西部12省（区、市）选择1100名新入学的部属和省（区、市）属重点高等院校特困生，每人资助2万元（分四个学年陆续拨付），每人每年5000

元。所需经费从中央文化事业建设费中支出。

受资助学生在校期间的学费由所在院校减免50%。

二、资助条件

受资助学生应是西部12省（区、市）当年考入全国重点高等院校或省（区、市）属重点高校的品学兼优的本科生，其家庭生活困难，无力完成大学学业。

三、组织实施

1.“西部开发助学工程”由中央文明办商中央宣传部、教育部按年度下达指标，西部各省（区、市）和新疆生产建设兵团文明办会同党委宣传部、教委（教育厅）负责组织实施。

2.确定受资助特困生的程序和办法由西部各省（区、市）和新疆生产建设兵团党委宣传部、文明办、教委（教育厅）会同有关部门和高等院校制定，报中央宣传部、中央文明办、教育部备案后实行。受资助学生由中央文明办颁发资助证书。

3.中央文明办每年作出“西部开发助学工程”预算，经财政部同意，分年度将资助款拨付西部省（区、市）和新疆生产建设兵团文明办，由文明办将资助款送交受资助学生本人。

4.受资助学生学费减免事宜由教育部门通知有关高等院校。

5.西部各省（区、市）和新疆生产建设兵团文明办要会同宣传部、教委（教育厅）指定专人同受资助学生建立联系。如受资助学生的家庭经济情况和学生个人情况发生变化，不再符合资助条件，可中止对该生的助学资助。

四、检查监督

实施“西部开发助学工程”是一项政治性、政策性很强的工作，有关部门要增强责任意识，认真贯彻“公开、公正、公平”的原则，接受有关方面的监督，坚决防止不正之风，真正把好事办实，实事办好。

2000年8月25日

中央宣传部　中央文明办
广播电影电视总局　新闻出版署

关于向西部地区贫困县赠送电影放映设备《新中国舞台影视艺术精品选》系列光盘和“万村书库”图书的通知

（文明办〔2000〕10号）

重庆、四川、贵州、云南、西藏、陕西、甘肃、青海、宁夏、新疆、内蒙古、广西等省、自治区、直辖市党委宣传部、文明办、广播电视厅（局）、出版局：

为贯彻中央西部大开发的战略部署，加强西部地区宣传文化设施建设，中央宣传部、中央文明委办公室、广播电影电视总局、新闻出版署决定赠送西部地区贫困县一批电影放映设备、音像制品和书籍。现将有关事项通知如下：

一、赠送范围

赠送对象为西部地区12省（区、市）列入《国家八七扶贫攻坚计划》的366个贫困县。

二、赠送物品

中央宣传部、中央文明委办公室赠送每个贫困县一套《新中国舞台影视艺术精品选》系列光盘；

广播电影电视总局赠送每个贫困县一套电影放映设备；

新闻出版署赠送每个贫困县一套“万村书库”图书。

三、组织实施

赠送物品分别由中央文明委办公室、广播电影电视总局、新闻出版署发送到西部12省（区、市）的对口单位。由各省（区、市）党委宣传部、文明办牵头，将赠送物品统一转送到各贫困县。

四、几点要求

1. 西部各省（区、市）党委宣传部、文明办、广播电视厅（局）、出版局及各有关单位要切实做好组织实施工作，保证赠送物品尽快送到贫困县。

2. 各受赠贫困县由县委宣传部负责对赠送物品的分配、使用作出合理安排。有关单位要明确专人对赠送物品加强管理，面向公众，充分发挥其作用。

3. 任何单位或个人不得以任何借口克扣、截留赠送物品，违者要严肃查处。

4. 请各省（区、市）将此项工作的组织实施情况，分别报告中央宣传部、中央文明委办公室、广播电影电视总局和新闻出版署。

2000年9月13日

中央宣传部　中央文明办　文化部

关于资助建设“百县宣传文化中心”有关事项的通知

（文明办〔2000〕11号）

重庆、四川、贵州、云南、西藏、陕西、甘肃、青海、宁夏、新疆、内蒙古、广西等省、自治区、直辖市党委宣传部、文明办、文化厅（局）：

为帮助西部贫困地区尽快改变县一级文化设施落后的状况，中央文明委决定将“百县乡镇宣传文化工程”与“万里边疆文化长廊”结合起来实施，在西部12个省（区、市）的366个贫困县(特别是边境沿线的贫困县）中，选择100个无文化馆或有馆无舍的县，资助建设“宣传文化中心”。现将有关事项通知如下：

一、基本标准

“宣传文化中心”为综合性文化设施，一般应设有图书馆（室）、阅览室、多功能教室、展览室、文化活动室、宣传橱窗等，建筑面积不低于2000平方米。

二、资助办法

经初步测算，新建一个2000平方米的宣传文化中心加上必要的配套设施，约需投资200万元。采取由中央和地方各出资50%的办法，即从中央文化事业建设费中资助100万元，省地县出资100万元。

三、组织实施

“宣传文化中心”建设纳入“百县乡镇宣传文化工程”，由中央文明委办公室商文化部制定资助计划。各省（区、市）由文明办牵头，会同宣传部、文化厅（局）共同组织实施。建设工期一年。为保证资助款按时、足额到位，建议省（区、市）文明办或宣传部设立专用账户，中央资助款由财政部通过省（区、市）财政厅（局）直接划拨到省（区、市）文明办或宣传部，省文明办根据工程进度分期拨付受资助的县。

四、申报、审批程序

中央文明委办公室将资助名额下达给有关省（区、市）文明办，省（区、市）文明办会同宣传部、文化厅（局）根据资助名额将拟资助县的基本情况、建设方案、地方财政配套资金证明等报中央文明委办公室，中央文明委办公室会同中宣部、文化部审核批复。

申报应具备以下条件：

1. 申报的县目前无文化馆馆舍；

2. 地方配套资金有保障；

3. 当地政府负责解决建设用地、人员编制，并保证必要的活动经费。

五、产权与责任

“宣传文化中心”为国有资产，由县文化局管理使用，不得挪作他用。各级宣传部、文明办、文化厅（局）要加强对“宣传文化中心”工作的指导和督促检查，保证“宣传文化中心”健康发展。

建设“百县宣传文化中心”，关系到满足人民群众的精神文化需要，关系到有效地占领基层宣传文化阵地，各地党委宣传部、文明办、文化厅（局）要高度重视，加强领导，狠抓落实。中央宣传部、中央文明委办公室、文化部将适时组织对“百县宣传文化中心”建设情况和建成后的工作情况进行检查，如发现资金挪作他用、工程建设不达标、建成后不能正常开展工作等情况，将予以通报批评，必要时取消对该地区基层文化设施建设的资助项目。

2000年9月28日

中央宣传部　中央文明办　财政部　文化部

关于进一步做好“百县乡镇宣传文化工程”实施工作的通知

（文明办〔2000〕12号）

河北、山西、内蒙古、吉林、黑龙江、安徽、江西、河南、湖北、湖南、广西、重庆、四川、贵州、云南、西藏、陕西、甘肃、青海、宁夏、新疆等省、自治区、直辖市党委宣传部、文明办、财政厅、文化厅（局）、新疆生产建设兵团党委宣传部、文明办：

“百县乡镇宣传文化工程”自1998年实施以来，各地领导高度重视，各级宣传部、文明办、财政厅、文化厅（局）认真组织实施，取得了可喜成绩，对宣传党的方针政策、普及科技知识、丰富群众文化生活、推动农村两个文明建设，发挥了积极作用，受到农村广大干部群众的热烈欢迎，收到良好的社会效果。在肯定成绩的同时，也要看到实际工作中还存在一些问题和不足。有的对实施这一工程的重要意义认识不够，配套资金不能按时落实，工期一再拖延；有的组织实施缺乏力度，工作不够深入，审核把关不严，监督检查没有形成制度；有的基建规模过大，资金存在缺口，配套设施简陋；有的宣传文化站与其他建筑混建，产权不清；有的强调娱乐功能，忽视宣传教育功能等等。这些问题对宣传文化站的建设、管理以及开展正常工作产生了不良影响，必须采取措施予以解决。为进一步做好“百县乡镇宣传文化工程”的实施工作，特重申以下要求：

一、认真落实中央文明办〔1998〕5号、〔1999〕4号文件精神，提高对实施这一工程重要意义的认识，增强政治意识、大局意识、责任意识，加强组织领导，对工程实施的每个环节都要严格标准，认真把关，切实把好事办实、实事办好。

二、切实落实配套资金，保证按时、足额到位。要设立宣传文化工程专用账户，做到专款专管，专款专用，严禁挪作它用。如发现专项资金被挪作它用，要严肃查处，追究责任。

三、坚持“雪中送炭”原则。在宣传文化站定点和资金投向上，既要考虑建站的经济和文化基础条件，又要对急需宣传文化设施而又无力自建的贫困地区多予扶持。

四、建立健全工程建设责任制。省、地（市）、县（市）、乡镇要逐级签订责任书，把责任落实到人。

五、基建规模要适度，要与当地社会、经济发展相适合，不要贪大求“洋”、搞豪华装修。各省（区、市）可统一设计图纸，统一质量要求。宣传文化站要独立建设，并保证有一定的活动场地。工程建设要实行监理制，确保建筑质量，杜绝“豆腐渣”工程。

六、在整个工程投入预算中要有合理的配套设施资金比例，保证基本设施齐全，建成后能够正常开展活动。

七、要注意宣传教育功能和娱乐功能相结合，以宣传教育为主，充分发挥宣传文化站在宣传党的方针政策、开展思想道德教育、普及科技知识和加强精神文明建设中的积极作用。对“以文养文”的做法要注意引导，不得把宣传文化站办成纯营业性娱乐场所，坚决防止传播不健康、不文明的东西。

八、建成的宣传文化站要配备专人管理，建立健全规章制度，在乡镇党委领导下积极开展工作。宣传文化站是国有资产，要加强管理，防止资产流失。各级宣传部、文明办、文化厅（局）要加强对宣传文化站工作的检查指导，保证建成的宣传文化站发挥应有作用。

九、要根据中央文明办有关文件精神，对每年度宣传文化站的建设情况组织检查验收，并向中央宣传部、中央文明办、财政部、文化部报送验收报告。中央文明办视情况组织抽查。

2000年10月11日

中央宣传部　中央文明办　科技部　农业部
文化部　卫生部　国家计生委　国家广电总局
新闻出版署　共青团中央　中国科协

关于今冬明春继续深入开展文化科技卫生“三下乡”活动的通知

（中宣发〔2000〕13号）

通知指出，文化科技卫生“三下乡”活动开展5年来，为农村、农民办了大量实事、好事，在促进农村两个文明建设方面发挥了积极作用，受到了广大农民群众的欢迎。要充分认识深入开展文化科技卫生“三下乡”活动的重要意义。各地各部门要在党委和政府领导下，以江泽民总书记“三个代表”的重要思想为指导，把深入开展“三下乡”活动作为贯彻党的十五届五中全会精神的一项具体措施，摆上重要日程。按照“巩固成果，搞好延伸，讲求实效，提高水平”的原则，加强协调配合，精心抓好活动的规划、部署和指导，在为农民服务和办实事上下更大功夫，力争在今冬明春再一次形成“三下乡”活动的高潮。

通知指出，要继续组织好集中性的“三下乡”活动。各地各部门要根据自己的实际情况，对今冬明春“三下乡”的重点活动，作出具体安排，做到经费落实，人员落实，时间落实。“大中专学生志愿者暑期‘三下乡’”、“星火电视到千县”、“乡村青年文化节”、“送书下乡”、“万村书库”、“科普之冬”、“科普之春”、“科技110”、“婚育新风进万家”、“九亿农民健康教育行动”等影响大、效果好的集中活动，进一步抓紧、抓实，在形式上有新的创新，在效果上有新的进展。

通知要求把扶持西部地区作为今冬明春“三下乡”的重点。在全国各地普遍开展“三下乡”的同时，要积极配合西部大开发战略，为西部地区的农村和农民服好务。中央11部委将专门组织一批集中活动：1. 由中央艺术表演团体组织文艺演出队，分赴西部地区农村进行慰问演出。2. 向西部地区农村赠送万场电影，并在每场电影放映前加映科教片。3. 向西部地区农村赠送一批农村实用技术录像带、“致富思源、富而思进”教育VCD和“九亿农民健康教育行动”录像带。4. 开展“科普服务西北行”活动，组织一批科技专家，到西部农村进行科普宣传和农村实用技术咨询服务。5. 在西部地区举办若干期农村科技人才培训班，培训一批县乡两级科技骨干。6. 组织一批有特色的医疗小分队，到西部农村一些地方病高发地区进行巡回义诊，为农民送医送药送知识，防病治病。7. 开出“科普大篷车”，到农村基层巡回进行科普宣传。

通知强调，要在实践中探索建立“常下乡”的机制。各地各部门要把“常下乡”作为深入开展“三下乡”的重要课题，不断研究探索。要区分不同地区、不同类型、不同层次，把送、帮、扶结合起来。当前，要着重采取无偿捐助、对口帮扶、政策引导等措施，建立和疏通多种“三下乡”的渠道，逐步形成把图书报刊、广播电视、电影戏剧、科技资料、卫生服务源源不断送到农村、送给农民的机制。

通知说，几年来，各地各部门在“三下乡”活动中，创造了一批好的经验和好的做法，涌现出一批在“三下乡”活动中作出成绩和因“三下乡”活动受益的先进地区、先进单位和先进个人。各地要加强调查研究，总结推广本地区开展“三下乡”活动的成功经验和好的做法，以点带面，推动工作。

(2000年11月27日《人民日报》)

中央文明办　国家工商行政管理局

关于开展2000年“树立新风尚，迈向新世纪”主题公益广告宣传活动的通知

（工商广字〔2000〕第3号）

各省、自治区、直辖市及计划单列市文明办、工商行政管理局：

为充分发挥公益广告在宣传党的路线、方针、政策，传播精神文明方面的重要作用，中央精神文明建设指导委员会办公室和国家工商行政管理局决定在2000年，组织开展“树立新风尚，迈向新世纪”主题公益广告宣传活动。现就有关问题通知如下：

一、2000年是历史性、标志性的一年，“树立新风尚，迈向新世纪”主题公益广告活动的宣传要紧紧围绕党中央、国务院确定的中心工作，把握时代脉搏，唱响主旋律，唱响祖国颂、社会主义颂、改革开放颂。讴歌全国人民在以江泽民同志为核心的党中央领导下，高举邓小平理论伟大旗帜，同心同德、艰苦奋斗所取得的成就；展示中国人民万众一心、众志成城、不怕困难、顽强拼搏、坚韧不拔、敢于胜利，以昂扬的姿态迈向新世纪的精神风貌；激励社会各界坚定信心，勇于探索，大胆实践，振兴国有企业，开创改革和发展新局面；宣传尊重知识、尊重人才、实施科教兴国战略的重要性；倡导人民群众积极参与精神文明创建活动，努力提高公民素质和城乡文明程度；营造讲文明、树新风，弘扬科学精神，反对迷信愚昧，抵制各种歪理邪说的健康气氛；呼吁全社会爱护我们的家园，自觉保护资源和环境，实施可持续发展战略、造福子孙后代等。各地也可结合当地实际确定具体内容，使活动更有针对性。

二、各级文明办和工商行政管理机关要充分认识公益广告对于建设社会主义精神文明的重要意义，增强使命感和责任感。积极发挥公益广告的社会教育、文化传播、舆论导向功能，以科学的理论武装人，以正确的舆论引导人，以高尚的精神塑造人，以优秀的作品鼓舞人。坚持以培育有理想、有道德、有文化、有纪律的公民，提高全民族的思想道德素质和科学文化素质为目标，使公益广告为促进社会主义精神文明建设作出贡献。

三、各地文明办和工商行政管理局要按照《关于进一步做好公益广告工作有关问题的通知》（工商广字〔1999〕第273号）精神，密切合作，认真做好公益广告内容的政治思想导向引导和公益广告活动的组织协调及监督管理工作。要高度重视，加强领导，精心组织，结合本地实际情况制定具体实施方案。

四、各地要通过新闻媒介等多种形式，深入广泛宣传开展“树立新风尚，迈向新世纪”主题公益广告活动的意义。要广泛动员广告主、广告经营者、广告发布者出资、制作、发布公益广告。鼓励社会各界积极参与主题公益广告活动。新闻媒介要严格执行中央宣传部、国家工商行政管理局、原广播电影电视部、新闻出版署《关于做好公益广告宣传的通知》（工商广字〔1997〕第211号）的规定，在电视黄金时间或报纸主要版面按规定刊播主题公益广告。在城市的繁华地段或主要交通要道，要有一定比例的户外公益广告。

五、中央文明办和国家工商行政管理局，将在2000年底组织1999至2000年度公益广告活动的评选、表彰工作，有关具体事项届时另行通知。

六、请各地文明办和工商行政管理局接到本通知后，即行组织实施，并将实施方案分别上报中央文明办和国家工商行政管理局。各地要做好此项活动的总结工作，将活动情况分别上报中央文明办和国家工商行政管理局。

2000年1月5日

中央文明办　民政部　公安部　建设部　文化部　卫生部　国家体育总局　共青团中央　全国妇联　中国科协

关于开展“倡导文明新风，共建美好家园”活动的通知

（文明办〔2000〕1号）

各省、自治区、直辖市文明办，民政厅（局），公安厅（局），建委（建设厅），文化厅（局），卫生厅（局），体委（体育局），团委，妇联，科协：

“讲文明树新风”活动已经在全国开展了三年，在集中解决文明言行、服务质量、环境卫生、交通秩序四个方面存在的突出问题上，取得了明显的成效，产生了广泛的社会影响。根据中央精神文明建设指导委员会2000年工作安排，今年的“讲文明树新风”活动要按照巩固、提高、延伸、辐射的思路，在继续解决上述四个方面存在的问题，继续推进“送温暖、献爱心”、“保护生态环境、倡导文明新风”等工作的同时，重点向社区延伸，中央文明办、民政部、公安部、建设部、文化部、卫生部、国家体育总局、共青团中央、全国妇联、中国科协决定，在全国开展“倡导文明新风，共建美好家园”活动。现将具体安排通知如下。

一、总体要求

以党的十五大、十四届六中全会和《中共中央关于加强和改进思想政治工作的若干意见》精神为指导，认真贯彻落实江泽民总书记关于精神文明建设每年要办几件作用大、影响大的实事的指示，吸引和动员广大人民群众积极参与社区精神文明建设，努力提高社区居民文明素质和生活质量。

二、活动内容

以“倡导文明新风，共建美好家园”为主题，着重围绕美化居住环境、维护治安秩序、丰富文体生活、普及科学知识、拓展社区服务、密切人际关系六个方面的内容，组织集中性战役，开展群众活动。

三、实施步骤

2月下旬，10个主办单位联合召开“倡导文明新风，共建美好家园”全国电视电话会议，对活动进行部署。活动内容要贯穿全年，一个时期突出一、两个重点，分段推进，注重实效。

（1）春节前后，围绕营造欢乐、喜庆、祥和的节日氛围，重点组织好治理环境卫生、拓展社区服务、活跃文体生活、向有特殊困难的居民送温暖献爱心等方面的活动，打击黄赌毒，净化社

会风气，倡导科学文明的生活方式，形成“欢欢喜喜迎新春、文明健康度佳节”的热潮。

（2）3—6月，围绕树立良好道德风尚，密切社区人际关系，重点开展志愿者服务、科普宣传、道德教育等方面活动。结合纪念老一辈无产阶级革命家为雷锋题词37周年，组织全国性的“志愿者社区奉献日”活动，启动“中国青年志愿者城市社区发展计划”。结合各地“科普（技）周”，集中开展社区科普活动。结合全民义务植树节，组织居民开展义务植树种草、认养绿地以及打扫卫生、清理环境等活动。配合《公民道德建设实施纲要》的公布，对居民深入进行社会公德和家庭美德教育，对社区工作者、物业管理人员和社区服务机构进行职业道德教育，形成“讲道德、树新风，爱社区、做奉献”的热潮。

（3）7—8月，围绕活跃文体生活，广泛开展群众性文娱、体育和科普活动组织好暑期消夏晚会、露天文化广场、群众健身等活动，形成“走出小家进大家、相识相知同欢乐”的热潮。

（4）9—10月，围绕中秋节、重阳节，重点开展家庭和睦、尊老敬老、邻里互助教育活动，形成“弘扬传统美德、密切人际关系”的热潮。

（5）11—12月，围绕迎接新世纪，重点开展美化环境、优质服务活动和社区文体活动，采取多种方式，集中展示活动成果，形成“树立新风尚、迎接新世纪”的热潮。

有关部门和团体将围绕“倡导文明新风，共建美好家园”，组织以下一系列全国性活动。

1. 以满足社区居民需求，拓展社区服务为主要内容，开展“热线连万家，服务你我他”活动，推动社区服务社会化、产业化。

2. 以义务奉献、扶贫帮困为主要内容，开展“青年文明社区互助月”、“百万青年志愿者进社区”、“手拉手助残”、“家庭志愿者”、“巾帼社区服务队”等活动，建立健全社区志愿者服务站。

3. 以提高服务质量，方便居民生活为主要内容，开展“青年文明号服务卡助万家”、“青年文明号优质服务月”、创建“全国城市物业管理优秀住宅小区”等活动。

4. 以弘扬家庭美德，倡导文明健康生活方式为主要内容，开展创建“五好文明家庭”、“爱在家庭、奉献社会”、“家庭读书竞赛”、“家庭文化之夜”等活动。

5. 以教育青少年，服务青少年为主要内容，开展“雏鹰假日小队”、“优秀青少年维权岗”、“新世纪书屋”、“千校百万”进城务工青年培训活动，加强社区共青团、少先队组织建设。

6. 以老有所养、老有所乐、老有所教、老有所学为主要内容，开展青年志愿者“一助一”尊老敬老长期结对服务、老年书画文艺比赛、老年健康知识咨询等活动，举办“中国老年合唱节”。

7. 以关心下岗职工，鼓励自强自立为主要内容，实施“巾帼社区服务工程”，开展再就业职业技能培训、“手拉手结对帮扶”活动，推动社区就业指导中心建设。

8. 以发展社区文化，密切社区人际关系为主要内容，开展“文明社区大家乐”活动、“家庭文化艺术节”、暑期消夏晚会、露天文化广场、趣味运动会等活动。举办全国广场舞蹈大展示暨第十届“群星奖”广场舞蹈大赛、“倡导文明新风、共建美好家园”摄影大赛、“文明社区”文艺汇演。

9. 以推广科学健身，增强人民体质为主要内容，推广“全民健身运动”，加快小型、多样、因地制宜的全民健身设施建设，开展“全民健身、利国利民”主题宣传教育活动，启动“亿万妇女健身行动”。

10. 以学习科学知识、树立科学思想、弘扬科学精神、掌握科学方法为主要内容，举办“科普（技）周”、“科技日”，开展大学生科普志愿者行动、少先队员争“科普章”、科普消夏晚会、科普知识竞赛、科普讲座等活动，实施“家庭优生优育优教知识传播实践行动”，建设社区科普画廊、科普橱窗。

11. 以居民的健康为中心，大力开展预防、医疗、保健、康复、健康教育、计划生育技术服务等为一体的社区卫生服务活动，提高群众健康水平。

12. 以增强环保意识，改善社区环境为主要内容，开展植树造林、增绿护绿、认养绿地、“妇女·家园·环境”等活动，逐步推广垃圾分类收集和综合利用。

13. 以群防群治、维护治安为主要内容的创建“安全小区”、“人民满意的派出所”、警民共建、普法宣传、邻里守望等活动，做好失足青少年和刑释解教人员帮教工作，做好人民内部矛盾调解工作。

各地要紧密结合实际，将这些活动纳入到“倡导文明新风，共建美好家园”之中，统筹安排，抓好落实。

四、工作要求

1. 突出思想道德教育。要把“倡导文明新风，共建美好家园”活动作为加强社区思想政治工作的重要载体，注重增强群众性活动的思想道德教育含量，把深刻的教育内容寓于生动的活动形式之中，使群众在参与中受到教育、得到提高。

2. 充分依靠群众。要围绕群众反映强烈、迫切要求解决的问题，精心设计载体，集中组织战役，广泛吸引群众参与，为群众多办好事和实事。要坚持从实际出发，因地制宜，把有关部门组织的全国性活动和本地的活动结合起来，充实活动内容，务求取得实效，使群众得到看得见、摸得着的实际利益。

3. 搞好阵地建设。要采取多种措施，有计划、有步骤地开辟和建设一批社区服务中心、文体活动中心、社区青少年服务中心、市民教育学校等活动场所，加强社区文体设施建设；要提倡驻区单位向社区居民开放文体活动场地和设施，实现资源共享。要把面向社区的文化馆站、图书馆室、体育场馆等文体场馆，以及居民经常聚集的相对固定的其他场所，如广场、群众活动中心等，建设成为社会主义精神文明的重要阵地；在这些场所开展的活动，既要丰富多彩，又要健康向上，决不允许传播封建迷信、伪科学、消极思想和文化糟粕。

4. 坚持齐抓共管。要充分发挥各有关职能部门的作用，调动社会各界的积极性，齐抓共管，形成合力。各地民政、公安、建设、文化、卫生、体育等部门，要根据各自主管的业务范围，从实际出发，提出加强社区工作的要求和具体措施。要认真总结经验，逐步完善活动的领导机制和工作机制。共青团、妇联、科协等团体，要进一步发挥联系群众密切的优势，开展各种活动，动员组织青少年和广大群众为共建文明社区、共创美好生活贡献力量。各地文明办要做好组织协调工作。

5. 加强舆论宣传。各级文明办要协调新闻单位及时报道活动进展情况。注意介绍开展活动的先进经验和先进典型，推广好的做法，重点活动重点报道。要加大舆论监督力度，对损害社区群众利益、败坏社区文明风尚的突出问题，进行曝光批评。

2000年2月2日

中央文明办　全国妇联

关于实施“家庭文明工程”的方案

（妇字〔2000〕7号）

为了进一步贯彻落实党的十五大和十四届六中全会提出的加强家庭美德建设以及江泽民总书记关于“要努力树立和保持良好的家风”的重要指示精神，更好地发挥家庭在生产、教育、赡养、消费、计划生育等方面的职能，提高家庭的文明程度，中央文明办、全国妇联决定，在我国亿万家庭中实施“家庭文明工程”，具体方案如下：

一、指导思想

以党的十五大、十四届六中全会和《中共中央关于加强和改进思想政治工作的若干意见》精神为指导，通过实施“家庭文明工程”，提高家庭成员的思想道德素质和科学文化素质，帮助家庭树立文明、健康、科学的生活方式，以家庭的文明进步促进社会的文明进步。

二、实施内容

实施“家庭文明工程”主要围绕绿化美化生活环境、活跃家庭文化生活、普及科学文化知识和法律知识、破除封建迷信和落后习俗、和睦家庭邻里关系等五个方面的内容组织活动，通过人人参与，人人分享，达到人人受教育。

三、实施步骤

“家庭文明工程”的实施时间为2000年1月至2003年6月，共计三年半时间。具体安排如下：

（一）围绕树立良好道德风尚，改善人际关系，组织家庭奉献活动，弘扬尊老爱幼、扶贫帮困的传统美德和奉献他人、奉献社会的精神。

1. 每年元旦春节期间组织“百万家庭扶老助困行动”，发动五好文明家庭带头与下岗职工家庭、特殊困难家庭结对帮扶，为孤老户、下岗女职工家庭和各类困难家庭送温暖、献爱心。

2. 结合“国际家庭日”和“世界环境日”开展“爱在家庭、奉献社会”活动。如组建社区家庭服务组，为社区居民提供义务服务；利用双休日清洁居住地周围的卫生环境，为创建文明小区做贡献。“世界环境日”期间，每年突出一个主题，集中开展好“妇女·家园·环境”教育活动，动员群众参加各种保护环境的活动。今年6月5日环境日期间以减少白色污染，创造清洁环境为主题组织全国性的告别塑料袋，重拎布袋子活动，同时向全国妇女发出向白色污染宣战的倡议。

3. 配合社会治安综合治理，巩固和发展家庭禁赌协会、家庭道德议事会、红白理事会、家庭廉政协会、家庭帮教小组等群众自治组织，发挥其在维护社区稳定方面的作用。

（二）结合贯彻中共中央《关于加强和改进思想政治工作的若干意见》的精神，开展家庭文化活动，满足群众愉悦身心、展现自我的内在需求，活跃农村和社区的文化生活，使思想道德教育、科学文化知识、法律知识进入家庭，营造反对迷信愚昧、歪理邪说的健康氛围。

1.2000年3月在天津启动“亿万妇女健身行动”，2001年在全国推开。每年“三八”节前后以一个省作为“亿万妇女健身行动”的竞赛中心，其余各省市以通讯赛、友谊赛的形式参加，形成妇女健身热潮。为使妇女健身行动坚持经常，扩大覆盖面，取得实效，各地要有比较固定的健身活动站点，聘请兼职辅导员。要从各地实际和群众需要出发，制定每年的健身计划，并对活动开展情况进行检查。

2. 开展家庭读书活动。农村以双学双比女能手的家庭为依托，培植和发展文化中心户，负责定期组织中心户内的家庭读书阅报，学习科普知识，交流致富信息。各地可根据实际情况组织家庭换书日，扩大家庭读书活动的书源。号召家庭多藏书、多订报，并对读书活动进行引导，如举办家庭读书演讲等，营造浓厚的读书氛围。每年根据城乡家庭的工作、生产、生活的需要推荐优秀读物，并在《中国妇女报》开辟家庭“读书一得”专栏，刊登优秀读书体会。在适当时候组织全国性的家庭读书征文和演讲比赛。

3. 8、9月份借中秋万家团聚之机，各地可集中组织家庭摄影、书法、绘画、手工制作、花卉培植等表演和展示，举办家庭音乐会、家庭之夜文艺晚会等，让家庭文化走向社区，与社区文化相互融合、相互促进。2000年9、10月份举办首届全国家庭文化艺术节，集中展示家庭文化建设的成果。全国性的家庭文化艺术节每3年举办一次，各省、自治区、直辖市可根据实际情况酌定。

（三）围绕庆祝“六一”国际儿童节，以贯彻落实江泽民总书记《关于教育问题的谈话》精神为重点，集中开展家庭教育活动，帮助家长提高自身素质，树立以德育教育为根本的观念，学习家庭教育的基本知识，掌握科学的教育方法。

1. 提高已有的新婚夫妇学校、孕妇学校、中小学生失恋青年家长学校的质量。试办农村家长学校，向农村孩子家长传播家庭教育知识，使其重视子女的学习与成长。

2. 开展“家庭优生优育优教知识的传播与实践行动”。用丰富多彩的形式，扩大家庭教育知识的宣传普及面，指导家长的教子实践。

3. 组织评选中国母亲。从2001年开始，隔年评选一次，通过媒体，广泛宣传中国母亲的高尚品质及突出事迹，树立中国母亲的形象。

4. 开展“百万家庭千万治家格言”活动。从

2001年开始，每年在全国广泛开展的基础上，评选出优秀治家格言，并在中央电视台作为公益性广告播出。

（四）广泛开展“美在农家”活动，帮助农民解放思想，转变观念，增强运用科技发展经济、增加收入的能力，改变生存环境，提高生活质量，树立文明、健康的生活方式。

1. 依据国家“九五”计划和农村经济社会发展战略制定各省、自治区、直辖市“美在农家”规划。

2. “美在农家”的标准是：经济发达地区农民庭院要做到净、绿、美。水、厕、灶、圈达到卫生化标准。村庄路面平坦，排水畅通，街道绿化，家庭成员素质明显提高。经济欠发达地区要对影响农民家庭生活环境的突出问题进行治理，实施对水、厕、灶、圈的改造，家庭成员重视卫生保健和环境美化。贫困地区结合脱贫致富在治理脏乱差方面有明显突破，农户做到柴草不乱堆、杂物不乱摆，不乱倒垃圾，讲求卫生。

3. 各省、自治区、直辖市每年要在发达、欠发达、贫困地区各抓一个示范村。

四、工作要求

1. 突出思想道德教育。“家庭文明工程”的各项活动都要紧紧围绕提高群众的思想道德素质、科学文化素质、身体健康素质这个根本目标展开、将加强和改进思想政治工作作为贯穿于“家庭文明工程”各项工作的一条主线和重中之重，寓教育于活动之中，帮助群众坚定对社会主义的信念，增强对改革开放和现代化建设的信心、对党和政府的信任。

2. 注重实际效果。实施“家庭文明工程”必须从各地的实际情况出发；落实各项活动要与群众的需求紧密结合，把好事办实，实事办好，虚工实做，讲求实效。

3. 重视舆论宣传工作。各级文明办和妇联要注意协调新闻单位及时报道“家庭文明工程”的实施情况、先进典型和先进经验。同时对家庭领域的热点问题进行正确的舆论引导，解疑释惑，化解矛盾；发挥舆论监督作用，对虐待老人、家庭暴力等不道德行为和各种丑恶现象进行批评曝光。

4. 坚持齐抓共管。“家庭文明工程”是一项社会系统工程，各级文明办和妇联要切实担负起组织领导责任，注意协调有关部门共同实施，善于调动社会力量，发挥各方面优势，齐抓共管，形成合力。各级文明办要给予积极支持，为“家庭文明工程”的实施创造条件，具体组织工作由妇联负责。

2000年3月1日

中央文明办　中国科协

关于举办“崇尚科学文明，反对迷信愚昧”展览的通知

（文明办〔2000〕2号）

各省、自治区、直辖市文明办、科协：

为贯彻落实江泽民总书记关于宣传思想工作和精神文明建设的重要批示精神，贯彻落实全国科普工作会议精神，在广大群众中深入进行马克思主义唯物论无神论教育和科学精神教育，中央文明办、中国科协将于2000年3月下旬，在中国

历史博物馆联合举办《崇尚科学文明，反对迷信愚昧》大型展览。

为扩大展览的教育面，在北京展出的同时，各省（区、市）以及其他各类城市，可复制展览在当地组织展出。现将有关事项通知如下：

一、展览目的

展览力图通过翔实、形象、生动的资料、案例、图片和实物，揭露批判法轮功等邪教以及各种伪科学、迷信活动的本质和危害，宣传倡导科学知识、科学思想、科学精神和科学方法，帮助广大群众增强辨别唯物论与唯心论、无神论与有神论、科学与迷信、文明与愚昧的能力，在全社会形成崇尚科学文明，反对迷信愚昧，抵制各种歪理邪说的健康气氛。

二、展览内容

展览共分为四个部分：第一部分：维护稳定，严惩邪教。1. 中央采取果断措施，坚决打击“法轮功”邪教组织，得到全社会的拥护和响应；2. 受害者对“法轮功”的控诉；3. 新中国建立以来对邪教的打击；4. 世界其他国家对邪教的打击。第二部分：愚昧迷信，贻害无穷。1. 封建迷信活动的表现、危害与骗术；2. 伪科学的表现与骗术；3. 邪教的特征与实质。第三部分：掌握科学，识假辨伪。1. 宇宙运动有规律；2. 世上本来无鬼神；3. 生命并非是神造；4. 健康长寿靠科学；5. 真伪科学界限明。第四部分：坚信科学，迈向未来。1. 科学技术推动社会的进步。2. 科学使新中国走向富强。(1) 向科学进军；(2) 科学的春天；(3) 实施科教兴国战略；(4) 迈向辉煌的明天。

三、展览形式

文字、图片、图表展板共 126 块，录像带 1 盘，实物展品 12 件。

四、复制办法

文字、图片、图表展板、录像带是展览的主体部分，需整套复制，解说词随展板下发；实物展品各地可根据需要自行选择。展览复制工作委托北京众从文化交流有限公司承办并负责发运。各省（区、市）及所辖地市，可直接同北京众从文化交流有限公司联系展览复制工作。

五、工作要求

1. 提高认识，高度重视。举办这次展览，是贯彻落实江泽民总书记有关精神文明建设重要指示和科普工作重要指示精神，贯彻落实中央《关于加强和改进思想政治工作的若干意见》精神的具体举措，是今年精神文明创建工作和科普工作的一项重点活动。要充分认识这项工作的意义，推动群众性科普活动广泛深入地开展。

2. 精心组织，周密安排。请各省（区、市）文明办、科协将本通知精神尽快传达给所辖地市，做好展览的组织协调指导工作。要提前制定展览方案，安排好展览的时间、场地和解说人员的培训工作；可结合各地实际，围绕展览主题，适当增加与当地精神文明建设和科普工作相关的内容；要认真组织好观众，并依托展览开展知识竞赛、科普讲座、演讲征文等各具特色的群众性科普宣传教育活动；各地可根据实际自行安排展出时间。

3. 加强宣传，形成氛围。要组织新闻单位，对展览及有关活动的情况及时进行宣传报道，形成反对迷信愚昧，倡导科学文明的舆论氛围。

请各地将举办展览和开展活动的情况及时报给我们。

2000 年 3 月 3 日

中央文明办

关于下达2000年度“百县乡镇宣传文化工程”资助名额的通知

（文明办〔2000〕3号）

河北、山西、内蒙古、吉林、黑龙江、安徽、江西、河南、湖北、湖南、广西、重庆、四川、贵州、云南、西藏、陕西、甘肃、青海、宁夏、新疆等省、自治区、直辖市文明办，新疆生产建设兵团文明办：

现将“百县乡镇宣传文化工程”2000年度资助名额下达给你们，请在认真总结以往工作经验的基础上，做好2000年度实施这一工程的申报工作。今年的申报工作截止至9月底。各省（区、市）文明办申报时，要按中央文明办有关文件要求，报齐配套资金到位证明、定点乡镇基本情况和宣传文化站建设方案等材料。对各地（市）、县（市）、乡申报的原始材料，要认真审核，上报时应作适当归类整理，力求规范。

各地要根据中央文明办有关文件要求，对1998年度宣传文化站建设情况组织检查验收，下半年向中央文明办报送验收报告，同时抄送中央宣传部、文化部。中央文明办将视情况组织抽查。

附：2000年度“百县乡镇宣传文化工程”资助名额及申报表格（略）。

2000年6月5日

中央文明办　中国科协

关于认真做好《崇尚科学文明，反对迷信愚昧》展览图片的接收和展出工作有关问题的通知

（文明办〔2000〕4号）

各省、自治区、直辖市文明办、科协：

中央文明办、中国科协于今年3月下旬，在北京联合举办了《崇尚科学文明，反对迷信愚昧》展览，受到中央领导的高度重视和广大群众的热烈欢迎。江泽民、胡锦涛、李岚清、丁关根、李铁映、温家宝等中央领导同志参观了展览。江总书记称赞展览办得好，很有教育意义，对帮助人们进一步认清“法轮功”等邪教组织的本质与危害，加强精神文明建设和提高人民群众科学素养有积极作用。他希望通过办好展览，让更多的人

掌握科学知识，认清迷信愚昧的危害。中央领导要求展览在北京展出之后要到各地广泛展出，让更多的人看到展览。同时，还可将展览内容制成画册、挂图等，采用多种形式向社会普及。

为落实江总书记和其他中央领导同志的指示精神，中央文明办、中国科协决定给每个县赠送一套展览图片，请你们认真做好接收和展出工作。现将有关具体事项通知如下：

一、展览图片的赠送范围：全国地级市、县级市、县（按照民政部截至1999年12月底的统计数字）各一套。

二、展览图片规格：550mm×750mm，每套129张，彩色喷印，亮膜，可供各市、县展馆展出或到基层巡回展出。

三、组织工作：

1. 中央文明办、中国科协负责尽快把展览图片发送到各省（区、市）文明办、科协。

2. 各省（区、市）文明办、科协收到展览图片后，负责尽快将展览图片转发到所辖的地级市、县级市、县。为便于工作衔接，具体工作分工如下：

赠给内蒙古、辽宁、吉林、黑龙江、安徽、江西、河南、贵州、云南、西藏、陕西、甘肃、青海、宁夏、新疆等十五个省份的展览图片，由中央文明办负责发送到各省（区、市）文明办，再由各省（区、市）文明办牵头、科协协助发送到各市（县），并将各市、县的回执（随展览图片下发）统一寄回中央文明办协调组。

赠给北京、天津、河北、山西、上海、江苏、浙江、福建、山东、湖北、湖南、广东、广西、海南、重庆、四川等十六个省份的展览图片，由中国科协负责送到各省（区、市）科协，再由各省（区、市）科协牵头、文明办协助发送到各市（县），并将各市、县的回执（随展览图片下发）统一寄回中国科协普及部。

3. 各市、县收到展览图片后，要由文明办、科协共同负责，认真组织好集中展出和到基层巡回展出，并结合展览广泛开展多种形式的宣传教育活动。

四、为了扩大展览的社会影响，满足广大基层单位的需要，中央文明办、中国科协委托辽宁美术出版社根据展览的内容编辑出版展览图册和小型橱窗挂图。各地可根据需要，直接与出版社联系。

五、展览在京展出后，绝大部分省（区、市）已复制展板，在当地组织展出，收到很好的效果。请各省（区、市）在已有工作基础上，按照本通知的要求，进一步做好在地、县及基层单位的展出工作。在展览的各项工作告一段落后，要进行认真总结，并向中央文明办、中国科协做出汇报。请于10月底前将汇报材料分别送中央文明办协调组、中国科协普及部。

六、请各省（区、市）文明办、科协将此文件转送各市、县文明办、科协。

2000年6月12日

中央文明办　建设部　国家旅游局

关于推荐第三批全国文明风景旅游区示范点的通知

（文明办〔2000〕5号）

各省、自治区、直辖市文明办、建委（建设厅）、旅游局：

党的十四届六中全会以来，风景旅游区的精神文明建设工作受到了各级党委政府和有关主管部门高度重视，普遍开展了各种形式的创建文明风景旅游区活动。中央文明办、建设部、国家旅游局已连续两年确定并公布了两批全国文明风景旅游区示范点，产生了很好的社会反响。为进一步推动创建文明风景旅游区活动的深入开展，根据中央文明委2000年工作安排，中央文明办、建设部、国家旅游局将在今年第三季度，推出第三批全国文明风景旅游区示范点。现将有关事项通知如下：

一、指导思想

文明风景旅游区示范点推荐工作，要以党的十五大和十四届六中全会精神为指导，以倡导文明管理、文明服务、文明经营、文明开发为基本要求，充分发挥先进单位的示范带动作用，促进风景旅游区两个文明建设的协调发展。

二、推荐条件

被推荐为示范点的单位，应是在本省（区、市）创建文明风景旅游区活动中居于前列，在当地具有较强的示范作用，能够做到环境整洁优美、基础设施齐备、资源保护完好、服务热情周到、经营文明守法、安全保障得力、治安秩序优良、管理严格规范、活动健康有益、创建工作扎实的风景旅游区。

三、推荐办法

推荐工作以省（区、市）为单位进行。在当地党委、政府的领导下，由各省（区、市）文明办牵头，会同建设厅（建委）、旅游局共同推荐。

每个省（区、市）推荐一个风景旅游区作为示范点的备选单位，由文明办、建设厅、旅游局联合写出推荐报告，连同被推荐单位的情况介绍（包括基本情况、主要经验，2000字以内），于7月10日前，分别报送中央文明办协调组、建设部文明办、国家旅游局质量规范与管理司。

前两批示范点所在的省份，要按照今年提出的推荐条件，组织力量对本地的示范点进行一次检查，并将检查结果于7月底前，书面报告三家主办单位。

请各地按照本通知的要求，在认真调查研究的基础上，做好推荐工作。要以这次推荐为契机，推动当地创建文明风景旅游区活动的深入开展，促进风景旅游区两个文明建设水平的进一步提高。

2000年6月14日

中央文明办　公安部　监察部　文化部
国家工商行政管理局

关于印发全国加强娱乐服务场所管理暨电子游戏经营场所专项治理工作电视电话会议文件的通知

（公发〔2000〕9号）

各省、自治区、直辖市公安厅、局，文明办，监察厅、局，文化厅、局，工商行政管理局，新疆生产建设兵团公安局：

经党中央、国务院领导同志批准，今年7、8、

9三个月，将在全国开展加强娱乐、服务场所管理，严厉打击卖淫嫖娼、赌博、吸毒贩毒等社会丑恶现象专项行动和电子游戏经营场所专项治理工作。国务院办公厅于6月30日在北京召开了全国加强娱乐服务场所管理暨电子游戏经营场所专项治理工作电视电话会议，对专项行动和专项治理工作进行了部署。中央政治局委员、国务委员罗干同志在会上作了重要讲话，公安部部长贾春旺、文化部部长孙家正分别部署了加强娱乐、服务场所管理，严厉打击卖淫嫖娼、赌博、吸毒贩毒等社会丑恶现象专项行动和电子游戏经营场所专项治理工作，监察部部长何勇、国家工商行政管理局局长王众孚和中央文明办专职副主任胡振民同志作了发言。现将罗干同志的讲话和有关部门负责同志的发言印发给你们。请向党委、政府报告，并结合本地实际认真贯彻落实。

2000年7月3日

中央文明办　建设部　国家旅游局　国家宗教事务局

关于坚决制止风景旅游区封建迷信活动的通知

（文明办〔2000〕6号）

各省、自治区、直辖市文明办，建委（建设厅），旅游局，宗教局、民族宗教委（厅、局）：

近期，全国一些地方的风景旅游景区、景点有的以开发建设为名，违反国家有关法规乱建乱修庙宇；有的用各种封建迷信活动诱导游客；有的在导游讲解中不讲科学，不讲文明，宣扬封建迷信。这些现象严重污染社会环境，在社会上造成了不良影响，广大群众对此反应十分强烈。为切实加强社会主义精神文明建设，促进旅游业的健康发展，必须坚决制止风景旅游区乱建庙宇和各种封建迷信活动。现将有关事项通知如下：

一、要把风景旅游区建设成为传播精神文明的窗口和阵地。要运用各种方式加强对广大游人进行爱国主义教育，进行中华民族悠久历史和灿烂文化教育，进行革命传统教育，进行科学文明思想的教育，使广大群众在游览祖国大好河山、风景名胜的同时，陶冶高尚情操，激发爱国热情，受到生动教育。要大力宣传马克思主义唯物论无神论思想，使崇尚科学文明、反对封建迷信蔚然成风。

二、要加强风景旅游区的规划和建设管理。要严格执行国家和地方有关法规，未经主管部门批准严禁修建庙宇寺观等建筑；严禁在风景旅游区内乱建带有封建迷信色彩的景观；严禁在风景旅游区内设置各种封建迷信活动场所；严禁在风景旅游区内和环景区、景点区域以及通往景区、景点道路两旁设立各种以看相、算命为名骗取游人钱财的摊点。

各地各有关部门要继续认真落实中央办公厅、国务院办公厅《关于转发〈中央统战部、国务院宗教局关于制止乱建庙宇和露天佛像的意见〉的通知》（中办厅字〔1996〕38号），对于已乱修乱建的庙宇，要严格按照该文件精神进行处理。

三、要加强对导游从业人员的管理和培训。各风景旅游区、各旅行社要加强对导游、讲解人员的教育、管理和培训，提高导游从业人员的素质，使他们养成良好的职业道德。导游讲解内容要提倡科学文明、健康向上，严禁在解说中散布封建迷信、庸俗下流的东西。对素质低下、不能胜任工作的导游要取消资格。

四、风景旅游区的宣传品、导游词中要宣传中华民族优秀历史文化和伟大祖国壮美山河，注重科学性、知识性和文化内涵。各地对各风景旅游景区、景点的宣传品和解说词要认真做一次清理。对存在封建迷信、格调低下、庸俗有害问题的，要坚决予以纠正或销毁。

五、要继续深入开展创建文明风景旅游区示范点活动。要把治理封建迷信活动纳入创建规划中，列为日常管理工作内容。各地要把是否制止封建迷信活动作为各级文明风景旅游区检查、审核的重要标准。凡是发现有封建迷信活动，群众反映强烈的，不能评为文明风景旅游区示范点。

全国文明风景旅游区示范点要加强自身管理检查，健全规章制度，切实消除各种封建迷信现象，真正起到应有的表率、示范作用。今后发现文明风景旅游区示范点出现封建迷信活动的，要限期整改，直至撤销荣誉称号。

六、各地在制止风景旅游区的封建迷信活动工作中，要重视发挥新闻媒体的作用，切实做好宣传教育和舆论引导工作。要通过公布有关部门的投诉举报电话、建立必要的表彰奖励制度等方式，广泛发动人民群众参与，形成全社会共同抵制、打击封建迷信活动的良好氛围。

七、制止风景旅游区封建迷信活动的工作既要积极，又要稳妥。要坚持党的民族宗教政策，执行国家有关法律法规，严格掌握政策界限。要把封建迷信活动和正常的宗教活动区别开来，同优秀传统文化区别开来，同正常的民族习俗区别开来。

风景旅游区内依法登记的宗教活动场所受法律保护。在制止封建迷信活动和日常管理工作中，要注意维护宗教活动场所的合法权益，积极引导这些场所为景区的精神文明建设做贡献。

八、各地文明办和建设、旅游、宗教等部门要统一思想，提高认识，从落实江泽民总书记关于“三个代表”重要思想的高度，从讲政治的高度，本着对党和人民高度负责的精神，深刻认识封建迷信活动的危害，切实加强对风景旅游景区、景点的管理工作，积极主动地制止各种封建迷信活动。要在当地党委和政府的领导下，进一步明确各自职责，各司其职、各负其责，密切配合，共同努力，把制止封建迷信活动工作做好。

各地文明办要做好统筹、协调、督促工作；建设部门要做好景区、景点建设的规划审批工作，加强对景区、景点的保护管理；旅游部门要把制止封建迷信活动工作纳入经常性管理之中，要严格按照《导游人员管理条例》加强对导游的管理和培训，要加强对导游词的编写和规范工作；宗教部门要把握政策，保护正常宗教活动，认定利用宗教进行的非法活动，为制止封建迷信活动工作提供政策支持。

各地要按照本通知精神，对风景旅游景区、景点存在的乱建庙宇和各种封建迷信活动进行一次认真检查，发现问题及时纠正。在检查过程中，要研究制定长效管理措施，杜绝各种封建迷信活动死灰复燃。制止风景旅游区封建迷信活动的有关情况，请及时向中央文明办和国家有关主管部门报告。

2000年7月14日

中央文明办　国家工商行政管理局

关于开展1999—2000年度优秀公益广告作品评选工作的通知

（工商广字〔2000〕第184号）

各省、自治区、直辖市及计划单列市文明办、工商行政管理局：

为充分调动社会各界参与公益广告活动的积极性，有效发挥公益广告在传播社会主义精神文明方面的作用，中央精神文明建设指导委员会办公室（以下简称中央文明办）和国家工商行政管理局根据《关于开展2000年“树立新风尚，迈向新世纪”主题公益广告活动的通知》（工商广字〔2000〕第3号）精神，定于2001年第一季度开展1999—2000年度优秀公益广告作品的评选工作。现就有关事项通知如下：

一、关于奖项的设立

中央文明办和国家工商行政管理局设立公益广告全国奖。公益广告作品的奖项分别为：金奖、银奖、铜奖、入围奖等四个等级，奖励获奖作品的创作单位、出资单位和主创人员。为激励优秀公益广告创作人员，设立个人最佳创意奖、最佳设计奖、最佳摄影奖、最佳音效奖。对于在公益广告活动中表现突出的单位或个人（不含文明办和工商行政管理系统的单位或个人），中央文明办和国家工商行政管理局将予以表彰。

二、关于参评的范围

1.1999—2000年度首次在媒体（包括户外广告）上发布的各类公益广告均可参加评选。参加优秀公益广告作品评选的公益广告作品，应当符合“优秀公益广告作品评选标准”和“参评作品要求”。

2.在1999—2000年度公益广告活动中贡献突出的单位和个人均可被推荐或自荐。各地报送的先进单位和先进个人事迹材料，应当符合“报送先进单位和先进个人事迹材料的具体要求”。

三、关于参评办法

1.参评公益广告作品，由各省、自治区、直辖市文明办、工商行政管理局组织评选后统一报送国家工商行政管理局广告监管司，并按要求填写“送评作品登记表”。各省（自治区、直辖市）送评作品数量，影视、广播广告作品各3件（其中以倡导社会公德、职业道德、家庭美德为主题的影视作品不少于1件），平面广告作品4件。

2.各地要严格审查参评作品。凡涉及抄袭、模仿等问题，一律不得送评。

3.公益广告活动先进单位和先进个人，由各省、自治区、直辖市文明办和工商行政管理局共同推荐，提名单位和个人均不超过3个。

四、关于时间要求

各地文明办、工商行政管理局在公益广告作品评选工作结束后，要对开展本年度公益广告活动的情况写出书面总结，于12月31日前分别上报中央文明办协调组和国家工商行政管理局广告监管司。送评公益广告作品、送评作品登记表、推荐先进单位和个人事迹材料，请务必在12月10日前报送国家工商行政管理局广告监管司。

2000年8月22日

中央文明办　民政部　教育部　公安部　司法部　劳动保障部　建设部　文化部　卫生部　国家体育总局　全国总工会　共青团中央　全国妇联　中国残联

关于加强社区残疾人工作的意见

（〔2000〕残联办字第142号）

各省、自治区、直辖市、计划单列市民政厅（局）、教育厅（教委）、公安厅（局）、司法厅（局）、劳动和社会保障厅（局）、建委（建设厅）、文化厅（局）、卫生厅（局）、体委（体育局）、文明办、工会、团委、妇联、残联：

社区建设是经济发展、社会进步的必然产物，是改善生活质量、提高文明程度的重要举措。随着我国经济和社会的协调发展以及城市基层社会管理体制改革的不断深入，社区建设工作将在全国全面推开，从而对我国残疾人事业，尤其是城市残疾人工作产生积极而深远的影响。

我国有2000多万残疾人生活在城市社区。与健全人相比，他们仍是一个特殊而困难的群体，需要社区给予特别的扶持和帮助，更需要通过社区来实现参与社会生活。社区建设为残疾人事业开辟了新的工作领域，社区成为面向广大残疾人、为残疾人直接提供服务的工作层面。做好社区残疾人工作，对于提高残疾人生活质量，推动残疾人事业的发展，加强社会主义精神文明建设，维护安定团结的大好局面，具有十分重要的现实意义。

为加强社区残疾人工作，提出以下意见：

一、基本原则

——坚持以政府为主导，社区为依托，有关部门密切配合，社会各界共同参与的社会化工作方式。

——将社区残疾人工作纳入社区建设总体规划，融为一体、同步发展、共建共享。

——建立以社区居民委员会为核心、社区残疾人组织为纽带、社区服务机构为基础的工作机制，促进残疾人平等参与社会生活。

二、建立社区残疾人组织

在社区建立残疾人组织，是社区组织建设的一项内容和做好社区残疾人工作的必然要求。

要按照社区组织建设的要求，依托社区居民委员会，建立社区残疾人组织。社区残疾人组织名称为“社区残疾人协会”，主席由社区居民委员会成员担任，副主席由优秀残疾人或残疾人亲友担任。社区残疾人协会在社区居民委员会指导下开展工作。

社区残疾人组织的主要职责是配合社区居民委员会做好本社区的残疾人工作：密切联系残疾人，代表其利益，倾听其呼声，反映其需求，维护其合法权益；联系有关方面，为残疾人提供切实服务；倡导“自尊、自信、自强、自立”精神，团结、教育、带领残疾人参与社区建设和社会生活，为社会主义现代化建设贡献力量。

三、推进残疾人社区康复

社区康复具有就近就地、经济适用、简便易行等特点，是大多数残疾人进行康复训练、补偿功能、改善参与社会生活条件最有效的形式。社区卫生服务机构要将残疾人社区康复作为重要工作内容。

社区卫生服务机构要及时了解、掌握社区人群残疾发生情况及残疾人的康复需求，建档立卡；组织、指导残疾人开展以家庭为基础的康复训练；做好健康教育，普及康复知识；开展残疾预防，建立并实行儿童残疾发生报告制度，做到“早期发现、早期诊断、早期干预”。对于在社区无法满足的康复需求，要向设康复科的上级综合医院或康复服务机构进行转诊（介）。

四、为残疾人提供切实服务

残疾人由于自身的障碍和需求的多样性，需要更广泛、更有针对性的服务，是社区服务工作的重点对象。

社区组织和服务机构，要针对残疾人的实际需求，为其提供切实服务：落实城市最低生活保障制度，保障残疾人的基本生活；依法安置残疾人就业，扶持残疾人个体从业，社区便民服务网点应优先安排条件适合的残疾人；市民求助系统等公共服务网络，要为残疾人提供优质服务，解决他们的实际困难；要关心残疾儿童和残疾人子女的教育问题，对生活困难的，提供支持和帮助；采取党政干部“帮扶结对”、“妇女手拉手”、“军民共建”、“警民共建”、“雏鹰争章”、“送温暖”、“巾帼社区服务工程”、“红领巾助残”、“青年志愿者社区援助活动”等多种形式，组织志愿者为残疾人提供帮扶服务。

五、活跃残疾人的文化生活

社区文化活动是残疾人平等参与社会生活的必要途径和重要体现，也是提高残疾人文化素质和丰富残疾人生活的需要。

社区居民委员会要关心、重视残疾人的文化生活，通过各种健康、有益的活动，培养残疾人积极向上的生活情趣，丰富科学文化知识；积极支持社区残疾人组织开展适合残疾人特点的群众性文体活动。社区各类公众文化、体育、娱乐活动设施，要为残疾人提供优惠和方便，同时针对残疾人的特殊需求，开辟适当的活动场地，配置适合他们使用的视、听读物和体育娱乐器具等。社区残疾人组织和残疾人家庭要鼓励、帮助残疾人参加社区开展的群众文化、教育、科普、体育、娱乐等活动。

六、建设社区无障碍环境

社区无障碍设施是残疾人走出家门、参与社会生活的基本条件，也是方便老年人、妇女、儿童和其他社会成员的重要设施。建设社区无障碍环境，是社会文明的体现。

新建或改建社区住宅、公共设施、道路，主管部门、业主以及有关专业技术人员、工程设计人员、施工人员要提高无障碍意识，注意听取残疾人和残疾人组织的意见，严格执行《城市道路和建筑物无障碍设计规范》等有关强制性标准中对无障碍设施建设的要求。主管部门要把好规划审批、设计审查关和工程验收关。要加强对已建无障碍设施的维护、管理，确保正常使用。社区内其他的社会服务场所、设施，要根据残疾人的实际需求因地制宜进行改造。

七、保障残疾人合法权益

残疾人是困难而脆弱的群体，更容易受到伤害和不公正对待，在安全保卫、民事调解和社会治安综合治理等社区治安工作中，要把残疾人作为重点对象予以关注。要深入宣传、贯彻《中华人民共和国残疾人保障法》等法律、法规，制定、实施本社区对残疾人的优惠扶持措施，同时提高社区群众保障残疾人合法权益的法律意识；社区基层法律服务机构和民事调解组织要及时了解社区内残疾人权益保障状况，听取残疾人意见，为残疾人提供优先、优质、优惠的法律服务，调解有关纠纷，依法维护残疾人的正当权益；法律援助机构为符合法律援助条件的残疾人提供优质、高效的法律援助；社区安全保卫工作要对残疾状况较重、经常留在家中的残疾人定期走访，消除不安全因素；对重性精神病患者要做好监护工作，降低肇事率。

八、加强组织领导，做好社区残疾人工作

各级政府要高度重视社区残疾人工作，在规划和部署社区建设工作时，将残疾人工作列入总体规划，纳入社区建设的内容之中，并将社区残疾人工作作为有关部门工作考核的重要评价指标。地方各级政府社区建设协调领导机构，要吸收同级残联为成员单位，发挥残联在社区建设中的作用。

各级民政部门，在推进社区建设工作中要听取残联的意见，把社区残疾人工作列入社区建设工作计划，给予具体指导。各级教育、公安、司法、劳动保障、建设、文化、卫生、体育、文明办、工会、共青团、妇联等部门、组织，要把社区残疾人工作纳入各自的社区建设工作领域，兼顾特性，同步实施。

各级残联要在党委、政府领导下，积极参与社区建设，与各有关部门密切合作，做好社区残疾人工作。要将社区残疾人工作纳入自身职责，加大工作力度，采取切实措施，发挥综合、协调、服务作用，并及时总结、交流经验，推动社区残疾人工作深入健康发展。

2000年8月29日

中央文明办　建设部　国家旅游局

关于确定第三批全国文明风景旅游区示范点的通知

（文明办〔2000〕9号）

各省、自治区、直辖市文明办、建委（建设厅）、旅游局：

近年来，各地、各有关部门认真贯彻党的十四届六中全会精神，按照中央文明办、建设部、国家旅游局的统一部署，积极开展创建文明风景旅游区活动，有力推动了旅游环境的改善和服务质量、管理水平的提高，涌现出一批两个文明建设成绩突出的风景旅游区。中央文明办、建设部、国家旅游局已经确定并公布了两批全国文明风景旅游区示范点，产生了很好的社会反响，增强了风景旅游区的吸引力、竞争力，带来了经济效益和社会效益双丰收。为了更好地发挥先进典型的示范带动作用，继续推动创建文明风景旅游区活动的深入开展，在各地推荐的基础上，中央文明办、建设部、国家旅游局确定以下10个景区为第三批全国文明风景旅游区示范点：

云南昆明世界园艺博览园、福建厦门鼓浪屿风景区、吉林长春净月潭风景名胜区、宁夏沙湖、江西南昌滕王阁、浙江雁荡山风景名胜区、山西五台山风景名胜区、山东青岛崂山风景名胜区、河南洛阳龙门风景名胜区、重庆大足石刻风景旅游区。

希望被确定为示范点的单位谦虚谨慎，戒骄戒躁，发扬成绩，再接再厉，自觉接受人民群众的监督，切实发挥好示范带头作用，不断做出新的更大的成绩。各地文明办和建设、旅游主管部门，要加强对示范点的指导、检查和督促，帮助他们做好巩固提高工作。对示范点要实行动态管理，发现问题要限期整改，及时解决；对工作严重滑坡，不能起示范作用的，将取消示范点称号。各地、各有关部门和单位要认真学习推广示范点的先进经验，大力倡导文明建设、文明经营、文明服务、文明管理，把创建文明风景旅游区活动更加广泛深入地开展下去，把风景旅游区建设成为社会主义精神文明建设的重要阵地，促进假日旅游健康发展，以两个文明建设协调发展的崭新风貌，迎接新的世纪。

2000年9月15日

中央文明办　建设部　公安部　国家工商局　新闻出版署　国家邮政局

关于在全国城镇建设报刊零售亭的通知

（国邮联〔2000〕425号）

各省（自治区、直辖市）精神文明建设指导委员会办公室、建委（建设厅）、公安厅（局）、工商行政管理局、新闻出版局、邮政局：

报刊发行市场是社会文化市场的组成部分，是社会主义精神文明建设的重要阵地。报刊销售是宣传党和国家的方针政策、普及科学文化知识、传播信息的有效途径。近年来，各地在报刊零售网点建设上做了大量的工作，取得了很好的效果，对于繁荣社会主义文化市场，巩固“扫黄”、“打非”成果，满足人民群众文化需求，美化城市环境等起到了积极的作用。目前已建成的报刊亭被人民群众誉为安排下岗职工的安民亭、方便市民生活的便民亭、满足文化需求的文化亭、维护社会治安的安全亭。为进一步加强对城镇报刊零售网点建设和管理工作，特就有关问题通知如下：

一、各地要把报刊零售亭建设作为综合便民服务窗口和精神文明阵地建设的重要内容，纳入城市规划，通盘考虑。有计划地在城市和具备条件的乡镇兴建一批式样美观、相对稳定的报刊零售亭。

二、邮政部门作为我国报刊发行的国有主渠道，要承担起报刊零售亭建设和经营的主要任务。各级邮政部门要加大对报刊零售网点建设的投资力度，采取邮政部门与社会其他相关部门联合建设等多种形式，加快报刊零售网点建设，要切实保证报刊零售网点建设所需资金得以落实。

三、各级城建、公安、工商行政管理、新闻出版、文化市场管理部门要大力支持报刊零售亭的建设，按照各自职能做好报刊零售亭的规划、选址、安装、办证工作，并适当减免费用。

四、报刊零售亭应避免在车行道、盲道、路口50米以内及宽度小于3米的人行道内设置，以免影响交通。

五、邮政企业办理工商营业执照和出版物发行许可证后，其所属的报刊零售网点作为邮政企业对外营业窗口，统一办理营业登记和出版物发行许可证。

六、在新建报刊零售亭的同时，各地也可组织下岗职工开展流动售报活动，由当地邮政局负责货源供应，并会同文化市场管理部门对流动售报队伍进行业务和市场管理。

七、报刊零售工作是与社会主义精神文明建设相关的一项政治性很强的工作，各地区、各部门的领导要从讲政治的高度认识报刊零售网点建设的重要性。要创造条件，切实搞好报刊零售亭的建设工作，为社会主义精神文明建设做出新的贡献。

2000年9月30日

全国“扫黄”工作小组　财政部　公安部　新闻出版署　国家版权局

颁布《对举报“制黄”、“贩黄”、侵权盗版和其他非法出版活动有功人员奖励办法》

奖励办法规定，无论以书面、电话或其他形式向全国“扫黄”工作小组办公室、公安部治安管理局、地方各级“扫黄”工作小组办公室和公安机关举报各类非法出版活动，举报内容经查证属实，并由此破获有关案件，举报人员都将获得政府有关部门按照规定给予的奖励。

属于这一奖励办法范围的举报包括：出版、制作、印刷、复制、发行、传播淫秽出版物和法律、法规禁止的其他各类内容出版物的行为；未经著作权人许可而复制、发行其文字、音乐、电影、电视、录像作品和计算机软件及其他作品的行为；盗印、盗制或者出版他人享有专有出版权出版物的行为；未经批准擅自设立出版单位或者擅自从事出版物的出版、印刷和复制、发行业务的行为；伪造、假冒出版单位或者报纸、期刊名称出版出版物的行为；擅自印刷或者复制、发行、非法进口境外出版物的行为；买卖书号、刊号、版号构成犯罪的行为以及法律、法规规定的其他非法出版行为。

具体奖励标准为，对于一般举报有功人员，举报非法出版活动按每案所涉及出版物经营额2%以内的奖励金奖励；举报非法出版活动的生产、经营和运输等设备的，按每案罚没款总额10%以内的奖励金奖励；举报非法从境外引进光盘生产线非法复制光盘的，按每条15万元至30万元给予奖励；举报采用相关设备组装非法光盘生产线非法复制光盘的，按每条3万元至10万元给予奖励。对有特殊贡献的举报人或所举报的有关非法出版活动案件被列为全国大案要案的，经批准可不受上述奖励金数额的限制。

除个人举报者外，以法人或其他组织的名义举报，同样可按本办法进行奖励。

奖励办法特别指出，对举报有功人员的奖励金，由立案地的“扫黄”工作小组办公室颁发，实施奖励由专人负责，并严格为举报人保密，违者将依法追究其法律责任。

(2000年2月2日《人民日报》)

国务院新闻办公室：西藏文化的发展

（2000 年 6 月 23 日）

前　　言

中国是一个统一的多民族国家。藏族作为中华民族大家庭中的一员，在与其他民族不断交流和相互吸收与促进的漫长历史中创造和发展了具有特色的灿烂文化。藏民族文化至今仍然是中华文化和世界文化宝库中的一颗璀璨的明珠。

藏族本土文化原本是位于雅鲁藏布江流域中部雅砻河谷的吐蕃文化和位于青藏高原西部的古象雄文化逐渐交融而形成的。到了公元七世纪松赞干布时期，佛教从中原、印度、尼泊尔传入吐蕃，逐渐形成和发展为独具特色的藏传佛教。与此同时，南亚的印度、尼泊尔文化以及西亚的波斯文化、阿拉伯文化等，特别是中原的汉文化，对西藏文化的发展产生了较大的影响。在西藏文化的历史发展过程中，藏族建筑艺术和雕塑、绘画、装饰、工艺美术等造型艺术以及音乐、舞蹈、戏剧、语言文字、书面文学、民间文学、藏医藏药、天文历算均达到了很高的水平。

由于历史的原因，西藏后来发展成为一个极少数上层僧侣贵族掌权的政教合一的封建农奴制的地方政权，使得藏传佛教文化在一个较长的时期内处于西藏文化的主导地位。这种情况一直延续到 1959 年实行民主改革前。当时，西藏的生产资料和文化教育为极少数上层僧侣贵族所垄断，文化艺术只供少数上层僧侣和达官贵人消遣，占西藏人口 95% 的广大农奴和奴隶生活极度贫困，连基本的生存权都毫无保障，根本谈不上享受文化教育的权利。长期的政教合一的封建农奴制的统治，不仅严重束缚了西藏生产力的发展，而且使西藏传统文化包括文物古迹、道场胜迹处于自我封闭和萎缩的状态。至于现代科学技术和文化教育，则更是一片空白。

中华人民共和国成立后，中央人民政府十分重视藏民族优秀传统文化的保护和发展。1951 年，中央人民政府在与西藏地方政府签订的关于和平解放西藏办法的“十七条协议”中明确规定：要“依据西藏的实际情况，逐步发展西藏民族的语言、文字和学校教育。”1959 年，在中央政府的支持下，西藏实行民主改革，废除封建农奴制度，解放百万农奴和奴隶，逐步实行了民族区域自治制度，使西藏的社会和文化发展迈入了崭新的时代。西藏文化从此结束了为少数上层封建僧侣贵族所垄断的历史，成为西藏全体人民继承和发展的共同文化遗产。

40 多年来，中央人民政府和西藏自治区人民政府根据《宪法》和《民族区域自治法》的规定，为满足西藏人民日益增长的物质文化生活需要，在促进西藏社会经济发展的同时，投入巨大的人力、财力和物力，运用法律、经济和行政等多种手段，保护和弘扬藏族优秀传统文化，大力开创和发展现代科学文化教育事业，取得了举世瞩目的成就。西藏全体人民作为新时代的主人共同继承、发展和分享藏民族传统文化，共同创造现代文明生活和文化事业，使西藏文化出现了前所未有的繁荣与发展。

一、藏语文得到广泛的学习、使用和发展

西藏自治区是藏族聚居地区，藏族人口占 95%以上，藏语言文字是全区通用的语言文字。西藏自治区高度重视依照《宪法》和《民族区域自治法》维护和保障藏族人民学习、使用和发展本民族语言文字的权利，先后于 1987 年和 1988 年颁布实施《西藏自治区学习、使用和发展藏语文的若干规定（试行）》和《西藏自治区学习、使用和发展藏语文的若干规定（试行）的实施细则》，将学习、使用和发展藏语文的工作纳入法制

化的轨道。西藏各级政府依法落实保护和发展藏民族语言文字的规定，在保障藏族人民学习和使用本民族语言文字权利的同时，使藏语言文字随着政治、经济、文化事业的发展而得到不断的发展。

藏语言文字在西藏社会生活各个方面得到广泛使用。1959年民主改革以来，西藏自治区人民代表大会通过的决议、法规，西藏各级政府和政府各部门下达的正式文件、发布的公告都使用藏汉两种文字。在司法诉讼活动中，对藏族诉讼参与人，都使用藏语文审理案件，法律文书都使用藏文。各单位的公章、证件、表格、信封、信笺、稿纸、标识以及机关、厂矿、学校、车站、机场、商店、宾馆、影剧院、体育馆的标牌和街道名称、交通路标等均使用藏汉两种文字。

目前，西藏自治区的广播电视每天藏语播出时间达20多小时。1999年10月1日西藏电视台卫视频道开播之后，每天都播放藏语节目和藏语译制片。电影坚持面向基层、面向农牧区，每年保证有25部新译制的藏语电影在各地放映。藏文图书报刊发展很快，仅1989年以来的10年间就出版藏文图书441种，许多高质量的藏文图书还在国内外获奖。据统计，西藏现有藏文杂志14种，藏文报纸10种。《西藏日报》藏文版每天出版，大量稿件直接用藏语文采写、编辑，此外还投巨资建立了计算机藏文编辑排版系统，结束了铅字排版的历史。《西藏科技报》和《西藏科技信息报》都创办了藏文版，深受广大农牧民欢迎。西藏所有文艺团体都用藏文创作节目，用藏语表演。

藏语文学习依法得到保障。西藏自治区教育系统全面推行以藏语文授课为主的双语教育体系，已经编译出版了从小学至高中所有课程的藏文教材和教学参考资料。

随着时代的进步和社会的发展，藏语文的词汇和语法得到不断充实、丰富和发展。藏文专业术语规范化及信息技术标准化工作取得了重大进展。藏文编码已正式通过中国国家标准和国际标准，藏文的信息化正在走向世界。

二、文物、典籍得到有效保护和积极利用

在旧西藏，文物保护几乎是空白。西藏实行民主改革以后，文物保护工作受到中央人民政府的高度重视。早在1959年6月，中国就成立了西藏文物古迹文件档案管理委员会，集中收集和保护了大量的文物和档案典籍。同时，中央人民政府专门组织工作组分赴拉萨、日喀则、山南等地，对重点文物进行实地调查。布达拉宫、大昭寺、甘丹寺、藏王墓、江孜宗山抗英遗址、古格王国遗址等9处被列入1961年国务院公布的第一批全国重点文物保护单位。即使是在“文化大革命”这样一个特殊的时期，周恩来总理还亲自指示对布达拉宫等重点文物保护单位采取特殊措施加以保护，使之免遭破坏。“文化大革命”之后，中央人民政府投资3亿多元人民币，修复开放了1400多座寺庙，及时修缮和保护了大批文物。特别是1989年到1994年之间，中央人民政府拨出5500万元巨款以及大量黄金、白银等贵重物资维修了布达拉宫，这在中国文物保护史上是空前的。1994年5月，联合国教科文组织世界遗产委员会委托的专家对维修竣工的布达拉宫进行了实地考察，认为维修的设计和施工都达到了国际先进水平，是“古建筑保护史上的奇迹”，“对藏文化乃至世界文化保护做出了巨大贡献”。随后，在1994年12月，布达拉宫由于其本身价值与保护状况，被世界遗产委员会一致同意列入《世界遗产名录》。同时，各国代表还支持将拉萨大昭寺列入同一世界遗产项目。现在，中央人民政府每年对西藏文物保护事业的经费投入达400万—500万元人民币。1994年到1997年，中央人民政府投资近1亿元人民币援建了占地面积52479平方米、建筑面积21000平方米的西藏自治区博物馆，成为全国屈指可数的现代化博物馆之一。

西藏自治区人民政府于1965年成立自治区文物管理委员会，专司全区文物保护管理工作，并公布小昭寺、热振寺、楚布寺等11处自治区级重点文物保护单位，对其中急需维修的进行了维修。进入80年代以后，西藏自治区先后颁布了《西藏自治区人民政府关于加强文物保护的布告》、《西藏自治区流散文物管理暂行规定》、《西藏自治区文物保护管理条例》、《布达拉宫保护管理办法》等一系列文物保护法规和规定，使西藏的文物保护工作走上了法制化、规范化的管理轨道。与此同时，西藏的文物保护队伍从无到有，不断发展壮大。据统计，西藏现有专业文物考古工作者270余人，其中95%是藏族。

文物考古工作成效卓著。西藏昌都卡若遗址的考古发掘，为中外文物界所瞩目。70年代以来，中国的考古工作者在西藏进行了多次文物考古发掘，发现了新、旧石器时代的多处人类生存的遗迹，逐步揭开了西藏社会历史和民族传统文化的神秘面纱。从80年代中期到90年代初开展的全区文物普查，调查和发现文物点1700余处，采集、征集和发掘出土各类文物数千件，初步整理文字资料600多万字，线图670余张，拍摄照片3万多张，临摹碑文、石刻造像和壁画400余幅，从而勾勒出西藏从古至今的演变和发展轮廓，揭示了藏族文化与汉族以及周边各民族源远流长的文化交流，为当代和后代文物考古工作者加强西藏文物保护和考古工作提供了翔实可靠的依据。目前，西藏有全国重点文物保护单位18处，国家级历史文化名城3座，自治区级文物保护单位64处，县市级文物保护单位20余处。近年来，西藏在日本、法国、意大利、阿根廷等国成功地举办了西藏文物展览，促进了藏民族文化与国际上其他民族文化的交流，增进了国际社会对西藏的了解。

西藏的文献档案得到妥善保护。西藏藏文文献档案数量巨大，门类繁多，在中国仅次于汉文文献档案。1959年6月，根据国务院的指示，西藏自治区筹备委员会颁发了《关于加强文物古迹、文件档案管理工作的若干规定》，并着手整理、抢救、收集、保管原西藏地方政府及其下属各个部门的文件档案材料以及各寺庙和贵族收藏的文件档案，建立了比较完整的馆藏档案。1984年，中央人民政府拨出巨款，新建了功能较为齐全，设施较为现代化的西藏自治区档案馆，极大地改善了档案的管理条件。目前，西藏自治区档案馆馆藏档案达300多万卷。由西藏自治区档案馆编辑的《西藏历史档案荟萃》、《铁虎清册》等大型图书的出版，成为一部部“铁券文书”。西藏各级各部门共收藏纸质、缣帛和木、金属、石、叶等质地的档案400余万卷，除90%多的藏文外，还有汉、满、蒙、印度、梵、尼泊尔、英、俄等10余种文字，档案内容上起元朝，下迄当代，是一个现代体系完整的历史档案宝库。

三、风俗习惯与宗教信仰自由得到尊重和保护

国家尊重和保障西藏各民族人民特别是广大藏族人民按照自己传统的风俗习惯生活和进行社会活动的权利，尊重和保障他们按照自己的意愿进行正常的宗教信奉、祭祀活动和参加重大的宗教和民间节日活动的自由。与此同时，一些与封建农奴制相伴随的腐朽、落后、蔑视劳动群众的旧习俗，随着社会的进步与发展而被群众所摒弃，这既反映了藏族人民对现代文明、健康生活的追求，也是藏族文化在新时代不断进步的一种表现。藏族群众在保持藏族服饰、饮食、住房的传统方式和风格的同时，在衣食住行、婚丧嫁娶各方面也吸收了不少新的现代文化习俗，极大地丰富了西藏人民的生活。每年各地群众的节庆集会，既有大量的传统节日，如拉萨的藏历新年、萨噶达瓦节、望果节、雪顿节、沐浴节、酥油灯节、达玛节、煨桑节、噶尔恰钦节、赛马会等和拉萨以外其他地区的各种节日，以及许多寺庙的宗教节日，如扎什伦布寺的什莫钦布节、甘丹寺的昂觉节、桑耶寺的经藏跳神节、萨迦寺的七月金刚节、楚布寺的树经幡杆节、热振寺的帕蚌唐郭节等等，又有全国乃至世界性的新兴节庆集会，如三八妇女节、五一劳动节、五四青年节、六一儿童节、十一国庆节等。现代文明的新思想、新文化与藏族传统的优秀文化相结合，使西藏形成了既有民族特色又有时代精神的新风俗、新习惯。

中央人民政府和西藏自治区人民政府特别注意尊重和保护藏族人民的宗教信仰自由和正常的宗教活动。民主改革以后，按照大多数僧尼的意愿和人民群众宗教信仰的需要，有关宗教的文物、古迹、寺庙都得到了妥善保护。中央政府把布达拉宫、拉萨三大寺、大昭寺、日喀则扎什伦布寺等列为国家重点文物保护单位。这些寺院的壁画、雕刻、塑像、唐卡、工艺装饰、经卷、供品、法器、佛龛，包括经堂、殿宇、寺庙、塔刹等宗教文化的载体，都尽力保护或修缮复原。特别是80年代以来，国家拨出巨款，重修了甘丹寺、雍布拉康、桑嘎果托寺等著名寺庙，抢救维修了年久失修的桑耶寺、夏鲁寺、萨迦寺、昌珠寺、强巴林寺、托林寺等一批著名寺庙。布达拉宫、罗布林卡、萨迦寺等所藏经卷和典籍获得了很好的保护，《布达拉宫典籍目录》、《雪域文库》和《德吴宗教源流》等文献古籍得到及时抢救、整理、出版。目前，西藏共有1700多座寺庙和各类宗教活动场所，僧尼4.6万多人，各种宗教活动正常举行，每年都如期举行各种重大宗教节日或活动。中国佛教协会西藏分会，是西藏藏传佛教各教派的组织，现有地（市）级佛教协会7个，并有藏文版会刊《西藏佛教》以及1所西藏佛学院和1所藏文印经院。

四、文化艺术得到全面继承和发展

中央人民政府和西藏自治区人民政府一贯重视藏民族文化艺术的继承和发展。早在50年代，一批进藏的各族文艺工作者与藏族文艺工作者一道，到民间采风，收集了一批音乐、舞蹈、民间故事、谚语、民谣等，陆续整理出版了《西藏歌谣》等一批书籍。70年代末开始，国家又对西藏民族民间文化艺术遗产进行了大规模、有系统的普查、搜集、采录和整理工作。80年代以来，自治区及各地、市成立了民族文化遗产抢救、整理和研究机构，展开了历史上规模空前的抢救、搜集、整理、研究、编辑、出版民族民间文学艺术遗产的工作。西藏自治区先后派出调查组，深入全区城镇、乡村和寺院进行全面调查和采录，搜集了藏汉文资料两三千万字，录制了大量的音像资料，拍摄图片近万幅。先后编辑出版了《中国戏曲志·西藏卷》、《中国民间歌谣集成·西藏卷》、《中国民族民间舞蹈集成·西藏卷》、《中国谚语集成·西藏卷》。有关西藏曲艺、民族民间歌曲、戏曲音乐、民间故事的文艺集成也正在编纂之中，即将出版。这些文艺集成志书的编纂和出版，是对西藏优秀民族传统文化、民间文艺进行全面抢救和有效保护的创举。

世界著名的《格萨尔王传》是藏族人民在漫长历史长河中创造出来的一部珍贵的长篇英雄史诗，是中国乃至世界文学宝库中少有的珍品，但一直是通过民间说唱艺人口头流传。为了保护藏民族的这一文化瑰宝，西藏自治区于1979年成立了抢救、整理《格萨尔王传》的专门机构，进行全面搜集、采录、整理、研究和出版工作。国家将《格萨尔》列入“六五”、“七五”、“八五”三个五年计划的重点科研项目。经过20年的努力，共搜集藏文手抄本、木刻本近300部，除去异文本约有100部，现已正式出版藏文本70余部，总印数达300余万册，使这一长期零散传唱的口头文学变成了一部系统完整、被称为“世界史诗之王”的文学巨著。同时还出版了20多部汉译本，并有若干种译成英、日、法文出版。这在藏族民间文艺遗产的保护以及出版史上都是前所未有的。

西藏的现代文学艺术事业在同民族传统形式、风格和特色相结合的过程中得到了巨大发展。西藏和平解放后，一批从内地进藏的各族文艺工作者一边深入现实生活，一边发掘继承优秀的民族文艺传统，创作了一批诗歌、小说、歌舞、美术、电影、摄影等作品，给处于封闭和半封闭状态的西藏带来了新的文艺思想和文艺创作经验。一大批爱好文艺的藏族知识分子参加到新的文艺队伍中，创作了一批新的具有鲜明民族特色的现代文艺作品。1959年民主改革以后，西藏更涌现了一批优秀的文艺作品，如歌曲《北京的金山上》和《翻身农奴把歌唱》、表演唱《逛新城》、歌舞《洗衣歌》、音乐舞蹈史诗《翻身农奴向太阳》、话剧《文成公主》、电影《农奴》等，在国内外都产生了一定影响。近50年来，西藏专业文学艺术工作者共创作和演出了569个具有浓郁民族风格和强烈时代气息的新编文学艺术作品和舞台剧（节）目，其中获全国性奖51项，全区性奖121项。全区各专业艺术表演团体近5年来共演出4887场，观众达279万人次，每年为基层群众演出达400余场。

群众性的文化艺术事业蓬勃发展。1959年以后，翻身农奴在广大城乡纷纷成立业余歌舞队和藏戏队，以群众喜闻乐见的文艺形式，自编自演了众多反映翻身解放后新生活的节目。1963年举行了全区第一次群众文艺汇演，并组成代表团赴京参加全国少数民族业余文艺汇演，演出了一批既有新内容又有鲜明民族特色的好节目，展示了群众文艺创作的新水平。近5年来，在中央人民政府和兄弟省、市的支援下，西藏的文化设施建设力度显著加大，累计投资1.4046亿元。目前，西藏已建成各级群众艺术馆、综合文化馆和文化站400多个，这些文化场所可以开展内容丰富、形式多样的文娱、体育活动。西藏图书馆于1996年7月开馆，现已接待藏族读者10余万人次。西藏现有县级乌兰牧骑演出队17个，业余文艺演出队和藏戏演出队160余个，他们常年活跃在农牧区，深受群众喜爱，不少节目在全国性和自治区文艺汇演中获奖。各地、市、县还举办不定期的群众文艺汇演，促进了群众文化活动的繁荣。近几年，每逢藏族传统节日“雪顿节”，西藏都举行藏戏、歌舞演出，开展丰富多彩的群众自娱性传统文化活动。洛扎县（藏戏、歌舞）、比如县（民间造型艺术）、贡嘎县昌果乡（民间舞蹈）、昂仁县窘日吾齐（藏戏）、江孜县（藏毯纺织）还被国家正式命名为民间艺术之乡。国家投资260多万元在堆龙德庆县建成了国家级农村儿童文化园，并于1996年成立了西藏少年儿童艺术团。西藏少年儿童艺术团两度赴北京演出，并于1998年赴美国参加国际儿童艺术节演出，均获得巨大成功。1995年至1999年，西藏自治区先后派出包括藏族群众业余演出团在内的40个艺术团组360人次，到世界五大洲20多个国家和地区进行演出、展览和学术交流活动，所到之处无不引起轰动。

五、藏学研究全面展开，藏医藏药重放异彩

旧西藏没有任何现代意义的藏学研究。如今西藏的藏学研究已取得很大进展。藏学已成为一门公认的世界性新兴学科，受到国际学术界的高度重视。它大大突破了藏族传统文化“大小五明”的范围，涵盖了政治、经济、历史、文学艺术、宗教、哲学、语言文字、地理、教育以及考古、民俗、藏医藏药、天文历算和生态保护、经济可持续发展、农业、牧业等社会科学和自然科学的大部分基本学科，成为对西藏社会进行全面研究的一个宏大的学科体系。据统计，中国现有50余家藏学研究机构，1000多名专家学者。

西藏的藏学研究是从和平解放后开始起步的。70年代起，西藏陆续组建了以西藏社会科学院为代表的一批藏学研究专门机构。在过去的几年里，西藏社会科学院先后完成了《西藏通史》（藏、汉文）、《夏格巴——西藏政治史（批注）》、《西藏古代近代交通史》（汉文）、《藏族哲学的理智》（藏文）、《西藏哲学词典》（藏文）、《藏学文献目录索引》等一批重要专著的编写，在藏学研究方面取得了突破性的进展。《西藏研究》已成为全国中文期刊社科类百种优秀期刊之一。特别是近几年来，西藏社会科学研究事业获得了空前发展，涌现出了一批有成就的专家、学者，很多科研成果不断地填补藏学研究领域各专业的重大学术空白，为整理、发掘、抢救藏民族珍贵历史文化遗产，继承、弘扬藏民族优秀传统文化，丰富中华民族传统文化宝库作出了重要贡献。

藏学汉文文献史料的搜集、整理工作也取得巨大成绩，目前已编辑出版了200多部共500多万册，在国内外产生了巨大影响，为研究藏学及汉藏关系史、中央政府和西藏地方关系史提供了丰富的佐证和可信的史料。同时，藏学界与国外开展了广泛的学术交流与合作，先后接待了国外专家学者200多人，并经常派出专家学者出国讲学，开展合作研究。

藏医藏药具有突出的藏民族特色，在藏族传统文化中占有重要的地位，在中华民族医药学宝库中独树一帜。然而，在1959年前，西藏的医疗机构仅有拉萨“门孜康”（即藏医星算学院）和药王山医学利众院两所，门诊建筑面积总共才500平方米，从业人员不足50人，条件十分简陋，日门诊量30—50人次，主要是为贵族、领主和上层喇嘛服务的。

西藏实行民主改革40多年来，国家拨款8亿多元发展西藏的藏医藏药事业，促进了藏医藏药的蓬勃发展。目前，西藏的藏医机构已发展到14所，同时还有60多个县医院的藏医科。1959年，西藏各类藏医药人员只有434人，而到1999年，西藏在编藏医药从业人员已发展到1071名，其中主任、副主任医师61名，主治医师166名，医师和医士844名。由“门孜康”和“药王山医学利众院”合并发展而成的西藏自治区藏医院，现有建筑面积十几万平方米，工作人员438人，其中卫生技术人员290人，病床250张，对广大藏族群众实行免费医疗政策，年门诊量达23万人次。该院建立了门诊部、住院部、制药厂和藏医研究所、天文历算研究所，设有内科、外科、妇产科、肿瘤科、胃肠病科、小儿科等门诊科室，还建立了预防保健、口腔、眼科、藏医外治科等20多个专科门诊，并设有放射、检验、B超、心电、胃镜等现代化的医技科室，除采用传统藏医医疗手段治疗疾病外，还采用西医与藏医相结合的方法治疗疾病，丰富和发展了藏医诊治手法和理论。

藏医药学科学研究和教育工作得到重视。各级藏医机构积极开展藏医药科学研究，搜集整理近百部藏医学文献、专著，在继承前辈藏医学家的实践经验和理论精华的基础上，在藏医史、藏医药文献、医药学理论、医德与师承、藏医本草等方面的研究都有新的成果问世。《四部医典》(藏汉文版)、《蓝琉璃》、《四部医典系列挂图全集》、《藏医诊断学》、《藏医新剂学》、《藏医名医列传》等32部专著已付梓出版。西藏藏医学院建立10年来共输送各级各类藏医药人才615名。藏药生产走上标准化、规范化和科学化的管理轨道。目前西藏有10多家藏药制药厂，其中自治区藏药厂拥有两条生产线，产品共有110多种，年产值4610万元。

藏医药正在走向世界，引起国际医学界的关注。每年有大批外国专家、学者到西藏考察藏医学，美、英、德等国还引进了藏医藏药，一些国家派出留学生到西藏学习。随着时代的发展和进步，藏医药学这门古老的科学，正在焕发出勃勃生机，为提高西藏人民的身体健康水平，造福人类，发挥着重要的作用。

六、人民教育事业实现历史性跨越

旧西藏没有一所近代意义的学校。寺院垄断着教育，仅有的极少数官办的僧官和俗官学校，绝大多数学生是贵族子弟。广大农奴根本没有接受教育的机会，文盲占95%。1937年国民政府教育部开办的国立拉萨小学，盛时学生也不足300人，办学10多年，仅有12人高小毕业。

西藏实行民主改革以来，西藏自治区人民政府一直把发展人民教育事业，提高藏民族整体科学文化素质作为一个重要任务。为依法保障人民的受教育权利，西藏自治区于1994年颁布实施了《西藏自治区义务教育办法》和《西藏自治区义务教育规划》，同时在资金投入上对教育实行倾斜政策，明确规定自治区年度财政预算和年度基本建设投资计划中教育部分所占的比例均要达到17%。1990—1995年，自治区地方预算内教育事业费累计投入10.3亿元。目前，西藏已初步形成了比较完备的教育体系，教职员工已达到22279人，其中专职教师19276人，以藏族为主的少数民族师资占80%以上。

西藏的教育事业发展迅速。据统计，目前西藏已拥有中学101所，小学820所，教学点3033个，中小学在校生354644人，其中区内初中在校生34756人，普通高中在校生9451人。西藏的适龄儿童入学率达到83.4%，实现了在牧区普及三年义务教育、农区普及六年义务教育、主要城镇普及九年义务教育。同时，建立了16所中等专业学校，在区内外学习的中等专业学校学生达到8161人。随着成人教育的发展，西藏的青壮年文盲率由1951年前的95%下降到1999年的42%。高等教育发展很快，先后创办了西藏民族学院、西藏农牧学院、西藏大学、西藏藏医学院4所高等院校，现有在校学生共计5249人。

几十年来，西藏已培养大学毕业生2万余人，中专毕业生2.3万余人，有了一批藏族博士、硕士，并已拥有一大批藏族科学家、工程师、教授、名医、文学艺术家等专业人才。

七、新闻出版和广播影视事业发展迅速

西藏和平解放前，没有现代意义上的新闻出版事业，仅有的若干个木刻印经院印出的几乎是清一色的经书。西藏和平解放以来，西藏的新闻出版业从无到有逐步发展。特别近20年来，图书、报刊、音像出版业发展迅速，现已初步形成了一个遍布全区的新闻出版体系。

出版事业繁荣发展。西藏先后建立了4家出版社和1家音像复录加工厂。西藏人民出版社成立近30年来，共出版图书6600余种，发行7890余万册，其中藏文图书占80%左右，有近百种图书先后获全国和地区性奖励。目前，西藏有包括西藏新华印刷厂在内的各类印刷厂25个，电子排版、平版胶印、电子分色、多色印刷等新技术逐步进入印刷企业。西藏和平解放前根本没有现代意义上的图书发行事业，如今已有自治区、地市、县三级新华书店67个，基本形成了覆盖全区的图书发行网络，近20年来为广大藏族读者提供各种藏文图书8000多种共9000多万册。报刊出版事业稳步发展。从1956年《西藏日报》创刊、1977年《西藏文艺》创刊发展到现在，西藏公开发行的报刊已达52种。

西藏广播影视事业也是在和平解放后逐渐发展起来的。1953年建立拉萨有线广播站；1958年开始播出无线广播；1959年西藏人民广播电台正式成立；1978年试播黑白电视节目；1979年试播彩色电视节目；1985年西藏电视台正式成立；1995年西藏广播电视译制制作中心工程投入使用。40多年来，国家和自治区用于西藏广播影视业建设的资金达5.3亿元，中央和全国各兄弟省（市）

还支援了大量的器材和物资，支援的技术人员和干部有5批200多人，并为西藏培养了大批广播影视专业人才。目前，西藏已有广播电台2座、中短波广播发射台和转播台36座、县级调频转播台45座、无线电视台2座、电视转播台354座；卫星地面站1475座。广播和电视的人口覆盖率分别达到65%和55%。拉萨市及周边地区的电视人口覆盖率达75%。电影是西藏广大农牧区目前主要的文化活动之一。西藏现有电影院436个，基层电影放映队650个，放映点9300多个，年放映13万多场，观众达2850万人次，农牧民群众人均每月至少能观看一场电影。在广大农牧区实现了电影藏语化，基本解决了农牧民看电影的问题。广播影视已成为西藏各族人民文化生活中不可缺少的重要内容。

结 束 语

40多年来，西藏文化在继承传统优秀文化和保持藏民族文化特色的基础上得到了巨大的发展。这种发展突出地表现在：一是西藏文化的主体发生了根本变化，彻底改变了极少数封建农奴主垄断西藏文化的局面，西藏全体人民成为共同继承、发展和分享西藏文化的主体；二是西藏文化的内涵发生了深刻的变化，一些与封建农奴制相伴随的腐朽、落后的东西随着社会的进步与发展而被抛弃，藏族信教群众的宗教信仰得到充分的尊重和保护，藏族传统优秀文化得到妥善保护和继承，并被赋予反映人民群众新生活和社会发展新需要的时代内容，在内容和形式上都得到了不断弘扬和发展；三是西藏文化的发展态势发生了实质性的变化，打破了封闭、停滞和萎缩状态，形成了面向现代化、面向世界的开放和发展态势，在传统文化得到弘扬的同时，现代科技教育和新闻传播文化从无到有，获得了空前发展。

令人深思的是，在西藏文化不断发展的今天，达赖集团却在国际上到处散布和大肆鼓噪“西藏的文化遭到了灭绝”，并在一些国际敌对势力的支持下借此不断掀起反华舆论。从西藏民主改革40多年来的历史可以清楚地看出，达赖集团所谓的“文化灭绝”不是别的，恰恰是西藏文化真正的发展。

首先，文化属于社会的意识形态，它是随着社会的经济基础和上层建筑的其他部分的变化而变化发展的。现代西方文化的形成和发展，是与消灭中世纪封建农奴制和政教合一的专制制度的近代欧洲资产阶级革命以及与之相伴随的宗教改革和思想文化领域的巨大变革分不开的。同样，西藏40多年来文化的发展是在消灭比欧洲中世纪还要黑暗的政教合一的封建农奴制这样一个巨大的社会变革的条件下出现的。随着封建农奴制的消灭，由极少数农奴主垄断西藏文化这种与旧制度相伴随的文化特性势必遭到“灭绝”，政教合一、由宗教支配整个社会政治生活这种旧的文化专制主义也势必遭到“灭绝”，这是西藏历史发展的必然，也是西藏文化发展的必然。因为没有这种“灭绝”，西藏社会和西藏文化就无法得到解放和发展，西藏广大人民就不可能获得掌握和分享西藏文化发展成果的权利，西藏人民的宗教信仰就不可能变成个人的私事，获得真正的自由。但是，这种“灭绝”对于封建农奴制的总代表达赖集团来说却是致命的，是他们的文化统治权的灭绝。他们因此大叫“西藏传统文化遭到了灭绝”也就不足为奇了。

其次，一种文化的发展从来不是孤立进行的，它势必随着时代的进步和社会的发展而不断获得新的内容和形式，势必在与其他文化的相互融合和吸收中不断滋养和丰富自己。西藏文化40多年的发展就是西藏社会逐步摆脱愚昧落后走向改革开放和现代化的过程中，在与现代文明包括现代西方文明的相互融合和吸收中实现的。随着西藏生产方式、生活方式的变化，人们的思维方式和思想观念也必然发生变化。在这一过程中，一些西藏传统文化中所没有而为现代文明生活所必需的新文化如现代科技教育和新闻传播等得到发展，一些具有藏民族特色的优秀文化传统在新时代下得到弘扬和光大，同时，一些传统文化中与社会发展和人民生活不相适应的陈腐、落后的东西逐渐被淘汰，这是符合文化发展规律的自然现象，也正是西藏文化在新形势下不断繁荣发展的表现。因为西藏文化获得新的时代内容、取得进步和发展而指责“西藏文化灭绝”，其实质是要求现代西藏人民原封不动地保留旧西藏封建农奴制下的生活方式和文化价值，是完全违背时代进步潮流和西藏人民的根本利益的，也是极端荒谬的。

当前，人类已经迈入新的千年，经济全球化和社会生活信息化发展迅速，正在日益改变着人类的物质文化生活。随着中国改革开放和现代化建设的深入发展，特别是随着西部大开发战略的实施，西藏正以崭新的姿态走向现代化、走向世界，西藏的文化也必将在这一过程中迎来新的更大的发展。

（2000年6月23日《人民日报》）

文化部　国家经贸委　公安部
信息产业部　外经贸部　海关总署　工商总局等部门

关于开展电子游戏经营场所专项治理的意见

一、2000年7、8、9三个月，在全国集中开展电子游戏经营场所专项治理。专项治理工作由文化部牵头，会同国家经贸委、公安部、信息产业部、外经贸部、海关总署、工商局联合进行。

要通过从严治理，取缔非法经营和严重违规经营的电子游戏经营场所，进一步明确电子游戏经营场所应具备的条件，大力压缩经营场所的数量，切实加强监督管理，严格实行电子游戏经营场所的依法规范经营。

二、自本意见发布之日起，各地要立即停止审批新的电子游戏经营场所，也不得审批现有的电子游戏经营场所增添或更新任何类型的电子游戏设备。

三、对存在以下情况的电子游戏经营场所，除由文化部门会同公安、信息产业、工商行政管理等部门依照有关规定分别处罚外，工商行政管理部门要吊销其营业执照或予以取缔，构成犯罪的，依法追究刑事责任：

（一）无证照或证照不全的；

（二）在中小学校周边200米以内的；

（三）在国家法定节假日以外接纳未成年人进入的；

（四）违反国家消防安全规定的；

（五）将电子游戏经营场所转包他人经营的；

（六）以“电脑屋”、“网吧”、“网络咖啡屋”等各种名义利用电子计算机从事经营性电脑游戏活动的；

（七）设置具有退币、退钢珠、退奖券、荧屏记分和其他中奖方式等赌博功能的电子游戏机机型、机种、电路板的；

（八）电子游戏机内设计、装置的游戏项目中含有反对宪法确定的基本原则，危害国家的统一、主权或者领土完整，危害国家安全、利益或者社会稳定，破坏民族团结、煽动民族分裂、侵害少数民族风俗习惯，宣扬淫秽、色情、迷信或者渲染暴力、有害消费者身心健康，违背社会公德或者诽谤、侮辱他人等内容的；

（九）经营者有其他违法经营和严重违规经营行为的。

四、要进一步明确电子游戏经营场所应具备的条件，完善和提高场地、环境、管理等方面的要求，严格按照有关规定对电子游戏经营场所进行重新审核登记。

经所在地县级以上人民政府文化、公安部门重新审核合格的，由工商行政管理部门重新核发营业执照；重新审核不合格的，要立即停业、关闭，由工商行政管理部门注销登记或吊销营业执照。

因违法经营或严重违规经营被取缔或吊销营业执照的电子游戏经营场所，其经营者不得再从事电子游戏经营活动。

五、经重新审核登记的电子游戏经营场所，

营业时间不得早于8时、晚于24时，并须在场所外显著位置悬挂限制未成年人进入标志以及场所名称牌匾。违反上述规定的，由文化部门责令改正；拒不改正的，由文化部门提交工商行政管理部门依照有关规定予以处罚，直至吊销营业执照。

六、自本意见发布之日起，面向国内的电子游戏设备及其零、附件生产、销售即行停止。任何企业、个人不得再从事面向国内的电子游戏设备及其零、附件的生产、销售活动。一经发现向电子游戏经营场所销售电子游戏设备及其零、附件的，由经贸、信息产业部门会同工商行政管理等部门依照有关规定进行处理。

除加工贸易方式外，严格限制以其他贸易方式进口电子游戏设备及其零、附件（海关商品编号95041000、95043010、95049010）。对电子游戏设备及其零、附件的加工贸易业务，列入限制类加工贸易产品，并实行加工贸易保证金台账实转制度，外经贸部门要严格审批和管理，海关加强实际监管，其产品只能返销出境；逾期不能出口的，由海关依法予以收缴，或监督有关企业予以销毁。各地海关要加大查验力度，实施重点查控，坚决打击通过伪报、夹藏等方式走私电子游戏设备及其零、附件的非法行为。

七、各级文化、经贸、公安、信息产业、外经贸、海关、工商行政管理等部门要统一思想，提高认识，进一步明确各自的职责，在当地党委和政府的领导下，各司其职，各负其责，密切配合，把专项治理和日常的监督管理工作认真落到实处。

文化部门要发挥电子游戏经营场所主管部门的作用，认真做好对电子游戏经营场所的日常监督管理工作，及时研究解决电子游戏经营场所出现的问题。会同公安、工商行政管理等有关部门，共同做好对电子游戏经营场所的重新审核登记，查处违法违规经营活动。

经贸部门和信息产业部门要管好电子游戏设备及其零、附件的生产、销售环节，会同工商行政管理等有关部门对非法从事生产、经销者进行查处和打击。信息产业部门要坚决查处和取缔计算机信息网络经营场所（即“电脑屋”、“网吧”、“网络咖啡屋”等）中的电脑游戏活动。

公安部门要加强对电子游戏经营场所的治安管理和经常性的消防安全检查，及时排除各种安全隐患，依法查处并严厉打击赌博、淫秽、色情、渲染暴力等违法犯罪活动。

外经贸部门要认真做好对电子游戏设备及其零、附件加工贸易的审批和管理工作；管好以加工贸易方式生产的电子游戏设备及其零、附件的返销出口，配合海关打击走私电子游戏设备及其零、附件的违法活动。

海关要加强对电子游戏设备及其零、附件进出口的监管，认真查处并严厉打击走私电子游戏设备及其零、附件的违法活动。

工商行政管理部门要会同文化、公安部门做好对电子游戏经营场所的重新审核登记工作，对未经文化、公安部门审核合格的电子游戏经营场所要注销登记或吊销营业执照；对有违法经营和严重违规经营活动的电子游戏经营场所，要吊销营业执照；对非法设立的电子游戏经营场所，要坚决取缔并依法没收其违法所得及其从事违法经营所使用的器材设备等。对以内销为目的从事电子游戏设备及其零、附件生产、销售活动的生产、经销者，要依照有关规定吊销其营业执照。

八、各地在开展电子游戏经营场所专项治理的工作中，要充分发挥新闻媒体的作用，切实做好宣传教育和舆论引导工作。要通过公布有关部门的举报电话、建立必要的表彰奖励制度等方式，广泛发动人民群众参与，形成全社会共同抵制、打击电子游戏经营场所违法、违规经营活动的良好态势。

九、地方各级人民政府要从贯彻江泽民同志“三个代表”重要思想的高度，本着对党和人民高度负责的精神，充分认识开展电子游戏经营场所专项治理对保障青少年的身心健康，促进社会主义精神文明建设，保护广大人民群众根本利益的重要意义，将专项治理列入重要议事日程，坚持守土有责，切实加强领导，协调有关部门，组织专门力量，坚决稳妥地开展工作，并妥善处理好停止生产、销售电子游戏设备的善后等问题，使专项治理取得预期的成效。

打击黄、赌、毒违法犯罪活动举报电话

为了更有效地打击黄、赌、毒违法犯罪活动，扫除社会丑恶现象，希望广大人民群众积极踊跃地举报黄、赌、毒案件，公安部等公布如下举报电话：

公安部举报电话：010—65203288

文化部举报电话：010—65551010

监察部举报电话：010—64014567

国家工商行政管理局电话：

010—68022771

（2000年7月1日《人民日报》）

公安部　监察部　文化部　国家工商局

关于开展加强娱乐服务场所管理严厉打击卖淫嫖娼赌博吸毒贩毒等社会丑恶现象专项行动的意见

一、2000年7、8、9三个月，在全国开展加强娱乐服务场所管理，严厉打击卖淫嫖娼、赌博、吸毒贩毒等社会丑恶现象专项行动。专项行动工作由公安部牵头，会同监察部、文化部、国家工商行政管理局联合组织开展。

要通过专项行动，调整娱乐服务场所布局，压减总量，有效遏制各类案件、事故和卖淫嫖娼、淫秽色情表演、赌博、吸毒贩毒等社会丑恶现象以及营利性陪侍活动。

二、自本意见发布之日起，各地一律不再审批新的歌舞娱乐、桑拿洗浴按摩、录像放映等娱乐服务场所。新建宾馆、饭店确实需要配套娱乐服务设施的，要按照规定从严审批。

三、公安、文化、工商行政管理部门要依法加大对娱乐服务场所的管理和处罚力度：

（一）对无证照或证照不全等非法经营的娱乐服务场所，公安、文化、工商行政管理部门要依法予以取缔，没收违法所得和非法从事经营活动所使用的器材设备，并依照有关规定处以罚款。

（二）对硬件设施、消防安全、经营人员等不符合法定条件，经营行为违反国家有关规定的娱乐服务场所，公安、文化部门要依法责令其限期整改或停业整顿；经整改仍不合格的，由工商行政管理部门依照有关规定吊销营业执照。

（三）对放映宣扬反动、淫秽、迷信、暴力等内容的非法音像制品的录像放映场所，要依照有关规定坚决吊销其营业执照；构成犯罪的，依法追究有关人员的刑事责任。对放映家庭专用的音像制品的录像放映场所，由文化部门责令停业整顿。

（四）对以娱乐服务场所为名或者利用场所的便利条件，组织、强迫、容留、引诱、介绍他人卖淫、聚众赌博、开设赌场和吸毒贩毒的，坚决追究有关人员的刑事责任，严禁以罚代刑，降格处理；要加大对卖淫嫖娼者的治安拘留和收容教育的处罚力度；凡在营业性歌舞娱乐场所内以陪酒、陪舞、陪唱等形式从事陪侍活动的，一律视为“以营利为目的的陪侍”，对提供以营利为目的的陪侍或者为在娱乐场所从事陪侍活动的人员提供方便条件的，要坚决依照《娱乐场所管理条例》有关规定查处；对存在淫秽色情表演、敲诈勒索和吸毒贩毒等问题的娱乐服务场所，除追究有关人员的法律责任外，对娱乐服务场所要依法处理，并依照有关规定吊销其营业执照。

四、有关部门要进一步明确娱乐服务场所应具备的条件，提高场地、环境、内部管理等方面的要求。在此基础上，要严格按照有关规定对现有的娱乐服务场所进行重新审核登记。

经审核合格的娱乐服务场所，由工商行政管理部门重新核发营业执照；审核不合格的，要立即停业、关闭，由工商行政管理部门注销登记或依照有关规定吊销营业执照。

因违法、违规而被取缔或者吊销营业执照的娱乐服务场所，其经营者不得再从事娱乐服务场所经营活动。

五、经重新审核登记的歌舞娱乐、桑拿洗浴按摩场所的营业时间一律不得早于8时、晚于次日凌晨2时；录像放映场所不得早于8时、晚于当日24时。对超过限定时间继续营业的娱乐服务场所，公安、文化、工商行政管理部门要责令其改正；拒不服从的，依照有关规定给予行政处罚。

六、各级公安、监察、文化、工商行政管理部门要提高认识，统一思想，本着“保护合法、打击违法、取缔非法”的原则，依法认真履行各自职责，密切配合，切实加强对娱乐服务场所的日常管理，并把管理措施真正落到实处。

公安机关要及时研究和解决娱乐服务场所中存在的治安问题，加强消防监督检查，及时发现不安全隐患。对违反《娱乐场所管理条例》第37条规定的娱乐服务场所，公安机关可没收其违法所得和非法财物。

文化部门要严格把握娱乐场所的宏观发展规模，加强对娱乐场所经营活动的管理。重点做好压减歌舞娱乐、录像放映场所总量的工作。

工商行政管理部门要严格执行前置审核批准的有关规定，对娱乐服务场所从严核准登记，加大监管力度，规范经营行为，并依法查处无照经营、违法经营场所。

监察部门要按照中共中央、国务院《关于印发〈关于实行党风廉政建设责任制的规定〉的通知》（中发〔1998〕16号）的要求，严肃查处地方保护主义和部门保护主义及干扰、阻挠扫除社会丑恶现象工作的领导干部，严肃查处参与卖淫嫖娼、赌博、吸毒贩毒等违法犯罪活动的公职人员特别是党员领导干部，并追究社会丑恶现象严重的地方领导和有关部门领导的失职、失察责任。对公安、文化、工商行政管理等部门有令不行、有禁不止，专项行动开展后继续为娱乐服务场所审核、审批、发放有关证照的，监察部门要追究有关部门领导和具体工作人员的责任。

七、充分发挥新闻媒体的监督和宣传作用，切实做好宣传教育和舆论引导工作。各级公安、监察、文化、工商行政管理部门要通过新闻媒体公布举报电话，建立举报制度。

八、地方各级人民政府要认真贯彻江泽民同志“三个代表”的重要思想，本着对党、对人民、对法律高度负责的精神，充分认识加强娱乐服务场所管理，严厉打击卖淫嫖娼、赌博、吸毒贩毒等社会丑恶现象，对于促进社会主义精神文明建设，保护广大人民群众根本利益的重要意义，将此次专项行动列入重要工作日程，建立领导责任制，坚持守土有责，切实加强领导，精心组织，周密部署，协调各部门坚决稳妥地开展工作，使专项行动达到预期效果。

（2000年7月7日《人民日报》）

中国人民银行　教育部　财政部

关于助学贷款管理的补充意见

一、教育、财政、银行等有关部门要进一步提高认识，本着对国家和学生高度负责的精神，加强合作，积极主动地做好助学贷款工作，简化贷款手续，扩大贷款规模，为高等学校学生提供简便、快捷的服务。

二、把中央财政贴息的国家助学贷款，由8个试点城市扩大到全国范围，其经办银行由中国工商银行扩大到中国农业银行、中国银行和中国建设银行。各有关商业银行要积极做好准备，在2000年9月1日前要开办此项业务。

所有中央部门（单位）所属普通高等学校学生均可选择上述银行（每个学校只能选择一家银行）申请此项助学贷款，由中央财政按实际发生数额足额贴息。2000年高等学校管理体制调整中划转以地方管理为主的原国务院部门（单位）所属普通高等学校，2000年及以前入学学生的助学贷款贴息，仍由中央财政负责。

各省、自治区、直辖市人民政府要创造条件，按照《国务院办公厅转发中国人民银行等部门关于国家助学贷款管理规定（试行）的通知》和《若干意见》的有关规定，全面启动对地方所属普通高等学校开办的由各级财政贴息的国家助学贷款工作，安排贴息资金，指定有关银行（不仅限于国有独资商业银行）负责办理此项助学贷款业务。贴息的比例和总额，由地方财政决定。

三、由各级财政贴息的国家助学贷款的贷款对象，由全日制本、专科学生扩大至研究生；贷款学生本科毕业后继续攻读研究生及第二学士学位的，在读期间贷款期限相应延长，贷款本息在研究生及第二学士学位毕业后四年内还清。

四、见证人是指与借款人关系密切的自然人，不必为借款人提供担保，其职责是：协助介绍人和贷款银行了解借款人的有关情况。停止执行《若干意见》第二条第十二款中“对不履行职责的介绍人、见证人公布其姓名”的规定。

五、简化申请助学贷款的条件。《若干意见》第二条第四款修改为：“在校大学生申请信用助学贷款须具备以下条件：提供入学通知书或学生证、具有永久居留身份证、学习认真、品德优良。”第二条第五款修改为：“信用助学贷款应依法签订贷款合同，合同中应明确借款人的身份证号码、有效联系方式。”第二条第六款修改为“对接受非义务教育学生的直系亲属或法定监护人（借款人）发放助学贷款的条件由贷款人按中国人民银行公布的《贷款通则》决定”。

六、各商业银行发放助学贷款，发生呆坏账，分别由各商业银行总行核实后，按实际发生额在所得税前按规定核销。

（2000年8月28日《人民日报》）

文　化　部

关于加大打击非法音像制品力度的通知

一、要扩大检查面，被检查单位的比例不得少于经营单位总数的60%。

二、要对批发单位逐一检查，凡继续经营明令打击的非法音像制品的，一律吊销许可证。

三、凡文化部明令打击的非法音像制品，任何单位出具的所谓“合法”证明均属无效。

四、要对重新抬头的系列盗版VCD故事片一并打击。

五、为了保护合法出版发行单位的权益，“专项斗争”结束后，凡总批发单位发行冠以专有品牌的音像制品的（包括在音像制品及包装上录制、印制、加贴标志），应当备齐有关资料，报所在地省级音像市场行政管理部门和文化部文化市场司备案。批发、零售单位不得行使此项权力。

六、文化部文化市场司将于春节前后分别派出检查组到各地检查。

附件：

第二批非法音像制品目录及识别办法

一、以下系列为非法录音制品：新音乐干线、音乐新干线、音乐工厂、音乐无限、非常音乐、高尚音乐、飞翔音乐、百唱音乐、时代音乐、卫视音乐、发烧一族、名人世界、华乐影音、新华乐影音极品、头号人物、中华极品、星月唱片、飞龙唱片、星晨唱片、星梦唱片、四季唱片、唱翻天影音、快乐音像、新华声音像、华龙音像、精彩2000、加洲红、天虹音像。

二、吉林长白山音像出版社出版的所有境外录音制品为非法音像制品。

三、扬子江音像出版社出版的刘德华、张宇、王杰、叶倩文、郭富城、许美静的录音制品（卡拉OK）为非法音像制品。

四、广州音像出版社出版的音乐CD《三峡》，国际文化交流音像出版社出版的音乐CD《桂林》，正版全部为金碟，广东美卡文化音像有限公司发行。其他均为盗版。

武汉音像出版社出版的音乐CD《盘王之女》，正版SID码为N104，其他均为盗版。

五、仿冒中录总社和北京东方影音公司出版的节目的外包装、成系列的非法VCD故事片：环宇影视、环球电影、第一等、双龙、Angel等。

六、辽宁文化艺术音像出版社出版的28集VCD《财神到》（又名《财神传奇》）为正版，SID码为U201。其他均是盗版。

七、目前，除出版单位出版发行的有本单位标志的系列音像制品外，合法发行单位发行的正版品牌主要有“俏佳人”、“美卡音像”、“三辰影库”、“中录德加拉”、“金典”、“京文音像”等。

（2000年1月19日《人民日报》）

中国人民银行颁布助学贷款管理办法

第一条 为支持教育事业的发展，加速人才培养，各商业银行和城乡信用社（以下简称贷款人）均可根据《贷款通则》自主办理助学贷款。

第二条 助学贷款可采取无担保（信用）助学贷款和担保助学贷款方式。

第三条 贷款人对高等学校的在读学生［包括专科、本科和研究生（以下简称借款人)］发放无担保（信用）助学贷款，对其直系亲属、法定监护人（以下简称借款人）发放无担保（信用）助学贷款和担保助学贷款。

第四条 高等学校的在读学生申请助学贷款须具备以下基本条件：入学通知书或学生证，有效居民身份证；同时要有同班同学或老师共两名对其身份提供证明。

第五条 高等学校在读学生申请助学贷款要按规定填写借款合同，承诺离开学校后向贷款人提供工作单位和通讯方式，承诺贷款逾期一年不还，又未提出展期，可由贷款人在就学的高等学校或相关媒体上公布其姓名、身份证号码，予以查询。

第六条 助学贷款的最高限额不超过学生在读期间所在学校的学费与生活费。

第七条 助学贷款的期限一般不超过八年，是否展期由贷款人与借款人商定。

第八条 助学贷款利率按中国人民银行规定

的同期限贷款利率执行，不上浮。

第九条 助学贷款采取灵活的还本付息方式，可提前还贷，或利随本清，或分次偿还（按年、按季或按月），具体方式由贷款人和借款人商定并载入合同。贷款本息提前归还的，提前归还的部分按合同约定利率和实际使用时间计收利息；贷款本息不能按期归还的，贷款人按规定计收罚息。

第十条 各级政府和社会各界为借款人提供担保或利息补贴的，其贴息比例、贴息时间由贷款人或借款人所在学校与贴息提供者共同商定。

第十一条 借款人要恪守信用，如因各种原因离开学校后，应主动告知贷款人其最新通讯方式和工作单位，按期偿还贷款本息。

第十二条 高等学校应对在读学生申请助学贷款和贷款人发放、收回助学贷款的管理工作予以协助。如借款人在校期间发生转学、休学、退学、出国、被开除、伤亡等情况，借款人所在学校有义务及时通知贷款人。

第十三条 贷款人要根据本办法制定具体的操作规程，改进服务，加强对助学贷款发放和收回的管理，提高助学贷款的使用效益。

2000年8月24日

（2000年8月28日《人民日报》）

国务院新闻办公室　信息产业部

互联网站从事登载新闻业务管理暂行规定

第一条 为了促进我国互联网新闻传播事业的发展，规范互联网站登载新闻的业务，维护互联网新闻的真实性、准确性、合法性，制定本规定。

第二条 本规定适用于在中华人民共和国境内从事登载新闻业务的互联网站。

本规定所称登载新闻，是指通过互联网发布和转载新闻。

第三条 互联网站从事登载新闻业务，必须遵守宪法和法律、法规。

国家保护互联网站从事登载新闻业务的合法权益。

第四条 国务院新闻办公室负责全国互联网站从事登载新闻业务的管理工作。

省、自治区、直辖市人民政府新闻办公室依照本规定负责本行政区域内互联网站从事登载新闻业务的管理工作。

第五条 中央新闻单位、中央国家机关各部门新闻单位以及省、自治区、直辖市和省、自治区人民政府所在地的市直属新闻单位依法建立的互联网站（以下简称新闻网站），经批准可以从事登载新闻业务。其他新闻单位不单独建立新闻网站，经批准可以在中央新闻单位或者省、自治区、直辖市直属新闻单位建立的新闻网站建立新闻网页从事登载新闻业务。

第六条 新闻单位建立新闻网站（页）从事登载新闻业务，应当依照下列规定报国务院新闻办公室或者省、自治区、直辖市人民政府新闻办公室审核批准：

（一）中央新闻单位建立新闻网站从事登载新闻业务，报国务院新闻办公室审核批准。

（二）中央国家机关各部门新闻单位建立新闻网站从事登载新闻业务，经主管部门审核同意，报国务院新闻办公室批准。

（三）省、自治区、直辖市和省、自治区人民政府所在地的市直属新闻单位建立新闻网站从事登载新闻业务，经所在地省、自治区、直辖市人民政府新闻办公室审核同意，报国务院新闻办公室批准。

（四）省、自治区、直辖市以下新闻单位在中央新闻单位或者省、自治区、直辖市直属新闻单位的新闻网站建立新闻网页从事登载新闻业务，报所在地省、自治区、直辖市人民政府新闻办公室审核批准，并报国务院新闻办公室备案。

第七条 非新闻单位依法建立的综合性互联网站（以下简称综合性非新闻单位网站），具备本规定第九条所列条件的，经批准可以从事登载中央新闻单位、中央国家机关各部门新闻单位以及省、自治区、直辖市直属新闻单位发布的新闻的业务，但不得登载自行采写的新闻和其他来源的新闻。非新闻单位依法建立的其他互联网站，不得从事登载新闻业务。

第八条 综合性非新闻单位网站依照本规定第七条从事登载新闻业务，应当经主办单位所在地省、自治区、直辖市人民政府新闻办公室审核同意，报国务院新闻办公室批准。

第九条 综合性非新闻单位网站从事登载新闻业务，应当具备下列条件：

（一）有符合法律、法规规定的从事登载新闻业务的宗旨及规章制度；

（二）有必要的新闻编辑机构、资金、设备及场所；

（三）有具有相关新闻工作经验和中级以上新闻专业技术职务资格的专职新闻编辑负责人，并有相应数量的具有中级以上新闻专业技术职务资格的专职新闻编辑人员；

（四）有符合本规定第十一条规定的新闻信息来源。

第十条 互联网站申请从事登载新闻业务，应当填写并提交国务院新闻办公室统一制发的《互联网站从事登载新闻业务申请表》。

第十一条 综合性非新闻单位网站从事登载中央新闻单位、中央国家机关各部门新闻单位以及省、自治区、直辖市直属新闻单位发布的新闻的业务，应当同上述有关新闻单位签订协议，并将协议副本报主办单位所在地省、自治区、直辖市人民政府新闻办公室备案。

第十二条 综合性非新闻单位网站登载中央新闻单位、中央国家机关各部门新闻单位以及省、自治区、直辖市直属新闻单位发布的新闻，应当注明新闻来源和日期。

第十三条 互联网站登载的新闻不得含有下列内容：

（一）违反宪法所确定的基本原则；

（二）危害国家安全，泄露国家秘密，煽动颠覆国家政权，破坏国家统一；

（三）损害国家的荣誉和利益；

（四）煽动民族仇恨、民族歧视，破坏民族团结；

（五）破坏国家宗教政策，宣扬邪教，宣扬封建迷信；

（六）散布谣言，编造和传播假新闻，扰乱社会秩序，破坏社会稳定；

（七）散布淫秽、色情、赌博、暴力、恐怖或者教唆犯罪；

（八）侮辱或者诽谤他人，侵害他人合法权益；

（九）法律、法规禁止的其他内容。

第十四条 互联网站链接境外新闻网站，登载境外新闻媒体和互联网站发布的新闻，必须另行报国务院新闻办公室批准。

第十五条 违反本规定，有下列情形之一的，由国务院新闻办公室或者省、自治区、直辖市人民政府新闻办公室给予警告，责令限期改正；已取得从事登载新闻业务资格的，情节严重的，撤销其从事登载新闻业务的资格：

（一）未取得从事登载新闻业务资格，擅自登载新闻的；

（二）综合性非新闻单位网站登载自行采写的新闻或者登载不符合本规定。

第十六条 互联网站登载的新闻含有本规定第十三条所列内容之一，构成犯罪的，依法追究刑事责任；尚不构成犯罪的，由公安机关或者国家安全机关依照有关法律、行政法规的规定给予行政处罚。

第十七条 互联网站登载新闻含有本规定第十三条所列内容之一或者有本规定第十五条所列情形之一的，国务院信息产业主管部门或者省、自治区、直辖市电信管理机构依照有关法律、行政法规的规定，可以责令关闭网站，并吊销其电信业务经营许可证。

第十八条 在本规定施行前已经从事登载新闻业务的互联网站，应当自本规定施行之日起60日内依照本规定办理相应的手续。

第十九条 本规定自发布之日起施行。

2000年11月6日
（2000年11月7日《人民日报》）

信息产业部

互联网电子公告服务管理规定

第一条 为了加强对互联网电子公告服务（以下简称电子公告服务）的管理，规范电子公告信息发布行为，维护国家安全和社会稳定，保障公民、法人和其他组织的合法权益，根据《互联网信息服务管理办法》的规定，制定本规定。

第二条 在中华人民共和国境内开展电子公告服务和利用电子公告发布信息，适用本规定。

本规定所称电子公告服务，是指在互联网上以电子布告牌、电子白板、电子论坛、网络聊天室、留言板等交互形式为上网用户提供信息发布条件的行为。

第三条 电子公告服务提供者开展服务活动，应当遵守法律、法规，加强行业自律，接受信息产业部及省、自治区、直辖市电信管理机构和其他有关主管部门依法实施的监督检查。

第四条 上网用户使用电子公告服务系统，应当遵守法律、法规，并对所发布的信息负责。

第五条 从事互联网信息服务，拟开展电子公告服务的，应当在向省、自治区、直辖市电信管理机构或者信息产业部申请经营性互联网信息服务许可或者办理非经营性互联网信息服务备案时，提出专项申请或者专项备案。

省、自治区、直辖市电信管理机构或者信息产业部经审查符合条件的，应当在规定时间内连同互联网信息服务一并予以批准或者备案，并在经营许可证或备案文件中专项注明；不符合条件的，不予批准或者不予备案，书面通知申请人并说明理由。

第六条 开展电子公告服务，除应当符合《互联网信息服务管理办法》规定的条件外，还应当具备下列条件：

（一）有确定的电子公告服务类别和栏目；

（二）有完善的电子公告服务规则；

（三）有电子公告服务安全保障措施，包括上网用户登记程序、上网用户信息安全管理制度、技术保障设施；

（四）有相应的专业管理人员和技术人员，能够对电子公告服务实施有效管理。

第七条 已取得经营许可或者已履行备案手续的互联网信息服务提供者，拟开展电子公告服务的，应当向原许可或者备案机关提出专项申请或者专项备案。

省、自治区、直辖市电信管理机构或者信息产业部，应当自收到专项申请或者专项备案材料之日起60日内进行审查完毕。经审查符合条件的，予以批准或者备案，并在经营许可证或备案文件中专项注明；不符合条件的，不予批准或者不予备案，书面通知申请人并说明理由。

第八条 未经专项批准或者专项备案手续，任何单位或者个人不得擅自开展电子公告服务。

第九条 任何人不得在电子公告服务系统中发布含有下列内容之一的信息：

（一）反对宪法所确定的基本原则的；

（二）危害国家安全，泄露国家秘密，颠覆国家政权，破坏国家统一的；

（三）损害国家荣誉和利益的；

（四）煽动民族仇恨、民族歧视，破坏民族团结的；

（五）破坏国家宗教政策，宣扬邪教和封建迷信的；

（六）散布谣言，扰乱社会秩序，破坏社会稳定的；

（七）散布淫秽、色情、赌博、暴力、凶杀、恐怖或者教唆犯罪的；

（八）侮辱或者诽谤他人，侵害他人合法权益的；

（九）含有法律、行政法规禁止的其他内容的。

第十条 电子公告服务提供者应当在电子公告服务系统的显著位置刊载经营许可证编号或者备案编号、电子公告服务规则，并提示上网用户发布信息需要承担的法律责任。

第十一条 电子公告服务提供者应当按照经批准或者备案的类别和栏目提供服务，不得超出类别或者另设栏目提供服务。

第十二条 电子公告服务提供者应当对上网用户的个人信息保密，未经上网用户同意不得向他人泄露，但法律另有规定的除外。

第十三条 电子公告服务提供者发现其电子公告服务系统中出现明显属于本办法第九条所列的信息内容之一的，应当立即删除，保存有关记录，并向国家有关机关报告。

第十四条 电子公告服务提供者应当记录在电子公告服务系统中发布的信息内容及其发布时间、互联网地址或者域名。记录备份应当保存60日，并在国家有关机关依法查询时，予以提供。

第十五条 互联网接入服务提供者应当记录上网用户的上网时间、用户账号、互联网地址或者域名、主叫电话号码等信息，记录备份应当保存60日，并在国家有关机关依法查询时，予以提供。

第十六条 违反本规定第八条、第十一条的规定，擅自开展电子公告服务或者超出经批准或者备案的类别、栏目提供电子公告服务的，依据《互联网信息服务管理办法》第十九条的规定处罚。

第十七条 在电子公告服务系统中发布本规定第九条规定的信息内容之一的，依据《互联网信息服务管理办法》第二十条的规定处罚。

第十八条 违反本规定第十条的规定，未刊载经营许可证编号或者备案编号、未刊载电子公告服务规则或者未向上网用户作发布信息需要承担法律责任提示的，依据《互联网信息服务管理办法》第二十二条的规定处罚。

第十九条 违反本规定第十二条的规定，未经上网用户同意，向他人非法泄露上网用户个人信息的，由省、自治区、直辖市电信管理机构责令改正；给上网用户造成损害或者损失的，依法承担法律责任。

第二十条 未履行本规定第十三条、第十四条、第十五条规定的义务的，依据《互联网信息服务管理办法》第二十一条、第二十三条的规定处罚。

第二十一条 在本规定施行以前已开展电子公告服务的，应当自本规定施行之日起60日内，按照本规定办理专项申请或者专项备案手续。

第二十二条 本规定自发布之日起施行。

2000年11月6日

（2000年11月7日《人民日报》）

中央金融工委文明委

全国创建文明行业工作先进单位 全国精神文明建设先进单位和全国金融系统文明建设先进单位管理办法（暂行）

（金工文明委〔2000〕1号）

第一章 总 则

第一条 为加强全国创建文明行业工作先进单位、全国精神文明建设先进单位和全国金融系统文明建设先进单位的管理，进一步提高金融系统精神文明创建活动（以下简称创建活动）的水平，根据《中共中央关于加强社会主义精神文明建设若干重要问题的决议》和十五大精神，以及全国金融系统党建工作会议关于切实加强金融系统精神文明建设的要求，特制定本办法。

第二条 创建活动是金融系统物质文明建设和精神文明建设的重要内容，是组织、引导广大干部、员工积极参与两个文明建设、不断提高队伍素质的重要措施和有效途径，在整个金融事业中具有重要的地位和作用。

第三条 各级党委要把本系统、本单位创建活动的基本任务列入议程，制定规划，定期研究，纳入领导班子和干部考核范围，并从思想、组织、财力、物力等方面给予支持和保证。

第四条 各金融机构精神文明建设领导小组在党委领导下具体负责有关工作，并在党委宣传部门设立办公室。

第二章 标 准

第五条 全国金融系统文明建设先进单位的条件如下：

一、业务过硬。积极面向市场，依法经营，努力支持经济发展，工作效率高，经营业绩好，主要业务指标和质量达到金融系统同类型单位先进水平。

二、服务优质。服务意识强，服务环境好。能够按照金融行业文明规范服务的要求，从实际出发，努力改进服务，有创新，有特点，服务质量达到金融系统同类型单位先进水平。社会信誉高，群众反映好。基层一线人员普通话水平达到国家三级以上标准。

三、管理严格。坚持严格的要求，建立严格的制度，实施严格的管理，进行严格的监督，实行严格的奖惩。遵纪守法，令行禁止。无重大责任事故，无违法违规事件，无经济、刑事案件，并通过全国普法教育验收。

四、队伍素质高。政治过硬，业务优良，作风清正，纪律严明。刻苦钻研业务蔚然成风，精神文明创建活动成绩突出，职业道德水平高，精神状态好。

五、领导班子强。坚持用邓小平理论教育干部群众，坚定不移地贯彻执行党的基本理论、基本路线和金融工作的方针政策；围绕金融改革和发展创造性地开展工作；坚持民主集中制，团结合作，发挥整体功能；密切联系群众，倾听群众呼声，为群众办实事，接受群众监督；廉洁自律，自觉遵守党纪国法，为干部职工树立榜样。自觉坚持“两手抓，两手都要硬”的方针，重视加强党的建设和精神文明建设。

第六条 全国创建文明行业工作先进单位、全国精神文明建设先进单位适用中央文明委有关标准，并参照以上条件。

第三章 评选和命名

第七条 全国创建文明行业工作先进单位、全国精神文明建设先进单位根据中央文明委确定的时间评选命名；全国金融系统文明建设先进单位每两年评选命名一次。

第八条 全国创建文明行业工作先进单位、全国精神文明建设先进单位由各金融机构推荐，中央金融工委文明委审核，报中央文明委批准命名；全国金融系统文明建设先进单位由各金融机构推荐，中央金融工委文明委批准命名。

第九条 评选工作要坚持面向基层。全国创建文明行业工作先进单位、全国精神文明建设先进单位的推荐范围是县（市）支行（支公司）以下单位；全国金融系统文明建设先进单位的评选范围是地（市）以下金融分支机构，以县（市）以下金融机构为主。成绩特别突出的其他级别的金融机构也可以推荐。

第十条 各金融机构党委文明办根据中央金融工委文明办分配的名额，提出全国创建文明行业工作先进单位、全国精神文明建设先进单位和全国金融系统文明建设先进单位的推荐名单，经党委批准后，向中央金融工委文明委办公室提出书面报告，并附先进事迹材料一式两份。

第十一条 全国创建文明行业工作先进单位、全国精神文明建设先进单位和全国金融系统文明建设先进单位的推荐名单，原则上不要重叠，但可与其他先进单位相重叠。

第十二条 各金融机构在提交推荐报告的同时，要向被推荐单位干部群众通报推荐条件和推荐情况，接受群众的评议和监督。各级金融机构党委要对被推荐单位的事迹严格核实，防止一切形式主义和弄虚作假。

第四章 表彰和奖励

第十三条 对全国创建文明行业工作先进单位、全国精神文明建设先进单位和全国金融系统文明建设先进单位要进行适当奖励。各金融机构可结合实际，按照精神鼓励和物质奖励相结合的原则，制定奖励办法。

第十四条 全国创建文明行业工作先进单位、全国精神文明建设先进单位和全国金融系统文明建设先进单位都要正式挂牌并颁发荣誉证书。全国创建文明行业工作先进单位、全国精神文明建设先进单位的标牌和证书由中央文明办统一设计制作；全国金融系统文明建设先进单位的标牌和证书由中央金融工委文明委办公室统一设计制作。

第五章 管 理

第十五条 各金融机构党委精神文明建设领导小组及其办事机构要加强对先进单位的管理。要高标准、严要求，有针对性地分类进行指导。

要建立先进单位的档案制度。档案内容包括：先进单位概况、主要事迹、申报考核报表和检查记录、群众及社会反映等。

要坚持对先进单位的检查制度。每年对先进单位复查一次。发现问题要予以批评，督促其制定整改措施并予落实。检查结果要向同级党委和上级文明委报告。

第十六条 先进单位发生下列问题的取消荣誉称号，并收回标牌：

一、由于本单位工作失误，引发金融风险、产生不良社会影响的；

二、发生重大经济案件，造成重大损失的；

三、领导班子成员受到党纪、政纪处分，干部、员工受到刑事处罚的；

四、因经营管理不善造成经济效益持续大幅下降、服务质量严重滑坡的；

五、违反或没有达到社会治安综合治理目标的；

六、申报先进单位时弄虚作假、与实际情况不符的；

七、发生其他重大问题的。

第十七条 取消全国创建文明行业工作先进单位、全国精神文明建设先进单位荣誉称号，经中央金融工委文明委审核后，报中央文明委批准；取消全国金融系统文明建设先进单位荣誉称号，由中央金融工委文明委批准。

第六章 附 则

第十八条 本办法由中央金融工委文明委负

责解释。

第十九条 各金融机构要根据本办法，结合本系统、本单位的实际情况制定具体实施细则。

第二十条 本办法自公布之日起实施。

2000年1月5日

中央金融工委 教育部 国家语委

关于加强金融系统语言文字规范化工作的通知

（金融工发〔2000〕8号）

中国人民银行、中国证券监督管理委员会、中国保险监督管理委员会、各国有商业银行、政策性银行、股份制商业银行、国有保险公司和金融资产管理公司党委，有关金融机构党组织；各省、自治区、直辖市及新疆生产建设兵团教委（教育厅）、语委（语文工作机构）：

推广普通话和文字规范化是社会主义精神文明建设的重要组成部分，对经济和社会发展具有重要的促进作用。《中华人民共和国宪法》规定“国家推广全国通用的普通话”。在金融系统大力推广普通话和积极推进文字应用规范化，有利于提高员工队伍素质、改进金融服务、提高管理水平，有利于树立良好的行业形象，有利于保障信息传递的准确及时和业务的正常运转，有利于提高社会效益和经济效益，有利于应对信息化程度不断提高、特别是加入WTO后的新情况，有利于增强金融业整体竞争能力。同时，做好这项工作也是金融系统为全国实现普及普通话和文字规范化目标应当承担的社会责任。金融系统在推广普通话和文字规范化方面具有一定的工作基础，但是与改革开放和社会主义市场经济发展新形势的要求，还有较大差距。为此，中央金融工委、教育部、国家语委经过协商，就金融系统加强语言文字规范化工作提出如下要求，请认真贯彻落实：

一、领导和管理

各金融机构的精神文明建设领导小组（文明委）是语言文字规范化工作的领导机构，党委宣传部、文明办具体负责日常管理和监督。

二、目标和任务

在金融系统实现所有员工以普通话为工作用语、实现以规范汉字为工作用字。

三、内容和要求

（一）除需要使用方言、少数民族语言和外语的场合外，金融系统所有员工在工作中均需使用普通话。直接面向客户服务的员工，普通话水平应不低于国家语言文字工作委员会颁布的《普通话水平测试等级标准》规定的三级甲等。

（二）除需要使用少数民族文字和外文外，金融系统所有公文、名称牌、印章、票据、报表、标牌、指示牌、说明书、广告、宣传材料等，必须使用规范汉字。需加注汉语拼音的应书写在规范汉字的下方，拼音应符合《汉语拼音正词法基本规则》的规定。

（三）繁体字、异体字、自造简体字和错别字为不准使用的不规范字。字形不规范的计算机中文软件不得在工作中使用。

四、方法和步骤

（一）2000年第二、三季度内，各金融机构要根据本通知精神制定切合本单位、本系统实际的语言文字规范工作的规定，列入员工岗位技术考核标准，对员工特别是一线临柜员工分批进行普通话达标培训。

（二）2000年第三、四季度，要对所属单位、基层网点的公共用字、公文用字、汉语拼音和计算机中文字库以及员工普通话水平进行一次普遍检查。中央金融工委宣传部、文明办将结合检查服务工作对有关内容进行抽查。

（三）2001年起，各金融机构文明建设先进单位、服务标兵的评选，要根据《中央金融工委文明委全国创建文明行业工作先进单位、全国精神文明建设先进单位和全国金融系统文明建设先进单位管理办法（暂行）》的有关规定，把语言文字规范化的要求纳入评选标准。

（四）2001年底前，要完成对不符合规定的汉字和计算机中文软件的改正和更换工作；临柜员工普通话水平应当达标，未达标的必须进行再培训。

（五）每年九月份第三周是全国推广普通话宣传周。各金融机构要在宣传周内，大张旗鼓地开展推广普通话和文字规范化的对内对外宣传。

金融系统加强语言文字工作要积极争取地方教育部门和语言文字工作部门的支持、指导和配合。各地教育部门和语言文字工作部门要积极主动为金融系统开展语言文字工作提供帮助。

2000年5月18日

国家体育总局
健身气功管理暂行办法

（国家体育总局第4号令发布）

第一章　总　　则

第一条　为加强对健身气功的管理，保障健身气功的健康发展，根据《中华人民共和国体育法》和国家有关法律、法规，制定本办法。

第二条　凡在中华人民共和国境内开展健身气功及与健身气功相关的活动，均适用本办法。

第三条　本办法所称健身气功是以自身形体活动、呼吸吐纳、心理调节相结合为主要运动形式的民族传统体育项目，是中华悠久文化的组成部分。

第四条　举办健身气功活动，必须遵守国家法律、法规和社会公德，必须倡导科学文明，以发挥其在全民健身中的积极作用。

第二章　管理机关

第五条　国家体育总局是全国健身气功的业务主管部门。

地方各级人民政府体育行政部门（含人民政府授权的管理机构，下同）是当地健身气功的业务主管部门，对本地区健身气功活动进行组织和业务管理。

第六条　各级体育行政部门管理健身气功的主要职责是：

（一）根据国家法律、法规和有关方针政策，制定实施健身气功管理的规章制度；

（二）对面向社会开展的健身气功活动的条件、内容进行业务审查和日常管理；

（三）组织健身气功辅导人员和业务管理人员的培训和考核；

（四）组织健身气功的科学研究；

（五）对健身气功社会团体进行业务管理；

（六）对健身气功活动站、点进行注册管理。

第三章　活动管理

第七条　健身气功活动实行属地管理，坚持“小型、分散、就地、就近、自愿”的原则。

第八条　举办健身气功活动必须获得体育行

政部门的批准。

申请举办健身气功活动的公民、法人和其他组织，必须具有合法身份。

第九条 举办健身气功活动，必须具备以下条件：

（一）有与所开展活动相适应的场所；

（二）有必要的资金和符合标准的设施、器材；

（三）有参加过体育行政部门培训并经考核合格的辅导人员或专业管理人员；

（四）有活动所在场所的管理者同意使用的证明；

（五）有相应的安全、卫生条件；

（六）法律、法规规定的其他条件。

第十条 举办健身气功培训班，须报经当地具有相应管辖权限的体育行政部门审核批准；举办参加人数在200人以上的健身气功活动，除报经体育行政部门审核批准外，还须获得同级公安机关许可。

第十一条 申请举办健身气功培训班和健身气功活动，须提前15个工作日报送以下材料：

（一）举办健身气功培训班或活动的申请书；

（二）培训或活动的方案；

（三）要求提交的其他材料。

主管部门应在接到符合要求的上述材料后10个工作日内，向申请人做出是否批准的答复。予以批准的，还应同时将批准文件抄送同级公安机关并报上一级体育行政部门；不予批准的，应书面说明理由。

第十二条 禁止在健身气功活动中进行带有愚昧迷信或神化个人的宣传。

禁止举办“带功报告”、“会功”、“弘法”、“贯顶”及其他类似活动。

禁止销售未经国家指定的机构审查、出版的健身气功类图书、音像制品和电子出版物。

禁止出售“信息物”。

第十三条 开展涉外（含香港、澳门特别行政区和台湾地区）健身气功活动，按外事活动的规定办理有关手续。

第四章　活动站、点

第十四条 健身气功活动站、点是群众习练健身气功的场所。

建立健身气功活动站、点必须具备以下条件：

（一）活动场所安全、适用，并经所在地管理者同意使用；

（二）活动时间相对固定；

（三）负责人具有合法身份；

（四）辅导人员参加过体育行政部门的培训并经考核合格；

（五）活动内容健康、科学，符合管理部门的有关规定。

第十五条 建立健身气功活动站、点，必须经当地街道办事处、乡镇级人民政府审核同意，报当地县级体育行政部门注册。

第十六条 体育行政部门负责对健身气功活动站、点进行业务管理。

县级体育行政部门应会同健身气功活动站、点所在地街道办事处、乡镇级人民政府，从本行政区域建设发展需要和满足群众体育需求出发，对健身气功活动站、点的规模、布局、场地使用状况及其对居民生产、生活质量的影响等方面进行规划、审核和必要的建设。

第十七条 内容健康、科学文明的健身气功功法，经体育行政部门核准后，可以在健身气功活动站、点习练。其名称不得使用宗教用语，不得以个人名字命名，不得冠以“中国”、“亚洲”、“世界”、“宇宙”以及类似的字样。

第十八条 健身气功活动站、点的选择，不得妨碍社会治安、交通和生产、生活秩序。

不得在国家机关、广播电台、电视台、外国使领馆、军事设施及其他要害部门周边地区以及航空港、车站、港口等重要场所和中小学校设立健身气功活动站、点。

不得在健身气功活动站、点悬挂、张贴、散发与本办法第十二条规定相抵触的宣传品。

公共文化体育设施不得为未经批准的健身气功活动提供场地。

第五章　辅导人员

第十九条 从事健身气功技能传授的人员称健身气功辅导员。经体育行政部门或体育行政部门委托的机构培训、考核合格的健身气功辅导员，方可取得传授或指导健身气功的资格。

第二十条 健身气功辅导员的技术等级分为：国家级、一级、二级、三级。

国家级健身气功辅导员称号由国家体育总局批准授予；一级健身气功辅导员称号由省级体育行政部门批准授予；二级健身气功辅导员称号由地区级体育行政部门批准授予；三级健身气功辅导员称号由县级体育行政部门批准授予。

第二十一条 凡符合本办法要求，热心健身气功事业，具备相应的健身气功理论知识和业务技能，自愿履行健身气功辅导员职责者，均可由所在单位或行政管理部门推荐，并根据等级审批权限向体育行政部门申请获得健身气功辅导员技术等级称号。

第二十二条 地方各级体育行政部门负责本辖区相应等级健身气功辅导员的培训、考核、审批、奖惩和年度检查工作，并可受上级体育行政部门委托对本辖区内较高等级的健身气功辅导员进行日常管理。

获得技术等级称号的健身气功辅导员，必须在批准授予部门规定的地域内开展活动。

第六章 社会团体

第二十三条 健身气功社会团体是行业综合性社会团体。

健身气功社会团体应贯彻执行国家体育行政部门制定的健身气功方针、政策，并在体育行政部门指导下，承办健身气功有关活动，协助进行管理，在体育行政部门与健身气功爱好者之间发挥桥梁和纽带作用。

第二十四条 全国、省（自治区、直辖市）以及具备条件的地区级单位可以建立综合性健身气功社会团体；县级及其以下单位不得建立健身气功社会团体。

不得按功法门类成立健身气功社会团体，健身气功社会团体内不得设立功法类和地域性分支机构。

第二十五条 国家和省级、地区级体育行政部门是健身气功社会团体的业务主管单位。成立健身气功社会团体，须经业务主管单位审批后，依法向民政部门申请登记。

第二十六条 各健身气功社会团体均为独立的法人组织，互不隶属。各级健身气功社会团体暂不吸收境外组织和人员为单位会员和个人会员。

第二十七条 健身气功社会团体副秘书长以上人选的推荐、重要活动和日常工作中的重大问题、涉外活动等须报经业务主管单位批准。

第七章 罚 则

第二十八条 违反本办法第四条、第十二条规定，利用健身气功从事非法活动的，由体育行政部门配合公安机关等有关部门予以取缔。构成违反治安管理行为的，依照《中华人民共和国治安管理处罚条例》予以处罚；构成犯罪的，依法追究刑事责任。

第二十九条 违反本办法第十条、第十三条规定，擅自开展健身气功活动的，由体育行政部门予以取缔，并由公安机关根据《群众性文化体育活动治安管理办法》的规定进行处罚。

第三十条 擅自设立健身气功活动站、点，或违反本办法第十一条、第十八条规定，由体育行政部门予以警告、取缔或撤销原批准文件，并由公安机关根据《群众性文化体育活动治安管理办法》的规定进行处罚。

第三十一条 违反本办法第十九条、第二十二条规定，擅自进行健身气功辅导的人员，或拒不服从体育行政部门管理的健身气功辅导员，由体育行政部门视情况责令限期整改，或取消其资格。

第三十二条 违反本办法第二十四条、第二十五条规定，盗用健身气功名义非法组织社会团体的，由体育行政部门配合民政部门予以取缔和处罚。

第三十三条 违反本办法第二十六条、第二十七条规定，超范围开展活动的健身气功社会团体，由体育行政部门配合民政部门责令限期整改并予以处罚。情节严重的予以撤销。

第三十四条 健身气功管理部门中的国家工作人员或健身气功活动场所管理者因失职等原因造成严重不良影响的，由其所在单位视情节轻重给予行政处分；构成犯罪的，依法追究刑事责任。

第八章 附 则

第三十五条 本办法中提及的数字，均含本数在内。

第三十六条 本办法自公布之日起施行。原国家体委于1998年2月22日颁布下发的《健身气功管理办法》和《健身气功师技术等级评审办法(试行)》(体武字〔1998〕001号、002号文件)同时废止。

(2000年9月11日)

铁 道 部

文明服务示范站车管理办法

第一章 总 则

第一条 为贯彻落实党中央关于加强社会主义精神文明建设的一系列重大决定、部署,广泛深入地开展群众性创建文明行业活动,推动铁路运输系统以"诚心待客,热情服务,争当精神文明建设的火车头"为主题的站车文明服务活动健康发展,充分发挥文明服务示范站车的典型引路作用,加强对示范站车文明创建工作的指导和管理,特制定本办法。

第二条 文明服务示范站车,代表中国铁路客货运输服务的最高水平,其职工队伍建设、经营管理、运输安全等各项工作居于全路领先地位,是铁路参与市场竞争的优质品牌和两个文明建设的排头兵。文明服务示范站车的质量标准以铁道部统一颁布的有关规定为准。

第三条 文明服务示范站车的创建,要始终把旅客货主满意作为出发点和落脚点,坚持以人为本、思想领先,坚持特色服务、质量领先,坚持面向市场、效益领先的原则,通过规范化优质服务,赢得旅客货主,树立行业新风。

第四条 文明服务示范站车采取路局推荐、铁道部组织社会测评与考核相结合的办法确定产生,实行优者上、平者下,有进有出的动态管理。

第二章 创建标准

第五条 广泛开展以"诚心待客,热情服务,争当精神文明建设的火车头"为主题的站车文明服务活动,全面提高职工队伍思想道德素质和业务技术素质,模范执行铁道部颁布的有关客货运输服务质量标准;认真落实铁道部关于行业文明创建工作的各项决定、措施和要求,"百点计划"全面落实,规范化服务全面达标。

第六条 领导班子有强烈的创建意识,职工群众有广泛的参与意识,管理办法健全完善,岗位、工种服务规范细化、量化,有检查、监督、落实的办法和措施,以及考核评比奖惩制度。

第七条 群众性精神文明创建活动深入扎实,成绩突出,经济效益和社会效益显著,群众满意,社会公认,在路内外有较大影响,系铁道部"红旗列车"、"文明车站"、"文明货场",获得过省、部级以上荣誉称号。

第三章 处分条例

第八条 对发生问题的示范站车视情况给予黄牌警告或取消示范称号的处分。

第九条 发生下列情形之一者给予黄牌警告:

1. 发生一般路风事件的;

2. 被省部级新闻媒体批评曝光,影响较大,经查属实的;

3. 职工在岗位或与旅客货主发生不正当行为,造成不良影响的;

4. 违反部颁有关客货运输服务质量标准,旅客货主对站车服务质量问题投诉举报属实的;

5. 由于其他原因在路内外造成不良影响的。

第十条 发生下列情形之一者取消示范称号:

1. 由于站车的责任，发生火灾、爆炸、险性以上行车事故和人员死亡事故的；

2. 职工在站车及工作时间发生刑事案件构成犯罪的；

3. 发生以车以票谋私、敲诈勒索旅客，野蛮待客等严重路风事件的；

4. 被中央级新闻媒体批评曝光，性质严重，经查属实的；

5. 在铁道部组织的“红旗列车”、“文明车站”、“文明货场”年度评选中落选的；

6. 由于其他原因在路内外造成恶劣影响的。

第十一条 黄牌警告整改期限为6个月。届时，铁路局视整改情况向铁道部提出是否解除黄牌的报告。被取消示范称号的站车，两年后方有资格重新申报。

第四章 组织管理

第十二条 铁道部精神文明建设指导小组依据中央文明委有关精神，制定铁路行业文明创建工作及站车文明服务活动总体方案和原则要求，对路局申报的示范站车进行审核认定，对发生问题的示范站车作出处理。铁道部精神文明建设办公室组织示范站车创建工作典型经验的交流和推广，负责向中央文明办和社会推荐、宣传重大先进典型。

第十三条 铁路局依据铁道部精神文明建设指导小组关于铁路行业文明创建工作，以及站车文明服务活动的总体要求，结合本局实际，制定实施方案和推进计划，负责对示范站车的检查指导、考核评议，承担站车文明服务活动的组织协调工作。每年第四季度向铁道部精神文明建设指导小组办公室报告示范站车创建情况。

第十四条 文明服务示范站车创建活动需要有关部门相互支持，密切配合，齐抓共管。铁路局要对示范站车给予必要的投入，不断改善硬件设施和人员待遇，为创建工作提供必要的物质保证。

第十五条 示范站车要加强自身建设，积极开展各种富有特色的活动，不断提高客货服务水平，扩大在路内外的知名度。要在车站、列车的明显处悬挂示范标志，并通过站车广播向旅客货主宣传，主动接受人民群众和社会各界的评议监督。

获得示范称号的列车，因运行图调整而变更车次的（始发和终到站不变），仍保留其示范列车称号。

第十六条 本办法自2000年10月1日起实行。

新闻出版署

中国光盘复制行业自律公约

第一条 总　　则

为进一步加强我国光盘复制行业社会主义精神文明建设，增强自律意识，更好地贯彻党的方针和国家的法律法规，保障合法经营，公平竞争，繁荣和发展社会主义光盘复制产业，中国音像协会光盘工作委员会各会员单位自愿签署本公约，并承担履行本公约各项约定的义务。

第二条 自律条款

第一款 坚持正确的政治方向，努力为人民服务，为社会主义服务，为全党的工作大局服务，为培育有理想、有道德、有文化、有纪律的社会主义公民作出贡献。

第二款　具有强烈的历史使命感和社会责任感，严格遵守国家有关法律法规，忠实履行光盘复制生产者的社会责任，不复制生产有损于社会和国家利益、违反有关管理规定的音像、电子等出版物。

第三款　严格执行复制委托书、光盘来源识别码等制度，不参与非法出版、复制、发行及其他非法经营活动，树立精品意识，大力提高产品质量，反对粗制滥造、玩忽职守行为，并随时接受管理部门及驻厂监督员的监督核查。

第四款　发扬团结协作精神，诚实守信，重合同，守信誉，提倡公平竞争，反对利用不正当手段损害同行利益。

第五款　在对外交往中，发扬爱国主义精神，严格遵守外事纪律，自觉维护国家利益、祖国尊严和中国光盘复制工作者的形象。

第三条　签约单位的权利

第一款　光盘工作委员会作为本公约的发起单位，将在有关媒体上公布签约单位名录，并向国内外各音像电子出版、制作及相关单位推荐签约单位。

第二款　当签约单位发现其正当权益受到侵害时，有权要求公约组织及时对其他违约的签约单位进行核查，并在行业内公布核查结果。

第三款　签约单位有权要求修改本公约，但须得到2/3以上签约单位的同意，修改才能生效。

第四款　签约单位有权退出本公约。

第四条　公约的执行、监督及违约行为的制裁

第一款　光盘工作委员会受本公约签约单位的委托，作为本公约的组织机构有权依据本公约，组织或指定专门机构，对签约单位执行本公约的情况进行核查和监督。

第二款　签约单位应接受公约组织及其指定机构对其执行公约的情况进行调查，并予以配合。承担相应的费用。违约行为的调查费用一般由要求调查的一方先行垫付，如违约行为被认定，则由违约方承担。

第三款　对于发生违约行为并被认定的签约单位，应视其情节轻重，由光盘工作委员会依据有关规定给予警告、通报、直至取消会籍等处分。

第四款　被调查单位对调查结果有争议的，可向光盘工作委员会理事长会议申请复议；光盘工作委员会理事长会议的裁决为最终裁定。

第五条　附　　则

第一款　本公约解释权属于光盘工作委员会。

第二款　凡光盘工作委员会会员单位，接受并遵守本公约的各项条款，均可签署加入本公约。

第三款　本公约自签署之日起生效。

中国气象局

关于创建省级文明气象系统的若干规定

（中气文发〔2000〕1号）

按照《中国气象局党组关于加强精神文明建设的若干意见》的要求，为明确创建基本要求，规范表彰形式，深入开展创建工作，努力完成中国气象局党组确定的任务，特作如下规定。

一、创建基本要求

创建文明气象台站和单位的标准，统一按地方党委和政府确定的标准执行。达到规定的文明单位比例之后，在申报文明系统称号时，应达到

以下基本要求：

（一）组织领导坚强有力。党政领导班子坚持以邓小平理论为各项工作的根本指导思想，坚持“两手抓、两手都要硬”的方针；坚持讲学习、讲政治、讲正气；坚持解放思想，实事求是，锐意改革，开拓创新；坚持密切配合，团结高效，勤政廉政，作风民主，表率作用突出。

（二）各项工作实绩突出。准确、及时、主动、科学、高效地为中央和地方党政领导部门，为群众和用户提供气象服务，做到“决策服务让领导满意，公众服务让社会满意，专业服务让用户满意”。深入开展优质规范服务，大力倡导文明行业新风，规范化服务水平较高。气象行政管理、基本气象系统和气象科技服务与产业结构合理、界面清晰、协调发展，取得良好的社会、经济效益。社会信誉高，群众反映好。

（三）创建活动扎实有效。有切实可行的规划、计划，认识到位，组织健全，制度完善。建立创建活动目标责任制，与业务工作同部署、同落实、同检查。积极参加地方精神文明建设活动，经常与地方沟通情况，保持联系。创建活动形式多样，职工业余文化生活活跃、健康。

（四）职工队伍精神面貌好。坚持开展爱国主义、集体主义、社会主义和社会公德、职业道德、家庭美德教育，进行经常性的民主法制教育。加强思想道德建设，注重塑造气象人精神，树立气象人形象。干部职工爱岗敬业，遵纪守法，思想觉悟、道德修养、科学文化素质不断提高。

（五）台站环境好。自觉遵守当地城镇管理法规，建立爱护环境、美化环境的有关制度。与台站综合改善相结合，注重改善站容站貌，不断加大硬件设施和环境改造经费的投入力度，并取得显著成效，工作和生活环境净化、绿化、美化。

二、申报命名

（一）凡地方开展创建文明系统（行业）活动的，在达到地方规定的创建标准时，由省（区、市）气象局直接向省（区、市）精神文明建设指导委员会申报文明系统（行业）。经验收合格后，由省（区、市）委、省（区、市）政府或省（区、市）精神文明建设指导委员会命名。

（二）如地方未开展创建文明系统（行业）活动，但进行文明单位评比的，在达到上述五项创建标准和以下三项条件，经商省（区、市）精神文明建设指导委员会办公室同意后，一般由省（区、市）委、省（区、市）政府或省（区、市）精神文明建设指导委员会与中国气象局联合命名。

1. 省、地、县三级气象局建成县（区）级以上级别文明单位的总数，达独立创建单位总数的80%以上；

2. 在已建成的文明单位中，地（市）级以上级别的文明单位达30%以上；

3. 省级气象局机关为省级文明单位（或当地最高级别文明单位）。

上述各级“文明单位”均指地方党委、政府或精神文明建设指导委员会所授。

（三）直辖市和计划单列市气象部门，在达到上述五项创建标准和以下三项条件后，也可商市精神文明建设指导委员会办公室同意后，由中国气象局命名。

1. 直辖市气象部门建成县（区）级以上级别文明单位的总数达独立创建单位总数的90%以上，计划单列市达100%；

2. 直辖市气象部门在已建成的文明单位中，地级以上级别的文明单位达40%以上，计划单列市达30%以上；

3. 市级气象局机关为省级文明单位（或当地最高级别文明单位）。

三、表彰与奖励

已建成文明系统的省（区、市）气象部门，凡地方单独命名的，由地方颁发奖牌，予以表彰；地方与中国气象局联合命名的，由联合命名单位共同颁发奖牌，予以表彰；中国气象局单独命名的，由中国气象局颁发奖牌，予以表彰。

对已建成文明系统的省（区、市）气象部门，中国气象局给予一次性奖励，用于精神文明建设活动。地方给予的奖金，按地方有关部门规定的用途使用。

四、管　理

文明系统（行业）由命名机关或其授权单位对其进行动态管理。

1. 文明系统（行业）应继续加强内部建设和管理，不断巩固创建成果，提高创建水平。

2. 凡由地方或地方与中国气象局联合命名的省级文明系统（行业），荣誉称号有效期按当地文明委（办）有关规定执行。期满前应按照地方有关规定重新申报，由地方有关部门组织复查，重新命名。对放松管理，创建质量和水平明显下降或出现严重问题的，在地方给予处理的同时，中国气象局也将予以通报。

3. 凡由中国气象局命名的省级文明系统（行业），中国气象局精神文明建设指导委员会办公室负责进行不定期复查。对创建质量和水平明显下降或出现严重问题的，可限期整改、予以通报批评或撤销称号并收回奖牌。

4. 撤销称号后，经整改达到条件的可重新申报命名。本规定由中国气象局精神文明建设指导委员会办公室负责解释。

本规定自下发之日起实行。

2000 年 1 月 24 日

国家电力公司 精神文明建设创新奖授奖条例（试行）

（国电党〔2000〕34 号）

第一章　总　　则

一、为了进一步加强和改进国家电力公司系统党的建设、思想政治工作和精神文明建设，使其更好地适应国家电力公司系统的改革和发展，保证国家电力公司发展战略目标的实现，特制定本条例。

二、精神文明建设创新奖主要奖励公司系统在党的建设、思想政治工作和精神文明建设方面做出创造性工作成绩，有重大贡献、取得重大成就的单位和个人。

三、精神文明建设创新奖的申报和审查、评选，要坚持实事求是、注重实效、公开公正的原则。

第二章　获奖条件

四、国家电力公司系统符合下列条件的单位和个人，自愿申报并经过一定的审查、评选程序，被确定符合授奖条件者，即可获奖：

1. 在加强和改进党的建设、思想政治工作和精神文明建设方面认真探索、积极创新，取得重大成就者；

2. 在党的建设、思想政治工作和精神文明建设工作中，取得突出成绩，在全国产生重大影响者。

第三章　申　　报

五、每年 2 月 1 日到 3 月 31 日，公司系统凡符合第二章所列获奖条件的单位和个人，均可按照规定程序向国家电力公司思想政治工作办公室提出参评申请。

第四章　审　　查

六、每年 4 月，国家电力公司思想政治工作办公室组织资格审查委员会（一般由公司本部、公司所属单位的专职政工负责同志组成，人员不确定）对所有申报者进行资格审查，并筛选出单位和个人各 10 名，提交评选委员会。

第五章　评　　选

七、评选委员会由中国电力职工思想政治工作研究会专业委员会有关专家组成。

八、每年 5 月，评选委员会对被提名单位和个人有关情况进行全面审核，并按规定程序，评选出上年度拟授奖单位和个人推荐名单各 5 名。

九、每年 5 月下旬，在《中国电力报》公布拟授奖单位和个人推荐名单，征询全公司系统公众意见。

十、根据公众意见，对拟授奖单位和个人推荐名单进行必要的调整；没有征求到意见视为无意见。

十一、确定拟授奖单位和个人推荐名单，报国家电力公司党组审定，

十二、每年7月上旬，在《中国电力报》公布获奖名单。

十三、评选中，如果符合条件的单位和个人不足评选名额，可以少评或者空缺。

第六章　奖　　励

十四、国家电力公司精神文明建设创新奖授奖，实行精神奖励和物质奖励相结合。对获奖单位和个人由国家电力公司颁发奖励证书，授予“国家电力公司精神文明建设创新奖”称号；同时发给获奖单位领导班子奖金2万元，发给获奖个人奖金1万元。

第七章　附　　则

十五、申报、审查、评选工作从2001年2月1日起开始，每年进行一次。

十六、国家电力公司思想政治工作办公室可根据本条例，制定具体的工作细则。

十七、本条例由国家电力公司思想政治工作办公室负责解释。

2000年4月11日

北　京　市

见义勇为人员奖励和保护条例

（北京市第十一届人民代表大会常务委员会第十八次会议通过）

第一条　为了奖励和保护见义勇为人员，弘扬社会正气，加强社会主义精神文明建设，根据有关法律、法规，结合本市实际情况，制定本条例。

第二条　本条例所称见义勇为，是指为保护国家、集体利益或者他人的人身、财产安全，不顾个人安危，与正在发生的违法犯罪作斗争或者抢险救灾的行为。

第三条　本条例适用于本市行政区域内本市公民见义勇为行为的奖励和保护。

非本市人员在本市行政区域内见义勇为，或者本市公民在本市行政区域外见义勇为，参照本条例予以奖励和保护。

第四条　本市奖励见义勇为人员，保护其合法权益。全社会应当关心和支持见义勇为人员。

第五条　新闻宣传部门应当及时宣传见义勇为事迹，报道奖励和保护见义勇为人员的活动。

第六条　奖励和保护见义勇为人员的工作由市和区、县人民政府负责，日常工作由民政部门办理，其他有关部门密切配合。

第七条　市和区、县依法设立见义勇为基金会或者见义勇为基金（基金会的基金和见义勇为基金以下统称见义勇为基金）。

见义勇为基金用于对见义勇为人员的奖励和见义勇为伤残人员的资助以及其他费用。基金的使用和管理依法接受有关部门和社会的监督。

本市鼓励单位和个人向见义勇为基金会捐赠。

第八条　区、县民政部门接到组织或者个人关于见义勇为情况的反映或者申请，应当及时组织核实、确认。了解情况的组织和公民应当积极配合核实和确认工作。

见义勇为的受益人有责任为见义勇为的确认

提供证明。

第九条 各级人民政府和机关、团体、企业事业单位，对见义勇为人员应当给予奖励。

奖励实行精神奖励和物质奖励相结合的原则。

第十条 对事迹突出的见义勇为人员，由区、县人民政府决定授予“见义勇为积极分子”称号；对事迹特别突出的，经区、县人民政府推荐，由市人民政府决定授予“首都见义勇为好市民”称号。

对被授予荣誉称号的见义勇为人员，给予物质奖励。

第十一条 公民对见义勇为要给予支持和帮助，对见义勇为负伤人员要及时送往医疗机构，医疗机构应当及时组织救治。

第十二条 救治见义勇为负伤人员的费用，有工作单位的，由所在工作单位暂付；工作单位无力暂付或者无工作单位的，从见义勇为基金中暂付；紧急情况下，由医疗机构垫付。

第十三条 见义勇为负伤人员的医疗费用分别不同情况采取下列办法解决：

（一）由加害人依法承担；

（二）由社会保险机构按规定支付；

（三）由所在工作单位提供的资助。

依照前款各项规定解决的不足部分或者均不能负担时，从见义勇为基金中支付。

第十四条 见义勇为负伤人员医疗期间，属于机关、团体和事业单位职工的，应当视为正常出勤，所在工作单位不得因此扣减其工资、奖金和降低其福利待遇；属于企业职工的，依照本市有关企业劳动者工伤保险的规定享受工伤津贴；无工作单位的，从区、县见义勇为基金中给予经济补助。

第十五条 因见义勇为致残的，其伤残等级由有关部门依法评定，伤残待遇依照国家有关因公（工）负伤人员的规定办理。

第十六条 因见义勇为牺牲的，其抚恤按照国家有关因公（工）死亡规定办理；按照国家有关规定批准为革命烈士的，其家属享受烈属待遇。

第十七条 对因见义勇为牺牲或者致残丧失劳动能力的人员，其家属没有生活来源的，所在区、县人民政府应当采取帮助其家庭成员就业等增加收入的措施解决。

第十八条 见义勇为牺牲人员的家属、致残人员及其家属，在支付住房租金、医疗费、子女上学费用等方面有实际困难的，由所在区、县人民政府给予经济补助。

第十九条 获得区、县级以上人民政府见义勇为荣誉称号的人员，在同等条件下，享有就业、入学、入伍等优先待遇。

第二十条 见义勇为人员及其家属因见义勇为受到打击报复，人身、财产安全受到威胁，公安机关应当采取有效措施予以保护。

打击报复见义勇为人员的，由有关机关依法处理。

第二十一条 负有奖励和保护见义勇为人员职责的部门及其工作人员在工作中弄虚作假、徇私舞弊、玩忽职守、滥用职权的，由主管部门对责任人员给予行政处分；构成犯罪的，依法追究刑事责任。

第二十二条 为履行法定职责或者义务实施了本条例第二条规定的行为的，按照其他有关规定予以奖励和保护。

第二十三条 本条例所称家属是指见义勇为人员的配偶、子女、父母，以及依靠见义勇为人员生活的十八周岁以下的弟妹、见义勇为人员自幼曾依靠其抚养长大现在又必须依靠见义勇为人员生活的其他亲属。

第二十四条 本条例实施办法由市人民政府制定。

第二十五条 本条例自2000年8月1日起施行。

2000年4月21日

北 京 市

首都文明行业评选办法（试行）

（精建〔2000〕1号）

按照党的十四届六中全会提出的“要以服务人民、奉献社会为宗旨，开展创建文明行业活动”的工作要求，首都创建文明行业活动从基础抓起，在“窗口”行业深入开展了规范化服务达标活动。几年来，有一批“窗口”行业实现了规范化服务达标，并有一些行业实现了全行业规范化服务达标。为了进一步推动首都创建文明行业活动深入发展，全市将在全行业达标的行业中，择优评选首都文明行业。为使评选工作规范化、制度化，特制定本办法：

一、申报首都文明行业的条件

经首都创建文明行业活动规范化服务达标联合考评委员会严格考核，荣获“首都创建文明行业活动规范化服务达标行业”称号一年以上的全行业达标行业。同时，该行业机关必须荣获市级以上文明单位或其他精神文明建设荣誉称号。

二、首都文明行业标准

（一）领导高度重视，规章制度健全

行业内各级领导班子讲学习、讲政治、讲正气，认真贯彻落实两个文明一起抓的方针，解放思想，实事求是，团结协作，廉洁奉公，作风民主。重视精神文明建设，争先创优意识强，形成了党政主要领导亲自抓、主管领导具体抓、党政工团及各部门齐抓共管创建文明行业工作的领导机制和工作格局。有负责行业精神文明建设的机构和人员，认真负责创建文明行业工作的计划、组织、协调、管理、督导与考核。创建文明行业工作纳入领导的重要议事日程和行业发展规划。制定创建文明行业的长远计划和近期目标，职责明确，措施得力，任务落实。认真抓好创建工作的全过程，做到创建活动经常化、制度化、规范化。行业内部建立一套有利于精神文明建设健康发展的监督、制约、考核和激励机制。精神文明建设工作与经济工作（业务工作）共同部署，共同考核，逐级负责，层层保证，奖优罚劣。重视规范化服务达标工作，制定全行业的岗位规范，并狠抓落实，在实现全行业规范化服务达标的基础上，向全行业优质服务迈进。

（二）经济稳步发展，业务成绩显著

生产经营性行业，坚持以经济建设为中心，深化改革，苦练内功，所属企业逐步建立适应社会主义市场经济的现代企业制度。行业经济效益良好，并呈持续发展趋势，主要经济指标达到国内同行业先进水平。政策性亏损的行业，积极采取措施减亏，减亏幅度逐年提高，完成上级下达的任务指标。

非生产经营性行业，强化内部管理，不断提高工作效率和改进服务质量，业务成绩显著，贡献突出，业务工作水平位居全国同行业前列。

（三）宣传教育深入，创建活动突出

加强思想政治工作，运用各种形式对干部、职工进行“五爱”（爱祖国、爱人民、爱劳动、爱科学、爱社会主义）、“四有”（有理想、有道德、有文化、有纪律）和“三德”（社会公德、职业道德、家庭美德）教育。结合行业实际情况，利用有利契机和各种载体开展有针对性的主题教育活动，加强首都意识和服务意识，牢固树立全心全意为人民服务的思想，不断提高干部职工思想道德素质。同时，要在加强职业道德教育的基础上，强化业务技能和岗位规范的培训，定期组织专业知识和业务操作的考核，培训率达到100%，岗位规范知晓率达到100%，岗位规范执行率达到98%

以上，不断提高干部职工业务水平和服务质量。

创建文明行业活动扎实有效，并层层开展各种形式的创建活动，干部职工广泛参与。在行业中，有20%以上的单位荣获市级以上文明单位或其他精神文明建设荣誉称号，有80%以上的单位荣获区、县、局（总公司）级以上文明单位或其他精神文明建设荣誉称号，有荣获市级以上荣誉称号并在本行业成为学习榜样的先进个人。

（四）环境整洁优美，秩序安定井然

模范执行城市管理的各项法规，牢固树立环保意识，积极参与首都绿化美化活动，认真落实“门前三包”。严格执行环境卫生责任制，道路平坦，室内外环境整洁优美。无卫生死角，无违章建设，灭蚊蝇、灭鼠、灭蟑达标，各项环保指标达到国家有关规定的要求。重视绿化工作，积极参加义务植树活动，因地制宜搞好单位的绿化美化。积极贯彻计划生育的基本国策，完成计划生育各项指标。认真执行《北京市动员组织公民献血条例》，积极完成献血任务。做好卫生防疫、医疗保健工作。

经常进行民主法制教育，广大干部、职工自觉遵守国家和市政府的法律、法令、法规，遵守《首都市民文明公约》，遵守各项管理规定和守则。积极参加社会治安综合治理和群防群治，及时消除各种隐患。有效防止重大事故、重大刑事案件等，一般事故和普通刑事案件得到有效控制，“黄、赌、毒”和封建迷信等社会丑恶现象得到有效遏制。

有自管职工宿舍区（楼）的行业要积极开展创建文明家庭、文明居民楼、文明居民区活动，宿舍区（楼）要达到环境优美、秩序井然、生活方便、风气文明的要求。

（五）自觉接受监督，广大群众满意

建立有效的监督机制，在重视内部监督、上级监督的同时，更重视群众监督、新闻监督等社会监督，建立服务热线或投诉电话，设立群众意见箱（本），聘请社会监督员，定期向信访、消协等部门了解群众的反映。广泛征求群众和用户意见，发现差距及时弥补，出现问题及时解决。

加强行风建设，坚决纠正行业不正之风，杜绝“冷硬顶推”和“吃拿卡要”等不良现象，行风建设成效显著。处处为群众着想，热情为顾客服务，简化程序，办事公开，无恶性服务事故。认真兑现社会服务承诺，积极参加“百城万店无假货”活动，坚决抵制“假冒伪劣”。建立健全职业道德规范和服务规范标准，规范工作程序，落实岗位责任和工作标准，提高工作效率和服务质量，改善服务环境和服务设施，方便广大群众和广大用户。信访和消协的群众投诉逐年下降，新闻单位曝光逐年减少。服务水平和业务水平在全国同行业名列前茅，群众满意率在95%以上。

本标准中必须达到的硬性指标是评选首都文明行业的必备条件。

三、首都文明行业考评程序

（一）细化标准

各行业要根据首都文明行业标准，结合国家主管部门的要求，制定出符合本行业特点的细化标准，经市主管部门审核后，报首都精神文明建设委员会办公室。各行业在制定细化标准时，按照总分100分，每大项20分，对各大项内的各小条进行分别赋分。

（二）行业自查

各行业在申报首都文明行业前，要按照细化标准对本行业进行自查，并广泛征求群众和行业职工的意见。经自查合格的行业，方可申报首都文明行业。

（三）行业申报

达到申报条件和必备条件的行业可填写《首都文明行业申报表》（附后），并附自查报告和征求群众意见情况报告，一并报市主管部门审核。

（四）市主管部门审核

市主管部门要对申报的行业进行严格审核，对符合申报条件和必备条件的行业，市主管部门在其《首都文明行业申报表》中签署意见后，报首都精神文明建设委员会办公室。首都精神文明建设委员会办公室发放调查问卷（或运用其他形式），了解申报行业的群众满意率。

（五）考评委员会初步审核

由首都精神文明建设委员会办公室和北京市人民政府纠正行业不正之风办公室牵头，组成有市有关部门负责同志和社会有关人士参加的首都文明行业联合考评委员会，对申报行业进行抽查和初审。初审合格的行业才具备参评资格。

（六）向社会公布

经初审合格的行业，在本行业“窗口”单位树立告示牌（栏），在告示牌（栏）中说明申报和评选首都文明行业的情况，欢迎社会监督，公布本行业投诉电话、通信地址、邮编及首都精神文明建设委员会办公室和北京市纠正行业不正之风办公室的监督电话、通信地址、邮编，并通过新闻媒体向社会公布。

（七）正式考评

首都文明行业联合考评委员会严格按照首都文明行业标准及细化标准对初审合格的行业进行考评，并坚持“一个中心、五个结合、一项否决条件”的原则。“一个中心”是：以群众满意为中心；“五个结合”是：硬件建设和软件建设相结合，思想道德教育与业务技术培训相结合，经济效益（业务水平）与服务质量相结合，内部管理与外部形象相结合，规范化服务达标与优质服务相结合；“一项否决条件”是：发生重大问题和事故一票否决。通过听汇报、看资料、开座谈会、明察暗访、征求群众意见、收集各方面反映等形式，对参评行业进行综合考核。参评行业在考评期间要广泛征求群众和用户的意见和建议，并积极整改。首都文明行业联合考评委员会成员根据考评情况共同研究确定考评结果。

（八）首都精神文明建设委员会审核

考评结果上报首都精神文明建设委员会审批，并由首都精神文明建设委员会命名表彰。

本办法由首都精神文明建设委员会办公室负责解释。

2000年2月4日

北　京　市

首都文明示范街标准（试行）

（精建办〔2000〕31号）

一、管理到位，措施得力

1. 由大街管理委员会（或街道办事处、乡镇政府）牵头，协调工商、物价、税务、城管、绿化、环卫、公安、交通、消防、文化、语言文字、技术监督等职能部门齐抓共管，形成合力，共同抓好争创文明示范街活动。

2. 制定符合实际情况的创建文明示范街的规划和具体措施，有分工、有检查、有落实，使创建活动做到经常化、制度化、规范化。

3. 各职能和执法部门各负其责，恪尽职守，对发生和发现的问题及时解决，严格执法，文明执法。

4. 沿街的商业、服务业“窗口”单位，建立健全规章制度，制定服务标准和岗位规范，加强内部管理，树立良好形象。

5. 充分发挥沿街居（家）委会、村委会的作用，做好沿街住户的工作。

二、宣传广泛，积极参与

1. 切实加强和改善思想政治工作，利用灵活多样和群众易于接受的形式，进行“五爱”（爱祖国、爱人民、爱劳动、爱科学、爱社会主义）、“四有”（有理想、有道德、有文化、有纪律）、“三德”（社会公德、职业道德、家庭美德）教育。

2. 大力宣传《首都市民文明公约》和《首都市民文明守则》和“四要四不要”，深入开展“讲文明、树新风”和“千万市民齐参与，争做文明北京人”的宣传教育活动。

3. 通过发放宣传资料、公益广告、宣传栏、电子屏幕及门店内的横幅等形式，大力宣传精神文明，加强宣传环境布置。

4. 利用各种有利契机和载体，加强对沿街单位和住户的宣传动员，使创建文明示范街活动家喻户晓，深入人心，并积极参加创建活动。

三、环境优美，设施完备

1. 大街、便道、绿地及各种公共设施经常保持清洁，无卫生死角，无违章建筑，无乱堆乱放，无乱写、乱画和张贴小广告等现象，认真执行市政府关于严禁随地乱扔乱倒废弃物和随地吐痰的规定。

2. 沿街单位和住户严格实行卫生责任制，“门前三包”落实，灭蚊、蝇、鼠、蟑工作达到市有关部门标准。沿街商业、服务业单位橱窗、门店干净整齐。

3. 公厕数量与客流量相适应，设施完好，有专人保洁，做到干净清洁、无污物、无积水、无冒溢，达到 2 级以上标准。垃圾箱、果皮箱等卫生设施整洁完好。

4. 认真贯彻《城市绿化条例》，努力做好绿化美化工作，树木花草长势良好，草皮无大面积斑秃。

5. 有城市雕塑和露天座椅的大街，雕塑和座椅整洁完好。

6. 设置户外广告要符合有关规定，各类牌匾、标牌、霓虹灯整洁完好，用字规范、齐全。

四、服务优质，风气良好

1. 沿街商业、服务业各门店和摊点按照核准的经营范围、方式、地点亮证照经营。各种商品要明码标价并使用统一标签。无假冒伪劣商品、无“三无”商品和国家命令禁止上市的商品。使用合格计量器具，对售出的商品实行“三包”，接受群众监督，努力改进管理和服务工作。

2. 商业、服务业单位的工作人员要佩戴统一胸牌，严格遵守服务标准和岗位规范，衣着整洁，服务热情，礼貌待客，使用文明用语。无扎堆聊天，无生、冷、硬、顶现象，坚决杜绝打骂顾客的恶性服务事件发生。

3. 饮食服务门店、摊点有《卫生许可证》，从业人员有《身体健康证》。操作间干净整洁，用具、食品严格消毒，生熟分开。对易受污染的食品采取防蝇、防尘措施。工作人员卫生状况良好。

4. 无无照经营、无强买强卖，无尾随兜售、无欺行霸市现象。

5. 沿街单位和住户积极开展学雷锋活动，互相帮助、扶老携幼、照顾老弱病残、制止不文明现象、与丑恶现象作斗争蔚然成风。

五、秩序井然，安全稳定

1. 安全保卫和防火制度健全，队伍落实，责任明确，措施得力，对重点部位严格监控，坚持值班和巡视制度。定期进行安全检查，及时发现和排除安全隐患。按规定配备消防器材和设施，并保证完好无损，灵敏有效，消防标志明显，灭火器不能过期，无埋压圈占消火栓现象，安全疏散通道畅通无阻。无重大治安案件、无重大火灾。

2. 影剧院、歌舞厅、录像厅、游戏厅、洗浴桑拿等文化娱乐休闲场所，要遵守政府有关规定，守法经营，严厉杜绝黄赌毒等丑恶现象孳生蔓延。

3. 加强交通和车辆管理。有明显的交通标志、标线，车辆行人遵守交通规则，交通安全畅通。公共电汽车站台秩序良好。机动车、自行车停放有序，摆放整齐。

4. 市场摊点设置合理，管理有序，经营规范，符合有关规定。

5. 不售淫秽、迷信商品，无乞讨、算命、卜卦现象。

2000 年 11 月 1 日

天　津　市

加强社区精神文明建设的若干意见

（津党发〔2000〕1号）

贯彻落实市委七届五次全会精神，进一步推动社区精神文明建设，乘势而上，开拓创新，全面上水平，对于新形势下做好群众工作和加强基层政权建设，具有十分重要的意义。现就进一步加强社区精神文明建设工作提出如下意见。

一、深刻认识加强社区精神文明建设的重要性

1. 社区精神文明建设面临新的形势和任务。政府一些社会事务和管理职能转移到社区，企事业单位承担的社会职能分离给社区，大量离退休人员、外来人口和下岗职工进入社区，老龄人口在社区的比重逐渐增加，社区在加强城市管理、服务市民生活、促进社会进步方面的作用越来越大。随着物质文化生活水平的提高，群众对改善生活环境、提高生活质量的要求越来越迫切。我市成片危陋平房改造基本完成，百万居民迁入新居，城市面貌发生巨大变化，为社区精神文明建设提供了有利条件。适应形势，抓住机遇，切实加强社区精神文明建设，已成为当前一项重要而紧迫的任务。

2. 社区是组织和教育群众的重要阵地。改革开放以来，我市在整体推进精神文明建设过程中，加大社区精神文明建设力度，积累了许多成功经验，但仍存在着不容忽视的薄弱环节。一些社区的教育和管理职能弱化，思想政治工作出现空白点，封建迷信活动和非马克思主义思想乘虚而入。“法轮功”邪教组织在社区这块阵地同我们争夺群众。各级党组织要举一反三，扎扎实实地抓好社区思想政治工作、宣传工作和群众工作，用马克思主义牢牢占领社区这块阵地。

二、认真落实社区精神文明建设各项任务

3. 加强社区精神文明建设，要坚持以邓小平理论和党的十五大精神为指导，认真落实江泽民总书记关于加强社区建设的重要指示精神，着眼于天津改革、发展、稳定的大局，以提高市民素质、城市文明程度和居民的生活质量为目标，广泛发动群众，调动一切力量，努力建设环境整洁优美、服务便利全面、风气健康向上、治安稳定有序、基础设施完善、文化生活活跃丰富的文明社区，推动社区精神文明建设全面上水平，为实现天津跨世纪发展的宏伟目标提供精神动力和思想保证。

4. 加强社区教育。坚持不懈地进行形势政策教育，社会主义道德和法制教育，理直气壮地讲大道理。当前，要特别针对“法轮功”问题产生的深层次原因，加强理想信念和马克思主义唯物论、无神论教育，开展崇尚科学、反对迷信活动，引导群众抵制各种不良思想影响、养成科学文明健康的生活方式。下力量做好离退休人员、下岗职工和外来人口的思想教育、把工作做到居民家庭，扩大覆盖面、消除空白点。把文化艺术和生活知识纳入社区教育内容，融思想性与知识性、趣味性为一体。因地制宜地办好基层党校、市民学校和家长学校，做到有阵地、有教材、有师资。在居民小区设置宣传栏、阅报栏和黑板报，巩固社区教育阵地。

5. 搞好社区服务。从群众最关心、最企盼解决的问题入手，办实事、办好事、多办事。市、区、街道建立健全社区服务中心，居委会建立服务站，形成四级网络，服务千家万户，方便居民生活。卫生、房管、供水、供电、供气等“窗口”单位，要发挥行业优势，把服务延伸到社区，主动面向群众，服务居民。大力提倡居民群众以自己的知识、技能和劳动，为社区、为他人提供服务。壮大志愿者队伍，深入开展社区志愿者服务活动。关心社区内的特困家庭，送温暖，献爱心，不让一户过不去。搞好下岗职工技能培训，帮助他们创建社区服务实体，寻找就业门路，开辟就业渠道。支持兴办老年公寓，开展多种形式的老年人服务。培育和发展社会中介组织，充分发挥他们在社区服务中的积极作用。倡导无偿服务，发展低偿和有偿服务，推动发展社区服务产业。

6. 优化社区环境。坚持专兼结合，广泛发动群众，治理和改善社区环境。推进“楼道革命”，让楼道“亮起来，净起来，白起来”。拆除各种违章建筑，清理乱堆乱放、乱贴乱画，推动生活垃圾分类和袋装化，增强群众环保意识。强化重点道路和重点地区综合治理，占路市场要按照市、区规划逐步实现退路进厅，规范市场秩序。植树种草，养绿护绿，提高社区绿化覆盖率。努力实现社区环境“绿、亮、净、美、优”。集中财力物力，每年建成一批“精品小区”。

7. 活跃社区文化。依托社区资源和人才优势，组织群众合唱队、秧歌队、晨练队、书画社等业余文化团队，开展群众喜闻乐见、健康有益、形式多样的文化体育活动，丰富群众精神生活，抵制不良文化的影响。热情支持、积极引导群众自发的健康文化活动。倡导专业文化团体参与社区文化建设，提高社区文化品位。要特别注重老年人的文化生活，办好老年大学，开展有益于身心健康的活动，使他们老有所学，老有所乐，生活充实。建立和完善文化体育设施，居委会要有综合性的活动室，街道要有文化活动中心，改作他用的要限期恢复。加大“扫黄打非”力度，净化社区文化市场，保障社区文化健康发展。

8. 维护社区治安。坚持“打防结合，预防为主”的方针，加强社区治安综合治理，严厉打击各种违法犯罪活动，认真做好重点地区、重点部位、重点人群的治安防范。加强社区流动人口及公共娱乐场所的管理，遏制各种社会丑恶现象和不文明行为的滋生蔓延。加强对刑满释放人员、解教人员的帮教安置工作。搞好普法教育和人民调解工作。充分发挥社区群防群治组织的作用，组织发动群众建设安全居民区，促进社会稳定和发展。

9. 加强基础设施建设。要采取新建与扩建、改建相结合的方法，大力加强社区基础设施和硬件建设，特别是要健全和完备服务、文化、体育、环卫等与居民生活密切相关的设施，并随着社区经济的发展不断提高完善，为群众安居乐业创造良好的物质条件。

三、积极探索社区精神文明建设的有效途径

10. 动员群众广泛参与。从群众的切身利益和实际需要出发，精心设计群众认可、乐于参与、易见实效的活动载体，把群众参与程度和满意程度，作为检验社区精神文明建设成效的重要标准。引导群众自我教育、自我管理、自我服务，增强社区意识，积极参加精神文明创建活动，“住小区，爱小区，建小区，管小区”，充分发挥群众在社区精神文明建设中的主体作用。

11. 深入开展创建文明社区活动。从“人、家、院、片”入手，以提高市民道德素质为主题，开展争做文明市民活动；以弘扬家庭美德为主题，开展创建文明家庭活动；以建立“友善、和睦、亲情”的新型人际关系为主题，开展创建文明楼院活动；以优化群众生活环境为主题，开展创建文明小区活动。坚持分类指导，对工作基础和硬件设施比较好的小区，重点抓巩固和提高；对实施危陋平房改造和“安居工程”新建的小区，重点抓管理和完善；对工作基础薄弱或硬件设施较差的小区，重点抓攻坚和改善。建成一片、巩固一片、发展一片，最终实现创建文明社区的目标。

12. 大力推进社区共建。各党政机关、学校、企事业单位，要带头搞好自身的精神文明建设，积极参加社区创建活动。努力探索社区共建的组织形式和活动方法，拓展军民共建、警民共建、企街共建、校街共建、区域共建等领域，提高社区共建的质量和参与度。重视开发社区内的设施、人才、信息等资源，认真开展街道、居委会与驻街单位之间互惠互利的双向服务，提倡驻街单位将文化体育设施，在双休日和空闲时间向居民开放，实现资源共享，发挥整体优势。

13. 充分发挥共产党员的作用。共产党员要在社区精神文明建设中发挥先锋模范作用，主动亮明身份，自觉接受街道党组织和群众的监督，带头参加社区志愿者服务组织和各种公益活动，诚心诚意为群众服务，用实际行动为党旗增辉。

14. 宣传推广先进典型。认真总结宣传社区精神文明建设中涌现出的先进典型和成功经验，发挥他们展示文明、传播文明、带动文明的示范导向作用。利用新闻媒体和社区宣传阵地，大力宣传居民群众身边尊老爱幼、邻里互助、热心公益事业等先进典型，开展形式多样的学习先进活动，努力形成学习先进、崇尚先进的良好风气。

四、切实加强对社区精神文明建设的领导

15. 各级党委和政府要把加强社区精神文明建设，作为贯彻落实中共中央《关于加强和改进思想政治工作的若干意见》（中发〔1999〕17号）和市委七届三次全会精神的重要措施，摆上议事日程，建立和完善“党委统一领导，党政主要领导亲自抓，文明委协调指导，文明办组织推动，各方面分工负责，广大群众积极参与”的领导体制和工作机制。街道党的工作委员会、办事处对本社区精神文明建设负总责，通过街道和驻街单位主要领导参加的联席会等形式，组织推动、检查督促、全面落实本地区精神文明建设各项工作。

16. 建立和完善社区精神文明建设工作目标责任制。各单位、各部门要按照分工，各司其职，齐抓共管。层层分解任务，一级抓一级，做到工作有人推进，措施有人落实，问题有人解决，确保各项任务一件一件地落到实处。把社区精神文明建设的成效作为考核区街领导班子和领导干部的一个重要依据。

17. 完善表彰奖励制度。对在社区精神文明建设中做出突出成绩的单位和个人进行精神和物质奖励。市文明委要制定和完善评选标准，加强检查和考评，每两年命名和表彰一次市级文明社区。文明小区、文明社区作为综合性荣誉称号，包括环境、卫生、绿化、治安等各项内容。控制单项评比数量，切实减轻基层负担。驻街单位评选市级文明单位须经街道工委的同意。

18. 加大社区精神文明建设投入。社区精神文明建设经费要纳入区级财政预算，并在现有基础上逐年增加，用以完善基础设施，健全社区功能。拓宽渠道，提倡社会各界、广大居民捐助社区公益事业。

19. 培养社区精神文明建设队伍。按照政治强、业务精、作风正的要求，培养一批善于做群众和社区工作的基层思想政治工作者、文化普及工作者、体育健身普及工作者，认真搞好培训，不断提高素质，形成一支专兼结合、干群结合、素质较高的社区精神文明建设队伍。

20. 着手制定《天津市社区精神文明建设规划（2001—2005年）》。按照把天津建设成为现代化港口城市和我国北方重要经济中心的要求，确立社区精神文明建设的奋斗目标和实施步骤，分阶段、有重点推进社区精神文明建设。各区街要结合各自实际，制定本地区的精神文明建设规划。

2000年1月6日

内蒙古自治区

关于在全区深入开展以城带乡　以乡促城城乡共建精神文明活动的意见

（内文明〔2000〕7号）

为了进一步贯彻党的十五届五中全会和江泽民总书记在中央思想政治工作会议上的重要讲话以及自治区党委六届十一次全委会议精神，认真落实全国农村精神文明建设工作座谈会和全区农村牧区精神文明建设经验交流会提出的各项任务，促进农村牧区两个文明建设协调发展，自治区精神文明建设委员会决定，在全区学习推广辽宁省开原市的经验，广泛开展以城带乡，以乡促城，城乡共建精神文明活动。现就开展这项活动提出如下意见：

一、指导思想、总体目标和基本原则

开展城乡共建精神文明活动的指导思想是：以邓小平理论为指导，按照“三个代表”的要求，紧紧围绕全面建设小康社会的目标，以“讲文明树新风”为重点，大力开展以城带乡，以乡促城，城乡共建精神文明活动，着力提高农牧民的思想道德素质和科学文化素质，提高农牧民生活质量，提高农村牧区文明程度，加快农村牧区城市化进程，推动城乡两个文明建设协调发展。

总体目标是：从2000年底开始，在抓好试点工作的基础上，利用2年左右的时间，即到2002年，努力使全区10%的文明嘎查村与城市中的文明单位结成对子；到2005年力争使全区20%的文明嘎查村与城市中的文明单位结成对子，城乡共建活动取得明显成效，带动城乡精神文明建设迈上新台阶。

结成共建“对子”要坚持的基本原则是：自愿与调控相结合的原则；强强联合的原则；量力而行，尽力而为的原则；相互促进，共同发展的原则；务求实效的原则。

二、主要任务

以城带乡要重点从以下七个方面抓好结对嘎查村的共建工作：

1. 大力组织开展宣传教育和积极健康、形式多样的共建活动。一是开展爱国主义、集体主义、社会主义教育和社会公德、职业道德、家庭美德教育活动，提高农牧民的思想道德素质；二是开展崇尚科学文明，反对封建迷信的宣传教育活动，引导农牧民提高素质，移风易俗，建立科学、文明、健康的生活方式；三是深入开展十星级文明户评比活动，加强动态管理，选树一批高质量的十星级文明户和十个方面的典型户；四是开展以“文明入户，科技致富”为宗旨，以理论政策、思想道德、科技、文化、卫生、法律“六入户”为主要内容的文明进万家活动，丰富农牧民的精神文化生活；五是开展以改水改厕和治“五乱”（乱堆粪土、乱放柴草、乱撒畜禽、乱倒垃圾、乱建房屋）为重点的环境整治活动，改善农牧民生活环境。

2. 建一个标准文化活动室。文化活动室建筑面积达到50平方米以上，配备桌椅、彩电、VCD及文体用品等设施设备和1000册左右的图书（其中有一定数量的农牧业科技书籍），并坚持经常开展政治教育、科技培训、文化娱乐等活动。

3. 修一条示范村路。达到宽敞平直，路面沙石化，边沟水泥衬砌，路边有绿化，日常有养护。

4. 建一处文体活动场地（广场、戏场或篮球场）。场地要亮化、硬化，具备休闲娱乐活动的必要设施，能够开展丰富多彩的群众性文体活动（牧区的嘎查除外）。

5. 选上一个致富新项目。招商引资，开发一个以上致富新项目，使嘎查村集体收入和农牧民人均收入有所增加。

6. 培养一支科技文化骨干队伍。通过有计划培训，达到户户有一个科技明白人，并建立一支20人左右的科技文化骨干队伍，发挥骨干力量在农村牧区物质文化生活中的影响带动作用。

7. 资助一批困难学生。通过各种途径筹措资金，资助因家庭困难无力完成学业的学生，杜绝学龄儿童辍学和产生新的文盲。

以乡促城要重点围绕三个方面来进行：一是请城市文明单位干部职工到共建嘎查村与农牧民交朋友，体验生活，进一步增进感情、密切关系，提高干部职工的思想政治素质，增强为农牧民的服务意识，增加为农牧民服务的项目，树立“服务人民、奉献社会”的良好职业道德；二是请文明嘎查村党员干部群众到城市共建单位传授经验、讲党课、开展联谊活动，促进城市文明单位进一步提高精神文明创建活动的质量；三是发挥农村牧区在土地、环境、资源、劳动力等方面的优势，为城里文明单位的建设和发展提供资源和场地，做到资源共享，优势互补。

三、具体要求

1. 制定规划。各级文明委要在当地党委、政府的领导下，把城乡共建活动作为农村牧区精神文明建设的重要内容，纳入国民经济和社会发展总体规划中。要结合本地实际，集中力量，精心制定城乡共建活动规划和年度计划，把长期目标与近期任务结合起来，循序渐进，分步实施，使城乡共建活动逐步走上制度化、规范化、科学化的轨道，推进农村牧区两个文明建设协调发展。

2. 以点带面。为保证城乡共建活动取得实效，各盟市都要在今冬明春确定一些精神文明建设基础好，人口相对集中，经济条件较好，公路、铁路沿线和城镇附近地区的文明嘎查村与城镇的文明单位结成对子，启动试点工作，在取得经验后逐步拓展到旗县（市区）级文明单位、文明嘎查村。

3. 建章立制。为确保共建活动有效开展，各地区要建立健全领导承包、双方协议、活动联络、情况通报、工作奖惩、档案管理等一系列规章制度，保证共建活动深入持久地开展下去。各级文明委要对各地区、各行业、各单位开展城乡共建工作情况定期进行检查考核，并将其作为评选文明城镇、文明行业、文明单位的一个重要标准。

4. 加强领导。开展以城带乡，以乡促城，城乡共建精神文明活动是贯彻和实践江总书记“三个代表”重要思想，进一步密切党群、干群关系的具体措施，也是新形势下加强城乡精神文明建设的有效途径。各级党政领导要高度重视，切实把这项工作抓在手上，不仅要挂帅，还要经常深入到基层检查指导，抓好落实。有关职能部门要加强指导、督促、检查，协调解决在共建活动中出现的问题。解放军和武警驻区各部队要继续发扬军警民共建工作的优良传统和优势，在城乡共建精神文明活动中发挥积极作用，做出重要贡献。

2000 年 12 月 11 日

吉 林 省

关于深入开展创建文明社区工作的实施意见

（吉文明委发〔2000〕13 号）

为认真贯彻江泽民同志关于加强社区建设的重要指示和中央思想政治工作会议精神，全面落实全国创建文明社区工作座谈会确定的各项工作任务，加强社区精神文明建设，发挥社区在城市改革发展、维护稳定方面的作用，推动全省创建文明社区工作的深入发展，提出如下意见。

一、创建文明社区工作的指导思想和基本原则

（1）创建文明社区活动是创建文明城市的基础性工作，是把精神文明建设的各项任务落实到基层的有效载体，是动员各部门、单位和居民共同参与，全面优化城市社区各项功能的重要途径。改革开放以来，特别是党的十四届六中全会以来，我省的创建文明社区工作呈现出扎实推进、持续发展的良好态势。社区环境明显改观，社区管理得到加强，社区风气逐步好转，文明楼院、文明小区、文明社区数量不断增多，对促进改革、发展、稳定发挥了积极作用。

（2）创建文明社区工作要坚持以邓小平理论和江泽民同志关于“三个代表”的重要思想为指导，以提高居民素质和社区文明程度为目标，以拓展社区服务，维护治安秩序，美化居住环境，丰富文体生活，普及科学知识，密切人际关系为主要内容，努力提高社区精神文明建设水平，为实现我省经济的跨越式发展提供良好的发展环境。

（3）坚持服务中心，服务大局。要紧紧围绕深化改革、扩大开放、促进发展、维护稳定的大局，密切配合党和政府的中心任务开展工作，努力把社区干部群众的思想统一到党的路线方针政策上来，把广大居民的智慧和力量凝聚到落实中央和省委提出的各项任务上来。

（4）坚持依靠群众，服务群众。要遵循全心全意为人民服务的宗旨，把群众最关心的问题解决好。要深入了解群众的愿望和要求，分析和把握群众的心理，力争每年办几件作用大、实效强、群众急需解决的实事，使社区群众得到实实在在的利益。要通过组织主题鲜明、形式灵活多样、易于群众参与的丰富多彩的活动，增强群众参与社区建设的责任感和荣誉感。

(5) 坚持教育与管理相结合，增强教育的吸引力和感染力。要把理想教育、道德教育、法制教育有机结合起来，努力提高居民的文明素质。要坚持教育与管理、内在约束与外在约束的有机结合，要不断增强群众的自律意识，形成良好社会环境。

(6) 坚持一切从实际出发，因地制宜，分步推进，务求实效。各地确定的目标和任务，要符合城市发展水平，尊重社区建设规律，适应群众实际承受能力，反对脱离实际的形式主义。

二、创建文明社区工作的主要任务

(7) 加强社区教育。要坚持不懈地对广大干部群众进行党的基本理论、基本路线、基本纲领教育，爱国主义、集体主义、社会主义和艰苦奋斗教育，社会公德、职业道德、家庭美德教育，马克思主义唯物论、无神论、科学普及教育。要因地制宜地办好各级各类市民学校，做到有阵地、有教材、有师资。

(8) 搞好环境治理。要合理规划，加大投资，动员各方力量齐抓共建。要坚持“老区抓改造、旧区抓配套、新区抓提高”的思路，有计划、有步骤地推进社区环境建设。要坚持治标与治本结合，从解决脏、乱、差问题入手，拆除各种违章建筑，清理乱堆乱放、乱贴乱画，推行生活垃圾分类和袋装化，增加和改进环卫设施，加强日常保洁管理。搞好社区绿化美化，不断改善环境质量，提高城市品位。

(9) 维护社区秩序。要积极开展法制教育，建立健全规范居民行为的规章制度，引导居民增强法律意识，自觉遵纪守法，养成良好行为习惯，并积极同各种违法犯罪行为作斗争。要认真做好重点地区、重点部位、重点人群的治安防范。要建立社区治安综合治理网络，完善群防群治体系。要认真做好人民调解工作，积极疏导化解各种矛盾纠纷。要加强社区流动人口及公共娱乐场所的管理，抵制各种社会丑恶现象和不文明行为的滋生蔓延。

(10) 发展社区服务。要发动社区居民发挥各自特长和优势，热心参与群众性互助服务。要大力发展面向社区残疾人、老年人、优抚对象和困难群众的福利性服务，配合有关部门做好社会保障工作。街道要建立健全社区服务中心，居委会要设立社区服务工作站，逐步形成市、区、街、居委会四级服务网络。要健全社区服务队伍，大力倡导和普及“青年志愿者”活动。要围绕群众日常生活中频发的“急、难、愁”问题开展服务。

(11) 活跃社区文化。要大力发展广场文化、企业文化、楼院文化、家庭文化，充分利用各类文体活动中心、图书室、影剧院、文化宫、俱乐部等文化场馆，经常组织具有社区特点的群众性文体活动，丰富居民的精神文化生活，增强社区文化的凝聚力，形成科学文明健康的生活方式。要促使社区内各类文化场所和驻区单位的文体设施向居民开放，为群众服务。要依托社区资源和人才优势，组织业余文化团队。倡导各类专业文化团体、科普团体参与社区文化建设，提高社区文化品位。要坚持一手抓繁荣，一手抓管理，抵制封建文化糟粕和外来腐朽文化的影响，深入持久地开展“扫黄打非”斗争，营造健康的社区文化环境。

(12) 大力开展社区卫生服务。以居民健康为中心，以家庭为单位，以满足基本服务为目的，融预防、医疗、保健、康复、健康教育、计划生育技术服务为一体，为居民提供高效、经济、方便、综合、连续的基本卫生服务，逐步形成一批布局合理、规模适度、结构优化、质量优良、气氛温馨、功能完善、便民利民、运转良好的社区卫生服务中心，做到卫生科室设置合理，基本药品齐全、制度健全，服务规范，健全社区卫生服务体系。

(13) 加强设施建设，完善社区功能。要结合城市新区建设，旧区改造，协调社会各方面采取多渠道筹资的方式，增加投入，有计划、有步骤地完善社区环卫、服务、医疗、计划生育、通信、交通、文体、社会福利等与居民生活密切相关的设施，努力建设和开辟更多面向广大群众、便于群众参与的公益性活动场所，特别要多建设一些老年人和青少年学生的活动场所。同时，要十分重视现有资源的开发利用，本着自愿互惠的原则，提倡和鼓励驻区单位向社区居民开放文体设施和服务设施，实现社区资源共享。

三、加强社区思想政治工作

（14）提高认识，切实加强社区思想政治工作。社区党组织应以社区党建工作为龙头，以社区创建活动为载体，把思想政治工作纳入到重要工作日程，充分发挥社区党员和党组织的作用，逐步形成社区思想政治工作网络。社区思想政治工作要注重环境熏陶，注重优质服务，注重群众参与，把教育内容融于群众喜闻乐见的活动之中，使群众在参与中受到教育，得到提高。

（15）增强社区思想政治工作的针对性和实效性。要认真研究社区群众思想活动的新变化，要从不同人群的特点出发，特别是针对社区的骨干人群、弱势人群、外来人群，有针对性地开展思想政治工作。社区思想政治工作要做到“面对面、手拉手”，与社区群众直接联系、入户到人。要把思想政治工作贯穿到创建文明家庭、文明楼院、文明小区的各个环节，形成团结互助、平等友爱的新型人际关系。

（16）扩大社区思想政治工作的覆盖面。社区要与学校、家庭互相配合，对青少年进行法制教育、道德教育和科普教育，组织他们参与社区的志愿服务、义务劳动和文体活动。要重视做好老龄人口的思想引导工作，帮助解决生活上的问题，开展健康有益的文体活动，使他们老有所学，老有所养，老有所乐。要注意发挥离退休老党员、老干部、老教师、老工人、老劳模在社区思想政治工作中的积极作用。要努力帮助下岗职工解决实际困难，积极提供就业机会。对非公有制单位工作人员、个体工商户以及进城务工经商人员，要及时了解他们的思想状况，切实承担起对他们的管理和教育责任。

（17）加强阵地建设，为开展社区思想政治工作提供必要条件。要坚持重在建设的方针，制定相应政策，大力加强社区宣传文化阵地配套建设，普遍建立和完善各类文化馆（站）、图书馆（室）、体育场（馆）、广场、画廊、阅报栏、黑板报等宣传文化阵地。

四、加强对创建文明社区工作的领导

（18）各级党政领导要加强对创建文明社区工作的领导。要站在加快我省城市现代化发展进程，提高城市现代化水平的高度，把创建文明社区工作摆上重要工作日程。各地要结合实际抓紧制定和实施创建文明社区工作规划，做到把创建文明社区同创建文明城市工作有机结合起来，纳入到当地和有关部门制定的“十五”规划之中，纳入一把手目标责任制，并有分管领导亲自抓，有专门机构具体抓。保证创建文明社区工作步入规范化、经常化的轨道。按照中央文明委要求，力争用5年时间使长春、吉林两市的社区基本都能建成文明社区，用10年时间使各市（州）府所在城市的社区都能建成文明社区，用20年时间使全省所有城市的社区都能建成文明社区。

（19）发挥基层党组织在创建文明社区工作中的核心作用，培养一支高素质的社区工作队伍。要建立健全党的基层组织，结合组建社区，把党组织设置，同社区建设同步考虑，同步实施，进一步加强基层党组织在创建文明社区工作中的凝聚力和战斗力。要加强对党员、干部特别是流动党员的教育和管理，发挥表率作用。要培养和选拔一批政治坚定、业务过硬、作风扎实、有较高文化水平的中青年干部，充实到街道、居委会领导班子中来，优化社区干部队伍结构。要根据社区工作特点，努力建设一支以志愿者为主要成分的文体活动辅导员、科普宣传员、校外辅导员等创建文明社区的骨干队伍。

（20）建立和完善创建文明社区工作目标责任制。要逐步建立以街道党委和办事处为主导，以居委会为依托，驻区单位齐抓共建，广大居民共同参与的创建机制。各地、各部门要明确创建文明社区工作长远目标和阶段性安排，把任务层层分解，一级抓一级，确保落实。要把创建文明社区工作的成效作为考核各部门领导班子的一个重要依据。

（21）推进社区共建，形成共建合力。各级党政机关、人民团体、学校、企事业单位要积极支持、参与、服务社区的精神文明建设。要努力探索社区共建的组织形式和活动方法，拓展军民共建、警民共建、街企共建、街校共建、区域共建等领域，扩大社区共建范围，提高共建质量。

（22）宣传推广先进典型。要认真总结宣传社区精神文明建设中涌现出的先进典型，特别是学习全省首批命名表彰的先进社区（先进小区）的成功经验，发挥其示范带动作用。利用新闻媒体和社区宣传阵地，大力宣传居民身边尊老爱幼、邻里互助、热心公益事业的先进典型，开展形式多样的学习先进活动，努力形成学习先进、崇尚先进的良好风气。

五、文明社区（文明小区）的评选、表彰和管理

(23) 省级文明社区（文明小区）的申报、推荐、评选及命名表彰工作每两年进行一次。

(24) 省级文明社区（文明小区）原则上从市（州）级文明社区（文明小区）中产生。产生程序是：创建单位经自检达到省级文明社区（文明小区）标准的，向所在市（州）文明办提出自荐申请。各市（州）文明办在考核、验收合格后向省文明办推荐，省文明办考核审定，征求有关部门意见后，由省精神文明建设指导委员会命名表彰，并颁发省级文明社区（文明小区）荣誉牌匾。

(25) 省级文明社区（文明小区）的基本标准：

第一，社区环境优美。居民有良好的卫生意识和卫生习惯，无乱堆乱放、乱贴乱画、乱搭乱建现象，无废气、废水和噪音污染。社区内道路全部实现硬化，路面平整。市政设施、环卫设施、交通设施、照明设施等装置整洁完好，单位、居民楼院整洁、卫生。垃圾箱布局合理，垃圾全部实行袋装化，日产日清。社区内可绿化用地基本实现绿化，绿化率不低于30%。

第二，社区服务健全。基本形成社区服务网络，服务网点布局合理。服务功能完善，居民生活方便。建立各种为民服务志愿者队伍，为民服务项目和措施落实。

第三，社会秩序安定。坚持开展经常性的普法宣传教育活动，居民受教育面广。社区治安组织健全，形成群防群治体系。建立健全民事纠纷调解组织，工作成效明显。流动人口管理形成制度，有专人管理，无计划外生育。

第四，文化生活丰富。大力开展生动活泼的思想政治工作，提高居民思想道德素质。经常开展科学知识、科学思想的宣传教育，形成学科学、爱科学、用科学的良好风尚。思想文化教育有阵地，有活动。经常开展丰富多彩、内容健康的文化体育活动，群众积极参与。

第五，人际关系良好。积极开展“文明楼院”、“文明家庭”评选活动。成立文明市民学校，开展社会主义道德与文明行为规范教育。普遍开展敬老爱幼活动，邻里关系和睦。

(26) 省级文明社区（文明小区）实行动态管理。如发生严重问题或质量下降，可根据情节轻重，给予批评、限期整改或撤销荣誉称号的处分。

2000年12月22日

黑龙江省

军警民共建共育工作若干规定

第一条 为使军警民共建共育活动更加经常化、制度化、规范化，依据《中华人民共和国宪法》和中共中央、国务院、中央军委有关规定，结合我省实际，制定本规定。

第二条 军警民共建共育活动是社会主义精神文明建设的重要组成部分，是军警民共同建设社会主义精神文明的群众性活动，是拥军优属、拥政爱民光荣传统在新时期的深入发展。

第三条 军警民共建共育活动要以邓小平理论为指导，以提高军警民的思想道德和科学文化素质，培养有理想、有道德、有文化、有纪律的社会主义新人为根本目标，以服务中心、服务大局为根本原则。通过开展共建共育活动，进一步加强军政、军民团结，密切军政、军民关系，优化社会风气，促进社会生产力的发展和部队战斗力的提高。

第四条 开展共建共育活动要坚持以地方领导为主，以发动群众自建为主，以做思想政治工作为主，以提高人的思想道德和科学文化素质为主；坚持实事求是，一切从实际出发，坚持共建共益，发扬奉献精神。

第五条 军警民在开展共建共育活动中，要努力学习和宣传马克思列宁主义、毛泽东思想和邓小平理论，执行党的路线、方针、政策和国家的法律、法规和规章制度；搞好社会主义市场经济条件下的思想、信念和道德教育，国防教育和民主法制教育；发展科学文化教育事业，开展科技拥军、智力助民活动，搞好军地两用人才培训工作；积极支持和参加地方经济建设、社会公益事业建设和福利设施建设，加强政治、科技、文化等方面的交流与合作；共同搞好社会治安综合治理，保卫国家财产、维护人民利益；在军事重地和边防，要搞好共建共守活动。

第六条 建立共建点是开展军警民共建共育活动的基本形式。军警部队有条件的连或相当于连（公安部门派出所）以上建制单位，都要建立固定的共建点；分散流动执行任务的单位，有条件的应建立临时共建点；有条件的地方，可以群体联建，搞好多系统、多单位、多部队参加的区域性联网共建。

第七条 建立共建点要坚持就地就近、便于开展活动的原则，重点同驻地附近学校、村屯、街道、工厂等基层单位或医院、商店、港口、车站、机场等“窗口”单位搞好共建。

第八条 共建点要建立必要的组织和工作制度，做到有领导小组，有专人负责，有活动规划，有检查评比，有管理制度，有共建共育档案。

第九条 共建点的建立与撤销，要经县（区）以上共建共育领导小组批准，并报上级备案。

第十条 军警民共建共育先进集体和先进个人的命名表彰，分省、市（地）、县（区）三级，原则上每两年表彰一次。

第十一条 先进集体和先进个人命名表彰档次为：“军警民共建共育先进集体标兵”和“先进集体”，“军警民共建共育先进个人标兵”和“先进个人”。先进集体标兵、先进集体以党委、政府名义表彰，先进个人标兵、先进个人以共建共育领导小组名义表彰。

第十二条 省级共建共育先进集体和先进个人，除铁路、森工、农场和大专院校可按系统直接申报外，其他单位一律按县、市（地）逐级申报。

第十三条 先进集体的基本条件

（一）领导高度重视，组织机构健全，指导活动得力。

（二）共建共育活动规划目标明确，措施得力，群众参与广泛，活动经常。

（三）注重人的思想道德建设和科学文化素质的提高，单位风气正，军警民团结好，治安秩序良好，环境整洁优美，公益福利事业建设好，共建点示范作用突出。

（四）物质文明建设和精神文明建设协调发展，经济效益显著，社会效益好。

（五）共建共育紧密结合，培育军地两用人才数量多，质量好。

（六）必须是军警部队的连、中队、公安部门派出所以上的建制单位，建立共建共育关系开展活动在一年以上者。

第十四条 先进个人的基本条件

（一）努力学习马列主义、毛泽东思想和邓小平理论，拥护党的路线、方针、政策。

（二）热爱共建共育工作，熟悉共建共育知识，创造性开展共建共育活动。

（三）积极参加群众性精神文明建设活动，坚持经常，表现突出，模范带头作用好。

（四）热心军地两用人才培训工作，贡献较大，成绩显著。

（五）必须是具有军警籍的现役军警官兵、公安干警和军地从事共建共育活动一年以上的优秀组织者和模范工作者。

第十五条 凡被表彰的单位、个人，军警部队、公安部门可比照《中国人民解放军纪律条令》和《中华人民共和国人民警察法》，给予相应的奖励；地方可由单位给受表彰者一次性物质奖励。

第十六条 共建共育工作是各级党政机关、人民团体、企事业单位和军警部队、公安部门的重要任务，要在人力、物力、财力等方面给予支持和保障，要建立严格的目标责任制，要同双方开展的各类评先、创优活动和全面建设结合起来，作为考核干部政绩、评选各类先进的一项内容和条件。

第十七条 根据第六条要求，凡无正当理由而没建点，或建点后工作进展不大的部门和单位，地方和军警部队主管机关要进行检查督促、批评教育；对被命名后放松管理，工作进展不大或发生重大问题，失去先进性的单位和个人，命名机关有权给予批评教育，限期改正或撤销荣誉称号。

第十八条 本《规定》所称军警，含人民解放军、人民武装警察、人武部、预备役部队和公安干警。本《规定》适用于驻省军警各部队、各地各单位。其他形式的共建活动可参照执行。

第十九条 本《规定》由省军警民共建共育领导小组办公室负责解释。

第二十条 本《规定》自公布之日起施行。

2000 年 1 月 17 日

黑 龙 江 省

文明社区、文明小区创建管理规定

第一章 总 则

第一条 为了推动文明社区、文明小区创建活动的深入发展，进一步提高市民文明素质和城市文明程度，提高城镇居民生活质量和城市现代化管理水平，特制定本规定。

第二条 文明社区、文明小区创建活动是文明城市创建活动的重要组成部分，是吸引广大社区成员参与和推进两个文明建设的实践活动，是群众自我教育、自我管理、自我服务的有效途径。创建文明社区是创建文明小区的延伸和拓展，是创建文明城区、文明城市的基础。文明社区和文明小区是社区和小区建设的综合性荣誉称号。

第三条 创建文明小区的范围，是指本省境内城镇中已建成投入使用的居民住宅区，机关、团体、部队、学校、企事业单位的居民大院，居民集中的楼群和街区，重点是新建的居民小区，一般以自然区域界线为基础，至少有一个居委会，300 户居民以上。

第四条 文明社区是指以行政区划的街道为单位，其辖区内有一定数量的文明小区，能够连点成片，能发动驻区所有单位和居民群众共同参与社区文明创建活动，形成资源共享，优势互补的整体合力，以达到社区“组织健全、活动经常、管理有序、经济发展”的目的。

第五条 创建文明社区、文明小区是一项涉及面广、综合协调性强的工作。创建活动要坚持“条块结合、以块为主”的原则，充分体现“政府主导、社会支持、群众参与”的要求，在各级党委和政府的统一领导下，各街道办事处组织所在辖区的机关、团体、部队、学校、企事业单位、居民住宅公房所有权单位和物业管理公司等单位，开展共建文明社区、文明小区活动。公安、教育、文化、卫生、体育、城建、市政、规划、房管、民政、环卫、环保、绿化、工商、劳动等职能部门都要积极参与，承担各自的责任并密切配合。参与共建文明社区、文明小区的情况，作为驻区单位和有关部门创建文明单位、文明行业的考核内容。

第六条 各级党委和政府要把创建文明社区、文明小区列入城区建设与发展规划，纳入干部任期目标责任制，作为考核领导班子政绩的一项重要内容。

第二章 标 准

第七条 文明小区要符合下列条件：

一、治安秩序良好

1. 小区软硬件建设达到创建标准。社会治安综合治理工作的领导组织、治保帮教组织、群防群治队伍健全，制度规范，工作落实。

2. 基础工作扎实有效。防范措施不断改善，不存在影响消防、交通的因素；协助做好暂（寄）住人口的登记、教育工作；建立健全各类帮教组织，责任落实，刑释、解教人员无重新犯罪；无群体性上访和闹事事件，民间纠纷调解及时，无民转刑案件和非正常死亡，无流氓团伙犯罪；无特重大、严重暴力案件和危害大的治安案件，无重大火灾事故，刑事、治安案件综合发案率控制在人口总数的1%以内。

3. 群众安全感增强。辖区居民对治安状况的满意和基本满意率达85%以上。

二、环境整洁优美

1. 居民环保意识普遍提高，自觉遵守文明公约，小区做到六无：无乱吐乱扔、无乱贴乱画、无私搭乱建、无乱设摊点、无乱堆物、无乱晾晒。

2. 环卫设施齐备、完好，公厕、垃圾箱（筒）整洁，生活垃圾袋装化，无残存垃圾。道路整洁，冬季清雪及时，车辆停放有序。绿化布局合理，见缝插绿，绿化覆盖率达30%以上。建筑小品配置适宜，落实“四害”防治措施，“四害”密度控制在规定标准以内，不养家禽和无证犬。

3. 烟尘控制、噪声治理达到标准，驻区单位“门前责任制”落实，环保达标。

三、社区服务全面

1. 社区服务网络健全，服务网点布局合理，积极推行物业化管理，建立物业公司、物主委员会、居委会三合一的管理体制，做好便民利民服务工作，办好托儿所、老人活动室、综合服务站等，居民日常生活方便。

2. 建立各种为民服务志愿者队伍，志愿人员占居民人口5%以上。积极开展多种形式的便民利民服务活动，关心老人、优抚对象、残疾人等有特殊困难的群众，定期开展走访活动，及时做好下岗职工的教育培训和再就业工作。

3. 居民所需的水、电、煤气、供热、房屋修缮等应急服务，做到随叫随到。自行车棚、公用电话等便民措施服务良好，社区服务设施利用率高，管理到位，居民满意率较高。

四、邻里关系和睦

1. 普及文明市民教育，弘扬爱国主义、社会主义、集体主义，对居民进行社会公德和家庭美德教育，开展《老年法》等有关法规的宣传，形成尊老爱幼，团结和睦，互相帮助，文明礼貌，讲究卫生的良好风气。

2. 制定居民文明公约，积极开展创建文明楼院、五好文明家庭活动。

3. 邻里团结，人际关系和谐，自觉维护公共环境卫生。

五、文化生活丰富

1. 大力普及科学知识，宣传计划生育政策，移风易俗，倡导科学、文明、健康的生活方式，无参加邪教组织者，无封建迷信和非法传教活动，无计划外生育。

2. 经常组织居民开展丰富多彩、内容健康的文化体育活动，开展家庭文化建设。有与小区规模、居民人数相适应的文化、体育娱乐场所和活动器材，有一定数量的报刊、图书。离退休职工的文体生活活跃、组织有序。

3. 积极开展“扫黄打非”活动和禁毒专项斗争。抵制和禁止黄色、淫秽的文化制品，无赌博现象，无贩毒吸毒案件。

第八条 文明社区要符合下列条件：

一、社区组织健全

1. 建立以街道为核心，以居委会为基础，以专业管理部门的派驻机构和社区内的机关、部队、企事业单位为主要组成部分的文明社区创建组织，形成工作制度，经常开展活动，发挥整体效能。

2. 居民区党支部、居委会组织健全，充分发挥基层群众自治组织自我管理、自我教育、自我服务的作用。

3. 加强各级基层党组织的建设，发挥社区党员尤其是在职党员的先锋模范作用。

二、创建活动经常

1. 创建文明社区、文明小区活动要年度有规划，每月有安排。社区范围内有50%以上小区达到文明小区标准，并有相当数量的文明楼院、五好文明家庭。群众性精神文明创建活动形成系列，融为一体，落到实处，发挥综合效应，居民安居乐业，绝大多数群众表示满意。

2. 社区教育机构健全，有学校、家庭、社会三位一体的青少年教育网络，能采用多种形式丰富中小学生的业余文化生活。市民学校活动经常，广泛深入地开展市民文明知识教育，不断提高市民的思想道德、科学文化素质。老年教育和再就业教育能满足老年人和下岗待业人员的需求。广泛组织各类社区公益活动，不断提高市民“三德”水平，社区风尚良好。

3. 社区共建活动普遍。积极开展军民、警民、街企、企校等各种形式的共建、联建活动，做到共建双方优势互补，互惠互利，共同发展。社区内60%以上的企事业单位的文体活动场所能向社区开放，形成资源共享、优势互补的格局。

4. 文化生活丰富。社区设有文化体育中心和图书室，居委会有活动室，并有一定数量的图书报刊和文化体育活动器材。经常组织居民群众开展丰富多彩、内容健康的文化体育活动，积极开展家庭文化建设和广场文化体育活动，大力普及科普知识，“扫黄打非”卓有成效。

三、社区管理有序

1. 秩序良好。社会治安综合治理领导责任制落实；治保、调解组织及群防群治队伍健全，工作效果明显；社区软硬件建设符合创安要求，能防止和控制刑事治安案件、治安灾害事故和影响稳定事件的发生；房屋出租、流动人口管理、民间纠纷调解、刑释解教人员帮教和预防青少年犯罪等各项工作成果达到安全街道创建标准。

2. 环境整洁。社区环卫、环保设施齐备，绿化布局合理，无私搭滥建，有500平方米以上的大块绿地，重要区域有雕塑或建筑小品，形成良好的景观。“三废”（废水、废气、废渣）排放和噪声控制达标，污染源处理率达100%，居民群众对环境卫生有较高的满意率。

3. 服务完善。社区服务网络健全、有效，菜场和集市贸易点管理规范，志愿者服务中心工作活跃，居民群众生活方便，满意率达90%以上。

四、社区经济发展

1. 努力改善投资环境，扩大改革开放，多方筹措资金，大力发展地域经济，完成的各项经济指标在当地领先。

2. 积极搞好服务，主动为企业排忧解难。

3. 多渠道地解决下岗、待业人员的就业问题，再就业安置率达85%以上。

第三章　命　　名

第九条　文明社区、文明小区创建工作要坚持重在建设的方针，考核命名要有利于提高工作实效和减轻基层负担，避免形式主义，考核要以平时考察为主，明查、暗访、抽查相结合，并综合各方面意见，体现考核命名工作的公开性和公正性。

第十条　凡按照文明社区、文明小区标准制定创建规划，开展创建活动一年以上，基本达到标准的街道、居民小区可向所在区县文明办进行申报，并向社会公示。然后由区县、市地文明委择优逐级推荐、参加评选。

第十一条　文明社区和文明小区分为省、市（地）、县（区）三级，均由同级文明办组织测评、考核，并征求有关部门意见，经文明委审定，由同级党委、政府共同命名。文明社区、文明小区的晋级要逐级进行，实施目标管理，创建活动成效特别显著的单位，可以破格申报。文明社区和文明小区原则上每两年命名一次，不搞终身制。

第十二条　被命名的文明社区、文明小区由命名机关颁发奖牌，同时对在创建工作中做出突出贡献的单位和个人应在命名当年给予适当的一次性物质奖励。

第四章　管　　理

第十三条　文明社区、文明小区的创建活动由各级精神文明建设指导委员会办公室负责管理，要组织制定本地区的创建规划，协调指导创建活动，及时积累资料，总结经验，树立典型，同时要做好评选表彰及日常管理工作。

第十四条　街道党工委、办事处和居民委党支部、居委会是创建文明社区、文明小区的组织者和责任者，要根据文明社区、文明小区的标准，把创建工作纳入社区、小区发展的总体规划，并把目标、任务层层分解，落实到部门、单位和居民群众，制定切实可行的措施和完成时限，定期检查。

第十五条 文明社区、文明小区要加强自身管理，建立年度报告和发生问题及时呈报制度。要建立创建活动档案，内容包括：社区、小区概况、创建规划、有关文件资料、创建活动纪实、工作总结、奖惩记录、群众和社会各界反映等。

第十六条 命名机关对已命名的文明社区、文明小区，每年考核一次，符合标准的保持荣誉称号。如发生重大问题或创建活动质量下降，命名机关及主管部门可根据情节轻重，给予批评、警告、限期整改，直至撤销荣誉称号。

第五章 附 则

第十七条 各市地、县区、街道办事处可根据本规定制定具体的实施细则。

第十八条 本规定由省精神文明建设办公室负责解释。

第十九条 本规定自发布之日起试行。

2000年6月16日

江 苏 省
文明行业创建管理办法

（苏文明委〔2000〕3号）

第一章 总 则

第一条 为深入持久地开展创建文明行业工作，进一步加强管理，不断提高创建水平，使创建工作规范化、制度化，特制定本办法。

第二条 江苏省文明行业是物质文明和精神文明建设协调发展、规范服务达标、行业作风优良、群众评价满意、社会广泛认可，由省委、省政府批准并命名、表彰的先进行业，是全省行业两个文明建设的综合性荣誉称号。

第三条 文明行业创建是全省群众性精神文明创建工作的重要组成部分。深入开展文明行业创建，是实践党的全心全意为人民服务宗旨的有效途径，是行业在社会主义市场经济条件下推进制度创新和技术创新的内在需要，是实现两个文明建设协调发展的结合点，也是加强和改进思想政治工作的重要载体。

第四条 江苏省文明行业创建工作的指导思想和总体要求是，坚持以邓小平理论和党的基本路线为指导，认真贯彻党的十五大和十四届六中全会精神，以提高行业文明程度和干部职工素质为目标，以“服务人民，奉献社会”为主题，以加强职业道德建设为基础，以狠抓服务行业、执法部门的服务质量为重点，通过广泛组织创建活动，充分发挥典型示范辐射作用，逐步实现从规范服务到优质服务的提升，努力形成对社会负责、为人民服务、让群众满意的行业新风。

第五条 创建文明行业要在各级党委、政府和行业主管部门的领导下进行。要把创建文明行业纳入本地区、本行业总体工作布局之中。各级文明委及其办公室要会同有关部门认真做好创建的组织、协调、指导和监督工作，行业各有关部门应积极参与，密切配合，把文明行业创建工作不断引向深入。

第二章 标 准

第六条 领导班子坚强有力。各级领导班子坚持党的基本路线，认真贯彻执行党和国家的方针、政策。注重班子建设，团结协作，作风正派，在两个文明建设中起表率作用。坚持“一把手抓两手，一班人两手抓”，创建意识强，党、政、工、团群策群力，齐抓共管，文明行业创建有目标、有计划、有要求、有措施，做到组织、制度、活动、经费落实。

第七条 综合效益显著增强。全面完成行业各项经济指标、工作任务，经济效益和工作、服务水平在全国、全省同行业中领先。有一批能够代表本行业特色和先进水平的名牌产品或业务成果。各级各类文明单位和文明窗口示范点创建成效显著，能发挥示范辐射作用。有一批在全省和行业有影响的先进典型。

第八条 道德风尚健康向上。重视职业道德建设和法制教育，从业人员职业行为规范，思想政治工作内容充实，形式多样，形成网络。职工的职业理想、职业责任、职业技能、职业纪律的教育培训有规划、有阵地，有制度。注重企业文化建设，形成具有行业特色和文化内涵的行业（企业）精神。

第九条 行业管理科学有效。行业内部改革不断深化，依法管理，科学规范，文明行业创建与业务工作紧密结合，职业道德规范与具体管理制度有机交融。基本设备和服务设施完好齐全、安全可靠。有体现行业特色、展示行业形象的行业标识。文明行业创建考核和奖惩制度落实，激励先进、鞭策落后。投诉渠道畅通，形成有效的社会监督制度。

第十条 生产服务规范有序。严格执行操作规程和工作标准，做到工作（服务）管理规范化，工作（服务）过程程序化。行业各基层单位，特别是直接面向群众和社会的基层所、站、店、场等，公开办事程序，公布规范服务、优质服务的标准，接受群众监督。从业人员仪容仪表能体现行业特色和文明服务的要求。工作（服务）环境、质量和效率等在全国同行业中处于领先水平，群众和社会满意。

第十一条 文体活动丰富多彩。基层单位有对职工开放的文体活动场所及必要的活动设施、器材。经常有组织地开展内容多样、形式新颖、群众参与率较高的文体活动，干部职工业余生活丰富、健康。积极参与有关部门组织的各类群众性文体活动，成绩显著。形成富有特色的文体活动项目，在各地各部门处于较高水平。

第三章 创 建

第十二条 加强对创建工作的领导。主要领导亲自挂帅，分管领导全力以赴，班子其他成员积极配合，共同抓好创建工作。行业创建职能部门要做好组织协调工作，有关部门共同努力，形成合力。

第十三条 制定切实可行的创建规划。制定创建规划要从行业整体发展实际出发，纳入当地精神文明建设的总体格局。从长远目标着眼，近期措施入手，明确创建的重点和实施步骤，层层分解，落实到人，把创建工作的各项目标任务落到实处。

第十四条 组织干部职工广泛参与。教育全体从业人员不断增强创建意识，使他们了解本行业、本部门、本单位创建的规划、任务和措施。叫响创建主题口号，营造良好创建氛围，凝聚人心，充分调动、发挥全体从业人员的积极性和创造性，为实现创建目标共同奋斗。精心设计活动载体，切实抓好文明职工、文明班组（科室）、文明单位的创建，为文明行业创建夯实基础。

第十五条 发挥先进典型的示范带动作用。按照以点带线、由线到面、循序渐进、扎实推进的工作思路，注意培育、树立、宣传、推广先进典型，充分发挥其示范辐射作用。切实抓好各级示范点的创建，注意帮助其探索、总结创建工作的规律和经验，认真组织推广，促进行业整体水平的提高。

第十六条 建立健全创建工作机制。加大对创建工作的投入，逐步改善服务设施和条件。将服务质量、创建成效与从业人员的工资、奖金和福利挂钩，以激励先进。强化社会监督，及时妥善处理群众投诉和意见，把群众满意与否作为评价创建工作成效的根本标准。

第十七条 形成条块共创的整体合力。各地文明办和各行业要相互联系，紧密协作，形成创建的整体合力。行业创建要主动接受当地文明委及其办公室的指导，纳入当地创建工作的总体规划，在文明城市、文明村镇、文明社区（小区）创建中发挥积极作用。各地文明办要加强与行业的合作，积极支持、关心行业的创建工作。

第四章 评 选

第十八条 江苏省文明行业的评选实行达标申报制。评选工作坚持公开、公平、公正的原则，采取日常考察与集中验收相结合，上级部门考核与群众评议、社会监督相结合的方法进行。江苏省文明行业每两年评选一次。

江苏省文明行业分别以省行业、市行业、县（市区）行业为单位参评、命名。

第十九条 申报江苏省文明行业的，应符合第二章所列标准，并需同时具备以下条件：

1. 以市行业、县（市、区）行业为单位申报江苏省文明行业的，须获得上一评选年度省辖市文明行业称号；

2. 以省行业为单位申报江苏省文明行业的，其市行业为江苏省文明行业的比例应不低于90%。

第二十条 在评选年度有下列情况之一的，不得参加本年度评选：

1. 全行业严重亏损的；

2. 行业领导班子及其组成人员发生严重违法乱纪行为的；

3. 出现与文明行业称号极不相符的事件或重大责任事故，造成恶劣社会影响的。

第二十一条 对由若干子行业构成的行业，可从实际情况出发，经省文明委同意后以子行业为单位参评。

第二十二条 江苏省文明行业的评选程序为：

1. 自查申报。申报行业进行自查，对照标准自我评估，认为基本符合标准后，向同级文明委提交书面申请。

2. 张榜公示。申报行业应按照文明行业公示制的要求，在规定时间内，将江苏省文明行业的标准、条件以及省、市文明办的地址、联系电话，在行业主管部门及其基层处、所、站、店门前醒目位置公示；同时应在相应级别的新闻媒体公示，接受社会监督和评议。

3. 初评推荐。以市、县（市、区）行业为单位申报江苏省文明行业，须在征得上一级行业主管部门同意后，向所在市、县（市、区）文明委正式书面申报，所在地文明委组织初评，符合标准、条件的，向上一级文明委推荐。以省行业为单位申报江苏省文明行业的，直接向省文明委申报。

4. 考核验收。省文明委组织有关部门考核验收，具体方法是：听取行业创建工作和自查情况的汇报；察看创建现场；随机抽查或暗访其基层单位创建情况；召开有关座谈会，以书面调查方式进行民意测验，广泛听取社会各界意见。

以省行业为单位参加评选的，由省文明委发函，征求其中央主管部门意见。

5. 审批命名。省文明办根据汇总考核验收、社会监督和群众评议的情况进行综合评定，符合条件的经省文明委审核后，报省委、省政府批准命名。

第二十三条 凡被命名为江苏省文明行业的行业，经省文明委同意，可对符合条件的下属行业（限于县以上行业）授予江苏省文明行业达标单位荣誉称号。

第二十四条 对在评选过程中尚未达到文明行业标准，但创建工作力度大，成效较为显著的行业，可授予江苏省创建文明行业工作先进行业荣誉称号。

第五章 奖 惩

第二十五条 江苏省文明行业由省委、省政府命名、表彰并授予匾牌和证书。江苏省创建文明行业工作先进行业由省文明委命名、表彰并授予匾牌和证书。

第二十六条 本着精神鼓励与物质奖励相结合的原则，对获得江苏省文明行业和江苏省创建文明行业工作先进行业荣誉称号的行业及有功人员，给予适当的物质奖励。

第二十七条 对已被命名表彰的行业凡发现有严重问题的，由命名机关根据情节轻重，给予批评、限期整改。被要求限期整改的行业，三个月内就整改情况形成书面报告，报请省文明委进行复查认可。对整改不力的，给予通报批评，取消下一评选年度的参评资格。

第二十八条 对已获得江苏省文明行业和江苏省创建文明行业工作先进行业的行业，凡发现在评选中弄虚作假，或在评选年度内有第四章第二十条所列严重问题之一的，撤销荣誉称号，并给予通报批评。

第六章 管 理

第二十九条 江苏省文明行业创建工作实行“条上指导，块上扎口，条块结合，相互促进”的原则。江苏省文明行业创建的日常管理工作，实行分级负责。省辖市、县（市、区）文明行业的日常管理工作，在省文明办的指导下，分别由省辖市、县（市、区）文明办负责。以省行业为单位的文明行业创建的日常管理工作，由省文明办负责。

第三十条 江苏省文明行业创建工作的日常管理包括：

1. 建立文明行业创建工作档案制度。主要内容为：行业概况、创建规划及年度创建工作总结；创建组织网络、创建工作制度、重大创建活动纪录；各类检查考核及奖惩情况；公示制实施情况报告；群众投诉及处理情况。

2. 建立文明行业年报及创建工作重要活动报告制度。江苏省文明行业每年应将创建工作的进展情况、各项奖惩及有关情况分别报至省辖市文明办和行业主管部门。以省行业为单位的文明行业工作年报，由省行业主管部门报至省文明委。创建工作的重要活动，行业主管部门应及时报告省文明委。

3. 建立创建文明行业例会制度。省文明办每半年召开一次行业工作例会，传达上级指示、交流创建经验、总结指导工作、部署创建任务。

4. 加强文明行业创建工作的横向联系。通过组织行业之间各类活动，互相学习，共同提高。同时，注意将文明行业创建与文明城市、文明村镇创建有机结合，形成合力，推动本地区群众性精神文明创建活动水平的不断提高。

第三十一条 建立文明行业监督和检查制度。在非评选年，省文明办不定期组织人大代表、政协委员、有关部门和新闻单位，对文明行业以及参与创建的行业进行检查，并将检查结果向有关地区和省行业主管部门通报，同时作为下一评选年度的评选依据之一。

第三十二条 江苏省文明行业如改变行业名称、变动隶属关系或因故撤销建制的，要及时向省文明办通报。

第七章 附 则

第三十三条 本办法由江苏省文明委办公室负责解释。

第三十四条 本办法自公布之日起施行。

2000年10月26日

江 苏 省
文明村镇创建管理办法

（苏文明委〔2000〕4号）

第一章 总 则

第一条 为切实加强文明村镇建设和管理，不断提高文明村镇创建水平，使创建工作规范化、制度化，特制定本办法。

第二条 江苏省文明村镇是两个文明建设成绩突出，由省文明委批准并命名、表彰的先进集体，是村镇两个文明建设的综合性荣誉称号。

第三条 创建文明村镇是我省群众性精神文明创建活动的重要组成部分。深入开展文明村镇创建，是加快农村经济发展的内在要求，是推进农村城镇化、城乡一体化进程的客观需要，是促进农村民主法制建设的重要举措，是不断提高农村广大干部群众思想道德和科学文化素质，培养“有理想、有道德、有文化、有纪律”的社会主义新型农民的有效途径，也是广大农民群众的迫切要求。

第四条 创建文明村镇必须坚持以邓小平理论和江泽民同志“三个代表”重要思想为指导，认真贯彻落实党的十五大和十四届六中全会精神，以经济建设为中心，以建设社会主义新农村为目标，以思想道德教育为主线，以集镇为重点，以各种形式的文明户创建为基础，以解决农民群众普遍关心的突出问题为突破口，动员和吸引广大农民群众积极参与创建活动，不断提高农民素质和村镇的文明程度，促进农村两个文明建设的协调发展。

第五条 创建文明村镇要在各级党委、政府的统一领导下进行，纳入当地总体工作布局，并作为上级党委、政府考核领导班子政绩的重要内容。各级文明委及其办公室要认真做好指导、协调和日常管理工作，各有关部门应积极参与，密切配合，齐抓共管，把文明村镇创建的各项任务落到实处。

第二章　标　　准

第六条 村镇经济不断壮大。深化农村改革，努力构建适应社会主义市场经济的所有制结构和产业结构，农业产业化进程较快，贸、工、农协调发展；不断增加投入，农业和农村经济持续发展，村、镇（乡）经济逐步壮大，经济发展速度超过所在省辖市村、镇（乡）平均水平；依法纳税，完成国家下达的各项定购任务；建立农业和农村的社会化服务组织，积极为农民服务；尊重农民的生产经营自主权，保护农民的合法权益，切实减轻农民负担，向农民收取的费用控制在政策规定范围之内；农民人均收入及增长幅度超过所在省辖市平均水平。

第七条 思想教育成效显著。加强对农民进行爱国主义、集体主义、社会主义和党的基本路线、方针政策教育，引导农民正确处理国家、集体、个人三者关系，思想政治工作进村入户，镇（乡）党校等宣传教育阵地健全，村设有对农民进行教育的专门场所；广泛开展文明户等家庭文明创建活动，活动开展率达95%以上，邻里团结，家庭和睦，男女平等，尊老爱幼，社会风气良好；大力倡导健康、文明的生活方式，形成良好的行为习惯；移风易俗，有效遏制封建迷信、大操大办，实行殡葬改革，火化率达100%，无乱建坟墓现象。

第八条 镇容村貌整洁优美。按照农业现代化，农村城镇化，城乡一体化的总体要求，积极推进小城镇建设，有村、镇（乡）建设总体规划；镇容村貌整洁，道路平坦，公共设施比较齐全，环境优美，绿化工作达到省级先进标准；无违法用地、无乱占乱建现象；环境质量、环境污染控制达标；爱国卫生运动广泛深入，卫生工作达到省级先进标准。

第九条 社会治安秩序良好。民主法制宣传教育经常化、制度化，认真完成普法任务；民调组织健全，人员、措施落实，积极化解矛盾，解决纠纷，无民转刑案件发生；无恶性刑事案件、严重经济案件、重大治安案件和邪教及利用宗教进行的非法活动，有力打击卖淫嫖娼、吸毒贩毒、聚众赌博等社会丑恶现象；娱乐服务和电子游戏经营场所管理规范，依法经营；维护妇女儿童合法权益，无虐待和拐卖妇女儿童、买卖包办婚姻现象；社会治安综合治理、安全文明达到省级先进标准。

第十条 科教文卫稳步发展。尊师重教，积极实施教育促小康和教育现代化工程，办好所属学校、幼儿园和托儿所，义务教育、扫除青壮年文盲工作和成人教育达到省规定要求；科技投入不断增加，对农民有计划进行科普教育，积极推广农民致富实用技术；积极开展健康向上的群众性文化体育活动，有效保护文物古迹，镇（乡）图书馆（室）、文化站等文化阵地健全，村设有书报阅览室，家庭文化建设成效显著；医疗初级保健成效显著，镇（乡）医院医疗设备比较齐全，村设有医务室；计划生育工作达标；镇（乡）建有广播电视站，有线广播进村入户率、通响率，有线电视入户率达到有关部门规定的要求；群众文化、群众体育达到省级先进标准。

第十一条 领导班子坚强有力。村、镇（乡）领导班子认真贯彻党在农村的各项方针、政策，党委（支部）一班人发挥战斗堡垒作用；坚持

"两手抓，两手都要硬"的方针，创建意识强，创建文明村、镇工作有目标、有计划、有措施、有检查，做到组织、制度、活动、经费"四落实"；党、政及群团组织各负其责，齐抓共管；党委（支部）一班人团结协作，注重自身建设，作风民主，坚持原则，以身作则，公正廉洁，公道正派，在群众中有较高的威信；镇（乡）务、村务公开，形成制度，全面推进村级民主选举、民主决策、民主管理和民主监督。

第三章 创 建

第十二条 加强对创建工作的领导。党政主要领导亲自挂帅，分管领导全力以赴，班子其他成员积极配合，共同抓好创建工作。

第十三条 建立健全创建工作机制。各级文明委及其办公室要切实加强对文明村镇创建的领导，村镇要有相应的机构和人员负责创建工作，建立健全创建工作的管理机制、投入机制和激励机制。

第十四条 制定切实可行的创建规划。要根据创建标准，从本村镇实际情况出发，认真制定创建规划。要把规划中的目标、任务层层分解，落实到岗，责任到人，定期检查、考核。

第十五条 组织干部群众广泛参与。要教育、引导全体干部群众不断增强创建意识，使之了解本村镇（乡）创建工作的规划、目标、任务和具体措施。要精心设计活动载体，广泛开展各种形式的文明户评选活动，吸引广大农民群众积极参与。

第十六条 开展同创共建活动。本着"自愿结合、因地制宜、互助互惠、共同提高"的原则，积极开展城乡、镇（乡）企、村企、军民、警民共建活动。

第四章 评 选

第十七条 江苏省文明村镇评选采取达标申报制，每两年评选一次。评选工作以日常考察与集中验收相结合，上级部门考核与群众评议、社会监督相结合的方法进行。

第十八条 申报江苏省文明村镇应符合第二章所列标准，并获得上一评选年度省辖市文明村镇称号。

对两个文明建设成绩特别优异的村镇（乡），经省文明委认可，可不受上述条件限制。

第十九条 在评选年度有下列情况之一的，不得参加本评选年度的评选：

1. 计划生育工作不达标的；

2. 发生重大治安案件、严重刑事案件和领导班子成员发生严重经济案件的；

3. 出现与文明村镇极不相符的事件与行为，在当地造成恶劣社会影响的。

第二十条 江苏省文明村镇的评选程序为：

1. 自查申报。申报村镇（乡）对照标准进行自我评估，认为基本符合标准、条件的，向所在县（市、区）文明委提出书面参评申请。

2. 张榜公示。申报村镇（乡）按照文明村镇公示制的要求，将文明村镇的标准、条件及省、市文明办的地址、联系电话，在村镇（乡）醒目位置公示，接受社会监督和评议。

3. 初评推荐。各省辖市文明委根据县（市、区）文明委推荐，组织有关部门进行初评，初评合格的单位填写江苏省文明村镇推荐审批表，并附相应材料，分别由各省辖市文明委签署意见、加盖公章，汇总上报至省文明办。

4. 考核验收。考核验收工作由省文明办负责。省文明办可委托省辖市文明办组织实施，并在此基础上进行抽查验收。

5. 审批命名。省文明办根据考核验收情况，经研究审核后，对符合标准、条件的，报省文明委审批命名。

第五章 奖 惩

第二十一条 江苏省文明村镇由省文明委表彰，并授予匾牌和证书。

第二十二条 本着精神奖励与物质奖励相结合的原则，对江苏省文明村镇及其在创建工作中作出贡献的相关人员，上级党委、政府可予以适当物质奖励。

第二十三条 已被命名的江苏省文明村镇出现严重问题的，命名机关将视情予以批评、限期整改。被要求限期整改的单位，三个月内就整改情况写出书面报告，报请省文明委进行复查认可。在规定期限内整改不力的，给予通报批评，取消下一评选年度的参评资格。

第二十四条 对已获文明村镇荣誉称号的村镇，凡发现在评比中弄虚作假，或在评选年度内有第四章第十九条所列严重问题之一的，撤销荣誉称号，并给予通报批评。

第六章 管　理

第二十五条 江苏省文明村镇创建的日常管理工作，在省文明办的指导下，由所在省辖市文明办负责，并定期向省文明办报告。

第二十六条 江苏省文明村镇创建工作的日常管理包括：

1. 建立健全档案管理制度。主要内容为：村镇概况，创建规划及年度创建工作总结，重大创建活动记录，奖惩情况，村镇政务公开情况，申报、审批表和群众反映等。

2. 建立健全年度报告制度。江苏省文明村镇每年年终要如实将创建工作的进展情况、各项奖惩及有关情况填表报所在省辖市文明办，各省辖市文明办汇总报省文明办。

3. 建立健全学习交流制度。根据江苏实际情况，对江苏省文明村镇实行分类指导。通过组织各类活动，加强文明村镇之间的横向联系，互相学习，促进交流，形成合力，推动整体创建水平的提高。

第二十七条 加强检查督促。在非评选年，各省辖市文明办要对所辖范围内的江苏省文明村镇复查一次，并将复查情况报省文明办。省文明办组织有关部门，不定期对江苏省文明村镇创建工作进行检查和督促。

第二十八条 江苏省文明村镇如改变名称、变动隶属关系或因故撤销建制的，要及时向省文明办报告。

第七章 附　则

第二十九条 本办法由江苏省文明委办公室负责解释。

第三十条 本办法自颁布之日起施行。

2000 年 10 月 26 日

江　苏　省
文明小区创建管理办法

（苏文明委〔2000〕5 号）

第一章 总　则

第一条 为切实加强文明小区建设和管理，不断提高文明小区创建水平，使创建工作规范化、制度化，特制定本办法。

第二条 小区是住宅相对集中、有一个或几个居委会（村委会）管辖的居民住宅区。江苏省文明小区是按照明确的创建标准，积极广泛开展创建活动，社会认可，居民群众满意，并经省有关主管部门严格考核，由省文明委批准并命名、表彰的小区，是同级各类小区评比中的综合性荣誉称号。

第三条 创建文明小区是我省群众性精神文明创建活动的重要组成部分，是创建文明社区、文明城市的基础，是造福人民群众，建设美好家园，把思想政治工作的各项任务落实到基层的有效途经。

第四条 江苏省创建文明小区工作必须坚持以邓小平理论和江泽民同志“三个代表”的重要思想为指导，认真贯彻落实党的十五大和十四届六中全会精神，紧紧围绕党的工作中心，以解决居民群众迫切需要解决的问题为突破口，以提高城市的文明程度和市民的文明素质为目标，切实加强思想道德教育，加强社会治安综合治理，加强基础设施建设和改造，加强社区服务和日常管理，努力把我省各地的小区建设成为基础设施配套、社区服务完善、环境整洁优美、社会秩序井然、文化生活丰富、道德风尚良好、群众满意放心的居民住宅区。

第五条 创建文明小区是一项面向基层、涉及面广的工作，要在各级党委和政府的统一领导下进行，坚持“条块结合、以块为主”的原则，体现“政府主导、社会支持、群众参与”的要求。

第二章 标 准

第六条 基础设施配套。小区规划科学、合理，功能完善，设施齐全，无违法用地和违章建筑；小区绿化布局均衡，配置合理，建筑小品构造精美；小区住宅质量优良，管理设施配套，停车场所规范。

第七条 道德风尚良好。重视思想政治工作，建有市民学校，市民教育成效显著；文明户（五好家庭）和文明楼院创建工作广泛开展，有较大影响的创建活动每年不少于2次；拥军优属工作扎实，军（警）民共建活动成效显著；大力普及科学知识，宣传计划生育政策，倡导科学、文明、健康的生活方式；无虐待老人、妇女和儿童的现象，无封建迷信活动，形成见义勇为、扶贫帮困、邻里团结、互帮互助、尊老爱幼、家庭和睦的良好社会风尚。

第八条 小区环境整洁。爱国卫生运动广泛深入，小区“四害”密度控制在规定标准以内，小区公厕清洁，垃圾实行袋装化，饮食店（摊）等营业场所卫生达标，从业人员健康状况符合法规要求；噪声和“三废”治理达到国家环保标准；重视小区绿地、庭院绿化建设，绿地率新区达30%，老区达25%；小区环境整洁有序，道路平坦，车辆按指定位置停放整齐，无暴露性垃圾和水面漂浮物，无乱涂、乱贴、乱扔、乱倒、乱堆、乱放现象，无违规饲养家禽、家畜和其他动物现象。

第九条 社会秩序井然。法制宣传教育形成制度，居民依法办事意识强；群防群治网络健全，值班巡逻制度落实，值班台账统一、规范；民事调解组织完善，民事纠纷调解率达90%以上，无民转刑案件和因民事纠纷引起的非正常死亡现象；消防安全制度健全，无火灾事故发生；小区户籍管理制度健全，流动人口、暂住人口和私房出租等管理措施落实；娱乐服务场所和电子游戏机经营场所依法经营，管理规范；小区内治安稳定，小区居民见义勇为形成风尚，无重大刑事案件，无聚众赌博、斗殴事件，无卖淫嫖娼、制贩吸毒现象，无邪教活动。

第十条 服务措施完善。小区商业网点和公用服务设施布局合理，便民、利民服务网点每千人至少拥有两个以上，居住人口约3万人左右的小区，托儿所、幼儿园设施健全，幼儿入托、入园问题基本解决；为孤寡老人、残疾人和贫困对象服务的措施落实；小区志愿者服务队伍稳定，社区服务内容、联系人、联系电话张榜挂墙，服务项目齐全，其中福利服务项目不少于40%。

第十一条 文化生活丰富。小区设有文化活动室和图书阅览室，有必要的文体活动设施、器材和项目，有一定数量的图书和报刊，有宣传橱窗和阅报栏；建有5个以上业余文体组织，经常组织居民开展健康有益的文体活动，小区组织较大规模的文体活动每年不少于3次，形成小区文化特色；重视家庭文化建设，积极开展特色文化家庭创建活动。

第十二条 创建机制健全。创建文明小区的组织体系、运行机制建立健全，有专人负责，实行目标管理，责任到人；有创建文明小区整体规划和年度工作计划，各阶段创建任务定期张榜公布，自觉接受群众监督和社会监督；形成有效投入机制，有正常的创建活动经费，并逐年有所增加。

第三章 创 建

第十三条 街道党工委、办事处要加强对创建文明小区工作的领导，把创建工作纳入辖区发展的总体目标，制定切实可行的创建规划，并把规划、目标、任务层层分解到辖区内各基层单位，落实具体措施和完成时限，定期检查。居委会（村委会）是创建文明小区工作的具体组织者和责任者，要认真履行职责，把创建工作的各项任务真正落到实处。

第十四条 广泛发动群众，积极营造氛围，教育和引导辖区居民不断增强创建文明小区的意识，使广大居民群众了解本小区创建规划、目标、任务和具体措施，积极参与创建活动。

第十五条 本着“自愿结合，互助互惠，共同提高”的原则，积极开展文明小区各类共建活动，所在辖区的机关、团体、部队、企事业单位要积极参与文明小区创建，小区也要积极争取社会各方对创建工作的支持。

第十六条 各级文明委及其办公室担负着对文明小区创建协调、指导、监督的职责，要深入实际，面向基层，加强调查研究，认真总结推广典型经验，以点带面，整体推进文明小区创建。各级政法、建设、民政、文化、卫生、环保、工商等部门要充分发挥各自职能作用，积极参与创建，齐抓共管，形成合力。

第四章 评　　选

第十七条 江苏省文明小区评比采取达标申报制。

第十八条 江苏省文明小区的评选坚持公开、公平、公正的原则，采取自评推荐与考核相结合，明查与暗访相结合，全面检查与抽查相结合，主管部门验收与居民群众评价相结合的方法进行。江苏省文明小区每两年评选一次。

第十九条 申报江苏省文明小区，应符合第二章所列标准，并获得上一评选年度省辖市文明小区称号。

对两个文明建设成绩特别突出的，经省文明委认可，可不受上述条件限制。

第二十条 在评选年度有下列情况之一的，不得参加当年评选：

1. 计划生育不达标的；

2. 发生重大治安及刑事案件，在当地造成恶劣影响的；

3. 出现与文明小区极不相符的事件与行为，造成恶劣社会影响的。

第二十一条 江苏省文明小区评选程序为：

1. 自查申报。申报单位对照标准自我测评，认为基本符合标准、条件的，向所在县（市、区）文明办提出书面参评申请。

2. 张榜公示。按照文明小区公示制要求，将江苏省文明小区的标准、条件，以及省、市文明办的地址、联系电话，在小区醒目位置张榜公示，接受社会监督和评议。

3. 初评推荐。根据县（市、区）文明委的推荐，省辖市文明办会同市有关部门进行初评，经省辖市文明委认定后，确定推荐名单。被确定推荐的小区填写江苏省文明小区推荐审批表，并附详细材料，由各市文明委加盖公章，汇总上报省文明办。

4. 考核验收。考核验收工作由省文明办负责。省文明办可委托各省辖市文明办组织实施，并在此基础上进行抽查验收。

5. 审批命名。省文明办根据考核验收情况，经研究审核后，对符合标准、条件的，报请省文明委审批、命名。

第五章 奖　　惩

第二十二条 江苏省文明小区由省文明委表彰，并授予匾牌和证书。

第二十三条 本着精神奖励和物质奖励相结合的原则，上级党委、政府对江苏省文明小区及在创建工作中作出贡献的相关人员给予适当的物质奖励。

第二十四条 被命名的文明小区，如发生严重问题的，由命名机关视情给予批评、限期整改。被要求限期整改的小区，三个月内就整改情况写出书面报告，报请省文明委组织复查认可。对在规定期限内整改不力的，给予通报批评，取消下一评选年度参评资格。

第二十五条 对已获得文明小区荣誉称号的小区，凡发现在文明小区评比中弄虚作假，或在评选年度内有第四章第二十条所列严重问题之一的，一律撤销荣誉称号，并给予通报批评。

第六章 管　　理

第二十六条 江苏省文明小区创建的管理实行“以块为主，条块结合，分类指导，统一管理”的原则。日常管理工作，在省文明办的指导下，由所在省辖市文明办负责，定期向省文明办报告。

第二十七条 江苏省文明小区创建工作的日常管理包括：

1. 建立健全档案管理制度。江苏省文明小区要有规范的创建工作档案，档案包括：小区概况、创建规划、创建文件、主要会议材料、文明户和文明楼院评选登记表、检查考核记录、年终工作总结、奖惩记录、评选年度公示情况的报告和群众来电、来访、投诉记录及各级反映等；

2. 建立健全年度报告制度。江苏省文明小区每年年终要如实将创建工作的进展情况、各项奖惩及有关情况填表报至所在市文明办，由各市文明办汇总报省文明办；

3. 建立健全学习交流制度。通过组织各类活动，加强文明小区之间、文明小区和驻区文明单位之间、文明小区和行业之间的横向联系，协调有关部门帮助解决实际困难，相互学习交流，形成整体合力，推动文明小区创建水平的不断提高。

第二十八条 切实加强督促检查工作。在非评选年，各省辖市文明办要对所辖范围内的江苏省文明小区复查一次，并将复查情况报省文明办。省文明办组织有关部门和新闻单位，不定期对江苏省文明小区进行明查暗访，并将检查结果及时向有关部门和小区通报。

第七章 附 则

第二十九条 本办法由江苏省文明委办公室负责解释。

第三十条 本办法自颁布之日起施行。

2000 年 10 月 26 日

江 苏 省
文明城市创建管理办法

（苏办发〔2000〕20 号）

第一章 总 则

第一条 为规范文明城市创建的管理工作，不断提高文明城市的创建水平，特制定本办法。

第二条 江苏省文明城市是在实现小康后，全面建设小康社会和加快推进现代化的新的发展阶段中，以社会主义物质文明和精神文明建设协调发展为基础，精神文明建设取得显著成绩，文明程度在同类城市中处于先进水平的城市，是省委、省政府批准并命名表彰的城市两个文明建设的综合性荣誉称号。

第三条 创建文明城市是统揽我省群众性精神文明创建工作的龙头工程和综合性载体。深入开展文明城市创建，是提高市民素质和城市文明程度的重要举措，是加快城市化和城市现代化进程的客观需要，是改善投资环境、提高人民生活质量、建设美好家园的有效途径。

第四条 江苏省创建文明城市必须坚持以邓小平理论和江泽民同志“三个代表”重要思想为指导，认真贯彻党的十五大和十四届六中全会精神，围绕省委、省政府加快城市化和城市现代化进程的总体部署，坚持以经济建设为中心，以提高市民素质和城市文明程度为目标，以创建文明小区、文明社区、文明行业、文明村镇和城市各类单项创建工作为基础，努力把我省城市建设成为规划合理、功能完善、环境优美、生活舒适、法制健全、风尚良好的现代文明城市。

第二章 标 准

第五条 经济持续发展。深化城市改革，不断完善所有制结构和产业结构，经济持续、稳定、健康发展，达到小康各项标准；国内生产总值和财政收入逐年增长，其增长幅度超过全省平均水平；城镇职工人均收入、城镇居民人均居住面积逐年增加，增加幅度高于全省平均水平；社会保障制度建立健全，再就业工作富有成效。

第六条 市民素质良好。以理想信念为核心的思想教育普遍开展，思想政治工作扎实有效，市民思想观念适应改革开放和社会主义市场经济的需要；大力加强社会公德、职业道德、家庭美德建设，市民道德素质较高；普法工作积极推进，市民民主法制意识不断增强；“双拥”工作扎实开展，拥军优属政策落实，市民国防意识强；文明用语、规范文字工作推广有力；各种封建迷信和陈规陋习得到有效遏制，科学、文明、健康的生活方式基本形成。

第七条 环境整洁优美。城市市容市貌整洁美观；爱国卫生运动广泛开展，达到省级以上卫生城市标准；城市绿地结构完善，布局合理，城市建成区绿化覆盖率和人均公共绿地面积达到省规定标准，管护良好；城市环保措施落实，环境质量指标、环境污染控制指标达到省定标准，无重大污染事故和重大环保违法案件发生。

第八条 社会秩序井然。城市管理法规完善，依法治市组织网络健全；城市规划管理机制健全，并严格按规划实施建设；社会治安综合治理组织及措施落实，社会秩序良好；城市公共场所和社会生活管理有序，黄、赌、毒等社会丑恶现象得到有效遏制；城市交通设施配套、秩序良好；消防措施落实，安全生产工作达标。

第九条 服务优质规范。各级党政机关服务优质高效；窗口行业和执法部门规范服务达标，社会监督机制完善；社区服务网络健全，社会化、产业化程度较高。

第十条 社会事业进步。“科教兴市”战略落实，政策完善，措施扎实；各类教育协调发展，教育水平不断提高；科技工作效益显著，科普宣传形成制度；文化市场繁荣有序，文化产品生产成绩显著，群众文化、全民健身活动普遍开展；对保护文物的法律法规执行有力，文物资源得到有效保护；医疗卫生体系和预防保健网络健全；计划生育工作达标；广播电视覆盖率达到省级标准，新闻出版质量不断提高。

第十一条 基础设施完备。城市规划科学，城市建设布局合理，功能完善，注重艺术设计，形成风格特色；水、电、气、交通、通讯等社会公用设施基本完备，利民便民；建有一批精神文明建设标志性工程，并能充分发挥作用，宣传、文化、教育、科普、卫生、体育等设施（场所）基本配套。

第十二条 创建机制健全。领导班子坚强有力，文明委及其办事机构建立健全，做到编制、人员、经费、车辆、办公地点落实；创建工作纳入各级党委政府的重要议事日程，实施目标管理，组织程度较高，工作扎实有效；各项基础创建工作富有成效，长效管理机制建立并进入良性运行，在全省、全国有影响的先进集体和模范人物不少于3个。

第三章 创 建

第十三条 加强创建工作领导，创建文明城市要在市委、市政府统一领导下进行。各级党委、政府要把文明城市创建工作纳入总体工作布局和重要议事日程；各级文明委及其办公室要认真做好创建的组织、指导、协调和监督工作；各有关部门和工、青、妇等群团组织要各司其职，密切配合，把文明城市创建工作的各项任务真正落到实处。

第十四条 建立健全创建机构。建有党委、政府主要领导同志、有关职能部门负责人组成的创建文明城市领导小组（或创建指挥部），下设办公室，具体组织落实各项创建工作；各级、各部门成立相应的创建领导小组和工作班子，建立上下贯通、协调动作、整体联动的工作网络和目标责任制。

第十五条 制定落实创建规划。着眼长远，立足当前，根据城市化和城市现代化的要求，结合当地实际，制定文明城市创建规划，明确重点，层层分解，分步实施，整体推进。

第十六条 精心设计创建载体。广泛深入开展“讲文明、树新风”活动，切实加强市民学校、爱国主义教育基地、文化活动中心等阵地建设；扎实开展文明小区、文明社区、文明村镇、文明行业的创建工作和军（警）民共建等活动，建有一批在当地和全省有影响的文明小区、文明社区、文明村镇、文明行业；积极推进卫生城市、优秀旅游城市、社会治安综合治理先进城市、园林城市、双拥模范城市、环保先进城市、科教兴市先进城市等创建工作，夯实文明城市创建的基础。

第十七条 广泛动员群众参与。积极开展宣传教育活动，努力营造浓厚的创建氛围，新闻媒体开辟创建文明城市专题、专栏，主要街、区公益广告达到规定要求；教育和引导广大干部群众增强创建意识，了解创建工作的规划、目标、任务和具体措施，积极参与创建活动。

第十八条 完善创建投入机制。文明城市创建的日常工作经费和专项经费落实，并列入年度财政预算；确立“经营城市”观念，按照市场化运作规律，逐步形成多渠道的文明城市创建投入机制。

第十九条 积极探索创建规律。坚持从实际出发，立足市情，因地制宜，充分挖掘和发挥本地具有的区位、人文、科技等资源优势，遵循渐进积累的创建规律，求真务实，开拓创新，努力创建具有本地特色的、高品位的现代文明城市。

第四章 评 选

第二十条 各市、县（市）申报文明城市的地域范围。主要为城市规划区的建成区及郊区。江苏省文明城市评选工作每3年进行1次。

第二十一条 凡有明确的文明城市创建规划和目标，深入扎实开展创建工作，两个文明建设协调发展，成效显著的省辖市、县（市）均可申报。在评选年度内有下列情况之一的城市，不得参加本年度评选：

1. 未达到小康标准的（含所辖区域）；
2. 领导班子中发生重大违法乱纪案件的；
3. 计划生育工作未达标的（含所辖区域）；
4. 出现与文明城市称号极不相符的事件和行为，在省内外造成恶劣影响的。

第二十二条 文明城市的评选和命名工作根据“统一标准、自愿申报、地方自测、部门复核、重点抽查、综合审定、群众参与、社会监督、保证质量、推动创建”的方法和原则，由省统一组织进行。省辖市以下（含省辖市）不再组织文明城市的评选命名。省辖市和县（市）分别参评。文明城市的申报、评选、命名分4个步骤进行：

1. 申报公示：省辖市申报江苏省文明城市。由各城市党委、政府对照文明城市标准，以书面形式向省文明委正式申报。县（市）申报。先由省辖市文明委组织有关部门进行审核，报省辖市党委、政府同意后，以书面形式正式推荐、上报省文明委。在申报的同时，须在当地主要新闻媒体进行公示。

2. 部门复核：根据申报或推荐，在省文明委组织的有关领导、专家对推荐申报城市进行调研的基础上，省各职能部门对申报城市的自查进行分项复核。

3. 考核验收：调研基本合格的城市，经省文明办报省文明委同意，组织有关部门进行考核验收。

4. 审批命名：考核验收合格的城市，经省文明委审核同意后，报省委、省政府批准命名。

第二十三条 省级文明城市创建工作的评选，分江苏省文明城市（以下简称“文明城市”）和江苏省创建文明城市工作先进城市（以下简称“先进城市”）两个层次进行，经考核验收达到文明城市标准的，可命名为文明城市，尚未达到文明城市标准，但创建工作成效显著的城市，可命名为先进城市。

第二十四条 尚未达到文明城市标准的城市，可以区为单位参加评选。文明城区的评选，参照文明城市评选办法。

第二十五条 评选工作坚持公开、公平、公正的原则，以日常考察与集中验收相结合，上级部门考核与群众评议、社会监督相结合的方法进行。在各类城市单项创建工作中获得全国荣誉称号的城市在考核中适当加分，具体评选考核细则由省文明委另行制定颁布。

第五章 奖 惩

第二十六条 文明城市由省委、省政府命名、表彰并授予匾牌和证书。先进城市由省文明委命名、表彰并授予匾牌和证书。

第二十七条 对评上文明城市、先进城市的，各市可对有功单位和个人予以适当物质奖励。

第二十八条 已被命名的文明城市和先进城市出现严重问题的，命名机关将视情予以批评，限期整改。被要求限期整改的城市，3个月内就整改情况写出书面报告，报请省委、省政府进行复查认可。在规定期限内整改不力的，给予通报批评，取消下一届参评资格。

第二十九条 对已获得文明城市或先进城市荣誉称号的城市，凡发现在评选中弄虚作假，或在评选年度内有第四章第二十一条所列严重问题之一的，命名机关应撤销其荣誉称号，并给予通报批评。

第六章 管 理

第三十条 文明城市创建的日常管理工作，在省文明委的领导下，由省文明办具体负责，并定期向省委、省政府和省文明委报告。

第三十一条 文明城市创建工作的日常管理制度：

1. 建立文明城市档案制度。主要内容为：城市概况；创建规划及年度创建工作总结；重大创建活动纪录；各类检查考核及奖惩情况；公示制实施情况报告；申报、审批表。

2. 建立文明城市年报制度。评上文明城市的县（市）每年应如实将创建工作的进展情况、各项奖惩及有关情况报至所在市文明办，由各市文明办汇总报省文明办。评上文明城市的省辖市的情况直接报省文明办。

3. 建立文明城市学习交流制度。省文明办定期举行工作例会，传达上级指示、交流创建经验、总结指导工作、部署创建任务。加强文明城市之间的横向联系，相互学习，促进交流，推动全省整体创建水平的提高。

第三十二条 加强文明城市督查。省文明办每年邀请人大代表、政协委员对文明城市进行视察。听取关于创建工作的汇报，并组织新闻单位和有关部门对文明城市进行明查暗访，检查结果要及时向有关城市通报，并报省委、省政府和省文明委。

第七章 附 则

第三十三条 本办法由江苏省文明委办公室负责解释。

第三十四条 本办法自颁布之日起施行。

2000年11月10日

浙 江 省

文明单位建设管理办法

（浙文明〔2000〕4号）

第一章 总 则

第一条 为加强文明单位的建设和管理，使文明单位建设和管理工作制度化、规范化、科学化，提高文明单位的创建水平，充分发挥文明单位在社会主义物质文明和精神文明建设中的示范作用，特制定本办法。

第二条 文明单位是认真贯彻“两手抓，两手都要硬”的方针，在社会主义物质文明和精神文明建设中取得突出成绩，经自我申报、群众评议和所在地基层党政部门审核、推荐，精神文明建设（指导）委员会考核、评选，由县以上（含县，下同）党委和政府批准、命名的综合性先进集体。

第二章 文明单位的标准

第三条 文明单位称号是社会主义物质文明和精神文明建设综合性的最高的集体荣誉称号。

文明单位建设的标准为：

（一）领导班子坚强有力。坚持以邓小平理论为指针，认真贯彻江泽民同志“三个代表”要求，坚决执行党的路线、方针、政策。精神文明建设摆上领导议事日程，做到有计划、有部署、有考核。班子成员团结协作，开拓进取，清正廉洁，艰苦奋斗，以身作则，作风民主，在群众中威信高。党组织战斗堡垒作用强，党员先锋模范作用好。

（二）业务工作实绩显著。积极适应社会主义市场经济的发展，改革进取，科学决策，依法经营，严格管理，工作效率高，服务质量好，社会效益和经济效益稳步提高，主要业务工作指标达到本行业、本地同类型单位先进水平。

（三）思想道德风尚良好。切实加强思想道德建设，不断提高干部群众的思想道德和科学文化素质。各种思想道德教育活动扎实有效，思想政治工作落到实处，行业风气和干部群众精神状态良好，形成爱岗敬业、诚实守信、办事公道、服务群众、奉献社会的良好风尚。重视科学文化学习，群众性文体活动活跃。计划生育工作好。

（四）环境优美环保达标。环境清洁，绿化美化，卫生管理和环保制度健全、措施落实，环境污染控制等指标达本地先进水平。工作条件逐步改善，服务设施逐步配套，工作环境优美，秩序井然。

（五）治安安全状况良好。治安、安全措施落实，无重大刑事案件，一般刑事案发率和安全事故发生率低于规定指标；民事纠纷少，无赌博、封建迷信活动等问题发生。

（六）创建工作扎实有效。文明单位创建活动计划周全，目标明确，措施具体，责任落实。广泛开展创建文明车间（科室）、文明班组和争当文明员工等活动，创建工作基础扎实。积极参加文明城市、文明社区、文明村镇等属地共建活动。

第三章　文明单位的评选和命名

第四条　参加文明单位评选和命名的单位，必须符合文明单位建设标准。具体范围为：具有法人资格、建有共产党基层组织的各种所有制形式的企事业单位和党政机关、人民团体，包括中央和国家部门直属驻我省的单位。

第五条　文明单位的级别分为：省级文明单位、市级文明单位、县（市、区）级文明单位。

第六条　文明单位的评选坚持逐级晋升、提档升格原则。

（一）县（市、区）级文明单位，由镇（乡）或相当于镇（乡）级的主管部门从申请单位中择优推荐，经县（市、区）精神文明建设（指导）委员会审核后，报请县（市、区）委、政府命名。

（二）市级文明单位从县（市、区）级文明单位中产生，由市精神文明建设（指导）委员会审核，报请市委、市政府命名。

（三）省级文明单位从市级文明单位中产生，由市精神文明建设（指导）委员会推荐，征求行业主管部门意见，经省精神文明建设委员会审核，报请省委、省政府命名。

（四）在浙江省的中央和国家各部门直属单位、省级系统直属单位、垂直管理系统的单位申报评选文明单位，也应遵循“逐级晋升，提档升格”原则。申报省级文明单位，在浙江省的中央和国家各部门直属单位、省级系统直属单位经所在地文明委考察和签署意见后，直接或由代（主）管部门报送省文明委。垂直管理系统的单位，由各系统主管部门与所在市精神文明建设（指导）委员会共同考核后，双方向省文明委推荐。

第七条　省级文明单位评选、命名实行届期制，每两年命名一次。届时未被重新命名为省级文明单位的，省级文明单位荣誉称号即取消。市、县（市、区）级文明单位评选、命名是否实行届期制，由各地决定。

第八条　原单位已撤销、合并的文明单位，按自然取消处理。

第四章　文明单位的奖惩

第九条　各级文明单位，分别由各级党委、政府授予荣誉称号，颁发荣誉证书和牌匾。

第十条　对文明单位的奖励，以精神鼓励为主，并给予一定的物质奖励。省级文明单位的奖励办法，由省精神文明建设委员会与省财政、劳动、人事部门具体决定，各市、县（市、区）可根据本地实际，参照执行。

第十一条　申报单位弄虚作假，取得文明单位荣誉称号，一经发现，立即撤销荣誉称号，收回文明单位荣誉证书和牌匾，追回所发奖金，并建议有关部门追究其单位负责人和有关人员的责任。

第五章　文明单位的管理

第十二条　文明单位原则上实行分级管理。省级文明单位，由省精神文明建设委员会主管，各市精神文明建设（指导）委员会和省级系统主管部门协助管理。各地和系统主管部门应加强对文明单位建设的日常监督、指导。

第十三条　实行届期制命名的文明单位在届期内悬挂由命名机关颁发的荣誉匾，自觉接受社会监督。届期已满，未被重新命名的单位，由命名机关主管部门委托协管部门收回文明单位荣誉匾。荣誉证书作为历史荣誉凭证由单位留存。

第十四条　各级文明单位的重大创建活动以及出现重大问题，要主动及时报告同级精神文明建设（指导）委员会，各级精神文明建设（指导）委员会必须妥善作出处理。

第十五条　各级文明单位变更单位名称或改变隶属关系，应及时报告各级文明委。各级文明委应及时视情作出处理。

第十六条　文明单位发生违背党的政策和违犯国家法律、法规等问题，造成不良影响，命名机关主管部门应及时给予查处。

第十七条　省精神文明建设委员会对各级文明单位有检查监督权，发现有不合格的情况，及时进行通报批评直至建议给予处分。

第十八条　实行“提档升格”原则，省级文明单位为当然的市级文明单位和县（市、区）级文明单位。要撤销省级文明单位的市级、县（市、区）级文明单位称号时，必须事先报告省精神文明建设委员会。

第六章　附　　则

第十九条　本办法由省精神文明建设委员会负责解释和修订。

第二十条　本办法自颁布之日起试行。1994年印发的《浙江省文明单位建设管理条例》同时停止执行。

浙江省精神文明建设委员会
2000年8月17日

浙　江　省
文明城市（地级以上）评审条件评分标准（节选）

（浙文明〔2000〕10号）

申报浙江省文明城市，首先必须突出思想道德建设这一核心，作为创建文明城市的首要任务，针对市民思想实际，认真抓好教育，成效明显；必须已被命名为省级卫生城市和达到省级城市环境综合整治定量考核合格要求；必须达到评审总分的850分以上，其中六大项目均须合格。具体评审条件评分标准如下：

一、经济社会发展（共150分，合格为128分，起评为112.5分）

1. 全市国内生产总值的增长率，连续两年完成本市人代会确定的指标。㉕

评分档次：

合格档、起评档均为原指标。

2. 全市财政收入的增长率，连续两年完成本市人代会确定的指标。⑩

评分档次：

合格档、起评档均为原指标。

3. 全市居民人均可支配收入的增长率，连续两年完成本市人代会确定的指标。⑩

评分档次：

合格档、起评档均为原指标。

4. 城区近三年初中毕业生升学率在85%以上，学前三年幼儿入园率达98%以上。㉕

5. 城区千人医院床位数达2张，千人医师和助理医师数达2人以上；平均每2—2.5万居民居住区，设有一个以上社区卫生服务机构。基本实现以无偿献血解决临床用血。⑮

6. 城区每千人设有6平方米以上的多功能社区服务中心。⑩

7. 城区养老保险参保率达95%，医疗保险参保率达95%，失业保险参保率达95%。⑩

8. 城区计划生育率在96%以上，流动人口计划生育验证率在80%以上。⑳

9. 城区遗体火化率达100%。⑮

二、环境整洁优美（共250分，合格为213分，起评为187.5分）

1. 制定科学合理的城市建设规划，严格按规划建设，并依法实施管理。⑳

2. 城区人均道路面积≥10平方米，街道路面完好整洁，主、次干道实行18小时保洁率在60%以上。㉚

3. 城区主要街路实施“亮化工程”，沿街单位装灯率在80%以上，全年亮化。⑳

4. 城区绿地率>30%，人均公共绿地面积>7平方米，绿化养护良好。㉚

5. 城区垃圾每日清运率达100%，居民生活垃圾袋装化收集率达50%以上，建有生活垃圾无害化处理场，无害化处理率≥90%。㉚

6. 建有一定标准的城市污水处理厂，城区污水处理率达50%以上，截污率达50%以上，处理后污水排放达到受纳水体环保要求。㉚

7. 城区工业污染源均达标排放，烟尘控制区覆盖率达100%，空气污染指数<100，环境空气质量符合二级标准，噪声达标区覆盖率>80%，水源地符合规范化饮用水源保护区管理要求。㉚

8. 城区河道两侧无垃圾堆积物，河面无成片漂浮物，河水水质达到五类以上水体，水功能区水质达标率达100%。㉚

9. 主要入城口道路完好整洁，两侧绿化设施齐全，管理有序。㉚

三、社会秩序优良（共150分，合格为126分，起评为112.5分）

1. 城区“安全小区”建成率在60%以上，巩固率在80%以上。㊿

2. 城区年刑事案件总量上升幅度控制在15%以内。⑳

3. 城区年“六类”重大刑事案件占现住总人口发生率在2.3‰以内。⑳

4. 及时依法查处聚众赌博、卖淫嫖娼和制、贩、吸毒等案件。⑳

5. 城区主要街道和市民上下班人流集中路段无交通堵塞现象。㉚

6. 市民遵守交通秩序行为规范养成率达80%。⑩

四、服务工作优质（共100分，合格为85分，起评为75分）

1. 党政机关要讲学习、讲政治、讲正气，普遍开展创建文明机关活动。市民满意和基本满意率达80%以上（由省文明委通过省电信部门在该市人口总数0.5—1%的市民中进行电话调查）。⑳

2. 商业、供销、粮食、交通、建设、卫生、公安、邮政、电信、铁路、电力、金融、民航、工商、旅游等“窗口”行业广泛开展创建文明行业活动，加强职业道德教育，树立行业新风，规范服务，文明执法。市民对各行业总体情况满意和基本满意达80%以上，对文明服务示范点（市地级以上）单位满意和基本满意率达90%以上（由省文明委通过省电信部门在该市人口总数0.5—1%的市民中进行电话调查）。㊿

3. 城区农贸市场实现退路入室率在80%以上，其中60%达到“星级文明规范市场”要求；城区中心农贸市场和年成交额亿元以上的工业品市场100%建成“星级文明规范市场”。⑳

4. 积极开展“百城万店无假货”活动，建成一条以上市（地）级“百城万店无假货”活动示范街。沿街各商店无出售假冒伪劣商品和“三无”商品现象；投诉完结率100%。⑩

五、基层社区文明（共200分，合格为170分，起评为150分）

（一）以一个或若干个居民区为基本创建单位，坚持社区共建工作机制，普遍开展文明社区创建活动；城区文明社区（市、地级）建成率占基本创建单位总数的50%以上。⑩⑤

（二）文明社区创建符合以下标准：⑨⑤

1. 风尚良好：⑳

（1）积极开展创建"文明家庭"活动，家庭参与活动面达80%以上，"文明家庭"（区级以上）达到社区家庭总数的30%以上。⑩

（2）重视思想道德宣传教育，居民对社会公德知识知晓率达80%以上。⑤

（3）社区与学校共同开展学生假期思想品德教育，组织参加公益活动，初中以下学生参与教育和活动率达80%以上。⑤

2. 环境优美：㉟

（1）道路硬化整洁，下水道畅通，化粪池无满溢，无污水积留，建筑物外墙完好整洁。⑤

（2）生活垃圾实行袋装化，日产日清；建筑垃圾按规定管理，及时外运。⑤

（3）二次供水水箱定期清洗和消毒，箱体加盖、加锁，箱内水体清洁，水质符合《国家饮用水卫生标准》。⑤

（4）无乱搭建、乱张贴、乱设摊点、乱停车，车棚、楼道无杂物堆放，楼道亮灯率在85%以上（老城区的楼道亮灯率在50%以上）。⑤

（5）绿地率＞30%（老城区的绿地率＞25%）。⑤

（6）企事业单位的废气、废水、烟尘、噪声等排放均符合环保要求。⑤

（7）与相邻社区结合部的环境整洁有序。⑤

3. 居住安宁：⑳

（1）实行治安全天候管理，安全防范设施健全，设有报警点。⑤

（2）未发生"六类"重大刑事案件、重大治安案件和火灾事故，入室盗窃等刑事案件发生率控制在3‰以下。⑤

（3）建有自行车保管站或车库，自行车被盗案件稳中有降（老城区，不要求必须建有自行车保管站或车库）。⑤

（4）居民安全感调查满意和基本满意率达80%以上。⑤

4. 服务便捷：⑩

（1）强化社区服务职能，及时为居民提供水、电、煤气、房屋修缮、医疗和预防保健等服务（80年代以后建成的住宅区，推行社区共建与物业公司相结合的管理方法，比例达60%）。⑤

（2）建有建筑面积在30平方米以上的社区服务站；积极开展志愿者服务活动，为孤寡老人、残疾人、优抚对象和社会困难户提供服务。登记注册的志愿者人数在居民总数的1%以上。⑤

5. 文体活跃：⑩

（1）建有50平方米以上的文化、体育活动室，并有1个以上的晨、晚锻炼点（老城区，要求有文化、体育活动场所）。⑤

（2）每年组织6次以上文娱体育活动，节庆文体活动活跃。⑤

六、文化事业繁荣（共150分，合格为128分，起评为112.5分）

1. 加强爱国主义教育基地建设。城区各中小学校，每年组织学生参观爱国主义教育基地人数占在校生总数的50%以上。⑳

2. 建有一处多功能、高品位的中心文化广场。⑮

3. 建有5000平方米面积的群众艺术馆、国家一级标准图书馆、一定标准的博物馆、科技馆、3000座以上的体育馆和建筑面积8000平方米的青少年活动中心。杭、宁、温三市建有1座以上国家甲级剧场，其他市建有1座以上国家乙级剧场；杭、宁、温三市建有可陈列5—10万种可供品种图书的新华书店，其他市建有可陈列3—5万种可供品种图书的新华书店。㊵

4. 初步建成以电信通讯网、广播电视网等为基础的传输基础网，实现公众多媒体网、科技网、教育网、经济信息网等计算机网络互联，并与国际互联网实现联通，共同开发信息产业功能。⑮

5. 广播电视网络实现一城一网，网络质量指标达到550兆以上，可同时播出30—50套广播电视节目，并开播视频点播业务。⑳

6. 文化和体育经营单位市场管理抽查合格率达85%以上。⑮

7. 文物保护单位无坍塌、漏雨等损坏情况，无文物被盗和人为破坏等现象。⑩

8. 经常参加体育锻炼者在人口总数40%以上，城区体育活动场地人均占有量在0.65平方米以上，体育场地开放率达60%以上。⑮

说明

1. 在省文明城市（地级以上）评审条件评分标准中，设定合格档、起评档两档。合格档、起评档分别得85%、75%的项目分，起评档以下不得分。各小项计分按四舍五入，保留小数点后2位。

2. 年无偿献血解决临床用血50%以上为2000年起评标准。由于该指标为年度动态指标，故2001年后的起评标准，根据省卫生厅年度献血计划确定。

3. 在“基层社区文明”中，基本坚持“五有”共建工作机制，“基本”的具体掌握标准是“五有”中有一项比较欠缺。

2000年12月25日

浙江省
文明城市（县级）评审条件评分标准

（浙文明〔2000〕11号）

申报“浙江省文明城市（县级）”，首先必须突出思想道德建设这一核心，作为创建文明城市的首要任务，针对市民思想实际，认真抓好教育，成效明显；必须已被命名为省级卫生城市（县城）；必须达到评审总分的850分以上，其中六大项目均须合格。具体评审条件评分标准如下：

一、经济社会发展（共150分，其中：文明城市合格为128分，创建工作达标为113分，创建工作基本达标为98分）

1. 全县（市）人均国内生产总值达到《浙江省农业和农村现代化建设纲要》规定的指标。㉕

2. 全县(市)第三产业增加值比重提高到《浙江省农业和农村现代化建设纲要》规定的指标。⑳

3. 建成区近三年初中毕业生升学率在80%以上，学前三年幼儿入园率达95%以上。⑮

4. 建成区千人医院床位数达2张，千人医师和助理医师数达1.8人以上。⑮

5. 建成区每千人设有5平方米以上的多功能社区服务中心。⑩

6. 建成区养老保险参保率95%，医疗保险参保率95%，失业保险参保率95%。⑳

7. 建成区计划生育率在96%以上，流动人口计划生育验证率在80%以上。㉕

合格档、达标档、基本达标档均为原指标。

8. 建成区遗体火化率达100%。⑳

合格档、达标档、基本达标档均为原指标。

二、环境整洁优美（共250分，其中：文明城市合格为213分，创建工作达标为188分，创建工作基本达标为163分）［县级市此项指标，按照《浙江省文明城市（地级以上）评审条件》“环境整洁优美”项目执行］

1. 制定科学合理的县城建设规划，严格按规划建设，并依法实施管理。㉚

2. 建成区人均道路面积≥12平方米；主次干道路面完好整洁，人行道铺装率≥85%。㊵

3. 建成区绿地率≥30%（老城区≥25%），人均公共绿地面积≥7平方米。㉟

4. 建成区垃圾每日清运率达100%，垃圾粪便无害化处理率≥90%，建有生活垃圾无害化处理场和粪便无害化处理场。㉟

5. 建成区生活污水处理排放达到环保功能区要求，工业污染源均达标排放，烟尘控制区覆盖率达100%，噪声达标区覆盖率>80%，空气污染指数<100，环境空气质量符合二级标准，水源地符合规范化饮用水源保护区管理要求。⑩

6. 建成区河流的河道两侧无垃圾堆积物，河

面无成片漂浮物，河水水质达到五类水体以上，水功能区水质达标率达100%。㉟

7. 主要入城口道路完好整洁，两侧绿化设施齐全，管理有序。㉟

三、社会秩序优良（共150分，其中：文明城市合格为126分，创建工作达标为111分，创建工作基本达标为96分）

1. 建成区“安全小区”建成率在60%以上，巩固率在80%以上。㊿

2. 建成区年刑事案件总量上升幅度控制在全省平均数以内。⑳

3. 建成区年“六类”重大刑事案件占现住总人口发生率在2.3‰以内。⑳

4. 及时依法查处聚众赌博、卖淫嫖娼和制、贩、吸毒等案件。⑳

5. 建成区主要街道和居民上下班人流集中路段无交通堵塞现场。㉚

6. 居民遵守交通秩序行为规范养成率达60%。⑩

四、服务工作优质（共100分，其中：文明城市合格为85分，创建工作达标为75分，创建工作基本达标为65分）

1. 党政机关要讲学习、讲政治、讲正气，普遍开展创建文明机关活动。群众满意和基本满意率达80%以上（由省文明委通过省电信部门在城关镇人口总数1%—2%的市民中进行电话调查）。⑳

2. “窗口”行业广泛开展创建文明行业活动，加强职业道德教育，树立行业新风，规范服务，文明执法。群众满意和基本满意率达90%以上（由省文明委通过省电信部门在城关镇人口总数1%—2%的市民中进行电话调查）。㊺

3. 建成区农贸市场退路入室率达80%以上，其中60%达到“星级文明规范市场”要求；建成区中心农贸市场和主要工业品市场100%建成“星级文明规范市场”。㉚

五、基层社区文明（共200分，其中：文明城市合格为170分，创建工作达标为150分，创建工作基本达标为130分）

（一）以居民区为基本创建单位，采取社区共建工作机制，普遍开展文明社区创建活动；建成区文明社区建成率占基本创建单位总数的30%以上。(105)

（二）文明社区创建符合以下标准：(95)

1. 风尚良好：⑳

（1）积极开展创建“文明家庭”活动，家庭参与活动面达80%以上，“文明家庭”（镇级以上）达到30%以上。⑩

（2）重视思想道德宣传教育，居民对社会公德知识知晓率达80%以上。⑤

（3）社区与学校共同开展学生假期思想品德教育，组织参加公益活动，初中以下学生参与教育和活动率达80%以上。⑤

2. 环境优美：㉟

（1）道路硬化整洁，下水道畅通，化粪池无满溢，无污水积留，建筑物外墙完好整洁（老城区的道路基本硬化整洁，外墙完好率≥70%）。⑤

（2）生活垃圾实行袋装化，日产日清；建筑垃圾按规定管理，及时外运。⑤

（3）二次供水水箱定期清洗和消毒，箱体加盖、加锁，箱内水体清洁，水质符合《国家饮用水卫生标准》。⑤

（4）无乱搭建、乱张贴、乱设摊点、乱停车，车棚、楼道无杂物堆放，楼道亮灯率在80%以上（老城区的楼道亮灯率40%以上）。⑤

（5）绿地率＞30%（老城区的绿地率＞25%）。⑤

（6）企事业单位在废气、废水、烟尘、噪声等方面均符合环保要求。⑤

（7）与相邻社区结合部的环境整洁有序。⑤

3. 居住安宁⑳：

（1）实行治安全天候管理，安全防范设施健全，设有报警点。⑤

（2）未发生“六类”重大刑事案件、重大治安案件和火灾事故，入室盗窃等刑事案件发生率控制在3‰以下。⑤

（3）建有自行车保管站或车库，自行车被盗案件稳中有降（老城区，不要求必须建有自行车保管站或车库）。⑤

（4）居民安全感调查满意和基本满意率达80%以上。⑤

4. 服务便捷：⑩

（1）强化社区服务职能，及时为居民提供水、电、煤气、房屋修缮、医疗和预防保健等服务

(80年代以后建成的住宅区，推行社区共建与物业公司相结合的管理方法，比例达60%)。⑤

(2) 建有建筑面积在30平方米以上的服务站，积极开展志愿者活动，为孤寡老人、残疾人、优抚对象和社会困难户提供服务。登记注册的志愿者人数在社区居民总数的1%以上。⑤

5. 文体活跃：⑩

(1) 建有50平方米以上的文化、体育活动室，并有1个以上的晨、晚锻炼点（老城区，要求有文化、体育活动场所)。⑤

(2) 每年组织5次以上文娱体育活动，节庆文体活动活跃。⑤

六、文化事业繁荣（共150分，其中：文明城市合格为128分，创建工作达标为113分，创建工作基本达标为98分）

1. 建有省一级标准文化馆、国家一级标准图书馆、国家丙级标准剧场、2000座以上的体育馆和建筑面积4000—5000平方米的青少年活动中心；建有可陈列1.5—3万种可供品种图书的新华书店；建成区主要地段建有1个以上科普橱窗。⑳

2. 广播电视网络建设实现县行政区域内联网，网络质量指标达到550兆以上，可同时播出30套以上广播电视节目，并开播视频点播业务。㉚

3. 文化和体育经营单位市场管理抽查合格率达到85%以上。㉕

4. 经常参加体育锻炼者在人口总数的40%以上，建成区体育活动场地人均占有量在0.65平方米以上，体育场地开放率达60%以上。㉕

说　　明

1. 在省文明城市（县级）评审条件评分标准中，按合格、达标两档作为评分档次，分别得85%、75%的项目分。基本达标档作为各地阶段性工作标准，不作为评分标准。即达标档为评分的起评档，达标档以下不得分。各小项计分按四舍五入，保留小数点后2位。

2. 在基层社区文明中，基本坚持“五有”共建工作机制，“基本”的具体掌握标准是“五有”中有一项比较欠缺。

3. 若申报城市不是历史文化名城，此项以缺项计。计算方法是：该大项中总体减2分，合格分降低1.7分，210.8分为申报合格分。

2000年12月25日

福　建　省

五好文明家庭创建活动管理办法

（闽文明办〔2000〕6号）

第一章　总　　则

第一条　为了提高家庭成员素质，弘扬家庭美德，推动群众性精神文明创建活动，使五好文明家庭创建活动经常化、制度化、规范化，特制定本办法。

第二条　五好文明家庭创建活动是指在各级五好文明家庭创建活动协调小组统一领导下，以家庭为主体，以倡导尊老爱幼、男女平等、夫妻和睦、勤俭持家、邻里团结的文明家风为主要内容，以提高生活质量、协调家庭关系、丰富文化生活、美化生活环境为重点，以培养“有理想、有道德、有文化、有纪律”的合格公民为目标，动员和组织广大家庭成员共建家庭文明的活动。

第三条　五好文明家庭创建活动是加强家庭美德建设的有效载体，是社会主义精神文明建设的重要组成部分。它对于贯彻落实党的十四届六中全会《关于加强社会主义精神文明建设若干问题的决议》和党的十五大精神，提高家庭成员思想道德素质和科学文化素质，促进家风、民风、社会风气的健康向上，维护社会的安定、稳定都具有十分重要的意义。

第四条 五好文明家庭创建活动对象为全省城乡所有的家庭和家庭成员。

第五条 五好文明家庭是对家庭的全面评价，五好文明家庭、五好文明家庭标兵荣誉称号由各级五好文明家庭创建活动协调小组或各级党委、政府授予。

第二章 基本条件

第六条 五好文明家庭基本条件：

1. 爱国守法，热心公益好。热爱祖国，拥护中国共产党的领导，树立正确的世界观、人生观、价值观，严格遵守各项法律法规和规章制度，热心社会公益事业，扶贫济困，弘扬社会公德。

2. 学习进取，爱岗敬业好。认真学习政治理论、政策方针、法律知识，刻苦钻研科学文化技术，熟练掌握劳动技能，有强烈的敬业精神，严格遵守职业道德，提高工作质量和服务水平，岗位建功，岗位成才。

3. 男女平等，尊老爱幼好。建立平等、民主、和睦、友爱的家庭关系，夫妻双方互敬互爱、互信互勉、互谅互让、互帮互慰；尊敬长辈，爱护儿童，维护未成年人的合法权益；邻里之间团结互助，和睦相处。

4. 移风易俗，少生优育好。建立文明、健康、科学的生活方式，反对封建迷信，破除陈规陋习，提倡婚事新办、丧事简办、厚养薄葬；严格遵守国家计划生育政策，树立正确的生育观和教子观，做到晚婚、晚育、优生、优育、优教，用科学的育儿方法教育子女，为孩子健康成长创造良好的家庭环境。

5. 勤俭持家，保护环境好。提倡勤劳致富、勤俭节约、合理消费、科学治家，以艰苦奋斗为荣，以奢侈浪费为耻；增强环境意识，学习环保知识，热爱环境、建设环境、美化环境、保护环境，从家庭做起，从身边做起，从小事做起。

第七条 各地可根据五好文明家庭条件以及当地实际、城乡差异等制定相应的标准，把创建文明户、星级文明户等活动与五好文明家庭创建活动结合起来。

第三章 组织领导

第八条 五好文明家庭创建活动应纳入当地精神文明建设总体规划，列入文明城市、文明县城、文明村镇、文明单位、文明学校的评比内容，加强领导，建立各项激励机制，认真研究，搞好规划。

第九条 各级要成立以党委或政府领导挂帅、由党委宣传部、文明办、妇联等单位组成的五好文明家庭创建活动协调小组及其办事机构，具体领导、组织实施五好文明家庭创建活动。

第十条 各级妇联承担协调小组办公室日常工作。

第十一条 宣传部、文明办、妇联、民政、广电、教委、公安、司法、文化、卫生、计生、体委、环保、部队、党工委、工会、共青团、科协等协调小组成员单位要根据本行业、本单位的特点，确定并履行自己的职责，将创建活动纳入本部门、本行业的工作部署，发挥优势，齐抓共管，形成合力。

第四章 命名表彰

第十二条 五好文明家庭的评选，以家庭为参评主体，采取家庭自评、群众评议、基层推荐、逐级报批的办法。

第十三条 各级党政机关、人民团体、事业单位，乡（镇）、街道、行政村、居委会，具有经济独立核算、法人资格、能独立开展社会活动的企业，均可开展五好文明家庭创建活动，并进行命名表彰。

行政村、居委会和基层单位的五好文明家庭，由家庭自评申报，村民（居民）小组评议，村（居）协调小组审批，村（居）党支部、村（居）委会和基层单位党、政组织命名表彰。

乡镇、街道级五好文明家庭，由村级协调小组从村级五好文明家庭中推荐，报乡镇、街道五好文明家庭创建活动协调小组考核审批，由乡镇、街道的党委、政府命名表彰。

县（市、区）级五好文明家庭（包括五好文明家庭标兵），由乡镇、街道五好文明家庭创建活动协调小组从乡镇、街道级五好文明家庭中择优选评推荐，经县五好文明家庭创建活动协调小组审核后给予命名表彰或报请县（市、区）党委、政府命名表彰。

地（市）级五好文明家庭（包括五好文明家庭标兵），由县（市、区）五好文明家庭创建活动协调小组从县级五好文明家庭中择优选评推荐，经地（市）五好文明家庭创建活动协调小组审核后给予命名表彰或报请地（市）党委、政府命名表彰。

省直机关的五好文明家庭（包括五好文明家庭标兵）应从各厅局五好文明家庭中择优选评，经省直机关五好文明家庭创建活动协调小组审核后给予命名表彰。

省级五好文明家庭（包括五好文明家庭标兵），由省直、地（市）五好文明家庭创建活动协调小组从省直、地（市）级五好文明家庭中择优选评推荐，经省五好文明家庭创建活动协调小组审核后给予命名表彰。

第十四条 五好文明家庭的命名实行届期制，原则上乡镇、村级每年一届，县以上每两年一届。届期满将进行复查，如有违反五好文明家庭条件的情况，可根据情节轻重，给予批评或撤销称号。

第十五条 凡被命名为各级五好文明家庭（含标兵）的，均授予五好文明家庭或五好文明家庭标兵匾牌，并视条件给予物质奖励。

第十六条 各级五好文明家庭创建活动协调小组对在五好文明家庭创建活动中成绩突出的本级协调小组成员单位、个人或下级五好文明家庭创建活动协调小组可给予表彰奖励。

第五章 日常管理

第十七条 各级五好文明家庭创建活动协调小组及其办公室负责五好文明家庭创建活动的日常管理。要建立定期研究创建活动的工作制度，做好五好文明家庭创建活动的组织、协调、监督、指导工作，做好五好文明家庭的检查复查、考核评选、推荐表彰等工作。

第十八条 五好文明家庭采取分级管理的办法。省级五好文明家庭可委托所在地、市、县、区五好文明家庭创建活动协调小组管理。

第十九条 五好文明家庭创建活动的日常管理包括：五好文明家庭申报表、主要事迹和考核复查记录；每年创建活动的计划、总结；对不符合五好文明家庭条件的，提出处理意见。

第二十条 五好文明家庭创建活动经费要列入各级财政预算，切实做到专款专用，同时尽可能地多渠道筹措经费。

第二十一条 五好文明家庭要自觉接受社会和群众的监督。

第六章 附　则

第二十二条 各地、市、县、区、各单位可根据办法精神制定实施细则。

第二十三条 本办法解释权属省五好文明家庭创建活动协调小组及其办公室。

第二十四条 本办法自下发之日起生效。

2000年2月25日

安徽省

关于实施家庭文明工程的意见

（皖文明发〔2000〕04号）

为了进一步贯彻党的十五大精神，落实全国妇联关于实施家庭文明工程的部署，进一步深化我省五好文明家庭创建活动，更好地为改革、发展、稳定的大局服务，省妇联决定，在全省城乡广大家庭中实施家庭文明工程。现提出如下意见：

一、指导思想

以邓小平理论为指导，以加强家庭美德建设为目标，通过实施家庭文明工程，提高家庭成员的思想道德素质和科学文化素质，帮助家庭成员树立正确的世界观、人生观、价值观，争做有理想、有道德、有文化、有纪律的社会主义公民；通过实施家庭文明工程，帮助城乡居民建立平等、和谐、稳定的文明家庭，以家庭的文明进步促进社会的文明进步。

二、实施内容

根据党的十四届六中全会精神和党的十五大确定的到2010年实现公民素质、文化生活质量、城乡文明程度显著提高的要求，从现在起到2003年，通过实施家庭文明工程，使我省家庭成员素质和家庭文明程度有明显提高。今年以开展“家庭美、家园美”系列活动为载体，引导群众创建美好家庭，建设美好家园，促进安徽大家庭的文明进步。

1. 广泛开展“美在农家”活动

“美在农家”活动以科学技术进农家、法律知识进农家、文明新风进农家、环保知识进农家、计划生育进农家、科学育儿进农家为主要内容。具体要求：科学技术进农家与发展优质高效农业相结合，帮助农民家庭增加知识含量，树立科学观念，争取更多的农村家庭能够依靠科技致富。法律知识进农家与“三五普法”宣传教育相结合，加大法律知识宣传，使农村更多的家庭学法、懂法，能够运用法律武器保护自己的合法权益。文明新风进农家与治理脏、乱、差相结合，帮助农民家庭改变落后生活方式，树立现代文明观念，创造清洁的生活环境，铲除陈规陋习，告别封建迷信，提高生活质量。环保知识进农家与“妇女·家园·环境”宣传教育活动相结合，教育农村家庭节约能源、珍惜资源，发动农村家庭积极参加植树种草、小流域治理、实施生态农业工程。计划生育和科学育儿进农家，与进一步宣传计划生育和男女平等基本国策相结合，引导农民计划生育、优生优育，树立正确的家庭教育观念，科学地培养和教育下一代。

各地要结合实际，制定规划，广泛开展“美在农家”活动。要把开展“美在农家”活动作为十星级文明户评创、文明村镇建设的重要内容，促进农村更多的家庭争创十星级文明户；要与农村经济发展、农民增收致富、基层民主政治建设和社会治安综合治理结合起来，通过开展活动，推动农村的两个文明建设。

2. 深入开展五好文明家庭、文明楼院（栋）创建活动

在城市实施家庭文明工程要与提高市民素质和城市文明程度相结合。各地要配合文明社区、文明城市创建，深入开展五好文明家庭、文明楼院（栋）创建活动，充分发挥家庭在社区建设中的作用，提高家庭成员的文明意识和楼院建设的参与意识。争取到2003年，城市100%的家庭参与五好文明家庭创建，80%的家庭参与文明楼院（栋）创建活动。要倡导关心他人、乐于奉献的精神。今年省妇联在全省开展“万家奉献”和家庭志愿者活动，鼓励五好文明家庭、妇女先进人物家庭和企业、集体等大家庭报效社会，奉献爱心。全省将组织万户爱心家庭与下岗特困家庭、万户科技致富家庭与农村贫困家庭结对帮扶，帮助特困家庭走出困境。各地可以广泛开展家庭奉献和家庭志愿者活动，号召家庭成员服务他人、服务社会，形成家家参与、人人分享的社会主义新风范。

3. 大力开展家庭读书活动

在家庭中大力倡导读书活动是提高家庭成员素质和家庭生活质量的重要途径。在1999年全省“百万家庭读好书”活动的基础上，继续深入开展家庭读书活动。今年各市地还要组织10万家庭参加读书活动，今后逐年递增。到2003年，全省城市有50%、农村有30%的家庭参加家庭读书活动。要利用多种渠道向家庭推荐政治、法律、科技、文艺、生活类优秀读物，针对农村家庭特别是边远贫困地区的农民家庭缺少图书、缺乏文化生活的问题，组织送书下乡。继续抓好“121”、“122”家庭书架工程，让家庭有好书、读好书、用好书。到2003年，全省城镇90%家庭，农村30%家庭拥有家庭书橱（架）。

各地要将读书活动与家庭成员的工作、生产、思想和生活实际相结合，对家庭成员进行爱国主义、集体主义、社会主义教育，引导家庭成员树立正确的世界观、人生观、价值观；向家庭成员传授科学文化知识、现代生活知识、家庭教育知

识，引导建设平等、和睦、文明、健康的新型家庭。要建立健全妇女之家，发挥家庭文化中心户和家庭读书小组的作用，开展读书心得交流、读书演讲、知识竞赛等多种形式的活动，培养家庭成员读书兴趣，提高家庭读书质量。

4. 进一步深化家庭文化活动

以“家庭美、家园美”为主题，开展内容丰富、能够普及科学知识、开启心智、促进健康、贴近群众的家庭文化活动。要围绕中心、丰富内蕴、寓教于乐，使家庭成员在参与家庭文化活动的同时，增强爱国爱家、热爱社会主义的信念，增强自觉抵制封建迷信和唯心主义的能力，帮助家庭成员树立良好的道德风尚和健康生活方式。要从家庭成员特别是妇女群众渴望健康的愿望出发，组织家庭体育和健康咨询活动；针对老年人口增多，闲暇时间增多的情况，组织开展家庭文艺表演、家庭制作、家庭书画、摄影展览等，吸引广大家庭成员积极参与。家庭文化活动要拓展外延，走进社会。要把家庭文化活动与社区文化、企业文化、军营文化、校园文化相结合。今年重点在社区开展家庭文化活动，促进家庭文化与社区文化相互融合，相互促进。

5. 深化家庭教育工作

通过“百万家庭育英才”系列活动，确保省“九五”家庭教育规划目标任务得到落实。力争到2003年，全省家庭教育科学知识普及率达到全国妇联规定的目标。要重视开发家庭教育资源。继续采取多种形式向家长传播正确的家庭教育观念和优生、优育、优教知识。

三、实施措施

1. 提高认识，加大运作力度

各级妇联要从讲政治的高度去认识实施家庭文明工程的重要性和必要性，从维护国家稳定、发展的大局出发认真实施家庭文明工程。要争取当地党委政府的支持，把家庭文明工程的实施纳入精神文明建设整体规划，作为创建文明社区、文明村镇的考核条件；要充分发挥五好文明家庭创建活动协调小组各成员单位的作用，相互配合，齐抓共管，形成实施家庭文明工程的整体合力。

2. 加强调研，坚持分类指导

各级妇联要深入调查研究，了解不同地区、不同类型家庭的状况，分层次提要求。要注重实效，量力而行，结合各地实际，每年突出一个主题，实实在在做几件事。要建立示范县、示范乡镇、示范村，以点带面。要注意对成功经验的总结和推广，以更好地指导实践，使家庭文明工程的实施更加规范、科学。

3. 扩大宣传，树立先进典型

在实施家庭文明工程中，要大张旗鼓地评选表彰先进家庭，树立各个层面的先进家庭典型，发挥典型的示范、辐射作用。省、市每两年进行一次表彰，县以下每年要表彰一批五好文明家庭及先进家庭角色。评选表彰五好文明家庭和“十星级文明户”既要注意质量，把握先进性，又要注意数量，体现广泛性。

要重视实施家庭文明工程的舆论宣传，大力宣传先进家庭典型的事迹，努力在全社会营造崇尚文明家庭、学习文明家庭、争当文明家庭的良好氛围，推动全社会文明风尚的形成。

2000年3月17日

湖 北 省

文明系统（行业）建设管理试行办法

（鄂办发〔2000〕23号）

第一章 总 则

第一条 为了贯彻落实党的十四届六中全会和十五大精神，加强对全省文明系统（行业）的建设管理工作，充分发挥文明系统（行业）在全省物质文明建设和精神文明建设中的模范带头作用，使创建文明系统（行业）工作经常化、制度化、规范化，结合我省实际，特制定本试行办法。

第二条 文明系统（行业）是以开展文明单位创建活动为基础，以提高职工素质、纠正行业不正之风、提高服务质量、密切党和政府同人民群众的联系为内容，以全系统（行业）物质文明建设和精神文明建设有机结合、协调发展为特征，成绩突出，经社会认可和有关部门严格评选，由县以上党委和政府批准、命名的两个文明建设荣誉称号。

第三条 创建文明系统（行业）必须以坚持以邓小平理论为指导，认真贯彻党的十四届六中全会和十五大精神，以"服务人民，奉献社会"为宗旨，以本系统（行业）业务工作为中心，以提高干部职工的思想道德素质和科学文化素质，培育有理想、有道德、有文化、有纪律的社会主义公民为目标，充分发挥群众的社会主义积极性和创造性，维护政治稳定，促进经济发展和社会进步。

第四条 凡本省境内具有行政隶属关系、工作指导关系或自成体系的党政机关、人民团体、企事业单位均属创建文明系统（行业）的范围。

第五条 文明系统（行业）创建工作要在党委和政府的统一领导下进行，具体工作由各级精神文明建设委员会办公室负责，按照齐抓共管的原则，各有关部门必须互相支持，密切配合。

第六条 文明系统（行业）分为省、市（州）、县（市、区）三级，由县（市、区）以上党委和政府审批、命名。

第二章 条 件

第七条 省级文明系统（行业）除必须达到省级文明单位的十项标准外，还必须同时具备下列条件：

（一）系统（行业）内各级领导重视精神文明建设工作，以服务人民、奉献社会为宗旨的创建文明行业活动有规划、有措施、有活动、有成效。领导机关率先垂范，勤政廉洁，创文明机关、做人民满意公务员活动深入扎实，得到社会各界的公认。

（二）系统（行业）内物质文明建设和精神文明建设相互促进、协调发展，改革开放、经济建设和业务工作成效显著，业务工作的主要指标或发展速度在全国同行业中处于领先水平。

（三）系统（行业）内坚持讲学习、讲政治、讲正气，广大干部职工树立正确的世界观、人生观、价值观，注重加强基层的思想政治工作，干部职工的思想道德素质和科学文化素质不断提高。

（四）广泛开展马克思主义唯物论和无神论教育，反对愚昧迷信和伪科学的斗争深入人心。

（五）结合实际制定本行业职业道德规范，公开办事制度和服务标准，建立健全岗位培训制度，加强岗位培训工作，不断提高标准化、规范化服务层次和水平。

（六）认真解决人民群众普遍关心、反映强烈的问题，切实纠正行业不正之风，积极为群众办好事、办实事。

（七）重视精神文明基础设施建设，档案齐全，阵地完备，并经常开展各类活动，职工业余文化生活丰富多彩，生活质量不断提高。

（八）系统（行业）内的直属单位和市、州、县级机构，须有80%以上是县级以上的文明单位，其中，近五年来所评省级文明单位的比例不少于15%，市州级文明单位的比例不少于50%，申报文明系统（行业）的领导机关本身，必须既是上一届的省级文明单位，同时又是同一申报评审年度被推荐的省级文明单位。

第八条 创建文明系统（行业）要突出行业特点，加强文明单位、文明科室、文明班组、文明职工、文明楼栋、文明家庭等基础创建活动。

第九条 创建文明系统（行业）要与当地各种群众性精神文明创建活动紧密结合，并发挥示范带头作用。

第三章 命 名

第十条 凡属创建范围的系统（行业），开展创建文明系统（行业）活动3年以上，取得明显成绩，经过认真自评，由申报文明系统（行业）的领导机关直接向同级精神文明建设委员会办公室提出申报，机关工委协助文明办负责同级申报领导机关的考核工作。各级精神文明建设委员会对申报的系统（行业）必须坚持标准，严格考核，广泛征求群众和有关部门的意见。

第十一条 各级精神文明建设委员会办公室在对申报系统（行业）坚持标准，进行严格考核，广泛征求群众和有关部门的意见后，要及时向申报系统（行业）的上级主管部门通报有关情况，并征求申报系统（行业）上级主管部门的意见。

第十二条 各级党委、政府根据精神文明建设委员会办公室提供的考核情况、群众反映、有关部门和申报系统（行业）上级主管部门的意见等，进行审查、批准。

第十三条 文明系统（行业）实行届期制，各级文明系统（行业）一般二年命名一次，与文明单位命名表彰同步。

第四章 管 理

第十四条 文明系统（行业）原则上实行分级管理，即哪一级命名由哪一级管理，具体工作由各级精神文明建设委员会办公室负责，定期复查，并建立监督机制。

第十五条 文明系统（行业）要加强自身管理，不断提高创建水平，建立定期汇报和发生问题及时呈报制度。

第十六条 有关行业部门开展的文明系统（行业）创建活动，要同地方的文明系统（行业）创建工作结合起来，行业自己评选的文明系统，（行业），要使用本行业的专用名称。

第十七条 各级文明系统（行业）的命名机关要建立健全文明系统（行业）创建档案，并按照国家档案管理的有关要求逐步规范化。

第十八条 文明系统（行业）变更名称、变更隶属关系、合并或分解，应及时向管理部门报告备案。对合并和分解后的系统（行业），要由原命名机关重新考核命名。

第五章 奖励与处罚

第十九条 文明系统（行业）的奖励实行精神奖励与物质奖励相结合的原则。各级文明系统（行业）由党委、政府授予荣誉称号，并颁发奖牌、证书；被命名的省级文明系统（行业）的领导机关，可在命名表彰届期内按照（鄂发〔1999〕9号）文件的规定，给予职工和贡献突出的人员以相应的物质奖励。

各市（州）、县（市、区）可以参照以上奖励办法制定本级文明系统（行业）的奖励办法，但不得超过省级文明系统（行业）的奖励标准。

各级精神文明建设委员会办公室要加强对文明系统（行业）奖励工作的检查与管理。

第二十条 各级组织人事部门要把创建文明系统（行业）的成效，作为考核系统（行业）主要领导干部政绩的一项重要内容和提拔使用干部的重要依据。

第二十一条 被命名的文明系统（行业）在届期内发生严重问题，造成重大影响的，同级精神文明建设委员会可根据情节，给予批评、警告、令其限期整改等处理，直至报告命名机关撤销其荣誉称号。有下列情形之一者，应撤销文明系统（行业）荣誉称号：

（一）系统（行业）同级领导机关班子不团结或班子成员有腐败行为的。

（二）经营管理不善，经济亏损或服务水平明显下降的。

（三）生产、销售假冒伪劣商品，经营、传播淫秽制品，提供色情服务或不讲职业道德、行业风气不正的。

（四）发生重大责任事故，造成重大经济损失或人员伤亡的。

（五）赌博、封建迷信、婚丧嫁娶大操大办得不到制止，或发生刑事案件、治安状况混乱的。

（六）出现计划外生育的。

（七）环境污染严重，卫生面貌差的。

（八）申报时弄虚作假，骗取荣誉的。

第二十二条 被撤销荣誉称号的系统（行业），经两年以上时间的创建，达到标准的，可以重新申报。

第二十三条 参加文明系统（行业）考核和审定的人员，必须廉洁自律，秉公办事，不得徇私舞弊，滥用职权，违者由有关部门给予行政处分，情节严重构成犯罪的，依法追究刑事责任。

第六章 附 则

第二十四条 各地各系统（行业）可以根据本办法的规定，制定实施办法。

第二十五条 本办法由省精神文明建设委员会办公室负责解释。

第二十六条 本办法自颁布之日起实施。

2000年6月26日

湖 北 省

文明社区建设暂行管理办法

（鄂办发〔2000〕59号）

第一章 总 则

第一条 为贯彻落实中央关于加强和改进思想政治工作，推进社区精神文明建设等重要指示精神，使社区精神文明创建活动经常化、制度化、规范化，特制定本暂行管理办法。

第二条 社区主要指在一个地域内具有共同的社会活动和经济关系，具有共同的特定生活方式和价值观念的人群所组成的相对独立的社会生活共同体。社区基本可分为街道社区、若干居委会合并组成或居民户数超过1000户的居委会社区等两种类型。全省城市（含县城）街道和社区居委会均在创建文明社区之列。文明社区是两个文明建设成绩突出、效益显著、文明程度较高的居民生活共同体，是社区建设的综合性最高荣誉称号。

第三条 创建文明社区是人民群众在党的领导下为自己创造美好生活的生动实践，是把城市两个文明建设任务有机结合、落实到基层的有效载体，是群众性精神文明创建活动的重要组成部分，是创建文明城市的基础性工作。创建文明社区，有利于把精神文明建设和思想政治工作的各项任务落实到基层，提高市民素质和城市文明程度；有利于密切党和政府与人民群众的联系；有利于促进城市的改革、发展和稳定，实现两个文明建设协调发展；有利于提高城市服务水平和管理水平，更好地满足人民群众日益增长的物质文化需要，提高群众的生活质量。

第四条 创建文明社区，要坚持以邓小平理论和江泽民同志关于“三个代表”的重要思想为指导，全面贯彻党的基本路线和基本方针，落实精神文明重在建设的方针，围绕湖北改革、发展和稳定的大局，以提高居民素质、社区文明程度和群众生活质量为目标，以为社区群众服务为出发点和落脚点，以群众满意为根本标准。

第五条 创建文明社区必须坚持从实际出发，

因地制宜，分类指导，分步推进，务求实效。必须坚持以人为本、实事实办、资源共享、守土有责的原则。创建工作既要积极进取，又要量力而行。防止脱离实际，脱离群众，搞形式主义。要研究不断变化的新形势，积极探索推进社区精神文明建设的新途径、新方法。

第六条 各级党委和政府要重视和加强对文明社区创建活动的领导。要把创建文明社区纳入城市和城区经济社会发展的总体规划之中。创建文明社区要在城市各级党委、政府和文明委的统一领导下，在有关部门指导下，各街道党（工）委、办事处广泛动员和组织协调辖区单位、居民参与，各职能部门要各负其责，密切配合，齐抓共建。

第二章 文明社区标准

第七条 文明社区要符合下列标准

一、组织领导

1. 街道和居委会两级领导班子在创建文明社区活动中，坚持以邓小平理论为指导，坚持党的基本路线，坚持“两手抓，两手都要硬”的方针。

2. 领导班子团结务实、勤政廉洁，在社区群众中威信高，形象好。

3. 建立和完善以街道为核心，以社区居委会为基础，以各职能部门、专业管理部门的派驻机构和社区内各单位为成员的文明社区创建活动组织。领导体制适应城市社区管理体制改革的需要，不断完善文明社区创建工作的组织体系，逐步做到党和政府倡导、社会各方配合、群众广泛参与、社区自治管理。

4. 各社区居委会有必要的活动场地、设施和必要的经费保证。

5. 党的基层组织健全，活动经常，有本社区特色。建立社区党建联系会议制度，加强党组织在社区建设中的领导作用。社区内党员的先锋模范作用发挥较好。社区内各类经济组织、社会组织中的党组织建设不断加强，对新经济组织中的党员、下岗待业党员和离退休党员的教育管理工作抓得扎实有效。

6. 文明社区创建工作队伍建设抓得有力。注重采取多种方式，充实社区干部队伍，并不断加强对社区干部的管理和培训，提高他们的思想政治素质和业务工作能力。坚持专兼职结合的原则，充分利用社区人才资源，建设一支以社区志愿者、文体活动辅导员、科普宣传员、治安巡逻员、门栋关照员、卫生监督员等为主体的创建文明社区骨干队伍，社区老党员、老干部、老教师、老劳模作用发挥好。

二、创建活动

1. 创建工作制度落实，共建机制、激励机制、监督机制、投入机制等运行机制健全，各方关系协调。

2. 社区共建活动开展得卓有成效。社区各级单位和广大居民群众广泛参与，积极开展厂街共建、校街共建、军民共建、警民共建、连片共建等多种形式的共建活动，做到优势互补、资源共享、责任共担、活动共抓。社区单位创建参与率达到 80%以上。居民创建参与率、知晓率达到 80%以上。

3. 各级基础性创建工作扎实。文明小区达到 50%以上，文明楼栋、文明家庭达到 60%以上。

4. 创建文明社区舆论氛围浓厚。社区内建有若干个精神文明建设宣传设施、公益性广告标牌。

5. 社区风尚良好。初步形成孝敬父母、尊老爱幼、家庭团结、邻里和睦、爱护公物、保护环境、扶贫济困、见义勇为等良好的社会风尚。涌现出一批先进典型。

三、社区教育

1. 坚持不懈地进行思想道德教育和科学文化素质教育，加强和改进社区思想政治工作，不断提高市民的思想道德素质和科学文化素质。

2. 经常进行马克思主义唯物论和无神论教育。大力普及科学知识、科学思想、科学精神和科学方法，教育居民崇尚科学，反对迷信，抵制歪理邪说，社区居民普遍养成科学、文明、健康的生活方式。社区内经常开展科普教育、普法教育、形势教育、健康教育等各种形式的宣传教育活动。社区内无封建迷信活动，无信奉歪理邪说现象，无邪教组织，社区内“法轮功”练习者转化率达 100%。

3. 重视加强对老年人和青少年的思想教育工作，帮助老年人解决生活上的实际问题，引导他们开展健康有益的文体活动，使他们老有所学、老有所养、老有所乐、老有所为；引导青少年开展生动活泼、积极向上、健康有益的社会实践活动，使广大青少年在社区里受到良好的道德影响和思想熏陶。

4. 加强对下岗职工的思想引导和素质教育工作，帮助他们树立正确的就业思路，增强自强自立精神，引导人们不断增强对改革开放和现代化建设的信心，增强对党和政府的信任，从而坚定对马克思主义的信仰、对社会主义的信念。

5. 重视加强对社区外来人员的思想教育和文明素质教育，做到教育对象、内容、场地“三落实”。

6. 积极抓好教育阵地建设。每个社区内必须有一所市民学校，管理规范，活动正常，做到有阵地、有教材、有师资、有内容、有计划、有成效。充分发挥基层党校、人口学校和社区教育学院等教育阵地的作用。社区内设置有政务公开栏、宣传栏、阅报栏和黑板报等。

7. 社区内无计划外生育，计划生育工作达到上级主管部门标准。

四、社区文化生活

1. 经常组织居民开展丰富多彩、内容健康的文化体育活动，积极开展广场文化、社区文化、楼院文化、特色家庭文化活动，丰富群众精神文化生活，增强社区文化的凝聚力。

2. 依托社区文化体育资源和人才优势，组织各种业余文化团队，社区内80%以上的单位文体活动场地向社区居民开放，形成资源共享格局。

3. 建立和完善文化体育设施。每个社区必须有一定规模的文化体育活动中心，有图书阅览室；居委会建有综合性的活动室，有一定的室外文体活动场地，大多数小区建有全民健身设施，能基本满足社区居民文化活动需求。

4. 净化社区文化市场，保障社区文化健康发展，积极开展“扫黄打非”活动，社区内无制作、销售、播放黄色淫秽音像制品现象。

五、社区环境

1. 主次干道畅通，道路硬化，路面平整，人行道板完好。沿街建筑物外观整洁美观，临街阳台、窗口无搭建和堆放杂物现象。户外广告及宣传品内容健康。

2. 公共场所符合卫生要求，大多数单位和公共设施达到甲级标准，积极开展爱国卫生运动和创建活动，除“四害”成效显著，社区内“四害”密度控制在省规定的标准内。

3. 无马路市场，各类市场管理规范，市场内下水道通畅，整洁卫生。

4. 绿化布局合理，见缝插绿。社区内必须有一个广场花园，有园林小景和一定面积的公共绿地。临街单位根据需要和可能设置通透式围墙，花坛草坪建设维护好。

5. 无乱吐乱扔、乱停乱放、乱贴乱画、乱搭乱盖、乱堆物、乱晾晒。阳台封闭规范，居民住宅卫生整洁，公共楼道通畅、明亮、整洁。居民不养家禽和无证犬，养鸽符合有关规定。社区内卫生小区达60%，居民对卫生满意率达80%以上。

6. 环卫设施齐全、完好，公厕、垃圾箱有专人管理，生活垃圾袋装化。无积存垃圾，无粪便冒溢，无蚊蝇孳生，无渣土堆积，社区内“三废”（废水、废气、废渣）和噪声符合环保要求，污染源处理率达80%。

7. 社区基础设施建设有规划、有目标，环卫、商业、服务、医疗、通信、交通、文体、社会福利设施配套完善，管理规范。

六、社区治安

1. 社会治安综合治理各项措施落实，防范制度和群防群治组织网络健全，发案少、秩序好、人民群众满意，居民对安全满意率达90%以上。

2. 社区内无“黄、赌、毒”，无重大刑事案件和民事纠纷，无火灾和其他重大事故。未发生影响社会稳定的重大事件，综合治理工作达到上级主管部门要求标准。

3. 经常开展法制教育，增强居民守法意识。加强防火、防盗、防自然灾害、防破坏等宣传教育，学法、守法、护法、用法形成风气。

4. 民事纠纷调解网络健全，及时有效。无因民事纠纷激化而酿成的恶性案件。“两劳”回归人员的帮教安置措施落实，刑释、解教人员三年内无重新犯罪。

5. 青少年、妇女儿童和老年人的合法权益保护工作有力有效。

6. 加强对外来人口和私房出租户的法制教育和管理，协助做好暂住人口的登记、发证工作，能及时发现、查处外来人口中的违法犯罪活动。

七、社区服务

1. 社区服务组织健全，服务功能比较完善。必须有社区服务中心和分支机构，社区救助服务工作比较落实。

2. 建立各种社区志愿者服务队伍、社区家政服务队伍以及各种形式的便民利民队伍，活动经常。

3. 社区服务网络布局合理，服务项目齐全、内容丰富、形式多样，无偿、低偿和有偿服务相结合。

4. 便民利民设施完善，居民满意。

5. 社区救助工作有力，经常在生活上、经济上关心孤寡老人、优抚对象、残疾人等特殊群体。社会福利对象能得到妥善安置，社区内无流浪、乞讨现象。多渠道解决下岗、待业人员就业工作，再就业安置率达到50%以上。

6. 为民办实事成效明显，较好解决社区内路、水、电、煤气、房屋修缮、医疗等问题，应急服务及时。

7. 居民生活方便。社区必须有一个室内集贸市场。居民对社区服务的满意率在60%以上。

第三章　文明社区评比、命名、表彰

第八条　凡按照文明社区标准开展创建活动的社区，均可提出书面申请，参加评比。

第九条　在各街道申报的基础上，由各县（市、区）文明委自检合格后，推荐报市、州文明委，由市、州文明委向省文明委申报。经省文明委考核验收合格后，由省委、省政府批准命名表彰。

第十条　文明社区每三年命名表彰一次。对文明社区的奖励实行精神奖励为主，物质奖励为辅的原则。凡建成文明社区的，由命名机关发给荣誉证书、荣誉牌匾。各市及市辖城区党委和政府可根据实际情况对受表彰的社区发给一定数量的奖金，予以相应的物质奖励。

第十一条　文明社区分“最佳文明社区”和“文明社区”两个层次。最佳文明社区是指创建工作做得最突出、在全省起到示范带头作用的文明社区。连续二届被命名为文明社区的可以申报最佳文明社区。文明社区的标志是“文明社区”牌匾，最佳文明社区的标志是“最佳文明社区”牌匾。文明社区只悬挂最高一级荣誉牌匾。

第十二条　文明社区的评比要有利于减轻基层负担，不搞形式主义。要从实际出发，采取明查、暗查和抽查相结合，主管部门评估和社区成员单位、居民群众评估相结合的办法，严格标准，严格检查，体现评比工作的公正性和公开性。

第十三条　文明社区不搞终身制。被命名的文明社区每年考核一次，年度考核前文明社区要向省文明委上报年度创建工作报告。经年度考核后，符合标准的保留荣誉称号。对质量下降、工作滑坡的，应予以批评，限期整改，如发生严重问题或经复查不合格的，撤销荣誉称号。

第十四条　文明社区的评比和考核实行党风廉政、社会治安、计划生育、环境保护等一票否决制。在评比和年度考核中，凡发现有违反一票否决制的，取消该社区的参与评比资格，已被评为文明社区的，撤销其荣誉称号。

第四章　文明社区的管理

第十五条　文明社区管理由省文明委负责，并委托当地文明办负责日常管理。

第十六条　各街道党（工）委、办事处和文明委对文明社区创建工作负总责，社区居委会负有总体组织协调、服务管理的责任。要按照文明社区标准，认真规划、组织实施、检查督促、全面落实文明社区创建活动的各项工作。

第十七条　各级文明委办公室要认真做好文明社区创建活动的评比表彰及指导创建、组织协调、宣传典型、建立档案等日常管理工作。

第五章　附　　则

第十八条　各地可根据本办法制定具体实施细则。

第十九条　本办法由省精神文明建设委员会办公室负责解释。

第二十条　本办法自发布之日起实施。

2000年10月21日

湖　南　省

关于加强窗口行业文明优质规范服务的意见

（湘文明委〔2000〕8号）

一、窗口行业是指直接面向社会、面向群众，与人民群众日常工作生活和切身利益紧密相关的工作部门，主要包括社会服务部门、行政执法部门、经济执法部门和部分党政机关。

二、窗口行业是沟通党和政府与人民群众的桥梁和纽带。加强窗口行业文明优质规范服务，是加强社会主义精神文明建设的重要措施，是改善党群干群关系、净化社会风气的重要途径，是加强窗口行业行风建设和行业自身发展的现实要求。各窗口行业和单位要把文明优质规范服务摆上重要议事日程，纳入双文明目标管理责任制。

三、加强窗口行业文明优质规范服务，要以邓小平理论和江泽民“三个代表”重要思想为指导，认真贯彻落实党的十四届六中全会和十五大精神，以创建文明行业为目标，坚持以人为本的方针，大力开展思想道德教育和文明素质教育，努力提高干部职工的文明素质和服务技能。

四、坚持文明服务。各窗口行业和单位的干部职工要做到仪表端庄,举止文明,着装整齐,挂牌上岗,使用文明用语,不讲服务忌语,态度和蔼热情。

五、坚持优质服务。各窗口行业和单位要制定切实可行的便民措施，坚决杜绝假冒伪劣商品，认真解决好售后服务的问题，不断提高服务质量。

六、坚持规范服务。各窗口行业要实行公开办事制度，办事程序、服务内容、收费标准、办事结果、监督电话等要上墙公布；实行一站式服务，做到咨询、交费、取证一条龙，让群众不出办事大厅，就能将所要办的事情办好；过去已经实行首问负责制、服务承诺制的单位，要进一步完善制度，凡承诺了的必须履诺，决不失信于民。同时，还要适应社会生活不断变化的形势，积极探索规范化服务的新形式，使窗口行业的服务逐步走上规范化的轨道。

七、注重抓窗口、抓典型。各窗口行业要加强督促检查力度，巩固原有示范窗口的创建成果，不断提高示范点的服务水平。要不断总结和培养典型，以点带面，积极扩大先进典型和各级示范点的辐射、带动作用，对先进典型和各级示范点，要加强动态管理，不断丰富创建内涵。各行业要根据自身实际不定期公布新的示范点，并报省文明办备案。

八、努力改善服务环境。各窗口行业，窗口单位要本着既量力而行，又尽力而为的原则，积极改善服务设施，加强环境建设。所有办事窗口要力求做到窗明几净、秩序井然、环境美观、舒适。

九、坚持“为人民服务，树行业新风”为主题。各窗口行业要强化服务人民、奉献社会的意识，以满足群众的要求为出发点，以解决群众最关心的热点问题为着力点，多做得人心、稳人心、暖人心的实事，使群众得到实实在在的利益。

十、加强领导，狠抓落实。在各级党委政府的统一领导下，本着谁主管谁负责的原则，建立健全领导责任制，实施一把手工程，努力形成条块结合、分工负责、上下联动、各方面参与的工作格局。各级文明办要加强对窗口行业文明创建的指导、协调。各级新闻单位要加大对窗口行业文明优质规范服务的宣传力度，充分发挥好新闻舆论的导向、监督作用，在全社会形成浓厚的文明优质规范服务的氛围。

2000年9月28日

湖南省
关于在城市大力开展创建文明社区活动的意见

（湘文明委〔2000〕12号）

创建文明社区是近年来各地开展创建文明小区活动的延伸和拓展，是创建文明城市活动中蓬勃兴起的新生事物，是创建文明城市的基础，也是把精神文明建设落实到基层的有效载体。随着改革的深化、经济的发展，城市基层社会结构和人们就业方式、生活方式正在发生着深刻的变化，城市社区工作的对象越来越扩大，城市居民与社区关系越来越密切，城市社区在改革发展稳定中的地位越来越重要。加强城市社区建设是城市经济社会协调发展的必然要求，对于深化改革，促进经济发展，提高群众生活质量，维护社会稳定，巩固党的执政基础，都具有重要意义。为加快我省改革开放和社会主义现代化建设的步伐，不断提高市民的文明素质和生活质量，提高城市的文明程度和管理水平，实现城市经济、社会协调和可持续发展，根据中央文明委的指示精神和我省实际，省文明委就创建文明社区活动提出如下意见。

第一条 社区和文明社区的基本内涵。社区是指以地区为范围，人们在地缘基础上结成的互助合作的群体。一般具有地域性、互助性、民主性、群众性等特点。按照中央文明委的要求，文明社区创建，要以街道办事处为主体，以居民委员会为依托，驻区单位齐抓共管，广大居民广泛参与，努力达到环境整洁优美、治安秩序优良、管理服务优质、基础设施完善、管理高效规范、文体活动活跃等6条标准。根据我省经济、社会事业发展不平衡和城市规模差异较大的实际，社区的模式可以多样，既可以一个街道办事处为一个社区，也可以一个或几个居民委员会为一个社区，还可以在成片新开发区和大型厂矿、企事业单位中组建社区。各城市（包括县城）要在改革和理顺城市管理体制的基础上，按照“两级政府、三级管理、四级网络”的思想，改革和完善社区管理体制。所有社区都要成立社区管理委员会，建立相应的管理队伍。

第二条 创建文明社区的指导思想。坚持以邓小平理论和江泽民同志关于“三个代表”的重要思想为指导，以经济建设为中心，以提高居民素质和社区文明程度为目标，坚持一切为了群众，一切依靠群众，把为社区群众服务作为全部工作的出发点和落脚点，以群众欢迎不欢迎、赞成不赞成作为评价创建工作的根本标准，从群众最关心、反映最强烈的问题入手，多为群众办实事、好事，使社区群众得到实实在在的利益，从而使广大居民把智慧和力量凝聚到创建工作上来，把思想统一到党的路线、方针、政策和现代化建设上来。

第三条 突出抓好社区党的建设。社区党组织在社区各种组织中处于领导核心地位，只有坚持以党组织为核心，才能协调各方形成建设社区的合力，才能保证社区工作的健康发展。要按照党章的有关规定，进一步建立健全社区党的组织，结合社区党员分布的实际情况，及时调整社区党的基层组织的设置，凡驻区单位党员，要实行单位和社区双层管理。社区党建要围绕社区经济和社区服务开展，通过充分发挥党组织的战斗堡垒作用和党员的先锋模范作用，确保社区各项任务顺利完成。

第四条 加强和改进社区思想政治工作。社区思想政治工作要面向新世纪，紧跟新形势，切实增强针对性和实效性。要在不同时期，区别不同层次、不同对象，进行耐心细致的工作，及时有力地解答干部群众关心的热点难点问题；要不断扩大社区思想政治工作的覆盖面，通过社区与学校、家庭的相互配合，加强对青少年的法制教育、道德教育和科普教育，积极创造有利于青少年健康成长的社区环境，注重发挥青少年在创建文明社区中的生力军作用；要重视做好老龄人口的思想引导工作，帮助他们解决生活上的问题，开展健康有益的文体活动，使他们老有所学、老有所养、老有所乐；要努力帮助下岗职工解决实际困难，积极提供就业机会，同时引导他们树立正确的择业观念，增强自强自立精神，帮助他们掌握新的劳动技能；对非公有制单位工作人员、个体工商户以及进城务工经商人员，要及时了解他们的思想状况，切实承担起对他们的管理和教育责任。

第五条 大力开展社区教育。要紧密结合干部群众思想和工作实际，以理论信念为核心，经常性地开展党的基本理论、基本路线、基本纲领教育，加强形势政策教育，引导广大干部群众坚定对马克思主义的信念、对改革开放和有中国特色社会主义的信心、对和党政府的信任；加强爱国主义、集体主义、社会主义和艰苦奋斗教育，引导居民爱祖国、爱城市、爱社区，齐心协力共建美好家园；要运用市民学校等多种形式，生动活泼地开展文明素质教育，不断增加居民的现代文明知识，强化现代文明意识，提高现代文明素质。

第六条 努力搞好社区服务。完善社区服务网络，健全服务机制，为居民生活排忧解难。社区服务直接关系到社区内居民的切身利益，要从居民群众最关心、最企盼解决的问题入手，解决居民生活中的实际困难。市、区、街道要建立健全社区服务中心或分中心，居委会建立服务站，形成四级网络，服务千家万户，方便居民生活；要面向社区广大居民开展便民利民服务，面向社会特殊群体开展社会福利服务，面向社区企业单位开展以劳动就业和下岗安置为重点的社会性事务服务，面向外来暂住人口提供生活、工作便利开展社会化服务，面向全体社区居民开展以医疗、妇幼保健、健康教育、卫生防疫和计划生育为主要内容的社区卫生服务；要积极倡导社区志愿者服务，发动社区居民发挥各自的特长和优势，热心参与群众性互助服务；要根据资源共享的原则，在社区倡导无偿服务，发展低偿和有偿服务，推动社区服务产业化。要努力提高服务水平和服务质量，真正使社区居民感到生活舒适、方便、称心。

第七条 繁荣和丰富社区文化。不断满足居民群众日益增长的精神文化需求，是社区日益繁重的工作内容。繁荣和发展社区文化，首要的是坚持和发展主流文化，用马克思主义占领思想文化阵地；其次，要弘扬和发展有地方特色的文化，如广场文化、企业文化、楼院文化、家庭文化；再次，要广泛开展群众性文体活动，充分利用各类文体活动中心、图书室、影剧院、文化宫、俱乐部等文化场馆，经常组织具有社区特色的群众性文体活动，丰富居民精神文化生活，形成科学文明健康的生活方式。

第八条 不断完善社区基础设施建设。结合城市新区开发、旧区改造，有计划、有步骤地完善社区的道路、交通、环卫、水、电、医疗、计划生育、通信、文体、社会福利等基础设施，努力建设和开辟更多的面向广大群众、便于群众参与的公益性文化体育场所；要充分利用社区现有资源，本着自愿互惠的原则，提倡和鼓励驻区单位向社区居民开放文体设施和服务设施，实现社区资源共享；要保护和建设好社区内的爱国主义教育基地、市民学校、民工夜校、文化场馆以及广场、公园，充分发挥其教育、休闲功能，使之成为传播精神文明的重要阵地。

第九条 科学、全面地制定创建文明社区的长远规划和分步实施方案。根据中央文明委到2020年把全国城市社区都创建成文明社区的要求，我省计划分三个阶段实施创建计划：到2005年，力争全省城市社区（小区）有30%达到文明社区（小区）的标准；到2010年，60%达到文明社区（小区）标准；到2020年，100%达到文明社区（小区）标准。今后，省里将把文明社区创建的成效作为评选文明城市的一项重要条件。各市、县要根据省文明委的总体规划和要求，制定出适合本地实际、操作性强的长远规划和近期规划，并做到每一个阶段都有明确的工作目标和具体的工作措施。

第十条 切实加强对创建文明社区工作的领导。各级领导干部都要高度重视创建文明社区工作，要把创建文明社区工作摆上重要的议事日程，结合城市建设、城市管理常抓不懈；要建设一支高素质的社区工作队伍，根据创建工作需要，结合城市管理体制改革和党政机构改革，加强街道办事处和居委会建设，从机关分流的干部以及大专院校毕业生、转业军人、下岗职工中，造就一批政治素质好、有一定工作能力、热爱社区工作的同志，充实到街道办事处和居委会岗位上；要建立健全一套良好的社区工作机制，在上级党委统一领导下，逐步形成以街道党（工）委、办事处和居委会为主导，驻区单位和居民群众广泛参与，有关方面齐抓共管的共建机制；要把创建文明社区与军民共建、警民共建、区域共建等各种活动结合起来，不断把我省文明社区创建活动引向深入。

2000年11月30日

广　东　省
关于在全省城区开展创建文明社区活动的意见

（粤文明委〔2000〕2号）

开展创建文明社区活动是社会主义精神文明建设的重要组成部分。创建文明社区既是创建文明小区的延伸和拓展，又是创建文明城区、文明城市的基础。为加快我省改革开放和社会主义现代化建设的步伐，进一步提高市民的文明素质和生活质量，提高城市的文明程度和管理水平，实现城市经济、社会协调和可持续发展，向党中央交出物质文明建设和精神文明建设两份满意的答卷，省文明委决定，从今年起在全省城区开展创建文明社区活动，现就开展这一活动提出如下意见：

一、深刻认识开展创建文明社区活动的重要性

社区是指以城市街道为基本单位，由街道办事处、居委会、企事业单位和居民群众共同组成的社会生活共同体，是现代城市的细胞和基础。随着改革的深化，企业剥离和政府转移的大量社会管理和社会服务职能，愈来愈需要由社区来承担；随着城市居民生活水平的迅速提高，城市家庭小型化、城市人口老龄化、城市居民消费结构多元化、以及城市下岗职工和外来人口增多等等，愈来愈需要社区提供优质服务，优化家居环境，增强教育功能，维护社会秩序，并提供全方位、多门类和及时周到的服务；随着城市各类小区的规划、建设、管理的加强，在文明小区创建工作普遍推开的良好基础上，愈来愈需要提出向文明社区建设发展的要求，并使之逐步走上规范化制度化的轨道。抓好创建文明社区活动，有利于充分发挥社区具有的优势，把思想政治工作落实到基层；有利于提高社区的管理和服务水平，改善城市居民生活环境和生活质量；有利于深化创建文明城市活动，提高城市文明程度和公民素质。各地一定要把这项工作作为创建文明城市工作的基础工程，摆上重要日程，切实抓紧抓好。

二、明确创建文明社区的指导思想和主要任务

创建文明社区的指导思想是：坚持以邓小平理论和党的十五大精神为指导，坚持党的基本路线，坚持两手抓、两手都要硬的方针，着眼于广东率先基本实现现代化的目标和改革发展稳定的大局，以城市街道为主体，以提高市民现代文明素质、城市文明程度和提高居民的生活质量为目

标，发动广大社区成员参与和推进社区两个文明建设的实践活动，努力建设环境整洁优美、治安秩序优良、服务网络完善、管理高效规范、文体活动活跃、教育多样广泛、人际关系和谐、资源共享互补的文明社区。

开展创建文明社区活动必须坚持群众性、实效性和渐进性。坚持以造福于民为宗旨，面向群众，服务群众，依靠群众；坚持从实际出发，讲求实效，切实解决群众关心的实际问题；坚持因地制宜，以点带面，不断提高，逐步推进。

当前开展创建文明社区活动，要着力抓好六个方面的工作：

1. 加强社区教育。要把深入开展社区思想道德教育和科学文化教育，努力提高居民的现代文明素质作为文明社区建设的根本来抓，坚持不懈地对社区居民进行邓小平理论教育，社会主义道德和法制教育，爱国主义、集体主义、社会主义教育，形势政策教育，科普知识教育。要注意加强理想信念和马克思主义唯物论、无神论教育，开展崇尚科学、反对封建迷信活动，引导居民抵制各种不良思想影响，养成科学文明健康的生活方式。加强对中小学生校外特别是寒暑假、双休日的教育和管理。要着力做好离退休人员、下岗职工和外来人口的思想教育，把工作做到居民家庭，扩大覆盖面，消除空白点。要把文化艺术和生活知识纳入社区教育的内容，融思想性与知识性、趣味性为一体。要广泛组织各类社区公益活动，不断提高居民的社会公德、职业道德和家庭美德水平。要因地制宜办好各类学校（基层党校、市民学校、家长学校、老人学校等），在社区建立学校、家庭、岗位、社会教育四位一体的育人格局。要在居民小区主要路段设置宣传栏、阅报栏、生活信息栏和黑板报，巩固社区教育阵地。

2. 搞好环境治理。要广泛发动居民群众，从自己做起，从小区做起，大力整治和改善社区环境。要拆除各种违章建筑，清理“七乱”，增强居民的环保意识。对主要路段、重点楼院要加大综合整治力度，有计划地建设一批小广场、小乐园、小绿地等休闲活动场所。要集中财力物力，每年建成一批“样板小区”。开展植绿护绿活动，以提高人居环境的素质。

3. 维护社区秩序。坚持“打防结合，预防为主”的方针，加强社区治安综合治理，严厉打击各种违法犯罪活动。积极开展创建“安全小区”活动，经常性地运用各种形式开展安全防范宣传活动，加强对居民群众，尤其是刑释、解教人员和青少年的遵纪守法教育，预防和遏制青少年违法犯罪，建立群众治安防范队伍。重点加强对社区外来人口、出租屋及公共娱乐场所的管理，遏制各种社会丑恶现象和不文明行为的滋生蔓延。

4. 完善社区服务。社区服务直接关系到社区内居民的切身利益，要从居民群众最关心、最企盼解决的问题入手，为居民生活排忧解难。市、区、街道要建立健全社区服务中心或分中心，居委会建立服务站，形成四级网络，服务千家万户，方便居民生活。当前要突出搞好五个方面的服务，即面向社区广大居民的便民利民服务，面向社会特殊群体的社会福利服务，面向社区企业单位的以劳动就业和下岗安置为重点的社会性事务服务，面向外来暂住人口提供生活、工作便利的社会化服务以及以医疗、妇幼保健、健康教育、卫生防疫和计划生育为主要内容的社区卫生服务。要注意关心社区内特困住户，适时开展“送温暖、献爱心”活动。要建立和壮大社区志愿者服务队伍，大力倡导居民群众以自己的知识、技能和劳动，为社区、为他人提供服务。根据资源共享的原则，在社区倡导无偿服务，发展低偿和有偿服务，推动社区服务产业化。

5. 活跃社区文化。依托社区资源和人才优势，在街道和居民小区建立文化活动中心和活动站（室），组织专业和业余相结合的文艺团体，积极开展各种文娱活动，使广大居民在余暇时间里，通过唱歌、跳舞、书画、戏曲、读书等形式，丰富自己的文艺知识，获得高尚优美的精神享受。利用社区内学校、单位的体育设施和有限的活动场所，组织全民健身活动，开展争创“先进体育社区”工作。

6. 抓好“硬件”建设。要逐年加大对文明社区建设的投入，切实加强社区基础设施建设，为提高居民生活质量创造良好的物质条件。城市规划部门要将文明社区建设项目纳入城市建设规划中，在新区建设和旧区改造中，要将社区服务设施和社区文体设施项目纳入公共设施配套建设规划，严格按规划执行。街道、居委会社区服务用房要按一定标准进行规划和建设。市、区两级财政都应安排专项资金，用于本级社区服务的基础设施和对街道、居委会、社会各界兴办的社会福利设施、文体设施和机构予以扶助，保证文明社区建设健康发展。

三、积极探索创建文明社区的有效途径

1. 动员社区群众广泛参与。从群众的切身利益和实际需要出发，精心设计群众乐于参与、易见实效的活动载体，把群众参与程度和满意程度，作为检验社区精神文明建设成效的重要标准。引导群众自我教育、自我管理、自我服务，参与创建活动，“住小区、爱小区、建小区、管小区”，充分发挥群众在创建文明社区中的主体作用。

2. 以创建文明小区为基础，大力推进文明社区建设。中小城市要重点抓好文明小区建设。文明社区必须有80%的文明小区。

3. 积极推进社区共建活动。社区内的党政机关、团体、部队、学校、企事业单位要积极参加文明社区创建活动。要大胆探索社区共建的组织形式和活动办法，提高社区共建的质量和参与度。大力开发社区的设施、人才、信息等资源，认真开展社区与单位之间互惠互利的双向服务，提倡区内单位将文化体育设施，在双休日和空闲时间向社区居民开放，实现资源共享，发挥整体优势。

4. 改革和理顺城市管理体制。按照“两级政府、三级管理、四级网络”的思想，改革和完善社区体制、队伍。街道和居委会是文明社区建设的主体和依托，要规范街道、居委会的设置，解决好街道、居委会办公用房，理顺街道、居委会同小区物业管理的关系，落实好街道、居委会所需的人员和经费。要充分发挥共产党员在文明社区建设中的先锋模范作用。对组织关系不在街道、居委会的党员，要建立党员登记册，以“党员活动小组”等形式把党员组织起来，布置任务，提出要求，开展创建活动。要按照政治强、业务精、作风正的要求，培养一批善于做群众和社区工作的基层思想政治工作者，形成一支专业与兼职结合，素质较高的文明社区建设队伍。

5. 积极探索社区管理方式。各地要从实际出发，因地制宜，选择多样化的社区管理方式，可以选择由物业公司、街道办事处和单位的管理方式。

6. 对在创建文明社区活动中做出突出成绩的单位和个人进行表彰奖励。省文明委要制定评选办法与考核指标，加强检查和考评，省委、省政府每两年命名和表彰一次省级文明社区。今年文明社区建设要以“弘扬文明新风，共建美好家园”为主题，在大中城市开展“创建文明社区竞赛活动”，提倡每个社区要有一个社区服务中心，一个文体活动中心、一个街心花园、一所市民学校、一条精品路。各市在普遍开展创建文明社区的基础上，重点抓1—2个基础较好、有一定示范意义的文明社区。

四、切实加强对文明社区建设的领导

1. 各级党委、政府要十分重视文明社区建设。要把文明社区建设纳入各地的国民经济和社会发展计划，摆上议事日程，作为文明城市建设的重要载体和基础工程来抓。建立和完善党委统一领导，党政主要领导亲自抓，文明委协调指导，文明办组织推动，各方面分工负责，广大群众积极参与的领导体制和工作机制。社区设在街道，街道党委、办事处对创建文明社区工作负总责，建立由街道和驻社区单位主要领导，社区居民代表参加的创建文明社区工作协调领导小组，充分发挥其组织推动、检查督促的职能，全面落实创建文明社区的各项任务。社区下设居民小区，由居委会负责。要注意发挥居委会在创建文明小区、文明社区中组织动员居民群众积极参与和自我管理、自我服务、自我教育、自我约束的功能。

2. 建立和完善创建文明社区工作目标责任制。各地对创建文明社区不仅要作出总体规划，而且要有明确的阶段性目标和实施步骤，分阶段、有重点地推进。各单位、各部门要按照分工，各司其职，齐抓共管。层层分解任务，一级抓一级，做到创建有人分管，工作有人推进，措施有人落实，问题有人解决，确保各项任务落到实处，不走过场。

3. 认真抓好文明社区建设的宣传、发动、普及工作。省文明办在今年第二季度召开创建文明社区座谈会；编辑《文明社区建设指南》，举办骨干培训班；总结宣传文明社区建设中涌现出的先进典型和成功经验，发挥他们展示文明、传播文明、带动文明的示范导向作用。各地要利用新闻媒体和社区宣传阵地，大力宣传居民身边尊老爱幼、邻里互助、热心公益等先进典型，开展形式多样的学习先进活动，努力形成学习先进、崇尚先进的良好风气。

4. 城建、环保、民政、文化、绿化、卫生、体育、教育、宣传、综治等有关部门要分工协作，成立创建文明社区协调小组或建立联席会议制度。

2000年3月16日

广东省

文明社区评选办法与考核指标

（粤文明委〔2000〕2号）

社区是城市的细胞和基础，创建文明社区是创建文明城区、文明城市的基础性工程和重要组成部分。随着我省改革开放和社会主义现代化建设的深入发展，开展文明社区创建活动，有利于充分发挥社区具有的优势，把思想政治工作落实到基层；有利于提高社区管理和服务水平，改善城市居民的生活环境和生活质量；有利于深化创建文明城市活动，提高城市文明程度和公民素质。为了切实有效地推动这一创建活动深入开展，现将广东省文明社区评选办法与考核标准制定如下：

一、目标要求

创建文明社区是指以城市街道为单位，发动辖区所有的企事业单位和居民群众共同参与社区精神文明建设，形成资源共享、优势互补的整体合力的群众性创建精神文明的活动。文明社区现阶段应当达到的目标要求是：机制健全、环境优美、秩序优良、服务优质、教育广泛、文体活跃、风尚良好、共建普遍。

二、参评范围

全省列入建制的县（区）以上城市（含县区）的街道，都要开展创建文明社区活动。要制定创建总体规划，明确阶段性目标，以示范点带动全面，逐层推进，最终建成文明城区和文明城市。

三、考核标准

省级文明社区要符合下列标准：

（一）机制健全

1. 建立以街道党委和办事处为主导，以居委会为依托，社区内各单位齐抓共建，广大居民共同参与的创建机制。在街道建立由街道、驻区单位主要领导、社区居民代表参加的创建文明社区工作协调领导小组和建立办事机构。

2. 街道党委、办事处重视创建活动，对本社区精神文明建设负总责，创建文明社区活动列入街道工作目标管理内容，并把创建文明社区的成效作为考核领导班子和领导干部的重要依据。

3. 居民委员会组织健全，充分发挥居民群众自我管理、自我教育、自我服务的作用。

4. 建立健全社区投入机制，保证创建活动中“硬件”建设和“软件”建设不断得到发展。

5. 建立健全创建工作目标责任制和管理责任制。明确任务，责任到人；完善社区各项规章和制度建设，使创建工作有章可循、有序可遵、有条不紊；有完善的创建台账资料。

（二）环境优美

1. 重视环境、生态和资源保护，环境质量良好。社区内烟尘、废水、废气、废渣和噪音治理达到国家标准。居民住宅区无“七乱”（乱停乱放、乱摆乱卖、乱搭乱建、乱挖乱堆、乱丢乱吐、乱拉乱挂、乱张乱贴）现象，社区内外环境整洁、规范，门前“三包”落实。

2. 街容街貌整洁、美观。道路畅通，路面平整，主干道成为市容达标路。社区内路灯、公厕、垃圾收集转运等公共设施齐备、完好。户外广告及宣传品设施内容健康，外形美观，并按期维修、更新。

3. 制定《社区居民卫生公约》，开展创建卫生小区和居民楼院卫生达标活动，居民自觉参加公共卫生清扫活动，并形成制度。垃圾清理定人定时定点，沟渠通畅不积水，巷道平整水泥化，无卫生死角。居民不养家禽、家畜。消灭“四害”达到国家或省规定的标准。居民群众对社区清洁卫生有较高的满意率。

4. 绿化、美化布局合理。新建居民小区绿化、美化有规划、有投入，小区内有花坛、绿地，做到四季有花、四季常青，新建居民小区绿地率不低于30%，旧城改造的老居民小区绿地率不低于25%。主干道绿化带面积占道路总用地面积比例不少于20%；次干道不少于15%。旧区改造和老居民小区要结合实际，见缝插绿，发展立体绿化、家庭绿化和庭院绿化。社区内建设小广场或小公园，主要区域有雕塑或建筑小品，精心构筑街景文化，形成效果良好的景观。社区内各类单位的绿化指标要按照《广东省城市绿化条例》执行。

（三）秩序优良

1. 社会治安综合治理领导责任制落实。群防群治组织健全，专、兼职治安联防队伍人员落实，值班、巡逻人员到位，活动正常、防火、防盗、防事故措施落实。

2. 社会治安综合治理措施有力。社区治安秩序良好，没有发生严重影响社会稳定的政治事件、突发性事件和群体性事件。居民有较高的安全感。

3. 法制宣传教育坚持不懈，形式多样。人人知法、守法、依法办事，自觉地同违法犯罪行为作斗争。社区民事纠纷减少，刑释解教人员安置帮教工作落实，对出租屋、流动人口的管理制度健全，措施落实。

4. 积极开展创建安全小区活动。安全小区覆盖率达70%、达标率达40%，居民对创建安全小区活动的知晓率达70%以上。

（四）服务优质

1. 社区服务网络健全，服务网点布局合理。街道至少有一所建筑面积每千人10平方米以上的多功能社区服务中心，或者具有养老、助残、医疗康复、青少年活动和托幼等功能的社区服务站，做到服务项目齐全，服务内容丰富、服务形式多样、服务措施落实。新建居民小区推行物业化管理，工作人员挂牌服务，培训上岗，作到科学管理，服务到位。

2. 社区便民利民设施不断完善。因地制宜办好托儿所、敬老院、福利院、服务站、便民商店等街道、居委会兴办的便民利民服务网点，每千个居民至少拥有2个以上网点，便民服务活动活跃，效果明显，社区受益，居民对社区服务的满意率达到60%以上。

3. 积极开展社区互助。建立社区服务志愿者队伍，定期开展为民服务活动，社区服务志愿者登记注册的人数达到本社区居民的1%；80%以上的志愿者每月义务服务不少于2次。对孤寡老人、优抚对象、残疾人员实行综合包户服务，为民排忧解难。

4. 多渠道解决下岗职工、待业人员的就业问题，再就业安置率达80%以上。

（五）教育广泛

1. 社区教育机构健全，制度完善，有一支专、兼职结合的社区教育骨干队伍，社区教育工作做到有目标、有计划、有步骤地开展。

2. 重视思想教育工作，把占领“八小时以外”的思想阵地作为社区教育的重点。社区内基层党校活动正常，广泛深入开展市民文明知识教育，不断提高市民的思想、道德、科学、文化素质。老年教育和再就业教育能满足老年人和下岗、待业人员的需求。

3. 社区内建立学校、家庭、社会三位一体的青少年教育网络。采取有效措施加强对中小学生的校外特别是寒暑假和双休日的教育和管理。通过多种形式丰富中小学生的课余生活，促进青少年身心健康。

4. 建立社区外来工和暂住人员的教育管理机制，健全组织机构，经常性开展普法教育和计划生育教育，宣传先进典型，重视示范引导，组织他们参与社区建设。对刑释解教人员从思想上、生活上给予关心，实行专人结对帮教。

（六）文体活跃

1. 经常组织开展丰富多彩、内容健康的文化体育活动，丰富居民的业余文化生活，陶冶居民情操。

2. 有文化、体育娱乐场所。社区设有墙报、阅报栏、图书馆（室）、文化体育中心和文化娱乐场馆，基本能满足居民群众的精神文化生活需求。

3. 社区内60%以上的单位和学校文体活动场地能向社区居民开放，形成资源共享、优势互补的格局。

4. 积极开展“扫黄打非”活动，抵制和禁止黄色、淫秽的文化制品。社区无计划外生育，无封建迷信活动、无聚众赌博现象。

（七）风尚良好

1. 思想政治工作进社区、入家庭。采取多种形式在社区、居民小区、楼院开展主题鲜明，富有特色，影响、教育面广的爱国主义、集体主义、社会主义思想教育和社会公德、职业道德、家庭美德教育，成效比较显著。

2. 广泛组织各类健康有益的社区公益活动。引导人们正确处理国家、集体、个人三者利益关系，大力倡导勤俭创业、热爱集体、爱护公物、见义勇为的社会风尚；形成互敬互爱、互相关心、互相帮助的良好人际关系。

3. 积极开展创建文明社区、文明小区、文明家庭、文明居民等群众性精神文明创建活动。社区内文明小区、文明单位、文明家庭、文明居民占有一定比例，家庭和睦、文明礼貌、遵纪守法、勤俭节约蔚成风气。

4. 倡导和树立健康、文明、科学的生活方式。实行计划生育，制定居民公约，开展“讲文明树新风”活动，清除封建主义、资本主义腐朽没落的生活方式影响。

（八）共建普遍

1. 社区共建活动普遍开展。积极争取驻社区各单位对创建活动的支持，建立由街道与各单位组成的共建协调组织，制定章程，落实分工，明确任务，加强管理。做到共建有目标、有计划、有措施、有检查、有评比、讲实效。

2. 多层次、多形式推进社区共建。从社区实际出发，开展军民共建、警民共建、厂街共建、校街共建、区域共建。作到优势互补，共同发展，不断提高社区共建的质量。

3. 社区共建的参与率达到60%以上。社区内各单位要把参与社区创建工作当做应尽的责任，以各种途径积极参与，支持社区建设。

4. 重视开发社区内的设施、人才、信息等资源。以社区共建的形式，开展社区与单位之间互惠互利的双向服务，实现资源共享，发挥整体优势。

市、县（市、区）级文明社区的标准，由各市、县（市、区）文明委参照本标准制定。

四、考核办法和命名表彰

文明社区的考评坚持四个“为主”、“两个”结合，即坚持以经常性工作为主，经常性检查督促为主，自查自检为主，自我申报为主；明查、暗查和抽查相结合，主管部门评估和文明委成员评议相结合。对入选的社区在该社区公示，并广泛征求社区居民的意见，力戒形式主义。

文明社区评选分省、市、县（市、区）三个层次。县（市、区）级文明社区由县（市、区）文明委负责组织评选；市级文明社区由市文明委组织评选；省级文明社区由市级文明委在符合考核标准的市级文明社区中择优推荐，经省文明委审核，再报请省委、省政府批准给予命名、表彰。

省级文明社区原则上每两年命名、表彰一次。具体工作由省文明办组织实施。

五、动态管理

被命名的文明社区，经复查后，符合标准的，仍保持荣誉称号。如发生严重问题或质量下降，命名机关及主管部门可根据情节轻重给予批评、警告、摘牌。

2000年3月16日

广东省
关于在全省广泛开展创建文明行业活动的意见

（粤文明委〔2000〕3号）

省直各行业、各市、县（区）精神文明建设委员会（领导小组）：

近年来，我省各行业、各地区党政领导，自觉坚持“两手抓，两手都要硬”的方针，重视行业精神文明建设，以“服务人民，奉献社会”为宗旨，以“为人民服务、树行业新风”为主题，以加强职业道德建设，纠正行业不正之风为重点，着力解决广大人民群众关注的热点问题，开展规范化服务，推广社会承诺活动，开展行风评议，促进了行业风气和社会风气的好转，涌现了一批创建文明行业的示范点和先进单位。为进一步巩固和发展创建成果，丰富创建内涵，扩大覆盖面，进一步促进我省两个文明建设的协调发展和社会的全面进步，根据中央文明委和省委、省政府的部署，省精神文明建设委员会决定在全省各行业、各地区开展创建文明行业的活动。现就我省广泛开展创建文明行业活动提出如下意见：

一、充分认识深入开展创建文明行业活动的重要性和迫切性

党的十四届六中全会《决议》指出：“要以服务人民、奉献社会为宗旨，开展创建文明行业的活动。”创建文明行业是我省开展职业道德建设的有效载体，是创建“文明窗口”的延伸和发展，具有重大的现实意义。

创建文明行业是提高社会文明程度的一项基础工程。一个行业干部职工的职业素质、道德水平、服务质量和精神状况，不但直接反映了这个行业的文明程度，而且对整个社会的文明程度产生了巨大的影响。廉洁、高效、公平、公正的党政机关、执法部门，对社会具有巨大的示范作用，而社会公共服务行业则是社会文明的一个“窗口”，对社会文明具有辐射作用。在今后的一段时间里，我们每年建成几个文明行业，经过一段时间的努力，建成一批文明行业，就能从整体上提高广东的社会文明水平。因此，创建文明行业是提高整个社会文明程度不可缺少的组成部分。

创建文明行业是适应社会主义市场经济发展要求，行业生存和发展的必然选择。市场经济是竞争经济，也是法制经济、道德经济。市场经济的实践表明，一个行业和单位，要在激烈的市场竞争中生存和发展，就要有高素质的队伍，高品质的产品和优质高效的服务。各行各业，特别是生产经营行业，在市场经济条件下，其生产经营、服务质量、工作业绩，都与自身队伍的文化技术素质、法制观念、道德水平密切相关，相互制约、相互促进。创建文明行业，有利于提高行业干部职工的思想道德素质和科学文化素质，有利于树立行业在社会上的良好形象，有利于提高行业的经济效益和社会效益。

创建文明行业是广大人民群众的迫切愿望，树立党和政府良好形象的迫切需要。党政机关和社会服务行业是直接面向社会，服务人民，与广大人民群众的生产、工作、生活息息相关的“窗口”。从一定意义上讲，人民群众就是通过这个窗口的建设状况和服务水平的高低来评价行业的文明程度，评价社会的文明风尚。行业的风气搞得好不好，服务水平高不高，不仅直接影响自身形象，而且关系到党和政府的形象，关系到党和政府与人民群众的联系。随着社会主义现代化建设的发展和市场经济体制的完善，各行各业也面临着新的挑战，人民群众和社会各界对行业的要求也更高了。但是，我们的行业仍然在不同程度上存在一些不正之风，群众迫切要求进一步地解决。创建文明行业是纠正行业不正之风，塑造行业良好形象的有效途径。创建文明行业，从与群众密切、容易产生不正之风的工作部位和环节入手，标本兼治，寓纠于建，把刹风整纪、端正行风变作为重要工作，是抵御不正之风，提高行业文明程度的有效措施之一。

创建文明行业，树立行业新风，是坚持以经济建设为中心，促进两个文明协调发展的重要举措；是增强职工素质，提高服务质量的有效途径；是各行各业适应市场经济发展，在市场竞争中求生存，求发展的必然选择。各地区、各行业一定要充分认识开展创建文明行业的迫切性，提高认识，总结经验，找出薄弱环节，采取切实可行的措施，扎扎实实地开展创建文明行业的活动。

二、以“三个代表”为指导，突出重点，加大创建文明行业的力度

创建文明行业要以江泽民总书记提出的“三个代表”即体现中国先进生产力的发展要求、中国先进文化的前进方向、中国最广大人民的根本利益作为指导思想，以服务人民、奉献社会为宗旨，以加强职业道德建设为主题，以推广优质规范化服务为重点，以纠正行业不正之风，解决群众不满意问题为突破口，以健全监督机制为保障，以各种主题活动为载体，为民办好事、实事，以点带线，以线带面，全面提高行业整体素质，促进两个文明协调发展。

创建文明行业要突出重点，抓好职业道德教育、规范化服务和行风评议三大环节，抓好如下的几个问题：

1. 以职业道德建设为主题，大力倡导爱岗敬业、诚实守信、办事公道、服务群众、奉献社会的职业道德。职业道德建设要以为人民服务、奉献社会为核心，提倡乐业意识、敬业意识、勤业意识、精业意识，提高职业修养，培养职业情感。要紧密结合日常业务工作，教育引导干部职工树立崇高的职业理想，养成良好的职业道德，掌握精湛的职业技能，遵守严格的职业纪律，以崭新的精神面貌投身改革开放和社会主义现代化建设事业。职业道德建设要从本行业的实际出发，对照先进典型开展“五查五摆”活动，即：查思想，摆是否牢固树立全心全意为人民服务的观念；查工作，摆是否尽职尽责，秉公办事；查作风，摆是否勤政为民、便民、利民，为群众办好事实事；查纪律，摆是否遵纪守法，依法办事；查制度，摆是否建立健全监督机制和职业规范。在“查摆”的基础上，针对本行业、本部门存在的问题，制定和落实整改措施。

2. 以推广优质规范服务为重点，提高服务水平。各行各业要从自身的行业特点出发，建立健全职业道德行为规范，制定各种服务守则和便民、利民、为民的措施，使广大干部职工言行有准则、管理有依据、考核有标准。要结合自身的实际，从文明用语、服饰着装、服务程序、服务行为、质量标准等方面入手，发动群众制订简明具体、易于操作、便于考核的规范化服务标准，使人民群众对服务态度满意、服务质量满意、服务效率满意，服务环境满意。推广规范化服务，要从窗口单位和重点部位抓起，从基层单位、基础管理、基本素质抓起，大力推广规范服务、延伸服务、承诺服务、名牌服务，营造“服务人民，奉献社会”的满意大环境。

3. 以加强科学管理、健全监督机制为保障，端正行风。要把创建文明行业、文明单位寓于企业的管理之中。一方面要从建立健全企业内部规章制度抓起，把创建活动的各项任务融入企业管理过程，努力形成一套严格、规范、有效的管理机制，从而保证创建活动落到实处。另一方面要自觉接受社会和群众的监督，建立和完善“两公开一监督”（公开办事程序、公开办事结果，接受群众监督）制度，公开各项服务承诺、办事程序及监督电话，完善义务监督员、问卷调查、征询意见、发挥新闻舆论监督作用的制度，让外部压力变成做好企业内部各项工作的动力。对容易滋生不正之风的关键岗位和薄弱环节，要综合运用行政、法律、经济等多种手段，从制度、管理等方面采取有效措施，堵塞漏洞，防患于未然。要开展经常性的行风评议，以群众满意不满意、答应不答应、认可不认可为主要标准，重点评议行业的职业道德建设、行业新风建设和解决群众反映的热点、难点问题的实际效果。为加强社会监督，今后每年省文明办将组织一次行风和服务质量的评议，如实反映广大人民群众的意见和要求，帮助各行各业改进工作。

4. 采取有力措施，切实解决广大人民群众迫切要求解决的“热点”问题。当前，要着重解决广大人民群众反映强烈的突出问题，党政机关要以反腐败为重点，重点解决以权谋私，脱离群众的问题。在国家公务员中开展“做人民满意的公务员”活动，促进机关作风的转变，强化“领导就是服务”的意识，养成以身作则、严于律己的道德风范，树立艰苦创业的道德精神，促进党政机关形成廉洁、高效、务实的良好风气。行政执法部门要切实解决滥用职权、弄权勒卡、以权谋私、办事拖拉等问题，树立公正、廉洁、爱民的新形象。生产经营行业和社会公共服务行业要重点解决损害群众利益的不正之风，解决不良的经营作风，克服“生、冷、硬、顶”和“假、冒、伪、劣”等问题，树立服务为本、优质取胜、群众满意的良好风气。

5. 以主题活动为载体，吸引职工广泛参与。要精心谋划主题鲜明、目标明确、社会影响大、群众参与广的创建活动载体。近年来广泛开展的“创三优”、“满意在窗口”、“友爱在车厢”、“规范服务达标”、“百城万店无假货”、“社会服务承诺”等行之有效的创建活动，要继续加以深化。同时，要结合形势，注重创造新的形式，拓宽创建内容，紧紧围绕经济建设，贴紧业务工作，把群众的要求和关心的问题作为创建活动的重点，每年办几件影响大、作用大的实事。

6. 要从直接影响党风、社会风气的关键性、垄断性行业抓起，从与群众生产生活密切相关的窗口单位和执法部门抓起，从基层“窗口”单位抓起，用良好的行风带动整个社会风气的好转。电力、教育、气象、电信、邮政、商业、城建、交通、卫生等行业和公检法司、工商、税务、城管等执法部门，作为推广规范化服务的重点行业和单位要加大工作力度，提高创建水平，走在全省的前列。各行各业都要从本行业实际出发，从重点单位和重点岗位入手，从爱岗敬业抓起，从示范窗口抓起，巩固提高，示范带动，梯式推进，延伸拓展。

三、切实加强领导，条块结合，齐抓共管，把创建文明行业的各项工作落到实处

各行业、各地党政领导要亲自抓，要把创建文明行业纳入两个文明建设全局性的目标和任务，一起研究，一起部署，一起落实，一起检查。要建立健全精神文明建设领导小组及其办事机构。要制定具体可行的创建文明行业、文明单位长远规划和工作安排，把创建目标量化、细化，层层分解到部门和责任人。

创建文明行业，要在各级党委、政府统一领导下，分工协作，发挥行业和地方两个积极性，本着谁主管谁负责的原则，建立健全领导责任制和目标管理责任制，努力形成条块结合、分工负责、上下联动、各方参与的工作格局。各地、各行业在开展这项工作时，都要坚持以行业管理为主、属地管理为辅、条块结合的组织形式进行。

在创建文明行业活动中，要办实事、求实效，想群众之所想，急群众之所急，干群众之所需，切忌形式主义，力求创建活动扎扎实实，富有成效。要坚持从基层单位抓起，从“窗口示范点”抓起，坚持典型引路，以点带面、整体推进。各地、各行业也要在抓先行点的基础上，在积累经验的基础上，全面推开。

此项活动由省精神文明建设委员会统一组织领导，省文明办负责日常协调工作。各市地的工作在市县委的统一领导下，由市文明委负责落实。各地各行业开展创建文明行业活动的有关情况要及时向省文明办报告。

附：《广东省创建文明行业考核标准和评比办法》

2000年6月5日

附件：

广东省创建文明行业考核标准和评选办法

创建文明行业，是党的十四届六中全会《决议》提出的“三大创建”任务之一，是加强行业两个文明建设的重要载体，为确保这项活动规范进行，健康发展，特制定本办法。

一、总则

文明行业是指全行业社会主义物质文明建设和精神文明建设都取得显著成绩，社会公认，由县以上党委、政府授予的综合性荣誉称号。

创建文明行业要以邓小平理论和党的基本路线为指导，以服务人民、奉献社会为宗旨，以尽职业责任、讲职业道德、守职业纪律、懂职业技能、树行业新风为主要内容，着力于提高全行业职工的思想道德素质和科学文化素质，着力于全行业两个文明建设总体水平和文明程度，着力于形成新型的人际关系和良好的社会风尚。

全省各行业都要积极创建文明行业，尤其是“窗口”服务行业、执法部门和党委、政府职能部门要带头搞好创建活动。

文明行业创建要以行业自建为主，主管部门要加强领导，各级文明办要予以指导和检查。文明行业分为省级和地市、县级，实行分级创建命名和管理。

二、考核标准

（一）组织领导好

1. 行业党政领导在思想上、政治上同党中央保持高度一致，模范执行党和国家的方针政策；坚持两个文明一起抓，开拓进取，团结一致，求实创新，廉洁自律，以身作则；努力完成党委、政府交付的各项任务，工作成绩处于当地同行业的前列。

2. 精神文明建设纳入行业发展整体规划，做到两个文明建设同部署、同落实、同检查、同考核、同奖罚。

3. 措施得力。行业精神文明建设领导小组及其办事机构，有经费、有制度、有目标、有规划、有活动。

（二）思想道德好

1. 坚持用邓小平理论武装干部职工，经常不断地开展各种思想教育活动，弘扬爱国主义、集体主义和社会主义精神，调动干部职工的工作积极性。

2. 职业道德教育有规划、有阵地、有教材、有专人抓，做到经常化、制度化，全行业基本形成爱岗敬业、诚实守信、办事公道、服务群众、奉献社会的职业道德风尚。

3. 有健全的行业职业道德规章制度和良好的生产、经营、工作、生活秩序。

4. 诚实守信、遵纪守法。无生产经销假冒伪劣产品，无重大事故，无偷税漏税，无违反财经纪律，无歧视虐待妇孺老幼现象，无重大疫情，无封建迷信、聚众赌博和传播淫秽物品现象。

（三）创建活动好

1. 积极开展文明行业创建活动，创建工作有计划、有安排、有措施、有实效。组织健全、制度完善、经费落实。

2. 优质规范服务“窗口”达标单位要达到本行业“窗口”单位总数的80%；全行业应有80%以上的基层单位进入县、市、省级文明单位或先进单位和本系统的文明单位的行列。

3. 在创建文明城、卫生城、双拥模范城等活动中发挥了行业作用，得到地方党委、政府的肯定，树立了良好的行业形象。

（四）优质服务好

1. 经营思想正确，服务态度端正，服务用语文明，服务程序规范，服务技能过硬，服务纪律严明。

2. 服务规章齐全，服务设施完善，服务环境优美，服务用具用品齐全，便民措施得力。

3. 服务人员挂牌上岗，衣着整洁、仪态端庄、热情周到、有问必答、童叟无欺。

4. 办事程序公开、监督保障措施完善，纪律严格，奖罚分明。

5. 行业内部监督和社会监督机制健全，措施得力，监督效果明显，群众满意和基本满意率达到80%以上。

（五）综合治理好

1. 法制教育形成制度，教育活动形式多样，完成上级规定的普法任务，职工的法律意识和法制观念不断增强，知法、懂法、守法形成风气。

2. 社会治安综合治理组织落实、措施落实、制度落实、工作落实。社会治安秩序良好。

3. 执行国家法律、法规和规章，计划生育，“四率”达标，无集体上访，无重大刑事案件、治安案件。

4. 工作纪律严明、安全生产落实，无重大的工伤事故和责任事故。

（六）文化生活好

1. 文化活动阵地、设施建设得到加强，85%以上的基层单位文化活动设施基本齐全，并充分发挥作用。

2. 有计划地组织干部职工参加各种形式的文化、技术、管理业务学习，每年岗位培训人数占职工总数的1/4，职工的服务技能和服务水平不断提高。

3. 群众性文体活动经常开展，职工业余文化生活比较丰富，职工生活文明健康。

（七）环境卫生好

1. 建立健全卫生管理制度，经常开展爱国卫生运动，门内达标，门前“三包”（包卫生、包绿化、包秩序）责任制落实。

2. 基层单位营业、服务工作场所布局合理，环境卫生整洁，柜窗、招牌、货架等整齐美观。机关办公室卫生干净，用具摆放有序，窗明几净。

3. 积极搞好绿化、美化，完成上级下达的植树造林任务，10%的基层单位建成园林化单位。基层单位环境保护符合国家规定要求。

（八）生产效益好

1. 行业中，属于生产经营性单位的，要适应社会主义市场经济的发展，实行科学民主管理，不断推进技术进步，社会效益和经济效益稳步提高，主要经济发展指标达到全国同行业的先进水平。属于非生产经营性单位的，内部管理严格、科学，工作效率高，便民利民为民措施落实，优质服务，社会效益显著，达到全国同行业的先进水平，社会各界和人民群众反映良好。

2. 发挥行业特点，扩大经营范围，增加服务项目，切实解决群众关心的热点、难点问题，成绩突出，受到社会和群众的好评。

3. 经济效益和社会效益明显增长，工作效率和工作质量显著提高，完成各项经济指标和业务工作任务。

凡发生下列情况之一的，实行一票否决：

（1）领导班子主要成员受到党内和行政撤职以上处分或追究刑事责任的；

（2）发生重大责任事故，给国家、集体和人民群众造成重大损害和损失的；

（3）行业内发生大案要案，严重影响行业形象的。

三、评选办法

1. 自我申报。凡行业按照文明行业评比条件自查达标后，向同级精神文明建设委员会申报。文明行业的考核验收，由同级文明委办公室组织相关部门进行。

2. 群众评议。在大众传媒上公布申报单位创建文明行业的达标情况，让群众评议。

3. 随机抽样调查，进行行风评议，了解群众的满意度。

4. 明查暗访、实地考察，了解职业道德状况和服务质量。

5. 集体审核，把各项考核情况上报文明委审核，最后报省、市、县（区）党委、政府审批。

四、命名表彰

考核验收合格后，由同级精神文明建设指导委员会审查同意，报同级党委、政府批准，授予“文明行业”或“创建文明行业先进单位”称号，颁发证书、奖牌，进行表彰，并向社会公布。

省级文明行业每两年命名、表彰一次。分两个档次命名表彰。第一档次为广东省文明行业，第二个档次为广东省创建文明行业先进单位。

五、动态管理

文明行业实行主管部门和地方共同管理。各级文明办对创建活动予以指导。

文明行业实行复查制度。凡被命名的文明行业，由同级文明办会同有关部门每两年组织一次复查。经复查符合条件的保持文明行业称号。对放松管理，工作质量和创建水平明显下降或出现严重问题的，分别给予警告、通报批评并限期整改、撤销称号处理。撤销称号的收回奖牌，并向社会公布。撤销称号的行业两年后达到条件的可重新申报。

本办法从下发之日起执行。凡以前有与本办法不符的，以本办法为准。由广东省精神文明建设委员会办公室负责解释。

2000年6月5日

重　庆　市

文明街道创建活动的意见

（渝委办〔2000〕28号）

为了更好地加强城镇精神文明建设，美化城市环境，改善市容市貌，塑造新重庆的良好形象，市委、市政府同意：在全市开展文明街道创建活动。现将文明街道创建活动的有关事宜通知如下：

一、指导思想

以邓小平理论为指导，坚持党的基本路线和基本方针，贯彻党的十五大精神和十四届六中全会精神以及市委一届六次全委（扩大）会议精神，努力提高市民的思想道德和科学文化素质，大力整治街容街貌，净化绿化美化城市，倡导社会新风，优化社会投资环境，塑造新重庆新形象，推动重庆经济社会快速发展。

二、评选标准

第一条　创建组织健全。创建文明街道组织健全并能积极开展工作，责任落实，街道环卫、治安、交通、公用设施等有专人负责管理。

第二条　实行责任街制。各区县（自治县、市）必须有两条文明街道创建责任街，每条责任街由一个部门或单位负责承包落实其创建工作，责任街上树立责任单位的责任标志牌。

第三条　社会公德良好。街道和公共场所树立《市民公约》和《七不规范》宣传牌。街道居民、服务人员、行人遵纪守法，遵守公共秩序、爱护公物、文明礼貌、讲究卫生、救死扶伤、维护社会安定，无危害公共秩序、公共设施、公共安全和公共卫生的现象。

第四条　环境卫生清洁。门前“三包”落实，道路平整清洁，人行便道硬化绿化，临街铺面、楼组门窗亮化净化、绿化美化达标，店名、广告、标牌整齐清晰美观，用字规范。排水道、垃圾桶等环卫设施齐全。无乱堆乱放、乱贴乱画现象。

第五条　交通秩序优良。交通设施完好，有监控设施，沿街道路畅通，摊贩入市，无乱摆摊点、占道经营，机动车、非机动车、人行道分离各行其道，基本无违反交通规则、行人乱穿道路现象。

第六条　安全防范有力。有健全的治保组织和制度措施，沿街单位形成共建安全网络，综合治理达标。刑事案件、民事纠纷逐年减少，居民行人有安全感。

第七条　服务优质规范。街道商业场店具有完善的便民服务措施，从业人员严格遵守职业道德，服务热情规范，文明用语普及，商品明码标价，无假冒伪劣和欺诈顾客现象。

第八条　创建氛围浓厚。街道两旁有创建文明街道的标志（标示）牌，临街门店、巷口有文明公约、市民守则，有公益性、警示性的文字广告灯。创建活动开展经常，文明单位创建扎实有效，活动规模、时间、内容有记载，档案齐全。

三、评比表彰

1.申报：凡按文明街道的标准制定创建规划，落实创建措施，创建工作取得显著成效，符合评选标准的街道，经区（市）文明委考核同意后，由当地文明委以书面形式正式向市文明委申报；

2. 考核：市文明委组织有关部门对申报的街道进行考核评选；

3. 表彰：评选结果经市文明委审核，报市委、市政府批准后，对申报的文明街道予以命名，对创建文明街道的责任单位予以表彰。

四、活动要求

1. 各区县（自治县、市）党政领导要高度重视创建活动，把创建文明街道作为本地区两个文明建设的重要任务，纳入目标管理，加强领导，及时召开有关部门协调会，分解任务，落实责任，建立责任街，保证创建活动的顺利开展。

2. 各区县（自治县、市）文明办要在当地党委、政府领导下，认真制定创建规划和措施，精心组织，广泛发动，务求实效，扎扎实实地做好文明街道创建活动的组织、协调、推荐工作。

3. 各有关部门要密切配合，互相支持，积极参与文明街道创建活动。各新闻单位要加强宣传报道。

请各地接通知后，按照通知要求，认真落实文明街道创建的各项任务，于3月前向市文明办上报创建规划。

2000年2月13日

重庆市

开展文明行业创建活动的意见

（渝委办〔2000〕31号）

为了深入贯彻党的十五大和十四届六中全会精神，加强文明行业建设，努力提高各行各业服务工作水平，为改革发展稳定创造良好服务环境，决定在全市深入开展创建文明行业活动。

一、指导思想

以邓小平理论为指导，以服务人民、奉献社会为宗旨，以职业理想、职业道德、职业纪律、职业技能教育为基础，广泛开展多种形式的文明行业创建活动，推广和深化规范服务、社会承诺，提高从业人员的思想道德素质、科学文化素质、业务工作能力和优质服务水平，倡导行业新风、塑造文明形象，促进行业精神文明建设，为我市的经济发展和社会的全面进步创造良好的条件。

二、创建内容

1. 建立领导机制，明确工作目标。建立精神文明建设任期目标责任制，形成一把手亲自抓、分管领导具体抓、各方面齐抓共管的工作格局。制定创建文明行业的长远规划和近期目标，职责明确，措施得力，任务落实。建立有效的创建文明行业运行机制，精神文明创建活动有可靠的物质保障。社会效益和经济效益稳步提高，主要业务工作指标达到同行业先进水平。

2. 强化思想教育，树立行业新风。坚持开展经常化、制度化、主题突出的思想道德教育和科学文化教育，扎实培育以服务对象为中心，以满足社会需求为己任的社会主义职业观。加强职业理想、职业责任、职业纪律、职业技能教育和培训，有规划、有阵地、有教材、有活动。总结、宣传、学习先进典型，积极倡导和培育爱岗敬业、诚实守信、办事公道、服务群众、奉献社会的精神。注重文化建设，营造健康向上的文化氛围。切实解决群众关心、反映强烈的“热点”、“难点”问题，树立良好的行业风气。

3. 规范办事程序，实现优质服务。深入开展行业规范化服务活动，建立健全职业道德规范和各项规章制度，规范工作程序，严明岗位责任和工作标准，建立强有力的内外监督约束机制。积极推行社会服务承诺制，严格实现各项规章制度和向社会的各项承诺，切实改善服务态度，提高办事效率，杜绝“冷硬顶推”、“吃拿卡要”和“假冒伪劣”等不良现象。群众对行业工作和服务质量满意率不断提高。

4. 创造优美环境，营造文明氛围。重视行业单位的环境建设，有环境建设工作目标、制度、保障，有文明宣传牌。坚持开展净化、绿化、美化工作。工作条件逐步改善，服务设施逐步配套，各项工作秩序井然。

5. 履行社会责任，提高综合效益。坚持不懈、扎实有效地抓好文明单位创建工作，积极参与文明城区、文明街道创建和地方共建活动，关心、支持公益事业。广泛开展普法教育和行业依法治理，从业人员自觉用法律规范自己的言行。无重大责任事故，无治安刑事案件，无计划外生育。

三、参加范围

电信、邮政、工商、地税、国税、公安、交警、气象、电力、公用、民政、交通、旅游、铁路、卫生、商贸、检察院、法院、民航、水运、中国银行、工商银行、农业银行、建设银行、人寿保险、财产保险、新闻出版、文化等窗口服务行业和执法部门。

四、考评方法和程序

创建活动采取自评、互评、群众评议和社会公开评议相结合的办法进行。首先由参评行业的主管部门按照创建内容组织进行自查自评，然后，市文明办会同有关部门组成考察组，采取走访察看、随机抽样、问卷调查、职工座谈，组织参评行业相互评议，征求人大代表、政协委员意见等方式，对参评行业进行全面检查和综合评议。

五、创建标准及表彰办法

1. 文明行业。参与创建的行业各级文明单位占基层单位总数达 90% 以上，市级文明单位达 60%以上，行业主管部门必须是市级文明单位，符合创建标准，由市委、市政府命名为市级文明行业。

2. 创建文明行业先进单位。参与创建的行业文明单位未达上述要求但成绩比较突出，市文明委根据考评结果授予创建文明行业先进单位称号。

3. 文明行业示范窗口。市文明委对创建工作取得突出成效的行业窗口授予文明行业示范窗口称号。

4. 获重庆市文明行业的单位按人均一个半月的标准发给奖金。企业所发奖金进入生产成本，行政、事业单位的奖金在包干经费中列支。

六、组织领导

各地、各行业要从贯彻落实党的十五大和十四届六中全会精神的高度，从全面推进经济社会发展的高度，充分认识创建文明行业的重要性，认真研究，精心组织，强化措施，加强指导。各有关职能部门要把创建文明行业活动列入行业发展的总体规划，做到创建工作、文明管理与业务工作一起部署、一起检查、一起考核、一起奖罚。要根据市里的统一部署，结合工作实际，制定详细具体的实施方案，将创建任务层层分解到有关部门和基层单位，实行班子成员分工负责制，各有关职能机构齐抓共管。创建活动中，要办实事，求实效，切忌形式主义，力求创建活动扎扎实实，富有成效。创建活动的时间、内容、规模、成效要有记载，档案齐全。

此项活动由市文明委统一组织领导，市文明办负责日常统筹协调工作，各行业主管部门负责落实。各行业创建活动的有关情况要及时向市文明办通报。

2000 年 2 月 13 日

贵州省
文明单位管理暂行办法

（黔文明委〔2000〕6号）

第一章　总　　则

第一条　为了加强社会主义精神文明建设，使群众性的精神文明创建活动经常化、制度化、规范化、科学化，把全省两个文明建设提高到新的水平，根据党的十四届六中全会精神和省委、省政府的有关要求，制定本办法。

第二条　创建文明单位的活动，是党的十一届三中全会以来广大人民群众在社会主义物质文明建设和精神文明建设的伟大实践中的一个创造，是对城乡实行综合治理，把两个文明建设落实到基层的有效形式，具有广泛的群众性和强大的生命力。

第三条　文明单位是在两个文明建设中取得突出成绩，在提高人们的思想道德素质和科学文化素质方面卓有成效，按照“属地管理、条块结合、逐级申报”的原则进行评选，由县级以上党委、政府进行命名表彰的先进单位。文明单位是同级或上级党委、政府授予的荣誉称号。红旗文明单位是文明单位中的标兵单位，是贵州省的最高荣誉称号。

第四条　申报文明单位必须是经济独立核算并能独立地承担权利和义务的各级国家机关、企事业单位、乡（镇、街道办事处）、行政村等。

第五条　文明单位的创建和管理工作，必须以邓小平理论为指导，坚持党的四项基本原则，坚持改革开放，坚持两手抓、两手都要硬的方针，以培养有理想、有道德、有文化、有纪律的社会主义公民为目标，以各种创建活动为载体，努力提高人的思想道德和科学文化素质。

第二章　文明单位的基本条件

第六条　文明单位必须具备以下基本条件：

（一）领导班子坚强有力，组织领导好。坚持以邓小平理论为指导，坚持四项基本原则，坚持两手抓、两手都要硬的方针，讲学习、讲政治、讲正气，分工负责、团结协调、开拓进取、廉洁勤政、作风民主，充分发挥党的领导核心作用和工、青、妇等群众组织的作用。

（二）坚持思想政治教育，道德风尚好。组织干部群众认真学习马列主义、毛泽东思想、邓小平理论，开展爱国主义、集体主义、社会主义和社会公德、职业道德，家庭美德的教育，引导干部群众树立正确的世界观、人生观、价值观。创建活动扎实推进，形成爱岗敬业、诚实守信、办事公道、服务群众、团结互助、奉献社会的良好风尚。

（三）业务工作扎实有效，工作业绩好。生产经营方向端正，实行科学民主管理，坚持质量第一，经济效益在当地处于领先地位。非生产性单位的工作效率高，服务（工作）质量好，成绩显著，贡献突出，达到全省同行业领先水平。搞好安全生产，伤亡率低于行业主管部门指标，无重大责任事故。

（四）注重科技文化教育，队伍素质好。重视智力投资，坚持对职工进行职业技术和科学文化知识培训，不断提高干部群众的科学文化素质。倡导文明、健康、科学的生活方式，开展丰富多彩、健康有益的文体活动。

（五）社会治安措施落实，遵纪守法好。民主与法制宣传教育经常化、制度化，群众遵纪守法、勇于同各种危害社会秩序的行为作斗争。社会治安综合治理措施落实，治安防范网络健全。无重大恶性案件、无严重违法违纪案件。赌博、迷信、大操大办婚丧等问题得到有力制止。道路平整，设施完备，畅通无阻。提倡优生、优育，杜绝违反有关计划生育政策和法规的现象。

（六）洁净绿美设施完善，环境建设好。单位内外环境整洁，设施完善，因地制宜绿化、美化，处于本地本行业（系统）前列。“三废”治理达到省环保标准。

第七条 各地区、各行业可根据文明单位基本标准和本地区、本行业的实际情况制定实施细则，提出具体标准和量化指标。

第三章 文明单位建设

第八条 要根据文明单位的条件，结合本行业的职业特点和本单位的实际情况，制定创建文明单位的规划，由职工代表大会或群众大会讨论通过，使之成为本单位干部、群众的共同任务和奋斗目标。

第九条 目标规划，任务具体，落实到基层、岗位和职工，制定切实可行的措施和完成的期限，定期进行检查。

第十条 教育职工树立创建文明单位的意识，使每个职工了解本单位创建文明单位的规划和目标，了解本部门、本车间、本班组、本岗位的具体任务和措施，把自己的本职工作纳入到整个创建文明单位活动中去。

第十一条 加强文化阵地建设，为职工提供良好的生产、生活环境，坚持开展创建文明车间（科室）、文明班组、文明岗位、文明楼院、文明家庭以及争做文明职工等活动。

第十二条 要本着“自愿结合、因地制宜、互助互惠”的原则，开展军（警）民共建、城乡共建、工农共建等各类共建活动。共建各方有共建协议，定有共建规划，落实共建措施有力。

第四章 文明单位的评选和命名

第十三条 文明单位的评选和命名要严格掌握标准，推行竞争机制，坚持优胜劣汰。按照自愿申报和组织推荐相结合，主管部门考核和群众评议、舆论监督相结合，日常考核和年终检查相结合以及条块相结合的原则，增强评选工作的透明度和公开性，确保评选质量。

第十四条 省级文明单位原则上每四年评选一次，地（州、市）级文明单位和县（区）级文明单位原则上每两年评选一次。

第十五条 文明单位的申报。凡按照文明单位标准，制定创建规划、落实创建措施、持续开展创建活动两年以上并取得显著成效的单位，可按照行政隶属关系向所在地区、系统的精神文明建设指导委员会办公室提出书面申请。

党或行政关系隶属贵州而地处外地的单位，党组织关系在贵州的中央部委及外省市驻黔单位和委托贵州代管的单位，在黔的三资企业，可以申请参加所在地区或系统的评选。

企业的车间、分厂、机关的处室，自然村寨，街道居委会，乡镇及科级以下单位（行政村除外），村办企业及30人以下的商店、旅馆等单位，原则上不列入省级文明单位的评选范围。

第十六条 文明单位原则上由省、地（州、市）、县（市、区、特区）三级命名。

县（区）级文明单位，由乡镇、街道、公司或相当这一级的党政主管部门从申报的单位中择优选拔，经县（区）精神文明指导委员会审核后，报请同级党委、政府命名。

地（州、市）级文明单位，由县（市、区）精神文明建设指导委员会从县（区）文明单位中择优选拔，经地（州、市）精神文明建设指导委员会审核后，报请地（州、市）党委、政府（行署）命名。

省级文明单位，由地（州、市）精神文明建设指导委员会从地（州、市）级文明单位中择优选拔，经省精神文明建设指导委员会审核后，报请省委、省政府命名。

第十七条 文明单位的命名一般要逐级升格。省级文明单位一般应在地（州、市）级文明单位中产生。但有特殊情况或者成绩特别突出的单位，经省文明委审核并报省委、省政府批准，可破格命名为省级文明单位。

第五章 文明单位的表彰与奖励

第十八条 文明单位实行“精神奖励为主，物质奖励为辅”的奖励原则。

第十九条 文明单位分别由批准、命名机关发文通报表彰并授予相应称号的牌匾和证书。

第二十条 对文明单位的表彰实行申报制度，凡命名表彰文明单位须逐级进行申报。

第六章 文明单位的管理

第二十一条 各级党委和政府要进一步加强对文明单位建设活动的领导。被命名的文明单位要再接再厉，不断完善和发展。各级精神文明建设指导委员会及其办公室，要做好文明单位创建活动的组织、协调、监督、指导工作和文明单位的检查、验收、评选、表彰及日常管理工作。

第二十二条 文明单位的管理原则上实行条块结合、分级管理。省级文明单位和地（州、市）级文明单位委托所在县（区）的精神文明建设指导委员会及其办公室管理。

第二十三条 对文明单位的日常管理包括：

（一）建立文明单位档案制度。档案内容：创建规划，申报文书，审批表格，检查考核记录，年度工作总结，奖惩记录，群众和社会各界的反映。

（二）指导基层单位建立健全组织机构，督促制定年度创建计划。

（三）监督检查文明单位创建活动的进展情况。

（四）总结推广文明单位的先进经验和先进典型，组织开展理论研讨活动。

（五）沟通文明单位之间的横向联系，协调文明单位与其他部门、地区间的共建、联建活动。

（六）对不符合文明单位标准或发生严重问题的单位给予批评、教育和处理。

（七）制定本地区、本系统文明单位的标准、创建规划和实施办法。组织、协调本地区、本系统各类群众性精神文明活动。

（八）有条件的地区、行业可依据系统工程和目标管理的原则，进行科学、系统的管理和指导，并在实践中不断加以完善。

第二十四条 各级精神文明建设指导委员会（领导小组）办公室，可组织当地人大代表、政协委员和文明委成员单位或新闻媒体对管辖内的文明单位进行视察和检查考核。要在单位自查的基础上至少每年复查一次。日常考核结果计入年终考核成绩，如果一些单项工作已经业务、技术部门同期检查合格并有证明材料，可不复查。

第二十五条 文明单位要自觉接受社会和群众的监督，主动听取，收集群众的意见。对存在的问题要采取有效措施，及时整改。

第二十六条 文明单位工作下降或发生严重问题，命名机关及其主管部门可根据情节轻重，给予批评教育、限期整改、撤销文明单位称号的处分。

第二十七条 撤销文明单位荣誉称号的权力分别由相应的命名机关行使。省级文明单位的撤销程序：由所在县（区）精神文明建设指导委员会调查核实后，逐级报地（州、市）级和省精神文明建设指导委员会审核；省精神文明建设指导委员会审核后，报请省委、省政府批准，作出撤销决定。特殊情况，省精神文明建设指导委员会可直接作出撤销决定。被撤销的文明单位要认真整改，重新创建，待符合条件后，可继续申报参加评选。

第二十八条 申报单位弄虚作假，骗取荣誉的，一经发现，立即撤销其荣誉称号，并建议有关部门追究其单位领导和有关人员的责任。

第二十九条 文明单位如合并、改变名称或隶属关系，须由命名机关重新确认。

第三十条 本办法自公布之日起施行。

2000年3月16日

云南省

关于创建文明风景旅游区实施意见（摘要）

（云文明委〔2000〕3号）

根据省文明委《云南省1999年精神文明建设情况和2000年精神文明建设工作安排》要求，为配合中央文明委抓好全国文明风景旅游区示范点创建工作，促进我省旅游业的健康发展，积极参与西部大开发，加快建设“绿色经济强省、民族文化大省、中国连接东南亚、南亚的国际大通道”，拟在全省开展创建文明风景旅游区活动。具体实施意见如下：

一、活动宗旨

高举邓小平理论伟大旗帜，以党的十五大精神和江泽民同志“三个代表”重要思想为指导，以“服务人民，奉献社会”为宗旨，以《国家旅游区、点质量等级划分与评定标准》和云南省创建优秀旅游景区的有关标准为依据，坚持精神文明重在建设方针，以提倡文明言行、治理环境卫生、整顿游览秩序、提高服务质量为基本内容，从解决海内外旅游者普遍关心的问题入手，努力提高风景旅游区从业人员队伍的整体素质，创建管理科学、环境优美、服务优良的文明风景旅游区，全面促进云南旅游行业的两个文明建设。

二、文明风景旅游区标准

1. 坚持党的基本路线，认真贯彻执行党和国家的方针政策；党政领导班子讲政治、顾大局、团结协作、作风正派、廉洁自律，在两个文明建设中发挥良好的表率作用；建立健全一把手负总责，党委统一领导，党政工团齐抓共管的文明风景旅游区创建领导体制和工作机制，做到有专门的工作班子和工作人员、有经费保障、有总体创建规划和年度实施计划。把创建工作纳入景区工作目标，与业务工作同部署、同落实、同检查、同奖惩。

2. 积极开展似“讲文明树新风”为主要内容的文明单位、青年文明号、巾帼文明岗、文明示范窗口、文明导游员等群众性精神文明创建活动，“三德”（职业道德、社会公德、家庭美德）、“三观”（人生观、世界观、价值观）、“三义”（爱国主义、集体主义、社会主义）、“四信”（坚定马克思主义的信仰、坚定共产主义的信念、增强对改革开放和现代化建设的信心、对党和政府的信任）、“四科”（科学知识、科学精神、科学思想、科学方法）教育深入扎实，职工文化生活丰富，安心景区工作，爱岗敬业，团结互助，有良好的精神面貌。在精神文明建设工作中取得明显成效，已经建成地、州、市级以上文明单位。

3. 景区无封建迷信活动、无伪科学传播、无不健康广告、无“黄、赌、毒”等社会丑恶现象，积极倡导科学、健康的旅游新风，营造文明、向上的旅游环境。

4. 各项规章制度健全，服务优质规范。服务人员着装统一整洁，佩戴标志牌，言行文明，服务周到热情。导游业务熟练，导游词健康、准确、生动。岗位职责、服务承诺内容以图表形式上墙公示。

5. 景区规划科学合理，旅游资源开发规范有序。依法保护景区文物、保护自然生态环境，坚决杜绝破坏性开发现象。

6. 景区环境整洁，无乱建、乱堆、乱放现象。路面、水面、草坪干净，有专人负责清扫，做到全日保洁，随脏随扫；垃圾箱设置合理，公厕数量与游客接待量相适应，有专人负责保洁，无蚊蝇、无异味；积极治理各种环境污染，空气洁净指标达到优秀标准。

7. 安全设施齐全完好，能保障正常使用。游览、游乐设备完好，无不安全隐患。危险地点防护设施齐备有效，认真执行有关部门制定的治安保卫制度与规定，安全巡查定时定期。事故处理及时得力，记录档案齐全。无重大游客伤亡事故和刑事治安案件发生。

8. 景区摊点定位有序，停车场管理规范。没有无组织的流动摊点，无强买强卖，无假冒伪劣商品，无欺诈宰客行为，守法经营，公平竞争，杜绝无照经营。停车场有专人负责，各种车辆停放有序，收费员佩有明显标志，严格按物价部门规定收费，并出具正式票据。

9. 景区建立统一的管理机构，人员配备合理，管理制度健全，服务设施完善，各种引导标志规范齐全。在显著位置设置投诉信箱，公布监督电话号码，并有专人负责，及时处理各类投诉。游客满意率高于90%，无重大服务质量投诉。

10. 热心社会公益事业，有良好的知名度和信誉度。年接待游客量位于全省中上水平，经济效益和社会效益显著。

三、创建管理办法

1. 文明风景旅游区的创建活动，在省文明委的直接领导下，成立由省委分管副书记任组长，省政府分管精神文明建设和分管旅游的副省长任副组长，有关部门领导为成员的创建领导小组，负责组织实施。领导小组办公室设在省文明办创建处，负责创建活动的日常管理工作。

2. 创建考核命名工作从2001年起，每2年命名表彰1次。

3. 本《实施意见》下发后，各地、州、市要组织和发动本地区的风景旅游区积极参与创建活动，并根据此项活动的要求和标准，在自检自查的基础上，向省创建领导小组办公室推荐优秀的文明风景旅游区。同时，各地、州、市可根据本地区实际，参照《实施意见》，开展创建命名本地区文明风景旅游区活动。

4. 检查考核工作由省创建领导小组办公室组织有关专家统一进行，按优中选优的原则报省文明委审定，并实行公示制，接受社会公开评议1个月，得到社会公认后，报请省委、省政府授予云南省文明风景旅游区称号并予以表彰；省创建领导小组办公室在此基础上向中央三部委推荐全国文明风景旅游区示范点。

5. 创建工作实行动态管理。省创建领导小组将组织检查组，对被命名的文明风景旅游区进行定期不定期的抽查复核，若出现管理工作严重滑坡或严重影响景区形象的重大事故，立即取消称号并通报全省，该风景区2年内不得重新申报。

四、创建工作要求

1. 加强领导，健全机制。

2. 讲求实效，标本兼治。

3. 严格把关，贵在坚持。

创建文明风景旅游区活动是我省精神文明创建活动的新载体，许多内容需要在实践中不断总结完善。请各地州市和各有关部门以高度负责的精神，及时将实施过程中取得的经验和发现的问题反馈省创建领导小组办公室。

本《实施意见》由省创建领导小组办公室负责解释。

2000年12月28日

云南省

民族文化大省建设纲要（摘要）

（云发〔2000〕32号）

一、必要性和重要意义

1. 建设民族文化大省，是建设有中国特色社会主义文化的客观要求。有中国特色社会主义的文化，是凝聚和激励全国各族人民的精神力量，是综合国力的重要标志。它渊源于中华民族五千年的文化积累，又植根于有中国特色社会主义建设的伟大实践；它反映我国社会主义经济和政治的基本特征，又对经济和政治的发展起巨大促进作用。党的十五大报告明确指出，“社会主义现代化应该有繁荣的经济，也应该有繁荣的文化”，“只有经济、政治、文化协调发展，只有两个文明都搞好，才是有中国特色的社会主义”。江泽民同志明确提出中国共产党要代表中国先进文化的前进方向，充分表明党中央对文化建设的高度重视，推动着社会主义文化建设进入新的历史阶段。

2. 建设民族文化大省，是云南面向新世纪发展的必然选择。云南还处于社会主义初级阶段的低层次，制约全省发展的最大障碍，是教育、科技发展相对滞后，劳动者素质不高，社会管理水平较低，归根到底，还是人的文化素质问题。面对知识经济时代的到来，面对科学技术的迅猛发展和综合实力的剧烈竞争，面对世界范围各种思想文化的相互激荡，面对人民群众日益增长的精神文化需求，加快民族文化大省建设，有利于提高全省各族人民素质、文化生活质量、社会管理水平和城乡文明程度，有利于促进我省国民经济持续、快速、健康发展，有利于增进民族团结，保持边疆稳定。

3. 建设民族文化大省，是充分发挥丰富的民族文化资源优势，弘扬云南优秀民族文化的需要。云南是一个多民族的省份，独特神奇的民族文化环境，悠久灿烂的民族历史文物，丰富深邃的民族文献古籍，绚丽夺目的民族文学艺术，多姿多彩的民族民间风情，这些积淀深厚的民族文化资源丰富了中华民族文化宝库，构成了建设民族文化大省的基础。通过合理配置文化资源，培育和发展文化产业，可以形成新的经济增长点；通过继承、保护、开发各民族文化传统，取其精华、不断创新，可以团结、鼓舞云南各族人民在中国共产党的领导下去创造美好的新生活。

4. 建设民族文化大省，是云南跨世纪发展的重大战略目标。省委确定的把云南建成绿色经济强省、民族文化大省和中国连接东南亚、南亚国际大通道的三大战略目标是互相联系、互相促进、不可分割的有机整体。民族文化大省建设需要绿色经济强省建设的强有力支持，又对绿色经济强省建设起着重要的推动作用；绿色经济与民族文化相融合，才能实现人与自然最高层次的和谐。连接东南亚、南亚的国际大通道，既是经济的通道，又是文化的通道；建设国际大通道，是经济发展和文化交流的需要；经济发展和文化交流，又将促进国际大通道的建设。实施三大战略目标，将更加有力地推动云南民族文化、生态环境与社会经济的协调发展。

二、指导思想、奋斗目标和基本要求

5. 建设民族文化大省的指导思想是：以马列主义、毛泽东思想和邓小平理论为指导，坚持党的基本路线和基本纲领，坚持先进文化前进方向，培育有理想、有道德、有文化、有纪律的社会主义公民，全面提高人的素质，提高经济的文化含量，提高社会管理水平和文明程度，为云南面向新世纪经济社会的可持续发展提供强大的思想保证、精神动力和智力支持；充分发挥云南民族文化丰富多样的独特优势，吸收世界一切文明成果，保护、继承、弘扬优秀民族文化，丰富中华民族优秀文化宝库；合理配置民族文化资源，大力发展文化事业和文化产业，培育新的经济增长点，为满足人民群众日益增长的精神文化需求，发展面向现代化、面向世界、面向未来的，民族的、科学的、大众的社会主义文化作出积极贡献。

6. 民族文化大省建设的目标是：构建特色浓郁、结构合理，设施完善、功能齐全，人才辈出、精品纷呈，产业发达、效益显著，辐射力强、影响面广的民族文化新格局。充分展示云南民族文化特色，增强各民族优秀文化在全国乃至世界的影响，把云南建设成为民族文化、生态环境、经济社会协调发展的示范区，从而实现全省各族人民素质和社会管理水平的显著提高，实现全省城乡社会文明程度的显著提高，实现文化对全省经济社会发展贡献率的显著提高。

7. 建设民族文化大省必须注意处理好以下关系：

——文化与经济的关系。

——共性与个性的关系。

——继承与创新、保护与开发的关系。

——交流借鉴与防止渗透的关系。

——改革与发展的关系。

——经济效益与社会效益的关系。

——普及与提高的关系。

——促进繁荣与规范管理的关系。一手抓繁荣，一手抓管理。在大力提供健康、多样的文化产品，活跃和丰富人民群众精神文化生活，繁荣文化事业和文化市场的同时，要加快立法进程，加大执法力度，加强普法工作，建立健全文化建设法制环境和管理机构，加强和规范对文化市场的管理，保证文化事业、文化产业健康、有序向前发展。

——政府宏观调控与发挥社会力量的关系。

三、主要任务和基本内容

8. 加强思想理论建设。加强思想的学习、研究和宣传，引导广大干部和群众正确认识社会发展规律，正确认识国家的命运和前途，坚定建设有中国特色社会主义的理想和信念，形成凝聚和激励全省各族人民团结一致、克服困难、争取胜利的强大精神力量。

9. 加强社会主义道德建设。

10. 加强社会主义法制教育。

11. 大力发展教育和科技。

12. 努力发展体育卫生保健事业。

13. 繁荣哲学社会科学。

14. 开展民族文化资源的调查、评估、抢救和保护。

15. 繁荣文艺创作，实施文化精品工程。

16. 加强文化基础设施建设和管理。边疆文化长廊建设是文化建设的一项重点工程，要进一步加大投入力度，搞好一期工程扫尾，加快实施二期工程，同时普遍加强基层文化设施建设。有计划、有步骤、有重点地加强边境民族地区广播电视建设，努力改善条件，完善功能，扩大覆盖率。以“千里边疆文化长廊工程”和“百县乡镇宣传文化工程”为龙头，逐步实现县县有文化馆、图书馆、青少年活动场所、田径场、灯光球场、综合训练房和游泳馆，乡乡有文化站，村村通广播电视，城市居民小区有文化活动中心，鼓励发展村文化室、图书室。加强管理，建章立制，盘活存量，完善设施，充分发挥爱国主义教育基地、科普教育基地及其他文化设施的作用。开展文化行业评估，扩大服务范围，实现资源共享。

17. 大力开展和扶持群众文化活动。

18. 加强对外文化交流。

19. 办好重大文化盛事活动和民族传统节庆。充分运用市场机制，同时注重社会效益和经济效益，以全新的产业运作方式，精心策划，精心组织，定期举办各种形式的文化盛事活动，发展会展经济，促进文化产业发展。重点办好国际旅游节、国际艺术节、国际花卉节、国际民族服饰博览会等重大盛事活动和“火把节”、“泼水节”、“三月街”等民族传统节庆。参照中央电视台“心连心”艺术团的做法，组建云南电视台民族团结艺术团。

20. 建设一批富有民族特色的标志性文化设施。标志性文化设施是城市文明的象征。今后10年左右，要统一规划，省市分工，多方合作，在昆明建设云南民族大剧院、云南博物馆、聂耳音乐厅、云南省万人体育馆、云南科学会堂、云南美术馆、云南民族文化研究会展中心、云南广播电视信息中心、云南文学艺术创作活动中心、云南高原体育训练基地等一批既有民族特色又有时代特征的标志性文化设施，充分发挥其公益型功能，同时带动一系列文化产业的发展。按照实事求是、突出重点的原则，“十五”期间重点规划建设云南民族大剧院、云南省博物馆、聂耳音乐厅、云南省万人体育馆。全省各地也要因地制宜建设一批重要文化设施。

21. 发展文化产业，形成科学合理的文化产业布局。

22. 规划和建设特色文化区。充分发挥云南历史悠久、民族文化多样、生物资源多样的特色优势，走文化、生态、经济协调发展的道路，是民族文化大省建设的创新工程。要科学规划，突出特色，合理布局，分阶段建设富有特色的各类文化区，建设“滇文化”、“爨文化”、“南诏文化”、“大理文化”、“腾越文化”、“东巴文化”、“贝叶文化”、“太阳历文化”，等民族文化区，建设遍布全省的各种“民族文化生态村”，把特色文化区建设成为保护、展示、研究民族文化的重要基地和旅游观光胜地。加强旅游和文化的结合，提高旅游业的文化含量。昆明市要充分发挥全省文化中心的带动作用，其他中心城市和各地小城镇建设应突出地方文化、民族文化特色，在特色文化区建设中起到带动和辐射作用。

23. 着力抓好县域文化建设。

四、保障措施和实施对策

24. 建立组织领导协调机制和联席会议制度。民族文化大省建设实行与精神文明建设相一致的各级党委、政府负总责，省精神文明建设指导委员会进行指导、组织和协调，各部门齐抓共管，各负其责，人大、政协督促推动的领导体制和工作机制。办公室设在省委宣传部。党政各职能部门要在民族文化大省建设领导机构及其办公室的指导协调下，动员组织全社会的力量积极参与民族文化大省建设。同时，建立组织协调联席会议制度，负责对重大问题进行协调和决策。各地州市县也要建立相应的机制和制度。

25. 加强领导目标责任制和工作会议、奖励制度。

26. 加大公益性文化事业和基础设施投入。制定《云南省公益性文化事业发展条例》，加强广播电视基础设施建设，提高广播电视人口有效覆盖率，加强博物馆、图书馆、群艺馆、文化馆、科技馆、青少年宫、体育场（馆）等公共文化设施建设。认真贯彻落实国务院（国发〔1996〕37号）文件精神，对经济落后地区的公益性文化事业建设给予特殊倾斜。

27. 大力拓宽投融资渠道。

28. 深化文化体制改革。

29. 建立健全文化产业发展机制。

30. 培养造就高素质的民族文化队伍。要努力造就一支政治强、业务精、作风正的民族文化队伍；造就一支事业心强、有真才实学的民族文化创作和研究队伍；造就一支善经营、懂管理、守法纪的文化企业家和经营者队伍。制定《云南民族文化大省建设人才培养规划》，指导全省文化队伍建设。

31. 加强民族文化科学研究和决策咨询。

32. 加强文化建设的立法工作，严格执法，为民族文化大省建设提供有力的法制保障。

33. 切实加强民族文化大省建设工作。

2000年12月28日

甘肃省
关于在全省城市深入开展创建文明社区工作的意见

（甘文明委〔2000〕18号）

各地（州、市）、省直有关部门：

为贯彻落实江泽民同志关于加强社区建设的重要指示和中央思想政治工作会议精神，发挥社区在城市改革、发展、稳定方面的作用，根据中央文明委《关于在城市深入开展创建文明社区工作的若干意见》，结合我省实际，现就在我省城市开展创建文明社区活动提出如下意见。

一、深刻认识创建文明社区的重要意义

社区是一定范围内人们共同居住生活工作的、相对独立的、具有某种自治功能的区域，是城市的基础。随着经济体制改革和政治体制改革的不断深化，城市基层的社会结构和人们的就业方式、生活方式正在发生着深刻的变化。由企业剥离和政府转移的大量社会管理、服务职能正逐步由城市社区来承担，社区与城市居民的关系日益密切，并对现代企业制度的建立、政府职能的转变，特别是“小政府、大社会”目标的实现，具有越来越重要的保障支持作用；城市家庭小型化、城市人口老龄化、城市经济多元化、居民生活方式多样化，以及离退休职工、下岗职工和外来人员进入社区，对于社区的建设、服务、管理工作提出了新的、更高的要求，社区在城市改革、发展、稳定中的地位和作用越来越重要。而我省城市的大多数社区由于形成时间短，功能尚不健全，难以适应城市发展和人民群众日益增长的物质文化生活的需要。加强城市社区建设，进一步增强城市功能，提升服务层次，更好地满足群众需求，已经成为我省城市改革和发展面临的一项重要而紧迫的任务。深入开展创建文明社区工作，是加强思想政治工作和精神文明建设的迫切需要，是加强城市建设和城市管理的迫切需要，是改善居民生活环境、维护社会政治稳定的迫切需要，是密切党同群众关系、巩固党的执政基础的迫切需要。

创建文明社区，是创建文明小区工作的进一步延伸，是人民群众创造美好生活的生动实践，也是创建文明城市的基础工程和有效载体。这项活动抓住了社区这一日益重要的城市层面，贴近了城市居民的工作生活，适应了新形势下城市精神文明建设的新要求，对于进一步落实精神文明建设各项工作任务，深化文明城市创建工作，促进城市经济社会协调发展，提高群众生活质量，加强社区思想政治工作，用马克思主义牢牢占领社区思想文化阵地，推动城市改革、发展、稳定，都具有十分重要的意义。

二、明确创建文明社区的指导思想和基本原则

创建文明社区的指导思想是：以邓小平理论和江泽民同志关于“三个代表”的思想为指导，认真贯彻党的十五大、十四届六中全会精神，面向21世纪甘肃城市的改革、发展、稳定，着眼西部大开发、城市大发展，立足街道、社区，以提高市民文明素质、社区文明程度和提高居民生活质量为目标，按照“巩固、提高、延伸、辐射”的工作思路，加强领导，发动群众，同创共建，努力建设环境优美、秩序优良、服务优质、管理优化的现代城市社区，形成文明、健康、向上的社区风尚，为我省城市两个文明建设协调发展奠定坚实的基础。

创建文明社区，要遵循以下原则：

1. 围绕中心，服务大局。创建文明社区，要坚持精神文明建设以经济建设为中心，为改革、开放、稳定大局服务的正确方向，紧紧围绕深化改革、扩大开放、促进发展、维护稳定，围绕党和政府的中心任务开展工作，统一思想，凝聚力量，振奋精神，鼓舞士气，把社区建设成城市前沿改革的稳定的大后方，为城市建设发展提供思想保证、智力支持和精神动力。

2. 服务群众，依靠群众。创建文明社区，要始终坚持从人民群众的利益和需要出发，从群众最关心、反映最强烈的热点、难点问题入手，把服务群众、造福人民作为全部工作的出发点和落脚点。要尊重群众的首创精神，从群众工作生活实际出发，精心设计社区居民乐于参加、便于参加的活动载体，充分调动居民参加创建活动的积极性，推动创建活动深入开展，使社区居民在活动中受到教育，在实践中得到提高，在创建中得到实惠。要以群众欢迎不欢迎、赞成不赞成、满意不满意作为评判创建文明社区工作的根本标准，认真听取群众意见，及时改进创建工作，务求取得实效。

3. 突出教育，强化管理。创建文明社区，要把市民教育工作放在首位，把教育的内容和要求寓于生动活泼的活动之中，增强教育的吸引力和感染力。要注意综合运用教育、舆论、行政、法律等多种手段，把教育与管理、内在约束与外在约束结合起来，提高文明素质，增强自律意识，形成扶正祛邪，扬善惩恶的良好社会环境。

4. 因地制宜，务求实效。创建文明社区，要从社会主义初级阶段的国情、省情、市情、区情出发，从各有关部门的工作实际出发，从干部群众的思想实际出发，制定工作计划，确定工作目标。要根据不同社区的不同情况，因地制宜，选准工作切入点，明确工作侧重点，使创建活动适应当地城市发展的需要，适应群众需要。创建活动要富于针对性，点面结合，分步推进，务求实效，坚决反对机械照搬、一刀切的做法，反对脱离实际的主观主义、官僚主义、形式主义。

三、认真落实创建文明社区的总体思路和奋斗目标

“九五”期间，全省已建成国家级文明小区一个、省级文明小区 10 个、地级文明小区 108 个、县级文明小区 530 多个，发展势头良好。但是从自然地域、资源状况和人文特点等综合因素分析，社区的划分和组建还不够合理，和先进省区相比，以现代化城市建设的要求衡量，还有很大差距，需要认清形势，坚定信心，扎实苦干，迎头赶上。

“十五”期间，我省创建文明社区的总体思路是：以中央十五届五中全会和省委九届三次会议精神为指导，坚持老区抓改造，旧区抓配套，新区抓提高，全面加强社区的硬件建设；以城区街道和居委会为依托，逐步改善社区组织机构；以调动各方力量齐抓共建为重点，齐心协力共建美好家园；以社区服务为基础，努力满足群众多方面的生活需求；以文化、教育、体育、科普活动为载体，不断丰富市民的精神文化生活；以城市环境保护为起点，着力优化社区生活环境；以社区党建为龙头，大力加强社区思想政治工作，全面提高市民的思想道德素质和科学文化素质，使我省的社区建设工作快速健康发展。

“十五”期间，我省创建文明社区的奋斗目标是：经过五年的努力，建设一批设施配套、环境优美、秩序井然、服务完善、文化丰富、风尚良好的现代化城市社区，到 2005 年，全省建成 5 个国家级文明社区、50 个省级文明社区，100 个地级文明社区，200 个县级文明社区。其中兰州市先行试点，积累经验，力争 2005 年全部建成文明社区，真正实现居民素质、群众生活质量和社区文明程度显著提高。

“十五”期间，我省创建文明社区的实施步骤是：2001 年为第一阶段，各地要认真调查研究，制定文明社区创建规划、实施方案、考核标准，要抓好创建工作试点，总结、宣传推广先进经验，努力营造良好的创建氛围；2002 年到 2004 年为第二阶段，各地要在第一阶段工作的基础上，扎实地开展创建活动，掀起创建高潮；2005 年为第三阶段，全面完成创建目标，总结创建经验，制定新的创建规划，完善创建工作标准，为实施新的创建规划做好准备。

四、全面完成创建文明社区的各项任务

当前，在创建文明社区过程中，要着力抓好以下六个方面的工作。

1. 加强社区教育。要着眼于提高市民思想道德素质和科学文化素质，把以理想信念为核心的思想道德教育作为创建文明社区的主线贯穿始终，紧密结合广大干部群众的思想实际，坚持不懈地用邓小平理论武装干部、教育群众，加强党的基本理论、基本路线、基本纲领教育和形势政策教育，引导群众进一步坚定对马克思主义的信仰，对社会主义的信念，对改革开放和现代化建设的信心，对党和政府的信任；坚持不懈地开展爱国主义、集体主义、社会主义和艰苦奋斗教育，引导居民爱祖国、爱集体、爱城市、爱社区，齐心协力共建美好家园；坚持不懈地开展社会公德、职业道德、家庭美德教育，在居民中树立以为人民服务为核心、以集体主义为原则的道德风尚；坚持不懈地开展马克思主义唯物论和无神论的教育，宣传普及科学知识、科学思想、科学精神和科学方法，引导居民崇尚科学、反对迷信，抵制各种歪理邪说和不良思想的影响，养成科学文明健康的生活方式。要下大力量做好离退休人员、下岗职工和外来人员的思想工作，扩大覆盖面，消除空白点。要把文化艺术和科普常识纳入社区教育体系，讲究方法，寓教于乐。要因地制宜办好各类基层学校（市民学校、业余学校、老年大学等），推广兰州市西固区“社区精神文明建设教育工程”经验，形成以市民学校为龙头，“学校、家庭、岗位、社会”四位一体的育人格局。

2. 搞好社区服务。要紧贴群众需求，急群众所急，想群众所想，从同群众工作生活密切相关的问题入手，为群众办实事、办好事，排忧解难。市、区、街道要逐步建立健全社区服务中心，居委会建立服务站，形成社区基本服务网络。卫生、房管、供水、供电、供气、交通、邮政、银行等“窗口”行业，要把服务站点延伸到社区，面向群众、服务居民。要积极拓展社区服务领域，形成完善的服务体系。当前要重点搞好五个方面的服务，即面向社区广大居民的便民利民服务，面向残疾人、老年人等特殊群体的社会福利服务，面向下岗职工的再就业服务，面向外来人员的社会化服务以及预防、医疗、保健、康复、健康教育、计划生育咨询等社区卫生服务。要大力组织开展社区志愿者服务活动，引导居民群众以自己的知识、技能和劳动，为社区、为他人服务；提倡义务服务，发展低偿服务和有偿服务，推动社区服务社会化、产业化。要推广建立社区服务求助中心，最大限度地方便群众，提高社区服务水平。

3. 优化社区环境。要广泛发动群众，坚持治标与治本相结合，专业管理与群众参与相结合，大力整治和改善社区环境。要以治理脏、乱、差为突破口，组织群众性整治战役，清理乱堆乱放、乱搭乱建、乱贴乱画，拆除违章建筑，整顿交通秩序，规范市场管理，切实解决环境卫生、交通秩序、市场交易和区容区貌方面存在的突出问题。要让楼道“亮起来，净起来，白起来”。加强社区卫生保洁工作，加强烟尘、噪声和水污染的防治，推广垃圾分类和袋装化，增强群众的环保意识。植树种草，养绿护绿，提倡破硬还绿，拆墙透绿，垂直绿化，努力提高社区绿化覆盖率。有计划地建设一批小广场、小花园、小乐园、小绿地，建设喷泉水池、路灯雕塑，改善社区居住环境。通过社区净起来、绿起来、亮起来、美起来，实现社区环境的优化。要集中财力物力，每年建成一批“精品小区”。

4. 活跃社区文化。要挖掘社区的人才资源，适应群众求新、求美、求知、求乐的文化生活的需要，全面加强以广场文化为龙头，家庭文化为基础，包括企业文化、校园文化、军营文化、楼院文化在内的社区系列文化建设，重点组织开展以音乐、曲艺、秧歌、健身、舞蹈为主要内容的广场文化建设，以“三个一”（一幅字画、一盆花草、100 册藏书）为主要内容和家庭文化展示会为主要形式的家庭文化建设，形成富有特色的社区文化。要充分利用街道、居委会文化活动中心（站、室）和社区内图书室、影剧院、文化宫、俱乐部、体育场馆，开展群众喜闻乐见、健康有益、形式多样的文化娱乐活动和艺术表演活动，丰富群众精神生活；推动专业文化团体参与社区文化建设，提高社区文化品位。要提倡社区内单位文化体育设施对外开放或有偿使用，努力实现社区资源的合理配置和资源共享。重视离退休人员和老人的文化生活，办好棋牌室、茶艺室、老年大学，使他们老有所学，老有所为，老有所乐。坚决清除看相算命摊点和赌博窝点，扫除“黄、毒、赌”，净化社区文化市场，抵制不良文化影响。

5. 维护社区治安。要坚持“打防结合、预防为主”的方针，加强社区治安综合治理，严厉打击各种违法犯罪活动，认真做好重点地区、重点部位、重点人群的治安防范。加强社区流动人口及公共娱乐场所的管理，遏制各种社会丑恶现象和不文明行为的滋生蔓延。加强对刑满释放人员、解除劳教人员的帮教安置工作。在社区内积极开展法制宣传教育，引导居民懂法、守法，依法行政、依法办事、依法维护自身利益。加强防火、防盗、防自然灾害、防破坏的“四防”宣传教育，落实各项防范和管理措施，切实保障社区居民的人身和财产安全。要建立健全社会治安综合治理网络，完善群防群治体系。认真做好人民调解工作，理顺情绪，化解矛盾，维护安全稳定。

6. 加强设施建设。城市规划部门要将社区服务设施和文体设施纳入公共设施配套建设规划，并督促有关部门严格按规划执行。要有计划有步骤地完善社区的环卫、服务、医疗、计划生育、交通、通讯、文体、社会福利等设施，建设面向群众的公益性文化体育活动场所。要加大对社区建设的投入，多渠道筹资，采取政府办、社会办、个人办的方式，实行独资、股份制、股份合作制等多种所有制，按照“谁投资、谁受益”原则，鼓励和推动社区基础设施建设，努力形成布局合理、覆盖面广、功能齐全的社区服务设施体系，为提高居民生活质量创造良好的物质条件。

五、积极探索创建文明社区的有效途径

1. 继续开展以文明小区为主要内容的系列创建活动。要面向社区基层，从文明小区、文明单位、文明楼院、文明家庭、文明市民入手，全方位、多层次地开展创建活动。要继续开展“道德进家家家和、法律进家家家安、科技进家家家兴、文化进家家家乐”活动；深入开展“环境优美在小区、遵纪守法在小区、教育新风在小区、读书育人在小区、爱绿护绿在小区”活动；全面开展创建“美在家庭、青年社区、安全社区、无毒社区、文化先进社区、教育先进社区”等活动。社区条件尚不成熟的城区，要继续以创建文明小区为主导，提高城市文明程度。

2. 大力推进社区共建活动。社区内的党政机关、学校、部队、企事业单位，要本着“优势互补、互惠互利、共同发展”的原则，带头拓展军民共建、警民共建、企街共建、校街共建、区域共建的工作领域，全面实行思想工作联做，社会治安联防，计划生育联抓，公益事业联办，科学知识联教，环境卫生联治，文化体育联动，文明活动联搞，共同创建文明社区。

3. 建立健全创建工作机制。要按照“社区为主，政府协调，全民参与，双向服务”的原则，坚持依法治理，实行目标管理，强化日常管理，倡导自我管理，积极探索具体可行的目标管理机制，强有力的制度约束机制，全过程的考核监督机制，切实可行的保障激励机制，层层负责的领导责任机制，使创建工作规范化、制度化、标准化，以此推动、保障文明社区创建活动深入持久地开展下去。

4. 改革和理顺城市管理体制。按照“两级政府、三级管理”的现代城市管理体制要求，进一步改革、完善城市管理体制，理顺街道、居委会同社区物业管理公司之间的关系，理顺社区同行业部门的关系，强化社区发展经济、城市管理、组织生活、服务群众的职能，强化街道对社区的组织领导作用。按照政治强、业务精、作风正的要求，培养一批善于做群众和社区工作的基层思想政治工作者，形成一支专业与兼职结合，素质较高的文明社区建设队伍。

5. 宣传推广先进典型。2000 年，省文明委要在全省选择 30 个有基础的社区，树立样板，作出示范。各地、县也要集中力量抓好社区建设试点工作，积累经验。各企事业单位也要积极配合地方党委、政府抓好文明社区建设。要认真总结、推广创建文明社区的成功经验，发挥典型示范、带动、辐射作用，推动创建工作全面开展。大力宣传社区精神文明建设中涌现的先进典型、好人好事，开展形式多样的“比、学、赶、帮、超”活动，努力形成学习先进、崇尚先进的社区风气。省里将结合省级文明单位命名表彰活动，每两年命名、表彰一批省级文明社区。

五、切实加强对创建文明社区工作的领导

各级党委、政府要把创建文明社区工作摆上重要议事日程。要建立和完善党委统一领导，党政主要领导亲自抓，有关部门、有关层面具体抓的领导体制。要把文明社区创建纳入城市经济社会发展的“十五”规划和党委政府工作的总体部署，同文明城市、文明行业、文明村镇创建工作一并规划、一并部署、统筹兼顾、整体推进。要制定创建文明社区的长远规划，明确阶段性任务目标，分步骤、有重点地推进。

街道党委、办事处是创建文明社区的主导力量，居委会是创建文明社区的依托。要着力健全基层党的组织，充分发挥基层党组织的领导作用，协调各方，形成合力；要充分发挥党员、干部的先锋模范作用，在创建文明社区活动中率先垂范，作出表率。要建立由街道和驻社区单位主要领导、社区居民代表参加的创建文明社区工作协调领导小组，充分发挥其组织推动、检查督促的职能，全面落实各项创建任务。

加强统筹协调，形成工作合力。城建、环保、民政、文化、绿化、卫生、体育、教育、宣传、综治等有关部门以及工会、共青团、妇联等人民团体，要按照创建文明社区的统一部署，发挥各自优势，开展各具特色的活动。既要各司其职、各负其责，又要密切配合，齐抓共管。要推行社区精神文明建设目标责任制，按照部门职能分解任务，做到工作有人推进，措施有人落实，问题有人解决。

2000年10月28日

甘 肃 省
精神文明建设工作考评办法

（省委办发〔2000〕82号）

第一章　总　　则

第一条　为了进一步落实党的十四届六中全会精神和省委八届五次全委扩大会议精神，推动各级党委、政府认真贯彻“两手抓，两手都要硬”的方针，把精神文明建设工作摆到更加突出的地位，确保精神文明建设各项工作任务落到实处，促进精神文明建设工作向制度化、规范化方向发展，根据《中共甘肃省委贯彻〈中共中央关于加强和改进思想政治工作的若干意见〉的实施意见》（省委发〔1999〕67号）关于“建立科学的思想政治工作考核体系和评估办法”的精神，特制定本办法。

第二条　精神文明建设工作考评，是指省文明委按照省委、省政府要求，根据自身业务范围和工作权限，遵循一定的原则，采取一定的方法，通过一定的程序和步骤对各地、各部门以及行业精神文明建设工作进行考察和评价的制度。

第三条　精神文明建设工作与物质文明建设工作，均为反映各地、各部门、各行业领导班子工作能力和政绩的重要指标。二者均应纳入经济社会发展规划和领导干部目标管理责任体系，同部署，同落实，同检查，同考核。

第二章　考评内容和原则

第四条　精神文明建设工作考评的重点是各地、各部门、各行业贯彻落实省委、省政府和省文明委关于精神文明建设的一系列决议、要求和工作部署，以及省文明委年度工作安排中规定的各项任务的完成情况。具体考核精神文明建设的基础工作和重点工作，并对各项工作的成效进行评估。

第五条　精神文明建设的基础工作：

1. 工作机构和人员编制的落实；
2. 工作制度和工作机制的建立健全；
3. 工作规划和年度计划的制定及其实施；
4. 精神文明建设理论研究和调研工作；
5. 精神文明建设工作队伍的建设和培训；

6. 精神文明建设经费投入和文化事业建设费的征收、使用以及管理。

第六条 精神文明建设的重点工作：

1. 思想道德建设；

2. 科学文化事业建设；

3. 群众性精神文明创建活动；

4. 精神文明基础设施建设；

5. 先进典型的宣传推广；

6. 精神文明建设年度工作安排中的重点工作。

第七条 精神文明建设工作考评必须遵循以下原则：

1. 客观公正原则。即真实了解和正确评价各地、各部门、各行业精神文明建设的工作情况和成效。

2. 分类考核原则。即根据各地、各部门、各行业的特点和差异分类确定考评标准。

3. 民主公开原则。即在考评中广泛听取社会各方面意见，保证考评结果全面、准确、合理。

4. 注重实效原则。即考评的重点放在对精神文明建设工作实绩的了解与评估上。

5. 奖优罚劣原则。即考评结果成为对各地、各部门、各行业领导班子和领导干部进行考核奖罚的重要依据。

第三章 范围和依据

第八条 考评的范围主要是 14 个地、州、市、甘肃矿区和省直部门以及行业。考评工作根据职责范围和管理权限分级进行，上一级考评下一级。

第九条 考评的依据主要是省委、省政府、省文明委有关精神文明建设工作的决议、意见、要求和总体部署；省委、省政府、省文明委制定下发的《甘肃省文明城市建设管理办法》、《甘肃省文明小区建设管理办法》、《甘肃省文明村镇建设管理办法》、《甘肃省文明行业建设管理办法》、《甘肃省文明单位建设管理办法》、《甘肃省精神文明建设骨干队伍培训意见》、《甘肃省文化事业建设费使用管理办法》和《甘肃省乡镇精神文明建设示范工程建设管理办法》等规范性文件；中央有关部委制定的行业工作标准。

第四章 方法和步骤

第十条 精神文明建设工作考评包括平时考评和年度考评。考评方法主要以听取汇报、查阅资料、实地考察和民意测验四种方式进行，并以后两种方式为主。

第十一条 精神文明建设工作的考评步骤：

1. 年初，省文明委颁布精神文明建设工作年度考评细则，同各地、各部门、各行业签订《精神文明建设目标管理责任书》。

2. 落实期间，省文明委不定期对重点专项工作进行督促检查，同时履行平时考核职能。

3. 年终，省文明委委托省文明办或文明委有关成员单位组成考评小组，对各地、各部门以及各行业的精神文明建设工作进行综合考评。

4. 考评情况要撰写专题报告，经省文明委领导审阅后，上报省委、省政府并通报全省。

第五章 奖罚办法

第十二条 精神文明建设工作年度考评分优秀、良好、合格、不合格四个档次。

第十三条 各地、州、市和省直部门以及行业精神文明建设工作考评的结果，作为省委考评领导班子的依据之一，体现在干部的表彰奖励和任用上。对被评为优秀的地、州、市，省文明委予以奖励，奖金从省级文化事业建设费中支出；对工作有突破、有创新、有特色，成效显著的优秀地（州、市）、部门和行业，新闻媒体要突出宣传；对考评结果不合格的地（州、市）、部门和行业，省文明委将通报批评，责令限期整改。

第六章 附　　则

第十四条 各地（州、市）、县（市、区）和有关部门以及行业可依据本办法制定各自相应的考评办法。

第十五条 本办法由甘肃省精神文明建设指导委员会办公室负责解释。

第十六条 本办法经 2000 年 11 月 16 日省文明委第九次全体会议讨论审定，自公布之日起实行。

2000 年 12 月 26 日

新疆维吾尔自治区
创建文明社区标准及管理办法（试行）

（新文明字〔2000〕08号）

第一章 总 则

第一条 为了深入贯彻落实党的十五大精神和十四届六中全会确定的各项任务，按照江泽民同志关于社区建设的重要指示精神，进一步加强文明社区建设，充分发挥文明社区在社会主义物质文明和精神文明建设中的示范带头作用，促进文明社区创建活动的规范化、制度化，推动全区精神文明建设的发展，特制定本办法。

第二条 创建文明社区的目的是为广大群众创建一个安定团结、环境整洁、方便生活、服务四化的建设环境和生活环境，提高居民素质和文明程度，保证群众安居乐业。

第三条 创建文明社区必须坚持以邓小平理论为指导，以提高市民素质和城区文明程度为目标，以拓展社区服务，维护治安秩序，美化居住环境，丰富文体生活，普及科学知识，密切人际关系为主要内容，努力提高社区精神文明建设水平。

第四条 文明社区是两个文明建设中成绩突出，效益显著，总体文明水平较高的先进居民区，是社区建设的综合性最高荣誉称号。

第五条 创建文明社区是创建文明城市的基础性工作，是把精神文明建设的各项任务落实到城市各基层的有效载体，是动员社区各部门、单位、家庭和居民群众共同参与，全面优化城市社区各项功能的重要途径。各地要确立创建目标，强化创建意识，制定创建措施，落实创建任务，争取尽早建成文明社区。

第六条 文明社区建设的基础是文明小区、文明单位建设。文明社区是在各文明单位联建文明小区的基础上，在区街统一协调组织下，由两个以上文明小区联建和共建的文明片区。

第七条 文明社区应由各地根据实际，把街道办事处管辖区域划分成若干社区，由街道办事处和居（家）委会牵头组织，以社区内文明小区、文明单位为骨干，组织社区内居民、单位共建联建，共同提高社区文明程度。

第二章 文明社区标准

第八条 文明社区须达到以下六条标准：

（一）社区服务好

1. 社区服务网络健全，服务网点布局合理，服务内容涉及面广，形成了新的经济增长点。服务人员做到培训上岗、挂牌服务，优质服务。

2. 服务功能完善，居民生活方便。大力开发第三产业，积极开办教育、文化、法律、心理、就业、家政等多方面服务项目，让群众安居乐业。社区要具备最基本的服务项目，如托儿所、幼儿园、医疗站、便民食堂、便民商店、综合服务中心、文化活动中心、公共厕所、自行车停车棚等。

3. 积极做好工作，转变就业观念，开办社区服务，增加就业门路，在解决待业青年和下岗人员的再就业问题方面成绩显著。

4. 建立各种为民服务志愿者队伍，本着项目齐全、内容丰富、形式多样、措施落实的原则，开展美化环境、帮困助弱、社会安全、智力咨询、文化娱乐等便民服务活动。烈军属、残疾人、孤寡老人等有特殊困难的群体有常人照顾，生活上的实际问题能得到及时解决，定期得到走访慰问。

5. 对居民急需的水、电、煤气、房屋修缮和急病救护等应急服务实行有偿或无偿服务，做到随叫随到，不误时，不误事。设置公用电话、行路方向平面图和楼院幢号标志，方便居民群众。

（二）社会秩序好

6. 社区单位和居民坚持开展经常性的普法宣传教育活动，群众踊跃参与，普遍形成学法、守法、用法、护法的良好风尚。社区无“黄、赌、毒”为害，无重大刑事案件。

7. 社区治安组织健全，群防群治，成立了联防队，有专兼职治安员和业余消防队伍。社会治安综合治理规章制度完善，制定了定期的例会制度、安检制度、治安巡逻制度和激励奖惩制度等。

8. 安全防范的各项措施落实得力。综合治理技术和人工防范措施落实。车辆停放有序，社区内基本消除偷盗、火灾及其他事故。

9. 有专门的帮教小组和健全的帮助措施，帮教活动开展经常，努力做好对刑释、解教人员和失足青少年的教育转化。调解组织网络健全，及时调解民事纠纷，无因民事纠纷激化而酿成的违法犯罪案件和伤亡情况。

10. 坚持抓好对社区青少年的教育，以面对面的教育方式为主，建立和完善学校、家庭、社区“三位一体”相结合的教育网络，杜绝青少年违法、犯罪。

11. 对外来人口和私房出租户实行规范管理，对暂（寄）住人口的登记、发证和活动情况做到底数清、不失控。认真做好对外来人员的教育和管理。

（三）环境建设好

12. 社区内道路全部实现硬化，路面平整，清洁，通畅，两侧环境整洁、美观。

13. 市政设施、环卫设施、交通设施、照明设施等装置整洁完好，单位、居民楼院整洁、卫生，90%以上达到甲级卫生标准。

14. 垃圾箱（房）布局合理，便民利民，垃圾全部实行袋装化，密闭中转，日产日清。

15. 居民有良好的卫生意识和卫生习惯，无乱丢乱扔、乱贴乱画、乱堆乱放、乱搭乱建，随地吐痰和随地大小便等不良现象；无废气、废水、废渣和噪音污染；无违章饲养家禽、家畜及其他动物，基本做到无蚊、无蝇、无鼠、无蟑螂。

16. 社区内一切可绿化用地基本实现绿化，绿化率不低于33%。绿化布局合理，见缝插绿，黄土不见天，无侵绿占绿现象。公共绿地植物种类丰富多样，乔、灌、花、草配套结合，基本达到美化要求。

（四）社区管理好

17. 成立专门的社区管理组织，由街道办事处牵头，各居委会、物业管理公司和居民代表等参加。管理队伍整体素质高，对社区管理工作认真负责。管理人员在行使管理职权时佩带明显的标志牌。

18. 制定完善的社区管理制度，如思想政治工作、待业人员就业、治安、环保、卫生、绿化、调解、计划生育、物业、外来人口教育、管理和生活服务等。各项制度实施得力，赏罚分明。

19. 社区居民和各驻区单位积极参与社区管理，管理工作实现规范化、制度化。积极开展创建活动，营造文明生产、文明经营、文明办公的良好氛围。

20. 社区管理资金保证经常。由街道办事处和居（家）委会负责，采取政府财政给一点、街道出一点、物业管理抽一点，社区居民集一点等方式筹集社区管理资金。

（五）文化生活好

21. 大力开展生动活泼的思想政治工作，提高社区居民的思想道德素质。思想文化教育有阵地，有活动。

22. 组织经常性的、丰富多彩、内容健康的文化、体育、科技活动，倡导科学、文明、健康的生活方式，居民精神文化生活充实。

23. 经常开展科学知识、科学思想、科学方法、科学精神的宣传教育，普遍形成学科学、爱科学、用科学的良好风尚。社区实行资源共享。有针对性地开展对居民尤其是青少年的文化、法律、技能等各种教育。

24. 积极开展“扫黄打非”活动，抵制和禁止黄色、淫秽的文化制品，无封建迷信、非法宗教活动、无赌博、吸毒贩毒现象。

（六）人际关系好

25. 居民自觉遵守《市民守则》、《文明公约》和《八要十不准》规范。成立文明市民学校，普遍开展社会主义道德与文明行为规范教育，积极开展“文明楼院”、“五好家庭”、“文明户”和“文明市民”评选活动，形成争当先进、争创文明的良好风气。社区多数家庭建成“文明户”和“五好家庭”，多数居民成为文明市民。

26. 开展经常性的“三德”教育，提高社区居民道德素质，住宅区无扰民行为，无污染环境行为，无互相敌对行为，造就社区团结和睦、友爱互助的社区人际关系。

27. 普遍开展争创敬老爱幼活动，争做好儿女、好媳婿、好邻居活动，树立互帮互助典型，尊老、爱幼、邻里和睦。

28. 各民族团结互助，两个离不开的思想深入人心。主动维护社区秩序的稳定，共同搞好公共场所的环境卫生。

第三章　文明社区的创建和管理

第九条　各级精神文明建设委员会及其办公室要协同有关部门根据文明社区标准及管理办法，结合本地区实际，制定文明社区创建规划和实施细则，抓好本地区文明社区的创建和管理。

第十条　各区市和办事处要根据文明社区标准，结合社区的特点和实际，制定本社区创建规划、措施和完成期限，把创建任务落实到部门、单位和居民群众。

第十一条　社区所在街道办事处和居（家）委会要充分发挥牵头作用，教育居民增强创建文明社区意识，最大限度地吸引居民群众主动参与创建活动。

第十二条　创建文明社区要坚持“重在建设”和发挥群众广泛参与的方针，大力开展创建“文明单位”、“文明小区”、“文明楼院”和“文明户”等活动。

第十三条　积极开展各种形式的共建联建活动，充分发挥职能部门和驻区单位的作用，形成条块结合、区域共建的创建格局，提高共建活动的水平和实效。

第十四条　各级党委政府要重视和加强对文明社区创建活动的领导。各级精神文明建设委员会及其办公室负责文明社区创建活动的组织、协调、监督，并指导社区所在街道办事处和居（家）委会具体抓好创建工作的落实和日常管理。

第十五条　文明社区分文明示范社区和文明社区两种，文明社区由所在区、县（市）精神文明建设委员会申报地、市、州精神文明建设委员会命名。文明示范社区由地、市、州精神文明建设委员会申报自治区精神文明建设指导委员会命名。

第十六条　文明社区创建工作实行属地管理和动态管理的原则。被命名的文明社区由所在地精神文明建设委员会及其办公室会同区、街道办事处和居（家）委会管理，二年届满后重新申报命名。

第十七条　文明社区要自觉接受社会和群众的监督，主动听取、收集群众意见，对存在的问题要采取有效措施，及时整改。

第十八条　文明社区每年复查1次，对质量下降或不具备规定条件的，命名机关应会同有关部门根据情节轻重给予批评、限期整改、直至撤销文明社区荣誉称号。

第四章　文明社区的奖励

第十九条　对文明社区的奖励实行精神奖励为主，物质奖励为辅的原则。建成文明社区的，由命名机关发给文明社区荣誉证书、荣誉牌匾或建立命名纪念物，并报请当地党委和政府根据实际情况发给社区一定数量的奖金。

第二十条　文明社区的标志是“文明社区”牌匾，文明示范社区的标志是“文明示范社区”牌匾。文明社区只悬挂最高一级荣誉牌匾。

第二十一条　对创建文明社区成绩特别突出的，经自治区精神文明建设指导委员会与有关部门协商，对社区主管领导和主要工作人员予以奖励。贡献特别突出的，经当地党政部门批准，发给一定数额奖金，予以重奖。对其他有功人员和单位，由当地党委、政府批准，参照本办法进行奖励。

第五章　附　　则

第二十二条　本办法的解释和修改权属自治区精神文明建设指导委员会办公室。

第二十三条　本办法自公布之日起实施。

2000年3月9日

概况综述

SURVEY

全国精神文明建设概述

2000年，精神文明建设工作高举邓小平理论伟大旗帜，认真贯彻落实江泽民总书记关于宣传思想工作和精神文明建设的重要批示，认真贯彻落实中央思想政治工作会议精神，围绕中心，服务大局，唱响主旋律，打好主动仗，巩固和发展了积极健康向上的工作态势。理论武装工作、思想道德教育、文化阵地建设、精神产品生产和群众性精神文明创建活动等各项任务整体推进，对促进城乡文明程度和公民素质的提高，促进改革发展、维护社会稳定发挥了积极作用，为做好新世纪的精神文明建设工作奠定了良好基础。

一、认真学习宣传邓小平理论和“三个代表”的重要思想，理论武装工作深入发展

结合深入学习邓小平理论，学习江泽民总书记“三个代表”重要思想，全面准确地宣传“三个代表”的精神实质和深刻内涵。各地把学习贯彻“三个代表”重要思想作为“三讲”回头看和县级领导干部“三讲”集中教育的重要内容，有力地推动了用邓小平理论武装全党、教育干部群众的工作不断深入。发出《关于加强和改进党委（党组）中心组学习的意见》、《关于领导干部理论学习考试考核的意见》，党委中心组学习制度进一步健全。召开理论工作座谈会、全国青年学习邓小平理论经验交流会，总结推广了一批理论学习、宣传和研究方面的经验。邓小平理论进教材、进课堂、进头脑工作进一步展开。邓小平理论日益深入人心，成为全党全国人民团结奋斗的强大思想武器。

二、认真贯彻中央思想政治工作会议精神，思想道德教育得到加强

围绕中央召开思想政治工作会议和贯彻落实中央思想政治工作会议精神，组织专门力量，对《中共中央关于加强和改进思想政治工作的若干意见》（中发［1999］17号）文件贯彻情况以及思想领域的状况进行较大规模调研，深入分析新形势下思想政治工作的规律和特点。编辑出版《毛泽东邓小平江泽民论思想政治工作》、《思想政治工作新方法100例》，在内容、形式、方法、手段、机制等方面积极探索创新，努力增强思想政治工作的针对性和实效性，扩大思想政治工作的覆盖面。大力宣传思想政治工作的先进典型，努力营造全党全社会关心和加强思想政治工作的舆论氛围。在全国推出山东小鸭集团党委书记李淑敏、国防大学马列主义教研室主任许志功等一批先进典型，对于加强和改进基层思想政治工作、弘扬社会正气起到积极的示范带动作用。

深化思想道德教育和形势政策教育，在统一思想、加强凝聚力上下功夫。认真贯彻江泽民总书记的重要指示精神，广泛开展“致富思源，富而思进”教育活动。召开爱国主义教育示范基地工作座谈会，总结推广建设、管理和使用的经验。围绕全党全国工作大局和改革攻坚重大举措，针对群众普遍关心的热点问题，组织了一系列专题报告会。结合宣传贯彻十五届五中全会精神、回顾“九五”展望“十五”、迎接新世纪、纪念中国人民志愿军抗美援朝出国作战50周年、弘扬中华奥运健儿顽强拼搏精神等，深入扎实地开展多种形式的群众性教育活动。组织开展“回顾百年沧桑，展望美好未来”教育活动。中国要发展，中国要强大，中国要稳定更加深入人心。

三、深入开展马克思主义唯物论和无神论教育，在全社会形成倡导科学文明的浓厚氛围

深入进行马克思主义唯物论和无神论教育，大力弘扬科学精神、宣传科学思想、传播科学方法、普及科学知识，深入开展揭批“法轮功”的斗争。举办“崇尚科学文明，反对迷信愚昧”大型图片展览，形象生动地宣传科学真理，揭批“法轮功”等歪理邪说和各种伪科学，受到江泽民总书记等中央领导的高度重视。各地普遍开展科普知识竞赛，举办科普讲座，进行科普影视展映展播，举办多种形式的座谈会、报告会，进一步深化教育。组织和推动出版一批马克思主义唯物论、无神论和科普书刊。在全国广泛开展“让科学走近生活，让公众理解科学”大型系列科普宣传教育活动。对风景旅游区存在的一些封建迷信活动进行专项治理。通过多种形式的宣传教育活动，广大群众受到了深刻的马克思主义唯物论和无神论教育，推动全社会逐步形成崇尚科学文明的良好氛围。

四、群众性精神文明创建活动丰富多彩，受到社会和广大群众欢迎

创建文明城市取得新突破。中央文明委制定印发《关于在城市深入开展创建文明社区工作的若干意见》，召开全国创建文明社区工作座谈会，对创建文明社区工作作出全面部署。各地各部门把创建文明社区作为创建文明城市的重点，制定规划，加强领导，组织开展“倡导文明新风，共建美好家园”、“热线连万家、服务你我他”、“家庭志愿者”、“婚育新风进万家”、“爱我社区爱我家”、“青年文明号服务卡助万家”、家庭文化艺术节、安全小区、科普知识进社区等一系列丰富多彩的活动，广泛吸引群众参与，赢得了群众的拥护和支持。推出杭州市、深圳市加强精神文明建设和南京市加强交通管理工作的先进经验，推动文明城市创建活动不断深化。

创建文明村镇取得新进展。召开全国农村精神文明建设工作座谈会，推广辽宁省开原市以城带乡、城乡共建的经验，对进一步加强农村精神文明建设作出部署。文化科技卫生“三下乡”活动继续深入，“科技扶贫”、大学生暑期“三下乡”、青年志愿者扶贫接力计划、“心连心艺术团”等集中活动，受到广大农民的欢迎。群众性文化体育活动广泛开展，村镇文化站、图书室以及农村广播、电影、电视等设施建设力度进一步加大。

创建文明行业取得新成果。继续深入开展行业规范化服务活动，推出全国职工职业道德建设十佳单位、十佳标兵，推出第三批“百城万店无假货”示范街，推出第三批全国文明风景旅游区示范点。召开全国创建文明风景旅游区工作座谈会，交流经验，进一步深化创建文明风景旅游区活动。

五、加强基层思想文化阵地建设，广大群众精神文化生活日益丰富

加大投入，加强管理，努力把各类文化活动场所建成传播社会主义精神文明的阵地。各地各有关部门充分利用各类文化场馆、广场、公园等场所，组织开展健康有益、丰富多彩的文体活动，收到良好社会效果。百县千乡宣传文化工程、边疆文化长廊建设取得新的进展。各地采取不同的方式，组织实施农村宣传文化基础设施建设扶助工程，向农村贫困地区送图书、设备，使农村贫困地区宣传文化工作条件得到一定改善。召开互联网新闻宣传工作会议，加强网上新闻宣传工作。推出了一批主题鲜明、内容健康、艺术水平较高、受到群众欢迎的影视作品和文艺作品。

开展加强娱乐服务场所管理、打击社会丑恶现象专项行动和电子游戏场所专项治理活动，取得阶段性成果。进一步加大“扫黄打非”工作力度，重点打击政治性非法出版物，打击盗版盗印和光盘走私。对小报小刊出版发行混乱、买卖书号等问题进行专项治理。

六、支持西部大开发的精神文明建设工程全面启动，在西部广大干部群众中引起强烈反响

召开部分省（区、市）宣传部长座谈会、召开支持西部地区宣传文化事业建设电话会议，对宣传思想工作和精神文明建设支持、促进西部大开发作出部署。加强西部大开发宣传报道工作，力度大、效果好。每年为西部地区1100名特困大学生提供资助的“西部开发助学工程”开局很好，在广大干部群众和青年学生中引起强烈反响，受到热烈欢迎。资助西部建设“百县宣传文化中心工程”开始启动。向西部地区贫困县赠送“三个一工程”（一套电影放映设备、一套《新中国舞台影视艺术精品选》系列光盘和一套“万村书库”）进展顺利。“情系西部、共享母爱”活动得到社会广泛重视和支持。中央宣传、文化、新闻、出版等部门，对西部地区干部对口培训工作逐步展开。

在做好上述重点工作的同时，各地各部门还普遍加强精神文明工作队伍建设，加强精神文明建设的理论研究和经验总结。中央文明办组织编写出版《社会主义精神文明建设概论》，摄制播出《伟大的创造——创建文明城市巡礼》电视片。举办地方文明办主任培训班。各地也普遍加强调查研究和干部培训，对推动精神文明建设发挥了积极作用。

一年来的工作实践再次表明，精神文明建设只要紧紧围绕经济建设这个中心、服从服务于全党全国工作大局；紧紧抓住提高人的素质这个根本，把思想道德教育贯穿各项工作始终；努力满足人民群众日益增长的多方面的精神文化需求，多办好事实事；坚持从实际出发，注重实效，勇于创新；动员社会各方面力量，齐抓共建，形成合力，就一定能始终保持强大生机和旺盛活力。

（中央文明办秘书组、协调组）

各系统精神文明建设概述

中 直 机 关

2000年，中直机关文明委根据中央文明委和中直工委的工作部署，以邓小平理论和党的十五大精神为指导，认真贯彻江泽民同志“三个代表”重要思想和对宣传思想工作、精神文明建设的重要批示精神，与中直机关各部委精神文明建设领导机构一道，紧紧围绕机关中心工作，以“创建文明机关，当好人民公仆”活动为龙头，推动中直机关精神文明建设工作不断深入。

一、认真抓好理论武装工作

中直文明委于年初召开第四次全体会议，之后又召开各机关文明办主任会议，认真传达学习江总书记重要批示和全国文明办主任会议精神，对2000年中直机关精神文明建设工作作出部署，明确了工作任务和思路。

一年来，中直文明委和各部委精神文明建设领导机构，把理论武装工作作为机关精神文明建设的根本任务，会同党组织认真组织干部职工学习马列主义、毛泽东思想、邓小平理论和江泽民同志“三个代表”重要思想。为促进部委（党组）中心组学习的进一步深入，召开了中直机关中心组学习经验交流会。在“三讲”教育“回头看”活动中，处以上领导干部把学习理论、武装头脑同整顿思想、改进作风结合起来，促进了思想政治素质的提高。

二、进一步加大思想道德教育力度

各部委按照《中直文明委2000年工作要点》的要求，在全年工作中有意识地突出思想道德建设这个重点，加强以为人民服务为核心的道德建设，利用多种形式对干部职工进行“三德”、“五爱”、“四信”教育，不断提高干部职工的道德水平。同时，各部委继续抓“部风”、“机关精神”和职业道德规范的建立、完善和学习教育工作，把道德规范要求融入本单位的管理之中。截止到2000年底，已有25个部委制定了具有本单位特点的“部风”和“机关精神”。为给广大干部职工提供适宜的思想道德教育教材，中直文明办组织有关专家学者撰写并于1999年出版了《党政机关干部道德教育读本》一书，受到干部职工的欢迎和好评。

各单位在干部职工中继续开展马克思主义唯物论和无神论教育。各部委组织干部职工参观中宣部、中国科协等单位举办的“崇尚科学，反对迷信”大型展览。中直文明委组织参加由人民日报社、中国科协主办的“全国‘鲁能杯’崇尚科学反对迷信知识竞赛”活动，22个部委的万余名干部职工踊跃参赛，许多部委的主要领导同志参加答卷，全国妇联等3个部委获得全国优秀组织奖，中宣部等8个部委获得中直文明委设立的优秀组织奖。

三、扎实开展群众性精神文明创建活动

2000年，中直文明委继续抓“创建文明机关，当好人民公仆”主题创建活动。各部委结合自身工作特点，把创建文明机关活动与主体业务工作有机结合，使创建活动的重点逐渐由“窗口”部门向主体业务部门延伸，范围进一步拓展。中纪委通过实行“不文明警示单”制度，促进机关干部职工日常文明行为的养成。中组部通过完善精神文明建设工作的检查考评细则，充分调动各单位创优的积极性。中宣部、全国妇联通过深入开展“创建文明局处室”活动、“做妇女群众满意的娘家人”活动，有效地促进了主体业务工作的开展。通过深入开展“创建文明机关，当好人民公仆”活动，广大干部职工争先创优意识明显增强，为党中央服务、为地方和基层服务、为人民群众服务的自觉性得到提高，涌现出一批文明单位和精神文明建设先进个人。在开展创建活动过程中，不少部委加大了办公区域整治工作的力度，使机关的管理和环境秩序得到进一步改善。一些单位还开展了文明小区、文明楼院创建活动以及“五好文明家庭”的创建评选。

中直文明委加强了对文明单位创建活动的督促检查和动态管理，结合对中直机关评出的首都文明单位的复查工作，成立了创建工作抽查考评小组，先后两次对中直机关48个被首都文明委命名的“文明单位”、“文明单位标兵”中的23个单位，采取暗访、明查和召开座谈会等形式，进行检查和评定。

按照《中直机关精神文明建设委员会1998—2000年工作规划》，中直文明委在前两年创建工作的基础上，启动了“中直机关文明单位”、“中直机关精神文明建设先进个人”评选表彰机制。一批在中直机关精神文明建设工作中做出突出贡献的单位和个人受到表彰。

四、进一步加强调查研究和自身建设

2000年，中直文明委在抓基层、打基础，广泛开展创建活动的基础上，加强对精神文明创建工作的调研。上半年，中直文明办对各部委机关文明办的机构设置、人员配备、经费投入、开展工作等项情况进行检查，协同有关部委对存在的问题提出解决办法。

中直文明委于11月份召开了中直机关精神文明建设工作研讨暨经验交流会。这次研讨会，共收到24个部委提交的93篇论文。通过研讨和交流，使从事精神文明建设工作的同志进一步增强对机关精神文明建设工作重要性、紧迫性的认识，明确了工作的努力方向。中直文明委将部分优秀论文汇编成《机关精神文明建设的理论与实践》一书。该书对加强新形势下党政机关的精神文明建设工作，具有一定的指导和借鉴作用。

为提高机关精神文明建设专（兼）职队伍的业务水平和工作能力，中直文明办加强了对各部委文明办专（兼）职干部的培训。在人员少、任务重的情况下，通过以会代训的方式，对各部委文明办主任进行业务培训，组织14个部委从事精神文明建设具体工作的同志赴浙江、福建学习考察。

五、积极参加首都有关精神文明创建活动

2000年，中直机关各部委积极配合并参与首都有关精神文明创建活动。中直文明委先后三次组织中直机关干部职工参加首都文明委等单位组织的“千万市民齐参与，争做文明北京人”和清洁城市大型公益活动。一些部委参加了首都文明委开展的“绿色志愿者活动”。驻地在西城区的17个部委积极参加该区创建文明城区的多项活动。

（中央直属机关文明办）

金 融 系 统

2000年，金融系统的精神文明建设按照中央和中央金融工委的要求，紧密结合金融行业特点，广泛深入地开展群众性创建活动，进一步促进了金融事业的改革和发展。

一、加强精神文明基础性建设

中央金融工委成立以工委分管书记为主任、工委各部门和金融监管部门有关负责同志为成员的中央金融工委精神文明建设委员会，加强对金融系统精神文明建设工作的领导。委员会下设办公室与宣传部合署办公，具体协调、指导全系统精神文明建设工作。根据工委要求，各中央金融机构基本上都成立了以党委主要负责同志为组长（主任）的精神文明建设领导小组（委员会），下设办公室一般由宣传部牵头，有关党政业务部门负责同志参加，初步形成齐抓共管局面。

年初，中央金融工委文明委下发1号文件，对金融系统精神文明创建活动先进单位的条件、评选、表彰、检查、管理提出明确要求。各金融机构根据本单位实际，提出创建活动的规范化要求。5月，金融工委与教育部、国家语委联合下发《关于加强金融系统语言文字规范化工作的通知》，各金融机构根据文件要求，把使用规范语言文字列入精神文明创建标准。到年底，各金融机构基本制定了精神文明建设规范性管理办法。

根据全年工作部署，工委组织多次专题调研。中国金融职工思想政治工作研究会在对全系统职工思想工作进行调研的基础上召开研讨会，收到各类论文千余篇。一些单位还在全年安排了2—3次服务工作的调研，了解和掌握基层精神文明创建活动的情况，及时调整精神文明建设工作的思路和做法。

二、以“三个代表”重要思想为指导，两个文明建设一齐抓

中央金融工委和各金融机构党委认真学习“三个代表”重要思想，领会其深刻内涵，并以“三个代表”重要思想为指导，从维护我国金融安全、支持经济发展的战略高度出发，紧紧抓住国有企业改革和发展、西部经济大开发和我国即将加入WTO的机遇，积极推进金融改革与发展。各金融机构围绕调整国民经济结构、促进科技创新和扩大内需，进一步调整信贷结构，合理配置贷款增量。进一步完善法人治理结构，减员增效，加强人力资源开发，努力形成优胜劣汰的竞争机制。证券市场发展加快，投资体制正在向国际接轨。各商业保险机构充分发挥自身优势，积极开发新险种，在养老、医疗、住房、教育等方面提供更为充分的保险服务，扩大居民的保险消费，减轻职工后顾之忧。

各金融机构根据新的市场形势，转变经营观念，改善金融服务，拓宽服务渠道，提高服务质量，扩展业务范围，不断开发新的金融产品。无论在信贷、结算、承兑、开证、咨询和企业直接融资等方面，还是在个人理财、个人消费方面，有关金融机构都主动提供金融服务。

按照“三个代表”要求抓好党的自身建设。班子建设从选拔干部抓起，坚持公道正派，任人唯贤，五湖四海，全面贯彻落实“四化”方针和德才兼备的原则，一批政治素质高、业务熟练、事业心和工作能力强、在金融改革和发展中成绩突出、清正廉洁、群众信任的优秀干部被选拔配备到各级领导班子。在廉政建设方面，金融系统各级党组织把从严治党作为贯彻落实“三个代表”要求的基础性工作，从完善机制、体制、法制等方面入手，在源头上铲除党内腐败滋生蔓延的土壤。金融纪检监察部门通过对金融机构内部稽核、审计、专项检查、专项清理、信访举报件核查和开展执法监察等措施，提高办案效率，突破大案要案。各金融机构党组织在建立健全制度，加大查案力度，掌握思想教育，突出严格要求上狠下功夫，把大案要案的查处当作反腐败工作的重中之重，金融风险得到有效遏制。

三、切实加强和改进金融系统思想政治工作

7月24日，中央金融工委召开17次全委扩大会议，温家宝同志作题为《以江泽民同志的重要讲话为指导，全面加强和改进金融系统思想政治工作》的讲话。工委先后派出三个工作组赴西北、西南和华东进行思想政治工作调研，为金融系统思想政治工作提供决策依据。4月和8月，工委先后组织金融系统青年知识分子赴甘肃、新疆进行国情考察，使他们了解国情，坚定建设有中国特色社会主义事业的信心和决心。各金融机构系统党委也根据各自情况，不断改进和完善思想政治工作的机制，创新工作方法，取得了很好效果。中国建设银行党委宣传部开通思想教育网络，与员工进行双向思想交流。中国人民银行济南分行建成“思想政治工作网站”，开办“行长接待日”、“网上党校”等栏目，深受干部员工欢迎。

四、开展职业道德教育活动

认真贯彻落实中央思想政治工作会议精神，工委针对金融队伍建设方面存在的管理不严、有章不循、一些职工法纪观念淡薄、工作责任心不强、服务意识差、纪律松弛，特别是少数人违法乱纪、违规经营等问题，用半年时间在金融系统职工中广泛深入地开展以“爱岗敬业，遵纪守法”为主要内容的职业道德集中教育活动。

集中教育活动分三个阶段进行：一是动员学习，提高认识阶段。二是联系实际，开展讨论阶段。职工通过联系思想、工作实际，认真进行自我总结。三是制定措施，改进提高阶段。广大职工针对自身的差距、不足，提出改进意见，明确努力方向。各金融机构按照金融工委统一部署，把集中教育活动同“文明窗口”、“职工之家”、“青年文明号”等群众性的精神文明创建活动结合起来，认真组织实施，取得了预期成效。

在集中教育期间，金融系统进一步加强员工技能培训。中国金融工会组织了大规模的全国性金融员工技能比赛，各金融机构也组织了独具特色的技术练兵活动，促进了群众性技能竞赛活动的开展。

五、群众性创建活动蓬勃开展

金融系统精神文明建设在总结经验的基础上，不断丰富创建内容和创新形式。中国农业银行浙江省分行南浔支行以“文明学校”为载体加强了对员工“致富思源、富而思进”教育。该支行被中宣部确定为全国思想政治工作先进典型，中央各新闻媒体集中宣传了他们的事迹。各金融机构根据管理办法规定的要求，对本系统本单位的创建活动进行认真组织和检查，并根据实际，进一步修改和完善《员工守则》和服务标准。中国工商银行作为中央文明办推出的创建全国文明行业，按照规范化服务标准对员工和基层网点进行严格检查和考核，同时把“一线为顾客服务”延伸到“二线为一线服务”、“机关为基层服务”。各金融机构北京地区分支机构根据首都精神文明建设的规划要求，积极投身于首都文明行业创建活动，为北京申办奥运作贡献。成立首都金融行业精神文明创建活动协调领导小组，创建活动正在以银行业为重点逐步在金融系统展开。

（中央金融工委文明办）

教 育 系 统

2000年教育系统的精神文明建设，以邓小平理论为指导，全面贯彻党的十五大精神，认真落实江泽民总书记关于教育问题的重要谈话精神，加强思想政治工作和德育工作，为全面推进素质教育，加快教育事业的发展提供了精神动力和思想保障。

一、继续推进用邓小平理论武装广大师生的工作

认真总结高校通过各种形式组织大学生学习邓小平理论的经验，进一步推进邓小平理论“三进”工作。5月上旬教育部与中宣部、团中央联合召开“全国青年学习邓小平理论经验交流会”。继续支持并加强对高校大学生理论社团学习邓小平理论活动的引导。进一步落实对中学生党的基本知识教育和邓小平理论教育工作。在结合相关课程进行邓小平理论教育的同时，积极在高中学生业余党校和入党积极分子中开展邓小平理论专题教育。

根据中央要求，各级教育行政部门和高等学校搞好以“三讲”为主要内容的党性党风教育和以巩固“三讲”教育成果为目标的“三讲”教育回头看工作。以“三讲”教育为契机，通过各种形式在广大党员、干部以及师生员工中进行马克思主义唯物论、无神论和科学知识、科学思想、科学精神的教育，继续深入揭批“法轮功”的邪教本质，做好师生中“法轮功”练习者的教育转化工作。

二、以师德建设为重点，加强教师队伍思想政治工作

进一步加强教师队伍的思想道德建设，重视师德培养，强化全员参与德育的意识。各地教育工作部门和各级各类学校以《教育法》、《教师法》为依据，加强教师职业道德建设，建立一支全心全意为人民服务、具有良好师德师风和较高教育教学水平的教师队伍。根据教育部党组工作部署，春季开学后在教育战线普遍进行了一次师德教育和检查。重点引导教师树立正确的价值观、质量观和人才观，纠正各种违背教师职业道德的现象，增强教书育人、以身立教的社会责任感，加强尊重学生、爱护学生的责任意识，不断提高思想政治素质和业务素质。把师德建设作为加强教师队伍建设的重要环节抓紧落实。用教师职业道德规范教师的教育教学活动，把教师职业道德作为教师工作考核的重要内容和职务聘任的重要依据，继续深入开展《中小学教师职业道德规范》的宣传教育活动。各级各类学校积极倡导并采取措施调动全体教职员工教书育人、管理育人、服务育人的积极性，将教职员工在德育工作方面的成绩作为职务评聘、晋升、评优的重要依据之一，在学校基本上形成了齐抓共管的德育工作局面。

三、积极推进德育工作

继续推进文化素质教育、形势与政策教育。各高等学校将文化素质教育贯穿于大学教育的全过程，在第一课堂开好文化素质教育的必修课和选修课，对理工农医类学生开设文学、历史、哲学、艺术等人文社会科学的课程。对文科类学生开设自然科学课程。在第二课堂组织开展专题讲座、名著导读、名曲名画欣赏、影视评论等文化体育活动，以丰富学生的课余文化生活，陶冶情操，提高文化品位和修养。有针对性地、及时开展形势与政策教育。教育部和中共北京市委共同举办弘扬中华奥运健儿顽强拼搏精神的巡回报告会等多场大学生形势报告会。

加强高等学校思想政治教育进网络工作。教育部分别召开了高等学校思想政治教育进网络工作研讨会和高等学校思想政治教育进网络工作会议，印发《关于加强高等学校思想政治教育进网络工作的若干意见》（教社政〔2000〕10号），对这项工作作出部署。部分省市教育部门、高等学校党政领导和广大思想政治工作者深入学习、领会江泽民同志“要重视和充分运用信息网络技术，使思想政治工作提高实效性，扩大覆盖面，增强影响力”的重要指示，积极进行探索和尝试。

重视校园的整洁、绿化、行为规范、人文景点、教室与实验室布置、图书馆资料建设等工作，为广大青少年学生创造良好的学习和文化氛围。继续开展普通高等学校“文明校园”评估检查、复查工作。辽宁等省根据高等教育事业发展和本省的实际对“文明校园”的评估标准及时修订。继续贯彻执行中央社会治安综合治理委员会、公安部和原国家教委《关于整顿高等学校治安秩序的通知》（综治委〔1996〕6号）的精神，在地方政府和有关部门的支持配合下，对校园周边环境进行专项集中整治，努力创造一个安全、文明的校园周边环境。教育系统各级行政机关结合工作实际，继续深入开展创建文明机关、当人民公仆、做人民满意公务员活动，努力创造一个团结、和谐、高效的工作氛围。

进一步加强学校德育工作的实践环节，开展以爱国主义、集体主义、社会主义教育为中心内容的社会实践活动。有计划地组织青少年学生参加社会实践以及社区服务等社会工作，进一步研究并确立中学生参加社区服务制度的试点；继续组织实施大中学生志愿者暑期文化、科技、卫生“三下乡”活动和青年志愿者扶贫接力计划。

四、抓好先进典型的宣传和学习

各地教育部门、各级各类学校，进一步建立和完善精神文明建设目标责任制。教育部与中央电视台、中国教育电视台合作，拍摄了反映重庆交通学校“学生党员接待室”的电视片，在新闻媒体和有关会议上播放，介绍他们的经验。教育部与中央组织部、中央宣传部共同表彰高校优秀思想政治工作者、党务工作者和“两课”教师。教育部在中小学及中等职业学校评选表彰“德育标兵”和先进集体，在有关的新闻媒体上宣传报道这些典型的先进事迹，发挥他们的示范作用，进一步推动教育系统的精神文明建设。

（教育部）

司法行政系统

2000年司法行政系统以邓小平理论和江泽民总书记“三个代表”重要思想为指导，以实施依法治国基本方略为总纲，以加强干警队伍建设为重点，认真贯彻落实中央思想政治工作会议精神，深入进行各项教育，推动全系统精神文明创建活动的开展，为充分发挥职能作用，确保“深化改革、促进发展、维护稳定”提供有力的法律保障和法律服务。

一、坚持理论学习，不断提高司法行政队伍的思想政治素质

司法部党组高度重视理论学习，坚持用正确的理论武装干警。各级司法行政机关及基层单位采取行之有效的方法，切实抓好政治理论学习，提高学习质量，理论联系实际，突出针对性，杜绝“走过场”。司法部下发了《关于深入学习贯彻江泽民总书记“三个代表”重要思想的通知》。各级司法行政机关及基层单位结合司法行政工作和干警的思想实际，有针对性地组织学习邓小平理论，学习江总书记“三个代表”重要思想。很多省、区、市司法厅（局）的主要领导带头完成学习计划，挤时间撰写理论文章及学习体会，带动了理论学习的深入开展。广东省司法厅党组中心组的学习经验被中宣部选入全国党委（组）中心组理论学习经验材料汇编。很多基层单位还建立读书笔记等制度，在每阶段学习结束后，召开学习体会交流会，保证理论学习的效果。

二、加强队伍建设，努力做好新形势下的思想政治工作

中央思想政治工作会议召开以后，部党组针对新情况、新问题，制定下发《司法行政系统思想政治工作方案》。11月，部政治部组织召开全国司法行政系统思想政治工作座谈会。各省（区、市）司法厅（局）的政治部主任及分管教育培训工作的处长参加了会议。会上，各地汇报交流开展思想政治工作、干部教育培训工作、干部协管工作以及加强律师、公证队伍党的建设的情况、经验和做法。会后，各省（区、市）司法厅（局）按照部党组的要求，全面贯彻落实中央思想政治工作会议精神，大力加强干警队伍的思想政治工作。

三、开展教育活动，不断提高司法行政队伍的思想道德水平

司法行政系统广泛开展世界观、人生观、价值观教育、“致富思源、富而思进”教育和警示教育等丰富多彩的教育活动。在“双思”教育中，司法部专门组织人员深入基层进行调研，制定开展教育活动的方案，确定广东、山东两省为开展“致富思源、富而思进”教育的试点单位，向全系统转发两省开展教育活动的经验，以点带面，逐步推开。各单位联系改革开放20年的发展变化和本地区、本单位及个人的思想实际，集中时间开展专题学习讨论，切实有效地推动了理论信念教育。开展看变化、比发展、树大志的社会实践活动。围绕“致富思源、富而思进”这一主题，针对新情况、新问题进行总结和反思，把富而思进的要求融进创建现代化文明监所和文明律师事务所、公证处、法律服务所的争创活动中。在警示教育中，各单位以组织报告会、参观展览、观看电影《生死抉择》等多种形式，以胡长清、成克杰等腐败分子为反面典型，结合本系统近年来出现的违法乱纪问题，深入进行反腐倡廉、警钟长鸣的教育。并将警示教育与树立公仆意识相结合、与建立健全民主集中制相结合、与完善各项规章制度相结合。

四、发挥职能作用，做好“法轮功”练习者帮教转化工作

司法行政系统在这场与“法轮功”邪教组织的斗争中担负着重要职能。为了使被收容教养的“法轮功”痴迷者和顽固分子真正认识“法轮功”的邪教本质，彻底摆脱“法轮功”的束缚，回到正常的工作生活中来，广大劳教干警认真执行党的“教育、感化、挽救”的劳教方针，依法管教，科学施教，积极探索做好“法轮功”练习者教育转化工作的方法，以爱心、耐心、诚心感化他们，以高度负责的敬业精神影响他们，像医生对待患者那样教育转化了一大批“法轮功”痴迷者和顽固分子，涌现出了辽宁省马三家劳动教养院和苏境等一批帮教转化工作成绩突出的单位和个人。司法部党组及时总结他们的经验，向全国推广。组织转化好的“法轮功”练习者到各地进行巡回帮教，发挥转化典型的作用，使帮教转化工作取得较好成效。各劳教单位在帮教转化工作中，充分发挥思想政治工作的作用，采取走出去、请进来的办法，请英雄模范人物和有关专家、学者到劳教场所，帮助“法轮功”练习者转化思想。借助社会力量，与当地政府、“法轮功”练习者单位及家属签订帮教协议，共同做转化工作。形成强大的转化氛围，有力地配合了全国同“法轮功”邪教组织的斗争。

五、注重软件建设，扎扎实实开展创建工作

司法行政系统的精神文明创建活动，继续围绕行业文明创建活动展开。监狱、劳教部门按照部党组“坚持、总结、完善、提高”的八字方针，采取有效措施和办法，把创建工作纳入规范化、科学化、制度化轨道，使之成为推动监狱、劳教所整体工作向前发展的有效载体。在创建布局上，既强调东西部整体推进，又注意向西部地区的倾斜；既注意掌握好创建的节奏，又注意处理好部级和省级现代化文明监狱、现代化文明劳教所的关系；既注意纠正一味追求形式、追求硬件的倾向，又注意在追求内涵和改善质量上下功夫，作到软件先行，软、硬件并举。截止到年底，全国已建成部级现代化文明监狱33所、劳教所27所，并有15所监狱、13所劳教所通过了验收和复查。

法律服务行业以提供优质、高效的法律服务为目标，积极开展“形象工程”建设。把提高法律服务队伍整体的职业道德水平和业务水平，培养和造就一批政治立场坚定、法律业务精通、服务作风正派，具有一定社会影响的名牌法律服务工作者和律师事务所、公证处、法律服务所，树立依法执业、文明服务、公平竞争、严格自律的良好形象，作为创建工作的落脚点。部党组十分重视律师、公证员队伍的精神文明建设工作，在调查研究的基础上，下发了《关于进一步加强律师公证员队伍党组织建设工作的意见》。在今年进行的第二批司法部部级文明律师事务所的考评工作中，对文明律师事务所的精神文明建设、职业道德建设提出明确要求和具体考核标准。经过组织考查组进行实地考评，审批了29家律师事务所为司法部部级文明律师事务所。在中国律师2000年大会上，党和国家领导人尉健行、罗干等为29个部级文明律师事务所颁发了奖牌，极大地鼓舞了法律服务行业争创文明律师事务所、文明公证处、文明法律服务所活动的开展。为了扩大社会影响，树立法律服务工作者的良好形象，司法部先后在《人民日报》、《法制日报》设立专栏，向社会各界宣传律师公证工作和部级文明公证处的先进事迹。各地在争创活动中，以崭新的精神风貌，努力为经济建设提供优质高效的法律服务；深入农村，深入基层，开展上门服务；积极承担法律援助义务，保障残者、弱者的合法权益；关心支持公益事业，热心捐资助学，受到社会好评。

六、树立先进典型带动争先创优活动的开展

在引导全系统学习先进，争创一流方面，部领导带头深入基层，调查研究，挖掘基层司法行政工作的先进典型。经过推荐、试讲、选拔，由

11名县（区）司法局长和1名先进集体代表组成的报告团，从5月21日开始，分4个组在18个省（区、市）及部机关作报告19场，听取报告的司法行政机关干部、地（市）司法局长、其他行政部门干警近万人。各地的广播电台、电视台、报社均派记者对巡回报告团进行了采访、报道，在社会上进行了广泛的宣传。

在先进典型的带动下，各级司法行政机关和基层单位掀起了争先创优、立功创模的热潮，全系统大力开展了学习先进，表彰先进，宣传先进的活动。全国司法行政系统共有20人获得全国先进工作者称号，11人被司法部授予一、二级英模称号，24个单位荣立集体一等功，一大批单位和个人受到当地党委、政府的表彰。

（司法部政治部）

公　安　系　统

2000年，全国各级公安机关高举邓小平理论伟大旗帜，认真学习贯彻党的十五届五中全会精神，深刻领会和努力实践江泽民总书记“三个代表”重要思想，大力加强公安思想政治工作，深入开展精神文明创建活动，有效地激发了广大民警的工作积极性和责任感，保证了各项公安保卫任务的圆满完成。

一、深入开展“三项教育”，努力探索新形势下思想政治工作的新途径

在全国公安机关和全体公安民警中，认真开展以全心全意为人民服务的宗旨教育、实事求是的思想路线教育和严格公正文明执法的法制教育为主要内容的“三项教育”。为保证“三项教育”活动的实际效果，公安部部长贾春旺多次提出要求和指示，公安部党委成员按照分工分别深入到各自的联系点，具体进行指导检查，先后召开“三项教育”工作会议15次，两次派工作组对29个省（自治区、直辖市）近300个县级公安机关开展“三项教育”的情况进行检查指导，对60个县级公安机关和近300个科所队进行暗访。各地公安坚持“开门搞教育”，充分征求、吸取各级人大代表、政协委员和社会各界的意见和建议。针对队伍中存在的突出问题及队伍整体素质的现状，公安部在活动中按照民警总数的5%—10%的比例对民警进行分离培训，制定了《公安机关“三项教育”民警分离培训办法》。“三项教育”使公安队伍的整体素质有所提高，一些长期得不到解决的问题得到解决，“冷硬横推”现象得到大面积纠正。民警的法律意识明显增强，执法水平有所提高，执法行为进一步规范。实事求是的思想路线得到深入贯彻，队伍管理逐步走向正规化、制度化。

二、精神文明创建活动健康发展，促进各项公安保卫工作顺利开展

各级公安机关结合“三项教育”、“十二项措施”的要求，深入开展“争创人民满意单位（民警）活动”，在争创活动的内容和形式上大胆创新，使争创活动的内容量化，操作性更强。上海市公安局编辑出版了《上海市人民警察礼仪》一书，制定了《上海市公安局礼仪规范考核标准》，使民警职业形象规范化。内蒙古自治区公安厅出台了《内蒙古自治区公安机关主动接受社会各界和人民群众监督的暂行办法》，规范和畅通监督渠道。辽宁省公安机关紧紧抓住“三项教育”的有利时机，在全省公安机关开展“执法质量年”活动。重庆市公安局以“爱民守纪、公正执法、热情服务”为核心，开展“争创群众满意年”活动。云南省公安机关深入研究《警民关系评估标准与方法》，制定县级公安机关工作与警民关系评估考核体系。争创活动的开展，有效地促进了警民关系的好转，提高了服务质量。

创建人民满意派出所活动不断深入，110报警服务台建设蓬勃发展。各级公安机关按照公安部党委提出的改革和加强派出所工作的总体思路，开展创建人民满意派出所活动。大力加强群众工作，狠抓各项改革措施的落实，积极开展创建安全文明小区活动和群防群治工作。各种刑事案件的发案率得到有效控制，派出所民警的素质有了较大提高，形象有了明显好转，群众对派出所民警在接处警、求助服务、警风警纪和文明执法工作方面的投诉大幅度下降，社会治安秩序和政治稳定得到了有效保证。110报警服务台在全国绝大多数县（县级市）以上城市普遍建立，其技术装备达到一个新的水平，各项规章制度逐步完善和规范，在打击犯罪、服务群众等方面发挥着越来越重要的作用。全国110的覆盖率已达到87.5%；一些经济较发达地区的110报警服务台配备了GPS卫星定位系统、图像监控系统及电子地图等先进设备。全国各级110报警服务台共受理群众电话投诉6.8万余起，反馈率达88%，处理了一批违法违纪民警，得到了人民群众的好评。各地110报警服务台充分利用自身信息全面、反应快速、指挥有力、协调方便的优势，直接参与各种重大紧急案（事）件的处置工作，其在公安工作中的地位和作用越来越突出。

深入开展创建“平安大道”活动，实施“畅通工程”。全国各地公安机关在巩固102、107国道创建平安大道成果的基础上，以104、312国道（总里程7186公里）和高速公路（共计1.6万公里）为重点，继续深入开展了创建平安大道活动。通过活动，民警执勤执法水平和服务意识有较大进步，道路畅通有了保障，交通事故明显下降，治安状况有所好转，群众的安全感增强，社会反映良好。公安部、建设部在全国138个大中小城市开始实施以提高交通管理水平为中心的“畅通工程”。各地对闯红灯、抢行猛拐、机动车无牌无证上路、乱停乱放、酒后开车等违章现象进行专项整治，对城市主干道上的各类违法占道进行大规模的清理整顿。同时，各地普遍加大了对道路基础设施和交通安全设施建设的投入，努力挖掘现有道路潜力。一年来，有27个城市拆除各类违章建筑20余万间，67个城市清理马路市场等非交通占道101万处；多数大城市建成区路口灯控率达到了70%，增设各类交通标志5.3万多块，施画交通标线2.8万多公里。经过一年的工作，达到了预期的目标，取得了显著成效，受到社会各界好评。

三、扫黄打非工作取得明显成效

各地公安机关按照中央和公安部的统一部署，集中力量，对卖淫嫖娼、赌博、制黄贩黄、侵权盗版等违法犯罪活动进行严厉打击。组织开展了“加强娱乐服务场所管理，严厉打击卖淫嫖娼赌博吸毒等社会丑恶现象专项行动”，全年共查处卖淫嫖娼案件22.2万余起，查获卖淫嫖娼人员47.1万余名，查处赌博案件40.3万起，查处违法犯罪人员165.9万人，清查各类娱乐服务场所94.7万家，取缔21.6万家。扫黄打非、保护知识产权取得了显著成绩，全年各级公安机关共收缴各类非法出版物1587万余册（其中“法轮功”类出版物65万余册），非法音像制品5417万余张（盘），查破制黄贩黄、侵权盗版案件6千余起，抓获犯罪嫌疑人5700余名，查获非法光盘生产线25条。这些专项斗争的开展，严厉打击了社会上滋生的丑恶现象，有效地遏制了丑恶现象的发展和蔓延，净化了社会风气，赢得广大人民群众的支持和赞扬。

四、大力宣传先进典型，弘扬时代正气

全国各级公安机关始终把宣传典型作为思想政治工作和精神文明建设的重要工作来抓，纳入宣传的主渠道，进行了大力度的宣传报道，弘扬了时代正气。与中宣部及有关地方党委共同组织了对河北省公安厅副厅长刘金国、重庆市公安局大阳沟派出所、四川成都市公安局民警姚建云、浙江公安消防总队战士黄东华等先进典型的宣传，召开了刘金国、黄东华先进事迹报告会。同时，坚持治警先治长的原则，充分发挥领导干部的模范带头作用，组织了全国公安系统优秀领导干部事迹报告团，并将刘金国和领导干部报告团的事迹编辑成册、制成光盘发放全国公安机关学习，引起强烈反响。在江泽民总书记为济南交警“严格执法，热情服务”题词5周年之际，公安部在全国公安系统组织开展了“严格执法，热情服务”理论与实践征文活动，并在人民大会堂召开了学习贯彻江泽民总书记“严格执法，热情服务”理论研讨会。各地公安机关结合自身实际，在本省、本地区也树立宣传了一批先进典型。一年来，共有111个单位荣立集体一等功，59人被授予一、二级英雄模范称号，99个单位被评为全国优秀公安局，447个单位被评为人民满意的公安基层单位，1000人被授予全国优秀人民警察的光荣称号。

五、加强公安文化建设，丰富民警文化生活

加强对全国公安文化建设的总体指导力度，召开全国公安报刊工作会议，明确公安报刊今后发展的方向。为纪念毛泽东同志《在延安文艺座谈会上的讲话》发表58周年，召开全国公安文学创作研讨会。为活跃基层民警业余文化生活，推进公安群众性文化工作，公安部组队参加了由广播电影电视总局主办、中央电视台承办的第九届全国青年歌手电视大奖赛（业余组）和全国首届"红河杯"电视演讲大赛，公安部代表队均荣获团体第一名。组织第五届"金盾文化工程"的评选工作，364件作品荣获"金盾文化工程"优秀作品一、二、三等奖，9个单位获组织工作奖。《忠诚的道路》、《警察世家》等一批优秀公安题材的电视剧和专题片先后与观众见面，较好地展现了广大公安民警忘我工作、不怕牺牲、无私奉献的高尚精神风貌，在社会上产生良好反响。各地公安机关广泛开展丰富多彩的文化活动，组织文艺演出、卡拉OK比赛，摄影、美术、书法等展览活动。这些活动的开展，极大地丰富了广大民警的业余文化生活，陶冶情操，提高文化素质，促进了公安机关的精神文明建设。

（公安部宣传局）

建 设 系 统

2000年，建设部在中央文明办、国务院纠风办、中央综治办等部门的指导下，依托各省市建委、建设厅，紧紧围绕建设事业的改革与发展，以行业管理为载体，以创建文明行业为重点，积极推进行业精神文明建设，促进了建设系统两个文明建设的协调发展。

一、进一步加强行业思想政治工作

注意做好先进典型的宣传推广工作，加大先进典型的宣传力度，注意发挥先进群体和先进个人的示范带头作用和激励辐射作用，取得一定效果。

总结中建八局921－520工程项目经理部先进事迹，提炼概括出"艰苦创业、科技为先、忘我奉献、铸造精品"的大漠精神。8月，以部党组名义向中宣部推荐中建八局921－520工程项目经理部将其作为全国重大典型加以宣传。12月，中宣部将中建八局921－520工程项目经理部的先进事迹作为思想政治工作典型在全国主要新闻媒体上给予集中宣传。同时，建设部党组作出关于授予中建八局921－520工程项目经理部全国建设系统行业楷模称号的决定，并组织建设系统的相关报刊进行宣传。

与山东省委、省政府联合宣传了山东省临沂市市容管理局局长朱崇跃的先进事迹。10月，部党组决定授予朱崇跃全国建设系统行业标兵称号。12月12日建设部与山东省委、省政府联合在济南市组织召开朱崇跃同志先进事迹报告会。

加大了对劳动模范和先进工作者的宣传力度。"五一"节前，国务院表彰了3000多名全国劳动模范和先进工作者，建设系统231名同志榜上有名。为进一步宣传劳动模范和先进工作者的先进事迹，弘扬他们的精神，发挥他们在两个文明建设中的示范带头作用，《中国建设报》开辟"全国建设系统劳模巡礼"专栏，对部分劳动模范和先进工作者的先进事迹进行了集中宣传和展示。同时，组织编印百名全国建设系统劳模先进事迹汇编，进一步宣传和弘扬劳模先进事迹和先进思想。

二、大力推进文明行业创建工作

7月份在河北省邯郸市组织召开全国供热行业创建文明行业工作座谈会。交流供热行业创建文明行业的经验，制定了全国供热行业创建文明行业的标准。7月底在内蒙古赤峰市召开全国建设系统职业道德建设座谈会。总结回顾建设系统职业道德建设第三个三年规划的执行情况，就如何总结表彰先进单位和如何深化建设系统的职业道德建设进行研讨。

为进一步加大创建力度，年初，邀请建设系统荣获第一、二批全国文明风景旅游区示范点称号的19个单位，在福建武夷山风景名胜区召开了全国建设系统创建文明风景旅游区示范点工作座谈会，总结工作，交流经验，并就创建工作提出新的、更高的要求。与中央文明办、国家旅游局联合推出第三批10个全国文明风景旅游区示范点，并在广东肇庆召开了全国创建文明风景旅游区座谈会。

为使建设系统在推广烟台市建委社会服务承诺制、全面开展规范化服务过程中出现的城建热线和服务网络健康发展，并发挥城建热线和服务网络在创建文明行业中的影响和作用，建设部组织调查。其结果表明，城建热线和服务网络的设立与开通，不仅是群众性精神文明创建活动中的一个创造，而且是社会服务承诺制的深化与发展，不但为市民提供了方便快捷的服务，而且也树立了良好的行业形象。

三、深入开展“讲文明树新风”活动

中央文明办、建设部、公安部等10个部门和单位联合在全国开展以“倡导文明新风，共建美好家园”为重点的创建活动。

围绕优美环境，提高物业管理水平，加大城市综合整治力度，深入开展创建全国物业管理优秀住宅小区活动。在9月份中央文明办在南京召开的全国创建文明社区工作座谈会上，建设部就提高物业管理水平、创建文明行业做了重点发言。

继续与团中央、公安部、民政部联合开展创建青年文明社区活动。联合召开了全国创建青年文明社区电视电话会议，对创建青年文明社区活动中涌现出的先进集体进行了表彰。

在建筑行业广泛深入开展向范玉恕同志学习的活动，努力造就一支爱岗敬业、技术过硬、纪律严明的建设大军。进一步开展了创建文明工地活动，并对创建文明工地中涌现出的北京城建集团创建文明“四区”活动的经验，进行总结和宣传。结合改革、整顿和规范建筑市场，在全国推出17个建筑工程交易中心为文明服务示范窗口单位，为规范建筑工程招投标，推动建筑行业的文明行业创建树立样板。与团中央联合，在建筑行业青年中，开展了创新增效活动。

四、进一步做好建设系统的社会治安综合治理工作，推进纠正行业不正之风

近年来，配合有关方面，加强外来施工队伍的管理，推进外来务工青年的培训工作。在深入调查研究的基础上，建设部会同团中央、公安部、中央综治办联合在上海召开全国建设系统深入实施“千校百万”外来务工青年培训计划现场推进会，总结推广了上海市建设系统在外来务工青年培训和外来施工队伍管理方面的经验，推动了全系统外来务工青年培训和施工队伍的管理工作。

推进建设系统的纠风工作。5月，按照国务院纠风办的部署，结合建设系统的实际，建设部制定印发了《建设部关于当前纠风工作的意见》，明确了纠风工作的任务，提出了措施和要求。

（建设部文明办）

铁 路 系 统

2000年，全国铁路各级党委紧密围绕贯彻落实党的十五届四中全会精神和部党组总体工作思路，采取积极措施，加强思想政治工作和精神文明建设的力度，在内增动力、外树形象上狠下功夫，为促进铁路改革发展和稳定，提高一年实现扭亏，以及巩固扩大扭亏增盈成果，发挥了积极作用。

一、紧扣中心，导向有力，体现了唱响主旋律、打好主动仗的要求

铁路系统坚持把主要精力放在转观念、促改

革、保稳定上，紧紧围绕扩大市场营销、强化企业经营管理、确保实现扭亏增盈目标这一中心任务，加大理论先导、思想疏导和舆论引导的力度，主动抓好理顺情绪、化解矛盾、凝聚人心、稳定队伍、选树典型、鼓舞士气的工作，把“唱响主旋律、打好主动仗”的方针要求，具体落实到理论武装、思想教育、舆论宣传和精神文明创建活动等各个领域。全路11个车站、12趟列车被中央文明办确定为全国精神文明创建活动示范点，40个示范站车和单位被中央文明委授予全国创建活动先进单位称号。一批反映铁路深化改革、艰苦创业的精品力作，弘扬了时代主旋律。

二、两大主题教育互相呼应，步步深入

按照中央和部党组的部署，集中开展以讲学习、讲政治、讲正气为主题的马克思主义基本理论教育；以推行资产经营责任制、强化客货营销、减员增效为主要内容的改革形势教育。部宣传部选编的《铁路领导干部“三讲”学习体会》，汇集60多篇各局党政领导同志撰写的学习心得。全路开展的“富小拖”大讨论，（富锦小型拖拉机厂，以往都通过铁路运输其产品，由于铁路的原因，其产品不再通过铁路运输了，铁道部抓住这一现象，合理开展转变观念，提高服务质量的大讨论）是宣传思想工作紧紧抓住的重头戏。各单位纷纷从分析查找身边的“富小拖”现象入手，眼睛向内，认识自我，超越自我。“刘村小站勇闯大市场”、“我们靠什么占领市场”大讨论、“刘莉表现”大家谈、“命运共同体”教育等，把“富小拖”大讨论推向了高潮，加快了干部职工思想观念的转变进程，有力促进了资产经营责任制的落实，为全路提前一年实现扭亏目标和巩固扩大扭亏增盈成果，奠定了思想基础。

三、积极应对政治风浪的考验，同“法轮功”邪教组织作坚决斗争

按照中央的要求和部党组的部署，以坚定的立场和鲜明的态度投入到反对邪教“法轮功”斗争之中。一手抓舆论引导，用马克思主义唯物论、无神论和科学知识教育职工群众，从思想和理论上剖析“法轮功”的本质及其危害；一手抓对“法轮功”练习者的思想转化和帮教工作，积极解脱大多数，孤立和打击极少数顽固骨干分子，使广大“法轮功”练习者迷途知返，划清界限。在同“法轮功”的斗争中，宣传思想战线经受住了考验，增强了快速应对突发事件的能力。

四、坚持内外联手，组织重点战役，做好宣传思想工作

积极协调各方力量，紧扣中心，超前筹划，主动出击，使大事要事的宣传形成较大声势。先后组织的对铁路落实资产经营责任制、列车提速调图、调整产品结构、强化市场营销、安全基础建设、提高客货服务质量的宣传报道；对加快朔黄线、内昆线建设，南疆线提前开通的报道；对铁路50周年辉煌成就的宣传报道，梯次推进，高潮迭起，发挥对内鼓舞士气、凝聚力量，对外塑造形象、扩大影响的作用。

（铁道部宣传部）

交 通 系 统

2000年，全国交通系统的精神文明建设在部党组和地方党委的领导下，坚持以邓小平理论和江泽民总书记“三个代表”重要思想为指导，认真落实中央思想政治工作会议精神，紧密围绕交通基础设施建设、公路水路运输生产和行业体制改革及交通市场监管等中心工作，唱响主旋律，打好主动仗，以交通行政执法队伍建设和交通“窗口”单位文明建设为重点，深化认识，加强领导，狠抓基础，务求实效，全面推动了交通系统的行业文明建设。

一、以提高职工队伍素质为根本，加强理想信念教育和思想道德建设

为贯彻中央思想政治工作会议精神，在调研的基础上，交通部制定了《关于加强和改进交通职工思想政治工作的若干意见》，有针对性地提出当前要突出抓好的十项重点工作。各单位结合实际，深入进行了邓小平理论、“三个代表”重要思想和党的基本理论、基本路线和基本纲领的教育。同时，围绕交通工作的大局，深入进行交通改革开放的经济形势和方针政策的宣传教育，做好职工深入细致的思想政治工作，有力地保证交通深化改革措施的实施和各项运输生产任务的完成。围绕交通“九五”规划任务的完成及“十五”规划的编制工作，各单位还大力开展国家经济大形势及公路、水路交通发展蓝图、战略目标、工作重点以及政策措施的宣传教育，不断增强职工热爱交通、发展交通的历史责任感和时代紧迫感。

二、坚持精神文明重在建设的方针，深化创建文明行业活动

交通系统的创建文明行业活动经过5年的努力，形成了良好的工作格局。各单位加强组织领导，制定工作规划，规范创建标准，明确工作重点，健全考核机制，强化活动措施。由于创建活动与经济管理工作紧密结合，软件硬件一起抓，不断增强了创建工作的深度、力度和实效性，涌现了大批文明车、文明船、文明站所、文明线路和航线，有一部分交通子行业已经被地方党委、政府命名为文明行业。

交通部与团中央等8个部委联合发起了在春节等节假日期间开展“青年文明号优质服务促假日经济”活动；积极推进女职工的“巾帼建功”活动，对全国交通系统的97名“巾帼建功”标兵和50个“巾帼建功”先进集体进行了表彰；参与全国劳动模范、先进工作者的评比表彰工作。“五一”节前夕，全国交通系统共有114人被国务院授予“全国劳动模范”和“全国先进工作者”荣誉称号。交通部在京召开了交通系统全国劳动模范、先进工作者座谈会。为推动交通系统文明行业创建活动，交通部作出在全国交通系统进行首次文明行业申报评审工作的部署。

三、按照“三个代表”的要求，加强交通行政执法队伍建设

交通部先后召开公路系统、水运系统和海事系统交通行政执法队伍建设三个座谈会，针对交通行政执法队伍现状，研究加强交通行政执法队伍建设的措施。10月，在合肥召开全国交通行政执法队伍建设工作会议。部署加强交通行政执法队伍建设的工作措施，交流了安徽淮北市运管处、江苏镇江运管处等47个单位的经验。

四、紧密围绕交通中心工作，加大交通新闻宣传工作力度

为了赢得全社会对交通工作的理解和支持，树立良好的行业形象，交通部围绕交通基础设施建设，西部开发交通发展，安全生产和质量管理，运输、建设市场整顿和治理“三乱”等工作，充分发挥新闻媒体作用，大力加强交通新闻宣传。对交通工作会议、西部开发会议、水上交通安全电话会议、水运市场管理会议，公路行业管理会议等进行了全面报道，还设立了《人民日报》、《经济日报》西部开发交通建设专版、京沪高速公路专版；组织记者配合水上安全明查暗访活动，在《焦点访谈》等栏目进行了正面报道；进行京沈高速公路全线贯通和沿线的新闻采访活动、新闻发布会和“京沪高速公路千里行”活动。会同中宣部、国家经贸委对青岛港作重点宣传，11月14日，新华社、《人民日报》、中央电视台、中央人民广播电台等中央新闻单位联合推出宣传青岛港的新闻报道。

（交通部体法司）

信息产业系统

一、加强精神文明建设和思想政治工作，为迎接信息产业的跨世纪发展奠定坚实基础

在2000年全国信息产业工作会议上，部长、党组书记吴基传在工作报告中要求，要加大精神文明建设的力度，提高队伍整体素质，以两个文明建设的丰硕成果迎接新世纪的到来。在“三个代表”重要思想的指导下，在部党组的领导下，信息产业部门两个文明建设取得显著成绩，全年通信业务收入完成3498亿元，比上年增长24.8%；通信固定资产投资完成2144亿元；局用电话交换机容量新增2566万门，达到1.29亿门，全国电话用户数达到2.29亿户；电子信息产品制造业销售收入5800亿元，增长34%。队伍整体素质进一步提高，通信部门更加广泛深入地开展精神文明创建活动，加强思想政治工作和企业文化建设，促进了服务质量的改善和行业作风的明显好转。电子产品质量又有新的提高。

二、深入开展精神文明创建活动，努力创新服务，提升服务水平

信息产业部门高度重视通信服务水平和电子产品质量的提高，把提高服务水平和改善产品质量的重要意义与落实江泽民总书记“三个代表”重要思想紧密联系起来，与始终如一地坚持人民邮电为人民的服务宗旨紧密联系起来。并把不断提高通信服务质量和水平，让用户即时享受满意的通信服务，创建成文明行业，作为精神文明创建活动的追求目标。部根据政企分开、邮电分营和电信重组后的新格局、新体制，面对通信市场的初步形成，对全行业通信服务提出要进一步完善“政府监管、社会监督、企业自律”相结合的服务管理机制的要求。政府管理部门和各运营公司按照这一要求，首先把重点放在强化管理，整章建制，加强监督，规范行为等基础建设上，既能确保政府依法执政，又能加强企业管理，使服务工作制度化、规范化、标准化，推进信息产业的服务、产品提升新水平。9月25日国务院291号令公布施行了《中华人民共和国电信条例》。信息产业部与中央电视台共同举办了电信知识大赛活动。在全国通信行业普遍进行了集中学习、宣传“条例”，深入开展法治、德治教育的活动，增强了干部、职工法律和道德意识，增强了依法执政，依法经营，自觉维护社会主义市场经济秩序的观念。随后，部拟订了《电信服务标准》、《电信服务质量监督管理暂行办法》、《电信用户申诉处理暂行办法》等，逐步完善服务管理、监督、检查的办法和标准。使通信服务的管理逐步走上了法制化的轨道。各通信运营公司以此为契机，为大力推进服务工作，使服务提升新水平，从内部管理上进一步完善规章制度，制定管理办法、规范服务标准、明确考核指标，改进和严格管理流程、操作流程、办事流程，提高工作效率。中国电信、中国移动、国家邮政局分别制定了《中国电信集团首问负责制工作规定》、《关于重大服务问题处理办法》、《企业服务标准》、《中国移动通信服务质量考核管理办法》（试行）、《关于解决当前服务工作中若干问题的通知》、《中国移动通信集团公司客户申诉处理暂行办法》、《中国移动通信集团公司数字蜂窝式移动电话服务考核标准》，《邮政通信服务规范》等规范化服务规章制度和标准。电子产业严格按照《标准化法》、《产品质量法》，积极采用国际标准。

通过不断深化创建活动，强化对服务工作的管理。中国电信集团公司提出“用户至上，用心服务”的理念；中国移动通信集团公司把“争创世界一流通信企业”作为集团奋斗的目标，并确立以“追求客户满意服务”为企业的宗旨；国家邮政局则把“树邮政新风，创优质服务”作为全系统创建活动的主题。

中国电信把不断创新服务方式和服务手段，不断推出品牌工程、形象工程，进一步提高通信服务质量和水平作为一项十分重要的任务来抓，进一步加大改善服务的力度。为方便用户，成立集团客户服务中心，加强大客户的经营服务，为大客户提供一点受理、一站服务的四级大客户服务机构等措施；建立以营业前台为重点，后台为支撑，服务为基础的服务体系。针对网络中存在的影响服务质量问题，加强设备和系统整治，严格了对数据、软件版本和信令的管理；加快170电话查询系统的建设。推广黑龙江电信公司三级服务热线的做法。集团公司加大社会监督、自我探查的力度，向全国用户发放《用户征询函》6万多份，满意率为88%。

中国移动通信集团公司在服务方式和内容上创新，开通中国移动通信客户服务网站，随时接受客户的网上投诉、查询和建议；客户服务中心利用呼叫中心技术为用户提供咨询和处理投诉，加强1860/1861客户服务热线的建设。在全国各省主要城市向客户免费提供话费账单和长途、漫游通话详细清单、账单打印、划卡查询、多媒体（触摸屏）查询、短信息通知、信息点播、声讯台查询；建立客户服务工作投诉中心和服务监察中心，通过对电话拨测，实现对全国服务工作的检查并实时配合信息产业部投诉中心的监督工作；开展全国范围的“神秘顾客”调查活动，发现问题及时整改；聘用用户监督员，通过用户监督委员会监督服务质量和水平。取得了无线接通率明显提高，全网平均掉话率明显降低的好成绩。

邮政部门在方便客户方面有了新的措施。全国大部分地区建立了集业务受理、查询和投诉于一体的客户服务中心，从7月1日起，企业基本实现了省会城市城区普通包裹免费直投到户，从10月1日起，全国又实现了县以上城市城区邮购包裹免费投递到户，特快专递实行上门揽收，报刊发行采取集订分送、异地订阅、电话订阅等多种方式，邮政储蓄扩大了异地存取范围，增加了绿卡的消费功能；服务设施更加完善。根据社会需求，新建了一大批报刊亭和信报箱群，为用户提供了更加方便的用邮条件，规范化服务正在全面推进，全国县以上城市规范化服务窗口达到80%以上；服务种类更加丰富。在办好传统邮政业务的基础上，不断开发新的服务业务，拓宽新领域，积极利用现代信息技术，发展电子邮政，建立了“183”电子商务网站、“185”信息服务系统、开办了网上订报、网上集邮、网上汇兑、网上购物等业务；服务层次有了新的提升。全国邮件从9月1日起，实现了国内信函、包裹、印刷品等邮件的全面提速，提速后省会城市之间的函件时限平均加快1—2天，包裹、印制品时限平均加快2—4天，特快专递实现了京、沪、穗之间和东部地区之间的次日投，7个一级中心局之间的次日递率达到80%，全国中央、省级日报实现早报早投率达到57%，各类邮件妥投时限准时率达到90%以上。邮政服务综合满意度达到80%以上，邮政服务成为社会评价较好的行业之一。

三、加强思想政治工作，增强企业凝聚力

信息产业部改革进一步深化，电信的重组，使通信市场多元化的竞争局面初步形成；邮政与电信分营后，面临健全机构、整章建制、加强管理等一系列改革和调整；国有电子企业结构调整取得成效，产业布局进一步优化。面对新格局、新形势、新情况，信息产业部各业、各单位按照部党组的要求和部署，在各级党组织和地方党委的直接领导下，紧密结合本单位的实际，积极做好思想政治工作。

国家邮政局党组制定了加强和改进思想政治工作的制度和措施，在全系统建立了以省、地级为会员单位的思想政治工作研究会网络，并利用政研会渠道在职工中展开深入的调查研究，及时分析职工的思想状况，有针对性地做好职工的思想政治工作。组织各学区组对邮政企业精神的培育和企业文化建设、邮政职业道德建设、邮政扭亏中的思想政治工作、特殊群体的思想政治工作、思想政治工作的创新、如何发挥基层党组织和党员在企业思想政治工作中的作用等重点课题进行研究，涌现了许多优秀成果。其成果在部邮电政研会组织的全国邮电思想政治工作优秀论文评选活动中获一等奖14个、二等奖20个、三等奖9个，对进一步加强邮政思想政治工作和精神文明建设，发挥干部、职工的积极性，增加邮政企业的凝聚力，解决邮政企业遇到的热点、难点问题提供了有效的理论支持。

中国电信集团公司正式挂牌成立以后，根据自身的性质、特点、任务和发展战略，及时理顺了思想政治工作和精神文明建设的新体制，成立了直属机关党委和思想政治工作部，负责企业思想政治工作、企业文化建设、精神文明创建活动等工作，并下发了《中国电信集团思想政治工作指导意见》。各省公司分别建立了党群工作部，形成了条块结合、党政工团齐抓共管的思想政治工作网络体系和灵活的运行机制。在信息产业部的组织、协调下，中国电信集团公司紧密配合地方党委调查研究，及时总结、推广江苏省徐州电信局营业处、广州市电信局精神文明建设和思想政治工作的典型经验。召开全国电信系统电视电话会，宣传徐州电信局营业处在服务工作中总结的“固本、务实、律己”六字经和“木桶论”、“小鱼论”、“微笑论”具有鲜明时代特色的基层思想政治工作经验。广州市电信局组织专门人员对本局近几年思想政治工作进行系统的总结，编撰成书《信息大潮冲浪人——广州市电信局思想政治工作探索与实践》。

中国电子思想政治工作研究会于1月13日在北京召开了会员代表大会暨第六届年会，分析信息产业的形势、任务，提出在推进国有企业改革中切实加强和改进思想政治工作的要求，交流了经验，表彰了优秀政研会、优秀政研会干部和优秀理论研究成果，选出了新一届领导机构。7月和9月先后举办了第四期高级政工师培训班和第五届第二次电子工业企业党委书记工作研究会，交流、探讨深化国企改革中思想政治工作、企业文化建设的情况和经验，取得了较好的效果。

中国邮电职工思想政治工作研究会努力适应新体制的要求，发挥组织、协调、指导作用，协助分营和政企分开后的邮政、电信各运营公司，建立新的思想政治工作运行体系，建章立制，逐步形成新的机制。

（信息产业部创建办）

水利系统

2000年水利系统精神文明建设工作，围绕中心，服务大局，在促进水利事业发展、维护社会稳定和提高职工素质上狠下工夫。精神文明创建活动取得新的成果，为做好新世纪的精神文明建设工作奠定了良好基础。

一、认真学习宣传邓小平理论和“三个代表”重要思想，进一步深化理论武装工作

水利系统各单位结合深入学习邓小平理论，学习江泽民总书记“三个代表”重要思想，兴起学习热潮。许多单位举办学习班、报告会、座谈讨论等，把学习“三个代表”思想同学习邓小平理论相结合，同学习党的方针政策相结合，同学习法律、历史、经济、科技等专业知识相结合，丰富了理论学习的内容。围绕如何把“三个代表”重要思想落实到各项水利工作中，水利部党组采取集中办班、封闭式轮训的方式，连续举办三期由部机关全体司局级干部、在京直属单位、七大流域机构主要负责同志等80余人参加的学习班。水利部直属机关团委举办青年理论学习培训班。

二、贯彻落实中央思想政治工作会议精神，组织召开全国水利思想政治工作会议

10月，在成都召开全国水利系统思想政治工作会议。四川、江苏、浙江、黑龙江、东深局等10个单位，就如何围绕水利中心工作，转变治水思路，弘扬水利行业精神和改进思想政治工作，推进水利事业发展等方面介绍了经验，举行了宣传汪洋湖、杜少兵的先进事迹会，并向获得1998—1999年度全国水利系统文明单位称号的23家单位颁发了奖牌。

三、深入基层，开展水利系统党建和职工思想状况问卷调查

水利部文明办、直属机关党委、人教司联合开展《水利系统党建和职工思想状况问卷调查》，调查的内容包括理想信念、宗旨观念、组织纪律、党员党组织的作用以及当前职工关心的热点难点问题、思想状况。水利系统共有30个单位参加，近4万人完成答卷。问卷调查基本摸清了水利系统职工队伍的思想状况，根据问卷调查情况，综合归纳，写出了《全国水利系统党建和职工思想状况调查报告》，为推动和改进水利系统党建和思想政治工作提供了依据。

四、发挥先进典型导向作用，广泛开展向先进学习的活动

7月，部党组作出决定，在全系统开展向领导干部的楷模汪洋湖同志、舍己救人的好职工杜少兵同志、科技干部的榜样骆小筑同志、一心为民的水利站长何洪福同志学习的活动。水利系统干部职工学习他们坚定的共产主义理想信念和全心全意为人民服务的思想；学习他们爱岗敬业、公而忘私、顽强拼搏、不怕牺牲的革命精神；学习他们克己奉公、廉洁勤政、淡泊名利、甘于奉献的优秀品德；学习他们崇尚科学、追求真理、求真务实、严谨细致的工作作风。

（水利部文明办）

卫 生 系 统

2000年，卫生系统精神文明建设工作围绕中心，服务大局，结合实际，扎实工作，努力促进卫生工作和精神文明建设协调发展，更好地为人民健康服务，为社会主义现代化建设服务，为全党全国工作大局服务。

一、认真学习宣传“三个代表”的重要思想，把理论武装工作作为精神文明建设的首要任务

卫生系统结合深入学习邓小平理论，学习江泽民总书记“三个代表”重要思想，兴起学习热潮。各级卫生系统把学习“三个代表”重要思想作为“三讲”教育和“三讲”教育“回头看”活动的重要内容，巩固和扩大“三讲”教育成果。部党组中心组联系卫生工作实际率先学习，统一思想认识，明确提出卫生改革要以符合不符合“三个代表”的要求，作为衡量改革是非、成败、得失的根本标准，以人民群众赞成不赞成、拥护不拥护、满意不满意决定改革措施的取舍。稳步推进卫生改革的深入发展。

二、围绕卫生改革这一中心工作，切实加强和改进卫生系统思想政治工作

贯彻落实《中共中央、国务院关于卫生改革与发展的决定》，贯彻落实全国城镇职工基本医疗保险制度和医药卫生体制改革工作会议精神，为三项改革创造良好的氛围。精神文明建设工作紧紧围绕卫生改革这一中心工作来进行。深入开展职业道德教育和卫生系统的行业作风建设工作，完善内部监督机制。深入开展“倡导文明新风，共建美好家园”活动，不断推进群众性精神文明建设活动。继续加强示范点的建设，进一步提高示范点的工作水平，更好地发挥其示范带动作用。

卫生部党组向全国卫生系统下发了《关于贯彻中央思想政治工作会议精神 加强和改进思想政治工作的实施意见》，切实加强对思想政治工作的领导。把理论武装工作放在首位，加强对干部职工的思想政治教育。加强基层党组织建设，发挥党支部的战斗堡垒作用和共产党员的先锋模范作用。加强思想政治工作的针对性和时效性，努力探索新形势下思想政治工作的特点、规律和方法。做好卫生改革与发展中的思想政治工作，树立卫生工作为人民的社会形象。大力宣传在卫生改革与发展中涌现出来的先进典型，发挥先进典型的示范作用，加强正面引导，弘扬正气。继续开展向赵雪芳、吴登云、戴宗晴等先进典型学习的活动，把宣传学习全国卫生系统重大典型同发现培养本单位的典型结合起来，做到学有榜样，赶有目标。建立一支政治强、业务精、作风正，能够密切联系群众的思想政治工作队伍，努力开创卫生系统思想政治工作新局面。

三、深入开展职业道德教育，大力宣传体现时代精神的先进典型

广泛开展理想信念教育和形势任务教育，为卫生改革与发展营造良好的氛围，积极推进职业道德建设，继续开展群众性的精神文明创建活动。及时总结、宣传卫生改革与发展中涌现出来的先进典型，有重点地表彰了一批医德高尚、医术精湛、文明行医、无私奉献、体现时代精神的先进个人。2月28日，人事部、卫生部、国家中医药管理局作出表彰全国卫生系统先进集体、先进工作者及“白求恩奖章”获得者的决定，授予北京市西城区厂桥医院等199个单位“全国卫生系统先进集体”荣誉称号；授予王忠诚等5人“白求恩奖章”获得者荣誉称号。3月5日，卫生部追授大连市甘井子区人民医院甘井子门诊部主任、妇科主治医师陈庶佳、新疆巴里坤哈萨克自治县萨尔乔克乡卫生院院长杨忠贤同志人民健康好卫士荣誉称号。

四、加强对精神文明建设工作的管理

对省市卫生系统开展精神文明建设工作进行调研。对全国卫生系统创建文明行业工作和精神文明建设工作先进单位——重庆铜梁县中医院、湖北省十堰市太和医院及被团中央、卫生部联合命名表彰的4个青年文明号、青年岗位能手进行了考核。3月，首都卫生系统创建文明行业规范化服务达标工作全面启动。规范化服务达标工作得到各区、县政府和卫生局以及各单位领导的高度重视。各单位进行了广泛的宣传教育，认真落实达标工作岗位责任制，认真查找本单位薄弱环节并积极进行整改，基本做到“三优”，即优质服务、优美环境、优良秩序，深受患者及家属的欢迎和好评。

为确保群众性精神文明创建活动的严肃性和连续性，卫生部文明办与部机关社会治安综合治理工作领导小组组成联合检查组对1999年度荣获中央国家机关文明单位、中央国家机关文明单位标兵的单位进行检查。又会同部五委会、中国预防医学科学院精神文明建设领导小组组成复查小组对所属的中国预防医学科学院食品卫生监督检验所、环境卫生监测所两个中央国家机关文明单位进行了全面抽查。

五、深入开展“讲文明树新风”活动，不断推进群众性精神文明创建活动

2月24日，卫生部与中央文明办等10个部委联合召开了全国电视电话会议，部署“倡导文明新风，共建美好家园”活动，号召全卫生系统积极参与美化居住环境、维护治安秩序、丰富文体生活、普及科学知识、拓展服务内容、密切人际关系的群众性精神文明创建活动，积极参与《中国精神文明建设年鉴》（2000年卷）的编辑工作。

继续把文化科技卫生“三下乡”作为精神文明建设的重要内容。部文明办与中日友好医院共同开展中国贫穷边远地区医护人员培训项目，每年培训医护人员50名。继续深入扎实地开展创建青年文明号、青年岗位能手、巾帼建功、五好文明家庭、三优一满意、青年志愿者扶贫接力计划西部服务团等活动，把群众性精神文明创建活动不断推向前进。

（卫生部文明办）

海 关 系 统

2000年，海关系统各单位在海关总署的统一领导下，继续开展以“爱岗敬业、公正执法、高效服务、文明廉洁”为主要内容的创建文明窗口活动，全面开展“纠风整纪”警示教育和“学英模，创新高”活动，精神文明建设呈现出积极向上的良好态势，为保障海关系统的改革发展发挥了重要作用。

一、提高认识，工作力度不断加大

海关系统认真组织学习江泽民同志“三个代表”重要思想，充分领会“三个代表”重要思想的精神实质和深刻内涵，充分认识精神文明建设在海关改革发展中的重要地位和作用，进一步增强做好海关系统精神文明建设工作的责任感和使命感。各海关单位都把精神文明建设工作列入本部门议事日程，坚持“一把手”亲自抓，其他领导齐抓共管。各直属海关都设立思想政治工作办公室，挑选思想政治素质好、工作成绩突出、群众威信高的同志组成专（兼）职政工干部队伍，负责思想政治工作和精神文明建设工作。做到精神文明建设工作有计划、有部署、有落实、有检查、有奖惩，对精神文明建设工作从人、财、物等多个方面加以保障。各直属海关单位精神文明建设工作规章制度健全，考核标准明确，精神文明建设工作与业务工作得以有机结合，不再是“两张皮”。许多海关把精神文明建设的内容列为年终综合考核工作的一个重要项目，如青岛海关实行了“精神文明建设一票否决制”，规定凡精神文明建设不达标的单位，不得被评为各类先进集体，单位领导年终考核也不得被评为优秀。

二、坚持创建，继续深入开展有海关特色的文明窗口创建活动

多年来，海关系统坚持开展以“为人民服务，树行业新风”为主题，以“爱岗敬业、公正执法、高效服务、文明廉洁”为主要内容的具有海关行业特色的文明窗口创建活动。海关系统创建文明窗口活动有三个主要特点：一是领导重视。二是注重实效，围绕重点、热点办实事，办好事。三是注重对社会的宣传报道，使创建活动广为人知。“海关文明示范单位”大力推行微笑服务，推广文明服务用语，杜绝服务忌语，大力改进服务态度，坚持做到“十必须，十不准”，收到良好社会效果。各海关单位还普遍实行服务承诺和政务公开制度，聘请“文明窗口联络员”和“关风关貌监督员”，加强社会监督力度。各海关经常下到企业进行调查研究，在严格依法行政的前提下，为企业提供更优质的服务，得到了社会各界普遍好评。

总署对全国海关文明示范单位进行检查，对不符合标准的单位，取消示范单位资格。各基层海关也积极开展工作，巩固和扩大文明窗口创建成果，如湛江海关开展文明窗口流动红旗评选活动，上海海关开展“政务公开查评”活动，苏州海关开展“百日文明窗口”竞赛活动。通过开展创建文明窗口活动，全国海关的执法水平和服务水平有了进一步的提高。

三、扶正祛邪，开展纠风整纪、警示教育活动

1998年海关系统暴露出湛江、厦门等重大执法腐败案件，案件数量之多，涉及案值之大，涉案人员之众都是海关历史上所没有的。为此，全国海关陆续开展“纠风整纪专项治理”活动及“警示教育”工作，用发生在身边的事，教育身边的人，使每一位海关干部从中吸取教训。各海关单位通过学习文件，剖析反思，查找漏洞，制定了反腐败抓源头工作方案，从源头上遏制腐败现象的滋生。

结合“纠风整纪专项治理”活动及“警示教育”工作，海关系统加强对干部职工的社会公德、职业道德、家庭美德教育，帮助干部职工树立正确的世界观、人生观和价值观，培养健康向上的业余兴趣爱好，引导关员在认真做好八小时以内工作的同时，合理安排八小时以外的生活，切实提高关员抵御各种诱惑和腐蚀的能力。各海关单位纷纷开展学习动员、座谈讨论、交流演讲等形式多样的活动。许多海关还在本单位内部网上开设“论坛”，让更多的关员参与到教育活动中。

四、崇尚先进，大力表彰宣传先进典型

“五一”国际劳动节，海关系统米里干等6位同志被党中央、国务院授予全国先进工作者称号。海关总署下发了《向海关系统先进人物学习的通知》并召开电视电话会议，号召全国海关广大干部职工要以米里干等“海关六英模”为榜样，深入开展“学英模，创新高”活动，强化理想信念，树立正确的世界观、人生观、价值观。总署组织全国先进工作者赴7个海关和3个武警驻地作事迹报告，收到很好的效果。各直属海关也开展表彰先进、学习先进的活动，掀起了“学先进，赶先进”的热潮。北京海关组织历年来先进典型座谈会，并发出《致全关干部职工的倡议书》；乌鲁木齐海关实施了“楷模工程”。7月，总署在海南省海口海关召开授予海口海关政工办主任占文同志优秀政工干部荣誉称号大会，并以《挑战生命塑关魂》为题在各大媒体上进行广泛的宣传。通过表彰先进，海关系统崇尚先进，倡导文明的良好风气日渐浓厚，进一步推动系统精神文明建设工作向前发展。

五、温暖人心，大力开展海关文化建设

全国海关注意抓好精神文明建设和海关文化建设，各基层海关加大对精神文明建设和文化建设的投入，绝大多数海关建成了较完善的公共文化设施，如图书馆、活动室、健身房、演唱厅、俱乐部等，为干部职工提供了较好的娱乐活动条件，增强了凝聚力和向心力，受到干部职工的欢迎。海关作为全国万里边疆文化长廊共建领导小组成员，积极开展边疆文化长廊共建活动，以海口海关为代表的边疆文化长廊建设工作取得较好成效，得到各方认可。年底，海关总署组织了由海关干部15人组成的文艺演出小分队，赴广西8个环境和条件较为艰苦的边关进行演出，向关员们发放慰问金，转达总署领导对奋战在艰苦边关的同志们的亲切关心和慰问，温暖人心，活跃生活。此次活动在边关干部职工中引起强烈反响，很多关员深受感动，表示要努力工作，做出更大的成绩，回报总署领导的关心。在总署的带动下，各直属海关也开展了一系列活动，群众性文化体育活动呈现出丰富多彩、健康活跃的良好态势，关员在活动中受到潜移默化的教育，自身素质有了进一步的提高。

（海关总署）

税 务 系 统

2000年，全国税务系统按照总局《2000年全国税务系统思想政治工作和精神文明建设工作重点》的部署，坚持“两手抓，两手都要硬”的方针，把理想信念教育作为核心内容，认真组织政治理论学习和职业道德教育，充分发挥群众性精神文明创建活动的载体作用，努力加强干部队伍思想政治建设，大力宣传先进典型，为全面完成税收各项任务提供了有力的服务和保证作用。

一、以“三讲”教育“回头看”活动为契机，切实加强干部队伍思想政治建设

全国税务系统根据中央部署，按照总局党组和各省（区、市）党委的安排，开展了“三讲”教育“回头看”活动，并以此为契机，抓好干部队伍思想政治建设。

1. 深入理论学习，坚定理想信念。各省、地市级局党组把用马列主义、毛泽东思想和邓小平理论武装党员、干部头脑，认真学习，提高理论水平贯穿活动全过程，以坚定理想信念为落脚点，通过各种形式，组织广大干部，特别是领导干部学习中央规定的书目和文件，联系思想和工作实际，进行座谈讨论，交流心得，撰写体会文章。

2. 坚持理论联系实际，提高廉洁从政的自觉性。结合税务系统开展的警示教育活动，各地普遍组织干部收看了《沉重的思考》、《生死抉择》和《胡长清成克杰案件警示录》等反腐倡廉电视专题片，引导广大干部从如何坚定理想信念、坚持党性原则和加强廉政建设等方面，进行深入讨论。各地税务部门还针对重大涉税案件的发生和个别税务干部的违法违纪问题，透过现象看本质，从思想上深刻反思，强化“依法治税、从严治队”意识，增强了干部廉政意识和法制观念。

3. 抓好整改方案的制订和落实，巩固和扩大“三讲”教育成果。为确保“回头看”活动取得实效，各单位坚持开门整改，注重保护和发挥群众参与整改的热情，充分发动群众对整改情况进行评议。一是发放《“回头看”活动问卷调查表》，从群众对“回头看”情况和整改方案落实情况的满意度确认成效是否显著，并注重总结经验，找出不足，进一步充实和完善整改内容。二是召开座谈会、设立意见箱、公开局领导和“回头看”检查组的联系电话，广泛听取群众意见。三是通过检查组与干部个别谈话征求意见，深入了解情况，帮助梳理整改重点问题。各地税务部门党组按照中央关于“回头看”规定的“四查四看”内容、要求，对本单位“三讲”期间制订的整改措施和规章制度的落实情况进行了认真的分析和检查，找出了落实不力的问题和原因，提出了进一步解决问题的办法，并将整改措施和相关制度，落实到责任单位和责任人。部分省税务局还结合江泽民总书记的重要讲话精神，提出了“三讲”教育经常化、制度化的实施意见及进一步加强思想政治工作的意见。

二、认真实践“三个代表”重要思想，切实加强税务系统党建和队伍建设工作

1. 认真学习“三个代表”重要思想，提高加强党建工作的自觉性。各级税务部门将“三个代表”的学习贯彻与“三讲”教育“回头看”活动和“致富思源、富而思进”教育结合起来，作为当前思想政治工作的主要任务。各级机关在深入调查研究的基础上，提出本单位的贯彻落实意见。普遍成立以主要局领导任组长的组织领导机构，按照结合实际，讲求实效的思路，确定学习内容、制定学习计划、落实学习制度。组织广大党员，特别是党员领导干部认真学习江泽民同志在江苏、浙江、上海考察工作时的重要讲话，深刻领会“三个代表”重要思想的精髓。

2. 按照“三个代表”的要求，加强税务系统干部队伍建设。以“三个代表”重要思想为指导，认真贯彻落实中央思想政治工作会议和全国税务系统队伍建设工作会议精神，按照总局《关于进一步加强和改进税务系统思想政治工作的意见》、《全国税务系统思想政治工作条例》和《关于贯彻中央精神在党员干部中进行警示教育的通知》精神，在本系统就基层思想政治建设、精神文明建设、领导班子建设和党风廉政建设等方面开展深入细致的调查研究，摸清干部队伍的思想状况。并针对当前税务干部队伍中存在的问题，如重大涉税案件有税务干部参与；少数领导干部不能廉洁自律，甚至贪污受贿，走上犯罪道路；部分税务干部执法随意性较大等，进行了认真分析和深刻反思，进一步增强了“依法治税，从严治队”的自觉性。

各级税务机关根据7月召开的全国税务系统队伍建设工作会议提出的以选准、用好、管好“一把手”为重点，加强领导班子建设；以推行目标管理责任制为重点，加强基层建设；以强化“两个权力”（即税收执法权和行政管理权）的监督为重点，加强党风廉政建设的税务干部队伍建设工作任务。各地税务部门认真贯彻落实会议精神，在实际工作中，一是对本单位现有的规章制度进行了修改和完善，进一步明确领导干部的“一岗两责”；二是以开展创建“先进领导班子”活动为载体，引导广大干部特别是领导干部不断增强讲学习、讲政治、讲正气的自觉性和自我改造、自我提高、拒腐防变的内在动力，不断提高各级领导班子认识和解决自身问题的能力；三是以人为本，坚持法治与德治相结合，联系实际，深入开展了家庭美德、社会公德和职业道德教育，大力弘扬爱国主义、集体主义和社会主义精神，反对迷信，崇尚科学文明；四是在广大干部职工中开展“入党为什么、当官做什么、身后留什么”和“人该怎样做、权该怎样用、法该怎样执”的警示教育活动，帮助广大干部职工进一步确立正确的世界观、人生观、价值观。各地税务部门党组普遍针对反腐败斗争的严峻形势，专门成立警示教育活动办公室，党组成员带头做辅导发言，分析腐败行为产生的心理条件，使全系统的警示教育活动开展得深入、扎实、有效。

通过多种形式的思想教育，税务系统干部队伍素质明显提高，领导班子建设和干部队伍建设出现了新的局面。全国税务系统取得了组织税收收入12661亿元，超收2000多亿元的优异成绩，受到国务院领导同志的赞扬。

三、以精神文明创建活动为载体，大力加强和改进税务思想政治工作

各地税务部门按照《2000年全国税务系统思想政治工作和精神文明建设工作重点》的要求，认真贯彻落实总局党组《关于进一步加强和改进税务思想政治工作的意见》，围绕各地税收工作实际，充分发挥群众性精神文明创建活动的载体作用，广泛开展了以创建文明行业、文明单位，争当优秀税务工作者为主线的精神文明创建活动。

各级税务机关以倡导职业文明为核心，以推行规范化服务为载体，以树立税务新形象为目的，组织和引导广大青年干部投身创建“青年文明号”活动。国家税务总局、共青团中央联合于“五四”青年节前夕，命名了税务系统95个青年集体为第三批全国“青年文明号”，并对原有162个全国“青年文明号”进行考核认定。

国家税务总局、全国妇联联合在税务系统开

展评选表彰“中国十大杰出女税务工作者”活动，年底，隆重表彰“中国十大杰出女税务工作者”。并通过报刊、杂志等媒体，对她们的先进事迹进行了广泛宣传。

“五一”国际劳动节期间，税务系统有21位税务干部被国务院授予“全国先进工作者”荣誉称号。各地税务部门分别表彰了一大批各类先进个人和先进单位，在全系统形成了崇尚先进、学习先进、赶超先进的良好氛围。

四、进一步推行政务公开，提高税务系统文明执法、优质服务水平

国家税务总局经过深入调查，广泛征求意见，制定下发了《关于在全国税务系统进一步实行文明办税“八公开”的意见》，并组织编发《全国税务系统办税服务厅规范化服务标准》一书，对办税服务厅文明办税、窗口设置及功能和办税人员行为规范等方面作了统一、明确的规范。各地税务部门对此项工作均给予了高度重视，根据本单位工作实际，广泛推行政务公开。

一是提高思想认识。各地从提高税务干部特别是领导干部思想认识入手，通过抓领导带群众，抓机关带基层，抓典型带一般，狠抓干部的观念更新，运用多种形式宣传政务公开的重要意义，有针对性地组织干部开展学习讨论，从而把实行文明办税“八公开”变成各级机关及税务干部的自觉行动。二是健全制度措施。为保证文明办税“八公开”有序、高效的推行，各级机关普遍实行了“一把手”责任制，成立了相应的组织领导机构。采取专兼职结合等方式，明确分工，责任到人，齐抓共管，从组织上保证文明办税“八公开”的健康发展。三是加强监督检查。各基层征收单位普遍将文明办税“八公开”的内容全部上墙公布，让纳税人了解、熟悉与办税相关的内容，一些地处边远地区的征收点和代征点，也按照文明办税“八公开”的要求，采取因陋就简、灵活多样的方法设立税法公告栏，公开税收政策法规和办税程序及有关管理制度，自觉地将税收执法工作置于全社会的监督之下。全国税务系统县级机关普遍成立公开办税督导小组，对本单位、本部门公开办税情况实施监督，定期或不定期地开展检查，并将经常性检查与专项检查结合起来，及时纠正和解决存在的问题。通过聘请各界人士成立文明办税“八公开”社会监督网络，采取明查暗访、定期例会、电话征求意见和民主评议行风等方法，广泛听取群众意见和要求，主动接受社会监督。

在推行文明办税“八公开”过程中，各地税务部门本着以人为本的原则，努力提高税务干部的综合素质。将公开办税制度与广泛开展做“人民满意的公务员”和争当“优秀税务工作者”活动结合起来，与争创“文明单位”和“最佳办税服务厅”活动结合起来，与提高税务干部业务水平、岗位练兵、岗位成才活动结合起来，不断拓展依法治税、文明服务的内容和空间，促进了税务系统两个文明建设的协调发展。

（国家税务总局）

环 保 系 统

2000年，各级环保部门坚持以邓小平理论和江泽民同志“三个代表”重要思想为指导，紧紧围绕全党工作大局和环境保护工作，坚持“两手抓，两手都要硬”的方针，大力加强和改进思想政治工作，积极开展群众性精神文明创建活动，做到政治思想到位、组织领导到位、物质投入到位、工作措施到位，有力地促进了以环境保护工作为中心的各项任务的完成。

一、加强组织领导，建立健全工作机制

按照全国环保系统文明委的布置，各级环保

部门坚持“两手抓，两手都要硬”的方针，做到“两个文明”工作一起布置、一起落实、一起考核。各级领导干部注意发挥“一岗双责”的作用，履行第一责任人的职责，把精神文明建设纳入“一把手”工程，形成了“一把手负总责，分管领导具体抓，上下联动，各方参与”的工作格局，做到在制定工作目标任务时有精神文明建设的内容，检查考核有精神文明建设的项目，总结工作有精神文明建设的经验，表彰先进有精神文明建设的典型。许多单位将精神文明建设列入年度计划和长远规划，做到年初一起研究、制定，年中一起检查、调研，年终一起考核、总结。有的单位制定《精神文明创建活动百分考评细则》，把考评结果与年终目标、干部政绩挂起钩来，形成了加强精神文明建设的机制。黑龙江省环保局坚持“抓机关、带直属、促战线”工作思路，取得突出成绩，连续三年荣获省级文明单位标兵称号，连续三届被命名为省级文明行业先进系统，被全国环保系统文明委评为精神文明建设先进单位。

二、认真学习邓小平理论和江泽民同志“三个代表”重要思想，积极开展理论武装工作

一年来，各级环保部门继续学习贯彻《中共中央关于在全党深入学习邓小平理论的通知》，把理论武装工作作为精神文明建设的首要任务。江总书记“三个代表”重要思想发表后，全系统按照中央部署，迅速作出安排，兴起学习“三个代表”重要思想的热潮。总局党组和机关党委十分重视，进行学习、贯彻“三个代表”重要思想的动员教育，并在中国环境报上发表《认真学习贯彻“三个代表”重要思想，全面推进环境保护事业》的理论文章，推动环保系统的理论学习。天津市环保局把学理论作为提高领导干部素质的头等大事，在领导干部中开展“读一本书、写一篇高质量的调研报告、讲一次党课”的“三个一活动”，领导干部精神面貌发生明显变化。内蒙古自治区环保局以“三个代表”思想为指导，举办干部理论学习培训班，并以环境保护如何服务于“两个转变”，实现“两个提高”为主题，深入开展大学习、大讨论，有效地促进了业务工作。

按照中央的部署，各级环保部门认真开展唯物论和无神论教育，深入揭批“法轮功”邪教组织，引导广大党员、干部、职工树立正确的理想和信念，充分认清“法轮功”反社会、反人类、反科学的反动本质，增强与“法轮功”邪教组织作长期、坚决斗争的决心和信心。各单位帮教小组认真做好“法轮功”练习者的教育转化工作。通过多种形式的宣传教育活动，广大党员、干部受到了深刻的马克思主义唯物论和无神论教育，提高了辨别唯物论与唯心论、无神论与有神论、科学与迷信、文明与愚昧的能力，形成了崇尚科学文明、反对迷信愚昧的良好氛围，保证了全国环保队伍的思想稳定。

三、坚持不懈地抓好“四个一”，深入开展群众性精神文明创建活动

各级环保部门深入开展具有环保特色的“四个一”活动（即坚持一种精神：坚持讲实话、办实事、求实效的精神；树立一个观念：树立经济、社会、环境可持续发展的观念；建设一支队伍：建设一支思想好、作风正、懂业务、会管理的环保干部队伍；塑造一种形象：塑造依法行政、文明执法的环保卫士形象）。在机关，以创文明机关为主题，开展“三优一满意、做人民满意公务员”、“当好人民公仆”等系列创建活动；在基层，开展以争做文明职工、争创文明科室、争当“五好家庭”为基本形式的系列创建活动；在城市，以“建文明城市”为主题，开展“争创环保模范城市”、“争做文明市民”等系列创建活动；在执法第一线，以塑造良好形象为主题，开展文明执法、文明用语、政务公开、创优质服务等系列创建活动。积极响应中宣部和中央文明办关于“创建美好家园，倡导文明新风”和“研究西部大开发，推动两个文明建设协调发展”的号召，紧紧围绕改善环境质量，抓住西部大开发的机遇，大力加强生态保护工作。结合精神文明创建活动，开展了创建“绿色机关”、“绿色大院”、“绿色庭园”等活动，引导大家增强文明意识，提高道德水准。10月，总局在泰山举办了以“爱我中华，保护环境”为主题的登泰山比赛，宣传环保，增强了全系统的凝聚力，产生良好效果。

四、大力总结宣传先进典型，促进精神文明建设健康发展

在世纪之交，各级单位注重做好总结过去、开创未来、表彰先进的工作，加大宣传先进典型的力度，在全国环保系统开展评选表彰精神文明建设先进集体和先进个人的活动。各级环保部门十分重视、认真做好先进典型的推荐工作。年底，环保系统文明委召开了精神文明建设表彰大会，67个单位被国家环保总局授予精神文明建设先进集体，65名个人被授予精神文明建设先进个人称号。这一活动，有效地弘扬了正气，鼓舞了士气，促进了精神文明创建活动的蓬勃开展。

（国家环保总局文明办）

民 航 系 统

2000年民航系统精神文明建设以邓小平理论和“三个代表”重要思想为指导，紧紧围绕全党全国工作大局，突出重点，狠抓落实，为民航中心工作的顺利开展，提供了精神动力和思想政治保证。

一、继续深入开展“三讲”集中教育

根据中央关于搞好“三讲”教育和“回头看”活动的统一部署，民航总局党委和总局机关从3月10日至4月12日深入开展“三讲”教育“回头看”活动，对总局党委及总局机关“三讲”集中教育以来的思想工作实际和整改方案的落实情况进行回顾和总结，达到了预期目的，中央“三讲”教育检查组给予了充分肯定。4月25日至6月底，8月上旬到9月底，地区管理局及直属事业单位、省市区局也先后开展“三讲”集中教育，经过思想发动、开展批评、认真整改、巩固成果等四个阶段，收到了较好效果。

二、大力加强和改进民航思想政治工作

在调查研究的基础上，组织召开了全国民航思想政治工作座谈会。总局党委下发了《关于加强和改进民航思想政治工作的意见》。在新的形势下，大力加强和改进思想政治工作，在增强时代感和加强针对性、实效性、主动性上下功夫，加强领导，完善机制，把思想教育的先进性要求与广泛性要求结合起来，为安全生产、深化改革等各项工作的顺利进行提供了思想保证。

三、进一步巩固和提高民航精品服务样板创建成果

总局党委下发《全国文明机场动态管理实施办法》的通知，督促各管理局做好精品服务样板达标单位的复查。对中浙航F65939/40航班和首都机场的创建工作进行检查指导。根据中央国家机关工委的部署，对民航系统荣获1999年度中央国家机关文明单位称号的总局空管局、民航总医院、空勤干部科进行复查。

四、加大新闻宣传和出版管理工作力度

围绕民航中心工作，积极开展新闻宣传。有关春运、航线联营和票价政策、组建三大集团、“十一”民航运输等情况的报道产生较大影响。根据新闻出版总署关于报刊管理的有关文件精神，下发民航报刊结构调整方案的通知。评选出1999年度民航优秀新闻报道作品。

五、积极开展创建“青年文明号”活动

继续积极开展创建“青年文明号”活动。民航总局、共青团中央联合命名和认定了118个全国级青年文明号。在春节、五一、十一等节假日期间开展“青年文明号优质服务促假日经济”活动。围绕“两会”召开、西部大开发等主题，以青年文明号为载体，集中开展内容丰富多彩、形式多样的志愿服务。民航系统共有3个单位荣获第三届“中国百个优秀青年志愿服务集体”称号，1人荣获“中国百名优秀青年志愿者”称号及“中国青年志愿服务银奖”，1人荣获“中国青年志愿服务奖”奖章。

六、开展扶贫捐赠和救灾募捐活动

5月21日是第十个法定“全国助残日”。总局机关和在京单位积极开展“为贫困残疾人捐赠旧电脑”活动。总局机关和在京单位共捐赠旧电脑57台，打印机14台，打字机7台。此后，又组织为总局在新疆的定点扶贫县捐赠旧电脑的活动。

共捐赠电脑41台，打印机5台，音响1套，投影仪1台。根据中央国家机关工委《关于进一步开展为内蒙古自治区受灾贫困地区募集资金活动的通知》精神，总局机关各部门和在京直属单位的干部职工踊跃为灾区人民捐款，共有5700多人捐款12万多元。

（民航总局文明办）

广 播 影 视 系 统

2000年，国家广播电影电视总局根据中央文明委的部署，在总局党组的领导和中直机关文明委的指导下，坚持以邓小平理论为指导，认真学习江泽民总书记“三个代表”重要思想和加强精神文明建设的重要批示，贯彻落实中央思想政治工作会议精神，围绕中心、服务大局、面向群众、注重实效，大力加强思想政治教育，深入开展精神文明创建活动，推动了各项中心任务的完成。

一、以贯彻中央思想政治工作会议精神为契机，大力加强思想政治建设

按照中央部署，结合广电部门的实际，始终把思想政治建设作为精神文明建设的首要任务，坚持不懈抓好理论武装和思想政治教育。一是深入学习邓小平党建理论，全面推进党的建设，认真搞好“三讲”教育“回头看”活动，坚定党员和干部的理想信念，促进整改措施的落实。二是认真组织学习“三个代表”重要思想，深刻理解“三个代表”的思想内涵，紧密联系实际，按照“三个代表”要求，加强和改进广播影视宣传工作，推进广播影视改革和发展。三是认真组织学习贯彻中央思想政治工作会议精神，总结经验，研究新形势下加强和改进思想政治工作的内容、方法、途径和体制、机制，总局和部分直属单位分别提出或制定了关于加强和改进思想政治工作的意见和措施，并逐步加以落实。四是认真学习贯彻全国文明办主任会议精神，举办精神文明建设研讨会，开展精神文明建设论文征集和评选活动，并将研讨成果形成书面材料印发各直属单位，对推动和指导精神文明建设起到了积极作用。

二、以“四围绕”为重点，切实抓好精神文明建设工作

一是围绕培养“四有”新人，抓好思想道德教育。广泛开展马克思主义唯物论和无神论教育，积极开展科普活动和反邪教斗争，组织创作和观看科普影片《宇宙和人》，组织1万多名职工参加“鲁能杯”崇尚科学、破除迷信、科普知识竞答活动。继续抓好反腐败斗争教育，推进党风廉政建设。组织广大党员和干部群众观看电影《生死抉择》，结合成克杰、胡长清的腐败典型案例，进行深刻的反腐防腐警示教育。结合广电部门的实际，制定和实行处以上领导干部的配偶子女经商办企业的规定等有关规章制度。

二是围绕中心任务抓好精品生产。总局坚持把创作生产广播影视精品作为重中之重的任务来抓，一年来涌现了大量精品。如中央人民广播电台在国际国内共获65项作品奖，其中18项获一等奖；中国国际广播电台获中国新闻奖、国际新闻奖、中国彩虹奖、主持作品奖、播音奖等奖项，其中一等奖26项，特别奖3项；中央电视台在第18届中国电视“金鹰奖”评选中获6个最佳奖，在“神农奖”、“金牛奖”评选中获奖节目分别占总数的一半以上；中国电视剧制作中心获各种奖项6大项共295部集，其中“飞天奖”11部136集，“金鹰奖”1部30集，“神农奖”2部19集，“骏马奖”1部8集，电视戏曲展播奖1部4集，“技术质量奖”6部98集；新闻纪录电影制片厂大型纪录片《中国1949》获“华表奖”；科学教育电影制片厂《宇宙和人》、《路在脚下》等作品在国内外获奖；中国儿童电影制片厂《鼓手的荣誉》获“华表奖”；北京电影制片厂在第九届中国电影金鸡奖中获得12个奖项，其中《横空出世》获最佳影片奖。

三是围绕队伍建设开展积极健康、丰富多彩的教育和文体活动。总局和直属各单位经常举办各类培训班，加强对职工特别是领导干部和业务骨干的政治业务培训，强化政治意识、大局意识和责任意识，提高他们的政治业务水平。总局十分注重抓队伍的思想作风建设，坚持用社会主义精神文明占领思想文化阵地，大力开展积极健康、丰富多彩的文化生活，不断满足职工群众日益增长的精神文化需求。一年来，总局和直属各单位开展了文艺演出、知识竞赛、电影欣赏、参观考察、报告会、职工运动会等各种文体活动。总局还十分注意把解决思想问题同解决实际问题结合起来，把向群众宣传同切实为群众服务结合起来。文明委和各级工会开展送温暖活动，帮助困难职工，关心老干部和残疾人，为他们分忧解愁。在解决职工住房困难、改善工作环境和条件等方面做了大量的工作，取得明显的成效。

四是围绕素质教育广泛开展社会公益活动。总局把抓好职工和青少年的素质教育当作精神文明建设的重要内容。组织开展了“千万市民齐参与，争做文明北京人”等各项社会公益活动，尤其是结合推进申办奥运，组织少年儿童进行“企盼奥运，争做文明小市民”的少年儿童百米绘画活动，深受广大家长和少年儿童欢迎。为了落实中央“全党全社会都来关心少年儿童健康成长”的指示精神，总局正式建成并启用了700平方米的“青少年之家”，以此为阵地，组织广大职工子女开展各种健康有益的文化科技活动，受到全国妇联的称赞。总局发动广大职工积极为内蒙古灾区募集衣被和钱款，共捐衣物3.6万多件，钱款6.3万余元。

三、以树立和表彰先进典型为动力，推动群众性精神文明创建活动

总局认真贯彻中央文明委关于“要广泛吸引群众参与，坚持不懈地抓好创建活动”的要求，以各种重大活动为载体，广泛动员职工积极参与，带动和促进群众性精神文明创建活动。与此同时，本着巩固、提高、辐射、延伸的原则，认真总结、交流经验，树立典型，弘扬先进。隆重召开了精神文明建设总结表彰大会，推出并表彰了中央电视台等12个标兵单位、中国广播艺术团等14个先进单位和191位先进个人。举办精神文明先进典型事迹报告会，组织先进典型的代表以演讲形式介绍先进事迹，如推出了职业道德方面的先进典型——中央电视台播控中心和北影厂《横空出世》摄制组；社会公德方面的典型——北京科学教育电影制片厂职工张宝凤、徐少文；家庭美德方面的先进典型——电影学院教师李明珠；工作成绩突出的先进典型——中央人民广播电台机关党委和行管局广电大楼加固维修工程项目部。6个先进典型代表的事迹报告感人肺腑，在广大职工中产生了强烈的反响。

（国家广播电影电视总局文明办）

新 闻 出 版 系 统

2000年，新闻出版系统坚持以邓小平理论和江泽民同志“三个代表”重要思想为指导，紧紧围绕全党全国工作大局，一手抓繁荣，一手抓管理，大力加强和改进思想政治工作，深入开展群众性精神文明创建活动，有力地促进了新闻出版队伍整体素质的提高，切实保证党的路线、方针、政策在新闻出版系统的全面贯彻落实。

一、认真学习贯彻江泽民同志“三个代表”重要思想，积极推进新闻出版系统的思想政治建设

年初，江泽民总书记在广东发表重要讲话提出“三个代表”的重要思想后，全系统、全行业按照中央要求，作出部署，掀起学习贯彻“三个代表”重要思想的热潮。

总署党组对搞好“三个代表”的学习和贯彻十分重视，多次集中学习“三个代表”的重要思想，并于“七一”前夕召开学习贯彻“三个代表”重要思想的专题座谈交流会。

全系统、全行业通过深入开展“三个代表”重要思想的大学习、大讨论，进一步明确了跨世纪新闻出版事业发展的指导思想和战略目标，研究制定了新闻出版“十五”发展规划，为实现跨世纪新闻出版事业的繁荣健康发展奠定了坚实的思想政治基础。

为了深入学习和贯彻落实《中共中央关于加强和改进思想政治工作的若干意见》和中央思想政治工作会议精神，总署党组研究制定了《新闻出版总署党组关于加强和改进思想政治工作的意见》，对切实加强新时期的思想政治工作提出了明确的指导思想、目标任务和具体要求。

全系统、全行业充分发挥思想政治工作的优势，深入细致地做好广大干部职工的思想政治工作。特别是在深入揭批“法轮功”邪教组织的斗争中，各级组织积极引导广大党员和干部职工树立正确的人生观、世界观和价值观，提高了辨别唯物论与唯心论、无神论与有神论、科学与迷信、文明与愚昧的能力，在全系统逐步形成了崇尚科学文明和积极向上的良好风气。

二、深入开展群众性精神文明创建活动

全系统、全行业贯彻精神文明建设“重在建设”和“巩固、提高”的原则，坚持常抓不懈，不断完善群众性创建活动的运行机制，促进创建活动更加规范化、制度化。一是在创建文明单位活动中，总署机关作出表率，严格落实创建“文明处室”的考评办法，逐步将“三优一满意”活动引向深入，促使总署机关的精神面貌和作风建设有了明显改观。二是坚持“两个文明”一起抓，不断加大群众性创建活动的力度。山东德州市新华书店把两个文明建设作为统一的奋斗目标一起部署、一起检查、一起落实，先后制定了《关于实施新华形象塑造工程方案》和“争创文明单位”、“争当文明家庭”、“争做文明员工”等一系列规章制度和办法，取得了明显成效，先后被中央文明委和省、市授予全国创建文明行业工作先进单位、省出版系统先进单位等100多个荣誉称号。三是加强图书出版行业职业道德建设，规范行业行为，促进和改善社店、店店关系，培育和建设竞争有序的图书大市场。为繁荣出版营造良好的环境，将“讲信誉、重服务”互评活动范围扩大至全国所有的出版社、地市级以上城市的销货店、发货店及大型书城和购书中心，社会反响强烈。四是进一步发挥先进典型引路作用，促进多出精品、多出人才。继续开展了评选第三届全国百佳出版工作者活动，赵水金等100名同志被评为百佳出版工作者；开展了第二届全国地方报社管理先进单位的评选活动，北京日报社等100家地方报社受到表彰；新闻出版总署和中国音像协会共同组织了第二届“全国优秀文艺音像制品奖”评奖活动，评选出一等奖15种，优秀选题奖12种，二等奖38种，三等奖84种。

三、大力弘扬主旋律，努力为人民群众提供丰富健康的精神食粮

抓好重点工程，下功夫做好实施“九五”国家重点图书出版规划最后一年的工作，到年底，“九五”国家重点图书出版规划已完成90%以上。与此同时，认真做好“十五”国家重点图书出版规划工作，经过论证拟定1500个项目。

加大出版管理力度，在全国出版单位开展对买卖书、刊版号问题的全面清理检查。进一步完善审读网络，加强图书审读工作，进而加强、改进和规范图书重大选题备案办法，补充和重申有关禁止收费约稿的规定等，出版管理工作有明显加强，为改革、发展、稳定创造了良好的文化和舆论环境。

（新闻出版总署）

气 象 系 统

2000年，全国气象部门继续坚持“两手抓，两手都要硬”的方针，用马列主义、毛泽东思想、邓小平理论教育广大职工，弘扬爱国主义、集体主义、社会主义精神，深入开展“三个代表”重要思想的教育，按照中央统一部署，认真开展“三讲”教育“回头看”活动，加强思想政治工作，深入开展规范化服务，创建文明气象行业取得明显成效。

一、以“三个代表”重要思想为指导，深入开展理想信念、党风廉政和形势任务教育

各级气象部门利用各种方式深入学习江泽民“三个代表”重要思想和开展“致富思源、富而思进”活动，大力加强基层党组织建设，充分发挥党支部战斗堡垒作用和党员的先锋模范作用，教育党员和党员领导干部以江泽民总书记“三个代表”重要思想为指导，牢固树立党员意识，在各方面为群众做出表率，带领群众为新世纪的气象事业开好头。中国气象局直属机关党委召开会议，交流学习“三个代表”体会，表彰“一先两优”。一些单位组织党员参观当地先进企业、文明村镇。组织局机关干部、直属单位党务工作者参观全国创建文明村镇先进村——北京市房山区韩村河村和全国创建文明行业工作先进单位——河北省涿州市气象局。各级气象部门通过组织看电影、看录像、举办领导干部学习班、知识竞赛、调研考察、交流座谈会等活动进行党风廉政教育，提高了广大党员和群众的廉政意识。

二、贯彻中央思想政治工作会议精神，加强气象部门思想政治工作

学习贯彻中央思想政治工作会议精神和江泽民总书记的重要讲话，9月18—20日在湖南长沙召开全国气象部门思想政治工作会议，总结气象部门思想政治工作的经验，分析形势，探讨加强和改进思想政治工作的措施。局党组印发了《气象部门实行思想政治工作责任制的规定（试行）》。局文明办于10月11—14日在京举办了全国气象部门政工干部培训班，各省（区、市）、计划单列市气象局、直属单位政工干部共39人参加了培训。

南方、华东区召开了思想政治工作研讨会，中国气象局和江西、河北等省局开展思想政治工作调研，北京、上海、内蒙古、青海、浙江、江西等省局和国家气象中心先后召开思想政治工作会、研讨会、座谈会、经验交流会，吉林省局成立了思想政治工作研究会。福建省局在全省气象系统开展向九仙山气象站先进集体学习活动。

三、深化创建内涵，强调两个结合

各级气象部门继续将创建文明气象行业作为年度目标管理项目进行考核。在创建工作中，坚持两个结合：一是在软件方面，坚持加强职业道德建设与开展规范化服务相结合。各省局坚持在汛期前开展“职业道德教育月”活动。河南省气象部门开展“热爱河南，增辉中原”活动，深入推广规范化服务。上海中心气象台率先聘请20位社会监督员，对上海公众气象预报准确率打分，得到市民认可。二是在硬件方面，坚持改善台站环境与台站综合改造相结合。内蒙古自治区气象局投入100万元专项资金对13个基层台站进行基础设施建设和改造，改善了台站环境。湖南省局建立“文明创建引导资金”。江苏省局下达第三批台站综合改善计划和省政府淮北地区贫困台站环境综合改善经费200万元。

截至年底，全国气象部门共有20个省（区、市）和2个计划单列市建成文明系统，文明单位总数达2327个，其中，省级文明单位182个，地级文明单位879个。

四、认真开展“三讲”教育“回头看”

中国气象局党组按照中央的部署，在全国气象部门进行了“三讲”教育“回头看”活动。中国气象局党组的“回头看”活动得到中央检查组的肯定。中国气象局三讲办派出6个检查组，先后对北京、云南、吉林、内蒙古、上海、浙江、广西、福建、河南、湖南、甘肃等11个省（区、市）气象局及8个局直属单位的“三讲”教育“回头看”活动进行了检查。“三讲”教育“回头看”活动进一步巩固了“三讲”教育的成果。

（中国气象局文明办）

国家电力公司系统

2000年国家电力公司党组坚持高举邓小平理论伟大旗帜，以党的十五大精神和江泽民同志“三个代表”重要思想为指导，认真贯彻落实中央［1999］17号文件和中央思想政治工作会议精神，围绕电力系统改革与发展的中心任务，加大工作力度，进一步加强党的建设、思想政治工作、精神文明建设和企业文化建设，促进了“四有”职工队伍的建设，为电力系统的改革、发展和稳定做出了应有的贡献。

一、认真组织邓小平理论和江泽民同志“三个代表”重要思想的学习，理论武装工作进一步加强

在公司党组的领导下，各级党组织、思想政治工作部门认真组织全体党员、干部和职工，紧密联系工作实际和思想实际，学习邓小平理论、用邓小平理论统一思想，凝聚力量，指导实践。强化对系统中心组学习的指导。公司党组在总结“三讲”教育中学习理论的经验基础上，制订下发了《关于进一步强化公司系统党组（党委）理论学习中心组学习的规定》，对健全中心组学习制度、明确学习内容等提出了明确要求，使中心组学习进一步规范化、制度化，各级领导干部对理论学习重要性的认识和学习的自觉性进一步提高，理论联系实际，解决领导班子思想建设和企业改革发展中的问题的能力有了进一步的增强。

努力抓好干部职工的理论学习。公司党组按季度安排公司本部和直属单位的理论学习，以《邓小平理论学习问答》为教材，抓好系统一般干部职工的理论学习。采取知识竞赛、每周一题等方法组织职工学习邓小平理论的基本观点，收到良好的学习效果。

二、全面贯彻落实党中央关于加强和改进思想政治工作的重大战略部署

认真落实中央思想政治工作会议精神，切实加强和改进思想政治工作。召开国家电力公司思想政治工作会议，总结交流电力系统党建和思想政治工作的经验，分析现状，研究部署今后一个时期的任务；命名新一届双文明公司7个，双文明单位标兵34个，双文明单位403个；表彰51个思想政治工作先进集体和92位先进个人。公司党组制订下发《关于认真学习江泽民总书记重要批示，贯彻落实中央17号文件精神，进一步加强和改进思想政治工作的通知》，对贯彻落实江泽民总书记的重要批示和中央［1999］17号文件精神提出全面系统的要求。

公司党组坚持开展有针对性的思想教育。一是紧密结合实际，开展形势教育。围绕公司党组提出的“两型两化，国际一流”和跻身世界500强战略目标，组织开展了国家电力公司发展战略“221—500”、“走出去”、“西部开发我们怎么办”等系列宣传活动。引导广大干部职工解放思想、转变观念、认清形势、明确目标、统一思想，积极为改革和发展贡献力量。二是利用警示教育进行理论信念教育。为贯彻中纪委、中组部、中宣部《关于利用胡长清等重大案件对党员干部进行警示教育的意见》，在党员干部中认真组织开展历时2个多月的党风廉政警示教育，进行理想信念教育。三是培育和运用典型进行具体生动的教育。培育和树立一批具有时代特征，在改革、发展的各项工作中作出突出贡献的先进集体和先进个人，在全系统广泛开展“典型激励活动”。四是结合清理“法轮功”邪教组织活动，解决改革发展中出现的不稳定因素，进行稳定工作教育。2000 年，公司党组按照党中央、中央企业工委的要求，结合个别单位“法轮功”痴迷者的滋事，组织广大党员、干部和职工认真学习党中央、国务院关于稳定的一系列重要文件，加强马克思主义唯物论和无神论教育，使职工群众充分认识到“法轮功”的邪教本质，提高大局意识，自觉维护社会和电力系统的稳定。

三、以“三讲”教育为重点，加强党的建设

公司党组认真开展“三讲”教育“回头看”活动，加强党的建设，提高党员、干部素质，增强党组织战斗力。一是认真组织公司“三讲”教育及“回头看”活动，成绩明显，得到党员、干部的认同，中央“三讲”教育“回头看”检查组给予充分肯定。二是圆满完成电力系统第二批 12 个单位的“三讲”教育及所属 33 个单位的“三讲”教育“回头看”工作，达到预期目的。三是认真开展公司所属的华北电力大学和山东、西北、郑州、重庆电力专科学校的“三讲”教育。

认真开展反腐败和党风廉政建设。公司各级党组织把反腐败和党风廉政建设作为党的工作的中心环节。一是通过公司党组与各单位签订党风廉政建设责任书的形式，将反腐败和党风廉政建设与经济工作同部署、同检查、同考核，使党风廉政建设与企业管理工作有机结合起来，将“软任务”变成“硬指标”。二是落实公司本部党风廉政建设责任的考核，组织制订《公司本部 2000 年党风廉政建设责任制考核标准》和《公司本部 2000 年党风廉政建设责任制考核办法》。对系统各单位下发了《国家电力公司党风廉政建设责任追究办法（试行)》。

四、深化文明单位建设，促进精神文明健康发展

根据新时期面临的任务，公司党组组织拟订了《国家电力公司精神文明建设五年规划》，印发了《国家电力公司精神文明建设创新奖授奖条例(试行)》。加强公司党组对系统各单位精神文明建设工作的指导，促进两个文明建设落实到基层。

坚持开展群众性的精神文明创建活动，提高干部职工的思想道德修养和科学文化素质。公司在京直属各单位广泛开展文明单位、文明处室、文明员工等创建活动。公司本部开展“创文明建设先进处室、作文明员工标兵”的活动。对山东、天津、湖南、福建、甘肃、南方电力公司和广东电力集团公司等 7 个单位进行了双文明的考核、验收。通过创建活动，培育了“四有”职工队伍，提高了职工的思想和科学文化素质。

五、全面推进企业文化建设

公司党组把企业文化纳入经营管理体系，使其成为企业加强物质文明建设和精神文明建设的最佳结合点，为思想政治工作开辟了一条新路。

公司党组把企业文化建设全面纳入创建一流企业、国际一流企业的考核管理体系；在制订公司发展战略时，把企业文化发展战略纳入其中，使企业文化建设成为公司发展、经营与管理战略的重要组成部分。

举办企业文化知识培训班。为了提高领导干部对企业文化建设的认识和对企业基本知识的了解，举办公司成立以来的第一个企业文化建设培训班，系统地普及企业文化的基本知识。

利用办公自动化系统，组织公司本部员工进行国家电力公司企业精神表述语的在线征集和讨论，集思广益，群策群力，这次活动共征集企业精神表述语 148 条，经汇总、提炼后提出 10 条，并在公司企业精神研讨会上进行研讨，初步提出国家电力公司企业精神表述语。

六、行业作风建设迈上新台阶

公司党组坚持纠建并举，积极推进供电营业规范化服务，抓好示范窗口建设，使行业作风建设迈上新台阶。

认真开展行业作风整顿工作。在前两年整顿工作的基础上，重点对县（市）供电企业，特别是对 2000 年划为代管的县（市）供电企业的基层营业窗口，从思想、纪律、电价电费、服务作风、农电队伍、内部管理等六个方面，对 1.05 万个城镇供电营业站所进行整顿，受教育职工达 31.4 万人次；整顿农村供电所（电管站）1.3 万个，受教育职工达 39.2 万人次。共开展行风检查 4837 次，检查单位 1.01 万个。

组织开展“优质服务月”活动。10 月份，在全国城乡供电企业中开展以“服务人民、奉献社会”为主题，以“内强素质促管理，外树形象严作风，规范服务为客户，拓宽市场求效益”为内容的“优质服务月”活动。在活动中，各单位共出动宣传车2500余次，发放征求意见卡（表）31.5万份，张贴发放各种宣传资料312万余张，走访客户22.2万户，召开客户座谈会1860次，受理用电咨询31万人次，解决客户实际问题1万余件（次），上门服务2万余次，新出台便民措施912项。在开展“优质服务月”活动的基础上，组织开展了评选“十佳优质服务明星”和“十佳优质服务明星单位”活动。

继续抓好示范窗口建设。确定2000年度200个农电示范窗口，使公司确定的农电示范窗口达到323个。通过示范窗口的辐射作用，使农电规范化服务达到新水平。

截至12月底，全系统推行承诺制的地（市）供电企业达277个，县供电企业达1605个；参加社会民主评议行风的地（市）供电企业达190个，其中189个合格，占总数的99.5%；151个优秀，占79.5%。在所有基层单位中，有60%的单位被评为省部级以上文明单位，有84%的单位被评为地（市）级以上文明单位，有68%的单位被评为文明行业。

（国家电力公司文明办）

工 会 系 统

2000年，工会系统精神文明建设工作以党的十五大和十五届四中全会精神为指导，围绕党和国家的工作大局，改革活动方式，着力加强职工队伍建设，在调动和发挥广大职工的积极性、创造性，提高职工队伍两个素质方面发挥了作用。

一、充分发挥工会优势，改进和加强职工思想政治工作

2月下旬，在北京召开全国工会宣教部长会议，就新形势下工会如何做好职工思想政治工作进行了讨论，统一思想，研究对策。3月中旬至6月中旬，全总宣教部组成调查组，在全国23个城市和铁路系统对100家企业一线职工的思想状况进行一次较大规模的调查。调查采用问卷和召开座谈会等形式进行。问卷调查涉及一线职工1万名。通过对数据的分析并结合实地调查，完成《关于当前企业一线职工思想状况的调查报告》，上报中央。在6月下旬召开的中央思想政治工作会议上，全总做了题为《加强和改进职工思想政治工作，努力建设‘四有’职工队伍》的书面发言，为中央有关部门了解情况、研究问题、制定相关政策提供了依据。中央思想政治工作会议和党的十五届五中全会后，全国总工会制定下发了《关于贯彻中央思想政治工作会议精神的意见》和《关于学习党的十五届五中全会精神的通知》，对工会在职工思想政治工作中的任务目标和方针原则、各级工会的职责等都做出规定，提出明确要求，加强对各级工会开展职工思想政治工作的指导。

二、加大对职工中模范先进人物的宣传，为精神文明建设创造良好的社会氛围

一是改进第六届全国职工职业道德建设十佳单位和十佳个人的评选办法。由评委评定改为评委评定与广大职工参与评选相结合。在《工人日报》刊登候选人、候选单位事迹简介，让广大职工广泛参评。同时，通过编辑大型画册、拍摄播放新闻片、开辟专栏等方式，对职工职业道德建设“双十佳”的先进事迹进行广泛宣传。二是以全国劳模大会为契机，加大对模范先进人物的宣传力度。劳模大会期间，全总共组织接待国内外80多家新闻单位的170多名记者采访，发稿200余篇（条），60余万字。各新闻媒体分别开设专版、专栏，对李黄玺、赵玉峰等18位全国劳动模范和先进工作者典型代表进行重点宣传，为精神文明建设创造良好的社会氛围。

三、组织开展示范性文体活动，活跃丰富职工精神生活

通过举办新世纪工人歌曲征集活动、第九届全国城市歌手邀请赛、全国职工井冈山公路长跑大赛、部分省市职工台球邀请赛和大众体育创编展示系列活动等，积极推动基层文化体育活动的广泛开展，使广大职工在丰富多彩的活动中受到教育，文明程度得到提高。

（全国总工会）

共青团系统

2000年，共青团组织高举邓小平理论旗帜，以“三个代表”重要思想为指导，认真贯彻中央精神，坚持服务全党全国工作大局，服务青少年，牢牢把握正确的导向，唱响主旋律，不断加强青少年思想道德建设和文化建设。各级团组织牢固树立大局意识和服务意识，积极动员和带领青少年广泛参与群众性精神文明创建活动，精神文明建设稳步推进。

一、大力加强和改进青年思想政治工作

各级团组织认真学习江泽民总书记“三个代表”重要思想，贯彻落实中央思想政治工作会议精神，通过抓基层、抓典型、抓调研、抓载体、抓活动，把加强和改进青少年思想政治工作作为重中之重落到实处，坚持不懈地用邓小平理论武装全团、教育青年，帮助青年树立崇高理想和坚定信念。5月，团中央会同中宣部、教育部召开了“全国青年学习邓小平理论经验交流会”，有力地推动了全国青年学理论活动的深入开展。团中央于8月初召开了省级团委书记学习“三个代表”重要思想座谈会。在广大团员青年中广泛开展了“致富思源，富而思进”教育活动，更加坚定了当代青年走建设有中国特色社会主义道路的信心。编辑出版了《毛泽东邓小平江泽民论青少年和青少年工作》，在广大团员青年中掀起学习热潮。与中央党校共同举办了第2期学习邓小平理论骨干培训班，对来自全国27个省（区、市）的近百名团的理论干部进行了系统培训。湖北、河北、上海、天津、江苏、安徽、黑龙江、吉林等地召开了青年思想政治工作的专门会议，推出典型经验，提出指导意见，组织主题教育活动，挖掘和宣传了一大批青年思想政治工作的先进典型，在广大青年和社会中产生了良好效果。各地团组织抓住全党全社会加强和改进思想政治工作的机遇，坚持实践育人、服务育人、文化育人，积极探索新形势下青年思想政治工作的新途径、新载体。以重大事件、重要节庆活动为契机，有针对性地开展青少年思想道德教育。围绕我国健儿在第27届奥运会和第11届残疾人奥运会取得的辉煌成绩，适时以多种形式引导青少年学习奥运健儿的爱国主义、集体主义精神和顽强拼搏精神，进一步增强了民族自信心和自豪感。以纪念抗美援朝50周年为契机，开展了丰富多彩的爱国主义教育和国防观念教育活动，引导广大团员青年继承和发扬伟大的抗美援朝精神。为纪念江泽民总书记关于发展两岸关系、推进祖国统一进程的八项主张发表5周年，针对广大青少年热切关心两岸关系发展的情况，开展了“祖国宝岛在我心中”主题读书活动和万人签名活动，活动声势浩大，9000多万各族各界青少年参加了“盼祖国早日统一”签名活动，在青少年中形成了知我宝岛，爱我台湾，企盼统一的热潮，使青少年普遍受到了一次反对台湾独立、维护祖国统一的教育。电视剧《钢铁是怎样炼成的》在青年中引起很大反响，团中央及时组织编写了《保尔精神与当代中国青年》一书，并举办了两次保尔精神座谈会，引导青少年深刻理解保尔精神的时代意义，更好地健康成长。

二、群众性精神文明创建活动蓬勃开展，取得扎实成效

青年志愿者行动不断发展，实施了“新世纪志愿服务计划”。启动“3·5”中国青年志愿者服务日活动，广泛动员组织青年为大型活动、社会公益提供志愿服务。全面实施了青年志愿者社区发展计划，建立青年志愿者服务站2.4万个，“一助一”长期结对服务250万对，为广大群众解决

实际问题，在社会上产生较大反响。青年志愿者扶贫接力计划进一步拓展，逐步形成了支医、支教两大支柱项目。积极发挥希望工程在扶贫攻坚中的重要作用，共接受捐款9000多万元，资助失学儿童和大中学生6000多名，资助建设希望小学300所，培训希望小学老师495名。适应西部大开发战略的实施，启动中国青年西部创业行动，共组织199名博士、近2000名在校博士生和300余名青年企业家为西部地区提供人才、信息、技术、项目等多方面服务。广泛开展城乡少年儿童“手拉手”助学活动，推动东西部地区学校对口支援工作的深入开展。继续深化青年岗位能手活动，有107万人参加导师带徒活动，301万人参加技术比武。组织10万青年职工参加互联网络大赛，推动国有企业信息化建设。联合国家经贸委等部门在11个行业开展了企业青工创新创效活动，890万青年职工参与，获得2900项创新成果。配合百城万店无假货活动，以真品真货、真心真情为主题，在全国100个大中城市开展百城万店青年文明号促销创销活动，组织窗口行业青年文明集体为繁荣假日经济作贡献。实施“金桥计划”和举办中国青年创新论坛，组织青年人才投身科教兴国。在大学生中深入开展“挑战杯”科技创新系列竞赛活动，举办大学生创业计划大赛、大学生电脑网络大赛，引导大学生培养创新能力和创业精神。大中专学生暑期科技、文化、卫生“三下乡”社会实践活动的规模进一步扩大，人数超过100万。在中学生中广泛开展18岁成人仪式教育活动，并积极推动地方立法，设立本地的成人节或成人宣誓。围绕青年文明社区创建活动，在全国26个大中城市建立一批青少年服务中心，推动20多个省（区、市）开展青年文明社区“大家乐”活动，共建各级各类青年文明社区2100多个。在广大青少年中广泛开展“提倡科学、反对迷信”的主题教育活动，揭露邪教的罪恶本质，帮助和引导青少年逐步建立科学、文明、健康的行为观念。开展了以雏鹰争章为主要内容的的技能训练，对青少年进行“认识社会、拒绝诱惑、远离危险、防范侵害”为主题的自护教育。会同中央综治办、教育部、公检法等部门在全国11个系统、31个省（区、市）开展创建优秀青少年维权岗活动，共有391个单位被命名为全国优秀青少年维权岗，近2000个单位被命名为省级优秀青少年维权岗。在有关部门支持下，在少年儿童中开展了“平安回家”活动，在外来务工青年中开展了“平安打工”活动。大力实施保护母亲河行动，资助重点工程，组建青年志愿者绿色行动营，动员和组织青少年参与保护和建设生态环境。广泛开展 以科技大集、文体大赛、卫生大扫除为主要内容的乡村文化节系列活动，成功举办了全国乡村歌手电视大奖赛。

三、大力加强青少年文化活动阵地建设，青少年文化活动日趋活跃

各级共青团组织认真贯彻落实江泽民总书记关于加强青少年活动阵地建设的重要批示和中办、国办《关于加强青少年学生活动场所建设和管理工作的通知》精神，大力加强青少年宫、青少年活动中心等活动阵地的建设和管理，面向广大青少年，广泛开展丰富多彩的主题教育活动、现代专项知识技能培训和青年文化活动，进一步满足了广大青少年求知、求新、求美和健身的需求。召开了部分省会城市青少年宫主任座谈会，研究青少年宫事业的建设和发展方向。成功举办了“全国青少年棋院首届围棋比赛”及“全国青少年电脑绘画小能手大赛”。“青年体育大擂台”、“青春自护营”、“中国吉尼斯创纪录”、“青年文化广场大家乐”，西藏拉萨市少年宫艺术团访美等由各地青少年宫活动中心举办的活动项目，在社会上引起 较大反响。命名建立了“天安门国旗及纪念碑”等92个教育性场馆为第三批全国性教育基地，更好地发挥青少年爱国主义教育基地的作用。在暑期期间广泛开展了青年文化广场等一系列青年文化活动，极大地丰富了暑期青少年的业余文化生活。积极实施青少年素质训练计划，组织开展了“走进青岛、探索海洋营、海南青少年生态营、长江三峡环保营”等青少年素质训练营，收到良好效果。紧紧围绕青少年成长需要开展主题读书活动，形成读书热点和高潮。进一步完善《新书推荐榜》运作机制，重点推荐一系列思想性、科学性、艺术性较高的适合青少年阅读的书籍，形成良好的读书导向。组织新世纪青少年读书计划专家指导团的专家、学者深入部分省市举办读书报告活动，强化了读书育人的效果。5月，中华青少年新世纪读书俱乐部正式成立，拓展了读书计划的工作领域。目前，全国已建立各种形式的新世纪读书俱乐部1000多个，新世纪书屋1500多所。大力加强中国青少年计算机信息服务网建设，正式开通了“中国青少年宫网”和“中国青少年新世纪读书网”，同时中青网成为国家重点扶持的“5+1”媒体网站，逐步形成了自己的网络优势。11月，组织青年报刊管理工作者赴美同《读者文摘》杂志、《纽约时报》等报刊进行交流。围绕青少年文化精品战略的实施，大力推进共青团精神文明建设“五个一工程”，增设了优秀文化活动的评选奖项，充分发挥“五个一工程”在青年文化活动中的导向和激励作用。

四、大力表彰和宣传具有鲜明时代特征的先进青年典型

共青团组织十分重视以典型示范和引导广大青少年。通过宣传改革开放和现代化建设中涌现出来的先进青年群体和先进人物，加强对青年的正面引导，努力在广大青少年中形成崇尚先进、学习先进、争做先进的良好氛围。宣传了全军首届十大学习成才标兵曹雪涛和公安消防英雄战士黄东华两位青年典型，展示当代青年的时代风貌，为广大青少年树立可亲、可敬、可信、可学的光辉榜样。评选表彰了第四届中国青年五四奖章、第十一届中国十大杰出青年、第五届中国杰出青年农民、第三届杰出（优秀）青年卫士及全国共青团系统先进工作者等一批先进青年。授予获得金牌的奥运健儿和残奥健儿中国青年奖章杰出贡献奖和中国青年五四红旗集体荣誉称号。推出了新疆塔里木油田作业区以青年文明号为载体加强企业青工思想政治工作的典型。集中宣传了一批在高新技术领域作出突出成绩的知识英雄。积极探索新形势下典型示范的新特点、新途径和新方法，通过具有鲜明时代特征、富有生命力、青年乐于接受的青年典型，激励和引导广大青少年积极投身社会主义现代化建设的主战场，为实现党的跨世纪宏伟目标贡献青春、智慧和力量。在宣传的形式和途径上进行了积极的探索和创新，特别是在青年典型黄东华的事迹宣传中，精心组织了情景报告会和开辟网络宣传，使广大青少年接受生动直观的思想教育，使典型宣传更具感召力和冲击力。

（共青团中央）

妇 联 系 统

2000年，全国妇联系统响应党中央号召，认真贯彻十五届五中全会精神，加强思想政治工作的力度，使有妇女群众特色的精神文明建设工作充满朝气和活力，取得了可喜成绩。

一、搞好调查研究，加强对精神文明建设工作的指导

3月至6月，全国妇联进行了“中国妇女思想状况”专题调研活动。共发放问卷1万份，发放范围涉及中央国家机关、中央直属机关和全国29个省、自治区、直辖市的城乡各阶层妇女，其中以城镇妇女为主体。以问卷调查为主，走访座谈为辅，广泛听取女企业家、女干部、女知识分子、女职工、下岗女工等女性群体的意见，补充和深化问卷调查的相关内容。在中央思想政治工作会议召开之前，形成《关于中国妇女思想状况的调查报告》并上报党中央。

各地妇联也纷纷根据自身的特点展开有针对性的妇女思想状况调查和研究工作。江苏、贵州省完成本省妇女思想状况的调研报告，广东、福建写出《城市妇女思想状况与对策的思考》，天津市对高校女教职工情况进行分析。在各地广泛调查研究的基础上，8月份，全国妇联组织召开“全国妇联系统思想政治工作会议”，总结交流10年来妇联系统思想政治工作的经验，分析妇联进行思想政治工作的优势，认识当前全党重视加强和改进思想政治工作的大环境，找出存在的问题，针对工作中的薄弱环节对今后加强和改进妇联思想政治工作进行部署。促使各级妇联在实际工作中注意把解决思想问题和解决实际问题结合起来，把教育引导与具体服务结合起来，把妇女思想政治工作与群众性精神文明创建活动结合起来，增强思想政治工作的感染力、渗透力和针对性、实效性。

二、全面实施家庭文明工程，努力提高家庭的文明程度

年初，中央文明办、全国妇联联合发出通知，在亿万家庭实施“家庭文明工程”。各级妇联组织进一步加强在家庭领域内开展思想政治工作和文化体育活动的力度。

组织“亿万妇女健身行动”，用健康的体育活动占领家庭阵地，同“法轮功”邪教组织展开斗争。各地相继成立科学健身协会和健身队，组织各种群众性体育健身活动。吉林省委领导专门为长春市50个妇女健身活动站授旗。湖南省举办了万名妇女运动会和家庭趣味体育活动。河北省三河市曾是“法轮功”活动重灾区，开展亿万妇女健身活动后各乡镇都成立了秧歌队、健身操队，涌现出一大批“体育之家”、“文艺之家”和“科学健身之家”。

开展“爱我社区爱我家”活动，使奉献他人、奉献社会逐步成为每个家庭的自觉行动。按照中央文明办等部门开展的“倡导文明新风，共建美好家园”，全国妇联以“倡导文明新风，共建美好家园”为主题，于5—6月开展了各种形式的“爱我社区爱我家”和消除白色污染，创建优美环境活动。全国大中城市百万家庭走向社区，走向公共场所，清洁社区环境卫生，为社区居民提供无偿服务。海南省“手牵手、邻帮邻共建和乐家庭”友情工程活动，江苏省南京市的“邻里牵手、夫妻同心、共建美好家园的绿色文明行动”，江西省的“五好”文明家庭奉献日活动，以及浙江、湖北省的“万名家庭签名承诺”活动，把“倡导文明新风，共建美好家园”活动推向高潮。越来越多的家庭成员加入家庭志愿者队伍，成为传播社会主义文明新风的使者。

配合社会治安综合治理开展“不让毒品进我家”活动。4月，全国妇联和国家禁毒委联合发出通知，在广大家庭开展“不让毒品进我家”活动，有针对性地在妇女、青少年及涉毒高危人群中开展禁毒宣传教育工作，提高妇女和青少年对毒品危害的认识水平。各地妇联充分发挥在家庭领域开展工作的优势，制定“争创无毒家庭、做合格妈妈”活动计划，提出实现无吸毒、无贩毒、无种毒、无制毒“四无”目标。在“国际禁毒日”前后，深入社区、街道、乡村，采用文艺演出、知识竞赛、万人签名等多种形式，普及禁毒知识，提高妇女禁毒意识，努力营造远离毒品的社会舆论氛围。一些地方还发动五好文明家庭成立帮教小组，制定帮教方案，明确帮教责任，采取人与人、户与户结对帮教的方法，帮助吸毒者摆脱毒品，回归社会。

三、以“巾帼文明示范岗”创建活动为载体，用精神文明建设促进经济发展和行业建设

“巾帼文明示范岗”创建活动开展以来，紧密结合行业特点和女性优势，融妇女工作与行业建设为一体，积极引导女性爱岗敬业、争先创优、服务人民、奉献社会，促进了物质文明建设的发展。4月份全国妇联在山东济南召开全国“巾帼文明示范岗”现场经验交流会，总结推广山东省妇联、济南工商银行、大庆石油管理局、福建国家税务局等单位在广大女职工中开展创建文明示范岗活动的经验，探讨新时期深入开展创建活动的思路和方法。

以提高女性素质为宗旨，夯实创建活动的基础。各地围绕提高女职工的素质，开展丰富多彩的活动。江苏、陕西等地相继在女职工中开展了题为“新世纪、新女性”、“我与世纪同行”的讨论会和演讲会，激励广大女职工在各自的岗位上爱岗敬业、奋发向上。湖北省荆门市在9万余名女职工中开展岗位练兵比武活动，10名女职工分获全国、省、市科技创新奖。河北省有22万名女职工参加了各类培训班。

拓宽领域，扩大活动覆盖面。创建活动开展以来已由十大窗口行业向科技、税务、司法、党政机关、学校等领域延伸，许多地区还把工作伸展到个体私营经济的从业人员中。青海、西藏在市直机关女职工中开展为西部大开发、大发展做贡献的“岗位建功、岗位成才”竞赛活动。上海、吉林、天津等地在高校女教师中开展“园丁杯赛”、“教书育人示范岗赛”。海南、新疆、河南等地将巾帼文明示范岗引入市场、个体私营企业和外来打工妹中。有的地区还开展争创“巾帼文明示范社区”、争当“社区巾帼文明示范岗”等活动。

树立品牌，不断深化活动内涵。“巾帼文明示范岗”创建活动在推动规范服务的基础上逐步发展，形成融服务态度、技艺、特色、效益为一体的服务品牌。上海市开展“巾帼文明示范岗”服务品牌一条街创建活动，选择了楼帼玲温馨家居工作室、依嘉医药热线等16个商业服务柜作为样板，为行业女职工树立了榜样。河北省在商贸、卫生、金融、教育等行业开展“十行百岗千颗星”巾帼文明示范岗竞赛活动。不少地区通过服务品牌的创建，起到了“设一个岗，带一片人；挂一个牌，树一面旗”的良好效果。

四、从源头上预防和制止家庭暴力，维护妇女权益，突出体现妇联的重要职能

预防和制止家庭暴力，是建立健康、文明的家庭关系的需要，是建设社会主义精神文明的重要内容。9月，全国妇联在北京召开由人大机关和公、检、法、司、民政、卫生、宣传等政府有关部门及妇联干部组成的“预防和制止家庭暴力”省级培训班。各地妇联针对妇女的家庭暴力表现、特点、危害等情况进行调查研究，并对家庭暴力存在的原因进行了分析和研究。从源头上做起，为推动地方立法和地方制定政策措施提供决策依据，完善执法环境，堵塞执法漏洞，加强保障力度。全国已有13个省和47个地、市、县成立了以妇联组织牵头的维权联席会议。有544个地方法院专门设置了维护妇女权益的合议庭。一些妇联的维权干部担任陪审员，参与对家庭暴力案件的陪审活动。不少地方的妇联设立了投诉站和维权热线，为受害妇女提供咨询和法律帮助。

五、评选树立妇女和家庭的先进典型，以典型的事迹鼓舞人、激励人

全国妇联与首都11家新闻媒体联合评选第三届中国十大女杰，在人民大会堂举行了隆重的事迹报告会，引起了强烈反响。年底，全国妇联与文化部联合，在坚持开展家庭读书活动的基础上对全国300个农村家庭读书示范户和优秀读书家庭进行表彰。为了促进文明行业的创建，妇联还表彰了1700个“巾帼文明示范岗”，使先进典型的示范作用更加广泛和突出。

（全国妇联宣传部）

各地精神文明建设概述

北 京 市

2000年，首都精神文明建设以江总书记对宣传思想工作和精神文明建设的批示、“三个代表”重要思想、中央和市委思想政治工作会议精神为指导，紧紧围绕“建首善、创一流”的总目标，按照“树立新气象，实现新发展，开创新局面”的要求，抓住申奥的有利契机，全方位地开展各项精神文明建设活动，有力促进了市民文明素质和城市文明程度的提高，形成了整体推进、全面拓展的良好局面。

“千万市民齐参与，共创美好新家园”活动赢得社会广泛关注，推动社会风气不断好转。年初，按照中央文明办电视电话会议精神，以“千万市民齐参与，共创美好新家园”为主题，利用元旦、春节组织“欢庆龙腾新千年，十万春联送京城”公益文化活动；组织志愿者开展“保护生态北京——种植绿色纪念树”环保活动；广泛开展科普进社区宣传教育活动；深入开展“百城万店无假货”活动；组织评选出198名精神文明建设奖获得者；参与《北京市奖励和保护见义勇为人员条例》和实施细则的制定等立法工作。

实施精神文明建设社会化工程，调动群众参与的积极性。6万多名群众投票参加了第九届首都见义勇为好市民评选和电视评选表彰晚会。征集文明公示语通知下发后，群众很快创作了24696条。在2000年评出的32项精神文明建设最佳活动中，有25项活动群众参与程度在10万人次以上。

“千万市民齐参与，争做文明北京人”活动高潮迭起，公民道德教育深入人心。全市先后组织四次1000多万人次参加的大规模宣传教育活动和公益活动。编印35万册图文并茂的《争做文明北京人》小册子，发到千家万户。组织了“千万市民齐参与、争做文明北京人”主题夏日文化广场活动。组织10万多群众参加了“同心申奥运，争做文明人”电视竞赛活动。充分发挥文明市民学校的主阵地作用，思想道德教育有了新的发展。为配合实施绿色奥运行动计划，制定了创建绿色社区工作方案，提出了“六个一”的标准。各区县积极开展环保宣传和绿色文明家庭、绿色志愿者活动，调动了广大群众关注申奥的热情和投身于绿色家园建设的积极性。通过这些活动争做文明北京人的意识深入人心，为申奥营造了良好的社会环境。

以创建文明社区工作为重点，不断加强社区建设和管理，城市整体文明程度有明显提高。全市突出重点，扎实推进，形成创建文明社区工作蓬勃发展的良好态势。按照贾庆林同志关于“不断把创建文明社区活动推向前进”重要批示，召开了首都创建文明社区工作会，制定了《关于深入开展创建首都文明社区工作的意见》。进一步完善了社区建设和管理的运行机制。抓住群众关心的热点、难点问题，大办实事、好事，调动了广大市民参与创建文明社区活动的积极性。

坚持“达标”与“创优”相结合的原则，狠抓“户、村、镇”建设，农村整体面貌焕然一新。京郊农村以提高农民素质、奔小康和建设社会主义新农村为目标，以移风易俗、树立良好村风、环境治理为突破口，着力抓好郊区城镇特别是县城的创建活动，尤其是对国道、铁道、河道和旅游景区进行了综合治理，使农村环境有了较大改观。各行政村围绕评选“十星文明户”及“五好家庭”活动，对农民群众广泛进行“三爱”和“双思”教育，大力普及科学文化和法律知识，努力提高农民的文明素质和农技水平，增强自觉抵制封建迷信、异教邪说侵蚀的能力，逐步形成健康文明向上的社会风气，有效地推动了农村精神文明建设发展。

逐步扩大规范化服务达标工作覆盖面，狠抓“窗口”行业的形象建设，为创建文明行业奠定了良好基础。规范化服务达标活动向银行、税务、工商、文化、公安等行业延伸辐射，由15个扩展为21个“窗口”行业，并细化为40多个分行业。采取分类指导，分层推进，逐步达标，全面创优的方法，使“窗口”行业的创建活动不断有新的起点、新的发展。北京又有地铁，自来水，一、二级医院，出入境管理，公安交通车辆管理等5个行业通过了规范化服务达标考核，全市已有29个分行业实现规范化服务达标。在一些行业实现全行业达标的基础上，开始创建首都文明行业的申报工作。此外，各基层单位和服务“窗口”创建文明单位的意识不断增强，注重调查研究和总结经验，使创建活动蓬勃发展，覆盖面逐步向机关、教育、金融、高科技领域和非公有制企业单位延伸拓展。

围绕“三大创建”活动，充分发挥军、地优势，培育“四有”新人，军（警）民共建工作不断深入。全市2141个军（警）民共建对子，通过联片共建，共建双方突出思想道德、科技文化建设，积极参加三大创建和驻地环境整治、绿化美化等各项活动，广大军民的思想道德素质和科学文化水平明显提高，促进了首都两个文明建设协调发展。军（警）民开展“三创”活动示范点的7个地区、8个村镇、12个行业共建对子充分发挥示范带头作用，在原来的基础上都有创新。

认真总结，深入调研，探索工作运行机制，完善各项管理办法，精神文明建设逐步纳入规范化、制度化、法制化轨道。全市文明办系统全面总结社区思想政治工作的经验，编写了《跨越时空围墙》一书，该书被作为“北京市思想道德建设创新实践丛书”出版。编辑了《首都精神文明建设》一书和《点击科学》读本，撰写了《文明社区建设是实现‘首善之区’基础工程》的调研报告，受到中央文明办充分肯定。举办了“北京——台湾社区教育研讨交流活动”和首都文明城市建设工作研讨会，组织精神文明建设工作者赴美国、加拿大、俄罗斯等国考察，学习国外城市建设和社区管理的先进经验。制定了《北京市社区文明评价指标体系》和《区县文明综合评价指标体系》，规范首都精神文明建设先进单位评比工作。修订了《文明社区建设管理办法》、《文明村镇建设管理办法》、《文明旅游景区建设管理办法》。

充分发挥新闻媒体作用，广泛宣传先进典型，为精神文明建设营造了良好的舆论氛围。积极开拓思路，依托新闻单位和网络等优势，为精神文明建设营造良好的舆论氛围。配合中央文明办、中央电视台拍摄了《伟大的创造》电视系列片，对宣传北京文明城市建设起到了很好作用。组织记者先后到部队、农村和全市8个创建文明社区先进典型进行观摩考察、采访报道。各新闻媒体开辟专栏，宣传了一大批先进典型和先进经验，共发稿600余篇。制作了《迈向新千年的脚步》电视专题片，宣传1999年首都精神文明建设的成果，扩大了社会影响。为了配合申奥，倡导文明健康的生活方式，围绕群众关心的热点问题，组织拍摄了“文明对话30分”电视专题片，受到社会各界和中宣部领导的好评。继续加强“首都文明热线”网站的建设，及时宣传精神文明建设的优秀成果和群众性精神文明创建活动。举办了网上有奖征集文明公示语、公示争创文明行业、评选精神文明建设最佳活动和见义勇为好市民活动，深受群众欢迎，年浏览数量达3万多人次，收到了良好的社会效果。

（首都文明办）

天 津 市

2000年，天津市精神文明建设工作坚持以邓小平理论为指导，贯彻落实江泽民总书记“三个代表”的重要思想和加强精神文明建设的重要批示，贯彻落实中央思想政治工作会议精神，着力抓社区、抓村镇、抓窗口，鼓实劲、干实事、求实效，工作力度不断加大，工作覆盖面不断拓宽，工作机制不断完善，形成了开拓创新、积极进取、整体推进、齐抓共管的良好局面，为各项工作全面上水平提供了强大的精神动力，形成了天津工作特色。

一、切实加强思想道德教育，市民素质得到新的提高

一是邓小平理论和“三个代表”重要思想的学习深入扎实。各级党组织深入学习贯彻江泽民总书记“三个代表”重要思想，深刻领会其精神实质和丰富内涵，坚持把学习邓小平理论与学习“三个代表”重要思想紧密结合起来，贯穿于全面上水平的实践，贯穿于“三讲”教育、“两思”教育和警示教育之中，推动了用邓小平理论武装全党、教育干部群众工作的不断深入。

二是“崇尚科学文明，反对迷信愚昧”活动深入扎实。全市广泛开展马克思主义唯物论和无神论教育，弘扬科学精神、宣传科学思想、普及科学知识。举办“崇尚科学文明，反对迷信愚昧”大型科普展览，来自全市的30余万干部群众和解放军指战员参观展览。广大干部群众踊跃参与第十四届科技周的万余项活动，掀起了“爱科学、学科学、用科学”的热潮。各区县、各系统还普遍开展形式多样的科普教育。

三是“一路一河谱新歌，我为津城添秀色”活动丰富多彩。为巩固和平路、墙子河改造成果，进一步坚定广大干部群众建设家乡，创造美好未来的决心和信心，全市组织开展了“一路一河谱新歌，我为津城添秀色”系列活动，吸引了百万群众的广泛参与，一些居民主动认养津河两岸绿地，沿河各街道还组织开展“爱河、护绿”等道德实践活动，推动了思想道德教育的不断深化。

二、大力开展文明社区和文明城镇“五个一”创建活动，新建一大批精神文明阵地

各区县按照市文明委的统一部署，深入开展以每个建制街建立和完善一所社区市民总校、一个社区文体中心、一个社区广场花园、一个社区规范化集贸市场、一个社区服务中心为主要内容的“创建文明社区五个一活动”和以每个建制镇建设一个城镇培训中心、一个城镇文体中心、一个城镇广场花园、一个城镇规范化集贸市场、一条城镇文明示范路为主要内容的“创建文明城镇五个一活动”，形成了创建工作“虚功实做”的有力抓手。

为进一步选准切入点、增强操作性，在深入基层实地勘察，认真征求各区县意见的基础上，按照“高、新、实、好”的原则，两度下发创建标准，对软、硬件及管理等作出具体规定，使创建标准更加符合实际，更加符合群众的需求。为推动这一创建活动的深入开展，市文明委分别在和平区小白楼街、宝坻县城关镇，召开现场推动会，并当场向示范社区、示范城镇颁发了“以奖促投”资金。通过现场推动，进一步转变了精神文明建设是“软任务”的观念，回答了如何调动各方面积极性，齐抓共管、共同搞好“五个一”建设等问题，掀起了比学赶超的热潮。截至2000年底，全市已新建、扩建和完善“五个一”阵地170余个。

各区县在活动中，充分发挥“五个一”阵地教育功能，进一步加强基层思想政治工作；充分发挥“五个一”阵地自娱功能，不断满足群众精神文化需求；充分发挥“五个一”阵地服务功能，为广大群众办好事、办实事，使“五个一”真正成为宣传科学理论、传播先进文化、服务人民群众、塑造美好心灵的阵地。

在全国创建文明社区工作座谈会上，天津市介绍了“以创建文明社区‘五个一’活动为载体，推动社区精神文明建设上水平”的经验。中央电视台《焦点访谈》节目，对天津市以市民学校为阵地，举办下岗职工再就业培训班，扩大教育覆盖面，提高针对性的做法，进行了深入报道，在全国引起一定反响。

三、加大创建文明行业力度，规范化服务得到进一步巩固和提高

一是创建文明行业活动日趋规范化。各系统不断加大职工培训力度，广泛开展文明服务窗口、文明科室、文明单位等主题创建活动。从仪表举止、文明用语、服务纪律、办事秩序等方面，进一步完善简明具体、易于操作、便于考核的服务标准和规章制度，使规范化服务成为广大干部职工日常的、自觉的行动。市电信公司被评为“2000年全国服务满意工程先进单位”；市政工程天塔排管所被授予全国城建系统文明行业标兵。

二是创建文明机关活动扎实深入。各级党政机关在精神文明建设中，充分发挥示范作用，深入开展“争做人民好公仆”、“争做人民满意公务员”和创建文明机关、文明处室活动，并与开展“三讲”教育，巩固“三讲”成果紧密结合，强化全心全意为人民服务的宗旨意识，提高工作效率，改进工作作风，进一步树立了高效、文明、廉洁、务实的机关形象。南开区物价检查所被国家计委授予“规范化物价检查所”称号。

三是军民共建活动得到进一步延伸。驻津部队广大指战员在大力支援地方重点工程建设的同时，不断拓宽共建领域，丰富共建内容，先后组织了“天津市国防教育演讲报告团”巡回演讲、“共筑新世纪国防长城”大型文艺汇演和人防知识竞赛等活动，宣传革命光荣传统，展示国防教育成果，讴歌军民鱼水深情，推动了军民共建活动的不断深化。

四、大力开展移风易俗、破除迷信活动，农村精神文明创建活动取得新成效

一是“移风易俗、破除迷信”活动效果显著。各区县认真吸取“法轮功”事件的深刻教训，广泛开展“提倡健康文明、反对陈规陋习，提倡艰苦奋斗、反对大操大办，提倡科学进步、反对封建迷信”活动，全市农村共取缔非法丧葬用品经营点500多家，收缴封建迷信用品1万余件，平坟近3万座，封建迷信活动得到了有效遏制。中央电视台等新闻媒体宣传报道了北辰区开展移风易俗活动的做法和经验。

二是创建文明户活动不断深化。针对农村出现的新情况、新问题，各区县及时调整创建文明户标准，积极引导群众养成科学文明健康的生活方式，促进了广大农民群众文明素质的不断提高。2000年底，全市农村共评出文明户14万户、遵纪守法户78万户。

三是农村文化阵地建设得到切实加强。各区县普遍推行知识信息入户工程，进一步拓宽宣传党的路线方针，传播科学文化知识，活跃业余文化生活的途径。全市已有50%的村建有“六有”村民学校，86%的村实现了有线广播“村村响”，45%的村实现了有线电视“村村通”。

五、广泛开展“告别五陋习”大讨论，“讲文明树新风”活动成效明显

一是“告别五陋习，共建文明家园”活动广泛深入。围绕乱摆乱卖、乱搭乱建、乱堆乱放、乱泼乱倒、乱贴乱画，在《今晚报》开辟“告别五陋习”专栏，对不文明行为和事例进行批评曝光，先后刊登各界群众意见、建议等200余件，促进了重点地区的环境治理。同时，总结推广河东区万新地区“文明言行督导队”的做法，组建了10余万人的“创建优美环境志愿者”队伍，形成了“建文明城市，做文明市民”的新高潮。

二是综合治理城市环境秩序工作取得新突破。各有关部门和单位紧紧抓住“治理、管理、建设、改革”四个环节，集中力量、组织战役，重点治理了56个整建制街、150条主干道路、6大片城乡结合部居民区、15片重点窗口繁华地区和9条进市口公路。全市共拆除违法建筑、违章棚厅近80万平方米，植树98万株，新建绿地426万平方米，使城市环境秩序明显改善。

三是娱乐服务场所和电子游戏厅专项治理成绩显著。市公安局、文化局、工商局、监察局等部门密切合作，加大力度，全市共压减、关闭各类场所3200余家，取缔无证经营场所3400多家，初步建立起一套行之有效的工作机制，进一步规范了娱乐服务场所和电子游戏厅的经营活动，受到了国务院检查组的充分肯定。

六、加大选树先进典型的力度，社会正气得到进一步弘扬

一是组织天津市文明市民报告团进行巡回报告。为更好地发挥先进典型的示范带头作用，进一步倡导文明新风，成立了由离退休老同志、民营企业家、社区工作者、出租汽车司机、下岗职工、外来务工青年组成的天津市文明市民报告团。报告团的巡回报告，在全市引起强烈反响。市文明办还与有关部门共同制作了《文明之光》光盘，广泛宣传文明市民的先进事迹，激发了干部群众从我做起，为建设家乡多做贡献的热情。

二是深入开展学习“子牙河救助落水儿童英雄群体”活动。子牙河救助落水儿童英雄群体的壮举，震撼了津门。为进一步弘扬社会正气，树立文明新风，市文明委专门作出决定，追授为救助落水儿童英勇牺牲的牛瑞亮、贾轩同志“天津市文明市民标兵”称号，授予奋不顾身抢救落水儿童的秦臻、王森等同志“天津市文明市民标兵”称号。各区县、各系统充分利用各种教育阵地，广泛宣传英雄群体的事迹，使英雄群体的崇高精神深入人心，在全市迅速掀起了“学英雄、见行动”活动的热潮。

三是认真组织群众性精神文明“十大系列”创建活动的评选。按照市文明委的统一部署，全市共评选出精神文明十大系列创建活动先进个人、先进集体标兵131个；市级文明市民、文明小区、文明村、文明单位等精神文明创建工作先进个人、先进集体5400余个，有力地推动了精神文明创建活动的深入开展。河西区纪庄子街作为加强思想政治工作的重大典型，13家中央媒体进行了集中宣传，在全国引起很大反响。

七、坚持从解决热点、难点问题入手，为群众办成一大批好事、实事

按照“一切为了人民、一切依靠人民”的基本工作思路，坚持从大处着眼，从解决热点、难点问题入手，确保了全市精神文明建设10件实事的圆满完成，进一步改善了市民居住环境，丰富了群众文化生活，提高了城市整体功能，弘扬了社会新风尚。为加大各区县、各系统办实事的力度，全市还建立了“每季度评选讲文明树新风和精神文明创建活动10件实事”的机制，全年共评选出河西区马场街建成“电子化社区服务中心”等40件实事。各区县、各系统普遍把办实事与解决群众关注的难点、热点问题结合起来，与开展群众性创建活动结合起来，与提高市民素质结合起来，使群众生活质量得到了实实在在的改善，增强了群众对党和政府的信任，促进了良好社会风气的形成。在大型电视专题片《伟大的创造——创建文明城市巡礼》中，对天津市为群众办实事的作法进行了重点报道。

八、深入基层、深入实际，形成了一批具有指导价值的调研成果

面对社会经济成分、组织形式、物质利益、就业方式日趋多样化，各种思想文化相互激荡的新情况，各级党政组织不断探索精神文明建设的新规律、新途径。

一是组织开展社区精神文明建设大型调研。为进一步加强社区精神文明建设，按照中央文明办的要求和市领导的批示精神，市文明办会同有关部门深入和平区开展大型调研，系统地总结了改革开放以来社区所发生的十大变化，归纳了当前社区存在的四个突出问题，提出了六个方面的工作对策和建议，为筹备全国创建文明社区工作座谈会，制定《中央文明委关于在城市深入开展创建文明社区工作的若干意见》提供了依据。

二是调查研究的力度明显加大。各区县、各系统文明委主要领导带头开展调查研究，撰写调查报告，推动了调查研究工作的不断深入。全市形成了一批具有一定指导价值的调研成果，许多调研成果被各级领导采纳，成为决策的重要依据。中央文明办在《精神文明建设》刊物上，先后13次刊发我市精神文明创建工作的经验和做法。

三是组织全市文明办主任出国学习考察。应新加坡人民协会的邀请，区县、系统文明办主任首次组团出访。通过考察新加坡、香港、澳门等地的公民道德教育、城市管理、社会秩序、社区建设和志愿者活动等，学到了许多加强社会文明建设的经验和做法，进一步增加了做好精神文明建设工作的责任感和紧迫感。

（天津市文明办）

河　北　省

2000年全省精神文明建设围绕中央和省委总的工作部署，思想道德建设在鼓舞全省人民士气、凝聚各方面力量上下功夫，精神文明创建活动在服务经济建设、为人民群众办实事上用力气，努力促进全省两个文明建设协调发展。

一、以加强理论武装、改进思想政治工作和搞好公民道德教育为重点，进一步深化思想道德建设

进一步推进邓小平理论的学习、研究和宣传工作。组织了县处级以上干部学好中央规定的“三讲”教育读本和必读文件，引导大家在精读、细研、深入系统学习上下功夫，在紧密联系实际特别是思想实际上下功夫。第二批省直厅局领导班子、领导干部“三讲”教育和县级领导班子、领导干部“三讲”教育，把邓小平理论学习贯穿于始终。县级以上领导班子进一步加强和改进理论学习中心组学习制度。召开了经验交流会，总结推广经验，在此基础上，制定全省《关于加强和改进党委（党组）中心组理论学习的意见》，召开了全省邓小平理论研讨会。组织实施了以优秀党员教育电视片、好的党课教材、优秀党教文章、先进基层党校、优秀党课教员为主要内容的党员教育五项竞赛活动，推动学习邓小平理论活动的深入开展。

认真贯彻落实中央《关于加强和改进思想政治工作的若干意见》和省委思想政治工作会议精神，切实加强和改进思想政治工作。大力开展马克思主义唯物论和无神论教育，继续深入揭批“法轮功”邪教本质，在全省党员干部和群众中进行马克思主义唯物论、无神论常识教育，帮助和引导人们划清唯物论与唯心论、无神论与有神论、科学与迷信、文明与愚昧的界限，增强识别、抵制封建迷信及各种伪科学、反科学的能力和民主与法制意识。各有关部门通过举办科普展览、开展科普讲座、组织科普影视展播展映、开辟科普专栏和专题节目等形式，在广大群众中开展生动活泼的教育活动，努力在全社会形成学习科学知识、掌握科学方法、树立科学思想、弘扬科学精神的良好社会风尚。围绕省委中心工作和干部群众普遍关心的问题，定期举办形势政策报告会，做好解疑释惑、统一思想的工作。认真抓好农村、企业、机关、学校和社区的思想政治工作，注意做好农村外出打工人员、社区离退休人员、下岗职工和流动人口的教育引导工作，尽快扭转一些基层单位思想政治工作薄弱的状况。以精神文明建设“五个一工程”为龙头，推出一批弘扬主旋律、感染力强的文艺精品，用健康向上的文艺作品引导人们树立正确的思想观念和道德情操。通过广泛开展创建文明城市、文明单位、文明村镇、文明行业、文明家庭以及军民共建、警民共建等活动，把思想政治工作渗透到各行各业、各个单位和千家万户，引导群众在参与中受到教育、得到提高，增强思想政治工作的实效性。

深入开展形式多样的社会主义道德建设。在城市，围绕落实《市民行为规范》加强社会公德建设。在各行各业，运用创建文明行业活动推动职业道德建设。在农村、社区，结合创建文明家庭活动抓好家庭美德建设。在机关、企事业单位开展了“三德、三做”（遵守职业道德，在单位做好职工；遵守社会公德，在社会做好公民；遵守家庭美德，在家庭做好成员）活动。

二、围绕全党工作大局，搞好服务，提供保障

精神文明建设根据自身的特点，找准切入点，选好结合点，主动融入到改革和经济建设中去，为全省的现代化建设提供了有效的服务和强有力的思想保障。

围绕开拓城乡市场，组织开展“改善服务，促进消费”活动。组织与群众生活密切相关的建设、内贸、供销、电力、电信、交通、公用事业、旅游、金融等“窗口”行业参与这一活动，进一步解决住宅销售、旅游服务、商品零售、消费信贷等方面存在的不正之风和服务不周的问题，搞好售前、售后服务，以优质、方便、快捷的服务满足群众的需求。

围绕国有企业的改革和脱困，继续深入开展“扶助下岗职工，弘扬社会新风”活动。对下岗职工进行转岗技术培训，帮助他们转变就业观念。为他们提供再就业岗位，解决他们在赡养老人、子女上学等方面的实际困难。各级工会、共青团、妇联把更多的职工、青年和妇女发动起来，各级文明单位、文明社区积极主动地为下岗职工奉献更多的爱心，送去更多的温暖。

围绕农村扶贫攻坚和小康建设，组织开展了“双千扶贫”活动。全省选择1000个省、市级文明单位，与1000个贫困村结成对子，开展帮扶共建活动。本着以脱贫为主、两个文明一起帮扶的原则，重点开展五项工作：一是帮思想；二是帮班子；三是帮致富；四是帮教育；五是帮活动。各市选择了一批条件最好的文明单位参与到这一活动中来，认真搞好培训，明确任务、目标和工作措施。

三、着眼于群众最关心的问题，多办好事、实事，扎实推进精神文明创建活动

创建文明社区，组织人们“共建美好家园”。动员社区各方面力量，大力开展“共建文明家园”主题活动。由区委、区政府牵头，街道办事处、居委会、驻区各单位和广大居民共同参与，完善幼托、养老、就医、水电气暖设施维修、房屋修缮等方面服务措施。开展健康有益、丰富多彩的社区文化活动，引导人们自觉抵制迷信和伪科学，占领社区文化阵地。在居民区植树种草，提高生活小区的绿化美化水平。深化“创安”活动，搞好群治群防。

保护生态环境，大力推进营造“城市森林”大型公益活动。各市根据冀文明［1999］2号文件的要求，组织政府有关部门，运用政策规划林地。在此基础上，把规划的林地划为“公仆林”、“青年林”、“巾帼林”、“八一林”等，由机关工委、工会、共青团、妇联和当地驻军，组织单位和群众认领、认种、认养。

搞好优质服务，重点解决一些“窗口”单位服务质量差的问题。抓医院，解决一些医务人员收“红包”、岗位服务不规范和老百姓看病难的问题。抓旅行社，解决一些工作人员与旅游景点及沿途单位联手欺骗消费者，旅行管理混乱的问题。抓公安派出所，解决一些派出所门难进、脸难看、话难听和少数干警对群众作风粗暴的问题。抓电信部门，解决电话装机移机服务质量差、承诺不兑现的问题。

抓好小城镇建设，创建以文明小城镇为依托的农村精神文明示范区。确定104个小城镇作为首批创建活动的重点镇开展活动。从中选择一批条件好的小城镇作为依托创建农村精神文明示范区，把所辖行政村带动起来，在努力改善群众的生活环境、满足群众的文化需求上多办实事，成区成片地推动农村精神文明建设，使更多的农民群众从中得到实惠。

四、深入调查研究，谋划精神文明建设新的发展

6月，对落实省委关于《河北省1996—2000年社会主义精神文明建设实施纲要》的情况进行了检查。结合检查开展深入的调查研究。重点摸清了三个问题：一是思想道德建设、文化事业发展、精神文明创建活动存在的主要问题。二是群众最关心、最希望我们解决的热点、难点问题和对精神文明建设工作的意见和建议。三是新形势下精神文明建设工作应遵循的规律和各地创造出来的行之有效的工作方法。形成专题报告上报了省委。

在调查研究的基础上搞好总结规划。主要抓三项工作：一是着手编纂《河北省精神文明创建工作博览》。二是完成了《河北省精神文明发展战略研究》。三是组织力量研究制定《河北省“十五”期间精神文明建设工作意见》，确定下个世纪头五年的奋斗目标、具体任务和工作措施。

（河北省文明办）

山　西　省

2000年，全省精神文明建设工作高举邓小平理论伟大旗帜，深入贯彻落实中央思想政治工作会议精神，围绕经济建设，继续深入开展三大创建活动，不断加强精神文明阵地建设和队伍建设，发挥群众性精神文明创建活动的载体作用，加强思想政治工作和思想道德教育，进一步促进了全省城乡文明程度和人民群众文明素质的提高，为推动我省经济发展和社会进步发挥了积极的作用。

一、广泛开展以“喜迎新千年，文明度新春”为主题的2000年文明之春活动，为新千年的第一个两节营造欢乐祥和的社会氛围

文明之春活动紧紧围绕与人民群众生活密切相关的整治城乡环境卫生、社会治安综合治理、窗口行业优质服务和移风易俗及群众性文化娱乐活动等几个方面的内容进行。活动突出“喜迎新千年”这一主题，通过开展活动，全省城乡的环境卫生面貌有一个大改观，社会秩序和服务质量有一个大改善，人民群众的精神面貌有一个新的提高，使全省人民以一个崭新的面貌迈入新的千年。

全省各地市根据实际，积极开展工作。太原市突出抓好规模宏大的文化系列活动。在市区重点组织“贺龙年新春，展世纪风采”舞龙大赛和“辉煌新世纪，彩灯映并州”花灯大赛。在郊区和农村组织群众性自娱自乐活动，市直各文艺团体、电影发行放映单位、图书馆、新华书店等文化单位，组织成10支“三下乡”队伍，开展文化“三下乡”活动，活跃了基层的节日文化生活。吕梁地区文明委专门召开全区电话会议进行安排部署，要求政府各职能部门积极参加文明之春活动。城建、卫生部门负责城乡环境卫生整治，公安、交通部门负责社会治安和道路交通安全，财贸、工商、技术监督等部门负责市场的净化，宣传文化部门负责群众文化娱乐活动。由于职责明确，动员面广，全区文明之春活动声势浩大，轰轰烈烈，营造了欢乐喜庆、文明祥和、团结奋进的社会氛围。

二、加大思想政治工作力度，思想道德建设进一步加强

认真贯彻落实中发〔1997〕17号文件精神，2月份，省委宣传部在全省组织开展了加强思想政治工作调研活动。分别组成企业、农村、机关、学校、社区5个调研组，深入11个地市、18个县区、36个村镇、18个国有大中型企业和非公有制企业、21所大中专学校、省直50个厅局机关及城市26个办事处、58个街道居委会开展专题调研，形成了关于当前农村干部群众、国企干部职工、高校师生、党政机关干部、社区群众和非公有制企业员工思想状况的调查报告。总结了近几年来全省加强和改进思想政治工作的好做法、好经验。提出了进一步加强和改进全省农村、企业、高校、党政机关、社区及非公有制企业思想政治工作的实施意见。8月8—9日，召开了全省思想政治工作会议。省委下发了《关于加强和改进思想政治工作的实施意见》。由省委宣传部牵头，成立了全省加强和改进思想政治工作协调组，从组织上加强对全省思想政治工作的领导。

在精神文明创建活动中，把工作的重点放在提高广大群众的思想道德素质上。重视利用各种新闻媒体，突出宣传各类弘扬社会公德的先进典型，在全社会形成宏扬正气，鞭挞落后的良好舆论氛围。按照中央文明办等部门部署，省文明办、省民政厅等10部门联合组织全省“倡导文明新风，共建美好家园”活动。通过活动，进一步美化了公共居住环境，维护了社会治安秩序，丰富了群众文体生活，密切了人际关系，推动了城市社区的精神文明建设，唤起了人们爱护环境、关心他人的社会公德意识。由省总工会牵头，在全省广泛开展了创建“全满意”单位和职工争当“无差错”能手的职业道德建设竞赛活动。通过活动，全省共评选出古交市妇幼保健院院长杨爱建、永和县坡头乡贺家崖小学教师李玉海等10名2000

年度省职业道德十佳标兵；大同市社会福利院、柳林县地税局等10个省职工职业道德建设十佳单位。11月24日在太原隆重召开了省职工职业道德“双十佳”表彰大会，向全省职工发出职业道德建设倡议书。在城市持续开展以家庭美德建设为主要内容的创建五好文明家庭活动。在农村广泛开展的评选十星级文明户活动，将倡导家庭美德的夫妻和睦、尊老爱幼等内容列入“十星”标准，使家庭美德建设更加扎实。

2000年全省思想道德教育的另一个显著特点是，针对反对邪教法轮功的斗争，开展了声势浩大的崇尚科学宣传教育活动。各地市先后举办了“崇尚科学文明，反对迷信愚昧”大型图片展览。朔州市委还在全市范围内举行“唯物论、辩证法、无神论”教育巡回漫画展并组织了进京展出。省直各部门开展了“青少年科普周”、“科普知识进万家”、“广场科普画廊”等多种形式的科普教育活动，生动形象地宣传科学真理，深刻地揭露“法轮功”歪理邪说的反科学本质。

三、加强精神文明工作队伍的培训和阵地建设，改善了精神文明建设的基础条件

2000年，省文明办针对各地市和省直部门文明办工作人员调整较大的实际，为提高各级文明办人员的思想业务素质，于5月份，举办了全省文明办主任培训班。聘请北京和省内的多位专家授课，还邀请省内一些文明单位的领导做经验介绍，并组织参训人员赴广东、江苏等地学习考察，提高了大家的认识，开阔了眼界，增强了素质，对推动全省的精神文明建设工作发挥了积极作用。在加强队伍培训的同时，努力完善精神文明创建活动的有关制度，组织专门人员，历时数月，对1996年前出台的《山西省精神文明创建条例》进行详细修订。起草了《山西省关于加强和改进社区思想政治工作的实施意见》。

继续加强精神文明阵地建设。全省精神文明阵地建设的标志性工程，山西省电视星网工程建设完成。山西省博物馆，山西文学创作中心的建设进展顺利。基层文化馆（站）建设普遍展开。3年内要基本做到县有文化馆、图书馆，乡（镇）有文化站或文化中心，行政村有文化活动室。这一目标被写进省委《关于加强和改进思想政治工作的实施意见》，为今后基层的精神文明阵地建设提供了有力保证。由中宣部、中央文明办、文化部资助建设的“百县千乡宣传文化工程”建设进展顺利，1998年度首批资助建设的20个乡镇宣传文化站，经过一年多的建设，2000年6月全部建成并通过了省委宣传部、省文明办组织的工程验收。1999年度第二批资助建设的10个乡镇宣传文化站，于2000年度全部完成了主体建设工程。已经建成的乡镇宣传文化站极大地改变了这些贫困地区群众文化活动设施落后的状况，丰富和活跃了贫困地区人们的精神文化生活，传播了新的科技知识和科技致富信息，受到了被援建乡镇人民群众的热烈欢迎。

（山西省文明办）

内蒙古自治区

2000年，全区抓住国家实施西部大开发战略的机遇，围绕自治区实行“两个转变”、实现“两个提高”、完成“两大历史任务”、再创经济发展新优势的目标开展工作，思想道德教育取得明显成效，群众性精神文明创建活动取得了新的进展，对促进自治区改革发展、维护社会稳定发挥了积极的作用。

一、加强理论武装工作，积极推进爱国主义、集体主义和社会主义教育，进一步深化了思想道德建设

自治区文明办配合全区开展的邓小平党建理论和江泽民总书记“三个代表”重要思想大学习

大讨论，完善宣传教育措施，进一步促进用邓小平理论武装全党、教育干部群众工作的深入开展，加大了用江总书记“三个代表”重要思想指导精神文明建设工作的力度。充分利用爱国主义教育基地对各族干部群众进行国情和区情教育。开展了以“胜利迈向新世纪”为主题的宣传教育活动。唱响祖国颂、社会主义颂、改革开放颂，进一步激发了全区各族干部群众“热爱内蒙古、建设内蒙古”的热情。深入揭批“法轮功”邪教罪行，举办了“崇尚科学文明、反对封建迷信”大型展览，在全社会逐步形成崇尚科学文明、反对迷信愚昧的健康氛围。各地区、各部门坚持从实际出发，制定和完善了市民守则、岗位规范、乡规民约等，从基本行为规范抓起，进行道德理想、道德信念、道德规范和道德传统教育，把道德教育融入社会、行业管理之中，积极引导广大干部群众“从我做起、从一言一行做起、从身边事做起”，促进了良好道德风尚的形成。

二、以“倡导文明新风、共建美好家园”为重点，“讲文明树新风”活动取得新进展

为了切实抓好这项活动，自治区文明办组织召开了自治区民政厅、公安厅、建设厅、文化厅、卫生厅、体育局、团委、妇联、科协等部门参加的“倡导文明新风，共建美好家园”活动协调会议，并联合下发了《关于深入开展“倡导文明新风、共建美好家园”活动的实施意见》。各地区因地制宜开展一系列富有成效的活动。呼和浩特市开展“我是呼和浩特市市民”宣传教育活动，组织实施以“树首府形象、做文明市民”为主题的形象工程；以“青城是我家、卫生靠大家”为主题的清洁工程；以“满意在首府、放心在青城”为主题的满意工程；以“守交通规则、建良好秩序”为主题的畅通工程，着力解决文明言行、环境卫生、服务质量、交通秩序方面存在的主要问题。包头市继续深化“五讲十不”教育活动，组建了27个青少年教育宣讲团，突出抓了青少年文明言行教育。乌海市开展了“环卫杯”竞赛活动，实施了城区绿化、美化、亮化工程和生态林防护工程。赤峰市面对百年不遇的旱灾，把抗旱救灾、送温暖、献爱心作为“讲文明树新风”活动的重要内容，为基层干部群众排忧解难，为农牧民服务。通辽市开展了“树文明新风、做文明市民、建文明城市”的“三文明”教育整治活动，对环境卫生、交通秩序、市场秩序进行了集中整治。锡盟组织开展了“聚焦生态环境，再造秀美草原”宣传教育活动。巴盟开展了“树立良好道德风尚，密切社区人际关系”主题教育活动，把思想道德教育同群众性创建活动有机地结合起来，推动“讲文明树新风”活动向纵深发展。

三、积极开展创建文明社区活动，进一步夯实创建文明城市的基础

在创建文明城市活动中，重点抓了创建文明社区活动。自治区文明办和包头市文明办组成调研组，对包头市创建文明社区工作进行调查研究，形成了《深入开展创建文明社区活动，夯实文明城市基础》的调研报告。各盟市文明办也对创建文明社区工作进行了认真细致的调查研究工作，为制定规划、指导工作奠定了基础。自治区文明办组织召开了全区创建文明社区工作座谈会，各盟市交流了创建文明社区工作的基本情况，认真查摆和分析存在的问题，实地参观学习了辽宁省大连市和天津市创建文明社区工作的成功经验。会后，自治区文明委下发了《关于在全区城市深入开展创建文明社区工作的意见》，对创建文明社区活动进行安排部署。全国创建文明社区工作座谈会召开后，又组织召开了自治区文明委全体会议和全区文明办主任会议，认真传达贯彻会议精神，进一步明确了创建文明社区活动的目标、原则和任务。

四、以全区小城镇精神文明建设经验交流会为契机，加快创建文明村镇的步伐

抓住国家实施小城镇发展战略的有利时机，以自治区党委、政府召开的全区小城镇精神文明建设经验交流会为契机，组织开展了一系列行之有效的创建活动。兴安盟扎赉特旗从实际出发，探索出一条“以解放思想为先导、以振奋精神为动力、以小城镇建设为突破、城乡一体建设、推动区域经济两个文明协调发展”的工作新思路。在全区小城镇精神文明建设经验交流会上，重点推广了他们的成功经验。赤峰市作为全国创建文明村镇工作先进市，坚持以人为本、铸魂塑形、抓好载体、分层创建的原则，使小城镇精神文明建设始终保持着旺盛的生命力。包头市通过以城带乡、城乡联动，深化了小城镇精神文明建设，使文明城市的创建成果在小城镇得到了有效拓展和延伸。伊盟以“小城镇、大战略”为指导思想，以选树精品样板集镇和创建文明集镇示范点为切入点，形成了以城关镇为中心，重点苏木乡镇为辐射区域的创建新格局。

在全区组织开展了精神文明建设“十佳城关镇”评选活动，兴安盟扎赉特旗音德尔镇等10个城关镇被命名为全区“十佳文明示范城关镇”，在小城镇精神文明创建活动中，起到了示范和带动的作用。

五、切实抓好文明行业创建活动，行业文明程度和服务水平进一步提高

继续在公安、建设、税务、邮电、民航、铁路、交通、电力、气象等窗口行业和行政执法部门推行社会服务承诺制和政务公开制，把规范化服务作为创建文明行业的主要内容，进一步完善服务措施，细化量化服务标准，深化了创建文明行业活动。自治区交通厅通过抓“窗口”单位来带动整个行业的精神文明建设，在原有22个“窗口”单位开展“政务公开、服务承诺”的基础上，2000年又公布了12个“窗口”单位、12条客运示范线路、4000余辆出租车、4500余辆客运班车为优质服务参赛车，推动了全系统创建文明行业活动的开展。自治区工商系统制定一系列措施，规定全区工商机关，将办证、办照的程序公布于众，实行各类工商管理事务的时限性、程序化。自治区气象局在全区气象部门开展“优质规范服务、树立行业新风”活动，把创建文明行业的标准量化分解到基层，实行了目标责任制，使创建活动从内容、形式到覆盖面都得到了拓展，被中国气象局、自治区文明委授予“创建文明行业先进系统”。

按照“巩固成果，加大力度，搞好延伸，稳步前进”的原则，继续组织开展了“百城万店无假货”活动。自治区文明办组织协调商业厅、工商局、技术监督局、团委等部门召开了“百城万店无假货”活动联席会议，制定下发了《全区2000年深入开展“百城万店无假货”活动的安排意见》，开展了“打假维权、消费者满意街”、“购物放心一条街”、“青年文明号促销创效”等形式多样的创建示范街、示范店活动。呼盟海拉尔市友谊大厦被确定为全国第二批“百城万店无假货”活动示范店，为消费者营造了一个放心满意的购物环境。

六、加强调查研究，积极配合实施西部大开发战略开展活动

为了研究和探讨精神文明建设如何更好地为西部大开发服务等问题，自治区文明办组成调研组进行了“西部大开发与精神文明建设”的调查研究工作。调研组分别在自治区直属机关、呼市、乌盟、伊盟等地进行调查研究，形成了《关于西部大开发与精神文明建设的调查研究》。为使全区广大干部群众更好地参与到西部大开发的伟大实践中，组织了由西部各省市自治区文明办和《精神文明报》联合开展的“西部大开发有奖知识竞赛”活动，掀起了解放思想、更新观念、认识西部、服务西部大开发的热潮。

为做好中宣部、中央文明办、教育部组织实施的“西部开发助学工程”，自治区文明办制定了《内蒙古自治区“西部开发助学工程”实施办法》，成立了领导小组，经过严格审批程序，确定了首批受资助的85名学生。为做到“公开、公正、公平”，受资助学生名单全部在《内蒙古日报》上公布，并设立了举报电话，接受有关方面和群众的监督，在呼市举行隆重的“助学金颁发仪式”，在社会上引起热烈反响。

七、加强基层文化阵地建设，丰富群众的文化生活

为做好“百县千乡宣传文化工程”的实施工作，自治区文明办会同有关部门加大了对所资助建设的宣传文化站各项工作的督查力度。按照中央的有关标准和自治区的具体要求，对1998年度资助建设的20个苏木乡镇宣传文化站进行了全面验收。首批资助建设的20个宣传文化站已全部投入使用。

为组织实施好“宣传文化设施‘三个一’”的转赠和管理使用工作，自治区文明办协调有关部门联合下发了《关于做好中央向西部地区贫困县赠送电影放映设备、〈新中国舞台影视艺术精品选〉系列光盘和“万村书库”图书管理和使用工作的通知》，在呼和浩特市组织召开了“宣传文化设施‘三个一’转赠仪式”，及时将这批物品转送到了受赠贫困旗县，使这批物品能够尽快在农村牧区发挥其应有的作用。

（内蒙古自治区文明办）

辽　宁　省

2000年全省精神文明建设工作，高举邓小平理论伟大旗帜，认真贯彻“三个代表”重要思想，按照中央和省委总的工作部署，全面安排，扎实推进，勇于创新，呈现出良好的发展态势。

一、以创建文明社区为重点，文明城市创建工作有新进展

继1999年大连市、沈阳市沈河区被评为全国文明城市和文明城区之后，越来越多的领导对创建文明城市工作更加重视。鞍山市年初提出3年创建文明城的目标，把这项工作确定为“一把手”工程，围绕城市的“硬”、“软”件建设目标，制定切实可行的实施方案。抚顺市提出创建文明城的目标，召开全市动员大会，党政主要领导亲自挂帅，扎扎实实地开展创建活动。辽阳市成立创建文明城市办公室，增加编制，落实保障，抽调14名干部，全方位地抓好创建文明城市工作。锦州市成立创建办，采取有力措施，加强文明城市建设。葫芦岛市、盘锦市都拿出高起点、高标准的实施方案。东港市提出“学习张家港、建设新东港”的口号，唱响“自加压力，开拓进取，瞄准先进，争创一流”的东港精神，高标准、高质量、高起点地开展创建活动，全市城乡面貌发生很大变化。铁法市的创建活动也取得突出成绩。全市建筑面积5万平方米以上的居民小区已达21个，其中，4个被评为国家优秀示范小区，10个被评为省级达标小区，一批市级文明小区，有80%的居民生活在文明小区之中。

在创建文明城市工作中着重抓好创建文明社区活动，是全省的一个突出特点。沈阳市沈河区是创建全国文明城区先进单位，他们在社区建设中做到社区教育经常化、社区环境景观化、社区服务网络化、社区文化系列化、社区管理法制化、社区治安属地化，探索出一条融社区教育、社区管理、社区服务、社区环境、社区治安、社区文化于一体的社区建设的新路子。大连市文明社区建设取得很大成绩，形成以提高生活质量、满足居民需求和帮助弱势群体为宗旨的社区服务工作网络，以提高居民素质、加强社区思想工作为目标的社区教育网络，以安全稳定为重点的社区综合治理网络，以优化社区环境、增强居民环境意识为内容的文明护绿网络。社区工作条件得到改善，社区工作队伍得到优化，社区保障功能得到发挥。

11月，省文明委在大连市召开全省创建文明社区工作座谈会，交流了经验，部署了今后一个时期的工作。根据创建文明社区活动的形势，省文明委决定开展创建“十星级文明社区”活动，明确了创建的指导思想、具体目标、主要任务、工作方法，力争用五年时间，沈阳市、大连市70%—80%的社区基本都能建成文明社区，其他市50%的社区基本都能建成文明社区，县级市和县城30%的社区基本都能建成文明社区。

在创建文明风景旅游区活动中，围绕合理开发、永续利用、规范经营、文明服务方面做了大量工作，促进了全省旅游产业的发展。对申报的第二批省级文明风景旅游区示范点进行检查考核，确定和公布示范点名单。“十一”之前，全省开展了爱祖国看辽宁宣传活动，对全省旅游景点作了系列宣传。在创建花园式工厂活动中，配合国有大中型企业、国有控股企业改革与脱困的工作目标，推出全省第二批花园式工厂。

二、以城乡共建活动和“十星级”系列创建为重点，农村精神文明建设出现新局面

以城带乡，城乡共建精神文明，是全省精神文明建设的大思路。开原市从1998年开始，开展以城带乡、以乡促城、城乡共建精神文明活动。他们从本地实际出发，精心制定城乡共建活动方案，采用“强强联合”的办法，组织城里的文明单位和农村的文明村结对子，调动共建双方积极性，帮助农村改善文化设施，美化村容村貌，提高农民素质，发展村级经济，创建了一批高标准的文明村和文明单位，形成了以城带乡、城乡共建的良好局面，为新时期农村精神文明建设开辟新途径。

开原经验受到中宣部和中央文明办的高度评价。8月27日至29日，中宣部和中央文明办在开原市召开全国农村精神文明建设工作座谈会，重点推广开原市的经验。会后，各地根据自身实际，学习借鉴开原的成功经验，广泛开展以城带乡、城乡共建活动。全省出现了城乡共建的良好局面。凤城市从去年开始，全市22个乡镇每个乡镇都有一位市领导、一个市直部门、一个企业与之结成对子，有力地推动了农村两个文明建设。抚顺市地税局把在农村各地的税务所与所在乡镇结成对子，开展村所共建，取得很好的效果。清原县县直机关和文明村采取“局村共建”形式，结成55个共建对子，建设文化阵地，整治村容村貌，共商致富大计。共建活动也在省直一些单位得到推广，如林业厅结合自身特点，与桓仁县和瓦房店炮台镇开展共建“双文明”活动，取得很好效果。

继续广泛深入开展“十星级系列”创建活动。全省有80%以上的农户参加这项活动。借鉴创建“十星级文明户”经验，把其机制引入到创建文明村镇活动中来，推广和普及创建“十星级文明村”和“十星级文明乡镇”活动。宽甸县开展这一活动，取得很好的效果，省里及时总结推广他们的经验。大连、沈阳一些地区还在开展创建“十星级文明乡镇企业”活动中，积累了一定的经验。“十星级”系列创建活动，有力地推动了全省农村精神文明建设。

继续推动专项整治工作。1998年，辽阳市率先开展整治乡村道路、集贸市场、封建迷信——“三整治”活动。这项活动抓住了农村的突出矛盾，具有很强的针对性。全省农村大力推广辽阳市的经验，连续三年开展专项整治活动，收到较好效果。沈阳市在农村开展“社会治安、交通秩序、环境卫生”整治活动。本溪、抚顺、鞍山也结合自己特点开展专项整治活动。铁岭市西丰县实施净化社会环境的“净化工程”，全县20个乡镇、229个村利用3年时间全部整治完毕。

农村精神文明建设的内容进一步充实，形式多种多样。开展“双思”教育、“三下乡”、“讲文明、树新风”等活动。抚顺毛公村加强思想政治工作的经验被中宣部确定为重大典型，在全国大力宣传。盘锦农村开展精神扶贫活动、灯塔市现代农民教育、桓仁县艰苦创业精神教育等，在全省进行重点宣传，推动农村精神文明创建活动的深入开展。

三、以推行“三制”，实行规范服务为重点，文明行业创建水平有了新提高

全省大力宣传推广沈阳“2211”经验，推动文明行业创建工作。全省很多市都建立了市民投诉电话，省地税局、省公安厅、省检察院、省法院等也都设立公开举报电话。

为了抓好规范服务，许多市坚持开展“行风万人评”活动、“选优评差”活动。省直单位也结合自身突出问题，精心设计载体。卫生系统开展“百万市民评医德”活动，地税系统开展“全省公民评税官”活动，公安系统开展“争创人民满意单位、争当人民满意民警”活动，教育系统开展“创建文明校园”活动，等等，也都收到较好成效。

全省开展了“整顿市场秩序，营造文明环境”活动。交通、工商、税务、技术监督、公安、城建、卫生、教育、商业等部门开展了文明执法执纪大检查，集中进行行业整顿。省交通厅重点加强大型商品集散市场运输管理、客运线路审批、客运运力投放工作的自查自纠。省建设系统、卫生系统、教育系统等部门组成多个检查组，赶赴各地，进一步清理乱收费、乱摊派、乱罚款等问题，纠正违法违纪行为。

四、以弘扬雷锋精神为主线，“讲文明树新风”活动取得新成果

3月份，结合纪念江泽民同志为雷锋题词10周年，全省开展“让雷锋精神走进21世纪”活动。在抚顺雷锋纪念馆召开大型座谈会，邀请18位雷锋班历任班长与全省学雷锋典型共同畅谈雷锋精神和学雷锋体会。抚顺市还在互联网上开设“雷锋网站”，仅几天时间就有数万人访问，为弘扬雷锋精神开辟了新的途径。

深入开展“送温暖、献爱心”、“百城万店无假货”、“三下乡”等活动。开展了大规模“爱国卫生清洁月”活动，发动群众清除城乡越冬垃圾、积雪，清理铁路沿线白色污染，整顿城乡结合部秩序，效果明显。开展“保护生态环境，倡导文明新风”活动。按中央文明办要求，举办《崇尚科学文明、反对迷信愚昧》展览，并在各市进行巡回展出。

（辽宁省文明办）

吉　林　省

2000年吉林省精神文明建设工作坚持以服务经济建设、服务改革发展稳定大局、服务人民为原则，围绕“讲文明树新风”这一主题，坚持从具体事情抓起、从人民群众关注的热点问题抓起、从基层抓起的工作方针，精心组织了一系列群众性精神文明创建活动，形成了整体推进、全面拓展的良好局面。

一、大力加强思想道德教育，把思想政治工作有效地落实到基层

在内容上，认真贯彻《中共中央关于加强和改进思想政治工作的若干意见》，坚持不懈地对广大干部群众进行党的基本理论、基本路线、基本纲领教育，爱国主义、集体主义、社会主义和艰苦奋斗精神教育，社会公德、职业道德、家庭美德教育和马克思主义唯物论、无神论教育。在对象上，充分发挥党员干部，特别是领导干部的表率作用，在积极做好老龄人口、下岗职工和进城务工人员思想道德教育的同时，加强青少年思想道德教育。在方法上，精心设计活动载体，注重增强各类创建活动的思想道德教育含量，注重环境熏陶，注重服务质量，注重群众参与，注重活动经常，注重可操作性和实效性。把思想道德教育与丰富多彩的文化活动结合起来；把改善服务与强化管理结合起来；把改造环境与塑造灵魂结合起来；把提高城市的现代化程度与提高市民的文明素质结合起来，改变了思想政治工作只是停留在“会议上、文件上、讲台上、典型单位的材料上”的局限性，真正变无形为有形，变单向为双向，把那些动人的口号变为一个又一个“群众欢迎、群众参与、群众受益”的具体、生动、富有实效的工作过程。

二、精心组织“扫荡丑恶现象，净化社会风气”专项治理活动，对改善经济发展软环境起到了重要作用

年初，省文明委决定把“扫荡丑恶现象，净化社会风气”专项治理活动作为全年精神文明建设工作的重点。省文明委召开三次全省电视电话动员会，组织实施了三次集中统一行动，各类丑恶现象受到集中有效的打击。在行动中，各地文明办组织协调有关部门共出动警力和各类执法人员17万余人次，检查各类行业场所3万多家，取缔2973家，停业整顿3111家，经济处罚548家，压缩5319家，占总数的40%；查处各类案件2956起，处理涉案人员4514人，清退异性陪侍人员1.1万多人；收缴淫秽、盗版和封建迷信书刊2万册，淫秽、盗版光盘9万余盘，赌博机2000多台；破获带有黑社会性质的团伙犯罪51个；侦破涉毒案件83起，抓获涉毒人员152人。同时，对街头算命及各类非法广告进行了集中清理。各级新闻单位积极主动，全力配合，在社会上形成强大的舆论声势。经过集中整治，丑恶现象得到有效遏制，社会风气进一步净化，文化娱乐场所秩序井然，社会各界反响强烈，人民群众拍手称快。

三、深入开展创建文明社区活动，推动创建文明城市工作向纵深发展

按照中央文明委把创建文明社区作为创建文明城市活动的重点要求，进一步加大工作力度，迅速掀起了群众性创建热潮。一是以省文明委文件形式印发了《关于深入开展创建文明社区工作的实施意见》；二是在长春市、吉林市召开了全省创建文明社区工作现场会；三是命名、表彰了全省首批24个创建文明社区工作先进社区，颁发了灯箱式标志牌匾；四是利用8月份一个月时间，组织省直新闻单位对30个社区思想政治工作先进典型进行了集中宣传；五是向中央文明办推荐了吉林市《以教育为先导，以育人为根本，大力推进文明社区建设》的经验，并在全国创建文明社区工作座谈会上作了书面交流。各地也按照中央和省委的要求，结合各自实际，对新形势下创建文明社区工作的内容、途径和方法，特别是在如何更广泛地吸引群众参与创建，努力增强社区思想政治工作的针对性和实效性等方面，进行了积极的探索和大胆的创新。吉林市连续三年开展了以“做文明市民、创优良环境、兴江城经济”为主题的评选万名文明市民活动，取得了很好的效果，中央18家新闻单位进行了集中采访、报道。

四、认真实施改水改厕工程，创建文明村镇工作迈出新步伐

截至年底，全省农村已有173.1万户新建了无公害、无污染、无泄漏卫生厕所；建自来水厂（站）5643个，打手压机井205.57万台（眼），改水受益人口1436.57万人，超计划完成了任务。全省的经验在全国农村精神文明建设工作座谈会上进行了交流。通过改水改厕，农民群众更新了观念，改变了生活方式，激发了他们建设美好家园、创造美好生活的热情，提高了农民的文明素质和农村的文明程度。一个以改水改厕为先导，以创建文明村镇为目标，制定村屯规划，修路、清沟、植树，集中整治柴草乱垛、粪土乱堆、垃圾乱倒、畜禽乱跑、私搭乱建等“五乱”现象的农村环境综合整治活动在全省全面展开，一批标准较高的花园式文明村屯不断涌现。与此同时，按照中央文明办要求，精心组织实施宣传文化工程，建设了一批乡镇宣传文化站。

五、继续推进行业规范化服务示范工程，窗口行业作风有了明显改善

创建文明行业以“真情奉献社会，爱心造福人民”为主题，从全省改革和经济建设的大局出发，从解决与群众工作、生活密切相关的实际问题入手，不断拓展服务领域，完善服务措施，提高服务质量，满足群众需要，拉动消费需求，为经济发展创造了良好的软环境。创建文明行业已从先行一步的行业发展到各行各业，从窗口单位延伸到整个行业系统。如电力、电信、气象等部门推行规范化服务活动，交通系统开展“文明在交通”活动，工行、农行系统开展职业道德集中教育活动，国税系统开展文明办税“八公开”活动，地税系统开展“三整顿一树立”活动，省直党工委组织开展“创建文明机关、当好人民公仆”活动，等等。各地还广泛开展了“百城万店无假货”和创建文明风景旅游区活动，推出了一批示范街、示范点。同时，按照中央文明办、建设部、国家旅游局、国家宗教事务局等部门《关于坚决制止风景旅游区封建迷信活动的通知》的要求，对旅游景点景区的封建迷信活动进行集中治理，净化了旅游景区景点的社会环境。

六、进一步加强调研工作，创建活动水平有了全面提高

在抓好常项创建活动的同时，注意寻找新的工作突破口，总结新鲜工作经验。上半年，省文明办按照省委统一要求，对近年来全省群众性精神文明创建活动的状况进行系统调研和总结，形成了专题调研报告。围绕文明城市创建工作，在长春市、吉林市召开了全省创建文明社区工作现场会；围绕文明村镇创建工作，认真总结了近年来全省着眼于提高农民素质，在农村实施改水改厕工程的经验；围绕文明行业创建工作，重点总结、推广了长春市净月潭国家级风景名胜区创建文明风景旅游区的经验。省文明委委员围绕在建立社会主义市场经济体制过程中，怎样坚持马克思主义、邓小平理论的指导地位；在改革开放进程中，怎样将精神文明建设作为一个系统工程来抓等问题开展广泛的调研，共有19名委员形成了专题调研报告，并在省文明委第六次全体会议上进行了调研成果交流。

（吉林省文明办）

黑 龙 江 省

2000年，全省精神文明建设工作围绕中心，服务大局，唱响主旋律，打好主动仗，形成整体推进、健康向上的态势，对促进城乡文明程度和公民文明素质提高，树立新世纪黑龙江人形象，促进“二次创业、富民强省”战略目标的实现发挥了积极作用。

一、深入学习邓小平理论和“三个代表”重要思想，“解放思想、转变观念”系列教育活动卓有成效

省委中心组围绕江泽民总书记“三个代表”的重要思想，中共十五届五中全会和中央思想政治工作会议精神，进行10次集中学习，形成了学习体会文章《庄严的历史责任》，在《光明日报》上发表，有力地带动了全省理论武装工作。印发了《关于进一步加强和改进党委（党组）中心组学习的实施意见》、《关于建立县级以上党政领导干部理论学习考核制度的实施细则》，推进了理论学习的制度化、规范化。在全省开展了“解放思想，转变观念”系列教育，找准了围绕中心、服务大局的切入点。紧紧围绕省委中心工作和重大理论问题开展理论研究，取得了一系列重要成果。

二、深入开展以“讲文明树新风”为主题的多种创建活动，全省人民的文明素质明显提高

围绕经济建设这个中心，以提高公民素质和城乡文明程度为目标，在全省深入开展爱国主义、集体主义、社会主义和爱龙江、爱家乡、爱岗位教育；说文明话、办文明事、做文明人的“三文明”教育。开展“保护生态环境、共建美好家园”系列活动。举办了“崇尚科学文明，反对迷信愚昧”大型展览，参观展览的干部群众达300多万人。开展了社会公德、职业道德、家庭美德教育和“迎接新世纪，向不文明言行告别”等活动。全省建立了1万多所文明市民学校和文明农民学校，有计划地对城乡居民进行思想道德、科学文化、文明公民知识和党的路线方针政策的教育，使文明素质教育逐步实现系统化、制度化和社会化。在全省机关广泛开展了“争创文明机关，争做文明公仆”、“四好一满意”、评选“十佳公仆”活动；在学校持续开展了“争当文明师生、争建文明班级、争创文明学校”活动；在窗口行业持续开展了“内强素质、外树形象”、文明优质服务竞赛等活动；在农村开展了农民素质争优赛；在城市开展了市民文明意识、城市意识教育和建文明环境、做文明市民、表彰文明市民标兵等活动。这些生动具体的创建活动，促进了城乡居民思想道德素质和科学文化素质的提高，促进了社会风气的转变、社会秩序的稳定和文明程度的提高，为实现“二次创业，富民强省”的战略目标创造了良好的环境。

三、坚持抓基层、抓细胞，“三大创建”活动质量不断提升

在创建工作中，坚持城市抓社区、村镇抓文明户、行业抓窗口、单位抓班组的工作思路。

为了夯实文明城市建设的基础，各市地坚持一个院一个院治理，一条路一条路整顿，下大决心拆扒私搭滥建。全省在表彰文明城市建设先进市、先进区的同时，增设了文明社区、文明小区奖项，使各级领导更加注重基础创建，把功夫下在优化“细胞”上。2000年是全省投入力度大、资金多，城市形象变化最快的一年。全省已有51个小区、15个单位、两条街路被中央文明委、建设部命名为全国文明小区、文明物业管理小区和文明城市建设示范点。

把文明村镇建设作为由农业大省向农业强省发展的重点工作，不断加大力度。经济条件较好的地区学宁安市，经济欠发达地区学绥棱县。全省推广了绥化市创建“十星级文明户”、“十好文明村”、“十好文明乡镇”的经验。在全省开展的文明单位、军民共建先进单位帮扶活动，效果明显，多数被帮扶对象发生明显变化。铁力市84个文明单位同84个贫困村结对帮建，提高了全市文明村镇建设总体水平。

坚持在几十个服务行业、经济职能和行政执法部门开展“抓窗口、促行业、带社会”的创建活动。哈尔滨铁路局开展的优质规范化服务，森工总局开展的“双文明”大赛，税务系统开展的“建文明单位、促税收征管、树行业形象”活动，以及哈尔滨市药材总公司、“市政110”、鸡西矿务局总医院等一大批文明窗口、文明行业，引起全省乃至全国相关行业的重视，影响和带动了全社会的文明建设。

四、加强精神文明法规体系建设，创建工作规范化、制度化有新进展

随着精神文明创建活动的发展，加大了建章立制工作和宣传实施的力度，制定了《黑龙江省文明社区、文明小区创建管理规定（试行）》，修改颁布了《黑龙江省军警民共建共育工作若干规定》。各市地、部门、行业相应制定了《文明城市管理细则》、《文明市民公约》、《文明村镇建设办法》、《十星级文明户管理办法》等。地方性法规、制度体系的建立和不断完善，为精神文明建设提供了强有力的法律支持和制度保证，使全省的精神文明创建活动“有法可依、有章可循”，保证了人力、物力、财力的投入和活动的制度化、经常化、规范化。

五、抓精品、树典型，呈现出城乡一体化整体推进的新趋势

坚持把精神文明创建表彰作为省委、省政府的固定综合奖项实施，精心选择了100个具有示范意义的先进单位，作为省“三大创建”活动的示范点。表彰了牡丹江市、大庆市、哈尔滨市东莱派出所、鸡西供水公司、鹤岗发电公司等文明单位、文明行业。省和各市地有计划地推出一批文明城市、文明社区、文明村镇、文明行业、军民共建的典型。省报、省电台、电视台、省经济报、《文明向导》杂志等开辟专版、专题和专栏，宣传了一大批先进典型，营造了学典型、争先进的良好氛围。

（黑龙江省文明办）

上　海　市

2000年，在市委和市文明委的领导下，市文明办认真学习江泽民同志“三个代表”的重要思想，贯彻落实《2000年上海市精神文明创建工作要点》以及上海市精神文明建设工作会议的具体工作部署，围绕提高市民素质和提高城市文明程度的总体目标，内容贴近群众，形式丰富多彩，不断深化上海群众性精神文明创建工作。

一、紧紧围绕“安、居、乐、业”的目标，文明小区、文明社区创建工作力度进一步加大

全市93个街道社区中，已经产生57个市级文明社区；全市可划分的3500多个居民住宅小区中，已经产生1201个市级文明小区、1173个区县级文明小区，全市已有2/3的居民生活在市区两级文明小区中。黄浦、卢湾、静安区建成上海市第一批文明城区。同时，以文明村镇为抓手的农村精神文明创建活动也正在逐步覆盖广大郊区农村。市郊农村已建成167个文明村、36个文明镇。

二、全行业规范服务达标活动积极推进面上覆盖

公交、长途汽车客运、环保、物业管理、工业家电产品维修、出入境检验检疫、海关、公证、公安的110报警台和出入境管理处等9个行业积极开展规范服务达标活动，群众满意率日益提高，成效显著。基本实现了市委提出的到本世纪末有30个与人民生活关系密切的行业实现全行业规范服务达标的目标。自来水、民航行业积极开展创建文明行业的工作也取得了明显效果。

三、“七不”文明示范标志区创建活动全面开展

在人民广场、新客站、南京西路等14个区

域，划定了一个明确的区域范围、制定了一套完整的规章制度、成立了一支专门的执法管理队伍，使宣传教育真正与执法管理紧密结合在一起，使市民素质教育依靠法制、依靠管理落到实处。

四、上海志愿者活动继续蓬勃开展

101万志愿者坚持“服务人民、奉献社会”的宗旨，在为全国第五届残疾人运动会等社会大型活动服务的同时，进一步把主要力量放在小区、社区，立足社区、服务社区、长期定点服务成为一个重要特征。他们和社区困难人群结成对子，建立了长期的帮困体系。据统计，57个文明社区已列出1.2万余名困难对象，社区志愿者结对帮困率已达97.3%。志愿者服务的功能正在不断完善。根据社会的发展，已形成法律、再就业指导、健康促进、计划生育等专业志愿者队伍。市文明办和市外办、市外经贸委、团市委联合组建了国际交流活动志愿者队伍，为2001年在上海举行的APEC会议和以后的大型国际交流活动提供服务。

五、上海市社会主义精神文明建设十佳好事、读书活动、社区学校等市民教育的载体和阵地也呈现出全面延伸覆盖的态势，参与群众不断增加，作用更加明显

为进一步加强市民“三德”教育，市文明办和市妇联、市总工会一起在1999年出版的上海市民“三德”教育丛书《爱心的港湾》（家庭美德教育读本）的基础上，编写出版了《主人的风范》（职业道德教育读本）和《文明的标尺》（社会公德教育读本）以及《文明礼貌100题》等市民教育读本，收到了较好的社会效应。此外，市文明办充分运用新闻、文艺等多种形式宣传精神文明创建工作中的先进典型。2000年6月，市文明办和文广局联合举办了首届社区电影节，放映露天电影100余场次，把优秀国产影片送到居民家门口，丰富了居民的业余文化生活，受到广大群众的热烈欢迎。市文明办还委托东方网开设了《东方文明》频道。

随着各项创建活动的深化，人民群众参与的积极性高涨，以来信来访的形式关注创建工作的越来越多。截至12月份，市文明办共接到各种人民来信来访571件次，接到反映各种问题的来电60多个。对此，市文明办都本着负责的态度进行了认真处理，做到了件件有处理、事事有回音。

上海群众性精神文明创建工作在广大基层干部的努力下，取得了很大的成绩，但还存在着不少值得进一步探索的问题。主要是创建工作在不断满足人民群众日益增长的精神文化的需求还要加大力度；创建工作的发展还不平衡，城乡之间、经济基础好的地区单位与差的地区单位之间工作的力度不平衡；市民综合素质的整体提高任务还很艰巨；创建工作的长效管理、制度建设、理论研究还有待进一步加强等等。

（上海市文明办）

江　苏　省

2000年，江苏省按照省文明委《2000年全省群众性精神文明建设工作意见》，把精神文明创建的各项工作往深里做、往实里做，注重突出主线、提高素质，注重理性思考、开拓创新，注重总结经验、分类指导，注重健全制度、规范管理，注重调查研究、探索规律，注重整体联动、全面推进，保持了积极、健康、向上的态势，对促进江苏的改革开放和现代化建设发挥了积极作用。

一、贯穿一条主线，抓好思想道德教育

在全省范围举办了“崇尚科学文明，反对迷信愚昧”巡回展览，形象生动地宣传科学真理，揭批歪理邪说和各种伪科学。在全省评选“江苏省精神文明建设新人新事”，群众参与性强、活动覆盖面广、社会影响大、教育效果好，弘扬了社会正气，倡导了文明新风，成为全省精神文明建设的“名牌”项目。组织了文化科技卫生“三下乡”活动，以此为载体在农村开展科普宣传，使科技知识进乡村入农户。在开展群众性精神文明创建过程中，注意突出思想道德教育这根主线，市民学校、社区学校作为基层思想政治工作阵地正在发挥越来越明显的作用。

二、因地制宜、分类指导，深化文明城市创建工作

配合第六届中国艺术节的举办，开展了“人人争当文明东道主，处处展示江苏新形象”活动。加强对苏南地区文明城市创建工作的检查，促进各城市始终保持良好的精神状态。贯彻省委九届十二次全体（扩大）会议精神，及时召开苏中、苏北创建文明城市工作座谈会，总结创建经验，宣传先进典型，明确目标任务。会后，苏中、苏北地区振奋精神、理清思路，从新的发展阶段的要求出发，进一步加大文明城市创建工作力度。

三、立足基层、打好基础，深化文明行业创建工作

省文明办在原有258个创建文明行业示范点基础上，又推出了第三批221个示范点，这些示范点大部分是基层一线的窗口单位，在全行业、全社会较好地发挥了示范带动作用，树立了良好的行业形象。服务的制度化、标准化、规范化是优质服务的基础，全省各有关行业通过推广规范化服务，使示范点的先进经验成为面上的普遍要求，从整体上促进了行业服务质量和水平的提高。6月，召开了全省深化文明行业创建工作经验交流会。

四、适应新形势、拓展新领域、创设新载体

以社区为载体加强精神文明建设，是2000年全省群众性精神文明建设新的亮点。8月下旬，省文明委召开了全省文明社区创建工作会议，提出以“三个代表”重要思想指导文明社区创建工作，加强社区建设和管理，改善投资环境，促进经济发展；建设和发展先进的社区文化，提高居民的思想道德水平和城市文明程度；热情为居民群众服务，多办实事、办好事，满足他们日益增长的物质文化生活需求。9月，中央文明办在南京召开全国创建文明社区工作座谈会，为深入开展文明社区创建工作进一步指明方向。适应旅游经济迅速发展和人们休闲娱乐需求快速增长的新情况，全省开展了创建文明风景旅游区活动，举办了全省风景旅游区导游、讲解员大赛，召开了全省创建文明风景旅游区工作座谈会，推出了首批全省创建文明风景旅游区示范点，努力把风景旅游区建成精神文明建设的重要阵地。此外，个体私营经济领域的精神文明建设也得到进一步拓展，召开了全省个体工商户、私营企业精神文明建设工作座谈会，创建“文明个体私营企业”活动在全省广泛开展。

五、以制度为保证，加强对创建工作的规范化管理

在深入调查研究、学习借鉴兄弟省市经验，认真听取各方面意见的基础上，分别颁布了江苏省文明城市、文明行业、文明村镇、文明小区创建的管理办法，以及全省创建文明社区、创建文明风景旅游区的两项实施意见。进一步理顺各类创建的内在联系，加强对各类创建的动态管理，促进先进单位保持荣誉，防止工作滑坡，更好地发挥示范带头作用，促进更多的城市、乡村、行业、机关和其他单位积极争创文明先进集体，带动整个社会文明程度的提高。

六、倡导文明新风、服务群众需求

根据中央文明办的统一部署，全省广泛开展了“倡导文明新风，共建美好家园”、“保持生态环境，倡导文明新风”等活动。与此同时，从实际出发，抓住群众反映强烈的问题，以群众的需求为第一动力，确定了“文明与春运同行”这一具有江苏特色的活动主题，进一步充实“讲文明树新风”活动的内容，推动了活动向广度深度发展。这一活动，在为广大群众创造优美环境、优良秩序、优质服务，确保广大旅客走顺走好、安心安全方面发挥了良好作用，受到广大群众特别是旅客的欢迎和肯定。

（江苏省文明办）

浙　江　省

2000年，在省委、省政府领导下，按照省文明委的部署，浙江省群众性精神文明创建活动围绕提前基本实现现代化的目标，大力加强思想道德教育，努力提高城乡文明程度，广泛发动群众参与，狠抓落实，务求实效，取得了明显成效。

一、突出重点，切实加强思想道德教育

按照江泽民总书记在中央思想政治工作会议上的讲话精神，全省把加强思想道德教育作为文明城市、文明村镇、文明行业、文明社区、文明单位创建活动的首要任务，努力增强思想道德教育的含量。上半年，各地集中开展“致富思源，富而思进”教育，正确处理好改革、发展、稳定的关系。省、市、县三级共派出近10万名干部下基层，着力解决人民群众关注的热点难点问题，进一步促进经济社会协调发展。在“双思”教育中帮助基层解决各种突出问题和困难达4.5万余件，理顺了群众情绪，平衡了社会心理。广泛发动群众讨论，提炼出“自强不息、坚韧不拔、勇于创新、讲求实效”的浙江精神，并通过新闻媒体进行大张旗鼓的宣传，以群众喜闻乐见的形式，开展生动活泼的宣传教育活动。重视社区思想政治教育。省文明委把社区思想政治工作和社区党建作为重要调研课题，深入各城市社区进行调研指导，促进了社区思想政治工作和社区党建。各城市结合创建文明社区、文明楼院、文明家庭等活动，加强阵地建设，开展各项思想道德教育和文化体育活动，提高了市民群众的思想道德素质。以贯彻全国农村精神文明建设工作座谈会精神为动力，针对农村精神文明建设的主要问题，发挥乡镇党校、村民夜校、老年活动室等阵地的作用，在农村广泛开展“三化”（农业产业化、农村城镇化、工业化）教育，帮助广大农民确立“想现代化、知现代化、干现代化”的思想。省文明办与省科协合办了“崇尚科学文明、反对迷信愚昧”大型展览。

二、宣传推广杭州经验，创建文明城市活动呈现良好态势

全省各地认真贯彻省文明委《关于进一步开展创建文明城市活动的意见》，根据本地创建文明城市的总体规划和年度计划，加强领导，努力完成年度目标。杭州市委、市政府围绕“建经济强市、创文化名城”的总目标，全市动员，全民参与，大力开展创建文明城市活动，取得显著成绩。6月，中央10家新闻媒体连续三天集中宣传了杭州创建文明城市的经验，在全国产生重大影响。省委、省政府及时发出通知，号召各地积极学习杭州的创建经验，同时，专题召开由各市文明委主要负责人和省文明委委员参加的“学习杭州市创建文明城市活动经验座谈会”，推动了全省创建文明城市活动。各地对照杭州经验，找差距、析原因、理思路、明目标、订措施、出实招，掀起了创建活动热潮。温州市委专门作出了创建全国文明城市工作先进城市的决议，召开万人动员大会，决心在2002年上半年实现创建目标。宁波市在全市再次动员，决心与杭州同时实现省级文明城市目标。嘉兴、绍兴调整了创建计划，加大工作力度，准备提前申报省级文明城市。

三、围绕农业农村现代化建设目标，创建文明村镇活动取得新成绩

各市、县（市、区）根据省文明委农村精神文明建设《规划》要求，结合本地农业农村现代化建设的实际，制定了农村精神文明建设规划或实施意见，把农村精神文明建设纳入农业农村现代化建设整体工作之中，并根据省文明委的要求，多数市、县（市、区）制定了创建文明村镇总体规划和年度计划。结合农业农村现代化教育试点经验交流会，传达贯彻全国农村精神文明建设座谈会精神，推动全省进一步贯彻农村精神文明建设规划，认真抓好创建文明村镇活动。省文明办重点推广了全国创建文明村镇工作先进县嘉善县创建文明村镇的经验。杭州、宁波、绍兴、嘉兴、湖州、舟山等市先后召开了创建文明村镇工作会议，总结推广典型经验，促进点上提高，面上推进。全省涌现了一大批县级以上文明村镇，其中省级文明村90个、文明镇17个。

四、狠抓城市创建基础，创建文明社区活动取得突破性进展

各市积极落实省文明委部署，按照“总体规划，分级创建，逐年推进，十年覆盖”的工作要求，对11个地级以上城市1588个社区的创建工作，全部制订了总体规划和年度计划。协调各方力量，建立共建机制，发动群众共同参与，有组织有计划开展创建，受到了中央文明办的肯定。各市着力抓好247个市级文明社区创建目标的落实，如期完成。省文明办会同各地重点抓好省级文明社区的创建，选择了100个创建基础较好的市级文明社区，进行重点指导，召集100个社区负责人在宁波召开了创建文明社区现场经验交流会，进行具体示范引导，促进了创建工作。

五、适应新形势，创建文明行业、文明单位活动取得新成果

重点开展创建文明行业活动的18个“窗口”服务行业和执法部门，认真研究改革发展新形势下优质服务面临的新情况，深化从业人员的职业道德教育，完善服务规范，结合行业管理，纠建并举，深化创建文明行业活动。按照中央文明办创建文明行业要从具体行业抓起的要求，根据省文明委的部署，积极开展创建文明行业活动。各系统进一步抓好示范点建设，大力推广示范点经验，以点带线，以线带面，取得了新的成效。

各地和省级各系统广泛发动基层单位开展创建文明单位活动，创建面日益扩大。2000年，省文明委修改完善了《文明单位建设管理办法》，对省级文明单位的评选实行届期制，进一步规范文明单位的管理机制，在继续发挥地方对文明单位建设作用的同时，进一步发挥省级各系统主管部门对文明单位建设的领导作用。重视非公有制企业单位创建文明单位活动，全省一批知名非公有制企业分别跨入县级以上文明单位行列。创建文明风景旅游区活动也取得了新的成绩，雁荡山被命名为全国第三批创建文明风景旅游区示范点。

（浙江省文明办）

安　徽　省

2000年安徽省继续坚持“两手抓，两手都要硬”的方针和“一个坚持，两个拓展”的工作思路，按照中央和省委、省政府的总体部署，围绕中心，服务大局，以“讲文明树新风”为主题，切实抓好以三大创建为重点的精神文明建设各项工作，促进改革、发展、稳定，促进经济、社会的协调发展和共同进步。

全年的工作布局是“贯穿一条主线，搞好一个规划，突出一个重点，取得六个明显进展”。贯穿一条主线就是三大创建活动要认真落实中央和省委关于加强和改进思想政治工作的要求，把思想教育与解决实际问题结合起来，通过加强精神文明建设为物质文明建设提供思想保证和智力支持，为全党全国全省工作大局服务；搞好一个规划就是制定好精神文明建设的“十五”规划；突出一个重点就是重点抓好文明城市创建工作，力争实现“三个层次的创建目标”（即合肥市、马鞍山市力争实现比较稳定的良性循环，其他省辖市力争实现初步的良性循环，各县城力争实现比较稳定的“三个覆盖”）；六个明显进展就是创建文明行业工作在实施行业规范、提高服务质量上取得明显进展；创建文明村镇工作围绕移风易俗，在推进“3331”工程（即三改、三下乡、三反对、一提倡）的落实上取得明显进展；五好文明家庭创建活动在推进家庭美德教育，实施家庭文明工程上取得明显进展；“扫黄打非”工作在提高文化市场健康发展的水平上取得明显进展；其他形式的创建活动在形成制度、增强实效上取得明显进展；队伍建设在提高素质上取得明显进展。

一、落实中央17号文件精神，把思想政治教育贯穿于精神文明建设活动的全过程

围绕培育“四有”新人，着力加强党的基本理论、基本路线、基本纲领教育；形势政策教育；爱国主义、集体主义、社会主义教育；马克思主义唯物论、无神论和崇尚科学、破除迷信教育；科学知识、科学思想、科学方法、科学精神教育；社会公德、职业道德、家庭美德教育。为了保证上述任务的落实，重点抓了以下工作：

抓好安徽省第三届精神文明建设“十佳人物”评选、表彰、宣传和学习活动。

抓好公民行为“三管好”（管好自己的口，不随地吐痰，不说不文明的话；管好自己的手，不乱涂乱画乱倒垃圾，不做不文明的事；管好自己的腿，不违反交通规则，不践踏花木草地，不走不文明的路）教育，把文明教育与实践活动结合起来，把宣传教育与严管重罚结合起来，把自我教育与法律、法规的约束结合起来。

进一步做好全省月评精神文明“十佳”事迹的评选和宣传工作。各地均层层开展月评精神文明“十佳”事迹活动，各新闻媒体也加大了宣传报道力度，对突出的“十佳事迹”进行重点宣传，努力在全社会营造崇尚先进、学习先进、争当先进的良好氛围。

提出“打好徽字牌，唱响黄梅戏，建设文化强省”的战略，大力抓好专业文化工作。同时广泛组织开展社区文化、村镇文化、企业文化、校园文化、军营文化、家庭文化等群众性文体活动，不断满足人民群众日益增长的精神文化需求，让积极、健康的文体活动占领基层文化阵地。

二、以提高市民文明素质和城市文明程度为目标，深化创建文明城市工作

年初，安徽省文明委即对各市、地提出了“五个突破”的工作要求，并采取了几项具体措施：

认真抓好创建文明社区工作，强化基础。各地围绕兴建美好家庭、美化居住环境、维护治安秩序、丰富文体活动、普及科学知识、拓展社区服务、密切人际关系七个方面的内容，普遍开展了创建文明小区活动。

进一步总结推广各地在“五个突破”上的成功做法和经验。省文明委围绕“三个层次的目标”，继续坚持抓点带面的方法，加强对合肥市、马鞍山市的工作指导，每季度进行一次督促检查。11月份，组织部分省人大和政协常委对合肥市、马鞍山市的创建工作进行了专题视察。

组织各市、地分管领导和省直有关部门负责人于4月初再赴张家港考察学习，借鉴先进地区的好经验，开阔眼界，找出差距，制定对策，坚定信心，进一步推动全省的创建文明城市工作上水平。11月下旬，组织了部分市文明办主任到广东学习考察创建工作。

继续组织对省辖市、县级市和县城的暗访活动。4月至9月由省文明办组织对全省17个市、地的创建工作进行了暗访；5月中旬，省文明办又组织了各市、地和省直文明办主任对20个县进行了暗访；8月和11月，省文明委对部分行业的创建工作进行了两次暗访。省文明委注意通过新闻媒体反映和评价暗访检查情况，加大了舆论监督的力度。

2000年，安徽省的创建文明城市工作实现了“五个转变”：一是城市管理由重心在上向权力下放、重心下移的转变；二是摊点管理由突击整治向疏堵结合、标本兼治的转变；三是城管执法由分散执法向综合执法的转变；四是环卫管理由计划管理模式向市场运作方向转变；五是市民素质教育由单一灌输的形式向综合教育管理的形式转变。创建文明城市工作基本实现了“五年步入良性循环”的目标。

三、积极推进创建文明行业、文明村镇工作，广泛开展多种形式的创建活动

在规范行业服务的基础上，全面推进文明行业创建。把窗口行业和行政执法部门作为文明行业创建的重点，向各行各业拓展。全省各级机关都继续开展了“创三优文明机关，做优秀人民公仆”活动。各级工会也在创建文明行业活动中做好牵头和组织工作。

全省各地继续推广规范化服务，纠正行业不正之风。结合职工思想道德状况调查，省文明委开展了万人评议行风活动；针对群众反映强烈的问题，选择了若干个行业开展集中整治；并注意发挥行风监督员和新闻媒体的作用。全省命名表彰了第二届“安徽省文明单位标兵”和第四届“安徽省文明单位”。省文明委还推广并宣传了全省第一家文明系统——省气象系统的经验，推广了淮北市条块结合抓行业创建的成功做法。

推进“3331”工程的落实，移风易俗，不断加大农村精神文明建设工作力度。全省各地在广大农村继续开展反对封建迷信、反对赌博、反对婚丧事大操大办等移风易俗活动，在农民中提倡健康文明的生活方式。各地农村还广泛开展了“十星级文明户”的评比活动。全省进一步加大了农村“三改”（改水、改厕、改善居住环境）的工作力度，到2000年底，实现农村自来水受益率36.8%，卫生厕所普及率40.14%，全省建立成片改厕50户以上的示范村2000个，涌现了一批改水、改厕先进县市区。

“三下乡”活动做到了常下乡，并真正帮助农民群众解决勤劳致富、文明生活方面的实际问题。省文明委着力加强农村文化阵地建设，继续组织实施了中央文明办资助的“百县千乡宣传文化工程”，努力丰富农民群众的精神文化生活。

2000年，安徽省的创建文明村镇活动在各地党组织的领导下，充分发挥村民委员会以及共青团、妇联、民兵等团体和组织的作用，发挥党团员、复员退伍军人、乡村教师的作用，发挥红白事理事会、妇女禁赌协会、道德评议会和计划生育协会等群众组织的作用，开展得扎扎实实、有声有色。大力推进“垃圾袋装化、四个延伸、环境绿化”覆盖全城工作，县城的面貌发生了明显的变化。县城的创建工作机制和工作方法逐步向农村集镇辐射，形成以集镇为重点，城乡创建工作连为一体的创建局面。一批经济条件较好的集镇和沿铁路、公路等交通干线的集镇先行一步，镇容镇貌有了较大改观。省文明委于5月份召开全省创建文明县城、文明村镇现场经验交流会，推动了这项工作的开展。

推进家庭美德教育、实施家庭文明工程。各地发挥五好文明家庭创建活动在加强思想政治工作中的作用，发挥妇女在建设美好家庭和美好家园中的积极作用，广泛开展“家庭美、家园美”创建活动。在全省组织万户五好文明家庭与下岗特困家庭、万户科技致富家庭与农村贫困家庭结对帮扶，带动特困家庭走出困境，形成了良好的家风和社会风气。

以加强文化市场和娱乐场所的管理为重点，积极主动做好“扫黄打非”工作。春、夏两季开展了两次“扫黄打非”集中行动。全省继续查缴“法轮功”类和其他宣传愚昧迷信与伪科学的气功类非法出版物；继续查缴政治性非法出版物和淫秽色情出版物，使其进一步明显减少；打击盗版、盗印行为和光盘走私贩运活动，打击色情陪侍活动，查禁毒害群众特别是青少年的娱乐场所；严格执法，查处大案要案；强化综合治理，搞好舆论宣传。

继续深入开展创建文明风景旅游区活动。针对风景旅游区在文明言行、环境卫生、交通秩序、服务质量等方面存在的问题进行了适度的集中整治，并加强了管理，塑造了风景旅游区的良好形象。形成了以黄山风景区为龙头，以省级文明风景旅游区为基础的风景旅游区创建格局。

继续开展“百城万店无假货”活动，各地级市都推出了一条文明示范街。有关部门继续开展了创建文明集贸市场、青年志愿者、创安全文明小区（包括省禁毒委在10个重点城市开展的创无毒社区）、树立新风尚、主题公益广告宣传以及形式多样的“做社会好公民、单位好职工、家庭好成员”活动。各地还坚持不懈地开展了军警民共建活动。

（安徽省文明办）

福　建　省

2000年，福建省精神文明建设工作围绕中央和省委的总体部署，继续落实《福建省“九五”期间社会主义精神文明建设规划》，深入开展群众性精神文明创建活动，各方面取得新成效，保持着积极、健康、向上的态势，对全省的改革发展稳定发挥了重要的促进作用。

一、学习宣传“三个代表”重要思想，理论武装工作有新发展

在省委领导下，各地实施理论武装拓展计划，推动邓小平理论进农村、进企业、进机关、进学校。推出一大批有深度、有特色的理论研究成果。基层党组织、新闻媒体、社会宣传阵地和社会科学工作者，进一步贴近实际、贴近群众，开展理论宣传。开展“致富思源、富而思进”教育，有力推动全省干部群众把思想进一步统一到党的十五大精神上来，振奋精神，开拓创新，加快建设有中国特色社会主义步伐。根据省委的部署，各级党组织把学习“三个代表”重要思想同深入学习邓小平理论有机结合起来，激励广大党员干部带头实践“三个代表”。与此同时，从严治党、惩治腐败取得成效，加强勤政廉政建设深得民心。

二、认真贯彻中央17号文件，思想政治工作得到加强

各级党委学习领会《中共中央关于加强和改进思想政治工作的若干意见》和中央思想政治工作会议精神，召开相应会议，制定一系列加强和改进思想政治工作的措施，建立思想政治工作联系会议制度。省委总结漳州市在党员干部和群众中培育、弘扬“五种精神”的思想政治工作新鲜经验，在全省范围推广。举办“崇尚科学文明，反对迷信愚昧”大型图片展览、广泛开展“科技宣传周”活动和专项整治迷信愚昧活动，推进马克思主义唯物论、无神论和科学知识、科学思想、科学方法、科学精神的教育。各地以跨入新世纪为契机，以回顾百年沧桑、展望美好未来为主要内容，开展宣传“九五”期间我国经济、政治、文化等各项事业伟大成就的群众性教育活动。各行业把思想道德教育内容融入行业发展规划和业务规范，定期检查落实情况，促进了职工敬业精神、服务意识和文明言行的养成。各地普遍开展领导干部学习法律知识活动，深化全民普法工作，增强干部群众法制观念，推进了依法治省。国庆前夕，全省评选表彰一批劳动模范、先进工作者和见义勇为先进分子，大力宣传他们的感人事迹和高尚品质，使社会主义思想道德在全社会进一步发扬光大。

三、建设文明社区，加强管理工作，城市面貌和社会风气发生新变化

各地各行业根据省文明委部署，立足小区、社区，围绕美化居住环境、维护治安秩序、丰富文体生活、普及科学知识、拓展社区服务、密切人际关系等6个方面内容，开展“倡导文明新风、共建美好家园”活动，成效比较明显。福州市各级领导扶持发展社区文化、三明市生动活泼开展文明市民教育、南平市全面整治小街巷环境卫生、宁德地区开展城市文明先锋系列活动等，都产生了很好的社会效果。厦门市做好外来务工人员的教育、管理、服务工作的经验，在全国创建文明社区工作座谈会上作了书面交流。全省各地各有关部门继续加大城市环境卫生、交通秩序、农贸市场、建筑工地四项管理力度。创建卫生城市、卫生县城工作实现大的突破。各城市普遍实施“畅通工程”，使交通状况得到进一步改善。福州、厦门、漳州、南平、晋江、永安等6个城市参加全国首批创建，并全部通过全国考评验收。厦门市达到道路交通二等（优秀）管理水平，福州、南平、永安、晋江达到道路交通三等（良好）管理水平。各地还把禁毒工作与文明安全社区创建结合起来，全面开展创建“无毒害社区”活动。全省开展加强娱乐服务场所管理暨电子游戏机经营场所专项治理工作，使卖淫嫖娼、赌博、吸贩毒等社会丑恶现象得到有效遏制，营利性陪侍及电子游戏机违法违规经营活动大幅度减少。

四、配合小城镇发展战略，努力提高文明村镇建设水平

各地以改善村镇环境、提高农民生活质量、倡导文明健康科学的生活方式为主要内容，推进文明村镇建设。坚持以创建文明县城活动为龙头，积极引进城市管理机制，加快社会事业基础设施建设，搞好环境整治和绿化美化，各地县城面貌普遍换新。坚持以“精品”文明新村作示范，制订科学规划，发展公益事业，讲究卫生，保护环境，开展积极向上的文体活动。全省已创建100个“精品”文明新村，每个县（市、区）至少有一个，较好发挥了辐射作用。各地还积极开展创建文明乡镇企业活动，引导乡镇企业改善管理、守法经营、防治污染、提高素质。继续开展文化科技卫生“三下乡”活动，受到广大农民群众欢迎。扎实推广创评“十星级文明农户”经验，深入开展“六提倡、六反对”活动，克服大操大办、铺张浪费等陈规陋习，坚决遏制封建迷信、非法宗教等活动。

五、创造满意的服务环境，把文明行业建设推向新的台阶

各地各行业突出抓好窗口行业和窗口单位的优质服务，“创文明行业、建满意窗口”竞赛掀起新的热潮。省委、省政府在全省大力加强机关效能建设，规范办事程序，提高办事效率，全心全意为人民服务，为树立行业文明新风带了好头。省直机关部署开展创建文明科室、文明岗位活动，并组织100名厅处级干部深入福州市台江棚屋区慰问生活困难户，帮助街居组织做好旧城改造中的群众思想工作，受到基层干部和群众好评。省卫生厅出台全省医疗服务单位便民利民10项措施。各地结合发展假日经济，把创建文明风景旅游区摆到重要位置。武夷山市巩固发展文明风景旅游区建设成果，在全国创建文明风景旅游区工作座谈会上介绍创建工作经验，鼓浪屿风景区被命名为第三批全国文明风景旅游区示范点。各地创建“无假货一条街”、“三优街”、“放心店”活动以及110社会服务联动工作都健康、有序地向前发展。

六、扎实做好基础工作，抓好基层创建和共建

各地各部门按照新颁布的《福建省文明单位建设管理办法》，深入开展创建文明单位活动，形成你追我赶、争先创优的氛围。结合建立现代企业制度和大力发展教育，把创建文明企业、文明学校作为基层创建的重点。以军民共建为主要形式的各种精神文明共建活动扎实推进。各地和驻闽各部队密切配合，围绕全党工作大局，发挥各自优势，结合创建文明城市、文明村镇、文明行业和文明单位，共抓思想道德建设、共办利军利民实事、共育“四有”新人，有力促进了军地双方的两个文明建设。9月份，地方与驻闽部队联合在宁德市召开全省第二届军民共建精神文明先进单位命名表彰大会暨经验交流会，命名表彰100对军民共建社会主义精神文明先进单位，总结交流经验，研究部署工作，努力开创新的局面。城乡共建、工农共建、区域共建、厂街共建等其他多种形式的共建活动继续开展，积极探索新的活动形式。省直各单位与福州市共建文明省会城市，联合开展“美在小区”、“保护内河”、“文明交通行为”等活动，取得成效。

七、加快发展社会事业，教科文卫体和计划生育工作全面进步

全省教育“两基”进一步巩固提高，普及九年义务教育多数指标稳中有升。成人教育稳定发展，扫除青壮年文盲19万人，700万人次接受实用技术教育。科技工作着力创新与发展，省里出台了一系列有利于科技发展的政策措施。技术创新体系建设力度加大，培育技术创新示范企业达46家。7个县（市、区）通过全国科技先进县（区）验收。文化艺术进一步繁荣。话剧《沧海争流》、梨园戏《皂隶与女贼》、歌剧《素馨花》、木偶戏《少年岳飞》、木偶剧《五里长虹》等在全国获奖。社区文化、企业文化、村镇文化、机关文化、校园文化、家庭文化、旅游文化以及城市广场文化健康发展。开展全省第三届百花文艺奖以及第五届戏剧“水仙花杯”评奖、第九届福建音乐舞蹈节、《福建当代书画展》等活动，推出一批文艺精品。推进城镇医药卫生体制改革，积极发展社区卫生服务。农村改水改厕工作有了新的进展。体育设施建设得到加强，全民健身活动深入开展。计划生育工作围绕“巩固创先成果，加快两个转变，提高整体水平，实现良性循环”目标，强化计划生育宣传教育，广泛开展婚育新风进万家活动，积极推行以技术服务为重点的计划生育优质服务，使全省人口出生水平相对稳定，较好地完成了国家下达的年度人口计划。

八、切实加强领导和健全工作机制，促进了精神文明建设各项任务的落实

多数地方和部门能够认真执行《福建省各级领导班子精神文明建设工作目标、工作机制及其考评试行原则》，进一步健全党政一把手负总责、领导班子成员齐抓共管责任制，逐步形成了一级抓一级、层层抓落实的局面。省文明委成员单位围绕省委对精神文明建设的总体要求和工作部署，各司其职，协调运作，较好地发挥了整体效应。省委和省政府办公厅、省委组织部、省人事厅、省总工会认真做好党内评先、公务员评先以及劳模评选工作中对地方和单位党政主要领导精神文明建设政绩方面的审核把关。并在各地组织群众对创建文明行业竞赛活动进行服务满意率测评，对各地市、省直党工委及有关行业主管部门推荐的省级文明单位、文明村镇、文明学校、文明安全小区、精神文明建设先进工作者和窗口行业满意服务先进单位、先进个人名单，认真进行审核。年底，省委、省政府召开了全省精神文明建设工作会议暨先进命名表彰大会，命名表彰了1998—1999年度精神文明创建工作先进基层单位1713个和392名先进个人，群众性精神文明创建活动掀起了新的高潮。

（福建省文明办）

江　西　省

2000年，江西省精神文明创建工作围绕经济建设这个中心，围绕中央和省委的工作部署，服务群众，服务大局，在提高公民素质和城乡文明程度上下功夫，在巩固精神文明建设阵地上下功夫，在强化创建活动的措施上下功夫，在为群众办实事办好事上下功夫，为促进江西经济发展和社会进步发挥了积极作用。

一、思想道德教育扎实有效

全省上下始终坚持思想道德教育这条主线，并贯穿于群众性精神文明创建活动之中。一是坚持用邓小平理论武装党员，教育干部和群众，邓小平理论更加深入人心，理论武装工作的说服力和战斗力进一步增强。二是认真学习江总书记关于“三个代表”重要思想，广泛开展“致富思源，富而思进”教育活动，增强全省上下加快发展的信心。三是以理想信念教育为核心，切实加强和改进基层思想政治工作，重视思想政治工作的大环境初步形成。四是围绕迎接新世纪，广泛开展“回顾百年沧桑，展望美好未来”为主题的思想教育活动，把爱国主义、集体主义、社会主义教育贯穿其中，教育群众树立正确的世界观、人生观、价值观。五是认真开展马克思主义唯物论、无神论教育，举办了“崇尚科学文明，反对迷信愚昧”大型科普展览。展览活动从五月下旬开始，一直持续到年底，全省十一个市进行了巡回展览，共有约40万人次参观。

二、群众性创建活动整体推进

创建文明城市工作成效显著。今年初，省文明委召开第四次全体会议，对全省第一届创建文明城市工作进行总结，并以省委、省政府名义对首届创建文明城市竞赛活动优胜城市（区、县）进行表彰。省文明委决定，在总结经验的基础上，全省继续开展以“塑造城市形象，提高市民素质，促进经济发展，推动社会进步”为主题的第二届（2000—2001年）创建文明城市竞赛活动。一年来，各地党委政府十分重视，各级文明办认真组织，省直有关部门大力支持，创建文明城市竞赛活动蓬勃开展，呈现出良好的发展态势。一是完善机制。各地对创建文明城市的认识有了新的提高，领导机制进一步健全，工作机制更加完善。南昌市、九江市等首届获奖城市继续保持了旺盛的发展势头，做到机构不撤，力度不减，管理不松，更多的城市不甘落后，奋起急追，出现你追我赶的生动局面。南昌市、九江市、鹰潭市、景德镇市等以市文明委名义下发了参加全省创建文明城市竞赛活动的实施方案，把任务分解到基层，并制订了创建文明社区工作的意见。二是抓住根本。创建文明城市始终坚持以人为本，各地围绕提高人的素质和城市文明程度这个根本，制定和印发《市民守则》，利用报纸、广播、电视等新闻媒体进行了广泛的思想发动、宣传教育，把创建文明城市活动变为广大市民的自觉行动。三是明确重点，在竞赛主体上形成以南昌、九江、赣州等省辖市为龙头，以社区为重点，以县级市和县城为基础，各地各部门齐抓共管，社会各界一起动员的工作格局；在创建内容上，除突出提高人的素质以外，还重点抓好优美环境、优良秩序、优质服务、优化管理。南昌市在巩固“创卫”的基础上，积极创建全国优秀旅游城市，深化了创建文明城市活动。四是加大投入。全省各地在创建活动中普遍加大投入，基础设施状况和城市美化、绿化、亮化等发生了可喜变化。新余市针对近几年来城市基础设施相对滞后的情况，加大投入力度，在城区实施“三位一体”改造工程，对主干道进行沥青路面铺设、人行道彩色地砖铺装、照明路灯换装，同时投入3300多万元，新建一条高标准的北环路；萍乡市投资过亿元，新建高水准的、占地340亩的秋收起义广场，形成城市新的亮点；赣州市今年投入600多万元相继建成市体育中心广场、红旗大道绿化带、323国道绿化带、宋城公园改造等，城市面貌有了新的变化。五是加强管理。各地重视加强城市管理，出台了一系列规定，有效遏制了机动车辆乱停乱放、占道为市以及“脏乱差”等现象，城市环境卫生、社会秩序等有明显好转。

为促使创建文明城市工作深入开展并取得实效，省文明办进一步加强督促检查工作。协调省建设、卫生、公安、工商等部门进行了一次较大规模的明察暗访，及时发现问题，提出整改意见，并在全省范围进行通报，促进了创建文明城市活动的顺利开展。

创建文明村镇活动稳步推进。围绕提高农民素质、奔小康、建设社会主义新农村的目标，创建文明村镇活动得到新的进展。各地注意将促进农村经济发展、加快小城镇建设、加强基层组织建设、治理环境卫生、落实计划生育、整治治安秩序与创建文明村镇紧密结合起来。一是深入开展创评“十星级文明户”、“文明集镇”、“文明村组”等活动，全省开展创建“十星级文明户”活动的行政村已经达到90%，开展活动的农户达到80%，调动了农民参与创建的积极性和主动性。二是适应农村产业结构调整和农业产业化经营的需要，加大农村科技普及工作力度，对农民进行文化知识、实用技术、农业科技推广应用的培训。三是帮助农民转变观念，改变生活环境和生活状况，倡导文明、健康的生活方式。四是继续开展思想道德、科技文化、法制教育、文化生活“四进家门”活动，尤其是在农村进行法制宣传教育，正确处理农村各种社会矛盾，维护农村社会稳定。

创建文明行业活动逐步深入。深入开展“推广优质规范服务，倡导文明行业新风”活动。由省文明办、省纠风办联合在公安、卫生、电力、电信等四个与群众工作生活密切相关的窗口行业进行民主评议行风活动。由社会各界人士组成评议员，围绕群众反映强烈的热点难点问题，进行严格的民主测评。被测评的四个行业高度重视，精心组织，开门纳谏，自查自纠，主动接受监督，把这次民主评议活动作为加强职业道德建设、改进服务态度、提高服务质量的契机。省公安厅对878件确有问题的举报和投诉发出了整改通知；省卫生厅采取积极措施，三次降低药价，可为患者减少医药费支出5000万元，省直九家医院实行药品集中采购后，一年可为患者减轻药费支出300万元；省电力公司取消不合理收费项目30项，减轻客户负担9800万元，为客户办好事680多件；省电信公司对查找出来的六大项问题逐项进行了整改。宜春市、赣州市在当地的窗口行业广泛开展“六比六赛”活动，在窗口行业推行优质规范服务，对被考核符合要求的单位，命名为窗口示范单位，并实行淘汰制，一旦发现问题，限期改正，否则予以摘牌。

在三大创建活动取得丰硕成果的同时，其他

群众性创建活动全面发展。吉安市坚持在县（区）全面开展“井冈之星”双文明创建活动，把创建双文明家庭、双文明“窗口”单位、双文明企业、双文明机关、双文明村组、双文明乡镇纳入创建范畴，统一规划、统一部署，使群众性精神文明创建活动充满生机和活力。由团省委组织开展的“社区青年维权岗”活动，在社区发挥了积极作用。由省计生委组织开展的“婚育新风进万家”活动，有声有色，在全国引起很大反响。国家计划生育委员会四月份在南昌召开“全国‘婚育新风进万家’活动现场会”，向全国各省市区推广江西省的经验。由省妇联组织的“五好文明家庭”创建活动，已成为全省群众性精神文明创建活动的又一品牌，深受群众的欢迎。“百城万店无假货一条街”活动已在南昌 、赣州、九江等地取得明显成效。文化科技卫生“三下乡”活动今年又为群众办了几十件实事，为成千成万群众送去知识、送去健康、送去党和政府的温暖和关怀。各种群众性文娱活动如火如荼地开展。由省委宣传部、省直机关工委组织开展的“世纪之光”大型合唱活动，吸引全省上下数万群众参与，引起强烈反响。赣州市举办的“广场之声”青年歌手演唱会、南昌市举办的“夏季纳凉晚会”等吸引群众积极参与，收到良好效果。

2000年12月，省文明委在九江召开大规模、高规格的全省精神文明创建活动工作会议，传达全国农村精神文明建设工作座谈会、全国创建文明社区工作座谈会、全国创建文明风景旅游区工作座谈会精神，部署全省群众性精神文明创建工作，交流各地开展创建活动的好经验、好做法。九江市委、南昌市委、省公安厅、赣州市章贡区委、德兴市泗洲镇、龙虎山风景区作为创建文明城市、文明行业、文明社区、文明村镇、文明风景旅游区工作的先进代表，分别介绍了经验。

三、“讲文明树新风”活动不断深化

全省按照“巩固、提高、延伸、辐射”的工作思路和“主题不变、充实内容、一抓到底、抓出成效”的要求，广泛深入地开展“讲文明树新风”活动。一是把“讲文明树新风”活动向风景区延伸，以庐山等全国文明风景旅游区示范点为龙头，以九个省级名胜风景区为重点，积极开展创建文明风景旅游区活动，加强了硬件建设，优化了服务环境，强化了管理措施，提高了服务质量，尤其是在2000年的“五一”、“十一”火爆的假日经济中经受了考验，发挥了积极作用。二是“讲文明树新风”活动向交通沿线延伸，广泛开展创建交通安全村、创建平安大道活动。我省开展的创建交通安全村活动在全国产生较大反响，为稳定农村社会秩序、保障国道畅通、提高农民法制意识起到积极作用。南昌、九江、赣州、新余等城市纷纷设立严管街，确保城市道路畅通。三是深入开展“倡导文明新风、共建美好家园”活动，立足创建文明社区，在美化居住环境、改善治安秩序、丰富文化生活、普及科学知识、优化社区服务、和睦人际关系等方面做了大量工作。四是以保护环境为重点，开展“倡导文明新风、共建美好家园”活动，社会各界植树种草、绿化荒山、清理白色污染，形成保护环境、保护共同家园的良好社会风尚。

四、精神文明阵地建设得到加强

2000年全省基层精神文明阵地建设得到加强。一是认真实施“百县乡镇宣传文化工程”，积极推进农村精神文明活动中心的建设。目前，第一批20个中心早已竣工，并投入使用；第二批10个中心建设基本完工，即将投入使用；第三批13个中心的选点工作已经完成，即将进入施工阶段。二是大力实施广播电视“村村通”工程。全省多渠道筹资6000多万元（包括省文明办从省级文化事业建设中支出200多万元）用于“村村通”工程建设。全省已有2500多个盲点行政村通上广播电视，占全省盲点村总数的80%，扩大了广播电视的覆盖率。三是强化阵地意识，加强社区、公园、广场等公共场所以及学校、厂矿、农村等基层单位精神文明阵地建设，用健康向上的文化占领精神文明阵地。四是文化市场进一步健康繁荣，坚持不懈地开展“扫黄打非”斗争，重点查处有政治问题、渲染封建迷信和伪科学、色情、凶杀等非法出版物以及音像制品。据不完全统计，截至10月底，全省共收缴非法音像制品和电子出版物15.8万盘（盒），收缴非法书刊110万余册，收缴“法轮功”类出版物近3000册，收缴宣扬迷信与伪科学书籍近9万册，收缴非法教辅读物63.7万余册，查处案件331余起，为繁荣文化事业创造了良好环境，巩固了文化市场这一重要阵地。

五、培育典型取得新的进展

一是以省委、省政府名义表彰了第一届创建文明城市竞赛活动优胜城市（城区、县城），有2个省辖市、4个县级市（区）、8个县城荣获表彰，并获得总额180万元的奖励；二是以省委省政府名义命名表彰了700个第七届（1998—1999年度）省级文明单位。三是继1998年庐山被评为首届全国创建文明风景旅游区示范点之后，2000年我省南昌市滕王阁风景区又被评为第三批全国创建文明风景旅游区示范点。四是在新闻媒体上宣传了一批思想政治工作的先进集体和先进个人。

（江西省文明办）

山 东 省

2000年，山东省精神文明建设工作认真贯彻落实中央思想政治工作会议精神和江泽民同志“三个代表”的重要思想，以提高公民素质为目标，以“为人民服务，让群众满意”为主题，围绕中心，服务大局，深入开展各项创建活动，取得了新的进展，为提高公民素质和城乡文明程度，促进全省的改革、发展、稳定发挥了积极作用。

一、实施公民素质教育工程

全省精神文明建设工作始终把提高公民素质作为城乡精神文明建设的基础工程和首要任务，不断强化社会主义思想道德教育，着力在统一思想、凝聚人心上下功夫。按照省文明委关于在全省实施公民素质教育工程的部署要求，省文明办组织编写了《文明公民读本》，进行建设有中国特色社会主义的理想信念教育，进行马列主义、毛泽东思想、邓小平理论和江泽民同志“三个代表”重要思想教育，以及公民应知、应守的道德规范、法律知识、文明礼仪教育。各地各单位通过举办文明公民知识讲座、系列专题报告会、讨论会和知识竞赛等多种形式，把这方面的教育搞得生动活泼、深入扎实。各地各单位还围绕全党全国工作大局和改革攻坚重大举措，针对群众普遍关心的热点问题，对广大干部群众进行爱国主义、集体主义、社会主义教育，进行马克思主义世界观、人生观、价值观教育，进行社会公德、职业道德、家庭美德教育，使广大群众的政治觉悟进一步提高，道德风貌大为改观。

二、深入开展马克思主义唯物论、无神论教育和科学精神教育

省文明办、省科协在济南举办了“崇尚科学文明，反对愚昧迷信”大型展览，形象生动地宣传科学真理，普及科学知识，揭批“法轮功”等歪理邪说和各种伪科学。机关干部、工人、农民、青少年和驻地部队官兵10万多人次参观展览。许多市地也举办了同样内容的展览活动。多数县（市、区）利用“崇尚科学文明，反对愚昧迷信”展览图片，开展了“科学展览宣传月”活动。在农村，各地结合实际开展了树立文明新风，破除陈规陋习的移风易俗活动。文化科技卫生“三下乡”活动在全省广泛开展，受到广大农民群众的欢迎。贯彻中央文明办等四部委《关于坚决制止风景旅游区封建迷信活动的通知》，文明办会同建设、旅游等部门，对风景旅游区、景点存在的乱建庙宇和各种封建迷信活动进行了认真的检查清理，加强管理，破除封建迷信。

三、全面推进群众性精神文明创建活动

按照“巩固、提高、延伸、辐射”的思路，把创建文明城市和文明行业活动推向新高潮。对全省17个地级市和21个“窗口”行业、执法部门创建活动进行认真考核和综合评定。省委、省政府命名表彰了8个创建文明城市工作先进单位和5个创建文明行业工作先进单位，促进了城市文明程度的提高，推动了行业风气的转变和职业道德建设。省文明办还会同有关部门开展创建交通系统文明行业活动、评选优秀公益广告、民兵和预备役部队带头参加精神文明建设工作示范点

活动以及文明风景旅游区示范点的创建评选工作。崂山风景区被中央文明办、建设部、国家旅游局命名为第三批全国文明风景旅游区示范点。加强了省级文明单位的管理，命名表彰了1999年度省级文明单位1254个，对经复查不合格的100个单位，撤销其“省级文明单位”称号，保证了省级文明单位的质量，提高了创建水平。16个学习文登经验的带头县（市），创造了各具特色的新鲜经验。全省涌现出一大批省市级文明户、文明村和文明镇，对农村树立良好的社会风气、发展经济起到了很大的推动作用。

四、加大社区精神文明建设的力度

按照中央文明委的部署，把“讲文明树新风”活动积极向基层延伸，重点开展了“倡导文明新风，共建美好家园”活动，把着力点放在改善群众生活环境、提高群众生活质量上，引导人们在为自己创造美好生活的过程中，受到教育，得到提高。在创建文明小区的基础上，以大中城市的社区为重点，开展丰富多彩的群众性精神文明创建活动，深入开展社区教育，大力搞好环境治理，努力维护社区秩序，积极开展社区服务，广泛组织健康有益的文体活动，切实加强基础设施建设，进一步深化了创建文明社区工作。重点就社区精神文明建设问题进行了集中的调研活动，起草了《关于加强城市社区精神文明建设的若干意见》，对全省社区精神文明建设的思路、目标、任务、内容、工作措施提出了明确要求。11月，省文明委在青岛市召开全省精神文明建设工作座谈会，对全省社区精神文明建设工作作了深入研究和全面部署，推广了青岛市、济南市历下区、淄博市张店区、烟台市芝罘区等9个社区精神文明建设先进单位的经验，进一步促进了全省社区精神文明建设向纵深发展。

五、加强精神文明建设的研究

宣传、文化、新闻出版、广播电视、卫生、体育等部门精干力量，组成课题组，对21世纪前15年的精神文明建设课题进行总体规划，撰写了精神文明建设课题研究报告。这一成果已列入省委、省政府经济社会发展的总体规划，为做好新世纪的精神文明建设工作奠定了良好的基础。注重对精神文明建设工作进行研究总结，积极参加中央文明办《中国精神文明建设年鉴》的编写工作，认真整理全省精神文明建设领域的重要文献、重要典型、重大活动以及取得的成果，积累精神文明建设资料。

六、加强精神文明建设工作队伍建设

适应新形势、新任务对精神文明建设工作队伍提出的新要求，进一步加强了队伍建设。认真学习江泽民同志“三个代表”的重要思想，在工作中落实“三个代表”的思想，努力做到政治强、业务精、作风正。各级文明办按照省里的统一部署，结合当地实际，采取集中轮训、观摩交流、外出学习等多种方式，普遍对文明办负责人进行了培训，提高了全省精神文明建设工作队伍的整体素质。

（山东省文明办）

河　　南　　省

2000年，全省精神文明建设工作认真贯彻落实党的十五届五中全会和中央思想政治工作会议精神，以江泽民“三个代表”重要思想为指导，以“热爱河南、增辉中原”活动为总载体，以“三大创建”为重点，开展了一系列精神文明创建活动，巩固和发展了积极健康向上的工作态势，取得了明显成效。

一、深入开展“热爱河南、增辉中原”活动，营造良好的发展环境

按照省文明委的部署，全省各地、各部门都

把开展“热爱河南、增辉中原”活动当作一项重要工作来抓。各级新闻单位在重要版面和黄金时段对活动情况进行集中宣传报道。省新闻单位还组团进行“市地行”采访，对活动作深度报道，营造浓厚的舆论氛围，在全社会形成了人人为河南增光添彩的良好局面。按照中央、省委《关于加强思想政治工作若干意见》的要求，“热爱河南、增辉中原”活动不断加大思想道德含量，努力提高全体公民的思想道德素质。各地各单位运用多种手段，采取各种措施，广泛进行公民教育。漯河市不仅开办了文明市民学校，还开办了文明农民学校、文明工商户学校。濮阳市开办了出租车司机文明学校，使他们成为传播精神文明的使者。郑州市在全市广泛开展社会公德大讨论。南阳市组织开展了有70万人参加的第二届“文明市民”评选活动。三门峡市开展评选不文明行为活动，动员全市人民评出近年来发生的影响较大的10种不文明行为，通过媒体进行批评劝导。鹤壁市广泛开展了“季评十件好事”活动。各地和有关部门还对假冒伪劣、不讲信誉、坑蒙拐骗等突出问题，进行了认真治理整顿，捣毁了一批制假售假窝点，惩治了一批商业欺诈犯罪人。

二、以创建郑、汴、洛“三点一线”文明城市、文明景区为契机，推动全省文明城市创建上新台阶

按照丁关根同志视察河南时的指示和省委关于落实丁关根同志指示的具体要求，认真开展郑、汴、洛“三点一线”文明景区、文明城市创建工作。郑州市按照“高起点规划、高标准建设、高效能管理”的原则，全面开展创建文明城市活动，扩大绿化面积，提高绿化水平，拆墙透绿、见缝插绿、大面积植绿，全市新增绿地面积18万平方米，草坪21万平方米。投入大量资金，把金水路东段建成了具有中原特色的绿色迎宾大道。开封市提出了创建全国优秀旅游城市的目标，投资20亿元用于城市建设，根据全国优秀旅游城市20大项、179个子项的标准，在“创优”指挥部下分设四个专项组，分别攻关。对于创建中的“顽症”，几位副市长分别带领工作组，采取超常措施，进行根治。洛阳市以创建国家卫生城市、国家园林城市和中国优秀旅游城市为动力，加快创建文明城市步伐。集中全力实施“75133”工程：即修建7条路，5座桥，1个公园，整治龙门、白马寺、关林3个旅游景点，建设涧西污水处理厂等3项公益设施，对出入市口、城市道路、公益设施、主要景点进行了大规模整治改造。郑、汴、洛“三点一线”文明景区、文明城市创建活动，影响和带动了全省文明城市创建工作的开展。濮阳、漯河、信阳、新乡、商丘、济源等市采取多种措施，把创建任务层层分解，纳入各单位年度目标管理，对各项任务的落实情况进行督查，推动创建活动向纵深发展。各地十分重视机制建设，强力推行创“三优”市长例会和暗查采访制度。5月中旬，省文明委召开了全省城市创“三优”市长例会电视电话会议。省委、省政府主要领导出席会议并作了重要讲话，郑州、濮阳、漯河、周口和新郑作了典型发言，推动了全省文明城市创建工作的开展。

三、广泛开展文明村镇创建活动，进一步提高农民素质和村镇文明程度

农村精神文明建设始终坚持把农民教育放在首位，着力抓了农村政策法纪教育活动。多数市地都抽调机关干部组成工作队，进村入户，驻村帮教，广泛开展“进百家门、知百家情、解百家难、暖百家心”活动。在抓好农村政策法纪教育的同时，各地不断深化“十星级文明农户”、“五好家庭”、“好媳妇”、“好婆婆”等项创建活动，采取多种措施，加强农村思想政治工作。新乡市以“三个代表”重要思想为指导，在全市农村普遍开展了理想信念、科技文化、政策法纪“三项”教育活动。驻马店市大力开展“家庭文明示范村”创建活动，以家庭文明带动村庄文明，以先进典型辐射整个农村。洛阳市在农村开展“文明五入户”活动，采取得力措施，使政策入户、新风入户、法律入户、科技入户、文化入户，千方百计优化农村细胞。焦作市在全市农村开展“婚育新风进万家”活动，帮助农民群众树立晚婚晚育、少生优生、男女平等的婚育新风尚。抓住实施小城镇发展战略，各地把农村精神文明建设和发展小城镇紧密结合起来，促进农村两个文明协调发展。

四、扎实开展文明单位、文明行业创建活动，窗口行业服务水平有了新的提高

为了推动文明单位、文明行业创建活动不断

深入，确保文明单位、文明行业的创建质量，全省各地对省级文明单位、行业进行认真复查。对存在一般问题的提出警告批评，限期整改；问题严重的，撤销其文明单位称号；着重解决文明单位创建活动中不同程度存在的重硬件、轻软件，重荣誉、轻责任，“牌子”到手、创建到头等问题。普遍建立了评选推荐公示制度，考核验收责任追究制度，日常管理重大问题报告制度，文明单位管理届满制度，使文明单位创建工作进一步走向了规范化。省文明办与省纠风办联合委托省城调队，对公安、检察等25个行业的行风状况进行了社会测评，促进了行风建设热点问题的解决。

五、坚持为群众办实事办好事，社区综合整治、城市河道治理、旅游环境治理“三项整治”取得较好成效

旅游环境整治是2000年精神文明建设工作的重要特色。不少地方结合创建国家优秀旅游城市活动，对景区进行了大规模的整治改造，使景区面貌发生了很大变化，促进了全省旅游业的繁荣。洛阳市重兵出击，投资2亿元分别对龙门、白马寺、关林景区进行了大刀阔斧的整治，绿化、硬化、彩化21万平方米，清理河床20万平方米，新建了景区道路和大型停车场，使景区面貌焕然一新。龙门景区获得联合国世界文化遗产和全国文明风景旅游区示范点双重荣誉称号。各地结合创建文明城市工作，多方筹措资金，治理城市河道，取得了较大成效，不少城市的河道成为亮丽的风景线。郑州市组织水利专家对熊耳河、七里河、东风渠的治理提出了整体方案，按照“截污、护砌、界明、绿化、美化”的要求，利用5年时间，投资8亿多元，对“两河一渠”进行综合治理。西峡、方城、桐柏、禹州、遂平、叶县、栾川等县，也把治理河道作为创建文明县城的重要内容之一，开展扎实的治理工作，取得喜人的治理效果。

（河南省文明办）

湖　北　省

2000年，在各级党委、政府的高度重视和广大人民群众的积极参与下，全省精神文明建设工作以思想道德教育为主线，以“讲文明树新风”活动为主题，深入开展“三大创建”活动，巩固和发展了整体推进、重点突破、城乡联动、协调发展的良好局面，呈现出龙头作用日益显现、工作重心逐步下移、创建特点更加突出、常规管理渐趋完善、基础设施不断改善的发展态势，为在新世纪开创精神文明建设新局面奠定了良好的基础。

2000年的工作主要表现在以下“六个新进展”上：一是创建文明城市工作取得新进展。文明社区创建工作全面启动，先进典型层出不穷，工作思路日渐清晰。省文明办重新调整公布了创建文明城市、文明社区、文明小区活动示范点，在武汉召开了全省创建文明社区工作经验交流会，重点推出了武汉市江岸区百步亭花园社区典型，对全省文明社区创建工作起到了巨大的示范和推动作用。全省创建文明城市活动着力从素质上提高，从环境上巩固，从小区上延伸，从联手共建上辐射，使市民的思想观念明显进步，市民素质明显提高，城市管理明显加强，城市形象明显改善。二是农村精神文明创建工作取得新进展。在抓好争创“十星级农户”活动的同时，围绕发展小城镇重点，系统总结和推广襄樊市开展创建文明小城镇的经验，初步总结了宜昌市在推进城乡共建活动中组织文明单位到贫困村镇开展扶智扶弱活动和科技、文化、道德、法律“四进家”活动的成功经验。三是创建文明行业工作取得新进展。文明行业创建逐步实现了在面上有拓展，在量上有增加，在质上有提高的奋斗目标。四是在建章立制、规范管理方面取得新进展。根据形势的发展和创建工作的要求，省委、省政府下发了《湖北省文明社区建设暂行管理办法》和《湖北省文明行业建设暂行管理办法》等一系列法规制度，首次开展了省级文明城市、文明小区、文明村镇年度考核工作，使全省文明创建管理工作步入了更高层次上的规范化、经常化和制度化的轨道。五是精神文明创建工作的基础设施建设取得新进展。组织实施了百县千乡宣传文化工程，在黄石市阳新县召开了建站工作现场会，推广了阳新浮屠镇的经验。为贯彻全国农村精神文明建设工作座谈会精神，先后制定了关于实施湖北省百县千乡宣传文化建设配套工程的意见，关于实施农村精神文明基础设施建设扶助工程的意见，使精神文明建设的外部环境和条件有了比较大的改善。六是坚持不断创新，在提高精神文明建设的针对性、实效性上取得新进展。在《关于在全省广泛开展“城乡手拉手、工农心连心”精神文明共建活动的意见》中，系统提出了城乡共建的四种主要形式；在文明单位检查验收中实行了社会公示制。全省各地在借鉴省内外成功经验的基础上，都加大了内容、方法、手段和机制等方面的创新力度，如武汉市采取以市民文明学校培训合格证换暂住证、就业证的办法加强暂住人口管理教育，收到较好的效果。所有这些措施，为精神文明创建活动注入了新的活力。

2000年全省精神文明建设取得了令人瞩目的新成效、新进展，三大创建活动充满生机和活力，呈现出以下四个新特点：第一，创建格局进一步科学合理。武汉市在全省精神文明建设中的龙头作用开始显现，襄樊、宜昌等一批大中型城市的骨干作用进一步发挥，石花、东马坊、华容等一批小城镇的基础带动作用初见成效，各级党政机关在创建活动中的带头示范作用日渐突出。第二，创建空间进一步得到拓展。特别是文明社区和文明风景旅游点创建工作的适时启动，使创建工作的层面得到丰富和完善。第三，创建主线进一步突出。在组织创建活动中，各地始终以提高人的素质、培育和造就“四有”公民为主线，以各级各类文明市民学校为主阵地，把思想政治工作的任务落实到基层，延伸到社会生活的方方面面，增强了创建工作的实效性。第四，创建氛围更加浓厚。三大创建活动进一步得到各级党政领导的高度重视，得到各部门、各行业的大力支持，吸引了广大群众的积极参与，初步形成了创建资源共享、事务共商、活动共办、文明共建的良好氛围。

（湖北省文明办）

湖 南 省

2000年，湖南省文明委深入贯彻落实党的十四届六中全会和十五大精神，认真领会和落实江泽民“三个代表”的重要思想，围绕经济建设中心和全省工作大局，扎扎实实开展精神文明建设工作，“三大创建”活动稳步推进，全省城乡文明程度和公民素质不断提高，大大促进了全省两个文明建设协调、健康发展。

一、思想道德建设深入扎实

5月中旬，省文明办组织召开了省会文明单位学习江泽民“三个代表”重要思想座谈会。随后，省文明委下发了《关于在全省文明单位中开展“三个代表”重要思想教育的通知》。岳阳长岭炼油化工有限责任公司、湖南计算机厂、长沙县印山村等一大批文明单位组织干部职工认真学习、实践“三个代表”重要思想，两个文明建设取得了新发展，在全省两个文明建设中发挥了排头兵的作用。

8月，省文明办、省科协举办了“崇尚科学文明，反对迷信愚昧”大型展览。各级文明办、科协也在全省城乡全面铺开了展览活动。据统计，全省各地共举办展览1026场次。巡展到达乡镇728个，受教育群众近千万。

2000年湖南省文明素质教育重点抓了四信（对马克思主义的信仰、对社会主义的信念、对党和政府的信任、对改革开放和现代化建设的信心）和四科（科学知识、科学精神、科学思想、科学方法）教育。各市州，省直各部门，都根据省文明委的要求，结合本地、本单位的实际，认真做了安排，制定了文明素质教育计划，并有计划地组织实施。衡阳等市编写了“四科”教育简明读本。长沙、湘西自治州等市、州开展了科普知识竞赛。娄底、邵阳、怀化、张家界、湘潭等市编印了《文明市民手册》，并通过市民文明学校、家长学校等多种形式，向干部、群众进行了广泛的现代文明素质教育。郴州市在市民中开展了有计划的文明素质培训，培训时间达20小时以上，组织了百万市民文明素质教育知识竞赛活动、争做文明市民竞赛评选活动和文明知识电视抢答赛。全省各市、县通过普及现代文明知识、规范文明行为，不断增强广大市民的文明意识，提高了广大市民的现代文明素质。崇尚科学、文明、健康的生活方式已成为广大公民的自觉行动，爱护公物，保护环境，讲究卫生，在一些城镇已蔚然成风。

二、“三大创建”活动稳步推进

在创建文明村镇工作方面，一是普遍开展了创建文明村镇，争做文明村民活动。省里推介了益阳市评选十星级文明农户的经验，常德市、永州市、湘西自治州等市、州的创评星级农户活动也全面铺开。娄底市大力评选表彰“双星级文明户”活动。二是在全省农村开展了法规政策教育。各地按照省委的要求，组织干部进村入户，宣传党和国家的政策法规，帮助制定村规民约，同时把教育与发展经济结合起来，改善了干群关系，维护了农村稳定。三是加强农村精神文明阵地建设。各市、州把“五个一”阵地建设作为促进农村精神文明建设和经济发展的大事来抓，纳入经济社会发展总体规划，实施目标管理，制定优惠政策，多种渠道筹措资金，放手让社会办文化，使之实行产业化经营，成为农村新的经济增长点。四是开展了“五下乡”活动。各市、州注重探索“五下乡”常下乡的工作机制，注重为群众办实事，办好事。

在创建文明城市工作方面，各地都把它作为一项民心工程来抓，注重搞好城市规划，提高城市品位。长沙市重点抓了五一路和棚户区的改造，株洲市以提高城市品位为目标，改造了中心广场、炎帝广场。常德、衡阳、岳阳重点抓了文明社区的试点。怀化、娄底、永州、邵阳、郴州、益阳、湘潭、湘西自治州、张家界都制定了创建文明城市的方案，党委、政府主要领导亲自挂帅，加大了城市整治的力度。长沙的“五一”大道，岳阳的洞庭大道，株洲市的炎帝广场，郴州市的绿化广场，湘潭的体育广场，常德市、靖州县城、岳阳县城、浏阳市的步行街已成为城市亮丽的风景线。11月底，省文明委召开了全省文明社区创建工作会议，出台了《关于在城市大力开展创建文明社区活动的意见》，全面部署文明社区创建工作。

在创建文明行业工作方面，一是对23个窗口行业的行风进行了测评。在群众测评的基础上，向有关部门通报了测评结果，群众对测评的做法给予了肯定和支持。二是省文明委下发了《关于加强窗口行业文明优势规范服务的意见》。三是对典型事例进行了追踪报道和剖析，部分行业进行了自查自纠。全省大部分行业都开展了创文明行业或行业内部的单项创建活动。省电力总公司、省国税局、省地税局3个文明行业在思路上创新，创建工作又有新起色。省气象局、全省城市供水行业，在全行业进行了创文明行业的动员、部署，两个文明建设取得了明显进步。2000年全省城市供水行业成为文明行业，省气象局被列为国家气象总局与省、市、自治区第一批共创文明行业的单位。

三、“讲文明树新风”活动进一步深化

依照中央文明办等10部门关于开展“倡导文明新风，共建美好家园”活动的部署，省文明办等10部门联合发出了《关于开展“倡导文明新风，共建美好家园”活动的通知》，具体实施“九个百”系列活动（百个文明小区、文明社区“优质服务”示范活动；百个城镇添绿添美活动；百场大型科普活动；百个城镇秩序整治活动；百万少年雏鹰假日小队活动；百万青年志愿者活动；百个城镇大型广场、街头群众文化活动；百万家庭实施“文明家庭工程”，争创“五好”文明家庭活动；百场老年书画比赛和文艺演出活动）。各市、州，省文化厅、公安厅、团省委、省妇联等部门对此项活动都作了具体部署。长沙市开展了读科普书籍竞赛等活动，怀化市开展了学雷锋义务服务日等活动，省文化厅组织了全省老年人合唱比赛，送文化、送电影、送图书下乡活动，省科协开展了“科普宣传周”活动，团省委开展了“保护母亲河”青年志愿者进社区活动。这些活动，主题明确，安排周密，落实到基层，惠及了千家万户。

四、调查研究和督查工作落到实处

一年来，全省各级文明委领导带头对精神文明建设进行调查研究，狠抓各项工作的督促落实。省委领导亲自带队到基层进行精神文明创建、思想政治工作专题调研，召开了现场办公会。省文明办分别对全省 14 个市、州的创建活动、宣传文化站建设和长株潭精神文明示范区等进行了调研，7月召开了部分市州文明办、乡镇党委书记座谈会。各市州文明委领导也十分重视深入基层调查研究、检查指导精神文明创建工作。怀化、娄底、邵阳、湘西自治州完善了双文明目标管理办法，分别对农村、城市行业进行专题调查。

强化了建章立制工作。衡阳市对创建活动先进单位实行了公示制、星级制。岳阳市、长沙市修改了评比条例，严格了申报审查。省文明办还协调有关部门进行文化事业建设费的征收督查，确保全年文化事业建设费全额征缴入库，科学、有效地管理使用，为精神文明建设提供了物质条件。

（湖南省文明办）

广 东 省

2000 年，围绕率先基本实现社会主义现代化，“增创新优势，更上一层楼”目标，以服务中心，造福人民为宗旨，以“两思”教育为切入点，以思想道德教育为主线，以创建文明城市为龙头，全省精神文明建设工作和三大创建活动整体推进，全面拓展，保持了积极、健康、向上的态势，创造和积累了一些新的经验，有力地促进了城乡文明程度和人民素质的显著提高，促进了全省经济、社会的协调发展和两个文明的共同进步。

一、以“致富思源、富而思进”教育和马克思主义唯物论和无神论教育为切入点，加强基层的思想道德建设，提高公民的文明素质

以“致富思源、富而思进”教育活动为切入点，加强和改进思想政治工作。2月下旬，江泽民总书记在广东考察工作时提出，要在广大干部群众特别是经济发展较快地区的干部群众中开展“致富思源、富而思进”教育活动。广东省委认真贯彻江总书记指示精神，把开展“两思”教育作为群众性精神文明建设的一件大事，在全省范围内深入扎实地开展“两思”教育。一是引导广大干部群众回顾总结 20 多年的发展变化，充分肯定改革开放取得的巨大成就，正确认识致富的根本原因，进一步明确前进的方向。二是引导广大干部群众把“两思”与“三观”、“三基”和“三个主义”教育相结合，通过学习马列主义、毛泽东思想特别是邓小平理论，学习中国近代史和党的历史，树立正确的理想信念。三是引导干部群众把本地、本单位和家庭、个人的变化发展放在全党、全国工作的大局中去分析考虑，增强大局意识和全局观念，树立走共同富裕道路、为国家为社会多作贡献的思想。四是引导干部群众分析国际国内形势，进行纵横比较，认清率先基本实现现代化的目标任务，明白不进则退的道理，树立敢为人先的改革精神和艰苦奋斗的创业精神。五是引导广大党员干部学习江总书记关于“三个代表”的重要思想，充分认识现代化建设必须有坚强的领导核心和组织保证，切实抓好领导班子建设、党风廉政建设和党的组织建设。六是引导干部群众剖析初步富起来后社会上出现的一些不良现象，围绕如何做到“科学致富”、“勤劳致富”、

“富上加富”、“代代富”的问题进行讨论，使广大干部群众充分认识到，全面提高人的思想素质和科学文化素质的必要性和紧迫性。

省文明委把弘扬科学精神，加强马克思主义唯物论和无神论教育作为群众性精神文明建设的一件大事来抓，大力倡导科学意识、科学思维、科学精神和科学方法，广泛宣传辩证唯物主义和历史唯物主义的基本原理和基本观点，帮助和引导人们划清唯物论与唯心论、无神论与有神论、科学与迷信、文明与愚昧的界限，增强识别和抵制唯心主义、封建迷信及各种伪科学的能力。开展“讲科学、破迷信、除陋习”的活动。大力普及科学知识，特别是普及那些与群众日常生活密切相关的自然科学、医疗卫生、科学健身和生老病死等方面的知识。在大众传媒开辟科普专栏，在城乡创办科普宣传专栏，开展科技下乡活动。封建迷信活动得到了有效的遏制，人们普遍提高了识别抵制“法轮功”等反科学、反人类、反社会的歪理邪说的能力。

二、创建文明城市活动取得新进展，提高了城市的文明程度

创建文明城市已真正成为统揽全局，推动经济、社会协调发展和两个文明共同进步的“龙头工程”，成为改善投资环境，树立良好形象的“形象工程”，成为为民办好事、办实事的“民心工程”。城市规划水平、建设品位有新的提高；城市环境整治力度加大，绿化、美化、净化、亮化有新的进展。深圳市的深南大道、滨海大道，顺德市的顺德大道，湛江市的金沙湾观海长廊，梅州市的一河西岸，潮州市的旧城改造，等等，这些“形象工程”使城市更加亮丽。

为了使创建文明城市学有榜样，赶有目标，4月份，省文明办在南海市召开了全省创建文明城市座谈会，推介南海市以信息化推动工业化、现代化，以城带乡，城乡联动创建文明城市的经验，把全省创建文明城市的先行点由34个扩大到46个。9月份，省文明办积极协助中央文明办总结了深圳市创建文明城市的好做法、好经验，协助组织全国和广东省新闻传媒对深圳市创建文明城市活动作了深入宣传报道，在全国和全省产生了良好反应。

创建文明城市的另一个重大进展就是在全省全面启动创建文明社区活动。3月份，省文明委印发了《关于在全省城区开展创建文明社区活动的意见》和《广东省文明社区评选办法与考核指标》的通知。11月，省文明委在深圳市召开全省创建文明社区工作座谈会，观摩参观深圳市莲花北、梅林一村等文明社区，总结交流近年来各地创建文明社区（小区）的经验，明确今后的工作任务和重点，全面推进创建文明社区的工作，效果很好。

三、坚持分类指导，创建文明村镇活动水平有所提高

全省各地继续深化创建文明村镇、文明户活动，分类指导，分层次推进，使创建文明村镇、文明户活动更加切合实际，更富有生命力。在经济欠发达地区，普遍把创建文明村户同奔小康工程，同解决农村存在的突出问题结合起来，开展以“五改”（即改水、改厕、改灶、改路、改造住房）为主要内容的创建文明小康村镇的活动。宝安、龙岗、顺德、东莞、南海等经济发达地区在坚持“高起点规划、高标准建设、高效能管理”的基础上，自觉朝着“高品位文化、高文明素质”的目标努力，推广“一村一公园”、“一街一景点”的做法，建设高标准文明村镇。11月，省文明办在深入调研的基础上组织全省各大新闻单位和深圳市有关新闻单位近50名记者赴宝安区采访，大力宣传宝安区创建高标准文明村镇的经验，收到很好的示范效应。宝安的经验概括起来，主要有如下六条：一是在创建活动中坚持以人为本的原则，分层次地对干部、村民、青少年和外来劳务人员开展有针对性的思想道德教育，努力提高人的现代文明素质；二是坚持造福于民的原则，努力提高人民群众的生活质量；三是把创建高标准文明村镇活动作为实现农村工业化、城市化的重大举措，重视村镇的规划建设，坚持走可持续发展的道路；四是注重城乡联动，以城带乡，以乡促城，城乡互相促进、共建文明；五是大力发展人民群众喜闻乐见的大众文化、通俗文化、平民文化，满足人民群众日益增长的精神生活的需要；六是注重健全机制、建立制度，使创建活动迈上制度化、规范化、经常化的轨道。

四、以“讲文明树新风”为主题，以规范服务、评议行风为重点，创建文明行业活动有新的

进展

根据中央文明委和省委、省政府部署，省文明委下发了《关于在全省广泛开展创建文明行业活动的意见》。6月，省文明委召开了全省创建文明行业动员大会，以“三个代表”为指南，广泛开展创建文明行业活动。省文明办会同有关部门，选择了电信、邮政、供电、公安、法院、工商、税务、教育、城管、城建等15个与人民群众日常生活密切相关的行业和部门开设21CN网站，在省广播电台开设“2000广东创建文明行业‘春风行动’特别节目”。面向社会、面向群众，开展行风评议活动，促进了行业规范化服务和行风的好转。8月，省文明办在韶关丹霞山召开了全省创建文明风景旅游区的座谈会，总结、交流、推广各地创建文明风景旅游区的新做法、好经验。

（广东省文明办）

广西壮族自治区

2000年，广西的精神文明建设工作，按照中央文明委和区党委的总体要求，认真组织开展了以“讲文明树新风，树立广西新形象”为主题的创建文明城市、文明村镇、文明行业等群众性精神文明创建活动，进一步加大思想政治工作力度，组织实施“西部开发助学工程”，精神文明建设保持积极、健康、向上的良好态势，为全区的改革、发展、稳定提供了强有力的思想保证、智力支持和良好的社会环境。

一、思想政治工作进一步加强

年初，全区精神文明建设系统通过座谈会、讨论会等形式，深入学习江泽民总书记重要批示，研究具体贯彻措施。认真学习贯彻中央思想政治工作会议精神，以理想信念为核心，深入开展思想政治教育。在农村，采取多种形式，深入开展“双思”教育。桂东南和沿海地区比较富裕的农村，有针对性地开展了“致富思源、富而思进，富而重教、富而崇德”教育。桂西北欠发达地区农村则重点开展“未富思因、温饱思富，富而思源、富而思进”教育。在城镇，主要开展了以理想信念和社会主义道德为核心的“讲文明树新风，树立广西新形象”的教育。在机关，重点开展了以“三个代表”、“三讲”和警示教育为主要内容的思想作风教育。在企业，重点开展回顾“九五”成绩，开创“十五”伟业，迎接新世纪，迎接加入WTO挑战，加快企业体制改革和发展的教育。在学校，重点开展邓小平理论进学校、进课堂、进头脑教育。在思想教育方法形式上，力求做到贴近实际，生动活泼，形式多样，喜闻乐见。通过组织形势报告会、理论座谈会和研讨会，举办反腐败斗争成果展览、改革开放成就展览，开展主题演讲比赛、辩论赛、大合唱以及学习志愿军爱国主义活动、弘扬中华奥运健儿顽强拼搏精神主题活动、“邓小平足迹之旅”爱国主义教育旅游活动等，增强思想教育的吸引力和感染力。

改进方式方法，不断增强思想政治工作的针对性、实效性。全区各级精神文明建设工作部门深入研究新形势下思想政治工作的规律和特点，努力在思想政治工作的内容、形式、方法、手段、机制等方面积极探索创新，增强思想政治工作的针对性和实效性，扩大思想政治工作的覆盖面。河池地区深入开展“三民”（察民情、听民情、贴民心）、“四帮”（帮农民正思想、寻路子、上项目、学技术）、“常到百姓家看看”等活动。玉林市开展“夜访农户交朋友，结连心网，连一带十”活动。南宁市开展“四个进”（文明新风进社区、优质服务进网络、群众文化进广场、园林绿化进街道）活动，强化文明城市创建活动的思想教育内容。百色地区利用老区优势，开展“邓小平足迹之旅”爱国主义教育活动，把思想教育和旅游活动结合起来，开辟了思想政治工作新途径。自治区党委宣传部、文明办还按照“分片研究，分类指导”的工作思路，加强对农村基层思想政治工作的指导。根据不同区域特点，采取典型推动和分类指导相结合的办法，先后在河池地区宜州市、玉林市召开了桂西片和桂东片农村思想政治工作经验交流现场会，带动全区农村思想政治工作的开展。

二、群众性精神文明创建活动蓬勃开展

文明城市建设以抓文明小区、文明社区为重点，大力推进社区建设六个一工程（一支业余文艺队、一个图书室、一个文体娱乐中心、一个阅报栏、一个宣传栏、一个公益广告牌）。继续解决文明言行、环境卫生、服务质量、交通秩序等方面存在的问题，积极开展文明小区达标创优活动，努力提高文明城市创建水平，全区大多数城市（县城）的面貌有明显改观。广泛开展“保护野生动物，营造生态家园”活动，打击不法分子捕杀、经营野生动物的行为，教育群众增强法制观念和生态环保意识。文明村镇创建以整治环境、崇尚科学、破除迷信为重点，引导农民“拆庙宇，建学堂”。按照“12345”规则，即通过抓一校（一所学校）、两室（文化室、卫生室）、三户（守法光荣户、致富文明户、小康文明户）、四美（环境美、语言美、行为美、习俗美）、办五件实事（修路、改水、改厕、通电、办沼气），扎实推进农村精神文明建设。文明行业创建以“服务人民，奉献社会”为主题，着力提高服务质量。全区卫生、电力、邮政、电信等系统开展了行风评议活动。各地广泛开展了“无假冒伪劣商品示范店”活动。公布了自治区首批创建“无假冒伪劣商品示范街（店）”。以点带面，开展了创建文明风景旅游区示范点活动，推出了广西首批文明风景旅游区。

按照“巩固、提高、延伸、辐射”的要求，加强文明城市（县城）、文明单位、文明村镇及文明行业的制度建设和管理工作。区文明办召开了广西获全国精神文明创建工作先进单位负责人座谈会，交流经验，寻找差距，促进各先进单位的创建工作再上新水平。通过《广西日报》将19个城市的创建工作情况进行公示，邀请自治区政协委员和民主党派人士进行评议，加大对文明城市、文明单位、文明村镇的监督力度。制定和完善了《广西文明单位（村）管理办法》、《广西文明城市考评细则》、《广西文明行业管理办法》、《广西创建文明社区工作意见》、《关于改进文明城市、文明单位（村）评比工作的意见》等，使全区“三大创建”活动进一步制度化、规范化、科学化。认真落实《广西壮族自治区文明委成员单位责任制度》，建立自治区文明委成员单位联络员制度，发挥文明委成员单位的作用，努力形成各部门对精神文明建设互相配合、齐抓共管的工作机制。

继续深入开展“三下乡”活动。全区共送书下乡119.5万余册，送戏下乡4160多场，送电影下乡4760多场，举办科技集市2900余场，举办科技培训班（讲座）2860余期，培训农民113.4万余人，诊治病人24.93万人次，培训医务人员8.3万人次，法律咨询116.4万人次。全区有12个县（市）被评为“全国三下乡先进文化县”。广播电视“村村通”工程成效显著，广播电视综合人口覆盖率分别达到85%和92%。

三、“西部开发助学工程”实施进展顺利

根据中宣部、中央文明办、教育部《关于实施“西部开发助学工程”的通知》的要求，广西区党委宣传部、文明办、教育厅高度重视，行动迅速，措施有力，各项工作进展顺利。一是成立领导机构。二是展开舆论宣传。11月29日，中央电视台《焦点访谈》栏目介绍了广西实施“西部开发助学工程”的情况。三是制订实施办法。四是加强监督管理。充分体现“公开、公平、公正”原则。主要是采取“五层把关，四级审核”和“四公开、六取消”的办法。通过加强监督管理，使广西“西部开发助学工程”的实施真正做到了“公开、公正、公平”。

四、“扫黄打非”工作力度进一步加大

2000年，广西“扫黄打非”工作，根据中央和自治区的统一部署，认真贯彻第十二次全国“扫黄打非”工作电视电话会议精神，以查处政治性非法书刊为重点，全面落实《2000年“扫黄打非”行动方案》提出的各项任务。突出重点，服务大局，切实加大对政治性非法书刊的查处工作力度，坚持明察暗访，密切注视市场动向，增强前瞻性；及时部署和组织开展全区性的查处工作：有效组织了“港台版有严重政治问题非法出版物”和“涉及成克杰案件性非法书刊”两大查处战役，从根本上防止和遏制各类政治性非法书刊在社会上的流传和泛滥，并有力推进“两大案件”的及时结案，受到中央有关部门的肯定。认真组织开展打击光盘走私和盗印专项活动，全面检查清理出版物市场，治理不法游商。切实加大文化市场有关法律法规的贯彻实施力度，加强文化市场日常监管，依法管理文化市场特别是出版物市场。据不完全统计，2000年，我区共出动检查执法人员49994人次，检查出版物市场（店、摊）24417家，取缔非法市场（店、摊）913家，行政处罚违法违规市场（店、摊）1534家，查缴非法音像制品、电子出版物561357张（盘），查缴非法书刊622057本（册），其中政治性非法书刊10961本（册）。

（广西壮族自治区文明办）

海 南 省

2000年，海南省的精神文明建设工作，按照中央文明委要求，结合本省实际，继续以“齐心塑造海南形象”为主线，广泛深入开展“让宝岛更加文明”为主题的群众性创建活动，思想道德建设扎实有效，“三大创建”和“生态文明村”活动深入扎实，“理论下乡”形式多样，城乡文明程度和人民群众的文明素质显著提高，机关作风、行业服务规范完善，社会风气更加文明，投资环境更加优化，全省精神文明建设呈现出积极、健康、向上的态势，取得较好成绩，促进了全省经济建设发展和社会的全面进步。

一、围绕中心，抓好理论学习

以邓小平理论、党的十五大报告和江泽民总书记重要讲话为教材，采用办培训班、辅导讲座、知识竞赛和理论下乡多种方法，围绕党的中心工作，在干部群众中进行“三基本”、全心全意为人民服务的宗旨教育学习。特别是“理论下乡”教育，重点抓了七个方面的工作：一是学习邓小平“发展是硬道理”的理论，扫除农村经济和社会发展中的各种思想障碍，特别是“等、靠、要”和“小富即安”等思想，振奋精神，艰苦奋斗，解决发展问题；二是学习社会主义市场经济理论，培养市场观念，学会利用市场、开拓市场、根据市场需要发展热带高效农业；三是学习邓小平科学技术是第一生产力理论，形成爱科学、学科学、用科学的良好风气，依靠科技脱贫致富奔小康；四是学习邓小平“两手抓，两手都要硬”的思想，加强农村精神文明建设，崇尚科学，破除迷信，移风易俗，破除红白喜事大操大办、围地造坟等旧风陋习，树立健康文明的生活方式，解决“脏乱差”等问题；五是学习邓小平人口理论，转变“多子多福”等封建生育观念，自觉做好计划生育、稳定低生育水平；六是学习环境资源知识，树立环境保护意识，全面禁止烧山、毁林、滥伐树林，捕食野生动物，随便排污等不良行为，正确处理发展经济和保护环境的关系，按照生态省建设的要求，发展农业；七是学习邓小平法制理论和法律知识，自觉遵纪守法，依法行政，学会用法律保护自己，维护社会稳定。同时我们选定三亚、儋州市为省“理论下乡”试点，并组织理论工作者、专家、学者组成讲师团，深入广大农村乡镇、村庄和厂矿企业宣讲邓小平理论和江泽民总书记关于“三个代表”重要思想及党的十五届五中全会精神，为农民职工宣讲理论362场，约有7万干部群众接受教育。

二、结合海南实际，抓好创建

为实现全省道德建设、环境整治、城乡面貌、党政形象、文明服务、社会风气等方面的明显变化，我们围绕“让宝岛更加文明”的主题，全面开展创建活动。召开了全省干部群众动员大会，省委书记作动员报告，制定活动实施方案，使广大干部群众加深对“齐心塑造海南形象，让宝岛更加文明”活动的理解，进一步形成共识。

从严治党，依法行政，是“让宝岛更加文明”活动的着力点。从实实在在的事情入手，在省直机关中整治不文明，告别不文明。一是开展优质服务，在机关中大力推广海口市的“三制”经验，召开座谈会、经验交流会有针对性地解决机关作风和服务质量方面存在的突出问题；二是争创“李向群先进集体”，发挥青年生力军在机关中的作用；三是争创“五好文明家庭”，以干部职工为纽带，将机关精神文明创建活动拓展、延伸到每个家庭，营造以“讲文明为荣，不讲文明为耻”的社会氛围。这些工作取得四个方面的成效：一是机关干部职工不仅自己拒绝“黄、赌、毒”，并教育子女、亲属不涉足“黄、赌、毒”及经营活动；二是加强了机关劳动纪律，纠正了作风拖拉，纪律松弛等现象，形成了挂牌上岗、出勤考核等制度；三是在机关公务中解决了“门难进、脸难看、事难办”等问题，端正了公仆关系，提高了办事效率；四是整治机关环境卫生和办公、生活秩序，创建了优美、整洁的工作环境。

为增强公众的生态环境意识，促进生态省建设，开展了“建设千里生态长廊”专项活动，抓了六项工作：一是消除“白色污染”，二是保护野生动物，三是提倡少用化学洗涤用品，四是严禁毁林开垦，五是编写《美丽的海南，我们共同的家园》一书并组织读书教育活动，六是举行有2500多人参加的“建设千里生态长廊，让宝岛更加文明”志愿者仪式。为遏制乱经营、乱食用野生动物的歪风，下发了《关于在全省范围内开展严厉打击破坏野生动物的通知》，公布了保护野生动物新名单，开展专项查处行动97次，检查各类酒店、收购点485家（次），查处违法经营野生保护动物单位23家，没收放归自然一、二级保护动物一批，罚款110多万元。同时举办全省经营野生动物宾馆酒店经理培训班，内容为野生动物保护种类、范围等，从而提高酒店经理遵纪守法，增强自觉保护野生动物的意识。省下发了通知，要求每个公民做到“四不”，即不捕食、不买卖经营、不吃野生保护动物、不进行白色污染。省纪委、省委宣传部、省直工委等18个厅局先后向本单位干部职工下发了《带头不捕杀、不贩卖、不食野生保护动物的通知》和开展“告别塑料袋，重拎菜篮子”、“绿化宝岛万人大行动”、“百万亩椰林工程”、“建立无氟省”、“护林造林”等活动，组织成立“海南生态保护志愿者协会”，有效地提高全民环保生态意识，促进生态省建设。

三、文明行业创建成绩显著

以“服务人民、奉献社会”为宗旨，以树行业新风为主题，以纠正行业不正之风为重点，着力抓好与群众反映强烈的“热点”“难点”密切相关的窗口行业，深化行业规范服务。我们从群众反映“看病贵”、“开大处方”、“乱检查”、“收红包”和服务态度差等不文明行为的卫生行业入手，在工作标准上求“高”，在规范服务上求“优”，在行业作风上求“新”。重点抓几项工作：一是在省级医疗卫生单位集中开展行风评议，成立省级医疗卫生单位行风评议小组，对各医院的行风状况进行面对面的评议。针对问题，逐条提出整改意见，从而使“看病贵”的问题得到较大的缓解。二是建立医院内部收费价格监督机制，强化各医院收费价格监督，向患者提供医药费用“明细清单”，增强服务透明度，让病人“看明白病”，花“放心钱”。如发现医务人员收病人或病人家属“红包”，一经查实，扣该医务人员当月奖金和工资，停职三个月并通报批评。仅省人民医院当年拒收“红包”33次，计人民币1万多元。三是实行药品公开招标联合采购制度。全年招标药品共319种，金额达5300万元，从而降低采购成本，让群众得到实惠。四是清理整顿医药市场，净化医疗环境。对非法行医实施集中打击，共查处非法诊所156家，其中依法取缔无证行医诊所133家，没收药品价值15万元，净化了医疗市场，为市民健康提供保障。五是加大治理力度，改善医疗服务质量，开展一查思想、二查质量、三查服务、四查纪律、五查作风的“五查”活动。极大地促进卫生医疗部门的医德医风建设。与医疗卫生行业一样，其他主要的窗口服务行业，如金融、旅游、电信、邮政、交通和执法的司法、工商、税务、交警等部门，也都制定服务标准，公布规范服务措施，设立投诉电话，聘请行风监督员，组织行风社会测评，从而促进了行业风气的好转和服务质量的提高。

四、创建文明生态村镇工作扎实推进

创建生态文明村是海南省立足实际，适应新形势发展要求提出的一项重要决策，是建设社会主义新农村的必经之路，是为农民办实事的实际行动。其具体内容是，以自然村为单位，建设生态环境、发展生态经济、建设生态文化，用5—8

年时间，把全省大部分村庄建设成生态文明村，同时把思想道德教育、科技文化教育、破除迷信、移风易俗融会到生态文明村建设中去，在建设中教育人，转化人，改造人，全面推进农村精神文明建设。省文明办制定了创建生态文明村方案和标准。发动农民群众从整治“脏乱差”，大搞农村卫生，改善居住环境入手，提供庭前院后植树种花，禽畜圈养，垃圾定点堆放清运，村道水泥硬板化，改水改厕，建“三联通”沼气化粪池，发展庭院经济，农村面貌发生了可喜的变化。儋州、琼山、文昌市被定为省生态文明村建设示范市，全省创建生态文明村取得了显著成绩。

五、评比表彰，宣传先进

为更好地发挥先进典型在两个文明建设中的示范、带动和辐射作用，推动群众性精神文明建设活动深入开展，在全省组织开展评选先进典型活动。召开全省精神文明建设工作会议，表彰了20个省级文明单位标兵，189个省级文明单位，78个文明村镇，73个创建文明行业先进单位，124名精神文明建设先进工作者、184名积极分子和“十佳李向群岗亭”、“十佳李向群中队”、“十佳交警”、“十佳白衣天使”。利用各种形式大力宣传了这些先进典型在不同的岗位上，忠于职守、热爱本职，廉洁奉公、艰苦奋斗、全心全意为人民服务的高尚情操，从而在全省形成了一个学先进、赶先进，全心全意为人民服务的热潮。

六、文化、科技、卫生“三下乡”活动有声有色

全年全省送戏下乡1800多场次，送电影下乡174场次，送书下乡440万册，文化下乡活动覆盖19个市县的200多个乡镇，帮助建立完善一批农村文化室（站）和体育活动场所，培养一批农村文艺骨干。科技和农业部门参加送科技下乡的领导干部158人次，科技人员下乡600多人次，举办冬季瓜菜种植、海水养殖、果树栽培等培训班203期共培训5000余人次。举办电视讲座230场，参加者9200余人次，向8.11万人次提供科技咨询，发放科技资料8.57万份、科技书籍2.17万册，举办科普展105场，2.1万人次参观，为使农民掌握1—2种致富技术发挥了积极作用。卫生系统先后派出医疗队52支到19个市县开展巡回医疗，在老、少、穷地区开设医疗点372个，参加巡回医疗的服务人员1400多人次，免费为群众诊治7.83万人次，赠送药品价值129.34万元，赠送仪器设备价值215万元，开展扶贫手术472例，抢救、治疗危重病人55例，接受健康教育的群众6万多人次。农村改水受益18.7万人，改厕11.12万户。

（海南省文明办）

重 庆 市

2000年重庆市精神文明建设工作突出“建设文明新重庆，促进西部大开发”主题，围绕中心，服务大局，加大建设力度，思想道德教育更加深入，群众性精神文明创建活动更加扎实，先进典型宣传更有成效，营造了欢乐喜庆、昂扬向上、团结奋进的良好氛围，激发了全市人民的爱国热情和创造精神，为促进改革、维护稳定发挥了积极作用。围绕培育适应新重庆发展需要的“四有”公民，加大了思想道德教育的力度。利用各种有效的活动载体，通过各级党团组织生活、村镇社日活动、市民学校等形式，加强党的基本理论、基本路线、基本纲领教育和形势政策教育，帮助广大干部群众坚定建设有中国特色社会主义的共同理想和信念，树立正确的世界观、人生观、价值观，引导干部群众珍惜来之不易的大好形势。加强马克思主义唯物论、无神论和崇尚科学、破除迷信教育。同时，充分利用重庆特有的革命文化资源，继续发扬“爱国、奋斗、团结、奉献”的红岩精神，把爱国主义、集体主义、社会主义教育与深化改革、发展经济、振兴国有企业、建设社会主义新农村结合起来。加强社会公德、职业道德、家庭美德教育，使市民思想道德素质不断提高。

市文明办与市委宣传部、市卫生局、市科协共同举办了《崇尚科学文明，反对迷信愚昧，提倡健康生活》大型图片展，帮助广大群众增强辨别科学与迷信、文明与愚昧的能力，在全社会形成崇尚文明，反对愚昧，提倡健康生活，抵制各种歪理邪说的浓厚氛围。

明确提出全市精神文明建设以“建设文明新重庆，促进西部大开发”为主题，思路更清晰，措施更扎实，加大了紧扣经济建设中心，服务大局办实事的力度，进一步形成了两个文明建设相互促进、协调发展的良好局面。在全市组织开展了“学市场经济，学科学技术，学文明礼仪”全民读书系列活动。通过演讲、征文、知识竞赛等，引导干部群众解放思想，转变观念，开阔视野，为发展重庆作贡献，为促进西部大开发作好思想准备、智力准备和人才准备。

积极倡导“西部地区同创共建精神文明”，得到各地区的热烈响应。在合川市举办了“同创三江文明，共促西部开发”的主题系列活动，成功举行了渝蜀甘陕三江（长江、嘉陵江、涪江）流域中小城市精神文明建设经验交流暨理论研讨会。来自四川、甘肃、陕西和重庆三省一市各区县市的文明办主任、各级文明单位负责人，以及从事精神文明建设工作的同志共120余人参加了研讨会，为西部地区同创共建精神文明，共促西部开发提供了经验。

群众性精神文明创建活动注重实效，狠抓结合，向着纵深发展，并迈上了制度化、规范化、科学化的轨道。

创建文明城区，着眼于为市民创造良好的生活环境，优良的生活工作秩序，培养市民良好的行为规范，进一步推进城市面貌的改变和投资环境的优化。市文明办与市政管理委员会、市综治办、市爱卫办等相关部门集中对11个区县（市）的文明城区创建工作进行抽查考核；在全国精神文明创建活动示范点——渝北区双龙大道举行了文明街道创建活动启动仪式，推出了文明街道创建活动，制定了《重庆市文明街道创建活动的意见》（渝委办［2000］28号文件），夯实了创建文明城区的基础。文明社区、文明小区创建活动加大了力度。在沙坪坝詹家溪街道召开了全市社区思想政治工作现场会，交流和探讨了加强社区思想政治工作和精神文明建设工作的情况。10月，市委建立了以市委、市政府领导为主任，市级34个部门领导为成员的社区建设联席会议制度，召开了重庆市第一次社区建设工作联席会，对社区建设作进一步的研究和部署。组织力量对全市社区建设工作进行了调研。

创建文明行业，从窗口行业和行政执法部门入手，普遍推广规范化服务，对内为市民提供优质高效服务，对外树立重庆的新形象。3月，召开了全市窗口行业和行政执法部门创建文明行业座谈会，对创建工作进行研讨和部署；制定了《重庆市开展文明行业创建活动的意见》（渝委办［2000］31号文件）。邮政、电信、电力、地税、国税、交通等行业认真规划，广泛动员，精心组织，加大力度，积极创建文明行业。市文明办与市建委、园林局、旅游局共同考核推荐大足石刻风景区为全国第三批“文明风景旅游区示范点”；与市旅游局等单位组织开展第二届重庆市十佳旅游风景区的评选活动；与市交通委员会共同组织实施出租汽车行业的文明创建工作，开展“出租汽车文明区县（市）”和“文明示范车”的评选活动。

文明单位创建步入良性健康发展的轨道，形成了创建高潮。举办了文明单位创建工作培训班，就搞好文明单位建设进行交流和探讨，对提高全市创建工作的整体水平起到了积极作用。

创建文明村镇，紧紧围绕提高农民素质，发展农村经济，建设小康生活的目标，抓好农户这个细胞，普遍开展评选“十星级户”活动，着力改变村容村貌，完善文化设施，引导农民群众移风易俗，提高生活水平和生活质量。召开了重庆市农村精神文明建设工作现场会，进一步开展“城乡联动，同创共建”活动，形成优势互补，资源共享，共同提高的局面，推进农村精神文明建设的蓬勃开展。

各级党委把精神文明建设专职队伍作为干部队伍的重要组成部分，加强队伍建设，保持了文明办的机构设置在机构改革中的相对稳定，充分发挥文明办规划、指导、协调、督查、调研和管理的职能作用。从事精神文明建设工作的同志，注意加强学习，加强思想和作风建设，政治意识、大局意识、责任意识和阵地意识不断增强，自身素质不断提高。市文明办举办了街道党政领导干部创建工作培训班和区县（市）干部培训班；组织部分街道党政领导赴北京、天津、沈阳等精神文明建设先进城市进行考察学习。

加强思想文化阵地建设，注意正面引导。全市各街镇普遍建立群众文化活动室、老年活动室、健身场所（地）等，普遍组建了秧歌队、拳剑队、合唱队、鼓乐队等，群众性娱乐健身活动健康发展。由市文明办主办的，全面反映重庆市精神文明建设情况的综合性刊物《文明时尚》创刊以来，在沟通信息，交流情况，指导工作，促进全市精神文明建设健康发展等方面起到了推动作用。

发挥典型的示范作用。各级文明办充分利用媒体和各种宣传手段，大力宣传精神文明建设的先进经验和先进典型。重庆推出的荣昌县农村精神文明建设工作的经验，有新意，有特色，在全国农村精神文明建设工作会上获得高度评价。在重庆日报、重庆电视台等媒体上开设了题为“建设文明新重庆，促进西部大开发”的专栏，推出了詹家溪社区、荣昌县、港口客运总站等一批精神文明建设先进典型。与《重庆晚报》大众生活栏目联合推出了市民关心的热点问题的讨论。

积极推进“西部开发助学工程”的全面落实。按照中央宣传部、中央文明办、教育部《关于实施“西部开发助学工程”的通知》精神，结合重庆的实际，市文明办会同市委宣传部、市教委和有关部门研究制定了《重庆市“西部开发助学工程”实施办法》，起草了重庆市《关于做好“西部开发助学工程”资助学生推荐工作的通知》，制定了《重庆市2000年“西部开发助学工程”学生受助款发放办法》，同时，将中央文明办分配给重庆市的100个资助名额下达到重庆的40个区县（自治县、市），认真做好受资助学生的推荐、审核和资助款的发放工作。在确定的100名受资助学生中，库区移民的学生占36%，边远贫困山区的学生占27%，特困企业双下岗职工家庭学生、父母均丧失劳动力的家庭学生及孤儿占37%。9月21日在全国著名的爱国主义教育示范基地——歌乐山革命烈士纪念馆举行了资助款颁发仪式。

“百县千乡宣传文化工程”稳步实施。1999年至2000年中央文明办资助重庆市建设乡镇宣传文化站25个。按照中宣部、中央文明办、文化部《关于组织实施“百县乡镇宣传文化工程”的通知》和《关于资助建设“百县宣传文化中心”有关事项的通知》精神，市文明办会同市委宣传部和市文化局在全市12个国家级贫困县中，确定资助点。至2000年12月，1999年度的10个乡镇宣传文化站资金全部按时到位，建站工作实施顺利，均按照所报建设方案修建实施，符合中央文明办规定的基本要求。2000年度的15个宣传文化站和8个宣传文化中心的建设按中央文明办要求，正在积极落实之中。

（重庆市文明办）

四 川 省

2000年全省精神文明建设工作以学习贯彻江总书记关于“三个代表”的重要思想、做好西部大开发的启动工作为主线，认真抓好群众性精神文明创建活动，全省精神文明建设发展态势良好，对实施“西部大开发”战略，实现追赶型、跨越式发展，发挥了重要作用。

一、贯穿一条主线，突出思想道德教育

一是学习江泽民总书记对宣传思想工作和精神文明建设的重要批示和“三个代表”的重要思想，统一广大干部群众的思想认识。同时，通过开展各种形式的创建活动，把思想政治工作的地位、任务和要求融入其中，让群众在创建活动中

加强学习、受到教育、得到提高。着力加强对理论研究的服务和组织工作，评审确立了2000年度“五个一工程”理论文章重点课题55个，省邓小平理论研究中心2000年度重点课题26个，专著项目15个。完成国家课题立项36个，拍摄《为了中华家园》、《大跨越》等5部电视理论专题片。

二是加强对思想政治工作的调查研究，重点围绕转变干部作风，进一步增强宗旨意识，突出解决与改革、发展、稳定和人民群众利益直接相关的实际问题。2至5月，组织了基层思想政治工作的调查研究。形成了《绵阳市社区精神文明建设调查报告》等5个调研报告和主体综合报告。11月至12月底，又开展了“下基层、抓落实”活动，省级有关部门和市地州数百名机关干部，深入近千个基层单位，了解思想政治工作各项任务落实情况，推动了基层思想政治工作的落实。

三是把思想道德教育作为精神文明建设的基础性工作，贯穿于各个环节和全过程。把学习贯彻江泽民总书记在中央思想政治工作会议上的重要讲话精神与全面贯彻落实“三个代表”的要求结合起来，与精神文明建设的实际结合起来，融会贯通在精神文明建设的实践中。继续坚持不懈地进行党的基本理论、基本路线和方针政策教育，采取多种形式对人们进行爱国主义、集体主义和社会主义教育，大力开展新时期创业精神教育，深入持久地进行社会公德、职业道德、家庭美德教育，广泛开展民主法制教育，坚决反对和打击封建迷信活动，积极开展科学精神、科学思想、科学知识、科学方法的宣传教育。利用新闻媒体和各种宣传文化阵地，大张旗鼓地表彰英雄人物先进事迹。推出思想政治工作、改革、艰苦创业、优秀共产党员、劳动模范等五个类型的重大典型14个，一般典型260多个，宣传各类先进集体和先进个人526个，弘扬了社会主义新风尚，营造了团结、进步、和谐、文明的良好社会风气。

四是广泛开展西部大开发的形势教育，提高广大干部群众对党中央实施西部大开发战略的认识。在机关、单位、企业、团体、社区中组织开展了有关西部大开发的大讨论，制定《关于进一步开展解放思想大讨论的意见》，组织专家、学者报告团30多个，深入基层作专题报告400多场次，直接听众15万多人次。同时组织开展了“西部大开发有奖知识竞赛”活动，西部12个省、市、自治区和四川省21个地市州均参加了竞赛活动。

二、紧紧围绕四个战役，开展五项活动

四个战役是：弘扬文明新风倡导科学精神战役、创建文明社区战役、创建文明行业战役、创建文明村镇战役。围绕四个战役，开展五项活动。

大力开展“讲文明树新风”活动。按照“一点、一线、一面”的工作要求，集中开展“倡导文明新风，共建美好家园”活动，抓好公路、铁路交通干线综合治理，共建文明样板路，活动向农村集镇延伸辐射。认真贯彻中央文明办等十部委全国电视电话会议精神，下发了《关于开展“倡导文明新风，共建美好家园”活动的实施意见》，德阳、绵阳、西昌、华蓥等绝大多数城市从实际出发，积极开展各种形式的创建活动。

大力开展各类科普活动。从6月开始在全省各地举办“崇尚科学文明，反对迷信愚昧”科普展览。据不完全统计，仅成都、德阳、绵阳、攀枝花、乐山、广元、眉山等市观众就达13.6万多人。以这一科普展览在全省各地巡回展出为契机，广泛开展学习科学知识，树立科学思想，弘扬科学精神，掌握科学方法的活动。下发了农民科普知识读本，开展了“科普月”活动，数以万计的科技工作者、青年学生下乡进村，宣传科技知识，使上千万人受到直接教育。在广大群众中逐步树立了提倡科学，破除封建迷信；提倡文明，克服愚昧落后；提倡节俭，反对铺张浪费的社会主义新风尚。

大力开展创建文明行业活动。加强了对金融、电力、邮政、电信、气象等行业创建活动的联系和指导，并对省国税局系统文明行业创建工作进行了考核验收。省委、省政府对其命名表彰。省文明委发文号召各行业学习省国税局的创建经验。省文明办组织省级主要新闻单位对该局系统先进经验进行了宣传报道。

大力开展创建文明社区活动。一是按照省委、省政府要求，继续开展第七届“三优一学”创建文明城市竞赛活动，下发了《实施细则》，全省30个城市全部启动，创建文明县城先进城区活动也在各地蓬勃开展。二是组织开展了群众性的“讲文明树新风，共建文明社区”主题活动。省文明委下发了主题活动方案，召开了省级18个部门和成都市对口部门的协调会议，举行了省市1400多人参加的动员大会。在成都市各城区，医疗义诊、咨询服务、法律援助、文艺表演等群众性创建活动广泛开展，各区组织了专家学者、医护人员、青年志愿者、文艺表演队走上街头，深入社区，为广大市民群众热情服务，深受群众的欢迎。各市地州也按照省文明委统一部署，结合本地实际，制定了活动方案，开展了丰富多彩的活动。三是认真贯彻全国创建文明社区工作座谈会精神。省文明委于9月24日至25日在绵阳市召开了全省创建文明社区工作座谈会，讨论修改了省文明委《关于在城市开展创建文明社区工作的意见》，确定了创建文明社区工作要突出重点。

大力开展创建文明村镇活动。一是对峨眉山市、犍为县、南江县“农村文明学校”和“文明新村”建设情况进行了调研，形成了《坚持城乡联动，创建城乡精神文明建设新格局》、《改掉陈规陋习，建设文明新村》两篇调查报告。犍为县《兴办农村文明学校，努力提高农民素质》的经验，被中宣部、中央文明办确定为全国农村精神文明建设工作座谈会议材料。二是对创建文明县城镇工作进行实地考察，对金堂县、三台县、射洪县、南部县、犍为县、苍溪县、大竹县、长宁县、石棉县9个县城的创建工作进行了指导。三是进一步加强对农村“三户一村”创建工作的指导，下发了《关于加强和改进“三户一村”创评活动的意见》。四是认真贯彻落实全国农村精神文明建设工作座谈会精神，省委宣传部、文明办于9月22日至24日在射洪县召开了全省农村精神文明建设工作座谈会。交流了经验，研究部署了下一步工作。

三、加强文化精品生产

围绕庆祝建党80周年、西部大开发和第八届“五个一工程”认真抓好重点文艺作品的规划落实和重点图书出版。召开了全省文艺作品题材规划会，确定了100多个重点创作作品。为加大对重点文艺组织协调力度，建立了省直文艺单位创作信息交流会制度和省直文艺报刊台信息交流会制度；成立了全省“五个一工程”文艺作品咨询评议组，对重点文艺作品进行评估、论证、研讨。

四、加强阵地建设

省级有关部门和市（地、州）县三级抓紧文化设施项目建设的落实。全省“村村通工程”超额完成任务。全省1.3万多个广播电视盲村现在可收听、收看中央、四川两套电视和中央一套广播节目，比国家下达的目标任务多1500多个，超额13.6%，新增覆盖人口329.4万人，覆盖率增加3.8%。全省村村通配套资金达1.1亿多元，达到了群众受益、事业发展、拉动内需三个目的。“百县千乡宣传文化工程”资助建设的60多个宣传文化站验收、建设、新增项目都在加紧工作。认真贯彻落实中宣部、中央文明办、国家教育部《关于实施“西部开发助学工程”的通知》精神，对100名考上重点大学而家庭困难的学生给以资助，受到社会赞扬。向100个村赠送了《中国农村文库》图书，新建了一大批“万村书库”图书室，开展了“万村书库”工程第四次读书征文活动，受到广大农民的欢迎。

五、坚持开展“三下乡”活动

“川北文化列车”活动取得圆满成功，历经广元、绵阳等9个市县区，行程2000多公里，演出12场，观众达15万人，通过电视观看演出的观众达150万人。全省有4.7万多文化人员下乡，培训农村文化骨干13万多人，送图书289万册，建立村级文体活动室6500多个，专业和业余演、职员送戏下乡演出5500多场，观众600万人次。全省组织了14.5万多农业科技人员下乡，举办科技大集1.2万多场，办科技培训班5.3万多次，培训农民科技人员986万多人。2000多支医疗队下乡，送器械药品价值417万元，建医疗卫生室1.1万多个，办医务人员培训班2000多次，培训医务人员7万多人，为319万农民治病。由于“三下乡”活动紧扣农村脱贫致富奔小康这个主题，体现为农民服务的宗旨，把文化活动、科技、卫生知识和成果送到农村，把党和政府的温暖带到农村，为提高农民素质，促进农村两个文明建设起到了积极的推动作用。

（四川省文明办）

贵　州　省

2000年，贵州省精神文明建设工作，按照唱响主旋律、打好主动仗，促进改革发展，维护社会稳定的方针，紧紧围绕西部大开发战略的实施和夺取两个攻坚战（扶贫攻坚、国企改革）决战胜利的部署，认真贯彻落实江泽民同志对宣传思想工作和精神文明建设的重要批示和中央17号、省委26号文件精神，以提高公民素质和城乡文明水平为目标，抓基层、抓重点、抓载体、抓阵地、抓实事，继续保持积极、健康的良好态势。

一、思想道德教育重点突出，形式多样

组织开展青少年社会公德教育。省文明委把社会公德教育作为学生思想政治工作的切入点，与省直机关工委、省教委等8部门联合组织在全省开展青少年社会公德知识竞赛活动，共有230万青少年参加，取得良好社会效果。

广泛进行科普宣传。结合“3·18”科技宣传周活动，组织了整治街头算命测字、求卜问卦等封建迷信活动。省文明办与省科协等单位于5月底至7月初在各地州市联合举办《崇尚科学文明，反对迷信愚昧》大型科普巡回展，22万多人次观看展览。

进一步发挥爱国主义教育基地的示范作用。爱国主义教育基地与学校、共青团组织以及一些机关、企事业单位、群众团体加强联系，积极开展形式多样的爱国主义教育活动。省委、省政府批准命名了贵阳市阳明祠等6个第二批省级爱国主义教育基地。

二、群众性精神文明创建活动广泛深入，成效明显

继续开展“卫生与秩序”主题创建活动。下发了《关于继续开展“卫生与秩序”主题创建活动的通知》，着重围绕整治环境卫生、清理白色垃圾、治理水源和大气污染、整顿交通秩序四个方面的任务开展。全年共安排四次集中行动。第一次主要开展城市“畅通工程”，配合有关部门重点整治非法营运。第二次集中整治图书、音像市场，打击封建迷信、黄色出版物和盗版音像书刊，以共青团员为主，组织开展净化美化活动。第三次以城市畅通工程和创平安大道为重点，整治交通秩序。第四次以迎接新千年、新世纪为背景，巩固前三次集中行动成果，对各地开展活动的情况进行集中检查，评出2000年度“卫生与秩序”主题创建活动先进奖和进步奖。

以创“文明窗口”和规范化服务为基础，开展创建文明行业活动。4月7日，召开了创建文明行业座谈会，电力、气象、民航等行业介绍了经验，就评选表彰文明行业（系统）的有关工作作了安排。省文明委于11月中旬制定下发了《关于评选省文明行业（系统）的通知》，安排组织申报、评审等工作。

认真抓好百城万店无假货活动。省委宣传部、省文明办、省工商局、省技术监督局等部门联名下发了开展活动的意见，并进行了全省的检查。

积极开展创建文明社区活动。3月至4月，省文明办与省委政策研究室、贵阳市文明办等单位，组成联合调查组对遵义市和贵阳市的南明区龙洞堡、云岩区威清路、北京路等社区进行了专题调研。在南京召开的全国创建文明社区工作座谈会上，贵阳市北京路社区创建经验材料被选为会议书面交流材料。省文明办与省委政策研究室于11月28日至30日联合召开了全省创建文明社区工作座谈会，交流了创建文明社区工作经验，并对今后创建工作进行探索和研究。

以建“旅游大省”为目标，开展创建文明风景旅游区活动。为实现省委、省政府提出的“建设自然风光与民族文化相结合”的旅游大省的目标，加快全省旅游事业的发展，省文明办、省建设厅、省旅游局等部门联合召开了全省创建文明风景旅游区活动工作会议，交流了黄果树、织金洞风景名胜区等开展创建活动的经验。

三、加强文化阵地建设，积极为基层办实事

加强农村精神文明活动中心建设。完成了24个文明中心定点工作和资金划拨工作。同时，认真实施中央文明办“百县千乡宣传文化工程”，安排了20个中央文明办资助点的定点和申报工作。在6月份中央文明办召开的西部地区“百县千乡宣传文化工程”经验交流会议上，介绍了贵州省农村精神文明活动中心建设的经验。

认真组织实施中央文明委“西部开发助学工程”。2000年贵州省受资助100名。通过精心组织、周密部署，经层层把关、社会监督，认真审查确定了受资助贫困生名单。及时举行了助学金首发仪式，向受资助学生代表颁发助学金。并与工商银行紧密合作，采取办牡丹卡或通存通兑的方式，按月向学生发放助学金。

抓好“三个一”工程的落实。按照9月25日中宣部、中央文明办电话会议精神，省文明办制定实施办法，尽快将一套电影放映设备、一套光碟、一套“万村书库”图书发放到每个贫困县。

为地县宣传部、文明办办实事。根据省级文化事业建设费使用管理办法，省文明委决定从省级文化事业建设费中拨出经费，为地县宣传部、文明办配置复印机等设备，解决地县办公设备需要。

四、树立典型，强化管理，充分发挥典型的示范带动作用

规范文明单位的管理。为了加强对各级文明单位的管理，确保各类典型健康向前发展，充分发挥其示范带头作用，下发了《贵州省文明单位管理暂行办法》，实行动态管理。邀请省政协委员对文明单位、爱国主义教育基地、文明风景旅游区示范点等先进典型进行视察，共检查文明单位110多个。

部署“个十百典型工程”。即每个县文明办抓1个文明村镇、10个星级文明户；每个地级文明办抓1个文明县城、10个文明村镇、100个星级文明户；省文明办抓1个文明城市即贵阳市。

（贵州省文明办）

云　南　省

2000年，云南省精神文明建设工作高举邓小平理论伟大旗帜，按照江泽民总书记关于加强精神文明建设的批示精神，围绕改革发展的中心工作，抓住机遇、开拓创新，唱响主旋律，打好主动仗，为经济发展和社会全面进步起着积极的促进作用。

一、坚持把理论武装工作放在精神文明建设的首位

继续以省委理论学习中心组为龙头，通过层层召开座谈会、研讨会、报告会等多种形式，在全省广泛开展学习江泽民总书记“三个代表”重要思想的学习活动。以“三个代表”重要思想为指导，在全省深入开展了新一轮解放思想、更新观念大讨论；组织了“文化哲学与民族文化建设”理论研讨会和纪念艾思奇同志诞辰90周年暨《大众哲学》再版座谈会。表彰了第七届全国社会主义精神文明建设“五个一工程·好文章”、第一届云南“文化精品工程”优秀理论文章，推动了用邓小平理论武装全党、教育广大干部群众工作的不断深入。

二、全面加强思想道德教育

结合云南实际及时制定下发了云发［2000］9号文件，召开宣传思想政治工作会议，对全省的思想政治工作进行了全面的安排部署。以思想道德教育为核心，精心组织“世博精神”演讲报告活动和“西部大开发知识竞赛”。开展以“回顾百年沧桑，展望美好未来”为主题的第四届“红土地之歌”演讲大赛。结合纪念中国人民志愿军出国作战50周年、弘扬中华奥运健儿拼搏精神等，不失时机地开展多种形式的群众性思想教育和形势教育活动，把自强不息、振兴中华、迎接新世纪的爱国主义教育活动不断引向深入。围绕深入揭批“法轮功”的斗争，在全省城乡举办“崇尚科学文明，反对迷信愚昧”大型图片巡回展览和多种形式的科普讲座、科普影视展播。广泛开展“让科学走近生活，让公众理解科学”大型系列科普宣传教育活动，推动全社会逐步形成崇尚科学文明的良好氛围。

三、深入推进群众性精神文明创建活动

以社区为重点协调共青团、妇联、建设、民政等十部门，组织开展了以“倡导文明新风，共建美好家园”为主题的文明城市创建活动。及时贯彻全国文明社区座谈会精神，制订了《云南文明社区创建管理办法》。以抓《云南省文明行业管理办法》的组织实施为基础，隆重召开电视电话表彰会，命名表彰了云南省电力公司，推动全省文明行业创建活动的广泛开展。通过积极努力，昆明世博园继石林风景区之后，再次名列全国文明风景旅游区示范点榜首。深入贯彻保山会议精神，全面开展“十星级文明户”创建活动，广泛形成你追我赶的生动局面。积极探索把文明村的考评命名从文明单位的建设管理中分列出来，创建命名表彰了云南省首批省级“文明村”，进一步丰富完善了农村精神文明建设的载体。与“平安大道”建设相结合，圆满完成了昆明至丽江段文明公路运输线的检查验收和命名表彰工作。与“国际大通道”建设相结合，投入大量人力、物力，重点抓了昆河线文明公路运输线和南昆线文明铁道运输线建设，取得阶段性成果。以昆明铁路局61/62次京昆车队为试点，启动了创建“文明品牌”活动，收到了显著效果。

四、深入推进民族文化大省建设

经过两年的调研，省委制定下发了《云南省建设民族文化大省纲要》。充分利用各类文化场馆、广场、公园等场所，组织开展健康有益、丰富多彩的文体活动。深入组织实施“百县千乡宣传文化工程”，全省投入建设的50个宣传文化站已竣工36个。精心组织实施“西部开发助学工程”，通过层层推荐，严格把关，及时选定了首批100名品学兼优的受资助贫困大学生，严格按资金发放规定把资助款足额发放到学生手中。深入开展“三下乡”和建“万村书库”活动。全省各级各部门送戏、送电影下乡5.8万多场，送图书音像制品120多万册（盘），送科技资料800多万份，下乡医疗队2800支，为农村病人治疗30多万人次，培训文化、科技、卫生骨干221万多人次。据统计，全省已购中国农村文库图书1.4万多册，建“万村书库”1.1万多个，使全省农村贫困地区的宣传文化工作条件得到显著改善。

五、全面组织开展同“法轮功”邪教组织的斗争

多次及时果断查处“法轮功”练习者上京闹事的阴谋，积极稳妥地注销了“中功”等一批有害气功组织。严厉打击了“法轮功”邪教组织的非法活动和处理了多起非法宗教活动。同时把教育转化作为工作重点，组织专家、同事、朋友、家属成立帮教小组，根据不同情况，对症下药，进行了全方位的教育转化工作。通过艰苦努力处理“法轮功”问题取得了“三少一多”（到京闹事的人少、省内闹事的人少、公开练功的人少，教育转化的人多）的可喜现象，绝大多数“法轮功”练习者已经转化。

（云南省文明办）

西　藏　自　治　区

2000年，西藏的精神文明建设工作，围绕经济建设中心，牢牢抓住“治乱治愚”这一主要任务，把精神领域作为与达赖集团斗争的主战场，坚持破立结合，各项工作扎实推进。反对分裂、维护祖国统一和社会稳定宣传深入人心，马克思主义祖国观、民族观、宗教观、文化观和崇尚科学文明、消除迷信愚昧教育广泛开展，以创建文明城市、文明村镇、文明行业为主要内容的群众性精神文明创建活动不断深入，城乡建设和人民群众的精神面貌明显改观，营造了昂扬向上、团结奋进的良好氛围，对西藏的社会稳定和经济发展起到了积极作用。

一、制度进一步健全，力度进一步加强

各级领导干部认真学习江泽民总书记对宣传思想工作和精神文明建设的重要批示，进一步增强对精神文明建设重要意义的认识。各级文明委采取措施，健全和完善制度，保证精神文明建设各项任务的落实。一是建立了各级文明委的会议制度。每半年召开一次会议，听取工作汇报，研究存在的问题，部署工作任务。各地市文明委定期向自治区文明委汇报工作。二是明确文明办的职责，各级文明办承担起组织、协调、检查、指导的责任，深入实际，调查研究，制定工作规划，部署年度工作，对创建活动进行安排，年终进行检查、评比、验收。三是建立责任制。各级党委、政府将精神文明建设列入议事日程，将各项任务列入年度工作计划，两个文明建设一起部署，一起落实，一起检查，年终进行验收，作为考核领导干部工作实绩的一项重要内容。四是建立党委统一领导、党政共同负责、党政群团齐抓共管、以文明办专职人员为骨干、专兼职人员相结合的领导机制和工作机制，精神文明建设合力进一步形成。五是建立了经费保障机制，各级文明办的工作经费按照“分灶吃饭”、“一级财权、一级事权”的原则，由同级财政予以保证。精神文明建设的一些重大活动资金，采取专项报批的办法由财政核拨。六是建立创建活动的运行机制。昌都、林芝、山南地区和拉萨市制定了《创建活动量化考核表》，将目标、任务细化量化，奖罚措施具体化。由文明办与各创建单位签订责任书，年终考核，兑现奖惩。

二、针对精神领域突出问题，广泛开展马克思主义“四观”、“两论”教育

各级精神文明建设部门，坚持从西藏实际出发，把马克思主义祖国观、民族观、宗教观、文化观和唯物论、无神论教育作为精神文明建设的重要任务，常抓不懈。区党委宣传部及时组织编写了《马克思主义祖国观、民族观、宗教观、文化观教育读本》和《唯物论无神论教育读本》，以藏汉两种文字下发到基层，作为“四观”、“两论”教育的基本教材。形成了“四观”、“两论”宣传教育的强大舆论声势。西藏日报、西藏人民广播电台、西藏电视台等自治区主要新闻媒体，开辟了专栏，采用问答、访谈等多种形式，普及科学知识和唯物论无神论思想。举办“崇尚科学文明，反对迷信愚昧”展览。自治区文明办、区科技厅、区科协和自治区图书馆先后在拉萨、林芝、山南和日喀则四地、市联合举办巡回展，行程1800多公里，观众超过5万人。举办这种展览，是西藏和平解放以来的第一次，产生了广泛的社会影响。广大干部群众通过展览，受到了一次生动的马克思主义唯物论、无神论教育，进一步认清了“法轮功”邪教组织反科学、反人类、反社会、反政府的邪恶本质，激发了信科学、学科学、用科学的积极性。继续深入开展“崇尚科学文明，消除迷信愚昧”群众性自我教育活动。自治区党委转发了堆龙德庆县开展这一教育活动的经验。配合“四观”教育，组织力量集中进行反分裂斗争宣传教育，先后在西藏日报发表了《达赖与麻原彰晃》、《达赖不是西藏人民的代言人》、《达赖是阻挠藏传佛教建立正常秩序的最大障碍》等系列评论员文章，在区内外、国内外产生了广泛影响，坚定了广大群众反对分裂、维护祖国统一的信心和决心。为了把“四观”、“两论”教育引向深入，结合西藏思想政治工作和精神文明建设面临的深层次的理论和实践问题，在党员干部中对4个问题进行了学习讨论。这四个问题是：关于清除旧西藏封建农奴制度的残余与坚持社会主义道路的问题；关于揭批达赖、反对分裂和维护祖国统一的问题；关于倡导科学精神的问题；关于正确认识传统与现代化的问题。经过学习讨论，消除了错误认识，分清了是非，为反分裂斗争和精神文明建设扫除了思想障碍。

三、紧密配合“治乱治愚”，深入开展创建活动

在创建工作中，把揭批达赖，反对分裂，维护祖国统一，破除陈规陋习等“治乱治愚”的任务融入各项创建活动之中，赋予创建活动丰富的思想内涵。各地市在制定创建活动验收标准中，都把“治乱治愚”作为重要内容，逐项落实。

创建文明城市活动突出三个重点。一是突出以反对分裂、维护祖国统一为主要内容的爱国主义教育。各地发挥党员的模范带动作用，依靠街道办事处、居委会、公安派出所等基层组织，采取上党课，发学习材料，举办积极分子培训班，开市民夜校等形式，使爱国主义教育进入千家万户，促进了居民群众思想道德素质的提高。二是治理脏乱差，为居民提供良好的生活环境。各城市加强城市规划，拆除违章建筑，改造老城区，疏通下水道，清理卫生死角，主要街道全部安装路灯，在空地铺草坪，动员群众养花种草，美化庭院，城市面貌焕然一新。三是加强社会治安综合治理，为居民创造安全的生活环境。拉萨市的公安派出所、街道办事处、居委会、机关企事业单位联合起来，成立治安联防队，在辖区内实行24小时值班巡逻，有效地防止了治安刑事案件的发生。加强对外来人员管理，居委会与辖区内外来人员、个体工商户签订治安责任书，落实到人。对外来人员管理做到来历清、住址清、做事清，堵塞了管理上的漏洞。

创建文明村镇工作扎实推进。各地由文明办牵头，将年度创建任务层层分解，落实到村镇。狠抓创建文明户活动，洛扎县规定文明户超过半数才能评文明村镇；浪卡子、曲松等县大力实施“科技明白人工程”，规定家家要有一个科技能手，不留空白；当雄县以评选十星级文明户为起点，推动创建活动的开展；昌都地区以治理环境脏乱差为突破口，通过“改水、改厕、改灶”、农家肥归田和移风易俗，培养群众的文明意识；曲水县以乡村文化馆、站、室为载体，开展科技、文艺、扫盲等活动，丰富群众的文化生活。各具特色的创建文明村镇活动，使群众“获得了精神解放”。

创建文明行业活动向规范化发展。商业、邮电、电力、旅游、交通、银行、工商、公安、税务、气象等服务部门和其他服务窗口行业，都制定了优质规范服务标准，对服务言行、服务内容、服务质量、服务秩序、服务监督等作出详细规定，并将执行结果直接与个人切身利益挂钩，变软约束为硬约束，使优质规范服务和创建文明行业活动转入规范化的轨道。自治区国税局在全系统推行服务承诺制。人民银行西藏分行在全系统推行“行员文明规范服务标准”和“优质规范服务实施细则”。自治区邮政局开展“树邮政形象，创优质服务”竞赛活动。自治区公安厅在公安系统开展“坚持以民为本，深入争创满意”活动。通过以上各种创建活动，服务行业和窗口单位的形象改变了，服务质量提高了，受到人民群众的广泛称赞。在创建活动中，各行业、单位开展了形式多样的教育活动，把职业理想、职业道德、职业纪律、职业技能与纠正行业不正之风教育有机结合起来，培养职工的责任感和使命感，将纸上的岗位规范服务标准变为职工的行为准则，形成了人人创优争先的良好局面。自治区、各地市的行风评议领导小组，都聘请了行风评议员。按照群众要求将优质规范服务的标准、内容向社会公开，年终进行评议，对合格的授牌表彰，不合格的责令整改。通过新闻媒体，及时报道行风评议结果。对群众意见大的服务单位和窗口，不得评为精神文明建设先进单位。

“三下乡”活动成效显著。1月初，自治区文明办下发了《关于进一步做好文化科技卫生“三下乡”工作的通知》。从地、市到自治区文化、科技、卫生、农牧等部门，树立为农牧区服务的思想，采取措施，把文化、科技、卫生等方面的服务送到基层群众手中。开展“燎原科普之冬”活动。区农牧学院、区农牧学校、农村教育综合改革21个试点县学校、110所劳动技术课示范学校的师生参加了这项活动。据不完全统计，在“三下乡”活动中，全区各级文艺团体为农牧民群众送戏644场，观众达40多万人次。建广播电视差转台121座。放映电影35万多场，观众达2501多万人次。赠送农牧科技资料、图书和刊物10.7万册。办科技培训班75期，培训农牧技术人员10.64万人。赠送科技录像带2万余盘，播放农村科教录像片636场。建科普示范工程16处，举办科技大集6场。新建乡镇合作医疗所35个，赠送药品价值5万多元，培训医务人员2000多人次，为农牧民诊治疾病7万余人次。慰问灾区群众25万余人次，资金达2500多万元。这些活动，解决了群众的许多“急、难、愁”问题，普及了科学知识，密切了党同人民群众的血肉联系。

四、加强对示范点的检查指导，充分发挥带动辐射作用

各地市加强对示范点进行检查指导，帮助各

示范点总结经验，找出存在的问题，提出改进的措施，重点检查1999年受中央文明委表彰的20个创建工作先进单位和104个国家和自治区级示范点。针对制度不健全、责任不具体、活动内容单一等突出问题，各级文明办给予具体指导。各示范点都普遍建立了规章制度，明确了责任人，确定了比较具体全面的创建活动的目标和任务，示范点建设进一步走向规范化，创建成果不断巩固。

（西藏自治区文明办）

陕　西　省

2000年，陕西省精神文明建设工作，紧贴“西部大开发、陕西大发展”这一工作大局，唱响主旋律，打好主动仗，大力加强思想道德教育，扎实开展群众性精神文明创建活动，积极推进文化建设，巩固和发展积极健康向上的工作态势，为促进全省改革、发展和稳定做出了新贡献。

一、围绕工作大局，开展系列宣传教育活动，思想道德建设进一步加强

开展“三个代表”、“三讲”和警示教育，不断提高党员干部的思想政治素质。各级抓住今年思想教育载体多的特点，紧密联系干部思想、工作实际，采取抓好中心学习组，举办培训班、专题辅导、研讨会、座谈会等形式，组织党员干部认真学习理论，兴起理论学习热潮，突出地表现为五多：学习时间多、举办培训班多、记读书笔记多、写心得体会多、学习成果多，使干部的整体素质有了较大的提高。

广泛开展“西部大开发、陕西大发展”宣传教育，激发干部群众加快发展陕西的热情。各地各行业按照省文明委的部署，围绕“西部大开发、陕西大发展”这一中心工作，广泛深入地开展宣传教育活动。组织干部群众认真学习江泽民总书记有关西部大开发的重要讲话及中央决策，充分利用各种宣传媒体广泛宣传“西部大开发、陕西大发展”的战略部署、方针政策和具体措施，举办专栏、研讨班、报告会等多种形式深化宣传。举行“西部大开发、陕西大发展”知识竞赛。

深入开展以“三德”为主要内容的道德教育，进一步提高全民道德水平。紧密结合西部大开发，把提高全民道德水准、形成良好道德风尚作为重要环节来抓，努力营造良好发展环境。各地各行业充分利用市民学校、职工夜校、农民夜校、党员活动室等阵地，加强对市民、职工、农民进行道德教育。

普遍开展唯物论、无神论教育，在全社会形成“崇尚科学文明、反对迷信愚昧”的风气。省文明办与省科协等单位联合举办“崇尚科学文明、反对迷信愚昧”大型展览，先后在西安等地市巡回展出，使广大群众受到一次生动的唯物主义教育。各地结合实际组织开展“科技之春”宣传活动，在元旦、春节期间开展移风易俗、破除陈规陋习教育，增强了广大群众的科技意识和抵制封建迷信活动的能力。

面向基层，狠抓落实，进一步加强和改进思想政治工作。一是省委宣传部及地市、行业组织力量对贯彻落实中央17号文件和省委《实施意见》情况进行了全面的调查研究，形成一批有价值的调查报告，受到省委和各级党委的重视和肯定。二是筹备召开全省思想政治工作会议，传达中央思想政治工作会议精神，分析形势，研究问题，明确任务，加强工作。三是突出重点，狠抓落实，把思想政治工作的着眼点放在基层。四是加强群众性精神文明创建活动中的思想教育含量，努力做到“三结合”：把各项活动与教育密切结合；把解决思想问题与解决实际问题相结合；把引导与管理相结合。五是树立一批典型。重点推出了耀县孙塬村、西飞集团、西安市西一路街道办事处、西安交大等一批基层思想政治工作重大典型，把全省加强和改进思想政治工作的宣传引向深入，推向高潮。

二、倡导文明新风，共建美好家园，“讲文明树新风”活动蓬勃开展

“讲文明树新风”重点抓了“倡导文明新风，共建美好家园”活动。各地各行业把开展这项活动作为为西部大开发、陕西大发展营造良好投资环境的重要载体，组织开展了一系列活动：发动群众植树造林；下功夫治理脏、乱、差；治理公路、铁路沿线的白色污染；美化、净化景区景点；加大市政基础设施投入等，使城乡面貌有了明显改善。深入广泛地组织开展“三下乡”活动。6月份在延安举办了“健康之路——延安行”卫生下乡活动；8月份“心连心”艺术团在杨凌示范区慰问演出；11月由科技部、农业部、中央电视台和陕西省政府在丹凤县共同举办“2000年科技下乡”活动。

三、目标明确，重点突出，“五大创建”活动扎实推进

全省精神文明“五大创建”紧紧围绕实施西部大开发战略，以营造良好的社会环境为重点，采取得力措施，扎实稳步地推进。

创建文明机关以学习江泽民总书记“三个代表”重要思想为指导，与“三讲”教育、“三讲”回头看和警示教育密切结合，继续在各级党政机关开展争创文明处室、文明机关和争当优秀公仆活动，集中解决三个方面的问题：即，进一步解放思想，转变观念，当好西部大开发的排头兵；进一步强化公仆意识，牢固树立全心全意为人民服务思想，争做勤政廉政的带头人；进一步转变工作作风，提高办事效率，塑造奋进、高效、务实的机关新形象。

创建文明城市活动以创建文明社区为基础。各地市制订创建“规划”，明确创建目标，强化典型示范，积极推进创建活动的开展。省文明办召开全省创建文明社区座谈会，专题讨论研究，及时推广经验，迅速推动了工作，提高了创建文明城市的水平。

创建文明行业继续以开展“创佳评差”竞赛活动为载体，紧紧围绕实施西部大开发、加快陕西大发展，组织开展各种活动，不断提高服务质量。一是进一步强化优质规范服务。各行业在总结经验的基础上，推出一些提高服务质量的新举措。省卫生厅推出医药费公开和查询、住院病人费用“一日清单”等制度。省电信公司制定电信业服务标准实施细则、“重大服务质量问题处理办法”，在全行业推行“首问制”，提高了规范化服务水平。省邮政局制定《营业员、投递员规范化服务标准》，在全行业开展“百名服务标兵竞赛”活动。国税系统在基层单位开展规范化达标竞赛活动，有力地促进了基层规范化建设。省旅游局进一步规范旅游营运、导游、景点服务和饭店管理，整顿旅游市场，使“十一”假日旅游有条不紊。二是进一步解决热点难点问题，为人民群众办好事、实事。各行业进一步加大对服务质量的监督、检查力度，使一些突出问题得到解决。三是各行业纷纷制定政策措施，强化监督，不断纠正行业不正之风，努力塑造行业良好形象。

农村精神文明建设紧密围绕“山川秀美工程”，继续广泛开展评选“十星级文明户”和文明村镇活动，推动了农村两个文明建设的协调发展。

文明校园创建活动紧紧围绕为西部大开发培育大批合格、优秀人才展开。各类学校进一步加强和改进学校思想政治工作，努力提高师生的思想道德素养，深化“文明班级”、“文明宿舍”、“文明校园”创建活动，整治校园周边环境，不断优化育人环境，提高教学质量，取得新的成效。

四、加强文化建设，努力满足人民群众日益增长的精神文化需求

狠抓创作，实施精品带动战略。通过召开座谈会、改稿会等形式，规划和部署精品生产，集中力量抓重点、重点抓，推出一批精品，对文艺创作发挥了重要的导向和带动作用。

举办大型艺术活动，繁荣文艺舞台。举办了首届中国秦腔艺术节，上演了20多台优秀节目。配合杨凌农博会组织了6套大型文艺演出。协助中央电视台心连心艺术团在杨凌成功举办了大型演出。陕西电视台与中央电视台在西安交大联合举办了第207期“综艺大观”。

组织丰富多彩的群众文体活动，活跃群众文化生活。各地市、行业普遍组织了群众性的社火大赛，文艺演出、卡拉OK比赛、书画展广场文化、纳凉晚会、音乐会、群众性歌咏比赛和各种体育活动，既活跃了群众生活，又使群众在参与中陶冶了情操，受到教育。

加强管理，不断净化文化市场。对音像市场、电子游戏厅、歌舞娱乐场所进行了全面整顿，取缔非法经营户，销毁非法光碟，关闭违法违规经营的电子游戏经营场所，使娱乐服务场所秩序混乱、社会丑恶现象泛滥、硬件设施不符合要求和电子游戏经营场所违法违规活动猖獗的状况得到基本遏制，秩序明显好转。

文化扶贫工程进展顺利。抓住中央文明委大力扶助、支持西部文化事业的契机，省争取到3000余万元资金，用于文化扶贫工程建设。一是扶持贫困县“百县千乡宣传文化工程”建设进展顺利。乡镇宣传文化站已安排50个，其中资金到位的30个，接近全部建成；抓紧实施资助10个贫困县宣传文化中心工作，制定并下发了相关的政策措施，正在进行摸底、申报。二是西部开发助学工程顺利启动。省各级领导高度重视，广泛宣传动员，精心部署实施，坚持公开、公正、公平的原则，确定了首批100名受助学生名单，并及时将助学金发到学生手中，受到广大师生和社会各界的好评。

五、深入调研，加强指导，对精神文明建设的指导力度进一步加大

精心部署，狠抓落实。年初，在全省宣传部长暨精神文明建设工作会议上，总结工作，表彰先进，部署工作，签订了年度目标任务书。各地市、行业陆续召开文明委会议和工作会议，层层签订任务书，使各项工作任务明确，责任落实。年中，省文明办召开各地市文明办主任和行业“创佳评差”竞赛汇报会，交流情况，指导工作。年终组织全省精神文明建设年度检查、考核和行业“创佳评差”联评会议，进一步促进了工作，提高了工作水平。

深入调研，加强指导。开展社区建设和社区思想政治工作调研，形成调查报告，作为全省思想政治工作调研报告的附件上报省委常委会和中宣部。与省社科院组成联合课题组，就“西部大开发中的精神文明建设”进行专题研讨。经反复研究、修改，写成《论西部大开发中的精神文明建设》一文，在陕西日报发表。

完善制度，强化管理。各地市普遍完善和修订了文明单位管理办法，并对辖区内的各级文明单位进行考核、检查，凡工作下降者提出警示或取消文明单位称号，进一步加强了管理。各行业、地市为提高工作水平，举办各类培训班，学习相关理论和业务，培训工作骨干。

树立典型，示范带动。各地各行业注重典型示范，推出一批精神文明建设先进集体、示范点和先进个人。在全省思想政治工作会上，树立并表彰了250余名先进个人。通过新闻媒体宣传，交流经验，促进工作。

（陕西省文明办）

甘　肃　省

2000年，甘肃省的精神文明建设工作围绕西部大开发、甘肃大发展，唱响主旋律，打好主动仗，努力提高工作水平，为全省人民办了许多实事和好事，受到全社会的称赞，对凝聚人心、稳定社会，推动两个文明建设协调发展起到了促进作用。

一、高举旗帜，思想道德教育取得新的成效

全省各地把加强思想道德建设的要求贯穿于精神文明建设各项工作，区分层次、突出重点、注重实效。一是以学习江泽民总书记“三个代表”重要思想和贯彻落实中央17号文件精神为重点，深入进行党的基本理论、基本路线、基本纲领教育和形势政策教育，引导群众进一步坚定对马克思主义的信仰，对社会主义的信念，对改革开放和现代化建设的信心，对党和政府的信任。坚持不懈地开展了爱国主义、集体主义、社会主义教育，引导群众爱祖国、爱甘肃、爱岗位，树立正确的世界观、人生观、价值观。结合西部大开发战略的大学习、大讨论，通过各类精神文明创建活动，把教育内容寓于生动的活动形式之中，增强了教育的吸引力、感染力、说服力，增强了广大干部群众的责任感、使命感和紧迫感。二是坚持不懈地开展社会公德、职业道德、家庭美德以及青少年的养成教育。各地各部门修订完善了《市民公约》、《村规民约》、《服务规范》、《岗位守则》等，广泛开展了多种形式的道德实践活动，引导广大公民从我做起，从一言一行做起，从身边事做起，促进了良好社会道德风尚的形成。三是坚持不懈地开展马克思主义唯物论和无神论教育，举办了“崇尚科学文明，反对迷信愚昧”大型展览活动。5月底在兰州市进行首场展出，历时25天，200多个单位、团体和市民约15万人参观了展览。随后到天水、庆阳、武威、张掖、嘉峪关、金昌等地（市）巡回展出，参展人数达50余万，扩大了展览的教育面。

二、围绕中心，三大创建活动向纵深发展

创建文明城市工作力度加大。各地认真贯彻落实全省城市精神文明建设金昌现场会议精神，在坚持以人为本，着力提高市民整体素质的同时，加大城市改造力度，夯实文明城市基础。兰州市结合举办敦煌百年·黄河风情旅游节和兰交会，实施了蓝天工程、绿化工程、整治工程、黄河风情建设四大工程。各地在全面推进创建文明城市各项工作的同时，重点抓了创建文明社区工作。在调查研究的基础上，出台了《关于在全省城市深入开展创建文明社区工作的意见》，推出了兰州市七里河区敦煌路街道金港城社区等30个社区为全省首批文明社区建设示范点，在整体推进文明城市建设中产生了很好影响。

创建文明村镇活动深入开展。各地认真贯彻全省农村精神文明建设工作会议精神，抓细胞、抓关键、抓联动，进一步提高了创建文明村镇活动的水平。张掖地区坚持开展“教育、科技、文化、卫生、体育”先进乡镇创建活动。陇南地区以“精神文明示范长廊”建设为龙头，狠抓长廊沿线5县、29乡（镇）、101个重点村的精神文明创建工作。武威地区在全区开展了“十百千”创建活动，即创建10个文明示范小区、100个文明示范村、1000个星级文明户。天水市组织开展了评定“十星级文明农户百强榜”活动。

创建文明行业活动向规范化方向发展。各窗口行业以为人民服务为宗旨，从建立领导机制、强化思想教育、规范办事程序、加强监督管理等方面入手，坚持从基层抓起，从窗口抓起，一个层面一个层面地拓展，收到良好效果。省司法系统开通的“148”法律服务专用电话，省交警系统开展的“畅通工程”、“平安大道”活动，省电力公司开展的“双达标”活动，省交通厅在汽车客运系统开展的评选优秀班组和服务标兵活动，省建行开展的争创“一流行处”活动，省国税局开展的向创建文明行业先进单位和优秀税务工作者学习的活动，省劳动厅开展的创建“三优”文明单位活动，省旅游局开展的评选考核行业全国青年文明号活动，省工商局、省个协开展的“光彩之星”评选活动，兰州铁路局开展的“全局站车服务十大明星”和“全局文明服务示范站车”活动，玉门石油管理局开展的“优秀服务年”、“三争三创四比”活动，有力地推动了本行业服务水平和文明程度的提高。

三、服务人民，“讲文明树新风”活动进一步深入

一年来，省文明委按照主题不变、充实内容、一抓到底、抓出成效的要求和巩固、提高、延伸、辐射的思路，紧紧围绕提高居民文明素质和社区文明程度这个目标，开展“倡导文明新风、共建美好家园”活动，围绕解决群众反映强烈的环境脏乱差的问题，在全省深入开展了“治理脏乱差、改善城镇环境面貌”活动。通过治理，取得了显著成效，大部分城镇面貌发生了明显变化，市民的城市意识和文明意识有了一定的提高。围绕丰富农民文化生活，改善农民卫生条件，推进城乡共建，深入开展了文化科技卫生“三下乡”活动，受到了广大农民群众的欢迎。酒泉地区开展了规模宏大的地、县、乡三级千人下乡进村入户集中教育活动，组织医疗大篷车下乡为边远乡村、牧区、部队开展服务。阿克塞、肃北等县在牧区为每家每户发放医药卫生保健箱，方便了牧户，深受牧民欢迎。围绕改善服务态度、提高服务质量，深入开展了“百城万店无假货”活动，示范点范围不断扩大，活动内容不断充实，效果比较明显。围绕群众反映强烈的娱乐服务场所和电子游戏经营等有关的突出问题，按照中央统一部署，联合行动，快速出击，对电子游戏等娱乐服务场所进行了百日综合整治，取得了阶段性成果。围绕充分调动社会各界参与公益广告活动的积极性，省文明办、省工商局在全省开展了2000年“树立新风尚，迈向新世纪”主题公益广告活动。团省委开展的“创建青年社区、陇原青年志愿者服务周”活动，省妇联开展的“美在家庭”及“148妇女维权周活动”，省计委开展的“婚育新风进万家”活动，省文化厅开展的先进文化社区、家庭读书以及“家庭优秀户”活动，涉及面广，声势大，效果好。

四、多办实事，三大工程健康运行

“创建河西精神文明模范走廊”工程开局良好。河西各地（市）、县都制定了“创建河西精神文明模范走廊”实施意见，明确了“四城”、“四线”、“四村”创建任务，开展了试点工作，积累了一定的经验。

“百县乡镇宣传文化工程”进展顺利。在中央的支持下，全省已建成30个标准宣传文化站。2000年中央又给甘肃省20个指标。在总结前两年经验的基础上，改进了定点办法，采取地、县、乡逐级申报与省文明办分组实地考察相结合的办法，研究确定资助定点乡镇。为帮助西部贫困地区尽快改变县一级文化设施落后的状况，中央文明委决定在西部12个省选择100个无文化馆或有馆无舍的县，资助建设“宣传文化中心”，给甘肃省分配了10个资助指标。根据中央文明办的文件精神，省文明办下发通知，逐级申报，在充分尊重各地和文化部门意见的基础上，研究确定了古浪县等10个县为“百县宣传文化中心”资助县，已上报中央审批。

西部开发助学工程有效实施。按照中宣部、中央文明办、教育部关于实施“西部开发助学工程”的通知精神，省委宣传部、省文明办、省教育厅研究制定了《甘肃省“西部开发助学工程”资助经济困难学生管理办法》，明确了资助条件，确定了资助重点，严格了审批程序，在各地推荐的基础上，经过认真的核实筛选，确定了85名资助学生。名单在《甘肃日报》及有关新闻媒体公示，接受社会的全面监督。11月22日，省委宣传部、省文明办、省教育厅分别在兰州大学、西北师大举行资助仪式，将资助证书和资助金直接交给了学生本人，并与学校、受资助学生共同座谈，研究如何管好、用好资助金，完成学业，以实际行动报答党和政府的关怀。各地宣传部、文明办、教委（教育处）指定专人同受资助学生和所在高校建立了联系。

五、强化培训，队伍建设进一步加强

按照“政治强、业务精、作风正”的要求，狠抓精神文明的队伍建设。一是认真落实《甘肃省精神文明建设干部培训意见》，举办了第三期精神文明建设干部培训班。二是组织境外考察。省文明办牵头组织了由部分地（州、市）和有关部门文明办主任参加的境外考察团，先后到新加坡、马来西亚、泰国进行了为期20天的考察。使大家开阔了视野，增长了见识，启迪了思路，达到了预期目的。三是热情友好地接待福建省文明办学习考察团，达到相互交流、取长补短之目的。

六、抓好示范，典型的带动作用明显增强

2000年全省又推出了1个省级文明城市，4个省级精神文明先进县，66个省级文明单位，25个省级文明行业，9个支援地方建设先进单位，9个省级文明小区，8个省级文明街道，6个省级文明居委会，21个省级文明乡（镇），6个省级文明村，9条省级文明样板路，20名省级精神文明建设先进工作者。各地也加大典型培育宣传推广的力度。省推出了优秀领导干部李学领重大典型，在全社会引起强烈反响。中央文明办转发了8条甘肃省的经验，武威黄羊镇和酒泉总寨镇创建河西模范走廊先进典型在中央电视台播放。通过抓点示范，充分发挥其辐射带动作用，有效地推动了面上的工作。

（甘肃省文明办）

青　海　省

2000年，青海省精神文明建设工作按照中央思想政治工作会议精神和省文明委年初工作安排，围绕中心，服务大局，面向群众，注重实效，唱响主旋律，打好主动仗，巩固和发展了积极健康向上的工作态势，为促进城乡文明程度和公民素质的提高，为全省改革发展、维护社会稳定发挥了积极作用，为西部大开发和做好新世纪的精神文明建设工作奠定了良好基础。

一、理论武装工作成效显著

各地各部门始终把理论武装工作作为精神文明建设的首要任务来抓。结合邓小平理论的学习，全面准确地宣传“三个代表”的精神实质和深刻内涵，兴起了学习“三个代表”的热潮，推动了全省理论武装工作的深入发展。认真贯彻中央《关于加强和改进党委（党组）中心组学习的意见》和《关于领导干部理论学习考试考核的意见》，制定了《中共青海省委关于进一步加强县以上党委（党组）中心组理论学习的若干意见》，对州、地、市党委（党组）中心组理论学习情况进行全面检查和通报，使党委中心组学习制度得到进一步健全。召开了部分大中型企业党委中心组理论学习经验交流会、理论通气会和理论研讨会，举办了部分省直和事业单位理论教育情况座谈会，组织高校开展了邓小平理论进课堂评教活动和全省第五次哲学社会科学成果评奖活动，集中开展了“中央实施西部大开发战略，我们怎么办”的大学习、大讨论。邓小平理论和“三个代表”的重要思想以及西部大开发战略日益深入人心，广大干部群众学理论、用理论的自觉性大大提高，抓住机遇、加快发展的思想更加明确，有力地促进西部大开发、青海大发展的前进步伐。

二、思想教育得到进一步加强

一是各地各单位积极贯彻《中共中央关于加强和改进思想政治工作的若干意见》及省委的《实施意见》，把落实任务、制定措施、强化基层工作、解决突出问题和注重办实事作为一件大事来抓，推动了思想政治工作的加强与创新。二是爱国主义教育有声有色。结合宣传贯彻十五届五中全会精神、广泛开展回顾“九五”，展望“十五”、迎接新世纪、纪念中国人民志愿军出国作战50周年、弘扬中华奥运健儿拼搏精神等，增强了爱国主义、集体主义、社会主义意识，激发了广大群众的爱国热情，增强了民族自尊心和自豪感。三是深入开展马克思主义唯物论和无神论教育。结合与“法轮功”邪教组织的斗争，省文明办、省科协举办了《崇尚科学文明、反对迷信愚昧》大型图片展览，形象生动地宣传科学真理、揭露“法轮功”反动本质和歪理邪说，向各州、地、市、县发放了展板47套，有近20万人参观展览，增强了广大群众崇尚科学、尊重科学的精神。同时，各地还从实际出发，在干部群众中开展了形势政策教育、民主法制教育、民族宗教政策教育、反腐倡廉教育等，收到良好效果。

三、群众性精神文明创建活动蓬勃开展

以省第五次精神文明建设工作会议为标志，全省精神文明创建工作深入发展，整体推进，迈上一个新台阶。在创建文明城市（县城）活动中，围绕“倡导文明新风，共建美好家园”的主题，城镇“三优杯”竞赛活动成效显著，城镇的文明程度和居民整体素质明显提高，基础设施投入明显加大。创建文明社区工作开始启动。认真贯彻全国创建文明社区工作座谈会精神，组织西宁、格尔木、海东等地的文明办主任到江苏、浙江、上海等地学习考察。西宁、格尔木等市结合本地实际，加强领导，制定规划，协同民政、城建等部门，积极开展创建文明社区活动，推出了格尔木石化小区、西宁市滨河铁路小区、泰宁花园等文明社区的典型。

在创建文明村镇活动中，各地认真贯彻全国农村精神文明建设座谈会精神，在创评文明农户

的基础上，积极发展集体经济、改造乡村道路，制定村镇规划，丰富文化生活，使创建文明村镇工作呈现出稳步推进、持续发展的良好态势。海东地区为了加快川水地区文明村镇建设，聘请同济大学专家学者对全区的村镇建设作了实地考察，制定了15个村的建设规划。省文明委召开了全省农村文明村镇暨县乡宣传文化工程座谈会，推广了大通县黄家寨镇黄东村、海东地区建设社会主义文明新村和青海铝厂等单位与驻地村镇开展城乡共建的经验。小城镇建设步伐加快，为发展农村牧区经济、脱贫致富奔小康创造了条件。全省共评选出十星级文明户12万户，文明村镇500多个，建成各类小城镇70个，繁荣了地区经济，增加了农民收入，推动了农村两个文明建设向更高层次和水平发展。

在创建文明行业活动中，各窗口行业和行政执法部门进一步制定和完善了规范化服务标准，大力加强职业道德建设，内强素质，外树形象，职业道德、服务质量都有了明显提高。在检查调研的基础上，确定了29个职业道德示范单位。各地狠抓行风评议活动，成立了行风评议领导小组，设立行风投诉电话、投诉箱，聘请了行风监督员，主动接受社会监督，省文明办会同有关单位对10个窗口服务行业和行政执法部门开展的“建文明窗口、树行业新风、建文明行业”活动进行检查测评，促进了行风行貌的好转。

以军民共建千里青藏运输线、高原千里文明线为主线的其他各类创建活动，蓬勃开展。各类院校“创建文明校园”活动全面启动。省妇联开展的“金婚银婚相伴迈向21世纪”评选表彰活动受到社会各界好评。团省委组织的青年志愿者扶贫接力计划活动和青年文明社区创建活动受到欢迎。各地广泛开展青年文明号、希望工程、手拉手、五好文明家庭、春蕾计划、安全文明小区、“讲文明、送温暖、献爱心”等活动，范围不断拓展、群众参与积极性大大提高，精神文明创建活动的社会影响力进一步增强，受到了社会各界赞誉和各级党政领导的肯定。

四、文化事业建设取得积极进展

一是文化事业健康发展。召开了青海省五个一工程会议，确定了1999—2000年度重点规划选题24部（篇）。《北地降魔》在中国戏剧文学奖评比活动中荣获银奖。组织协调省直和西宁各剧团开展送戏下乡163场，观众达19万余人次。围绕新世纪到来和西部大开发，各地普遍开展形式多样内容丰富的群众文化活动，企业文化、校园文化、社区文化、广场文化活动进一步活跃，丰富了群众的文化生活。二是文化阵地建设不断加强。省博物馆、省广播电视中心主体工程已经竣工，柳湾彩陶博物馆建设进展顺利。广播电视“村村通”工程，已完成年度计划600个村，城镇和基层的文化基础设施条件得到逐步改善。三是进一步加强了对文化市场的管理。积极落实中央和省文化经济政策。按照中央部署，开展了加强娱乐服务场所管理，打击社会丑恶现象专项行动和电子游戏厅专项治理活动，查处1000多个摊点和店铺，收缴非法出版物2.6万余册、音像制品5400多盒，取消非法摊点54处，行政处罚违法违纪案件24件，净化了文化市场，促进了文化市场的健康发展。

中央文明委资助的20个乡镇宣传文化站已经竣工，陆续投入使用。第三批的6个乡镇宣传文化站的定点工作已经完成。向14个国定贫困县赠送的一套新中国影视系列光盘，一套万村书库的图书，已转送到各贫困县。特别是“西部开发助学工程”进展顺利。按照中央宣传部、中央文明办、教育部《关于实施“西部开发助学工程”的通知》精神，制定了《“西部开发助学工程”实施办法》，对资助条件作了具体规定。严格按程序和条件规定确定了50名资助学生，并将资助款及时发放到受资助学生手里，在全省广大干部群众和青年学生中反响强烈，受到热烈欢迎。这些工程的实施，对贫困地区宣传文化阵地建设起到了示范推动作用。

五、典型宣传的力度加大

在集中宣传玛沁县东倾沟乡“高原民兵模范连”、贵南县“高原民兵模范应急连”等先进典型的同时，省委、省政府和省文明委命名表彰了15个文明单位标兵，97个文明单位，5个创建文明行业工作先进行业和一批创建文明城市（县城）、文明村镇、文明行业工作先进单位，50名精神文明建设先进工作者。

六、工作机制得到进一步完善

配合“十五”规划的制定，省文明委制订了

《青海省精神文明建设2001—2005年目标责任书》，把“十五”期间的精神文明建设各项任务，以目标责任的形式落实到基层。严格考核标准，制定了《青海省精神文明建设目标责任书考核内容及评分细则》、《青海省城镇“三优杯”竞赛考核细则》。组织省人大代表、省政协委员对全省的精神文明建设工作进行了视察。在全省电力、交通、卫生、财税、公安、金融、邮政、电信、工商、商贸等十大行业，进行了行风评议。对全省各地2000年度精神文明建设《目标责任书》完成落实情况进行了检查。各地进一步健全了文明城市（县城）、文明村镇、文明行业创建标准和管理办法，建立健全了目标责任制、分工负责制、协调管理制、检查考核制和监督奖惩制，为精神文明建设各项工作的顺利开展提供了制度上的保证。

（青海省文明办）

宁夏回族自治区

2000年，按照中央和自治区党委的总体工作部署，宁夏的精神文明建设工作紧紧围绕党的十五大确定的主题和西部大开发战略，结合宁夏实际，坚持以思想政治工作为主线，以创建活动为载体，唱响主旋律，打好主动仗，使精神文明建设工作保持了积极向上、健康发展的良好态势，呈现出整体推进、不断深入的局面，为全区的经济建设和社会进步营造了良好的氛围，注入了强劲的活力。

一、突出重中之重，加强思想政治工作

认真贯彻落实江泽民总书记对宣传思想工作和精神文明建设的重要批示和中央17号文件精神，把加强思想政治工作，努力培养“四有”新人作为精神文明建设的重中之重。以“三个代表”重要思想为指导，深入进行了党的基本理论、基本路线、基本纲领以及唯物论、无神论教育。组成调查组，深入农村、企业、社区、院校，对思想政治工作情况进行全面调查，制定了加强和改进农村、企业、社区、高校思想政治工作的4个文件。围绕理想信念教育，组织理论下基层宣讲377场，举办了6场国内外形势报告会。加强邓小平理论的学习宣传，区党委宣传部在全区组织开展了邓小平理论学习征文活动，率先在全区宣传文化系统建立干部理论学习档案。各地在具体工作中，坚持把思想政治工作同经济建设、西部大开发、基层组织建设以及群众普遍关心的实际问题相结合，促进了思想工作在新形势下的新发展。

二、主动服务经济，着力营造西部大开发的氛围

为配合西部大开发战略的实施，宁夏在精神文明建设中，精心策划，积极协调，把西部大开发贯穿整个工作的始终，举办了20多次理论座谈会，开展了解放思想再教育和大讨论，出版了10多部宣传图书。邀请248批704名国内外记者来区内采访，发稿6000余篇（条）。在全区主要出入口岸、街区制作公益广告牌76块。以“西部大开发，宁夏要争先”文化系列活动为重点，举办了10多场具有地方和民族特色，思想性、艺术性俱佳的文艺演出。通过全方位、多形式的宣传教育活动，形成了“西部大开发，宁夏要争先”的浓厚氛围，提高了宁夏的知名度。

三、加大工作力度，深化精神文明创建活动

认真贯彻中央文明办精神文明创建活动座谈会议精神，紧扣加强和改进思想政治工作，进一步加大了精神文明创建活动力度。创建文明城市坚持以“倡导文明新风，共建美好家园”为主题，以建立优良环境、优良秩序、优质服务为突破口，采取切实可行的措施，加大力度进行整治。自治区对全区城市社区的建设情况进行了全面调查了解，召开了全区社区创建活动工作会议，对社区创建活动进行全面部署，提出具体要求。各城市对社区建设进行科学规划，整顿交通秩序，拓宽马路，增加城市绿地，为广大市民创造了整洁优美的生活环境。在创建活动中，各城市把提高市民的现代文明素质作为根本，通过举办文明市民学校，对市民进行以社会公德、职业道德、家庭美德为主要内容的道德教育，组织开展道德实践活动，使市民的环境意识、公德意识等得到了进一步提高。

创建文明村镇活动迈上新台阶。按照自治区党委《关于加强和改进农村思想政治工作的意见》的要求，各地农村采取多种形式加强思想道德建设和科学文化教育，中卫、平罗、青铜峡等地的一些农村成立了农民道德协会，加强了农村思想道德教育的制度建设。各地在创建活动中，结合农业产业结构调整和实施“两高一优”农业，广泛对农民进行了科学文化知识和农业实用技术培训。全区先后4次共派出上万名农业科技人员，对20多万农民进行了实用技术培训。加强农村精神文明“细胞工程”建设，组织开展评选“十星级文明户”活动。制定出台了《自治区“十星级文明户”评选实施办法》，进一步规范了评选活动。积极推动农村创建活动向以城带乡，以乡促城，城乡联动方向发展，全区城乡共结成50多对城乡共建精神文明的对子。

创建文明行业活动实现新突破。年初，自治区文明办、纠风办对全区创建文明行业活动进行全面规划，制定了《关于在全区窗口行业和行政执法部门开展“规范化服务达标”活动的方案》，对邮政、电信、电力、气象、税务、交通、银行等30个行业和行政执法部门的创建活动进行具体安排。各行业从加强领导、健全机制入手，制定细则，量化标准，强化服务意识，改善服务态度，规范服务行为，拓展服务内容，改进服务条件，提高服务质量，组织开展了多种形式的活动。电信系统开展了“客户满意工程”，税务系统开展了“一张笑脸迎人，一把椅子让座，一杯热茶暖心，一颗诚心办事”活动。年终，自治区文明办会同各有关部门，对各行业的创建活动进行了全面检查验收，对其中的电信、气象、电力、交通、税务等9个行业进行了命名表彰。

以“讲文明树新风”为龙头，群众性精神文明创建活动蓬勃开展。文化科技卫生“三下乡”、“百城万店无假货”、“青年文明号”等一批深受群众喜爱的名牌活动不断拓展内容，有了新发展。评选文明单位、文明风景旅游区和军（警）民共建等活动得到进一步加强，沙湖风景旅游区被评为全国文明风景旅游区示范点。

四、加强文化建设，繁荣文化生活

坚持对思想教育、创建活动和文化建设齐抓共管。以落实“百县乡镇宣传文化工程”为契机，投入100余万元，在全区新建了11个标志性、示范性的乡镇宣传文化站。自治区文明办与出版社联合，为基层宣传文化站捐赠价值6万多元的图书。筹资200多万元，对基层部分宣传文化建设项目进行重点扶持。通过现场办公、基层调研等方式，为部分县、基层剧团开展活动解决经费150多万元。加强文艺创作，组织出版了25部有影响的文艺作品，摄制了30集电视连续剧《西北农家》，组织了“中国书法名家精品展”等5个美术书法摄影展。活跃群众文化生活，举办各种文艺演出1780场，广场文化520场。坚持常年送戏下乡，宁夏话剧团和京剧团行程2.5万公里，到全国各地巡回演出。组织了自治区“心连心”艺术团赴全区各地演出，活跃了城乡群众的文化生活。

五、大力宣传典型，发挥示范效应

为了进一步宣传典型、弘扬先进，通过深入挖掘、精心策划，在全区推出了金占林和宁夏有色金属冶炼厂、宁夏话剧团、大坝电厂等一批精神文明建设的先进典型，在《人民日报》头版、中央电视台、中央电台黄金时段宣传了白春兰、杜寿鹏等一批防风治沙的先进典型。举办了60多场先进事迹报告会，听众累计达15万多人。编辑出版了反映近年来宁夏先进人物典型事迹的《人格的力量》一书。

（宁夏回族自治区文明办）

新疆维吾尔自治区

2000年，新疆精神文明建设工作按照“围绕一个主题，突出三条主线，狠抓三大创建，落实十项任务”的工作思路，围绕中心，服务大局，狠抓落实，呈现出领导更加重视，运行机制更加完善，创建活动更加丰富，思想政治工作更加深入，舆论氛围更加浓厚，19城市及大部分县城市容市貌变化显著，全疆安定团结的政治局面更加巩固的良好态势。

一、提高认识，进一步加强对精神文明建设的组织领导

各级党委、政府从“讲学习、讲政治、讲正气”的政治高度，从提高综合经济实力的战略高度，从把一个什么样的新疆带入21世纪的历史高度，充分认识精神文明建设的重要性、长期性和艰巨性，把物质文明建设和精神文明建设作为统一的奋斗目标，列入经济社会发展的总体规划，自觉地把精神文明建设放入整体工作统盘考虑，放在总揽全局的工作中来部署，和经济建设紧密结合，做到任务同步下达，措施同步到位，考核同步进行，奖惩同步兑现，工作同步达标。各级党政领导在实际工作中抓精神文明建设坚持“三个不动摇”，即在抓经济建设过程中，抓精神文明建设的地位不动摇；在推进物质文明建设中，加强精神文明建设的决心不动摇；在激烈的市场竞争中，坚持两个文明一起抓不动摇。有力地促进了精神文明建设工作的深入发展。

坚持实施一把手工程。各地州、市县坚持“两手抓，两手都要硬”的方针，及时调整、充实由党政一把手任正、副主任的精神文明建设活动委员会，各乡镇和基层单位也普遍成立精神文明建设领导小组，明确规定各级党委（党组）一把手为精神文明建设工作的第一责任人。各级形成了一把手负总责，文明委成员单位分工负责，各职能部门齐抓共管的良好组织领导格局。

二、制定措施，落实责任，进一步完善精神文明建设运行机制

各地普遍实行了党政一把手负总责的领导责任制，以及分管领导具体抓，文明委组织协调，有关条块职能部门职责明确的组织领导机制，对精神文明建设工作整体部署，统一指挥。同时坚持“属地管理，条块结合，以块为主，责任到条，组织到块”的原则，把重点工作项目、活动落到实处，上下联动，合力动作，确保精神文明建设工作健康发展。

各地各单位结合实际，明确精神文明建设工作重点和目标责任，普遍制定了“精神文明建设目标责任制”，做到工作有目标性，目标有阶段性，措施有可操作性。阿克苏市全面推行领导干部“五定”目标责任制，即对工作定向目标、定项分解、定期检查、定量考评、定性奖惩，确保精神文明建设各项工作落到实处。

各地普遍开展评先创优竞赛活动，建立考核制度和奖惩制度，把精神文明创建实绩同经济报酬、干部任职、领导政绩、晋级奖惩挂钩，进一步增强了各级领导干部的责任感、紧迫感。目标意识、大局意识、超前意识、创新意识不断提高。全区各地层层开展创建文明城市、文明县、文明乡镇（村）竞赛活动，推动了精神文明创建活动的深入发展。

各城市在创建活动中，不断健全和完善城市交通、卫生、绿化、文明行为等方面的管理办法、制度和措施。乌鲁木齐市的市民文明行为“八不”规范，昌吉市、米泉市的“十要十不要”等市民公约和阜康市的“讲文明树新风行为规范”，对引导各族市民养成良好行为，形成健康文明的生活方式起到了积极作用。

各地注意抓精神文明队伍建设，充实文明办力量，配备各级专（兼）职干部，形成了地州、市县、街办、乡镇村组精神文明建设工作队伍。注重对精神文明工作队伍的培训，着力提高整体素质。各地还多渠道筹措资金，不断加大财力投入。库尔勒市、奎屯市落实了全市人均一元钱精神文明建设工作经费，建立了奖励基金，保证了精神文明建设工作的健康发展。

三、用活载体，注重创新，进一步丰富精神文明创建活动

坚持以创建文明城市为龙头，大力开展创建"文明城"、"卫生城"、"旅游城"、"双拥城"、"园林城"、"环保城"等活动。各地以"四优"（优质服务、优良秩序、优美环境、优化管理）为主要内容，以改善投资环境和群众生活环境为目标，结合实际抓创建。库尔勒市的孔雀河改造工程、克拉玛依市的引额济克工程、阿克苏市的绿化工程、喀什市的亮化美化工程、石河子市的军垦文化工程、阿图什市的扶贫工程、昌吉市的容貌工程、吐鲁番市的"优秀旅游城"创建活动、哈密市的兵地共建活动等，都产生了良好的社会效益。

积极开展"文明社区建设年"活动。重点抓了思想道德教育和科学文化教育、环境治理、社区秩序、社区服务、社区文化建设、基础设施建设六个方面的工作。自治区文明委制定下发了《自治区创建文明社区标准及管理办法》。在克拉玛依组织召开了创建文明社区工作现场会。

进一步加大创建文明行业力度。自治区文明委组织自治区45个厅局系统开展大规模的创建文明行业活动。重要窗口基本上实现规范化服务和管理，培养出一批新的示范点。

创建文明村镇工作进一步深入。乡镇党委书记、乡镇长双文明考核制不断完善。党的基本路线和农村政策教育，爱国主义、集体主义、社会主义教育，移风易俗、民主法制和科学文化教育不断加强。"三提倡"活动（提倡科学、提倡文明、提倡节俭）广泛开展，涌现出一批高质量的文明村镇和具有示范作用的"十星级文明户"。

注重创新，进一步用活载体。各地在创建工作中，积极探索，大胆实践，总结经验，不断丰富精神文明创建活动载体。昌吉州制定了《私营企业文明单位建设管理暂行办法》，推进私营企业创建工作规范化、制度化建设，已有10多家私营企业建成县市级文明单位，一家被命名为州级文明单位。阿勒泰市实施的农牧区精神文明三项工程（精神文明教育中心、庭园绿化、庭园经济）以及集旅游、文化、经贸洽谈、体育活动等于一体的冰雪旅游艺术节，体现了经济和精神文明建设紧密结合的特点。塔城市迎接西部大开发开展的"四个一"活动和"美化家园，塑造形象"活动，在全市营造了"人人为西部大开发、塔城大发展作贡献"的浓厚氛围。哈密市立足融合，着眼发展，开展"兵地（路地、油地）共建促进生产力发展"活动，促进了兵地经济发展、民族团结和社会稳定。

四、以学习实践"三个代表"重要思想为重点，积极推进思想政治工作深入发展

狠抓以科学理论武装人的工作。按照中央和自治区党委要求，全疆各地坚持中心组理论学习，普遍开展了"三讲"教育和"三个代表"重要思想学习教育活动，提高了各级领导干部的理论修养和工作能力。

深入开展"坚定一个信念、强化一个立场、实践一个宗旨"的三个一教育。各地利用党校和各类学校等阵地，举办各种培训班，对干部群众进行政治思想教育。组成业余讲师团，深入乡镇村组和街办居委会，对各族干部群众进行"理想信念、观点立场、服务宗旨"教育。伊犁地区开展的千人讲师团活动、喀什市有针对性地开展"八个讲清"为内容的宣讲教育活动，提高了各族干部群众的思想认识和政治素质。

不断加强和改进思想政治工作。根据自治区文明委要求，各地、各单位广泛开展了"213125"活动，即：每年组织2次形势政策报告，1次普遍谈心，3次科普教育，12次精心组织的思想道德教育，普遍实行5必访制度（有下岗必访、有困难必访、有思想问题必访、有纠纷必访、有疾病必访）。西部大开发"六个一"活动：组织一次普遍的动员；开展一次深入的座谈；张贴一幅宣传大开发的标语；营造一个浓厚的舆论环境；树立一个昂扬向上的精神风貌；组织一个迎接西部大开发优质服务的系列活动。"三个一"教育（坚定一个信念——实现共产主义和建设有中国特色社会主义的信念，实践一个宗旨——全心全意为人民服务的宗旨，弘扬一种精神——新时期伟大创业精神）。各地把日常思想政治教育与集中整治、同本单位干部群众的思想实际、同扶贫帮困、得民心工程相结合，通过开展对口扶贫、文化扶贫、科技扶贫，不但为群众办了好事、实事，而且把思想教育工作做到了床头、地头，入脑入心。和田地区开展报纸、标语、国旗、广播、电影、文艺进村和学习宣传材料入户、面对面宣传教育入户等“六进村二入户”活动。石河子市思想政治工作遵循“大政工、大调研、大学习、大讨论”的基本工作思路，强化队伍建设，完善工作机制，深入调查研究，制定有力措施。在出台《关于加强和改进新形势下思想政治工作的意见》的同时，开展“十破除、十树立”百人百题调研活动，进一步增强了思想政治工作的实效性。

充分发挥文明市民学校、文明村民学校的阵地作用，继续对各族干部群众进行广泛深入的“三义、三观、三德、五爱”教育，提高了干部群众的文明素质，形成了倡导文明新风，反对陈规陋习，破除封建迷信的社会新风尚。

五、加大投入，建管并举，全面推进了城乡环境建设

各城市紧紧抓住中央实施西部大开发带来的历史性发展机遇，解放思想，开拓创新，艰苦奋斗，大力发展城市建设。乌鲁木齐市城市建设和文明社区建设受到中央领导和中央文明委领导的高度评价。喀什市按照“一年一个样，三年大变样”的总体要求，树大气魄，挥大手笔，下大功夫，花大气力，做大文章，坚持高起点、高标准、高质量、高速度搞城市建设，呈现出既有现代化特色，又具有深厚历史文化氛围的旅游商贸之都的新气象。

许多城市从内地有关院校请来专家，结合各自实际情况，搞好城市的规划工作。库尔勒市以建设全疆第二大中心城市、构筑“北乌南库”战略格局为目标，以城市规划为龙头，树立超前意识，老区只拆不建，重点建设新区。按照“规划一张图，审批一支笔，建设一盘棋”的原则，严把城市建设规划关，确保了城市建设总体规划的科学性。

各城市、县城普遍树立了“大开发、大开放、大投入、大发展”的思想，坚持把城市建设与管理工作作为促进改革开放，加快经济发展，塑造城市形象，营造投资环境，创建文明城市的重要抓手，想方设法加大投入，着力改变城市面貌。克拉玛依市、石河子市、昌吉市、塔城市、乌苏市、哈密市、米泉市的城市面貌都有了新的变化。

六、组织实施了一批重点工程，推动“讲文明树新风”活动向基层一线延伸辐射

按照主题不变、充实内容、一抓到底、抓出成效的要求，各地紧紧围绕文明言行、环境卫生、服务质量、交通秩序四个方面，狠抓成果巩固，进一步扩大“讲文明树新风”活动的覆盖面。

按照“巩固、提高、延伸、辐射”的要求，全区各地积极开展“保护生态环境，倡导文明新风”和“共建美好家园，倡导文明新风”活动。在各级党政机关继续开展“讲文明树新风”楷模工程。组织实施了创建“平安大道”和城市“道路畅通”工程。公安交警部门重点开展建阵地、抓队伍，打击车匪路霸活动，确保新疆境内国道畅通。组织实施了“军警民共建南疆千里铁道文明线”系列活动，促进南疆铁路沿线的安全畅通和文明环境建设。协同自治区旅游局开展了创建文明风景旅游区活动，旅游区服务水平和环境建设水平进一步提高。坚决制止风景旅游区的封建迷信活动，旅游区文明水平不断提高。

组织实施了“百县乡镇宣传文化工程”活动。经自治区文明办工作人员检查、督促，26个宣传文化站已投入使用，发挥作用。

广泛开展“崇尚科学文明、反对迷信愚昧”的大型展览活动，对广大群众深入进行马克思主义唯物论、无神论和科学精神教育。

认真组织实施“西部开发助学工程”，召开了助学互勉大会，使区内外33所大学上学的100名品学兼优而又家庭贫困的2000年新生受到资助，得到师生和社会各界好评。

（新疆维吾尔自治区文明办）

新疆生产建设兵团

2000年，新疆生产建设兵团认真贯彻落实江泽民同志对宣传思想工作和精神文明建设的重要批示，大力强化思想道德建设，继续深化精神文明创建活动，抓好典型，办好实事，精神文明建设工作有了新的拓展和提高。

一、围绕加强思想道德建设的主题，开展宣传教育工作

结合第四个“三德教育月”，兵团文明办组织了“做人民满意公仆”先进事迹巡回报告活动。自3月初到4月上旬历时一个多月，赴12个师(局)、院（校）单位报告17场，听众达10万余人。集中宣传和树立了李永康、李梦桃、赵萍、徐青伟等7位全国和兵团级先进个人事迹，制作成专题片下发基层，广泛组织职工群众收看、学习，收到了显著的宣传教育效果。结合小康连队创建活动，同兵团电视台联合举办了电视专题片展播比赛，有力地推动了兵团小康连队的整体提高。推广了农五师抓小城镇与小康连队建设有机结合的创建经验。按照中央文明办要求，配合中央电视台“焦点访谈”节目，通过提供新闻线索，陪同记者实地采访，对中央文明办在西部12省、区实施的“西部开发助学工程”进行了宣传教育。

二、以小康连队建设为龙头，深入开展多种形式的群众性精神文明创建活动

各单位认真抓了兵团文明单位和小康连队管理办法的贯彻落实，进一步完善和健全了基层的各项配套制度和措施，同时，在对创建活动进行专题调研和抽查的基础上，广泛开展兵团级文明单位和小康连队的申报、检查、验收、命名、表彰工作。截至2000年底，共建成兵团级文明单位78个，小康连队206个。驻自治区19城市的兵团直属单位和各师（局)、院（校）单位积极参加自治区“三优一学”创建文明城市活动。兵团机关、石河子市等一大批单位在2000年自治区级文明单位检查验收中继续保持了荣誉称号。南疆3个师(局）和10个边境师（局）积极参加了“军、警、民共建南疆千里铁道文明线”、“军民共建千里文明边防线”等活动。农二师、哈管局等师（局）进一步深化了兵地共建活动。通过互学共建，密切了兵地关系，开创了新的共建局面，取得了可喜的成效。以“讲文明树新风，优化服务质量”为主题，广泛开展了创建文明行业、部门活动。兵团交通局开展了创建文明交通行业活动，推广了农七师客运站等一批先进单位的创建经验。兵团商贸行业广泛开展了“百城万店无假货”活动，树立了石河子百货大楼、兵团徕远宾馆等一批先进典型。兵团政法部门广泛开展了评选“人民满意政法部门”和“人民满意好干警”系列活动，涌现出农一师阿拉尔垦区公安局、农六师芳草湖垦区法院新湖法庭庭长赵萍等一批全国表彰的先进典型。

三、认真贯彻中央文明办在实施西部大开发项目中支持兵团的重大项目，加大投入

一是落实了中央文明办实施的“百县乡镇宣传文化工程”项目。自2000年6月以来，中央文明办下拨给兵团15个宣传文化站指标，为切实建设好第一批宣传文化站，农一、二、三、四、五、六、七、九、十师、哈管局、和管局认真摸底、申报，兵团文明办统一制作并下发了标准施工图，兵师两级还认真抓了配套资金和基建工作的落实，已建成8个宣传文化站。二是争取并落实了“西部开发助学工程”项目。2000年下半年，中央文明办决定在西部各省、区实施“西部开发助学工程”。兵团获得了80个名额的指标，共计40万元。兵、师两级文明办克服时间紧、难度大、要求高等困难，认真摸底、审批，积极组织发放了资助金，取得良好社会效果。三是积极争取边境贫困团场文化中心建设项目，年内这个项目正在进一步申报中。

（新疆生产建设兵团文明办）

创建活动

ACTION PROGRESS

“讲文明树新风”活动

2000年，“讲文明树新风”活动按照中央文明办等10个部门和团体的部署，全国各地以加强社区建设为重点，广泛开展“倡导文明新风，共建美好家园”活动，把“讲文明树新风”推向新的阶段。

中央文明办等10个部门和团体
联合部署“倡导文明新风，共建美好家园”活动

2000年2月14日，中央文明办、民政部、公安部、建设部、文化部、卫生部、国家体育总局、团中央、全国妇联、中国科协等10个部门和团体，在京联合召开电视电话会议，对2000年的“讲文明树新风”活动作出部署。

会议确定，2000年的“讲文明树新风”活动，要在巩固过去已有成果、提高工作水平的同时，以加强社区建设为重点，抓好“倡导文明新风，共建美好家园”活动。活动的主要任务是：美化居住环境、维护治安秩序、丰富文体生活、普及科学知识、拓展社区服务、密切人际关系。10个部门和团体的负责同志先后在会上发言。

刘云山：贯穿主线　抓住重点

1997年，在江泽民总书记亲自倡导下，中央精神文明建设指导委员会在全国部署开展了“讲文明树新风”活动，重点解决文明言行、环境卫生、服务质量、交通秩序四个方面存在的突出问题，取得了明显成效。实践证明，这项活动已经成为精神文明建设的“名牌项目”。根据形势发展的需要和中央总的工作部署，中央精神文明建设指导委员会决定，2000年的“讲文明树新风”活动，要在巩固过去已有成果、提高工作水平的同时，着重抓好“倡导文明新风，共建美好家园”活动，推动“讲文明树新风”向社区延伸。

“倡导文明新风，共建美好家园”活动的主要任务是：美化居住环境、维护治安秩序、丰富文体生活、普及科学知识、拓展社区服务、密切人际关系。2000年的“讲文明树新风”活动总的要求是：以党的十四届六中全会、十五大和《中共中央关于加强和改进思想政治工作的若干意见》精神为指导，认真贯彻落实江泽民总书记关于精神文明建设每年要办几件作用大、影响大的实事的指示，吸引和动员广大人民群众积极参与社区

精神文明建设，努力提高社区居民文明素质和生活质量。在“倡导文明新风，共建美好家园”的具体工作中，要贯穿一条主线，抓住两个重点，建立三支队伍，把握好四个问题。

贯穿一条主线：突出思想道德教育。要加强党的基本理论、基本路线、基本纲领教育，加强形势政策、民主法制和维护社会稳定的教育，加强爱国主义、集体主义、社会主义教育，加强艰苦奋斗精神教育，加强马克思主义唯物论无神论和崇尚科学、破除迷信教育，加强社会公德、职业道德、家庭美德教育，把深刻的教育内容寓于生动的活动形式之中，使群众在参与中受到教育，得到提高。

抓住两个重点：一是发展社区服务。要组织发动社区居民发挥各自特长和优势，热心参与居民间的群众性互助服务；要发展面向社区残疾人、老年人、优抚对象和社会困难群众的福利性服务；要进一步提高社区物业管理部门、营业网点和其他各种服务机构的服务质量，逐步探索社区服务社会化、产业化的路子。二是活跃居民文化生活。要广泛开展形式多样、群众便于参与的文化体育活动和科普宣传活动，引导人们自觉移风易俗，养成健康文明的生活习惯。

建立三支队伍：一是社区志愿者队伍。要逐步建立健全社区志愿者服务站，动员社区居民积极踊跃地参加志愿者队伍。二是文体活动辅导员队伍。对群众中的文体活动积极分子进行思想教育和业务培训，选择素质较高的人员，担任社区文体活动辅导员，使社区文体活动逐步走上有组织、规范化、健康发展的轨道。三是科普宣传员队伍。要在充分发挥专兼职科普工作者作用的同时，积极组织离退休科技工作者、在校大学生组成义务科普宣传员队伍，深入社区，传播科技知识，指导科普宣传。在队伍建设中，尤其要注意发挥好离退休老党员、老干部、老教师、老工人、老劳模等在思想教育方面的作用。

工作中应把握的四个问题：第一，充分依靠群众。要围绕群众反映强烈、迫切要求解决的问题，精心设计载体，广泛吸引群众参与，为群众多办好事和实事，使群众得到实际利益。第二，搞好阵地建设。要在加强社区居民活动场所建设的同时，驻区单位向居民开放文体活动场地和设施，实现资源共享。第三，坚持齐抓共管。充分发挥各有关职能部门的作用，调动社会各界的积极性，协同配合，形成合力。第四，加强舆论宣传。及时报道活动进展情况，介绍先进经验；加大舆论监督力度。

（刘云山：中宣部常务副部长、
中央文明办主任）

叶如棠：加强行业管理　提高服务水平

由中央文明办、民政部、公安部、建设部等10个部门和单位联合在全国开展的“倡导文明新风,共建美好家园”活动,对于认真贯彻落实江泽民总书记关于宣传思想工作和精神文明建设重要批示精神,对于吸引和动员广大人民群众积极参与社区精神文明建设,提高社区居民文明素质和生活质量,推动创建文明城市活动的深入开展,都将产生重大作用和深刻影响。各级建设主管部门,一定要认真履行部门职责,重点做好以下几项工作：

加大对普遍存在的“垃圾围城”问题的治理力度，提高城市环境质量。对城市垃圾实施减量化、资源化和无害化管理。各地城市建设主管部门要结合本地实际，搞好环境的综合整治，尤其以小街小巷和居民区为重点，真抓实干，为城市居民创造一个洁净优美的生活环境。要加快城市污水处理、垃圾处理设施的建设和设备国产化的进程。加快煤改气和推广清洁公交车辆工作的步伐，减轻城市大气污染。

深入开展全民义务植树活动，提高城市绿化覆盖率。随着我国城镇化进程不断加快，应充分重视小城镇的绿化和生态环境建设，以提高城市绿化覆盖率为重点，加快园林绿化建设；继续开展园林城市创建活动，强化政府对城市绿化的管理职能；加强城市绿化的法制建设，依法行政，严格保护绿化成果。

深化“千校百万外来务工青年培训工作”，充分发挥他们在两个文明建设中的积极作用。为了做好外来务工青年培训工作，团中央、建设部、公安部、中央综治办决定近日向建设系统各有关部门发出通知，具体落实培训计划。

深入开展创建物业管理优秀住宅小区活动，提高住宅小区服务水平。以安居乐业为目标，统一规划、分类指导，加强文明住宅小区的建设和管理，把具备基本条件的住宅小区及时纳入创建物业管理优秀住宅小区活动规划。要成立管理机构，配备人员，制定创建计划，帮助居民提高素质，积极培养家园意识。要开设居民文体活动场所和设施，开展丰富多彩、健康向上的活动，使之成为社会主义精神文明的重要阵地。

各地建设行政主管部门要通过此项活动的开展，进一步加强和改善行业管理，促进服务水平的提高，塑造良好的行业形象。

（叶如棠：建设部副部长）

祝春林：得民心　保平安

1997年中央精神文明建设指导委员会倡导开展“讲文明树新风”活动以来，全国各级公安机关按照中央文明办和公安部的统一部署，以“发案少，秩序好，社会稳定，群众满意”为目标，坚持“打防结合，以防为主”的方针，加强治安管理，严厉打击各种违法犯罪活动，努力为人民群众创造良好的社会治安环境。三年来的实践充分证明，开展“讲文明树新风”活动是加强社会主义精神文明建设的重大措施，也是对公安民警进行宗旨教育和加强公安机关自身建设的有效形式和载体。认真组织好这项活动，必将进一步推动和促进公安工作和队伍建设，实现得一方民心，保一方平安的工作目标。

全力维护社会稳定，是社会主义精神文明建设的重要内容，也是公安机关义不容辞的重大责任。各地公安机关要深入调查研究，认真摸排本地存在的突出治安问题，积极组织专项整治行动，严厉打击威胁群众安全、破坏社区治安秩序的各种违法犯罪活动。要采取有力措施，努力控制和减少盗抢车辆、入室盗窃、拦路抢劫等可防性案件的发生。要坚决摧毁流氓恶势力等违法犯罪团伙，加大对学校及其周边地区治安秩序的整治力度。要与有关部门密切配合，大力扫除“黄、赌、毒”等社会丑恶现象，彻底清缴非法枪支弹药等危险物品。在专项治理的基础上，要深化改革，逐步健全和完善各项工作运行机制，以进一步巩固专项治理成果。

各级公安机关要进一步深化派出所工作改革，落实责任制，完善民警巡逻体制，加强对娱乐场所、出租房屋和城郊结合部等重点部位的管理。要主动配合、大力推进安全文明社区建设，在扩大覆盖面、提高创建质量和巩固创建成果上下功夫。要建立专群结合，人防、物防、技防相结合，居民、企事业单位和社会面相结合的社会治安防控网络，强化防范机制，严防治安灾害事故的发生。要大力推广浙江枫桥派出所的经验，加强以治保会为主体的群防群治组织建设，落实好社区治安防范责任制，及时调处纠纷，化解矛盾，防止“民转刑”案件的发生。要积极做好青少年违法犯罪的预防工作，加强对中小学生的法制教育，积极配合有关部门，进一步做好对刑释解教人员的安置帮教工作。

各地公安机关特别是基层公安机关，要按照公安部的部署，认真组织开展以“全心全意为人民服务的宗旨教育，实事求是的思想路线教育和严格、公正、文明执法的法制教育”为主要内容的“三项教育”活动，不断增强民警的宗旨观念和服务意识。从2000年3月1日起，110报警服务台增加接受群众监督投诉的新职能。公安民警要进一步改进工作作风，文明执法，秉公办事，热情服务，树立新时期人民警察的良好形象。

（祝春林：公安部党委委员、
政治部主任）

艾青春：面向基层　面向群众

开展“倡导文明新风，共建美好家园”活动是今年全国文化工作的一项重要任务。文化部门要坚持文化工作面向基层、面向群众的要求，紧紧围绕丰富群众文化生活，普及科学知识，努力提高社区居民文化生活质量和文明素质的目标开展这项活动。

树立阵地意识，发挥社会主义文化阵地在活动中的主导作用。群艺馆、文化馆、图书馆、城镇街道文化站等公共文化设施是广大群众参加各种文化活动的重要场所，在“倡导文明新风，共建美好家园”活动中要立足自身的工作优势，充分发挥功能和作用，最大程度地向广大社区群众开放。2000 年，全国公共图书馆、文化馆要通过展览、知识竞赛、建立科普宣传栏、组织专题系列讲座等形式，举办各种以崇尚科学、宣传科学、反对迷信、大力推进科学思想和科学精神普及等为主题的科普教育系列活动；全国公共图书馆还要开展以“传播科学知识、宣传科学思想、倡导科学方法、弘扬科学精神”为主题的“图书馆服务宣传周”活动，以进一步增强各级图书馆在科普教育方面的服务意识，发挥图书馆在传播、普及科学知识方面的功能和作用。阵地文化活动要和流动文化服务结合起来。艺术表演团体要深入社区，利用流动舞台或社区文化活动场地，为广大群众演出短小精悍、为群众喜闻乐见的优秀节目；图书馆要安排专门人员，配备流动图书服务车，为城市广大居民读书、借书提供方便；群艺馆、文化馆的工作人员要走向街道和居委会，编排适合群众演出的文艺作品，辅导社区文艺活动骨干，指导广大群众利用休息时间和节假日自娱自乐，开展各种文艺活动。

组织、开展好社区群众文化活动。2000 年，各地文化部门要围绕“倡导文明新风，共建美好家园”的主题，根据本地实际情况，精心组织、开展几项大型的导向性、示范性的基层群众文化活动，吸引广大群众参加，影响、带动社区群众文化活动的普遍开展。文化部门要加强活动的组织、管理和引导工作。同时，要转变观念，依靠人民群众，积极发动社会力量，举办各种规模、多种形式的社区群众文化活动，尽量让社区群众就地就近地参加各种文化活动。

（艾青春：文化部副部长）

李宝库：进一步拓展社区服务

民政部门负有“指导社区服务的管理，推动社区建设”的职能，在“讲文明树新风”活动中负有重要责任。各级民政部门一定要认真贯彻落实这次会议精神，把社区服务工作搞好。

社区是社区居民的利益共同体，只有讲文明树新风，才能把社区建设好。开展社区服务，解决社区居民特别是老年人、残疾人、优抚对象和儿童等特殊群体的困难，深入开展满足社区居民的需求，有利于文明新风的形成与发展，是深入开展“讲文明树新风”活动的重要内容。社区服务已经成为社会主义精神文明建设的重要组成部分。

从民政部门来讲，要推动这项活动的深入开展，就要在拓展社区服务上多下功夫，要按照党中央提出的“积极发展社区服务，充实社会服务设施，方便人民生活”的总的要求，围绕社会主义精神文明建设，以服务需求为导向，以深化改革为动力，以提高经济效益为手段，以扩大社会效益为目的，完善机制，健全制度，加强行业管理，提高队伍的整体素质，全面开创社区服务的新局面。

为推动“讲文明树新风”活动的深入开展，希望各地民政部门要因地制宜地开展工作：

一是开展“热线连万家，服务你我他”活动。各地要根据自身发展水平和工作基础，逐步在社区内建立健全社区服务网络体系，通过热线服务电话、老年人求助门铃、社区综合服务呼叫网络系统，以及建立社区服务计算机网络系统等设施，用先进适用的科技手段开展社区服务，推进社区服务向更高层次发展。

二是各地要根据民政部等 14 部委《关于加快发展社区服务业的意见》的精神，研究制定相应的扶持办法和相关政策，用政策推动社区服务的发展。

三是探索社区服务社会化、产业化的路子，促进社区服务在社会主义市场经济条件下健康稳步地发展。

要关心民政对象的生活，为他们办好事、办实事。民政对象作为社会困难群体，最需要关心和帮助。各级民政部门和街道、居委会要满腔热情地投入这项活动，要串百家门、知百家情，真心实意地去关心民政对象，帮助他们解决问题。

（李宝库：民政部副部长）

宋南平：深入普及科学知识

推动我国精神文明和物质文明同步协调发展，是时代赋予科技工作者的重要使命。

在当代中国，广泛深入地普及科学知识，同用马克思列宁主义、毛泽东思想和邓小平理论教育人民，有着不可分割的联系，它是引导群众树立正确的世界观、人生观、价值观，提高思想道德素质的重要基础。同时，大力普及科学技术知识，有利于培养群众的科学精神，形成尊重科学、实事求是的风尚；有利于教育人民掌握科学方法，提高认识世界、改造世界的能力；有利于增强全民族的创新意识，激发群众中蕴藏的巨大智慧和创造力；有利于人民群众形成健康、文明的生活方式，提高精神文化生活的品位和质量。

当前，科普工作的指导思想是：以邓小平理论和党的十五大精神为指导，面向全体人民，把干部、工人、农民和广大青少年作为重点，深入普及科技知识，大力传播科学思想、科学精神和科学方法，反对愚昧迷信和伪科学，引导人民群众树立科学世界观，全面提高思想道德和科学文化素质，切实促进“两个文明”建设。

当前和今后一个时期科普工作的主要任务是：第一，加强马克思主义唯物论、无神论的教育，帮助广大干部群众树立科学的世界观。第二，坚持用现代科学知识和科学精神武装广大干部群众，帮助人们正确分析、认识各种社会现象，旗帜鲜明地同封建迷信和伪科学作斗争，提高群众的科学文化水平，增强群众的科学文化素养。第三，面向经济建设主战场，充分发挥科普工作在物质文明建设中的作用。要努力提高职工的科技素质，为推进国有企业的改革和发展创造更好的条件。要大力推广和普及先进实用技术，满足农民对科学技术和文化教育的需求，提高农民依靠科技的致富能力。

（宋南平：中国科协书记处书记）

彭　玉：积极发展社区卫生服务

在经济发展和城市现代化建设的进程中，社区建设越来越重要，并受到群众的普遍关注。“倡导文明新风，共建美好家园”，需要全社会的参与和努力，也是卫生系统的一项重要任务。近年来，随着卫生改革的不断深入，以预防为主、综合连续服务为基本特征的社区卫生服务正在探索中起步，为基层卫生工作注入了新的内涵和实现形式。社区卫生服务以其有效、经济、方便的特点，受到群众普遍欢迎。

各地卫生行政部门要将积极参与和搞好此项活动作为深化医药卫生体制改革的重要内容，作为加强基层卫生、积极发展社区卫生服务的重要举措，确保活动积极、有序、健康地开展，取得实效。

健全社区卫生服务体系，不断拓展服务内涵。各地要充分发挥基层医疗机构作用，发挥大医院和预防保健机构的技术指导作用，通过体制改革、资源重组、机构改造，逐步形成一批布局合理、规模适度、结构优化、质量优良、气氛温馨、功能完善、便民利民、运转良好的社区卫生服务中心，发挥其他医疗卫生机构的补充作用，健全社区卫生服务体系。

大力开展健康教育，增强群众自我保健意识和能力。各地要把健康教育作为活动的重要内容，在广播电视、报刊、新闻出版、教育行政等部门以及社区政府协助下，选派优秀专业人员，抓住有利时机，利用适宜场所，以科普讲座、咨询答疑、健康教育课、印发宣传材料、建立社区健康教育阵地等多种形式，大力开展健康教育，普及卫生知识，帮助群众树立科学健康观，增强自我保健意识，提高自我保健能力，倡导有益于身心健康的文明生活方式，自觉抵制封建迷信及伪科学。

加强职业道德建设和行业监管，确保医疗安全。各地卫生部门要结合活动的开展，加强职业道德建设，教育广大社区卫生人员树立社会主义卫生职业道德观，强化服务意识，提高服务水平，主动为患病群众排忧解难，与群众建立起平等团结互助信任的新型人际关系，充分体现“亲情、友情、医患情”。各地要及时宣传、大力表彰活动中涌现出的先进典型。

（彭玉：卫生部副部长）

张发强：广泛开展全民健身活动

国家体育总局在2000年的工作中，将按照中央精神文明建设指导委员会提出的“巩固、提高、延伸、辐射”的工作思路，大力开展以增强人民体质为主要内容的健身活动，加快小型多样、因地制宜的全民健身设施建设，加强青少年和老年人体育工作，更好地发挥体育的多元功能，推动“倡导文明新风，共建美好家园”活动的深入开展。

继续实施体育彩票全民健身工程，为广大群众修建小型多样、就近方便的体育健身设施。1997年以来，国家体育总局先后从体育彩票公益金本级提留部分中拿出了近7000万元，为城市社区和农村乡镇修建了一批室内外健身设施，以此来解决群众健身活动场地和设施不足的问题。两年来，已在全国建成1000多个全民健身工程。2000年，国家体育总局决定再从体育彩票公益金中拨款3000余万元，用于实施第三批体育彩票全民健身工程。

以青少年和老年人为重点，带动体育健身活动的开展。青少年时期不仅是增长知识的最佳时机，也是增强体质和习惯养成的最佳时机。当前青少年开展体育活动主要是通过校内的体育课，其他组织形式基本没有。我们要抓住全社会大力呼吁减轻学生课业负担和国家在中小学开展素质教育的时机，发展青少年体育俱乐部，为青少年在课外、周末、假期参加体育活动和进行体育锻炼开辟新的空间。地方各级体育行政部门要根据老龄社会已经到来的国情，加强老年人体育工作，为老年人举办体育科普讲座，不断推出适合老年人的体育健身项目，宣传和提倡科学、文明的生活和健身方式，更好地发挥体育在丰富老年人生活和促进精神文明建设方面的作用。

（张发强：国家体育总局副局长）

赵　勇：创建“青年文明社区”

青少年是群众性精神文明建设中的生力军。团中央将按照中央精神文明建设指导委员会的统一部署，发挥优势，狠抓落实，以“青年文明社区”创建活动为统揽，围绕美化社区环境、优化社区秩序、活跃社区文化、弘扬科学精神、完善社区服务，创造和谐的社区人际关系。

围绕活跃社区文化，开展“青年文明社区大家乐”活动。“大家乐”活动是青年创造的一种自编、自演、自娱、自乐的社区群众性文化活动形式。团中央联合有关部门在全国范围内开展“大家乐”活动，吸引社区青少年和居民广泛参与，同创社区文明，共享美好生活。

围绕弘扬科学精神，开展“社区青少年科普教育”活动。我们将依托市民学校、社区书屋和青少年宫等社区活动阵地，开展科普讲座。聘请有关专家、学者担任青少年科普志愿辅导员，帮助广大青少年学科技、用科技。

围绕美化社区环境，开展“社区青少年美化家园”活动。我们将组织广大社区青少年开展“捡拾白色垃圾、捡回绿色希望”活动，整治社区环境、清运垃圾、清扫卫生死角、清除非法张贴物。围绕和谐人际关系，开展“青年文明社区互助月”活动。开展邻里相识、相知、相助活动，建立邻里互助铃、互助卡，组织社区内的青年志愿者对孤寡老人、残疾人、下岗职工、离退休人员、进城务工青年子女等弱势群体开展“一助一”结对服务，帮助他们解决实际困难。

围绕完善社区服务，深化“青年文明号助万家”、“百万青年志愿者进社区”活动。通过优质服务提高群众生活质量，密切党群关系。

围绕优化社区秩序，深化“优秀青少年维权岗”创建活动。我们将加大社区创建“优秀青少年维权岗”活动的力度，优化青少年成长的社区环境，使全社会都来关心青少年的健康成长。

（赵勇：团中央书记处书记）

华福周：树立良好家风

家庭文明工程是中宣部、全国妇联等18个部委联合开展的五好文明家庭创建活动阶段性的工作项目。这个工程主要围绕绿化美化生活环境、活跃家庭文化生活、普及科学法律知识、破除封建迷信和落后习俗、和睦家庭邻里关系等五个方面的内容来组织活动，发动家庭成员人人参与，人人分享，达到人人受教育。2000年，配合“倡导文明新风，共建美好家园”活动，我们将开展全国亿万妇女健康活动、“爱在家庭，奉献社会”活动、家庭文化活动、美在农家活动。

同时，要认真实施巾帼社区服务工程。主要内容是：建立一支以妇女为主体的社区服务骨干队伍，发展一批具有较高服务质量的社区服务机构，兴办一批妇字号社区服务实体，培养一批“巾帼创业带头人”，激励更多的下岗女工进入社区服务领域再创新业。具体抓好以下几项活动：支持扶助下岗女工组建巾帼社区服务队。负责承担社区内的小学生和儿童接送、婴幼儿托管、老年人照料、送货上门、小饭桌、保洁等服务项目。组织社区科技人员成立“女科技工作者社区服务工作站”，组织“百万妇女志愿者进社区”，创建社区“巾帼文明示范岗”，评选表彰社区优秀服务工作者等，更好地服务群众，服务妇女儿童。

（华福周：全国妇联副主席、
书记处书记）

（2000年2月29日《人民日报》）

中 直 机 关

开展跨世纪青年读书成才活动

“天天一小时”跨世纪青年读书成长活动，是中直机关团工委和青联组织落实党中央对青年特别是青年干部成长成才的要求，为在机关青年中形成爱读书、勤学习、增知识、长才干的良好风气，推动中直机关青年思想道德和科技文化素质的普遍提高而采取的一项重要措施。

成立多层次的青年读书俱乐部和青年读书小组，建立读书活动的组织体系，为读书计划的有效实施提供组织保证。中直团工委下发了《关于实施“天天一小时”跨世纪青年读书活动的通知》，成立了中直机关“天天一小时”跨世纪青年读书活动指导委员会，负责读书活动的指导、协调工作；成立了“中直机关青年读书俱乐部”，负责读书活动的具体组织工作，吸收有志于读书学习的青年加入到俱乐部中。中直各机关团组织根据各自实际普遍成立了多层次的青年读书俱乐部，协助做好中直机关青年读书俱乐部会员的联系和管理工作。俱乐部会员根据行政关系和自愿组合的原则组成若干读书小组。共建立各层次青年读书俱乐部 70 多个，读书小组近 600 个，吸收了 1 万多名团员青年加入到活动中来。

普遍建立“流动书库”，充分利用社会资源，使“读者有其书”，为读书活动顺利开展提供物质支撑。为了促进读书计划的实施，中直机关团工委和中直青联每年出资 10 万元，用于建立“流动书库”，供读书俱乐部会员无偿借阅图书；并向每个读书小组无偿赠阅《中华读书报》；鼓励青年个人购书、藏书、建立“个人小书库”。各级青年读书俱乐部和所有读书小组建立大大小小的“流动书库”，为青年读书活动提供丰富的精神食粮，深受机关广大青年的欢迎。

健全制度，严格管理，完善读书活动运行机制。中直机关“天天一小时”跨世纪青年读书活动的实施，以青年个人制定年度读书计划、参与读书俱乐部活动为主要形式。中直机关青年读书俱乐部对会员参与读书计划的基本要求是：每天利用业余时间读书一小时，每季度至少读完一本书，每读一本书写一篇读后感或论文。根据中直团工委的要求，中直各机关青年读书俱乐部、读书小组都制定了较为健全的经费管理、图书管理和总结交流制度。

抓好书目推荐，加强对读书活动内容的引导，保持读书活动的正确方向。中直团工委重视抓好书目推荐工作，要求各级青年读书俱乐部以政治理论、思想道德、现代科技、工作专业等各类优秀图书为推荐重点。各机关团组织在读书计划实施过程中注意做到五个结合：一是将读书计划与理论学习有机结合。二是将读书活动与爱党、爱国、爱社会主义的教育有机结合。三是将读书活动与探讨研究改革开放中的热点、难点、疑点问题有机结合。四是将读书活动与业务知识的学习有机结合。五是将读书活动与青年成长成才需求中的兴奋点、兴趣点有机结合。

勇于创新，不断探索提高读书活动效果的形式。中直机关各级青年读书俱乐部以活动求活力，精心组织，积极探索，创造性地开展了丰富多彩、各具特色、形式多样、行之有效的读书交流活动。其中有主题式读书、读书演讲比赛、读书知识竞赛、读书百字点评、读书学习辅导、读书座谈会、读书热点恳谈会、读书辩论会、诗歌朗诵和演讲会、周末沙龙、参观调研、读书征文、读书有奖评选等等。

展示青年读书成果，构建读书的激励机制。为进一步搞好读书活动，中直团工委和中直青联同《中华读书报》合作开辟了“天天一小时”读书活动专栏；在《中直党建》杂志上开辟了“青年园地”，专门刊登中直机关广大团员青年在读书活动中撰写的优秀论文和读后感；开展征文评奖活动，为广大团员青年施展才华提供阵地。

（中央直属机关文明办）

中 直 机 关

在内蒙古准格尔旗兴建世纪林

2000年5月28日，保护母亲河工程准格尔项目暨中直机关水保世纪林在内蒙古准格尔旗开工。中直机关世纪林是全国保护母亲河工程第二批重点项目之一，于2000年4月在北京通过专家组技术终审，并签订建设协议。项目区位于黄河万家寨水利枢纽工程库存区坝址北部，规划建设面积1万亩，由准格尔旗人民政府负责组织施工建设，3年建设完成。位于呼和浩特市西南的准格尔旗，是国家级贫困旗（县），干旱少雨，自然环境较差，境内每年流入黄河的泥沙量为1.6亿立方米，约占黄河流域每年流入黄河泥沙量17亿立方米的1/10。中直机关世纪林的建设，将大大改善黄河流域的自然和生态环境，新增治理水土流失面积1万亩，并在防止水土流失、涵养水源、净化空气等方面产生显著的生态效益。

开工仪式上，中直机关工委书记李勇将中直机关干部职工捐献的137万多元捐款交给了全国保护母亲河行动领导小组。参加开工仪式的同志与当地的群众共同参加了整地植树活动。

（中央直属机关文明办）

中 直 机 关

踊跃参加社会公益日活动

为进一步加强首都精神文明建设和推进申奥工作，2000年8月12日，中直机关6000多名干部职工（其中部级领导干部20多名，局级领导干部120多名）分别在长安街、单位办公区、职工宿舍小区等几十个活动场地，有组织地参加了北京市开展的“千万市民齐参与，争做文明北京人”社会公益日活动。

中央联络部、中央政策研究室、全国总工会、经济日报社、全国台联等单位的部委领导率先垂范，带头参加义务劳动，发挥了表率作用。各单位根据实际情况，本着集中动员、分散行动的原则，在办公区、职工居住区和单位就近街段进行了环境清扫活动。广大干部职工积极响应号召，冒着小雨踊跃参与，除在职干部职工外，许多离退休老干部家属也积极参加了这次活动。有的擦洗街道护栏、垃圾桶、邮筒、过街天桥；有的清扫街道、车场车棚中的垃圾；有的修整草坪、清除绿化带内的废弃物；有的清理堆积在楼道中的杂物；还有的深入社区，走上街头，从讲究公共卫生、不随地吐痰、不乱扔瓜果皮核、遵守交通规则等方面进行宣传教育活动。展现了中直机关干部职工良好的精神风貌。

（中央直属机关文明办）

中央办公厅机关

积极参加“保护母亲河行动”

中央办公厅机关党委于3月底，在机关广大团员青年和干部职工中开展了以“5元捐植一棵树、200元捐植一亩林”为主要形式的“保护母亲河行动”的捐款活动。各单位通过层层发动，广泛宣传，掀起了积极参与“保护母亲河行动”的热潮。从中央领导到普通干部职工纷纷解囊，短短不到一周的时间，共捐款251682多元。

中央领导身体力行，热情支持，鼓舞和教育着广大干部职工。党的关系在中办的党和国家领导人江泽民总书记及夫人、李鹏委员长及夫人、李瑞环、胡锦涛、丁关根、温家宝、曾庆红等同志得知中办机关党委、团委开展“保护母亲河行动”捐款活动，均以一名普通党员的身份带头捐款。万里、乔石、荣毅仁、薄一波、宋任穷、习仲勋、彭冲、邓力群等老同志也带头在所在党支部捐款。中央领导和老同志的热情支持、积极参与，给广大团员青年和干部职工以极大的鼓舞和教育。

厅领导非常重视开展“保护母亲河行动”的捐款活动。厅主任王刚第一个带头捐款。厅副主任白克明、姜异康、由喜贵、令计划等同志也带头捐了款。厅领导的大力支持和带头参与，为全厅广大团员青年和干部职工做出了表率。

各单位领导重视，层层发动，广大干部职工踊跃捐款。短短一周的时间，全厅广大党员、共青团员、干部职工、离退休老同志和警卫部队官兵、在校大学生，怀着支持社会主义现代化建设事业、支持党中央的西部大开发战略的热情，积极参与，展示了中办人“身在中南海，心系母亲河”的崇高思想境界和高尚道德品质。

以捐款活动为契机，组织机关团员青年开展植绿护绿活动，开展保护母亲河宣传教育。中办机关各单位通过发放宣传材料、张贴宣传画、制作板报等形式，在广大团员青年和干部职工中倡导和树立母亲河意识和可持续发展意识，开展了一次以保护和改善生态环境为主题的宣传教育活动。同时，各单位团组织抓住机遇，普遍开展了一次植绿护绿、美化庭院环境的活动。4月8日，以“保护母亲河，共建中办机关世纪林”为主题的团员青年义务植树活动，掀起了中办机关“保护母亲河行动”的又一高潮。“保护母亲河行动”在中办机关广大团员青年和干部职工中引起了强烈的反响，激发了他们关心生态环境建设，为国家经济建设做贡献的热情。

（中央直属机关文明办）

共青团中央

第二届“挑战杯”中国大学生创业计划竞赛

第二届“挑战杯”中国大学生创业计划竞赛于2000年6月至11月在上海举行，由团中央、中国科协、全国学联主办，上海交通大学、和讯信息科技有限公司承办。竞赛采取学校、省市、全国三级赛制，分预赛、复赛、决赛三阶段进行，取得了圆满成功。

大学生创业计划竞赛是指借用风险投资的实际运作模式，要求参赛者组成优势互补的竞赛小组，提出一项具有市场前景的技术产品或者服务，围绕这一产品或服务，以“获得风险投资”为目的，完成一份完整、具体、深入的商业计划。

大学生创业计划竞赛起源于美国。为了培养广大青年学生的创新意识和创业能力，共青团中央、中国科协、全国学联从1999年开始举办“挑战杯”中国大学生创业计划竞赛，并由清华大学承办首届比赛，在社会上引起了强烈的反响。

2000年6月，本届竞赛在全国各地展开学校、省市两级选拔赛，大赛组委会共收到来自全国24个省132所高校的462件作品。参赛作品创意新颖，技术先进，撰写规范，内容涵盖了电子信息(软硬件)、网络、光机电一体化、生物医药、环境科学、精细化工、新能源、农林畜牧以及服务行业共9大类，反映了当代大学生对当前社会经济以及自己未来创业之路的理解和认识。

10月28—29日，竞赛组委会在上海组织了复赛评审，来自全国各地的22位学者、风险投资商和企业家组成评委会，对462件作品进行了认真细致的书面评审，选出150件作品进入复赛，并从中精选出50件入围决赛的作品。

2000年11月22—25日，第二届“挑战杯”中国大学生创业计划竞赛决赛在上海交通大学举行。11月23日，50个入围决赛的参赛团队分7组在上海交通大学分别进行了秘密答辩。经过评委会严格、细致的评审、复议，最终产生了本届大赛的金、银奖得主。东南大学的“基于卫星移动通信的信号实时跟踪伺服器”、清华大学“智能家庭系统”等15个团队的创业计划竞赛作品获得了本次大赛的金奖。南开大学“B&P生物制品公司”、北京师范大学“紫杉醇增产技术商业计划”等35个团队的作品获得银奖。山东、湖北、福建、天津、上海、江苏、重庆、北京、黑龙江等9个单位获得本届大赛的省级优秀组织奖，北京大学、上海交通大学等33所高校获得校级优秀组织奖。

为了推动竞赛成果走向产业化，大赛组委会于24日晚在上海影城举行了合作投资协议签约仪式，邀请了中信集团中国国际咨询公司、中国创业投资有限公司、维欣风险投资网、万维投资网、研华基金、上海交大科技创业投资有限公司、福建恒安集团等知名投资公司、企业界人士和参赛团队代表参加，为参赛作品从计划走向市场搭桥铺路。签约会上，西安交通大学“西安行知资讯传播有限公司”（作品）与香港沿海国际控股有限公司、山东建材工业学院“科瑞特股份有限责任公司”（作品）与河南濮阳华油防腐集团、武汉科技学院“武建机械股份有限公司”（作品）与湖北建昌机械股份有限公司、上海交通大学“分布式ISP接入方式”（作品）与上海交大学子创业投资有限公司分别签署了投资合作协议。

（共青团中央）

共 青 团 中 央

城乡少年手拉手助学活动

为进一步深化“手拉手”互助活动，帮助贫困地区特别是西部地区少年儿童完成九年义务教育，解决他们学习、生活中的实际困难，促进城乡少年儿童互助互学，共同进步，1999年底起，团中央、教育部、民进中央、全国少工委在少先队组织中开展了“城乡少年手拉手助学活动”。

这项活动主要采取三种方式推进，一是集中行动，在每学期的开学初或学期末，动员城市和经济发展较快地区的农村少先队员进行募集课本和学习用具的统一行动，将收集的各科课本和学习用具集中送给贫困地区的少年儿童。二是开展“一对一”援助，动员已与贫困地区的小伙伴建立“手拉手”联系的城市小伙伴，根据贫困地区小伙伴的需要，直接把自己用过的或向本校同学募集来的课本和学习用具，寄给贫困地区的小伙伴。三是倡导一次捐赠，长期联系，即动员城市和经济较发达地区农村的少年儿童在自己捐赠的课本和学习用具中附一封交友信，贫困地区的少先队员在收到捐赠和交友信后，及时给捐赠者回信，以建立长期的援助关系，推动城乡少年手拉手活动的深入开展。

“城乡少年手拉手助学活动”开展一年来，城市的少年儿童在写好“手拉手”交友信，与农村“手拉手”小伙伴进行思想感情交流的同时，共向农村的少年儿童捐赠旧课本200多万册，各种文具、衣物近300万件；受助的农村和贫困地区的少年儿童不仅获得了实实在在的帮助，而且还增强了克服困难、积极向上的信心和勇气。

2000年4月以来，为配合国务院“东部地区学校对口支援西部贫困地区学校工程”和“西部大中城市学校对口支援本省（自治区、直辖市）贫困地区学校工程”的实施，进一步深化“城乡少年手拉手助学”活动，推动东西部地区学校对口支援工作的深入开展，团中央、教育部、民进中央、全国少工委又在全国少先队组织中部署启动了“东西部地区学校对口支援　城乡少年手拉手助学活动”。各级少先队组织按照国务院有关扶贫协作工作的具体安排和教育部东西部对口支援“两个工程”的有关部署，以省与省、市与市、校与校“一对一”结对的方式建立援助关系，动员东部地区学校少先队组织向西部受援学校无偿提供闲置的教学仪器设备、教具、图书资料等，帮助改善办学条件，同时，利用东部地区教师到西部支教的机会，把两地的少先队员“手拉手”联系起来，互助互学，有力地推动了“城乡少年手拉手助学活动”的深入开展。

（共青团中央）

共 青 团 中 央

创建优秀“青少年维权岗”活动

2000年，共青团中央联合中央社会治安综合治理委员会办公室、最高人民法院、最高人民检察院、公安部、司法部、劳动和社会保障部、国家广播电影电视总局、国家工商行政管理局、新闻出版署、国家质量技术监督局等部门继续深入开展创建优秀“青少年维权岗”活动。在活动实施中，政法系统侧重于打击针对青少年的违法犯罪，重视对失足青少年的教育、感化、挽救及安置帮教，积极为权益受到侵害的青少年提供法律援助，并在侦察、检察、审理涉及青少年的案件中充分考虑其身心特点，维护他们的权益；劳动保障系统侧重于宣传劳动保护法律、法规；工商管理、质量技术监督等单位侧重于加大对制造、销售和经营有害青少年健康成长商品的打击力度；新闻出版、广播电影电视系统侧重于制止和取缔不利于青少年健康成长的文化制品的生产和经营活动，发挥舆论、传媒优势，普及法律知识，为维护青少年的权益提供支持；共青团组织侧重于对青少年进行法制教育，为他们提供维权咨询、自我保护教育、法律服务、舆论支持等服务和帮助。

4月14日，全国优秀“青少年维权岗”命名仪式暨先进事迹报告会在北京人民大会堂隆重举行。北京市宣武区人民法院、江苏省锡山市人民检察院、广东省深圳市公安局罗湖分局、新疆维吾尔自治区乌鲁木齐少年管教所代表受到命名的333个单位介绍了经验。

“优秀‘青少年维权岗’——自我保护教育”活动荣获了1999年度联合国亚洲及太平洋经济和社会委员会人力资源开发奖。6月5日，共青团中央书记处常务书记、全国青联主席巴音朝鲁在泰国曼谷出席了颁奖仪式，并介绍了正在开展的创建优秀“青少年维权岗”活动，各国对我国在维护青少年合法权益方面开展的活动给予了很高的评价。

7月至8月，相关创建单位联合开展了“为了明天——优秀‘青少年维权岗’暑期行动”活动。广播电影电视、工商行政管理、新闻出版等系统立足本职，为青少年假期的学习、生活、娱乐做了大量工作，有力推动了创建活动的扎实开展。

11月，全国青少年权益保护工作暨创建优秀“青少年维权岗”活动现场推进会在湖北省武汉市隆重召开。与会代表观摩了武汉市在创建活动中的先进做法。武汉市及13个区都建立了青少年维权中心，在街道社区青少年服务中心中建立了青少年维权岗服务站，并在居委会设立了维权联系点，由此构成了全市四级维权体系，实现了维权工作的区域联动。

（共青团中央）

共 青 团 中 央

中国青年科技创新行动

中国青年科技创新行动通过实施金桥计划，在科研院所、大专院校与企业之间、海外学人与国内建设之间、东部与西部之间架起了联系、沟通与合作的桥梁，为推动人才与项目对接，促进科技与经济结合作了有益的探索。同时树立了一批青年典型，在全社会营造了崇尚科学、尊重人才的良好氛围，激励更多的青年为科教兴国战略作贡献。

——百名博士西行

活动自2000年1月启动以来，已经先后组派了5批海内外博士共199人次，赴陕西、甘肃、青海、宁夏四省区，通过形势报告会、咨询论证、技术扶持、项目合作等方式，为西部地区提供多方面的技术服务，共发布了799项科研成果，达成了159个合作项目。活动受到了西部地区党政领导和社会各界的普遍欢迎，也得到了青年博士以及各科研院所的积极响应，在全社会产生了强烈的反响。

——海外学人为国服务活动

团中央、全国青联积极为海外学人以多种方式为国服务牵线搭桥。与中国留日同学总会先后20次组织留日学人归国服务团，与全国14个省（区、市）的企业、高校和科研单位开展了多种形式的合作。

——博士服务团

中共中央组织部、共青团中央共同开展的"博士服务团"先后组派了2批62名博士，分别赴重庆、四川、江西等省市开展服务工作，服务领域涉及农林、水利、医药卫生、经济、法律等专业。2000年10月，中组部、团中央联合召开了"博士服务团"工作总结座谈会，在认真总结过去工作的基础上，决定扩大此项工作的覆盖面，使其逐步拓展到整个西部地区，为西部大开发战略提供人才支持。

——中国青年创新论坛

为了团结凝聚更多的高层次青年人才，及时探讨和追踪国内外科技经济等重大热点问题，共青团中央、全国青联主办了"中国青年创新论坛"。同时，为发挥中关村的人才和品牌优势，联合中国科学院和中国社会科学院共同设立了"中国青年创新论坛·中关村论坛"，作为中国青年创新论坛的重要组成部分。中国青年创新论坛采取每年度确定一个主题、在某地或若干地点集中进行；"中国青年创新论坛·中关村论坛"则固定时间在北京中关村地区举行。前者侧重于参与的广泛性，后者体现经常性，成为各界高层次青年人才聚集的场所。

——阵地建设

共青团中央、全国青联先后命名58个中国青年科技创新行动教育基地，85个中国青年科技创新行动示范基地。依托教育基地，对青少年进行多种形式的科普教育；依托示范基地，促进人才、项目、资金等要素的有效结合，推动科技成果的商品化、产业化。建立中国青年科技信息网（www.cysn.net.cn），通过互联网汇集和发布各类具有应用价值的科技信息，向以广大青年科技工作者和青年企业家为主体的各类专业人才、科研机构和国内外投资者、高科技企业及园区提供双向资讯服务，以实现人才、技术、项目等信息的交流与对接，促进科技成果的产业化，为科技创新行动奠定工作基础。《青年科技创新》杂志及时反映了中国青年科技创新行动的最新动态及有关科技信息，便于促进人才与项目的对接。

（共青团中央）

共青团中央

中国青少年新世纪读书计划

中国青少年新世纪读书计划是中宣部、团中央、教育部、科技部、文化部、广电总局、新闻出版署、中国科协、总政组织部共同发起，以共青团组织为主导，通过社会化和市场化方式运作，组织青少年开展读书活动并为他们提供服务的大型工作项目。其目的是引导青少年为迎接新世纪的挑战发奋学习，帮助青少年树立终生学习的观念，养成主动学习、不断学习的习惯，推动青少年形成以新知识、新技术、新技能为主要内容的学习热潮。

开展主题读书活动。围绕党和政府的工作重点、社会热点和青少年关心的问题，以读书会、讨论会、报告会、知识竞赛等形式，广泛开展大型读书教育活动，在青少年中不断形成读书学习热点，营造浓郁的学习氛围。2000 年，为纪念江总书记关于发展两岸关系、推进祖国统一进程的八项主张发表 5 周年，共青团中央联合中共中央台办、教育部等单位在广大青少年中开展了“祖国宝岛台湾在我心中”主题宣传教育活动。有 70 多万青少年参加了“祖国宝岛台湾在我心中”读书知识竞赛活动。

构建读书阵地网络。大力加强青少年新世纪读书俱乐部、新世纪书屋及青少年新世纪读书网络建设，同时倡导基层团支部普遍建立兴趣小组、读书沙龙、读书协会等形式的基层读书组织，努力构建读书阵地网络。据初步统计，全国已建立读书俱乐部 1000 多个，书屋 1500 多所。2000 年 5 月，中华青少年新世纪读书俱乐部成立，在全国范围内建立起一个读书组织网络的总枢纽；9 月，正式成立了中国青少年新世纪读书网(cnread.net)，力争将其建设成为读书计划的网上工作平台，凝聚广大青少年读者。

提供读书指导服务。针对广大青少年面对丰富繁杂的文化市场产生的读好书难、找好书难的实际情况，团中央推出了中国青少年新世纪读书计划《优秀图书推荐榜》。2000 年推出 6 期新书推荐榜共近 200 种书，由于该榜是根据广大青少年以及图书出版、发行和新闻单位的意见确定初选书目，再由专家学者评审产生，并通过《中国青年报》等媒体向社会公开发布，所以具有较强的权威性。中国青少年新世纪读书计划指导委员会办公室聘请何祚庥等知名人士组成读书计划专家指导团，深入北京、黑龙江、天津、广东等地举办读书报告活动，扩大了主题读书活动在基层和青少年中的影响，强化了读书育人的效果。

（共青团中央）

天津市北辰区

开展“倡导移风易俗、净化社会风气、树立文明新风”活动

天津市北辰区自1999年12月开始，以反对陈规陋习、提倡文明健康生活方式，反对封建迷信、提倡科学进步，反对聚众赌博、提倡健康文化，反对大操大办、提倡节俭之风为主题，集中开展了“倡导移风易俗、净化社会风气、树立文明新风”活动，取得了明显成效。

一、加强领导，狠抓落实

北辰区为切实加强对活动的组织领导，成立由区长和有关负责同志参加的领导小组，抽调干部工作人员组成的办公室，负责组织、协调、推动、检查等工作。活动启动时，区委、区政府召开各单位主要领导参加的动员大会，进行专题部署，确定工作重点、方法步骤，明确目标要求。活动全面开展后，又先后派出3个督查组和8支工作队，深入各镇（村）、街道（居委会）和各委局检查指导工作，并建立活动例会制度、情况分析制度和定期汇报制度，保证这一活动深入开展。

二、广泛宣传，形成声势

北辰区为推动这一活动的不断深入，区宣传、纪检、政法、民政、计生等部门和团区委从不同侧面编写了6种宣传提纲，下发到各基层单位，召开各种动员会，宣讲区委、区政府的安排部署和具体要求，宣传活动的意义。区有线电视台、广播台开设了“沽北新风”专题节目，先后播放移风易俗活动专题报道24期。对28个不同地区、不同侧面的移风易俗先进典型，进行大张旗鼓地宣传报道，为广大群众树立身边的学习榜样，形成了努力开创精神文明建设新局面的强劲势头。

三、集中治理，扎实推进

北辰区按照“严、实、广、细”的具体要求，重点开展集中治理。即：对违反移风易俗各项规定的人和事，在处理上要“严”；各种情况和数字的上报要“实”，不能虚报，更不能瞒报；集中治理的覆盖面要“广”，不留死角，不留空白点；对干部群众的说服教育工作要“细”，不能耍态度，不能引发无谓争端。为更好地接受群众监督，区活动领导小组对外公布举报电话，设有专人值班。有关职能部门和各镇街还派出近百名工作人员，深入各村、居委会和200多个单位调查摸底，走访村（居）民，了解情况。通过开展集中治理活动，社会风气得到好转，治理工作取得成效。

四、建章立制，巩固成果

北辰区为巩固集中治理成果，区活动领导小组先后两次进行专题研究，并对各单位建章立制工作提出明确要求。区直机关率先制定了《“倡导移风易俗、树立文明新风”的十项具体规定》和相应的处罚措施。各镇街也都结合自身实际，制定切实可行的实施方案及各种规章制度。全区14个镇街都制定了《村级红白理事会章程》，126个村、31个居委会全部制定和完善了《村规民约》、《居民公约》、《关于婚事新办的规定》、《关于丧事简办的规定》及其他配套规定和措施，为进一步树立文明新风提供了制度保证。

北辰区通过开展“倡导移风易俗、净化社会风气、树立文明新风”活动，提高了广大干部群众思想觉悟，增强了自觉抵制封建迷信的能力，进一步形成了文明健康、积极向上的社会氛围，为新千年精神文明建设上水平打下了良好基础。

（天津市文明办）

山西省太原市

“文明单位献爱心，治理美化母亲河”活动

汾河被太原人亲切地称为母亲河，因此，根治汾河污染、重视汾河秀美景象的汾河治理美化工程既是太原市委、市政府的重点工程，更是全市人民关注的民心工程。2000年8月，就在汾河治理美化工程即将蓄水之际，丛生的河道中的杂草、灌木影响了工程的顺利进展。太原市文明委及时抓住这一全市上下关注的焦点，组织全市文明单位开展了“文明单位献爱心，治理美化母亲河”活动。据统计，参加这次活动的市级以上文明单位达到727家，驻军和武警部队也参加了这一活动，参与人员总数超过6万人次。经过广大干部职工、部队和武警官兵连续3天的奋战，河道内80余万平方米的杂草、灌木被彻底清除。

在整个活动中，全市各条战线、各个行业的干部职工表现出了极大的热情。全市文明单位把组织干部职工参加“文明单位献爱心，治理美化母亲河”活动当做锻炼队伍、提高职工文明素质的难得机会。全市干部职工的顽强拼搏、团结协作、无私奉献精神和社会公德意识在参加义务劳动的过程中得到展示和强化，6万劳动大军，上千台机械、车辆，没有损坏一片草坪、一棵树木。

“文明单位献爱心，治理美化母亲河”活动，不仅直接创造了可观的物质效应，展示了全市文明单位的风采，而且这一活动通过省、市10余家新闻单位的连续报道，在全市市民群众中产生了极大反响。

（山西省文明办）

内蒙古自治区

发动群众　创建“三园”

为了贯彻落实中央文明办等10个部门《关于开展“倡导文明新风，共建美好家园”活动的通知》精神和全国深入开展“讲文明树新风”活动电视电话会议精神，自治区文明办、民政厅、公安厅、建设厅、文化厅、卫生厅、体育局、团委、妇联、科协联合发出《关于深入开展“倡导文明新风，共建美好家园”活动的实施意见》，确定以加强社区建设为重点，以“倡导文明新风，共建美好家园”为主题，着重围绕美化居住环境、维护治安秩序、丰富文体生活、普及科学知识、拓展社区服务、密切人际关系等六个方面内容，组织发动群众，开展集中性战役，创建“三园”，即从居住环境入手，建设美丽整洁的花园；从增强市民素质入手，建设安全文明的乐园；从提高生活质量入手，建设舒适祥和的家园。根据自治区总体部署，全区各地分别开展了春季环境集中治

理，“科普示范社区”，“万民青少年进社区”，“青年文明号优质服务月”，“服务生态建设，绿化美好家园”，“文明长廊、平安大道”，“物业管理优秀住宅小区”，“热线连万家、服务你我他”，“五好文明家庭”，“一助一尊老敬老结对服务”，“巾帼社区服务工程”，“草原艺术节”，“评选体育先进社区”，“科普万里行、大学生科普志愿者行动”，“社区卫生服务试点”，“安全社区”，“人民满意派出所”等活动。整个活动分5个阶段推进，形成了5个热潮，取得了明显成效。

（内蒙古自治区文明办）

内蒙古伊克昭盟

开展“文明进牧家”活动

在千里草原广泛进行思想道德教育、科技推广和文化建设，引导广大牧民变单纯追求物质享受向求知、求美、求乐发展。一年来，各级领导部门帮助牧民建起了读书、体育、文化娱乐设施三配套的嘎查（村）活动室2885个，每个活动室订有报刊杂志和图书，并建有读书室、放映室、文艺活动室等。

伊克昭盟各级领导部门从牧区草原幅员辽阔、地广人稀的实际出发，采取三种有效方式，将精神食粮送到草原上的千家万户。

文化车：常年奔驰在草原上的文化车，装备轻便、内容丰富，包括放电影和幻灯、售书、说唱、展览、送药、售货、电器维修等20多个项目，坚持定时、定点、定线巡回，把党中央的声音传到牧户，思想教育做到牧户，科学知识送到牧户，扶贫致富帮到牧户，文化娱乐乐到牧户。

文化日：各苏木和嘎查每月都举办一次文化日。每逢这一天，牧民们身着节日盛装，欢天喜地从四面八方赶到活动地点，白天摔跤、赛马、看图片展览、欣赏美术摄影、听科技讲座；晚上看幻灯、电影，观看文艺演出，民歌坐唱，青年男女翩翩起舞。

文化户：以“自娱自乐自教”为主的文化户已成为牧区的小文化中心。在鄂尔多斯草原，文化户现在已有3000多户。这些文化户家家都订有5种以上报刊，备有5种体育器材、4件以上常用乐器，藏书在300册左右，并遵循尊老爱幼、邻里和睦、遵纪守法原则。有的文化户每年还要举行大型文艺、体育活动和那达慕大会，仅嘎鲁图苏木一年里就有8个文化户分别举办了家庭那达慕大会，每次都有上百名牧民参加。

“文明进牧家”活动为牧区精神文明建设带来了前所未有的效果。鄂尔多斯草原已有60%的牧户订阅报刊杂志，有80%的牧户购置了马头琴、吉他、电子琴等乐器，半数以上的苏木嘎查常年开展读书读报、体育比赛、文化娱乐活动，牧民家庭文化消费支出的增长速度已高于吃穿用生活费用支出的增长速度。还有许多苏木由牧民集资建起了电影院、牧民文化宫、灯光球场等。

健康的文化塑造人，优美的环境陶冶人。草原牧区昔日赌博、迷信、酗酒闹事等不良陋习基本消除，代之而起的是讲文明、讲团结、学科学。

（内蒙古自治区文明办）

吉 林 省

开展“扫荡丑恶现象，净化社会风气”专项治理活动

吉林省文明委决定，从 2000 年 3 月到年底，在全省开展“扫荡丑恶现象，净化社会风气”专项治理活动。

深入开展扫黄打非。坚持不懈地开展扫除黄色出版物、打击非法出版物的专项斗争，集中销毁一批违禁书刊和音像制品，关掉一批不具备放映条件的录像放映点（厅），查禁、取缔一批制贩、传播淫秽物品的窝点。

集中扫荡黄赌毒。全面清查歌厅、舞厅、夜总会、洗浴中心、电子游戏厅、电脑房、网吧、发廊等场所，取缔各类带有色情服务和赌博性质的项目以及农村的“脏口”二人转等，查封一批从事色情服务和赌博活动的场所，严厉打击卖淫嫖娼、吸毒贩毒等违法犯罪分子。

严厉打击各类犯罪团伙。把严打方针贯穿到日常生活中，在城市重点打击街头犯罪，在农村重点打击地痞、村霸、流氓恶势力。

坚决清除不良文化。对有损国家利益和社会公共利益，违背社会公德，不符合民族、宗教习俗，带有封建、殖民色彩的广告、招牌、张贴画等进行清理整顿。坚决清除制售假文凭、街头算命等现象。

整个专项治理活动在省文明委统一领导下进行，省文明办牵头负责。各市（州）文明委根据工作任务，组织公安、文化、新闻出版、工商等部门，具体实施。

省文明办协调公安、文化、新闻出版、工商等部门，组成联合检查组，全年分三次配合各地统一行动，对活动开展情况进行督促、检查。

通过全年的专项治理，社会治安秩序、文化市场秩序得到进一步优化，行业场所管理得到进一步加强和规范。多数行业场所业主及个体业户能够自觉抵制各种违法行为，做到守法经营、文明经商。各种丑恶现象得到有效遏制，社会风气明显好转。

（吉林省文明办）

黑龙江省大兴安岭地区

开展“净美倡”活动

大兴安岭地处北疆，交通不便，信息闭塞，气候寒冷。由于城市建设和人们生活条件较差，加之开发初期一度存在重生产、忽视环境建设的倾向，有些林业局和林场的生产废弃物和生活垃

圾几十年从未彻底清除过，堆积如山；居民烧柴超量存储，小商小贩占道经营；交通秩序混乱等问题严重损坏了城市环境和形象，影响了广大居民的生活质量，更严重的是给扩大开放、招商引资和旅游业带来了负效应。

为了改变大兴安岭的落后面貌，塑造全新的形象，全区开展了“净化环境、美化家园、倡导文明新风”活动。2000年初，召开动员大会，明确了“净美倡”活动奖罚措施。地委及各县区、林业局成立了以主管副书记为组长的“净美倡”活动推进组，同时结合各自实际制定了规划和方案。

落实责任制。许多地方将“净美倡”活动纳入年度考核，实行一票否决。有的县区林业局党政一把手多次带领有关部门深入基层检查督促。塔河县、呼中区、十八站、图强、松龄区实施“一把手工程”，层层落实责任制，处级干部包林场（乡镇），一把手负总责，发现问题及时整改。

地处黑龙江沿岸的呼玛县通过“净美倡”活动，城镇面貌焕然一新。改造了城区的各中心马路、街（巷口）道10余条，新建了可容纳2万余人、占地1.3万平方米的广场，对城镇中心的正棋路两侧建筑、环境进行了统一“包装”和改造，修建了江畔和城欣公园，实施了“两亮”工程、“畅通”工程，拆墙透绿，拆墙还草，基本实现了满城绿色满城花的“城市形象”建设目标。彻底摘掉了戴了40多年的“旱天尘土飞扬，雨天污水横流”的帽子。改善城镇环境，使边城呼玛净化、绿化、硬化、美化变成了现实。

漠河县按照建设现代化旅游名城的标准，统筹规划，科学设计，建成休闲广场4个，修建了一座3.5米高、260平方米的大舞台，修建了“妇女儿童乐园”、“夕阳红老年秧歌队”基地等设施。如今的漠河山清水秀，鸟语花香，楼在城中，城在绿中。

良好的生存环境，不仅提高了百姓的生活质量，同时也给大兴安岭地区带来了无限商机。大兴安岭地区引进外地开发商60多家，已有9位开发商到加格达奇区进行房地产开发，开发项目10个，投资总额1.45亿元，总建筑面积9.4万多平方米。净水厂工程、新世纪广场、站前广场、步行街、商业一条街综合楼、朝阳路综合市场等亮点工程已陆续竣工。全区基础设施建设大大改善。全区进出口同步增长59.7%，旅游人口数量实现了突破。

（黑龙江省文明办）

黑　龙　江　省

开展科普之冬活动

为提高农民的科学文化素质，促进农村两个文明建设，黑龙江省利用冬季农民辍耕“猫冬”的农闲时节，在农村广泛开展了科普之冬活动。

省委、省政府领导对科普之冬活动十分重视，成立了由主管科技的副省长为组长的领导小组，并在省科协普及部设立了领导小组办公室。

负责活动的组织、协调、指导、综合等工作。各市（地）、县也都成立了以主要领导为组长的科普之冬活动领导小组，把科普之冬活动纳入重要日程，定期听取领导小组办公室的工作汇报，认真研究制定活动方案、检查评比办法，表彰先进集体和先进典型。

各地在活动中本着面向基层、坚持实用、突出重点、注重实效的原则，深入基层调查研究，了解农业生产的难点，寻找农民需求的热点，确定活动的重点，使活动始终围绕提高农民科技素质，促进农业生产结构调整，确保农业增产和农民增收这一主题展开，既传播科学知识，又推广实用技术，同时注重科学精神、科学思想、科学方法的宣传普及。

各地在开展科普之冬活动时，本着实际、实用、实效的原则，采用了科技培训、科普大集、流动课堂、科技咨询、科普知识竞赛、科普展览、印科普资料、放映影视片等多种多样的形式，把活动扎扎实实落到实处。

科普之冬活动注重以科技为先导，以树新风为目标，推动了农村生产力的发展，促进了农村社会风气的好转。全省已有3万多名农民获得了绿色证书，涌现出一批有文化、懂技术、会经营、善管理，代表农村先进生产力水平的典型群体。每个村屯都涌现出一些科学种田的明白人、进入市场的经济人、脱贫致富的带头人。凡是科普之冬活动开展好的村屯，都做到无赌博、无上访、无打架斗殴、无刑事犯罪、无偷盗、无超生、无乱砍滥伐、无辍学、无封建迷信活动。

（黑龙江省文明办）

上 海 市

举办社区科普读书和征文活动

2000年8—10月，上海市文明办、上海市民政局、上海市妇女联合会、上海市科学技术协会、上海市读书指导委员会办公室、《新民晚报》联合举办了以弘扬科学思想、普及科学知识为主要内容的上海市“蚪之宝”杯社区科普读书和征文活动，历时3个月，产生了一定的社会影响，收到了预期的效果。

主办单位密切配合，有序组织。为了切实搞好“蚪之宝”杯社区科普读书和征文活动，市文明办等6家主办单位先后召开会议，明确由市文明办牵头，市科协负责具体实施，市民政局、市妇联等单位协同配合。要求各区、县、街道联系实际，将此次活动与社区精神文明创建活动有机结合，统筹安排，认真落实。各区、县形成合力，组织工作有力度、有优势，活动得以在社区、厂矿广泛开展。

各区、县抓好落实，读书活动既切合实际又丰富多彩。黄浦区根据本区的特点，举办以科普读书和征文为主题的科普报告会，吸引了众多的居民参与活动，同时也普及了科学知识；虹口区举行“为明天的生活贡献创见”科普读书进家庭现场展示活动，形式新颖，以创意吸引人；嘉定区将本次活动纳入创建文明小区工作，各部门分头落实，制订活动方案，使活动有重点、有层次，形成了很浓的氛围。

发动面广，参与活动的人数多。从征文作者来看，年龄最大的85岁，最小的10岁；从知识层次来看，有科普志愿者、科技人员等知识分子，更有普通的市民、村民；从职业来看，有工程师、教师、医生及干部，也有学生、工人和离退休人员，也不乏一家三口一起参加读书征文的家庭。

读书征文的数量与质量都令人可喜。据统计，读书征文数达1500篇。这些征文都经过各区、县有关部门的筛选，质量较高，不少征文从自己的切身实际出发，娓娓道来，朴实动人。

这次科普读书和征文活动，推进了社区科普工作，在全社会进一步树立了文明新风。

（上海市文明办）

上　海　市

组建“开业指导”专家志愿者服务团

由上海市文明办、市劳动和社会保障局、市志愿者协会联合组建的“开业指导”专家志愿者服务团，经过3个多月的运作和探索，为许多下岗人员进行开业指导，取得了良好的社会反响，也为上海的改革、发展、稳定起到了积极作用。

在3个多月中，专家志愿者由133名增加到210名，团体会员由19个增加到27个。这些专家大都具有丰富的实际工作经验。团体会员有上海商业联合会、上海第二工业大学、上海中小企业服务中心、上海社会科学院经济法律社会咨询中心等单位。

在3个月中，有1021人次的下岗失业人员接受了专家的指导和帮助，这些人员的年龄一般在30至40岁，高中学历占多数，少部分大专以上学历。许多通过指导和培训的下岗开业人员反映：我们虽然失业了，但是党和政府一直十分关心下岗职工的再就业，组织了这么多经理、专家开展志愿服务，这更加增强了我们开业创新路的勇气和信心。

3个多月来，每逢周六，到天山路上的上海市开业指导服务中心咨询开业的人流络绎不绝，各种咨询摊位前人头攒动。专家们放弃休息时间，冒着高温酷暑，热诚地为下岗人员开业出谋划策，指导业务。由于下岗开业人员原先的职业、技术特长都各不相同，上海市开业指导服务中心的工作人员采取了分类指导，循序渐进，系统讲解的一整套管理办法，取得了一定成效。

预先登记，分类指导。初次参加咨询的失业人员都要先填写一张详细的个人情况表。工作人员根据他们原来的技术工种、文化程度等进行分类，安排不同的专家对他们的能力及适合经营的项目进行评估，提出开业投资的初步方向和策略。

举办系统咨询活动。当一些下岗失业人员逐步形成了自主开业的思路时，专家志愿者服务团适时地举办系列咨询活动，请专家讲授非正规劳动组织的有关政策，相关法律法规、市场营销和融资投资策略等。经过一段时间的系统讲解，不少专家已经着手为下岗人员策划项目，制定投资计划。

牵线搭桥结对子。通过系统培训后，许多下岗人员提出了非正规劳动组织业主的申请。初始阶段，各种实际问题接踵而至，专家志愿者服务团的工作人员总是想尽办法为他们介绍主管的业务部门，联系相关专业人员，进行一对一的指导。

“开业指导”专家志愿者服务团的200多位专家热情地为下岗失业人员开业提供了市场形势分析，帮助寻找贷款和融资途径，使开业者获益匪浅，也受到了社会各方的好评。

（上海市文明办）

江 苏 省

开展“文明与春运同行”活动

春运期间，江苏省文明办、春运办会同省交通、铁路、民航、建设、旅游系统，在车站、码头、机场、列车车队、长途汽车客运公司、公交公司、出租车公司、飞机航班、旅行社、风景旅游点等部门、单位中广泛开展了以创优质服务、优美环境、优良秩序和确保安全为主题的“文明与春运同行”活动。各地、各部门结合自身实际，突出重点，设计载体，精心组织，狠抓落实。一是环境卫生整洁，活动氛围浓郁。春运窗口单位始终保持站容站貌、车容车貌整洁卫生，所有的车站、机场、码头都结合自己行业特点，制作了宣传横幅标语。二是便民服务到位，服务水平较高。各长途汽车站在候车大厅设立了咨询服务台，各火车站推出了导购、导乘、导托服务和延时服务，各机场实行特殊旅客全程免费陪伴服务，千方百计为旅客排忧解难。三是保障措施有力，春运安全有序。春运期间，各春运窗口部门都增设了售票窗口，增加了运输车辆，加大了安全检查、超载稽查和营运车辆安检力度。各地、各部门还建立了有效的监督机制，大多数春运窗口单位都设立了意见箱、意见簿、举报电话、监督台，聘请了行风监督员，虚心听取群众反映的问题，及时处理，取信于民。通过开展活动，为广大旅客提供了便捷、优质的服务，喊响了“文明与春运同行”的口号，加大了春运工作的文明含量，为文明创建注入了新的活力，取得了良好的社会效益和经济效益。

（江苏省文明办）

江 苏 省

全面开展文明风景旅游区创建工作

2000 年，江苏省文明办、建设厅、旅游局联合组织了一系列活动，推动创建文明风景旅游区工作的全面、深入开展。11 月 4 日，省文明办等三部门在南京联合举办了全省“徐铁杯”风景旅游区（点）导游、讲解员比赛，来自全省各景区（点）的近 40 名导游和讲解员同场竞技，展示了各自的素质和风采。8—9 日，省文明办等三部门在苏州召开了全省创建文明风景旅游区工作座谈会，传达学习全国创建文明风景旅游区工作座谈会精神，研究部署下一步的创建工作。会议提出：始终坚持“两手抓，两手都要硬”的方针，以提高员工素质为根本，以提高景区（点）文明程度为目标，以示范点建设和规范化服务为抓手，以科学管理为保证，推动“讲文明树新风”活动向风景旅游区延伸，促进风景旅游区两个文明协调发展。会上，推出了南京市雨花台烈士陵园等21个江苏省创建文明风景旅游区示范点，并为全省“徐铁杯”风景旅游区（点）导游、讲解员比赛获奖的团体和个人颁了奖。

为了贯彻会议精神，江苏省从四个方面入手，把创建文明风景旅游区工作往深里做、往实里做：抓阵地，使风景旅游区成为社会主义精神文明建设的重要场所；抓服务，使创建文明风景旅游区活动真正受到人民群众欢迎，让人民群众满意；抓管理，保证创建文明风景旅游区活动规范有序地开展；抓队伍，为风景旅游区两个文明建设协调发展提供思想和素质保证。

（江苏省文明办）

江苏省常熟市

开展“讲文明树新风迎新春”系列活动

为喜迎新千年，迈向新世纪，江苏省常熟市开展“讲文明树新风迎新春”系列活动，营造欢乐喜庆、昂扬向上、团结奋进的氛围。

“三提倡、三反对”，树立新风迎新春。以提高市民素质和城乡文明程度为目标，加强“三提倡、三反对”教育。加强马克思主义唯物论和无神论教育，大力提倡科学精神，进一步划清唯物论与唯心论、无神论与有神论、科学与迷信、文明与愚昧的界限，引导市民树立正确的世界观、人生观、价值观。加强艰苦创业精神教育，激励全市人民艰苦奋斗，知难而进，自强不息，克服困难，为振兴常熟、繁荣家乡而建功立业。加强法制教育，增强市民法制意识和法制观念，努力维护社会稳定。

净化环境，干干净净迎新春。把环境卫生作为一项重点工作认真抓好，在巩固国家卫生城市和省级文明城市成果的基础上，重点抓好车站码头、商业中心、园林景点、农贸市场、城乡结合部、城市出入口、市区主干道、居民住宅区的环境卫生，不断提高城乡整体环境水平。紧紧抓住迎新春这个契机，以处理桥边、沟边、路边、屋前屋后生活垃圾为重点，制止乱堆乱放、乱抛乱倒、乱挂乱拉现象，使村镇卫生状况有一个大的变化。

擦亮“窗口”，满意服务迎新春。各窗口行业以“为人民服务，树行业新风”为主题，完善便民利民服务措施。供销、商业等部门开展以优质服务为主要内容的真品上货架，真价标规范，真情献顾客的“三真”活动。改善服务态度，规范服务程序，努力提高人民群众的满意度。

综合治理，秩序井然迎新春。交通运输部门认真抓好春运工作。各有关职能部门加强城市交通管理，对城市主干道、居民住宅区的路、巷等重点地段实行重点整治，加大执法力度，纠正乱设摊点、挤占道路的问题。

优化载体，多姿多彩迎新春。组织全市迎新春文艺晚会。组织文化、科技、卫生“三下乡”活动。深入开展“双拥”共建活动，军地互办实事。继续开展“爱心献功臣行动”，切实帮助解决实际问题。城乡各单位各部门认真设计活动载体，开展小型多样、丰富多彩的文娱体育活动，吸引群众广泛参与，陶冶情操。

加强领导，协调运作迎新春。整个活动在各级党委、政府的领导下，发动社会各方力量，实行齐抓共管。各级文明单位、文明村镇、文明行业、文明小区注重发挥带头作用。工会、共青团、妇联发挥自身优势，组织富有特色的活动。共产党员和机关干部率先垂范，带头讲文明，树新风。加大舆论宣传力度，新闻媒体及时报道新人新事新风尚，对不卫生、不文明的行为，进行适度曝光，发挥舆论的导向和监督作用。

（江苏省文明办）

福建省宁德边防支队

开展“帮百户、促发展”爱民月活动

宁德边防支队于2000年1月份开展以“帮百户、促发展”为主要内容的爱民月活动，深受群众欢迎。

一是实施“政策助民”。通过调查摸底，确定117户贫困户作为帮扶对象，并将他们的情况及时向当地有关政府部门汇报，力求取得政府在政策上给予帮助和倾斜，在各项费用上适当减免，在农贷上优先照顾。同时，进一步优化服务措施，强化窗口建设，精简办事环节，为渔船民提供快捷周到的优质服务。

二是实施“观念助民”。福鼎市嵛山镇马祖村农民庄松明，家里子女多、劳力少，生活十分贫困，1999年曾一度沉迷于修炼“法轮功”，所长施永强主动与庄松明家签订帮扶协议，经常向他宣传党的路线、方针和富民政策，帮助他提高认识，消除封建迷信思想，树立勤劳致富的观念和信心，并从人力、物力上给予支持帮助，使庄松明与“法轮功”彻底决裂，走上了勤劳致富的道路。

三是实施“智力助民”。充分利用部队人才集中的优势，向群众传授各种农业（渔业）技术知识、家用机电和电器维修的基本常识，举办科技致富知识讲座，配发农业（渔业）技术资料等，并主动邀请地方农技师深入农村为群众授课，使群众开阔视野，掌握科学致富奔小康的技能。

四是实施“信息助民”。通过赠送报刊、设置广播等形式，及时向贫困户提供各种致富信息。支队为金涵畲族群众送去5000元订报款。福鼎边防大队为帮扶对象征订《福建法制报》、《福建经济报》等240多份。

五是实施“人力助民”。积极组织边防官兵利用节假日和休息时间，帮助劳动力不足的贫困户进行农业生产。

六是实施“物质助民”。支队向贫困户捐赠慰问金，资助购置必要的生活用品以及农、牧、渔业生产资料等。福鼎白露边防派出所所长蒋伏贵了解到敏灶中学学生吴小红因家庭生活困难辍学在家的情况后，当即拿出300元慰问金给她家做生活费，并与吴小红结成“一助一”对子，资助小红重返校园。

宁德边防支队在爱民月活动中，走访了67个单位、85个农（渔）村、1200多户群众，为帮扶对象解决实际困难320个。

（福建省文明办）

福建省三明市尤溪县

“155”服务中心为农民办实事

尤溪县在深入开展精神文明创建活动中，组织40个机关单位联合开展“心系农家，情暖山乡”文明系列活动，在活动中，联办单位根据部门的职能自行拟定服务项目与行动方案，分别实施“科技星火”、“服务春光”、“文化芳草”和“法律金盾”四大行动，同时开通“农家155”服务热线电话，抽调农业技术人员组建服务中心，负责接转电话、回答咨询，办理每一个来询电话。

一、加强领导，健全网络

县里成立活动协调小组，由一名县领导任组长，“农家155”服务中心安装2部电话负责接收来询电话和协调有关联办单位开展服务，各乡镇也设立15个联办网点，配备专用电话，同时建立“农家155”服务队或协调小组，随时开展服务。

二、传教技术，提供信息

农家155服务中心通过回答电话咨询、现场指导、下农村办班培训等形式为农民提供技术服务。县“农家155”服务中心还从宏观上帮助各级政府做好农业产业结构的调整，积极鼓励农民大力发展尤溪麻鸡和肉兔的饲养，努力发展荷兰豆、台湾毛豆、芦笋、马铃薯、反季节食用菌等品种的种植，引导农民根据市场需要来安排种养业结构和规模，对农业经济的发展起到了促进作用。

三、排忧解难，多方服务

“155”服务中心积极开展政策法规宣传，及时化解矛盾、排解纠纷。2000年1月，服务中心接到联合乡菇农反映因辅料石膏问题造成所种香菇烂筒不长菇，服务中心及时组织农业执法大队、县食用菌办和县工商局等单位到现场调查，证实350万袋香菇所用辅料石膏是假的，立即予以查处。西城镇后洋村烟农为防家禽糟蹋烟苗，在烟苗施放农药毒饵，容易误毒家禽引发纠纷。服务中心及时协调镇烟草站、村委会赶往现场调解处理，防止了纠纷的发生。

四、完善设施，办好实事

尤溪县委、县政府始终把办好“155”服务中心作为为民办实事的重要项目。中心配备一台电脑，建立信息库、资料库，并与信息网联网。配备一辆工作车，便于开展现场服务与宣传、培训活动。编印《农家155》旬报和《农家155服务百例》小册子，广泛开展科技、法规、政策宣传。

（福建省文明办）

福建省莆田市涵江区

积极兴办个体经营者文明学校

福建省莆田市涵江区商贸发达，为加强个体经营者的思想政治工作，提高他们的营销决策能力和文明经商素质，涵江区办起了10多所个体经营者文明学校。文明学校每月定期上课，除了组织学习时事政治、经济理论、政策法规外，还介绍市场行情、商业信息、营销策略，进行思想道德教育，宣扬好人好事，批评不文明行为。万余名个体经营者通过学习培训，不仅增长了知识，扩大了视野，而且提高了觉悟，增强了团结，有力地促进了当地的两个文明建设。

（福建省文明办）

江　西　省

举办“世纪之光”合唱节

为迎接新世纪，展示新风貌，推动全省精神文明建设，江西省委宣传部、省文化厅在全省开展声势浩大的“世纪之光”大型合唱节活动。合唱节坚持面向基层、面向群众，隆重热烈、勤俭节约的原则，高唱歌颂中国共产党，歌颂社会主义、爱国主义、改革开放主旋律。通过参加合唱节，全省广大干部群众普遍受到了一次生动的爱国主义、集体主义和社会主义教育。

这次活动的主要特点：一是主题突出。各地紧紧围绕“歌唱伟大祖国，迎接新世纪”这一主题，扎实开展活动，普及传唱歌颂党、歌颂祖国、歌颂社会主义、歌颂改革开放的经典曲目，唱响中国共产党好、社会主义好、改革开放好主旋律。二是领导重视。省、市、县都成立由宣传部长为主任的组委会，制定具体活动方案。为保证活动顺利开展，省委宣传部还拨出专款200万元，用于各地举办合唱节。12月29日，省里主要领导观看了省直单位“世纪之光”合唱节展演晚会。许多副厅以上领导干部登台参加合唱。三是形式多样。各地以迎接新世纪为契机，把合唱节与元旦、春节期间的文艺活动结合起来，与文化下乡活动结合起来，通过举办广场文艺演出、组织文艺小分队进村入户等形式，利用各种文化场所，开展了丰富多彩的群众性文化活动，活跃群众文化生活。四是影响深远。通过层层发动，精心组织，合唱节期间，全省直接参与演出的人数超过10万，观众达800多万人次。与此同时，各地普遍加大宣传力度，通过广播、电视、报纸广为宣传，形成声势，在社会上引起强烈反响，营造了良好的舆论氛围。

（江西省文明办）

江　西　省

组织开展婚育新风进万家活动

江西省在“讲文明树新风”系列活动中，积极开展婚育新风进万家活动，取得显著成效。2000年4月，国家计生委在南昌召开全国婚育新风进万家活动现场经验交流会，总结和推广江西省开展婚育新风进万家活动的经验，在全国引起很大反响。

江西省在开展婚育新风进万家活动中，以转变群众婚育观念、传播社会主义生育文化为重点，以为群众提供优质服务为手段，广泛深入地开展送文明观念、送生育政策、送科普知识、送致富技术；进大街小巷、进流动人口集聚地、进边远山区、进滨湖地区的“四送四进”活动。

一、合理规划，周密部署

为把工作落到实处，制定婚育新风进万家活动规划，落实责任措施，并提出结合贯彻执行中共中央、国务院《关于加强人口与计划生育工作稳定低生育水平的决定》，进行先试点后展开，分类指导。2000年各地按照分类指导的原则，全面开展“四送四进”活动，并对各地活动情况进行中期评估。

二、因地制宜，突出重点

在“四送四进”活动中，以“三个面向”为重点，即面向山区，结合开展帮信息、帮项目、帮技术、帮资金的“四帮”活动，引导农民走少生快富之路，把开展群众性的婚育新风宣传教育活动落实到基层；面向湖区，“进码头、进船只、进渔村、进渔家”，深入湖区，上船、入户，开展独具特色的水上婚育保健服务活动；面向城区，结合帮助下岗育龄人员再就业，帮助群众掌握生产技能和科技信息，帮助困难户解决子女学习和生活上的困难，采取各种措施，努力营造新型社区婚育文化氛围。活动开展以来，得到了省委省政府的高度重视和各有关部门的大力支持。省委宣传部、省文明办把婚育新风“四送四进”活动纳入全省思想道德建设的总体安排；省财政专门拨款100万元，加强各地人口学校的硬件建设；省计生委会同有关部门举办“迈向新世纪”大型计划生育文艺晚会；省妇联把婚育新风进万家活动与评选“巾帼英豪”、“五好文明家庭”等活动结合起来。

三、参与面广，效果明显

江西省婚育新风进万家活动声势、力度大，得到了群众广泛参与和积极支持，为全面提高人口素质，营造良好的人口与计划生育氛围，倡导良好风尚的形成，起到了积极的推动作用。

（江西省文明办）

山东高校
创建“文明校园”

山东高校把创建文明校园作为精神文明建设的“牵牛鼻子”工程，加大建设力度，使校园环境和师生精神面貌发生了明显变化。省委高校工委、省教委出台了《山东省高等学校校园文明建设检查评估标准》，详细规定了各项量化指标和具体要求。把精神文明建设的要求量化为指标体系，并通过政府行为加以推动实施，在山东尚属首次，这一举措得到各高校的普遍认可和重视。

各高校都是一把手担任校园文明建设领导小组组长，从组织发动到经费落实，再到建设质量，一把手都亲自参与。各高校都召开誓师大会、动员大会进行广泛发动，通过签订责任书层层落实责任，利用校内电视台、广播站、校报、宣传栏等形式广造舆论。同时，开展了一系列文明创建活动，如“十大校园建设”、“告别陋习”、“与文明握手”等。

加强硬件建设是高校校园文明建设的重要内容。如果没有必要的投入和经费保证，校园文明建设就搞不好。全省已经通过预审和复查的20所学校，直接用于校园文明建设的投入都在400万元以上，有的学校超过1000万元。许多学校在创建过程中，不断制定、完善了教学、科研、后勤管理、安全保卫和宣传思想工作等方面的规章制度。在创建活动中，各高校注意校园文明建设与学校的教学、科研、改革和各项工作融为一体。

山东农业大学结合学科特点，在绿化过程中，引进树种60多种，新植5—10年生大树400多棵，使校园内树木种类由原来的180种增加到240多种，绿化、美化了学校教学、科研。临沂师范学院注重发挥革命老区支持教育的传统，与地方企业和单位共建文明校园。这个地区所在的九州集团、临沂针织厂、天达钟表厂、临沂白瓷厂以及周围区县，不仅在学校设立不同项目的奖励基金，而且出资上百万元，建设校内园林景点，既拓宽了经费来源，又扩大了社会影响。

（山东省文明办）

河南省济源市
评选表彰“十大文明市民标兵”

为贯彻落实中央思想政治工作会议精神，加大创建活动思想含量，促进市民文明素质和城市文明程度的进一步提高，济源市在全市范围内广泛开展十大“文明市民标兵”评选活动，收到了良好的效果。

评选活动分三个阶段进行。第一阶段，宣传发动。全市各乡镇、街道办事处，市直各单位，驻济单位认真部署，周密安排，利用市民文明学校、广播、报纸、宣传栏等宣传阵地，广泛宣传“文明市民标兵”评选活动的目的和意义，做到家喻户晓，人人皆知。并发动广大干部职工、居民群众认真学习“文明市民标兵”评选条件，对照标准进行自我评价，踊跃参与评选活动。第二阶段，基层评选。全市各行政村（居委会）、市直企事业单位和驻济单位在单位内部广泛开展评选活动，全员参与，通过投票选举、民主评议等形式推选出各自的候选人。然后将候选人的基本情况和主要事迹在辖区、系统内进行公示，接受群众的评议和监督，经过综合评比，确定出一名候选人，向市文明委推荐。第三阶段，全市评选。市文明委组织各方面力量，从逐级推荐上来的30名候选人中确定15名“文明标兵”候选人，将其基本情况和主要事迹在《济源日报》上公示，印制选票，动员社会各界积极参与投票评选活动。最后根据公示情况和群众投票选出10位“文明市民标兵”。市委、市政府对这10位标兵进行了隆重表彰。

（河南省文明办）

河南省漯河市

开展丰富多彩的群众文化活动

漯河市以广泛组织开展群众性文化活动为突破口，以社区文化、企业文化、校园文化和村镇文化建设为基础，以组织进行不同层次的文艺汇演、比赛和广场文化活动为手段，形成了全社会参与、多层面启动的群众文化新格局。

一是广场文化活动城乡联动。市区每月29日晚在双汇广场、烟厂花园、新大新广场和黄山路放映电影。每月30日晚在人民会堂广场组织一台大型文艺晚会。同时，各县区和部分乡镇的广场文化活动也全面推开。

二是社区文化丰富多彩。在市区32个居委会推出社区文化活动。每个居委会每月组织不少于两次的社区文艺演出活动。这些活动由小区居民自愿参加，有不少节目是社区居民自编自演。健康向上的文艺演出活动，促成并培育了22支老年艺术团、轻音乐团和少儿演唱队，她们经常在市区公共休闲娱乐场所进行表演活动。

三是组织多层次、大规模的群众文艺汇演。文化、教育等部门联合举办“全市少儿艺术节”、“全市大中专学校文艺汇演”，组织进行音乐、舞蹈、美术等项目的比赛。为丰富老年人生活，组织举办了“老年文化周”，进行老年戏曲、腰鼓、歌曲、器乐等比赛。精心组织了“全市迎国庆文化活动周”，组织进行“农民文艺汇演”、“社区文化展演”、“老干部文艺汇演”和“广场文化活动表演”，丰富了国庆节期间漯河人民的文化生活。

四是组织开展文化下乡活动。市、县文化部门积极组织送书下乡。仅2000年上半年，市县专业文艺团体送戏下乡演出560场。在全市组织实施“百部千村万场科教电影放映年”活动。

五是培育健康、规范的文化市场。在切实加强对文化市场管理的基础上，着力培育“大众消费文明娱乐场所”，组织精品节目演出，启动和活跃演出市场。

（河南省文明办）

湖北省武汉市硚口区

开展“四百、四十”创评活动

武汉市硚口区首推的“四百、四十”创评活动，对加强全区市民思想道德教育、提高市民文明素质起到了积极的推动作用，在社会上产生了良好的效应和反响。

“四百、四十”创评活动，即在全区评选出百名好干部、百名市民、百名文明青少年、百名文明家庭（简称“四百”），并在“四百”的基础上再评选出“十佳公仆”、“十佳文明市民”、“十佳文明青少年”、“十佳文明家庭”（简称“四十”）。“四百、四十”创评活动两年为一届，目前已进行两届，共产生了两批“四百、四十”先进典型群体。评选“四百、四十”，不苛求“高、大、全”，而是着眼于平凡小事，凡市民参选，只要他们做了一两件有益于社会及他人的突出事，哪怕只提出了一个建议并被采纳，无论反映在哪一个方面，只要公众认可，都有条件被评为“四百、四十”先进典型。

“四百、四十”创评活动在区委、区政府的统一领导下进行，区文明委具体组织实施，下设四个创评小组，一个协调组。区文明委统一制定“四百、四十”创评活动实施方案，对四个创评小组提出具体的工作要求，在四个小组中开展竞赛活动，从设计活动方案、创设活动载体、周密组织实施、创评活动实效四个方面对四个小组进行评议，评出最优活动小组。启动全区所有宣传媒体，营造“四百、四十”创评氛围，宣传部、广电部门、各街、乡等利用省市区新闻媒体、区有线电视、主干道上大型灯箱和宣传栏、街头巷尾的宣传牌、黑板报、在街头和社区居民中散发开展“四百、四十”创评活动的告市民书。

开展“四百、四十”创评活动的目的，是提高市民的文明道德素质，提高全区整体道德水准。区文明委在拟定“四百、四十”的评选标准上，突出思想性、道德性、地域性、平民性。提出坚持“三观”（世界观、人生观、价值观）标准，“四有”（有理想、有道德、有文化、有纪律），“五爱”（爱国家、爱人民、爱劳动、爱科学、爱社会主义），“三德”（社会公德、职业道德、家庭美德），“二守”（守法、守纪），“三维”（维护社会公德、维护社会秩序、维护优良环境），“四爱”（爱岗敬业、爱护公物、关爱他人、珍爱生态环境）等标准，引导市民不断完善道德修养，提高道德水平，自觉做道德的实践者和引导人。

在“四百、四十”创评活动中，突出“创”字。全区公布“四百、四十”条件和标准，让全体市民知晓创评的对象、条件、标准，让市民感到自己是创评的主体，既是先进典型的评选者，又是被评选的对象。经过市民自荐和全区逐层推选，初步产生了3倍于“四百”的候选人1200名，区文明办将这些候选人的先进事迹材料向全区公示，并发出选票，让全区市民参与评选和投票。广大市民认真学习候选人的先进事迹材料，反复比较、反复思考、反复酝酿，十分珍视自己作为市民的推选权利，把投好每张选票视为自己的职责，把推选最具代表、最有价值的先进典型作为自己的使命，认真投好每一张选票。

区委、区政府十分重视表彰的激励作用，在精神上和物质上给“四百、四十”先进典型予以奖励。全区召开“四百、四十”表彰大会，让“四百、四十”披红戴彩，登台亮相，给“四十”颁发奖牌和价值500元的物质奖品，给“四百”颁发荣誉证书。利用灯箱和宣传栏在城区主要亮点展出“四十”的彩色画像，让全区人民知晓先进典型；将“四十”的先进典型材料汇编成集，作为市民文明学校的教材；组成“四十”巡回报告团，深入机关、社区、学校、乡村、市场，以他们的先进事迹感染人、影响人、塑造人。

（湖北省文明办）

湖南省长沙市

开展学雷锋“双十佳”评选表彰活动

2000年2月29日，长沙市“雷锋家乡学雷锋”大会在雷锋故乡望城县雷锋纪念馆召开。会议回顾了10年来长沙市学雷锋“十佳集体”和“十佳个人”评选、表彰、宣传情况，并对今后开展学雷锋活动进行了动员和部署。

长沙市的学雷锋“双十佳”评选活动始于1990年。已评选表彰了10届学雷锋“双十佳”，共评出100个集体，108名个人。

2000年2月，长沙市委宣传部组织调查组，对历届学雷锋“双十佳”进行全面调查、重点走访。结果表明，除个别人外，绝大多数集体和个人在获得荣誉后都严于律己，发挥了榜样作用，做出了新的成绩。全市广大干部群众在雷锋精神和学雷锋“双十佳”的影响带动下，立足岗位、默默奉献。全市建立了3000多个学雷锋网点，结成了800多对军警民学雷锋对子。

（湖南省文明办）

湖　南　省

开展共建美好家园“九个百”系列活动

湖南省根据中央文明办等部门关于开展“倡导文明新风，共建美好家园”活动的精神，在全省认真部署和开展了共建美好家园“九个百”系列活动。

一是百个文明小区、文明社区“优质服务”示范活动。积极开展“家庭志愿者”、“巾帼服务队”、“青年文明社区互助月”、“物业管理优秀住宅小区”、“再就业技能培训”和“热线联万家、服务你我他”等活动，拓展社区服务，提高服务质量，方便居民生活，推动社区服务社会化、产业化。

二是百个城镇添绿添美活动。各市州认真开展“公民认养绿地”、“新婚夫妇植纪念树”等活动。沿湘江各城镇积极组织“保护母亲河”活动，建设好湘江风光带，力争通过两三年的努力，使之成为三湘大地一道亮丽的风景线。

三是百场大型科普活动。全省普遍开展“科普宣传日、宣传周”、“青少年科普知识讲座”等活动，组织和引导群众学习科学知识，树立科学思想，弘扬科学精神，掌握科学方法，提高社区群众识别、反对伪科学及自我保健的能力。

四是百个城镇秩序整治活动。全省各地深入开展了“创文明路”、“平安大道”、“交通秩序示范城”等活动，实施“畅通工程”，清理马路市场，保证道路的畅通。

五是百万少年雏鹰假日小队活动。开展“红领巾交通岗”、“暑期少年礼仪教育”、“暑期少年三个一”（读一本好书、参加一次公益劳动、参加一次有益的文体活动）等活动。重点组织了在校中小学生的“暑期少年礼仪教育”，并把知识教育与公益活动结合起来，培养少年爱集体、爱家乡、爱社会主义的精神。

六是百万青年志愿者活动。大力开展“雷锋家乡青年志愿者服务日”、“手拉手助残”、“青年文明号服务卡助万家”、“青年文明号优质服务月”等活动，进一步建立健全社区志愿者服务站，加强社区共青团组织建设。

七是百个城镇大型广场、街头群众文化活动。全省13个省辖市都组织了“周周乐”或“月月乐”的群众性广场活动，县级市、县城每年至少安排两三场广场或街头大型群众文化活动。

八是百万家庭实施“文明家庭工程”。动员和组织全省100多万个家庭积极开展“爱在家庭、奉献社会”，“妇女、家园、环境”，“家庭读书、藏书”，“家庭健身、保健、优生优育”，“全民健身大检阅”等活动，弘扬家庭美德，培养文明、健康、科学的生活方式。

九是百场老年书画比赛和文艺演出活动。各

地围绕国庆节、中秋节、重阳节，开展“老年书法绘画比赛”，“老年文艺演出”，“走访老红军、老领导、老教师、老工人”等活动，弘扬传统美德，形成老有所养、老有所乐、老有所教、老有所学、尊老敬贤的良好风尚。

（湖南省文明办）

广 西 桂 林 市

积极开展文明市民教育活动

文明市民教育系列活动是桂林市建设现代化国际旅游城市的一项重要的基础性工作，桂林市把文明市民教育作为2000年精神文明建设的主要内容，把组织开展好文明市民教育系列活动，提高到落实党的十四届六中全会精神和江总书记“三个代表”重要思想的政治高度来认识。通过开展一系列文明市民教育活动，城市市民的文明素质和城市文明程度得到了提高，有力地配合了城市大规模改造需要，促进了城市两个文明协调发展。

桂林市2000年在全市开展了以“六要六不”为主要内容的有声有色的文明市民教育系列活动。即要爱护公物，不损坏公共设施；要遵守公共秩序，不违章违规；要讲究卫生，不乱吐乱扔；要文明礼貌，不说脏话粗话；要崇尚科学，不搞封建迷信；要优质服务，不欺客宰客。系列教育活动共包括六大项内容。一是广泛开展“做文明市民”学习、讨论活动；二是组织开展文明市民行为规范知识竞赛活动；三是开展“做文明桂林人”演讲比赛活动；四是开展“做文明市民”专题征文、专栏讨论和访谈活动；五是开展“十佳”、“十差”服务单位评选活动；六是评选优秀文明市民活动。在活动中，把吸引广大市民积极参与作为工作的着力点，做到真正把群众发动起来，让群众自己教育自己，向不文明的行为作斗争，告别不文明行为。

桂林市各行各业举办形式多样的“做文明市民”系列活动，如组织开展“做文明市民”知识抢答赛、演讲比赛，生动活泼的街头宣传、文艺表演和板报、漫画宣传。桂林日报、晚报、桂林电视台、广播电台专门开辟了专题、专栏，引导市民开展“做文明市民”专题讨论，起到了很好的教育效果。桂林市开展的文明市民行为规范知识竞赛，共向市民发放《桂林市市民教育百题问答》20万册，百题问答答卷15万份，答题卷回收率达90%。发放“十佳”、“十差”服务单位评选选票8万张，收回7.26万张，回收率90.77%。

为使活动落到实处，市文明委各成员单位、各县、区职责明确、紧密配合，充分发挥工作主动性和创造性，共同努力抓好教育系列活动的各项工作。教育系列活动实行分级负责制。把教育系列活动开展情况作为2000年对各县、区、各职能部门精神文明建设责任制考核的主要内容。各县、区、各职能部门对所管辖区、所属单位的教育系列活动开展情况进行认真检查指导，确保教育系列活动不走过场，取得实效。

（广西壮族自治区文明办）

广 西 钦 州 市

开展创建“百里生态长廊和百里文明海疆”活动

广西钦州市为贯彻落实中央和自治区关于“保护生态环境，倡导文明新风”的指示精神，积极开展建设百里生态长廊和百里文明海疆活动，取得了明显的成效。

一、明确创建目标，落实具体任务

为把这项创建工作落到实处，钦州市制定了《关于开展“保护生态环境，倡导文明新风”建设百里生态长廊和百里文明海疆活动的实施方案》，具体明确百里长廊和百里海疆的活动范围。同时，对创建文明生态镇、文明生态村、文明生态户提出了具体的量化标准，明确目标和任务，使创建工作便于操作。

二、狠抓农村“八改”，发展生态农业

根据创建的总体要求，全市各乡镇结合本地实际，以建设生态农业示范镇为重点，以推广沼气建设为突破口，大力发展生态农业。通过抓沼气建设，形成“养殖—沼气—种植”三位一体的生态农业，在建好使用沼气的基础上，大力开展改路、改水、改房、改厕、改灶、改猪栏、改造低产水果、改善文化生活设施等农村“八改”工作。“八改”工作与沼气建设同步进行，进展迅速，使全市农村村容村貌和农民群众的精神面貌大为改观。

三、开展多种形式活动，丰富农村文化生活

在创建百里生态长廊和百里文明海疆活动过程中，钦州市坚持抓好“文明长廊工程”和“知识工程”建设，大力开展村级文化设施建设，如新建的钦北区小董镇逍遥村文化娱乐中心，占地面积3080平方米，总投资12万元，建有舞台、篮球场、娱乐室、宣传墙等设施，是一个多功能综合性高标准的文化娱乐场所。同时，钦州市还有计划地开展“科技、文化、卫生”三下乡活动，服务群众，传播文明风尚，2000年，全市共送戏下乡达153场。

四、抓典型建示范，深化创建活动

钦州市在创建百里生态长廊和百里文明海疆活动中，特别注意抓好示范点的建设，选择交通方便、条件适合，特别是公路沿线的村作为创建“文明生态村”的示范点。每个县区抓好2—3个乡镇，每个乡镇抓好2—3个村。通过抓好示范，以点带面，全面铺开。2000年，市委、市政府已命名文明生态示范村100多个，文明生态示范户1000多户，有力推动了创建工作向纵深发展。

（广西壮族自治区文明办）

海 南 省

开展“互助自救重建家园”活动

2000年10月海南省遭到百年不遇的特大洪涝灾害，造成大片房屋被浸倒塌和损坏，农作物被淹绝收，家畜死亡丢失，损失严重。在党中央、国务院的亲切关怀和国家有关部门的大力支持下，在省委、省政府正确领导下，全省军民弘扬伟大抗洪精神，开展抗洪救灾工作。在这次抗洪工作中他们在全省组织开展“情系百姓抗大灾”、“互助自救重建家园”活动。

这次活动以“宝岛文明月”为载体，以帮助农民恢复生产和建房子为重点，倡导“自救、互救、互助”，组织非农支援农村，无灾区支援受灾区，有房子的支援无房的，全省上下齐动员，互帮互助建家园。省文明办组织协调，发动文明单位、文明行业为灾区捐款捐物提供建房急需的建筑物资。工会组织在受灾区职工中广泛开展“进万家门，知万家情，解万家心”的工作，帮思想、帮防疫、帮种苗、发展灾后生产。团省委广泛组织“青年志愿者突击队”、“青年文明号”，就近、就便帮助灾区群众种植冬季瓜菜、整治环境卫生，重建家园。各级妇联以村妇代会为单位，成立妇女生产自救互助小组，帮助没有能力的家庭搞好灾后建设，开展“一帮一”，“手拉手”，为灾民献爱心活动。在这次抗洪救灾中，全省军民发扬了“一方有难，八方支援”，团结友爱的共产主义精神，共有2800多个单位，36.8万人参加了捐助活动，捐款1102.6万元，捐衣物39.8万件，大米85.06万公斤，各类食品4.19万箱以及药品、水泥等各种物资。

（海南省文明办）

海 南 省 公 安 厅

开展“让交警更加文明”活动

海南省公安交警部门以江总书记“三个代表”重要思想为指针，广泛深入地开展“让交警更加文明”活动，使交通民警执法形象有了明显的转变。

年初，省委提出了“让宝岛更加文明”的部署，明确要求全省各行各业积极行动起来，告别不文明行为。交警总队结合海南交警队伍的实际，开展“让交警更加文明”活动，以文明、高效、务实的服务，树立海南交警文明执法新形象。

一是以学习教育为先导，提高广大交通民警对群众性创建活动重要意义的认识。为了使广大交警认识到开展“让交警更加文明”活动的意义，明确自己在活动中所扮演的角色，各市县交警支、大队纷纷召开动员会、讨论会，认真组织民警学习《让交警更加文明主题活动方案》、《让交警更加文明读本》，为开展好活动打下了坚实的基础。二是以评选活动促进各项工作，在队伍中形成了争先创优的氛围。评选海南省“十佳交警”是建省以来的第一次。省活动组委会派出由省文明办、团省委、交警总队人员组成指导小组深入到全省19个市县进行具体指导，对“十佳交警”候选人进行考核，由省组委会确定15名“十佳交警”候选人。与此同时，全省交警部门评选“李向群岗亭”、“李向群中队”和创建“青年文明号”、“青年岗位能手”的活动也依次展开。三是以征文比赛增进人民群众对交警的理解，激发交警爱岗敬业的热情。“我心目中的交警”征文比赛活动面向全省各界群众。社会各界人士积极参与，讲述自己心目中的交警。这次征文比赛共收到征文数百篇。四是开展交通法规知识竞赛活动，加大交通安全宣传工作力度，增强群众交通安全意识。为了开展好这项活动，总队政治处与省文明办、团省委有关部门负责人在海口、三亚、儋州组织了“交通法规知识竞赛”初赛，比赛规定，每个市县派一个队，队员由一名交警、一名专职司机、一名市民组成，各初赛区的前两名参加总决赛。五是以丰富多彩的文艺晚会展示创建活动中交警的文明风貌，把创建活动推向高潮。六是开展新颖活泼、寓教于乐的文体活动，为“让交警更加文明”活动增添色彩。为了配合全省创建活动的开展，各级交警部门开展多种形式的文体活动，丰富了创建活动的内容。总队组织民警开展了庆“七一”卡拉OK比赛，庆国庆乒乓球赛和象棋比赛，组织机关全体民警参观李向群故居，请李向群父亲李德清作关于李向群成长过程的报告，并向李向群小学捐赠书籍。

（海南省文明办）

重庆市

全民读书活动

为了认真贯彻江泽民总书记提出的“要在全社会提倡人们多读书，大兴勤奋学习之风”的指示精神，着力提高市民素质，为积极投身西部大开发作好思想准备，重庆市文明办组织开展以“建设文明新重庆，促进西部大开发”为主题，以“学科学知识、学市场经济、学文明礼仪”为主要内容的全民读书活动。

读书活动着重是学科学知识，大力提倡学科学、用科学的风气，在全社会形成崇尚科学文明，反对迷信愚昧的浓厚风气；学市场经济知识，增强建设新重庆，投身西部大开发的本领；学文明礼仪，注重社会公德、职业道德、家庭美德的学习，弘扬正气，鞭挞丑恶，积极营造良好的社会氛围。

读书活动历时一年，分为三个阶段。第一阶段从2000年3—6月，全市按照市文明办推荐的书目组织广泛的学习；第二阶段从7—10月，在广泛学习的基础上，各地区、单位组织开展征文、演讲、百题知识竞赛等活动；第三阶段从8月至12月，全市开展读书活动知识抢答赛，分片区淘汰赛和决赛两个阶段。淘汰赛在万州区、涪陵区、九龙坡区、合川市四个片区进行，产生出万州区、涪陵区、渝中区、沙坪坝区、九龙坡区、合川市、江津市、梁平县、垫江县9个代表队参加决赛。最后，在重庆市电视台举行全民读书活动知识抢答赛决赛，经过参赛队激烈的角逐，江津市、沙坪坝区、合川市分别获得第一、二、三名。

（重庆市文明办）

重 庆 市

开展建设文明新重庆 促进西部大开发主题系列活动

重庆市把“建设文明新重庆，促进西部大开发”作为精神文明建设的主题，在2000年开展一系列活动，为建设新重庆，树立新形象，积极参与西部大开发，提供精神动力。

重庆市文明办与市委宣传部、团市委等单位，结合3月5日学雷锋、中国青年志愿者服务日，开展“万名志愿者进社区”倡导文明新风，共建美好家园活动。年初，在人民广场举行“建设文明新重庆，促进西部大开发”万人签名活动，来自全市机关、工厂、农村、学校、部队、武警和个体劳动者等各行各业的志愿者，在百米长布上签下了自己的名字，留下了建设文明新重庆，促进西部大开发的誓言。随后，万余名志愿者分成10多个分队，深入到社区、村镇开展多种形式的活动。仅3月份，志愿者义务做好事1500多件(次)，举办文艺演出6场，向特困户赠送价值3万余元的日常生活用品，同时，开展科普宣传、法律法规宣传、医疗服务等，开展环境卫生的整治和植树等活动。

7月，重庆市在合川举办以“同创三江文明，共促西部开发”为主题的渝蜀甘陕三江（嘉陵江、涪江、渠江）流域中小城市精神文明建设经济交流暨理论研讨会。来自三省一市各县市区的文明办主任、各级文明单位代表以及从事精神文明建设工作的同志，交流精神文明建设工作经验，研讨“同创三江文明，共促西部开发”的理论和实践问题。代表们就“同创三江文明，共促西部开发”达成共识，向三江流域发出同创共建的倡议。这次研讨会的召开，对跨省市、跨县区建设文明同创共建活动是有益探索，发挥了精神文明建设在西部大开发中的积极作用。

9月9日，重庆市启动“讲文明树新风，改善发展环境”活动。来自全市各行业和社区服务等方面的代表共2000余人，在重庆市人民广场冒雨宣誓：从我做起，从现在做起，从小事做起，大家都来改善重庆的发展环境，把重庆建设成为西部发展环境最优的地区。

这次活动是进一步深化和拓展“讲文明树新风”活动，以推动重庆发展环境综合整治，积极参与西部大开发为目的。活动从9月持续到12月，主要是加强对市民的思想道德教育，规范市民言行，营造文明向上的社会氛围；狠抓窗口行业的职业道德教育，切实推行规范化服务，提高窗口行业的服务质量；以背街小巷、城乡结合部为重点，组织群众开展“千人执法，万人治脏”活动，彻底整治脏、乱、差现象；突出抓好公共交通及出租汽车的规范、文明服务，真正把交通客运车辆建设成为流动的建设文明风景线。

（重庆市文明办）

重　庆　市

“振兴重庆争光贡献奖”评选活动

“振兴重庆争光贡献奖”是重庆市委、市人民政府授予为新重庆两个文明建设作出重大贡献、为新重庆赢得荣誉的市民和其他人士的全市性最高荣誉。

党中央实施西部大开发战略，使重庆既面临着千载难逢的发展机遇，又赋予重庆力重千钧的历史使命，加快发展是重庆最为紧迫的任务。为进一步弘扬“爱国、奋斗、团结、奉献”的红岩精神，凝聚3000万巴渝儿女的力量，以只争朝夕的步伐，谱写重庆发展的新篇章，中共重庆市委、重庆市人民政府决定设立“振兴重庆争光贡献奖”，每年一届，评选10名。

“振兴重庆争光贡献奖”评选活动从1998年开始，经过积极的实践和探索，到2000年臻于完善。2000年在总结经验的基础上，将“重庆市争光奖”和“振兴重庆杰出贡献奖”合并为“振兴重庆争光贡献奖”，仍然每年评选一届，每届评选10名。

通过几年的实践，评选活动进一步增强了全市人民建设家乡的责任感，把热爱祖国的炙热真情化作热爱家乡、建设家乡的具体行动，从一点一滴做起，为建设重庆添砖加瓦，为发展重庆鞠躬尽瘁。进一步增强了全市人民振兴重庆的使命感，让大家认清大局，立足本职岗位，明确肩负的使命，爱岗敬业，踏实苦干，争创一流，用自己的劳动和创造推动重庆的发展。进一步增强了全市人民加快发展的紧迫感，只争朝夕、负重自强、奋力拼搏的精神和为加快重庆发展人人向前、个个争先的生动局面逐步形成。

（重庆市文明办）

四　川　省

“讲文明树新风，共建文明社区”主题活动

2000年7月，四川省文明委在成都市及全省县以上城镇，组织群众集中开展“讲文明树新风，共建文明社区”主题创建活动。这项活动以省会城市为重点，围绕城镇在文明言行、环境卫生、优质服务、交通秩序四个方面和社区居住环境、治安秩序、文化活动、科普知识、社区服务、人际关系方面存在的突出问题，切实解决城镇脏乱差等状况，努力提高城镇绿化、美化、净化、亮化的程度，为市民群众创造一个安居乐业的良好居住环境，改善城镇居民的生活质量，塑造现代城市的文明形象。

“讲文明树新风，共建文明社区”主题活动的

工作思路是，省市部门对口，依托成都，上下联动，辐射全省。省、市的宣传部、文明办、机关工委、经贸委、综合办、公安、劳动、文化、民政、卫生、建设、环保、科协、工商、体育、计生、工会、共青团、妇联等部门联合，作为责任部门，分工合作，以全市六城区为主，依托街道办事处、居委会，用半个月左右的时间，不间断地开展群众性系列创建活动。

2000 年 7 月 10 日上午，四川省精神文明建设委员会在成都召开动员大会，省级 18 个责任部门及成都市各区、街道办的 1400 多名机关干部和职工参加了大会。8 月 11 日，召开总结大会。这次创建活动取得了明显成效，表现为：领导重视，组织得力，活动进展顺利；为市民群众办了大量好事实事，解决了市民生活中迫切需要解决的问题；突出思想道德教育，居民群众在活动中受到教育，得到提高；舆论同步，营造了浓厚的创建氛围，弘扬了良好的社会新风尚。

（四川省文明办）

贵 州 省

开展社会公德知识竞赛
加强对青少年思想道德教育

为了贯彻落实江泽民总书记“关于教育问题的谈话”精神，对全省青少年广泛深入地进行社会公德教育，树立公德意识，提高公德修养，贵州省关心下一代工作委员会、省委宣传部、文明办、教育厅、团省委、省妇联、贵州日报社、贵州电视台等 8 个部门联合组织了“全省青少年社会公德知识竞赛”活动。该项活动历时半年，取得了较好效果。

2000 年 3 月 20 日发出《关于在全省青少年中开展社会公德知识竞赛的通知》，并正式启动该项活动。省里专门成立竞赛组委会及办公室。全省各地也根据省里的安排，制定本地开展活动的意见，成立相应的组织机构，落实了活动经费。

竞赛活动以县为单位组织若干队（每队 3 人，高中、初中、小学各 1 人）进行初赛，从中选出一个优胜队参加地区复赛；经过层层推选，全省 9 个地州市和贵航集团组队参加了 8 月 28 日至 29 日在贵阳举行的全省决赛。

竞赛活动的主要特点是：

领导重视。此次社会公德知识竞赛活动是全省首次举办的大规模的思想道德教育活动，得到了各级党委和政府的高度重视及有关部门的大力支持，还得到了社会各界的参与、关心和支持。

针对性强。此次教育活动和竞赛活动的重点为中小学生，着重在小学三年级以上、初中和高中学生中进行。结合抓学生素质教育，把社会公德作为抓学生思想道德教育的切入点，根本目标是培养社会主义“四有”新人。

内容丰富。此次竞赛活动以中小学教材《思想品德》、《中小学生行为规范》、《中小学生守则》和有关纪律、制度、法规的要求为基本内容，重点放在保护环境、爱护公物、讲究卫生、维护秩序、遵纪守法、崇尚科学、校园文明等方面，通过活动使青少年和中小学生对社会公德的内容有更多的了解，促进他们增强社会公德意识，身心健康成长。

形式多样。在活动开展过程中，各地坚持正确教育，正确引导和形式多样、生动具体的原则，采取组织学校报告会、少先队队日活动、团组织生活、主题班会、学生会活动等形式开展专题讲座或辅导报告，使竞赛活动生动活泼、丰富多彩。同时把课内与课外、学校与家庭、理论与实践的教育结合起来，使社会公德的内容与形式有效地统一，变成实实在在的行为规范。

效果明显。在各地组委会的认真组织下，全省有230万青少年参加了此次活动，做到了家长满意、学校满意、社会满意、领导满意。通过此次活动，调动全社会都来关心青少年的健康成长。

（贵州省文明办）

贵　州　省

开展“卫生与秩序”主题创建活动

2000年贵州省文明委根据中央文明委的总体部署，结合贵州实际，在全省继续开展“卫生与秩序”主题创建活动，以各州、市、地所在城区为重点，集中治理环境卫生和交通秩序，以此作为深入开展创建文明城市和开展“讲文明树新风”活动的切入点，为实施西部大开发战略，创造良好的社会环境。

基本情况。2000年初，由省文明办对全年开展活动作出全面安排和部署，并分别就每个季度作出具体安排，做到每个季度安排一次集中行动，每次集中行动都围绕一个主题。第一次集中行动，主要开展城市“畅通工程”，配合有关部门整治非法营运。第二次集中行动，集中整治图书、音像市场，打击封建迷信、黄色出版物和盗版音像书刊，并对上半年的情况进行检查。第三次集中行动，以城市畅通工程和创平安大道为重点，整治交通秩序。第四次集中行动，以迎接新千年、新世纪为背景，巩固前三次集中行动成果，对各地开展活动的情况进行第二次检查。结合两次检查的情况，评出2000年度全省“卫生与秩序”主题创建活动先进奖和进步奖。

主要特点：（1）省会带动。省文明办主要抓贵阳市，通过省市共创的形式，为地市起示范带动作用。（2）党委、政府重视，领导干部带头参加集中行动。各地的主要负责同志多次参加州、市、地文明办组织的活动。（3）创建活动目标明确，有计划、有安排。各州、市、地把开展此项活动列入当地党委、政府的重要议事日程，纳入地直机关年度考核内容。（4）注重投入，加强基础设施建设。（5）注重宣传教育，广泛发动群众参与。遵义市组织了有84万人参加的“走向新世纪”青年读书活动，以街道市民文明学校为基础，以《遵义市文明市民读本》为教材，开展“做文明人，迎接新世纪”主题教育活动。（6）创建活动内容丰富，有声有色。（7）创建活动逐步走向规范化。遵义市开展以“卫生与秩序”为内容的“名城杯”流动红旗竞赛，每月进行检查评比。市政府先后发布《城市管理办法》、《爱国卫生工作管理办法》等10多个规范性文件，使城市管理有法可依、有章可循。

2000年全省开展“卫生与秩序”活动的评比结果是：贵阳市、遵义市、黔南州都匀市，获2000年度“卫生与秩序”先进奖。六盘水市、铜仁地区铜仁市、安顺地区安顺市、毕节地区毕节市获2000年度“卫生与秩序”进步奖。

黔西南州文明办、黔东南州文明办获2000年度“卫生与秩序”鼓励奖。

（贵州省文明办）

云 南 省

第四届“红土地之歌”演讲大赛

“红土地之歌”演讲大赛是云南省精神文明建设的一个品牌载体，自1990年开始至今已举办了三届，深为群众欢迎，是进行思想政治工作较好的形式。为了迎接新世纪，省委宣传部、省文明办等10个单位联合举办了第四届“红土地之歌”画苑杯演讲大赛。全省各地、州市，省工会，团省委，省委直属机关工委，解放军、武警部队共19个代表队参加了演讲大赛。

这次演讲大赛的主题是“回顾百年沧桑，展望美好未来”，是云南省为迎接新世纪而组织的系列活动之一。旨在通过这项活动，对广大干部群众进行爱党爱国爱社会主义的教育，以昂扬的姿态、振奋的精神迈进新世纪。各地和各部门都把这项活动作为加强精神文明建设、作好思想政治工作的有效载体和形式，积极准备，充分发动，有学生教师、机关干部、厂矿职工、部队战士等社会各界近万人参加了演讲比赛；全省几十万群众观看了比赛。通过层层选拔，全省各地、各部门60个选手集中在昆明进行了决赛，怒江州、迪庆州等少数民族地区第一次有民族选手进入决赛，并取得了好成绩。

（云南省文明办）

西 藏 大 学

开展青年志愿者服务活动

西藏大学青年志愿者服务总队，以播种文明，服务社会为主题，扎实开展创建活动。

一是积极开展创建文明校园活动。举办“爱我中华”演讲比赛，组织学生观看《国歌》等爱国主义影片，配合学习邓小平理论，先后举办20余次邓小平理论研讨活动，收到500余篇文章。成立校园文明自律队，打扫卫生，维护治安，修整草坪，绿化校园，发动师生为贫困学生捐款，为他们联系10多项勤工俭学项目。在校园内形成了人人争创文明的良好风气。

二是积极开展帮贫扶困活动，服务社会。他们深入到八角街居委会调查孤残老人的生活状况，发现10户孤残老人生活困难，衣服无人洗，生病无人照料，便与居委会签订协议，开展“一助一”爱心帮扶活动，利用双休日为孤残老人洗衣、做家务，为病人端水、喂药。为了给下岗职工排忧解难，总队召集120名成绩优秀的队员，成立“爱心义务家教组”，为26户下岗职工子女提供义务家教服务，深受下岗职工欢迎。向灾区人民献爱心，捐物1000余件，捐款4万余元，捐粮食

400余斤。三是大力开展公益活动。服务总队与自治区老年协会在拉萨市八一小区开展“青老年人共建文明小区”活动，修整小区道路，清扫垃圾，举办文艺活动。在世界环境日开展“让世界清洁起来”宣传活动，组织1000多人清扫卫生死角；积极响应“植树造林，利国利民”的号召，组织植树活动；在“预防艾滋病宣传周”，总队派出40名志愿者协助卫生厅开展宣传活动。开展文化、科技、卫生“三下乡”活动，组织150名志愿者深入到达孜县章多乡、帮堆乡，拉萨市纳金乡进行科技扫盲、知识扶贫、送戏下乡、国情介绍、卫生法律知识讲座、农牧调研等活动。队员们与农牧民同吃、同住、同劳动，深受欢迎。

队员们通过实践活动，了解社会，锻炼才干，提高了思想觉悟，同时，在社会上树立了新时代大学生的形象，人民群众称他们是“文明的使者，活着的雷锋”。

（西藏自治区文明办）

陕 西 省

开展“讲文明树新风”活动

按照中央文明办的安排，2000年陕西省“讲文明树新风”活动重点抓了“倡导文明新风，共建美好家园”活动。

一是发动群众植树造林。各地抓住春季有利时机，大搞植树造林，扩大绿地面积，治理荒坡秃岭。铜川市直机关千余名干部走出机关大院，营造“公仆林”。延安市抓住实施山川秀美工程的机遇，大面积退耕还林，植树种草，成为退耕还林示范区。全省上下兴起植树、种草、种花，保护生态环境，美化家园热潮。

二是下功夫治理脏乱差。各市地制定方案，完善制度，硬化措施，对市区和城镇的脏乱差问题进行集中整治。西安市结合营造良好投资环境，狠抓非法占道经营，硬化路面，修建广场，加强市容市貌的管理。榆林、安康抓住地改市的契机，扎实推进城市综合治理。省交通厅、西铁、安铁分局狠抓公路、铁路沿线的治理，突击清除垃圾，拣拾白色污染，确保公路、铁路沿线整洁、畅通。省旅游局狠抓景点景区环境净化、绿化和美化，取得新的进展和成效。

三是加快基础建设步伐。全省十一市地区，在强化基础设施建设，改善投资环境方面均有较大投入、大动作。咸阳市投资1.58亿元，改造人民路；杨凌区投资11.3亿元完成供热、供气、上下水管线等工程；延安市基本建设重点项目投资28.2亿元，建成一批交通、通讯、供电、供水、污水处理工程。各县城和一些集镇、乡村，也都多方筹集资金，硬化街面道路，整修上下水和厕所，改善生活环境。

四是深入广泛地组织开展“三下乡”活动。在中央有关部委的关怀和支持下，2000年陕西省组织三项重大活动：6月份在延安举办了“健康之路——延安行”卫生下乡活动；8月份“心连心”艺术团在杨凌示范区慰问演出；11月由科技部、农业部、中央电视台和陕西省政府在丹凤县共同举办“2000年科技下乡”活动。各系统采取多种形式积极组织“三下乡”活动，文化系统送戏、送电影下乡7800余场次，观众达500多万人次；各级新华书店送书下乡5600余次，捐赠图书价值百万余元，受到群众欢迎。

五是广泛深入地开展思想道德教育。各地各行业充分利用和发挥市民学校、职工夜校、农民夜校、党员活动室等阵地，加强对市民、职工、农民进行道德教育。省公安厅在全系统开展了以

“全心全意为人民服务的宗旨、实事求是的思想路线、严格公正文明执法的法制”为主要内容的“三项教育”。省文明办与省科协等单位联合举办“崇尚科学文明、反对迷信愚昧”大型展览，先后在西安等市地巡回展出，使广大群众受到一次生动的唯物主义教育。

六是结合社区建设，广泛开展群众性的文化体育活动。各市地组织消夏晚会、露天文化广场、群众性歌咏比赛、社区体育比赛、群众健身等活动。举办首届中国秦腔艺术节，上演优秀剧目20多台；举办少儿秦腔电视大赛和第五届群众秦腔电视大赛，吸引了全省乃至西北地区千余人参赛，三秦大地兴起了秦腔热。陕西电视台与中央电视台联合在西安交大举办了第207期“综艺大观”，活跃了群众文化生活。

（陕西省文明办）

甘 肃 省

治理脏乱差改善城镇环境面貌取得成效

甘肃最突出、最急需解决的是环境卫生问题。为此，省文明委在全省范围内，开展了大规模的治理脏乱差、改善城镇面貌的整治工程，经过一年努力，取得了显著成效，其主要标志是：

——城区卫生差的状况明显改善。各地把改善环境卫生作为整治工作的首要任务，采取多种方法进行整治，使城区卫生状况有了明显好转。山丹县发动干部、群众，清除了上百吨垃圾，解决了20年未能彻底解决的脏乱差问题。武都县过去垃圾遍地、污水横流，经过治理，城区环境基本上实现了净化。

——车辆乱停放的现象得到有效遏制。各地以治堵治乱、整肃行车秩序、规范车辆运营、保证交通畅通为目标，结合城市畅通工程的实施，开展了一系列工作。许多城区都在主要街道设置隔离栏，在繁华路段修建人行过街天桥、地下通道，修建停车场，增设城区交通标志，增设交通指挥岗，刷新标线，装置电子警察等。

——市场混乱的状况大为改观。针对城区、集镇占道为市，占路经营，乱摆乱放，交易混乱的问题，各地开展了全方位的整治：开辟新市场，划定经营区域，清理、取缔流动摊点、马路市场，加强市场交易秩序管理，取缔无照经营，打击制假售劣行为，禁止欺行霸市，坑蒙拐骗，做到文明经营，规范交易。

——违章乱搭建的问题得到有效治理。为了刹住城区乱搭滥建、挤占人行道的歪风，各地采取了多种治理措施。兰州、嘉峪关等地市对于违规建设的各类棚户、房屋，以及挤占道路、影响市容交通的临街门店、电话亭、书报亭及其他建筑，坚决予以拆除。金昌市抓了城市的美化、绿化、亮化，修建花坊、喷泉、草坪，设置路灯、广告灯箱、灯饰，进一步美化了市容。

——城市改造力度进一步加大。各地都把搞好城市规划、加快城市建设步伐、实施城市改造工程作为树立城市新形象的基础工程来抓，经过艰苦努力，已经取得了很好的成效。兰州市结合举办敦煌百年·黄河风情旅游节和兰交会，实施了“四大工程”：蓝天工程，治理空气污染，让天空蓝起来；绿化工程，让南北两山绿起来；整治工程，让城区街道净起来、绿起来、通起来；黄河风情建设工程，让滨河沿线亮起来、美起来。

——市民文明素质有所提高。治理脏乱差活动不仅治理了城乡面貌，而且也教育了广大群众，不仅提高了城乡文明程度，而且也提高了广大群众的文明意识。一是通过整治宣传教育活动，广大群众进一步了解城市生活和城市管理的基本知识、基本要求，了解有关法律法规、行为标准，城市意识进一步增强。二是通过健康教育和环卫整治，市民的健康意识、卫生意识、环保意识进一步增强。三是通过市（村）学校系统教育、社会公德意识进一步增强。四是通过参与整治活动，城市生活的基本要求内化为个人观念，广大群众初步养成了讲文明、讲秩序、讲道德的行为习惯。五是整治活动改善了群众的生活条件，提高了群众的生活质量，有助于自居、自管、自珍、自爱等文明意识的养成。

（甘肃省文明办）

甘肃省白银市

确定目标　真抓实干
努力创建沿黄精神文明示范长廊

黄河干流流经白银市两县两区，过境214公里，是全市工农业生产的主要水源。沿黄各乡村自然条件较好，经济发展较快，生产力水平较高，具有良好的经济、文化、科技、教育基础。2000年，白银市委、市政府立足当前，着眼未来，根据新的形势、新的任务，及时作出创建“沿黄精神文明示范长廊”的重大决策，为全市经济社会的健康发展起到了积极的推动作用。

创建“沿黄精神文明示范长廊”工作从2000年启动，到2005年结束。主要任务是：深入开展邓小平理论教育活动；广泛开展各种群众性精神文明创建活动；以改变乡村面貌为目标，组织实施以“硬化、绿化、美化、净化、亮化”为主要内容的“五化工程”；大力发展教育，培养合格人才；加强文化建设，繁荣农村文化；强化科技建设，发展支柱产业；加强卫生建设，搞好计划生育；保护生态环境，发展生态农业。

创建活动启动以来，白银市初步做了以下几方面工作：

广泛宣传抓认识。全市各级党政组织把搞好舆论宣传，创造良好的社会氛围，发动群众广泛参与，作为保证创建工作收到成效的一个重要环节。一方面层层召开会议做动员，统一思想，明确目标，提高认识；另一方面组织各级宣传新闻单位，通过各种形式，全方位、多层次地对创建“沿黄精神文明示范长廊”活动进行系列报道，大张旗鼓地宣传实施这一工程对全市政治、经济和文化生活产生的深远影响，使创建工作不断深入人心，激发人民群众参与的积极性。

精心安排抓规划。为了使创建工作科学化、规范化、制度化，市委、市政府制定下发《白银市创建沿黄精神文明示范长廊实施意见》。沿黄各县区、各乡村也都积极行动起来，结合实际，先后出台了各自的实施方案。各有关创建单位也高度重视，认真负责，分头制定和完善创建规划和实施细则。通过多层面、多方位地制定规划、分解任务、细化量化工作，使创建“沿黄精神文明示范长廊”的各项任务落到实处。

分类指导抓试点。全市有14个乡镇被确定为“沿黄精神文明示范长廊”的重点创建乡镇。为了打开工作局面，市里确定靖远县为创建试点，各县区也分别确定1—2个试点，作为全面推动创建工作的突破口。

强化措施抓落实。在创建工作中，各级各部门首先推行目标管理责任制。把目标与责任结合起来，平常工作与年终考核结合起来，实行一把手总负责制。市、县（区）、乡三级分别成立创建领导小组，加强创建工作的领导力量和工作力度，初步形成了党政领导亲自抓，分管领导具体抓，参创单位全力抓，条块结合，上下合力的工作格局。其次是重视完善投入机制。通过制定优惠政策，建立规范有效的多渠道筹资机制，千方百计地加大创建工作的资金投入，改善硬件设施，优化创建环境，为“沿黄精神文明示范长廊”创建工作注入新的活力，增添了后劲。第三是加强督促检查。作为这项创建工作的牵头单位，各级文明办按照实施意见的要求，认真负责，切实做好组织、协调、调研和指导工作。

（甘肃省文明办）

青 海 省

开展创建文明校园活动

为了认真贯彻江总书记关于教育问题的谈话精神，切实加强青少年思想政治教育，帮助他们树立正确的人生观、价值观，青海省从2000年开始，在全省范围内广泛开展创建文明校园活动。3月22日，省委宣传部、教委、文明办、综治办、团委、教育工会联合召开了全省创建文明校园活动动员大会，并下发《关于在全省各级各类学校中开展创建文明校园活动的通知》。

一年来，全省各级各类学校按照《通知》的要求，以“三讲”教育和“三个代表”重要思想的学习为契机，思想政治工作和德育教育进一步加强，群众性创建活动蓬勃开展，校园环境明显改善，精神文明建设各项工作取得新的进展。

一是领导重视。各级教育行政部门和各级各类学校成立创建文明校园活动领导小组，制定创建文明校园的计划、目标、措施，建立主要领导亲自抓、党政各职能部门和工会、共青团、学生会等组织齐抓共管的机制。各级教育行政部门将创建文明校园活动，作为地方教育事业发展目标责任的一项重要内容和评估学校工作的重要依据，同其他指标一起层层分解，逐级落实，严格考核，兑现奖惩。

二是活动内容丰富多彩。各校以“优化育人环境，建设文明校园”为中心内容，开展创建文明校园、文明班组、文明宿舍、文明食堂、文明科室等丰富多彩的活动，并使这些活动扩展到教学、科研、生活、管理、服务等各个方面，扩展到校与校、县与县之间，形成了各校之间，校内科室和班级之间你追我赶、争创文明的新风尚，涌现出一批“文明单位标兵”、“文明单位”、“德育工作先进学校”，有力地促进了精神文明建设工作。

三是发挥课堂主渠道作用。高等学校狠抓了“两课”教学；中小学认真实施邓小平理论“三进”试点工作；中等职业学校按教育部的统一部署，对2001年起开设德育课工作做了详细安排。

四是大力开展科普教育。广泛开展遵纪守法、崇尚科学、抵制邪教为主题的“校园拒绝邪教”宣传教育活动，组织广大师生座谈、讨论，收听收看专题广播与电视节目。玉树州等地院校的师生举行规模盛大的反邪教游行。各种活动使广大师生进一步明确了邪教反人类、反社会、反科学的本质，增强了自觉抵制邪教的意识和同邪教作斗争的能力。

（青海省文明办）

宁　夏

广泛开展“人格的力量”演讲比赛

为深入贯彻落实中央、自治区思想政治工作会议精神，切实加强和改进思想政治工作，进一步推动精神文明建设，从2000年8月初至10月下旬，自治区党委宣传部、文明办、区团委在全区联合组织开展了以宣传近年来区内涌现出的典型人物、先进事迹为主要内容的“人格的力量”演讲比赛。在历时3个月的活动中，全区共举办各层次演讲比赛120场，近9000人登台演讲，观众累计达10万多人，全区9支代表队的14名选手进行了决赛。

为把这项活动搞得有声有色、富有成效，年初，自治区党委宣传部、文明办要求各地各部门把演讲比赛活动作为弘扬高尚品德，教育和引导人们坚定共产主义理想信念，树立正确的世界观、人生观、价值观，积极投身西部大开发的一项重要活动；由区文明办牵头，宣传、新闻、文化各部门紧密配合，精心安排，全力做好这项工作。为了使演讲比赛有好的素材，从4月份开始，区文明办组织力量对近年来各新闻媒体宣传报道的典型材料进行收集整理，筛选加工，出版了《人格的力量》一书；为尽快把演讲比赛的任务落到实处，7月下旬，自治区党委宣传部、文明办、区团委联合下发了《关于开展“人格的力量”演讲比赛的通知》；为扩大比赛的社会影响，激发干部群众的参与热情，各大报纸、电台、电视台等新闻媒体刊播有关比赛的消息和报道。通过广泛的宣传动员，来自企事业单位、机关、学校、农村、部队各行业不同年龄层次的选手积极参与，形成了群众竞相报名参赛的场面；为力争在比赛中取得好成绩，各地各单位严把质量关，严格按照选拔赛、初赛、决赛三个程序筛选选手，组成本单位最具实力和具有代表性的参赛队伍。银川市、固原地区等单位在赛前还进行了封闭式训练。

这项旨在宣传典型，用先进事迹教育人鼓舞人的演讲比赛活动有四个显著特点：一是演讲比赛以典型人物、先进事迹为素材，具有先进性；二是这项活动把不同行业、不同年龄阶段、不同阶层的人们都包容进来，覆盖面广，影响大；三是各参赛单位大都以本地、本行业涌现出的先进人物、先进事迹为演讲内容，具有很强的针对性；四是演讲这种形式本身容易为群众所接受，讲得都是群众身边的人，身边的事，做到了“潜移默化”、“润物无声”的效果。

（宁夏回族自治区文明办）

新　疆

军兵警民共建南疆千里铁路文明线

2000年5月1日，新疆自治区文明委、新疆军区、新疆生产建设兵团、武警新疆总队、乌鲁木齐铁路局等单位领导在乌鲁木齐铁路局共同签订了军兵警民共建南疆千里铁路文明线活动协议。至此，这项活动宣告启动。

军兵警民共建南疆千里铁路文明线，是2000年新疆自治区精神文明建设的重点工作之一，是深入贯彻落实江泽民总书记关于宣传思想工作的重要批示，进一步加强社会主义精神文明建设，维护南疆地区社会稳定，保证铁路运输安全，促进南疆地区经济发展和民族团结的重要举措。共建活动主要有五项内容：一是共同坚定政治信念。二是共同传播文明新风。根据铁路行业和部队、地方特点，培养和树立社会主义新道德、新风尚，努力把南疆铁路主要站区建成传播社会主义精神文明的“窗口”。三是维护铁路沿线及站区秩序。以实现站区安全文明、秩序井然、舒适方便、环境美观的目标，运用多种形式，大力宣传和普及有关铁路法规、安全常识和乡规民约教育，提高群众安全、守纪、文明、爱路意识，逐步形成自觉爱路护路的良好风气，保证南疆铁路大动脉的安全畅通，创造良好的社会环境。四是优化、美化铁路沿线及站区环境。大力开展植树造林活动，绿化、美化沿线站区环境，通过不同形式的共建，改变铁路沿线站区面貌，改善职工工作、生活环境。五是维护南疆地区社会稳定和铁路运输安全。通过军警民共建，努力把南疆铁路建成一条政治线、团结线、稳定线和幸福线，建成一条文明的“新丝绸之路”。

军兵警民共建千里铁路文明线活动是一项系统工程，为有组织、有计划地长期开展下去，新疆自治区文明委要求，沿线各地（站、段）都要成立军兵警民共建领导小组，加强对共建活动的组织领导，经常分析共建形势，及时研究协调解决共建过程中的问题；各级共建组织都要建立并坚持联席会议制度、检查指导制度、建档登记制度、总结表彰制度，使这一利国利民的共建活动逐步走向制度化、规范化。

（新疆维吾尔自治区文明办）

新　疆

全面落实“西部开发助学工程”

为配合中央实施西部大开发战略，帮助西部地区培养人才，中央文明委决定在西部12省市区组织实施“西部开发助学工程”。从2000年起，中央文明委每年资助新疆100名（另外给新疆生产建设兵团80名）新考入大学而家庭贫困的学生完成学业。这些学生在四年的大学学习中，每年得到5000元补助，学校对受资助学生的学费也将减半。

为了做好这项工作，新疆自治区成立了西部开发助学工程领导小组，由新疆自治区文明办负责具体落实。采取招生办提供学生名单，各地中学、教育局、各乡、办事处推荐，县市文明办、教育局调查考核的办法，从近千名贫困学生中选出100名受资助学生。

2000年10月16日，新疆自治区党委宣传部、文明办组织召开“西部开发助学工程”助学互勉大会。来自新疆大学、新疆农业大学、新疆师范大学等6所大学的65名受资助的大学生参加会议并领取了资助款和学费优惠证书，另外35名在内地27所大学读书的受资助学生也将很快收到资助款和学费优惠证书。

“西部开发助学工程”在新疆的实施，是为西部经济社会的发展储备人才资源的一项重大战略决策，充分体现了党和国家对新疆各族人民的关怀与照顾，这次受资助的100名学生，少数民族学生比例占到70%，充分体现了中央和自治区对少数民族同学的关心和照顾。

（新疆维吾尔自治区文明办）

创建文明城市

群众性的创建文明城市活动扎实推进，给城镇面貌和人民群众的精神面貌带来历史性的深刻变化，在促进经济发展和社会进步方面显示出巨大作用。随着改革开放和社会主义市场经济深入发展，创建文明社区活动应运而生，蓬勃兴起，取得可喜成效。

创建文明社区　提高市民素质

——全国创建文明社区工作座谈会在南京召开

2000年9月5日至7日，中央文明办在南京召开全国创建文明社区工作座谈会，贯彻落实江泽民总书记在中央思想政治工作会议上的重要讲话精神和关于加强城市社区工作的重要指示，总结交流创建文明社区的工作经验，具体部署下一步创建文明社区工作。南京、上海、北京、深圳、西安等城市文明委在会上介绍了经验。

南京市文明委：以人为本　改善服务

10多年来，南京市创建文明社区工作始终坚持以人为本、以改善服务为基础，通过不断深化和拓展社区服务，积极推进城市基础设施建设，加强社区基层组织建设和社区党的建设，全面开展各种创建活动，努力加强和改进社区思想政治工作，促进了“三个提高”（提高群众生活质量，提高市民文明素质，提高社区和城市文明程度），推动了创建文明城市工作进一步往深里做、往实里做，推动了全市群众性精神文明创建工作的整体进步。

加快城市基础设施的建设和改造。从1995年开始，我市按照省委、省政府对南京工作的要求，在城市基础设施建设方面，加大力度，加大投入。其中第一个“三年规划”，共投资200多亿元，完成了道路交通、水电气、住房、市容环境、污染治理等七大类100多个工程项目；第二个“三年规划”的各项工作已从1998年底开始全面展开，计划总投资在240亿元以上，将进一步改善城市的硬件基础设施条件。按照“老区抓改造、旧区抓配套、新区抓提高”的原则，对全市老旧住宅小区，由市、区和产权单位三方共同出资进行改造，加强环境保护和建设城市生态文明。全面实施绿化工程，近三年新增绿地1100公顷。搬迁了一批社区内的污染企业，对市区内的玄武湖、秦淮河、金川河等进行了全面的清理整治，城市气、声环境质量明显提高。结合城市改造，全市新建了近40个各具特色、大小不同的市民文化广场，总面积达35万多平方米。注重城市生态环境的总体规划和建设，突出营造了古城南京山、水、城、林一体的生态特点。加强文物保护和利用工作，保持了千年古城特有的历史人文和自然风貌。

不断提高城市管理工作水平。南京是国内最早实施依法治市的城市之一。按照依法治市的总体规划，加强了城市管理相关法规制度的建设，近年来共制定出台地方性管理法规166件，逐步完善了城市管理法规体系。狠抓城市市容卫生长效管理，并积极将管理触角深入到街道、社区中，整治违章搭建、占道经营、流动摊点工作力度加大，社区外部环境明显改善。交通文明管理工作依靠加强公安交警队伍建设和现代高科技手段，坚持综合管理、综合执法、综合整顿，不断提高文明执法水平，达到了机动车不堵、非机动车不乱、交通科技领先、事故逐年下降、社会各界满意的良好效果，得到了公安部的充分肯定。今年5月，中宣部、中央文明办向全国推广了南京交通文明管理的做法和经验。广泛深入地开展了创建安全文明小区、安全文明单位活动，普遍建立了群防群治网络，社会治安持续良好。不少老干部、老党员、老职工、老积极分子义务参加小区治安巡逻。针对全市近60万的外来流动人口，不少社区如建邺区兴隆街道等采取有效措施，积极探索新的管理途径，积累了不少好的经验。

创建文明社区的最终目的，是要提高群众生活质量、市民素质和城市文明程度。我们立足社区，以社区党建工作为龙头，对思想政治教育的形式、内容、方式、手段和机制进行了积极探索。一是大力加强社区党建工作。二是全面实施“民心工程”。三是广泛开展社区的文体科教活动。四是认真做好社会弱势人群的思想政治工作。

上海市文明办：安居乐业是群众的利益所在

“安居乐业”是群众的利益和愿望所在。上海市委明确在文明小区、文明社区创建中，要以“安居乐业”为基本目标，为社区居民创造一个整洁、舒心、活跃、和谐、温馨的生活环境，提高生活质量。市文明办为此制订了创建文明小区五大类标准，24个具体项目；文明社区八大类标准，42个具体项目。如社区环境整洁、社区秩序安定、社区组织健全、社区共建普遍、社区服务完善、社区教育全面、社区文化丰富、社区风尚良好等。目标确定后，从市委、市政府到区县委办各级党政组织主要领导高度重视，亲自抓创建、抓落实，形成了全市范围内党政一把手亲自抓精神文明建设的良好态势。许多区县的区（县）委书记、区（县）长亲自担任创建的第一责任人，层层签订责任书，层层明确责任人，确保创建目标真正落到实处。

社区精神文明建设，只有广大人民群众的积极参与，才会有长久的生命力。这些年来，我们在相信群众、依靠群众、开展志愿者活动、建设一支群众性的积极分子队伍等方面做了一些有益的探索。

首先是发挥社区志愿者的示范带头作用，“服务他人，奉献社会”是志愿者活动的宗旨。据不完全统计，目前各类志愿者人数达101万人，其中，活跃在全市各社区的志愿者达49万人。上海市民表示愿意参加志愿者活动的达61.3%。市委、市政府对志愿者工作十分重视，市委书记黄菊亲自担任上海志愿者协会名誉会长，并多次参加志愿者活动，还号召全市广大在职党员积极参加居住地的志愿者活动和社会公益活动。在市委、市政府领导的倡导下，各种形式的志愿者活动目前在上海各社区随处可见。最近，我们还在全市57个文明社区中开展了志愿者结对帮困活动，组织志愿者为全市2万多户困难老人、困难残疾人和各种原因致使生活发生困难的家庭和个人提供智能、技能和体能上的帮助，要求在今年底实现志愿者结对帮困的基本覆盖，使志愿者帮困结对成为上海社区保障体系的重要组成部分，进一步弘扬“我为人人，人人为我”的社会新风。目前，上海的志愿者活动进一步向规范化、制度化方向发展，志愿者的电脑登录、统计、联网工作已经顺利完成，各社区都成立了志愿者服务总队和调配站，建立了较为完整的全市志愿者网络系统。

其次，我们还注重加强团队建设，从各个社区的实际出发，建立了爱国主义教育讲师团，请老红军、先进模范人物开展爱国主义教育，加强对青少年的思想政治工作；建立了老年人读书报小组，实行自我教育、自我提高；在文明小区创建中，建立了科学、文化、教育、体育、卫生等各类指导员队伍，大部分以党员骨干为核心，开展辅导活动，加强对社区群众文化体育生活的指导，如普陀区曹杨街道18个小区都设立了指导员辅导组，在他们的指导下，社区老妈妈艺术团、老伯伯京剧组、淮剧组、越剧组、沪剧组、合唱队的活动能经常开展。所有这些，有力地促进了社区精神文明建设。

从社区实际出发，开展丰富多彩、形式多样的社区文化体育活动，在居民群众中倡导科学、文明、健康的生活方式，是我们推进社区精神文明建设的一项基本要求。市委、市政府确定了上海社区文化设施建设的总体目标，就是初步建成与上海国际一流大都市相匹配的、与上海经济社会发展相协调的、与上海市民文化需求相适应的、结构合理、布局优化、设施先进、多层次的社区文化设施网络。

从1989年开始创建到现在，全市共建成市级文明小区887个，区级文明小区1173个，已有1/2的居民生活在文明小区中，提前一年实现了市委提出的1/3的市区居民生活在文明小区的目标。

首都文明委：建首善　创一流

几年来，我们在创建文明社区活动中，以不断增强马克思主义理论的说服力和战斗力，不断增强全体人民的凝聚力，不断提高思想政治工作的感召力和渗透力为指针，以培育“四有”新人为根本，着眼于人的全面发展，把社区教育、社区服务、社区文体等社区建设融为一体，紧紧围绕培养人、影响人、吸引人、关心人和激励人，开展文明社区创建工作，收到了显著成效。

教育方式生动活泼培育人。开展社区教育是融会教育资源，提高社区成员思想道德素质，促进两个文明建设的有力手段。经过10多年的努力，目前，北京市各区和95%的街道办事处都成立了区、街社区教育委员会或办公室，形成了市、区、街、居四级社区教育管理网络。市及各区（县）都设立了社区教育专项经费，一些区县还专门抽调教师到街道社区工作，充实社区教育工作队伍。文明市民学校是教育人、培养人、提高市民素质的重要载体。北京市现已创办文明市民学校3200所，学员达70万人。

生活环境整洁优美影响人。近几年，北京市以环境治理为突破口，通过封闭小区、兴建服务设施、植树种花、志愿服务等，为广大居民创造安全、舒适、方便、和谐的生活环境。城建、市政、规划、房管、民政、环保、环卫、工商等部门相互配合，开展“保护生态环境，倡导文明新风”及“创优美环境、迎50年大庆”活动，组织开展了有近千万人次参加的“绿色志愿者行动”系列活动，“做文明市民，建绿色家园”正在成为广大市民的自觉行动。各社区拆建结合，拆违还绿，创建了一批精品街、示范街和亮丽工程，使首都的城市环境面貌发生了深刻变化，进一步增强居民群众“住社区、爱社区、建社区”的意识。

文体活动丰富多彩吸引人。在社区广泛开展群众性文化体育活动，贴近群众，贴近生活，贴近时代，对居民产生了强大的吸引力。目前全市建有19个文化馆，96个文化站，居（家）委会文化室2098个，街道建立文化站（文体中心）已占全市街道总数的85%。夏日文化广场、五月鲜花歌咏比赛等大型文化活动，各种书画、诗歌、摄影、戏曲、合唱等活动越来越受到居民群众的欢迎。目前已有114个街道成立了街道体协，对辖区体育工作进行指导、协调、组织，61个街道、乡镇修建了全民健身工程。市里为每个社区街道配备了不同数量的体育活动指导员，在12个城区的96个街道建立了成年人体质测试站，便于广大群众根据体质状况有针对性地进行锻炼，以达到科学指导健身的目的。

便民服务体贴入微。北京市社区服务以国家福利设施为骨干，街道服务设施为主体，居委会便民服务网点为基础，其他社会力量兴办的福利服务机构为补充，形成了纵分层次、横结网络的市、区、街、居四级服务网络。目前全市已开通社区服务便民热线电话137条，入网居委会4243个，占总数的90%以上。社区服务志愿者队伍已有60余万人，其中具有一技之长的技术服务骨干近23万人。10个城近郊区共建社区卫生服务站200多个，有1500余名医务人员从事社区卫生服务工作；初步形成了五大类十大系列服务体系，逐步实现居民基本生活服务需求不出社区的目标。

先进典型示范作用激励人。榜样的力量是无穷的，它激励着人们向先进学习，推动着社会的进步。每年北京市评选、命名、表彰首都文明社区、文明居民区、文明安全居（家）委会，首都精神文明建设奖获得者等都集中进行报道和宣传。在各个社区中，通过评选居民身边的“五好文明家庭”、“卫生之家”、“十佳公仆”、“学雷锋先进分子”、“下岗职工再就业先进典型”、“好婆婆”、“好媳妇”等活动，激励了广大居民，掀起了争创文明家庭、争做先进个人的热潮，促进了广大居民整体文明水平的提高。

深圳市文明委：加强物业管理　促进社区文明

物业管理是市场经济发展的产物。经过20年的发展，深圳的物业管理从无到有，从小到大，形成了一个新兴行业，推动了社区两个文明建设的发展。

目前，我市共有各类物业管理单位1130多家，物业管理从业人员10万人，管理全市2万平方米以上的住宅区400多个、工业区400多个、高层大厦2000多座；覆盖面积达到90%，覆盖人口达到360万。其中有146个住宅区（大厦、工业区）荣获全国物业管理优秀小区称号；80多家物业管理公司获得ISO9002国际质量管理体系认证。

物业管理名称是管物，实际上要将人作为工作重点，那种只见物不见人的旧的管理观念是管不好物业的，而现代物业管理概念要求要着眼于人，以人为本，这既是提高管理水平的需要，也是创建文明社区的要求。市、区文明委领导挂点抓创建，经常深入小区，开展调查研究，协调管理关系，解决群众关心的热点、难点问题，并邀请人大代表、政协委员、民主人士到小区视察、指导工作。各物业管理单位按照市文明委的要求，主要抓好以下几项工作：一是加强思想教育。引导居民群众树立理想，热爱家园。二是加强道德教育。开展“文明户”、“美好家庭”评选活动，引导居民群众遵守社会公德、爱护社区设施，改善邻里关系、建设和睦家庭。三是开展科学知识教育。“法轮功”出现后，按照市委要求，各物业管理单位重视做好“法轮功”练习者的思想转化工作，使绝大部分练习者悔悟转变。四是抓好法制教育。主要街道和小区的重点地段设立宣传栏，派出所干警深入社区，开展法律咨询活动。五是开展丰富多彩的文化体育活动。沟通居民间的感情，改善邻里关系。

各物业管理单位普遍开展了专业化、一体化和多元化“三化”服务。“专业化”就是按照不同的服务项目组成专业服务公司为居民提供服务。分别承担清洁、绿化和家电维修等服务工作，引进超市、银行等专业服务项目。“一体化”就是物业管理公司负责所有与居民生活有关的服务项目，提供配套服务，主要内容包括房屋租赁、水电以及商业服务网点等。“多元化”就是物业管理公司牵头，引进各种服务项目。深圳许多小区都设立了便利店、美容美发等服务项目，深受居民欢迎。目前，居民85%的日常生活需求可以在社区得到满足。市政府要求物业管理收费实行低标准，以保护消费者的利益。为此，物价部门制定了具体的收费标准，规定按照创建安全文明小区的不同档次，按不同价格标准收费，运用经济方法，对物业管理好的单位实行鼓励政策。同时，市政府还制定了一些经济补偿政策，以保证物业管理能保本赢利、正常经营。

社区设施建设是物业管理的基础，也是创建文明社区工作的重要条件。我市社区的房屋设施建设大致分为两种情况，前10年开发建设的小区，大多由于规划缺陷，设施不配套，功能不齐全，绿地面积小，文化体育场地少，房屋质量差，外墙残破漏水，群众意见很大。后10年建设的小区提高了规划水平，使小区设施配套，功能齐全，环境舒适，管理到位，服务优良，比较受群众欢迎。市委、市政府在抓好城市社区建设中，首先要求计划新建的新区要严格按规划建设。做到规划合理，设施配套，功能齐全，有足够的文体活动和休闲场地，绿化面积符合要求，形成完善的社区教育、文化、体育、卫生、服务等体系。

西安市文明委：从群众关注的热点入手

西安是一座古老的城市，由于基础设施滞后，许多小区一度存在环境脏乱差问题。我们从群众最关注、反映最强烈的这一突出问题入手，把整治环境作为创建文明小区的突破口来抓。

每年我们都要选一批基础比较差、整治难度大、典型性强的小区作为整治的重点，为全市创建文明小区提供示范。1998年8月，市文明委制定了《关于进一步开展创建文明小区活动的实施意见》，明确提出在小区建设上要实现“五个起来”，即让楼道亮起来，楼内净起来，垃圾装起来，环境绿起来，居民身边美起来。具体工作中，重点抓了“清、拆、净、绿、亮”五个环节。“清”，就是对乱堆乱放、乱拉乱挂等现象坚决清理。“拆”，就是对小区内随意侵占绿地的违章建筑、擅自延伸阳台搭建的棚屋坚决拆除。“净”，就是抓好小区内的清扫保洁和垃圾袋装化工作。“绿”，就是对小区绿地进行整修扩建，补栽绿篱，见缝插绿。“亮”，就是让楼道、道路灯亮起来。

钟楼小区交通便利，人流量大，过去各种饮食摊点布满其间，一楼住户破门开店现象普遍，个别摊点甚至侵占绿地搭建棚亭，居民意见很大。我们组织房产、公安、工商、街道办事处、居（家）委会、小区物业办等部门集中力量，在很短的时间，动员群众拆除棚亭18间，清理乱堆乱放30处，清出公用场地280平方米；新砌花坛5个，新栽花木2000多株。现在，小区空气清新，环境宁静，一派生机。目前，全市具有一定规模的486个小区，绝大多数环境面貌有明显改观。

西安是历史古都，具有深厚的文化积淀。我们在创建文明小区中，注意发挥文化优势，引导小区群众积极参加丰富多彩、健康向上的文化活动，在活动中受教育，在娱乐中添情趣。为此，我们积极开展全市性的文化体育活动，营造良好的文化大环境；建立健全小区文体活动设施；建立居民群众自娱自乐组织，积极开展“楼院文化”活动。在创建文明小区中，只有通过优质服务，多办实事，使广大居民享受到创建活动给他们带来的利益、感受到小区建设在他们生活中的重要位置，居民才会更加重视、支持，进而积极参与到小区创建活动中来。近几年，我们通过多种形式、多种渠道筹措资金，建立和完善小区服务设施。全市各种类型、规模的社区服务中心49个，便民利民服务网点3281个，各类社区活动中心120多个。市里成立了志愿者协会，各区、县、局成立了志愿者服务大队，各街道、居（家）委会成立了志愿者服务分队、小队，现在全市有志愿者会员20多万人，结成援助活动对子5000多对，活动内容也由过去照顾孤老病残为主，发展到面向小区广大居民。各级政府、部门围绕小区群众关注的热点、难点问题，积极建立健全服务组织。各类医疗机构改变服务模式，走进小区，上门入户为居民服务。在小区服务和管理工作中，涌现出了一批先进典型，新城、莲湖、灞桥区先后被省政府命名为省级社区服务示范城区；青年路地区社区服务志愿者协会被民政部和中国社会工作者协会评为全国社区志愿服务先进集体；碑林区被命名为全国社区服务示范城区。

（2000年9月14日《人民日报》）

立足群众安居乐业 努力创建文明社区

——中央文明办负责人答新华社记者问

中央文明办负责人在南京接受记者专访，就进一步在全国开展创建文明社区活动，回答了记者的提问。

问：昨天闭幕的中央文明办召开的创建文明社区工作座谈会，强调要在城市深入开展创建文明社区工作，请您谈谈这项工作的现实意义。

答：在城市深入开展创建文明社区活动，是落实中央思想政治工作会议精神的一项重要举措，也是服务全党全国工作大局的迫切需要。改革开放20多年来，我国城市的数量和规模迅速发展，随着城市在政治、经济、文化、社会等方面对周边地区的辐射、带动作用越来越大，城市在全国改革、发展、稳定大局中的地位也日益突出。加强城市的建设和管理，基础在社区。随着改革开放和社会主义市场经济的深入发展，社会经济成分、组织形式、利益分配和就业方式等日趋多样化，城市基层社会结构已经和正在发生深刻变化。老龄人口、流动人口、新经济组织和社会中介组织不断增加，大量的社会管理、服务和公共事务由政府和企业职能中分离出来，迫切需要社区承担。社区在加强城市管理、服务市民生活、促进社会进步方面的作用更显突出。深入开展创建文明社区工作，是加强思想政治工作和精神文明建设的迫切需要，是加强城市建设和管理的迫切需要，是改善居民生活环境、维护社会政治稳定的迫切需要，是密切党同群众关系、巩固党的执政基础的迫切需要。

问：请您介绍一下创建文明社区活动近些年来的发展情况。

答：由于创建文明社区活动是人民群众在党的领导下建设美好生活的新实践，是把城市两个文明建设任务有机结合、落实到基层的新载体，也是加强党的群众工作和思想政治工作的新方式，所以引起了城市党政领导的高度重视，得到了各部门各行业系统的大力支持，吸引了广大居民群众积极参与。创建文明社区活动的覆盖面不断拓展，社会影响不断扩大，有力地推动了社区建设和城市发展，促进了市民文明素质、群众生活质量和城市文明程度的提高。许多城市涌现出一批文明程度较高、各方面工作较好的文明小区和文明社区。总的看，创建文明社区活动取得了可喜成绩，呈现出扎实推进、健康向上的良好发展态势。同时，我们也清醒地看到，从全国来看，创建文明社区工作还处在起步阶段。在相当数量的城市，尤其是经济欠发达的城市，这方面的工作还刚刚启动；实现创建文明社区正常运转的领导体制和工作机制还不够健全，许多已经显现的问题亟待我们研究解决；目前许多城市的社区建设、社区管理和社区服务的现状，同城市现代化和人民群众的要求，还有不小差距；随着改革开放的深入发展和人民群众生活水平的普遍提高，对社区各项工作势必提出更高的标准，我们的工作面临许多新情况、新问题。做好这项工作，任重而道远。我们一定要认清形势，团结鼓劲，扎实工作，巩固已有成果，加强薄弱环节，把创建文明社区工作不断提高到新的水平。

问：深入开展创建文明社区活动的工作重点是什么？

答：一是抓教育。要把加强和改进社区思想道德教育作为一条主线，贯穿到创建文明社区各项工作中。要结合新形势下群众思想活动的新特点、新变化，有针对性地开展以理想信念为核心的思想道德教育，进一步坚定广大群众对社会主义的信念，增强对改革开放和现代化建设的信心，增强对党和政府的信任，激发广大群众开拓进取、艰苦创业的精神，为改革发展提供有力的思想保证和精神动力。当前特别要着力改变社区思想政治工作薄弱的状况，促进与社会主义市场经济相适应的思想道德体系逐步建立和完善。二是抓活动。要充分利用社区直接面向居民、面向家庭的优势，坚持从具体事情抓起，从居民关心的事情做起，按照主题不变、充实内容、一抓到底、务求实效的要求，认真抓好深受群众欢迎、具有广泛社会影响的“名牌项目”，精心设计群众喜闻乐见、便于参与的活动方式，把社区居民最大限度地组织起来，广泛吸引群众参与进来。三是抓阵地。要适应居民闲暇时间增多、精神文化生活需求多样化的发展趋势，抓好社区的教育阵地、文化阵地、休闲娱乐阵地建设，积极开展形式多样、健康有益的群众性文体活动，努力满足居民不断增长的精神文化需要，用马克思主义和一切健康向上的思想文化占领社区阵地。四是抓管理。要把自律与他律、内在约束与外在约束结合起来。引导群众自我教育、自我管理，同时配合有关部门、单位采取措施完善社区管理，加强建章立制，把创建文明社区的目标要求融入科学有效的日常管理工作中去，把创建文明社区活动取得的成果巩固下来，把成功的作法坚持下去，推广开来。五是抓队伍。要建立一支思想素质较好、工作能力较强的创建工作骨干队伍，在社区内形成横到边、纵到底，层层有人管、事事有人抓的工作网络，努力做到发挥一批骨干作用，带动一片群众参与，促进一方精神文明建设的发展。

问：要把创建文明社区工作抓出更大成效，您认为最重要的是什么？

答：最重要的是认真贯彻江泽民总书记在中央思想政治工作会议上的重要讲话精神，把“三个代表”的要求全面落实到各项工作中去。创建文明社区工作，要坚持解放思想、实事求是的思想路线，紧紧围绕经济建设这个中心，为改革、发展、稳定大局服务，为提高城市文明程度、市民素质和生活质量服务。要坚持服务群众，依靠群众，从解决群众最关心、与群众切身利益最密切的问题入手，多做得人心、暖人心、稳人心的工作，带给群众实实在在的方便和实惠，使创建工作得到广大群众的拥护和支持。

问：深入开展创建文明社区活动，应当注意把握好哪些问题？

答：现在创建文明社区工作的方针原则和任务要求已经非常明确，关键是狠抓落实。要把工作进一步抓紧抓实，做深做细，认真解决好创建文明社区中一些带根本性、原则性的问题，在增强工作的前瞻性、主动性、针对性、实效性、持续性上下功夫。一要认真制定创建文明社区的工作规划，并纳入城市经济社会发展的总体规划，使干部群众对工作任务、目标、要求做到心中有数。在制定规划过程中，要坚持合理布局、便于管理，全面覆盖、不留死角的原则；注意从实际出发，既要体现积极进取的精神，又要量力而行，经过努力确实可以做到。不要盲目攀比，更不能搞形式主义。二要适应新形势和新要求，在党委政府统一领导下，以改革的精神、务实的态度，逐步建立健全保证创建文明社区工作正常运转的领导机制、共建机制、激励机制、监督机制和投入机制。通过机制建设，加强领导，理顺关系，充分调动驻区的政府职能部门、企事业单位的积极性；充分发挥工会、共青团、妇联、科普协会、志愿者协会、老年人协会、个体劳动者协会等人民团体和群众组织在开展活动方面的各自优势；充分发挥广大居民在创建文明社区中的主体作用。三要加强分类指导，坚持因地制宜、因人制宜、因时制宜，讲究方式方法，努力使各类城市和各类社区的创建工作水平普遍得到提高。要在抓好现有先进典型和示范点巩固提高的同时，注意随着形势的发展，根据推动面上工作的需要，树立新的示范点，选择和培养更多的先进典型。努力做到各个层次、各个方面都有典型，使示范点和先进典型不仅立得住，而且推得开，带得动。四要在继承党的思想政治工作的优良传统，借鉴一切有益做法的同时，着力探索和创造工作的新形式、新方法、新手段。要把做群众的思想工作同帮助群众解决实际问题结合起来，把以理服人同以情感人结合起来，把加强教育同加强管理结合起来。要善于运用现代技术，不断更新工作手段。要面向世界，博采众长，汇天下之精华，扬自己之优势，使创建活动不断增强感召力和渗透力，永葆生机活力。

（2000年9月11日《人民日报》）

共青团中央

“青年文明社区”创建活动

2000年以来，全国“青年文明社区”创建活动规模不断扩大，内容不断丰富。各地以社区团建为基础，以服务项目为主导，开展了一系列有利于青少年健康成长的活动。

围绕完善社区服务，开展了青年志愿者“一助一”和“多助一”包户服务、“青年文明号”助万家、红领巾助残等活动；围绕活跃社区文化，开展了“青年文明社区大家乐”、“千校百万”外来务工青年培训等活动；围绕和谐社区人际关系，开展了邻里相识互助卡、互助铃等结对互助活动；围绕优化社区秩序，开展了创建优秀“青少年维权岗”、少年儿童平安回家、青少年法制教育、“全国青年文明社区反邪教行动”等活动；围绕美化社区环境，开展了青年养护绿地、红领巾植绿护绿、“捡拾白色垃圾、捡回一个希望”活动。

2月份在北京召开了“深化创建青年文明社区工作电视电话会议”。3月份，根据中央文明委关于深入开展“讲文明树新风”活动的总体部署，联合文化部、国家体育总局、中央电视台在深圳召开了“全国青年文明社区大家乐现场推进会”，将社区精神文明建设活动推向高潮。从4月初到5月上旬，以北京市朝阳区和平街街道为试点，建立了“社区青少年服务中心”，开展了“青年文明社区大家乐活动”，得到了中共中央政治局常委、国家副主席胡锦涛的高度评价。7月、8月，主要围绕社区青少年服务中心的建设工作，先后在北京、青岛、大连、广州、武汉等城市建立了一批社区青少年服务中心。9月，在青岛召开了“全国青年文明社区创建工作暨社区团建工作现场推进会”。初步形成了以团建为基础、项目为指导、阵地为依托、机制为保障的工作格局和“青年文明社区”创建活动的1149工作模式，即形成一套现代社区理念，建立一个规范化的社区青少年服务中心，健全四套组织（团组织、青工委、少工委、团的外围组织），发展九个项目（社区志愿服务、青年文明社区大家乐、雏鹰争章、青少年维权岗服务、青年文明号助万家、大学生社区援助、青少年教育培训、环境保护、社会治安等）。

一年来，各级团组织开展了丰富多彩的文化活动，动员青少年参加社区建设，不断活跃社区文化，有效地促进了社区管理水平和服务水平的提高，促进了居民生活环境和生活质量的改善，促进了青少年成长成才，为维护社会稳定做出了积极贡献，受到了各级党政领导的充分肯定和人民群众的普遍欢迎，在社区精神文明建设中发挥了积极作用。截止2000年底，已涌现出全国“青年文明社区”174个，“青年文明社区”示范点200个，省级“青年文明社区”1900多个。

（共青团中央）

北京市宣武区白纸坊街道

选择绿色生活 创建绿色社区

绿色社区作为绿色生活的承载点，是环境保护和精神文明建设的重要组成部分。1999年初，白纸坊街道办事处与宣武区文明办、环保局、环卫局以及民间环保组织北京地球村环境文化中心，在白纸坊街道建功南里建立全国首家绿色社区试点，开展了共建绿色社区的工作。建功南里小区于1997年建成，占地面积2.3万平方米，总建筑面积8万平方米，有高层住宅楼5栋，多层综合楼1栋，居民700户、2400多人，其中80%是回迁居民。

以实施垃圾分类为突破口，辅以节水、节能、绿化等措施，认真抓好绿色社区的硬件建设。

早在1994年4月，区环卫局建立了全国首家垃圾分类清运系统，并在建功南里小区正式运营，实现了生物、非生物垃圾、渣土等分类投放。作为城区节水型小区，每个家庭都装上了节水龙头，不少居民还使用节能灯，小区的绿地覆盖率也达到30%以上。

以建立联席会制度为重点，认真抓好绿色社区的软件建设。绿色社区联席会是社区环境管理的核心，它的成员各有分工，各尽其责。建功南里绿色社区联席会成立以来，已在多次会议的讨论中拟定了绿色社区标准、绿色社区居民环保公约，提出了绿色社区的功能，居民绿色生活方式，设立了绿色社区宣传橱窗，建立了绿色志愿者大队，制定并组织了生活环保宣传活动计划。

以选择绿色生活为主要内容，组织开展了多种形式的宣传活动。首先从学校入手，把校园环保教育与社区环保教育结合起来。组织大学生到社区宣传环保，传播绿色文明。在中小学校组织青少年绿色志愿者小分队，提高学生参与共建绿色社区的积极性。其次，以家庭环保带动社区环保。通过开展多种形式的活动，提高群众的环保意识，吸引更多的人参与绿色社区建设。2000年元旦，联席会成员单位与小区居民共同举办了“共建绿色社区联谊会”，孩子们表演了由地球村协助排练的节目《垃圾的自述》、《铅笔盒里的哭声》、《留给我》等小节目。

为了更好宣传群众、教育群众、发动群众、引导群众，人人动手，共建“绿色社区”，他们举办环保知识讲座、播放宣传影片、开展环保活动，宣传普及与人民群众生活、工作密切相关的科技知识，倡导科学文明、健康向上的生活方式，提高全社会的科学素养和文明程度。通过各种宣传教育活动，使居民充分认识到环境对生活的重要性，自觉调整生活方式。

起初，居民对节能灯认识不清，办事处和居委会就请来专家学者讲授有关节约能源和合理进行家庭开支的有关知识。有的居民长时间形成的弃物方式改起来并不容易，对垃圾分类分不清。办事处和居委会请来民间组织“地球村”的老师，进驻小区在居民中倡导减少污染、环保选购等有关知识。办事处、居委会和物业管理部门针对居民不同时期存在的不同问题，认真研究具体的解决办法，注重发挥党支部和党员的模范带头作用，创建工作的局面很快就打开了。

在开展大量宣传教育的同时，支部党员挨家挨户地走访，指导分类。为方便群众进行垃圾分类，他们根据家庭情况设置数个小容器，用于存放分类好的垃圾。同时还加强了户外投放的指导和监督。党员、积极分子轮流值勤，发现问题及时纠正。此外，还通过市民学校，举办“爱地球、爱家园”为主题的系列教育活动。让居民感受到，只有从自己身边的点滴小事做起，环保才会走进家庭，走进群众的生活。

他们还在小区成立了绿色志愿者大队，组织党团员参与绿色社区建设。建立了社区假日团支部，每逢节假日，在小区开展环保活动，组织儿童进行环保训练，做到小手拉大手，小孩带动家庭，家庭带动社区。

（首都文明办）

天　津　市

开展“告别五陋习，共建文明家园”活动

天津市为进一步深化“讲文明树新风”活动，以综合治理城市环境秩序为契机，围绕乱摆乱卖、乱搭乱建、乱堆乱放、乱泼乱倒、乱贴乱画等城市固疾，开展“告别五陋习，共建文明家园”活动，促进了市民素质和城市整体文明程度的提高。

发挥新闻媒体作用，扩大活动影响面。为广泛发动群众，市文明办于2月底至5月初，在《今晚报》第一版开辟“告别五陋习”专栏。与今晚报社共同发起大讨论，由社会各界人士评析不文明行为，对行为典型事例给予批评和曝光，先后共刊登群众意见、建议等200余条，不仅有力地促进了重点地区的环境治理，也形成了塑造天津优美环境秩序的共识，逐步使告别不文明行为成为每个市民的自觉行动。

加强组织，开展各种道德实践。各区以此项活动为契机，充分利用市民学校、家长学校、家庭学堂等教育阵地，宣传《天津市民守则》、《天津市民行为道德规范》和有关法规，进一步增强了广大市民的公德意识。同时，组织开展“从我做起，从社区做起，共建美好家园”、“爱护公物、争做文明小主人”、“楼道革命”等道德实践活动，治理乱贴乱画得到全市人民的拥护和积极参与，掀起了“创建文明城市，争做文明市民”的新热潮。

及时推广先进典型，不断深化创建活动。在活动中，市文明办会同有关部门总结推广河东区万新地区通过建立“文明言行督导队”，加强群众自我监督、自我管理的做法。在各区的积极配合下，全市组建了1890支10余万人的“创建优美环境志愿者”队伍，对周围的不文明行为进行劝导和制止，形成了“不文明行为有人管”的社会氛围。广大群众遵守社会公德、维护小区环境的自觉性普遍提高，纷纷从我做起、从身边小事做起，促进了城市环境的进一步改善。

（天津市文明办）

河　北　省

开展营造城市“森林”大型公益活动

为了提高公民保护环境的公德意识和促进城市优美环境建设，推动“讲文明树新风”活动的

延伸，在河北省文明委的倡导组织下，从1999年全民义务植树节开始，全省各地级市全面启动了营造城市“森林”大型社会公益活动，取得了良好的社会效果。

领导高度重视，有关部门积极组织。省委、省政府、省军区对这一活动非常重视。省委多次强调，要通过这一活动把创优美环境与改善城市生态有机结合起来，进一步提高全省人民热爱自然、关心生态、保护环境的社会公德意识。各市积极响应，研究制定落实措施。秦皇岛、保定、唐山等市多次召开常委会、文明委全会、市长办公会，专题研究部署，协调力量。一些市召开动员大会，书记、市长亲自动员。各级林业、园林、水利部门积极开辟林地，各级机关工委、共青团、妇联、驻军组织各界群众广泛参与，使这一活动在全省各市迅速展开。

广大群众踊跃参与，人们保护环境的公德意识空前提高。由于这一活动顺应了群众的愿望和要求，因此，在全省各市引起了强烈的反响。各市机关干部、青少年、妇女和驻军官兵踊跃参与，植树节前后，仅邯郸、邢台、石家庄、保定等几个城市就种植“公仆林”、“青年林”、“巾帼林”、“八一林”数千亩。广大市民对这一活动表现出了极大的热情，以实际行动创建绿色城市，共建美好家园。唐山市公布这一活动消息后，全市就有数百万居民报名参与。秦皇岛市由单位和群众个人出资购置苗木的资金达300多万元，其中个人自愿出资达100多万元。一些民主党派、大中小学校、企业、社团组织以各种方式参与活动，表达关心生态、保护环境的心愿。他们通过各种渠道与有关部门联系，开辟种植了大片的“团结林”、“红领巾林”、“长寿林”等。河北科技大学、华药大厦青年志愿者们，联合发起了“捐纸换绿”活动，筹集资金购苗植树，许多单位和居民纷纷捐出旧报旧书，场面十分感人。石家庄市引水入市办公室在“民心河”畔开设“家庭纪念林”后，要求植树的电话不断，几天内就汇集了由数百户家庭组成的植树大军。不少单位和个人不仅认领、认种，还要求认养，为此，有关部门主动为他们设立了标志、建立档案，以满足人们渴望绿色、热爱自然、关心生态、保护环境、营造绿色文明、创建文明城市的心愿。

取得了显著的社会效果。据统计，2000年全省11个地级市参与活动的群众已达360余万人次，市区和城市周边地区植树面积2.6万余亩。河北省计划用3年或更长一点时间，使每个地级市达到“林在城中、城在林中”的目标，引导和组织群众用自己的双手实现自己美好的愿望。

（河北省文明办）

河 北 省

大力开展文明社区创建活动

改革开放以来，特别是党的十四届六中全会以来，河北省各级党委、政府和有关部门，在组织开展创建文明社区活动方面进行了积极探索，取得了良好成效，社区环境逐步改观，社区风气明显好转，社区服务水平不断提高，涌现出一批群众满意并在全国有一定影响的文明社区。2000年5月，河北省委在唐山召开了全省创建文明社区经验交流会，要求创建文明社区活动要在全省各市全面展开。一是坚持以“三个代表”的要求统揽创建工作全局，不断提高创建工作的水平和质量。各地从各自的实际出发，制定和完善创建规划，使大多数城市社区初步形成安定安全的社区治安秩序、便民利民的社区服务网络、团结和谐的社区人际关系、健康向上的社区文化氛围。二是加强和改进社区思想政治工作，不断提高居民思想道德素质。坚持思想领先的原则，注意抓好思想政治工作，防止和改变重管理、轻教育，重事务、轻思想的倾向。三是优化社区环境，发展社区服务，为提高群众生活质量创造良好条件。按照建设与管理并举，重在管理；治标与治本并重，重在治本；近期与长远兼顾，重在长远的原则，认真抓好社区规划、改造和基础设施建设，抓好环境卫生整治工作。四是强化社区治安，维护社区秩序，为广大群众安居乐业提供保障。深化安全小区创建活动，搞好各类防范工程建设，建立健全社区保安队伍，强化报警、出警措施，有效防止各类案件和事故的发生。从适应现代化的城市发展和社区建设的新形势、新要求出发，从建立健全城市治安防控体系的高度出发，认真研究解决治安方面的问题。五是积极组织健康向上的文化活动，丰富广大居民文化生活。广泛组织开展群众喜闻乐见、丰富多彩的文化体育活动，通过“彩色周末”、消夏晚会、体育比赛、读书征文、书画展览等多种形式，吸引社区居民广泛参与，满足人们休闲娱乐、强身健体、增长知识的需要。建设社区文化坚持繁荣和管理相结合，防止和杜绝各种不良文化在社区滋生，警惕黄赌毒向社区渗透，引导群众自觉抵制各种伪科学和庸俗文化，保证社区文化的健康发展。六是加强领导，齐抓共管，努力开创创建活动的新局面。各地市着手实施“两级政府、三级管理、四级网络”社区管理体制改革，逐步形成在市委、市政府和城区党委、政府领导下，充分发挥政府部门的职能作用，以街道党委和办事处为主导，以居民委员会为依托的工作格局。

（河北省文明办）

河北省唐山市

扎实开展创建文明社区活动

唐山市多年来深入开展以创建文明社区为基础的群众性精神文明创建活动，全面提高城市精神文明建设水平，推动了两个文明建设相互促进、协调发展。

一、提高认识，统一思想，把创建文明社区活动摆到全局工作的重要位置

唐山市把创建文明社区活动摆到了全局工作的重要位置，引导全市上下提高认识，统一思想。使大家认识到，开展创建文明社区活动，是坚持走群众路线、实践党的宗旨的必然要求，是把思想政治工作落实到基层的迫切需要。

唐山市结合实际确定“重点示范，分批实施，普遍提高，全面推进”的创建工作方针，明确“依托居委会创建文明小区，依托街道办事处创建文明社区，依托各区创建文明城区，从而建设文明城市”的创建工作思路，统一制定和细化“居民素质提高、环境整洁优美、治安秩序良好、社会服务全面、文化生活丰富、基础设施完善”的文明社区、文明小区6条标准，形成了创建文明社区的浓厚氛围和工作合力。

二、突出重点，加大力度，推动创建文明社区活动的扎实开展

1. 强化社区教育，把思想政治工作任务落实到基层。一是抓好思想政治教育。充分发挥李大钊爱国主义教育基地的作用，组织居民群众参观，增强广大居民爱党、爱国、爱唐山的浓厚情感。同时，引导各个社区因地制宜地开辟教育阵地。二是抓好文明市民教育。三是抓好科学普及教育。

2. 加强社区服务工作，为居民群众的工作生活提供便利。制定《唐山市社区服务管理暂行办法》、《唐山市社区服务示范城区标准》。一是加大区街对社区服务设施建设的投入。二是理顺社区服务体制。三是开发社区服务新项目，安排下岗职工再就业。四是动员社会力量参与社区服务。

3. 加强社区环境建设，使居民群众工作生活舒心。

4. 强化社区治安，为居民群众创造一个安宁祥和的社区环境。

5. 加强社区文化建设，用健康向上的文体活动占领社区文化阵地。市委、市政府制定下发了《关于加强文化建设广泛开展群众文化活动的实施意见》，坚持以彩色周末活动为龙头，以社区文化、体育指导站（点）为阵地，在全面普及繁荣的同时抓重点提高，不断满足居民群众的文化生活需求。

三、加强领导，强化措施，确保创建文明社区活动取得成效

1. 健全领导体制和工作机制。一是健全完善了党委统一领导，党政主要领导亲自抓，文明委协调指导，文明办组织推动，各方面分工负责的领导体制。二是建立了以街道办事处为主导，以居委会为依托，各单位齐抓共建，广大居民共同参与的创建机制。三是健全创建活动的物质投入机制。

2. 协调联动，齐抓共管。明确民政、文化、教育、城建、卫生、公安、司法、综治委、工会、共青团、妇联等职能部门的责任，确定创建目标，提出严格要求，使各部门主动参与到创建文明社区活动中来。形成干群共建、厂街共建、军民共建、警民共建、校街共建等多种共建形式。

3. 抓好典型，带动全局。注意培养和宣传创建活动中的先进单位和先进个人，推动活动不断深入。

（河北省文明办）

黑龙江省伊春市

深入开展文明城市创建活动

黑龙江省伊春市把创建文明城市作为二次创业、加快发展的重要前提。通过政府投入、向上争取、市场运营等多种形式，筹措大量资金投入基础设施建设。先后建设了多条高等级公路。市区内新建和改造高档次城市道路 40 余万平方米，大修道路 50 余万平方米，新铺装人行道板 10 余万平方米，改造了城市东西两个出入口。完成了伊春火车站候车大厅和站前广场改造；建成了具有国际先进水平的电话程控交换网、光缆传输网，实现了交换传输数字化，数字移动通讯覆盖全市；开通了国际互联网站。加快了公用事业发展。实施两亮工程，全市新建灯饰街 50 余条，主要街道的重要建筑均安装了装饰灯，70% 以上的居民楼道安装了声控照明灯。新建了 10 余个较高档次的封闭市场，活跃了商贸流通，方便了群众生活。加快了住宅建设速度，全市新建公共建筑和住宅楼 150 多万平方米，城镇人均住房面积达到了 8 平方米，一批风格各异，功能完善，治安优良，物业方便的住宅小区已经建成。加快了园林绿化步伐。全市共绿化植树 50 多万株，建设公共绿地 50 多万平方米，改善了市容环境。按照“建精品，几十年不落后”的原则，在市区新建了中心广场、商业步行街、恐龙博物馆、水上公园、沿河公园、花卉园、灯光隧道、橡胶溢流坝和大型雕塑；建成了市货运中心、科技中心等一批标志性建筑。

在强化硬件建设的同时，还突出抓了以“三

爱”、“三德”和“讲文明树新风”为主要内容的文明教育、文明创建活动。先后召开了“讲文明树新风”、“争做文明市民、共建文明城市”动员大会，制定了一系列精神文明建设的指导性文件和《市民文明公约》、《市民文明守则》；深入开展“做文明市民、创文明单位、文明小区”、“军警民共建共育”、“满意在林城”、“清泉送千家、温暖送万户”等一系列创建活动，大力弘扬李传谦、马永顺精神，全市共涌现出省级文明单位（标兵）45个，市级文明单位（标兵）615个，省级安全文明小区31个，市级安全文明小区188个；还涌现出以市“十佳公仆”、“十佳文明市民标兵”为代表的一大批先进个人，实现了争创“全国双拥模范城市”两连贯的目标。特别是坚持多年的干部结队包扶贫困户活动，进一步密切了党群干群关系，受到了省委、省政府的充分肯定和高度赞赏。

为了强化管理，加大了依法治城的力度。制定出台了市容环卫、市政工程设施、城市园林绿化和警察巡察等四个管理办法，建立了城管监察与公安巡警合一的城管综合执法队伍，强化了专兼结合的环卫队伍、“门前三包”队伍；实行包片、包段、定责任、定目标办法，加大管理密度和力度。实施了“依法治城，严管重罚”措施，开展了以整治市容市貌、集贸市场、交通秩序、建筑工地、文化市场、设施管护等为主要内容的专项治理活动。取缔影响市容的活动板房518个，强制拆除违章建筑568户，使依法治城工作初步走上了法制化轨道。

（黑龙江省文明办）

黑龙江省哈尔滨市

组织城市文明形象工程

2000年，黑龙江省暨哈尔滨市结合开展“倡导文明新风，共建美好家园”活动，以省市连动，抓根治本的方法，共同组织了“城市文明形象工程”。

树公仆形象，省市携手根治城市顽疾。3月初，市委、市政府召开精神文明建设座谈会，邀集各方面专家进行专题调研论证，集中分析了城市建设和管理工作的结症，确定开展城市文明形象工程，树立哈尔滨市道路畅通、广场开阔、天蓝水清、绿树成荫、特色突出、市貌整洁、秩序优良的新形象。成为对内具有向心力和凝聚力，对外具有吸引力和影响力，并具有较强经济发展后劲的北方名城。“城市文明形象工程”实施六项工程（道路畅通工程、生态环境集中控制工程、综合整治工程、城市美化工程、城市特色工程、住宅建设工程）。改善文化环境，开展遵守“七不准”、“市民文明公约活动”和开展“城市形象”大讨论，提高城市的文明程度、群众的文明素质和生活质量。

为了稳步推进城市形象工程，哈尔滨市选择了以党风带市风，以服务促转变的工作思路，提出发挥各级党委、政府在文明形象工程中的示范和表率作用，以自己的行动和实际成果赢得群众的信任和支持。首先在全市开展了“整治环境我先行，美化家园做表率”活动，提出“谁主办、谁清理”，“谁批的违章建筑谁带头拆”的要求。哈尔滨市政府带头拆除了地处全市繁华地段的市政府办公楼并改建为全市最大的绿地。一大批无人“敢碰”的占道工程“让路了”。全市已经撤销60个市场摊区，拆除商亭、摊床8938处；全市共拆除各类占道及破损房屋64596处，达73万平方米。

树时代形象，构建城市现代管理教育体系。在文明城市形象工程中，哈尔滨市构建现代城市管理的新模式和市民教育的新机制。建立和完善“两级政府、三级管理、四级网络”的城市管理新体制。将市管46条一类街路的占道审批、收费管理，19条街路的绿化、42条公共绿地的管理职责和城市广场、环境卫生、环境保护等方面的管理权限下放给各区，使各区政府真正成为实施城市环境综合整治的主体。各区、街组织主动行动，各尽其责，分别进行了本区范围内的环境整治和背街背巷绿化改造，建立了一批标志性工程，美化了城市，造福于居民群众。

为了实现标本兼治，哈尔滨市下大力气抓好市民素质教育。市精神文明建设指导委员会召开了全市军警“塑造城市形象，共建美好家园”誓师大会。组织了上万人次的解放军官兵和共青团员、夕阳红服务队的老人走上街头，参与绿化和交通管理，宣传有关政策法规，帮助市民群众逐步养成文明习惯。推进“塑造城市形象，共建美好家园，市民文明言行系列教育活动”，深入开展“两遵守、四进入”活动，使遵守“七不准”通告、遵守“市民文明公约”宣传教育活动进机关、进学校、进社区、进家庭；组织“文明在行业、文明在窗口”活动，使“窗口”单位的服务质量得到进一步提高；全面进行市民公德普及教育；大力开展社区群众性精神文明创建活动；抓好公益广告的建设和评选活动，使城市文明形象工程成为市民文明意识教育的重要载体，成为提高城市文明程度的系统工程。

（黑龙江省文明办）

上 海 市

积极开展社区文化大赛

2000年“上海石化杯”社区文化大赛的街道、镇一级比赛活动于9月10日至20日在各街道、广场、居民小区举行。据统计，各街道、镇举行了168场比赛活动，共有7500余名来自于社区居民的演员参与各项演出展示活动，参赛项目有舞蹈大赛、戏曲大赛、音乐大赛、民间艺术品制作、民间收藏展示比赛、书画大赛、黑板报创意交流赛和“我们的家园”主题摄影大赛等。这对建立富有向心力和凝聚力的新型社区，创造形式多样、喜闻乐见、和睦邻里、愉悦心情的社区文化起到了很大的推动作用。

区县领导重视。为加强对2000年“上海石化杯”社区文化大赛的领导，确保在各区县、街道、镇广泛开展起来，各区、县领导对社区文化大赛十分重视，作了专门部署和落实。文明办、文化局、广电局等有关部门都设专人负责大赛活动，做到区、县、街道、镇各级领导重视，层层发动落实，保证了社区文化大赛活动的蓬勃开展。

市民积极参加。本次大赛的参赛项目根据群众喜闻乐见，在群众中有基础、有生命力、文明健康、积极有效的原则确定，吸引了广大市民的积极参与。如虹口区在街道、社区组织了54场比赛，近700名演员参加了演出，有近4万名市民观看了各项比赛；徐汇区的舞蹈专场有19支队伍参赛；黄浦区以“爱祖国，爱家乡”为主题的声乐、舞蹈比赛和卢湾区的国标舞、健身舞吸引了众多选手参赛。

社区基础扎实。近年来，市委、市政府高度重视社区文化设施的建设和投入，这些状况良好、分布广泛的文化设施为本次大赛的顺利进行打下了扎实的基础。在政府倡导、社会各方支持下，全市社区文化设施数量不断增加、质量不断提高。据不完全统计，至2000年全市社区拥有市级文化馆1家、区县文化馆34家，街道乡镇文化站302

家。其中有14个区县文化馆直接建在居民小区中。在各级党政组织和社会各方的共同参与下，一个区县、街道乡镇、里弄（村）三级纵横交错的文化设施网络正日趋完善，为全市广泛开展社区文化活动提供了坚强的阵地。

节目丰富多彩。本次社区文化大赛中，已涌现出一大批思想性强，富有艺术感染力的优秀作品，排练出许多健康文明、生活气息浓厚、深受市民欢迎的优秀节目。如虹口区曲阳路街道琵琶独奏“十面埋伏”和童声合唱“流水恋歌”，显示出选手较高的音乐素养和良好的艺术功底。

在社区文化大赛中，各区县注重因势利导、因地制宜，充分体现自身的文化特色。如金山区的农民画，浦东新区的灯谜、故事、曲艺，松江区的丝网版画，闸北区的茶文化，黄浦、卢湾、徐汇等中心城区的都市文化等。这些丰富多彩的社区文化节目表演，为广大社区居民奉献上一道赏心悦目的节日文化餐点。

（上海市文明办）

上海市
举行社区健身大会

上海为贯彻落实2000年市委社区工作会议精神，弘扬社区新风，在社区居民中广泛开展科学、文明、健康的体育健身活动，加强对全民健身活动科学性的指导和管理，满足人民群众提高生活质量的迫切需求，并在社区体育健身活动中推进社区思想道德建设，营造新型的社区人际关系，市文明办和市体育局从2000年9月至11月联合举办了“上海市‘华联超市杯’第三届社区健身大会”。此次健身大会历时3个月，共举行了400多场比赛和展示、研讨活动，有45万多人参与，有20余万人直接参加比赛，是上海近年来规模空前的一次社区全民体育健身的盛事。11月27日在“上海大舞台”举行了隆重的闭幕式，来自19个区县约1万名社区群众欢聚一起举行体育表演和展示活动。他们当中有浦东新区的千人腰鼓队，有市木兰拳协会表演的木兰拳，有杨浦、黄浦、虹口、徐汇区组成的练功十八法方阵，有杨浦、卢湾区1200人表演的益寿保健操，还有来自其他区县的无极健身球、滑板车、跳舞毯、筷子舞、红绸舞、舞龙等。

（上海市文明办）

上海市
命名首批13个文明示范标志区域

为了实现上海市委六届五次全会提出的开展“七不”（不随地吐痰、不乱扔垃圾、不破坏绿化、不损坏公物、不乱穿马路、不在公共场所吸烟、不说脏话粗话）活动，创建文明示范标志区域的工作目标，全面加强城市管理和环境建设，进一步深化“七不”活动，提高城市文明程度和市民素质，市文明委决定在黄浦区人民广场等区域开展文明示范标志区域创建活动，通过扎实创建，积少成多，从小到大，滚雪球发展，并由文明示范区域向周边地区辐射、示范，实现“七不”活动和文明示范标志区域创建的全覆盖。

创建文明示范标志区域，深化“七不”活动，以公共场所为载体，从基本素质、基本行为、基本要求抓起，从人民群众看得见、摸得着的“七不”行为规范抓起，抓宣传教育，抓执法管理，与创建文明社区、文明小区、文明单位、规范服务达标活动形成合力，互相影响，互相渗透。为此，市文明办制定下发了《关于进一步加强“七不”宣传教育和执法管理的意见》，召开了创建文明示范标志区域工作现场会，总结推广人民广场等地区深化“七不”活动、创建文明示范标志区域的经验和做法，组织城市文明巡访员暗查，及时提出整改措施。各创建区域围绕创建目标，加强领导，明确职责，完善机制，做到“五个一”，即确定一个区域范围，明确一个执法主体，制定一个管理规章，健全一套管理制度，落实一支管理队伍，把执法管理和宣传教育结合起来，把硬件建设和软件管理结合起来，有力地促进了文明示范标志区域的创建，取得了明显的效果。在市精神文明建设工作会议上，黄浦区人民广场地区、外滩地区、南京东路步行街、豫园商业旅游区、浦东新区陆家嘴金融贸易中心区、闸北区上海站地区、徐汇区徐家汇地区、长宁区虹桥国际机场地区、新华路地区、静安区南京西路、卢湾区淮海中路、松江区体育中心地区、杨浦区五角场环岛地区等13个区域被评为上海市文明示范标志区域。

（上海市文明办）

江 苏 省

面向新的阶段 加强分类指导
大力推进苏中、苏北地区文明城市创建

江苏省文明委立足区域发展不平衡的实际，充分认识加快推进经济相对欠发达地区文明城市创建工作在全省城市化和城市现代化进程中的重要作用，深入调查研究，明确工作目标，理清工作思路，采取扎实措施，大力推进苏中、苏北地区的文明城市创建。

放眼全局，深化认识。江苏省的文明城市创建活动存在区域间发展不平衡问题。江苏6个全国创建文明城市工作先进城市都集中在苏南地区，18个江苏省文明城市苏南占了绝大多数。苏中、苏北地区的文明城市创建，已成为江苏两个文明建设全局中的一项重要工作，事关大局，势在必行。近年来，苏北地区沛县、大丰、沭阳等城市大胆解放思想，突破思维瓶颈，不惟条件，负重拼搏，通过创建文明城市促进城乡环境优化、居民素质提高，两个文明发展的实践和经验也充分表明，欠发达地区是完全能够搞好文明城市创建工作的。因此，大力推进苏中、苏北地区的文明城市创建，从发展的角度看，是大势所趋，从已有的实践看，也是人心所向，这些工作必须做、能够做，而且一定要做好、做实。

深入调研，理清思路。2000年以来，江苏省

文明办先后在连云港市、徐州市、大丰市召开规模较大的座谈会，交流了苏中、苏北地区创建文明城市的经验和做法，并且深入到淮阴、宿迁、扬州等苏北、苏中城市，有针对性地多次开展专题调研，在此基础上，进一步理清了苏中、苏北地区在新的发展阶段创建文明城市的工作思路：一是以推动发展为主题，着力服务中心、服务大局。二是以思想道德教育为主线，着力提高市民整体素质。三是以群众需求为第一信号，着力服务人民，造福人民。四是以文明社区创建为基础，着力塑造城市文明形象。

立足实际，明确目标。省文明委从苏中、苏北经济社会的发展实际和发展需要出发，提出了创建文明城市的奋斗目标，即：争取用两年左右时间，在苏中、苏北地区建成一批江苏省文明城市，使全省以文明城市创建为龙头的群众性精神文明建设在新世纪之初有一个新的突破。

采取措施，狠抓落实。围绕既定的创建目标和工作思路，江苏省已经并将继续采取一系列扎实有效的措施，狠抓文明城市创建工作在苏中、苏北地区的落实。一是广泛发动部署。省文明委在徐州沛县召开了江苏省部分县（市）创建文明城市工作座谈会，认真学习贯彻党的十五届五中全会和省委九届十二次全体（扩大）会议精神，总结创建经验，推广先进典型，明确目标任务。二是确立"种子选手"。在苏中、苏北地区选择了一批创建工作基础和发展势头相对较好的城市，加强指导，使这些城市不断提高创建水平，成为具有示范带头作用的"领头雁"。三是加强典型引路。建立苏中、苏北地区创建文明城市工作学习交流的例会制度，及时总结苏中、苏北具有现实指导意义的经验，采取研讨、观摩等多种形式，组织交流和推广先进经验，以点带面，辐射带动。四是营造舆论氛围。在省有关新闻媒体开设"文明之窗"、"创建文明城市"等专栏，集中宣传报道各地特别是苏中、苏北地区创建文明城市的经验和作法，激发了各地争创一流、争先创优的热情，营造了浓烈的创建氛围。

（江苏省文明办）

浙 江 省 杭 州 市

调整社区区划和管理体制构建新型社区

2000年杭州市的创建工作以创建文明社区为重点，积极探索社区建设管理的新途径，成立了社区建设管理协调领导小组，对社区区划、管理体制和工作机制进行了新的实践和探索。在调查研究的基础上，出台了《杭州市社区建设五年规划（2001—2005年）》、《关于进一步加强城市社区建设的若干意见》。对社区进行了全面调整改革，全市30个街道及石桥镇所辖社区，按照管辖区域与户数适当、界线清楚、区域相对集中、资源配置相对合理、功能相对齐全和基本覆盖到位的原则，调整撤并居委会576个，重新划分建立功能型、单位型、小区型、板块型社区共272个。新型社区建立了以社区党组织为龙头，以社区居委会为主干，以社区成员会议、社区议事协商会等群众性社区组织为依托的社区自我管理、自我调节、自我发展的机制。文明社区创建以思想道德建设为核心，着眼于提高广大市民的道德素养和文明水平，充分利用社区教育阵地和文化阵地，开展市民道德教育和社区文化建设活动；社区思想政治工作队伍、市民学校兼职教师队伍、社区文体活动队伍、社区志愿者服务队伍建设得到加强。市、区两级加大了对文明社区创建的硬件投入，积极扶持社区文明创建的精品亮点，广泛开展"倡导文明新风，共建美好家园"活动，在职党员干部越来越多地加入到文明社区创建活动中，社区的文明风尚进一步形成。市级文明社区的达标率已达到50%，为进一步提升城市文明形象打下了坚实的基础。

（浙江省文明办）

浙江省温州市

抓重点 出形象 超常规发展
开创文明城市创建工作新局面

温州市自2000年起，在全市城区范围内掀起了创建全国文明城市工作先进城市的热潮。一年来，按照“抓重点，出形象，超常规发展”的工作思路，全面落实各项创建任务，创建活动深入人心，创建工作不断深入，城市面貌有了极大的改观。

以加快城市基础设施建设为重点。2000年用于城市基础建设的资金达23亿元，按期完成17个工程项目，比1999年增长150%，是温州历年基础设施建设力度最大的一年。

以提升城市管理水平为重点。市委、市政府把解决群众反映强烈的热点、难点问题作为突破口，大力整治市容环境，整顿交通秩序，整肃治安秩序，拆除违章建筑。采取点线面结合，开展全方位交通整治，使城区主干道机动车时速达到25公里/小时以上，在严管区域内坚持严管重罚，加大查处力度，确保主要路段、卡口机动车辆遵章率在98%以上，非机动车遵章率在80%以上，行人遵章率在90%以上。采取“重点突破，分片实施，部门负责，属地管理”的方法，对城区存在的160万平方米违章建筑、违章棚屋开展大规模拆除。加大环境卫生整治力度，重点对户外广告、占道经营和流动摊贩进行管理，落实门前三包责任制，抓好对市区重点污染企业以及餐饮业等污染源的整治。针对治安管理的薄弱环节以及暴露出来的突出问题，重点改进和规范对外来人口的管理，加强对娱乐场所、公共场所的经常性管理，加大“扫黑除恶”的严打力度。同时，积极开展文明社区创建活动。全市268个社区全面开展争创文明社区活动，创建面达100%。已有68个社区成为市级文明社区。29个与群众生活密切相关的执法和服务行业积极开展文明行业创建，已有12个行业系统获得市级文明行业荣誉。

以提高人的素质为重点。市委、市政府组织开展“争做现代化温州人”活动，进行“21世纪温州人新形象”大讨论，利用《温州市民现代化素质教育读本》、《温州市民文明言行2000系列》等教材，在全市范围开展了分层次的现代化素质教育，使广大干部、群众接受了“三个代表”重要思想、“致富思源，富而思进”和创建文明城市奋斗目标教育，以及民主与法制、思想道德文明言行等教育，形成了覆盖全社会、内容充实的现代化素质教育体系。以基层党校、市民学校为阵地，开展“争做现代化温州人”社会实践活动，组织开展“文明城市万人行”活动，把现代化知识的教育内容与创建文明城市有机结合，使教育更具体、更生动。

（浙江省文明办）

福建省福州市

抓“三气”塑造城市新形象

福州市在大力开展创建文明城市过程中，围绕提高市民的素质和城市文明程度的目标，认真解决群众最关心、反映最强烈的实际问题，受到市民的普遍欢迎。

一是思想道德抓志气。福州市抓住“省会城市”这一区位特点，着眼于把人们思想统一起来，精神振奋起来，积极性调动起来，把“增强省会城市意识，提高人的整体素质”作为创建活动的中心环节。在全市广泛开展了“增强省会意识、争创一流业绩”的学习讨论，并在实践中形成了以政治意识、创先意识、责任意识、贡献意识、素质意识和形象意识为主要内容的省会意识，使之成为福州人精神风貌的集中体现。切实加强爱国主义和新时期创业精神教育，建立了林则徐纪念馆等100多个爱国主义教育基地，设立了“名人名言一条街”，各基层单位也普遍树立了各具特色的企业精神、行业精神，使爱国主义教育更加具体化。

二是城市环境抓空气。加大城市环境整治力度，着重从市容环卫、园林绿化、内河治理、环境保护、卫生防疫、污水处理、市政基础设施、城市交通等12个方面进行专项治理，使福州“天更蓝、水更绿、风更清”，市政基础设施建设有较大进展，烟尘控制得到有效管理。抓住“讲文明树新风”活动这一有利契机，在全市组织开展了“百万市民看福州”活动，推动了文明城市创建工作的扎实开展。

三是社会服务抓风气。出台了《关于加强机关工作作风和纪律建设的暂行规定》及机关干部《考评细则》，各单位建立健全“四牌”（工作牌、职责牌、指南牌、去向牌）制度，对机关工作人员进行考核和规范管理。开展创“三优”（优质服务、优良作风、优美环境）文明机关、做人民满意的公务员活动，改进机关作风，简化办事程序，提高办事效率。组织窗口行业优质服务竞赛活动。全市共推出100个社区服务示范点、100个窗口行业优质文明服务示范点。组建了以公安“110”报警服务台为龙头的16家窗口单位共同参加的福州市社会救助服务中心。他们把社会治安综合治理工作摆在创建工作的突出位置，从创建文明小区入手，进一步完善责任制，积极进行警务机制改革，全面实行“一居一段一警”制度。小区中重大刑事案件逐年大幅度下降，全市治安状况有了明显改善。

（福建省文明办）

福建省宁德市

开展城市文明先锋行动

2000年4—10月，福建省宁德市组织开展了城市文明先锋行动。这一行动着眼于培育“以人为本、以法为准、科学创新、文明开放、艰苦奋斗、蓬勃向上”的城市主体精神，推动闽东中等滨海港口城市建设，努力使更多的市民成为城市精神文明建设的先行者、实践者，成为城市决策和管理的热情参与者和宣传者。主要内容包括三个方面：

一是通过发出开展城市文明先锋行动倡议书，征集、设计城市文明先锋行动徽章、旗帜，建设城市文明先锋广场等活动，拉开城市文明先锋行动的序幕。

二是设立城市文明先锋行动2000热线。听取对城市建设的建议、设想；开展重大社会救助性活动的呼吁、倡议；受理对不文明行为（包括各种反科学行为、封建迷信活动等）的反映和投诉；开展人文关怀、援助活动。

三是大力开展主题活动。城市文明先锋行动分六个阶段开展主题活动。第一阶段的主题是“行动吧！建设美好家园”，重点治理城市脏、乱、差；第二阶段的主题是“走近科学，面向未来”，重点开展科普宣传，倡导文明、科学的生活方式；第三阶段的主题是“党的温暖送万家”，重点开展关爱你我他活动；第四阶段的主题是“规范、和谐、共建”，突出军民共建，强化城市管理；第五阶段的主题是“我为建市做什么”，重点开展撤地建市集思广益大讨论活动；第六阶段的主题是“建设新城市，走进新世纪”，主要开展建设新城市，迎接撤地建市系列活动。

（福建省文明办）

福建省永安市

加大城镇特困居民帮扶工作力度

永安市深入开展“扶贫济困、情暖燕城”活动，把创建城市文明工作做到群众的心坎上。为加强对这项公益活动的组织领导，市里成立了由市委副书记任组长“城市特困居民帮扶领导小组”。

“扶贫济困，情暖燕城”活动主要针对家庭人均月收入低于城市居民最低生活保障标准（单口169元/月，多口156元/月）的城镇居民，实施“一包二挂三补四减免”。具体办法是：“一包一”：凡获得过文明单位称号的单位或申报文明单位的党组织、工青妇组织，帮扶不少于一户。“二挂一”：全市副科级以上领导干部或入党入团积极分子，每二人挂包一户。“三补”：每户月资助10吨水费、30度电费、10元燃料费。“四减免”：子女入托适当减免杂费，在小学、初中就学享受学校的助学金；在市立医院、市中医院看病、住院，免交挂号费、注射费和减免50%床位费、护理费；免交帮扶对象所在居委会或单位收取的卫生费、治安费；自谋职业、开店或摆摊的帮扶对象，工商部门给予优先办理《营业执照》，并减免50%的工商管理费和摊位费。

在2000年的帮扶活动中，永安市安排副科级以上领导干部38人，入党积极分子368人，挂包文明单位141个，帮扶对象184户、430人。

（福建省文明办）

河南省濮阳市

创建活动不停步

2000年，濮阳市结合实际，在全市上下开展了以“热爱濮阳、增辉中原”活动为载体，以巩固提高文明城市创建成果，推进精神文明建设上新水平为目标，采取有力措施，开展多种形式的创建活动，取得明显成效。

一、精心组织龙文化活动周，展示濮阳新形象

他们精心策划，组织了中华龙文化周活动。活动周期间举办了融歌舞、小品、相声于一体，诸多明星同台献艺的大型开幕式，先后开展了“龙文化与中华文明研讨会”、“龙吟诗会”、“舞龙大赛”、“龙文化游园”等文化娱乐活动和中原旅游交易会等20多项经贸、旅游活动。

二、狠抓亮点建设，提高城市品位

为了树立城市新形象，增加城市的吸引力，提高城市的档次和品位，他们重点抓了8个方面的亮点建设。

加强城市基础设施建设，完善城市综合服务功能。对原有的中心广场、体育馆广场等8个广场进行高标准改造，新建南海花园广场、开发区生活区游园等10多个广场。

投资6000余万元改造濮水河。

对城市道路及沿街建筑进行改造，高标准建成中原第一路。同时修建了皇甫路欧式建筑一条街，古城路仿古建设一条街也初具规模。

先后投资150万元包装戚城文物景区。投资58万元进行了园区绿化和旅游基础设施建筑。投资1810万元完成了11个植物园的建设任务。投资1000万元，建设假山、人工湖，栽植20余种观赏树木和图案精美的草坪，初步建成占地150亩的大型游园。

三、开展六大项治理，提高居民生活质量

按照规范、有序、优良的要求，集中力量重点对影响城市形象的六大环境进行了整治。

治理卫生环境。对违章建筑、违章占道进行了清理，对一些市政设施进行了更换，并做好垃圾清运、无害化处理、中转站养护等工作，垃圾处理率达100%。

治理治安环境。对刑事犯罪进行严厉打击，集中警力对杀人、抢劫、盗窃和车匪路霸进行专项治理，加大巡警综合执法力度，对乱停乱放、摆摊算命等进行集中治理。

治理经营环境。加强市场管理，对城区内6个市场普遍存在的卫生较差、乱摆乱放、店外经营等问题进行集中治理和规范。严厉打击制销假冒伪劣商品的违法行为。

治理交通环境。一方面加大稽查力度，规范出租汽车经营行为，整顿客运市场秩序，另一方面实施道路畅通工程，完善交通设施。并加大对各种车辆交通违章的纠查力度，对乱停乱放等违章现象严管重罚。

治理文化环境。开展“扫黄打非”专项斗争。治理学校周边环境，取缔危害中小学生身心健康的电脑游戏室，并取缔了一批违法经营的台球室、小舞厅、卡拉OK摊点，净化了社会环境。

治理服务环境。根据国家优秀旅游城市标准，及时制定下发了“西餐厅标准”、“定点购物商场标准”、“穆斯林餐馆标准”、“定点快餐店标准”等，并组织人员重点对全市宾馆、饭店进行了拉网式排查，发现问题，立即整改，使饭店饮食业水平进一步提高。

（河南省文明办）

湖南省长沙市

深入开展创建文明社区活动

2000年全国创建文明社区工作会议在南京召开以来，长沙市委、市政府高度重视，召开常委会专题研究，市领导率领干部赴大连、南京、杭州、深圳、天津等地学习考察文明社区创建工作，并在全市开展大规模调研摸底，根据南京会议精神和外地经验，结合本地特点，出台了《关于深入开展创建文明社区工作的若干意见》，深入开展创建文明社区活动，取得明显成效。

一是深入发动。长沙市文明社区创建遵循“块块为主、条条配合，单位为骨干，家庭为细胞，社区管理抓当前，素质教育抓长远”的原则，各部门、各单位互相配合，各司其职。文明社区建设列入各区级领导联点制，每个区级领导联系一个小区，负责指导，协调该小区的文明创建工作，市、区、街、委层层落实责任，推行“社区——家庭双向承诺制”，居委会向驻区家庭承诺，家庭向居委会承诺，提高了广大居民参与社区创建的积极性。

二是教管结合。一方面通过多种形式开展市民教育，继续深入开展学雷锋活动，评选、表彰学雷锋“双十佳”，举办了“崇尚科学文明、反对迷信愚昧”的大型科普展览，组织500多家单位近100万人参观；充分发挥新闻舆论的监督作用，针对五一路上乱穿马路等不文明行为，市文明办与长沙晚报社等单位开展为期两个月的“五一大道文明行”大型宣传活动，大大减少了五一路上的不文明行为；开展“倡导文明新风、共建美好家园”家庭科普知识竞赛，近10万户家庭积极参与；窗口行业开展“擦亮服务窗口，争创文明行业”的活动，对窗口行业不文明行为进行曝光。另一方面，通过加强城市管理，提高市民素质，开展“新世纪前夕”大拆违，拆除违章建筑30万平方米，到年底全市将消灭所有违章建筑。

三是加大投入。雨花区创建红旗社区，区、街、委在三年中共投入280多万元，发动驻区单位投入1100多万元，居民捐款2万多元，用于小区硬件建设。开福区仅东风一村就投入200多万元，两年新增绿化面积1.2万平方米。

（湖南省文明办）

湖南省怀化市

大力推进文明城市创建活动

2000年，怀化市顺应城市化大趋势，全面落实全省创建文明城市工作会议精神，全方位启动创建文明城市活动。

一、建立强有力的领导机构

为了切实加强对创建文明城市工作的领导，怀化市成立了以市长为组长，负责同志为副组长的创建文明城市领导小组，下设办公室，由一名市政府副秘书长主持日常工作，真正落实了机构、人员、经费，使全市创建工作做到了有人管事、有钱办事、有章理事，确保市创建文明城市领导小组的决策能够高速度高质量地落到实处。同时，实行路段长负责制，市区各主干道都由一名市级领导担任路段长，组织各路段沿街单位负责该路段的全面整治工作的协调与指导。

二、建立高效的运作体系

怀化市创建文明城市过程中，坚持部门职能与属地、业务管理相结合的原则，按照“两级政府，三级管理”的要求，以目标管理责任制为手段，以创建工作队为纽带，建立了高效能的创建文明城市运作体系。层层签订责任状。派驻创建工作队。市委、市政府从市直各单位抽调6名处级干部、24名科级干部组成6个创建文明城市工作队深入到各街道办事处，帮助指导街道办事处及居委会开展专项整治工作。实行责任风险抵押。为了使创建文明城市目标管理责任制和环境卫生“门前三包”真正具有约束力，在市区各单位中实施了责任风险抵押制度，每个责任单位向主管部门交纳一定的风险抵押金，年底检查没有完成目标的，抵押金自动转换成目标管理奖金奖给目标完成好的单位。

三、建立可行的依法治市法规

依法治市是创建文明城市的主要内容。怀化市委、市政府加强城市管理法规建设，出台了《怀化市市容环境卫生管理办法》、《怀化市户外广告规划设置管理办法》等规范性文件，发布了整治市区占道经营、营运摩托车、交通秩序等3个政府令，使创建文明城市工作基本上做到有法可依，按章理事。同时，加强执法队伍建设，增大执法力度。

四、建立灵敏的舆论监督机制

新闻舆论监督是创建文明城市的重要推动力。怀化市充分发挥新闻舆论作用，采取有效措施，建立了反应灵敏的新闻监督体系。成立了创建文明城市新闻宣传领导小组，由市委宣传部、市创建领导小组牵头，市直一报三台新闻单位均确定了负责人和专职记者，每月碰头一次研究宣传重点。制定了详细的新闻宣传方案，根据创建文明城市工作的进程，从宣传内容、形式和人员上都作了详细安排。开辟了专栏，有针对性地进行宣传报道。

（湖南省文明办）

广东省南海市

创建信息化的文明城市

南海市明确提出以信息化驱动南海的现代化，创建信息化的文明城市。制定了《南海信息市建设总体规划》。该市投资数亿元建成全市统一的宽带网络；政府统筹、联合建设、资源共享得以实现，建设了南海市信息网络中心，实现“三网（电信、有线电视和计算机）融合”；建立了一批公用或内部管理信息网络系统。全市已拥有各种类型的主机6000多台，微机近10万台，建成的各种大小局部网络约1500个。

以创建信息市为契机，掀起学习热潮。市委市政府领导带头，从政府机关工作人员、村镇干部、到基层、企业管理人员开展了一系列在职人员电脑互联网知识培训活动，西樵、大沥、九江等镇区培训达1000多人。团市委启动“曙光行动”工程，用两年时间对全市2000多名团干部、青年骨干进行信息化培训。许多单位也纷纷开展各种类型的电脑培训班。该市还注意抓好在校学生的培训，为信息市的建设和未来发展培养后备人才资源。全市中小学目前拥有计算机1.1万台，占全省10%，一批大中专学校建立电脑校园网，开设电脑实验班，成为全国信息化教育的典范。

通过开展信息文明建设，推进农村基层民主政治建设。他们积极在农村推广应用信息技术，成为全省农村财务电算化普及面最广的城市。信息技术被广泛应用到农村基层，一方面利用信息网络宣传党的路线方针政策，直观明白，群众更易接受。如全市计生网络，从市计生局到各镇计生办，再从各镇计生办到各村委会，联成一体，设立电子触摸荧屏，方便群众查询，了解计生政策，接受群众监督。另一方面，将信息网络作为农村“两公开一监督”的有效途径，通过电脑（电子触摸荧屏）公布村务、财务管理详细情况，让群众一触即知，加强了管理和监督，深受群众欢迎。

信息网络技术在该市的推广应用，逐渐改变市民传统的思想观念和工作、生活方式，在社会生活各方面，都产生了深远的影响。在政府机关，“无纸办公”要求公务员必须提高自身素质，促使各部门改变“文山会海”的传统落后做法，大大提高了机关工作效率和办事透明度。将信息技术运用到社会各项管理中，更加快捷，更加准确，更加有效。信息网络的广泛应用使市民认识到，信息是财富，可以依靠科技致富，培养了市民热爱科学，崇尚科学，学习科学的先进思想。在南海市，很多民营企业家、花农、商人懂得运用电子商务系统进行“网上招标”、“网上招商”和“网上交易”，效果显著。广东环球水产交易市场（南海盐步）通过开展“网上交易”，使市场成交额在一年内激增5亿多元；盐步花农则在网上向世界多个国家销售花卉，年成交超百万元。

（广东省文明办）

广西南宁地区崇左县

加大投入 加强管理 开展创建文明县城活动

一、加强领导，健全机构

崇左县十分重视文明县城创建工作，把它列入县委工作主要的议事日程。成立了创建文明县城活动领导小组，县委书记、县长任组长，分管副书记、副县长、宣传部长等为副组长，宣传、公安、建设、工商、卫生、文化等部门领导为成员，由文明办牵头，抽调有关单位人员抓具体工作，保证创建的顺利实施。各单位、乡镇也分别相应成立由党政主要领导任组长的创建文明庭院、文明村镇活动领导小组。

二、广泛宣传，达成共识，营造良好的创建氛围

一是结合创建区级卫生县城、夺取第三届“南珠杯”及“创建广西园林城市”工作，结合建国50周年大庆等活动，动员全县各单位、村镇掀起创建文明县城、文明村镇、文明庭院以及创建文明单位、花园式单位的热潮。二是利用广播、电视、板报、墙报、简报、标语、横额、宣传车等形式大力宣传。三是印发倡议书，在全县各单位、村镇张贴公布，号召广大干部群众行动起来，积极参与文明县城、文明村镇创建活动；四是采取“走出去，请进来”的办法，多次组织各级党政主要领导，文明单位（村）主要负责人及各乡镇宣传委员到大连、张家港、广东、桂林、上林县不孤村、荔浦县横水村等先进地区参观考察。

三、多形式、全方位组织开展群众性创建活动

一是按上级要求，在全县范围内广泛开展文明单位、文明庭院、“花园式单位”以及文明村镇、文明户等评比竞赛活动。二是先后组织县邮政、电信、工商、卫生、商贸、税务、金融等12个行业部门开展以讲文明礼貌，树行业新风为主题的文明行业创建活动。县文明办对12个窗口行业按服务态度、服务质量、工作效率三方面内容进行行风测评问卷调查，评出金融、建设窗口行业为全县最佳行业。三是在全县中小学校巡回放映《国旗在我心中》、《毒品的危害》等影片，组织全县各中小学生开展“热爱祖国、立志成才”、“爱祖国、爱科学”、“讲文明、爱祖国”等系列读书活动。组织广大中小学生开展升国旗、唱国歌等活动，深入进行爱国主义、集体主义、社会主义教育，切实加强对青少年学生的思想道德教育。四是组织团员青年、驻军官兵参加创建文明县城、文明村镇的义务劳动，组织志愿者为民服务。五是把创建活动与文体活动有机结合起来，寓创建于娱乐之中。

四、加大投入，把文明县城、文明庭院、文明村镇建设推上新台阶

崇左县在文明县城创建中，十分注重对县城的道路、供水、供电、通讯、园林绿化、生态环境等各项关系到群众切身利益的工程建设，把创建文明县城与为民办好事办实事结合起来。

结合创建广西园林城市活动，加快文明庭院的创建步伐。一是落实责任制。县政府与县城各单位签订了“院内三化”达标责任状，明确要求各单位庭院内绿地率要达到30%以上，人均栽护一盆花以上。二是树立典型，以点带面。县委、县政府决定选择经济、地域条件好的南地二师、崇左糖厂、人民医院等12个单位作为试点，以点带面，全面铺开。

文明县城的创建，带动了村镇建设的发展。县委、县政府下发了《关于1999—2000年在全县11个乡镇开展创建文明乡镇小康文明村达标竞赛活动的通知》。年初，县委、县政府都与各乡镇党委、政府签订文明村镇建设目标管理责任状，年终组织检查评比。两年来，县委、县政府4次组织有关部门领导、各乡镇党委书记、乡镇长，对全县各乡镇、各小康文明村镇建设进行全面督促检查，促进了村镇建设的发展。

五、敢于管理，善于管理

抓好制度管理。崇左县先后制定实施了《关于开展创建文明县城的决定》、《崇左县文明县城管理公约》、《关于整治市容市貌的通知》等文件，使管理工作有章可循，县政府还分别与县城各单位签订了“门前三包”、庭院“三化”目标管理责任状，使创建文明县城步入规范化、制度化。

健全管理机构，狠抓专业队伍建设管理。崇左县成立县城治安队，城建监察队、环卫队、卫生监察队、生活垃圾上门收取服务队等，那隆、驮卢等乡镇成立了监察队和环卫队。通过依法治城，市容市貌得到明显好转。

抓全民参与管理。崇左县动员和依靠全社会各方力量，实施全方位综合管理，制定了单位卫生责任区和周一、周五大扫除制度，每逢重大节假日，都组织广大干部职工居民、师生、驻军官兵等，参加清洁街道、清理卫生死角、植树造林、清洗乱贴广告等义务劳动，形成了齐抓共管的局面，使县城始终保持整洁面貌。

（广西壮族自治区文明办）

广 西 梧 州 市

创建物业管理优秀住宅小区成效显著

从1999年开始，梧州市文明办、建设局、房产局在全市开展创建“物业管理优秀住宅小区”活动。

活动通过物业管理有效的载体，吸引广大居民群众积极参与创建优美的生活环境和良好的治安环境，提高市民的文明素质，促进社会安定团结。参加创建活动单位是全市各住宅小区，机关、企事业单位住宅小区，以及商品房开发住宅小区等，活动按“全面创建、抓点带面、逐年达标”部署进行。物业管理优秀住宅小区考评标准按《全国城市物业管理优秀住宅小区达标评分细则》进行考评，年终由主办单位和有关部门组成考评小组按标准进行考评，总分60分以上的授予“梧州市物业管理优秀住宅小区”称号，总分达80分以上的授予“自治区或全国级城市物业管理优秀住宅小区”。对获称号的住宅区颁发牌匾，实行动态管理，每两年复查一次，不合格的予以摘牌。

在活动中，各单位采取文艺联欢会、座谈会、社区俱乐部、社会公德进万家等多种形式，动员、吸引居民群众参加创建活动，广泛征求居民群众对物业管理的意见，把解决居民关心的卫生环境、园林绿化、社会治安等热点问题作为工作重点，制定实施《梧州市城市住宅小区物业管理服务收费实施办法》。市各有关部门按照“以块为主、条块结合、齐抓共管”的原则，发挥职能部门的作用，尽力帮助解决创建活动中的难点问题。树立典型，加强宣传。树立梧州公路局世纪园、港丰花园等典型住宅小区，在电台、电视台、《梧州日报》开辟创建物业管理优秀住宅小区专栏，形成良好的创建氛围。

2000年，经考核验收，梧州市港丰花园、翠微山庄、华融花园、供电局小区、梧州公路局世纪园等住宅小区被评为梧州市物业管理优秀住宅小区。梧州市住宅小区物业管理逐步走上规范化、制度化、科学化的轨道。

（广西壮族自治区文明办）

广 西 柳 州 市

积极开展创建“中国优秀旅游城市”活动

为加强旅游行业的物质文明和精神文明建设，全面提高城市的现代化功能，改善城市的发展环境和生态，促进旅游业及其相关产业的全面发展，按照自治区党委、政府关于建设广西旅游大省的战略部署，柳州市从1998年以来，认真开展创建中国优秀旅游城市的工作，尤其在2000年，通过创建，全市的旅游环境、旅游市场秩序、旅游服务质量、旅游产业素质都在原有的基础上有了较大的改善和提高。12月，柳州市荣获“中国优秀旅游城市”的光荣称号。

加强领导，层层落实，明确责任，成立了以市委书记、市长为组长的创建中国优秀旅游城市领导小组，并制定了详细的创建活动实施方案。根据柳州市的实际情况，市委、市人大、市政府明确提出“加快发展旅游业，以创建中国优秀旅游城市为契机，把旅游业培育为我市第三产业的支柱产业”的发展战略。4月份，市委、市政府召开了2000年全市旅游工作会议，部署了“创优”有关工作。

围绕创优工作，加大城市旅游业软硬件建设力度。加快旅游行业发展，全市星级饭店由原来的5家发展为10家；旅行社发展到22家；景点建设进一步加强，修建了旅游厕所，设立了医疗救护点；推出柳州“工业旅游”和“一日游”的旅游线路，与桂林有关单位联合举办“天天游”旅游活动；完成步行街、旅游信息网站、城市多媒体旅游信息触摸屏系统，柳州旅游地图广告牌等各项工作。通过抓硬件建设，城市的旅游基础设施和相关的公共环境基础设施得到较大的改善。市政府还出台一系列旅游管理的规章制度；改善了城市旅游的软环境。

在报纸、电台、电视台等开辟专栏、开展“创优”知识竞赛，在各有关单位和公共场所张贴宣传招贴画等方式宣传“创优”工作，营造“创优”氛围，提高全民创优意识，使“创优”活动深入人心。

创优的成功，使柳州市旅游环境及社会环境进一步得到提高，促进了各项事业的发展。2000年，共接待海外旅游者21万多人次，比1999年增加14.15%，全市接待国内旅游者320万人次。全市旅游行业营业收入比上年增长28.4%。

（广西壮族自治区文明办）

海 南 省 三 亚 市

努力建设“旅游度假，生态示范”城市

2000年，中共中央总书记、国家主席、中央军委主席江泽民，中共中央政治局常委、全国政协主席李瑞环分别视察三亚，对三亚的两个文明建设给予了充分肯定，并作出重要指示。三亚市委、市政府紧紧围绕把三亚建设成为“旅游度假、生态示范”城市的目标，动员全市人民“讲文明树新风”，积极开展社会主义精神文明创建活动，使三亚的精神文明建设迈上了新台阶。

一、加强思想道德教育提高市民文明素质

三亚市委、市政府坚持以人为本的原则，着力加强思想道德教育，注重提高市民的文明素质。成立文明市民学校。由市委主要领导担任校长，并设立办公室，负责协调市民文明学校日常工作。全市各区、办事处及乡镇都成立相应的文明市民（村民）分校，使全市90%的成年人受到了教育，95%的劳动力掌握1—2门农业科学技术。2000年3月份，三亚市人民政府根据全市实际，在广泛征求市民意见的基础上，颁布了《三亚市市民公约》及其实施奖惩办法。针对不同人群、不同行业、不同特点，实施素质工程系列教育，使三亚人的思想道德素质明显提高，从而树立了三亚人“文明、礼貌、好客”的良好形象。三亚市文明委专门下发文件，在全市开展“崇尚科学、破除迷信、移风易俗”教育活动，狠刹“四风”（即结婚公车迎送、请客送礼风；丧事大操大办、圈地造坟风；生孩子大庆大贺、大摆酒席风；烧香拜神、做鬼做佛风）的决定。

二、积极开展创建活动，精神文明建设取得新的成效

三亚市紧密结合当地实际，积极开展各类创建活动，使精神文明建设取得了新的成效。开展创建“文明单位”、“文明行业”、“文明景区”、“文明标兵”、“文明个人”活动。2000年初，三亚市文明委下发了创建文明活动的通知，对文明单位等五项创建条件、评选办法做出明确规定。全市各行各业按照条件积极开展创建活动，一年来涌现出105个文明单位、8个文明行业、4个文明景区、5个文明村镇和122个文明个人，分别受到省、市的表彰。开展创建无毒社区活动。把扫除“黄赌毒”、创建无毒社区的工作当作精神文明创建活动的重要工作来抓。开展全民健身、规范晨练活动。在加大打击“法轮功”邪教非法组织活动和控制力度的同时，采取一系列措施，积极引导市民参加全民健身活动。下发《关于积极组织引导市民开展晨练活动的实施方案》，对晨练活动的内容、场地及各级职责作出了明确规定。使晨练活动由放任状态转入了有机管理的轨道。

三、美化绿化三亚环境　建设生态示范城市

三亚市根据几年来城市建设的经验和教训，调整修编了城市建设规划，重点抓好三湾（亚龙湾、三亚湾、大东海湾）、三山（鹿回头、金鸡岭、鼓岭）、两河（东河、西河）、两镇（田独镇、羊栏镇）、四条景观线（迎宾大道、榆亚大道、三亚湾滨海路、二环路）的规划建设工作，创造了城市与自然环境融合的景观特点。同时，围绕提高市区主干道的绿化美化档次，抓了三条旅游路、26条市内街道的绿化美化，大面积种植花草树木，增加街心和主要街道口的绿化美化面积。全年园林绿化总投资8000多万元，新增公共绿地10处，达56万多平方米。全市森林覆盖率达65%，城市绿化覆盖率41.7%，人均13.9平方米。全市建设了三条市政道路，新铺沥青路面3950平方米，并配套建设了给水、雨水、污水、路灯等地下管线，完成人行道步砖改造，铺设彩砖1.2万平方米，全市垃圾袋装达100%，白天基本实现了无垃圾暴露。一年来，完成了11条街路的照明工程，两处射灯安装工程和大东海沿海岸酒店的夜景灯光工程，使三亚亮了起来。

（海南省文明办）

贵州省贵阳市云岩区北京路街道

以加强社区教育为主线 深入开展文明社区创建活动

北京路街道办事处位于贵阳市北端，辖14个居委会，有1万多户，4万多人，60岁以上老年人占总人口的11.6%，6—28岁的青少年占23%。

街道办事处党委把社区教育作为社区精神文明建设的主要工作，常抓不懈，形成了“一个载体、四轮驱动”的社区教育网络和“抓两头、带中间”的工作方式。在做到把社区教育与经济建设同步规划、同步检查、同步考核、同步奖惩“四同步”的同时，还做到“四个到位”：一是认识到位，把社区教育作为社区建设的重要内容；二是组织到位，成立以办事处党委书记为组长、办事处主任为副组长的社区建设领导小组，做到党政一把手亲自抓，办事处上下共同抓；三是措施到位，制定加强社区教育工作计划和措施等一系列规章制度；四是投入到位，至2000年共投入社区教育资金近百万元，为开展社区教育提供了有力保障。

健全“一个载体、四轮驱动”的教育网络。以“北京路地区社区教育委员会”（简称社教委）为载体，以“关心下一代协会”、“德育教育讲师团”、“青少年心理健康咨询中心”和“老龄委”为驱动轮的“一个载体、四轮驱动”的运行模式，使各组织之间协调运转，形成合力，充分发挥其在社区教育中的作用。

突出环境建设，营造育人氛围。一是净化社会环境。对辖区内的28家游戏机室进行了清理整顿，制定了管理措施。组织城管及派出所维护社区教育、教学的正常秩序，对不法分子不断进行清理打击。二是优化家庭环境。与学校联合开办家长学校，进行家庭美德教育，指导家长搞好家庭教育。三是美化校园环境。协调辖区各单位，为改善校园设施献计献策，出钱出力。

找准对象特点，教化四个群体。一是配合学校抓好在校青少年群体的思想道德教育。采取抓两头带中间，走出去、请进来的方法，密切配合学校在教师和学生中广泛进行爱国主义、集体主义、社会主义教育和革命传统教育。二是加强对辖区待业青年、下岗人员、流动人员、个体工商户等从业群体的思想教育和技能培训。三是加强对“两劳”、“劳释”等失足人员的思想教育和转化工作。四是做好老年群体的工作，努力做到“老有所学、老有所为、老有所乐、老有所依”。对没有单位的老同志由居委会定期组织学习。在老年人中积极开展科普知识、卫生健康知识的宣传教育，使其养成健康、文明的生活方式。在生活上，开展对老年人实行“优先、优质、优惠”服务的“银发工程”，对持优待证的老人理发、洗澡等优惠服务，还免费为60岁以上的老人进行体检。辖区内每年有近500余人受到优惠服务。

（贵州省文明办）

西藏拉萨市

以治乱治愚为重点 积极开展创建文明社区活动

拉萨市文明办围绕怎样抵御分裂主义思想渗透，如何治理达赖集团分裂祖国在人们思想上造成的混乱，怎样使人民群众从宗教和陈规陋习的束缚中解放出来，依靠各级党政组织，广泛发动群众，深入开展创建文明社区活动。

狠抓思想道德教育，增强创建活动的思想内涵。以社区党组织为核心，开展以邓小平理论为主要内容的思想教育。采取上党课、举办流动党校、理论和法律知识培训班，开办市民夜校等形式，使思想教育和文明风尚进家门。开展反分裂斗争教育，揭批达赖分裂祖国的反动本质。教育干部群众不在家中挂达赖像，不定期在各社区内进行清查、抽查和复查，严禁工商户出售或印制达赖像。把思想教育同科普活动相结合，通过科普培训班，普及科学知识，推广实用技术，引导群众逐步摆脱陈规陋习和封建迷信的束缚。通过思想教育，85%的群众认为达赖不是宗教领袖，而是分裂祖国的分裂主义政治集团的总头子；一大批群众掌握了一门实用技术，克服了等靠要思想，开始依靠科技脱贫致富。

广泛发动群众，共建美好家园。治理“脏、乱、差”，美化社区环境。自治区、拉萨市投巨资治理被称为“垃圾新村”的团结新村，清理垃圾数千吨，整修路面4.25万平方米，填土石方1300多立方米，拆除违章建筑450平方米，植树844株，改善了社区环境。加强社区服务，方便群众生活，在社区建立医疗服务站，方便居民就医；为社区老人、残疾人送温暖；居委会领导实行一对一帮贫；发展社区经济，安置待业人员。加强社会治安综合治理，为居民提供安全的生活环境。各办事处成立治安联防队，坚持24小时值班巡逻；各小区成立综合治理服务公司，聘请治安员、清洁工，全方位开展治理工作；推行属地管理原则，各办事处、居委会与辖区内机关企事业单位、外来人员、工商户签订环境卫生、治安责任书，做到措施到位，人员到位，检查评比到位。

加强文化设施建设，丰富社区居民文化生活。城关区在社区建文化馆1座、文化站3处、文化室5个，组建3支电视放映队，年放映900余场次。建社区电视收转站4座，开通了有线电视网。把传统文化与现代文化相结合，组建业余文艺演出队。拉萨市各社区已建立业余演出队23支，人数达1000余人，他们深入各社区义务演出，深受人民群众欢迎。

（西藏自治区文明办）

西藏日喀则市

突出“五个抓手” 建设文明城市

2000年，日喀则市文明委在已有工作的基础上，突出“五个抓手”，把创建文明城市工作引向深入。

一抓治理“脏、乱、差”，净化城市环境。改造、扩建城区干道，完成了青岛路、上海路、科技路、四川路的改扩建工程。在拉萨至日喀则市入口处塑起了象征藏汉民族团结的塑像——高原明珠。整治社区人行道18条，新建公共厕所10个，疏通市内排污主渠道4条。按规范标准修建商品楼240幢，街道两旁安装高架路灯640盏，配垃圾箱96个，设置了交通标识牌和公益广告牌。彻底整治江洛康萨居委会18处脏乱差地段，硬化路面7万多平方米，填土石1520立方米，拆除违章建筑400多平方米，清理乱摆摊点1520处。

二抓绿化，美化城市。实施“卡龙沟”绿化工程，建设城市外围防护林体系，构筑防御风沙屏障。在城区的主干道两侧，建10米—15米的绿化带。栽常青树400余株，植草坪21万多平方米。城区绿化，采用点、线、面相结合，形成了以“五纵五横”绿化网络为主干，以林卡、绿化广场为基面，以小型绿地为补充，层次分明的绿化体系。

三抓综合治理，保障人民安居乐业。为了有效地防止各种治安案件和违法事件的发生，成立治安联防队，按照“谁主管、谁负责”的属地管理原则和门前“四包”责任制，两个办事处10个居委会与外来人员、工商户签订了责任书，层层有人管，环环抓落实，发现问题及时处理，把不安全隐患消灭在萌芽状态，形成创建活动与治安工作相互促进的良好局面。

四抓志愿者活动，方便群众生活。全市10个乡和两个办事处均成立了“青年自愿者服务队”、“民兵突击队”、“帮贫济困”等组织。这些组织走乡串户，活跃在大街小巷、村村寨寨，为群众办好事、办实事。城南办事处“青年自愿者服务队”尤为突出，经常深入居民区，义务为孤寡老人和残疾人洗衣服，打扫卫生，购买粮油肉，料理日常生活，为特困户找路子，出点子，拓宽就业和致富渠道，受到群众称赞。

五抓评比活动，倡导文明新风。市文明办与市直单位和各乡镇签订创建责任书，年终检查，在“三干会”上公布结果，对成绩优异的单位进行表彰。各居委会和乡镇结合实际，建立评比制度。2000年，表彰授牌的“五好文明家庭”有54家，这些“五好文明家庭”都以自己的模范行动影响和带动着周围一大批人。

（西藏自治区文明办）

陕 西 省

开展“西部大开发、陕西大发展”宣传教育活动

为了密切配合中央及省委实施西部大开发战略这一全局性的工作，省文明办下发了《关于围绕“西部大开发、陕西大发展”组织开展精神文明宣传教育活动的通知》。一年来，各地各单位认真组织开展活动，取得了阶段性的成果。

这次宣传教育活动分四步进行：一是动员部署。根据省文明办的文件，各地、各厅局、行业召开了专门会议研究部署，通过多种形式进行动员发动。二是宣传学习。各地各单位充分利用各种宣传媒体和学习宣传阵地，广泛深入地开展有关西部大开发、陕西大发展的宣传学习活动。三是组织活动。在广泛宣传学习的基础上，各地各单位结合实际，组织开展了多种形式的活动。如“立足岗位做奉献”活动，“西部大开发、陕西大发展”知识竞赛活动。在基层竞赛的基础上，省文明办组织了全省“西部大开发、陕西大发展”知识竞赛决赛，地市、厅局共30个队，把宣传教育活动引向高潮。四是总结表彰，各地各单位对这项活动进行认真总结，并对在活动中表现突出的个人和单位进行表彰。

这次宣传教育活动一是活动覆盖面大。据不完全统计，全省参加创佳评差竞赛活动的22个行业和11个地市区，直接参加学习培训和各种形式宣传教育活动的人数达440万余人次，通过媒体宣传，宣传教育范围覆盖全省。二是参与人数多。参加学习和知识竞赛的有干部、工人、农民、学生、教师，从六七十岁的老人到中小学生，都融入到学习有关西部大开发的资料、了解西部大开发的情况、关注西部大开发的进展之中，三秦大地兴起了宣传学习热潮。三是形式灵活多样。各地各单位结合实际，采取征文、讲座、演讲、知识竞赛、办培训班、开办专栏、巡回报告、理论研讨等多种形式开展宣传教育，生动灵活，吸引了广大群众参与。四是主题鲜明。在活动中，干部群众紧紧围绕“西部大开发、陕西大发展”这一主题，结合行业和区域特点，畅谈发展思路，讴歌英模人物，回顾过去，展望未来，从不同侧面、不同角度，加深对西部大开发、陕西大发展一系列方针政策的理解，广泛地学习、宣传了中央实施西部大开发战略及省委决策。

（陕西省文明办）

陕西省咸阳市

创建文明城市成效显著

组织体系日趋完善。市委、市政府对创建活动十分重视，成立了由市委书记任主任的精神文明建设指导委员会，并设办公室，制定了《咸阳市创建文明城市实施办法》，把创建任务细分为

632项，按照职能明确责任单位、责任人，完成时限和归口检查部门。市委、市政府领导还与各县区市、各部门领导签署了年度精神文明建设目标任务书，并制定下发了《咸阳市2000年精神文明建设工作要点》和《关于多方筹措资金，增强精神文明建设投入的意见》。基本做到了机构、编制、人员、任务、经费五落实，确保了创建活动深入开展。

基础设施发展迅猛。将城市基础设施建设作为改善投资环境、提升城市文明程度的大事来抓，取得了显著成绩。一是投资3亿多元用于基础设施建设。二是城市供水、供热工程能力增强。三是完成中压管网敷设48公里，新增天然气用户1.2万户，年供气6000万立方米。四是旧城改造和住宅建设有了长足的发展。五是城市绿化进一步得到重视。2000年市区列入年度计划的8条道路绿化任务全部完成，绿化道路长5967米，新增道路绿地面积近5万平方米。六是城市亮化工程进展顺利。

城市综合管理力度加大。相继出台了《咸阳市生活垃圾管理办法》、《咸阳市城市管理执法程序说明及要求》和《咸阳市市区沿街建筑装饰和户外广告牌规划管理办法》等，同时印制了全市城管统一执法文书8类16万份。以治理脏、乱、差为突破口，先后分季度有组织、有重点、有针对性地开展了市容环境卫生、交通秩序、市场秩序、优质规范服务四个战役，突击综合整治8次，共清理各类城市垃圾1800余吨，取缔无证经营、户外经营529处，取缔马路市场和非法夜市19个，拆除违章建筑1.6万余平方米。

文明社区创建更加深入。专门成立了社区创建工作领导小组，制定《咸阳市创建文明社区管理办法》，并在全市社区普遍开展婚育新风进万家，争创文明家庭、文明市民、好公婆、好媳妇、好丈夫和“十星级”文明户活动。

文明单位管理日益规范。一是先后举办了9期培训班，对全市500多个省市级文明单位的法定代表人进行培训，二是加大文明单位的动态管理力度。市县两级对拟推荐上报的文明单位上报资料进行规范管理；对各级已命名的4593个文明单位加强了考核，建立了档案。三是创建文明机关活动全面展开，机关面貌发生明显改观。以软环境的改善和整治为重点，围绕改善投资环境，开展大学习、大讨论、大整治，并在全省率先成立了政务大厅，集中近30个部门一厅办公，提高了办事效率。四是继续开展军民共建活动，在全市316个军民共建点中，已有274个被各级评为精神文明建设先进单位。五是以“创佳选优评差”和“讲文明、树新风”活动为载体，结合开展优化发展环境集中教育整治活动，继续在全市34个部门和窗口行业开展创建文明行业活动。

综合治理成效明显。为了保持社会稳定，促进改革深化和经济发展，2000年全市先后开展了以“打拐”、“打击严重刑事犯罪、打击黄赌毒、打击非法宗教”、“破大案、打团伙、追逃犯、严防范”等为主要内容的三次“飓风”行动以及夏季社会治安整治和冬季严打严防、打黑除恶等专项斗争，共破获各类刑事案件4408起，打掉犯罪集团135个，538人。除此之外，各级公安机关普遍把创建安全社区和实施中心户工作制作为一项重要内容，加强了基层防范网络建设。

（陕西省文明办）

新 疆

开展“文明社区建设年”活动

为贯彻落实中央文明委2000年工作安排，做好2000年的“社区建设年”工作，新疆自治区文明委根据全区实际，制定规划，明确目标，提出着力抓好六个方面工作。

一是深入开展思想道德教育和科学文化教育，搞好文明社区创建工作，努力提高居民文明素质。在创建活动中，大力加强思想政治工作。围绕提高市民素质和城市文明程度，认真研究、积极探索社区思想道德建设和科学文化建设的新途径和新办法，把思想道德建设贯穿到创建文明家庭、文明楼院、文明小区、文明社区的各个环节中去。

二是大力搞好环境治理，改善人们的生活环境。重视社区居民生活环境质量的提高，加强社区道路、环卫设施建设，强化经常性、制度性管理，促进社区环境的整洁、美化。做到主次干道畅通，绿化布局合理，住宅区无“六乱”现象。社区公共场所卫生清洁，扫除“四害”。

三是努力维护社区秩序，为人民群众安居乐业提供保障。健全社区治安组织，落实社会治安综合治理各项措施。坚持每季度开展一次普法宣传教育活动，在社区居民中普遍形成学法、守法、用法、护法的良好风尚。加强对刑释、解教人员、失足青少年的定期帮教和对外来人口、私房出租户的依法管理。

四是积极发展社区服务，完善社区服务，开拓再就业门路，为居民生活排忧解难。各级党委、政府始终把社区服务工作列入为民办实事项目，把社区建设成方便群众生活的重要场所，社区服务的对象扩展到全社区的居民和单位，服务项目日益系列化、网络化、规范化，由面向老年人、残疾人、优抚对象、幼少儿、婚丧、保健、救济、便民利民等逐渐拓展到教育、文化、法律、心理、就业、家政等。

五是广泛组织健康有益的文体活动，用社会主义思想占领文化阵地。各地顺应人们精神文化生活需求不断提高的潮流，开展经常性的社区文体活动，使广大居民群众在舞蹈、音乐、绘画、书法、戏剧、读书、全民健身和体育运动中丰富自己的审美情趣和创造能力。建好、办好社区内的街道文化站、居委会或居民小区文化室，建立群众性的文体活动组织，发挥文化阵地和文体组织作用，广泛开展丰富多彩的社区文体活动。

六是切实加强基础设施建设，为提高居民生活质量创造良好的物质条件。各级政府高度重视社区基础设施建设，制定规划和措施，加大投入，实现社区内道路全部硬化，空地绿化，环境美化。建筑物质量完好，外形整洁；市政设施、环卫设施、交通设施等装置完好。楼院、街巷、人行道、公共绿地、公厕、市场、商店、垃圾箱、沿街门面、车棚等实行规范化管理和规范化作业，使社区居民的生活质量和生活环境真正上台阶、上水平。

（新疆维吾尔自治区文明办）

创建文明村镇

2000年，创建文明村镇活动取得新进展。中央宣传部、中央文明办联合召开全国农村精神文明建设工作座谈会，对进一步加强农村精神文明建设作出部署。文化、科技、卫生“三下乡”活动继续深入，“科技扶贫”、青年志愿者扶贫接力计划等集中活动，受到广大农民群众的热烈欢迎。

交流经验　分析形势　明确任务

——全国农村精神文明建设工作座谈会在铁岭市召开

8月27日至29日，中宣部和中央文明办在辽宁省铁岭市召开全国农村精神文明建设工作座谈会。会议认真学习贯彻江泽民总书记在中央思想政治工作会议上的重要讲话精神，深入分析农村精神文明建设的形势，总结交流各地创造的新鲜经验，研究部署下一阶段的工作。

中宣部常务副部长、中央文明办主任刘云山在会上讲话，国务院副秘书长、中央文明办副主任刘奇葆主持会议，中央文明办副主任胡振民作会议总结，辽宁省委负责同志出席会议。各省、自治区、直辖市党委宣传部、文明办负责同志和农村精神文明建设先进单位代表参加会议。辽宁开原市、河北衡水市、内蒙古锡林郭勒盟、黑龙江绥化市、江苏张家港杨舍镇、福建省文明办、山东济南北园镇、广东东莞市、重庆荣昌县、四川犍为县、陕西耀县孙原村、吉林省文明办、湖北襄樊市的代表在大会上介绍经验。

在这次会上，中宣部、中央文明办重点推广了辽宁省开原市以城带乡、城乡共建的经验。

会议认为，江泽民总书记在中央思想政治工作会议上的重要讲话，是新形势下思想政治工作的纲领性文献，也是农村精神文明建设的强大思想武器。要把学习贯彻总书记重要讲话精神与全面贯彻落实“三个代表”重要思想结合起来，与学习贯彻党的三代领导核心关于精神文明建设的一系列重要论述结合起来，与学习贯彻党在农村一系列方针政策结合起来，与农村精神文明建设的实际结合起来，融会贯通在农村精神文明建设的实践中。

这次座谈会提出，必须认真贯彻中央思想政治工作会议精神，紧密结合落实“三个代表”重要思想，切实做好农村精神文明建设的各项工作：一要把思想道德教育作为农村精神文明建设的基础性工作，坚持不懈地进行党的基本理论、基本路线、基本纲领教育，正确的世界观、人生观、价值观教育，爱国主义、集体主义、社会主义和艰苦创业精神教育，社会公德、职业道德、家庭美德教育，民主法制教育；二要把普及科技知识、移风易俗作为农村精神文明建设的重要任务，广泛进行马克思主义的唯物论和无神论教育，大力普及科学知识，帮助农民划清科学与迷信、文明与愚昧的界限，自觉抵制“法轮功”等邪教胡说，逐步形成科学文明、健康向上的生活方式和社会风尚；三要加强农村思想文化阵地建设，下功夫建设好包括农村广播电视网、村镇文化站、图书室、阅报栏、电影放映站、农民夜校、乡镇党校的思想文化阵地；四要坚持开展创建文明户、文明村活动；五要积极推进创建文明小城镇活动，力争用10年时间把一批基础好的小城镇建成规模适度、规划科学、功能齐全、环境整洁、具有较强辐射力的农村经济文化中心，成为农村精神文明建设新的增长点；六要广泛开展以城带乡、城乡共建活动，学习辽宁开原市的成功经验，组织城里的文明单位与农村的文明单位结对子，帮助农村改善文化设施，美化村容村貌，提高农民素质。

（2000年8月30日《人民日报》）

刘云山：在全国农村精神文明建设工作座谈会上的讲话

（详见本年鉴文献·讲话）

胡振民：在全国农村精神文明建设工作座谈会上的总结讲话

（详见本年鉴文献·讲话）

辽宁省开原市委：以城带乡 以乡促城 城乡共建农村精神文明

1998年以来，我们在全市开展了“以城带乡、以乡促城、城乡共建精神文明”活动，探索出一条加强农村精神文明建设的新路子。

我们提出以城带乡、以乡促城、城乡共建农村精神文明的思路，采取由城市文明单位与农村文明村结成共建“对子”的方式，以城市文明力量激发农村干部群众的积极性，率先建设一批高水平、高标准的文明村，以这些文明村的示范作用带动农村精神文明整体水平的提高。1998年3月，我们从城市文明单位中精选24家，分别与24个文明村结成共建“对子”，正式启动了城乡共建活动。

为保证共建活动健康发展并取得实效，我们一是严格标准，精选“对子”。确定共建“对子”

严格坚持三条标准：共建双方领导班子必须具有加强精神文明建设的强烈责任感和积极性，不能搞“拉郎配”；共建双方在两个文明建设方面必须具有较好基础，是“强强联合”，而不是扶贫；共建双方必须具有切实可行的精神文明建设发展规划，量力而行，逐步发展。二是制定目标，明确方向。共建活动总体目标是“以城带乡”：带动农村干部群众学理论、学政治、学科技、学文化、学法律，建成高标准文明村；带动农村干部群众改善村屯环境，建成“三化”（净化、绿化、美化）村；带动农村干部群众发展村户经济，招商引资，建成小康村。“以乡促城”：促进市直单位及“窗口”单位转变思想，树立为人民服务观念，为农民办实事、办好事；促进市直单位及“窗口”单位转变工作作风，优质服务，搞好两个文明建设。总体上提高城乡干部群众思想道德和科学文化素质，提高城乡精神文明创建活动质量，提高城乡经济发展水平。三是建立规章制度，强化约束机制。为确保共建活动有效开展，我们实行领导承包、双方协议、活动联络、情况通报、工作奖惩、档案管理等一系列规章制度。把共建活动纳入干部岗位责任制考评目标，由市考评办负责跟踪考评。四是加强领导，跟踪落实。我们把城乡共建列为“一把手工程”，由市委书记、市长亲自挂帅。在具体实施中，主管副书记和宣传部、文明办一线指挥，各乡镇、行业一把手具体指导，共建双方一把手负责落实。在第一批共建活动取得成效基础上，1999 年把共建单位发展到 56 对，2000 年达到 93 对，占全市 351 个行政村的 1/4 强。

当前农村精神文明建设中存在问题较多，我们在共建活动中重点抓了以下三个方面：

（1）着眼占领农村思想文化阵地，共同加大投入，积极开展思想文化教育活动。城里单位积极投入财力、物力、人力，帮助共建村建设文化室、文化广场及各种文化活动设施。共建活动开展以来，全市各共建村都新建或重修了文化活动场所，所有共建村都有了一定水平的文化活动室，全市农村文化设施状况也得到改善。

（2）着眼提高农村文明程度，共同整治村容村貌，有效改善农村环境。一是修建一条高标准村路，做到路面宽阔、平直，两侧挑边沟，砌边石，沟外有绿化带，有条件的要安装路灯。二是要有一个优美的村屯环境，柴堆、粪堆、垃圾堆、草堆“四进院”，家畜、家禽等不得随意放养。三是要修建干净整洁的村部，有条件的新建，没有条件的对原来村部进行维修。

（3）着眼农村中心工作，共同致力经济发展，加快农民致富奔小康步伐。一是帮助农民开阔眼界，转变观念。引导农民“致富思源、富而思进”，加快农村产业结构调整步伐。万亩草莓、万亩花卉、万亩双千高产稻田等高科技农业示范项目已成为我市发展农业产业化重要基地。二是送信息、送技术，增强农民致富本领。三是帮助招商引资，搞好资源开发。

我们还始终坚持把共建活动与加强基层党组织建设相结合，在共建活动中注重增强基层党组织的凝聚力、战斗力；与实行村务公开、政务公开相结合，加强基层干部勤政廉政建设；与创建“十星级文明户”、“文明村镇”活动相结合，以共建活动推动“十星”创建活动，同时用“十星”标准来检验共建活动成效。

开展城乡共建活动，把三大创建活动有机地联为一体，相互促进，整体提高。创建文明城市、文明行业活动推动了创建文明村镇活动，创建文明村镇也促进了创建文明城市、文明行业，使三大创建活动融为一个整体，全面提高了精神文明建设水平；开展城乡共建活动，形成了调动各方面力量齐抓共管精神文明建设的良好局面。调动了城乡共建单位的积极性，调动了其他部门特别是政府职能部门的积极性，带动了一大批未参加共建活动单位抓精神文明建设的积极性。开展城乡共建活动，进一步改善了党群关系、干群关系。共建村干部在城里单位帮助下，为农民办好事、办实事，提高了为村民服务的能力，增强了为村民服务的意识，树立了良好形象，提高了党支部的威信。两年多来的实践，共建活动得到了农民的真诚欢迎，得到了城里单位的积极支持，证明这项活动有着深厚的群众基础和旺盛生命力。

河北省衡水市委：

坚持创新求实 把“三下乡”变为“三扎根”

“三扎根”是伴随我市“三下乡”活动的逐步深化而产生、发展的。“三扎根”就是不仅要使专业技术人员“常在乡”，而且要在农村建立一支不走的文化、科技、卫生队伍，用3—5年的时间达到每村至少有一个法律明白人，每户有一个科技当家人，每村都要有符合标准的文化、科技、卫生活动设施。

领导重视特别是一把手重视，是搞好“三扎根”工程的重要前提。市、县两级都成立了以主管书记为组长，宣传部牵头，20多个职能部门负责人参加的“三下乡”领导小组及其办事机构。把“三扎根”工程列为市委对各职能部门和县市区工作年度考核的重要目标。

制度和机制创新，是促使文化、科技、卫生人员把根扎在农村的关键。我们要求涉农部门和各县要做到年有规划、季有安排、月有活动。“三下乡”办公室把市直部门和各县扎根活动的规划、工程日程、到达的地点、所要解决的问题通过《衡水日报》向群众公布。我们还广泛实施了“初级人员帮一户、中职人员帮一村、高职人员帮一乡”的“一帮一”工程。各部门还出台了政策措施，把参与“三扎根”工作与职称评定、晋职晋级挂钩，激发专业技术人员下乡“扎根”的积极性。我们还建立以市场为导向的新型服务机制。实行有偿科技承包制，鼓励部门和科技人员领办、创办、帮办高科技示范园、示范田。大批专业技术人员和机关干部不但主动要求常下乡，而且要求到农村长期蹲点或任职。全市到农村任职干部达2817人。

培育文化、科技、卫生骨干，在农村建立一支不走的工作队伍，是“三扎根”工程的核心内容。通过集中办班、现场授课、送出去学习、手把手传授等形式来培育人才。几年来共培训乡镇农技人员和农民群众300万人次，培养农业技术骨干41.8万名，全市平均每10人有一个技术骨干，有2.3万余名农民拿到了“绿色证书”。培养业务文艺骨干4000余名、农村医疗人员4860多名、法律“明白人”5100名。各县每年还请大专院校、科研院所的专家教授讲课，使农民直接接触最新的科技知识。文化部门还请来文化部艺术研究中心的专家到衡水办班，培养农村文艺骨干。我们还利用开展评选“十星级”文明农户这一有效载体，实行部门包星搞共建，广大农民在评星、争星的过程中全面提高自身的思想、文化、道德素质，有力地推动了“三扎根”工程的实施。

建立服务农民的组织网络，是提高“三扎根”水平的重要措施。我们本着“民办、民管、民受益”的原则，把农村的文化、科技、卫生骨干组织起来，形成服务农民的各类合作组织，在农村两个文明建设中发挥带动作用。现有各类经济中介服务组织190个，种养协会220个。深州星火禽蛋协会，会员达5000户，协会实行“五统一”（供雏、技术、防疫、饲料、收购）管理体制，辐射带动周边三个市11个县，19个专业乡，85个专业村，每年外销鸡蛋4万多吨。这些组织促进了农民小规模生产与大市场的对接。

加强农村文化、科技、卫生阵地建设，这是实施“三扎根”工程的重要条件。我们采取财政拨款、部门捐赠和多方筹集相结合的方式，加大投入力度。全市114个乡镇都建立了文化站和新华书店发行网点。建起了125个藏书3000—6000册农村示范图书室，部分乡镇村村建有藏书500册以上的图书室。建立了农民俱乐部、书画社、戏剧社、文学社、棋艺社等文化社团2000余个。80%以上的村建立了广播室、阅报栏、文化活动室。村村建起了卫生室，做到了“小病不出村，大病不出县”。80%的村建立了科技园地。这些设施正日益成为农村传播先进文化的中心，沟通党和农民联系的重要阵地。

内蒙古自治区锡林郭勒盟委：

突出特点 注重实效
努力开创牧区精神文明建设新局面

突出抓好基层干部和牧民的素质教育。我们经常采取理论下乡、巡回宣讲、典型示范、督查指导、算账对比等方法，引导基层干部和牧民变观念、闯市场、奔小康；还分批组织旗县、苏木乡领导到江苏、山东、辽宁等发达地区集中办班，挂职锻炼，组织牧民自费到澳大利亚等国学习先进的畜牧业生产方式。现在牧民的市场意识普遍增强，全盟牧区已有知名经纪人1200余名，牧民围绕市场搞经营，收入不断提高。

大力开展“十星级文明小康户”评比活动。评比“致富星”、“科技星”，引导、帮助牧民改变生产方式。评比“文教星”、“卫生星”、“新风星”，引导、帮助牧民改善生活方式。

努力满足牧民精神文化需求。我们坚持以家庭文化为切入点，以旗、苏木、嘎查三级文化网络为依托，不断丰富和发展牧区文化活动。实行“五入户”，即图书报刊入户、广播电视入户、文化娱乐入户、卫生整洁入户、文明新风入户，引导牧民开辟家庭文化角，购置图书报刊架，开展读书、歌咏活动，充实业余生活。家庭那达慕集文体娱乐、观光旅游、招商引资和信息交流为一体，已经成为牧民精神文化生活的新时尚。帮助牧民安装电视卫星地面接收站3739座，便利牧民利用电视进一步了解世界、了解市场。经过多年努力，现已形成旗有文化馆、苏木有文化站、嘎查有文化室的三级文化网络，并坚持实行设施、人员、经费、活动四落实。

广泛开展精神文明共建活动。边境四旗一市的17个苏木和67个嘎查，与驻地军警部队广泛开展了以“共建共用文化设施、共同开展文化活动、共同培养军地人才”为内容的军警民共建千里边境文化长廊活动。目前，千里边境线共建点已达80多个，共建内容由共建文化站向共建文化街路、文明单位和学用科技、服务经济等方面延伸。

工牧共建、城乡共建也带动了牧区发展。全盟城镇近千个文明单位分别与农牧区的苏木乡、嘎查村结成共建对子，城镇的114所学校与农牧区的417所学校确定了“手拉手”共建关系，并经常开展联谊活动。

黑龙江省绥化市委：

开展“三个十”创评活动 推进文明村镇建设

几年来，我们从全市的实际出发，逐步探索出一条以创建“十好”文明乡镇（经济发展好、组织领导好、民主管理好、社会风气好、基础教育好、科普活动好、文化生活好、卫生工作好、环境建设好、治安秩序好）；“十化”文明村（经济发展产业化、班子建设正规化、村务管理公开化、道德风尚优良化、基础教育普及化、科技活动经常化、文化活动群众化、卫生工作标准化、环境建设规范化、治安管理法制化）；“十星”文明户（致富星、爱国星、新风星、和睦星、教育星、科技星、文体星、计生星、卫生星、守法星）创评活动（简称“三个十”）为主要载体的文明村镇建设新路子，把乡（镇）、村、户三股劲拧成一股绳，形成上下联动、全员参与、优势互补、整体显效的新格局，拓宽了文明村镇创建活动的领域，推进了全市农村各项事业的发展。

颁布规范性文件，建立创评组织。1998年下半年以来，我们根据《黑龙江省文明村镇建设管理办法》先后制定颁布了《“三个十”创评活动实施方案》、《关于在全市深入开展“三个十”创评活动的安排意见》和《绥化市“三个十”创评活动考核管理办法》等规范性文件，对开展“三个十”创评条件、评审程序、管理权限、奖罚标准等做了具体规定。市、县（市）区、乡镇、村四级分别成立了由党政主要领导、各有关部门负责人参加的“三个十”创评评审委员会，文明办为具体办事部门，负责协调日常工作。乡镇和村确定专人抓，形成紧密的工作网络。

细化量化条件，开展创评活动。市文明委提出了“十好”文明乡镇、“十化”文明村、“十星”文明户总的评比条件和标准，各县（市）区及镇、村与创建内容有关的主管部门根据市里的要求，结合本地实际，进行了细化量化，提出具有可比性、可考性的具体条件和标准。

实行动态管理，认真兑现奖罚。对“三个十”创评活动不搞终身制，半年进行一次“微调”，年终进行总评。县、乡（镇）、村分别建立了创评档案，详细记录创评工作。建立重大事项报告制度，对发生的问题规定了追究责任时限，当年发生的问题，一般只影响当年的荣誉。全市统一表彰标识：乡的“十好”项目以“旗”为标志，在各乡政府的明显位置挂有“十好”创评公示板，够几“好”就挂几面旗，接受社会各界干部群众检查监督；各村设有“十化”、“十星”公示栏。“十化”的考核项目以“花”为标志，够几“化”就挂几朵花。农户家家门上挂“十星”文明户标牌。为了激励先进，鞭策后进，体现评选的严肃性，增强干部群众的荣誉感，一些地方还派人入乡入村宣布并举行必要而简短的增“旗”减“旗”，增“花”减“花”仪式。达到“十化”、“十好”的乡村享受市级文明单位待遇，县里在资金投入、项目选定、宣传文化基础设施建设上优先考虑。创评活动规定，乡村主要领导要交纳创评责任风险金，创评不达标的视情况从中扣除，达标的另外予以奖励。对于初评虽然没有达到“十面红旗”、“十朵红花”的，可按每年有增“旗”增“花”的情况予以奖励。同时把“三个十”创评工作作为考核干部政绩的重要内容。连续两年不增“旗”的乡镇，干部不予提拔。工作没有进展，连续3年不增旗的乡村干部就地免职或调离。为了把创评活动引向深入，我市根据各委员单位职能确定了“三个十”帮扶连带责任，视情况与包扶单位同奖同罚。

吉林省文明办：

着眼提高农民素质　实施改水改厕工程

在《吉林省国民经济和社会发展“九五”计划和2010年远景目标纲要》中，农村改水改厕工作纳入其中，提出到2010年，全省卫生厕所普及率要达到60%以上，到2000年基本完成小康县、乡、村目标规定的卫生改水和防病改水工作任务。

科学制定改水改厕工程5年规划。我们确定从1997年起到2001年，利用5年时间，完成使全省50%的农民吃上自来水、用上卫生无害化厕所的工作目标。整个工程在5年里分三个阶段进行：第一阶段为启动阶段。第二阶段为完成主体任务阶段。即从1998到2000年全省各县（市、区）要完成工程总量的90%。第三阶段为工程收尾阶段，即2001年底完成其余的工程量。从而提前9年基本完成2010年远景规划确定的全省改水改厕目标。

精心抓好改水改厕工程试点。1997年上半年，我们在省内选择了不同地域（山区、半山区、平原、城郊）、不同经济条件的代表村进行试点，推出了农村改水的两种模式（深井型、引泉型）和改厕的四种模式（深坑后掏式、深坑内掏式、水冲式、沼气式）。探索了改水改厕筹资的有效途径。我们采取了集体筹一点、个人出一点以及财政以奖代投的办法筹集资金，为实施改水改厕提供物质保证。

全面推进农村改水改厕工程。在1998年、1999年多次召开现场会、观摩会、经验交流会，开展互检互学活动，从而使改水改厕工作在全省农村迅速形成了你追我赶、竞相发展、全面推进的可喜局面。

努力形成改水改厕工作的合力。省文明办主动与省爱卫办、计委、财政、卫生、民政、建设、农业、水利、土地、农电、地税等部门进行协调，共同研究制定有关政策，及时解决农村改水改厕所涉及的规划、投入、用地、用电、减免税等方面的具体问题，不断优化改水改厕的软环境。为了动员社会各方面的力量，支持农村改水改厕，我们还组织全省精神文明建设先进系统、文明单位、驻军、武警与贫困村开展帮扶共建活动。各地也通过采取机关与乡（镇）、村屯定点援建、携手联建等方式，推动改水改厕工作。

江苏省张家港市杨舍镇委：

提高农民素质　建设现代化农村

改变农民落后的小农意识，大力发展经济，尽快使农民富裕起来是农村思想政治工作的重要内容，也是农村现代化建设的关键。我镇牢牢抓住这个“牛鼻子”，把发展作为硬道理，坚持以

“三个有利于”为标准，大力发展集体、私营、个体经济，注重一、二、三产同步推进，经济总量迅速递增。经过20多年的不懈努力，到1999年，人均国民生产总值达5760美元，第三产业占国民生产总值的比重达44%，职工人均年收入8300元，农民人均年收入7380元，其中来自多种经营的人均收入5651元，比1998年人均增收436元。农村经济的发展、农民收入的提高，促使农民的“口袋”迅速鼓起来，集体经济壮大起来，为农村的现代化建设奠定了扎实的经济基础，也为全镇农村精神文明建设和思想政治工作奠定了必要的物质基础。

我们把改善农村的生活环境作为农村现代化的基础工程，把创建农村文明小区作为改善生活环境的有效载体，通过狠抓文明小区的创建，将农民从多年来“脏、乱、差”的生活环境中彻底解放出来，努力提高农民的生活质量和农村的文明程度。

在农村文明小区创建过程中，我们坚持实事求是的原则，贯彻量力而行但必须尽力而为的方针，分门别类规划创建的规模与档次，制定了便于掌握和操作的《十星级文明小区量化考核标准》，将涵盖文明小区的十个方面内容制定成十颗星，使得创建工作走上从地形地貌的整理到农村道路的硬化，逐步再向净化、绿色、美化推进的规范轨道。随着文明小区的建成，农村中相关的热点、难点问题也随之得到化解。到目前为止，全镇城乡住宅区的文明小区创建率已达100%；完成了电话的进村入户，建成“江苏省电话小康镇”；完成了农村改水、改厕工作，分别达到100%和98%；完成了有线电视的村村通工程，覆盖率达100%；完成了农村电网改造和农村道路的硬化工程，硬化率达100%，农家户户接通了水泥路；实行了生活垃圾袋装化，生活垃圾入桶入箱率达100%；液化气的入户率达到85%。按照“群众需要什么，我已准备什么”的原则，广泛开展了农村便民利民的社区服务活动，首先是每个行政村建立了“农村社区综合服务站”，集农药提供、种子推广、农技培训、农机服务、医疗保健、家政服务、修理维护、法律咨询于一体，使广大农民在接受服务中得到更多的便利和实惠；其次是在各文明小区内设置“社区求助服务箱”，广泛接纳人民群众来自各方面的求助，并通过专业服务队伍和志愿者服务进行微偿和无偿相结合的服务，让农民充分享受到现代化生活的便利，感受着城市一样的文明。

根据我镇拥有的室内外文化娱乐场所的设施条件，结合农村中群众文化基础，我们提出了创建“民间艺术之乡”和“全民健身镇”的目标，以充实、丰富农村现代化建设的内涵。挖掘了戏曲、腰鼓、秧歌、舞龙、舞狮、高跷、民乐、管乐、歌舞、健身等表演类的民间艺术项目和农民书画、雀鸟花卉、读书吟诗、风筝剪纸、雕刻收藏等非表演类的民间艺术项目。每年开展千人以上的大型群众文体活动50多次。

在全镇范围内大力倡导家庭文化和环境文化建设。一方面，积极推广各家各户“一个以上书橱、一百册以上藏书、一份以上报刊杂志、一幅以上字画、一盆以上花卉盆景、一件以上健身器具或乐器”的“六个一”入户。经过努力，全镇“六个一”的入户率已达40%以上，其中，著名的文明示范小区小河坝村的大莱巷，“六个一”的入户率已达98%。“六个一”的入户，促使“科技、文化、卫生”由“三下乡”深化为“三入户”，进而深化为“三入脑”。近几年来，涌现出科技、文化、卫生特色家庭500多户，其中“科技致富示范户”50多户，“文化特色户”408户，“健康保健示范户”60多户。另一方面，用宣传栏、画廊、黑板报、阅报栏、雕塑、题匾、对联、标语牌等渲染文化环境，营造文明氛围。用形象生动的画面和柔化感化的语言集中反映文明言行、尊老爱幼、邻里和睦、勤俭持家、自立自强、遵纪守法、文明新风等方面的内容，如“邻里好，赛金宝”、“钱应该算了花，不能花了算”、“关心今天的老人，等于关心明天的自己”等，这些来自群众中的常言俗语，寓意深刻，群众容易接受。在宣传栏中，我们将自己编写的《文明新风三字歌》、《家庭美德五字谣》和《文明市民守则》、村务厂务公开等内容进行常年刊出，把城市先进的思想观念、健康的生活方式和优秀的精神文化产品在农村广为传播，起到了用文化的手段进行正确舆论导向的作用。

福建省文明办：

创建文明县城　推进农村城市化进程

在创建文明县城活动推动下，我省先后有15个县和1个镇顺利实现建制改革，升为县级市，879个乡改制为镇。全省现有44个县城，其中17个县城评上省级文明县城，占总数39%；乡村建设也取得突破性进展，全省农村提前一年完成消除绝对贫困、造福搬迁工程和基本实现小康三项历史性任务，实现村庄100%通电，100%电视覆盖，97.4%通公路，87%通程控电话，95.2%的农户饮用卫生水。1999年开始，我省规划建设100个具有一定城市化水平的精品文明新村，作为社会主义新农村建设的样板。开展创建文明县城活动，能够促进广大农村繁荣多种经济、优化产业结构、发展乡镇企业、普及科学技术和农民增产增收，并促进城乡两个文明建设的协调发展。这项活动体现了有中国特色社会主义农村城市化的发展方向，符合江总书记提出的“三个代表”重要思想的要求。

创建文明县城主要的做法概括起来，有以下六个方面：

党政领导高度重视，创建良好活动氛围。近20年来，省委、省政府始终把创建文明县城活动摆在重要议事日程上。在省委制定的三个全省精神文明建设五年规划中，都要求各级党委、政府借鉴创建文明城市的经验，结合农村实际，精心指导县城精神文明建设，努力创建一批起示范作用的文明县城。省委、省政府还结合加快实施小城镇发展战略，在政策导向和资金投入方面采取了一系列扶持措施，给创建文明县城活动提供了较好的物质基础。逐年建设一批农贸市场、影剧院、图书馆、文化馆、青少年活动中心、殡仪馆、垃圾处理场等“民心工程”，使创建文明县城活动博得群众拥护，吸引群众参与。

加快城区环境建设，改善居民生活条件。各地遵循“高起点规划、高质量建设、高效能管理”的原则，搞好县城建设。旧城改造着重加强市容镇貌的整治和路、水、电、厕以及电视、通讯设施的配套完善。新区建设严格实行统一规划，对工业、商住、文教、绿化等功能区进行合理布局。许多县城精心构筑街景文化，兴建一批富有现代气息的草坪、公园、花坛、亭榭、雕塑等人文景观，美化生活环境，陶冶人们情操。各县城的主要街道普遍设置公益广告栏和阅报栏，规范制作广告牌和门市牌，实施夜景工程，提高了环境的文化品位。从1996年开始，按照“新建有规则，改建有标准，整治有成效”的要求，对全省村镇进行全面改造，重点抓了“五通”、“五改”：即通水、通路、通电、通讯、通广播电视，改水、改旧房、改厕、改路、改圈。每年抓1/3，1999年底已基本完成。

引进城市管理机制，逐步提高文明程度。在环境卫生管理上，以主干道和居住区为重点，集中整治与建章立制并举，逐步推行垃圾袋装，认真落实路段、片区清洁卫生包干责任制。在交通秩序管理上，组织法规教育、社会劝导、排除隐患三项战役，创建交通文明示范街路，普及交通安全常识，健全交通标志标线，清理违章占道现象，加快停车场地建设。在集贸市场管理上，广泛开展“让市场文明起来”活动，做到摊点归位、环境整洁、净菜上市、明码标价、优质服务、秩序井然。在建筑工地管理上，推行封闭施工，降低废水、粉尘、噪音污染，制止运输车辆“滴撒漏”。加强以上四大管理，有效地解决了“脏乱差”老大难问题，促使居民养成良好生活习惯，提高了县城文明程度。

区别对象分类指导，整体推进创建工作。我省对不同类型的县城，根据不同的发展情况，区分层次，分类指导，有针对性地确定具体工作思路、工作重点和主攻方向。在工作安排上，既有统一要求，又不做硬性规定；在工作指导上，既出基本思路，又注意区别对待；在工作检查时，既注意抓平衡、促发展，又注意看基础、重创造。各地开展创建活动能够从实际出发，有的放矢，各有特色。

开展竞赛活动，形成争先创优态势。10多年来坚持开展创建文明县城竞赛活动，每两年为一届，第一年初评，次年总评，形成制度，坚持不变。同时根据新形势、新要求，不断充实和改进竞赛活动的考核内容和组织办法。创建内容从单纯治理“脏乱差”扩展到服务经济建设、开展思想道德教育、改善环境面貌、搞好服务设施配套和发展社会事业等多方面，考评方法也从地市文明办推荐、省文明办复查改为地市推荐与省直有关职能部门对工作实绩量化评分相结合。1998年，我省对创建文明县城竞赛活动作了进一步的规范，实行申报制，分设一级达标、二级达标和不达标三个档次，申报基本条件包括社会治安、计划生育、科学技术、教育事业、文化建设、卫生工作、城市建设、环境保护、交通秩序、殡葬管理等10个方面的主要量化指标。

培育推广先进典型，榜样示范深入人心。在创建活动的起步阶段，省里选择了一些基础比较好的县城作为试验点，确定创建基本标准，在工作上加以指导、推动，由此带动周边县城的共同创建。近年来，省、市文明办还联合在每个县城培育1—2个精品文明小区和城郊型的精品文明新村，省委、省政府将这项创建文明县城活动的“精品工程”纳入全省为民办实事重点项目，不仅切实加强领导，还给予资金扶持。典型引路发挥辐射效应，对全省各地创建文明县城活动的健康发展产生了积极的影响。

山东省济南市天桥区北园镇委：

扎实开展“双思”教育　奋力推进二次创业

改革开放前的北园，虽然地处城郊，但村村都是“生产靠贷款、生活靠救济、吃粮靠返销”的“三靠”村。农民以种稻、种菜为业，住着黑泥土坯房屋，过着“卖了细粮换粗粮”的穷日子。党的十一届三中全会以来，北园人民依靠党的富民政策，自力更生，艰苦创业，先后建起服装、家具、装饰、建材、汽车、五金、灯具、玻璃、家电、电子产品等几十个大型专业批发市场和1000多家村办、镇办及私营企业。北园彻底甩掉了贫穷落后的帽子，农民过上了“穿名牌、住楼房、坐轿车、睡软床、用电脑、闯市场”的好日子。1999年全镇经济总收入、人均纯收入和上交利税分别是1978年的453倍、28倍和113倍。北园作为率先富裕起来的地区之一，我们认为江总书记提出要开展“双思”教育非常符合我们镇的实际。我们制定出明确具体的教育计划，把教育过程分为宣传发动、学习教育阶段，查找问题、组织整改阶段和建章立制、检查验收阶段。在教育的具体方法和形式上，我们联系北园改革开放20多年来发生的翻天覆地的巨大变化，发动村村户户搞算账对比，寻根溯源，召开座谈会、报告会，举办规划展、成就展，并充分利用广播、闭路电视、黑板报、宣传车、党员活动室等阵地，使“双思”教育进村入户，生动实际，入心入脑，让老百姓明白富了应该感谢谁、拥护谁。清河村的村民说：“我们清河村，1999年的总产值达20多个亿，缴税3000多万元，现在全村固定资产近30个亿。但在十一届三中全会前，全村的家当满打满算不足30万元，最值钱的是抽水机和地排车。前后一比，真是天上地下。”水有源，树有根。北园能有今天，干部群众一致认为，源在邓小平理论的指引，以江泽民为核心的党中央领导和社会主义制度的优越性，干部群众团结奋斗、埋头苦干。全镇人民认准了一个理，就是坚定理想信念不动摇，永跟党走不回头，把邓小平理论的伟大旗帜一代一代地扛下去。

在“双思”教育过程中，我们认识到“思源”、“思进”都是为了前进，能否做到带领群众脚踏实地、加快发展，关键看党组织的凝聚力和战斗力，看党员干部的政治素质。针对部分村（居）领导班子和党员干部存在的满足现状、不思进取、吃喝玩乐、贪图享受、财大气粗、趾高气扬、纪律松懈、宗族观念重以及利用职务之便为子女、亲属谋取不正当利益等问题，我们一是举办亿元村（居）党委书记、村主任“双思”教育培训班，学习党中央关于加强村镇建设的指示精神，请省市领导和驻济大专院校的专家学者讲课，进一步理清发展思路和目标，提高他们的思想政治素质，增强加快发展的责任感和紧迫感；把天津大邱庄禹作敏等反面典型的材料作为教材发给他们，教育引导他们拒腐防变，自觉做到自警、自励，始终保持旺盛的革命斗志。二是组织村（居）干部到张家港、深圳、上海等地学习取经。三是邀请深圳南岭村的负责人来镇，向镇村干部介绍江总书记视察南岭村时的情景，讲解开展“双思”教育的精神实质和南岭村加强两个文明建设的先进经验。为彻底解决党员干部的思想、作风、纪律等方面存在的问题，镇党委结合“双思”教育活动的开展，制定并实行了《关于在旧改开发攻坚战中村（居）党组织、党员干部充分发挥战斗堡垒和先锋模范作用的通知》和《关于北园镇村（居）书记组织纪律廉洁自律八条规定》两个文件，从制度上对党员干部进行约束。全体党员干部结合自己的思想和工作实际，找差距，亮思想，制定整改措施，自觉做到“抓发展，不做太平官；树正气，刹歪风邪气；办好事，造福广大群众”，决心借“双思”教育东风，使自己的思想来一次大提高，作风来一次大转变，工作上一个大台阶。

广东省东莞市委：

加强思想道德建设　形成良好社会风气

由于东莞地处改革开放的前沿地带，加之工业化、城市化的快速推进和社会的急剧转型给人们的思想、精神和心理带来的影响，我市广大农村和农民在思想道德建设方面面临不少新情况、新问题。如何处理好弘扬健康文化、活跃群众文化与抵制腐朽文化的关系；如何教育引导农民在物质生活富裕之后正确理解富裕和幸福的关系，“既富口袋又富脑袋”，克服坐享其成的“二世祖”现象，树立创业精神和开拓进取意识；如何适应农村城市化发展的要求，提高农民的思想道德水平，促进农民向市民转变等，都迫切要求我们把思想道德建设作为加强精神文明建设的一项基础工程认真抓好。这不仅是东莞社会经济发展和现代化建设给精神文明建设提出的紧迫课题，也是广大人民群众的迫切要求，更是为民造福的具体体现。

正是基于这样的认识，近几年来，我市下大力气抓好思想道德建设，从群众迫切需要解决的问题入手，从基础抓起，从一家一户、一村一镇抓起，以立为本，虚功实做，以点带面，整体推进。

从1996年开始，我市围绕加强思想道德建设，坚持每年开展一个主题活动，并相应推出系列活动，使思想道德教育深入基层、深入群众，真正走进千家万户。

开展“如何对待富裕、如何理解幸福”的群众性大讨论。在大讨论基础上，我们提出了“公与私”、“忠与奸”、“廉与贪”、“义与利”、“勤俭与奢侈”、“诚信与虚伪”、“知耻与无耻”、“知礼与无礼”八对道德概念，组织各层面的群众讨论，形成全社会关注思想道德建设的良好氛围。

开展“宣传实施《东莞市民守则》”系列活动。以学习宣传《社会公德四字歌》为契机，制定了以“九不”（不乱过马路、不乱丢垃圾、不随地吐痰、不损坏公物、不破坏绿化、不说粗言秽语、不在禁烟场所吸烟、不搞封建迷信活动、不参与庸俗和不健康的活动）为内容的《东莞市民守则》，开展群众性社会公德大讨论，树立永久性宣传牌，组建义务监察队，组织“万人签名宣誓”等，引导人们明白自己的道德义务和责任，帮助人们养成良好的道德行为习惯。

开展“树文明家风、村风、民风，共建和睦社会”主题活动。组织开展“我们应该有什么样的家风村风民风（简称三风）”专题大讨论，新闻媒体围绕主题活动大造舆论。发动广大群众把优良传统与时代精神结合起来，讨论制定村规民约，在全社会大力倡导“和睦、和谐、和气”的文明家风，倡导“劳动共富裕、好学共上进、守法共安宁、有难共相助、家乡共兴建、文明共创造”的文明村风和民风。从市到镇到村层层大抓典型，让先进人物进行现身说法，促进良好社会风气的形成。

开展“三进家、三进村”活动，即书报刊进家、宣传栏进村；科技知识进家、文体活动进村；法律知识进家、绿化美化净化进村。通过这一活动，提高农民的思想道德素质和科学文化水平，倡导文明健康的生活方式，反对封建迷信，清除黄赌毒等社会丑恶现象，进一步推动“三德”和“三风”建设。

开展“衣食住行看变化，寻根问源求发展”主题活动。我们制作《改革开放前后家庭变化情况统计表》和《改革开放前后村（单位）变化情况统计表》，引导干部群众摸清改革开放前后本村、本单位、本家庭在经济状况、教育文化和生活水平等方面发生的变化，用生动具体的事实教育干部群众，“思源”倍感党亲切，“思进”再创新辉煌，继续树立艰苦创业，开拓进取的创业精神，为东莞率先基本实现现代化而努力奋斗。通过每年一个主题的思想道德教育活动，群众在生动活泼的教育中获得思想升华。

为吸引群众广泛参与，达到教育目的，我们从群众看得见、摸得着的具体问题入手，利用发生在群众身边的人和事，采用各种生动活泼的方式方法，使群众在参与中接受教育，得到提高。举办“道德法庭”评判活动，教育群众知荣辱，明是非，扶正祛邪，惩恶扬善。开设“群众论坛”，使广大群众真正成为思想道德建设的主体。精心策划组织群众性文化活动，寓教于乐。抓好典型宣传，发挥道德楷模的示范作用。我们把思想道德建设的内容纳入群众性精神文明创建活动的考评指标，连续7年在春节期间组织市五套班子领导为市级文明村举行隆重的授匾挂牌仪式，极大地调动了广大干部群众的积极性。我们把创建文明村镇的标准量化为“十有二十无”。其中突出强调“思想教育有阵地”、“评论是非有论坛”、“反映民意有渠道”和“无游手好闲青年”、“无失学儿童”、“无吸毒人员”、“无黄赌毒场所”、“无重婚纳妾包养情妇”、“无封建迷信搞土葬”等，这样，过去的“软任务”变成了“硬指标”，思想道德建设的目标、要求、内容落到了实处。

湖北省襄樊市文明委：

以创建文明城镇为载体 推进农村两个文明协调发展

近些年来，我市坚持以文明城镇创建为载体，促进农村两个文明协调发展，取得了较好成效。全市国内生产总值、财政收入增长率连年高于全国全省平均水平。全市152个乡镇，有79个基本实现了小康目标，有6个城镇被评为省级文明城镇，3个城镇被中央文明委授予“全国文明村镇创建活动先进单位”称号。1999年，省委、省政府和省文明委先后在我市召开现场会，总结推广了我市小城镇建设和文明村镇建设经验。市委、市政府适应小城镇发展趋势，以创建文明城镇为载体，不断提高农村两个文明建设水平。

首先是把精神文明建设纳入小城镇发展的大战略。市委、市政府先后下发了《关于进行小城镇新发展战略试点的实施方案》、《关于加快小城镇建设的决定》、《关于加强小城镇精神文明建设的若干意见》、《文明城镇建设管理办法》等若干个重要文件，始终强调：在小城镇发展方略上，坚持物质文明和精神文明建设统筹规划，整体推进，加快发展速度，提高发展质量，做到经济效益、社会效益和环境效益有机统一，经济与社会全面进步。

其次是实行目标管理，建立两手抓的有效机制。市委、市政府把小城镇两个文明建设成效纳入目标管理，作为对县（市）区党政领导班子进行考核、奖惩的一个重要条件。按照市委、市政府确定的文明城镇建设目标，市、县（市）、镇一把手层层签订责任状，把规划管理、基础设施、园林绿化、市容环卫、文明创建等内容分类落实，做到层层有目标，级级有压力，形成齐抓共管、争先创优的局面。

再次是引进竞争机制，组织竞赛活动。全市广泛开展了以“讲文明 树新风”为主要内容的城镇形象工程建设竞赛活动，明确提出要塑造“四个形象”，解决四个方面存在的问题，达到“四化”，即：抓整治，塑造整洁优美、秩序良好的街道形象；抓创建，塑造风气端正、工作高效的单位形象；抓教育，塑造文明礼貌、精神振奋的居民形象；抓管理，塑造道理畅通、安全舒适的交通形象；解决文明言行、服务质量、环境卫生、交通秩序四个方面存在的突出问题，达到城镇容貌美化、居民素质优化、管理服务规范化、基础设施配套化的目标。市里抓城市边、国道边和区境边的20个重点城镇，其他城镇由各县（市）分别组织开展竞赛。为了调动参赛积极性，市里每年拿出400万元对竞赛优胜单位进行奖励，从而促进了文明城镇建设广泛深入地开展。

四是把提高居民的现代文明素质作为文明城镇建设的立足点，帮助农民转变观念、养成文明习惯。用现代生活方式影响人。各城镇利用乡镇党校、文明居民学校等阵地，对干部群众进行邓小平理论、市场经济知识、现代科技知识、文明行为常识等方面的培训，引导他们认识什么是现代文明，怎样才能作一个文明居民。运用现代传媒进行现代文明的宣传教育，全市绝大多数城镇建起了广播电视站，调频广播人口覆盖率达94.4%，电视人口覆盖率达91%。用文明创建活动引导人。各城镇广泛开展文明家庭、文明单位、文明街道等群众性创建活动，建设团结和谐、积极向上、健康文明的小环境，促进居民转变观念，提高思想和道德素质。

五是以现代法规管理人。各城镇在注重教育的基础上，按照“小城镇的规模，大城市的管理”的思路，引进城市管理办法，切实加强城镇管理，使居民在参与管理中增强文明意识和自我约束能力。各城镇普遍制定了城镇管理的有关规章制度，建立了城管、卫生、环保、工商、交通、治安等专业管理队伍，坚持严管重罚，层层签订环境包保责任状，从而使管理工作走上了制度化、规范化和经常化的轨道，达到了教育人、管理人、提高人的目的。

六是确立把农业产业化、乡镇企业和小城镇建设“三大战略”扭在一起抓的发展战略。把为乡镇企业和农业产业化发展提供支持和保证作为着力点，以文明城镇创建活动服务于经济建设为大局，促进了经济的发展。

七是大力发展教育事业，为经济快速发展奠定坚实的文化基础。坚持科技兴镇，科技兴农，为经济快速发展提供智力支持。完善基础设施建设，增强服务功能，为经济发展和农民奔小康创造条件。近些年来，各城镇加大投入力度，加强通讯、电力、供排水、集贸市场、交通、文体场馆建设，使基础设施基本配套。全市小城镇自来水普及率在80%以上，水冲式厕所普及率在40%以上，主要道路硬化率在80%以上，绿化率达15%，各类文体娱乐设施建成面积25万平方米。小城镇基础设施建设的加强，增强了服务功能，改善了居民的工作生活条件，大大提高了城镇的吸纳力和吸引力。

四川省犍为县委：

兴办农村文明学校　努力提高农民素质

加强领导，实施“一把手工程”。县委决定，县文明学校校长由县委书记担任；城区文明分校校长由县委常委和相关县领导担任；乡镇文明学校校长由乡镇党委书记担任；文明村民分校校长由村支部书记担任；其他20多位县级领导、乡镇分管副书记则分别担任城区文明学校和乡镇文明学校的副校长。为加强对村级学校的领导，县委在近几年未分配的大中专毕业生中择优录取了100名，选派到100个村担任村党支部副书记或村长助理，并兼任文明村民分校常务副校长，具体负责抓好文明村民分校日常工作。

制定规章制度，建立工作管理机制。文明学校管理与教育系统的学校管理，既有区别，又有联系。我们借鉴学校教学的管理经验，结合文明学校的实际情况，先后制发了《关于加强文明学校管理的意见》、《关于开展农村文明学校典型示范活动的意见》等20多个文件和规章制度，就组织领导、师资队伍建设、学员学习管理、教学内容和形式、教学资料档案、教学经费、文明学校典型示范工作、教研活动等，提出明确规定和要求，强化文明学校的制度建设，形成了较规范的管理体系。

明确参学范围，落实教育对象。《文明学校教学计划》明确规定，除在校生外的16岁以上、60岁以下的公民均属于文明学校学员。全县391所文明学校和分校，共有近40万名学员。针对农民文化水平普遍较低、居住分散、近几年外出务工人员多、流动性大等实际情况，我们对农村学员提出了“每户固定一个当家人或明白人坚持参加学习”的要求，使文明学校学员既在年龄层次上区别于正规在校生，又在总体范围上大于农校的青壮年学生，文明学校教学工作和农村思想政治工作的对象也更加集中、更加具有针对性。

充实教师力量，壮大工作队伍。文明学校教师队伍主要由这样几部分组成：一是县精神文明建设委员会成员单位领导；二是县级有关部门的业务骨干和技术人员；三是乡镇领导干部；四是乡镇机关“八大员”和技术骨干；五是文明学校所在地的中小学教师；六是村组干部；七是下派的100名大中专生。这支教师队伍共有1200多人，面广量大，在年龄层次、知识结构、实践经验上都形成了互补，无论是向农民宣传党的路线方针政策、传授科技文化知识、讲解法律法规和文明卫生知识等，都具有正规学校、乡镇党校和农校教师所不能替代的独特整体优势。

丰富教学内容，拓展教育领域。建校以来，我们针对县情、乡情和村情，调整办学思路，不断丰富教学内容。1999年初，我们组织县里20多个部门共同编写了文明学校教材，作为全县学员的学习用书。2000年，为了满足群众对党的方针政策、法律法规、科学技术、文明卫生等知识的多层次、多元化需要，又及时调整了教学思路。在由县文明学校统一制发教学录像带，每年组织上好四次必修课的同时，增设了农村区域性科技知识、县情乡情村情知识等选修课，分别由学校所在地的领导、政法干部、技术人员、学校教师甚至是农民致富能手讲课，变原来的单纯讲理论为理论与实例讲解相结合，传达中央、省、市精神与贯彻本地实施意见相结合，教师讲课与农民现身说法相结合。在教学形式上也相应采取课堂教学与开展“六个一活动”（即：开展一次大型群众文化体育活动、搞好一次科普宣传教育、上好一堂田间地头农业技术示范课、创建一个文明村，评选一批“十佳文明户”，办好一个村活动室）相结合的方法，变原来教师讲、学员听的单向传输为寓教于学、寓教于乐、寓教于评选、寓教于创建等教学相长的多向传输，充实了教学内容，活跃了教学形式。

加大教学投入，确保工作开展。据统计，1999年，县、乡两级财政和村级集体经济共投入文明学校教学活动经费近100万元；2000年初，各乡镇在2000年教学工作安排中，计划用于文明学校的经费与1999年相比又有所增长，这为进一步办好文明学校，深化农村思想政治工作，打下了良好的物质基础。

文明学校促进了农村两个文明建设的协调发展。首先，架起了党和群众的连心桥。其次，改善了干群关系。第三，推广了农业技术。在文明学校课程中，最受农民欢迎，最能给农民带来直接利益的，首推农村实用技术课。南阳乡双龙村农民沈贤彬，刚开始是抱着“试一试”的心理走进文明学校的，结果却使他的生活发生了巨大的变化。现在，他已栽上了柑橘，播种了黑麦草，喂养了鸡、兔、蛙、鱼，年收入由原来的4000元一下增长到2万多元。纪家乡龙泉村农民朱东，过去家境不太好，27岁还没有成婚。自1999年村文明学校开办以来，他每次按时去听课，虚心请教，学到了不少实用养殖技术。很快，他就从外县买回了日本大耳兔、齐卡兔、加利福尼亚兔等优质兔种，精心养殖，仅1999年就出栏500多只，收入1.2万元，成为远近小有名气的人。第四，促进了农村创建活动。文明学校促进了农村群众性精神文明创建活动的开展。1999年，共有29个乡镇在全县“夺杯”竞赛活动中夺得44个金、银、铜杯，11个乡镇创建成为县级卫生乡镇，6个村创建成为市级文明村，2.1万多农户被评为“十好文明户”和“五好文明家庭”。

重庆市荣昌县文明委：

城乡联动　同创共建　建设社会主义新农村

1999年以来，我县充分发挥市、县级文明单位物质条件比较好、文明程度比较高、创建经验比较丰富的优势，带动农村精神文明建设的健康发展，实行对口帮扶，城乡联动，共建文明村镇，收到了明显成效。

县委、县政府提出“示范带动，城乡联动，同创共建”总体要求，确定1999—2002年首先在广顺镇等9个中心镇的10个村进行试点，以示范点带动全县开展文明村镇创建活动，10年后，在全县基本实现县级文明村创建规划。先富帮后富，城市带农村。县委、县政府确定全县73个市、县级文明单位负责联系10个文明示范村，结成对子。召开文明村镇建设工作会议进行专题部署，要求市、县级文明单位在信息、技术、物资、资金等方面进行对口帮扶。

坚持“三条原则”：一是坚持以经济建设为中心的原则。积极引导农民群众大胆调整产业结构，发展特色经济。二是坚持以提高农民的素质为根本任务的原则。努力培养和造就“有理想、有道德、有文化、有纪律”的新型农民。三是多办实事、多办好事的原则。充分调动干部群众的主动性、积极性和创造性，努力抓好农民应办、想办而又办不了的事情。

采取“三大措施”：一抓思想教育。在村社兴办党员干部学习室、文化图书室、广播电视室、群众娱乐室、计划生育生殖健康保健室等，编印《努力开创荣昌县农村精神文明建设新局面》大型挂图和《农民四字歌》等，对农民进行政策、科技、法制教育。二抓经济发展。通过信息传递、科技示范、技术指导等，千方百计引导农民办企业、闯市场，调整产业结构，广开致富门路，努力开展农村经济，夯实农业现代化的物质基础。三抓环境建设。以“五改”为中心，整治家庭环境，发展庭院经济，实现家庭环境的净化、绿化、美化、香化，逐步改变农民的生存条件，不断提高生活质量，让农民逐步过上现代都市人文明的生活方式。

做到“三个落实”：一是领导力量落实。由县四大系统主要领导、分管领导牵头，部门负责人对口帮扶，乡镇党政一把手亲自抓、具体干，真正做到“领导抓、抓领导、一抓到底、抓出成效”。二是规划方案落实。按照突出重点，缺啥补啥，典型示范，单项突破，整体推进的原则，根据各村的实际和特点，制定出各示范村三年内分步实施规划。三是帮扶政策落实。对口帮扶实行“农户投入为主，县里扶持为辅，乡镇以奖代补”的投入机制，认真作好“政策宣传引导，信息传递服务，技术示范推广，经济物资扶持”。县卫生局出资1.2万元，为对口联系的大石堡村两个社110户、340多人解决了“饮水难”问题。县广播电视局出设备、出技术，为对口联系的高田村安装了闭路电视，使这个村11个社、419户、1145人看上了图像清晰的电视节目。县科委在对口帮扶双河镇梅石坝村时，不仅提供科技信息和技术保障，还出资1.4万元，购买了青波、大口胭脂等珍稀鱼苗，帮助该村建成了辐射西南几省的鱼苗基地，成为“渝西鱼苗第一村”。

荣昌县自1999年9月正式实施“城乡联动，同创共建文明村镇”战略以来，仅10个多月时间，在全县开展文明示范村的地方，已经发生了和正在发生着巨大的变化。全县对口帮扶的73个市、县级文明单位，共组织1031人次深入10个文明示范村，提供科技致富信息261条，捐献科技、文化书籍650册，改造和兴办各类村社企业31个，筹集资金和各类物资折款共58万元。全县10个文明示范村共65个社，3453户，11271人，截至6月份，“五改”投入资金（含物资折款）共125.6万元。其中乡镇投入69.08万元，农户投入56.52万元（含劳力）。已有27个社修通公路29公里，进入农家主要院落的石板路已修筑11公里；2780户安装了自来水或打有机压井、卫生井；2210户安装了有线电视；315户安装了程控电话；4个村修建了综合办公楼；158户实现改厨、改厕、改圈，还有2190户正在实施；有两个村利用资源优势，积极开发“农家乐”旅游经济，前景十分可观。

陕西省铜川市耀县孙原村党委：

加强思想文化阵地建设　满足农民精神生活需要

多年来，我们村始终把建阵地、抓教育，运用多媒体、全方位、多层次的宣传，把思想政治工作贯穿于村“两个文明”建设之中。村里先后投资100多万元，建起广播站、创办《药王故里报》、档案馆、图书馆、有线电视台、农民文化技术学校、电影队、村史馆、老年活动室等12个思想政治工作阵地，通过阵地开展教育活动。我们利用阵地经常举办具有孙原特色的文化活动，丰富村民的文化生活，寓教于乐，增强思想政治工作的感染力。

大抓“药王文化”建设。我村是唐代伟大医药学家孙思藐的故里，具有药王特色的文化是孙原村的重要标志。首先，我们修复药王墓、药王祠等旅游景点，发展旅游文化。其次，成立陕西孙思邈研究会，举办国际药王孙思邈学术研讨会，编辑出版《药王孙思邈故事百图》连环画册，开展药王文化研究。第三，每年农历二月二，举办“药王古文化节”，村民耍社火、唱秦腔、扭秧歌，进行体育比赛，开展文化交流和经贸洽谈，年接待海内外游客达20多万人次。同日本、南韩等国家和祖国地区的朋友进行多次交流，产生了良好的经济效益和社会效益。

全面开展“十星级文明户”的评选活动，把思想政治工作量化分解到户。全村“十星级文明户”达到80%，促进了全村的“两个文明”建设。

广泛开展“讲文明 树新风”活动。村党委制定了集体婚礼制度，坚持每年元旦和五一集中举办两次婚礼。从1991年开始至今，已坚持10年，举办20届集体婚礼，累计节约资金达100多万元。村坚持开展“十大孝子”、“十个好媳妇标兵”和“十名优秀青年标兵”评选活动，使一些不孝敬老人的青年人受到教育和启发。坚持开展婚育新风进万家活动，使计划生育成为新婚青年的自觉行为，现在村计划生育率达到100%，人口自然增长率控制在7.9‰以下。坚持村务公开制度，利用广播、村报定期向村民公布村民关心的热点问题，使村民心里明白。坚持经常召开村民代表会，重大问题交由群众讨论决定。村风正、民心顺，近年来，未出现过封建迷信活动和刑事案件。

我们坚持把巩固和强化思想政治工作阵地作为重要工作，常抓不懈。经常性地对党员干部和村民进行宣传教育。村广播从1958年的舌簧喇叭到现在的全国第一家正式呼号播音的广播站，坚持42年不间断。从1988年创办的《秦华简报》到现在的《药王故里报》旬报，坚持12年，每户一份，宣传党的路线方针政策，宣传国际国内大事要闻，宣传村“两个文明”建设中的先进典型，宣传科技文化知识，宣传致富信息。电视台开辟专题，进行直观教育。村史馆、档案馆收集了村1952年至今的文书档案和资料，为进行村情村史教育提供了好教材。图书馆、农民文化技术学校使1100多名干部职工受到培训，得到提高。我们运用国际互联网这一先进传媒手段，使中央的会议精神在村级得到及时贯彻落实，收到了事半功倍的效果。2000年2月江泽民总书记在高州市视察时提出“三个代表”重要论述和“双思”教育后，我们通过网上下载，及时组织党员干部村民学习“三个代表”，实践“三个代表”，使我村被誉为全省实践“三个代表”重要思想的典范。我们还成立了精神文明建设委员会、老年人协会、治保会、民调会、妇女禁赌治懒会等精神文明建设和思想政治工作组织，定期对党员干部和广大村民进行爱国主义、社会主义、集体主义，社会公德、职业道德、家庭美德教育，进行法制宣传和移风易俗、破除迷信教育。成立了孙原村农民艺术团，组建了百人农民演唱队、秧歌队、欢庆锣鼓队，坚持利用节日进行演出，丰富了群众的精神文化生活。

（中央文明办秘书组）

播撒文明的种子　为了大地的希望

——文化科技卫生“三下乡”5年综述

近年来，由中宣部、中央文明办等11个部门组织的文化科技卫生“三下乡”活动，在神州大地蓬勃展开。这股“下乡潮”犹如春天的暖流，流过高原、山寨、农舍、田间……为亿万农民群众送去欢乐，送去知识，送去健康，送去党和政府的关怀。实践证明，“三下乡”是社会主义新型城乡关系的生动体现，是增强党同农民群众联系的重要桥梁，是新时期农村思想政治工作的有效载体，是推动两个文明建设的积极力量。

文化科技卫生“三下乡”活动，诞生于1995年12月。当时，中宣部、文化部、农业部等8部委联合发起了文化下乡活动，收到很好效果。1996年底，党的十四届六中全会作出了《关于加强社会主义精神文明建设若干重要问题的决议》。为响应党中央的号召，促进农村社会主义精神文明建设高潮的到来，中宣部、国家科委、文化部、农业部、卫生部等十部门把文化下乡进一步引向深入，联合发起并组织开展了文化科技卫生“三下乡”活动。5年来，无论是大江南北，还是长城内外，到处可见城市文化科技卫生工作者深入田间地头，果园农场，为农民提供服务的生动场面。“三下乡”为什么得以由点到线，由线到面的蓬勃发展，其主要原因是贯彻了党的根本宗旨，抓住了农村走向现代文明的薄弱环节。

农业农村农民问题始终是中国社会主义改革和建设的根本问题。“三下乡”活动，是群众性精神文明建设中产生的新生事物。改革开放以来，特别是随着社会主义市场经济的深入发展，我国农村面貌发生了翻天覆地的变化，农民物质文化生活水平不断得到提高。但是，社会主义初级阶段是不发达阶段，农村尤其不发达。没有亿万农民的小康，就没有全国人民的小康。没有广大农村的现代化，就没有全国的现代化。农业进步的出路在科技，农村发展的关键在人才，农民提高的根本在素质。“三下乡”活动，向广大乡村传播先进文化，普及科技知识，倡导文明生活，恰恰符合国家现代化建设的内在要求，有利于解放和发展农村社会生产力，在满足亿万农民群众脱贫致富奔小康的迫切要求中显示出勃勃生机。

“实干兴邦，空谈误国”。实实在在地帮助农民解决问题，坚决防止和克服形式主义，是“三下乡”活动最为响亮的口号之一。主办单位在活动一开始，就从实处着眼，从实事抓起，明确提出了要办的60件实事。随后，又出台了“三下乡”常下乡的45项措施。全国各地纷纷推出了一批具有针对性、实效性的工程、项目、活动。江西向全社会承诺为农民办58件实事，湖南制定了扎实开展活动的61条办法，福建在调查研究基础上提出了确保“三下乡”常下乡的50项具体措施。重实际，办实事，求实效，一年更比一年实，成为各地各部门组织开展“三下乡”的大思路、新思路、好思路。

5年来，正是秉承这种脚踏实地、埋头苦干的务实态度，“三下乡”活动为农民办了大量实事好事。据不完全统计，共送图书3亿多册，送戏下乡近700万场，电影下乡近2000万场；科技人员下乡600多万人次，举办科技培训班170多万场，2亿多农民参加了培训；下乡医疗队12万支，培训乡村医务人员400万人，给9000多万农民看了病；一大批农民在“三下乡”活动中走上了脱贫致富奔小康的希望之路。事实表明，农民在娱乐中陶冶着高尚的情操，在咨询中明白着科技的威力，在防病治病中领会着健康的概念，在参与中享受着文明的果实。

“三下乡”活动千头万绪，要锦上添花，更要雪中送炭，帮最需要帮助的地区，帮最需要帮助的人。5年来，从中央有关部门到地方始终不渝地把“三下乡”活动的重点放在老、少、边、穷地区，精力尽可能多地往那儿投，物资尽可能多地往那儿送，人员尽可能多地往那儿下，设施尽可能多地往那儿建，信息尽可能多地往那儿传，使最贫弱的群体得到更大的帮助。社会主义、集体主义精神在这一实践中发扬光大。

人们不会忘记1998年那场特大洪水过后，中央和地方有关部门立即组织文艺小分队到灾区广大农村演出，送去党和政府对灾区人民的慰问和关怀；组织科技小分队奔赴洪区，指导农村干部群众防洪排涝，修堤筑坝，选种育苗，尽快恢复生产，重建家园；组织医疗卫生小分队深入灾区的村村寨寨，家家户户，向农民传授防疫知识，消毒治病，送医送药，为实现大灾之后无大疫作出了应有的努力。四川组织“巴山文化列车”，以“共和国不忘老区人民”为主题，跋山涉水2000多公里，深入到南充、达州、巴中等地进行了13场演出，观众达12万多人，受到了革命老区和贫困地区农民的热烈欢迎。内蒙古包头市中心医院在卫生下乡中，根据市扶贫办提供的名单，向贫困农牧民发放“医疗扶贫卡”，持卡者到医院就医减免费用，从而解决了许多贫困农牧民无钱就医的问题。

2000年，党中央吹响了向西部进军的号角，“三下乡”立即行动，提出把工作重点转移到西部，配合国家西部大开发战略，向西部倾斜。从中央文艺团体的慰问演出，到赠送万场电影下乡，从开科普大篷车，到派出特色医疗小分队，都将为西部广大农村的干部群众送去新的欢乐，新的知识，新的服务，激发起他们自力更生、艰苦奋斗，建设美好家园的热情与希望。

实践证明，靠组织几次集中活动，动员人员下乡几趟，送一些东西，还远远满足不了农民对文化科技卫生的渴望。要从根本上提高农村的文化、科技、卫生水平，最终还取决于农村劳动者整体素质和生产力发展水平的提高。广大农村在张开双臂迎接来自城市的文明成果的同时，急切地呼唤着知识更新、思想更新、观念更新的建设力量，与简单的给予相比，建设是一个长期而复杂的过程。5年的“三下乡”实践已经把常下乡的问题摆在了我们面前，我们要继续在实践中回答和解决这个问题。

各地各部门已经在建立下乡机制，推动“三下乡”常下乡方面进行了认真探索，积累了一些宝贵的经验：河北省坚持“送”和“建”的结合，在“三下乡”中实施“小康文化工程”，投入很大力量，帮助农村建设文化科技卫生设施，在较短的时间内使农民的生活条件和生活环境有了一个较大的改善；卫生部门从抓政策导向入手，规定城市医疗机构评审，要把支农情况作为重要内容，城市医院卫生技术人员晋升主任医师和副主任医师，必须有在县、乡医院工作半年到一年的经历；湖北省更是引进市场机制，走市场化的路子，他们组织企业开展送电影下乡，既满足了农民的文化生活需要，又扩大了企业的知名度。

5年来，广大文化、科技、卫生工作者并未因时间的流逝而消减当初的热情，下乡的队伍越来越壮大，服务的内容越来越丰富，城乡交流的层次也越来越深入，从“最初的探望”到“经常的留守”，从“天女散花”到“对口帮扶”，从“给什么要什么”到“要什么给什么”，一种新型的下乡支农的机制，正在这片土地上生根发芽、成长壮大。

农村经济的持续发展，社会文明程度的提高，农民整体素质的增强，需要全社会的帮助和支持。5年来，之所以能够形成到农村去、赶乡镇集、走自然村、进万家门服务农村、农民的“下乡潮”，与各方共同努力，通力合作是分不开的。“三下乡”活动一直得到中央领导同志的关怀，不少部门和地方的主要负责人也关心指导这项工作。许多地方把这项活动作为党和政府为民办实事的重要内容纳入规划，形成了“主要领导负责抓、分管领导具体抓、职能部门共同抓”的工作格局。各部门发挥自身优势，各展其长，各负其责，各尽其职。“京九文化列车”、“大中专学生暑期三下乡”、“西北科普工程”、“九亿农民健康教育行动”、“婚育新风进万家”、“万村书库”等大型集中活动，都是各部门密切配合、共同努力的结果。许多文化科技卫生工作者在下乡的过程中经受了锻炼，他们颇有感触地说，面对着农村缺文化、缺科技、缺卫生的困境，面对着农民群众那一双双渴望知识的眼睛，感情受到触动，心灵得到净化，境界得到提高，感到农村是知识分子施展才能的大舞台。

5年来，“三下乡”已成为群众性精神文明创建活动的一个“名牌”。2000年，中宣部、中央文明办等11部委提出，要以江泽民总书记“三个代表”重要思想为指导，在巩固成果、搞好延伸上下功夫，在提高水平、力求实效上作文章，推动城乡互动，协调发展，为实现跨世纪的宏伟目标作出应有的贡献。我们期待着今天播撒的文明种子，明天结出丰硕的果实。

（2000年11月29日《人民日报》）

天　津　市

开展创建文明城镇“五个一”活动

天津市针对农村精神文明建设面临的新情况、新问题，把县城和小城镇作为农村精神文明建设的关键部位来抓，在全市组织开展以每个建制镇建设好一个城镇培训中心、一个城镇文体中心、一个城镇广场花园、一个城镇规范化集贸市场和一条城镇文明示范路为主要内容的创建文明城镇

"五个一"活动，成为加强农村精神文明建设的重要抓手。

在制定和完善标准上下功夫。市文明办在深入调查研究的基础上，结合实施小城镇发展战略，确定创建活动的具体内容，按照"规模适度、注重实效、适度超前"的原则，两次印发创建活动标准，对"五个一"项目的建设规模、活动内容、管理措施等做出了明确的规定，使创建活动符合农村精神文明建设的实际，有利于满足农民群众对精神文化生活的需求。

在指导推动上下功夫。市文明委召开现场推动会，对进一步深化创建文明城镇"五个一"活动提出明确要求。市文明办把这一活动作为加强农村精神文明建设的重要载体，深入基层现场指导，协调解决创建中的具体问题，对达标城镇实行"以奖促投"。各区县普遍成立活动领导小组，定期对活动开展情况进行督查，推动活动的深入开展。

在发挥作用上下功夫。各区县、乡镇坚持把设施建设同增强功能、发挥作用结合起来。他们依托"五个一"阵地，组织开展丰富多彩、群众喜闻乐见的思想教育和文体活动，陶冶人们情操，深化农村思想政治工作，增强农民致富奔小康的本领，使"五个一"成为宣传科学理论、传播先进文化、服务农民群众、塑造美好心灵的重要阵地，推动了农村精神文明建设全面上水平。

（天津市文明办）

河 北 省 衡 水 市

广泛开展十星级文明农户创建活动

衡水市所有乡镇、办事处的4400多个村开展了十星级文明农户创建活动，涌现出11万户十星级文明家庭。全市开展创建活动实行部门包村和包星相结合的经验，得到了中央文明办的充分肯定，并向全国介绍了衡水市的经验。

衡水市各级党委、政府高度重视，把广泛开展十星级文明农户创建活动摆在农村两个文明建设的突出位置。全市召开会议对这项工作进行研究部署、指挥调度和现场观摩交流，市委常委会专门对此项工作进行了专题部署，并以市委文件形式下发了创建活动的意见，各县市区、乡镇党委、政府建立健全了党委、政府统揽，文明委统一领导、统一规划、统一协调，文明办、妇联负责日常协调组织，职能部门包星的创建工作运行机制。

大力做好宣传鼓动工作，积极营造十星级文明农户创建活动的浓厚舆论氛围。在开展创建活动过程中，把激发群众的参与热情作为首要环节来抓，开展了全方位、多形式、多层次的宣传鼓动工作，具有宣传力度大、宣传形式活、宣传角度准的特点。市县两级新闻媒体分别开辟专栏，集中宣传了十星级文明家庭创建活动的意义、内容、方法、标准及各地创建活动的好经验、好做法，共宣传科技致富典型350多个。

坚持以评星为纲，严格评选程序，真正把评选过程变为对广大农民群众进行思想道德教育的实际过程。在评星过程中着重把握农户自认星级、群众民主评星、村两委定星三个环节。坚持半年初评、年终总评的原则，对星级实行动态管理，并建档立制，确保了评选的质量和效果。

坚持部门包星与部门包村相结合，努力把十星级文明农户创建工作任务落到实处。市文明委在桃城区召开了创建活动现场观摩会，推广了该区包星和包村相结合的经验。桃城区实行部门包星和包村相结合，建立科学严格的部门工作目标管理考核机制，调动部门参与的积极性，形成全党动手，分工负责，上下贯通的社会工作体系。

衡水市农村十星级文明农户创建活动，通过广泛组织发动，严格评选程序，认真落实部门包星与包村责任制，最大限度地调动了广大群众和部门参与创建的积极性，在全市形成了争星、创星、包星的生动局面，促进了农村经济的发展和农民富裕程度的提高，提高了农民思想道德和科学文化素质，强化了农民的遵纪守法意识，优化了社会环境，保持了社会稳定，有效地促进了部门职能的转变，进一步密切了党群干群关系。

（河北省文明办）

河北省邯郸市

把“八大员”队伍建成农村精神文明建设的生力军

在探索精神文明建设的过程中，邯郸市首先在邯郸县组建了宣传员、科技员、民调员、信访员、卫生员、计生员、治安员、评议员等“八大员”工作队伍。他们以“治愚致富”为目的，在全县农村广泛推行精神文明建设“八大员”工作制度，服务群众，服务大局，确保党在农村各项方针政策的贯彻落实，促进两个文明建设的协调发展。邯郸市召开了加强农村精神文明队伍建设现场经验交流会，推广了邯郸县“八大员”工作队伍的经验。“八大员”工作队伍的建立，解决了农村基层精神文明建设队伍力量薄弱的问题。

坚持原则，把好选聘关。农村精神文明建设“八大员”是在农村党支部、村委会领导下的一支群众性的工作队伍。在选聘“八大员”过程中，他们坚持了三个原则：坚持群众性原则，不能由现任村干部兼任；坚持民主性原则，不能由村干部任意指定；坚持先进性原则，“八大员”必须具备较好的政治素质和较强的工作能力。

严格管理，把好培训关。“八大员”是一支群众性精神文明建设工作队伍，素质参差不齐，为了更好地发挥他们的作用，适应工作和形势的需要，必须加强培训，严格管理。（1）日常培训。乡镇党委和村两委定期举办多种形式的培训班，组织“八大员”学习党在农村的方针政策、时事政治以及农村精神文明建设方面的有关知识。（2）对口培训。由市县（市、区）“包员”部门按系统定期组织培训，重点结合部门职责和每个“员”不同的工作需要，进行有关基本知识和工作技能的培训。

明确责任，把好“包员”关。建立健全部门“包员”责任制，形成群众创星，“八大员”帮星保星，职能部门内“包星”“包员”的创建网络。包员部门明确各自的职责、任务和目标，制定切实可行的“包员”措施，加强对口培训，提高“八大员”的政治和业务素质，及时帮助他们解决工作中的实际问题，为“八大员”创造良好的工作环境。

量力而行，把好“待遇”关。“八大员”是一支群众性的志愿者工作队伍，为了保持这支队伍的稳定性和作用的发挥，他们根据经济发展水平，合理地解决他们的待遇问题，做到荣誉奖励和经济利益挂钩，经济补偿主要采取误工补贴或抵顶义务工的办法；在政治待遇上对“八大员”工作成绩突出者，列为村后备干部、在入党、参军、乡镇、企业招工等方面优先照顾。

（河北省文明办）

内蒙古兴安盟扎赉特旗

以小城镇建设为突破口 促进两个文明建设协调发展

扎赉特旗地处内蒙古兴安盟东北部，是国家级贫困旗。国贫旗如何走出贫困、走上富裕、走向繁荣，成了历届旗委、政府面对的一项重大历史使命。

一、以解放思想为先导，以振奋精神为动力，探索一条两个文明协调发展的小城镇建设新思路

旗委、政府在实践中逐步形成了“以解放思想为先导，以振奋精神为动力，以小城镇建设为突破，城乡一体建设，拉动区域经济，促进国贫旗两个文明协调发展”的新思路。在全区社会主义市场经济理论大学习、大讨论中，扎赉特旗干部群众对小城镇建设，思想观念上实现了“三个转变”，一是由政府直接投资发展的旧观念，转变为以创造良好的投资环境吸引资金推动发展的新观念；二是由就农牧业抓农牧业的旧观念，转变为以提高小城镇城市化水平促进国贫旗加速发展的新观念；三是由就经济抓经济的旧观念，转变为两个文明相互促进、协调发展的新观念。

二、以改造环境为重点，以市场运作为主体，集中力量建设两个文明协调发展的小城镇

从1994年到2000年，在环境改造和基础设施建设上，扎赉特旗实施了以道路改造为重点的街道网络建设工程；以城市自来水供应和城市排水为重点的给排水工程；以城镇周边绿化带建设为重点的生态工程；以人工湖、人造河建设为重点的引水入城工程；以改善群众居住条件为重点的安居工程等五大工程。针对国贫旗财政收入水平低的实际，旗里采取了改革预算外资金管理体制增资，出台优惠政策引资，群众投工投劳聚资，镇区土地增值后出售生资，适度举债借资，降低成本节资等六种办法，拓宽了筹资渠道，初步形成了“政府引导，市场运作，社会为主，多方筹集”的机制。

三、以提高人的素质为根本，以教育和活动为两翼，大力推进小城镇两个文明协调发展

在提高思想素质上，组织实施了以提高领导干部思想素质为重点的“换脑工程”；在提高道德素质上，组织实施了以提高机关干部道德素质为重点的“形象工程”；在提高文化素质上，组织实施了以提高人的文化素质为重点的“人才工程”。在“树扎旗形象，做文明市民”活动中，围绕着“讲文明树新风”四项基本任务，组织了“向不文明言行告别”的文明言行战役，“让家乡无处不美”的环境卫生战役，“做文明行路人”的整顿交通秩序战役，“让窗口温馨似家”的优质服务战役。在文明城镇创建活动中，实施了以城镇绿地、景观建设为重点的城镇美化工程；以路灯、灯箱、铁塔和楼房射灯为重点的城镇亮化工程；以楼房外墙重新装饰、粉刷为重点的旧楼换衣工程；以单位庭院、门前美化建设为重点的花园式庭院工程；以社区活动为重点的群众文化工程。在文明行业创建活动中，组织了“让窗口亮起来，把形象树起来”大型系列活动，全旗30个行业部门，132个窗口单位实施了社会服务承诺制。

四、以小城镇建设为突破，以城乡一体化为目标，实施国贫旗整体推进大战略

在旗所在地音德尔镇建造了集广播电视信息传播于一身的铁塔，上了8000门程控交换机，建设了商业一条街，扩建了工业品批发市场。全旗共建设7个专业批发市场，巴彦高勒镇、新林镇定期举办商品贸易集市，有效地解决了全旗市场狭小、信息闭塞、流通不畅的问题。在小城镇规划中设计了经济小区建设，积极促进乡镇企业向城镇汇聚，初步形成了音德尔、新林、巴彦高勒等三个乡镇企业重点发展地区。

带动乡村环境建设，强化小城镇对现代文明的辐射作用。一是建好辐射点。以音德尔镇为中心，7个建制镇的城镇规划及镇容镇貌建设已经进入实施阶段。二是抓好辐射面。以音德尔镇为中心，以7个建制镇为重点，全旗22个苏木乡镇全部编制了建设规划及1996—2000年小康民居建设规划。三是发展辐射线。把111国道、音江公路、音巴公路等主干线两侧村屯的环境治理作为重点，利用农闲季节发动群众开展环境治理大会战。完善了旗文化馆、苏木乡镇文化站、村屯文化室三级文化网络建设；完善了广播电视网络，强化了现代文明的辐射传播力度，全旗形成了点、面、线、网结合，城乡依托并进的辐射格局，带动了全旗小城镇两个文明建设的协调发展。

（内蒙古自治区文明办）

吉林省磐石市

开展创建农村文明小区活动

2000年，吉林省磐石市结合实际，从环境建设、经济建设和文化活动三方面入手开展了农村文明小区创建活动。

因地制宜，搞好环境建设。在抓法上，采取抓两头带中间的方法，即抓好经济富裕村和贫困村的环境改造，影响和带动经济发展中等村。在资金投入上，采取市里“以奖代投”奖励一点，乡镇投入一点，村社集体拿出一点，群众自筹一点，能人化缘解决一点的办法，集中力量对样板村进行建设，使其环境建设达到“八有”（有石砌边沟、围墙栅栏、标准化厕所、自来水、程控电话、闭路电视、农民学校、路灯）标准。其他村屯则依据总体规划，分阶段、分项目搞好环境建设，逐步达到“八有”标准。全市已有50个村屯的环境达到了“八有”的标准，成为各文明小区的样板村。

结合实际，抓好小区经济建设。磐石市结合实际，因势利导，加强了以调整产业结构为主要内容的经济建设。一是打破传统农业的格局，使多种经营产业规模不断扩大，成为农村主导产业。二是加强绿色、无公害农业及生态农业的推广工作，教育农民积极发展绿色农业、生态农业。三是加强农村专业协会的联合工作，使其在产、供、销方面发挥作用。现在，全市已有各级各类农村专业协会600多个，在农村及多种经营产业发展中起到了积极的推动作用。

整体运作，加强文化建设，全面提高农民素质。一是加强了文化活动阵地建设，把标准化农民学校建设纳入文明小区建设的总体规划之中，与文明村环境建设同步进行。现在，全市已有农民学校200多个，其中标准化农民学校已达30多个。二是充分利用农民学校组织开展各种教育活动。先后开展了“两进家”、“四对接”等学习教育活动，组织群众学习政策法规，学习科技知识，学习文明常识，开展“十星级文明户”评比活动，激发农民群众遵纪守法、文明向上的争创热情。三是以小区为单位组织农民群众开展丰富多彩的文化体育活动。如农民运动会、春游、文艺演唱及各种联谊活动，活跃了农民业余文化生活，陶冶了健康向上的生活情操。四是组织开展了“百村书库”工程。通过对口支援、干部捐赠、群众购买等方式，在100个村建立了藏书2000册以上的农民图书室，掀起了农村读科技书的热潮。

农村文明小区创建活动，改善了农村环境，提高了农民素质，发展了农村经济，极大地促进了农村经济发展和整体文明程度的提高，实现了农村两个文明建设有机结合。

（吉林省文明办）

上海市郊农村

扎实推进文明村创建活动

“上海市文明村”是由中共上海市委、市政府命名表彰的先进村，这项创建始于1998年，每年度评选一次。

2000年，上海农村各级党政组织认真贯彻落实市委关于加强农村精神文明建设的要求和各项任务，积极适应城乡一体化进程和上海大力推进农村中心村镇建设的新形势，围绕农村经济发展和促进村镇功能全面发展，继续深入开展创建文明村活动。各村坚持“两手抓，两手都要硬”的方针，按照《上海市文明村镇创建暂行规定》的标准，着眼于提高农民素质和农村文明程度，加强两个文明建设，积极为农民办实事、办好事，涌现了一批“党政领导班子坚强，组织建设好；农工副业稳步发展，经济效益好；村镇建设规划有序，环境整洁好；社会风气健康向上，思想道德好；科教文卫计划生育，全面发展好；综合治理措施到位，安全防范好”的文明村。

经过3年的创建实践，上海的文明村创建已经逐步走上了规范化、制度化创建的良性循环，出现了各级领导高度重视，一把手抓创建形成共识；紧扣农村经济发展这个中心来做文章；多管齐下，着力提高农民素质；坚持把创建工作和为民办实事结合起来；重视农村基层民主建设和社会治安综合治理；创建工作进一步公开化，增强透明度，加强社会监督等新特点。

（上海市文明办）

浙　江　省

全面加强农村精神文明建设

2000年，浙江省积极贯彻《浙江省农村社会主义精神文明建设规划（2000—2020年）》的要求，召开农村精神文明建设工作会议，对现代化进程中的农村精神文明建设进行了具体部署。

以现代化教育为主线，以“双思”教育为主题，加强思想道德教育，提高农村干部群众的整体素质。浙江省围绕提前基本实现农业农村现代化，进行主题教育。一是坚定信念，增强率先基本实现现代化的信心。各地把制定农业和农村现代化规划作为教育的前提和基础，全省1730个乡镇制定了符合本地经济和社会发展的规划，占全省乡镇总数的92.8%；3万多个行政村把乡镇规划进行细化、量化，制定了村的规划，占全省村总数的90.7%。二是突出重点，加强思想政治工作和精神文明建设。在现代化教育中，各地普遍重视方法创新，探索了一些在新形势下紧密围绕经济建设中心、紧贴“三农”实际、切实有效的新鲜经验。坚持以“双思”教育为载体，突出提高人的思想道德素质，加强和改进新形势下思想政治工作，在“破旧俗、改村貌、建阵地、抓活动、育队伍、树典型”等方面有新的突破，人民群众和农村社会的文明程度有了新的提高。三是围绕中心，促进经济社会协调发展。各地农村在农业农村现代化教育中，普遍讨论制定了农业增效、农民增收的措施，推动了农村经济发展。

以创建文明村镇为动力，推动农村精神文明建设6项任务的全面落实。按照省农村精神文明建设《规划》“凡基本实现现代化的县（市、区），县级以上‘文明乡镇’、‘文明村’的建成率应分别达到60%以上”的要求，结合本地实际，制定创建文明村镇总体规划和年度计划，做到有计划开展创建，突出重点，滚动推进。

制定标准，上下联动。省文明委制定省级文明村镇的工作标准，把文明村镇从文明单位序列中列出，明确创建省级文明村镇的具体内容。各市通过开展“十百千”（树立10个示范镇、100个示范村、1000个示范户）、“抓县城带镇（乡）、抓镇（乡）带农村”、“三评一创”（评遵纪守法户、评五好家庭户、评双文明户，创文明村镇）等，加强文明村镇的建设与管理，形成争创省、市、县三级文明村镇的“三级联动”创建格局。

强化细胞，夯实基础。把创建文明家庭活动作为细胞工程来抓。统一评选载体，规范评选程序，形成创建合力。使农村精神文明建设进村入户，打好创建文明村镇基础。

推广典型，带动全局。2000年3月，省文明办在全国创建文明村镇工作先进县嘉善县举办全省各市、县（市、区）文明办主任培训班，现场听取嘉善县经验介绍。8月初，省委宣传部召开了全省创建百家农业和农村现代化建设示范村镇表彰会，表彰了103个示范镇。

用活机制，抓好硬件。形成了国家、集体、个人多方投入的格局，使基础设施建设得到快速发展。农村自来水普及率达80%以上，农村卫生厕所普及率达53%以上；基本实现村村通广播电视，实现了85%的乡镇与县（市）联网，35%以上的行政村与乡镇的光缆联网；农村各种形式的合作医疗覆盖率达40%以上，10万平方米农村卫生院危房得到改造。

（浙江省文明办）

福建省将乐县

建立农村黑板报母报制度

为加强农村宣传教育工作，将乐县委宣传部、文明办联合建立了农村黑板报母报制度。一是建立机构。成立了以县委宣传部、文明办等13个单位人员组成的将乐县农村黑板报母报编委会，定期刊发母报。二是开辟阵地。各乡镇党委、政府和各行政村都设立4块以上的黑板报栏。三是编写内容。由编委会结合业务工作，在每月25日前将下月宣传内容报县委宣传部整理编辑印发到各行政村、居委会，各基层单位可根据自己的实际，增加自编的宣传内容。四是筹集资金。向编委会成员单位筹集一定的打印、邮寄等经费，保证日常工作开展的需要。五是确定抄写员。各乡镇村居委会指定一名写字工整的同志为黑板报抄写员，负责宣传内容的抄写工作。六是督促检查。各乡镇党委宣传委员负责督查落实，县委宣传部、文明办不定期抽查，并将此项工作列入文明村镇考评内容和乡镇党委宣传委员年度考核内容。

（福建省文明办）

江 西 省

举办首届农民艺术节

为弘扬先进文化，用健康有益和丰富多彩的精神生活占领农村文化阵地，进一步加强农村精神文明建设，1999年12月至2000年7月，江西省委宣传部、省文化厅成功举办了首届江西农民艺术节。省委、省政府十分重视这项活动，主要领导亲自担任农民艺术节组委会顾问，省委宣传部从省宣传文化专项资金中批拨出活动和奖励资金，各地市也为艺术节拨筹配套资金，保证了艺术节顺利开展。

半年多来，全省各级宣传文化部门着眼农村，着力基层，服务群众，广泛动员，抓组织、抓创作、抓演出、抓比赛、抓宣传，精心组织广场群众文化活动、舞台艺术表演、摄影书法美术作品展等一系列活动，极大地丰富和活跃了农民的精神生活，取得了明显成效。

艺术节期间，全省77个专业剧团、上百个业余剧团、艺术表演队，以戏剧、小品等形式，演出7600场，演出节目近万个，观看演出的群众达680多万人，送电影5万多场，送春联2万多幅。全省110个群众艺术馆、1800多个文化站、3400多名文艺工作者下乡辅导节目，新创具有浓厚乡土气息的节目1200多个，书画、美术、摄影作品1万多件。同时，成立艺术节评奖委员会，评出地市级组织工作一等奖4个，二等奖3个，三等奖4个；舞台演出节目一等奖18个，二等奖32个，三等奖39个。“农民写，写农民；农民演，农民看”是本届艺术节的一个显著特点。农民自己创作的各类艺术作品占80%，参加演出的农民超过5万人次，年龄最大的近80岁，最小的才6岁。全家齐上阵，夫妻同登台屡见不鲜。万安县农民张卿才一家七口，为创作演出山歌剧《新时代好前程》，在外打工的两个儿子、儿媳，专程赶回来排练演出。他们自编自导自演，以自弹自唱、山歌与电声乐器巧妙结合的形式，由衷地歌颂了农村美好的前程，反映了农民生活质的变化。

与此同时，为扩大农民艺术节的影响，增强感染力和吸引力，主办单位加大了宣传工作力度。组织开展“首届江西农民艺术节好新闻奖”评选活动。半年来，各级各类新闻单位共发表有关农民艺术节新闻作品300多件，扩大了农民艺术节的宣传面，延伸了农民艺术节的效果，营造了浓厚的舆论氛围。

（江西省文明办）

山东省邹城市张庄镇

实行“民情恳谈制度”

改革开放以来，山东省邹城市张庄镇经济有了较快发展，但由于思想政治工作弱化，干群关系一度紧张，成为发展经济的制约因素。有的镇村干部作风浮飘，见了群众绕道走，怕群众；群众只见干部要粮要钱不服务，怨干部。一个“怕”字，一个“怨”字，干群被一道鸿沟两岸隔，少了交流，没了对话，不识民情，隔阂日渐加深，党的方针政策不能及时和群众见面，群众的要求和呼声也传不到干部的耳朵里，思想政治工作被束之高阁。针对这些问题，2000年，镇党委在全镇实行民情恳谈制度，镇村干部和群众平等交流，用真诚和服务去赢得民心，架起干群“连心桥”。参加过恳谈的群众已达1.1万人次、占全镇人口的1/4，听取各类建议3200多条，解决群众提出的问题960多个，2000年全镇没有发生越级上访、集体上访事件。

一是定期恳谈。每个单月的10日为镇民情恳谈日，镇党委、政府召开民情恳谈会，邀请各村、各行业的民意代表到镇机关座谈，镇党委、政府、人大的主要负责人参加。每个双月的10日为村情恳谈日，各村召开民情恳谈会。每个双月的20日为部门、单位民情恳谈日。参加恳谈的民意代表相对固定，镇党委政府确定了100名民情代表，主要由威信较高、有一定参政议政能力的老党员、老干部及一般群众组成。其他群众可自愿参加，与代表享有同样的发言权。

二是不定期恳谈。镇村干部走村串户，随时听取群众意见，每人每月不少于1次，累计座谈人数不少于5人。镇设立民情恳谈室，镇党委、政府、人大负责同志轮流值班，随时接待群众前来座谈交流。镇里统一印制了《民情恳谈记录簿》，镇村及部门干部人手一册，详细记录恳谈情况。

三是搞好民情反馈。在恳谈中，对群众提出的问题，能答复的当场答复，能办理的马上办理，不能解决的逐级上报。对重大问题，镇党委、政府组织专门班子研究解决。每月召开一次专题联席会，集中研究恳谈中群众提出的意见和建议，制定解决问题的措施，并以《督查令》的形式，责令有关单位、部门抓好落实。

四是严格监督奖惩。镇村干部建立了民情责任区，以经营组为基础，约30户为一个责任区。全镇共划分责任区386个，镇机关全体干部、镇直部门负责人、村两委成员每人包一个责任区。同时，镇领导成员每人联系2—3个村庄，每个村庄至少有2名镇机关干部包村。下发《干部联系卡》，上面印上姓名、职务和地址、电话号码等，便于群众联系。镇村干部每月到所属责任区巡访一次。为使恳谈不流于形式，每半年对恳谈情况进行一次检查，详细看恳谈记录，检查恳谈会及《督查令》的落实情况。年底进行总结评比，对成绩突出的表彰奖励，对达不到要求的通报批评。

民情恳谈制度实行两年来，镇村干部的思想政治工作意识不断增强，“察民意、办实事、求实效”在村镇干部中渐成风气，干群关系明显改善。

（山东省文明办）

河南省西峡县

农村文化建设着力实施“四个一”

近年来西峡县针对农村地处深山、信息闭塞，科技文化相对落后的实际情况，强化农村文化基础建设，认真实施“四个一”工程，使农村文化生活丰富多彩。

村村建一个图书室。该县结合农村“万村书架”工程，一是组织县城干部职工和中小学生捐书；二是通过“城乡携手”活动建立起895对“一帮一”文化扶贫友好对子；三是新华书店发挥自身优势建“活动书库”，送书下乡，共送书达6万余册。县委宣传部、文化局等单位分片包村，帮助村级图书室建立健全了图书借阅保管制度，并对290名图书保管员进行集中培训。全县296个村，村村建起图书室，总藏书达78万余册。

村村设置一套阅报栏。每村在村部和人口居住集中的村民小组设立阅报栏，主要张贴《人民日报》、《河南日报》、《南阳日报》等党报党刊，并配有公告栏、信息栏。各村有1—2名责任心强的人负责报纸的贴换及管理。全县阅报栏已达800多套。

村村建好一套调频广播传输网络。县委宣传部牵头，以县广播电台为中心，乡镇广播站为主体，各村广播室为触角的三级农村调频广播传输网络已建成。网络每天除按时转播中央、省、市、县电台节目外，各村还根据农时及生产需要，适时播出有关科技知识及市场信息的自办节目，指导农业生产。2000年春季，地处深山的重阳、陈阳、桑坪等14个乡镇，利用调频广播开办技术讲座220多期，入户率达到95%以上，使90%的农户熟练地掌握了袋料香菇的栽培、管理和烘干技术。

村村培养一支民间文体队伍。县文化局和县体委牵头，在全县各乡镇建起美术、书法、古乐、体育等协会和业余文艺演出队529支。军马河乡长探河村农民剧团坚持自编自演、自娱自乐，长年活跃在农村第一线。几年来，这个仅有25人的小剧团共排演曲剧50多部，演出600余场次，被群众誉为“深山一奇葩”。每逢重大节日，各乡体育协会都举办规模较大的比赛。太平镇、二郎坪、西坪、米坪、丹水等乡镇被省体委命名为“体育先进乡镇”。

（河南省文明办）

河南省洛阳市嵩县

精神文明建设“五入户活动”成效明显

2000年以来，嵩县文明委结合“三讲”教育和“三个代表”思想的学习讨论，在全县农村开展了精神文明建设“五入户活动”。

1. 政策入户：利用村级党员电教中心、百村书架工程和广播电视网络，对广大农户进行邓小平理论和党的基本路线、方针、政策教育，提高农民群众的政治觉悟和理论水平。2. 新风入户：以每户为宣传教育基本单位，通过开展“五好家庭”、“文明农户”评选活动，弘扬文明新风，形成尊老爱幼、勤俭持家、邻里和睦的良好社会风气。3. 法律入户：以农村政策法纪教育活动为载体，巩固和完善政策法纪“明白墙”、“明白人”制度，做好政策、法律、法规宣传，教育农民群众学法、懂法、用法。4. 科技入户：利用乡村教育中心和农民夜校，有针对性地举办各类科技知识培训班，推广实用技术，引导广大农民树立科技致富观念，在农村掀起读科技书，走致富路的热潮。5. 文化入户：巩固和建设好村级文化大院，以丰富多彩的文化娱乐活动，把农民吸引到文化大院、图书阅览室等活动场所，充实群众精神生活内容。

为使“五入户活动”扎实有效地开展，县里制定了详细的活动方案，专门召开会议进行安排布置和督促检查。各乡镇利用文化大院、农民夜校、图书阅览室等阵地，组织广大农民学习政治理论、科技文化、法律法规，把农村的精神文明创建活动变为群众喜闻乐见、易于接受的形式，使农民在潜移默化中提高思想道德素质和科学文化素质。

（河南省文明办）

河 南 省 许 昌 市

卫生下乡力度大　成效显著

近年来，许昌市积极响应中央 11 部委关于开展“三下乡”活动的号召，确立“以城带乡、扶持乡院、服务农民、锻炼干部”的指导思想，实施卫生下乡的“六个一”工程，取得了显著成效。

“六个一”工程：一是县以上医院每年对口扶持一个乡镇卫生院；二是对扶持乡镇农民的健康状况进行一次全面调查；三是对农民进行一次全面的健康知识教育；四是对乡、村医生进行一次系统的业务知识培训；五是抓好一个农村社区卫生服务试点村；六是下派一名中层以上干部到所扶持的乡卫生院挂职锻炼，帮助乡镇卫生院加强管理。“六个一”工程的实施，为卫生下乡工作找到了切实可行的活动载体。

为了切实保证“六个一”卫生下乡目标任务的落实，他们一是建立组织，加强领导。成立了以市级领导为组长的“六个一”卫生下乡领导小组，下设办公室，具体负责卫生下乡工作的组织、协调、督促和验收工作。二是结合实际，制定规划。根据中央和省委对卫生下乡工作的要求，制定了县以上 27 家医院，用 3 年时间把全市 81 个农村乡镇卫生院对口扶持一遍的规划，使全市卫生下乡工作做到了既有长远规划又有近期目标，保证卫生下乡工作每年都有新提高、新发展。三是出台政策，严格管理。充分调动医务人员下乡支农的积极性。规定凡医务人员晋升中级以上职称者，必须通过卫生下乡到乡镇卫生院服务半年以上，否则不能晋升职称；新分配到县以上医疗卫生单位的大、中专毕业生，必须到农村乡镇卫生院锻炼一年；在干部提拔使用时，同等条件下优先提拔参加过卫生下乡的工作人员。四是建立中心，深化服务。以许昌市中心医院为依托，建立了专门为农村卫生服务的专家咨询服务中心，投资 26 万元建立了全市卫生支农微机局域网，通过局域网对乡（镇）卫生院进行业务指导，有关专家在网上进行远程会诊。五是实行目标管理，加大工作力度。把卫生下乡工作列入目标管理，坚持季度抽查，半年检查，年底组织全面考核，奖优罚劣。

（河南省文明办）

湖北省竹山县

创建“十星级文明农户”开创农村新局面

在农民思想道德水平和科学文化素质全面提高的前提下，竹山县以“致富星”为主攻方向开展“十星级文明农户”创建活动。在具体措施上，一是加大“致富星”在千分制指标体系中的比重，引导农民把着力点向“致富星”上转移；二是把“致富星”的争创与扶贫攻坚有机结合起来，在资金投入和项目扶持上向特困村、贫困户倾斜；三是从县领导到有帮扶能力的普通党员干部与特困户开展一帮一的结对扶贫活动；四是对创建热情高、得“星”较多的农户，采取减免提留款等办法，为其争创“致富星”提供一定的发展资金。

坚持按照“四分”（分级负责、分类指导、分层推进、分步达标）的工作指导方针来抓好创建工作。县委责成县委宣传部、县文明办牵头，会同有关部门，集中精力办好12个综合示范村；县委、县政府组织的100个扶贫攻坚（含小康建设、基层组织建设）工作组抓100个村；25个乡镇的党政一把手和分管的副书记、宣传委员各抓1个村（共计100个村）；管理区和村（场）的干部（含农村有工作能力的党员）负责抓20%的农户。无论是县、乡两级负责承包帮扶的村，还是管理区和村（场）干部、党员负责承包帮扶的农户，都坚持在技术、信息、资金、物资，特别是扶贫项目上，给予必要的倾斜。县里每年按照“十星”标准，进行严格的检查验收。每达标一批，帮扶力量再相应地担当起新一轮的帮扶任务。全县农村“十星级文明农户”的创建工作呈现出梯次演进、波浪式发展的良好态势。

在指导思想上坚持把中心工作与“十星级”创建有机结合起来，在工作机制上实现“五个统一”，即统一领导机制、统一目标机制、统一奖惩机制、统一监督机制、统一投入机制。

竹山县“十星级文明农户”创建活动的深入开展，开创了全县农村思想政治工作的新局面，推动了农村经济和社会的全面进步。

（湖北省文明办）

湖北省宜昌市

开展“四进家”活动　把农村思想政治工作落到实处

宜昌市结合农村实际探索出的理论、科技、文化、法律“四进家”活动深受农村基层干部和农民的欢迎，在全市农村产生了较大影响。

一、理论、科技、文化、法律“四进家”活动是农村思想政治工作的有效载体

宜昌市推广远安等县开展农村思想政治工作的经验，在全市农村大力开展“理论进家家家明、科技进家家家富、文化进家家家乐、法律进家家家安”的“四进家”活动，切实把思想政治工作做到农村千家万户，推动了全市农村经济发展和社会进步。

理论进家，树立改革发展新观念。通过开办“农民小康学校”，组织广大理论工作者和宣传干部走村入户，向农民面对面宣讲邓小平理论，宣讲社会主义市场经济知识及党在农村的各项方针政策，帮助农民解放思想，更新观念，开阔眼界，释疑解惑，启发他们“致富思源、富而思进”，坚定积极投身农村改革发展的信心和决心。

科技进家，开辟致富新门路。通过组建市县乡三级科技顾问团开展大规模送科技下乡活动，农技人员与重点专业户开展对口帮扶活动，聘请专家到田间地头给农民讲课、现场指导、组织“科技大集”等，将科技信息、新型实用技术和优良品种送到农民家中，为农民脱贫致富奔小康服务。

文化进家，倡导文明健康新生活。通过开展文化“三送”活动、实施“千千万”工程（建千村图书室、千所农民小康学校、万户农民家庭书架）、建立形式多样的农村文化活动阵地以及发挥民间老艺人作用等，将精神文化食粮送到农民家中，用丰富多彩、健康向上的文化活动占领农村思想文化阵地。

法律进家，创造安定祥和新局面。坚持普法教育与法律服务相结合，采取多种形式，做到普法人员进家，法律条文进家，民调处理进家，增强农民知法守法和依法保护自身合法权益的意识，遵纪守法，见义勇为的良好风尚正在形成，封建迷信、邪教活动和宗派势力得到有效扼制，有力地维护了农村稳定。

二、使“四进家”活动“真进家”、“常进家”

武装乡村骨干，坚持上门宣讲，确保理论进家。针对农村政策理论宣讲骨干缺乏的状况，着重从培训武装骨干入手，为理论进家提供辅导宣讲队伍。一是狠抓乡镇党委理论中心学习组活动。全市所有乡镇党委中心学习组活动都做到了制度化、经常化、规范化。不少乡镇党委中心学习组还结合学习实际，扩大学习范围，吸收村“两委”班子成员参与学习。二是强化基层政工干部队伍的建设，培训理论宣讲骨干。三是组建理论政策宣讲团、工作队，开展党员干部联系农户活动，编印农村理论政策资料发到农家，把邓小平理论、市场经济知识、党的农村政策送进农户家中，送到农民手中。

建立科普网络，坚持专家挂点，确保科技进家。围绕全市“十百千”（全年培植10个科技水平高、辐射作用强的科技示范乡镇，100个科技示范村，培养1000个科技示范户）科普工程实施，采取多种形式，使科技知识落户农家。

坚持“送”“建”结合，吸引农民参与，确保文化进家。引导农民树立文明向上的文化观、婚育观、消费观，自觉抵制封建迷信、落后习俗乃至各种歪理邪说的侵蚀。一是坚持开展送书、送戏、送电影活动。二是建立形式多样的农村文化活动阵地。三是发挥民间老艺人的作用，发掘乡土文化。

多种渠道普法，宣传服务融合，确保法律进家。一是坚持普法教育与普法宣传相结合，重点向农民宣传《农业法》、《森林法》等；二是普法教育与法律服务结合；三是普法教育与农村社会治安综合治理结合。

（湖北省文明办）

湖南省江华瑶族自治县

高起点高标准开展省级文明县城创建活动

江华是湖南省惟一的瑶族自治县。县委、政府一班人以创建文明县城为契机和突破口，找到了县城经济增长和精神文明建设的结合点，取得了很大成绩。居民的思想道德素质和科学文化素质明显提高，文明礼貌蔚然成风。2000 年获得湖南省“文明县城”称号。

领导重视，认识起点高。县委、政府把创建文明县城作为全县产业结构调整的战略工程、经济社会发展的带动工程、改革开放的形象工程、人民安居乐业的幸福工程来抓。县委作出了《关于创建省级文明县城的决定》，制定了《创建省文明县城规划》，成立了以县委书记为组长的创建工作领导小组和办公室。

深入发动，宣传声势大。为把创建文明县城转化为全县广大人民群众的共识和自觉行动，县文明委和创建办多形式、多层面开展了宣传教育工作。一是召开万人大会进行全民总动员。二是举行告别不文明卫生行为万人签名活动。三是认真开展创建省级文明县城集中宣传月活动。

扎实创建，活动效果好。一是制定印刷了《江华瑶族自治县城市管理办法》1 万余册，发至县城各单位干部职工、居民，组织干部群众认真学习和贯彻落实。二是实施“六化”（即净化、美化、绿化、亮化、硬化、特色化）工程。三是集中整治脏、乱、差状况。坚持每月进行一次群众性爱国卫生大扫除活动。四是开展文明素质教育活动。在县直单位共创办各类文明学校 12 所，以文明学校为依托，经常开展各类形式的学习教育活动，使城镇居民的科学文化素质和思想道德素质明显提高。五是开展了文明小区、文明单位、文明私营企业个体户、文明服务示范车、无假货示范商店等群众性精神文明创建活动。

（湖南省文明办）

广东省湛江市遂溪县

开展“四通五改六进村”活动

遂溪县地处广东粤西经济欠发达地区。2000 年遂溪县结合农村实际，以开展“四通五改六进村”（即通电、通路、通邮、通广播电视，改水、改厕、改路、改灶、改造住房，党的政策进村、优良道德进村、法律教育进村、先进文化进村、卫生习惯进村、科学技术进村）活动为载体，切实加强农村思想政治工作和推进文明小康村建设，取得了显著成效，涌现出一大批无封建迷信活动、无吸毒赌博、无乱埋乱葬、无宗族纠纷、无脏乱差的“五无”村镇。

一、以“四通五改”为切入点，改善农村的生产生活环境，改变农民落后的生活方式

搞好规划。通过广泛宣传《规划法》以及《村庄和集镇规划建设管理条例》，提高干部群众的规划意识，并组织村镇干部外出参观学习，邀请专家技术人员进行科学论证，合理规划，严格按国家和省村镇标准，较好地保证了规划的质量。

加大投入。近年全县仅投入“四通”建设资金达3亿多元。

抓好整治。针对农村乱占、乱建、乱堆、乱用、乱种、乱排等脏乱差现象，在“四通五改”中，加大了整治力度。

发动群众。通过召开会议，利用广播电视、宣传车、黑板报等渠道，同时组织现场参观，派干部分片包村、进村入户宣传，提高农民的思想认识，使农民从“不愿改”到“我要改”，自觉投入到“四通五改”活动中。

城乡共建。广泛开展“一帮一”活动，县直机关和乡镇机关每个单位负责动员扶持一个自然村开展“五改”活动。机关、事业单位的干部职工每人负责动员扶持一户农户进行改水、改厕、改灶、改造住房。

二、以“六进村”为抓手，占领农村思想阵地，改变农民落后的思想观念

遂溪县针对农村封建迷信、乱埋乱葬、超生抢生；社会治安不稳；民风浮躁，矛盾容易激化；基层组织涣散，干群关系紧张；生活方式落后等突出问题，在农村广泛开展了“六进村”活动。将“提倡科学精神，反对封建迷信；提倡勤劳致富，反对好逸恶劳；提倡健康娱乐，反对赌博淫秽；提倡移风易俗，反对乱埋乱葬；提倡优生优育，反对超生抢生；提倡和睦团结，反对宗族纠纷”的内容，通过“六进村”渗透到千家万户，有效地加强了农村的思想政治工作。

抓队伍建设。进一步加强农村基层组织建设，发挥农村党组织战斗堡垒作用。

抓阵地建设。村村建起文化活动室、宣传信息栏、村务公开栏、阅报栏等宣传阵地。全县20个乡镇基本都建起了文化站。

抓村规民约建设。通过引导帮助村民制定村规民约去实现农民自我管理、自我约束。

抓典型带动。注意挖掘、培育和树立一批典型村庄、典型人物，用他们的先进事迹、工作经验鼓励、带动全县思想政治工作和创建文明村镇活动。

抓活动推进。结合各个时期的工作重点，在各个不同层次、不同方面开展主题活动。如开展“治脏变净、美化家园”主题活动。主题活动的开展，推动了创建活动的发展，全县共有省级文明村镇、文明单位5个，市级50个，县级305个，镇文明户、文明家庭万户，形成以镇带村，以村促户，共促文明的好局面。

（广东省文明办）

广西苍梧县

开展创建“十无”文明村活动

2000年4月，苍梧县委、县政府发出了在全县农村开展创建“十无”文明村活动的通知，内容包括“无涉毒、无赌博、无偷盗、无失学、无纠纷、无治安案件、无封建迷信、无环境污染、无拖欠税费、无违反计划生育政策”等10个方面。开展“十无”文明村活动，其目的是引导人们正确认识和处理人与人、人与社会以及局部利益和全局利益，眼前利益和长远利益的关系，引导人们树立正确的世界观、人生观、价值观，引导人们提高崇尚科学意识、遵纪守法意识，建立和谐文明家园意识，引导人们在参与创建活动中得到实惠，同时也受到教育，提高自身素质。

根据县委、县政府的通知精神，县委宣传部、县文明办有意识、有重点地在全县17个镇分别抓了1—2个示范点，并把“十无”文明村的具体内容统一印发到各镇农户。各镇党委、政府也根据各自实际情况，专门成立了创建“十无”文明村的领导机构，抓示范，抓重点，及时全面铺开，使创建活动踏踏实实，有声有色地在农村广泛开展。经过一年的实践，苍梧县农村的精神面貌发生了很大变化。经严格考核验收，苍梧县委、县政府命名了首批“十无”文明村15个。

（广西壮族自治区文明办）

广 西 北 流 市

“结一联十”连万家 精神文明结硕果

广西北流市委、市政府根据中央和自治区党委要求，把农村精神文明建设和思想政治工作作为重中之重来抓，从2000年元月起在全市开展一次规模浩大的、体现北流主旋律的大型思想政治工作活动，即“结一联十心连心”活动。这项活动内容是机关事业单位的党员干部扶持困难农户，联系普通农户，全市2.1万名党员干部与22万农户结对子，交朋友。这项活动的目的是以为民办实事、送温暖为重点；以密切党群关系、干群关系为纽带；以解决群众思想和实际问题，促进农村经济发展、农民增收、生活环境改善、农民素质提高和社会进步为目的。这一活动的做法可概括为：结一联十连万家，思想工作网络化，好事实事做上门，干群共育文明花。

在开展“结一联十心连心”活动中，市委、市政府向包户干部提出明确的任务和目标，包户干部要做到“五上门五帮助”，一是上门办实事，共建美好家园；二是上门抓教育，帮助提高农户家庭成员的素质；三是上门送项目，帮助农民创业致富；四是上门谈家常，帮助调解家庭邻里矛盾；五是上门送温暖，帮助农户创建小康文明户。

北流市通过广泛深入开展“结一联十心连心”活动，精神文明取得丰硕成果，进一步密切了党群、干群关系；促进了村风民风的好转；使党的方针政策和党中央领导的声音及时进村入户到人，改变了以往断层的现象；维护了社会稳定，提高了农民素质和生活质量；涌现出一大批小康文明户，文明村、镇，推动了农村经济的发展。

（广西壮族自治区文明办）

四　川　省

创建文明县城活动

四川省文明委根据本省《关于开展评选文明县城活动的实施意见》和《关于印发〈文明县城条件〉的通知》精神，2000年开展评选创建文明县城先进城活动。在各县自愿申报的基础上，严格坚持文明县城标准条件，经市、州委、政府复核审定同意后，向省推荐一个创建质量高的县城参加评选。各市、州推荐参加评选的县城，达到：(1) 开办了文明市民学校，每个街道、居委会都有学习地点、教材、培训制度和教师；(2) 县城市容市貌整洁美观，消除了脏、乱、差现象，绿化、净化、美化、亮化程度较高，在全省处于领先水平；(3) 要有一条以上的街道为精神文明建设示范街或无假货一条街等样板街；(4) 要有一个以上供市民休闲、娱乐、活动的文化广场或绿化广场；(5) 主要街道和交通要道道路硬化、整洁、美化，交通秩序良好，商家不占道经营；(6) 城乡结合部没有卫生死角或垃圾堆放，居民、农民院落干净整洁；(7) 广泛深入地开展了以县城为中心的讲文明树新风活动，成效明显。

近一年来，各市州从实际出发，量力而行，认真规划，制定措施，确定目标，分工负责，部门配合，以提高市民素质和改善市容市貌为重点，合力创建，全省大部分县城市民的思想道德素质有了不同程度的进步，县城的脏、乱、差状况和市容市貌有了明显变化。创建文明县城工作的普遍开展，为四川省实施“西部大开发”战略，创造了较好的环境和条件。金堂、三台、南部、苍溪、长宁、石棉被省委、省政府授予四川省文明县城创建工作先进称号。

（四川省文明办）

西藏江孜县城关镇

以教育为先导　以活动为载体　创建文明村镇

江孜县城关镇党委以教育为先导，以活动为载体，坚持“两手抓”，努力创建文明村镇。

一是狠抓“治乱治愚”教育。对城镇居民及僧尼进行宣传教育。组成帮教小组，签订《青少年教育合同书》，每季度对社会无业青年进行一次爱国主义、知法守法教育。每年对举报乱砍滥伐，毁林破堤的好人好事进行表彰。组织科技人员，定点定户进行科技扶贫。对生活管理不善，没有计划的困难户，教他们学习科学文化知识，帮他们制定和学习科学的管理方法及技能。做到了家家户户都能在逐步破除愚昧的同时，提高自身的生产能力和知识水平。

二是狠抓创建活动。第一，设文明示范点，发挥辐射作用。镇党委在宗堆居委会和东郊村建立两个精神文明示范点、34 个文明户。为了切实发挥先进的模范带头作用，对已授牌的文明示范点、文明户进行重新考评。主要从家庭和睦、邻里团结互助、卫生清洁、热爱科学、有无市场经济和法制观念等内容上入手，经过组织调查核实，群众大会评选后，对确实起到示范作用的继续挂牌，不能继续示范的予以摘牌。同时，对符合评比条件迎头赶上的村户进行表彰、奖励，并确定为新的文明示范点，形成了“先富帮后富，先进帮后进”的梯状辐射效应。第二，清洁环境，建设家园。组织妇女、青年团员对卫生死角地带每年进行 5—6 次的大扫除，清洁城镇环境。并明确了区域分工制度，设立卫生流动红旗，定期检查评比。尤其在春节、达马节、藏历年期间，组织进行美化家园活动。第三，丰富活动内容，树立良好风尚。在每年 5 月的残疾人节和春节、藏历年间，镇党委组织青年团员看望残疾人和孤寡老人。八一建军节和春节、藏历年，镇里举行拥军优属活动，对驻地解放军和武警官兵进行慰问，形成了军爱民、民拥军，通力合作、共建家园的良好社会新风尚。利用农闲或宗教节日组织赛马、拔河、文艺等娱乐活动，丰富群众精神文化生活，增强崇尚科学文明意识。

（西藏自治区文明办）

西藏山南地区

找准“四个切入点”
深入开展创建文明村镇活动

山南地区深入开展创建文明村镇活动，找准四个切入点，人民群众的思想道德素质和科学文化素质得到提高，陈规陋习不断被抛弃，宗教影响逐步淡化，科学、文明、健康的新生活走进了千家万户。

一是以爱国主义教育为切入点，消除达赖集团反动思想的影响。地委宣传部、文明办等单位组成工作组，在浪卡子县开展爱国主义教育试点，将试点经验在全地区推广。编写通俗易懂的教育材料，发放到村，组织群众学习；组织群众参观兄弟省市援建的重点工程，感受祖国大家庭的温暖；组织参观农奴主庄园，了解旧西藏的落后与黑暗；组织群众开展演讲、歌咏比赛、知识竞赛、文艺演出等活动，增强对祖国、对社会主义的热爱。

二是以普及实用科学技术为切入点，淡化宗教影响。地区和各县科委紧密配合，大力实施“科技明白人”工程，在各乡轮流举办培训班，为每户培养一名起码掌握一项农牧业实用技术的劳动能手。人民群众从科普中获得了实实在在的利益，懂得了科学能致富，幸福靠勤劳的道理，不再拜佛敬神求来世。

三是以破除陈规陋习为切入点，树立文明新风。各级文明办把人畜饮水分开、修家庭厕所、垃圾堆放规范、讲究个人卫生、依法登记结婚、计划生育、市场经济观念等内容列入创建活动之中，作为标准，严格检查。信科学、讲卫生、不酗酒、结婚依法登记、少生优育、合理淘汰牲畜等新观念成为时尚。四是以评选文明户为切入点，把创建任务落到实处。根据农村牧区的特点，制定评选文明户标准，印成藏汉文小册子，发到每户。每年召开村民大会评比一次，采取自报公议的办法，先由各家自评，然后集体评议，最后村民表决，得票超过半数以上者挂文明户牌匾。群众对这种评比活动非常投入。小小的红色文明牌，调动了家家争当先进的积极性，使每个村民感受到荣誉的鼓舞和落后的压力。

（西藏自治区文明办）

陕西省岐山县

不断深化“十星级文明户”评选活动

岐山县大力开展创建“十星级文明户”活动，取得实效，被陕西省委、省政府树立为省级十星级文明户示范县。

为保证创建活动健康发展，取得实效，岐山县在建立有效运行机制上下功夫。完善领导机制。县、乡镇和村都成立了由党政“一把手”挂帅的领导机构和评委会，文明办和各乡镇、村都明确专人负责创建工作。岐山县文明办把此项活动作为考核乡镇和部门工作的硬指标，坚持跟踪考评，并与评选先进、晋升职务、命名文明单位（村）挂钩。完善管理机制。制定《十星级文明户管理办法》等制度。四是落实奖惩制度，坚持物质奖励与精神鼓励、政策激励相结合，对在活动中成绩显著的授予一定的荣誉称号，给予管理人员一定奖励；对评为“十星级文明户”的农户，除隆重上门挂牌和发给一定奖金、纪念品外，在子女上学、划分庄基、外出参观等方面给予优惠，调动干部群众参与创建活动的积极性。

针对创建活动中存在的评选程序不规范，认星定星不公开，增星降星不及时，档案不齐全等问题，岐山县一是细化量化评选标准，完善评选程序，二是实行建档立簿、加强动态管理。将农户评星过程、星级情况、平时各项任务完成情况、典型经验材料等归卷存档，做到平时跟踪考核、半年进行复查、年终总评奖惩，杜绝终身制。三是抓好示范，推广典型，带动全局。全县重点抓了4个示范镇，35个示范村，各村还确定了示范组和示范户，有效地推动了面上的工作。

岐山县的“十星级文明户”创建工作始终围绕农村中心工作开展活动，坚持做到了四个结合：一是与思想道德教育和科学文化教育相结合；二是与农村“四教育”和基层组织建设相结合；三是与整治村容村貌相结合；四是与创建文明村镇、五好文明家庭、婚育新风进万家等群众性创建活动相结合。通过扎实的创建活动，促进了农村经济和各项社会事业的发展。

（陕西省文明办）

甘肃省张掖地区

突出工作重点 深化“五乡”创建

张掖地区各级党政组织扎实有效地开展“教育之乡”、“科技工作先进乡镇”、“文化之乡”、“卫生之乡”、“体育之乡”（简称“五乡”）创建活动，不断适应新形势，增加新内容，增强新优势，赢得新发展，为实施西部大开发和全区经济、社会的协调发展提供了强有力的精神动力，智力支持和思想保证。

一、加强组织领导，实行目标管理

地委、行署把创建“五乡”活动统一纳入《张掖地区精神文明建设目标管理责任书》，地委同6县市委签订责任书，又同行署教育处、科技处、文化处、卫生处、体育处等5个业务主管部门签订责任书，各县市委又同乡镇和县市业务主管部门层层签订目标管理责任书，把创“五乡”的目标任务细化、量化，层层分解落实到基层。地区各业务主管部门统一制定“五乡”创建标准，由地区精神文明建设办公室汇编成《张掖地区精神文明建设工作手册》，印发到各县市和乡镇，并根据形势发展需要，适时调整和充实创建内容，使创“五乡”活动常创常新。不断加大督促检查力度，年中，地区各业务主管部门会同地区文明办深入各乡镇，对创建情况进行督促检查指导，及时发现和解决创建工作中存在的问题，总结创建活动的经验。年终，地区各业务主管部门按责任目标的要求，对照标准，逐乡镇进行检查验收，高标准、高质量地进行验收，最后报请地委委员会议审定，以地委、行署的名义表彰命名。

二、围绕经济建设，深化创建活动

创建“科技工作先进乡镇”活动以邓小平“科学技术是第一生产力”的思想为指导，实施科教兴区战略，加强技术创新，狠抓科技成果转化，努力提高劳动者的科学文化素质。建立乡级以上农业科技服务机构，村级科技服务组织，农村技术协会、研究会；建立技术市场、科技咨询服务、信息服务等中介服务组织，农业高新技术示范基地，各类专业试验示范点，科技示范户；全区93个乡镇和90%的村建起了农科教中心。每年接受科普教育的劳动力达40万人（次）以上，有近20万名青壮年获得了绿色证书，每个劳动者掌握了2—3项农业实用技术。高起点规划、高标准建设、高科技组装、高效率运转的15个各具特色的示范园区在高效节水农业、设施农业、立体农业、精品农业、生态环境保护等方面起到了良好的示范带动作用。全区有3个县市相继建成了全国科技工作先进县市。

创建“教育之乡”活动坚持把教育放在优先发展的战略地位，有力地推动和促进了全区农村劳动者素质的提高和农村各项事业的发展。全区已建起教育地面接收站216个，有462所中小学建起了微机室，微机数达到4000多台，在现代信息基础建设方面走在了全省前列。创建活动把实现普及九年义务教育和基本扫除青壮年文盲的目标作为“教育之乡”的一个重要标准，促进“两基”的实现和巩固提高。

“体育之乡”创建活动以开展全民健身活动为基础，加强场地基础建设，坚持群众教育和竞技体育协调发展。全区农村乡镇每年开展农民体育活动3600次以上，总人数21万人次左右；85%的乡镇建立起了有灯光设施的高标准篮排球场地。全区农村学生参加《国家体育锻炼达标》测验的达标率稳定在97%以上。通过创建活动，临泽县、张掖市、山丹县创建为全国体育先进县，高台县创建为全省体育先进县，5个乡镇被国家农业部、国家体育总局和全国农村体协评为“全国亿万农村健身活动先进乡镇”，50个乡镇被省命名为体育先进乡镇。

“文化之乡”创建活动以农村小康文化建设为主，以丝路长廊4县市20个长廊文化站、46个村文化室（书库）建设为契机，开展群众性的文化活动。共建成全国文化先进县1个，全省文化先进县4个，省级一类文化站21个，省级示范村书库6个。全区每年用于文化事业的投入不低于财政支出的1.5%。以旅游文化搭台，展示民族特色文化的“金张掖马蹄寺旅游观光节”，为招商引资，发展地区经济发挥了重要的作用。创建文化之乡活动，有力地促进了农村群众文化活动的蓬勃开展，农民文艺骨干近万人，农民书画家、剪纸艺术家队伍日益壮大，丰富了农民的文化生活。

“卫生之乡”创建活动进入农村千家万户，形成了人人动手，户户参与的良好局面，“九五”末共建成省级卫生县城4个，地级卫生县城2个，全区乡镇卫生院达到“一无三配套”（无危房，人员、设备、管理配套）的75所，占卫生院总数的80%。农村卫生面貌大为改观，乡村道路、农户庭院硬化美化绿化达70%以上；农村改水改厕工作有了突破性进展。

（甘肃省文明办）

甘肃省兰州市西固区陈坪乡

坚持四个教育　突出五项建设
创建文明村镇

陈坪乡地处兰州市近郊。党的十四届六中全会后，乡党委、政府发挥区位优势，在努力发展经济的同时，全面实施精神文明建设系列工程，以培育新一代“四有”农民，提高全乡人民的思想道德素质为根本，确立了“围绕一个中心，坚持四项教育，突出五项建设，开展五项活动，争创全国文明村镇”的精神文明建设工作思路，促进了全乡两个文明建设的协调发展。

一、四项教育

一是进行邓小平理论教育。陈坪乡把用邓小平理论武装、教育广大党员、干部群众作为思想道德教育的首要任务来抓，认真开展“五讲”教育和党员“双学”、党员冬训及电化教育，干部、入党积极分子理论培训等活动，引导广大党员、干部群众进一步解放思想，转变观念，坚定信心，努力建设社会主义现代化新农村。

二是进行爱国主义、集体主义、社会主义教育。通过组织收看抗洪专题片、红岩魂展和学习孔繁森先进事迹等，引导农民树立坚定的社会主义信念和正确的世界观、人生观、价值观，树立集体主义观念，增强集体主义意识；树立勤劳致富、共同致富的观念。在实践中，他们把爱国主义、集体主义、社会主义教育同自力更生、艰苦奋斗、传统美德教育有机结合起来，提高了农村干部群众的思想素质。

三是进行社会主义道德教育。通过组织《农民思想政治教育读本》、《村规民约》等宣传教育活动，引导广大群众形成爱护公物、爱岗敬业、团结友爱、文明礼貌、移风易俗、见义勇为的社会新风尚。现在村民的社会公德、职业道德、家庭美德教育面均达100%，村规民约知晓率达90%以上。

四是进行民主法制教育。以推进依法治乡进程为目标，大力开展“三五”普法教育，通过组织法律知识竞赛、答卷、巡回展览等普法宣传教育活动，重点对《婚姻法》、《甘肃省计划生育条例》、《土地管理法》、《治安处罚条例》等实用法律法规进行宣传，提高广大干部群众依法办事和知法、守法、用法的自觉性和能力。

二、五项建设

一是组织建设。他们坚持每年对村级组织进行教育整顿，及时调整充实乡村两级领导班子，抓住关键，选好农村两个文明建设的带头人。有计划、有重点地加强培训，提高农村党员干部的整体素质，增强班子的凝聚力和战斗力，使乡村两级党组织真正成为加强农村两个文明建设的坚强堡垒。

二是思想道德建设。把提高人的思想道德素质作为加强农村精神文明建设的根本任务，从养成教育入手，充分发挥乡党校、文明村民学校、农业技术学校和6所中、小学校的教育功能，广泛开展社会公德、职业道德、家庭美德、青少年品德教育，引导和教育广大农民树立社会主义道德风尚，促进村风民俗的明显好转，养成文明、健康、科学的生活方式和消费观念。

三是环境建设。认真落实村镇规划，对乡村道路、住宅区、乡镇企业、市场建设等进行合理布局，加快城市化进程。全乡的主次干道全部硬化，所有村庄实现了通车通电。6个村全部接通了程控电话。广播电视覆盖率达95%以上。乡村饮用水基本达到国家卫生标准，自来水入户率达100%。建立健全了卫生清扫、垃圾清运、绿化美化制度，加强垃圾清运队伍建设。大力整治农厕，推行水冲式、漏斗式厕所，“脏、乱、差”现象基本得到根治，村容村貌整洁优美。

四是基础设施建设。把教育摆在优先发展的战略地位，初步形成了学前教育、九年义务教育、成人教育和校外教育网络。先后投资240万元兴建教师住宅楼，投资15万元修建东湾小学教职工宿舍，投资70万元完成新滩、范坪、小坪学校校舍、取暖等配套设施建设，投资10万元建成陈官营小学电脑室，3所学校实行免费教育。各村文化活动室均已达标，投资210万元建成一所标准化文化站，一所标准化儿童乐园，一所省二级标准敬老院，为不同层次群众提供了文化娱乐场地。投资60万元对已达到一级甲等医院的乡卫生院进行翻建，各村也不断加大投入力度，逐步提高村卫生所医疗水平。

五是经济建设。紧紧围绕经济建设这个中心，确定“巩固农业基础地位，大力发展乡镇企业，促进第三产业大发展”的总体经济发展思路，使全乡经济持续、快速、健康发展。

三、五项活动

一是广泛开展“讲文明树新风”活动。把开展好“讲文明树新风”和“三从八不”行为规范教育活动作为创建文明城市和文明村镇的突破口，从教育入手，把着眼点放在提高人的素质上，深入开展宣传教育工作。结合乡村实际，围绕“文明言行、环境卫生、服务质量”等方面存在的问题，有针对性地进行集中整治活动，认真推行“三从八不”行为规范、落实“门前六包”责任制，进行环境卫生集中整治，增强群众的文明意识和环境意识。乡机关还实行公示制，各村实行了村务公开民主管理制度，接受群众监督，从而提高了工作效率，进一步改善了机关作风。密切了党群、干群关系。

二是深入开展创建文明村镇活动。以创建和提高国家级文明村镇水平为目标，加大工作力度，吸引农民群众广泛参与。制定《陈坪乡创建全国文明村镇示范点实施方案》、《争创省级文明乡、村实施方案》，对创建工作做出全面的安排布署。

三是坚持开展评“三户”活动。在创建活动中，确定创建内容，制定评选标准，严格评选程序。坚持村民申报，村民会议推选，村支部审查复核，乡党委审批的自下而上原则，把握好公布、挂牌、兑现奖励三个关键环节。实行动态管理，不搞终身制，每年评选一次，达标挂牌，不达标摘牌，并建立起完整的评选档案。同时，还开展创建“五好文明家庭”和“优秀家庭成员”活动。

四是广泛开展群众性文化体育活动。经常组织丰富多彩、多层次的文体活动，满足广大农民群众日益增长的精神文化需求。以青少年为重点大力开展学校体育和全民健身运动。组织农民积极参与春节社火表演，举办农民运动会、乡镇企业职工运动会、文艺演唱会和民间戏曲演唱会等农村小“四会”活动。

五是坚持开展社会治安综合治理和专项严打活动。认真落实社会治安综合治理领导责任制，深入开展创建治安模范乡和安全村活动，积极做好暂住人口及特种行业的治理清查工作，适时开展严打斗争，坚决查禁“黄赌毒”等社会丑恶现象，促进社会治安综合治理各项措施的落实。

（甘肃省文明办）

甘肃省民乐县南古乡城东村

开展“致富思源、富而思进”主题教育活动

民乐县南古乡城东村在开展“双思”教育活动中，坚持把“致富要思源，思源为思进，思进求发展”作为主题贯穿始终，在“思进”上作文章，在“求进”上下功夫。主要从6个方面进行了“双思”教育：一是从忆苦思甜和今昔对比入手，教育群众认识富裕之源是什么？从而激发群众珍惜今天的繁荣。二是从富而思进入手，教育群众克服小进则满、小富即安、固步自封、安于现状的思想，树立勇于开拓进取、不断发展新优势的意识。三是从富而思俭入手，教育群众坚持发扬艰苦奋斗的优良传统，提倡勤俭办一切事业的作风，坚决克服富而变奢、富而不劳的“富贵病”。四是从富而思教入手，教育群众大力发展文化教育事业，全面提高群众的科学文化素质和思想道德水平。五是从富而思廉入手，教育干部群众按照江泽民同志“三个代表”重要思想的要求，从严治党，从严执政，从严治村，切实抓好党风廉政建设和反腐败斗争。六是从富而思学入手，教育群众学科学、用科学、向科技要效益。他们分层次突出如下重点：对党员以村组干部为重点；对家庭以户主为重点；对群众以青年为重点。针对农闲和农忙时节的不同特点，分别采取集中教育和经常性教育相结合，聘请各方面专家进行实用技术培训和法律法规讲座，户均达到了一个“科技明白人”，户均掌握1—2门实用技术。学法律，创遵纪守法户；学科学，创科技示范户；学文化，创文明示范户蔚然成风。

（甘肃省文明办）

宁夏平罗县

农村文化活动呈现“一乡一色”

平罗县把发展农村文化作为加强农村精神文明建设的重要措施，2000年他们认真贯彻江总书记“三个代表”重要思想，进一步加大了文化建设的力度，提出用3—5年时间，把平罗县建成全区一流的“农业大县，经济富县，文化强县”。按照这一思路，县里先后拿出20多万元，对部分乡

镇的宣传文化中心进行了维修和改扩建。投入30多万元，用于挖掘传统的民间文化艺术，组织开展群众喜闻乐见的文化娱乐活动。他们根据各乡镇文化活动各有不同的实际，坚持全面发展，突出重点，因势利导，扶持特色。头闸乡农民画家王洪喜的书画艺术闻名区内外，其作品曾多次在全国农民书画展中展出，他个人也多次在区、市、县举办书画展。在他的带动下，头闸乡涌现了一批农民画家。县里抓住这一特点，在该乡重点发展书画艺术，成立了由30多名农民书画爱好者组成的农民书画艺术创作队伍。古城乡的农民剪纸已经形成了传统，在当地及周边地区都有一定名气，县里积极组织，成立了农民剪纸艺术队。平罗县还根据各乡镇农民文化活动的特点，在城关镇成立了秧歌队、腰鼓队，在黄渠桥乡成立了社火队，在六中乡成立了农民文艺宣传队，在高庄乡成立了象棋协会，在宝丰镇成立了篮球队，形成了“一乡一色”的农村文化活动新格局。各乡镇的农民文化活动队伍成立后，定期组织开展活动。2000年县里先后举办了4次农民体育比赛，利用“五一”、“十一”等重大节日举办农民文艺演出5次，举办文化广场23期，直接参与的群众达到万余人，观众累计达到30多万人（次）。文化活动的开展，极大地丰富了农民群众的精神生活，有效地调动了农民的生产积极性，促进了农村社会风气的进一步好转。2000年全县粮食产量比上年增加了一成，农民人均纯收入提高了6个百分点，赌博、封建迷信等各种不正之风得到了有效遏制，农民群众崇尚科学，学习文化的热情高涨，全县参加各种形式农业科技培训的人员达30多万人。

（宁夏回族自治区文明办）

宁夏中卫县

开展“城乡共建精神文明”活动

全国精神文明建设示范点——中卫县，认真贯彻全国农村精神文明建设座谈会精神，按照农村思想政治工作及农村“三个代表”教育的要求，积极探索以城带乡，以乡促城，“城乡共建精神文明”的新路子，坚持把为群众办实事，求实效，让农民得到满意，让农民得到实惠，建设富裕文明新农村作为突破口，形成了城乡精神文明建设相互促进，相互受益，协调发展的新格局。

中卫县以辽宁开原为榜样，结合本县实际，重新制定了精神文明建设5年规划，并将创建任务列入两大文明建设的责任书，实行目标管理。选择20个市、县级文明单位与基础较好的村镇结成对子，实行强强联合，开展共建活动。做到四个结合，一是与实现农业产业化，推广农业科技，发展优质高效农业，增加农民收入结合起来。二是与帮助农民更新观念，掌握新知识，提高科技文化素质结合起来。三是与改善村容村貌，美化城乡文明环境结合起来。四是与城乡社会治安综合治理结合起来。以硬化、美化、净化、绿化城乡环境为重点。从人力、物力、财力上给予投入和支持，完善创建活动的软、硬件设施，提高创建水平。

在城乡共建活动中，各共建单位从解决农民关心的实际问题入手，从小处着眼，从具体事情抓起，净化生活环境、市场环境、文化环境、积极推广思想道德进农家、科技文化进农家、法制教育进农家、文明生活进农家的“四进”活动。把坚持经常性的科技文化卫生“三下乡”活动作为提高农民科技文化水平、改善生活条件和实现脱贫致富奔小康的有效途径。各共建单位都积极为村镇捐助电教设备，图书杂志和文化娱乐活动器材，加强乡村文化阵地建设，丰富了村民的文化娱乐活动。

县委、政府始终把美化、硬化、绿化城乡环境作为共建重点，先后投资实施了人民广场、高庙公园等文化活动设施为标志的城市“亮化工程”、“文明形象工程”和红太阳广场、中卫中学孟长有烈士塑像等一批群众文化基地和爱国主义教育基地。为美化城市、支援城市建设，东园乡东园村与县建筑公司共同开发建成了4.4万平方米的人民广场，城关镇雍楼村投资1000万元建设美化县城步行商业一条街。乡村还积极组织农民社火队和农民艺术队，利用重大节日送戏进城演出，为活跃城市文化娱乐活动增添了光彩。

（宁夏回族自治区文明办）

创建文明行业

中央宣传部等6部门
联合部署把“百城万店无假货”活动引向深入

中央宣传部、中央文明办、国家内贸局、国家工商局、国家质量技术监督局、共青团中央等6部门在京联合召开全国深入开展“百城万店无假货”活动电视电话会议，要求各地把这项活动不断引向深入。

中宣部副部长刘鹏在会上讲话。他说，最近，江泽民同志对宣传思想工作和精神文明建设作了重要批示，要求全党同志务必始终坚持“两手抓，两手都要硬”的方针，在做好经济工作的同时，切实加强宣传思想工作和精神文明建设。这为我们深入开展“百城万店无假货”活动指明了方向，我们一定要认真学习，深刻领会，很好地贯彻落实。“百城万店无假货”活动是一项深得民心的活动。几年来，在各级党委和政府的高度重视、有关部门和商业企业的积极努力下，活动稳步展开，扎实推进，效果良好，得到了中央领导同志的肯定，受到了社会各界的好评。去年以来，活动又有了新的发展，新的变化，社会影响进一步扩大，活动方式进一步创新，实际效果进一步增强，取得了显著成果。在新的一年里，各地一定要总结经验，把这项活动扎扎实实向纵深推进。

刘鹏说，今年开展“百城万店无假货”活动要着重组织好两项活动，推出三批示范点，抓好一次检查，开好一个会议。两项活动是指春节期间的送货下乡活动和“3·15”期间的宣传咨询活动。从1月20日开始，全国30条“百城万店无假货”活动示范街所在的城市，要以示范街、示范店为骨干，组织好今年春节期间的送货下乡活动，为农民提供优质服务。今年“3·15”期间，各地要在全国30条示范街，重点组织一次宣传咨询活动，向广大消费者宣传党和国家的有关方针政策，宣传打击假冒伪劣的成果，普及识假、防假、打假的知识。推出三批示范点是指推出全国“百城万店无假货”活动示范街、“五联服务一体化”示范店和专业批发示范市场。抓好一次检查是指今年下半年，将组织有关部门和新闻单位对全国“百城万店无假货”活动示范街、示范店进行明察暗访。对不合格的示范街、示范店，要限期整改，问题严重的，群众反映大的，要撤销其称号。开好一个会议是指中宣部等6部门将在年底召开全国“百城万店无假货”活动表彰会，总结经验，表彰先进。

刘鹏说，深入开展“百城万店无假货”活动既要搞得轰轰烈烈，又要扎扎实实，关键要把功夫下在平时，下在基层，下在方便群众、为广大消费者提供优质服务和解决实际问题上。为此，要注意做到以下几点：一是加强部门之间的协调配合。希望各有关部门在党委和政府的统一领导下，认真做好“百城万店无假货”活动的组织、协调工作，各司其职，各尽其责，各展其长，齐心协力地把这项活动抓下去，不断引向深入。二是坚持思想教育与规范管理并重，使“百城万店无假货”活动走上制度化、规范化的轨道。三是加大执法检查和社会监督的力度，对经销假冒伪劣商品的行为，要发现一起，查处一起。商业企业特别是示范街和示范店，要普遍设立投诉台和举报电话，派专人负责，及时解决和处理消费者的投诉。四是注重集中行动与平时工作的结合，在平时的工作中，从具体事情、从基本环节抓起，促使职工养成良好的职业行为，形成良好的职业风气。五是认真做好宣传报道工作。中央和地方新闻单位要采取各种方式，及时报道活动的进展情况，总结推广先进经验，反映社会各界的呼声和要求，形成声势。

会议由中央文明办副主任胡振民主持。国家内贸局副局长丁俊发、国家工商局副局长甘国屏、国家质量技术监督局副局长朱明暹、团中央书记处书记孙金龙在会上分别讲话，对开展“百城万店无假货”活动进行了部署，要求各地狠抓落实，将“百城万店无假货”活动深入持久地开展下去。南京市委书记汪正生、省委副书记王天玺、大连商场股份有限公司党委书记韩德良在会上分别发言，河北省、天津市作了书面发言，就“百城万店无假店”活动的主要成果和先进经验进行了交流。

赵士居：把群众关心的事办实办好

近几年来，河北省委、省政府结合河北实际，把这项活动具体为“十城百店无假货”活动。把“十城百店无假货”活动作为为群众办好事、办实事，保证和促进市场经济体制建设健康发展的大事来抓，精心谋划，认真组织。通过职能部门开展专题打假活动、生产厂家和商店自查自纠、“3·15”宣传日、群众举报、消费者投诉、新闻舆论监督等，形成了专职职能部门与广大群众相结合的打假治劣的局面。

1998年，在全省确定了13条省级示范街，在商业企业广泛开展了争当示范店活动，年底经过逐级申报验收，命名了270个省级示范店。通过示范引导，将“十城百店无假货”活动不断向更宽更广的范围延伸。1999年底，全省确定的市县级示范街达到了51条，市级示范店292个，县级示范店265个。

经过不懈努力，我省“十城百店无假货”活动收到了明显效果。打击假冒伪劣的力度不断加大，群众自我保护意识明显提高，企业自律意识大大增强，市场经济秩序大为改观，取得了明显的经济效益和社会效益。1999年12月份，省会新闻部门对群众热点问题调查统计，反映假冒伪劣问题的占3.7%，在11项内容中，排在第七位。

在2000年，我们将带着对人民群众的真挚感情，继续坚持不懈地将这项工作推向深入，把群众关心的好事办得更实、更好。

（赵世居：河北省委副书记）

王天玺：保护名牌产品　加大打假力度

从去年年初开始，我们就把开展“全省万店无假货”活动作为办好世博盛会、迎接八方宾客、树立文明形象的重要内容，把工作渗透到生产环节、流通环节、消费和服务环节。

云南国土面积有94%是山区，还有4000多公里的边境线。广大的山区、农村和边境地区集贸市场是“假冒伪劣”的藏身之地，我们把无假货活动向这些地方延伸出去。各地州市县向昆明等中心城市学习，也建立自己的示范街、示范店，积极整顿和规范各种集贸市场，向广大农民和边民宣传打假知识，并组织示范企业送货到农村和边境地区，收到了很好的效果。

多年来，云南的名牌产品，如“红塔山”、“云烟”等深受假货的危害，给国家和人民造成了重大损失。去年，我们成立了由一位副省长为组长的烟草打假领导小组，制定了关于名牌产品防伪标记的宣传计划和打击制假贩假的有力措施。目前，这些措施正在实施之中。

今年，我们要把前几年已经开展的、行之有效的措施继续加以巩固、充实和提高。要在由国家旅游局和云南省政府共同举办的“昆明国际旅游节”期间掀起“全省万店无假货”活动的新高潮。努力学习全国各地的好经验，把云南“全省万店无假货”活动开展得更扎实、更有效。

（王天玺：云南省委副书记）

刘峰岩：打假驱冒　争创一流

天津市委、市政府对开展“百城万店无假货”活动高度重视，1999 年启动了商业形象工程，以中宣部确定的“百城万店无假货”活动示范街为重点，按照建设国际港口大都市的标准，确定了天津市滨江道立面装修工程的方案。改造后的滨江道步行街，涌现了一批连锁超市、名牌专卖店，特别是实行严格管理，打假驱冒，推出了一系列优质服务新举措，使其以崭新的现代商业形象、繁荣的商业氛围，建成了津门又一景观。开街以来，沿街商家日营业额平均增长 20%以上，劝业场最高日销货额突破 300 万元，创近年来历史新高，发挥了中心商业区的集聚辐射效应。

开展“百城万店无假货”活动，同依法规范管理市场紧密结合，相互促进和补充。针对消费者反映的热点问题，市委、市政府加大了对专项市场检查的指导力度。1999 年，劝业场、百货大楼、华联商厦、滨江商厦 4 家全国“百城万店无假货”示范单位率先垂范，建立和完善了打击假冒伪劣商品的自查、自检、自纠制度共 32 项。

新的一年，我们要把这项深得民心的活动与深化商业改革、改善市场环境结合起来，加大实施商业形象工程的力度，推动和平路和市内 9 区商业示范街的改造、建设；抓好 3 个大型批发市场；以“3·15”和节日市场供应服务为契机，形成打假活动的新高潮。协调各方力量，精心安排部署，使“百城万店无假货”活动跃上新水平。

（刘峰岩：天津市委副书记）

汪正生：巩固成果　稳步推进

去年 3 月，中宣部在我市召开了全国学习湖南路示范街经验座谈会，与会代表充分肯定了我市在创建文明一条街活动中总结出的“创建出文明、文明出繁荣、繁荣出效益”的经验。会后，我们按照“巩固已有成果、克服薄弱环节、努力扩大影响、继续稳步推进”的工作思路，进一步发挥湖南路的典型示范作用，把“百城万店无假货”活动纳入创建文明城市的整体工作中，推动活动的不断深化提高。

在及时总结、推广湖南路经验的基础上，于 1998 年 3 月在全市 10 个城郊区确立了 10 条市级示范街和 10 个市级示范店。这 10 条市级示范街和 10 个市级示范店都按照湖南路的管理经验，建章立制，堵住源头，严把进货质量关；定期督查，严管重罚，清除假冒伪劣；强化培训，规范服务，提高服务质量；同时还设立各种群众监督渠道，市里定期指导、检查、考评，并组织观摩、交流。通过两年来的努力，这 10 条街、10 个店的商品质量、服务质量有了显著的提高，受到了群众的欢迎。全市商业系统全年实现零售总额 80 亿元，同比增长5.4%，其中市属商业企业实现零售总额47.6亿元，同比增长7.9%，在全国同类大城市中名列前茅。

下一步，我们将不断扩大创建范围，提高创建水平，逐步向批发市场和农村城镇延伸，把全市“百城万店无假货”活动进一步引向深入。

（汪正生：南京市委副书记、市文明委主任）

韩德良：重诚信服务求更大发展

质量是企业的命脉，事关企业兴衰和消费者切身利益。“百城万店无假货”活动千头万绪，最根本的就是要抓质量。

为确保商品质量，我们主要采取了4项措施：第一，改革经营方式，在同行业中率先请出中间商，从“源头”上拒假冒伪劣于店门之外。第二，构建自营新体系。1996年，我们建立合同管理、物价管理、资金结算和商品质量等四个中心，收回营业部的进货权、作价权、结算权，把住了进货关、存货关、销售关。第三，创立统一供货配货体系。组建了家电百货、服装鞋帽、食品和进出口商品等四大配送总公司，提高了进货质量，降低了成本。第四，建立全覆盖的监督网络。实现了对商品质量的全过程全方位监控，从根本上维护了消费者权益和企业的信誉。

真诚赢得信誉，信誉带来效益。1995年以来，企业经济实力呈跳跃式增长：销售额从1995年的11.2亿元跃升到1999年的24.1亿元，利税总额从9000万元增加到1.22亿元，利润总额从6330万元提高到9207万元。大连商场带动了整个大商集团的发展，1999年集团销售额一举突破50亿元大关，经营规模已连续3年在全国排名第三。

新千年，新起点，我们将不断深化“百城万店无假货”活动，持之以恒抓到底，锲而不舍上水平，让国字号的民族商业大公司早日屹立于世界零售商业之林。

（韩德良：大连商场股份有限公司党委书记）

孙金龙：爱岗敬业　促销创效

各级团组织要提高认识，统一思想，进一步参与“百城万店无假货”活动。商业（服务）企业的广大青年职工积极参与“百城万店无假货”活动，弘扬职业道德，杜绝假冒伪劣，增强“爱岗敬业、诚实守信、办事公道、服务群众、奉献社会”的意识，在“百城万店无假货”活动中发挥了生力军作用。实践证明，“百城万店无假货”活动是精神文明建设的重要载体，是促进青年职业道德建设的有效途径。各级团组织要进一步动员和组织商业（服务）企业广大青年职工积极参与这项活动，在这项活动中发挥更大作用。

各级团组织要以青年文明号活动为载体来参与“百城万店无假货”活动。青年文明号集体及争创集体要从顾客关心的具体事情做起，改进服务方式，优化服务过程，改善服务环境，做好售前、售中、售后服务。

各级团组织要以促销创效为主题来参与“百城万店无假货”活动。扩大销售，提高效益，是商业（服务）企业的根本所在。青年文明号集体及争创集体要适应发展知识经济的新要求，把握创新的时代特点，不断创新青年文明号的活动方式，拓宽营销渠道，完善营销手段。积极学习和运用网络知识和网络技术，借鉴国内外销售的先进经验，广泛采用电子商务等现代销售技术、方法和手段。

（孙金龙：团中央书记处书记）

甘国屏：强化市场监管 加大执法力度

“百城万店无假货”活动4年多来，各级工商行政管理机关认真履行法律法规赋予的职责，积极配合“百城万店无假货”活动的开展，着重抓了以下工作：一是连续4年对重点地区、重点商品、重点市场进行了专项整治，严厉打击了制售假冒伪劣商品的违法行为，维护了市场经济秩序。二是针对名优产品被假冒严重的情况，与全国123家大中型名优产品生产企业建立了“打假维权”协作制度，开展了“百家企业打假维权”活动，捣毁了一批制假售假窝点，查处了一批制假售假大案要案。三是认真开展了“打假护农”执法行动，严厉打击了制售假农资的违法行为，促进了农村经济的健康发展。四是在全国个体工商户、私营企业经营者中广泛开展了“户户讲道德，店店无假货”活动，促进了个体工商户和私营企业守法经营，维护了消费者的合法权益。五是在全国大中城市积极开展了创建“消费者满意街”、“购物放心街”活动，促进了消费环境的改善。

2000年，各级工商行政管理机关将进一步强化市场监管，加大执法力度，把“百城万店无假货”活动不断引向深入。

国家工商行政管理局决定在全国再选择一批产品被假冒严重的国有企业，特别是老字号企业、国有大中型企业，与其联手开展打假执法行动，加大跨地区案件的查处力度，切实维护经营者的合法权益，促进国有企业的改革和发展。

（甘国屏：国家工商行政管理局副局长）

朱明暹：充分发挥职能作用 推动活动深入开展

质量技术监督部门积极参与“百城万店无假货”活动，在“规范市场、扶优治劣、引导消费、服务企业”等方面，充分发挥职能作用，以法律为准绳，以标准为依据，以检测为手段，为推动“百城万店无假货”活动由点到线、由线到面地广泛而深入开展做出了积极贡献。去年以来，质量技术监督部门在全国开展了“查市场，保两节”，“查农资，保春耕”，“查建材，保建设”三大战役，共查处假冒伪劣商品标值21.7亿元，端掉制假售假窝点3700多个，查处质量违法案件4.73万件。

从1996年以来，质量技术监督部门按照打击查处与治理整顿相结合的方针，对全国质量问题较突出的微机、眼镜、家电、汽车及农机零配件、低压电器、建材等6类商品229个专业市场组织开展了质量整顿，共检查商品标值12.86亿元，查获假冒伪劣商品标值4283万元。为提高市场商品质量总体水平，规范市场秩序，依法保护消费者合法权益，起到了积极作用。

从今年起，国家质量技术监督局要加强对各地落实“三重一大”情况的检查工作，各地也要加强逐级检查落实“三重一大”的工作。在加大打击制售假冒名优产品违法行为力度的同时，加大扶优力度，采取各种有效措施，保证名优产品进名店、进名街。

（朱明暹：国家质量技术监督局副局长）

丁俊发：整顿流通秩序　净化市场环境

“百城万店无假货”活动的开展，使商品流通行业涌现出了一批先进典型，中央四部门已命名30条示范街，100家示范店。今年的“百城万店无假货”活动将推出第三批示范街，第二批100家示范店，并推出首批10家示范批发市场，将这项活动向更广阔的市场领域延伸，打一场全面的治假打假攻坚战。

不过，我们也要清醒地认识到，当前面临的任务还非常艰巨。商业批发和零售业要着重抓好商品的进货管理；大中型商场要积极创造条件，统一进货，继续加强对商品联营柜台的治理；饮食服务企业要严格执行国家规定的技术、质量标准，严格操作规程，注重食品卫生，严禁使用过期变质的原材料；物资企业要重点抓好钢材、水泥、建材等重要生产资料的销售，从流通环节杜绝“豆腐渣”工程；各类批发市场对进入市场的交易商必须进行资质审核，规范其交易行为。对卷烟、酒类、肉类、家用电器等关系老百姓生命健康、财产安全的重要商品，要继续开展行之有效的专项治理。所有商品流通部门和企业要不断提高商品流通运行质量和效益，在新的一年里，展示商品流通行业的新风貌，取得更大成绩。

（丁俊发：国家国内贸易局副局长）

（2001年1月7日《人民日报》）

中央国家机关

围绕“三转变一提高”　加强机关作风建设

中央国家机关各部门以转变机关职能、转变工作方式、转变工作作风、提高工作效率为重要任务，切实加强机关作风建设，在依法行政、搞好宏观调控、加强权力监督、提高服务质量等方面有了较大进展。

高检院为解决人民群众对检察机关性质和业务职能了解不够和举报难、申诉难的问题，从1999年起，在全国各级检察机关大力推行检务公开制度，凡是能够公开的都要公开，有的设咨询台，散发宣传材料，有的在媒体开设节目或专栏等。高检院机关将原控告申诉检察厅分设为控告和申诉两个业务检察厅，两年共受理群众来信12万余件，来访3万余件；处理集体上访140件，处理紧急告访101件，解决上访老户18户。

外交部明确规定：党中央、国务院交办的事项须在两周内办理完毕，有时限要求的，须按时完成；部外单位请示或征询意见等需办理的公文及会签件，须在7个工作日内完成；部各司（局）承办的部内会签件，在各单位运转时间应不超过7个工作日。凡没有正当理由拖延不办，耽误工作的，将视情节追究有关领导和经办人的责任。领事司护照、签证处均延长对外办公时间，简化审批手续，并增加特案特办、现场咨询、退案明示等服务项目。

教育部把发展高等职业教育和大部分高等专科教育的权力以及责任交给了省级人民政府，招生计划由省级人民政府制定，招生考试由省级人民政府自行确定。同时，清理了行政审批项目。

部行政审批项目原有128项，经清理保留45项。

建设部党组针对部机关作风建设中存在的突出问题，采取了6个方面的措施：一是建立机关作风建设责任制，将机关作风建设作为加强机关队伍建设的重要内容，明确目标和任务，落实了责任制。二是积极推进职能转变，下发《关于部有关司局职能转移的意见》，把一些不该管、管不了也管不好的职能，如咨询、培训、交流、评优、推广等转移出去，有步骤地把资质审批和管理中的有关工作转移给有关协会，部机关集中精力抓大事、抓宏观管理，工作重点放在调查研究，制定政策和法规、规划，指导实施和监控上。同时，对建设系统行政审批项目进行了全面清理，共清理了行政审批项目89项，其中取消14项，下放地方2项，暂保留待条件成熟时再取消的2项。三是认真解决“职能交叉”的问题。针对机关司局部分职能交叉，出现“文件打架”的问题，对各司局有关职能作了进一步界定。四是积极倡导调查研究，树立求真务实的作风。五是大力抓好公文质量和办事效率，印发了《建设部机关公文处理办法》，对公文质量提出严格要求，并规范了办理程序。制定《关于部机关公文办理时限的规定》，具体规定办理公文的职责及时限要求。六是不断改善服务质量和服务水平。坚持开展“三优一满意”活动，把机关干部“口大气粗”、“吃拿卡要”作为重点问题来解决，改进服务态度，提高服务质量。

中国民航总局对行政业务审批权限进行了全面清理。据统计，总局拥有行政和业务审批权限102项。清理后，明确需要取消的有13项，暂时保留的有21项，需继续保留的有68项。对地方提出的问题和工作请示，认真分析，仔细研究，除重大政策性问题难以及时答复外，一般问题在接到请示后10天内，能立即答复的立即答复，不能立即答复的也要予以说明，待进一步研究后作出答复，不能含糊其辞，敷衍塞责。

国家旅游局积极转变职能，简政放权。下放星级宾馆饭店评定权限，将全国四星级涉外旅游饭店的评定权放给各省、区、直辖市；下放导游员资格考试、等级考核及旅行社经理资格认证权限；进一步提出加强和改进导游人员培训意见；授权北京市对中央单位所属国际旅行社进行行业管理等。

此外，国家经贸委正着力对136项职能进行清理；铁道部机关100多个处室重新修订职责800余条，转变职能92条，清理规章制度近1000件，其中废止400多件；国家税务总局通过清理，下放了3项审批权，规范健全了54项审批权；国家工商总局对行政审批项目进行认真清理，予以保留的14项，拟废止的7项。高法院、农业部、林业局、国家烟草专卖局等部门也围绕“三转变一提高”开展了大量工作。

（中央国家机关工委宣传部）

金　融　系　统

深入开展职业道德集中教育活动

为贯彻中央思想政治工作会议精神，切实加强金融系统职工队伍建设，提高金融队伍的整体素质，2000年7月中央金融工委作出《关于在金融系统职工中深入开展职业道德教育的意见》。集中时间在金融系统职工中深入开展以“爱岗敬业、遵纪守法”为主要内容的职业道德集中教育活动。

集中部署，统一安排。中央金融工委部署后，金融系统25家单位从8月份开始，陆续在全体职工中开展这项教育活动。各金融机构结合实际，制定具体实施方案，提出本单位开展教育的计划、步骤和要求，保证时间、人员、内容和质量的落实。

切实加强组织领导。中央金融工委成立了由副书记陈玉杰任组长的教育领导小组，下设办公室。25家金融机构按照工委的要求，均建立了以党委负责同志任组长的教育领导小组，下设具体的办事机构，负责组织实施本系统的集中教育。

制定周密方案，分阶段实施。教育活动分“动员学习，提高认识”；“联系实际，开展讨论”；“制定措施，改进提高”三个阶段。集中教育的时间为五周左右。为确保教育质量，工委在每个阶段都及时下发了做好本阶段工作的具体要求。

建立严格的考勤、学习登记、信息交流、检查督促等教育制度，并将教育内容进行量化，保证集中教育的各项内容落到实处。

统筹兼顾，合理安排，妥善处理职业道德教育和其他各项工作的关系，结合业务工作，进行职业道德教育，以教育促进业务工作的开展，做到两不误，两促进。

紧密围绕“爱岗敬业、遵纪守法”的教育内容，以贴近职工思想实际开展活动，调动广大干部职工参与积极性。教育中，各单位普遍运用了读书自学、参观展览、观看影片、举办讲座、知识竞赛、撰写心得、讨论交流、演讲比赛、交心谈心、献计献策等灵活的教育方式，寓教于乐，潜移默化，使集中教育开展得有声有色。

联系单位和个人实际，认真查找问题。各单位针对本单位人员思想状况、经营现状和制度建设等，深入思考在加入WTO后本系统面对的机遇与挑战，查找体制规章、经营思路、人员素质等方面存在的问题与不足，制定改进提高措施。

加强检查督促，保证职业道德教育扎实有效，不流于形式。教育活动中，中央金融工委领导和金融系统各级领导多次下到基层，了解教育进展情况，进行督促检查，发现问题及时纠正。9月14日，中央金融工委召开金融系统职业道德教育电视电话会议，总结交流前一阶段的经验，部署下一步的工作。金融系统职业道德教育办公室多次组织座谈会和经验交流会，促进各金融机构深入开展职业道德教育，并组织调研组赴部分省市同省级和地市县分支机构领导以及储蓄所的员工进行座谈，了解情况。

（中央金融工委文明办）

司　法　部

第二批部级文明律师事务所挂牌

2000年11月，司法部在京召开中国律师2000年大会。会上，隆重表彰了29家司法部部级文明律师事务所。

自《司法部部级文明律师事务所实施办法》下发以后，全国各地的律师事务所按照部级文明律师事务所标准，积极开展创建活动，特别是司法部授予第一批部级文明律师事务所，对创建活动起到引导和推动作用。各律师事务所纷纷掀起了创建活动热潮，制定创建规划，加大精神文明建设、职业道德建设、律师队伍建设的力度，使律师队伍的整体素质和律师事务所的声誉不断提高。在硬件方面积极创造条件，向专业化、规模化发展。为检验创建工作的成果，把创建工作继续引向深入，司法部下发了《关于第二批部级文明律师事务所评选准备工作的通知》。根据通知要求，各省进行申报推荐工作。在此基础上，司法部组织了初评和实地考评。初评时设定三项否定性指标，并对精神文明建设、职业道德建设、组织机构、人员素质、内部管理、业务水平、办公条件等方面进行量化，设定33项标准，每项标准都确定相应的基础分值，规定了加分的比例。为保证文明律师事务所的质量，司法部派出了6个考查组，分别对初评通过的单位进行实地考评。从考评情况看，这29家律师事务所得分都在100分以上。它们在政治素质、职业道德、人员素质、队伍建设、业务水平、事务所规模等方面均达到文明律师事务所的标准，并且绝大多数都是省级精神文明建设先进单位。这些律师事务所不仅业绩突出，而且普遍关心支持公益事业，主动参加捐资助学、助残、救灾等公益活动，积极开展法律援助工作。部级文明法律服务机构评审委员会经过认真审议，充分肯定了这29家律师事务所在创建文明律师事务所中取得的成绩，批准这29家律师事务所为第二批“司法部部级文明律师事务所”。

（司法部政治部）

司 法 部

深入创建文明监狱 不断提高监管水平

在总结前几年创建工作经验的基础上，2000年，监狱系统认真研究新的历史条件下如何进一步加快创建步伐的问题，对现代化文明监狱的标准和考核细则、考核办法进行完善，针对有的单位对创建工作存在“等、靠、要”的思想，创建的层次性、普遍性不足等问题，拟定了解决办法，同时加强了分类指导，使各单位全面正确的理解创建工作，保证了创建工作得到均衡发展，从而加快了创建步伐。截止2000年底，全国已有部级现代化文明监狱33所，省（区、市）级现代化文明监狱95所。还有15所监狱已经通过部级现代化文明监狱考核验收，即将命名。这标志着我国的监狱管理工作日臻完善，正向着法治、文明的方向迈出坚实的步伐。

经过几年的探索奋斗和努力实践，创建现代化文明监狱工作已成为全国监狱人民警察的普遍共识和积极行动，并作为一个有效载体带动监狱各项工作的整体提升和不断发展，取得了明显的成效：一是在创建工作的推动下，进一步强化监管安全，狱内发案率、罪犯脱逃率等大幅下降，确保了监狱的持续安全稳定；二是更加有效地依法履行了刑罚执行的职能，不断提高了罪犯改造质量，罪犯改好率始终保持在90%以上；三是在创建工作中，通过开展集中教育整顿、“三讲”教育和素质教育，监狱民警队伍的政治业务素质和执法水平显著提高；四是创建工作使监狱旧貌换新颜，许多监狱通过不懈努力，一改过去的落后面貌，成为功能齐全、设施配套、环境优美的文明单位；五是创建现代化文明监狱工作在国际上产生积极影响，树立了我国监狱的良好形象。

（司法部政治部）

公 安 系 统

立足队伍建设实际 集中解决突出问题 深入开展“三项教育”

2000年，公安部党委从实际出发，着眼于解决队伍中存在的、人民群众反映强烈的突出问题，认真开展以全心全意为人民服务的宗旨教育、实事求是的思想路线教育和严格公正文明执法的法制教育为主要内容的“三项教育”。

自3月份开始，公安部首先在北京市公安局崇文分局、天津市公安局等12个单位进行了试点；8月在山东威海召开全国公安机关“三项教育”工作会议，决定从2000年8月至2001年10月分三批开展“三项教育”。首批全国共有2842个县（市、区）级公安机关、74万余名民警于8月至12月开展了“三项教育”。截至年底，首批单位的“三项教育”工作已基本结束，收到明显成效。

一是各级党委、人大、政府高度重视，切实加强领导。内蒙古、吉林、山东、河南、陕西、湖北、重庆、新疆等省、自治区、直辖市党政主要领导同志纷纷就公安机关开展“三项教育”作出批示。许多地方党委、政府把公安机关开展“三项教育”纳入今明两年的重要议事日程。

二是各级公安机关统一思想，坚定信心，结合实际，狠抓落实。公安部党委把“三项教育”作为公安队伍建设的头等大事，紧抓不放。从公安部到县级公安机关，每个业务部门和警种都确定了联络指导地区和单位。公安部于10月下旬对12个省（自治区、直辖市）的60个县级公安机关和近300个科所队进行暗访，组织对山西、内蒙古等13个省、自治区进行统计不实问题专项检查。各地坚持“开门搞教育”，充分征求、吸收社会各界的意见和建议。

三是严格制度，注重质量，深化学习效果，切实打牢思想基础。各地通过集中学习、专题辅导、民警自学、实地参观、剖析典型案例等多种形式，组织民警认真联系实际，深入开展理论学习。

四是严格查摆剖析，坚持边查边改，认真解决突出问题。各地把党委、政府不放心的、人民群众不满意的问题作为重点，结合各地区和部门、警种特点，认真组织民警查摆剖析。在此基础上，按照公安部部署，把解决民警作风粗暴，对待群众“冷、横、硬、推”问题作为宗旨教育的重点，加大整改力度，树立文明执法观念。针对公安队伍中存在的突出问题及公安队伍整体素质现状，公安部在“三项教育”中按照民警总数的10%至5%对民警进行分离培训。培训后进行严格的考试考核，成绩合格的通过双向选择重新上岗，不合格按照有关规定予以辞退。截止2000年底，全国公安机关共按规定分离民警33097名。

五是坚持边整边改，抓好整改建制，把“三项教育”与队伍管理的长效机制有机结合起来。公安部制定下发了《公安机关人民警察内务条令》，并举办培训班，在全国公安机关进行了大力推广。江苏等地制定了基层“窗口”单位服务规范，对民警的服务言行、时限和纪律作出了明确规定。

（公安部宣传局）

公 安 系 统
开展创建“人民满意派出所”活动

2000年，各地公安机关按照公安部党委提出的改革和加强派出所工作的总体思路，以创建人民满意派出所活动为动力，狠抓各项改革措施的落实，进一步推动了派出所业务工作和队伍建设。

在创建活动中，各地创造性地探索了一些适合当地实际的新做法和新形式。福建省公安厅于6月8日召开全省公安派出所开展民主评议行风工作电话会议，要求全省公安机关从贯彻落实江泽民总书记“三个代表”重要思想和全局的、战略的高度来认识派出所行风评议的重要意义，从彻底消除“冷横硬推”的“四难”现象和有效解决群众反映强烈的治安热点问题入手，加强派出所思想、纪律、作风建设，进一步增强民警的群众观念、服务意识和法制观念，促进队伍建设和业务工作。内蒙古自治区公安厅在人民满意派出所的考核评选工作中将评优与评差结合起来，同时实行公示制度，自治区公安厅制定了人民满意派出所（民警）基本标准、人民不满意派出所（民警）主要依据。甘肃省公安厅在全省公安机关基层单位中全面实行“四个一”，即问一声好、让一个座、递一杯水、给一个满意的答复。各地公安机关创建人民满意派出所活动与贯彻落实江泽民总书记“三个代表”讲话精神、“三讲”教育、公安部《关于加强公安队伍建设的十二项措施》和公安机关在全国范围内开展的“三项教育”紧密结合起来，外树形象，内强素质，增强了公安派出所的战斗力。

2000年5月，公安部下发了《关于评选人民满意公安基层单位和创人民满意派出所活动先进公安局的通知》，根据创建活动的发展，对评选工作提出了9条量化指标和具体操作要求。2000年9月，公安部组成联合考核组，对大连市公安局等14个各地推荐的创人民满意派出所活动先进公安局候选单位进行了严格考核。考核组对派出所、户籍接待办证中心等窗口单位暗访，走访辖区居民、居委会、学校、企事业单位，与行人、出租车司机交谈，听取被考核公安局的工作汇报，对派出所各项业务工作进行检查，以及与当地党委、政府、人大、政协和公安厅（局）领导交换意见等，评选出12个拟命名、表彰的“创人民满意派出所活动先进公安局”。

（公安部宣传局）

公 安 系 统

开展创建平安大道活动

2000年，各地公安机关在巩固102、107国道创建平安大道成果的基础上，以104、312国道（总里程7186公里）和高速公路（共计1.6万公里）为重点，大力开展创建平安大道活动。

创建活动得到各级党委、政府高度重视，成为政府的民心工程。各地普遍成立了由政府牵头、有关职能部门参加的创建平安大道领导小组和专门办事机构，以政府名义召开会议动员部署，批转创建实施方案，向有关部门下达创建任务，党委、政府的主要领导深入创建一线调研，检查指导工作，现场办公，并在财力上大力支持。由党委、政府组织牵头，相关部门齐抓共管，整体推进工作的创建机制，有了进一步的完善，很多地方解决了一些仅靠公安一家难以解决的违章建筑、“马路市场”等公路交通管理“老大难”问题。

抓住主要矛盾，扎扎实实地解决公路交通和治安管理中突出问题。各地公安交管部门充分发挥主力军作用，始终把解决突出问题作为首要任务，针对一些国道交通秩序比较乱、马路市场比较多的情况，重点取缔了一大批违章摊点等“马路市场”、拆除了一些违章建筑和广告设施等，净化了国道沿线的交通环境。

建立动态巡逻和快速反应警务机制，提高公路交通、治安防控能力。各地改革公路巡警勤务制度，划分警务责任区，对道路实行动态管理，随时纠正、处罚各类违章，处置突发事件。公路巡警中队普遍实行24小时值班、备勤制度，以流动巡逻为主，遇有警情，确保5分钟内出警、30分钟内到达现场。各地普遍建立以“110”、“122”为龙头的报警信息网络，公路巡警中队与派出所、刑警队加强联动，提高了快速反应和快速处置突发事件的能力。

依靠科技手段，提高管理能力和队伍战斗力。安徽、江苏、上海、河北等地为公路巡警中队配备计算机，国道省界和重要路段公路巡警中队基本上都设置了电视监控，对查处交通肇事逃逸、堵截盗抢机动车及违法犯罪嫌疑人、记录违章车辆等发挥了积极作用，节省了警力，扩大了监控范围，提高了公路交通、治安管理的科技含量和管理效率。

广泛宣传发动，营造全社会共同参与创建活动的良好氛围，公路沿线群众交通安全意识和法制观念有较大幅度的提高。促进了沿线社会主义精神文明建设。各地大力开展创建“交通安全村、校”活动，由乡、镇长、村主任、校长和民警签订责任书，完善规章制度，明确职责，落实人员，开展形式多样的宣传教育，赢得了社会各界对创建活动的理解和支持。2000年共新建交通安全村、校1600多个。

（公安部宣传局）

公 安 系 统

实施畅通工程

经国务院批准，公安部、建设部在2000年初，在全国138个大中小城市开始实施以提高交通管理水平为中心的“畅通工程”。各地公安、建设等部门在当地党委、政府的统一领导下，认真贯彻落实《国务院办公厅转发公安部建设部关于实施全国城市道路交通管理“畅通工程”意见的通知》精神，精心组织，明确责任，采取切实有效措施，全面推动“畅通工程”各项工作的开展。

紧紧依靠党委、政府的领导，有关部门各负其责、密切配合，使“畅通工程”成为政府工程。所有实施“畅通工程”的城市都成立了由政府主管领导牵头、有关部门参加的“畅通工程”领导小组，大多数城市建立和完善了城市交通综合协调、管理机制。许多城市还将“畅通工程”纳入精神文明建设的总体安排，将交通设施建设纳入城市发展总体规划，加大了资金投入。

依法严管重处交通违章行为，集中整治突出的难点问题，不断净化城市道路交通环境。各地根据当地实际，加大执法力度，对闯红灯、抢行猛拐、机动车无牌无证上路、乱停乱放、酒后驾车和残疾人车违章载客、出租车随意揽客、军警车不服从管理等进行了专项整治。各地在政府统一领导下，公安、市容、城管、工商、环卫等各执法部门和街道干部通力合作，对城市主干道上的各类违法占路进行了大规模的清理整顿。

加大道路基础设施建设投入，挖掘现有道路潜力。各地普遍加大了对道路设施和交通安全设施建设的投入，建设、改造和整治道路，完善路网，改善城市道路交通环境。增设交通信号灯、标志、标线、交通护栏等设施，充分挖掘现有道路的通行能力。

加强“严管街”建设，发挥示范、辐射作用。各地结合实际，本着“少而精”原则，选择交通流量大，对当地政治、经济影响大的道路为“严管街”。挑选业务能力和责任心强的青年民警充实到“严管街”，加强对“严管街”的管理，加快完善、规范“严管街”的交通设施，加强对沿街单位和人员的宣传，加大治理各种交通违章的力度。

城市交通规划、建设、管理逐步纳入法制化、科学化轨道。一些城市经过充分调研，出台了有关城市道路交通的地方性法规和规章。许多城市根据城市发展总体规划，制定、修改了城市路网建设、公交发展、交通安全设施建设的中、长期规划，确定了今后城市道路交通基础设施、管理模式、科技水平的发展目标，为城市交通的可持续发展奠定了基础。

广泛开展社会宣传，营造舆论氛围，提高全民的交通文明素质。各地积极探索新的宣传模式，开展有针对性的宣传教育活动。南京、济南、广州、石家庄等许多城市给中小学生发放《交通安全联系卡》，实行“警纠校处”，提高了中小学生的交通安全意识，减少了交通违章。各地充分利用新闻媒体和交通安全组织，想方设法，把交通安全宣传教育深入到单位、居民、学生当中。

进一步规范城市公共客运交通营运秩序。通过打击非法营运，严格资质审查，规范了城市公共交通营运秩序。一些城市对残疾人车违章载客、出租汽车随意停车揽客、非营运车辆上路载客等行为进行专项整治，有效遏止了非法营运现象。一些大中城市坚持公交优先发展战略，陆续开设了公交专用道，设置港湾式公交站台和公交信号优先系统，提高了公交车营运车速和服务质量，方便了市民出行，缓解了城市的交通压力。

（公安部宣传局）

公 安 系 统

110 报警服务台建设活动

2000年，110报警服务台在全国绝大多数县（县级市）以上城市得以建立。指挥中心暨110报警服务台根据自身工作特点，不断完善职能，在打击犯罪、服务群众等方面发挥着越来越重要的作用，被赋予受理人民群众电话投诉的新职能。

110报警服务台在全国范围内普遍建立。截至2000年5月31日，全国231个地级以上城市（含）已全部建立开通110报警服务台，2100多个县（县级市）中，1305个县（县级市）建立开通了110报警服务台，500多个县开通了110报警服务电话，全国110的覆盖率达到87.5%。

110报警服务台技术装备比较完备，科技含量较高，各项规章制度比较健全，工作更加规范。一些经济较发达地区的110报警服务台配备了GPS卫星定位系统、图像监控系统及电子地图等先进设备。经济欠发达地区110报警服务台的技术装备也得到较大程度的改善，基本满足报警服务工作的需要。公安部为规范全国指挥中心暨110报警服务工作，下发了《公安部关于加强指挥中心工作的通知》对指挥中心暨110报警服务台的组织领导、运行机制、社会联动、信息工作及队伍建设等方面提出了明确要求。各地110报警服务台不断积累经验，建立、健全和完善有关接警处警、工作程序、内部管理等各项规章制度，使110报警服务工作更加规范科学。

110报警服务工作稳步发展，其在公安工作中的地位和作用日显突出。2000年，全国大部分地区的110报警服务台接警量继续呈攀升趋势，全国各级110报警服务台共接警3173.4万起。一些省份开展了创建"人民满意110"活动，继续提高为民服务水平。各地110报警服务台充分利用自身信息全面、反应快速、指挥有力、协调方便的优势，直接参与各种重大紧急案（事）件的处置工作，同时，切实发挥指挥调度职能，做好各种重大政治、经贸、文体活动的安全保卫工作，其在公安工作中的地位和作用日益突出。

2000年3月1日，110报警服务台被赋予受理人民群众电话投诉的新职能。全国各级110报警服务台不断完善投诉机制，根据实际情况，会同督察、纪检、监察、信访等部门，制定了操作性较强的，包括投诉范围、处置程序、处置办法、投诉反馈等在内的投诉工作实施办法。各地110报警服务台按照"热情受理、如实登记、迅速查处、及时反馈"的原则，认真落实处置人民群众的每起投诉，处理了一批违法违纪民警，维护了公安机关的形象。2000年9月，公安部指挥中心在西安召开了"110报警服务台受理人民群众电话投诉工作座谈会"，总结工作，交流经验。2000年3月至12月，全国各级110报警服务台共受理群众电话投诉6.8万多起，反馈率达88%。

（公安部宣传局）

建 设 系 统

深入开展创建文明工地活动

为提高施工现场管理水平，提高工程质量，建设部在全系统深入开展了创建文明工地活动。经过不懈努力，取得重大突破，收到明显成效。

各级建设行政主管部门始终把创建文明工地活动作为建筑行业精神文明建设的重点工程，切实加强组织领导。各省市建委（建设厅）相继成立创建文明工地活动领导小组，形成“横向到边，纵向到底”的管理网络，从组织上保证文明工地建设的顺利开展。

深入开展创建文明工地活动，既为职工创造安全的作业条件，也大大改善施工现场的作业和生活环境。通过“以人为本”的文明工地创建活动，更好地体现工人阶级主人翁地位，更加激发职工的责任感，进一步调动广大职工的积极性、主动性和创造性。

各地在创建中，积极引导企业主动与工程所在地的政府、居委会、民警和相邻单位进行协调，签订协议，共建文明工地。通过文明工地创建，在施工企业与居民、政府与市民之间架起一座信任和理解的桥梁，将扰民工程变为“利民、便民、爱民”工程。

各地在创建中，不但重视工地容貌的改观，更注重职工精神面貌的改变，重视人的培养及其素质的提高，把工地办成培训班、大学校，使农民工每到一个工地做工，就能受到一次做文明职工、文明市民的教育和培训，提高了农民工的素质，从而推动了整个建筑业乃至全社会的文明进步。

在创建中，各地结合实际，都相应制定了文明工地标准、管理规定和实施细则，从制度上保证这项活动的开展。建设部制定颁布了《建筑施工安全检查标准》，把文明工地创建纳入行业法规，有力地推动了文明工地的创建工作。用严格的岗位责任制和考核奖惩制度来保障创建文明工地活动的顺利开展。如上海市建委制定了《标化工地审报考核管理规定》，通过自查、上级初查、复查和对口检查，对先进的工地予以表彰和奖励，对达不到标化要求或因退步而被取消达标称号的工地，则给予相应的处罚，从整体上带动了全市施工现场的管理水平。将文明工地纳入建筑市场管理中，与建设行政主管部门的业绩考核、工程招标投标、企业资质等级、项目经理执业资格、鲁班奖和企业评优结合起来，收到了很好的效果。

（建设部文明办）

全国气象系统

开展创建文明行业活动

各级气象部门继续将创建文明气象行业作为年度目标管理项目进行考核。年初全国气象局长会议上，确定了年内建成4—6个省级文明系统的目标。

为进一步规范创建文明气象行业活动，经向有关单位反复征求意见，中国气象局年初制定下发了《中国气象局精神文明建设指导委员会关于创建省级文明气象系统的若干规定》，对创建工作的基本要求、申报条件、命名方式、表彰奖励及管理进行了明确规定，成为各级气象部门深入开展创建活动的指导性文件。各级气象部门将精神文明建设纳入气象事业发展十五规划和十五专业计划，制定了目标、任务、实施项目和保障措施，为十五期间气象部门精神文明建设提供了有力的制度保障。

中国气象局文明委将广东、北京、山东、河北、内蒙古、浙江、四川等省局确定为创建工作重点省局。局领导和文明办同志分赴这些省局调研、指导和协调。局领导结合调研活动，与地方精神文明建设主管部门的领导进行了具体协商，对各省创建活动起到了促进作用。

为深化创建活动内涵，将创建工作引向深入，各级气象部门注重两个结合：在软件方面，强调加强职业道德建设与开展规范化服务相结合，全面提高广大干部群众的思想政治素质，增强干部群众争先创优的意识。各省局坚持在汛期前开展“职业道德教育月”活动。河南省气象部门开展了“热爱河南，增辉中原”活动，深入推广规范化服务。上海中心气象台聘请20位社会监督员，对上海公众气象预报准确率打分，得到市民认可。在硬件方面，强调改善台站环境与台站综合改造相结合。各省（区、市）气象局进一步加快了台站综合改善的步伐，为干部群众的工作、生活营造了优美的环境，活跃了台站的文化生活，增强了干部群众的凝聚力。

各级气象部门结合中心工作，利用各种形式，积极开展内容丰富的群众性精神文明创建活动。安徽省气象部门开展了创建工作大讨论和“创文明行业、建满意窗口”主题活动。河北省局开展了“创‘三讲’文明机关”活动。山西省气象部门开展了“讲文明树新风——2000年文明之春”系列活动。广西区局对创建工作先进单位进行了表彰，并向各级“文明单位”颁发了奖金。贵州、云南和内蒙古等省（区）局与省（区）文明委联合召开了创建工作会议。福建省局参加全省“创文明行业、建满意窗口”活动，全行业和10个省级示范点均达到了满意水平，在25个参赛行业中名列第五。

全国气象部门年内共建成省级文明系统8个。截止2000年底，全国气象部门共有20个省（区、市）和2个计划单列市建成文明系统。

（中国气象局文明办）

北 京 市

以规范化服务达标为切入点 树立“窗口”行业新形象

2000年，全市各“窗口”行业继续贯彻落实中央文明委关于在全国“深入开展优质规范化服务，大力倡导文明行业新风”的要求，以服务人民，奉献社会为宗旨，以规范化服务达标为切入点，深入开展创建文明行业活动，在取得阶段性成果的基础上，逐步形成了创建文明行业活动稳定的运行机制。

抓达标，创建文明行业活动不断深入。在重点抓好15个“窗口”行业的基础上，首都文明委又决定将银行、税务、工商、文化、公安等行业纳入创建文明行业活动规范化服务达标的重点“窗口”行业，并逐步扩大创建文明行业活动的覆盖面。年初，北京市自来水行业、地铁行业、医院行业、公安出入境管理行业和公安交通车辆管理行业在充分动员、行业自查和向社会公示的基础上，向首都文明委提出了接受规范化服务达标考评的申请。首都文明办和市纠风办牵头，组成了市有关部门、新闻单位、人大代表、政协委员、民主党派和无党派人士等参加的第四届首都创建文明行业活动规范化服务达标联合考评委员会，还聘请了50多位人大代表、政协委员、民主党派和无党派人士，组成了5个考评小组分别对5个申报行业进行考评。采用明查暗访、听取客户反映、查询群众来信来访、新闻单位评议、网上征求意见、发放调查问卷（共发放2.6万余份）、逐项评分等形式，进行3个月的严格考核，5个参评行业的群众满意率均达到90%以上、总分均达到85分以上，通过了规范化服务达标考评。全市创建文明行业活动规范化服务达标行业达到了29个。

抓机制，创建文明行业活动形成制度。首都精神文明建设委员会在研究制定《首都创建文明行业活动规范化服务达标量化考核实施办法（试行)》的基础上，2000年又研究制定了《首都文明行业评选办法（试行)》，形成了创建文明行业和做好评选工作的一整套制度。首都文明办与中央金融工委、市金融工委共同研究、草拟了《关于在首都金融业联合开展创建文明行业活动的工作意见》征求意见稿，并共同协商组建“首都金融行业创建文明行业活动协调小组”的一系列工作。首都文明办与市城建工委、旅游局、园林局共同牵头，召开了有20个部门参加的“首都文明旅游景区联席会”，共同研究《文明旅游景区建设管理办法（试行)》征求意见稿和首都文明旅游景区的评选工作。

抓基层，创建文明行业活动更加扎实。各“窗口”单位的创建文明行业规范化服务达标工作都从基层单位抓起，将规范化达标的任务落实到部门、落实到班组、落实到岗位、落实到人，为规范化服务达标工作奠定坚实基础。

抓难点，创建文明行业活动形成声势。按照市委市政府要求，首都文明办与市委宣传部、市城建工委、交通局共同组织对出租汽车行业的宣传教育活动，拟订以北京申办2008年奥运会为契机，以树立首都出租汽车行业新形象为目标，以整顿出租汽车行业运营秩序和提高出租汽车司机职业道德素质、文明服务水平为重点的工作方案。从文明用语、经营规范、仪表仪容、安全行车等方面对出租车行业进行全面整顿，加强对出租汽车公司管理人员和出租汽车司机的教育，宣传出租汽车行业先进典型，并评选出10个优秀企业和100个优秀司机。同时，广泛宣传于凯同志“新型司机，文明窗口”的先进事迹，并组织了大型事迹报告会，在社会上引起强烈反响，激发了出租汽车司机的责任感和荣誉感。通过各方面的努力，对出租汽车行业的宣传教育活动达到预期的目的，在社会上树立了出租汽车行业的新形象。

（首都文明办）

北京城建集团

开展创建“文明四区”活动

北京城建集团开展创建“文明办公区、文明施工区、文明职工家属区、文明民工生活区”活动，这一活动是两个文明建设相结合的有效载体。

北京城建集团党委以“塑魂工程”为核心，从内聚人心、内强素质、外树形象入手，制定了《北京城建集团CIS战略》。为了在社会上树立城建集团的良好形象，把“塑魂工程”、“塑形工程”导入到创建“文明四区”活动之中。大到大门、围档，小到信笺、名片都进行了统一规范。根据企业实际，结合各个岗位特点，制定了107个工种（岗位）的行为规范和五大类49个不同礼仪场合的礼仪规范。

创建“文明四区”，促进企业全员职业道德的升华。集团在创建“文明四区”活动中，把提高企业全员的职业道德水平作为重中之重。“文明职工创文明工地，优秀人才建优质工程”。集团党委把“建楼育人”作为企业发展的根本，每年都进行一次“建楼育人”的主题教育活动，使“建楼育人”的意识深深根植于职工心中，“建一项工程，树一座丰碑”、“盖一座大楼，育一批人才”、“踏一方热土，留一片美名”成为大家追求的目标。产品质量是企业的生命，在创建“文明四区”活动中，每一道工序都严把产品质量关，对交付的工程坚持回访。抓质量的过程，就是对职工进行职业道德再教育的过程，推出一批优质工程的同时，也实现了职工职业道德的升华。

“扰民”和“民扰”是长期以来令建筑施工企业头痛的问题。城建集团在创建“文明四区”活动中，总结了一个“真心换位法”：将心比心，用心贴心，以心换心。通过换位思考，注意从居民的位置出发来预测可能出现的问题，做到“接待来访态度热情，面对怨气、火气态度温和。宣传政策透一点，上门走访谈心多一点，见到困难主动帮一点”。项目经理部进场之初，就把办公电话向居民公布，把居民群众的意见和呼声作为思想政治工作的“第一信号”。工程还未开工，施工人员就进入周围居民家中走访，听取大家的意见。作业工人进场的第一课就是文明施工不扰民的教育。为防止扰民，把楼房“包”起来，把电锯“藏”进地下室作业。为防止施工哨音产生的噪音，现场指挥塔吊全部改用对讲机。装卸货物时，地上垫上厚厚的草垫。为防止施工扰民，根据居民的休息时间更改施工作业时间，把方便留给居民，困难留给自己。为防止施工扬尘，路面进行硬化处理，现场进行绿化美化，出现了一个个“花园式工地”。

（建设部文明办）

河 北 省

省市级文明单位开展“双千扶贫”活动

根据省精神文明建设委员会的有关部署，2000年河北省选择1000个省、市级文明单位，与1000个贫困村结成对子，开展了帮扶共建活动。动员和组织省、市级文明单位积极参与全省扶贫攻坚计划，帮助贫困地区农民脱贫致富。这一活动的开展，进一步发挥了文明单位在弘扬助人为乐、见难相助、扶危济困等传统美德方面的示范作用，在全社会营造互相关心、互相帮助、共同发展的良好氛围。

这次帮扶重点是：帮思想、帮班子、帮致富、帮科技、帮教育、帮活动。各市在本地条件最好的省、市文明单位中确定参与这项活动的单位，并制定出具体实施方案，明确帮扶任务、目标、时限、验收标准和组织领导措施。对参加帮扶的工作人员进行集中培训，由扶贫办等有关部门讲解帮扶中应注意的事项。

河北省“双千扶贫”活动开展一年来，取得明显成效，被帮扶的贫困村不同程度的脱了贫。沧州市在最初的双百帮扶活动基础上增加了50个帮扶单位。同时，各县市区按照市文明办的要求，在当地组织县以上文明单位开展了帮扶活动，使帮扶活动向基层延伸，范围扩大，受益村已达到300多个，进村率100%。各单位按照“五帮”要求，发挥技术、人才、资金、信息等方面的优势，通过提供的政策服务、经济合作、技术服务、产品输送和培养人才等多种途径，对贫困村进行多方面帮扶，用实际行动把党的关怀落实到贫困村。据不完全统计，各单位通过干部职工自愿捐款和多渠道筹资达1611.64万元，帮助贫困村打井157眼，建引水渠4条、小水库2个，修小康路、扶贫路40条，购置捐助变压器28台，捐书3万多本，提供信息4130条。石家庄市针对当前农民收入增长缓慢的实际情况，各帮扶单位在“五帮”的同时，重点在科技帮扶上下功夫，积极为所帮扶村镇出谋划策，想方设法增加农民收入。为所帮扶村镇聘请科技人员举办种植、养殖、加工等各种讲座或培训班450余次（期），培养人员1.73万人次，满足农民对科技知识的需求。结合农村产业调整，帮助所帮扶村引进新品种，寻找致富新路子，发展规模经营。为所帮扶村购置一批文化科技图书、书桌、书橱，动员职工捐书赠书，组织农民开展读书用书活动，为农民拓宽致富门路创造条件。

（河北省文明办）

河北省承德市

扎实推进创建文明个体私营企业活动

承德市各级党政领导高度重视，创建文明个体私营企业活动在围场县及其他县区试点镇全面展开。多数县区党政领导把创建文明个体私营企业工作作为创建活动的一项重点工作，摆上重要议事日程，纳入总体布局，按行业特点，实行县文明委统一领导下的领导干部责任制和部门（单位）分工负责制，党政主管领导亲自抓，责任单位尽心尽力抓。

各有关部门各行业系统大力支持，创建文明个体私营企业活动形成上下联动、左右配合、效果明显的良好局面。文明办和行业主管部门以及其他相关部门单位协调联动开展创建活动，充分发挥各自的优势，把创建活动与相关业务工作有机结合起来，避免了重复布置、多头评比，使个体私营企业能够更好地集中精力抓发展、抓创建工作，实现经济效益与社会效益双丰收。

吸引广大个体私营业务员工积极参与，创建文明个体私营企业主活动成为群众性精神文明创建活动的又一亮点。

扩大创评工作覆盖面，个体私营企业的两个文明建设水平显著提高。从创建内容看，向两个文明建设领域全方位发展，许多个体工商户和私营企业在服务质量、环境秩序、内部经营管理、软硬件建设等方面上了一个大的台阶，一些创建活动搞得好的私营企业的顾客数量与销售收入都有较大幅度的增长。

工作成绩显著，促进了个体经济健康、持续、快速发展。开展创建文明个体私营企业活动，普遍在文明生产、文明经营、文明服务、文明管理上下功夫，使个体私营领域精神文明建设和思想政治工作更加有声有色、卓有成效，解决了许多群众反映强烈、期盼解决的突出问题，进一步改善了业主同员工、同顾客的关系，提高了个体私营企业在人民群众心目中的信誉和满意度。

（河北省文明办）

山西省

职工职业道德“双十佳”评选活动

党的十四届六中全会以来，山西省各级工会组织始终把加强职业道德建设，树立良好道德风尚，提高职工队伍素质，建设跨世纪“四有”职工队伍作为推进社会主义精神文明建设的重点工作来抓，认真实施省总工会提出的“跨世纪主人教育工程”，在健全制度，建立机构，强化教育，普及规范等方面做了大量的工作，开展了多种多样、扎实有效的职业道德建设活动，涌现出一批又一批爱岗敬业、无私奉献、诚实守信、服务一流的职业道德标兵和职业道德建设先进单位。1998—2000年，连续三年在全省企业中广泛开展了职业道德“双十佳”活动。2000年的评选活动，紧密围绕贯彻党的十五届四中全会精神和山西省调整经济结构的大局以及工会工作的新目标，采取竞赛的形式，从基层班组做起，积极开展创建“全满意”（即用户、社会、工商、税务、审计、银行和本单位职工都满意）单位和职工争当“无差错”（无论干啥，全年无一丝差错）能手的职业道德建设竞赛活动。省总工会按照自下而上、民主评选、注重实绩、逐级审定的推荐方式，采取社会投票和评委会评选相结合的评选方式，将竞赛活动中涌现出的“双十佳”候选人的事迹在《山西工人报》公布，进行社会投票，同时交由省文明委、省委宣传部、省总工会、省经贸委、山西日报社、山西电视台、山西电台等单位负责同志组成的评委会进行评选，按得票情况和评委会意见，经省常委会研究审定，评选出杨爱建等10名山西省职工职业道德十佳标兵，大同市社会福利院等10个山西省职工职业道德建设十佳单位。2000年11月24日，在省城太原隆重召开了2000年度山西省职工道德“双十佳”表彰大会。职业道德“双十佳”评选活动，有力地推动了全省职工职业道德建设。

（山西省文明办）

内 蒙 古

开展行业文明杯竞赛

内蒙古自治区根据中央、自治区党委关于创建文明行业的一系列指示精神，继续在公安、建设、税务、邮电、民航、铁路、电力、气象等窗口行业和执法部门推行社会服务承诺制和政务公开制，把规范化服务作为创建文明行业的重要内容，进一步完善服务措施，细化量化服务标准，深入开展行业文明竞赛活动。自治区气象部门开展了“优质规范服务，树立行业新风”活动，各盟市气象局都按照中国气象局公布的规范化服务标准制定了实施细则，开展电视天气预报和“121”气象信息电话服务，把创建文明行业的标准量化分解到基层，实行目标责任制，使创建活动从内容、形式到覆盖面都得到了拓展，被中国气象局、自治区文明委授予“创建文明行业先进系统”。自治区交通厅通过抓“窗口”单位来带动整个行业的精神文明建设，在原有22个“窗口”单位开展政务公开和服务承诺的基础上，又公布了12个“窗口”单位，12条客运示范线路，组织4000余辆出租车、4500余辆客运班车为优质服务参赛车，通过优质服务和规范服务，推动全系统创建文明行业活动的深入开展。

（内蒙古自治区文明办）

上海铁路局

推行站车服务社会测评活动

上海铁路局党委在客货运窗口单位开展的“讲文明树新风”活动中，自觉把文明服务示范站车的工作置于广大旅客、货主的监督之下，把群众满意不满意、高兴不高兴、拥护不拥护，作为衡量自身服务质量、行业风气和精神文明建设的根本标准和主要方法。春运期间，他们委托上海市质量协会用户评价中心，对全局25个示范站车规范化服务用户满意度进行社会测评，让旅客、货主为示范站车打分。

这次测评工作历时两个多月，分准备、调查、评析三个阶段。准备阶段主要是配合上海市质协用户评价中心做好前期各项准备工作。一是成立测评项目组；二是制定实施方案；三是设计调查测评问卷；四是组织人员培训。在调查阶段，由质协用户评价中心委派共计23名测评人员参加的4个项目组，交替到25个示范站车发放问卷，对旅客现场发放问卷后当场回收；对货主则采取由车站提供1999年度办理过托运的货主名单，经调查人员随机抽样，通过信函和电传的形式发放和回收问卷。根据实施方案，这次测评共设样本总量8000个，其中示范列车1500个，示范客站6000个，示范货站500个。实际发出问卷1.2万多份，回收8700多份。评析阶段主要由上海市质协用户评价中心项目组对回收的问卷进行计算机数据汇总处理，以各项评价内容的实际得分为基础，加上双方确定的权重，分别统计出各示范站车的满意度。

测评数据显示，满意度结果货站最高（平均值为83.43），列车次之（平均值为81.22），客站最低（平均值为76.57），三者平均值为79.93。这个结果符合测评的特定条件和各站车的实际情况，比较真实地反映了示范站车的服务状况。

对站车服务进行社会测评的初步收获：

一是对示范站车的服务质量和文明行业创建水平有了一个比较客观、公正的评价。

二是对示范站车的服务工作进行了一次全面的“会诊”。

三是对促进站车干部职工转变观念，牢固树立用户至上的思想具有积极作用。

四是对企业塑形提供了一次良好的机会。

五是对改进传统的检查评比方法作了一次有益的探索。

（铁道部宣传部）

江苏省南京市湖南路商业街

优质服务引来顾客盈门

南京市湖南路商业街作为全国“百城万店无假货”活动的示范街，其有形和无形的资产都在不断增值，现在已经成为南京市新的不夜城和最繁华的商业街之一。这条长1100米的街道，日均客流量在20万人左右，节假日则达到30万人以上，商家总数从1997年的118家增加到现在的205家。

湖南路所在的南京市鼓楼区委、区政府的领导同志认为，无论从软件还是从硬件上看，湖南路一条街的发展空间都很大。2000年以来，他们从几方面入手促进这条街两个文明建设更上一层楼。

软件建设做“硬”。他们在湖南路商家中开展了“没有满意服务，哪有顾客盈门”、“没有严格管理，哪有购物放心”的主题教育活动；编印了《法律法规汇编》、《湖南路文明街服务标准规范》等册子，供店家和经营者学习使用。建立自律机制，净化流通渠道，沿街每个商家都必须制定商品进货检查验收制度、售后服务管理制度、服务“六统一”制度（培训上岗、工牌号、文明用语、价格标签、广播站、计算机收银）、夜市“八统一”制度（货架、灯箱、标价签、服装、信誉卡等）。在沿街大商场（店）内设立投诉服务台，聘请20位离退休老干部担任示范街的社会监督员，经常对沿街商店的服务态度、服务质量进行监督；设立“天天3·15”消费者投诉车，随时接受顾客的投诉，形成行政监督、舆论监督、社会监督和企业自律四位一体的综合治理机制。湖南路商业一条街承诺不满意就退货。鼓楼区还在全区范围开展了“走进文明街，服务文明街，建设文明街”的创建竞赛活动。

硬件建设做实。用大手笔抓出新意，把湖南路包装得更靓丽，这是2000年湖南路创建文明活动中的重要目标之一。投入数百万元建设湖南路文明街光效艺术牌工程和山西路广场的水幕音乐喷泉系统工程。继续对湖南路周边地区进行改造，把湖南路黄金线变成黄金块。全面实施山西路广场改造工程、狮子桥美食街建设、丁家桥路拓宽工程、沿街杆线下地工程、沿街两侧楼体立面包装出新工程、沿街近8000平方米的人行道板改铺花岗岩道板工程、快慢车道的摊铺出新工程、监控系统的维修及沿街休闲文化设施改造出新工程。

（2000年9月8日《人民日报》）

安　徽　省

大力开展创建文明市场活动

2000年，安徽省的创建文明市场工作以邓小平理论和江总书记“三个代表”的重要思想为指导，紧紧围绕省委、省政府、省文明委关于创建工作的总体部署和要求，进一步加大工作力度，不断探索创建活动的新方法，创新工作机制，取得明显成效。

2000年7月11日和11月21日安徽工商局分别召开了全省创建文明市场工作现场会，对创建文明市场工作进行全面的总结、回顾和反思，并按照省委、省文明委提出的创建工作的要求，结合实际，提出创建文明市场“三步走”的目标，即在2000年国庆节前初见成效，2001年元旦前大见成效，2001年基本步入良性循环。

到2000年，从省、市、县工商局到基层工商所全部建立起创建文明市场领导机构，由一把手负责，分管领导具体抓，职能部门协同抓，形成了创建组织网络，加强对创建文明市场工作的领导。同时还把创建文明市场工作任务纳入年度岗位目标考核内容，量化指标，层层分解，做到层层有任务，人人有担子，一级抓一级，一级对一级负责。

为了营造全社会关心、支持创建文明市场的氛围，各地都采取多种形式加大创建宣传力度。滁州市开展“经营户、消费者为市场创建献良言”活动，活动中收到各类意见和建议842条，接待来人来访245人次。不少地方还充分运用墙报、广播、标语等形式，大张旗鼓地宣传创建工作的意义，激发广大群众的参与热情，营造良好的文明市场创建氛围。

安徽省工商局把治理集贸市场脏乱问题放在首位，从2000年8月份开始，全省打响了以集贸市场治脏为主要内容的第一战役。9月份又打响以集贸市场治乱为主要内容的第二战役。12月份打响“巩固提高，标本兼治”的第三战役。基本上在市场范围内做到纵向到底、横向到边的全方位管理，解决了脏、乱、差现象。

全省各地都加大了集贸市场建设的步伐，截至2000年底，全省有形市场登记总数为3674个，积极改造老市场，针对许多市场硬件设施老化、设备陈旧的现象，加大市场建设投入，对集贸市场进行改建、扩建和维修，使一批老市场的硬件设施得到进一步改善。实行退路进场，还路于民，使一批影响交通和市容、群众反映大的骑路市场搬迁进入室内市场。

为了促进全省创建文明市场工作上台阶，安徽省组织开展了文明市场评比工作。从市场主体、市场设施、经营活动、治安消防、监督管理五个方面，制定评分细则，组织6个检查组，对97个申报省级文明市场的集贸市场进行检查评比。

（安徽省文明办）

安徽省气象部门

群策群力建设文明系统

安徽省气象部门以搞好服务为立业之本，努力把创建文明系统与提高气象服务的社会、经济效益结合起来，把创建活动的出发点、落脚点放在为全省经济建设和防灾减灾工作服务上，两个文明建设取得长足发展。

坚持加强“三德”教育，开展职业道德演讲比赛，文明职工、“五好”家庭评选等活动，提高职工的思想道德素质。实施人才工程，有计划地培训职工，并通过岗位练兵、评选科技带头人和中青年业务骨干等活动，促进职工钻研业务、攻克难关，提高业务素质。

注重提高单位的文明程度。在提供优质服务的同时，努力创建优美环境，把创建同单位的综合治理结合起来，在全系统开展“奔小康示范台站”工作，实行规范化建设；工作环境综合一体、连通透明；生活环境硬化、净化、绿化、美化、亮化；会议室、活动室、图书室健全。

全省气象部门把创建文明系统活动作为加强和改进思想政治工作的主要载体，狠抓落实。坚持用马列主义、毛泽东思想、邓小平理论武装干部职工的思想，在理论学习中认真贯彻执行“讲政治、议大计、出良策、办实事”的12字方针。坚持用“黄山松精神”塑造安徽气象人形象，并结合气象部门的实际，提出“创业、敬业、兴业、爱业”的“四业”精神，以此激励干部职工知难而进，勇创一流。坚持开展文明创建百日竞赛、文明系统创建年、诗歌演唱会、职工运动会、书画展等职工喜闻乐见活动，营造积极健康、奋发向上的文化氛围和生活方式。

在创建中，全省气象部门树立上下一盘棋的大局观、全局观，从省局到市地、县局全部实施“一把手工程”，成立领导小组，建立了一把手负总责、分管领导具体抓、党政群团共同抓的领导机制和工作机制，并建立起省、市两级管理网络，省、市、县三级工作网络。同时，把创建工作纳入各级领导政绩考核范围，签订目标责任书，形成“一级抓一级，层层抓落实”真抓实干的局面。

（安徽省文明办）

福 建 省 厦 门 市

着力提高外来务工人员文明素质见成效

为了提高外来务工人员的文明素质，厦门市劳动局、市文明办定期办班培训外来务工人员，一是讲解《劳动法》的基本常识，引导他们爱岗敬业，并利用《劳动法》维护自身的合法权益；二是宣讲文明道德规范和城市管理法规，如《厦门市市民文明公约》、《厦门市十不准规定》、《厦门市城市市容和环境卫生管理办法》等，让每位来厦务工人员懂得基本的行为道德规范，在第二故乡当个文明公民。培训工作收到明显的成效：一是知法守法的人多了，采取过激行为的人少了。在发生劳动纠纷时，多数人懂得运用法律武器保护自己，能主动找劳动仲裁部门解决问题。二是见义勇为、助人为乐的事情多了，打架闹事的人少了。三是讲文明讲卫生、爱护公物的人多了，乱扔乱吐的现象少了。有一个从山区来厦门务工的姑娘说，她以前在乡下，吃完香蕉、桔子，果皮都是随地扔，到厦门后才自觉地把果皮扔进了垃圾桶。

（福建省文明办）

江　西　省

开展民主评议行风活动

2000年6月至12月，江西省文明办、省纠风办选择省公安厅、省卫生厅和省电力公司、省电信公司进行民主评议行风工作试点，实施全系统行风评议。评议的主要内容包括执行政策法规、廉洁自律、行业作风、职业道德等方面的情况。省里成立了民主评议行风工作领导小组。评议领导小组选聘20位工作经验丰富、公道正派的同志担任行风评议员，发放聘书和调查证，赋予评议员调查、督查评议和表决的职责。评议采取自查自纠与评议员评议相结合、检查规章制度与现场检查相结合的方法，并广泛征求群众意见。分四个阶段进行，即宣传发动，自查自纠，群众评议，集中整改。最后由评议小组进行面对面的综合评议，作出总体评价。在评议过程中坚持走群众路线，开门评议，直接听取群众意见，设立举报箱和投诉电话，随时接受群众投诉和反映，评议的过程和结果向社会公开。

一是统一认识，精心部署。江西省委、省政府高度重视，成立了以省委副书记为组长的省民主评议行风领导小组，设立办公室负责具体工作。召开全省民主评议行风工作电视电话会议，省委、省政府领导同志作动员报告，提出了明确要求。省民主评议行风领导小组下发了《关于2000年行风评议工作的意见》和《江西省2000年民主评议行风工作实施方案》，明确民主评议行风工作的指导思想、目的意义、评议内容、评议对象和方法步骤。被评部门的主要领导直接抓评议工作，并成立以单位“一把手”为组长的领导小组，设立办事机构，负责系统内评议工作的组织协调、联络督办等具体事项。

二是建立制度，完善机制。开展行风评议以来，各被评部门从健全规章制度入手，制定具体的评议行风工作实施细则和办法，完善行风建设的长远机制。省卫生厅建立和重申了一系列行风建设和卫生行政管理的规章制度，对卫生行业作风实行综合治理，从根本上铲除滋生不正之风的土壤。

三是宣传发动，接受监督。各单位都十分重视宣传发动工作，据统计，4个部门干部职工的受教育面均接近100%。在评议工作中，4个部门共编印简报240期，《人民日报》、《光明日报》、《经济日报》等中央新闻单位和地方新闻单位共刊发有关评议活动的报道1200多篇。被评议单位主动聘请群众监督员虚心接受社会各界和广大群众的监督。

四是正视问题，自查自纠。被评议的单位敢

于正视问题，不怕揭短，不怕亮丑，自查问题，接受监督。各部门都设立举报箱，公布举报电话，聘请行风监督员，分别在省会南昌市中心的八一广场举行大规模的征求群众意见活动，面对面接受群众现场咨询和投诉，解决一些久拖不决的问题。

五是标本兼治，切实整改。民主评议行风工作始终坚持边整边改的原则，被评部门对群众反映的问题，必须做到事事有着落，件件有回音。4个被评部门都在自查自纠、民主评议的基础上制订了一套切实可行的整改办法，将整改任务落实到基层和个人，限期整改，限期反馈。省电力公司对查找出的71个问题全部查实并进行回访。

（江西省文明办）

青岛海尔集团

实施“用户满意工程”

海尔集团2000年实现全球营业额约406亿元人民币，产品包括空调、洗衣机、彩电、电脑、手机等69大门类1万多个品种，畅销全世界160多个国家和地区。通过实施“用户满意工程”，在广大用户心中树立了“真诚到永远”的服务名牌，荣获中国保护消费者基金会的最高奖——“保护消费者杯”。2000年5月，被美国科尔尼管理顾问公司、《财富》杂志评为亚太地区惟一的“全球最佳营运公司”。

他们始终坚持把实现用户满意作为创新和赢得市场的起点，十分重视将用户潜在的需求转化为具体工作的原则和标准，努力为用户提供优质服务。在技术创新、产品开发中把用户的难题作为首要的课题，在真正为用户着想、满足用户潜在需求上赢得信誉。在国外建立了10个信息站，成立了6个联合开发研究所，不断开发新技术，使用户满意的新品种源源不断地问世。他们认为如果用户不满意，产品不管是符合国家标准，还是国际标准，实际上也是不合格的产品。因此，他们以用户的“挑剔”为标准，提高企业正在执行的国际标准，不断生产出新产品，如节水型洗衣机、变频空调等。在全国设置的33个电话服务中心、1万多个服务网点，为了实现“只要用户一个电话，剩下的事由海尔来做”的服务承诺，不管白天黑夜，逢年过节，随叫随到，有时还派员乘飞机实施无偿服务。

海尔集团提出“有缺陷的产品就是废品”的标准。十几年来，他们始终坚持以零缺陷赢得用户和市场。荣获了国家质量管理金奖。他们得知一位用户因洗衣机塑料进水孔处一个“毛刺”划伤了手指，便开展了一场“我们怕什么”的大讨论，使广大员工意识到，小小毛刺它刺伤的是一大片用户的心。为使用户不再遭受“毛刺”的伤害，他们围绕流程再造，寻求实现用户满意的新境界，实现了业务流程化、结构网络化、竞争全球化“三化”战略管理。业务流程化就是每个部门、每个员工都面对自己的市场，变职能为流程，变企业利润的最大化为顾客满意的最大化，变海尔设计、制造为“商家或用户设计、海尔制造”。结构网络化就是使企业变成一个开放的系统，整合各方面资源满足用户个性化需求。竞争全球化就是以全球市场为舞台，在大范围竞争中，以速度、信誉制胜。一家外商要求改变包装箱，某国际化的大企业认为至少3个月才能完成。找到海尔后，只用了15天就实现了他的要求，他欣然订了海尔的货。

（山东省文明办）

山东沾化发电厂

运用网络开展政工教育

山东沾化发电厂积极尝试开展“网上政工”，在一年多的时间内，已成为广大职工必不可少的精神食粮。该厂根据不同时期的政治需要，按照党员、干部、职工不同的学习要求，注意从各大报刊、新华社等权威网站收集相关文章送入“政工园地”。同时，政工部门传播政工信息或思政文章，也将内容送入“政工园地”，增强了企业思想政治工作的时效性和艺术性。

沾化发电厂网上“政工园地”，设有党建工作、党风廉政建设、精神文明建设、工会工作、共青团、沾电周报六大版块。每个版块内又设置了十几个栏目，涵盖了企业政治思想工作的方方面面，其容量无异于一个图书馆。内容全部由厂政工部自办，切合企业政治思想工作实际，有很强的针对性和时效性。譬如“精神文明建设”版块的“政研会论文”栏目，收集了该厂50多位政研会理事发表的百余篇思想政治工作论文，极大的促进了思想政治工作经验交流。

“网上政工”具有许多其他传播工具不可比拟的特点。一是方式新颖，一则新闻或思政文章配以漂亮的画面、图片、动面、录像等非常吸引人，摆脱了空洞说教式的思想工作模式，可以潜移默化的熏陶职工。二是信息量大，打开政工网页，党的经典文章、理论研究、政工动态、会议文件、国际国内新闻尽收眼底，是一个没有围墙的大学。三是传播速度快，各种会议精神、文件、指示、决议，领导的讲话、报告，可以立即传达到广大群众中，省去层层传达、信号层层衰减、行动滞后的弊端。四是传播范围广，过去干部教育只针对干部，党员教育只针对党员，职工教育只针对职工。现在，只要职工有学习愿望，全部可以得到满足。五是便捷，工作间隙，在办公桌上只要鼠标一点，职工马上可以接收到思想政治工作的信息，这对于思想政治工作者来说，随时可以展开工作。

（山东省文明办）

山东滨州市地税局

全面实施“111”服务工程 构筑新型地税服务格局

2000年，位于黄河三角洲腹地的滨州地区地税局全面实施地税“111”服务工程，确立了“服务经济，服务社会，服务纳税人，为国聚财，为民造福”的服务宗旨，作出“一拨就通，一问就答，一叫就到”的服务承诺，形成“地税‘111’，连接你我他，方便纳税人，服务千万家”的税收服务特色，建立了一个全新的税收征管模式，赢得社会各界的广泛赞誉。

地税“111”服务工程是以地税“111”服务热线和服务车为载体，以指挥（服务）中心为中枢，以现代通讯和税收电子化手段为依托，横向与公安“110”报警服务台及工商、司法等职能部门通力协作，纵向通过地、县（市）、分局三级地税联网，服务经济、服务社会、服务纳税人、服务基层的一种上下贯通、配套联动、规范统一、反应迅速、高效快捷的综合网络服务体系。

开通地税“111”服务热线。在全区6县1市设立了7条地税“111”服务热线，开展税收政策咨询，解答税收疑难，接受监督投诉，受理涉税举报，听取意见建议，提供经济信息，为纳税人牵线搭桥。地税“111”服务热线设在各级地税机关的地税“111”指挥（服务）中心，对业户来电进行认真登记，对业户反映的问题，能当时解答的，给以准确解答，当时不能解答的，经核实或请示后，在规定时限内给予满意答复。为了便于群众和社会各界记忆与使用，服务热线电话首位根据县市代码设置，后六位均为“320111”。

配备地税“111”服务车。从地区局到各基层征收分局都配备了地税“111”服务车，车上备有税收票证、计算机、打印机等现场办公设备，在征期内无偿地为位置偏远、交通不便、老弱病残、农忙季节的纳税人提供上门服务，宣传税收政策，办理税务登记、纳税申报、发票发售、税款征收等涉税事宜。对重点服务对象进行台账管理，定期上门服务。

设立地税“111”指挥（服务）中心。地税“111”指挥（服务）中心，设在地区局和各县市局，是地税“111”服务工程协调、调度、指挥机构。主要职责是具体管理和实施本级地税“111”服务工程，并负责对下级指挥（服务）中心的指导；收集汇总地税“111”热线获取的各种动态信息，定期向领导汇报工作，重要情况及时报告；负责处置、分解、传递地税“111”热线电话收取的信息，监督、答复、反馈和落实电话反映的情况；负责地税“111”服务热线和服务车的统筹安排和调度等。

地税“111”服务工程，架起了地税部门与纳税人和社会各界之间传递信息、沟通感情、解决困难、化解矛盾的桥梁和渠道，推动了经济发展，维护了社会稳定，促进了精神文明建设，取得明显成效。

加强了税收征管。地税“111”服务热线的开通，服务车的上门服务，提高了纳税人特别是农村纳税人的依法纳税意识，按时申报率比1999年同期提高了近20个百分点，而且广大纳税人通过服务热线，主动监督举报人偷税、逃税行为，形成良好的协税护税环境，有力地促进零散性、流动性、隐蔽性税收的征管到位。2000年在固定资产投资方向调节税停征、国产设备投资抵减企业所得税等多种减收因素的影响下，全区地方税收仍比1999年同期增长20%以上。

拓宽了服务领域。地税“111”一拨就通，一问就答，一叫就到，机动灵活，高效快捷，把为经济、为基层、为群众、为纳税人提供优质服务的宗旨落到了实处。地税“111”服务车，穿梭于大街小巷、城市乡村，给办公室按上了车轮，变坐着等税为上门办税，并及时为纳税业户提供有关税收征管方面的法律、政策、信息咨询服务。

规范了执法行为。地税“111”服务工程的实施，在税务机关和纳税人之间建立了双向监督和制约机制。“111”服务热线在搞好咨询服务的同时，随时受理纳税业户对执法人员不公正执法行为的检举，将税收征管人员的执法行为置于广大业户和社会各界的监督之下，使依法征税、文明服务成为广大税收征管人员的自觉行为。广大群众也可通过“111”服务热线，对各种涉税违法行为进行举报，以保证依法治税方针的全面落实。

树立了良好形象。地税“111”服务工程，真正将为基层、为群众、为经济发展服务的要求落到了实处，赢得了社会各界的广泛好评。人民群众普遍反映，地税“111”有“三热”，即热线、热车、热心。这“三热”使地税与人民群众的感情更贴近了，党和政府的形象更好了，出现了老百姓由涉税上访到为地税部门送锦旗、送感谢信的可喜变化。

（山东省文明办）

湖　南　省

积极开展窗口行业精神文明建设测评活动

为了贯彻落实中央文明委关于深入开展优质规范服务、大力倡导文明行业新风的指示精神，进一步推动湖南创建文明行业工作深入开展，加大对文明优质服务示范窗口的监督力度，省文明办、省纠风办、湖南日报社2000年继续开展了窗口行业精神文明建设调查测评活动，突出了群众参与和舆论监督的特点。这次明察暗访10个行业、40多个示范窗口，并对“农村电网两改一同价”（农村电网改造、农电体制改革、城乡电网同网同价）等突出热点问题进行调研。在湖南日报头版推出《窗口行业精神文明建设调查测评》专栏，采写编发30多篇文章。在湖南日报刊载《湖南省“窗口行业”行风测评表》，在群众中对22个省直窗口行业进行公开测评，引起社会各界强烈关注，社会反映很大。2000年9月，湖南省文明委制定和颁发《关于加强窗口行业文明优质规范服务的意见（试行）》，推动了全省窗口行业文明创建活动的深入发展。

（湖南省文明办）

湖南省隆回县财政局

实施三大工程 推进文明建设

隆回县财政局围绕“建一流队伍，创一流业绩，树一流形象”，抓两个文明建设，取得较好的成绩。1998年被湖南省授予“文明单位”，1999年被评为省治安模范单位、省财政系统先进集体、省文明卫生单位，获全国城镇集体企业清产核资工作先进单位称号。2000年被省委、省政府授予文明标兵单位称号。

一、实施素质工程，创建精良的财政队伍

隆回县财政局制定了《关于加强政治理论和业务知识学习的规定》，对学习内容、时间、要求都做了明确规定，制定了奖罚措施，并把学习的好坏与工作岗位安排挂钩。2000年，全局共举办各种培训班12期，组织各种比赛、考试测评活动8次，广大干部职工的政治业务素质明显提高。加强思想政治工作，做到“三个结合”，即把干部职工教育同为干部职工办实事结合起来，把解决思想问题同解决实际困难结合起来，把思想教育同热情服务结合起来。广泛开展“一帮一，四上门”活动。做到有思想疙瘩上门解结，有生活困难上门帮助，有婚庆喜事上门祝贺，有伤病不幸上门慰问。

二、实施形象工程，创立良好的精神风貌

局里制定了“忠诚团结、政令畅通；热情服务、面向基层；勤奋好学、务实求精；爱岗敬业、尽职尽心；表里如一、守纪文明；坚持原则、廉政公正；振兴财政、开拓创新”的财政干部职工职业道德守则，从深化管理入手，努力塑造良好的形象。一是树立为人民服务的公仆形象。并以此为主题，开展创建“四优一满意”文明机关活动。二是树立爱岗敬业的主人翁形象。一方面严格实行目标管理考核，制定了《隆回县财政系统双文明建设目标管理考核实施办法》等一系列规章制度，另一方面深入开展争先创优活动。三是树立廉洁奉公的廉政形象。一方面，建立自我约束和纪检监察监督机制，制定了《纪检监察二十二条》；另一方面，局领导班子和中层骨干在廉政建设方面模范带头。局党组一班人正人先正己，做到不在家谈公事、不接受吃请、不进娱乐场所，不接受红包、有价证券、礼金。

三、实施效益工程，创造优良的工作业绩

隆回县是一个国家重点扶植的贫困县，财政十分困难。为了扭转这一被动局面，该局积极当好政府参谋，通过大力培植财源，强化税收征管，深化财税改革，实现了财政状况的根本好转。

（湖南省文明办）

湖南省电力公司

从严务实　开展创建文明行业活动

湖南省电力公司以“创建国内电力一流，争当省内行业一流”为目标，突出“严、实”两个字，抓机关带基层，抓典型带全局，扎扎实实开展创建活动，取得了两个文明建设协调发展、共同进步的显著成效。公司在连续12年获省文明单位称号的基础上，1999年获首批全国精神文明建设工作先进单位称号，1995—2000年连获三届省文明建设先进行业称号。

一、强化创建机制，做到认识、人员、资金、工作“四到位”

一是层层把创建工作作为“一把手”工程来抓。建立健全创建领导机构和组织机构，明确专职工作人员，核拨创建经费和奖励基金，建立包保责任制，签订责任状，形成党委抓党、行政抓长、工会抓班、共青团抓岗的组织领导体系和“四级管理网络”，保证了两个文明建设同部署、同检查、同考核、同奖惩。公司每年都专门研究讨论创建工作，公司领导带队分组考评验收双文明单位，对创建工作先进单位给予奖励。二是层层制定创建规划、目标、安排及考评标准。公司制定创建规划，作出创建部署，修订完善《双文明单位建设考核管理办法暨实施细则》，建立起两个文明建设“双向参与、共同负责”的工作机制。基层单位都根据各自实际制定了规划、目标和标准，每月按时上报创建安排与进度。常德电业局、柘溪水电站制定的《创建系列工作考核实施细则》，被国家电力公司印发全国电力系统推广。三是层层严格考评验收和奖惩。公司把创建文明单位与达部标、创一流工作结合起来，严格考核评定，把领导班子坚强有力、业务工作实绩显著、思想道德风尚良好、管理规章制度健全、环境优美环保达标、遵纪守法秩序安定作为基本条件，实行领导班子建设、职工犯罪率、计划生育、重大责任事故一票否决，逐步用创建工作统领各项工作，推动了创建文明单位、文明系统（行业）活动的广泛深入开展。

二、坚持重在建设、从严务实原则，深入开展创建活动

注重党员干部理论教育，开展邓小平理论、“三个代表”重要思想教育，开展唯物主义、无神论等教育。

组织开展“满意在社会”活动。从提高认识、宣传、监督、改革、管理、投入、领导和建设等8个方面加大公司推出的35个文明示范（规范化服务）窗口创建力度，有3个窗口被评为省部级文明窗口单位，岳阳电业局城区供电局获全国创建文明行业工作先进单位称号。该信电局自1998年5月1日起坚持开展“110”社会服务联合行动，受到了省委、省政府的肯定和表扬。抓好农电“三为”服务，切实减轻农民负担，1998年以来共减轻农民不合理电费负担近4亿元。认真开展电业职业道德建设和行风评议，全省已开展行风评议的12个市（州）中，有12个电业局和32个县局一次通过并居当地同行的前列。

组织开展了“满意在基层”活动。制定《关于改进干部作风的若干规定》，主要开展“为基层服务，让职工满意，创文明机关，当五好职工”等主题实践活动。抓好机关作风整顿，逐步树立了“党组满意，基层单位满意，职工群众满意”的文明机关形象，逐步建成一支政治思想、勤政廉政、工作作风、业务能力“四过硬”的机关职工队伍。

深入开展争当文明职工，创建文明家庭、楼栋、小区和文明班组、车间（科处室）等系列活动。公司所属40个基层单位100%建成市（州）级文明单位，30个单位获省部级文明单位，其中4个单位获省部级文明标兵单位称号，有16个县局和多个企业获省部级文明单位称号。

（湖南省文明办）

广 东 省

创建文明行业“春风行动”

为进一步深化创建文明行业活动，2000年广东省开展了创建文明行业“春风行动”活动，以“服务人民，奉献社会”为宗旨，以“为人民服务、树行业新风”为主题，以加强职业道德建设，纠正行业不正之风为重点，着力解决广大人民群众关注的热点问题，开展规范化服务，推广社会承诺活动，开展行风评议，促进了行业风气和社会风气的好转。

一是抓规范。根据省文明委的要求，各行业从行业实际出发，完善服务规范、岗位规范和工作标准，推出110报警接警、车辆管理、邮政服务、市话服务、供水服务维修、办税服务、商业、铁路、民航、气象、金融、供电等行业的规范化服务措施。6月份，省文明办在省电信局召开规范服务的现场经验交流会，推广电信行业全面深化规范化服务的经验和做法。

二是抓评议。从服务行业入手，开展行风评议活动。省文明办会同有关部门，选择电信、邮政、供电、公安、法院等15个与人民群众日常生活密切相关的行业和部门在互联网设立网站(21CN网站)，面向社会，面向群众，开展行风评估活动，引起强烈的反响。群众在网上提出不少尖锐的意见，省文明办把它反馈给有关行业，引起有关行业领导的高度重视，纷纷采取措施，下决心整改。

三是抓监督。加强社会监督和舆论监督的力度，把外部的压力转化为行业改进工作的内在动力。省文明办会同省广播电台开辟“2000广东创建文明行业‘春风行动’特别节目”，邀请参加评估的电力、教育、电信、邮政、商业、城建、交通、卫生、工商、税务、城管、旅游、民政、人事、外经贸委和公检法等行业和部门领导，在直播室直接与群众对话、听取意见，推出进一步加强行风建设的整改措施。“春风行动”通过典型报道、直播室访谈、焦点讨论、群众评议、广场活动等形式，以直接影响学习、社会风气的关键性行业为主，从与群众生产、生活密切相关的窗口单位开始，通过正面报道和舆论监督相结合，促进服务环境改善、服务质量的提高，促进行业风气的好转、促进行业良好形象的树立，收到很好的效果。

（广东省文明办）

广东省茂名石油化工公司

开展四大创建活动　创建文明企业

茂名石化公司结合企业扭亏增盈和重组改制的实际，开展四大创建活动，推动两个文明建设上新台阶，取得优异成绩。

一、开展群众性创建文明企业系列活动

深化创文明车间、班组和文明职工活动，对公司及各二级单位的“文明窗口”单位和“文明示范点（岗）”进行统一规划、管理，更好地发挥文明示范作用；开展创安全文明小区活动，建立楼长制，发动职工家属共建安全文明住宅区，组织“文明月”活动，公司两万多名职工、家属参加了义务清洁及上街便民活动，树立了公司良好的社会形象；成立厂容监察队，督促广大职工共同搞好厂区文明与卫生工作，清理整顿了一大批卫生死角，使各厂区都达到了“园林式单位”标准。

二、开展群众性法纪和文明教育活动

开展好群众性普法和纪律教育活动，组织干部职工结合实际学习有关法律法规，在职工及家属中开展“珍惜生命，远离毒品”宣传教育活动；组织职工及家属学习马克思主义唯物论和无神论，倡导科学文明，反对迷信愚昧；加强家庭文化建设，开展创建“321”家庭书屋活动（即每个家庭至少有300本图书，两种报刊，一个书架），普及科学文化知识，引导建立科学文明的生活方式。

三、开展群众性“学先进、争贡献”活动

2000年，公司有5名职工被评为中国石化集团公司劳动模范，其中朱秀琴被评为全国劳动模范。公司党委组织朱秀琴事迹报告团，在各单位巡回演讲。公司报纸、有线电视也大力宣传各级劳模的先进事迹。同时，组织开展“学先进，争贡献”活动，引导广大职工树立奋发向上的精神。

四、开展群众性企业文化活动

广泛开展广场文化活动，利用职工文化活动中心这个阵地，定期组织职工群众及离、退休职工举办各种文娱晚会，丰富了职工及家属的业余文化生活；举办了首届“职工读书节”，掀起为国家的富强、石化的振兴、企业的发展而勤读书、读好书的热潮。

（广东省文明办）

云　南　省

实施文明走廊工程

以横贯云南省的铁路和公路干线为依托的“文明走廊工程”2000年又添新成果，国道320线昆明大理、省道214线大理至丽江段建成文明公路运输线。

昆明至丽江段是云南境内的一条重要的交通大动脉，也是我云南一条黄金旅游线。它以历史名城昆明为起点，连接了元谋猿人的故乡楚雄州、南昭古国的故都大理州、东巴文化的发祥地丽江地区，全长514公里。为实现云南建设“民族文化大省、绿色经济强省、中国连接南亚东南亚的国际大通道”的战略部署，云南省文明委确定在昆丽段开展“文明公路运输线”暨“平安大道”的创建工作。

在创建过程中，沿线各级党委政府，各行各业都把文明公路运输线创建工作作为抓好精神文明建设的主体工程，为创建工作提供了有力的组织保证。在道路建设上，有关部门追加资金1.5亿元对道路按照绿化、美化的标准，精心设计，精心施工，使全线路面平整、路缘顺适、路肩整洁、边坡稳定、水沟畅通、标线明显、标志齐全、设施完善，路容路貌发生了巨大变化，成为西南地区一流的高速公路，更是一条赏心悦目的风景线；在道路管理上，路政和交警部门紧密配合，从治理“三乱”入手，坚持清理占道经营、打场晒粮、乱停乱放，坚决打击车匪路霸，坚决拆除违章建筑，严格执行交通法规，收到显著效果。设置了“110”、“122”报警电话，事故处理、“绿色通道”快速反应联动机制；在内部管理和队伍建设上，公路、公安、交警等部门广泛开展“服务人民、奉献社会”为主题的职工思想道德建设，大力弘扬“铺路石”精神，坚持制度化、规范化建设，实行半军事化管理，建立了一支思想过硬、作风优良、纪律严明的职工队伍；同时，加大职工文化生活设施建设，解决职工的后顾之忧；在创建活动中，沿线各市县区充分发挥“文明走廊工程”的辐射带动作用，把文明公路运输线建设和文明城市、文明城镇、文明村、十星级文明户活动结合起来使沿线城市、城镇发生了深刻的变化，创建了一批各级文明城市、文明单位、文明城镇，极大地促进了沿线各地两个文明建设的深入开展。

2000年4月21—23日，由省委领导带队，省文明办、省交通厅、省公路局、省交警总队等有关单位以及相关地区有关单位组成的检查组对昆明至丽江段创建工作进行检查验收。大家一致认为昆丽段达到了“路况好、路风正、路貌美、行车畅、效益高、无三乱”的“文明公路运输线”和“平安大道的要求”，通过了检查组的验收，省委、省政府予以命名表彰。

（云南省文明办）

云南省电力集团

创建文明行业　促进企业发展

云南省电力集团有限公司以创建文明行业促进企业发展，取得明显成效，2000年被云南省委、省政府授予“省级文明行业”称号，是目前云南省惟一获此称号的行业。

公司党组把创建文明行业活动作为市场经济条件下企业树立良好形象，增强市场竞争力的内在要求，组成公司、基层单位、车间（队、所）三所创建网络。在全行业推行“一把手”工程，明确责任，加强领导，做到认识到位，精力到位，投入到位，形成了党政工团齐抓共管、职能部门各负其责、密切配合、统一协调的领导体制，有组织、有计划、有目标地开展创建活动。

公司制定《云南省电力公司创建双文明公司和文明行业规划》和涵盖16个专业的《云南省电力系统双文明建设管理办法》及考评实施细则，形成了有效的运行机制和激励机制。在管理措施上，做到"四同步"、"五落实"，把创建活动纳入领导任期目标，与生产建设、经营管理工作同部署、同落实、同检查、同奖惩；做到思想落实、组织落实、制度落实、措施落实、奖惩落实。在创建内容上，着力提高职工素质，采取系统教育与日常教育相结合的方法，通过各级党校、政校进行系统的思想政治教育。抓好厂、处级领导干部培训和各级党委中心组的学习，用邓小平理论武装头脑；加强职工的思想政治素质和职业道德教育，大力倡导立足岗位、艰苦创业、服务人民、奉献社会的企业精神，在全系统形成学先进、比贡献、树新风的良好氛围；在活动方式上，行业创建与地方创建活动相结合，由基层创建扩展到全行业、全公司的创建活动；由文明单位创建深入到文明车间、班组、个人、家庭的创建，使精神文明创建活动成为一项职工群众广泛参与的活动。

集团公司所属单位各级文明单位达到93%，小龙潭发电厂等6个单位荣获云南省"创建文明行业工作先进单位"称号，漫湾发电厂、滇中电业局机关、昆明供电局城区分局营业厅被中央文明委授予全国"精神文明建设先进单位"荣誉称号。通过创建文明行业活动实现了两个文明共同发展，水电产业为云南省经济建设作出了重要贡献。

（云南省文明办）

陕西省西安海关

明确目标　加强领导　齐心协力共创文明机关

一、明确目标，健全机制

西安海关党组始终把创建省级文明机关工作放在突出位置，给予高度重视。制定了创建省级"文明机关"工作规划，明确创建工作的目标。坚持"依法行政，为国把关"的海关工作方针，努力抓好"三项建设"（法制建设、现代化建设、队伍建设）和"三讲"教育，培养关员牢固树立"三个意识"（法制意识、把关意识、服务意识），完成好海关各项工作任务，进一步推进全关两个文明建设再上新台阶，争创省级"文明机关"党组。对海关精神文明建设领导小组及其办事机构进行了充实调整。建立例会制度，把创建省级"文明机关"工作作为"一把手工程"来抓，与全关各部门负责人签订了《西安海关精神文明建设领导责任书》。精神文明建设与部门工作相结合，将两副担子一肩挑，两个效益一起要的责任落实到各部门，从而强化了"一把手两手抓"的观念和"两手都要硬"的责任意识。在关党组的要求和带动下，全关各部门迅速形成了"一把手两手抓，主管领导重点抓，其他领导配合抓，党政工团合力抓"的精神文明建设工作领导格局，使精神文明建设工作做到年初有规划、有部署，年中有措施、有检查，年终有考核、有结果。

二、以人为本，狠抓教育

在创建活动中，始终把提高关员的文明素质作为推动精神文明建设工作上新台阶的首要任务来抓。有组织、有计划地对干部职工进行爱国主义、集体主义、社会主义教育和形势政策教育，积极开展社会公德、职业道德和家庭美德教育活动，并取得明显实效。为使思想政治教育扎实有序，主要抓了三个层次学习教育：一是落实党组中心组的学习制度，抓好党员领导干部的理论学习教育，坚持双周集中学习制度；二是坚持抓好日常性的政治理论学习，坚持对每次政治学习的内容都做具体安排部署，确保政治学习时间、内容两落实；三是围绕每年度各个时期的中心工作，开展形式多样的专项政治理论教育。

三、政务公开，文明把关

在积极创建省级“文明机关”活动的同时，不断完善各项规章制度，重新修订了《西安海关对外服务承诺制度》并制作成牌匾，对外公布，接受群众监督。为了方便政府各部门了解企业进出口情况，编制了《西安市所属企业进出口数据分析程序》。在西部大开发热潮中，开展“西部大开发，我们怎么做”的大讨论，结合实际情况制定了8项支持西部大开发的措施。为文明把关实施有效监督，主动向进出口企业宣传有关政策、规定，并在省市人大代表和政协委员中聘请8位特邀行风督察员。2000年度，在全关上下的共同努力下，关税收库达7.92亿元，再创历史新高。

四、运用载体，丰富内涵

结合各个时期中心工作，运用不同载体设计了一系列突出海关特色，具有丰富内容，贴近关员生活实际的活动。先后实施了以提高广大关员整体素质为主要内容的关员形象工程；以给关员办好事、实事，为关员排忧解难、创造和谐人际关系为重点的送温暖工程；以远学行业英雄、近学身边先进为主的楷模工程。在坚持开展好每年度的“五个一”活动（一次春节联欢晚会、一次知识竞赛、一次歌咏比赛、一次运动会、一次冬季百日晨跑）的同时，根据每年的不同情况开展了书法、摄影、绘画、手工艺制作、交谊舞、围棋、羽毛球、保龄球、拔河、游泳大赛等文体活动，并坚持每星期定时对全体关员及家庭开放图书室、健身房、卡拉OK厅、篮球场，极大地丰富了关员的精神文化生活。结合“三五”普法教育，深入持久地开展法制宣传教育，坚持依法行政，不断增强干部职工的法制观念和法律意识。为建设优美工作生活环境，建立了环境卫生管理制度，制定了相应的配套措施，并投入近万元为创建文明安全小区制作了各类牌匾30余块。

（陕西省文明办）

甘肃省建设厅

开展创建文明行业活动 促进全省建设事业发展

甘肃省建设厅在创建文明行业活动中，坚持“两手抓，两手都要硬”的方针，以大力加强职工职业道德建设、广泛推行社会服务承诺制、扎实推进文明服务示范窗口单位建设为重要载体，积极开展全系统文明行业创建活动，促进两个文明建设协调健康地发展。

一、从“四个抓”着手，为文明行业创建活动开好头、起好步

一是抓认识，宣传舆论做导向。省建委党组首先从提高认识入手，在各级领导干部中统一思想，提高认识，明确“两手抓两手都要硬”的重要性和必要性，明确创建文明行业活动是精神文明建设的重要内容。在此基础上，他们发动全系统运用各种形式，进一步广泛宣传创建文明行业活动的重要意义，使广大干部职工形成了共识，增强了责任感和紧迫感，为创建活动扎实开展奠定了坚实的基础。他们始终重视和注意发挥舆论的导向作用，为创建文明行业活动的顺利开展提供了良好的舆论环境。

二是抓机制，组织落实做保证。他们成立了由一把手担任主任、领导班子全体成员和有关处室主要负责人参加的精神文明建设指导委员会，并设置了办公室，配备了人员。各级建设行政主管部门和比较大的企事业单位多数也设立了精神文明建设管理部门或创建工作领导小组，指定专人负责创建活动的具体工作，使创建活动做到了有组织、有领导、有人员负责，基本形成了全系统一盘棋的工作格局，为健康有序地开展创建活动提供可靠的组织保证。

三是抓规划，创建活动有目标。根据全省建设系统的行业特点及创建工作的实际，以“为人民服务，树行业新风”为主题，以“服务人民、奉献社会”为宗旨，以创建文明行业为目标，以群众满足为标准，并对创建工作做出了具体安排。确定每年的创建工作重点，明确创建的具体内容、目标任务、创建标准及保证措施等。各地区、各单位按照省厅安排部署，结合各自的实际，分别制定了创建规划或实施意见，有的还分年度提出了创建工作计划，做到长远规划与近期安排相结合，切实狠抓，取得实效。

四是抓典型，组织创建有样板。从创建活动一开始就注重抓典型、树先进，以点带面，逐步推进。在全省建设系统的创建活动中充分发挥先进典型的示范、带头、样板的作用，激励和推动全系统各行业、各单位及广大干部职工“学赶先进、争创一流”的热情。

二、从“四个结合”着眼，加大创建文明行业活动的力度

一是与业务工作相结合，创建文明行业标准，是从业务工作出发制定的，与业务工作结合紧密，既有软要求，又有硬指标。每年的创建活动，与每年的工作任务相结合，每年开一次全省性的会议，突出一个重点。

二是与加强职业道德建设相结合，把职业道德建设作为创建文明行业活动的基础性工作经常抓。在实施过程中，按照“教育是基础，规范是核心，机制是保证”的思路，采取多种形式，狠抓以职业理想、职业道德、职业技能、职业纪律为主要内容的“四职”教育，教育职工树立崇高的职业理想，养成良好的职业道德，提高熟练的职业技能，遵守各自的职业纪律，规范服务行为和行业作风。

三是与文明服务示范“窗口”单位建设相结合，把文明服务示范“窗口”单位建设作为创建文明行业活动的突破口重点抓。制定城市供水、燃气、公交、房地产等四个行业的23条服务标准，提出5项措施和要求。通过创建活动这些单位服务意识进一步增强，服务手段进一步强化，服务领域进一步拓宽，服务态度进一步改善，服务质量进一步提高，解决和缓解了社会关注的一些热点、难点、焦点问题，树立了良好的社会形象。

四是与推行社会服务承诺制度相结合，把实施社会服务承诺制度作为创建文明行业活动的重要载体着力抓。经过几年的实践，推行社会服务承诺制度已从点转向了面，承诺的范围由城市供水行业扩大到了公共交通、燃气、供暖、环卫、公园、房地产及行政机关等。并逐步向建设招投标、施工许可证审批、工程质量监督、工程竣工验收、企业资质审定、“一书两证”发放等项目延伸，服务范围不断扩大，服务内容不断深化，受到社会的广泛赞誉和市民的一致好评。

（甘肃省文明办）

兰州医学院第一附属医院

创文明新风　树医院良好形象

一、党委重视，组织落实

该院精神文明建设领导小组的正副组长，由院党政一把手担任，下设办公室。各科室也成立了相应的领导小组，从组织机构上保证了精神文明工作的扎实开展。在全院职工中有计划地加强思想作风建设，把培育“四有”新人，提高职工素质作为强化教育的重点。把爱国主义，集体主义，社会主义教育和法制教育结合起来，引导职工树立建设有中国特色社会主义的共同理想和正确的世界观、人生观、价值观。

二、廉洁行医、热情待患，树立医院良好的职业形象

一是开展正面教育，努力营造一个讲政治、抓教育、顾大局、创大业、讲效益、树新风的氛围。在教育内容、教育方法和教育效果三个环节上下功夫。注意把传统医德与素质教育结合起来，引导医务人员理解“医乃仁术”的深刻道理，自觉抵制拜金主义、利己主义思想；把职业道德教育与法制教育结合起来，引导职工学法、懂法、守法，自觉遵守《执业医师法》。在教育方法上，将普遍教育与重点教育结合起来，在普遍教育不留盲点的基础上，对易发生问题的部门进行重点教育，将归口教育与典型教育结合起来，充分发挥各级领导和组织的作用，齐抓共管，归口负责。通过开展“评选先进党支部、优秀党员”，“学习吴登云、浓为众等模范人物”，“树身边模范开展百日优质服务竞赛活动”，“讲文明树新风”，“假如我是一个病人”，“电话文明用语”等系列活动，激发调动职工群众的积极性。

二是强化制度管理，常抓不懈。医院制定了《关于加强廉政建设和端正医德医风的几项规定》、《科室退回人员管理办法》、《兰医一院医务人员服务用语、服务忌语》、《医务人员廉洁行医的几项规定》、《“三从八不”实施细则》及各类奖惩办法等一系列制度。实行“谁主管，谁负责”的责任追究制度，建立了党政一把手、副职院领导、科室主任三级责任网，各级领导坚持原则，敢于碰硬，对医院中存在的行业歪风不姑息、不手软，排除来自内部和外部的干扰和影响，严肃查处了一些收受“红包”、“搭车开药”、对病人“生、冷、硬、顶、推”的人和事，有效地维护了制度的严肃性。

三是内外监督、标本兼治，建立强有力的治理措施。如新职工建立内部医德医风考核档案，晋升晋级年终考核医德医风问题一票否决制。在外部实行门诊、住院、出院病人及职工四个满意度调查制，社会监督员制等项措施，对职工起到了有效的规范作用。

三、以文化建设为载体，树立医院奋发向上的精神风貌

他们努力营造一种对医务人员的行为具有导向、凝聚、激励和调节作用的文化氛围，培养职工的集体荣誉感和团结向上的医院精神，将其作为精神文明建设、转变行风的重要组成部分。举办职工艺术展，每年开展篮球、乒乓球、棋类、拔河及趣味运动会，开展文艺演出、征文比赛等项活动。丰富了职工的文化生活。医院在下乡、助残脱贫等方面作了大量工作，反响很大，与国外手术队及省残联合作开展的“微笑行动”、“心连心手术”、“微笑列车”、“救助孤残儿童”等活动中，使数百名病残者得到救助，医院在义务献血、捐助灾区等方面，都走在卫生系统前列。

（甘肃省文明办）

宁　　夏

行业部门开展规范化服务达标活动

宁夏从2000年起，在30个与群众生活、工作密切相关重点窗口行业和行政执法部门中开展规范化服务达标活动。

2000年3月，自治区文明办、纠风办联合制定下发《关于在全区窗口行业和行政执法部门开展“规范化服务达标”活动的意见》，明确了指导思想、目标任务和工作步骤，提出工作要求。自治区文明委召开动员大会，进行部署。

加强领导，健全机制。各级领导把达标活动作为提高行业整体服务水平，树立行业良好形象的重要工作来抓，列入重要议事日程，认真研究，统一部署。成立了规范化服务达标领导小组，明确分工，落实责任，同时，成立督查组，加强检查和考核，从而形成由上到下，覆盖全方位的达标运行机制。

制定方案，细化标准。各行业、部门认真研究和制定本行业、本部门开展规范化达标活动的实施方案和各行业窗口的达标标准和考核办法。对服务仪表、服务态度、服务用语、服务内容、服务纪律、服务时效、服务质量、服务环境等各个方面做出明确的规定。行业、部门的各级单位和窗口，又层层分解，进一步量化细化。

广泛宣传，强化培训。各行业、部门召开会议，层层动员，组织干部职工认真学习规范化服务标准和要求，形成了讲服务、讲规范的浓厚氛围。

各行业部门坚持抓好职工教育，强化培训。一是开展规范化服务的知识教育和知识竞赛活动。二是狠抓以职业道德为重点的思想教育。三是普遍开展服务技能、业务技能培训。四是开展业务技能比赛、岗位大练兵等活动。宣传培训使干部职工增强了服务意识，提高了服务本领，为行为达标奠定了扎实的基础。

改进工作，狠抓服务。各行业部门及基层单位，强化服务意识，改善服务态度，规范服务行为，拓展服务内容，改进服务方法，努力提高服务质量，系统的整体服务水平有了明显的提高。电力系统在城市大力推行一表一户工程，并增设营业网点，大大方便了用户。在农村加强农电管理和服务，让农民用上放心电。气象部门把规范化服务活动作为“民心工程”和“形象工程”来抓，坚持以农业服务为中心，做到气象决策服务让领导满意，公益服务让群众满意，专项服务让用户满意。

突出重点，解决难题。各行业、部门在普遍抓规范化服务的同时，针对本系统的重点、难点，加大工作力度，对“门难进、脸难看、话难听、事难办”和“生、冷、硬、推、顶”以及“吃、拿、卡、要、报”等重点问题，坚持进行治理，从而使行业风气有了较大的转变。

创先争优，开展竞赛。各行业部门在达标活动中，采取多种形式，积极开展创先争优活动，取得良好的效果。国税系统广泛深入地开展“创双优”、“抓三基”、“兴四讲”、“上水平”的优质服务竞赛活动和“五比五看”活动。

加强监督，深入检查。行业部门大力加强达标活动的监督和检查。一方面，普遍公布规范化服务和承诺服务内容、标准，发放征求意见卡，走访用户，聘请社会监督员，设立意见簿、举报箱和投诉电话，广泛征求意见，接受社会各界和广大群众的监督，以群众提出的意见和建议，认真研究，制定整改措施，切实加以完善。另一方面，对活动的组织实施、服务环境设施、服务的管理、职工的服务状况等，进行深入细致的检查，促使各项工作落到实处。

树立典型，以点带面。在规范化服务达标活动中，各行业各单位重视窗口的示范作用先进典型的榜样作用。首先，确定一批规范化服务窗口示范单位，加强建设和管理，对服务制度、服务措施、服务标准、服务设施等作进一步的改进、完善和规范，发挥窗口单位的示范带动作用。其次，普遍开展学习先进事迹典型的活动，有的行业举办了先进事迹巡回报告会，以先进集体、文明单位、先进模范人物为榜样，教育职工学习先进的高尚思想和献身精神，在实际工作中讲职业道德、讲服务规范、讲奉献、讲贡献，起到较好的示范、辐射和带动作用。

（宁夏回族自治区文明办）

文明之花盛开神州大地

五大连池市国税局领导到贫困户家中走访

肇东市国税局积极为招商引资企业提供优质办税服务

黑龙江省国税系统 坚持“带好队伍、依法治税、优质服务、高效廉洁、保证收入”的基本工作思路，以文明创建为重点，大力推进文明行业创建活动。

在2000年黑龙江省行风评议中，省国税局获第二名，省国税系统被省委、省政府命名为文明行业建设先进系统，全省13个市地局都受到各级党委、政府高度评价。省国税系统已建成66个省级文明单位，2个国家级最佳办税服务厅，6个全国青年文明号，8个国家级文明单位，6个国家级先进集体，4人被评为国家级先进工作者，1人被授予全国杰出青年卫士称号。

组织税法宣传

省局直属机关节日文艺汇演

荣获全国创建文明行业工作先进单位称号

安徽省合肥供电局 坚持发扬“求真务实、优质高效；团结进取、开拓市场；强化管理、创建一流”的企业精神，积极围绕企业经济建设开展文明单位创建工作，多次在合肥市万人评行风活动中夺魁，先后被安徽省委、省政府命名为安徽省第四届文明单位、被中华全国总工会命名为全国职工职业道德建设先进单位，被中央文明委命名为全国创建文明行业工作先进单位。

开展街头宣传咨询活动

抢修人员全天候及时处理用电故障

"人民的110"向您致敬

"漳州110" 群众对福建省漳州市公安局巡警支队直属大队的爱称。"漳州110"以构建一支政治强、作风正、业务精、人民满意的公安巡警队伍为目标，以精神文明创建活动为载体，坚持政治建警、从严治警、改革兴警、文明育警、科技强警、训练促警，积极履行"有警必接，有险必救，有难必帮，有求必应"的承诺，在"110"社会服务联动工作中当好龙头，使队伍建设和各方面工作都取得显著成绩。相继获得全国创建文明行业工作先进单位、全国职工职业道德建设十佳单位、全国杰出青年文明号等荣誉称号，被中央文明委和团中央确定为全国精神文明创建活动示范点、全国青年文明号建设示范创建单位。

文明警队　威武之师

国税系统领导到基层办税服务厅听取纳税人的意见

山东省国税系统　精神文明建设取得丰硕成果，促进了国税事业蓬勃发展，实现了“两个文明”双丰收，逐步树立起公正严明的执法形象、文明高效的服务形象、廉洁勤政的公仆形象和秩序优良的部门形象。截至2000年底，全系统受各级党政及文明委表彰的文明单位占市、县局和农村分局（所）总数的95.9%，其中国家级文明单位4个、省级文明单位82个，在1999年、2000年山东省行风评比中综合成绩连续两年名列第一，1997–2000年连续四年被评为省直文明机关和纠风工作先进集体，2000年被省委、省政府评为省创建文明行业先进单位。

以宣传税法为主题的文艺节目在城区巡回演出

“96196”税务咨询热线开通仪式

中学生认真观看遥感监测的卫星图片

西藏山南地区气象局优美的绿化环境

西藏自治区气象局 以“内强素质，外树形象”为创建文明行业的重点，深化文明服务内涵，拓展优质服务外延，把文明创建活动不断推向深入，取得显著成效。广大干部职工以“高海拔，高标准，缺氧气，不缺志气”的精神自勉，逐步形成了一种艰苦创业、爱岗敬业、严谨求实、无私奉献的“高原气象人精神”，涌现出了全国优秀共产党员、模范气象工作者陈金水，第六届中国十大杰出青年假拉，全国五一劳动奖章获得者边巴扎西，全国三八红旗手、自治区十大优秀青年巴桑卓玛，全区先进工作者边多，西藏十大女杰普布卓玛等一大批先进典型。自治区气象局被西藏自治区文明委和中国气象局联合授予文明系统称号。

全区气象部门第三届职工运动会篮球赛场

银川市火车站

银川铁路分局 坚持“两手抓，两手都要硬”的方针，在抓好安全运输生产的同时，大力加强精神文明建设，努力培育“求实、创新、争先”的企业精神，营造“催人奋进的工作环境，健康向上的文化环境，安居乐业的生活环境，有序可控的安全环境”，开创了蓬勃发展的工作局面，先后10多次受到国家和有关部委的表彰奖励。

精心检修　确保安全

被誉为“穆斯林之家”的穆斯林列车

中国石化上海石油化工股份有限公司（简称上海石化）广泛开展“文明单位”、“文明窗口”、“告别不文明，塑造新形象”等一系列群众性精神文明创建活动，两个文明建设得到蓬勃、协调的发展，以规模、效益和盈利水平跻身中国十大企业之列。曾经获全国先进集体五一奖状，获中央文明委授予全国精神文明建设先进单位称号，连续三年被评为上海市最佳工业企业形象单位，被《亚洲货币》杂志评为中国最佳管理企业。

上海石化调度大楼全景

100万吨延迟焦化装置

中国人民保险公司四川省内江分公司

围绕“创一流班子、一流队伍、一流服务、一流管理、一流业绩”，坚持创建不停步，持之以恒上水平。通过1996年的“形象建设年 ”、1997年、1998年的“优质服务年”、1999年的“文明行业年”、2000年的“巩固成果年”等活动，两个文明建设取得长足进步。公司连续10年保持五届省级最佳文明单位称号，先后荣获国家和省、市授予的30多项荣誉。1998年被省公司评为双文明建设先进单位，同年被中保集团公司评为全国保险行业双文明建设先进单位，被中央文明委授予精神文明建设先进单位称号，被省公司党委评为全省人保系统双文明建设先进集体排头兵。

保险赔款送到家

普及保险知识　主动拓宽市场

秦俑博物馆工作人员在西安市新城广场宣传《中华人民共和国文物保护法》

陕西省秦始皇兵马俑博物馆 以创建文化精品、服务社会为己任，为推动精神文明建设不懈努力。他们利用文物优势，深入到各大中院校、驻地部队进行爱国主义宣传教育，举办《勿忘国耻——圆明园历史文物回归展》，免费接待大、中、小学生20余万人，编辑出版爱国主义教育书籍《三秦学子爱国情》，积极参加扶贫救灾、义务献血等社会公益事业，近几年用于社会公益事业的支出近百万元。

该馆连续12年保持省级文明单位荣誉，连续6年被授予陕西省“创佳评差”最佳单位；连续10年被评为全省文博系统先进单位；先后被评为全国文化系统先进集体、全国文博系统先进集体；被国家旅游局评选为全国风景名胜四十佳单位之一；被中宣部确立为全国百个爱国主义教育基地之一；被中央文明委授予全国精神文明建设先进单位称号。

秦俑博物馆

秦俑博物馆爱国主义宣传小分队到驻地部队讲解秦兵马俑的有关知识

先进典型

ADVANCED INDIVIDUALS AND UNITS

先进个人

李淑敏

李淑敏（1947年— ）女，中共党员，山东小鸭集团党委书记。十几年来，她紧紧围绕企业生产经营这一中心任务，始终抓住“尊重、理解、启发、关心、激励”这五个环节，带着感情做思想工作，真正做到了春风化雨，润物无声，耐心细致，潜移默化。当职工遇到困难时，她总是及时出现，积极帮助排忧解难；当职工思想有疙瘩时，她总是耐心疏导，赢得了干部职工的信任，职工们都亲切地喊她“书记大姐”。荣获全国“五一劳动奖章”等荣誉称号。

通讯：跃动的生命线

元旦前，来到济南，在小鸭集团采访了几天，听职工们讲“书记大姐”（他们这样称呼李淑敏）的故事，讲作为“小鸭”人的自豪，讲对明天的憧憬……记者释然了：“小鸭”人不是在“做戏”，他们是向用户、向社会奉献着真诚和爱，因为他们昨天和今天已经并且还在接受着他们的小鸭集团“书记大姐”的真诚和爱。

思考与行动

10年前发生的一件事，让李淑敏至今难忘。

那天，济南市委书记来到济南洗衣机厂，在全厂职工大会上作报告。讲的是他带着专家学者咨询、调查、论证，寻求拯救洗衣机厂于困境中的办法。

然而，对于这个关系到洗衣机厂前途的会议和报告，似乎没有多少人把它当回事，报告人的激情与听众的冷漠形成强烈的反差。会场里一片嘈杂，像庙会。有人竟将脚放到前排椅子背上，坦然面对电视摄像机的镜头……

做好人的工作，要让大家像过自己家的日子一样干企业。李淑敏下了决心。也就是从那时起，“咱家里”在她那儿成了洗衣机厂的代名词。

从哪里入手？党委分析了职工队伍的状况，确定了当务之急：鼓劲，扶正气。

有段时间了，职工的荣誉感淡漠了，什么先进不先进，大家都差不多嘛。评先进时，你推我让。评上的稀里糊涂，没评上的若无其事。然而，不知从哪一天开始，职工们觉得厂里变了。谁干得好，第二天油印的小报就有他或她的事迹，大、小会表扬。慢慢地，一个评比表彰制度确立起来，“三八”表彰先进女职工，“五一”表彰劳动积极分子，还有“五四”、“七一”、“十一”……

喷粉车间的王萍忘不了那个星期天——

“我正在家看电视，突然外面锣鼓喧天，跑出去一看，一辆彩车停在我家门前，李书记带人给我这个厂级劳模送喜报来了。她给我戴上大红花，满面笑容地祝贺我，还奖给我一辆自行车。当时，我很激动，周围好多人，有人羡慕地说，真是一人立功，全家光荣。”

这些年来，“小鸭”人都知道董事长王世敦有“三个舍得”：表彰奖励舍得投入；职工培训舍得花钱；关心职工生活舍得付出。“没有这些，思想政治工作难免空对空。”李淑敏说。现在，“小鸭”人将荣誉看得无比珍贵，一种奋发向上的氛围已经形成。靠着卓有成效的思想政治工作和严格的规章制度，济南洗衣机厂度过了10年前那场困境，到1994年组建集团，“小鸭”已经呱呱叫。

真情与爱

从1984年至今，先后有2000多名大中专毕业生来到“小鸭”，集团尽力给他们提供较好的生活、学习环境，李淑敏更是无微不至地关心他们。在“小鸭”采访，青年职工讲了很多故事——

“李书记协调很多部门，在青年公寓建起了图书馆，配备了彩电和厨房设备。”

“我们中间很多人是外地的，李书记特意联系了电信局，在各个公寓的楼道里安上电话。”

“我是搞技术的，社会交往较少，个性又比较内向，一直没找到对象。党委开展‘送温暖，当红娘’活动后，不出两个月，我就找到了称心如意的对象。”

“那年，我和我对象打算在济南办喜事。李书记知道后就忙着给我们张罗。婚礼的前一天晚上，她忙到12点，谁在大门上贴喜字、谁放鞭炮一一交待好。婚礼既隆重又热烈，虽然父母没在身边，但我们深深感受到父母般的爱和家的温暖。事后我们才知道，那天，李书记一直发着高烧。”

“李书记说，不爱家的人，也不会爱企业。她让我们这些新参加工作的大学生，从第一个月的工资中拿出50元，寄给父母，她还亲自检查我们汇款的收据呢。”

又是一年中秋团圆日。“今年在家过吗?”临上班前，李淑敏的丈夫宋兴立抱着一丝希望问了一句。“你和孩子在家吧，我还得去天津和北京看看孩子们去。”李淑敏略带内疚地说。

对这个回答，老宋并不感到意外，因为她已连续9年在外面过中秋了。

车到天津，职工还没回来，她放下带来的好酒和月饼，也留下集团领导的问候，冒着浓浓的大雾又向北京赶去。晚上10点多钟，车子刚在北京双榆树小区楼前停下，只听“哇——”的一片欢呼声从楼里传出，北京办事处的人员跑出来迎接他们的书记，一声声“大姐”叫个不停。进屋一看，桌上饭菜摆得好好的，月饼个个圆圆的，素来刚强的李淑敏忍不住流下热泪。

“先不忙坐，你们给家里打电话了吗? 还没打? 快打，一个一个打。”李淑敏下着“命令”。“妈，我挺好，我们书记和我们一块过节呢……”浓浓的情意，浓浓的酒，举起杯，送上一声问候，送上一声祝福。凌晨2点多，她又出发了……

要过年了，游子的匆匆脚步迈向家门。春节前的济南机场、火车站，敲锣打鼓，手捧鲜花的“小鸭”人格外引人注目。高举着的横幅上写道：欢迎小鸭一线将士归来。当常年在外的销售人员走出机场、火车站，面对鲜花和一张张熟悉和不熟悉的笑脸时，当他们的手与李淑敏等集团领导的手紧紧地握在一起时，他们的眼睛湿润了，在外面的酸甜苦辣乃至委屈一时间烟消云散。

“她就是能出花”

不墨守成规，思想新，也喜欢创新，这是李淑敏做思想工作的又一个特点。“她就是能出花”，青年公寓的支部书记张苏济如此评说。

新职工人厂后，要先进行为期一个月的岗前培训、军训。结业前，厂里还要组织他们爬泰山，激励青年人勇于攀登、奋发向上的精神。这几年，每次都是李淑敏带队。

采访中，听到一个“500名大学生进考场”的故事。事情发生在1997年3月。在那之前，李淑敏了解到，有的科技人员的知识陈旧，一些新来的大学生又有浮躁情绪，觉得自己是“时代骄子”，静不下心来学习。李淑敏没有直接批评这种现象，而是发起了一场颇具声势的科技“比武”活动。专家命题，闭卷考试，专人监考。事实最有说服力，不少人由此对自己有了更切实的估价，一个广泛的学习热潮从而兴起，一批科技专家也由此脱颖而出。

在“小鸭”，联欢会、演讲会、庆功会、表彰会多，文艺演出自然少不了。节目的艺术水准可能不太高，但职工爱看，看得动心。

方言快板剧《六大嫂夸小鸭》，夸的是自己的产品；《三唱咱们的小鸭厂》，唱的是企业的新气象；对唱《咱们的理财人》，道的是财务处职工的责任感。《超值服务——你我他》、群口快板《质量认证在小鸭》、数来宝《集团前景美似锦》……李淑敏的指导思想很明确：通过演出，增强企业的凝聚力。

集团领导班子11个成员的合唱是每次演出的“保留节目”。这么多年了，他们唱过的歌真不少，《我们共产党人好比种子》，《干部和老百姓，咱们是一家人》……每次都赢得满堂彩。当然，每逢这种热闹时候，职工们总要邀他们的书记单独再表演一段，李淑敏也爽爽快快地答应。

驻外的营销人员回来了，她先听汇报，后当“导演”：你们演演自己工作中的事吧。《一双拖鞋的故事》、《消费者个个是考官》、《维修人员、警察与小偷》等一批节目就是这样出台的。

台上演得动情，台下看得流泪。生产车间的职工说，跑营销的在外边可真不容易，我们要多出质量过硬的产品，为他们分忧。几天后，一条横幅出现在车间墙上：“小鸭的健康取决于我们今天的工作！”

2000年，“小鸭”集团以独具特色的超值服务获得国家管理工程奖，凝结全厂党政干部心血的《党的建设若干制度汇编》获厂科技成果奖。

“共产党员向我看齐”

李淑敏激励“小鸭”的党员们以身作则，自己更响亮地号召：“共产党员向我看齐！”

曾有人专就这句话问过她：“你说出来是否需要很大的勇气？”李淑敏回答：“共产党员、尤其是党委书记就应该作表率。我常想，我工作上争一流，其他方面也争一流，我为什么不能说向我看齐……这既在群众中树立了党员形象，又是对我人生追求的鞭策。”

李淑敏对自己有约法三章，说到做到。和她打过交道的人都有这样的体会：家门好进送礼难，求助容易说情难。作为万余名职工的企业党委书记，时至今日，办公室不铺地毯，不装空调，每月只拿国家规定的工资和企业效益奖金。

集团党委有“五必谈”、“六必访”的规定，她身体力行。

“前些年，洗衣机厂效益不好，留不住人，不少大学生要走，李书记一个一个谈，‘再等两年吧，到时候如果还不行，我放你走……’不容易呀，就是石头人也会流泪啊。”

“那年腊月，我丈夫病了，得的是癌症，我知道书记忙，没给她说。她听说后马上来安慰我，还帮助联系医院，找专家会诊，多次到医院看望。4月22日，他去世了，当晚李大姐来到俺家对我说，‘你一定要坚强，有什么困难党组织会帮助你。’她帮助俺料理后事，后来还帮孩子上学选志愿、联系学校、安排工作。孩子对着爸爸的遗像说：‘爸，你放心吧，我们没有了你，但我们有一个好阿姨。’”

“一进这个家门，她就支持不住了，躺在这个床上再也动不了了。”憨厚的老宋最了解妻子。也最理解妻子。“病得厉害时，她的腿走路都吃力，为了不让别人惦记，她让司机在上班之前先把她送到厂子，大家上班了，看到的她还是乐呵呵的。”

1992年春天，她胳膊疼得连梳头都够不着了，一个人偷偷跑到医院检查，大夫看过X光片后，紧皱着眉头说：“把病人抬进来吧。”当他得知站在面前的就是病人时，惊讶不已，让她马上住院。但李淑敏只做了一些简单的治疗，又回到了“咱家里”。

1997年3月20日，她昏倒了，抢救了一天一夜才醒过来，医生警告说，一旦再躺下就起不来了，但她依然故我。“人就像一支蜡烛，有的燃烧快些，有的慢些。我追求的是光和热，而不是燃烧时间的长短。”

采访快结束时，又听到一个故事：一个家在农村的女工因孩子患心脏病做手术，向车间主任请假。车间主任问了问情况，了解到住院押金还未交够。当天，车间工人就捐款2000多元。接过捐款，女工流下了热泪。

问李淑敏知不知道这件事，她摇摇头说，这样的事在“小鸭”多了。不难明白：有这样的“书记大姐”，自然就有这样的“小鸭”人。

(2001年1月10日《人民日报》)

评论：抓住最佳结合点

如何做好新形势下的思想政治工作、企业思想政治工作？山东小鸭集团党委书记李淑敏同志的做法和事迹，使我们大开眼界，深受教益，给我们以借鉴和启发。

关键在人，关键在思想。李淑敏同志充分认识到人的重要性，思想力量的重要性，始终抓住思想政治工作与经济工作的最佳结合点，创造性地做好人的工作。她提出，“只有一流的人品，才能制造一流的产品”。在十多年的党务工作中，她紧紧抓住“尊重人——理解人——启发人——关心人——激励人”这五个环节，生动有力地开展工作，激发每一位职工的主动性和积极性，探索出了一条在新的形势下做好思想政治工作的卓有成效的路子。

“尊重人——理解人——启发人——关心人——激励人”，既是目的，又是手段，是对人的主观能动性的动员和组织。企业思想政治工作的一个极其重要的任务，就是以人为本，围绕经济建设这个中心，激发职工的主人翁意识和创造活力，创造第一流的经济效益，并在这个过程中不断提高职工素质，提高集体主义、爱国主义和社会主义觉悟。李淑敏注重人的工作，更加注重领导班子的建设、党的建设和干部队伍的建设，围绕创建“一流班子、一流企业、一流队伍、一流效益”，李淑敏特别强调“一个支部一面旗，一个党员一盏灯”，不断增强党的凝聚力、党的思想政治工作的感染力。

为了把思想政治工作和经济工作结合得更好，李淑敏注意多方面地寻找结合点，坚持虚实结合，传统和创新结合，言教和身教结合，职工思想教育和党员干部带头结合，专门工作和人人都做思想工作结合，紧张严肃和生动活泼结合，解决思想问题和为职工办实事相结合，引导职工把个人利益、企业利益与国家的利益和尊严结合起来。李淑敏同志的思想政治工作，注重实践也注意理论，重视平时工作更重视制度建设，铁面无私更重情重义，大刀阔斧又细致入微，德高望重又谦虚谨慎甘当配角，为做好新时期的思想政治工作作出了贡献。李淑敏同志是在山东小鸭集团面临困境时，临危受命出任这个集团的党委书记的。山东小鸭集团十几年来，已经成为中外闻名的大型国有企业，跻身全国500强，原因是多方面的，这个集团坚强有力的思想政治工作所起的作用是不能忽视的。

李淑敏同志曾经提出“共产党员向我看齐”的口号，这不但需要共产党人的勇气和忠贞，更需要新一代领导干部的眼界、素质和实力。她是有资格提出这个口号，有资格做我们的表率的，不只是她的人格，她的敬业献身，更重要的是她在企业思想政治工作方面作出的成绩。取得这些成绩，需要多方面的条件，多方面的努力，惟这共产党人的魂魄是最最重要的。有了这种精神，就能把其他条件形成合力，取得实效，没有条件也能创造条件，开拓进取，不断创新和突破。

（2000年1月10日《人民日报》）

许 志 功

许志功（1945年— ）中共党员，国防大学政治理论教研室主任、教授。他以强烈的政治使命感和高度的政治热情，真学、真信、真用马克思主义，十分注重用邓小平理论研究、回答重大现实问题，他提出的“以理想信念为核心，进行邓小平理论学习”的思路和经验，在全军广泛采用。其著作多次荣获教学科研成果奖，主持的正军职以上干部学习邓小平理论教学研究经验，被评为全军政治理论教学科研一等奖。

通讯：擎起科学理论的火炬

当中国共产党人把改革开放伟大实践反复证明了的真理——邓小平理论，镌刻在自己旗帜上的时候，一批又一批理论工作者以对党的事业的忠诚，高擎起科学理论的火炬，鼓舞、激励亿万人民谱写更加光辉灿烂的篇章。

国防大学政治理论教研室主任许志功教授，就是我党、我军理论战线的突出代表。

情注真理——把人生的追求聚焦无悔的选择

当东欧剧变、苏联解体，国际社会主义运动处于低谷时，各种思潮莫衷一是。

就在这个时候，一件偶然的小事，使许志功更加清醒地认识到一个党的理论工作者所肩负的沉甸甸的使命和责任。

那是1992年的一个春日，时任国防大学马列教研室副教授的许志功到一单位办事，递过证件，值班室里传出这样的议论：

“搞马列的?”

“啥年头了，还有搞这个的?”

回家的路上，讲了十几年马列的许志功陷入了沉思。

如在以往，他会一笑了之。而这一次，他坐不住了：这不仅仅因为他痴心不改的事业在一部分人那里成了“古董”，更在于透过这种表象，使人看到潜藏着的信仰危机——前几天，他所在教研室欲调一名学生从教，但这位年轻人婉言谢绝，原因是“不值得为这一行搭上一辈子”。一连几天，许志功夜不能寐。作为与改革开放一起成长起来的理论工作者，他清楚，在国际社会主义运动遭受严重挫折、国内改革开放处于攻坚阶段的关头，多么需要强有力的精神支柱！

从此，心许马列，成了许志功的矢志追求……

面对东欧剧变后的种种困惑和忧思，许志功又一次研读科学社会主义理论的经典著作。在将近两年的时间里，他苦苦地寻觅于马列原著、毛泽东选集、求索于邓小平建设有中国特色社会主义的理论中。多年来，在迷茫中指引他前进、在彷徨中给他以勇气、在挫折中给他以力量的，正是这些闪烁着人类智慧光芒的科学理论。

比较是鉴别之母。他把《大失败》、《不战而胜》等书也作了剖析，愈发坚定了对社会主义在曲折中前进的信心。

他多次在课堂上讲到：现在，国际上对社会主义的前途议论颇多。那种“社会主义是20世纪的产物，也必将终结于20世纪”的论调已不攻自破；那种“人道的、民主的社会主义”的“新思维”，结果不言自明。而把马克思主义的普遍原理和中国的实际与时代特征结合起来、走自己路的邓小平理论，不仅让我们终于认清了什么是社会主义，怎样建设社会主义，而且令社会主义中国“风景这边独好”。

事实的证明往往比逻辑的证明更具体更生动。相隔20年的唐山之行，使许志功切身感受到了邓小平理论的魅力。

1976年秋，在大地震后一眼望不到边的废墟上，许志功找到了劫后余生的妻女，却再也找不到自己的家。1996年，许志功又一次来到曾令他伤感的地方，展现在眼前的新唐山已是一座繁华的现代化都市……全市国民生产总值比地震前的1975年翻了两番多。

伫立在高大的抗震纪念碑前，许志功感慨万千：这样的人间奇迹，只有在改革开放的社会主义中国才会出现。

是改革开放，使唐山人把大自然的劫难留给了历史，把现代文明带进了今天；是改革开放，使中国人民蕴藏的巨大潜力，火山般地迸发出来。放眼古老的国土，几乎每一块最为活跃、最富生机、最有成效的地方，都闪烁着科学理论的光芒……

许志功清楚地记得马克思谈论在资本主义并不发达的国家建立社会主义时那个形象的比喻：跨越“卡夫丁峡谷”。尽管超越资本主义“卡夫丁峡谷”，建立社会主义制度已有事实证明，但不通过这个大峡谷建立起来的，只能是初级阶段的社会主义。目前我国就正处在这个机遇与挑战共存、困难与希望同在的阶段。

迎难而上。从1995年起，许志功第三次系统地研究马列著作，把研究重点放在了邓小平理论和江泽民同志的一系列重要论述上，思谋着如何把这些来自“群众的学说”传播给更多的群众，凝聚起方方面面的力量，跨越“卡夫丁峡谷”。

情注真理。许志功更加坚定了当初那个无悔的选择，一个理论工作者的人生目标愈加清晰：走出封闭的书斋，投身于火热的现实生活，让理论的力量化作民族全面振兴的巨大动力。

捍卫真理——用理论的勇气托起永恒的事业

真理不辩不明。许志功说，人们认识真理的过程，如同山重水复尔后柳暗花明。

那是在许志功参加的一次会议期间。大家就如何理解“邓小平既是伟大的革命家、政治家，同时又是思想家、理论家”和“《邓小平文选》中一些讲话、谈话的深刻思想理论内涵”，踊跃发表见解，气氛活跃。

许志功鲜明提出：

“看一个人有没有理论，是不是理论家，不能只看他的著作的形式和数量。孔子的《论语》是由他的学生记下来的谈话录，古希腊赫拉克利特的辩证法也只是一些‘残篇’。可谁能说他们不是哲学家、思想家？谁能说他们不是历史上著名的理论家呢?”

许志功精心撰写了一篇如何完整、准确理解

认识邓小平理论内涵的文稿——《马克思主义理论在中国发展的新阶段》。

许志功强调，看一种思想和著述是不是理论、成不成体系，主要不是看它的表现形式，而是看它是否具备作为理论体系的三个基本要素：有没有科学的世界观、方法论贯穿其中；有没有着力研究和解决的中心问题；是否围绕中心问题形成了一系列相互关联的基本观点。

他进而阐述了邓小平理论的世界观方法论、根本问题、基本原理及实践纲领，从而深刻揭示了邓小平理论是当之无愧的科学理论体系，是当代中国的马克思主义。

文稿一经发表，立即在学术界和校园内产生共鸣。

理论的勇气，来自政治上的坚定，来自理论上的清醒。作为一名有着深厚马克思主义理论功底的学者，许志功在文章中、在讲坛上、在学术研讨会上，一次次地用令人信服的观点和论据，廓清着人们思想上的困惑。

——当有人认为“马克思主义理论已经过时”时，他旗帜鲜明地作出回答：不能因为我们面临一些新问题、新困难就失去对马克思主义的信仰。“世界上一切都是变化的，惟有变化是不变的”，经典作家的某些具体结论可能会过时，但其基本原理和科学方法却具有旺盛的生命力。邓小平理论就是马克思主义在当代中国的新发展。

——当有人对“邓小平的哲学思想”产生模糊认识时，许志功主编了《邓小平哲学思想研究》一书，指出邓小平哲学是落后国家如何建设、巩固和发展社会主义的哲学，是以经济建设为中心、促进社会全面发展的社会历史哲学。邓小平是新的历史条件下独具特色的哲学家。

——当有人担心“市场经济能否与社会主义精神文明兼容”时，许志功和他的同事撰文指出：市场经济的中性本质奠定了两者兼容的前提；市场经济的一般价值取向构成了两者兼容的客观基础；社会主义市场经济的特殊价值取向表明二者的兼容在社会主义条件下具有更深刻的制度根源……

历史从哪里开始，思想的进程就从哪里开始。20多年来，许志功始终追踪学术研究的前沿和改革开放的伟大实践，明辨是非，用理论的勇气托起自己以身相许的事业，从《改革开放的哲学沉思》到《唯物史观与当代》，从《关于社会主义本质的思考》到《邓小平理论概论》……他主编、撰写的12部著作、60篇论文，拓展了人们的视野，启迪着人们的思路。

然而，艰辛与曲折却时时相伴在许志功追求真理、捍卫真理的历程中。

熬过几千个苦思冥想的夜晚，几百个寝食不安的节假日，凝结着许志功整整12年心血的哲学专著《列宁认识论思想通论》终于脱稿。就在这部后来被誉为“有助于人们打开思维之门”的34万字的书稿送交出版社时，提供“钥匙”的人却住进了医院。

教授的病情与教授的著作一样，牵动着人们的心。多少人赶来医院看望。在那间摆满鲜花的病房里，病榻上的许志功，疲劳的脸上露出了欣慰的笑容。他含泪在日记中这样写道：

“世界上最美好的人生是为真理而生活；世界上最美好的事业是为真理而奋斗。我愿意为真理奋斗终生！”

播撒真理——让理性的光芒照亮千万颗心灵

理论一经为群众所掌握，就会化为巨大的物质力量；理论也只用被群众所掌握，才会显示出旺盛的生命力。

国防大学政治理论教研室承担着全军中高级干部邓小平理论教学任务。作为教研室的主要领导，许志功深知三尺讲台对于传播科学理论，对于培根固本、打牢中高级干部思想基础所起的重要作用。

从普通教员成长为饮誉军内外的政治理论教授，20多年来，许志功始终活跃在教学一线。为了精心讲好每一课，他和同事们深入部队、工厂、农村和学员中调查、座谈，收集一个个热点、难点问题，在反复研读马列原著，查遍学术界相关问题的最新成果后，写出讲稿，又对着录音机一遍遍地试讲……

用“心”讲课的许志功，在把一颗火热真诚的心交给学员们的同时，也把自己的青春年华奉献给了所挚爱的三尺讲台。

一次，持续高烧的许志功修改教案到凌晨，起床后连路都走不稳。按计划，上午要讲授“社会主义的本质”一课，同事们劝他：“身体不行，就改一下讲课时间吧?”许志功回答:“教员讲课就像部队攻山头,不能轻易改变计划。”

课堂上,许志功一如既往,学员们丝毫没有觉察出异样。课上到一半,许志功已虚汗涔涔,衣裳湿透。离下课还有10分钟,他眼前一黑,晕倒在讲台上。

长年的殚精竭虑,长年的劳神苦思,许志功体质每况愈下。但他那高洁师德,他那“不回避,不畏难,直面现实,主动出击”的学风深深感染了学员们的心。毕业多年,来自全军的一些中高级干部仍清楚地记得许教授上的这样一堂理想信念课——

他从《阿房宫赋》讲起,引导大家以史为鉴,既讲了我党“由弱到强”的经验,又讲了苏共“虽大却亡”的教训。

许志功大声疾呼道:“我们都是中高级干部,我们的世界观、人生观如何,不仅仅是个人的问题,而且是事关国家兴亡的大事!我们能否发扬理论联系实际的学风,直接关系到我军乃至全党的学风!”

话音未落,掌声四起。学员们自发起立,表达发自内心的敬意。

一个优秀理论工作者的“阵地”,又岂止在讲台上——

他和他的同事们一道实施的“解扣子、探路子、编集子、育种子、做样子”的政治理论教学模式,已被一些部队推广;

他参与组织的“邓小平理论教学”,被评为全军政治理论教学成果一等奖;

他与同事一道编写的《邓小平理论概论》、《邓小平哲学思想研究》、《邓小平经济思想研究》、《邓小平政治思想研究》、《邓小平文化思想研究》,形成了邓小平理论的教材体系。

(2000年1月21日《人民日报》)

评论:让科学理论深入人心

以科学的理论武装人,是思想政治工作的重要内容,是党赋予思想理论战线的历史重任。

一个时期以来,在一些人中有一种看法,认为宣传马列主义是“讲的不好讲,听的不愿听”。但是,在国防大学,马列主义课却成了备受欢迎的主课之一。今天报道的国防大学政治理论教研室主任许志功的事迹,对此作了介绍。

用“心”去传播马列,而不是只用嘴去讲马列,是许志功和他的同事们总结出的一条根本经验。何谓用“心”去传播马列?就是在对马列主义、毛泽东思想和邓小平理论“深学、真懂、坚信”的基础上,把它作为自己的人生信念和理想追求,以炽热的情怀和真诚的信仰去传播科学真理。这里的关键是理想信念问题。以科学理论武装人,必须首先武装自己;坚信马列主义,才能卓有成效地传播马列主义。坚定的理想信念不可能凭空获取,必须建立在对科学理论的刻苦学习上,对社会发展规律的深刻领悟上,对改革开放时期复杂社会现象的清醒认识上。许志功几十年如一日,刻苦学习,孜孜不倦,勤于调查,敏于思考,锤炼出坚定不移的理想信念。正是这种理想信念使他讲的课发自内心、情理并茂,有很强的说服力,又有很强的感染力。

坚持理论联系实际,注重研究和回答现实问题,是许志功和他的同事们坚持的一条根本原则。许志功讲授马列主义、毛泽东思想和邓小平理论,一个鲜明特点是不回避现实矛盾,不回避难点热点问题,不回避学员深层次思想认识问题,而是面对现实,迎难而上,集思广益,深钻细研,从理论与实践的结合上与学员共同探讨,给大家以尽可能满意的回答。他始终站在实践和理论的前沿,与改革开放的脉搏同频共振,与党和人民的奋斗息息相通,使马列主义教学具有鲜明的时代性和针对性。

伟大的事业,必须有伟大理论来指导;领导伟大事业的党,必须有科学理论来武装。以科学理论武装人,关系到我们事业的成败,是我们党一项长期而又艰巨的工作。一切从事思想理论工作的同志,都应该像许志功那样,从振兴中华民族伟业的大局出发,高举马列主义、毛泽东思想和邓小平理论伟大旗帜,理直气壮地宣传科学真理,明白无误地划清原则是非,正确客观地回答现实问题,引导干部和群众坚决沿着有中国特色社会主义道路不断前进。

(2000年1月21日《人民日报》)

马永顺

马永顺（1914—2000年）中共党员，黑龙江省伊春市林管局铁力林业局退休工人。几十年来，他不论在岗还是退休，都勤勤恳恳地为党和人民工作。在祖国需要木材的时候，他是伐木模范，曾创造出手工伐木年产量1200立方米的全国最高纪录；在国家进行生态建设的时候，他是植树英雄，义务植树2.1万多棵，被誉为全国林业系统一面永不褪色的旗帜。曾荣获全国“五一劳动奖章”、全国十大绿化标兵等光荣称号，1998年荣获世界环保奖。受到毛泽东、李鹏等中央领导的亲切接见，江泽民称赞他“了不起”。

通讯：林业英雄参天青松

在共和国的英雄谱中，马永顺的名字格外响亮。50年前，他是全国著名的伐树英雄；50年后，他是闻名遐迩的植树模范。半个世纪以来，他的命运始终与大山紧紧连在一起。

一把弯把锯　威震兴安岭

1933年，20岁的马永顺从家乡河北省宝坻县头沟庄来到数千里之外的东北林区，只因为听人说关外好讨生活。谁知，住的是地窨子，吃的是橡子面，还要受日本监工、林区把头的欺凌和压迫，一年流血流汗，还常常拿不到工钱。身材魁梧的马永顺古道热肠，爱出头替工友打抱不平，吃的苦头就更多。他的腿上至今还有在那个“绿色监狱”留下的伤疤。1948年，九死一生的马永顺来到黑龙江省铁力林业局，由旧日的“臭苦力”成为新中国的主人、第一代林业工人。他满怀喜悦地投身到社会主义新林区的开发建设中，浑身总有使不完的力气。

建国初期，黑龙江林区成为支援国家建设的重要物资基地。当时的伐木工人用的仍然是过去两人使的大肚子锯，不安全，采伐效率也低。有丰富采伐经验的马永顺经过多次试验，将大肚子锯改成一人使的弯把子锯，使安全系数和采伐率大大提高。

冬天的小兴安岭气温在零下三四十摄氏度，山坡上的积雪齐腰深。可在马永顺和工友们采伐的林班小号里，“下山倒——”、“顺山倒——”的喊声不时响起。马永顺一人就完成了6个人的工作量，创造了手工伐木年产量1200立方米的全国最高纪录，威震兴安岭。

随着林业生产的发展，职工队伍不断扩大，生产事故时有发生，生产效率受到影响。马永顺就边伐木边琢磨，对自己用过的“元宝楂”、“月牙楂”、“对口楂”等10多种放树方法，逐个进行试验、比较，总结出一种人安全、树保险、效率高的放树方法——“安全伐木法”，很快在林区推广开来。马永顺创造的“安全伐木法”、“四季锉锯法”成了全国手工采伐作业的教科书。

1951年，马永顺加入了中国共产党。他的干劲更足了，多次被评为省特等劳动模范、东北林业总局一等劳动模范、全国劳动模范。

青山常在　永续利用

1959年，马永顺进京参加全国群英会，受到周恩来总理的亲切接见。周总理拉着他的手语重心长地说：“你们不光要多出木材、出好木材支援国家建设，同时还要多造林，实现越采越多、越采越好。青山常在，永续利用。”

从那以后，“青山常在，永续利用”八个字就深深地印刻在了马永顺的心中，每天凌晨上山，他赶在上工前和下工后的时间植树造林。中午，趁工组同伴休息，他又抓紧栽了几棵树。在3年困难时期，食品短缺，马永顺上山没有干粮带。妻子王继荣就给他带些煮熟的土豆。时间一长，马永顺的胃病犯了，人也明显地消瘦了。场长关心地对马永顺说：“吃不饱，你应该注意身体，不要在业余时间栽树了。”可他忘不了周总理的嘱托，仍然见缝插针多栽树。

马永顺算过一笔账——这么多年，他大约采伐了3.6万多棵树。他暗下决心，栽的树一定要超过砍倒的树，也算是偿还欠这片大山的债吧。马永顺就这样边砍边栽，到1982年退休时，还差8000棵树没栽。

退休后，马永顺依旧把栽树这件事放在心上。一次，一位老工人和马永顺开玩笑说："以前记者报道你踏遍青山人未老。现在再上山看看吧，你把青山都踏光了。"虽说是一句玩笑话，可马永顺的心却在隐隐作痛。他着急呀！

那几年，每到造林季节，马永顺就回到工作过的林场跟营林工人一起上山义务栽树。林场领导说："造林现场离林场远，路不好走，你就在林场前后栽些绿化树吧。"马永顺拍着胸脯说："我在山上跑了一辈子，大伙能去，我就能去。"

马永顺说，铁力7万多口人，都起来造林，一人就是栽一棵树，那是多少呀！我保证能让大山再绿起来。

生命不息　造林不止

1991年春节，马永顺趁儿子、媳妇、女儿、女婿回家团聚召开了一次特殊的家庭会议。全家决定，从这年起，每年"五一"放假期间，由全家老少三代组成"马家军"上山造林。

5月1日这天，马永顺全家三代16口人来到了距铁力20多公里的一个荒山坡上植树造林。为了把好质量关，马永顺既当指挥员，又当战斗员，还兼质量验收员，谁栽的不合格都要返工。这一年，他们全家栽下了1500多棵落叶松树苗。

在马永顺的言传身教下，"青山常在，永续利用"已经在马家后代脑海里深深地扎下了根。马永顺的大儿子马春山说："过去我们上山栽树，就是想帮父亲了却一桩心愿。现在我们越来越感到这是我们自己的责任。"

小儿子马春生考虑的似乎更多，他说："森工企业为什么这么危困？根子就在没有资源上。现在多栽点树，等森林恢复了，企业的日子就好过了。"

马家第三代有3个人在外地工作或读书。每年临近造林季节，他们就会赶回来参加。

马永顺的小孙子马立志才11岁，却是已有6年造林史的老造林员了。人们问他如何栽树，他便大声地告诉你——"刨大坑，栽当中，不窝根，踩实成。"

到1999年年底，马永顺全家已义务植树5万多棵。

冬季本是伐木的黄金季节，可我们在林区采访，却始终没有听到电锯声。原来，为了改善林区的生态环境，实施林业的可持续发展，铁力林业局在黑龙江省林区率先停止了木材主伐，各林场、营业所植树造林的数量和面积比过去翻了一番。30年前马永顺在铁力林业局张家湾地区栽下的落叶松，如今早已成材。

全国绿化委员会副主任、国家林业局局长王志宝在接受记者采访时，将马永顺称为一棵挺拔的青松。他认为，在马永顺身上体现了200万林业职工和献身祖国绿化事业的人们为实施可持续发展战略、建设祖国秀美山川而艰苦卓绝、奋斗不息的创业精神。

1999年，86岁高龄的马永顺又被授予全国"五一"劳动奖章和全国十大绿化标兵称号，受邀进京参加新中国成立五十周年庆典。

"荣誉对我来说是鼓劲、是加油！"

翻开马永顺的简历，我们看到了这样一组数字——1949年，绥化森林工业管理局劳动模范；1951年、1953年，黑龙江省劳动模范；1954年，东北森林工业管理局劳动模范；1956年，哈尔滨森林工业管理局劳动模范；1956年，全国先进生产者；1959年，出席全国群英会……1995年，全国劳动模范特邀代表；1998年，获联合国环保奖、黑龙江特别绿化奖章；1999年，获全国老有所为奉献奖、全国"五一"劳动奖章、全国十大绿化标兵称号。

半个世纪以来，"英模"两个字一直陪伴着马永顺。他曾两次当选全国党代会代表、人代会代表，先后16次受到毛泽东、周恩来等党和国家领导人的接见。

江泽民总书记称赞他"很了不起"，朱镕基总理评价他："你这一辈子干了两件好事：当国家建设需要木材的时候，你是砍树劳模；当国家需要保护生态环境的时候，你是栽树英雄，我们都要向你学习。"

面对荣誉，马永顺有着清醒的认识："我很珍惜组织上给我的这些荣誉。因为它不属于我个人，是工人阶级的光荣。我从不敢把这些荣誉当作我个人的资本，更不能利用党给的荣誉为我个人牟取什么私利。荣誉对我来说是鼓劲，是加油。"

建国初期，林区作业条件十分艰苦。马永顺带领的工组哪里最苦、最艰险就奋战在哪里，哪个工组有困难他就主动去支援。他常说："吃苦耐劳是工人的本色。"

50年代采伐作业，伐木工都是站着伐木，伐根有七八十厘米，造成木材大量浪费。马永顺看在眼里，急在心上。为了降低伐根，多出木材，马永顺就用手把树根周围的积雪扒开，一条腿跪在地上，把锯紧挨着树根采伐，伐根一下降到了10厘米以下。东北林区推广了他的做法后，一年就为国家增加了1400多万元的财富。

有人对马永顺退休后坚持义务造林不理解，说什么"现在都市场经济了，哪还有义务劳动这么傻的人"。马永顺听了很生气，反驳说："山是国家的，林子是国家的。咱林业工人是国家的主人，多栽树是应该的。这账我算得过来，我不傻！"

"自家的困难是小，企业、国家的困难是大"

马永顺是林业战线的老职工。与他同龄的，比他年轻的，甚至他培养的徒弟，有许多被提拔到领导岗位，而他始终默默地工作在最平凡的岗位上，毫无怨言。在职位和待遇面前，他始终以一个共产党员的标准严格要求自己，只讲奉献，不求索取。

马永顺所在的铁力林业局是开发较早的林区之一。由于可采资源消耗过量，进入80年代，铁力局便成为黑龙江省森工最危困企业之一。企业为了摆脱困境，在经营机制、管理机制、产业产品结构等方面进行了大胆改革和调整。几年来，林业局先后分流8000多职工。"减人增效"是铁力林业局在全省率先创造的经验。

马永顺6个子女先后有4个下了岗。他十分体谅企业的困难，不用"著名劳模"的特殊身份要求组织给予照顾。他的小儿子马春生是林业局招待所食堂的厨师。1987年，春生和一位叫孙秀琴的姑娘订了婚，孙秀琴当时正待业在家。

春生对马永顺说："您去找一下局领导，给秀琴安排个工作吧。"马永顺没答应。老伴王继荣试探着说："你是老模范，找局长、书记好好说说，准能给你面子。"

马永顺不耐烦了，冲老伴一瞪眼："不行！局里这么多困难，咱不能搞特殊。不是号召发展多种经营、自我解困吗，咱自己也想想办法。现在少给企业添麻烦也是贡献。"

过了几天，马永顺把春生叫到跟前，对他说："你是厨师，有手艺，我看你和小孙到街上租个门市房，开个小饭店怎么样？反正我也退休了，还能帮你们一把。这样你和小孙不都就业了吗。"

现在，马老的两个女儿都在经营餐饮，小女儿马春艳的餐馆还颇红火。大女儿马春华的餐馆刚开张不久，总是感到时间不够用。她告诉记者："爸爸从小要求我们就很严格，不能打他的旗号办私事，我们早就习惯了。"

1983年，铁力局盖起了第一栋老干部住宅楼。局领导考虑马永顺岁数大了，应该有个舒适的环境，决定让他一家从平房迁入楼房，是三室一厅。可马永顺连看也没看就推辞了。他说："谢谢领导的好意！如今还有不少职工没房住，楼房分给别人吧。"

直到今天，马永顺住的依旧是那一间半平房，屋子里最值钱的就是一台电视机。常有人对马永顺说，你资格这么老，名气这么大，有啥难事就说说呗，领导肯定能帮助你解决。马永顺却说："哪家没有难事儿。个人的困难是小，企业、国家的困难是大，咱得分清这个理儿！"

"咱们国家林子少，再不多栽树，靠什么发展？"

马永顺过去栽树，一是为了完成周总理的嘱托，二是为了偿还欠大山的债。现在，马永顺已经把栽树与环保、与国家的发展联系起来了。

1995年，马永顺在伊春市和铁力林业局的支持下，建立了固定的马永顺育林基地。1998年9月，经中共伊春市委批准，马永顺曾经工作过的二股营林所被命名为"马永顺林场"。马永顺栽树的劲头更足了，他打破每年春季造林的常规，率领"马家军"搞起了秋季造林试验，栽植云杉500棵获得成功。1999年春秋两季，马永顺4次率"马家军"18口人上山造林，栽植树苗4500多棵。

在马永顺一家的带动下，铁力掀起了群众性造林热潮，一片又一片的劳模林、青年林、少年林为荒山秃岭披上了绿装。几年来，铁力局共完成人工更新造林250万亩，人工林保存面积140万亩，企业经济开始复苏。

黑龙江省天然林资源保护工程从1998年启动

以来，在减少木材产量、保护森林资源、制止生态环境恶化方面已经取得了成效。尤其重要的是天然林保护工程在全社会已经形成了共识，得到了社会各界的大力支持，马永顺的生命不息、栽树不止的事迹已深入人心。

1998年6月，85岁高龄的马永顺赴莫斯科参加联合国召开的全球环保500佳颁奖典礼。莫斯科之行让老英雄大开眼界。他感慨地说："俄罗斯人环保意识真强。我这一趟学到不少保护森林资源的先进经验。"他最关心的话题就是如何实现科学造林。

（摘自2000年2月21—22日《人民日报》）

何家庆

何家庆（1949年— ）中共党员，安徽大学生命科学学院的高级实验师。20多年来，他在潜心科学研究，取得丰硕科研成果的同时，一直关注科技扶贫事业。在挂职担任安徽绩溪县科技副县长期间，他用自己的知识和科研成果为当地人民早日脱贫而忘我工作，被老百姓誉为"焦裕禄式的好干部"。1998年开始，他自费深入大西南贫困山区开展科学考察和科教扶贫，传授魔芋栽培技术，取得了良好的经济社会效益，在科技扶贫上取得了突出成绩，被誉为"魔芋大王"。

通讯：一种植物和一个人的追求

要认识何家庆，先得认识一种植物：魔芋。20世纪50年代，印度一位学者提醒过人类："如果说存在着一种尚未引起人们足够重视的作物，那就是魔芋。"

真正开始认识魔芋，在中国大约只是20世纪80年代的事。那时，人们知道这种高产作物可以出口换外汇，山区农民开始栽种起魔芋来。

当时，安徽大学生物系青年教师何家庆却看到了魔芋生产的社会意义。他说："魔芋适合于山区阴凉潮湿的土壤生长，分布面宽，便于推广；栽种技术含量低，文化不高的山区农民学得快，用得上；产量高，一亩地产量高的可以收获八九千公斤，收入够供一个大学生上学，有利于穷困地区人民尽快脱贫。"

他开始调查研究魔芋的生长性能、栽种技术、加工方法、市场开发，接二连三地出版了《魔芋栽培及加工技术》、《魔芋栽培新技术》，翻译了《日本国魔芋的开发利用》。一个研究植物分类与实用经济植物的学者，一下子成了"魔芋"专家。

选择了一种植物，对于一个植物学研究者来说，就是选择了一种命运。16年来，何家庆废寝忘食，别妻离子，出生入死，都是被魔芋诱惑着、激励着。魔芋像一条路，不过从那里通向的不是个人名利的高峰，而是通向山区穷苦人民命运的改变。

1984：跋涉大别山

共和国的同龄人，经历了共和国曲折的历程。

1949年，伴着新中国的诞生，何家庆来到这个世界。国家之庆，也是何家之庆啊！祖父和父亲解放前都是拉黄包车的。解放后，他的父亲在码头拉板车维持一家生计。家里其他人依靠江边拾柴、捡破烂补贴家用。从小学到大学国家给予了何家庆全免学费的待遇。老师和同学从练习簿到棉衣棉裤经常给他以帮助。何家庆说，没有共产党，我可能仍旧是个拉车的。何家庆曾到贫苦的农村插队。推荐上大学的风潮，把他推到安徽大学生物系去学习。何家庆以他的坚韧和执著，赢得了人们的赞扬，1976年，正式被调入安徽大学生物系当了教员。

何家庆在教学中，并不满足书本上的知识，他想到大别山去，到实践中去认识、发现和掌握活生生的植物形态，揭开大自然无穷无尽的奥秘。

大别山，横贯鄂、豫、皖3省19县，崇山峻岭，深山密林，多为人迹不到之地。1910年法国传教士F.Courtoris曾到过大别山白马寨采集了500号标本，如今珍存在江苏植物研究所。此后，虽有人考察，但都只涉足局部地区。

从1984年3月到11月，何家庆自费8000元，从大别山最南沿的宿松、黄梅，北上经蕲春、浠水、太湖、潜山、安庆、桐城、舒城、岳西、英山、罗母、霍山、六安、金寨、麻城、商城、新县、固始，历经3省19县，行程12684公里，沿着山脉采集、观察、实地搜集资料，记录沿途采访，前后共225天。

阴雨连绵，霹雷闪电，森林里随处暗藏杀机；悬崖洪水，野狼出没，都与性命攸关。水沼里的蚂蟥，草丛里的“皮虱”，也埋没着一道道“陷阱”。暑热、风寒、饥饿、疾病，225天，随时可以让何家庆倒毙在大别山的荒山野岭。

何家庆却以坚韧的意志和毅力战胜了这一切。从大别山走了回来，他的行囊里是采集到的苔藓、蕨类、裸子和被子植物3117号，近万份标本。他把这些植物分为12大类，有传统的，有新发现的，为研究大别山区的植物分布规律、特点提供了第一手资料，为大农业生态的研究提供了科学的依据，对开发大别山的资源，尽快使革命老区富起来具有重要意义。他翻越了357座千米以上的山峰，为国家1971年出版的地形图纠正和补充了许多地名。

刻骨铭心一本账

何家庆去大别山考察之前，老父亲送来4000元，可是和钱一起包在布里的还有一本账。那是四五个香烟盒纸粘在一起的账单，是父亲一笔笔写下的，记录了何家庆从上小学起，国家、老师、同学给他的一点一滴的资助：

“1955年9月编入永安街小学许维实老师班，许老师送旧胶鞋一双，练习簿四本，学费全免。”

“1956年2月许老师班，学费全免，送旧胶鞋一双，洋袜子一双，练习簿三本。”

“7日，不知名同学送来棉裤一条。”

“1966年1月送助学金7元8角。”

“本月10日张爱坤同学的母亲送来单蓝裤一条，短裤两条。”

这本账一直记到何家庆工作后，包括单位送来的救济金、救济物资。在账本的最后，老人写下一段话：

“读着共产党的书，拿着共产党的钱，好好学习，努力向上，以求深造，成长后要成顶天立地之业，才对得起党，对得起人民。”

贫穷不是耻辱。可敬的是这位和命运搏击了一生的老人，把社会赠给他的滴水之恩都铭记在心里，并且把它当做一份珍贵的遗产留给儿子，要他永志不忘，以便加倍报答给人民。

他在笔记本上悄悄写下一句话：给我一捧土，还你一座山。

1990：绩溪的“焦裕禄”

1990年6月，何家庆到绩溪县挂职任科技副县长。

何家庆心想：县长，过去就是“知县”。不知县情，如何当县长。

头半年，何家庆走遍绩溪的山山水水，沟沟岔岔，以植物学家的目光，掌握了全县的植物资源，到年底就写出15万字的《绩溪野生植物资源开发》一书，还举办了一个野生植物展览。人们大吃一惊，贫困山区竟会有这么多宝贝沉睡着。原想展览一个月，因为受欢迎，不得不再延长一个月。人们惊奇何县长一个外来人对绩溪怎么知道这么清。

绩溪是江南的“丝绸之乡”，全县2/3的人从事养蚕。可是养蚕技术落后，蚕桑老化，效益不佳。何家庆选择桑茧产量低、技术差、桑茧发病率高的尚田乡做试点，走家串户，举办培训班，指导植桑养蚕。他常常步行40多里地，给农民讲到深夜一两点。1991年尚田乡大灾之后，蚕茧却大丰收，比头年增产近三成。

和农民在一起，何家庆真是如鱼得水。从1990年6月3日到1992年10月17日，850天的时间他有697天在田间地头和农民生活在一起。他有一本明细账，记录着他每天的行程、地址、工作。

这一年，洪水袭击了江南。何县长顶着暴雨，踏着泥水，四乡八村看望灾民，几次晕倒在水里。在荆州乡松烟塘村，何家庆把他刚报销的全年1000元差旅费捐赠给了灾民。在捐款的留言上他写道：“对穷困山区人民生活，我有一份责任。虽没有力挽巨浪之臂，却有颗火热的心。”

挂职结束，就要离开山区。绩溪人送给何家庆一面锦旗，上书：“焦裕禄式的何县长。”临来时，妻子嘱咐他皖南的竹编有名，千万带几件回来。何家庆没有买，他怕别人以为这是个暗示，人家会以此为借口，给他送礼。空空一双手回了家。老百姓说他是“捧一颗心来，不带半根草去。”

全省26名干部挂职锻炼，回来后，25名都被提升了职务，惟独何家庆还是一名普通教员。他心安理得，认认真真研究他的植物分类、魔芋栽培。

逆风行船终不悔

何家庆如此投入工作，他把整个身心都献给了科学，献给了贫苦群众，帮助他们脱贫致富，但却总有些闲言如冷风吹过。

何家庆烟、酒、茶三不沾。过去，参加过几回聚会，因为衣服穿得破旧，总被拦在门外，天长日久，别人也少请他，他也懒得出席。

刚到绩溪挂职，县里设宴欢迎。何家庆心想吃饭付费，天经地义，拿了15元钱放在桌上。县委办公室主任一看，连忙拿起塞回他的衣袋里。何家庆执拗地又一次把钱放在桌上。主任怕别人看见影响不好，只好把钱收下。吃罢饭，主任还给他5元钱说："收你10元行啦！"

何县长下乡，开始是派车送。时间长了，他总下乡，加上每到一地，吃饭都付款，再说带着司机也不方便，他干脆骑车或步行。

挂职结束，县里又是宴请，何家庆躲不过，就坐在座上，不动筷子，有人问何家庆："我真不明白，你呆在这里两年了，这样做，和地方上怎么配合？"何家庆说："我想的只是怎样配合老百姓。"

挂职期间，上边来了扶贫检查团，每到一处，都有宴请，都带土产。负责接待的人就请示何家庆："我们送些什么？"何家庆想了想说："每人一袋牙签。""两毛钱一袋的？""对！"果然，检查团离开时，每人只得到一包牙签。何家庆说："这东西既是当地土产，又很实用，大家用得上。"

何家庆的船，就是这样逆着吃喝风，送礼风，向前行驶。人们佩服他硬是能坚持下来，不为所动。

在学校也一样。晚上，有人敲门，何家庆拉开房门，隔着纱门看见一位学生提着鼓鼓囊囊的两包东西站在门口。

何家庆知道这个学生平时不用功，考试不及格，便问："有什么事？"

学生吞吞吐吐地说："我想来看看你。"

何家庆说："好啦，你这不是看见了吗？"说罢随手关了门。他听见学生一步步下了楼，打开门再一看，礼物却堆在门外。他随手拿回礼物，估计那学生快走到窗下，便将礼物从窗口扔了下去。

何家庆以加倍的毅力，逆风行进。管不了社会，管不了别人，他能管住自己。一个现代知识分子，坚持慎独，完善着自己的人格。

清贫，但不失风骨

从贫困中成长起来的何家庆，活得坚强，也活得清白。

走进何家庆三年前的家里，17平方米的小屋，除了三口人住处、生活的基本必需品，别无它物。昼夜与他共一室的是他采集的1万多份植物标本，标本从木板床直码到屋顶。夜里，他能闻见那草木的清香；清晨起床，能看见那些草木摇曳。后来，系里另给了房子，标本被转移出去，那一天，送走这些宝贝，何家庆在雨里哭了一个小时。

如今，虽然居室条件改变了，两室一厅，何家庆的卧室依然十分简陋。20年前结婚时的木板床，透着一种过时的寒酸。两个书橱，是厨房的碗柜改制而成。图书、杂志，委屈地挤在里边，伸不开腰身。一个小小的五斗柜，木色已显示出年头的久远。妻子说：那是何家庆的父亲留下的遗物。一台12英寸的黑白电视机，像是一件古老的工艺品，装饰着柜子上的空间。

供何家庆著书、备课的一张漆色斑驳的三屉桌，摆在阳台上，桌子上是书稿和教案。很显眼的一个纸盒里，杂陈着一把铅笔头，长的不过三五厘米。这是女儿做作业用剩的，何家庆拿来再用，手捏不住，就插在一枚子弹壳里继续写。

一切，都透露着一种与这个繁荣、奢华时代的距离。

如果说，知识可以转成财富，这段距离在何家庆身边可以说是很短的。他尽可以到处去讲魔芋的栽培、加工，事实上，有许多地方请他去讲，聘他当顾问，何家庆向来不取分文。何家庆真傻，有人这样说。

1998：扶贫大西南

何家庆在研究中了解到，我国的魔芋生产集中在西南山区，而我国贫困县2/3也在西南山区。他决心利用自己的技术推进西南山区魔芋的发展，形成产业化，同时对西南山区植物资源进行考察。

16年工资收入积累的27720.8元成了何家庆

大西南之行的经济动力。

背上是那一个风吹日晒、褪了颜色、打满补丁的帆布背囊，里边除一些必备的生活用品之外，还有些书和本子。怀里揣着一张《中华人民共和国地图》和一张《国家八七扶贫攻坚计划贫困县名单》。

1998年，何家庆没有上课任务，他给系里打过招呼，2月12日，孤身一人起程了。这一走就是305天，这一走就是3万多公里的行程，安徽、湖北、湖南、浙江、重庆、四川、贵州、云南，102个地（州）市、县，27个兄弟民族，207个乡镇，426个村寨，都留下一个令人难忘、令人感动的身影。

饥饿、疾病、抢掠，甚至误被收容，没有什么能挡住何家庆西行送经的决心。宿野庙，睡地铺，甚至当乞丐，都没有使他打退堂鼓。有时，他得翻山越岭日行百里。从湖北恩施太阳河往重庆奉节县三角坝，为了搭上一辆顺路的卡车，他被骗到深山，砸了一天矿石。那些荒野的小矿窑窑主要他砸碎1吨矿石才肯放他走。瘦弱的何家庆只好抡起铁锤，叮叮当当在无人的山谷当了一天苦力。

这一路，他为芋农举办技术培训班60余次，直接受训的有2万多人。他在芋园示范栽培，分析魔芋病虫害的原因，还深入到车间去解决魔芋加工技术工艺流程等疑难问题。每到一处，那里的人就将他工作情况写上一纸证明。从那些笔迹各异的字行里，可以感受到农民对摆脱贫困的焦急期待，对于科技的急切盼望以及对何家庆的诚恳感谢。

湖北省鹤峰县五里乡在放马场建有百亩魔芋种植基地，由于缺乏技术，百亩魔芋基本无收，损失20多万元。何家庆闻知此事，痛心疾首，立即到基地进行调研，对气候、土壤、环境进行了两天调查，订出了8条改进措施，冒雨讲课4个多小时。乡政府的信上说："山区少数民族希望脱贫，希望技术，何教授您为我们做了一件天大的好事，我们永远铭记您的这份真情!"

在彝村，在苗寨，何家庆讲到深夜，群众拉着他的手恋恋不舍。

知识的价值，人的价值，在这里得到充分的体现。

何家庆后来把在各地得到的介绍信粘贴在一起，拉开来，竟有5.5米长。12月28日，何家庆背着行囊，提着草鞋，拎着他采集到的野生魔芋新品种，返回合肥。走时体重60公斤，回家时40公斤。他在车站直挨到天黑才回家。他说，他怕自己憔悴的形容、怪异的模样吓坏了校园的师生和左右的邻居。

2000年2月26日，在为全校学生作大西南之行的报告时，何家庆引用了拿破仑的一句话："爱国，是一切文明人的首要选择。"他说："人们常常在看球赛时表现出狂热的爱国激情，我的爱国激情不过是比球赛更持久些而已。"

回答他的，是莘莘学子们眼中的热泪和不息的掌声。

有话想对女儿说

1998年2月离家去大西南的时候，何家庆没有告诉妻子胡建群和女儿何禾。他知道这次行程的危险。

在他心里的天平上，一边是社会，人民，一边是妻子女儿。他父亲在账本上的留言深深激励着他，他属于亲人，更属于社会和人民。天平的失重，使他毅然决然地走出家门，走出校门。

但是，他仍然无法割舍亲情。他有许多话要对女儿说，那其中有许多是父亲讲给自己的，是一些做人的根本原则，必须把它传下去，这是自己做父亲的责任：

禾禾吾儿：

……中国有句古训：受人滴水之恩，当以涌泉相报。孩提时期，我便誓言：谁能给我一捧土，我当还他一座山。中学时代的同学们纷纷誓言：长大要当工程师、科学家。我只希望自己长大后无论做什么都要为人民服务。有人鄙夷这是一种简单的报恩思想，在我看来若这种简单思想都不存在，哪会有对国家和民族的抱负。

……人活着要有点精神，物欲、情欲，只能求得一时一己的享受、欢乐，这些对我已失去诱惑。人应该不断完善自己，追求崇高，健康向上和丰富人格，纯洁自己的灵魂，这对于我们的社会具有坚实的建设和创造力，如同一股明澈的清流，荡涤那些污泥浊水。反之，一个人欲壑难填，会丧失生命价值，社会必腐败堕落。

这封2000多字的长信，很像一篇何家庆的人生宣言或内心独白。有教诲，有忏悔，也有浓浓的亲情。何家庆把这一行当作慨然赴死，他明白无误地告诉女儿，如果发生不幸，这封信就算是“最后交待”。他告诉女儿：“无论从事何种职业也要勤勉敬业，努力向上，做个好公民。”

为了解除路上的孤独，何家庆把女儿过去写给自己的字条都带在身上，随时翻看，就像和女儿对话。

这封信何家庆是托人带给女儿的。可是几经延误到她们手里，已是一个多月之后了。当妻子胡建群拿到这封信之后，才知道丈夫已经到了大西南。又是担心，又是埋怨，又是钦佩，万千情结交织心头。她拿着信去找学校领导。安徽大学年轻的代校长黄德宽立即布置有关方面和各个省的科协电话联系，找到何家庆，保护何家庆。黄德宽说：“何家庆把对物质的需求降得不能再低了，他始终追求的是把自己所掌握的科技知识转化为农民脱贫致富的工具，只知奉献，没有索取啊!”

安徽大学向全校师生发出号召，向何家庆同志学习。

掌声、鲜花，四面涌来。何家庆像沉浸在激流里的石头，明亮、清澈、坚定。

何家庆仍忙他的魔芋栽培，他想让省里拨几亩地，建一个植物实验园。有很多宝贵的种子可以在那里发芽，包括思想……

(2000年4月6日《人民日报》)

邵荣雁

邵荣雁（1959—1999年）中共党员，生前是武警广东省总队江门市支队副政委，先后3次荣立三等功，12次受嘉奖，5次被评为优秀共产党员。1999年8月23日，在江门地区抗洪抢险中，为救战友，带病纵身跳入洪水中，救起两名战友后，因精疲力竭被卷入洪流，英勇牺牲。国务院、中央军委授予他“舍己救人好干部”荣誉称号。

通讯：“生命线”上的绝唱

5月，当一出以舍己救人英雄警官邵荣雁为原型创作的音乐剧《永远的橄榄绿》，在广东江门五邑侨乡巡回演出时，380万侨乡人民的心再一次被强烈地感染、深深地震撼——

蓬江两岸，人们一遍遍呼唤着邵荣雁的名字；江门城乡，人们一次次追寻邵荣雁的足迹——一位思想政治工作的时代楷模。

他像朴实的路标——用先进的思想文化为官兵引导人生

走进武警江门市支队副政委邵荣雁生前的办公室，置放在书架和案头的3000多册图书、85本大大小小的读书笔记，好像默默地诉说着这位年仅40岁的警官短暂而又壮丽的一生。

邵荣雁入伍后的20年，正是国家发生重大变革和经受严峻考验的20年。面对改革开放的大潮，他不论是当副指导员、宣传股长，还是在政治处主任、支队副政委的岗位上，始终把思想政治工作当作崇高的事业。

了解邵荣雁的人都清楚，在江门市的大街小巷，他去的最多的是书店和图书馆。在他读过的哲学、政治经济学、军事学、教育学、心理学、美学等书籍上，随处可见一个个圈点和一段段眉注；他留下的120多万字读书笔记和42篇政工研究文章，无不渗透着他对新形势下思想政治工作的凝思和感悟。

邵荣雁坚信脚板底下出真情，始终把工作的视角放在一线中队，着力回答和解决新的历史条件下广大官兵遇到的热点、难点问题。无论是开会学习，还是下连蹲点，他都带着问题在官兵中搞调查，在实践中找答案，在摸索中解疑难。这几年，他随身带的笔记本，密密麻麻地记着“不同地区优抚金悬殊太大造成战士心理不平衡怎么办”、“老板私下请战士当保镖怎么办”、“打工妹向战士求助怎么办”、 “战士花钱大手大脚怎么办”、“战士家中受到不法侵害怎么办”等22个基层管理教育中经常遇到的问题；他摸索总结出的“一事一议法、谈心交心法、新闻点评法、热点探讨法、心声吐露法、书信展评法、典型解剖法、正反辩论法、现场鼓励法、三评教育法、板报宣传法、环境熏陶法”等“随机教育十二法”，被作为经验在许多警营推广。

1998年，邵荣雁用4个多月的时间，跑了12个中队的50多个分散执勤点，梳理了几十个战士在学习、训练、生活中经常遇到的难题，指导和帮助基层干部“拉直”了一个个问号。

四中队战士李立华入伍3个多月，花掉了从家里带来的1万多元钱。一天训练休息时，邵荣雁掏出一支“红双喜”香烟正要点燃，小李马上掏出一包“中华”香烟递了过去。邵荣雁笑了笑：“这种烟我吸不惯。”说着把自己的烟给小李递了一支。小李摇摇头：“首长，都什么年代了，还抽这种烟。”

战士不经意的一句话，引起了邵荣雁的深思。当天晚上，他召集中队干部，对战士的消费状况进行了调查剖析，发现来自沿海开放地区的战士，家庭比较富裕，为他们高消费提供了物质条件。“中华”烟现象虽属个别，但说明警营中开始出现追求新颖时尚的消费方式，思想政治工作必须紧跟变化着的“警营生活流”，靠前疏导，才能取得主动。他集思广益，撰写了“市场经济条件下警营生活方式变化新走向”的调查与思考，在全支队开展了一场“警营生活方式大讨论”。经过一番循循善诱，官兵们很快找准了合理消费的基线，全支队出现了12个“小储蓄所”和5个无烟中队。

恩平市中队的官兵至今难以忘怀。前些年，中队不少战士一度热衷于报刊征友，有的一天收到八九封信，最多的一个月收到了40多封。不仅影响中队正常的工作生活秩序，而且增大了队伍的管理难度。邵荣雁到这个中队蹲点后，运用“典型解剖法”和“正反辩论法”，引导官兵对新形势下的军人交际方式进行分析，总结出了“警营交友十戒”，为官兵选择健康的交友方式提供了帮助。随后，他在基层中队开展了“日练百字，周写一文，月读一书”活动，使一度盛行的“交友热”变成了“学习热”。

官兵家庭涉法问题日益增多，是近几年来出现的一个新情况。邵荣雁敏锐地捕捉到了这个新的动向。他提请支队党委同意，组织50多名干部参加了法律专业的函授学习，自己还亲自担任支队法律咨询小组组长，定期到基层宣讲法律常识，引导官兵学法、知法、守法、用法。

1999年初夏，一向活泼的鹤山市中队战士小蔡情绪低落。正在中队蹲点的邵荣雁发现了，课间休息时和小蔡拉起家常，晚上又约小蔡出去散步。面对邵荣雁的一番真诚，小蔡敞开了心扉，道出酝酿已久的“秘密方案”。原来，小蔡的二哥外出打工，因触犯刑律被判入狱。父母来信让他想办法把二哥救出来。看着父母一封接一封的来信，小蔡寝食不安，一番苦思冥想之后，最后想铤而走险，准备擅自离队。邵荣雁暗吃一惊，一连几天与小蔡生活在一起。他一面给小蔡的父母写信以减轻家庭压力，一面对小蔡明理说法，使小蔡彻底打消违纪违法的念头。

一起可能发生的重大事故就这样被消灭在萌芽之中，训练场上又有了小蔡爽朗的笑声。

邵荣雁在担任政治处主任和支队副政委的6年间，不断用先进思想文化武装官兵，先后带出了100多名思想政治工作骨干，使130多名后进官兵校正了人生航向，扬起了理想的风帆。

他像燃烧的炭火——用炽热的情怀温暖官兵的心扉

在武警江门市支队，只要提起邵荣雁，官兵们有同一个感受：那就是他把思想政治工作做到了战士们的心窝里。

“一个人，爱的最高境界是爱他人；一个警官，爱的最高境界是爱士兵；一个党员，爱的最高境界是爱人民。”邵荣雁十多年前在日记中写下的这段话，如今已成为江门支队干部的带兵格言。

1999年入伍的战士江强刚下中队，在高强度训练中时常呕吐。一天夜里，小江起床吃药时，在中队蹲点的邵荣雁正好看到了。他给小江倒了一杯开水递过去说：“吃完药要盖好被子，不能受风。”第二天早饭后，邵荣雁又通知支队卫生队，把患胃病的江强送到江门市中医院住院治疗。在小江住院的日子里，他担心医院的饭不合小江胃口，就让妻子杨丽华每天煲些可口的粥送到病房。江强病愈归队，当了中队给养员。以后只要队里有病号，他就做上可口的饭菜端到战友床前。他说：“邵副政委的一言一行使我懂得，只有心里都装着他人，部队大家庭才能温暖如春。”

像江强这样被邵荣雁关心爱护过的战士，在江门市支队何止一个两个。1997 年 6 月，一中队战士沈志远因私自离队被关禁闭。邵荣雁听说后，连夜赶到中队，在禁闭室里同小沈进行了 7 个多小时的谈话。自那以后，这位在家娇生惯养的战士，执勤训练毫不懈怠，脏活累活抢在先，成了中队的训练标兵，还当了班长。

只要干部心里有战士，战士心里就会有中队。邵荣雁这句话，早已深深地印在了江门支队干部的心中。

支队政治处副主任田年璜含着眼泪讲述了这样一件事。一次，他和邵荣雁到台山市中队检查工作，原计划住中队仅有的一间接待房。不巧，中队一位老兵的亲属临时来队，已经住在里面。第二天早晨，听说上级来的两位领导在俱乐部的凳子上将就了一夜，这位战士亲属十分感动。

他像耀眼的星星——用生命的光华书写对党和人民的忠诚

1999 年 8 月 23 日夜，8 号强台风横扫香港之后，直扑珠江口，江门市被笼罩在狂风暴雨之中。当天傍晚，汇入蓬江的天沙河下游水位达到历史最高水平，侨乡人民的生命财产受到严重威胁。

当晚 8 点多钟，江门市领导向武警支队长朱广英请求支援：“东炮桥桥孔被障碍物堵塞，请速派官兵救援。”

刚从外地休假归来的朱广英立即带领官兵赶赴现场抢险。这时，桥孔已被堵死，漂浮物还在源源不断从上游涌来，形成了 3 米多厚、近百米长的障碍带。官兵们苦战半夜，险情仍未排除。

午夜时分，抱病在床的邵荣雁被急促的电话铃声惊醒。原来是让他带第二梯队前去增援。听说丈夫雨夜要去抗洪，妻子杨丽华吃了一惊：“你都躺了三天了，今天又没吃饭，能挺得住吗?”没等妻子说完，邵荣雁已披上雨衣。茫茫雨夜中，杨丽华追了几十米，将一包退烧药塞进丈夫迷彩服的口袋里。

邵荣雁带着增援官兵赶到现场，立即跳到河中的水浮莲上，投入抢险战斗。班长张忠胜看邵荣雁没有穿救生衣，连忙把一件救生衣递了过去。邵荣雁见身边还有两名战士没有救生衣，就对张忠胜说：“我的水性好，把救生衣给他们穿上。”

狂风暴雨打得人睁不开眼，邵荣雁头晕目眩，接着止不住地呕吐起来。朱广英见他脸色苍白，就说：“你先上岸休息一会再下来。”邵荣雁说：“支队长，没关系，给我一支烟。”

朱广英和邵荣雁是老搭档，仅一同率部参加抢险救灾就有 10 多次了。朱广英并不知道邵荣雁正在病中。但刚刚呕吐过的邵荣雁要烟抽，还是引起他的注意。他用手电一照，发现邵荣雁脸色像白纸一样，赶紧命令两名战士把他架上岸。

风还在刮，雨还在下。24 日凌晨 2 时 15 分，清障现场出现了意外险情，一个巨浪打来，抢险官兵脚下的障碍带突然断裂分离，站在断裂处的 6 名战士掉进水中。邵荣雁大喊一声：“快抓住绳子!”说着便和朱广英一起纵身跃入水中，奋力向落水的战士游去。

浊浪翻卷。邵荣雁一手抓住岸上投下来的绳索，一手抓住落水战士的腰带，接连将战士杨中华和吴培伟推上岸。当他返回身来抢救战士陈洪辉时，小陈的一只手被绳索缠住，他推了两次都没有推上去。这时，邵荣雁已经精疲力竭，他用微弱的声音鼓励小陈：“坚持住，我们再来一次。”他用肩膀顶住小陈的后腰，拼尽最后的力气，把小陈推向岸边。这时，他由于体力不支，被咆哮的恶浪卷进了黑暗中……

6 名落水战士全部得救了，惟独不见邵荣雁。战士们声声呼唤，没有回音；乡亲们沿江寻觅，不见踪影。江门市委、市政府领导想尽一切办法组织搜寻，均失望而归。蓬江两岸千人肃立，人们默默地期盼奇迹的出现，然而……

第二天下午，人们才在距东炮台桥 1.5 公里的蓬江边发现了邵荣雁的遗体。

你离我们远了
你仍在我们眼前
你化作流星毅然离去
你永远闪耀在我们心中……

固守共产党人的精神家园

1995 年 4 月，邵荣雁担任支队政治处主任不久，就把关于“廉”字的注解工工整整地写在了日记本上：“廉者，‘一曰廉善，二曰廉能，三曰廉敬，四曰廉正，五曰廉清，六曰廉辨。’今特记下‘廉’字的注解，日后行事比照之。”这个注解正是邵荣雁严以律己的思想准则和行为的写照。

他始终以“出污泥而不染”的浩然气节，固守着一个共产党员的精神家园。

在任政治处主任和副政委的6年间，他主持考核任用干部60多人，从没有为一个人说过情；他先后搬过3次家，从没有用过支队的一车一兵；他在江门市有近百个亲朋好友，从没有利用职务之便为他们办一件违规的事。1999年底，武警广东总队对江门支队7年来的财务账目进行了审计，在数万张发票中，没有一张邵荣雁生前因私报销的发票。

邵荣雁生前常说：“作为一名政治工作干部，在任何情况下都应该表现出高尚、廉洁、正直、坦诚的品质。”1998年7月，邵荣雁负责支队学员干部的分配工作。当时，曾给他开过车的司机吴科文刚从指挥学校毕业，想分配到驻市工区中队任职。邵荣雁对吴科文说：“从个人感情讲，我应该满足你的要求。可是，我给你一个人开了‘绿灯’，就等于闯了‘红灯’；我给了你个小面子，就丢掉了党的大面子。”最后，他不但没有给吴科文开方便之门，还建议支队党委把吴科文分配到驻偏远艰苦地区的直属大队当排长。吴科文经过几年的摔打，成了一名优秀的基层干部。邵荣雁牺牲后，小吴痛哭着说：“当时，我对邵副政委还有怨气，今天我才明白，他是为了让我一辈子都活得光彩！”

矫正共产党人的人生天平

邵荣雁生前有两个未了的心愿：一个是给老母亲翻修百年老屋，一个是带女儿到北京天安门广场看升国旗。这两个在常人眼里很平常的事，邵荣雁直到牺牲也未能如愿。

邵荣雁的老家在广西苍梧县农村。从他记事起，一家人就住在清朝末年修建的一座老土院里。1999年8月，上级批准他休假，他准备利用假期回老家维修老屋，让81岁高龄的母亲住上宽敞明亮的房子。没想到，却赶上了抗洪。

家是温馨的港湾，邵荣雁停靠的时间却很有限。担任支队领导后，他一年中几乎有半年的时间在基层忙碌，就是逢年过节，也不能和家人轻轻松松地团聚几天。

1996年11月，邵荣雁在直属大队蹲点。有一天晚上10点多钟，突然下起了暴雨，气温急剧下降。他8岁的女儿邵凌从家里打来电话说：“妈妈去广州办事还没有回来，我中午都没有吃饭，肚子饿得好痛啊！”说着，就哭了起来。邵荣雁拿着话筒教女儿开煤气、下面条……从那以后，像这样的“电话晚餐”，对邵荣雁和他的女儿来说，已经是平常事了。

邵荣雁在副团职工作岗位上干了6年。近几年来，江门市经济发展很快，不少人都劝他早些回地方找个好位置，活得轻松潇洒一些。对邵荣雁来讲，这种机会不是没有，而是很多。

1997年，江门市政府需要几名科级干部。支队长朱广英听到消息后，对他说：“老邵，对你个人的前途来说，这是一次难得的机会。前几次，是我不想让你走，错过了好机会。这次是走还是留，由你自己下决心。”邵荣雁独自想了一夜，第二天就到中队蹲点去了，再也没有提起这件事。

高唱共产党人的奉献之歌

邵荣雁短暂而壮丽的人生，处处闪耀着奉献的光华。

邵荣雁牺牲一个星期后，罗定市太平乡小学三年级女学生曹水妹收到了一张汇款单。留言附页上写道：“今寄去新学期的学费和书本费200元，请查收，祝学习进步。”

1998年2月，邵荣雁从报纸上看到了一则消息：罗定市太平乡小学女学生曹水妹父母双亡，同年迈的爷爷相依为命，因经济困难而辍学。回到办公室，他立即从刚发的工资袋里拿出300元钱，又上街买了一些图书和学习用具，按报纸提供的地址寄给了曹水妹。从此，邵荣雁在每个新学期开学之前都按时把学费寄给曹水妹，像对待自己的女儿一样，关爱着这位失去亲人又面临失学的山村女孩。

邵荣雁解难救困的，又何止一个曹水妹。他自当干部以来，先后为灾区、希望小学和家庭有困难的官兵捐款1.2万余元。

“这是心的呼唤，这是爱的奉献，这是人间的春风，这是生命的源泉……”这是邵荣雁生前最爱唱的一首歌，也是他对人生真谛的全部理解。

1998年4月，邵荣雁的妻子杨丽华所在的工厂被一家外资企业兼并，厂里有21个女工被精简下岗。当时，杨丽华是厂里的党支部书记兼工会主席，外商听说她熟悉厂里的业务和女工情况，就决定以高薪聘请她当行政副经理。邵荣雁知道后，对杨丽华说："厂里下岗的姐妹工作还没有着落，在这个节骨眼上，咱们得伸手拉拉她们。"

杨丽华理解丈夫的心思。夫妻俩一合计，拿出了家里的全部积蓄，又争取了一些贷款，把下岗的姐妹重新组织起来，办起了一个速冻食品加工厂。

在邵荣雁的支持下，杨丽华带领女工们踏上了艰辛的创业之路。如今，"美味食品厂"在江门市办得红红火火，杨丽华也被评为"广东省巾帼建功带头人"。

邵荣雁的名字已经传遍南粤大地，军营内外。武警部队党委和中共广东省委已经作出了向邵荣雁同志学习的决定，高度评价邵荣雁是我党我军宗旨的模范实践者，是思想政治工作者的楷模。

（2000 年 5 月 31 日—6 月 1 日《人民日报》）

刘 秀 玲

刘秀玲（1948 年— ）女，中共党员，西单友谊集团总经理，2000 年获全国劳动模范荣誉称号。

通讯：让每颗星星都闪亮

西单商场，北京商界一颗夺目的明星。

在这座与人们现代生活息息相关的大厦里，经营着 10 万余种商品，在北京市乃至全国，西单商场的经济效益始终居于同行业领先地位。

老传统、传家宝——事业成功的一条生命线

在原来的西单商场现在的西单友谊集团，刘秀玲担任了 8 年党委书记，后来又担任了 5 年总经理。不论是做党委书记还是做总经理，刘秀玲始终强调提高企业的两个效益。她反复向业务干部强调"思想政治工作是传家宝，任何时候都不能丢掉"，做业务工作也要抓住思想政治工作这条生命线。

刘秀玲精党务，通管理。在她担任党委书记期间，领导北京西单商场集团党委发挥政治核心作用，积极参与企业重大问题的决策，组织党委研究制定了党组织必须参与企业的经营方针和经营定位、长远规划和年度指标、投资发展方向及重大开发改造项目等 10 类重大问题决策的制度，并在实践中探索和总结出"合法、超前、科学"参与决策的基本途径。

刘秀玲担任总经理后，一再强调必须加强党的领导，必须坚持社会主义道路。她提出政工机构要保留，政工人员素质要提高，政工干部待遇要与行政干部相一致，思想政治工作要强化。

刘秀玲认为国企的优势在于企业领导者是共产党员。企业领导者的理想、信念、责任感、拼搏进取的精神、无私奉献的胸怀是一种人格的力量，这种力量会给一个组织带来一股巨大的凝聚力。这是我们党的传统，是传家宝，是事业成功的生命线。

讲方式，讲方法——思想工作永葆活力

思想政治工作有它的特殊性，如何让党务工作者的业绩有一个切实的衡量标准？刘秀玲和班子成员一起，创造了一个叫"五位一体"的综合管理考核机制，就是把思想政治工作和企业其他四项主要工作——经营、管理、服务和安全保卫工作组成一个整体，任务同下达，工作同组织，考核同进行，奖惩同兑现，每月考核评分，与当月奖金和年终评先进挂钩，无形的工作有了直观的参照。

生活中的刘秀玲并不是一个很细心的人，包括对待自己的独生女儿，她有太多的歉疚。但是，只要一遇到工作上的事，她的心就立即细密起来。过年、过节、刮风、下雨，她首先想到的都是她的职工。

刘秀玲强调，要有情有意地做思想政治工作。而基层群众创造的那些新鲜的、行之有效的思想工作方法，只要她发现了，便会在全商场推广。

今天已成为西单商场工作规范的"八必谈"（职工情绪变化、吵嘴打架、奖励晋级、批评处分、出差前后、工作变动、发生责任事故、发生不团结问题，必与当事人谈话），"八必访"（职工遭遇天灾人祸、生病住院、婚丧嫁娶、重要节日、精神不振、家庭纠纷、婚恋矛盾、原因不明的缺勤，必做家访），就是首先由针织商品部党支部创造总结的。刘秀玲了解到这一行之有效的工作方法后，很快在全商场推广开来。

刘秀玲常说，我们办企业不仅要对企业内部的干部职工负责，还要对党和人民负责，这就是“忠诚”。所以我们要用“诚”去感化人，干部职工有了困难，我们就要帮助，要办实事。暑期有小孩的女工因孩子放假没人管，心里不踏实，办个暑期班就解决了后顾之忧。这就是思想工作。你脱离了实际问题，脱离经济工作，说空话，人家就说你不诚。思想上有解不开的疙瘩，你要拿出一把钥匙，帮助他化解困惑；人有了毛病，要及时找他谈，帮他转变认识，回到正确的路上来。

讲究方式、方法，把思想政治工作生动灵活地融入企业的经营、改革和发展工作之中，并在实践中不断总结、探索和创造新的路子，是西友集团思想政治工作保持活力的法宝。

培养人，造就人——让每颗星星都闪亮

1995年夏，在西单商场的营业厅里，一群年轻人向来来往往的顾客分发调查问卷。

这是一群刚刚毕业的大学生。

“为什么不利用大学生的优势，发挥他们的主观能动性，为企业出谋划策?”刚刚调任总经理的刘秀玲脑海里一直萦绕着这个问题。

她一改往昔的做法，决定让这些1995年进场的大学生改变过去培训结束便上一线实习的惯例，而是由党委组织部牵头，组成几个调研小组，以“在市场竞争中怎样提高集团的竞争力”为主题，分课题开展调查分析。大学生们设计分发调查问卷、汇总整理调查数据、翻看查阅报刊书籍——终于，几份内容翔实、形式新颖、略带稚气却充满想像力的调研报告交到了组织部。

翻看着一页页充满朝气的报告，刘秀玲的脸上露出了笑容：一次帮助大学生实现校门与场门接轨的新尝试在这里结出了果实。

许多顾客都知道西单商场有一个不但卖照相机，而且传授照相机使用知识的“相机通”李棣华。1999年4月26日，“相机通——李棣华”服务品牌正式挂牌后，小李成了顾客的消费“老师”，每天为顾客介绍相机及摄影知识。

刘秀玲得知这一情况，不但充分肯定了小李的做法，还时常给小李很多鼓励。1999年6月，在刘秀玲的支持下，小李正式拜北京电影学院摄影系沙占祥教授为师。刘秀玲还在繁忙的工作中抽身参加了小李的拜师仪式。

而在人人练就了“看体拿衣一手准”这一过硬本领的“林惠兰柜组”，几乎每个人都有过类似的经历。老劳模林惠兰永远忘不了刘总对她说过的话，“劳模不能光做老黄牛式的，要做知识型的，你平时要注意积累，要善于总结，要带动一大批人一起做好工作。”

林惠兰从此不但积极参加“劳模大专班”，还带领小组成员苦练基本功，认真研究中老年顾客不同体型的特点，不仅人人练就了“看体拿衣一手准”的过硬本领，还总结出了一系列特色服务法，被顾客亲切地称为“中老年的贴心人”。

为了适应社会快速的发展，近几年商场仅投资职工教育、培训一项就花了1000多万元。刘秀玲说，我们要搞计算机管理，搞电子商务，追随未来市场，就是要在改革中超前,要抓机遇,上档次,不尊重知识,不掌握科学技术,那怎么能成?

“职工是我们智慧的源泉，职工就是企业的根本”，这是刘秀玲最常说的话。在她眼里，每一位职工都是一颗星。她要让每颗星都闪闪发亮。

（2000年6月28日《人民日报》）

常德盛

常德盛（1949年—　）中共党员，江苏省常熟市蒋巷村党支部书记。全国劳动模范、优秀共产党员。

通讯：把思想工作做到农民心坎上

常德盛从1973年当村党支部书记，至今将近

30年了。他把思想政治工作做到农民群众的心坎上，使昔日贫穷落后的蒋巷村成为全国知名的文明村。

凝聚人心 强村富民

在常德盛看来，做好农村思想政治工作，关键是凝聚人心，强村富民。

蒋巷村位于三市交界地区，全村187户，籍贯有5省26县，姓氏竟有35个！河浜泥塘七沟八汊，大小田块又坑坑洼洼。常德盛带领全村人展开了“换地”大战：迁移了100多个坟地，把1200亩低洼田填高1米多，筑坝20多条，修建主干道22公里，明暗水渠近2万米，植树3万多株，完成土石方50多万立方米。在苏州市3000多个村中，蒋巷村一下子成为人均出售商品粮最多的一个村。

1991年，村办泡沫板厂的两位业务员出差带回信息：一些先进国家已将泡沫板生产延伸到彩钢复合板生产。常德盛听说后，第二天就带人到上海、南京等地搞市场调研，结论是：可行！

第二年春天，4000平方米厂房竣工落成，两条生产线顺利投产。为了打开市场，常德盛又当起了销售员，千山万水走，千言万语说，终于赢得了用户。

1995年，蒋巷村组建了集生产、设计、施工于一体的常盛集团，从原先单一的彩钢复合板扩展为彩钢门窗、轻钢构件等系列产品，工程从当初做自行车棚到承接上万米的大型现代化厂房，还通过了ISO9002质量体系认证。1999年集团销售额达1.2亿元。

如今的蒋巷村，路、渠、田、林标准化，农田保护区、工业生产区、文化教育区、休闲娱乐区、别墅住宅区、副业示范区、商贸服务区、私营工业区，井然有序。村民年人均收入近1万元，有线电视、电话、自来水、液化气入户率100%，村民免费享受合作医疗，养老保险，儿童免费入学，真正实现了强村富民。

让村民过上舒心日子

常德盛明白，让每家每户都过上舒心日子不是一件容易的事。根据他的提议，蒋巷村每半月召开一次支委会，了解群众的思想情绪和愿望，分析全村思想动态。

平时，各个支委都有包干责任区，和重点对象结对子。因此，常德盛对全村干部群众的思想状态胸中有数，了如指掌。他能叫出全村760个村民的姓名，熟知所有成年村民的性格。

常德盛心里记着三本账。第一本是贫困户的账。这些年，贫困户虽然少，但常德盛一户也不把他们落下。常德盛心里还有特殊户的账，他们是由于家庭离异或家人患病所造成的不幸家庭。这些特殊家庭的成员思想情绪不稳定，常德盛对他们倍加关心。还有是富裕户的账。富裕户是村里致富的带头人，常德盛注意发挥他们的示范作用，同时教育他们守法经营，反对铺张浪费的不良消费方式。蒋巷村的现代化农田里至今留着一座旧水泥桥，这是村里进行奋斗史教育的好教材。常德盛经常对富裕户进行艰苦奋斗的传统教育，要求他们帮困扶贫。

多年来，常德盛坚持四个“登门”，即凡有生病住院和病故的，必登门慰问；凡有急事难事，必登门处理；凡有矛盾纠纷，必登门调解；凡有造房、结婚、参军、上大学，必登门道喜。事实上，不管哪家发生了什么事，大家也都愿意向常德盛说说心里话，请常德盛拿个主意。村里哪个小伙子的婚事碰上了难题，只要常德盛出面说情，十有八九都是成功的。

村民们说：“常书记在村上一天，蒋巷村就不会有懒人、穷人和闲人。”

多为大家着想

什么样的党员干部才能真正受到群众拥戴？常德盛说：“一个很简单的办法是：多为大家着想，少为自己着想。作为农村基层党的干部，就是要让群众讲共产党好，党的政策好！”

别人家的事就是常德盛的事，可自己家的事却常常被常德盛搁在了一边。80年代初，蒋巷村大多数人家都住进了前有果园后有鱼塘的新楼房，可常德盛自家的建房计划却一拖再拖。1982年本已打好墙基，原计划当年把楼房建成，可老常忙，说推迟两年吧。直到1987年，常德盛才把拖了5年的房屋建成。

常德盛恨不得把一天掰成两天来过。1993年夏天，一场车祸使他左眼受伤，牙齿错位，20多天里只能喝汤。他在医院住了不到一个月，就急着要出院。按医嘱，半年后受伤的眼睛必须动手术，医生约了他几次都因太忙而一再推迟。后来，常熟医院的医生登门来找他，他才到附近的镇医院动了手术。第二天，他又出现在村里。

常德盛出了名，业务往来也多了。他给家人立了条规矩：一律不留客人吃晚饭，谁送来的礼都不能收。一次，来人打听到他不在家，趁他妻子泡茶之机，把5000元钱放在了冰箱里。第二天一大早，常德盛就打电话让来人取了回去："快收回去，否则，一分钱的生意也不与你做!"近年来，常德盛先后将人家送的价值3万多元的现金和礼物一一如数退回。实在无法退回的食品，就送到村里餐厅用作改善职工伙食。

(2000年8月30日《人民日报》)

包 全 杰

包全杰（1941—1999年）中共党员，辽宁省凤城市东方红小学原校长，全国知名的教育教学改革实践家，他发明的"包氏教学法"闻名全国。

通讯：凤凰山下红烛情

9月5日，以辽宁省凤城市东方红小学原校长包全杰名字命名的"全杰桥"正式通车了。桥架在凤凰山下的小北河上，附近的数千名群众和中小学生聚集桥前，打起锣鼓，扭起秧歌，以此纪念他们的好校长包全杰。人们说，这座桥就像他们心中的包校长，自己拱起脊梁，把人们送上坦途，把孩子们送向未来……

把一个山城教育界的"老大难"，变成了人人想送孩子来就读的名校，把一个只有旧平房的小学校，变成了楼房林立、设施齐全的花园式校园；师生们眼中那十几年不灭的灯光，熬干了包全杰的心血，在又一座大楼封顶的鞭炮声响过之后，身患绝症的他才离开了校园。

辽宁省凤城市东方红小学是远近闻名的好学校。近几年，沈阳、本溪、丹东等大中城市的700多位孩子被家长送到这个山城小学住读；外学区有3000多名学生也先后挤进了这所学校。

然而，1981年包全杰刚刚来到东方红小学当教导主任时，这里却是另外一种景象：几排平房已显破旧，教职员工派性严重，短短9个月换了3任校长，学校成了山城教育界的"老大难"。

一开始，穿着家做布底鞋、肥大布裤子，原是一名农村小学校长的包全杰，没有被派系双方看上眼。但是人们不知道，他的心中，却有着一股从50年代当上农村小学教师那天起就决心献身教育事业的激情。

为了缓解教师间的对立情绪，他变着法儿地把有矛盾的教师组织到一起，用搞试点班、带班、互相听课等方式，让他们互相接触、沟通。慢慢地，坚冰融化了。包全杰的良苦用心，使教师们深受触动；他业务能力强，处事公正，大家服气。学校出现了团结协作、爱生敬业的新气象。两年后，工作成绩突出的包全杰成为东方红小学的校长。

从那时起的十几年间，包全杰每天早晨5点钟就来到学校，先绕学校操场走上一圈，然后上楼拿起钥匙串把全校40多个教室的门一一打开，不让早到学校的学生站在门外，也多给班主任一点做家务的时间。也是从那时起，东方红小学的历届师生，见惯了校长办公室那长明的灯光，早上5点亮起来，晚上一直亮到十一二点，有时甚至是一夜。帮助新教师备课、编教案，帮助老教师准备实验课教材，甚至帮助板书写得不好的教师写公开课卡片……包全杰用心血一点一点地培育着新的教风。

包全杰经常随班听课，从中发现问题，及时指导教师纠正。青年教师邢迎辉用书点着一名学生的肩头批评他。放学后，包全杰把邢老师叫到办公室，认真地说："每一个孩子都有自己的美好心灵，都有一个宽阔的内心世界。对调皮的孩子也不能过多责备，要用心去爱他，开导他……"至今提起这件事，邢老师还动情地说："就是从那次，我才真正知道了什么叫老师，怎么做老师。"

一年级班主任孙宇班里有个学生智力较差，数学考试成绩只有二三十分。由于怕拉下班级成绩，孙宇找包全杰表示不要这个学生。包全杰听完，笑了，说："这样的孩子咱就不教了吗？如果谁都不管他，那他就永远是个无知的人。我们当老师的没有理由歧视学生，更没理由抛弃他。我们要因人而异、因材施教，只要孩子有一点进步，就说明你的工作没白干，就说明你有了相当的成绩……"校长一席话，打消了孙老师不要那个孩子的念头。她时常在课前给他补习，有时还把孩子领到自己家里补习。第二学期，这个学生的数学成绩终于上去了，考了 60 多分。他特别感激孙老师，尽管家庭困难，平时都舍不得买零食，却在一个大热天跑出校门，用买本子的钱偷偷买了一根冰果，送给孙老师。孙老师感动得一下把孩子揽进了怀里……

在包全杰的言传身教下，东方红小学的 100 多名教师，从 1983 年以来，有 335 人次受到国家和省、市的表彰，2 人被评为全国优秀教师，6 人被评为全国优秀课教师，学校声誉鹊起。

然而，在包全杰心中，却忘不掉那个冬天早晨的情景。

这天早上，天格外冷。包全杰 5 点多钟来到了学校，为值日生炉子的学生开了门。当他走到一个教室时，见一股浓烟从门缝冒了出来。他立刻开门走进去。透过烟雾，他看见站在炉前的是两个小女孩，正为点不着炉子而着急，眼睛被烟熏得直淌眼泪。他走上前，把炉子里的煤和柴草掏了出来，帮着两个小女孩生着了炉子。看到孩子含泪的眼睛和带着畏怯、感激的笑脸，包全杰的心情却十分沉重，他一个人拎着钥匙串，在学校的操场上站了许久。

经过许多天的思考，东方红小学的长远发展规划图，在他心中勾画了出来。

听说要建教学楼，不少人不敢相信自己的耳朵。但包全杰凭着对事业的执著，终于跑来了资金，一个 3650 平方米的教学大楼建成了。接着，用东凑西借的集资等方式，第二座、第三座……大楼奇迹般地建了起来。而包全杰却为此付出了生命的代价：盖第一座楼时，他累得吐了血，盖第二座楼时，他累得晕倒在厕所里……盖最后一座综合楼时，他被确诊为胃癌晚期。然而，他没有马上入医院治疗，一直忙到大楼上梁，在喜庆的鞭炮声中，他才在师生们的哭声里，离开了校园。

他是全省公认、全国知名的教育教学改革的实践家，"第二课堂"开了全面素质教育的先河，"包氏教学法"闻名全国；在化疗的病床上，他改写了 10 万字的教材，在他参加的最后一节公开课上，用"包氏教学法"培养出的学生，为他唱出了生命的赞歌。

1999 年 9 月 20 日，东方红小学六年级三班为吉林省乾安县前来"取经"的县、校领导上即兴作文公开课。

正在省肿瘤医院化疗的包全杰专程赶了回来。乾安的校长们一人给学生们出了一道即兴作文题。而大多数的题目，都大大超出了小学生的正常知识视野，如《克林顿的桃色新闻》、《中国驻南斯拉夫使馆被炸之后》等等。一些旁听的人，都为孩子们捏了一把汗。但是十几篇作文题立即被学生们领走。15 分钟后，学生们开始朗读自己的即兴作文，篇篇都博得了热烈的掌声。学生们的表述能力、写作技巧和知识面，令在场的客人和旁听者赞不绝口。

这节课，是包全杰参加的最后一节作文公开课，距他去世不到两个月。课没上完，被病痛折磨得汗流浃背的他实在坚持不住，悄悄走出了教室。在场的校长们十分感动，立即又给学生们出了一道作文题：《包校长累病了》。冯哲同学不到 10 分钟就列出了提纲、打好了腹稿，站起来朗读："包校长，您的头发变白了，您的西服变宽了，您的颧骨变高了……看到您那消瘦了的脸庞，我们的心就如同被刀割了一般的难受……包校长，您是为了我们的学校，为了我们这些学生，累病的啊……"冯哲已经泣不成声，全班的孩子们都忍不住发出了哭泣声，在场的客人无不动容。

这是包全杰用他创建的"小学作文循序教学法"为他唱出的生命赞歌。

被称为"包氏教学法"的这项科研成果，先后被辽宁省中小学教学用书审定委员会评为一等教材，被中央教科所评为小学作文教材一等奖。国家有关部门和省市曾 13 次在东方红小学召开教学经验交流会和教改实验汇报会，包全杰曾 5 次在全国语文作文经验交流会上介绍经验、宣读论文。

早在农村小学当教师时，包全杰就开始在自己的作文教学中逐步试着用开导式、启发式的办法，引导学生自己审题、自己表述构思、自己起草，然后念给同学们听，让同学们提出修改意见……经过不断完善，不断编写新教材，到了1986年，18万字的“小学作文循序训练实验课本”编写完毕，投入全面的教学实验。1995年和1996年，用了近两年的业余时间，包全杰系统地编写出小学六年制的12册80万字的实验课本和五年制的10册70万字的实验课本问世了。如今，这项小学作文教学法已辐射半个中国，被15个省区的3000多所学校采用。

“包氏教学法”取得的成就令人瞩目：一、二年级学生能在15分钟左右说、写出几句话或一段话；三、四年级学生能在20分钟左右写出二三百字的一段话或简短的记叙文；五、六年级学生能在25分钟左右，写出五六百字有中心、有条理的记叙文或应用文；六年级部分学生能即兴完成命题作文……

自到东方红小学以来，30多个寒暑假，18个除夕之夜，他都是在学校度过的。他这样做，既是为了替别人值班，让他们能够与家人团圆，也是利用这个时间，编写他那些似乎永远也编不完的教材。

1999年六七月份，他被诊断为胃癌晚期，在沈阳住院化疗。但在病床上，他仍在为省教育学院赶写、修改出了近10万字的教材。

从90年代初开始，包全杰就在学校开办了第二课堂的书法、美术、音乐、舞蹈等特长班，并对学生进行英语和计算机教育。东方红小学已有1000多人次获得国家、省、市级书法、绘画奖。

他是个“富翁”，经常这里500元、那里1000元地资助别人，把自己编书的稿费50多万元捐给学校、帮助他人。他是个“穷人”，到广东、吉林等地讲课，即使几天几夜的路程，他也没坐过一次卧铺。当得知自己身患绝症，他首先想到要为全校40岁以上的老师每年做一次体检，在生命的最后一刻，他想到的是为家乡的孩子修一座桥。

1999年10月16日，刚上二年级的张大明放学回家，对姥姥说：“老师说包校长病了，早晨再不能给我们开门了……”

传闻变成了现实，姥姥的眼泪流了下来。她拉着外孙女去看包全杰：“俺这‘小草’的命怎么就这么苦啊，好不容易遇上您这样的好人，谁料想您又得上了这样的病……”

包全杰赶紧安慰她，说：“大嫂，你别哭，小草只要好好学习，别的事你就不用操心，我会让学校都给安排好的。”他抚摸着孩子身上已经很旧了的毛线衣，让妻子拿出200元钱，说：“天冷了，给孩子买几件衣服，换换季。”

小草，是姥姥给张大明起的乳名。张大明3岁的时候，妈妈就改嫁到农村，张大明跟着姥姥，祖孙俩相依为命。孩子到了该上学的年龄，却拿不出学费钱。包全杰详细地了解了老人和孩子的情况后，让孩子来到学校读书，免去了她的一切学习费用，他则经常给孩子买笔买本，让她安心读书。

包全杰病重期间，还特地向校领导们交待：“一定要免费让张大明把书读完。如果我不在了，你们一定要关心这祖孙俩的生活……”

受到包全杰恩泽的并不是只有“小草”一个人。资助失去父亲的汪丽梅、刘国胜、刘国利读完大学；帮助残疾人姜维成找工作、成家；帮助住草房的李长凤盖3间新瓦房……有心人曾经统计过，为偿还扩建校舍的欠款和建校微机室、语音教室，修建学校的德育基地“阎生堂烈士纪念馆”，包全杰先后捐出自己的编书稿费和售书劳务费达45万余元，用于扶危助贫的捐款共有10万元之多！而他近些年来，南到广东、海南，北到吉林等地，外出讲座40多次，即使几天几夜的行程，只要时间允许，他都坐火车去，而且只买硬座。作为凤城市教育局副局长兼拥有1200万元固定资产的小学校长，他没买过寻呼机和手机，骑的自行车是从农村带来的、70年代买时就已看不清牌子的旧车，包全杰穿的最贵的鞋是大女儿包颖刚参加工作时花150元给他买的军用棉鞋，他还直埋怨太贵了。

包全杰高尚的精神境界赢得了广大师生和学生家长的敬重。学生曾婷在一篇作文中写到：“包校长病倒了，同学们听说这个消息后都惊呆了，热泪夺眶而出，集体给包校长买了一束精美的鲜花。我的姥姥听说后，不住地抹眼泪，还天天为包校长祷告，希望他早日康复。我呢，则在课余时间默默地为包校长叠了66颗幸运星，手叠痛了都不顾。”

被确诊为胃癌晚期后，包全杰在病床上赶写、修改教材的同时，发出了作为校长的最后一道“命令”：“从今天起，东方红小学要立下一个规矩，40 岁以上的老教师，每年进行一次全面体检。”

已到了生命最后一刻的包全杰，还有一个放不下的心事。

他出生的红旗镇包营村村口有一条小北河，河上没有桥，每到夏季涨水时，河水又深又急，人根本无法通过，村里的孩子更是上不了学。

1999 年农历正月初五，包全杰接到远在湖南长沙经商的侄子包贵龙的电话，说要拿出十几万元修修祖坟。包全杰想了想，说：“这样吧，我先拿 8 万元，你和贵光（包全杰的另一个侄子）再掏点，咱给家乡建座桥吧。”但是侄子不大情愿。在病榻之上，包全杰又给来探问病情的两个侄子做工作，最后终于让他们都同意了。

如今，全杰桥通车了，它像包全杰对父老乡亲的赤诚之情和高尚精神一样，与人们永远相伴。

（2000 年 9 月 11 日《人民日报》）

刘 金 国

刘金国（1955 年— ）中共党员，河北省公安厅副厅长。

通讯：一心为百姓

“这是一份真实的材料；这是一份含泪写出的材料；这是一份记录近百名干部、民警、教师、农民真情实感的材料。”记者案头，公安部和河北省公安厅联合考察组的报告感人至深。

“难道真有这样的人么？”面对刘金国的事迹，不熟悉他的人，满腹狐疑；熟悉他的人，也并非事事想得通。在人们冷静而又挑剔的目光中，这位党的干部，究竟靠什么成为令人折服的典型呢？

不做对不起百姓的事

45 岁的刘金国可算是“老干部”：21 岁担任公社书记，30 岁任昌黎县委副书记，35 岁任秦皇岛市委秘书长，37 岁任秦皇岛市公安局长，40 岁任河北省公安厅副厅长。然而，1995 年刘金国从秦皇岛副市长调任河北省公安厅副厅长时，家产之“寒酸”令人瞠目结舌：一个大衣柜，两个木箱，三张木床，一个书柜，一个写字台，再加几个旧沙发和那台黑白电视机。全部“固定资产”，刚刚凑够半卡车。当了 5 年主管全省交警、户籍、治安、文化市场的副厅长后，记者登门造访，发现他家的地面还是水泥的，门墙依旧是交工时的样子。除了新增一台彩电和几个书柜，一切照旧。

如果不出差，他总是骑着一辆“28”加重自行车上下班，风雨无阻 5 年了。他 12 岁的儿子暑期回老家秦皇岛，赶巧他也去秦皇岛检查暑期保卫，司机说捎一下吧，刘金国为了“不能让他有任何优越感”，坚持让妻子买了火车票，送儿子独自上了旅途。那年完成暑期保卫任务回石家庄，年逾古稀的老岳母正好同路，司机说老太太一个人乘火车，万一有个闪失不好交代。这次，他让步了。可车一到家门，刘金国就掏出 200 元油钱，硬是逼司机把钱交到财务科。

家人中对刘金国意见最大的当数姐姐刘金凤。1998 年，她的儿子考警校差了 20 分，老师建议自费读，刘厅长打个电话就成。念及儿子终身大事，深谙弟弟脾气的刘金凤只好坐火车赶到石家庄求情。“想干大事业，得靠真本事”。见弟弟不松口，姐姐打起“持久战”。刘金国依然如故：“我这当厅长的，如果连自家人都管不好，怎么管别人!”他担任领导职务 10 多年，经他手安排调动的人无数，而他的妻子至今仍是个临时工；他亲手审批过近 20 万个“农转非”指标，可自己的 38 个亲属，无一跳出“农门”；那些信奉“有权不用，过期作废”者看来，刘金国是个“傻冒”；那些颇识“时务”者看来，刘金国是个“怪人”。可刘金国却很知足，他说：“我觉得党给我个人的待遇够多了，如果还想法为自己谋这谋那，实在对不起老百姓。”

“干好工作是我对百姓的最大回报”

1999 年，公安部部署创建“平安大道”活动，涉及河北 102 和 107 两条大动脉。为摸到实情，刘金国从河北最南端的漳河大桥开始，行程 700 公里，到最北端的山海关，一个路段一个路段实地查看，一个县一个县地现场办公。短短几个月，新组建的40个中队，刘金国最多的去过20多次，最少的去过7次。这一年下基层多少天，没人统计过。只是汽车里程表显示12万公里。司机累了换司机，汽车坏了换汽车，直到他自己累倒在病床上。辛勤的汗水浇灌出一流的业绩。河北创建“平安大道”得到公安部的表彰和推广。“工作狂”、“拼命三郎”，是同事们赠他的绰号。国庆50周年安全保卫任务，刘金国是在医院的病床上领命的。他拔下针头，带上药品，就奔赴一线。刘金国能带出一支过硬队伍，更多的是靠严谨的作风、人格的魅力。

嫉恶如仇、敢于碰硬最能体现刘金国的个性。1998年邯郸“百老汇”娱乐城大肆经营赌博、容留妇女卖淫被媒体披露后，因执法机关内部人员参与，使查处遇到重重阻挠，省委决定派刘金国和另一位领导去啃这块“硬骨头”。正在发烧的刘金国连夜赶赴邯郸时，首要犯罪嫌疑人已潜逃。明知这是当地公安机关个别领导的“关系网”作祟，他一边输着液，一边亲自指挥，并约法三章：不准回家，不准喝酒，不准泄密。看到如此决心，办案人员全力以赴，三天之内就把逃犯抓捕归案，取得了“百老汇”一案的决定性胜利。

“我最看重的是百姓的评价”

1998年张北地震，刘金国驱车600公里，第一个赶到现场，组织成立了抗震救灾安全保卫工作领导小组。当时，治安处一位副处长迟到4小时，一向对同志宽厚的刘金国火了：“你们天天喊为人民服务，现在群众在饥寒交迫中，你们对群众的感情哪里去了？作为公安民警，你们称不称职?”一名巡警因来时匆忙未戴帽子，心疼得刘金国脱下棉帽给他戴上，自己的脸冻得又青又紫。房倒屋塌，灾民恐慌，他带领干警，在余震和零下30多度的“白毛风”中，指挥交通，抢救群众，控制灾区治安。10多天里，震区没有发生一起治安和刑事案件，近万辆救灾车辆在张家口境内恶劣的路况上未发生一起重大交通事故。

“支撑我的是崇高的共产主义信念”

连续4年给刘金国开车的司机已经习惯了他的“习惯”：下基层返回前，必定让司机打开后备箱验证一下，证实没装土特产品后，才肯出发。在河北，刘金国因为不收礼，下基层不住高级宾馆，不吃宴请，出了名。所以找他办事也不用送礼，就是送了，他也有种种退礼的妙策。刘金国的理论是：“送礼者必是求你办事，不违反政策的事就该办，我凭什么无功受禄；不该办的，送礼也不能办，我干嘛要难为自己呢?”同时，他与妻子“约法三章”：如果我不在家，有找我办事的人，一律记下来，不作任何表态；任何人送的礼品，一律不收；礼品来不及退回的，可以向我说清楚，由我来退还。

“我是唱着《学习雷锋好榜样》这首歌成长的。学校的教育，家庭的熏陶，在我心中树立了共产主义的人生坐标。虽然这些年风雨变幻，但我始终坚信的崇高信念没有变。靠着信念，无论在何种情况下，我都能做到抗得住诱惑，耐得住清贫，经得住寂寞。”刘金国实话实说，为我们提供了一把理解他的钥匙。

（2000年10月24日《人民日报》）

评论：廉洁奉公为人民

河北省公安厅副厅长刘金国的事迹感人肺腑，发人深省。

伴随着改革开放的脚步，刘金国从一名普通的农村青年成长为公安机关的党员领导干部。虽然地位变了，工作环境变了，但他的理想信念始终不变。

刘金国同志最突出的特点就是廉洁、勤政。他一直保持着和人民群众的血肉联系，保持着对人民群众的深厚感情，因而始终能够正确地对待和运用手中的权力，兢兢业业地为人民群众办事，满腔热情地向人民群众传送党和政府的温暖。他常说，我是一个农民的儿子，我永远不做对不起老百姓的事！这话虽朴实，但掷地有声、蕴涵丰富，体现了共产党人的浩然正气，值得我们每一个同志特别是担负着领导职务的干部深思。刘金国不忘自己是“一个农民的儿子”，这使他能自觉地把自己看成是人民群众中的普通一员，从而与人民群众同呼吸、共命运、心连心。

我们向刘金国同志学习，就是要学习他共产党员的浩然正气，时刻牢记党的根本宗旨，全心全意为人民服务，牢固树立和大力发扬艰苦奋斗、脚踏实地、埋头苦干的工作作风，正确对待和使用好权力，努力实践“三个代表”的要求。只有这样，我们的党才能永远立于不败之地，我们的国家才能更加繁荣昌盛。

（2000年10月24日《人民日报》）

张 建 昌

张建昌　中共党员，浙江省宁波慈溪长河镇党委委员，市蔬菜开发公司经理。曾荣获全国劳动模范、十佳公仆、优秀党员、人大代表、全国科技先进工作者、全国“五一”劳动奖章获得者等称号。

通讯：为了这片土地

世纪之交的中国农村经历着重大的历史变革，一大批有胆识、有能力的共产党员挺立时代潮头，敢于创新，勇于奉献，带领亿万农民在泥泞中前行，走出改革的阵痛，在绿色的田野上升起了崭新的希望。

浙江省宁波慈溪市长河镇党委委员、市蔬菜开发公司经理张建昌就是其中的一位。

1989年，他发起创立了长河镇农技服务公司。10年来，他为当地引进种植50多个蔬菜新品种，使一个传统的产棉区成功转化成为现代化的蔬菜基地，初步完成了农业种植结构的调整。

10年来，他的农技服务公司由15万元起家，迅速发展成为拥有2000多万元资产的现代农业龙头企业，确立了当地蔬菜生产产业化发展的道路。

“我热爱这片土地，让农民过上好日子是我的梦想”

80年代中期，国家取消了农产品统派统购制度，长河镇农民辛辛苦苦种了30年的棉花突然没人要了，家家户户六神无主，大量土地撂荒。

作为镇农技站站长，时年27岁的张建昌，曾为大幅度提高皮棉亩产作出过突出贡献，他领导的农技站也因此被评为“全国农技推广先进单位”，他熟悉并热爱的这片土地，怎么突然就没用了呢？他赶到杭州、上海请教专家，经土壤分析，长河镇的土地最适合种蔬菜。可种什么？怎么种？卖给谁？被乡亲们称为“财神菩萨”的张建昌也是两眼一抹黑。

就在这时，机遇降临了。作为全国优秀农业科技工作者的代表，张建昌被派往德国进修农业生产和管理。

在慕尼黑北部的克劳斯农场，西方发达的农业生产方式使张建昌大开眼界：克劳斯一家5口人管理着2500亩玉米、小麦和油菜，1000亩森林，60万只火鸡，还在市区开了两个超市。农作物从播种、收割到入库，家畜从饲养、屠宰、加工到进入市场，全部是自动化管理。

在克劳斯农场，张建昌学习操作各种先进的农业机械，参加各种农业研讨会，参观农业展览会，他还广泛参加当地华侨和德国友人的联谊活动，利用空闲时间到欧洲各地考察……张建昌就像一块海绵，贪婪地、不知疲倦地吸收着一切可能有用的农业科技知识。

短短一年，这位只有高中学历的中国农民已经能够把代表西方现代化水平的克劳斯农场管理得井井有条了。

归期临近，一个意外的选择摆在张建昌面前，高薪、住房、绿卡……克劳斯一家以种种优厚的条件挽留他。张建昌没有丝毫的犹豫：“我的家乡还不富裕，我要用在这里学到的知识去改变它，让家乡的农民也过上好日子。”

1989年5月，带着几十种蔬菜种子和一批农业科技资料，带着琢磨已久的蔬菜生产产业化的“蓝图”，张建昌回到了家乡。

如今，站在家乡这片收获的田野上，张建昌充满自豪：“我热爱这片土地，让农民过上好日子是我的梦想，现在已经开始实现了。”

“我了解这片土地，并把我的全部身心投了进

去”

张建昌回国时，正值改革之风劲吹大江南北，位于长江三角洲的浙江省更是领风气之先，在这片土地上摸爬滚打了十年的张建昌，再加上西方先进的农业科技管理知识的武装，如虎添翼。

——1989年，张建昌创立了浙江省第一家农技服务公司，建立了“公司+农户”的经营模式，把市场与农民的手紧紧地握在一起。到1991年，长河镇蔬菜种植面积超过了5000亩，迈出了长河镇种植结构调整的第一步。——1992年，张建昌联合另外两家企业，成立了股份制的慈溪市蔬菜开发公司。新公司与菜农结成了真正的风险共担、利益共享的命运共同体，并进一步扩大了蔬菜的加工能力和产品销售网络。到1995年，全镇蔬菜种植面积超过了40%，结构调整步伐进一步加快。——1999年，公司购销的蔬菜有1/3远销日本、韩国、马来西亚、新加坡等国，创汇700多万美元，成为浙江省最大的创汇蔬菜基地。

目前，长河蔬菜生产已基本实现了当年提出的“农科教，内外贸，产供销”一条龙的目标。全镇2.5万亩棉田，95%已改种蔬菜，形成了4个蔬菜种植园区，22个蔬菜专业村，2560个蔬菜生产经营专业户，全镇8000名菜农人均收入达到6000多元，比种棉花时翻了两番。这便是著名的“长河模式”。

张建昌的创新不但促进了当地农业种植结构的调整，而且推动了政府涉农机构和服务部门改革。——政府官员这样评价张建昌和他的公司的作用。而张建昌却诚恳地说：“作为企业家，我不是最精明的，作为科技人员，我不是水平最高的，我只是更了解这片土地，更了解这片土地上的农民，并把我的全部身心投入进去。”

“我寄希望于这片土地，我能够做得更多更好”

在长河镇采访，一组数字引起了记者的疑问：1999年公司产值6000万元，为菜农创毛收入5000多万元，而公司自身的利润却仅仅18万元，显然不太协调。公司员工笑着告诉记者：“这没有什么奇怪的，因为张建昌喜欢做‘赔本的买卖’。”

1991年，椰菜花价高好销，许多菜农不顾合同，盲目扩种，可气温骤升，以绿为贵的椰菜花竟然开出了黄花，市场价格骤降了一半。刚刚还待价而沽的菜农慌了神，公司门前黑压压的队伍排了1公里长，场地上的椰菜花堆成了山，几家加工厂也拒绝进货了，菜农还在源源不断地涌进来，怎么办？再收就意味着亏本。“收，继续收”，张建昌毫不迟疑。“是不是降点价收？”“不行，宁愿让公司亏本，也不能让农民赔本。”

这一年公司以高于市场一半的价格收到的椰菜花，有三成送给奶牛场作饲料或直接送进了垃圾场。公司没有拖欠菜农一分钱，自己却亏损了15万元。

公司统计表明，自1989年至1999年底，企业仅补贴菜农的资金就达到210万元。张建昌自有见解：“现在农业还是弱质产业，决定了农业龙头企业必须是微利经营，如果追求暴利，保护农民利益就成了一句空话。”

蔬菜基地的发展初期，一批个体购销户应运而生，他们或哄抬物价，或与公司抢货源，使公司饱受无序竞争之苦。职工们气不过，要求张建昌采取强硬手段，断了他们的后路。而张建昌却在想，个体购销队伍是拓展市场的生力军，虽然对公司有冲击，但对广大农户利多弊少。于是，他定期邀请购销户们座谈，向他们通报信息，帮他们介绍客户，还参与组织了长河镇蔬菜购销协会，引导鼓励有序竞争。

目前，全镇个体购销户已发展到800多人，购销量与蔬菜公司平分秋色。个体购销户潘利平一年的销售额就达到600多万元，他说：“阿昌他们把长河的蔬菜生产发展起来，却没有垄断起来，没有他引路，我们哪有今天？他办事只有一个标准：对农民有没有好处。”

长河镇富起来了，张建昌也获得了许多的荣誉：劳动模范、十佳公仆、优秀党员、人大代表、全国科技先进工作者、全国“五一”劳动奖章获得者等等。张建昌还当选了长河镇的常务副镇长，可没多久，他就辞了职，还是那句话：“我所做的一切都是为了这片土地，为了农民。在蔬菜生产基地，我有更多的事情可做，我能够做得更多、更好。这片土地大有希望。”

（2000年11月2日《人民日报》）

蔡 绍 福

蔡绍福 （1954 年— ）中共党员，四川省射洪县民政局局长。获得“人民满意的公务员”等光荣称号。

通讯：公仆本色 百姓亲人

在四川省射洪县，提起民政局长蔡绍福，许多干部群众无不点头佩服，跷起大拇指称颂：“他是个难得的清官，咱百姓的贴心人。”

蔡绍福 1987 年由部队团参谋长转业就任县民政局副局长。13 年来，以其出色的工作，赢得了广大群众的信任，先后被各级机关评为优秀共产党员、先进工作者，获得了“人民满意的公务员”等光荣称号。

“蔡局长的一个决定，救了我们 100 多人的性命”

鲜家崖村的老百姓说：“蔡局长的一个决定，救了我们 100 多人的性命。”可蔡绍福说：“功劳要记在党和政府的账上。”

事情是这样的：有次蔡绍福到鲜家崖村八社了解灾情。一村民向他反映：“我家后山上的岩石掉了下来，把我家的猪圈棚砸个洞。”旁边的人笑了：“猪圈砸个洞，这叫啥灾，还用给政府汇报？”

说者无心，听者有意。蔡绍福警觉地到村子后山察看，发现山上有些石头松动，半山腰隐约有条 100 多米长的裂缝。山脚下住着 28 户 140 多人，如遇特大暴雨，半座山从裂缝处塌下来，后果不堪设想。“必须争取时间把八社群众搬迁到安全的地方！”蔡绍福觉得事不宜迟。

回到局里，他把自己的想法一讲，有的同志说：“民政工作救灾不救险，这工作不归我们管，何必操这个心。”有的说：“搬迁可不是一件容易的事，一旦沾上，麻烦可多了。”蔡绍福却说：“只要有利于老百姓的事，都是我们的事。今天的险情，有可能变成明天的灾情。如果我们发现险情不排除，那就是对群众不负责任。”

在县领导的支持下，蔡绍福立即找水电、农业、林业、国土等部门的同志一起到打谷滩勘察，大家一致认为：这里有可能发生重大垮塌灾害，八社的群众应立即搬迁。

移民新村很快建好了。民政局和当地政府动员八社群众搬迁，可有几位老人死活不搬。有的说：“我们祖祖辈辈都住在这里，出不了事。”蔡绍福带领同志，一连几天蹲在八社挨家挨户地做工作。1997 年春节，八社的村民终于全部搬了出来。

果不出所料。第二年 8 月，由于连降暴雨，打谷滩数万立方米的山崖塌了下来，把原来 28 户人家的住房旧址全部埋在了乱石堆里。原来不愿搬迁的许韩氏老人在百岁大寿的贺席上激动地说：“我能活到一百岁，先得感谢蔡局长，要不是他，我已经被埋在山里了。”

“我们要上为国家分忧，下为百姓解愁”

蔡绍福常说：“民政工作大量是扶弱助残、扶危济困的琐事、难事。但它连着千家万户，小事不小。我们要上为国家分忧，下为百姓解愁。”

“群众情绪是衡量我们工作好坏的晴雨表。我们要善于从群众的不满情绪中找到我们工作的差距和不足。”有一段时间，富同乡干群关系比较紧张，数百名村民包围了乡政府，还打伤了人。蔡绍福主动到这个乡蹲点，决心解决干群之间存在的严重对立情绪。

他先作了几天认真的调查研究，再召开乡党委会，请各位委员发言。没想到有的干部一开口就埋怨群众不尊重领导，没有法纪观念等等。蔡绍福越听越觉得不对劲，他大声说：“解决干群关系，关键要看干部有没有群众观念，怎么能怪群众没有领导观念呢？”他又问大家：“同是一个县，为什么别的乡镇群众服从领导，遵纪守法，不围攻乡政府？”大家哑口无言。蔡绍福接着说：“这里有一个立场问题，如果我们总认为自己对，都是群众错，这样干群关系怎么搞得好。事实上，很多问题都是由于我们的工作没有做好造成的。”

他分析了群众到乡政府闹事的原因。由于供销社丢失了一台喷雾器，乡治安室的同志无凭无据就认定是村民范某偷的，并硬逼他招了供，赔了200元钱。乡治安员还打了那位村民，有的乡领导见了也不管，结果招来几个村群众的不满，数百人一起上访。乡领导不但不赔礼道歉，反而对群众一顿训斥，激怒了群众。

蔡绍福摆事实，讲道理，使乡党委“一班人”深受启发。他们开始反过来查找工作上的缺点和错误，制定了改进的措施。随后，蔡绍福又和乡干部分头到各村向群众作自我批评，还专程到那位受委屈的村民家认错，退回了罚款。群众是通情达理的。看到干部真诚赔礼道歉，群众也反省了自己的过激言行。从此，干群关系融洽如初。

“我们当干部的一定要管得住自己，抗得住诱惑”

蔡绍福在局里的一次民主生活会上说：“领导的威信，不仅仅靠能力和水平，更重要的是能否廉洁和公正。我们当干部的一定要管得住自己，抗得住诱惑，真正做到清正廉洁。”

蔡绍福严于律己，宽以待人，办事公道，为政清廉，全局没有一个不服气的。分房，他把好楼层让给别人。因私用车，他每次都主动付费。为推动殡葬改革，他带头将母亲的遗体火化。

几年前，县农业银行向民政局要一名政治素质好、文化程度高的退伍军人到他们行里工作。一时间蔡绍福家说客盈门，有送礼的，有打电话的，有托蔡绍福的亲戚捎信的，但他都一概拒绝。他对退伍安置办公室的同志说：“要按退伍战士的政治面貌、文化程度和服役时间、立功受奖等诸方面条件打分，谁的分高就推荐谁，条件不够的，就是天王老子说情也不行。”

偏在这时，蔡绍福二叔当兵的儿子退伍回来了。二叔听说农行要人，便找到蔡绍福说：“绍福啊，别人的事咱可以不管，但你弟弟的事你不能不管，你可不能把这个名额让给别人啊！”蔡绍福说：“二叔，这个忙我无法帮！”他二叔把眼一瞪：“咋的，二叔我哪点亏待你了？你小的时候，你们家兄妹多，日子紧巴，我送吃的、穿的，帮了不少忙，这些你都忘了？”蔡绍福说：“我没有忘。可退伍安置是公事，又是民政工作的‘热点’，许多双眼睛都盯着呢。我如果徇私情，办事不公，怎么在人前讲话？怎么去要求别人？怎么开展工作？”二叔见说不过他，一跺脚，撅着嘴走了。

蔡绍福和安置办的同志一道，查阅了当年退伍军人的400多份档案，一项一项打分，终于挑选出了空军某部退伍的志愿兵杨方富。

一个月后，当杨方富接到要他到县农行报到的通知时，激动得流下了热泪。他说：“我家住偏僻农村，又没有任何关系，没给民政局领导递过一支烟，敬过一杯酒，我能到农行工作，全靠民政局的风气好啊！”

（2000年11月3日《人民日报》）

姚增科

姚增科，中共党员，中央纪委、监察部第八纪检监察室副主任、全国青联委员。曾荣立办案二等功两次。1999年被评为“中直机关十大杰出青年”之一。2000年荣立中央六部委联合表彰查办湛江特大走私案一等功。

近年来，姚增科在中央纪委常委和八室领导带领下，先后参与查办过在全国产生重要影响的成克杰、欧阳德、辛业江、徐炳松、李恩潮等多起省部级领导干部违法犯罪要案和湛江特大走私案。他始终发扬拼搏奉献精神，发挥主力骨干作用，用自己的身心谱写了一曲曲斗智斗勇的感人篇章。

姚增科负责查办案件，他长于攻心，组织严密，决策正确，很少走弯路、做无用功。这与他多年来潜心研究办案策略，苦心总结办案经验不无关系。为了办好案件，他往往不是急于找证人谈话，而是先认真做“案外功”：找离退休干部甚至食堂师傅了解社会议论的“热点”人物；抱起厚厚发黄的案卷材料一页一页地“审”；展开案前调查摸底工作。这使得他每办一案都做到了知彼知己，心中有数。办案中，为了突破一个调查对象，他经常加班熬夜，揣摸案情，根据调查对象的心理特征精心设计谈话方案。在查办成克杰案件中，他担任与重要犯罪嫌疑人、成的情妇李平谈话组的组长。在两个多月中，他针对李“既想保自己又想保成克杰”的矛盾心理，晓之以理，动之以情，明之以法，使其对办案人员产生依赖感，彻底交代了伙同成克杰收受巨额贿赂等违纪违法问题，为突破全案奠定了重要基础。随后，他又参与了与成克杰的谈话工作，通过政策攻心，使成克杰交代了几笔受贿卖官的事实，获取了定性定案所必需的证据。

在查办震惊全国的湛江特大走私案中，姚增科同志始终战斗在办案第一线。他先后组织、参与查办了湛江原市委书记陈同庆、原副市长杨衢青、湛江海关关长曹秀康和副关长陈理等人巨额受贿、走私要案。这几起案件是湛江走私案中的重头戏。姚增科同志深知肩负责任的重大，办案中既当指挥员又当战斗员，由于讲究策略，攻心智取，保证了判断正确，决策准确。组织调查的涉案对象没有一人查错；所认定的违纪违法金额没有一笔定错。

几年来，他始终注意结合办案实践，研究发展规律和办案对策；剖析领导干部违法犯罪的轨迹，探索党风廉政建设的新路，先后在纪检监察机关和国内一些重要刊物上发表的文章有《办案策略二十二要》、《三十六计在办案中的运用》、《关于查办大案要案的重点难点问题》、《论社会主义市场经济的三种驱动力》、《查办欧阳德案的回顾与思考》等，产生良好的反响。

姚增科同志工作17年来，大半时间是在案件检查室度过的。为了办案常出差、出长差，仅1998年一年他就有230多天外出办案。父亲身患重病，爱人身体不好，都需他尽儿子、丈夫之责，悉心照料。但想到手中“不得有半点闪失”的在办要案，他都以大局为重，坚持到把案件办完办好。

（中央直属机关文明办）

黄东华

黄东华，上海崇明县人，1977年11月出生，1998年12月入伍，共青团员，大专文化，武警上等兵。2000年8月3日牺牲。

黄东华同志入伍前刻苦学习、奋发进取，自学考入上海科技管理干部学院，取得了大专文凭。他怀着“奉献社会，保卫祖国”的决心来到消防部队。入伍后，他努力学习政治理论和科学文化，运用所学知识投身部队建设，苦练消防业务技能，火场上冲锋在前，英勇顽强，多次参加灭火战斗和社会救援。2000年8月3日，奉化市桐照镇洪峙修船厂正在检修的一艘250吨级渔船机舱油箱倒罐时发生剧烈爆炸，引发大火。一名船工被困底舱，生死不明。油箱内剩余的5吨柴油随时可能发生再次爆炸，严重威胁邻近渔船和居民的安全。奉化市公安局消防大队迅速赶赴现场，指挥员下令进舱救人，班长程文庆、战士黄东华挺身而出，在水枪的掩护下进入3米多深的机舱。舱内热浪逼人，积水上漂浮着厚厚的一层柴油，被困的船工倒在发动机旁。就在黄东华解下自己的安全绳和程文庆合力救人时，舱内再次发生爆炸，程文庆身负重伤，黄东华壮烈牺牲。

根据黄东华同志的表现，浙江省人民政府追授他“人民卫士”称号，省公安厅追认他为中国共产党党员，公安部追授他为全国公安系统一级英雄模范称号。

（公安部宣传局
浙江省文明办）

姚 建 云

姚建云，中共党员，生于1973年10月8日，成都市大邑县公安局西岭派出所副所长，2000年10月2日因患肝肾综合症不幸去世，年仅26岁。

1999年6月，姚建云同志调任西岭派出所主持工作以后，充分认识到“只有努力工作搞好辖区的治安，全心全意为辖区群众排忧解难，才会得到群众的支持和理解”，并带领全所同志，发挥自己的特长，对西岭所的正规化建设、规范化管理和各项业务工作进行了合理、规范的布局，率先垂范、身体力行，狠抓落实并从软件着手，对历年档案、各类治安管理案卷进行了整理归档；结合西岭雪山风景区的治安实际，为了树立旅游区的良好形象，保护游客的安全，开展了对辖区内服务行业的整顿，对过去处于无序状态的滑竿、马帮等劳务队伍进行了重点整治，依法取缔了行帮，实行统一办证、统一着装、统一上岗的“三统一”制度，劳务队伍合理的收费、良好的服务，受到游客、商家的普遍欢迎。他按照上级要求，狠抓队伍建设和管理，全面落实“一岗双责”制和县局质量建警的各项措施，认真“传、帮、带”，使全所民警的政治业务素质有了较大提高，凝聚了警心，稳定了队伍，有效地促进了各项工作任务的圆满完成。工作中，姚建云同志以严厉打击违法犯罪为己任，主动出击，奋不顾身。1998年10月29日，派出所接到群众举报，有人在花水湾温泉区的公路边贩毒，姚建云与另一民警果断出击、机智勇敢、以少胜多，一举抓获6名歹徒，收缴海洛因7克。1999年2月至6月，温泉区连续发生系列入室盗窃案，姚建云主动出警，认真按工作程序进行现场勘查、摸排取证，经过深入调查，他发现了犯罪嫌疑人的作案规律，由于流窜作案时间常常发生在星期六、星期天，5至6月，姚建云为尽快破获此案，完全放弃了休息日，每天半夜就起床，到案件高发地蹲点守候，经过一个多月的努力，终于将犯罪嫌疑人抓获归案。一举破获了7起重大刑事案件。6年公案工作中，姚建云同志共抓获违法犯罪人员70余名，查处治安案件35起，破获各类刑事案件29件。

姚建云洁身自好，甘守清贫，其廉洁奉公的高尚品德深受当地党委政府和辖区人民群众的赞扬。尤其是他患上乙肝后，随着医药费用的不断增加，给他本就清贫的家庭带来了更大的经济压力。但他从不以权谋私，他平时吃的药是68岁的母亲顶着烈日上山为他采摘的猴耳环草药。他在风景旅游区工作的6年中，先后拒礼拒贿30余次，价值2万余元。

姚建云同志自1996年因工作染病以后，从未向病痛低头，而是以更大的热情投入到工作中。

2000年7月1日，由于连续紧张繁忙的工作，整日操劳，他的肝病开始复发。但他为了工作，为了全所的建设，完全置病痛于不顾，拖着病体，仅用一个多月的时间，行程1000余公里，把辖区内50多家工矿企业和涉爆单位一一检查完毕。

派出所任务调整后，管辖面积扩大，管理人口增加，加之辖区内工矿企业多，安全隐患大，涉爆器材管理工作量重，辖区治安情况较为复杂。一是面临派出所新办公地的布局，二是要深入做好当地人口管理和公安基础工作，姚建云同志两副担子一肩挑，经常工作到深夜，十分繁重的工作量加重了他的病情，他脸色蜡黄、出现大面积疱疹。一个月过去后，派出所建好了，辖区治安有序了，副指导员陈品东学习回来后，病情已严重得无力再坚持工作的姚建云同志不得不离开工作岗位下山治病。他在重病住院期间，仍然心系景区工作，经常同所领导、景区管理处领导保持着工作联系。9月29日他病情加重，仍然在电话中同景区管理处领导研究国庆期间景区安保工作，分配人员，部署警力。为了公安保卫事业，他真正做到了呕心沥血。10月2日，他终因病情急剧恶化而失去了年轻的生命。

姚建云1995年、1997年、1998年因工作成绩突出受到县公安局嘉奖，1998年被评为大邑县优秀公务员，1999年被团县委、县人事局和县公安局联合评为公安系统内勤“十佳能手”，1996年、1999年获市公安局嘉奖。2000年12月，被公安部授予全国公安系统一级英雄模范称号。

（公安部宣传局）

李学领

李学领，中共党员，原甘肃省兰州铁路分局副局长。

李学领自担任领导职务以来，对组织上安排、分配的工作任务，都坚决服从，愉快接受，从不谈条件、讲价钱，无论有多大困难，总是千方百计、尽职尽责地抓好落实。面对急难险重任务，他总是冲在前，赶在先，既能够当机立断拿出实施方案，发挥一名领导的组织指挥作用；又能够身体力行地与职工群众一起埋头苦干、流血流汗。他严格管理，敢于碰硬，大胆负责，在原则问题上从不怕得罪人。他具有扎实的工作作风，曾七八次徒步全程查看过管内线路，对分管的工电状况了如指掌，是有名的“一口清”、“问不倒”。

李学领心里时刻装着职工群众，对他们怀着深厚的感情，不论是在基层站段还是在分局担任领导职务，他始终把职工群众的冷暖挂在心头，千方百计为他们解决工作、生活中的实际困难和问题。他用领导干部的人格力量一点一滴地实践着全心全意为人民服务的宗旨，密切了党群、干群关系，激发了职工群众的工作热情。

李学领把“管好自己，不能让老百姓戳脊梁骨”作为座右铭，时时处处严格要求自己。他为人诚实，作风正派，不计较名利，不张扬自己；他清正廉洁，生活俭朴，下沿线到基层轻车简从，始终保持着普通养路工的本色；他正确使用手中的权力，不为自己谋取私利，也从没让他的家人和亲属利用自己的影响和权力“捞取”任何好处。他真正用自己的实际行动在职工群众中树立起了一名党员领导干部应有的崇高的形象。

1999年，李学领不幸因病去世。2000年11月1日，甘肃省委做出决定，在全省广大干部群众中广泛开展向李学领学习的活动。

（铁道部宣传部　甘肃省文明办）

张家林

张家林，女，中共党员，天津市地方税务局和平区分局党总支书记、局长。

为了掌握重点税源情况，张家林亲自带领干部下企业进行调研，跑遍了上百家大企业，掌握第一手材料。主持建立了有300多个大企业组成的重点税源监控网络，为保证税收的稳定增长起到了重要作用。

张家林同志锐意进取，努力使税收工作跟上时代的步伐。深化税收征管改革，建立了“以纳税申报和优质服务为基础，以计算机网络为依托，集中征收，重点稽查”的税收征管模式，以大胆地“闯”、“试”精神，组织研制、开发了具有天津特点、国税地税共用的税收征管软件，最近，又成功地实现了征管软件的升级，在市局的支持下，成功试行了远程电子申报，为纳税人提供了高效、便捷的服务。

税务部门天天与金钱打交道，搞好廉政建设至关重要。张家林同志以清廉的作风，赢得了分局干部和广大纳税人的赞誉。分局每查出一个案子，作出处罚决定，大多数都有人来说情，找到张家林的不在少数。每次她都是耐心地给他们解释政策，从没有作出超出规定、政策的减免。个别纳税户想在税上捞便宜，有的跟踪到她家中送礼，有的还提出以她家人名义入干股分红，这些都被张家林同志一一拒绝。在她住院时，有的过去得到他们扶持的企业，出于真诚的谢意和探望，带去一些补品，也被她劝说拿了回去，使来探望的人深受感动。为了搞好行风建设，在坚持开展形式多样的思想教育同时，她在和平分局率先实行了“文明办税八公开”，将岗位责任、服务标准、办税时限、工作效率、社会监督等公开于纳税人，并向社会各界推出了“致纳税人的一封信”，将全局正行风树形象的决心公布于众，让全体干部自觉接受社会监督，增强了廉洁自律意识，有效防范不廉洁行为的发生，受到了社会各界的高度评价。

张家林同志作为党总支书记、局长，在班子中既是敢抓善管、敢于负责的“班长”，又是胸怀宽广、热于助人的“大姐”。她顾大局，讲民主，强调自身作用，赢得了班子成员的信任和拥戴，从而使领导班子的核心作用更加坚强。张家林同志经常深入到科所调查研究，了解情况，及时解决基层建设中的问题。她适时组织“科所长培训班”，亲自讲课，搞好传帮带。工作中，她注重做好思想政治工作，分局的干部在工作、生活中遇到问题，她都及时找他们谈心，把组织的温暖送到同志们的心坎。

张家林时刻把人民群众的冷暖挂在心头，多次都将奖金用于社会公益事业。把1500元奖金捐助了沂蒙老区5名失学儿童,把1.3万元人民币奖金在自己的母校——天津财院建立了特困生基金。

1999年至2000年，张家林曾获得市级优秀共产党员、特等劳动模范、中国十大杰出女税务工作者和全国先进工作者等荣誉称号。

（国家税务总局）

韩钰华

韩钰华，女，中共党员，现任吉林省长春市朝阳地税分局局长。

1994年实行国、地税机构分设后，韩钰华受命组建地税朝阳分局。在条件非常艰苦的情况下，经过调查论证，她率先在全省地税系统进行征管改革，创造出全省征管改革“五个第一”的突出业绩：第一个取消专管员管户制度，实现了专管员由管户到管事的转变；第一个研制开发出税收征管软件，实现了税收征管微机化、科学化、规范化的改革目标；第一个建立多功能办税大厅，使国家税务总局提出的“以申报纳税和优质服务为基础，以计算机网络为依托，集中征收，重点稽查”的征管模式得以全面落实；第一个将银行窗口引入办税大厅，实现银税一体化服务，方便了纳税人；第一个实行按街道办事处行政区划设所的定片管理办法，有效解决了疏于管理、淡化责任的征管问题。这些大胆的尝试和积极的改革，促进了朝阳分局税收工作的全面发展。6年间累计为国聚财21.05亿元，税收收入占全市地税系统的近1/4，全省的1/10，列全省地税系统之首。

朝阳分局干部子女多，女同志多，如何带好这支队伍，是摆在韩钰华面前的一大难题。韩钰华迎难而上，采取得力措施，用竞争机制激励人，用制约机制约束人，用先进典型鼓舞人，用温暖情怀关心人，教育引导广大干部迈正步、走正路，带出了一支高素质的干部队伍。

韩钰华经常教育广大干部要坚持“为纳税人服务，让纳税人满意”这一服务宗旨，不断研究探索为企业、为社会服务的新路子，在企业和纳税人中树立了良好的社会形象，受到了普遍赞誉。

韩钰华同志从事税收工作26年来，为税收事业倾注了全部心血，尤其任朝阳地税分局一把手以来，带领朝阳地税广大干部职工，励精图治，锐意改革，走出了一条艰苦创业之路，连续6年超额完成了税收任务，分局多次被国家税务总局、省地税局、吉林省委、省政府评为党风廉政建设、纪检监察、精神文明建设先进单位，分局领导班子被省地税局评为“好班子”。她本人连续5年被评为长春市“优秀共产党员”，2000年12月19日被国家税务总局和全国妇联授予中国十大杰出女税务工作者荣誉称号。

（国家税务总局）

郭爱莲

郭爱莲，女，中共党员，福建省福州市台江区国税局征收分局副局长。

1994年7月，台江区国税局作为征管改革的试点，率先提出了“满意在办税服务大厅”的承诺。郭爱莲先后走访了工商、邮电、医疗、公安、海关等系统的数十个行业窗口，与上百名纳税人进行了交心，并借鉴国内外有关税务服务规范、服务标准、服务方式，对自己的工作提出了“三心”（真心、细心、热心）、“五满意”（精神风貌满意、工作质量满意、业务素质满意、信息咨询满意、方便服务满意）的要求，尽可能把全方位的“细腻服务”落实到实际行动中。凡是能方便纳税人的事，她都全心全意地去办。郭爱莲从一杯茶、一张凳、一句话、一张笑脸做起，以女性缜密的细心为完善办税大厅的服务规范化作了许多开创性的工作。

她经常自觉延时服务，不论纳税人什么时候来，以什么方式出现，不论是星期天，还是法定节日，只要是纳税人的急需，她都有求必应，立即进入服务程序，直到送走最后一名纳税人。

凡是纳税人的合法权益，她都不折不扣地予以尊重和保障。在她这里，该收的税一分一厘也不能少，不该收的一分一毫也不多收。一次，一户小企业对应税的销售额概念不清，普通发票含税不含税换算不清，造成了税款多报。郭爱莲在审核时发现了这一问题，当即从销售额概念到有关规定以及如何换算，对这个纳税户进行辅导，重新填单申报，剔除了多报的税款，保障了纳税人合法利益。这种严格的政策、法纪观念，以及对纳税人合法权益的保护，使纳税人看到了依法纳税的公平性、严肃性，强化了纳税观念。

在台江国税局办税服务大厅，常常可以看到这样一种现象：每到申报期，许多纳税人愿意到郭爱莲的岗前办税，因为郭爱莲的工作具备了四个字：快、准、精、全。快，她是全厅打单最麻利、最迅速的快手之一，一般纳税人从递交申报表，到征前审核，至开出完税凭证，平均每个只需3—4分钟，小规模纳税人只需1分钟；准，她打的税单，从未出现过差错、返工、重开等现象。3年来，经她手中开出的票证2万多份，未出现一次差错，未作废一张票证；精，郭爱莲在岗，纳税人无论提出什么问题，不论哪类政策咨询，她都能给予清楚解答，绝无“大概”、“可能”之类，首问必答后不必再找别人；全，她对申报的全套手续了如指掌，本身就是一条龙服务，8个岗位随时可以上机熟练操作。

郭爱莲十分注意讲究征收艺术，协调征纳关系，借助情感力量，创造良好的纳税心理氛围。她在征收、清欠工作中，提出了“动之以情，晓之以理，精诚相助，不计委屈”的“16字方针”，为创造一流的工作业绩发挥了重要作用。

几年来，郭爱莲凭着一种执著和真诚，使征收、清欠工作取得了显著成绩，在她和征收分局全体同志努力下，3年来，共组织税收入库10亿多元，月申报准确率和及时率平均达到98%以上，清回欠税近2500万元，月欠税率始终保持在1%以下。

近3年来，她几乎每天都是提前10—15分钟上岗，做好开机、申报准备；没有非常特殊情况，她从未迟到、早退过；每年的100多个双休日、节假日，她有1/3时间忙于工作；为方便纳税人，每周总有2—3次推迟个把小时下班；机关各科室加班需要征收分局协助，她总是主动包下；遇到大厅其他同志值班有急事或生病，她总是主动顶班。

郭爱莲1994年、1995年、1997年、1998年度被评为福建省国税系统先进工作者；1998年2月被福建省委、省政府授予首届“创文明行业，建满意窗口”竞赛活动先进个人；2000年12月被国家税务总局和全国妇联评为中国十大杰出女税务工作者。

（国家税务总局）

余稳成

余稳成，女，中共党员，湖南省岳阳县国税局局长。

1998年7月，地处洞庭湖之滨的岳阳，正遭受着百年不遇的洪水肆虐。余稳成从7月10日上堤后一直战斗在防汛抢险的最前线，和男同志一样挖土装沙，肩挑背驮，查漏排险。7月25日，体力严重透支的余稳成再一次昏倒在大堤上。听到毛家湖大堤再度危急的情况后，余稳成不顾身体状况，带病加入了防汛队伍的行列。在大堤危急的关键时刻，她带头跳入齐腰的水中，与其他同志一起筑起人墙，坚强地护卫着大堤。防汛期间，余稳成一边抗洪，一边关心着国税局的工作。她了解到少数不法商贩销售防汛物料以次充好，短尺少秤，发防汛财，余稳成立即组织开展全县防汛物资销售税收清理工作。通过一个多月的内查外调和耐心细致的工作，查补了4户个体商贩税收12万元，水利部门代扣代缴税款40多万元，行政事业单位税收清理查补30多万元，一次性入库防汛物资销售税款86万元。

余稳成十分重视人事改革工作。1999年7月，她派出5个组下基层掌握人事方面第一手资料，召集局党组成员制订了“四制”人事制度改革方案。余稳成在人事制度改革过程中，充分发挥思想政治工作的作用，提出了公、妥、活“三字经”，工作细致、耐心，得到了大家的支持和肯定，取得了较好的效果。余稳成在工作中慎独慎微，严于律己。1998年，县局有两个工程项目分别被两家公司中标承建。两个承包方老板先后送来礼金共1.5万元以表谢意，余稳成义正辞严地当场予以拒绝。余稳成对家人，严格要求；对亲友，一视同仁。

2000年12月19日，余稳成被国家税务总局和全国妇联授予中国十大杰出女税务工作者荣誉称号。曾被评为湖南省国税系统抗洪抢险先进个人，连续3年被评为优秀国税局长。

（国家税务总局）

邓绮文

邓绮文，女，中共党员，广东省广州市地方税务局稽查局调查二科副科长。

邓绮文1989年从中山大学毕业分配到原市税务局对外分局稽查科。她勤奋学习，刻苦钻研，很快成为业务能手。

在实施税务稽查时，面对不少自恃有“实力”和“背景”企业的种种冷遇和刁难，邓绮文始终坚持不卑不亢，以事实为依据，以税法为准绳，秉公办案，依率计征，努力为国家挽回税款损失。10多年来，邓绮文主办和协办过多种性质、不同行业的重大税务违法案件，共查补各种税、费及罚款共2亿多元，为国家挽回了税收损失，为广州的经济发展作出了贡献。

在多年的税务稽查工作中，面对各种压力和诱惑，邓绮文同志既做到公正执法，维护税法尊严，又坚持文明稽查，以理服人，经受住了种种考验。有一次，邓绮文在检查某房地产公司时，该企业为了让她“开绿灯”，塞给她一个内装价值1000元购物卡的信封表示“慰问”，在无法推辞的情况下，她主动将购物卡上交组织，并汇报了有关情况。在检查结果出来后，该企业再次送来1000元的红包，希望可以“照顾一下”、“从轻处理”，邓绮文又及时将红包上交组织，并根据该企业违法事实，依据法规，实事求是地提出税务处理意见，使该企业心服口服地接受了处理决定，补交了税款。在稽查过程中，邓绮文还针对有些企业存在的问题，提出改进意见，真心诚意地为纳税人服务。如对某合资大型企业进行税务检查时，发现该企业虽然生产设备、技术都比较先进，但企业的合同管理混乱，几十个部门各自分管自己的合同，财务部无法监控，合同印花税缴纳存在漏洞。于是在完成稽查工作后，向该企业提出了集中管理合同、加强部门相互协调和健全财务管理制度等建议，该企业负责人听后感激之情溢于言表。由于她坚持秉公办案，文明稽查，10多年来，从没有发生过违反税收法律、政策和工作纪律的事，受到了纳税人的普遍好评。

邓绮文10多年来，勤学苦练，爱岗敬业，严格执法，文明稽查，出色地完成了各项工作任务。因工作成绩突出，1997年以来，先后被评为全国税务系统先进工作者、广东省地方税务系统先进工作者、稽查工作先进个人、青年征管能手。2000年12月，被国家税务总局和全国妇联授予中国十大杰出女税务工作者荣誉称号。

（国家税务总局）

刘德梅

刘德梅，女，中共党员，新疆维吾尔自治区且末县地税局局长。

1994年，刘德梅被任命为且末县地方税务局局长。上任后她首先从稳定和凝聚人心开始，在全局开展“身在地税、爱我地税、奉献地税”的思想教育活动。她带头发扬艰苦奋斗精神，出差开会坐班车，上下班骑自行车。办公室小就挤一挤，住房紧张就先照顾最困难的同志。工作之余，她通过个别谈心，普遍家访，真诚地鼓励大家认清形势，努力工作。

为了弄清税源分布情况，6年来她坚持每季度深入塔克拉玛干大沙漠腹地1至2次，现场调查各钻井公司的作业面、工程规模和承包公司，以掌握第一手税源资料。给她开车的司机最能体会到这些年来刘德梅同志付出的汗水和艰辛。

为了追缴偷逃税款，她曾北去黑龙江，南到云南、广西。仅1999年一次，就从内地的几家外资企业收回偷逃税款300万元。任局长以来，她亲自收回了偷逃税款2000多万元。

自从当上地税局长以后，她一心扑在工作上，把单位当成了自己的家，只要不是外出，什么时间她都在这个“家里”。她没有“双休日”，中午下班晚了，就不回家，泡包方便面。辛勤的付出使不到34岁的她，落下了椎间盘突出的劳疾，左脚大拇指因经常受到刺激多长了一块肉，发炎流脓，医生多次劝她手术治疗，她总是没时间。

刘德梅从不为金钱所诱惑，在且末县当地税局长的6年时间里，有些想用钱铺路的人，在她面前就是行不通。她在农村种地几十年的母亲，1997年6月，搬到了县城跟儿子生活，闲着无事，接了别人在县城开的一个小商店。这件事在纳税人中间引起很大反响。面对众说纷纭，刘德梅没有过多的指责，经作思想工作和耐心劝告，她母亲将商店转掉。

刘德梅任地税局长6年多来，在人口不足5万的偏远小县，税收收入由1994年的662万跃升到2000年的6700万元，增长了10倍多，共为国家收税2.65亿元。县地税局1998年被自治区文明委命名为“精神文明”单位，1999年被国务院命名为“民族团结进步模范”集体，2000年该局办税服务厅被自治区文明委命名为“模范示范窗口”。刘德梅个人于1997年被自治区地税局授予“优秀县（市）税务局局长”，1994年至2000年5次被巴州地税局授予“先进个人”称号，受当地县委县政府各种表彰奖励12次。2000年8月，被自治区地税局评为优秀税务工作者，9月被自治区妇联、国税局、地税局评为自治区十大杰出女税务工作者，12月被全国妇联和国家税务总局评为中国十大杰出女税务工作者。

（国家税务总局）

魏文娜

魏文娜，女，中共党员，河北省唐山市环保局局长。

魏文娜认真履行职责，把全部心血都投入到唐山市的环境保护事业中去。在担任科长期间，她受命组织陡河“还清”工程，亲自对陡河沿岸排污企业进行调查，组织有关技术人员现场督察，严格把关，完成综合治理工程50多项，工业废水年处理能力达到1.01亿吨，使遭受严重污染的陡河再现昔日风姿，水质有了明显改善。她于1994年开始担任“亚行”办副主任期间，积极谋划利用“亚行”贷款改善唐山环境质量，参与各项技术谈判和价格谈判，为项目单位争得了提前咨询、免于国外评估等优惠条件，为唐山市节省关税1.6亿多元，节省外汇100多万美元。通过艰辛努力，在全省首次引进外资8500万美元，取得显著效益。

她在主管环保形象工程建设工作期间，大规模地组织开展以城市烟尘治理为中心的环保形象工程攻坚战，在市委、市政府的支持和有关部门的配合下，全市投入专项治理资金2亿元，使唐山进入了全省环保形象工程建设优秀城市行列。1999年，在组织对唐山人民的“大水缸”——陡河水库的水质进行净化的“民心工程”中，她亲自进行治理调度，组建联合执法队，深入现场督导，确保了陡河水库的水质，让人民群众喝上了放心水。

魏文娜对事业执著追求，一心扑在工作上。2000年9月，魏文娜同志因劳累过度，犯心脏病住进医院，但她时刻不忘全市的环境保护工作，在病房研究工作，带病参加人大、政协的环保执法评议会议，并陪同省、市人大执法检查组进行现场检查。

魏文娜始终牢记为人民服务的宗旨，做到了

一身正气，两袖清风，赢得了社会和同事的赞誉。在廉政勤政和反腐败工作中，认真履行职责，狠抓源头治理，做好预防工作，组织中层干部廉政勤政培训班，并经常对科级干部和部门负责人进行廉政谈话，每半年对党风廉政建设状况进行检查，年终进行考核，使全局上下形成了廉政勤政的良好风气。

1998年，魏文娜同志被省环保局授予精神文明建设先进个人称号，1999年获河北科技大学颁发的“环境教育奖”，2000年被省政府授予河北省三八红旗手，被国家环保总局授予全国环保系统精神文明建设先进个人称号。

（国家环保总局文明办）

刘伯根

刘伯根，中共党员，中国大百科全书出版社总编室主任，编审。担任中国辞书学会理事，全国术语标准化技术委员会委员，国家辞书奖评选委员会委员。

刘伯根长期担任《中国大百科全书》多卷的编辑与责任编辑工作，主持编纂了国家“八五”、“九五”重点图书《中国大百科全书（简明版）》和《简明中华百科全书》、《中国传统文化大观》、《中国家用电器百科全书》等大型工具书，策划和组织出版了24套100余种双效益良好的图书。他所编辑图书，先后8次获得国家级奖励。

刘伯根通过市场调查和分析，组织筹建了北京大百科电子有限公司、北京大百科光盘有限公司。策划组织了《中华百科全书CD—ROM》、《中国大百科全书（简明版）CD—ROM》等一系列双效益好的电子音像出版物。他注意总结经验、研究问题，先后发表《百科全书的编纂与标准化》等论文、文章60余篇，《中国大百科全书（简明版）编纂体例》等技术报告50余种。

刘伯根1996年以来先后被评为新闻出版总署优秀共产党员、先进工作者，1998年被评为第三届全国优秀中青年编辑，2000年4月被评为全国先进工作者。

（新闻出版总署）

杨克明

杨克明，中共党员，中央气象台短期预报一科科长、党支部书记。

中央气象台短期预报一科，主要提供重大灾害性、转折性、关键性天气预报服务，为党中央、国务院及有关部门的决策服务和日常的电视、广播天气预报等公众气象服务，可谓国家防灾减灾的“风云前哨”。杨克明作为科长和领班，责任重大。每年汛期，杨克明和同事们都长期处于紧张的战斗状态。1998年，长江流域、嫩江和松花江流域同时发生了历史上罕见的洪涝灾害，在抗洪抢险的紧急关头，百万军民正在大堤上严防死守，台里需要有经验的老预报员守班，随时提供准确的天气信息。

杨克明克服了家庭的困难，夜以继日地工作，守班达20多天。每天早晨5点上班，组织会商，写预报服务材料，调看天气图和卫星云图，晚上11点多钟才回家。这个汛期过去，本就瘦小的杨克明，体重掉了八九斤。

在国庆50周年庆祝活动的气象保障工作中，在香港回归祖国、内蒙古东部森林大火、1996年长江中下游地区严重洪涝灾害等气象服务工作中，在中央气象台所承担的决策服务、公益服务、指导服务和专项服务工作中，杨克明总是坚守岗位，密切监视天气变化，仔细分析每一份气象信息，作出准确的天气预报，提供及时、优质的服务。

每天值班，杨克明总是认真负责地制作每一份天气预报，服务到每一个用户。多年来，他总是提前到岗，经常加班加点。他的月值班数在台里名列前茅。不值班时，他也要到台里来看看。

有重要天气需要会商，或需要准备预报材料，打一个电话他就会出现在台里。每年春节,外地的预报员要回家探亲,他就替班。人员少时,他一个月值过20多个班,从不张口谈自己的困难。作为家中长子,他有10多年没有回过安徽老家过春节。

不多的业余时间，他还要钻研业务。对每一次重大的天气过程，他事先都要做认真的总结，反复琢磨天气系统演变的规律。近5年来，他先后完成了有关暴雨、台风、冷空气等科研项目，在有关气象刊物上发表10多篇论文。特别是对西北地区沙尘暴天气的研究，具有独到见解，受到同行的称赞。

杨克明经常做些额外的工作，但每次评奖，选先进，他总是把别人报上去。他觉得年轻人的成长需要鼓励。他热心地在各方面关心他们，指导帮助他们做科研工作，提高业务水平。自己有了课题，杨克明主动找科里其他同志一起来参加，尽量让每个同志都得到锻炼的机会。他把课题分解好，把每部分的方案都做得很细，还帮助查找资料。杨克明的无私和热情，赢得了大家的信任。年轻人有什么事都愿跟他说，大家感到工作起来心情舒畅，有什么困难一起去克服。他们在业务工作中尽职尽责，预报服务取得了突出成绩，使短期一科成为一个团结协作、凝聚力强的集体。杨克明被评为全国先进工作者。

（中国气象局文明办）

朱喜林

朱喜林,中共党员,山西省气象局网络中心主任。

1994年，在省政府的大力支持下，“山西省农业综合信息卫星通信系统”开工建设。朱喜林担负起建设任务。他全身心投入了紧张的工程建设，把自己的聪明才智全部奉献在工程上。

他每天实际工作时间均在10小时以上，几乎放弃了所有休息日，从未完整地休过星期天。自从负责该项工作后，他的家几乎成了旅店，早出晚归，所有的家务事情都由他的妻子一人担负。

5年的艰辛努力，他带领一班人建成了全省新一代气象信息网络系统并投入业务运行；建成了高速大容量省级气象信息主干网络，实现了信息资源共享；开通了全省专用卫星电话网，实现了多媒体传输和可视电话会议；采用最新网络技术，应用卫星通信和地面通信相结合的技术，提高了气象信息资料传输的实时性和可靠性；在省、地、县三级建立了高速度、大容量的气象信息交换路由，日交换信息量提高了50余倍，信息传输时效平均提高了两小时以上，极大地丰富了制作天气预报所需的信息资料，彻底解决了长期以来存在的信息传输瓶颈问题，在业务应用中发挥了很好的效益。几年来山西省天气预报准确率和气象服务水平不断提高，无一不得益于气象现代化建设。

2000年，朱喜林被评为全国先进工作者。

（中国气象局文明办）

王 选

王选，北大计算机研究所所长，方正（香港）有限公司董事局主席，中国科学院、中国工程院院士，全国人大常委、人大教科文卫委员会副主任，中国科协副主席，九三学社副主席。

王选从1958年参与研制中国第一代计算机——红旗机开始，就一心扑在科研事业上。从1975年到1992年的18年来，他每周都工作65小时以上，从没有节假日和休息日。20多年来，他为中国现代印刷革命作出了重大贡献。他针对汉字字数多、印刷用汉字字体多、精密照排要求分辨率很高所带来的技术困难，发明了高分辨率字形的高倍率信息压缩和快速复原方法，在世界上首次使用控制信息（或参数）来描述笔画的宽度、拐角形状等特征，以保证字形变化后的笔画匀称和宽度一致，这一发明获得了欧洲专利和8项中国专利。其研制的华方和方正系统处于国内外领先地位，已在3万余家报社、出版社、印刷厂和有关机关中使用，并已出口香港、澳门、台湾、马来西亚、印尼、美国等地区和国家；方正日文出版系统已进入日本市场。取得了重大的经济和社会效益，使中国的印刷术从铅与火的时代，迈入电和激光的新纪元，引发了我国报业和出版印刷业的深刻变革。王选被誉为“当代毕昇 ”、“汉字激光照排之父”，汉字激光照排系统两次获国家科技进步一等奖，两次获国家十大科技成就称号，还获得中国十大专利金奖、日内瓦国际发明展览金奖。在多年的工作实践中，王选还总结出了许多极富价值的理论，像“顶天立地”、“成功是失败之母”、“科学家与企业家的结合”等等。

王选1986年获国家级有突出贡献的中青年专家称号；1987年获首届毕昇 奖；1989年获中国专利发明金奖；1990年获陈嘉庚技术科学奖；1993年获全国教育战线劳动模范称号，获国家教委和人事部人民教师奖章；1995年获联合国科教文组织科学奖，全国先进工作者称号，获何梁何利科学与技术进步奖；1996年获王丹萍科学奖；三次被评为北京市劳动模范；2000年获“首都精神文明建设奖”。

（首都文明办）

李桓英

李桓英，女，北京市热带医学研究所研究员。

1979年起，李桓英主动投身到防治麻风病的事业中。麻风病患者受到疾病的摧残和社会的歧视，不能上学，不能结婚。为了使千万个麻风病患者能过正常人的生活、同享人间温暖，自1981年起，她每年都要深入麻风病区，足迹踏遍了云、贵、川三省的14个地州、59个县。为了接近麻风病人，赢得他们的信赖，了解他们的病痛和疾苦，宣传麻风病可防、可治、不可怕的道理，她吃、住在麻风病区，主动和病人握手交谈，亲自给麻风病人打针、喂药，帮助失去劳动能力的病人料理生活。李桓英和麻风病人结下了深厚的情谊，麻风病患者把她看得比爹娘还亲，她为麻风病人也付出了自己的全部心血。1987年和1991年在去云、贵、川医治病人的途中，不幸发生两次车祸，造成右、左两侧锁骨骨折；还有一次她去看病人，乘坐的独木舟行至河中突然翻了，多亏大家急忙抢救，才脱离险境。三次事故、几番风险，丝毫没有动摇李桓英帮助偏远山区麻风病人摆脱病魔的坚强信念，她很快又投入到工作中。

20年来，在麻风病防治过程中，李桓英引进了国际上先进的联合化疗方法，率先在我国云南省西双版纳州勐腊县的南醒麻风寨进行现场治疗试点，经过连续11年的追踪监测，所有接受治疗的病人全部痊愈，无一例复发，试点取得圆满成功。世界卫生组织的官员及国内专家多次到现场考察，对她所取得的成果给予了充分的肯定和高度评价，她的努力推动了全世界麻风病防治的进程。此后，短程联合化疗迅速在云、贵、川乃至全国推广，均收到很好的疗效，取得世界水平的成果。她为我国的麻风病防治事业作出了突出贡献。

李桓英1997年被评为全国优秀科技工作者；1998年被评为全国麻风病防治先进个人，被中国医学基金会授予首届医德医风奖，被评为首都宣卫系统职业道德标兵；2000年获首都精神文明建设奖。

（首都文明办）

赵国锋

赵国锋，中共党员，现任开滦（集团）有限责任公司唐山矿二采区割煤机组司机。

赵国锋同志爱岗敬业，甘于奉献，是立足本职建功立业的榜样。他把“国家强盛、矿山发展、职工过上富裕日子”作为自己的人生追求，20多年如一日，坚持每天提前1个小时上班，无偿奉献轮休日、节假日700多天，多创效益3295万元。

赵国锋同志勤奋学习，锐意创新，记录整理了千余个井下生产数据，进行较大技术改进42项，总结发明了14项先进采煤操作技术，大大提高了生产效率。赵国锋同志满腔热情帮助同志，先后和30多名职工结成对子，帮助他们解决困难，在他帮助的职工当中，有3人入党，2人入团，13人成为先进。他多次无私地拿出奖金、工资捐献给灾区和希望工程，还帮助贫困失学儿童上学。

1994年以来，赵国锋先后被评为煤炭部劳动模范、河北省劳动模范、省优秀共产党员，荣获全国“五一劳动奖章”，2000年被评为全国劳动模范。

（河北省文明办）

余晓兰

余晓兰，女，中共党员，云南省开远市人，山西省右玉县杨千沟乡南崔家窑村农民。

南崔家窑村是右玉县最偏僻的山庄窝铺之一，全村不过16户人家，耕种着几百亩沙田薄地，村民长期生活在贫穷之中。1992年，右玉县委、县政府鼓励农民开发治理“四荒”。余晓兰勇敢地承包了村南的4000亩荒山和门前的30亩乱石河滩，和丈夫拉开了治理“四荒”的持久战。

一年之后，30亩河滩地开发出来了。她开始走南闯北了解市场，进果树研究所寻师，买了许多科技图书，一边学习，一边着手建立小苗圃，培育适生、高产、高效果树苗10万多株。在上级部门的支持下，在1500亩荒山荒坡上，余晓兰栽上了绿油油的树苗，其中有果树6万株，仁用杏3万株，高杆杨1万多株。同时，她还大力发展养殖业，到1999年12月，她饲养的优种绒山羊已发展至200只、绵羊1500只。余晓兰致富后，并没有忘记周围的群众，乡亲们遇到困难，她总是及时帮助解决，并为村里小学捐款，为困难学生献爱心。几年间，她先后为村里捐款累计达3.8万元。在余晓兰的带动下，南崔家窑村群众及周边村掀起了治理“四荒”的热潮，全村人均收入由5年前的600元提高到2000元，并率先在全乡实现了小康目标。

1994年，余晓兰加入中国共产党。1996年以来，她先后荣获全国“三八”绿色奖章、省“三八”红旗手、省“三北防护林二期工程建设”先进个人、全省申纪兰式的模范农民，全省劳动模范和全省小流域治理先进户。1999年，她被团省委、省水利厅、省林业厅等单位授予“保护母亲河行动”省级生态建设青年标兵称号，并当选为山西省第九届党代会代表。

（山西省文明办）

寒　星

寒星，女，中共党员，个体工商户，内蒙古呼和浩特市“心灵之旅”热线主持人。

寒星因患五千万分之一才有的病例——先天性骨骼异化症，5岁到14岁历经10余次大手术，虽与死神擦肩而过，却终生双腿残疾。她没进过学校，却在病床和轮椅上靠超常的毅力用12年时间自学完了小学、中学到大专的全部课程，并获得全国自考经济管理大专毕业证。在求知的跋涉中，她先后阅读了大量的书籍，而惟有《钢铁是怎样炼成的》这本书，她从小看到今天。是知识减轻了她心理和生理的痛苦，是保尔的精神赋予她力量和信念，是希望的呼唤给她“行走”的拐杖。

为了回报社会，帮助失意者、失落者改变人生命运，让世人的憾事少一点、再少一点，寒星经过知识准备和思想“充电”，于1996年12月16日，在她经营的不足10平方米的小商店里开设了(0471) 3960417“心灵之旅”热线电话，专门为失意者提供心理服务。为了满足社会需要，1997年7月又开设了呼和浩特车站东街邮政周转楼21号“心灵之旅”信箱。截至2000年12月底，寒星收到来信7000余封，接听电话1.4万余个。她的回信达40多万字，和求助对象说过多少话，谁也无法统计。寒星用全身心点燃了一盏“心灵之旅”的导航灯，医治好了一颗颗受伤的心灵。

寒星的事迹迅速传颂，被誉为“草原的保尔”、“西部的雷锋”、“青城的张海迪”。几年来，她先后被授予自治区精神文明标兵、五四青年奖章、杰出青年、三八红旗手、自强模范、光彩之星、特殊贡献青年志愿者和自治区首府十佳市民荣誉称号。

（共青团中央
内蒙古自治区文明办）

任 国 庆

任国庆，中共党员，生前为西藏自治区广电厅驻成都物资转运站负责人。

任国庆同志是江苏省一名优秀援藏干部。1979年5月，他响应党的召唤，放弃优越的工作生活环境，自愿报名赴西藏支援边疆建设。任国庆同志扎根西藏21年，始终坚持正确的理想信念，始终把党和人民的利益放在首位，在援藏工作中模范实践全心全意为人民服务的根本宗旨，把自己毕生的精力无私地奉献给了党，奉献给了西藏人民和广播电视事业。他艰苦创业、忘我工作，在任山南地区广电局长期间，先后建立了西藏自治区第一座地区级电视发射转播台和广播电台，并率先在全地区12个县建立了电视转播台，开拓了西藏广电事业的新局面。他严于律己，艰苦朴素，励精图治，勤奋工作，致力于民族团结。退休后放弃家庭团聚的机会，继续为西藏广播电视事业贡献力量，他是江苏省首批212名援藏干部中留在西藏的最后一人。2000年2月，他身患重症住院，依依不舍地离开了为之奋斗21年的西藏这块热土。

任国庆同志曾先后被评为无锡市先进工作者、西藏自治区优秀共产党员和全国广电系统先进工作者。2000年8月，中共江苏省委决定授予任国庆同志“优秀援藏干部”荣誉称号。

（江苏省文明办
西藏自治区文明办）

王 乐 义

王乐义，中共党员，山东省寿光市孙集镇三元朱村党支部书记，被誉为中国“冬暖式大棚之父”。

20年前，三元朱村是出名的“要饭村”，许多村民以乞讨为生。1978年，王乐义被党员们推选为支部书记。党的十一届三中全会后，他和支部一班人抓住机遇，积极推动家庭联产承包责任制，使农业产量不断提高，村民几年内很快解决了温饱问题。1988年，三元朱村人均收入达1200元。进入90年代，王乐义开始搞大棚菜试验。

参照从外地学来的经验，王乐义对本村大棚分别在方向、墙体厚度、塑料薄膜的倾斜度、大棚骨架材料、塑料薄膜的种类5个方面进行了改进，研制成功了我国北方冬季不需加温的蔬菜大棚技术。

17名党员干部率先建起17个示范大棚。1990年春节前夕，到了收获时节，17个党员干部户均收入2万多元，个个成了先富典型。第二年，村民争先恐后建起180多个大棚，户均1亩多，亩均效3万多元。王乐义虽只上过小学，但他对农业科技知识刻苦钻研，特别是任支部书记以后，经常是白天忙试验，晚上抓学习，看了多少农业科技书籍，他自己也数不清。此外，他非常重视国内外高新农业科技的引进、推广。冬暖式大棚试验成功后，王乐义又带领村“两委”大搞科技开发，使大棚菜的科技含量不断提高。投资100万元建起了集科研推广、物资服务、科普培训于一体的科技大楼，开始新品种、新技术试验，无公害蔬菜生产达到国家标准；大棚种植各类瓜果都获得成功，亩收入在10万元以上；试验成功了集大棚灌溉、电动卷帘、微机控制等于一体的高标准大棚，其设计达到国际水平，比国外同标准大棚节约资金达4万美元；大面积开发绿色食品蔬菜，引进了国内外26类150多个名优新品种，试验推广了20多项新技术，使大棚产量翻了一番，效益增长了近一倍。

王乐义受到人们的爱戴，不仅因为他创造了蔬菜种植的奇迹，更因为他高尚的人格力量和无私奉献的精神。王乐义认为，一个好的党员干部必须具备高尚的人格和无私奉献的精神，才会赢得群众的理解、信任和支持。村民家家有大棚，惟独他自己没有，一是因为身体原因，二是他一心用于村里的事务，特别是大棚的改进。他家的收入就靠老伴种的几亩果园，以及他年收入4000元的干部工资，在村里收入和生活水平属中下等。

10年前，已有两个女儿的王殿启夫妇在王乐义的动员下做了节育手术，因此对王乐义心存抱怨，见面就骂人。王殿启的大棚菜枯黄发霉，自己实在解决不了，就找王乐义帮忙。王乐义很快帮他解决了难题。后来王乐义又介绍王殿启去河南传播种大棚菜的技术，只此一项一年就纯收入近2万元。王殿启夫妇被感动了："王书记叫俺做手术，是他当书记的职责，这么好的干部，俺不该那么对待他。现在想起来，真后悔啊！"

（山东省文明办）

金喜凤

金喜凤，女，中共党员，山东省青岛海滨食品股份有限公司中山路海产珍品商场主任兼海参柜组组长。

金喜凤把满足顾客商品购买与精神享受的双重需求作为自己服务的准则，摸索和总结出"五要"、"三一样"的服务法：对着急的顾客要快捷；对精细的顾客要耐心；对生疏的顾客要礼貌；对熟悉的顾客要热情；对有病的顾客要周到。对老年顾客像对待父母一样孝敬；对青年顾客像对待兄弟姐妹一样热情；对年幼顾客像对待自己的孩子一样关爱。2000年夏天，一位来自上海的游客既想买一点发制好的海参，又怕耽误了晚上的火车。金喜凤就告诉他："你尽管放心去游览，海参我会替你发好，晚上送到车站去。"顾客将信将疑地离开了。晚上，当金喜凤在列车上找到那位上海乘客，把发好的海参交给他时，他深受感动，连声说青岛人真好，服务真是到家了。

为了不断丰富自己的知识，她跑遍了青岛的大小书店，收集了《烹饪大全》、《家庭自制药膳》、《中国滋补大全》等大量书籍，甚至通读了《本草纲目》，走访了7家著名的医院和科研所，在医生和营养师的指导下，分门别类整理出癌症病人、手术后病人和孕妇、产妇常用的几百条治病、保健的知识和药方，运用这些知识指导顾客有针对性地选择海参，深受消费者欢迎，"海滨小金"这一服务名牌也得到了广大顾客的广泛认可。但是，她并不满足，开通了"小金热线"，通过新闻媒体接受顾客的咨询，与顾客交流，一如既往地实践着"真爱顾客，真情服务，真品实价，真心求学"的服务理念。几年来，商场经理换了4位，同事和徒弟有的当了连锁店经理，有的成了公司领导。商场领导几次要给她调换岗位，她却一直坚持当售货员，用真诚服务创出了"买海参，到海滨，找小金"这一服务品牌。

金喜凤在商业服务的平凡岗位上用真心、爱心、诚心为广大顾客服务。2000年成为全国第二个以企业和个人名称联合向国家工商局申报注册的服务商标。"海滨小金"也成为青岛市的六大服务名牌之一。她先后荣获国内贸易局劳动模范、山东省"富民兴鲁"劳动奖章、青岛市劳动模范、优秀共产党员、十佳服务明星称号。

（山东省文明办）

刘文功

刘文功，46岁，中共党员，河南省正阳县公安局副政委兼雷寨派出所所长。

雷寨乡地处正阳县东南，与息县交界，一度是全县出了名的治安混乱乡。为扭转治安混乱的被动局面，1995年3月，刘文功被调到该乡任派出所所长。到任后，刘文功第一件事就是组织警力，重拳打击盗窃、流氓团伙。一举打掉3个涉及9人的盗窃、抢劫、流氓犯罪团伙，侦破现行案件31起、隐积案28起，将犯罪嫌疑人一一捉拿归案，刹住了犯罪分子的嚣张气焰。在重拳打击盗窃、流氓团伙犯罪的同时，刘文功又带领全所民警大力整治治安乱点。该乡张伍店行政村张楼村民组有1000多人，宗族势力严重，村民组被恶势力把持，治安秩序较乱。刘文功经过深思熟虑，精心设计了一套治乱方案，一举将8名带头闹事的不法之徒抓获。在此基础上，他又带领民警深入该村开展法制教育和建章立制，迅速改变了该村民组治安秩序混乱的状况，使该村的恶势力再也形不成气候，各项工作也得以顺利开展。为保持辖区长治久安，彻底扭转全乡治安工作基础薄弱的局面，刘文功带领全所同志狠抓安全防范，在当地党委、政府的大力支持下，一手抓治安防范责任书等制度建设，一手狠抓落实。在他和同志们的努力下，短短几年，雷寨乡由乱到治，成了一方“夜不闭户”的净土。

雷寨乡敬老院里住着10多名孤苦伶仃的老人，刘文功从上任的那天起，就把这些老人当作自己的亲人，对他们关怀备至。老人们谁有什么病，该吃什么药，他全知道，经常用自己的工资为老人买药治病。对于在平时巡访中遇到的贫困户、五保户，刘文功总是记在心里，挂在心头，尽其所能帮上一把。

对于失足青年，刘文功从不嫌弃，总是想方设法帮助挽救，鼓励他们重新做人。在他的耐心教育和真诚帮助下，该乡近几年来有劣迹的人员没有一人重新违法犯罪，并在刘文功的帮助下走上了致富路。

刘文功执法铁面无私，做人一身正气，处事两袖清风。有人曾说刘文功不懂人情世故、不爱钱、不缺钱。可刘文功的回答是当人民警察、严格执法、秉公办事，这是应尽的责任，人民警察所做的工作就是始终要以人民满意不满意为最高标准。

在雷寨工作6年多，他没花过当事人一分钱，没喝过当事人一口酒，辖区内的案件个个都得到了公正处理。

刘文功多次被评为全区十佳民警；全区政法战线先进个人，并先后荣获地区“人民好卫士”、“人民警察标兵”、省“优秀人民警察”等称号。2000年5月，公安部授予刘文功“全国公安系统一级英模”，省委省政府命名刘文功为“爱民为民的好警察”。

（河南省文明办）

周福坤

周福坤，中共党员，湖南省芷江侗族自治县艾头坪乡党委副书记、武装部部长。

1986年，周福坤由公坪乡副乡长调任艾头坪乡武装部长。为了把群众引上致富的道路，周福坤一上任就带领民兵垦荒山、办果园，为当地群众发展水果生产作示范。他自费到浙江、湖北、广东学习水果种植和嫁接技术，回来后，言传身教，培养了60多名“二传手”。他经常走村串户，义务为果农嫁接，先后用坏了剪刀20多把，为群众节省费用10多万元。他定期上门为果农开“处方”、送农药，使许多果树起死回生，成了农户“摇钱树”。

1996年，周福坤任艾头坪乡分管政法工作的党委副书记，以保一方平安为己任，深入千家万户摸社情、察民意，把影响当地社会稳定的不利因素一一记在心中，然后逐一对症下药，化解矛盾。对群体性事件苗头，他既找当事人陈说法理，又拿出双方都认为合情合理的解决方案，使一些可能一触即发的流血冲突顿时烟消云散；对少数嗜赌好斗的村民，他既耐心做帮教工作，又为他们解决生产生活中的实际困难，使那些夫妻反目、邻里结怨的村民重归于好。经过周福坤的不懈努力，素来民风剽悍的艾头坪，社会治安状况迅速好转，1996年综合治理工作获得全县第一名。

周福坤为政清廉，一尘不染，为部队输送新兵70多人，从来没有收过红包礼品。家中虽欠债数千元，但为群众嫁接果木数万次，从来不取分文，还将自己上千株果苗无偿送给困难群众，经常自己掏钱为果农捎带紧缺农药。正是由于周福坤一心一意为群众办好事、办实事，当地群众人人都崇敬他、信任他、支持他。

周福坤同志荣获全国先进工作者称号。2000年3月，湖南省委决定，在全省广大党员和干部中深入开展向周福坤同志学习的活动。

（湖南省文明办）

曾柏良

曾柏良，广西南宁市残疾人联合会副理事长。

1978年，曾柏良自愿来到收入少、工作环境差的南宁市新阳造纸厂工作，同290名残疾兄弟姐妹生活在一起。22年来，他热心残疾人事业，努力学习残疾人心理学、教育学，用两年时间掌握了盲文、手语等与残疾人交流的本领，他把为残疾人办好事、做实事当作人生的最大追求。曾柏良经常组织残疾人参加法律、法规学习，既做残疾人的思想工作，又从细微处关心、帮助残疾人，解决他们的实际困难。他先后为1600多名残疾人解决了就业和生活问题，帮助一大批残疾人从困境和绝望中重新扬起风帆。他用社会力量办学的形式创办起广西第一所残疾人特殊教育职业中学，十几年来，这所学校共免费招收广西、湖南、山东等地残疾学生1600多名，培养出一批又一批残疾人。他甘于清贫，乐于奉献，一心扑在残疾人教育服务事业上。他还先后助养、收养了6名残疾儿童，至今还有两名和他一起生活。曾柏良的爱人没工作，全家仅靠他一个人的工资来维持，日子过得相当拮据，但他每月还从微薄的工资中拿出部分用于接济一些外来求学的残疾少年儿童，十几年来，他把积蓄下来的3万元钱，全部用于办校和帮助生活、学习有困难的残疾人。

曾柏良先后获得“全国特殊教育优秀工作者”、“自治区优秀共产党员”、“南宁市十大杰出青年”、“第三届广西青年五四奖章”等30多项荣誉称号。

（广西壮族自治区文明办）

饶伟文

饶伟文，中共党员，广西梧州市药检所所长兼党支部书记。

饶伟文同志热爱药检工作，对技术精益求精，经常深入基层进行药品抽检。1995年以来，他与其他同志一道抽检发现的假劣药品每年都有100—200批次。特别是1999年以来，他在药检质量把关过程中，顺着种种蛛丝马迹，针对可疑检品组织技术攻关，并坚持原则，拒绝了数千元现金及手机等物品的贿赂，在全国首先检出和报道5个品种20多个厂家共80多批次的技术造假产品，标示价值8万多元。

饶伟文积极做好技术服务工作。1997年，广西灵峰药业有限公司（梧州医药有限责任公司下属企业）在生产中遇到了千斤拔原料紧缺，而新采购回的几十吨原料质量可疑，无法投产的难题。饶伟文受厂方委托，亲自到云南、湖南等地调查，采集原植物并鉴定了品种，还设计研究方案，与本所其他同志一道进行化学与药理研究，证实了其药用价值，开辟了新药源。几年来，该厂使用此原料生产的中成药，每年都有1.1亿元的产值。

饶伟文经常结合工作中遇到的疑难问题开展科研工作。1995年以来，已先后撰写论文近20篇，其中大部分已在国家级医药杂志发表，1篇被国际学术会议录用，1篇被国家级学术会议录用。一项成果取得市级科技进步二等奖。

2000年饶伟文同志被国务院评为全国先进工作者。

（广西壮族自治区文明办）

冯金兰

冯金兰，女，广西梧州市环卫处蝶山管理站清扫班班长。

1999年，环卫处根据梧州市政府的部署和要求，全面接管市区主干道及人行道清扫保洁和环境卫生管理工作，比原清扫保洁面积增加24.56万平方米。工作量大，清扫保洁质量要求进一步提高。冯金兰提出了街道保洁时间采用“捡一周，扫一次”的办法，即对所管理范围人行道巡回清扫一次人为造成乱丢的垃圾，再扫一次“快车道”马路的垃圾，使街道保洁质量得到大大提高。冯金兰除管好班内工作外，对自己更加严格要求。她除了完成清扫工作外，经常参加突击义务劳动。

冯金兰所在蝶山站率先在全处实行按清扫面积计付工资的改革，实行定地段、定人员、定经费、定工作量，人员优化组合，择优上岗。方案公布后，职工议论纷纷，有的职工甚至闹思想情绪，站长感到压力大。但站长与冯金兰谈心时，她明确表态，作为一个共产党员坚决支持站的改革，她先后给姐妹们做工作，动员大家丢掉等、靠、要的依赖思想，说明环卫行业改革势在必行。并率先与站长签订了清扫河西主要马路的合同。在她的影响下，原来持怀疑、观望态度的班组先后与站签订了承包合同。经过一年多的实践，承包后马路清扫质量提高了，站里的管理效益和职工的收入也有所提高。

冯金兰于1993年被评为梧州市劳动模范，1994年被评为自治区抗洪救灾先进个人、自治区劳动模范，1995年被评为全区城市环境卫生先进个人、全国城市市容环境卫生先进个人，被建设部授予“优秀城市美容师”称号。2000年，冯金兰同志被国务院评为全国先进工作者。

（广西壮族自治区文明办）

陈丽萍

陈丽萍，女，中共党员，广西梧州市棉纺织厂前纺粗纱挡车工。

从1984年起，棉纺织厂里每年都开展“双百”（即出勤率100%，产量100%）竞赛活动，陈丽萍积极参加并多次获“双百”标兵。平时她虚心向师傅和姐妹们学习，经常利用班后时间练习包头、接头等操作基本功。在厂举办的操运会中夺得粗纱挡车第一名。1994年，她的“竹签包卷”技术在自治区“统一操作法邀请赛”大会上作了经验介绍。她严于律己，认真按党员的标准做好每项工作。工作上她总是把方便让给别人，把困难留给自己。在党支部开展“党员责任机台”竞赛活动中，陈丽萍主动要求挡质量要求高、操作难度大的机台，而且保质保量完成生产任务。

11年来，她出勤率达100%，产量完成率达116.69%，质量合格率达97.8%，操作达优一级水平，获得厂“双百”十连冠标兵称号；还多次获厂“双文明建设积极分子”、“高产能手”、“操作能手”、“质量能手”称号；同年获得市“劳动模范”称号。1997年获自治区“劳动模范”光荣称号；1998年获厂授予的“高产能手”称号；1999年获厂“双文明积极分子”称号，出勤率达100%，产量完成率达115.4%，质量合格率达98%，操作达优一级水平。

2000年，陈丽萍被国务院评为全国劳动模范。

（广西壮族自治区文明办）

陆福生

陆福生，广西蒙山县文圩镇大明村灯挂自然村农民。

蒙山县文圩镇大明村灯挂自然村，是有名的“椪柑村”。全村80%的耕地种椪柑，1999年椪柑产量3000吨，总收入210万元，人均达2000多元。这一切，都与陆福生分不开。

陆福生是蒙山县第一个用耕地种椪柑的人。当时村里人嘲笑他：世代没有人在田里种果的。他不信这个邪，一头扎进椪柑地里，边干边学，还买来《中国柑橘》、《广西科技报》等书报钻研，并自费到恭城、荔浦等地拜师学艺，到浙江、福建、广东等柑橘产地学习。

在实践中，他摸索培育出耐寒抗旱、易于生长且果大味美的柑橘品种；通过矮化、密植等技术，大大地缩短了果苗的挂果期，并提高了产量。他还研究摸索出迟熟椪柑技术，使椪柑成熟期延长到春节前。这种椪柑不需要使用保鲜药剂，且含糖量比一般的椪柑高出2至3个百分点。通过科技种植，陆福生实现了椪柑的矮化、抗寒、密植、迟熟、稳产、丰产。1996年，他培育出来的优质椪柑还获得了当年广西名优水果评比“金奖”。他的果场规模在不断扩大，他也成了远近闻名的“种果大王”。

致富之后的陆福生积极帮助村里的乡亲。陆福生对前来求教的人总是有求必应，热心相助。蒙山县陈塘镇农民黄沛曾是村里出了名的贫困户。他上门向陆福生讨教时，陆福生了解他的情况后，立即选了2000多株优质椪柑苗赊销给他，又亲自到他家去指导种果，并连续跟踪指导了两年。苍梧县广平镇思化村的水果种植在2000年的霜灾中遭受到很大的损失，村里特地派人到蒙山向陆福生求教。陆福生不但以半赠送的方式向该村提供1.5万多株迟熟椪柑苗，还先后两次到该村传授技术。在陆福生的影响、带动下，现在不但大明村95%的农户种起椪柑，文圩镇也有很多农户种上了椪柑，许多人因此而脱贫致富。

2000年陆福生被评为全国劳模。

（广西壮族自治区文明办）

臧金贵

臧金贵，中共党员，生前受中央金融工委和国务院扶贫办的委派，赴云南省楚雄彝族自治州永仁县挂职扶贫，任副县长。2000年4月23日突发脑溢血，不幸去世，年仅49岁。

1999年，臧金贵同志主动申请到云南贫困山区参加扶贫工作。在永仁县任副县长一年时间里，他深入基层调研指导工作达7个月，走遍了永仁县65个村公所（办事处），足迹遍布106个村寨，访问贫困户180余户300多人次，走访了17所中小学200多户贫困学生家庭。在短短的一年时间里，动真情，使实劲，为永仁县脱贫致富作了大量卓有成效的工作。他积极向招商银行总行争取，发起总行员工捐赠活动。他四处奔波呼吁，从总行争取到56万元，启动了直苴希望小学工程，从省里争取到50万元，作为旅游资源开发的启动资金；他邀请香港长久集团公司老总到永仁县考察、洽谈，为永仁县引资10余项800余万元；他通过调查研究后实施的“济困助学工程”，共扶持特困中小学生288名、大中专生8名；他积极敦促县科委举办科技培训班134期，引进科技试验示范技术14项，建起示范基地4个。

臧金贵牢记党的全心全意为人民服务的根本宗旨，认真实践“三个代表”重要思想。在永仁县一年时间里，他先后拿出自己的工资收入5000多元，捐给特困群众和学生。他还资助了特困孤儿山吉文、山吉武兄弟，让他们回到了课堂；他组织贫困农家子女到深圳打工，他在深圳的家成了永仁县到深圳打工的打工仔、打工妹的“接待站”。他家中有长期患病在床的老母和岳父、岳母，春节，妻子好不容易盼到丈夫回家团圆，但臧金贵整个春节都在忙着为永仁筹集救灾物资。他妻子是个下岗工人，女儿一直没有找到工作，为父亲不肯帮忙解决工作问题，女儿还曾经赌气要同他断绝父女关系。他们一家老小全靠他一个人的工资生活。直到他逝世后，家人前来领取骨灰，人们才知道他的家庭“秘密”。

臧金贵同志患有高血压病，来到高原后身体状况一直欠佳，他未把自己的病放在心上。2000年4月23日是一个星期天，臧金贵同志本来可以在家好好地休息一下，但他觉得自己一年扶贫工作就要结束，在离开永仁县之前要把自己负责的直苴希望小学建起，便早早地来到工地上同大家一起干活，不幸永远地倒在了永仁的土地上。

中共云南省委作出《关于授予臧金贵同志"优秀共产党员，扶贫攻坚优秀干部"荣誉称号的决定》，深圳市委、招商银行党委、中央金融工委也分别作出了向臧金贵同志学习的决定。

（中央金融工委文明办
云南省文明办
陕西省文明办）

张侯华

张侯华，中共党员，陕西府谷黄河集团公司党委书记。

1994年5月，张侯华组建了由府榆、东风水泥厂等4户股份制企业组成的黄河集团公司。短短几年，黄河集团公司发展成为拥有8个股份制企业和一座华龙大桥，总资产达8000多万元，总产值过亿元，年缴税260多万元的多产品、跨行业的全区最大乡镇企业集团。

1998年初，经县委批准，成立了黄河集团公司党委，下属企业成立了6个党支部2个党小组，健全了工会、共青团、武装、民兵、女工委等组织。张侯华带领集团公司党委紧紧围绕生产经营抓党建工作，不仅使公司的党建取得了明显成效，党员人数发展到102人，占职工总数的10.6%，为党组织增添了活力，也使公司的生产经营迈上新台阶。1999年集团公司所属各企业均超额完成了年初确定的各项经济指标，个个盈利，集团公司的产值比上年增长37.3%，取得了经济建设和精神文明建设双丰收。

几年来，张侯华始终要求公司全体党员和广大员工要戒骄戒躁，团结奋进，回报群众，回报社会。集团公司先后投资办起了有20多张病床的职工医院和可容纳100多名学生的职工子弟学校；公司党委和下设的6个党支部还与本县的6个贫困村结成对子，每个党员联系帮扶一个贫困户。据不完全统计，近年来，集团公司共吸收农村剩余劳力785人；向社会捐款70多万元；向贫困村、希望小学和乡间道路建设等捐款26万多元；捐助水泥2000多吨；投资60多万元建成2000多立方米的蓄水池，解决了人、畜饮水问题；签订协议资助16名孤儿读完大学。张侯华自己也拿出8000多元资助失学儿童重返校园。

张侯华先后被评为全国新长征突击手、全国劳动模范、全国优秀农民企业家。2000年，陕西省委作出表彰决定，授予张侯华优秀基层党务工作者称号。

（陕西省文明办）

张志科

张志科，中共党员，陕西省宝鸡县阳平镇窑底村党支部书记。

1989年3月经党员选举张志科又一次被选为窑底村党支部书记。就这样，他放下自己的生意，忙起了大家的事业。张志科凭着大公无私的奉献精神，带领一班人相继为村创办了8个高科技、无污染、高附加值的企业，使全村逐步形成了以农业、建筑、化工、农副产品加工等多种产业并举的经济发展新格局。到1999年底，全村先后建成集体企业13个，个体私营企业160多个，实现工农业总产值2.2亿元，利税1300多万元，人均纯收入3060元，村固定资产累计达到7300万元，窑底村跨入省级小康示范村行列。

张志科担任村党支部书记10年来，不仅没领过村上一分钱报酬，没报过一分钱出差费，而且还先后数次从自己的私营企业中，为集体企业筹借发展启动周转金近百万元；为全村500户村民每户无偿提供了一袋化肥；连续两年为村小学教师、学生支付工资、学杂费3万多元，为社会公益事业捐款3万多元；从自己的私营企业专线为村里两个重点企业供电，仅此为村里节约架设供电专线费用上百万元，累计为村企业节省用电资金220多万元。

2000年中共陕西省委作出表彰决定，授予张志科优秀基层党务工作者称号。

（陕西省文明办）

金占林

金占林，回族，中共党员，先后担任架线员、架线队长，广播员、广播站站长。1999年8月2日因积劳成疾去世，终年60岁。

金占林同志1959年参加工作以来，一直坚守在农村基层岗位。同心县是贫困县，金占林克服了种种困难，在不到一年的时间里，带领架线队把一根根线从县城拉向每一个村庄，打破了偏僻乡村千年的寂静，把党的方针政策和文化知识带到了小山村。金占林工作忘我，不顾身体，为了解决边远山区喇叭杂音大的问题，他连夜冒雪检查线路，故障排除后，他的两只耳朵被诊断为一级冻伤。金占林患有严重的胃病和哮喘病，他不顾医生的劝阻，50公里的山路，3天一查线，5天一巡回，从不耽误。1999年，全国实施广播电视“村村通”工程，已递交了退休报告的金占林带病请战，要站好最后一班岗，终因积劳成疾，牺牲在工作岗位上。他以实际行动实现了“是公家人，就要好好为公家干事”的人生诺言。

金占林先后多次受到各级组织的表彰奖励，并被自治区人事劳动厅、自治区广播厅授予“广电系统先进工作者”荣誉称号，1999年12月，自治区党委作出决定，追授他为“优秀共产党员”。2000年，中央和自治区多家新闻媒体报道了他的先进事迹。有关部门联合组织报告会，3万多人聆听了他的事迹报告。

（宁夏回族自治区文明办）

赵 萍

赵萍，女，中共党员，新疆生产建设兵团农六师芳草湖垦区人民法庭、新湖人民法庭庭长。

赵萍所在的新湖农场，是全国五大农场之一，人口多，人员流动较大，职工群众之间的民事纠纷、矛盾发生率也较高。刚上任的庭长赵萍根据农场的实际情况，果断采取多种举措。经过多角度、全方位的宣传，法庭在当地职工群众心目中树起了“进百家门、知千家事、暖万人心，为民服务、排忧解难、廉洁奉公”形象，为顺利开展审判工作奠定了坚实的群众基础。她结合农场实际情况，找准工作中的热点、难点，先行突破。带领全庭干警深入企业帮助清欠款项，收回欠款150多万元，收到了明显的社会效益和经济效益，有利地促进农垦经济的发展。

在审判实践中，赵萍严格依法办事，树立了人民法官在群众中的良好形象。1999年3月的一天，法庭受理了石河子总场职工王正清诉新湖二场收割机买卖纠纷一案。在执法过程中，赵萍和干警们受到不明真相的群众围攻，多处受伤，但无一人还手，坚持依法圆满地处理了此案，忠实地履行了职责，维护了法律的尊严，使在场围观的群众深受教育。随着农场经济的发展，外来民工的增多，民工之间，民工和农场职工之间的纠纷不断诉上法庭。在处理这类纠纷时，许多说情人想让法律偏袒本地一方当事人，但是赵萍心里自有一杆秤，严肃执法不走样，服务标准一个样。面对社会上不正之风，赵萍不但自己能严正执法，对法庭全体干警也经常进行廉政教育。赵萍每年都在辖区各单位聘请廉政监督员，经常听取他们对法庭工作的意见，实行审务公开和社会承诺制度，制定文明公约，设立举报箱、举报电话，建立廉政监督台，实行随案发放监督卡，广泛接受人民群众的监督。几年来，法庭没有出现一起违法违纪的人和事，没有出现一件错案。赵萍和法庭干警共拒请吃100多人次，拒礼、拒贿20多人次，折合价值1.4万多元。

赵萍多年来扎根基层，爱岗敬业，严肃执法，廉洁公正，全心全意为辖区各族人民服务，1995年至今始终保持审结率100%，被自治区高级人民法院和兵团法院系统多次授予优秀法官、兵团十佳杰出青年卫士、兵团十大劳动模范，1999年被全国最高人民法院授予全国法院模范，荣立个人二等功。2000年2月1日，赵萍被评为“全国十大人民满意的好法官”。

（新疆生产建设兵团文明办）

第六届全国职工职业道德十佳标兵

（由全国总工会授予）

范 玉 恕

（详见《中国精神建设年鉴》2000卷第523页。）

唐 方 平

唐方平，1949年9月26日出生，中共党员，大专文化，酒泉钢铁（集团）有限责任公司工会主席。他从企业工作实践中深切地认识到“四有”的核心是“有理想”和“有道德”，高尚的职业道德是崇高的革命理想的具体体现，而崇高的革命理想是高尚的职业道德的灵魂。他在部署工会每年的工作中，总是把职业道德建设放在重要位置。他在检查考核基层工会工作时，总是从职业道德建设的高度规范各项操作，不断取得新的进步。几年来，酒钢工会在唐方平的领导下，在工会全体干部的共同努力下，先后获得了全国模范职工之家、全国思想政治工作先进单位、全国劳动争议调解先进单位、全国群众体育工作先进单位、全国巾帼建功先进单位、全国技协工作先进单位及省、市各类荣誉称号40余项。

（全国总工会）

陈 叶 俊

陈叶俊，女，1970年8月出生，中共党员，连云港市新浦汽车总站“雷锋车”组长，兼任值班站长。由于陈叶俊的身先士卒和模范带头作用，自她担任组长以来，“雷锋车”组又被全国妇联授予了全国三八红旗集体、全国巾帼建功先进集体、江苏省文明班组等市级以上荣誉10多项。“雷锋车”是汽车站的传家宝，是长途服务组宝贵的精神财富。陈叶俊不但继承和发扬“雷锋车”精神，还能够做到天天坚持拉好“雷锋车”，使自己成为一名合格的“雷锋车”手。长途服务组坚持拉了37年的“雷锋车”，已无偿接送旅客近10万人次，免费运送行包15万件，“雷锋车”行程近8万公里。1997年，连云港市委、市政府发出向长途服务组学习的号召；1998年，省委、省政府发出向长途服务组学习的决定。

（全国总工会）

白 靖 英

白靖英，女，蒙古族，中共预备党员，1966年8月1日出生，中专学历，包头市煤气公司抄报员。她于1987年8月被分配到包头市煤气公司营业所做煤气费抄报员。13年中，她坚持学先进、见行动、立足本岗、真诚奉献，用一颗为用户服务的真心、热心和诚心赢得了社会各界的好评；

1989年，她被授予“全国建设系统劳动模范”。这位伴随着包头市煤气公司发展而逐步成长起来的先进典型，始终注重把自己追求的人生理想与自己从事的每项具体工作实践相结合，并在平凡的抄报工作岗位上，作出了不平凡的业绩，她用“辛苦我一人、方便千万户”的崇高职业信条，把党和政府对人民群众的关怀与温暖通过她的热忱服务送到广大用户的心坎上。

（全国总工会）

郭 海 庭

郭海庭，1962年5月10日出生，中共党员，大专文化，本溪市养老院院长。15年中，尤其是担任院长以来，郭海庭将一颗赤诚之心全部融注于社会养老事业，默默奉献着自己的青春年华，用心血和汗水，在党、政府和鳏寡孤独老人之间，架起了一座爱的桥梁。凭着“勤勤恳恳服务，清清白白做人”的人生准则，郭海庭在全院树立起了共产党员的崇高形象，赢得了全体休养员、职工的爱戴和信赖。一位叫丁风衣的老人由衷地说：“我敢叫这号，全院140多个老人，没有一个人对郭海庭有半句怨言。”郭海庭取得工作成绩，受到了党和政府的表彰，自1994年以来，他先后获市、省劳动模范、省民政系统先进个人、省职工职业道德建设十佳标兵、全国职工职业道德建设先进个人等荣誉称号，2000年被命名为全国劳动模范。

（全国总工会）

闵 建 功

闵建功，1965年9月出生，中专文化，河南驻马店建筑公司工人。闵建功自18岁起从事水电暖安装维修工作以来，以他精湛的技术、可靠的信誉和热忱的服务赢得同行和用户的好评。特别是他本人17年来一直坚持为居民义务维修水电暖设施，并将其个人行为扩展到他所带领的水电暖安装班，由10多名业务骨干成立了“青年志愿者服务队”，义务为群众维修水电暖设施，广泛服务奉献社会。他们的这一行为受到社会各界的高度赞扬，1997年，水电暖安装班荣获河南省五一劳动奖状。

（全国总工会）

李 燕 明

李燕明，女，中共党员，广东南海市农村信用社员工。李燕明热爱农村合作金融事业，热爱信用社，把集体、人民群众的资金看得比自己生命还重要。在1999年歹徒企图抢劫白岗分社的“11.6”恶性案件中，她机智、勇敢地同凶恶的歹徒作殊死搏斗，及时示警报案，保证了集体、人民群众的资金不受损失，用生命和鲜血谱写了一曲革命英雄主义时代赞歌，在金融界树立起一个弘扬正气、尽忠职守的可敬楷模。15年来，她坚持刻苦学习业务知识，以精益求精的态度自觉苦练技能。为了提高点钞本领，点钞纸成了她每天班后的伙伴，一本本点钞纸练到残烂。后来李燕明成为南海市农村信用社系统有名的业务能手，算盘打得又快又准，电脑操作运用自如。多年来参加市农村信用社系统的业务技术比赛，都取得了好成绩。

（全国总工会）

黄 祥

黄祥，藏族，1963年8月出生，中共党员，大专文化，四川省甘孜藏族自治州医院外科主任。

医院所在的德格，幅员面积达1.1万多平方公里，平均海拔3500米，每平方公里不足6个人，交通不便，不仅给病人求医造成很大的困难，也给医务人员的医疗服务带来种种不便。年轻的黄祥深知自己肩上担子的分量，从他拿起手术刀至今，在医疗设备相当落后、条件十分简陋的情况下，先后把7万余人（次）的伤病员从死神手中抢救过来。黄祥以他的真才实学得到专家和同行们充分肯定，以他的高尚医德赢得广大伤病员及其家属的尊重信赖，以他出色的工作业绩得到社会的广泛称颂赞扬。从他参加工作第二年起，就不断获得各种荣誉称号。1998年被四川省卫生厅评为全省卫生系统“讲文明、树新风”先进个人；1999年被评为四川省职业道德十佳标兵、四川省首届优秀科技工作者。

（全国总工会）

杨家虎

杨家虎，1954年3月13日出生，中共预备党员，大专文化，重庆市供电局工人。杨家虎是1975年从部队转业到供电局的，1994年，随着电力企业深化改革的需要，南岸供电局组建了下户线班，专门处理从电杆到用户电表这一段低压线路的故障，因为编制的限制，当时的下户线班是一个非正规班组，局领导除准备启用一名正式职工作为班长外，其余10名工人全部是招聘的临时工。在3000平方公里辖区，2万多用户的线路老化、用电负荷过重、下户线事故频发的情况下，杨家虎走马上任了，在杨家虎的带领下，他们已处理事故5000多起。为了及时解决用户的无电之苦，杨家虎和他的工友们晴天一身灰，雨天一身泥，凭着自己的辛勤劳动在用户中树立了优质服务的形象，辖区范围内广为流传着“线路受阻，找杨家虎”的说法。

（全国总工会）

孟庆春

孟庆春，1969年2月出生，中专文化，吉林省吉林市通动出租汽车公司个体出租汽车司机。孟庆春在从事出租汽车行业的几年中，始终如一地坚持岗位学雷锋，为人做好事。他见义勇为，以为群众排忧解难为己任；他爱岗敬业，以为行业争光为荣；他无私奉献，以为乘客服务为宗旨，为倡导行业新风，加强职业道德建设，促进出租汽车行业的精神文明建设作出了突出贡献。几年来，孟庆春同志带领同行业的先进典型自发组织和参与抗洪救灾、拥军助残、捐赠希望工程等大型社会公益活动30余次，主动返还乘客遗留在车内的移动电话、存折、支票、现金等折合人民币12万元。他所驾驶的出租车被评为全国“精神文明号”，1998年荣获吉林省职工职业道德建设十佳标兵称号。

（全国总工会）

第十一届中国十大杰出青年

（中国青联、中国青少年发展基金会、中央电视台、中央人民广播电台、人民日报社、中国青年报社、光明日报社、解放军报社、经济日报社、科技日报社、工人日报社、农民日报社联合组织评选）

于　果

于果，38岁，江西省蓝天职业技术学院校长，第九届全国人大代表。

22年前，带着对未来的美好憧憬，于果参加了高考，尽管他的分数超出录取分数线40分，却因腿有残疾，未被录取。遭受沉重打击的他很快振作了起来，坚持在职进修，完成了高等教育的学业，还取得了中国社会科学院商业经济专业硕士学位。

80年代后期，于果下"海"了，凭着过人的吃苦精神和聪明才智，经过几年的艰苦创业，攒下了百万元资金。他下定决心办一所大学，让那些像他一样的落榜生、残疾人、贫困生都能有机会上大学。

几经努力，江西省高级职业学校在1994年面向社会招生了。1995年学校拥有了自己的教学楼，学校的规模扩大，学生人数猛增到3000多人。于果并不满足已取得的成绩，他决心追求学校更高层次的发展。短短几年时间，在红土地上矗立起一座占地250亩、建筑面积18万平方米，拥有专职教师465名，兼职教师1070余名，各种现代化教学设施一应俱全的大规模民办大学。学校坚持"以教育为中心，以育人为本"，全面推进素质教育，为国家培养了适应市场经济需要的应用型人才1万余名，在校生已达1500余名。

为了实现快速发展，他和同事们每天工作十几小时，星期天也难得休息。经过6年的不懈努力，凭借着锐意改革的闯劲儿，于果终于使学校实现了从高职(中专层次)到东南进修学院(学历文凭试点单位)再到蓝天学院(纳入国家计划统考统招)的三大跨越,成为中国一流的民办大学。

学校的办学条件越来越好，于果依旧生活朴素，废寝忘食地工作着，尤其对贫困生和残疾学生更是给予了无微不至的关怀。1994年被高压电击去双臂的四川姑娘成洁参加高考，成绩高出录取分数线，可是没有学校愿意录取。于果得知这一消息后，费尽周折与她取得联系，用自己的经历鼓励她，并希望她能到蓝天来读书。成洁没有辜负校长对她的期望，以顽强的毅力完成了大专和本科的学业，并因成绩优异留校当上了一名光荣的人民教师。1998年江西遭遇特大洪灾，有300余名学生面临失学，于果决心不让一个学生因受灾而失学。他减免家庭受灾学生的学费，使他们全部返校。

于果先后荣获全国自强模范、中国光彩事业奖章、中国杰出青年志愿者、江西省十大杰出青年等奖项和荣誉称号。

(共青团中央)

乌日更达赖

乌日更达赖，34岁，蒙古族，内蒙古杭锦旗图古日格苏木图古日格嘎查农民。

由于家乡生态环境恶化，他和乡亲们长年经受着恶劣自然条件和贫困的煎熬。22岁这一年，看着相继出世的两个儿子和守候在身边的妻子，他下决心要用自己的双手让家人过上富裕的日子。他用打工挣来的钱买回50只山羊，经过几年的苦心经营，山羊发展到了200只，这200只山羊成了他全家致富的希望和命根。然而，山羊一遍又一遍啃食过的寸草滩，日益沙化，风沙一年比一年大，山羊面临着"断炊"的危险，恶化的环境不仅击碎了乌日更达赖的致富梦，还使世世代代生活在这片土地上的人们难以生存。这时妻子和一些亲戚都劝乌日更达赖外迁，乌日更达赖陷入了深深的沉思。

故土难离，经过认真的思索，乌日更达赖决心守住这片家园。1996年，他自费考察了毛乌素沙漠、乌兰布和沙漠等治沙先进地区，考察中学到不少经验，还了解到山羊是破坏植被的罪魁祸首之一。于是他不顾家人的强烈反对，把曾被视为全家命根子、寄托着他致富梦想的山羊全部卖掉，卖羊的钱除买回几十只对植被破坏较小的绵羊外，其余3万余元准备治沙。他承包了2万余亩荒沙，从此与治沙结下了不解之缘。1997年春，造林季节还未到，他就带着妻子驻进了离家20多公里的沙漠，盖土房，作准备。沙湿地刚解冻，他俩就拼命地干了起来，经常中午不回家吃饭，饿了啃几口干饼子，渴了喝几口坑里的渗水。一年下来，他们共种草植树近5000亩。1998年春天，突然刮了一场罕见的沙尘暴，头年辛辛苦苦种上的树苗有6000多棵被风沙埋的埋，卷走的卷走。困难并没有吓倒乌日更达赖，反而激发了他科学治沙的决心。他从穿沙公路难被沙埋的现象中得到启示，先筑沙障再植树。又是一年的苦干，植树、种草 6000 多亩、树苗的成活率也大为提高。为加快治沙造林的进度，乌日更达赖先后雇请几十人和他一起植树，4 年来，他和妻子、雇工们一起，在沙漠中建起了三处简易的土房，起早摸黑，顶烈日，斗严寒，战风沙，吃住在沙海，克服了常人难以想象的困难，1997 年种草植树 5000 亩，1998 年 6000 亩，1999 年 6500 亩……终于使 2 万余亩荒沙披上了绿装。

经过几年的努力，沙漠变绿了，草地面积扩大了，鸟兽也来了，生态环境大为改善。在治沙梦想初步实现后他又开始了致富梦想。他在“绿洲”上围起了牧场，饲养了 400 多只绵羊，10 匹骏马，10 余头肉牛。他又治理了“绿洲”旁的海子，引种芦苇，放养十几万尾鱼苗，每年仅芦苇草就能打三四万公斤，芦苇既可养畜，又可卖钱。“绿洲”里还有几亩农田。他还准备在他的“桃花源”里搞沙漠生态旅游……现在，他的牧场、鱼场、苗木等年纯收入在十几万元以上，乌日更达赖由过去的贫困户一跃成为全苏木的首富。在他的示范和带动下，全苏木治沙、种草、植树蔚然成风，生态环境明显改善，许多牧民由此走上了致富之路。

1999 年，乌日更达赖被授予内蒙古自治区劳动模范、内蒙古十大杰出青年的光荣称号。

（共青团中央）

白岩松

白岩松，32 岁，蒙古族，中共党员，大学，中央电视台新闻评论部主持人。

白岩松于 1989 年毕业于北京广播学院新闻系，分配到中央人民广播电台《中国广播报》工作。1993 年 2 月，中央电视台《东方时空》栏目开始筹备，白岩松经朋友推荐，进入《东方之子》节目组，开始担任策划工作，经过短暂磨合，制片人要他担任主持人，于是白岩松被推上银屏。白岩松力求创新，形成独特风格。在采访和工作中，他始终严格要求自己，以高度的敬业精神对待每一期节目。有时别人都已满意的节目，他却要求进一步修补。1995 年播出的“学者访谈系列”，共要采访 12 位中国顶尖学者，为了做好这次采访，他准备了几个月，阅读了几百万字的资料，笔记就写了几万字。这几年来，白岩松共采访了 300 多位“东方之子”，几乎所有的评论稿件都由自己撰写，节目播出后很受好评，其中很多节目获奖。几年的时间里，白岩松及其同事用自己的辛勤工作为中国电视带来了新气象，并在中国新闻界形成了一种《东方时空》现象。

1997 年，重大事件接连而来，中央电视台让白岩松做大型现场直播节目主持人，这向白岩松提出了更高的要求。面对全新节目形式，白岩松迎难而上。在香港回归报道中，白岩松负责驻港部队入港的全程报道，其中“驻港部队先头部队越过管理线”的报道，在北京收视率调查中仅次于“政权交接仪式”的直播，创历史最高收视率第二名。在 1997 年 11 月 8 日中央电视台三峡大江截流现场直播中，白岩松任总主持人，共承担了 6 个小时的主持任务，出色的表现为他赢得了播音与主持政府大奖的特等奖。1998 年 3 月，白岩松参与直播九届人大一次会议和政协九届一次会议，同年 6 月，美国总统克林顿访华，白岩松再次主持了现场直播江泽民主席和克林顿总统在人民大会堂的记者招待会及克林顿总统在北京大学的演讲两场重头戏。1999 年，他又主持了国庆 50 周年庆典，36 小时的澳门回归庆典，24 小时的“迎接新千年”等现场直播节目。2000 年他又出任第 27 届悉尼奥运会直播节目的总主持人，成功地直播了奥运会的盛况和中国奥运健儿奋力拼搏，为国争光的感人场面。

白岩松先后获得中国广播电视节目主持人“金话筒”奖，北京市十大杰出青年称号，中直机关十大杰出青年等荣誉。

（共青团中央）

龙 新 平

龙新平，39岁，中共党员，博士，中国工程物理研究院化工材料研究所所长，研究员。

1983年，龙新平从北京理工大学工程力学系毕业，决定去向时，他坚决要求到国防科研单位工作，并如愿以偿被分配到中国工程物理研究院。

中国工程物理研究院这个孕育了两弹精神的科研集体，为龙新平的成长提供了广阔的舞台。多年来，他主要从事材料动态断裂、爆炸力学、炸药性能和火工品等方面的研究工作，特别是在炸药产物状态方程及其应用方面有较深研究，提出了很多新的思想和方法，取得了一批具有国际先进水平的研究成果。短路开关是轨道炮实验装置中的一个重要部件，这一技术美国一直对我国禁运。为攻克这一难关，他专程到成都，在计算机房每天从早8点一直干到晚10点关门。连续工作了两个月，终于啃下了这块硬骨头，研制出了条形炸药驱动开关，填补了国内空白，其性能达到国际先进水平。他还在国内首次用实验和数值模拟详尽研究了L2铝靶在短脉冲作用下孔洞的成核、增长及材料层裂细观动态损伤过程，把电炮加载技术发展到二次飞片方式，成功地模拟出激光对靶的力学效应。他完成了“燃料空气炸药爆轰性能参数计算”，填补了国内空白，达到国际先进水平，其计算结果可直接为我国云爆装置的研究设计提供理论依据。他负责完成的科研项目“电热化学炮推进剂性能参数计算”解决了计算中电能如何加入化学能中的难题，为电热化学炮推进剂配方研究提供了理论依据，填补了国内空白。他完成了论文“VLW爆轰产物状态方程及纳米级铝粉含铝炸药爆轰特性研究”，在国际上首次用实验和数值模拟详尽分析了纳米级铝粉含铝炸药的爆轰特性。

1997年龙新平担任化材所所长，他在搞好科研工作的同时，肩负起了管理这一国家重点研究所的重任。他在所里提倡团队精神，注重发挥班子成员的作用，实行民主管理，使领导班子成为一个团结奋进、充满朝气的集体。他以科研为中心，积极探索改革路子，引入企业化管理内涵，实行分层次管理，建立了竞争机制、激励机制、约束机制，使化材所在短短两年多时间里发生了可喜变化：科研攻关有了突破性进展，科研生产任务圆满完成，受到中国工程物理研究院表彰。

龙新平先后获国防科工委科技进步二等奖一项、三等奖两项，委级基金二等奖三项，中国求是杰出青年实用工程奖，四川省十大杰出青年等奖励和荣誉称号。

（共青团中央）

伏 明 霞

伏明霞，女，23岁，中共党员，湖北省体育局跳水运动员，党的十五大代表。

1985年，一个偶然的机会，陪姐姐到跳水队测验的伏明霞意外地被教练相中，她与跳水结下了不解之缘。凭着良好的天赋，不怕吃苦的精神和刻苦的训练，伏明霞在教练的辛勤栽培下，成绩迅速提高，她用汗水、泪水、甚至是血水为以后的成功打下了坚实的基础。她8岁夺得全国少年跳水比赛冠军，12岁破格选入中国跳水少年集训班。1990年，年仅12岁的伏明霞在美国西雅图举行的世界友好运动会上崭露头角，获得女子跳台冠军；翌年又获第6届世界锦标赛跳台冠军，成为世界上最年轻的跳水冠军，并载入《吉尼斯世界纪录大全》。1992年第25届巴塞罗那奥运会，她又成为最年轻的跳水冠军。1996年亚特兰大奥运会，她再展风采，成为奥运会第一个跳台跳板双料冠军。从1991年到1996年，她囊获了她所参加的世界大赛的金牌，为祖国争得了荣誉，创造了跳水项目一个不折不扣的“伏明霞时代”，被誉为“跳水皇后”。

亚特兰大奥运会后，19岁的伏明霞退役了，退役后她选择了到清华大学读书。1998年，为备战悉尼奥运会，中国跳水队开始集结，这时有人建议伏明霞复出。经过半年的思考，为报答祖国和人民的哺育之恩，她做出了一个大胆的抉择——复出。重返跳台，对已经停止训练两年多的伏明霞来说谈何容易，她的个子长高了、体重增加了、跳水的动作生疏了，甚至连水花也压不住了。面对重重困难，她没有畏惧，只有一个信念，放下头上的光环，从零开始。从早操到陆上、水上训练，从走板跳跃到转身翻腾，每天十几个小时，几百次地重复，枯燥、乏味、单调、大运动量的训练使伏明霞承受身体和心理上的巨大压力。好几次超越极限的大强度训练，使她这位久经沙场、中国跳水队的“大姐大”哭出声来，由于训练刻苦，心理素质好，加之过去的比赛经验，她的跳水技术迅速恢复，在国内五站的奥运会选拔赛中，她一站比一站跳得好，最终再次确立了自己在中国跳水“梦之队”中的地位。

第三次参加奥运会跳水比赛的伏明霞，以顽强的毅力和敢于拼搏的精神，不仅再次为祖国赢得了荣誉，而且成为中国第一位连续三届获得奥运会金牌的运动员。

伏明霞先后获全国五一劳动奖章、全国五四青年杰出贡献奖章、全国三八红旗手、国家体育运动荣誉奖章、全国十佳运动员等荣誉。

（共青团中央）

许 京 军

许京军，34岁，博士，南开大学物理科学学院教授，博士生导师。

1995年，许京军在德国进行博士后研究，一个在国内几天就可以完成的简单实验，进行了一个多月仍没有结论，于是他反复检验实验设备，发现原因是一台50年代产的美国激光器性能不够稳定。他找到教授说明情况，但是教授的回答令许京军终生难忘。他说：“这是美国的产品，不是中国的产品。”正是这句话深深地刺伤了许京军，他下定决心要为祖国争气，要为中国人争气，要让世界认识中国。

怀着对祖国的热爱和对科学的执著，他取得了一项又一项令世人瞩目的科研成果。在国际上首次发现并建立了超离子光折变机制，拓展了光折变非线性效应的研究领域，这一工作被国外专家评价为固体离子异体光折变效应的里程碑。首次发现了光折变光扇光散射光强阈值效应，新式相位共轭波机制，对称扇形光散射多波耦合机制等新效应和机制。发明了多种光折变噪音抑制技术，尤其是关于紫外光折变效应的研究成果，被列为光子学及其技术领域最具影响的100项成果之一。

在此基础上，他首次研制成功新型非光折变高分子材料光像放大器，验证了光子“晶体管”效应。还进一步研制成功了包括新型防伪相关器、无畸变单方向图像采集与传输系统、新式自泵浦相位共轭器、海量光学三维全息存储器、无噪音快响应双掺铌酸锂材料等多种新型光子学器件和高性能的三维光盘存储材料。其中，三维光盘存储材料和系统的多项指标在国际上位居前列，使我国在下一代新型数据存储器的国际开发中占有了宝贵的一席之地。

许京军先后主持了“863”计划、“973”计划，攀登计划B预选项目，“跨世纪优秀人才培养计划”基金项目、国家杰出青年基金项目、留学回国基金和国家自然科学基金重点项目等尖端课题的研究，取得了一系列重要成果。

许京军不仅在科研方面硕果累累，同时他还是一名优秀园丁，他讲授的“光子学导论”和“相干光学”等研究生课程深受学生的推崇和欢迎。几年来，他共指导或协助指导博士后5名，博士生14名，硕士生12名，留学生2名。在他的辛勤耕耘、悉心指导和大力培养下，多名学生获天津市理工科特等奖学金、宝钢奖学金、佳洁士特等奖学金、南开大学优秀硕士毕业论文奖；两名学生因硕士期间成绩优异而直接攻读博士学位。

在担任物理科学学院副院长期间，作为学院的科研组织者和学科带头人，许京军认真研究，虚心向老同志学习，很快就对全院的科研情况有了全面而深入的了解。在此基础上，他积极组织科研人员大力开展基金申请工作，及时获得和传达信息，使学院的基金资助总额和水平上了一个新台阶。在学科评估申报等工作中，他精心策划、认真组织，圆满完成了工作任务。经过几年的努力，学院学术水平和科研力量得到了长足的发展，他在科研管理工作上也得到全院教职员工的肯定和好评。

许京军先后获得国家杰出青年基金资助、霍英东青年教师奖励、国家教委科技进步三等奖、天津市优秀留学回国人员、天津市劳动模范、天津市科技进步一等奖、天津市十大杰出青年等荣誉。现为国家“863”计划、“973”计划科研项目主持人。

（共青团中央）

李 大 有

李大有，38岁，中共党员，大学本科，西安惠群集团公司党委书记、总经理、高级经济师。

李大有改革企业的人事、用工和分配制度，改革经营模式，在西安市零售业第一个走上专营化、品牌化的经营道路，创办了涉及服装、五金交电、餐饮、拍卖等诸多领域的“惠群”专营品牌店，实现了企业由寄卖业到百货业再到专营店的经营转变，3年时间，国有资产净增1000多万元，为西安商品零售业的发展做出了贡献。

他改革资产经营方式，分解和转移市场经营风险，由自营向联营和资产经营转变，实现商品零售企业的“零库存”，避免了许多商品零售业有利润、无现金、库存积压大于利润额的弊端，使国有资产在安全保值的基础上不断增值。

在全心全意依靠职工办企业的同时，李大有以一片真情关心和维护职工利益，他身居36平方米的小单元房里，却为职工解决住房200多套。连续十几年，他不仅把人人都有的效益工资升级指标全部让出，就连上级指定奖励的工资也送给了特困职工。1999年7月，公司职工联名提议，由公司职代会作出了给他调工资、调住房的决议，也被他婉言谢绝。他对下岗职工倍加关心。1997年元月，上级把即将拆除而无立身之地的大庆商场等5家亏损企业交给他管理，他顶着刺骨的寒风，带病站在正在拆除的商场废墟上，与千名准备去市政府静坐请愿的职工对话，用一片真情温暖了职工的心，平息了一场即刻旋起的风波。此后的一年多，他筹资1000万，通过新开企业和其他渠道，妥善安置了1000多名下岗职工，解决了历年积累的职工600多万元的福利欠账，使企业在平稳过渡中获得了蓬勃的发展，赢得了职工的信任和拥戴。

他重视人力资源的开发与管理，把培养选用专业化的高素质人才视为企业竞争发展的决定性因素。公司每年花巨资用于办学和选派员工参加国内外的培训、学习，制定自学成才奖励办法，鼓励员工通过各种渠道和方式，提高文化水平，更新专业知识。目前，公司具有大、中专以上文化程度和技术职称者分别占到员工总数的83.7%和92%。

他视管理为企业的生命，积极采用科学的管理手段和管理方法，把企业所有活动都纳入管理的范畴。推行了微机管理、ISO9000质量标准、市场模拟倒推成本法、经营承包制，建立了商品导购和终身维修制度、目标责任制、财务人员委派制，制订了公司各行业的服务规范和管理规范，推广星级服务，提高了公司整体的工作效率和经营水平，增强了企业的市场竞争力。

他在管理中借鉴和创新并举。1998年，公司从国外著名的酒店管理公司手中接管连续亏损12年的钟楼饭店，他对外方严谨、规范的管理模式加以利用和改造，与模拟市场倒推成本法相融合，利润率大幅提高，使这个陕西省惟一由中方经营的合资饭店一年时间就取得不俗的业绩。在营业额仅增长5%的情况下，扭亏为盈，经营利润增长3倍，达到1200多万元，经济效益在全省同星级酒店中名列前茅，令外商刮目相看，为国企争了光！

李大有先后获得全国优秀企业家“金星奖”、陕西省劳动模范、陕西省十大杰出青年等荣誉称号。

（共青团中央）

南 存 辉

南存辉，37岁，硕士，浙江省正泰集团公司董事长、总裁，高级经济师，九届全国人大代表。

1984年，南存辉和一位同学办起了开关厂，这间名为“求精”的作坊式小型工厂仅有员工8名、资产5万元，年产值1万元。80年代初的温州，低压电器假冒伪劣成风，南存辉没有跟风顺势捞钱，而是在全县首批领取了国家机电部颁发的3个规格低压电器生产许可证，踏踏实实地狠抓质量，就像他给工厂起的名字，他要以质量求生存。很快，“求精”在同行业脱颖而出，许多热继电器厂家都慕名前来向他讨教，温州涌现出了一大批以质量求发展的低压电器生产企业。如今，乐清柳市镇已经成为“中国低压电器之都”，南存辉功不可没。

1991年南存辉又引进外资，创办了中美合资正泰电器有限公司。他为使企业内部管理实行现代化，投资近百万开通了生产、销售、财务和人事等方面19个终端计算机管理网络，还在全国建立40多个销售公司和特约经销点。1994年，正泰又一次令同行吃惊，组建温州正泰集团，并投资400万元购置了当时最先进的设备，建立了全国规模第三的产品监测试验站，生产由粗放型向集约型转型。1996年南存辉毅然走出家庭经营方式，按照《公司法》和现代企业制度的要求，开始股份制改造进程，进行资产重组。1998年3月，正泰集团改组为正泰(控股)集团，集团实行母子公司制，形成以集团公司为投资中心，以专业总公司为利润中心，以生产公司为成本中心的三维矩阵管理模式。

十几年间，他先后累计投入4亿多元用于科研开发和建设高科技工业园，建立了以温州为生产基地，以上海为科研中心，以北京中关村和美国“硅谷”为科技龙头，以大专院校和科研院所为依托的多层次、开放式技术开发体系。不断的发展创新使正泰集团生机勃勃，跨越了一个又一个新台阶。目前正泰已在全国建立了6000多家销售公司和特约经销处，并在欧洲、北美、南美、中东等地建立了5家分公司和20多家总代理。

经过16年的艰苦创业和改革创新，现在南存辉领导的正泰集团已拥有员工6000余名，总资产8亿元。下设6大专业公司、48家成员企业、800多家协作层企业，形成了集科研、工业、贸易与信息业为一体的大型现代企业集团。1999年集团销售额达26亿元，是中国低压电器行业最大的产销企业，名列全国“百强”民营企业第8位。

南存辉成就事业之后，仍然过着简朴的生活。他说：“钱是身外之物，多一个零少一个零何必紧张，最要紧的是做人。生命的质量不等于钱的重量，往后还有更重要的事情要做。”他先后捐资1000余万元用于帮残、扶贫、助教、抢险救灾、军民共建、海塘建设等公益事业，还投入巨资出版温州历史上第一部文化和历史大型丛书《瓯越文化丛书》。他还兼任着多个社会职务，积极为地方经济发展建言献策。

南存辉先后荣获首届“中国机械”十大杰出企业家、'97中国乡镇企业十大杰出企业家、浙江省劳动模范、浙江省十大杰出青年等荣誉。

（共青团中央）

袁家军

袁家军，38岁，中共党员，中国航天科技集团公司中国空间技术研究院副院长，“神舟号”飞船系统总指挥，研究员。

袁家军参加过我国多种空间飞行器的研制与管理工作，成绩十分突出。在我国与巴西合作的资源一号卫星研制中，作为结构主管设计师、系统代主任设计师，他率技术组在技术合作中发挥了重要作用，圆满完成任务。在担任实践四号卫星结构与总装技术负责人期间，完成结构研制与卫星总装，采用单一结构进行环境试验和发射，该卫星于1994年发射成功。他还曾担任航天某重点型号结构分系统主任设计师，组织带领技术人员解决了方案阶段结构布局优化等重大技术问题，完成了超大型铸镁底板的设计与分析，攻克了CCD相机与舱体结构刚度优化及星箭分离面连接刚度等重大技术难关，按计划实施了空间飞行器转阶段的工作。1992年，我国以神舟号载人飞船为核心的载人航天工程正式启动。1996年6月，袁家军被任命为中国空间技术研究院副院长，兼任神舟号飞船系统第一副总指挥。载人航天事业涉及技术领域广，难度大，可靠性、安全性要求高，是航天器技术中最为复杂的大系统工程。这次任命是对年仅34岁的袁家军的巨大挑战。刚一上任，他就全面负责为飞船、大型卫星提供总装试验、测试一体化支持的国家重大专项建设工程北京空间技术研制试验中心的建设。在他的组织指挥下，科技工作者和建设者们克服重重困难，仅用三年的时间就成功建成了这一现代化大型航天器试验中心，有力地保障了飞船研制的顺利进行。作为飞船系统的第一副总指挥，他还主要负责飞船系统的研制工作，几年来，他始终奋战在科研第一线，带领科研人员团结协作，在认真学习国内外大型空间系统工程管理经验的基础上，结合具体情况，制定出一套适合飞船研制特点的项目控制与工程管理办法，通过精心组织，严格管理，及时解决了飞船研制中的2000多个问题，保证了第一次飞行试验按计划完成。1999年底，神舟号飞船试验队赴酒泉卫星发射基地执行发射工作，袁家军作为试验队常务副队长，带病坚持工作，与试验队全体同志一起，经过4个月的艰苦奋战，攻克了许多难关，克服了一个又一个困难，为神舟号试验飞船的首飞取得圆满成功作出了突出贡献。神舟号试验飞船的成功发射，扬了国威，振了民心，使中国成为继美国、俄罗斯之后第三个具备载人航天能力的国家。

袁家军1998年获政府特殊津贴，2000年获总装备部载人航天工程第一次飞行试验突出贡献奖。

（共青团中央）

曹 雪 涛

曹雪涛，36岁，中共党员，博士，第二军医大学免疫学教研室及全军免疫与基因治疗重点实验室主任，教授、博士生导师。

在研究生学习阶段，曹雪涛选择了细胞因子治疗肿瘤这一国际前沿课题作为自己的研究方向。他的硕士论文在答辩会上令全体专家拍案叫绝，一致认为达到了博士论文的水平，并建议校方破格允许他补修完博士课程直接授予博士学位。在补修博士课程这一年，曹雪涛更加勤奋，他在3个月里完成了43万字的《白细胞介素2的基础与临床》专著。

这些年来，曹雪涛几乎没有在夜里12点前离开过实验室，在他的时间表里没有节假日，就连元旦、春节，也多是在实验室里度过的。

1992年，已成为学科带头人的曹雪涛清醒地意识到：科研只有进入经济建设的主战场，才可能有跨越式的发展。于是，在1994年，他带着自己的科研计划和成果，与30多家企业公司接触洽谈，终于与上海华晨集团达成了协议，引来4000万元的投资。教研室装备上了国际一流水平的科研仪器设备，具有当代先进水平的免疫学试验楼也拔地而起。他参照国外科研机构用人不养人的思路，面向社会招聘优秀院校毕业生40余人，迅速建立起细胞生物学、基因工程等6个国内一流的专业实验室。1997年，曹雪涛的免疫教研室通过专家委员会评审，被确定为博士点和全军免疫与基因治疗重点实验室。

立足国内并不等于固步自封，曹雪涛用敏锐的目光时刻注视着世界免疫学研究的最前沿。曹雪涛潜心研究，独创了一条克隆基因的新技术路线。他的教研室迄今已做了5万多个基因片段测序，其中3000多个片段为首次发现。他发现的124条人类全长基因已被国际基因库登录，部分基因功能的开发已获突破，引起了国际免疫学界的高度关注。

1999年，曹雪涛领导的教研室承办了我国迄今为止水平最高、规模最大的国际性免疫学大会。作为大会执行主席，曹雪涛报告了中国肿瘤免疫与基因治疗的研究现状，赢得了来自世界各地学者的一致好评。2000年春天，曹雪涛应邀到美国参加了被认为代表当代最高水平的国际生物医学领域的年会。他的专题报告引起了举座震惊。

10年来，曹雪涛频频出国参加各类学术会议，足迹遍及美、法、德、日、英等国的著名医学中心、实验室、癌症研究所、大学讲坛。自1992年起，曹雪涛已连续三次应邀在国际免疫学大会上作学术报告。教研室与素有“诺贝尔摇篮”之称的瑞士巴赛尔免疫学研究所及国外近10所科研机构建立了长期稳定的合作关系。

曹雪涛，一位把理想和追求根植于祖国沃土

的新一代中国学者，以开创性的工作和骄人的成绩赢得了国际医学界的瞩目和尊重。他先后荣立二等功1次、三等功2次，获中国青年科技奖、国家首届青年教师奖、求是杰出青年学者奖、首届全军十大学习成才标兵、上海市十大杰出青年等荣誉。

（共青团中央）

第三届中国十大女杰

（由全国妇联组织评选）

张 可

张可,女,中共党员,1962年5月出生,历任卫生员、药剂师、参谋、国防大学学员、副团长。

张可入伍后，一直挤时间钻研军事理论。特别是到作战部队后，她边实践边学习，完成了我军第一部系统研究西方军事思想史的专著《西方军事思想史概论》，成为我军系统研究西方军事思想的第一位女军人。她以优异成绩考入国防大学研究生院,成为我军作战指挥专业第一位女硕士研究生。上学期间,她先后发表军事学术论文26篇,其中2篇获全军优秀论文奖;独立或与他人合作出版军事著作9部。她撰写的毕业论文《论一体化指挥》的精华部分被摘入中央军委的咨询报告。

1997年7月，张可从国防大学毕业到作战部队任副团长，成为我军作战部队第一位女副团长。任职期间，她先后发表军事论文12篇，完成《中外名家论指挥》等军事论著2部。她主动向内行请教，很快掌握了新型武器装备的性能特点，熟练地掌握了所在部队兵种的单兵三大专业技能，成为全面过硬的部队指挥员。

张可积极探索新的训法和战法，将传统的练兵方法和高技术条件下练兵方式有机地结合起来，与指战员一起研究摸索出在高寒山地进攻作战的新战法。她组织部队采取多种手段相结合的办法，运用贴近实战要求的灵活有效的战术，带领官兵大胆采用抗敌高技术兵器新方法，收到良好效果。她主动在人与武器的结合上谋出路、想办法，组织创办起高科技知识培训基地，对干部战士进行计算机、外语、军事理论和高科技知识的培训，使官兵综合素质得到很大提高。

张可曾被成都军区表彰为科技强军先进个人，被总政治部表彰为刻苦钻研科技知识青年典型。2000年，她又荣获第三届中国十大女杰和全国三八红旗手的荣誉称号。

（全国妇联宣传部）

胡大白

胡大白，女，1943年出生，中共党员，黄河科技学院院长、党委书记。

1981年，时任郑州大学中文系教师的胡大白，在讲学中突遇意外事故受伤致残，在经历了长达3年的2次手术后，她坚强地从痛苦中站了起来。1984年，她创办了黄河科技学院，决心为党的教育事业继续奋斗。胡大白对黄河科技学院的发展呕心沥血，殚精竭虑。学院在她的领导下从无到有，从小到大。如今，已拥有2亿多元的校产，600亩的校园绿树成荫，校舍建筑面积15万平方米，现代化的教学设施一应俱全。从创办至今，学校先后为国家培养了2万多名本、专科毕业生，现有来自全国各地40多个民族的1万多名莘莘学子在校就读。

胡大白办校奉行“一切为了学生，为了一切学生”的教育思想。对要求入学的残疾人，她都敞开大门，把他们培养成自食其力的劳动者，已经先后有130多名残疾学生从黄河科技学院毕业走上工作岗位。胡大白不仅以慈母之心关爱她的学生，也同样关爱着下岗女工和外地来郑州的打工妹。1998年4月，她与郑州市妇联合作创办了培训基地，免费培训下岗女工，并开办人才市场，为她们再就业提供帮助。1999年，黄河科技学院被河南省、郑州市评为“再就业工作先进集体”。她还开办“打工妹之家”，为他们提供短期培训、法律咨询、图书阅览、心理指导、就业指导等服务，深受广大打工妹的欢迎。

胡大白办学业绩突出，先后被授予省劳动模范、优秀共产党员、优秀党务工作者、三八红旗手、巾帼建功标兵、十大女杰、光荣母亲、十大新闻人物等荣誉称号。2000年荣获第三届中国十大女杰和全国三八红旗手的荣誉称号。

（全国妇联宣传部）

钱月宝

钱月宝，女，中共党员，江苏省梦兰集团公司董事长、总经理。

1983年初，钱月宝贷款2万元建起了200平方米的简陋厂房，为苏州绣品厂生产绣花制品。经过一两年的努力，生产出的精美绣品迅速在全国市场打响。1991年，钱月宝扩建新厂房，选购新设备，落实原材料，寻求工贸合作，开发生产在市场上刚刚露头的新产品踏花被，当年实现利润128万元。接着，她开发了香味清淡优雅、质地轻松柔软的新一代高级羊毛被制品，风靡大江南北20多个省市。随即，她又连续推出子母被、丝棉被、电脑绗缝春秋被、多用被以及床上配套件，质量之好、款式之新令客户目不暇接，令同行望尘莫及。

钱月宝注重提高产品的科技含量，由她主持开发的粒状棉保健室内装饰用品集实用、装饰、保健功能于一体，产品投入市场后，就显示出强劲的品牌优势。她还抓住机遇瞄准国际市场，先后与意大利、英国等国际名牌公司合作，进行国际定牌生产，推动了梦兰产品的升级换代。

钱月宝富了不忘回报社会，不忘贫困乡亲。她一直兼任村里的党支部书记，近几年来，先后将3000多万元资金用于扶持农业生产，兴办公益事业。她从个人收入账户中支取200多万元支援急需救助的人们。她还先后从企业中拿出300多万元支持妇女儿童事业和各项社会福利事业。

钱月宝先后获得了江苏省劳动模范、十大女杰、三八红旗手标兵、优秀女企业家等荣誉称号。1998年被评为中国乡镇企业十大新闻人物。2000年获得第三届中国十大女杰和全国三八红旗手荣誉称号。

（全国妇联宣传部）

张建好

张建好，女，1948年出生，中共党员，广州市杨箕村党支部书记。

1976年，年仅28岁的张建好被推选为杨箕村党支部书记、村长。20多年来，她率领杨箕村村民进行三次大创业，终于开创出了一条杨箕发展的新路子。

第一次创业：1978年初，张建好在当地率先实施联产承包责任制，在很短的时间内，农民的月收入从不到10元猛增至30元。第二次创业：1987年，张建好创立了全国第一个农村股份经济组织——经济股份合作联社，利用本村被市区包围的地理优势，先后与国企和外商共同办起了28个合资、合作企业。其中几个大型鞋厂，每个厂有10多条生产线，2000多名工人，年创汇3000多万元。从4000万元的固定资产起步，3个月后猛增至1亿元。全村村民终于走上了共同富裕的道路。第三次创业：1989年，她率先到异地征地建厂房，创出了一条异地征地办企业的新路子。她先后到海珠区等处征地400多亩，使杨箕村又一次拥有一片广阔的天空，形成了乡镇企业发展的独特的杨箕模式。

杨箕村的成功，在于有一个有战斗力的、团结的领导班子。20多年来，以张建好为首的党支部、村委会注重两个文明一起抓，以精神文明建设促进物质文明建设。村里先后投资2000多万元进行文明村建设，并且对40岁以下的村民普及高中文化教育，还在村里办起了财务、电脑、裁剪、烹饪、水电维修等技能培训班。重视精神文明建设为杨箕村的良性发展提供了强有力的保障。

杨箕村多年被评为省、市文明村、亿元村、百强村和文明单位标兵、扶贫先进单位、计划生育先进单位。张建好也先后被授予省、市优秀共产党员，南粤巾帼十杰，全国优秀村主任，全国劳动模范等荣誉称号。2000年，她荣获第三届中国十大女杰和全国三八红旗手的荣誉称号。

（全国妇联宣传部）

雷　敏

雷敏，女，1974年4月出生，武警特种警察学院女子特警队副队长。

雷敏进了女子特警队以后，除坚持队里正常的高强度、满负荷训练外，还每天提前半小时起床，双腿绑着沙袋跑5公里；每天晚上睡觉前，坚持单臂推砖100次，打千层纸100拳，踢100次树桩，做100个俯卧撑和100个仰卧起坐。经过刻苦磨练，她的基本功和体能都有了突破性飞跃，攀登5层楼仅用57秒，经训练部门与国际联机检索，这个成绩在世界女军警中是独一无二的。

雷敏有勇有谋，英勇善战，在同犯罪分子的斗争中，多次出色地完成任务。1995年4月，雷敏受命带领两名队员前往双流县执行抓捕任务，她与战友们一起以迅雷不及掩耳之势将隐藏在宾馆内的老毒枭“美女蛇”抓获，又将企图逃跑的另一罪犯“络腮胡子”制服。另一次，雷敏带领女特警队员追捕一个叫“刘霸天”的重刑在押越狱逃犯，面对“刘霸天”从腰间抽出的猛刺过来的寒光逼人的尖刀，她夺下凶器，用手铐铐住了罪犯的双手。

雷敏以精湛的技艺为祖国争得了荣誉。1995年10月，来自世界各国的“警察首脑”在北京参加国际刑警组织第64届年会，雷敏在会上表演的铁锤贯顶、单臂开石、飞脚击缸、轻功踩蛋等硬功，令在场的100多位格外挑剔的刑警组织官员惊诧不已。此后，应毛里求斯政府总理的邀请，雷敏等3人便成了第一批跨国执教的中国女特警。在毛里求斯执教的半年多时间里，她克服由于自然条件而造成的种种困难，使毛里求斯学员从中国教官手中学到中国功夫。1996年10月，毛里求斯女特警毕业汇报表演后，该国总理授予雷敏等人“国家警察部队特别荣誉勋章”。

10年来，雷敏在特殊的岗位上取得出了突出的成绩。她先后荣立一等功1次、二等功2次、三等功3次，1997年被表彰为全国青年岗位能手，1998年被评为中国武警十大忠诚卫士，2000年荣获第三届中国十大女杰和全国三八红旗手的荣誉称号。

（全国妇联宣传部）

常玉珍

常玉珍，女，1964年出生，唐山市常记商场总经理。

1978年，常玉珍在党的改革开放和富民政策的感召下，毅然辞掉有固定收入的铁饭碗，与丈夫一起下海经商。常玉珍从卖早点开始，到经营玻璃、水产、针织百货、家具、皮货等，终于闯出了一条属于自己的路。从1991年正式开办常记商场，在短短几年内，“常记”的经营创利连年大幅度增长，“常记”在唐山市家喻户晓，常玉珍也成为尽人皆知的女能人。

常玉珍致富以后不忘回报社会，出资460万元创建了一座占地2.5亩、建筑面积2700平方米、宾馆式的功臣幸福院，又出资300多万元，在风光秀美的迁西大黑汀水库旁建起了一座建筑面积1500平方米的功臣疗养院和军人度假村。1997年出资创办了老区孤儿村。以上“二院二村”共接纳26位功臣老人和13名来自革命老区的孤儿，常玉珍每年支付的管理费用就达20多万元。1998年3月，江泽民总书记特意委托中央办公厅致信，肯定了常玉珍致富不忘报国、爱心奉献社会的动人事迹，并对功臣幸福院、老区孤儿村的功臣和孤儿表示慰问。

常玉珍热爱解放军，每年“八一”，她都到部队慰问。1999年，当她得知解放军255医院建老干部病房资金短缺时，就送去14张病床和价值5万元的全部病房设施。

十几年来，常玉珍为社会公益事业奉献了1200多万元，建起了戏楼、孤儿村、工业品批发市场、爱国主义教育展厅等。2000年3月，她通过公证处公证，将功臣福利院、功臣疗养院等13处价值数千万元的全部财产无偿地献给了社会。她为全国城运会、遭受火灾的林西百货大楼、张北地震、南北方水灾先后捐资6.2万多元。她对社会上的特困户和遭遇不幸的人，都尽力相助。她先后拿出4000元，并坚持每月寄上300元，帮助一位家遇不幸的贫困大学生完成了学业。

常玉珍先后获得了河北十大女杰、全国拥军模范、第三届中国十大女杰、全国三八红旗手等荣誉称号。

（全国妇联宣传部
河北省文明办）

王嘉玲

王嘉玲，女，中共党员，中国长江航运集团重庆长江轮船公司总船长。

1976年，王嘉玲作为长航重庆长江轮船公司客轮服务员，到货轮作见习水手。每天王嘉玲做完水手的活又去学操舵技巧，一有空闲时间就在船舱里背地名、记旗语、默认航行通行信号，学习船舶原理、船体结构、船舶驾驶、航道水文等专业知识，写下了50多万字图文并茂的读书笔记，还把重庆至上海航线上100多个碍航礁石熟记于心。1980年，她通过了国家级的严格考试，成为我国航运界第一个走通世界上最长的内河航线——重庆至上海长江航线的女船长。

王嘉玲就任船长后，带领驾引人员实现了轮船连续3年无任何责任事故的目标，第二年就跨入重庆公司文明船行列。王嘉玲35岁时，被任命为指导船长，保证了她所负责的涉外大型豪华游轮的安全。特别是1998年，在长江遭遇特大洪水的70多个日夜里，由于信息准确，措施得当，王嘉玲所指挥的4条游轮没有耽误过一天航期。20多年来，王嘉玲从掌舵、驾船，到当船长，个人安全航行160多万公里，从未发生过任何安全责任事故，谱写了中国妇女成功驾船的辉煌业绩。

1999年5月，王嘉玲被任命为长航重庆长江轮船公司总船长。她上任后，就大力推行依法驾船，落实三级管理责任制，从严从重处理责任事故，严肃追究分管领导人的责任，并狠刹违章航行，加强各级安全监督管理，使广大驾引人员的遵章守纪和安全意识有了普遍提高。1999年初，重庆长江轮船公司在重庆地区航运企业中率先实施了安全管理新机制，王嘉玲多次组织有关人员培训，认真研究安全管理体系文件，使科学管理更加规范化，安全管理新机制运转质量达到了一个新的高度。2000年7月初，长江第一次洪峰到达川江，葛洲坝流量达到每秒54300立方米，长航重庆长江轮船公司的数百艘船舶安然无恙，没有发生一起事故。

1995年以来，王嘉玲先后获得四川省妇女十杰、重庆市十大杰出青年、全国先进女职工、交通部劳动模范、全国劳动模范等荣誉称号，2000年，她被全国妇联授予第三届中国十大女杰和全国三八红旗手的荣誉称号。

（全国妇联宣传部）

郭新志

郭新志，女，中共党员，山西省脑瘫康复医院院长。

从1980年起，郭新志凭着扎实的医学理论基础，把工作学习融为一体，白天边治疗边向医院的老专家请教学习，晚上自学有关专业知识。为了获取第一手资料，寻找最佳治疗方案，她反复在自己身上试验针感，然后再给患者治病。经过多年学习和实践，终于攻克了“中西医综合治疗儿童脑瘫”的高难课题，而后又攻克了“老年痴呆的综合康复研究”的尖端课题，获得国家和省的科技奖励，并已在国内21个省市和美、日、德等18个国家推广应用于临床，收到良好的效益。她还先后完成了“七五”、“八五”儿童保健和脑瘫治疗的研究课题，研究成果经专家鉴定填补了国内外空白，达到国际领先水平。

在党和政府的支持及社会各方面的共同努力下，郭新志创办了集科研、治疗、教育、康复为一体的山西省脑瘫康复医院。几年来，她先后诊治海内外小儿脑瘫患者和老年痴呆患者18600多例，其中5000多例已入托上学或参加工作，6000多例生活基本自理，其余正在治疗康复之中。经专家临床和随访验证，总有效率达到97.8%。

郭新志已被收录于《世界名人录》、英国剑桥《国际传记中心》、《中国专家人才辞典》、《二十一世纪人才库》等20多种权威辞书中。她多次受到党和政府的表彰，曾被选为全国劳模特邀代表，荣获全国先进工作者、全国优秀儿童 工作标兵、全国巾帼建功标兵、全国三八红旗手、全国优秀科技工作者等荣誉称号。她是全国五一劳动奖章获奖者，还获得了山西省特级劳动模范、十大杰出青年、三八红旗手、优秀专家、精神文明标兵等荣誉称号。郭新志获得过多项国家及省部级科技成果奖励，她把数万元奖金全部捐献给了社会福利事业。2000年，她获得了第三届中国十大女杰的荣誉称号。

（全国妇联宣传部）

项丽英

项丽英，女，1952年出生，辽宁省鞍山市永安集团董事长。

项丽英是一名普通的农家女，高中毕业后回乡务农。1978年，她在党的十一届三中全会精神鼓舞下，开始走上了闯商海的道路。1983年，她利用自己所有的积蓄创办了庭院式的钢窗厂。她不断扩大企业规模，先后两次买断集体企业，安排400名下岗职工和特困农民。到1994年，产品已由原来的单一品种门窗扩展到防火门、防盗门、高档幕墙等40多个品种。

为了提高产品档次，增强竞争能力，她成立了新产品开发小组，聘请了中科院的专家，并且不惜重金购买绿色环保型材配方，借鉴国外技术，立足国内创意，改进工艺流程，经过反复试验，研制出了高性能、高质量的新产品。经过17年的艰难拼搏，到1999年，项丽英创建的永安集团已从一个庭院式工厂发展成为具有占地面积8万平方米，固定资产5000万元，产值2.2亿元，实现利税1400万元，下设7个分公司的民营企业集团，她率先生产并独家经营的绿色环保塑钢门窗，在建材行业掀起了一场绿色革命。新产品问世后，被国家和省、市重点工程采用。

永安集团被列入全国500家最大民营企业前列。

多年来，项丽英还积极赞助社会公益事业，她尽自己所能为新疆和田地区打井和为希望工程捐款，到青海化隆扶贫，为洪灾风灾解囊，为家乡建设出力，救助孤寡老人等，共计240多万元，被辽宁省委、省政府授予扶贫状元称号。

随着企业的发展，项丽英注意融进现代企业的管理方法，并且积极抓好企业的文化，不断提高职工的政治业务素质，为企业的长久发展奠定了坚实的物质基础。

项丽英曾被评为辽宁省十大女杰、省优秀女企业家、省劳动模范。2000年，她又被授予中国十大女杰和全国三八红旗手的荣誉称号。

（全国妇联宣传部）

郄秀书

郄秀书，女，1963年12月出生，中国科学院寒区旱区环境与工程研究所研究员，兼任全国妇联第三届执委会和甘肃省妇联会执委。

郄秀书一直从事大气电学的研究工作，先后主持或参加了13个国家级、部委级科研项目，目前仍主持着3个重要研究项目。多年来，她在协电电磁辐射、雷电物理过程、雷暴的动力—电结构、雷暴云下近地面电荷结构和中国内陆高原雷电等方面进行了较为深入的研究，曾获得中科院自然科学三等奖1项、中科院科技进步二等奖2项，并在国内外学术刊物上发表论文50余篇。

在雷电物理和雷害机理研究方面，她在国内首次对中国南方和北方的闪电辐射场进行了宽频带测量和分析，利用闪电的电子辐射场对地闪首次回击的放电参数进行了估算，得到了回击峰值电流、电流时变率、峰值功率上升时间等防雷设计所必需的参数，不仅在雷电物理研究中有重要的科学意义，而且为通讯、电力、航空等领域的雷电防护设计提供了重要的资料。

在雷暴特征以及雷电参数在气象学中的应用研究方面，她利用地闪定位和雷达回波的对比分析，以及一次雷暴过程的地闪定位资料和雷达回波的对比分析，发现了在中尺度天气系统中闪电可能比雷达提前指示强对流活动发生和发展的规律，指明了闪电资料在风暴短时预报中应用的潜力。

在中国内陆高原的雷暴和雷电特征研究方面，她与日本科学家合作，利用宽带慢天线电场变化仪多站组网对自然雷电放电过程引起的地面电场变化进行了观测，进一步证实了高原雷暴中云底部大量正电荷的存在，导致了地闪首次回击之前常有持续的云内放电，其建立的良好电离通道对地闪的产生起了重要作用。这一研究还首次发现了高原雷暴的云内放电过程起始于云内的负电荷区，从而深化了对高原雷电的认识。

她于1995年获得国务院特殊津贴，1997年荣获中国科学院十大杰出青年荣誉称号，1998年荣获甘肃省巾帼十杰荣誉称号，同时还获得了第六届中国青年科技奖和中国科学院院长奖学金特别奖，2000年荣获第三届中国十大女杰和全国三八红旗手的荣誉称号。

（全国妇联宣传部）

先进单位

浙江省杭州市

文明城市　温馨家园

近几年来，杭州先后荣获“国家卫生城市”、“全国双拥模范城”、“中国优秀旅游城市”、“全国城市环境综合整治优秀城市”、“全国绿化先进城市”、“全国科教兴市先进城市”、“全国园林城市”、“全国创建文明城市工作先进城市”等项称号。

城市面貌为之一新。市区延安路、环城西路等12条主要道路及主要入城口，周围环境、建筑立面、建筑色彩等有了整体设计和全方位“包装”，美化了街景。作为城市标志性建筑的铁路新客站、吴山广场等已崭露新姿。

社会秩序明显改观。车行其道，人行其道，畅通，便捷。城区创建安全文明小区486个，占城区居民区总数的76.1%，受益群众达105万。“串百家门、知百家情、办百家事、解百家难”的凝聚力工程，“手拉手、邻帮邻、共建和睦大家庭”的社区志愿者服务活动，使杭州市民的心情舒畅。全市481个社区创建面达100%，涌现出一批“文明社区示范点”、“安全文明小区”、“优秀物业管理小区”等在全省乃至全国具有领先水平的优秀小区。

人们的精神状态积极向上。“致富思源，富而思进”，“弘扬中华美德，争做时代新人”，成为各级干部、市民群众和青少年的行动方向。热爱杭州，敬业奉献，为城市建设增光添彩。杭州人普遍增强了社会公德意识、责任意识、卫生意识、环保意识。

党和政府的凝聚力得到增强。“建经济强市，创文化名城”的总体任务，“经济保领先，文明创一流”的工作目标，“为群众服务，靠群众参与，让群众满意”的创建主题，“12345”的市长公开电话，“扩大对外交流，展示杭州形象”的各种大型文化活动，使杭州上下“心齐、气顺、风正、劲足”，在优良秩序、优美环境、优质服务、优化管理之中，人们有了安全感、亲切感、舒适感、文明感。

一、经济发展需要文明建设

从1992年邓小平同志南方谈话开始，杭州掀起了思想大解放、经济大发展的热潮。杭州市委制定了经济发展的规划，也确定了精神文明建设的发展意见。8年来，杭州市委始终坚持“两手抓，两手都要硬”。从1992年到1999年，杭州市国内生产总值净增1000亿元，年均递增18.1%，达到1225亿元，经济总量位居全国省会城市第二。1999年全市财政总收入102.66亿元，同比增长18%。

1999年3月，杭州市召开市委扩大会议，大家一致认为，把杭州创建成为全国一流文明城市，是实现杭州“建经济强市，创文化名城”，在2010年基本实现现代化战略目标的重要内容，反映了加快杭州经济社会发展的内在要求，也符合广大群众的迫切愿望。

杭州市确定了创建工作的基本思路和工作重点，提出了6个方面的阶段性目标：经济发展、生活改善，环境美化、设施完善，秩序优良、社会安定，文化繁荣、科教进步，领导有力、制度健全等。针对群众的意见要求和影响杭州城市形象的主要问题，确定了全年创建工作要在改善城市环境面貌和环境质量上，在弘扬良好社会风尚、树立行业新风上，在提高社会治安管理水平和市容管理水平上，取得突破性进展，并把这些重点任务分解为17项具体的工作要求，落实到各个城区和各个部门。

市里建立了由市委、市政府主要领导负总责，分管领导全力抓，四套班子合力抓的领导体制；调整充实了市创建活动领导小组，由市委分管副书记任组长，三名市委常委、三名副市长及人大、政协有关领导任副组长，负责创建活动的日常工作，同时抽调精干力量建立了创建活动的办事机构；建立了环境、秩序、服务、社区、文化等七个创建活动专项组。

市领导把文明社区建设作为一项专门的调研课题，深入社区进行调查研究。市里适时出台了关于加强社区管理工作意见，在街道建立“一委、三办、两中心”(社区管理委员会，精神文明办公室、城市管理办公室、综合治理办公室，社区资产管理中心、社区服务中心)。1999年8月，100家市级机关单位与社区结为共建对子，各区机关单位也纷纷与社区结对。营造社区整洁美观的环境，顺应人心；维护社区安全秩序，安定人心；搞好社区便民服务，温暖人心；丰富社区文化生活，陶冶人心；加强社区道德建设，凝聚人心。

二、文明建设促进经济发展

良好的投资环境，吸引了更多的外商和外资。到2000年4月，来杭州投资的国家和地区已达69个，全球500强中已有26家在杭投资。在杭州经济技术开发区、萧山经济技术开发区、杭州高新技术产业开发区，可以看到美国通用汽车、摩托罗拉、默克药业、日本松下、德国西门子等的生产流水线和新产品。

“创建出文明，文明出繁荣，繁荣出效益。”创建文明城市活动，有力地推动了杭州商贸业的发展，提升了商业品位，促进了商业销售。在“全国百城万店无假货示范街”延安路上，20家重点商家1999年零售总额达28.3亿元，同比增长20.21%。

作为全国首批文明风景旅游区示范点，西湖环湖景区越发清秀亮丽。西湖游船成为湖上流动的风景，西湖亮灯工程使夜西湖真正成为天堂里的梦境。据有关部门提供的资料，1999年来杭州的海外游客达59万人次，旅游外汇收入2.37亿美元，分别比上年增长16.4%和12.9%；国内游客达2207万人次，旅游收入达166亿元，分别比上年增长4.1%和13.7%。杭州，正实施“蓝天、碧水、绿色、清静”工程，将建设成美丽、文明、繁荣的世界一流风景旅游城市。

三、群众的呼声是创建工作的第一信号

杭州市始终把解决群众普遍关心的热点、难点问题作为创建工作的重点和着力点。“12345，有事找政府”。“12345”市长公开电话开通后，平均每天受理300件左右，其中95%以上的问题得到较为圆满的解决，群众满意率达86%以上。

1999年，杭州市组织了万人调研，把影响市民生活、有碍城市形象的问题逐一排查，列出了8个方面180个重点问题，如违法建筑、环境卫生、道路综合整治、绿化、污染治理、交通治安、旅游秩序、马路市场、机关作风等，据此确定了2000年10项为民办实事工程。

90年代初期，杭州市创建活动的着力点是解决影响群众生活、制约城市发展的基础设施建设问题，如出行难、就医难、入学入托难、住房困难等问题。这几年，随着社会的进步，群众生活质量的提高，他们把重点放在了解决市民普遍关注的城市环境保护、卫生、绿化、交通秩序等问题上。广大市民对丰富的文化娱乐生活、健全的社区综合服务等表现出极大的关注。

正是在这种适应群众不断提高的要求中，杭州市的创建工作也在持续地提高层次，不断升华，形成了“政府关心市民，市民支持政府”的良好氛围。

四、重在过程、重在参与

杭州市在创建工作中提出，精神文明建设重在过程、重在参与。

1998年，市政府首次公开展出《杭州市第一轮城市总体规划》讨论方案，收到了意想不到的效果。杭州市民参观人次超过10万，收到意见信数千封。

政府广泛听取民意，实行民主决策，公众参与意识高涨，促进了城市规划设计建设的完善。2000年，杭州市的城市建设紧紧围绕“建经济强市，创文化名城”和加快城市化进程的战略目标，全面开展城市设计大讨论，将由政府牵头、市民唱主角。

建于70年代末的杭州市江干区凯旋街道双菱社区曾经是“道路破损多、脏水满溢多、卫生死角多、偷窃案件多、群众怨言多”的老住宅区。通过一年的创建，老区面貌发生巨变，成为杭州市文明社区示范点。

同样属于凯旋街道的夕照社区也是杭州市较早的旧社区之一，共有54幢居民楼，2550户居民，8000多人。小区有四多：违章搭建多、破墙开门多、无证经营多、流动人口多。1999年10月，在全市文明社区、文明街道、文明铺面等评选中，夕照小区被评为全市最差小区之一。出差在外的小区居民何益民在宁波看到了这条消息特地给区政府写信，强烈要求区政府下大力气改变夕照小区的面貌。当小区居民得知政府下决心整治时，大家冒雨赶来参加“我为社区献爱心，社区给我好环境”为主题的捐款活动。不少居民主动拆除违章建筑。街道将整治方案向全体居民公开，并让居民参观社区效果图，有1000多居民对如何建设自己的家园提出了自己的见解。

在创建文明城市过程中，杭州市民的观念发生了变化，不再是单纯地依靠政府，而是发挥自己的主动性和创造性，用自己的双手建设美好的家园。

五、依法治市，规范制度，提高人的素质

杭州是座老城，城区面积小，道路狭窄。而前些年在市区内的违法建筑和到期临时建筑达150余万平方米，严重影响了城市的绿化、市容、市貌和人民的生活。1999年5月27日，杭州市委常委会专题研究拆除违法建筑工作并作出重要决策。市政府根据有关法律、法规，出台了《关于进一步清理和拆除各类违法建筑的通知》。7月21日，市人大常委会审议通过了《关于拆除违法建筑遏制违法建设行为的决定》，组织人大代表对执行决定情况进行督查。到2000年5月初，全市已拆除各类违法建筑128万平方米。

杭州市人大常委会充分运用法律赋予的地方立法权，从杭州作为全国重点风景旅游城市、历史文化名城这个特点出发，先后审议通过了《杭州市西湖水域保护管理条例》、《杭州市环境噪声管理条例（修正案）》、《杭州市文物保护管理若干规定》等21个地方性法规，依法治市，保障和促进了创建工作的顺利开展。

“门难进，话难听，脸难看，事难办”，这是许多群众对职能部门和“窗口”行业的反映。要改变这种状况，思想教育是必要的，但更重要的是建章立制，靠制度来规范。杭州市文明委先后制订了《杭州市文明行业建设管理办法》、《杭州市文明服务示范点达标考核办法》。商业、交通、建设、卫生、公安等21个与人民生活息息相关的“窗口”行业，登报公开了创建承诺服务内容，接受社会各界的监督。全市各“窗口”行业细化服务规范，量化服务指标，以知晓率、执行率、达标率、满意率等为标准，对服务质量进行量化考核。

杭州市委、市政府按照长效管理的思路，出台了关于加强社区管理的21条意见，形成了“两级政府、三级管理、四级网络”的城市管理新格局，从市、区两级政府延伸到市、区、街、居四级组织，从政府部门辐射到市民群众。

从签订政府目标管理责任书，到各项制度的规范和实行，杭州在市容卫生长效管理上，达到了“道路清扫机械化、街面保洁延时化、垃圾收集袋装化、现场监督定岗化、‘门前三包’责任化、城郊环卫一体化、环卫作业市场化”。

全市已有45条（段）道路实行了12—16小时保洁，下城区的29条主次道路全面推行了全日制保洁，还实行了街长、路长、段长负责制，把环境保洁、秩序管理的责任落实到人。

杭州市把提高人的素质作为创建城市文明的根本，加强思想道德建设，大力弘扬时代精神和良好的社会风尚。

杭州市浓厚的文明城市氛围，感化了人的思想，陶冶了人的情操，引导了人的行为。杭州城里处处可见人与人的关心，人与社会的互助，人与环境的和谐。

杭州福利院的6个孤儿长大成人了，对院管理人员说：“阿姨，我要工作。”此事一经《杭州日报》下午版披露，70多家企业老总争先恐后，都向孤儿发出了邀请。他们都觉得有责任为孤儿创造工作的机会，为孤儿献一份爱心。

古运河畔的杭州市朝晖街道，有一个康复中心和残疾人服务中心。街道民政助理员胡玉华介绍说："我们在这里照顾以弱智残疾为主的工疗人员55人，他们全年都在这里，通过药疗、手工疗和文艺活动，有所康复。一年中还带他们出去春游、秋游。"这些弱智残疾人被安置在这里并得到照顾，他们没有被社会抛弃。只有在文明的社会里，人的生存权才会得到尊重。杭州市的文明由此可见一斑。

（摘自2000年6月5—7日《人民日报》）

评论：杭州文明创建的"五个一"

杭州创建文明城市的基本经验可以概括为"五个一"，即：有一个清醒的认识，有一个坚定的目标，有一个鲜明的着力点，有一套高强度而又实实在在的措施，有一个好的领导体制和工作机制。

认识提高才能行动自觉。杭州市委、市政府提出，创建全国一流文明城市是实现现代化的重要内容、加快经济社会发展的内在要求、人民群众的迫切愿望。他们认真贯彻"两手抓，两手都要硬"的战略方针，在集中精力抓好经济建设的同时，把精神文明建设放到突出位置，自觉做到狠狠地抓，一天不放松地抓，从具体事件抓起。

目标明确才能具体实在。杭州在文明城市创建中提出"四优四感"，即优良秩序、优美环境、优质服务、优化管理，安全感、舒适感、亲切感、文明感，实施"蓝天、碧水、绿色、清静"工程，争创全国一流文明城市。这样，各单位、各部门以及社会各方面任务具体，市民心里亮堂，知道自己要做什么，该怎样做，有很强的可操作性。

有着力点才能抓住关键。群众的呼声是创建的第一信号，把热点、难点、疑点问题作为创建活动的着力点，这是杭州创建工作的一大特色。"12345"市长公开电话受理中心、朝晖街道残疾人服务中心、延安路创建"百城万店无假货"示范街等，都是从群众的生活和工作需要出发，为群众排忧解难而开展的创建项目和活动，因而赢得了群众支持，基础深厚，富有活力。

措施有力才能落实任务。杭州市从城市整体发展出发，总体规划，抓住重点，软件、硬件配套，教育、管理结合。他们组织了整治市容环境，整治治安秩序，整治交通秩序，整治违法建筑"四场硬仗"。这些措施收到了好的效果。

体制、机制健全才能各司其职又团结协作。由书记、市长亲自抓，四套班子共同抓，职能部门配合抓，专门班子具体抓，因而他们能够做到分工负责，齐抓共管，两个文明建设任务一起部署，一起落实，一起检查，形成了合力。

杭州文明城市创建活动，是广大干部群众生气勃勃的创造。它之所以受到广大市民的欢迎，吸引社会各界广泛参与，根本原因就在于，文明城市创建反映了经济和社会发展的内在要求，符合人民群众的根本利益，也符合杭州的实际情况。杭州的实践进一步证明，只要善于把江泽民同志关于"三个代表"的重要思想贯彻落实到党的各项工作中去，我们的事业就会稳步前进、兴旺发达。

文明城市创建工作对于进一步加强社会主义精神文明建设具有重要意义。在这方面我们已经取得了可喜的进展，但需要进一步研究和实践的问题还很多。杭州的经验对各地文明城市创建有示范作用。事实充分说明，精神文明抓与不抓大不一样，认真抓与一般抓大不一样，抓得紧与抓不紧大不一样。只要认真抓，坚持不懈地抓，就会有成效。各地应结合自己的特点和情况，学习借鉴杭州的经验，把文明城市的创建工作做得更扎实、更有效。我们相信，只要我们以对人民极端负责的精神，狠抓落实，努力探索，务求实效，杭州的经验在其他城市同样可以开花结果，使越来越多的城市变得更文明、更美丽。

（摘自2000年6月5日《人民日报》）

广东省深圳市

两个文明比翼齐飞

20个春秋，20年的奋斗，深圳的物质文明建设和精神文明建设比翼双飞，创造出了举世瞩目的辉煌。

一、两手抓两手都要硬

从特区创建之日起，深圳就把经济发展同精神文明建设融为一体，始终坚持一手抓经济建设，一手抓精神文明，使两个文明建设协调发展。

经济特区创办初期，深圳在引进外资、高速发展经济建设的同时，就根据毗邻港澳，实行对外开放的特点，提出了“有所引进，有所抵制，排污不排外”的口号，在大力引进外资，积极实行对外开放的同时，又坚决抵制了各种非无产阶级思想的侵蚀。他们开展了“五讲四美三热爱”和“文明礼貌月”活动，有效地提高了市民的思想素质和道德素质。80年代中期，深圳又开展了“做文明市民，创文明单位，建文明城市”为主题的精神文明建设系列活动，在各条战线上涌现出了一批又一批文明单位、文明市民和先进个人，有力地推动了全市的精神文明建设。1985年，深圳颁布了第一个精神文明建设文件——《深圳经济特区社会主义精神文明建设大纲》，这一具有指导性文件的出台，使深圳的精神文明建设走上了规范化、制度化的轨道。进入90年代，深圳的精神文明建设抓得更紧，更实。1991年，出台《深圳精神文明建设“八五”规划》，1996年，制定《深圳精神文明建设“九五”规划》，1998年，颁布《中共深圳市委市人民政府关于开展创建文明市、文明区活动的决定》，通过层层落实，使深圳的精神文明建设提高到一个新水平。

历届市委、市政府的决策者们都把精神文明建设作为事关全局的大事，同抓经济建设一样，舍得花资金，下气力。他们把精神文明建设纳入城市发展规划，从文化娱乐设施、教育体育卫生建筑到公园、广场、绿化用地，都布局合理，规划有序。他们为了把精神文明建设推向深入，开展了以科学文化知识、创业精神、社会公德、民主法制为载体的四项基础教育，以“做文明市民、创文明单位、文明城市”为载体的创建活动，以创三优争一流为载体的争创活动，以扶贫帮困为载体，倡导乐于奉献的风尚，使精神文明建设立足群众，扎根基层，有声有色，卓有成效。

抓精神文明建设，领导是关键。深圳采取的办法是“一把手”抓“两手”。从市委、市政府到各区、局、基层办事处，精神文明建设都是由“一把手”亲自负责。他们把精神文明建设作为考核各级领导班子和工作好坏的重要标准，建立健全各级党政领导目标责任制，并加以检查监督。在开展创建文明市、文明区工作中，他们将精神文明建设融入有形的目标责任制，市委、市政府分别与全市6个区、17个局和工青妇部门签订了目标责任书，目标层层分解，由一把手挂帅一级抓一级。使全市的精神文明建设形成了领导负责、全民参与、齐抓共管的生动局面。

二、“精神文明，重在建设”

在精神文明建设中，深圳如同抓经济建设一样，由领导挂帅，群众参与，采取强有力的手段和措施，抓宣传、抓建设、抓落实，有力地推动和促进了精神文明建设，在建设有中国特色的社会主义道路上，创造出了一流的业绩。

抓好宣传教育，改善建设环境。抓精神文明建设，舆论宣传是先导。深圳充分发挥新闻媒体和宣传部门的作用，利用各种宣传方式和渠道，大力宣传党的方针政策和深圳精神文明建设的文件和决定，使党的政策深入人心，深圳的有关规定家喻户晓。

典型引路，是深圳推动精神文明建设的重要举措。近几年来，深圳先后推出了富而思进的南岭村、创建一流警队的市交管局、“走万家、送安全”的市消防局、“特区精神文明建设好六连”、“中英街上活雷锋陈观玉”、“人民的好公仆贺方军”等先进单位和个人。

环境建设是精神文明建设的一项重要内容。深圳从建市开始，就把环境建设作为社会主义精神文明建设的基础工程，经济持续发展的“保证工程”，城市兴旺发达的“形象工程”，群众团结向上的“民心工程”，在高起点规划、高标准建设、高效率管理的前提下，舍得投资，整治环境，建设环境，初步实现了“一街一景点，一镇一广场，一村一公园”的目标。

近3年来，深圳进行了声势浩大的“城市形象工程”建设，拓宽道路，拆迁违章房屋，绿化美化环境。全市人均公共绿化面积达13.89平方米，绿化覆盖率高达45%，先后荣获“国家园林城市”、“国家卫生城市”、“全国优秀旅游城市”等光荣称号。

整顿社会治安，创建文明社区。深圳地理位置特殊，经济成分多元化，人员构成复杂，400多万人口中流动人口占3/4。特殊的条件给社会治安综合治理带来了很大难度。

深圳把社会治安综合治理作为精神文明建设的一项重要内容，当做“人民群众满意不满意、高兴不高兴”的衡量标准，严厉打击“黄赌毒”，大力整顿社会治安。1998年8月，深圳市委、市政府作出了《关于加大综合治理力度，两年内实现社会治安更大好转的决定》，先后制定修改了《深圳经济特区社会治安综合治理条例》等法规，使治安工作有法可依，有章可循。一场声势浩大的社会治安综合治理高潮在深圳掀起。市五套班子领导直接深入第一线，指挥和检查“严打”斗争，各区、镇党政一把手高度重视、敢动真格。经过严厉打击和综合治理，深圳的刑事案件发生率大大下降，社会治安明显改观，人民群众的安全感显著增强。

深圳在一手抓整治的同时，一手抓文明社区的创建工作。目前，深圳已形成了以创建安全文明小区为社区建设体系，建立和健全了“党政统一领导，综治（政法）机关带头，公安担当主力，社区主体实施，部门协调配合，群众广泛参与”的社区管理体制和以规划、组织、建设、管理、服务等功能要素有机结合的创建工作体制。通过建设安全文明小区，以一个个小区局部的社会治安的稳定，带动了全局社会治安的根本好转，推动了社区精神文明建设和社会的全面进步。

几年来，全市共投入创建经费12.5亿元，建成安全文明小区达2000个，创建面积覆盖率和人口覆盖率分别达到55.6%和96.9%。

加快教育发展，繁荣文化事业。“发展深圳，教育为本”，这是深圳历届决策者们在实践中形成的共识。政府每年对教育的投入占财政收入的15%，仅从1995年以来，全市的教育投资就达139亿元。

深圳的教育事业在全市各行各业的支持和配合下，得到了长足的发展。1994年基本普及了高中阶段教育，高等教育从零起步，发展较快。深圳大学1983年创建以后，教育质量得到稳定提高，1996年通过国家教委本科教学评价，并获得硕士单位授予权。

“科教兴市”战略的全面实施，使全市居民的科学文化素质得到了很大提高。现在，深圳拥有大专以上学历的人数已达70多万人，海外留学生来深圳工作的达2000多人。

深圳是个新建的年轻城市，文化建设底子薄，曾一度被戏称为“文化沙漠”。深圳人明白自己的不足，他们把短处当动力，从80年代的深圳大剧院等“八大文化设施”，到90年代的关山月美术馆等“新八大文化设施”，从客家民俗博物馆到镇村级群众艺术馆，深圳的文化设施建设已居全国领先地位，为创建文明市、文明区营造了良好的文化环境。

坚持主旋律，提倡多样化，大力组织实施以“五个一工程”为龙头的精品工程，是深圳繁荣文化事业的重要举措。近年来，在广大文艺工作者的辛勤耕耘下，深圳涌现出一批有广泛影响的优秀作品。歌曲《春天的故事》、《走进新时代》唱红大江南北；电影《花季·雨季》荣获中国电影华表奖；广播剧《抬头一片天》、舞剧《深圳故事·追求》、粤剧《情系中英街》均获“五个一工程”奖。电视连续剧《钢铁是怎样炼成的》由中央电视台播出后，在全国引起强烈反响。据不完全统计，深圳市包括文学艺术、新闻出版、广播电视等共获国家级奖76项，省级奖151项，国际奖20项。深圳这个昔日被称为“文化沙漠”的城市，如今已变成了“文化绿洲”。

三、抓好精神文明建设，促进人的全面发展

深圳经济在发展，城市面貌在巨变。在这里生活和工作的人们，思想在更新，观念在变革，正以全新的精神风貌展示着今日深圳人的风采。

人际关系融洽和谐。“深圳人是物质生活的富有者，精神财富的贫困者。”在内地，人们有过这样的担心和议论。但是到了深圳，沐浴着社会主义的温暖，领略着他们观念的变化，体会着高尚的道德风范，都会得出这样的结论：深圳人不仅是物质生活的富有者，同样也是精神财富的富有者。

向春梅这位普通老师高尚的道德风尚，是深圳人精神风貌的真实写照。1999年6月，向春梅癌症到了晚期，她在临终之际，将自己完好的眼角膜无偿地捐献出来，使两位与她素不相识的盲人重见光明。向春梅的事迹通过新闻媒体被广为传颂，在深圳引起强烈反响，牵动着市民的情感。据卫生局局长周俊安介绍，全市已有1000多人立下捐献眼角膜的遗嘱，成为我国自愿捐献眼角膜最多的城市。同时，捐献骨髓、捐献组织器官的人也屡见不鲜。

深圳有一支庞大的义工队伍——“深圳市义务工作者联合会”。在册的义工达到3.8万多人，年龄最大的76岁，最小的只有14岁。150多个义工服务站覆盖全市，为社会提供青少年辅导、法律援助、帮助孤寡老人、照顾残疾人等10多项服务。10年来，全市义工服务时间达到204万个小时，被誉为深圳特区的雷锋队伍。

从1998年开始，深圳实施了“大山的呼唤”志愿者扶贫接力计划，每年挑选20名青年到贵州黔南贫困山区支援教育事业。这一行动在青年人中引起强烈反响，3年间，全市自愿报名人数达到1.4万名。

法制观念深入人心。广泛、深入、持久的法制教育，使民主与法制观念在深圳深入人心。深圳人知法、懂法、守法，依法行事成为他们的行动准则。比如，在深圳酒店、宾馆门前都竖有“小心路滑”的提示牌。所有经营者们都知道，宾客、行人在门前摔倒，他们是要负法律责任的。

深圳人依法保护自己利益的意识特别强。购物索要发票已成为习惯，置业安居，会请律师研读各种购房文件和有关的法律知识，与单位签订劳动合同，要逐一认真斟酌。在深圳，所有的企事业单位都有自己的法律顾问，20多万人聘请了私人律师。律师成了深圳一个十分吃香的职业。全国第一个编写法律教材的城市是深圳，130多所中小学的30多万名学生开始学法，受到家长和社会各界的欢迎。

深圳人强烈的法律监督意识约束着深圳市各行政执法部门的行为，大家办事都会去查阅《政务公开手册》，各项收费、各个程序一目了然，不用担心执法机构搞“暗箱操作”。

与法制观念相一致的是，深圳人的民主意识也极其浓厚。历届党代会、人代会、政协会设置的旁听席，都会因为市民对重大决策参与的热情，不得不一再增加。1998年，深圳市准备把中心区西移，他们把规划通过新闻媒体交由市民讨论，两个月时间，收到的反馈意见就达千余条。

求学上进蔚然成风。入夜，深圳大多数教室灯火通明，各种讲座、补习班，让不同层次的求学者都能“对号入座”。据统计，全市每天参加补习班的人数就有9万多人。不少机关干部、企业老总以及公司职员、打工仔在下班之后，一边吃着快餐，一边打车赶往教学点。有些人一个晚上学两个专业，回家还得做作业。求学成为深圳的时尚，深圳人乐此不疲。

深圳市各区、街道、村镇都建有具有较高水平的图书馆。图书馆不仅为市民提供了读书、阅报的场所，而且成为另一种教育形式，常年开展各种类型各种形式的教学班，以满足市民求知、深造、提高的需求。1999年，深圳销售书额2.4亿元，其中一半为零售额。深圳人均购书量连续多年居全国之冠。

深圳外贸企业多，合资企业、外资企业多，他们招聘管理职员的条件之一，就是要有流利的外语。深圳人学习外语的热情之高、外语普及面之广居全国首位。电脑的普及率和上网人数的比例也领先于全国。在深圳的成年人，每5个人中就有1个人会驾驶汽车。

北大、清华、武大等国内知名大学在深圳开

办的在职硕士、博士生班，每年的名额都是供不应求，仅2000年就招考了3000多名。一位攻读博士学位的年轻人告诉记者，文凭对他来说并不重要，读书为的是提高自己。

（摘自2000年10月23—25日《人民日报》）

评论：生机盎然的精神文明窗口

在改革日益深入，开放不断扩大，各种思想文化互相激荡的时代背景下，如何搞好社会主义精神文明建设？深圳为我们提供了宝贵经验。

深圳是我国改革开放的窗口，也是社会主义精神文明建设的窗口。这个生机盎然的窗口，展现着有中国特色社会主义的巨大优越性和强大生命力，显示着社会主义精神文明建设的内在魅力和光明前景，证明了党中央创办经济特区的决策是完全正确的，两个文明一起抓的方针是完全适合中国国情的。

深圳地理位置特殊，外来人口众多，中外文化交汇，经济成分多层次化，处在改革开放的前沿，这种特殊的“市情”，为创建有中国特色、深圳特色的社会主义精神文明提供了广泛的社会基础、良好的时代机遇，也带来了艰辛的探索，繁重的任务。深圳人没有辜负全国人民的期望，历史的重托，他们以邓小平理论为指导，在发展社会主义市场经济条件下，不断提高思想道德和科学文化素质，锤炼和锻造了新的思想、新的观念，交出了一份让全国人民满意的答卷。

深圳的精神文明凝聚着党的第二代、第三代领导核心的心血，倾注着全国人民的深情，满载着千千万万的深圳人对新生活的执著追求，对美好未来的热切向往。深圳人有理由为自己昨天的创造、今天的成就自豪，更有责任、有能力攀登社会主义精神文明建设的新高峰，使深圳在两个文明建设中更好地发挥窗口作用，辐射作用，试验作用。

深圳经验的价值和珍贵在于：她深深植根于历史的沃土，继承了中华民族传统文明的优秀成果，剔除了落后的糟粕；她紧紧追赶着时代的脚步，创造了领当代风骚的崭新的现代文明，形成了与时俱进的品格，培育和造就了一代社会主义新人。深圳现代化建设的实践，培育和造就了现代的深圳人；同样，有了具备现代意识的深圳人，才有一个现代化的深圳。深圳的实践说明，精神文明建设是社会主义现代化建设的重要保证，精神文明建设搞得好，就能为物质文明建设提供强有力的思想保证、精神动力和智力支持。

通过深圳这个窗口，我们看到的是，数百万在建设有中国特色社会主义大道上扬眉吐气、昂首阔步的深圳人，看到的是明天将在刚刚闭幕的党的五中全会精神指导下建造更加生机盎然的新深圳，看到的是一支在建设有中国特色社会主义旗帜下汇成的浩浩荡荡的两个文明建设大军，看到的是一个在21世纪将以新的文明、新的风貌、新的姿态屹立于世界东方的伟大民族。

（2000年10月23日《人民日报》）

辽宁省抚顺市毛公村

建设新世纪的新农村

全国创建文明村镇的先进单位——辽宁省抚顺市石文镇毛公村，近些年呈现出一幅喜人的图景：不信神，不信邪，按照市场需求组织生产经营，依靠科技致富；亦农亦工亦商，各行各业组合得井井有条，像在协调地演奏一部交响乐；手机、电话传递信息，网上售货、购货，农民逐步按现代化的方式工作、生活，城乡差别逐渐缩小……

占领思想阵地：农村这块阵地共产党人不去占领，其他人就去占领。基层党组织必须具有这种意识

毛公村位于辽宁东部山区的山沟里，多少年来，千把口人挤在一片瘠薄的土地里刨食，生活的钟摆在这里沉重地移动。赵世龄1986年接任党支部书记（后来改为村党总支部，他任党总支书记），他认准一个理儿：大家思想统一，劲往一处使，经济就能迅速发展。他带领党支部开展“立体式”的思想政治工作。

毛公村设置了广播站和电视转播站，除转播中央和省市的重要新闻外，每天两次播放各项法规和本村的典型；他们把全体农户分成村民小组，由党员负责做组里的思想工作，定为“党员责任区”；组织老年协会、青年读书会、妇女学习班，让思想工作占领村民的“缝隙空间”。有段时间，宗教活动在这一带盛行，毛公村40多名村民先后入教。赵世龄认为，宗教信仰是村民的自由，他作为党支部书记，用马克思主义的唯物论、无神论教育党员和村民则是自己的责任。因此，他带领党支部“一班人”利用广播、电视转播站、党员责任区、老年协会、青年读书会、妇女读书班，联系本村变化，深入浅出地学习唯物辩证法，在村民中逐步形成一个共识：毛公村祖祖辈辈信神，可毛公村还是那么穷。改革开放后，打破“大锅饭”，生活才真正改善。中年农民赵桂凡几年前入教，学习后改变了主意：“往后俺啥也不信了，一心跟着共产党走。”他坚决退了教，写了入党申请书。现在，村里40多个村民全部退了教，大家一心学科技，共同奔“小康”。

持续不断的思想政治教育，筑起一道坚固的防线。1999年春天，外地一些“法轮功”组织者到村里动员农民入伙练功，一个个都吃了“闭门羹”。一个“法轮功”组织者找到老党员赵德起，劝他修炼“法轮功”。赵德起摇摇头说：“你们的头头我知道，一个小小的初中生，当几年兵也没立过功。我对人生的悟道比他深，他的功我不练，劝你也不要再练。”有个“法轮功”组织者又劝有两个残疾孩子的邵桂三练功，邵桂三严肃地说：“咱们签字画押，如果练‘法轮功’后，两个孩子真的不再残疾了，我给你们叩头；如果残疾好不了，你就留下养活他们。”这个“法轮功”组织者不敢签订合同，灰溜溜地走了。

经济建设中心观念：说一千，道一万，发展经济是硬道理，思想政治工作必须紧紧围绕这个中心

围绕生产项目开展思想政治工作，引导村民解放思想，转变观念，保证项目成功，是毛公村的一种成功做法。这里地少人多，农业发展空间不大，认真合计，决定发展乡镇企业。赵世龄进行市场调查，发现塑料制品市场需求量很大，而且抚顺市就有三大炼油厂，原料充足。

赵世龄带领大家学习邓小平理论，讲自己的理解：“再也不能像过去那样蛮干，必须实事求是。我们的实际是：土地潜力小，必须另找出路；国家一些企业关闭，许多设备可花很少钱买回来；

一些科技人员下岗，不愁请不到‘诸葛亮’。”他的话在理，大家有了信心。村里买回旧设备，请来一位技术专家，建立一套新机制，很快生产出塑料袋，当年赢利 1.8 万元，开始了毛公村办工业的历史。

毛公村为了招聘能人，四门大开，广纳贤才。村里人争挑大梁，外地人赶来应聘：养鸡场、肉鸡加工厂、饲料厂、建筑公司，一个个办起来。现在全村已有企业 12 个，固定资产达 1500 多万元，年产值近亿元，利税达到 650 万元，在县里是数一数二的强村。

必胜信念：领导者无私才能无畏，无畏才能带领群众闯过各种难关，在社会主义道路上不断前进

毛公村党支部在工作中悟出一个道理：领导人只有无私才能无畏，无畏才能带领群众战胜困难，不断前进。他们“约法三章”，在党内外定期评议支部成员，实行民主监督。转播站需要两个播音员，活轻巧，赵家两个年轻媳妇要求干，赵世龄不同意，却选拔了两个外姓人。塑料厂质量检验员得罪人，都不愿意当，他派夫人张秀珠去干。张秀珠铁面无私，保证了产品质量。领导的模范行动感动了群众，全村人团结得铁板似的。

毛公村居民有赵、周、王、礼四大姓，号称“四大家族”，历史上就不团结。20 多年前，好惹事的礼家搬到外地，村里减少了许多矛盾。改革开放后，礼家要求搬回来住，许多村民不同意，担心他们回来拨弄是非。赵世龄力排众议，批准礼家回村，而且把他们当成党支部公正、廉洁的一面镜子。村里要选拔一名民兵连长，赵绪伟、赵绪龙、于志明、周洪义四人都合格。赵世龄找绪伟、绪龙谈心：“共产党员不搞家天下，咱不能把权力的接力棒老攥在本家手里不往外传！”两个青年理解书记的用意，退出竞争，周洪义当选，群众拍手称赞。礼家见党支部办事公道，把村民全当成自己的手心手背，从不偏谁向谁，个个心里服气，从不介入任何矛盾，礼家 10 户全被评为“文明户”。

超前思想：根据国内外政治、经济、科技的发展和变化，及时调整产业产品结构，适应市场需求

在这种思想指导下，毛公村的工农业生产在不断调整中迅速发展，他们的产品一直受到社会的青睐。

近年来，乡镇企业有些萎缩。相比之下，他们的铁矿管理水平低，技术力量少，就及时转让给一家矿业公司，保证了矿石销路，工人工资由每月平均 500 多元增加到 1000 多元。随着国有塑料企业的整顿，乡镇办塑料厂销路困难，赵世龄及时调整塑料厂的产品：停止一般包装袋的生产，集中生产国内外紧缺的集装箱用的包装袋，产品供不应求，年产值达到 2500 万元，一年创利税 400 万元。

在中国即将加入“世贸组织”的情况下，赵世龄感到农业将要受到严重冲击，立即进行第二次调整：增加一批保温大棚，发展“霜期农业”，生产高档蔬菜，满足城乡不断增长的需要；派人学习种植蘑菇技术，在大田种蘑菇 200 亩，收获后加工出口；建 1000 个蘑菇大棚，一年四季生产鲜菇，供应当地市场……

（摘自 2000 年 1 月 14 日《人民日报》）

评论：围绕中心　抓住关键

在新的形势下，党的农村基层组织如何开展思想政治工作，辽宁省抚顺市毛公村党总支部给我们提供了新鲜经验。

毛公村的主要经验是，围绕中心，抓住关键，卓有成效地开展思想政治工作。

毛公村党总支始终以发展经济为中心，以村民的根本利益为中心，以毛公村致富奔小康的目标为中心，全方位地开展思想政治工作。围绕实现小康，他们善于及时地把奋斗目标告诉村民，把党的政策、工作思路、发展前景和可能遇到的问题和困难告诉村民，以把村民的力量组织起来、调动起来。针对发展进程中出现的新情况新问题，及时做好解疑释惑、转变观念、鼓舞士气、凝聚人心的工作。

他们针对小富即安的思想，帮助村民树立竞争进取的意识；针对联产承包责任制以后管理较为松散的实际，开展权利义务教育；针对农村法制观念相对薄弱的问题，制定村规民约，进行遵纪守法的教育；针对村民富裕后出现的一些不健康思想，进行艰苦奋斗和科学文化知识的教育，帮助村民自觉抵制伪科学、封建迷信等不良思想的侵蚀。由于围绕村民利益，紧跟时代脚步，针对具体情况，动态地开展工作，因此，毛公村的思想政治工作就不是脱离实际的“皮毛”，而是有血、有肉、有声有色、有情有趣，真正成为村民的一种精神需要，一种鼓舞力量。

关键是领导班子的建设。毛公村党总支通过理论建设、形象建设、廉政建设，把党总支建设成一个有能力有威望有感召力的坚强领导核心，坚强的战斗堡垒。当前，我国农村正处在深刻的变革时期，思想空前活跃，任务异常艰巨，要求农村基层党的组织都能像毛公村党总支一样，始终站在时代的前列，坚强有力地带领农民建设社会主义新农村。

毛公村从一个经济文化比较落后的穷山村变成为经济快速发展，人心蓬勃向上，两个文明协调并进的先进村，思想政治工作发挥了巨大威力。毛公村的变化是一个缩影，是改革开放的缩影，是思想政治工作发挥威力的缩影，是农村党的基层组织建设不断向前推进的缩影。他们的先进经验，不仅对于村级党支部的思想政治工作有启发，对于乡镇、县市、省区以及各行各业加强和改进思想政治工作都有重要的借鉴意义。

（2000 年 1 月 14 日《人民日报》）

上海临汾路街道社区

真情凝聚人心

没有什么力量能比“凝聚力”更强大。

在上海闸北区东北端城郊结合部，在那个兴建不久的人称“平民化小区”的临汾路街道，就有这样一股强大的凝聚力。

这股力量，把一个荒芜之地变成大都市居民区；这股力量，把一个“脏乱差”的小区变成了拥有 1 个全国、9 个市级、6 个区级文明小区的安居乐业家园，成为全国精神文明创建工作先进单位；这股力量，让这里的 5 万居民沐浴在一股股春风中。

从垃圾成山到绿树葱茏，从“西伯利亚”到“小南京路”，在这些看得见的变化中，居民内心迸发出的是对社区管理者的热爱和信赖——这，正是临汾路街道“凝聚力”的重要根基

薛善良是 1997 年因市政建设，才从繁华的市中心动迁至星城花苑的。一脚踏进，全家心寒：熟悉的街坊邻居没有了，乘车不便，买东西不便，道路呢？更是“晴天一身灰，雨天一身泥”。如今，坐在绿地木椅上，看着整洁安静的小区，瞧着远处红红火火的大商厦，他庆幸当时没有扭头走掉：“在这里非常舒心，我哪儿也不搬了。”

其实，很多人比薛善良动迁到这里时更早，那时候的条件更糟。有人管这儿叫“西伯利亚”——意思是这里地段偏僻，11 年前还是一个荒芜乡村。90 年代初搬来的李锡祥老人，还记得从小区东头走到西头，就得“翻山越岭”。“山”，是垃圾山；“岭”，是砖瓦建材。

所以，当问及对现在的生活环境是否满意时，两位老人和这里的大部分居民一样，一迭声地说：“满意。”

他们的满意是有道理的：公交线路纷纷跟进，配套设施渐已成熟，各式店铺竞相开张，惹得居民笑称有了自己的“南京路”。变化最大的，当然是从昔日的脏乱差变成了连续 4 年的市区红旗卫生街道，垃圾山已是葱茏绿树、亭台楼榭，“臭”名远扬的垃圾街——阳泉路也修葺一新，成了远近闻名的“绿化休闲街”……

但，最让人们满意的，是街道、里弄干部的工作。

在临汾路街道，干部常说一句话：思想工作灵不灵，就看做事实不实。挂在街道工委书记李林沿、街道办事处主任宋强嘴上的，也是那句：“群众满意才是检验我们工作的标准。”

居民反映的热点、难点，就成了街道工作的重点。

环境卫生惨不忍睹？就拿这里先开刀。街道领导身先士卒，带领全体机关干部、里弄干部开始了“愚公移山”式的卫生整治，并把它扩大为一场全街道的“人民战争”，结果一跃成为全市一级卫生街道。群众舒心了。

小区盗窃现象不断？就从“防”字入手。“三道防线三道门”，“大包围、小分割”，各种形式应运而生，仅群防队伍就有2240余人，年入室盗窃发案率已降至万分之二点八。群众放心了。

配套设施太少，生活不方便？办事处搬迁，处于黄金地段的原址宁可不收租金，倒贴钱也要建社区服务中心。173个社区服务网点遍地开花。群众定心了。

居民遇到困难不能很快解决？从1999年起，各小区都张贴了一张名叫“便民五线谱”的大榜，“谱”上有分管该小区的街道机关干部、里弄干部、地区民警、监察队员、物业单位负责人“五线”人员的照片和工作范围、电话、寻呼机号码，谁遇到哪方面的事，都可以迅速反映并得到解决。群众称心了。

一桩桩，一件件，居民看在眼里，记在心上。尽管与上海不少居民区相比，这里的硬件还有差距，但居民们说：“困难并不可怕，怕的是没有一个为民办实事的街道办事处。”心暖了，气顺了，他们真切感受到党和政府的各项政策正在一一落实。街道的威信，在这些扎扎实实的为民服务中树立起来。1997年，街道领导集体被广大群众评选为闸北区“让人民高兴、放心”的好班子。2000年，办事处主任宋强荣立人事部一等功。

从“红红姐姐”到“一署两所一办”，从“市民学校”到“精神文明建设联合会”，一套井然有序的体系把5万居民紧紧覆盖——这，正是临汾路街道“凝聚力”的有力保障

临汾路街道有个著名的“红红姐姐信箱”。主持信箱的是街道共青团工委书记孙红。街道内6000多名在校学生，都曾收到“红红姐姐”公开信。有烦恼找“红红姐姐”，便成了孩子们的小秘密。那些渴求帮助的返沪知青子女和特殊困难家庭的子女，更是把“红红姐姐”当成了精神支柱。支疆知青子女刘波，在与“红红姐姐”的一次次谈心中，从迷茫中振奋起来，加入了共青团组织，考上了大学。13岁的莫莉亚，父亲下岗，母亲患尿毒症。在“红红姐姐”的帮助下，4位团员青年与她结成对子，成为社区二十几对“4+1”结对助学活动中的一对。

孙红说：只有把工作做得更深更细，才可能让每个孩子感到社会的关心与帮助，健康成长。为了让更多的青少年及时受助，孙红还组建了包括16名志愿者在内的“红红姐姐后援队”，开通了“红红姐姐热线电话”，与青少年广交朋友，解答难题。

孙红是临汾路街道精神文明创建过程中涌现出来的优秀代表，她荣获了全国新长征突击手称号。不过，希望把工作做深做细，却非孙红一人之愿，而是临汾路街道全体管理者的心愿。

49名街道机关干部，150多名居委会干部，面对5万多居民，要做到这一步，不易。

他们做了两件事：一件是建立条块结合、同创共建的管理机制。按照上海市政府制定的“两级政府三级管理”，临汾路街道设立了“一署（警署）两所（派出所、环卫所）一办（房管办）”，并选派一批骨干充实居委会。同时，又与区内32个单位共同建立了社区“党建工作联合会”、“精神文明建设联合会”、“群团工作联合会”等等，并在离退休老干部中组织“读书小组”，发展他们成为从事社区思想政治工作的骨干力量。

另一件事是：对最需帮助的群体给予特别关注。除了“红红姐姐”与特困家庭子女、回沪知青子女间搭起“心桥”外，占据社区居民18%的老年人、下岗待岗居民以及3000多名外来人口，成了街道重点关注的对象。

不过，当居民们纷纷表扬街道工作“深入细致、心系群众”时，临汾路街道的干部们则深深感慨：这是上下支持的结果。

临汾路街道的居民说：社区是一个可以依赖的家。是的，这个“家”，使社区里的所有成员情感相依。

从健身苑到科普小区，从“先锋楼”到“六十佳”，丰富多彩的活动正营造出科学、健康、充实的精神乐园——这，正是临汾路街道占领思想阵地的有效途径

两年前，星城花苑一户人家突然贴出招牌，自称“藏医”，一念“咒语”便“包治百病”，引得不少人前去观望。一位居民心里存疑，查资料，访病人，把查到的资料告诉大家，号召大家共同抵制。很快，那位“藏医”销声匿迹了。

这事深深触动了居委会干部，也触动了街道管理者们：伴随着物质生活的提高，人们对文化生活、健康长寿有了新的需求。如果不主动开展有益健康的活动吸引居民，那么，迷信、庸俗便会悄然而生，甚至可能出现腐朽的生活方式。这是一场新时期的“文明与愚昧的阵地战”。

此后，居委会与物业公司齐心协力，办起科普画廊，辟出生物园，开展科普活动，使星城花苑成了一个远近闻名的科普小区。而临汾路街道开展具有群众性的健康向上的文化活动，则成为思想政治工作的一个重要载体。

现在，走进临汾路街道，已经可以看见：有条件的居民楼群里矗起了“健身苑”，暂无条件的，居委会也发动大家因陋就简，拾鹅卵石砌成健身路；靠近居民小区的7所学校，作为“朝夕公园”；商厦里腾出“文化角落”；绿树葱茏的河滨街道，成了人们挥剑练拳、翩翩起舞的舞台……

老百姓明显地感受到文化活动的丰富与多样。家庭文化、楼组文化、小区文化、社区文化五彩缤纷。每年一次大型的文化夜市，每月一次的广场文化、科普讲座和广场舞会等，吸引了群众积极参与；社区书画社、老年腰鼓队、扇子舞队、舞龙队、戏曲队、时装表演队等活动更是红红火火。

阳曲小区是全国文明小区示范点。在阳曲路181弄2号“五星级文明楼组”的示范带动下，在职2000多名党员居民纷纷投身参加业余党小组、创建“先锋楼”的活动。在“社区六十佳”评比表彰中，一批批十佳好事、十佳自强者、十佳志愿者、十佳热心社区工作者、十佳楼组长、十佳美德家庭涌现出来。社区公益活动受到大家的积极支持，由社区居民组织的各种层次的志愿者队伍不断扩大，已达到6000余人。2万多人次参加了“治脏、护绿、添美”和各种便民等志愿服务活动。居民的环境意识、公德意识大大增强，还出现了中华骨髓库的第一捐献人孙伟。

（摘自2000年1月17日《人民日报》）

评论：关心人　提高人

街道党组织是党在城市的基层组织。在新的形势下，如何做好城市社区的思想政治工作，进一步发挥街道党组织在社会主义现代化建设中的重要作用？上海市临汾路街道的经验值得重视。

临汾路街道对思想政治工作有一个比较高的定位，不仅关心人，满足人，而且引导人，提高人，即不仅把解决思想问题与为群众办实事相结合，关心人温暖人，而且注重以生动的思想政治教育引导人，以先进的典型激励人，以良好的干部形象鼓舞人，以健康的文化陶冶人，以优美的环境改造人。

关心人，提高人，我们许多同志也都懂得，区别在于临汾路街道的同志更加懂得如何去关心人提高人，而且善于将这两个方面结合起来。他们不是一个角度一个渠道地去开展工作，而是多侧面多角度地塑造社会主义新人；不是不加分析地一个模式一种做法，而是具体情况具体分析，有针对性地开展工作，逐步形成了符合时代特征、适合社区特点的一整套思想政治工作新经验。比如，他们认真研究新形势下同一社区中不同社会群体、不同年龄层次、不同文化修养居民的不同情况，使思想政治工作定位到人到户到类型。在为居民办实事时，强调“一居一特色”；在实施“四轮驱动”法时，把社区居民分成老年人、青少年、外来人口、一般市民等几个部分，针对不同情况采取不同办法；以典型引路时，将典型分成十佳好事、十佳自强者、志愿者、热心社区工作者、十佳楼组长、十佳美德家庭等不同类型；树立良好形象时，分别树立团委、里弄、公安、综合治理和领导班子等不同类型的良好形象；以健康文化陶冶人时，把健康文化分成家庭文化、楼组文化、小区文化和社区文化。

临汾路街道通过多角度、多层次、多侧面的工作，建立起社区思想政治工作的立体网络，不仅帮助人们解疑释惑，排忧解难，同时把人们的需要和追求引导出来，自觉地将心和党和政府贴在一起，不断地激励和鼓舞人们去创造去奋斗。

“得人心者得天下”，这是古训。“欲动天下者，先动天下人心”，这是毛泽东同志的名言，是讲思想政治工作的重要。最近，江泽民同志强调提出，思想政治工作是思想宣传和精神文明建设的“重中之重”。我们要反复学习这个重要思想，重视这个重大课题，努力完成这一伟大使命。也正是在这个意义上，临汾路街道的先进经验，意义非同一般，不仅有益于其他社区，同时有益于所有思想政治工作部门，有益于各地小城镇的建设。

（2000 年 1 月 17 日《人民日报》）

海军大连舰艇学院

铸就海魂向海疆

一、将军的摇篮、舰长的母舰

这里是将军的“摇篮”，从这里成长起来的100多名将军，走上人民海军基地、舰队和领导机关的领导岗位；

这里是舰长的“母舰”，1200多名舰艇长，从这里驰骋海疆，犁开碧波的第一道航迹；

这里是海军的人才基地，3万多名毕业学员从这里走上战舰，走向大洋；

这里是海军的科技库，千余名专家、教授成为海军现代化建设的栋梁，千余项国家和军队重大科技成果成为海军武器装备发展的“助推器”……

这就是共和国第一所海军学校——大连舰艇学院。站在改革开放前沿的学院党委在教学实践中形成了这样的共识：科学技术的飞速发展，对军事人才的素质提出了越来越高的要求，建设强大的现代化海军需要“通才”。要培养通才，必须实施复合式通科教育。

学院每年都招收一批处于学科前沿的博士、硕士充实教员队伍，并创造条件让他们在教学科研中发挥学科带头人作用。兵种战术学和军事运筹学硕士生导师赵晓哲博士，通读了军事院校参谋班、合成班、战术班、战役班的所有教材，对海军水面舰艇、潜艇、航空兵等装备性能与作战应用进行了系统研究，并且10多次参加大型军事演习，100多次参加新装备试验试航。赵晓哲带出的13名硕士研究生，全部在军事科研领域取得研究成果。

航海教研室副教授王孝通博士，主持研制的“单舰多功能模拟系统”，填补了我国海军驱护舰全武器系统模拟训练的空白，实现了我军高科技装备训练手段的一次质的飞跃。

基础部自动控制系讲师马野运用多媒体、仿真等多种现代教学手段，将前沿科学、自然科学和社会科学有机结合在一起，培养了学员的理性思维和形象思维。她在学院首开“神经网络”课程，编制出数十套软件，全程应用多媒体教学。2000年6月，马野撰写的《细胞神经网络模板设计与分析》学术论文，入选大连国际海事技术交流会交流，成为神经网络学科的“一枝独秀”。

驾驭高技术装备，打赢高科技战争，已是这所军事院校培养跨世纪复合型军事指挥人才的一把新标尺。近10年来，毕业的5000多名学员，全部一次性通过了第一任职的合格考核。

91届学员荣剑，是位从黄土地走来的年轻战士。当他了解到许多同龄人海洋知识贫乏，海洋国土和海洋防卫观念淡薄时，心里沉甸甸的。他心中升腾起一个强烈的愿望：为海洋经略著书立说，唤起人们对海洋的共同关注！刚进军校一年的荣剑，便开始了他撰写鸿篇巨著的艰难跋涉。从历代海洋战争到现代海权，从哥伦布、郑和的航海壮举到飞速发展的海洋科学技术，荣剑用微薄的津贴购买、搜集、整理了整整一大旅行箱的史料、资料。一页页书稿中，融进了他的思考，融进了他的观点，融进了他的展望。按规定，学员只能用课余时间来完成写作计划。为支持荣剑早日完成写作任务，学院破例批准他可以在熄灯后到微机室写作，跳动的微机键盘伴随他度过了一个又一个不眠之夜。经过荣剑3年的艰苦努力，一部长达78万字的《经略海洋纵横谈》终于脱稿。1996年冬天，10多名海洋战略专家为《经略海洋纵横谈》出版发行举行专题研讨会，称赞这部巨著是一个前无古人的工程，是一名跨世纪青年对人类海洋文明的杰出贡献，是一名当代军校大学生献给“海洋世纪”的一份厚礼。

“宁可淘汰在课堂，决不淘汰在战场。”学院党委这一育人原则，更加激励学员们发奋学习，更加自信地走向大海。在学院里，20多个“外军作战思想研究小组”、“战术战法研究小组”由学员们自发成立起来，世界各国的作战舰艇、飞机，他们了如指掌；高技术战争的特点，他们一清二楚；新装备的战法训法，他们胸有成竹。

2000年年初，学员林岱从新装备研制单位调研归来，在《水面舰艇水声对抗作战模式及效能分析》毕业论文中，预先提出了新装备的新战法实施方案；

6月中旬，学员毛一凡从某驱逐舰部队实习归来，在《高技术战争中的电子战及我军电子战能力分析》实习论文中，就电子战装备的新训法提出了独到见解；

7月5日，学员翁先伟在《基于模糊层次分析法雷达效能研究》毕业论文答辩中，首次将人的素质与装备的效能结合在一起作出了效能模型，对部队作战指挥具有重要价值，被评为优秀论文。

从这里走向万里海疆的万名毕业学员，在人民海军迈向现代化的征程中，留下了一串串闪光的足迹，创下了数十个第一：共和国第一个硕士舰长，第一个率科考队赴南极考察的海上编队指挥员，第一个为捍卫祖国海洋权益英勇作战的共和国功臣，第一个乘外国军舰环球航行的中国军人，第一个改变人类航海千年历史的科技专家……

毕业于大连舰艇学院的海军第一位硕士舰长贾晓光，本可以留在北京高级领导机关工作，但他却坚定了自己的选择：“我属于大海，我属于战舰。”1997年，他被任命为新型护卫舰舰长。当年，他就组织全舰开展全武器系统战术运用，使战舰当年就能遂行使命任务。在一次演习中，他凭着过硬的技术，圆满完成了两枚导弹齐射任务，准时、准点、准方位、准距离直接命中目标。任舰长仅一年，他就以总分第一的成绩通过了护卫舰舰长全训合格考核，次年即升任导弹驱逐舰舰长。他带领全舰官兵刻苦学习现代科学知识，掌握现代技术。2000年5月，贾晓光所在军舰成为全军读书成才先进单位。

舰长是军舰之魂。112舰舰长吴洪乐曾担任共和国三代驱逐舰舰长，两次陪同江泽民主席视察新型战舰。担任舰长6年期间，他以过硬的军事素质和创新精神，率舰完成了1200多项试验试航任务，主持编写了600项使用管理条例和战斗部署，10多次执行远航巡逻、作战演习等重大战备任务，为新型战舰形成战斗力作出了开创性贡献。1996年以来，他3次率舰出访美洲四国和俄罗斯、朝鲜等国家，在世界人民面前展示了中国舰长的风采。创新，是民族之魂、强军之本。一代代毕业学员以“科技强军”为己任，为提高海军综合作战能力顽强拼搏，奋勇攀登。

90年代，世界发达国家在水中兵器技术领域一路领先进入了智能化时代。而我国在这一技术领域的研究起步较晚。面对差距，刚刚从大连舰艇学院反潜武器专业研究生班毕业的章新华，憋着一股劲，奋起直追。他利用在国家重点试验室攻读博士学位的机会，选择“声纳目标自动识别技术”作为研究课题。为填补我国在这一技术领域的空白，他与某研究所合作，将这一新技术应用于军事装备科研中，使声纳装备的目标识别率有了质的飞跃。1997年，章新华进入博士后流动站继续从事声纳目标识别的研究。经过两年的不懈努力，他在国际上率先提出的“船舶辐射噪声混沌理论”准确刻画出噪声信号的特征，为我军舰艇探测识别水下目标提供了新途径。随后，他又在国内率先提出“水声信号的盲处理”理论，被列为国家“973”重大研究课题、国防重点研究项目。

二、铸就海魂向疆场

当青年学生手捧入学通知书走进大连舰艇学院校门时，理想与现实的差距，需要与志愿的撞击，常使一些学员悔不当初，相当一部分学员的理想都带有“功利色彩”。

将个人的理想和追求融入祖国国防事业的需要中，并非像让学员们脱下便服换上军装那样简单。学院党委认为，把一个青年学生培养成一位高素质的海军指挥官，首先必须夯实学员政治合格的思想基础。通过开展“蓝色工程”教育，打牢理想信念、军魂意识、献身精神“三根桩子”。

走进传统课堂：在旅顺“万忠墓”，威海甲午海战遗址，定海“三总兵”雕像，虎门古炮台，南沙主权碑等8个爱国主义教育基地前，中华民族的百年屈辱史，一幕幕展现在学员们眼前；雪洗国耻，振兴中华的神圣使命感，冲击学员们的心扉。

走进社会课堂：大连国际服装节。舰艇学院650名学员组成的大方队，气势磅礴的精彩表演，倾倒了数万名观众。置身于大连经济开发区，闻名中外的大连海湾广场……学员们更是眼明心亮——高举邓小平理论伟大旗帜，在建设有中国特色社会主义道路上，永远跟党走，听从党指挥！

走进蓝色课堂：大海是这些未来军官们的故乡。聆听滔滔黄海诉说着北洋水师的悲怆绝唱，滚滚南海发出的急切呼唤，面对满头白发的老教授郭振开的慷慨陈词：“保卫300万平方公里海洋国土的重任就托付给你们了！”学员们的心随着波涛涌动。

走进世界课堂：以郑和、邓世昌命名的两艘远洋训练舰，载着学员们走出国门，走向世界。发达国家的先进技术和装备，使学员们开阔了视野，也看到了差距，更认清了自己肩负的责任，学员们亲身感受到“祖国”二字是多么神圣！

水滴石穿，百炼成钢。近10年来，学院3000多名毕业学员100%服从毕业分配，并主动要求到艰苦地区、艰苦岗位工作。学院跟踪调查显示：99.8%的毕业学员胜任本职岗位，其中受到立功嘉奖奖励的就达75%。

沧海横流，方显英雄本色。这是一次奇特的远航——6艘无动力装置的舢舨，凭借布帆和木桨，从大连划到烟台，尔后折返，横渡渤海海峡。

这是一次挑战生命极限的远航——在历时10余天，往返270多海里的航程中，不经补给，不经休整，学员们在烈日下每天要将15公斤重的船桨奋力荡起1万多次。这不仅是锻炼学员的船艺技能，更是磨炼他们吃苦耐劳、战胜风浪、勇敢拼搏和坚韧不拔的意志，培养他们在艰苦条件下独立完成任务和海上生存能力，提高适应未来战争的综合素质。

穿越渤海海峡的第一道险关，当属老铁山水道。这条宽24海里、深50米的水道，是黄海、渤海的交汇处。特殊的地理位置，使水道形成磁场紊乱、海流湍急、流向极不规则的“怪圈”。过往船只，稍有不慎，就可能被它吞没。1997年8月12日，108名学员驾驭6艘舢舨在波峰浪谷中剧烈颠簸，左右摇晃45度，学员们划了两个多小时，不但没有前进，反而被激流冲退了0.5海里。征服大海，才能赢得未来。学员们系紧救生衣，吼起响彻海空的号子声，以排山倒海之势向激流冲刺。经过4个多小时的生死搏斗，终于冲出了“怪圈”。

钢铁就是这样炼成的。在这座“青春熔炉”中锻造出的每一名学员，都将是共和国万里海疆的一道坚实屏障。

三、扬帆踏浪走世界

7月5日，湛江军港。随着一声汽笛长鸣，由我国新型导弹驱逐舰“深圳”号和“南仓”号大型远洋综合补给船组成的出访编队，驶向烟波浩渺的太平洋，开始了中国海军舰艇编队首次访问非洲大陆的壮丽航程。驾驭这支现代化舰艇编队远涉重洋、执行和平使命的海军军官，大部分来自同一所院校——海军大连舰艇学院。

如今，大连舰艇学院上千名学员已先后随

“郑和”号和“世昌”号两艘远洋综合训练舰出访了美国、新西兰、泰国、巴基斯坦等7个国家，和平友谊的航迹遍及亚洲、非洲、美洲、大洋洲的40多个海区和港口，开创了中国军校学员出访国外次数最多、所经国家港口最多、航程最远的纪录。

自50年代以来，大连舰艇学院已先后接待了60多个国家170批次外国军事代表团来访。学员们把每一次陪访都作为走向世界、展示风采的舞台，一次次为祖国赢得了荣誉。1995年12月10日，由大连舰艇学院在校学员组成的千人大方队，为来访的23国驻华武官代表团作队列表演，这支方队由1050名学员组成，人数相当于北京国庆受阅方队的3倍。当这支千人方队气势磅礴地通过观礼台时，观礼台上响起了一片喝彩声。42个排面步伐整齐，一条条横线、纵线、斜线笔直如切。瞬间，这支白色方阵原地180度转向，当再次通过观礼台时，队形已变成一个菱形和两个三角形，继而又变换成三个巨大的“V”字形。内行的武官们立即看出了图形的含意：菱形代表严整，三角形代表稳固，而“V”字形则是胜利的象征！“啊，太奇妙，太壮观了！”武官们情不自禁地鼓起掌来。

放眼世界，赢得未来。中国海军学员的今天，就是中国海军的明天。

（摘自2000年7月25—27日《人民日报》）

评论：改革创新育英才

海军大连舰艇学院瞄准军事高科技前沿，勇于改革创新，开拓进取，围绕打赢现代战争的目标，在培养高素质人才方面，进行了卓有成效的探索和实践，走出了一条新路子。他们的经验主要是如下四个方面：

有一个献身国防的信念。政治合格是高素质军事人才的基本素质。这个学院始终把思想政治建设置于首位，注重理想信念教育。秉承“献身、严格、图强、求实”的校训，创造性地开展以爱舰、爱岛、爱海洋为主题的“蓝色工程”教育，打牢理想信念、军魂意识、献身精神“三根桩子”，使学员成为忠于党、忠于人民的革命军人。

有一支优秀的“将才”队伍。院校是人才生长的源头和基地，教研队伍是院校的主体。这个学院党委把识才、选才、用才作为建设高素质教员队伍的一项永久性工程，不拘一格引进“将才”，以“将才”育人才。

有一种改革创新的精神。改革创新是培养高素质人才的根本途径。这个学院在全军最早实行“通科育通才”的教育体制改革。在继承传统的基础上，根据新时期的新变化，更新观念，打破过去“专科育专才”的教学方式，创造了复合式通科教育模式，培养适应现代化战争需要的“通才”。追踪学科前沿，引进大批学科带头人，努力培养学员的创新精神和创新能力，使之成为新型的复合型军事人才。

有一套面向实战的教学方法。理论联系实际是该学院造就高素质人才的又一特点。培养既精通军事科技又能统领千军万马、驾驭全局的指挥员，仅靠学校课堂是不够的，必须立足实战。他们精心设计实践性强的教学内容和形式，把学员推到“蓝色课堂”、“社会课堂”、“国际课堂”、“实战模拟课堂”中磨练锻造，让学员们把掌握的高科技知识转化为实战能力。

打赢现代战争需要高素质人才，建设社会主义现代化强国，同样需要高素质人才。因此，海军大连舰艇学院的经验，无论对军队建设还是对于我们实施“科教兴国”战略，都具有重要的现实意义。

（2000年7月25日《人民日报》）

内蒙古铁骑集团

春风化雨　润物无声

铁骑集团的前身是内蒙古棉纺厂，1997年底与内蒙古莎日那绒毛纺织总厂等企业组成拥有6000多名员工的企业集团。作为内蒙古地区最大的仿毛面料、毛毯及羊绒围巾生产企业之一，铁骑集团经受住了市场竞争的强烈冲击，从1996年扭亏为盈，到1999年，年销售收入已达1亿元，实现利税783万元。总结他们人心顺、发展快的经验，最重要的一条就是坚持不懈地开展思想政治工作。

以身作则，以无声的行动影响职工

“千条万条，打铁还要自身硬是最关键的一条。”在新形势下，要搞好思想政治工作，首先领导干部要以身作则，要以自身的实际行动把无形的工作变为有形，让职工看得见、摸得着、信得过。

铁骑集团有“三个硬功夫”为全厂职工广为称颂：一是领导干部廉洁自律；二是严密的党风廉政建设责任制；三是严格的监察监督工作。

多年来，集团领导始终坚持讲学习、讲政治、讲正气，要求干部职工做到的，首先自身做到、做好，逐步建立和完善干部约束机制，并设立了“厂长信箱”和“纪委信箱”。各分厂还经常召开不同形式的座谈会，听取群众的意见和建议，实行民主监督。多奉献、少索取，成为集团领导干部的自觉行动。在这里，集团领导和职工一样集资分房；看病和职工一样按工龄比例报销医药费；家庭电话费从不在集团报销；工资、奖金、子女工作安排等没有一个搞特殊化的。

然而，在集团的生产经营工作中，集团的各级领导处处身先士卒。1999年下半年，集团党委根据市场的急剧变化，及时作出了技术改造和新产品开发的决策。为了争时间、抢速度，各级领导奋力争先，急、难、险、重活抢着干，在4个月里没有一个领导休过双休日。总经理张明华患病期间，仍不下火线，始终和职工一起奋战在生产第一线。

树立典型，以高尚的精神引导职工

开展思想政治工作，靠典型说话，靠典型引导，是铁骑集团最有效的经验。

多年来，他们以广播、板报、橱窗、标语、有线电视等为阵地，宣传党的方针、路线、政策，宣传先进模范人物；以各种活动为载体，坚持积极开展“创建红旗党支部”、“争创优秀班组”、“争先创优”等活动。在这些活动中，培养涌现出大批模范支部、班组和劳动模范。集团除每年给予大张旗鼓的隆重表彰外，还在奖金、住房、工资等多方面规定了明确的奖励办法。特别是对已退休的老劳模，给予多方面的关怀和照顾。在铁骑集团，典型的引导教育已在思想政治工作中起着不可替代的作用。职工们说，榜样就在我们身边。

集团棉纺厂挡车工白贤梅进厂后，认真学习老劳模的好思想好作风，钻研技术，努力工作。这些年来，她每天早来晚走，勤学苦干，创造了稳、准、轻、快、连、查六字工作法。别人年人均产量400轴，而她却达到712轴。进厂6年，她从未请过一天假、误过一个班，就连结婚也是利用元旦公休日，被职工誉为“走在时间前面的人”。1999年夏天，她脚部做了手术，仍边治疗、边上班，结果伤口感染，脚肿得像个大面包。大家劝她休息，她就一句话：“我能坚持。”说起这事，她的小姊妹们感动得直掉泪。结果进厂一年后她也被评为劳模，而且是连续5年，成了有口皆碑的年轻的老劳模。

集团党委不失时机地把这样的典型当作思想政治工作的活教材，在全厂广为宣传，收到了极好的效果。广大职工思想素质、精神境界不断提高，努力工作，积极要求进步。1999年，积极申请入党的就达316人。

以人为本，以真挚的情感凝聚职工

在铁骑集团有这样一组统计数字：近3年，集团各级领导共家访2839次，谈心1673次，调解家庭矛盾86起。

党委书记程少春说："思想政治工作的根本是对人要有足够的关怀和爱护。"在铁骑集团这绝不是一句空话。多年来，他们一直坚持"六必访、必谈"制度（即职工伤病、生孩子；职工及家庭遇到天灾人祸、发生纠纷；逢年过节对工伤、住院病号、劳模、离退休干部；职工在调房、调资、评奖中有思想情绪；职工间产生矛盾或有错误苗头；职工对企业深化改革不理解或产生抵触情绪），以真挚的情感凝聚职工。

织布车间一位女工的父亲病故，母亲是家庭妇女，两个弟弟又无固定工作，生活无法维持。车间主任在家访中了解到这一情况后，及时向集团做了反映。总经理张明华当即决定把两兄弟破格招收为合同工。老母亲含着热泪再三叮嘱3个孩子：一定要把企业当自己的家，好好工作，多做贡献。

职工们动情地说："在我们铁骑集团，像这样的事多得数不过来。"整理车间女工张瑞荣的孩子患胰腺炎住院，总经理张明华、党委书记程少春带了1000元去看望、慰问，母子俩感动得哭出声来；供应科女工张淑英患心脏病住院，工会主席、党委副书记、分厂厂长分别去看望，感动得同室病友都直掉眼泪："你们作为一个普通职工，有这么多领导隔三差五来看望。在这个企业工作，真是太幸福了。"

几年来，铁骑集团靠深入细致、扎扎实实的思想政治工作，建设了一支特别能战斗的职工队伍，使企业如一艘强大的航船，在市场竞争的大潮中破浪前进。

（摘自2000年5月23日《人民日报》）

天津市河西区纪庄子街

以党心凝聚民心

纪庄子街——这是个名字里都透着城乡结合味道的社区：城乡人口杂居，外来人口聚集，绝大多数为中低收入者，不时可见低矮的平房、逼仄的马路。天津市河西区纪庄子街道党委通过建立下岗党员支部、农贸市场党员支部和离退休党员支部，发挥党员的模范带头作用，以党心凝聚民心，在社区思想政治工作方面，进行了富有创造性的探索。

离厂离岗不离党

近几年，纪庄子街的下岗人员骤增，其中党员有20名。他们平时各自忙于生计，人散心也散。纪庄子街党委认识到，这个群体情绪不稳定，对周围人的影响最大，如果把他们组织起来，对社区思想工作将会起带动作用。1999年5月，街道成立了专门的下岗职工党支部，对成员做到"四清、四访"：即党员基本情况清、思想情况清、家庭情况清、经济状况清；两次未过组织生活访，工作变化访，家中出现困难访，出现思想问题反复访。为了让大家过上正常的组织生活，支部将组织生活会安排在晚上开，每两个月开一次。每逢支部过组织生活，党员们摆摊的提前收摊，开饭馆的提前打烊，开出租的早早收车，多晚都力争到会。

49岁的郑淑芬下岗后茫然失落，支部了解到她以前在单位做过党务工作，就推荐她到居委会竞争上岗。谈起这些，郑淑芬感慨不已："以前从未想过自己会与居委会的工作有什么联系，是党组织帮助我转变了就业观念，鼓励我勇敢面对竞争，重新定位，重塑自我。我又能在新的岗位上发挥党员的作用了。"

于世峰在外地打工，有时不能及时参加组织活动。但每次回天津，他都到党支部去汇报思想。这位原国有企业的行政干部激动地说："我们在一起有共同语言，能抽出空来交流交流思想，充充电，心里踏实，活得充实。"

重新聚合的党员，成为社区文明的辐射源。经营小饭馆的刘秀起把周围几家特困、孤老、残疾人的饭菜全包了下来，还做起了小区的巡逻员，经常义务为小区做事儿。有一次，他在路边捡到一个装有上万元的提包，就守候在那里，一直等到焦急的失主返回。他说："下岗后，我曾感到党员跟普通群众没什么区别，是支部把我们凝聚在一起。"

在党组织的关怀和党员的带动下，纪庄子街的3000余名下岗、失业人员转变择业观念，经过街职业介绍所和"助万家劳动就业服务中心"的牵线搭桥，这个街管界内下岗职工再就业率达到90%以上。

把支部建在"摊儿"上

纪庄子是外地来津务工人员的聚居地。街内最大的市场——纪庄子农贸市场，70%以上都是流动人口。打架骂街，强买强卖，堵塞交通，曾是这里的顽症。

在对240个摊位逐一调查摸底中，纪庄子街党委发现，农贸市场中有10名党员，其中6名来自吉林、江苏、河北等地。街道党委意识到，要把这些党员组织起来，建立党支部，通过发挥党员的作用，来改变市场的面貌。1998年4月，纪庄子街农贸市场党支部在鞭炮声中诞生了。

这些外地党员因长期在外打工，大部分人与原单位失去了联系。用来自河北省富城县的韩炳君的话说："从老家出来，想的就是怎么挣钱，忘记了自己还是个党员。"支部成立后，利用经营间隙开展组织生活，确定了活动日期，建立健全了生活会、基本情况登记、党费缴纳等项制度，并在党员中开展了争当"文明摊位"和"十个信得过和十无"的"双十"竞赛。

农贸市场支部的组织委员鲁凤莲几年前从吉林来天津卖菜，一直把组织关系带在身上。她告诉记者："在老家时已经几年过不上正常组织生活了，没想到来到天津，街党委又把我们组织起来，心里特别热乎。我要做一名真正的党员，好好发挥作用。"在纪庄子农贸市场，鲁凤莲是出了名的文明经商户，菜好，分量足，态度好，还定期给孤老病残户送菜。街党委给她挂了一块"模范党员摊位"的标志牌，老百姓更信任她，她的生意越来越好。时间一长，左邻右舍的摊位都学她，慢慢地，大家互相影响，市场里缺斤短两的少了，守法经营的多了起来。

党员穆怀书在农贸市场卖烧鸡，每逢有人把摊位摆到市场通道上，影响了交通，他就出来制止，帮助疏导交通。市场里有个曾被劳教过的小贩，总卖些假冒伪劣产品，周围没人敢惹他。穆怀书却不怕他报复，只要看见就出来管。违法经营的慢慢就收敛了，欺行霸市的也少了。如今纪庄子农贸市场已经由一个出了名的"脏、乱、差"市场变成让群众满意的文明市场。

信念决不能滑坡

纪庄子街有离退休党员250余名，占全街党员总数的80%。退休赋闲在家，远离了原来的生活，思想上缺乏沟通，感情上缺少交流，生活也显得枯燥、单调。近两年，街里离退休党员的教育管理也出现了新情况，一些党员由于离退休费不能按时发放、医药费不能及时报销、子女下岗待业、生活发生困难等问题，对社会产生不满情绪，思想出现滑坡，有的还练起了"法轮功"。

离退休党员的生活状况和精神面貌，不仅关系到他们自身，还直接影响到社区其他老人的思想倾向。根据需要，纪庄子街专门成立了一个离退休党员党支部。成立后的党支部组织党员开展了党员奉献日、党员责任区和党员模范岗等活动，鼓励他们争"六好"：在社会当个好公民，在党内做个好党员，在补差单位做个好职工，在邻里做个好邻居，在家庭做个好家长，无论到哪里留个好名声。对生活困难的党员，街党委每年给予补助，并及时派干部与所在单位联系，尽可能给予帮助。组织的关怀使离退休党员以崇高的责任感和爱心，成为一支创建社区精神文明的骨干力量。

卢甲道老人离休后，义务当起了楼道卫生清理员。他每天都要把楼梯擦一遍，把楼梯扶手抹干净。邻居们受了感染，争相打扫公共卫生。卢老还用自己的离休费，买了象棋、跳棋、扑克，订了多份报纸，组织社区里的老同志一起娱乐、学习。有的老同志对社会上的阴暗面看不惯，发些牢骚，他就鼓励大伙坚定对党的信念，别为浮云遮望眼。“虽然我们已经离开工作岗位，但仍然要加强学习，了解国家大事，跟上形势变化。”在卢老的带动下，一个老同志理论学习小组建立起来，社区的离退休老同志亲切地把它称为大家的“精神家园”。

纪庄子街的大多数离退休党员都义务担当起社区的文明言行督导员、爱绿护绿员、治安巡逻员、卫生督导员、文明调解员和便民服务员。保持晚节，发挥作用，老有所为，老有所乐，成为他们生活的写照。

“一件实事胜过一万句空话”

体南小区是典型的城乡结合部，区内人口有市内迁过来的，有原来纪庄子村的，有西青区（西郊区）划过来的，素质不一，生活方式各异，违章建筑就像杂草丛生。当时刚刚上任的居委会主任赵季红几天睡不着觉，要让小区变个样，首先得拆除这些违章建筑。但是他们商定，思想工作必须先行，做不通思想工作，绝不动工。

面对各种各样的“钉子户”，赵季红与大家先从最难的开始。有一户有五个儿子，被称为体南一霸，赵季红两次上门解释，均碰壁而归。第三次找到这家的老爷子，把居委会的想法和盘托出：拆完后，居委会要促使煤气公司把小区的管道煤气铺通，解决大家存煤的问题；通完气，还要绿化，让大家拆房受的损失，从改造后的房价上涨中得到一些补偿。老爷子终于同意拆。拆违的那天，居委会的人帮着将拆下来的木料拾掇起来，尽量减少住户的损失。由于思想工作细致，拆违工作异常顺利，3天内几百间违章建筑全部拆完。

像这样“鸡毛蒜皮”的小事在纪庄子街的每一个居委会都能听到许多。体东小区3个月搞成封闭管理；天姿里居委会四处筹资铺道；富达里3位老大娘“化缘”建起车棚。现在街里每年要办10件实实在在的事情，同时每个居委会每年也要办10件实事，无论大小，件件落实。就这样，几年下来，全街新铺了5万平方米的甬道，新植了近4万平方米的草坪，栽种了20万株的树木，拆掉了500多间违章建筑，街内的面貌焕然一新，老百姓的心气也顺了。

努力营造富有人情味的文明社区

面对社区生活中种种难题，纪庄子街干部的制胜法宝就是用真情去化解，努力营造一个富有人情味的文明社区。

这个街原来有90多名“法轮功”练习者。怎样让他们从心底彻底告别邪教，恢复在社区的正常生活，成为新的难题。街道干部以情动人，以理服人，使练习者都得以转化。

一个曾获国家二级发明奖、有40年党龄的练功者，由于中毒太深，抵触情绪大。街道劳服科科长匡蓬建等人，前后30多次登门做思想工作。1999年夏天最热的一天，他抱着西瓜上门找老人聊天。当老人得知小匡父亲正有病在家时，西瓜还未打开，已经老泪纵横：“小匡，你别跑了，其实我也知道自己不对，但心里一时转不过这个弯。我自己写一个材料，让像我这样的人快点醒悟，别再给政府添麻烦。”两人后来成了忘年交。

纪庄子街很多人都知道马姐——高风里居委会主任马文英的粽子宴。每逢端午节，居委会买上50多公斤米，发动大家包粽子，煮上十几锅，分送给区内残疾人、烈军属和特困户。这一天，楼栋长、居民代表都集中到居委会，边吃粽子，边总结居委会工作，表彰先进。小区洋溢着浓浓的人情味。马文英说，有了这种人情味，很多工作都好做了。

把特殊关怀给予特殊的群体

这些年，纪庄子街多数企业不景气，4000多名下岗职工先后从企业退回街里，占到全街人口的13%。消除他们下岗后的心理障碍，帮助他们重新就业，成为街道工作的重中之重。

几年来，街里展开大规模的免费培训，设置了计算机、烹饪、美容、美发、家政、家电维修等科目，先后有210人参加培训，为再就业打下了基础。

纪庄子街有一个“助万家”就业服务中心，除吸收下岗人员到中心工作，解决居民生活中遇到的各种细小的麻烦之外，还与职业介绍所联合，帮助下岗人员联系就业。国企职工李忠讷下岗后，非常苦闷，街劳动服务科耐心疏导，使他放下架子，到“助万家”中心工作。从此，他背起工具包走街串户，为居民修下水道、半导体、安炉子、换保险丝。

老年人是另一个特殊的群体。为了充实老年人的生活，街里选择一些能力强的大娘，到体院学习老年健身方法。街里13支腰鼓队等多种文体队伍，吸纳了2000多名老人参加练习。

纪庄子街出租房屋1800多间，有外来人口5000多人。纪庄子街编了一份《外来务工青年文明手册》，专门对外来青年进行社区教育，涉及法律、文明生活、卫生保健、告别迷信等内容。1999年就培训了900多人。

多年努力，使越来越多的外来人员对纪庄子街产生了感情。流动人口的稳定率达到80%，犯罪率连年下降。在参加社区服务网络的人中，就有30%是外来人员。

（2000年6月8—9日《人民日报》）

乌鲁木齐铁路局

大漠千里铸铁魂

乌鲁木齐铁路局所辖3000多公里铁路，横跨甘新两省区，贯通新疆南北，80%的站区处于戈壁荒漠，环境恶劣，工作条件艰苦。由19个民族组成的全局6万多职工奋力开拓，不断创造新的业绩。1999年，客货发运量分别为1227.1万人和3808.9万吨，运输收入超过39亿元，约为1990年的5倍，年均递增20.6%。乌铁局党委书记赵良说，能取得这些成绩，就是靠一以贯之地发扬艰苦创业精神，靠扎实有效、凝聚人心的思想政治工作。

人生一课：艰苦创业精神

艰苦创业精神是乌鲁木齐铁路局的“传家宝”，局党委不是简单地说教，而是把它作为人生一课，让干部职工在实践中去感受和认识，使无形变有形。

艰苦创业精神教育，对各级领导干部是“必修课”。1996年7月，南疆线遭特大洪水袭击，全线瘫痪，旅客被困高寒站区，职工断水断粮。危难时刻，各级领导趟水开道，冲在前面。原党委书记、现任局长郭敏杰亲自担任运输大队长，5天5夜，8进8出天山峡谷。确保抢险机械和物资按时到位后，他双眼充血、两腿浮肿、嗓子嘶哑，顾不上找张床休息一会儿，又作为铺轨作业的“施工大队长”，带领抢险人员抢修线路，安置旅客。结果，全线比预计时间提前20天通车，受到铁道部的通令嘉奖。

对刚参加工作的职工和路外调入人员，艰苦创业精神教育则是“入门课”。在正式上岗前，都要组织他们到艰苦创业基地、局史馆和站段荣誉室、陈列室接受传统教育，到所在单位最艰苦的站区体验生活，到最脏、最险、责任最重大的岗位实习。全国行业精神文明创建先进单位69/70次北京车队，经常组织职工到最艰苦的百里风区去体验生活，认识艰苦创业的深刻意义和内涵。

1994年8月，局党委将每年8月定为“艰苦创业教育月”。全局运用座谈会、演讲会、报告会，组织“老兰新”（最早随兰新铁路进疆的铁路工人）重走兰新线，组织青年职工到老一代兰新人当年住过的地窝子里、用过的苦水井边、栽下的创业树旁，实地认识和感悟三代乌铁人一贯坚持的“五种精神”——扎根边疆的创业精神、艰苦奋斗的献身精神、高度负责的主人翁精神、团结协作的集体主义精神、勇于创新的开拓精神。青年职工最终得出结论：这“五种精神”是在

"献了青春献终生，献了终生献子孙"的实践中干出来的。

1998年冬，在南疆县西延至阿克苏接管临时运输中，一大批干部职工在塔克拉玛干大沙漠边缘，啃干馍、喝咸水、睡地铺、点蜡烛，搭起"帐篷候车室"，办起"帐篷车站"，赢得沿线各族人民的盛赞。老一代乌铁人的艰苦创业精神，在新一代乌铁人的实践中得到继承发展。

企业群星：榜样无穷力量

典型引路，选"星"树"星"，是乌鲁木齐铁路局强化思想政治工作的有效方法和途径。

近几年，他们隆重推出和大力宣传了以维吾尔族青年女医生祖丽培叶·卡哈尔、扎根荒原搞发明创造的高级工程师孙禄为代表的一大批新典型；开展了评选"乌铁人标兵"活动，路局召开隆重的命名表彰大会，为10名标兵披红戴花，给予奖励，在全局产生很大反响。局内各行业、各系统和各层次也都有自己的"明星"，一大批职工被誉为"安全状元"、"营销能手"、"科技标兵"、"廉政公仆"、"白衣天使"、"优秀园丁"、"平安卫士"、"服务标兵"、"民族团结模范"、"模范铁嫂"。同时，还用个人名字命名工作法。先后在全局宣传推广了列车员王瑞玲六个一工作法、吴胜利客车平稳操作法、蒽清节油操纵法、曹瑞嘉安全调车法、库尔班三步检测活塞连杆工作法等，使生活在广大职工中的明星，不仅是大家学习的思想榜样，还是工作、技术上的楷模。

对于一大批为新疆铁路事业作出了重大贡献的"老兰新"，局党委继续发挥他们的"活教材"作用。重大节日和喜庆活动，请老模范作报告、忆传统，企业重大建设项目开工或竣工，请他们剪彩。在路局开展的"创业靠什么"大讨论中，把当年的老先进请回来现身说法，不仅使老先进感到当劳模光荣，而且促进了青年职工正确价值观的形成。

为了扩大影响和营造"明星效应"，自90年代初，局党委就确立了"镜头对准职工，笔头描写一线"的宣传思路。为先进典型、劳动模范树碑立传。组织新闻工作者深入艰苦地区采访写作、搞专题；邀请作家、艺术家以典型为原型搞创作、塑形象。先后出版了《柳园人》、《西部铁路风流歌》、《西部铁路创业史》等12本报告文学专集；拍摄了电视剧和4集电视片《红柳歌》、《大风歌》，在中央电视台播出，使企业功臣名扬全国，极大地激发了职工艰苦创业、无私奉献的自豪感和成就感。先进典型维吾尔族女医生祖丽培叶·卡哈尔的事迹由《人民日报》、《光明日报》、中央电视台等新闻媒体刊播后，产生了良好的社会效应。铁路局所属医院和自治区的许多医疗卫生单位，迅速掀起学习她服务社会、服务人民，不图名利、无私奉献精神的热潮。哈密铁路医院启动了为患者提供方便的"绿色通道"工程；祖丽培叶所在的针灸科，医护人员纷纷效仿，办起了家庭病房，义务为病人巡诊；"祖丽培叶效应"带动起全局性的医德医风大改善，不少医护人员对本职工作的价值有了新的定位。

情暖人心：创业成果回报

用艰苦创业精神教育职工，凝聚队伍，并不是让职工永远苦下去。让职工品尝到创业成果的甘甜，也是加强和改进思想政治工作的重要内容。

乌鲁木齐铁路局沿线自然环境恶劣，生活条件艰苦。改革开放初期，部分职工居住的仍是地窝子和干打垒。沿线86%的车站、工区，人们喝水、吃粮、吃菜靠火车拉运。小站土台土房，一刮风，人被推着跑。业余文化生活单调，与周边城镇形成巨大反差。人像"走马灯"，一茬又一茬，走了来，来了走。基层领导挠头：人都拴不住，给谁做思想工作？

安居才能乐业。局党委下决心从改变站区面貌、创造舒适优美的生活环境着手，制定了"政策向一线倾斜，资金向一线投放，力量向一线转移"的方针，实施"拴心留人"工程。柳园人开山炸石换土建公园；扎亥萨拉养路工区搬山建球场；小草湖、峡口车站在戈壁滩上，用汗水浇出绿地鲜花……

如今，无论走进百里风区，还是到火焰山下，温馨洁净的职工宿舍，枝繁叶茂的花园菜畦，家的感觉扑面而来。一站一景的站区风光，不仅留住了小站人，还吸引了久居城市的职工到小站安家。1998年，和静工务段21对夫妻放弃库尔勒的城市生活，到高寒站区安了家。

为丰富广大职工的文化生活，全局已建成以5个体育馆、8个游泳馆（池）、4个有线电视网络、3个文化广场、14个文化宫为龙头，以130个站段职工教育培训基地为骨干，531个文化室、170个图书室为依托的三级教育、文体网络。各级各类兴趣小组、协会纷纷建立。截至目前，在铁路沿线的读书社、文学社、世纪书屋、演出队、合唱团、书画摄影协会、桥牌、钓鱼、编织、老年大学等业余文化体育团队有170多个。

春风化雨，润物无声。思想政治工作要做实、做深、做细，也要从一点一滴的小事、实事做起。1997年深秋的一天，一首名为《好人好心》的歌，在乌鲁木齐铁路分局的闭路电视上播了一遍又一遍。这是乌鲁木齐铁路分局机务段职工王跃华弥留之际的心愿：点播一首歌，献给乌分局机务段领导和工友们，献给所有关心呵护她的好心人。几年前，她患了严重的颈椎病，继而引起了诸多并发症，乃至卧床不起。在她患病期间，段领导关怀备至，联系住院，派人陪床，还把生日蛋糕送到病房。在她病重需转内地治疗时，段党委又带头捐款，全段职工纷纷奉献爱心。当段党委书记张德基将捐款送到病床前，王跃华拉住书记的手泣不成声。那天晚上，当电视屏幕打出长长一串感情真挚的“致谢”字幕，播出这首情真意切的歌时，许多人潸然泪下。

路局每年给职工办10件好事、实事，已经是约定俗成的规矩，分局站段也照此办理。近年，一大批在艰苦地区工作了一辈子的离退休职工逐步被安置到生活、就医、居住条件方便的大中城市；1996年以来，全局实行大病统筹，已为337位身患重病的职工支付医疗费658万元，支付少数民族职工子女路外就读费25万元，发放扶贫款17.45万元。

企业关爱职工，职工想着企业。在接管南疆线西段中，为压缩编制，4个整建制站段2000多名职工要西迁阿克苏，党委一动员，没有一个托关系找门路要留下的，没有一个干部职工家属说一声“不”，都义无反顾地告别熟悉的家园，如期奔赴新线。在二次创业中，各单位都在施工现场建起临时党支部，数千名党员干部、职工面对党旗、国旗宣誓，决心在大提速中立新功，为二次创业作贡献。在乌鲁木齐机务段，职工用行动体现着“爱厂如家”。工作完毕，工人们用一小块长条磁铁，将散落在地上的小螺丝、小开口销等物件吸起来，仅此一项就为国家节约21万元。

共同的理想信念，共同的利益追求，使乌鲁木齐铁路局6万职工凝聚在艰苦创业的旗帜下，走出了一条闪光的创业之路，两个文明建设不断取得新成绩。该局已连续13年保持全国思想政治工作优秀企业称号；连续3次获全国民族团结进步先进集体称号；1998年，被中宣部树为全国精神文明建设先进典型。

（2000年6月20日《人民日报》）

广西平果铝业公司

铝合金的魅力

尽管市场环境和资金形势不容乐观，广西平果铝业公司却从1997年来连年获得主导产品合格及优质率、产销率和货款回笼率三个100%。

这个诞生于百色老区、全面投产仅4年多的现代大型铝企业，获得一系列令人钦慕的称号：全国重点工程建设管理先进单位、全国企业管理杰出贡献奖、我国全行业和广西首家获得ISO14001环保体系认证企业。

充分发挥思想政治工作的作用是平果铝不断进步的重要保证。思想政治工作在这里富有魅力，很有色彩。正如公司党委书记欧阳斌南所比喻的：思想政治工作好比铝合金，只要恰当地加进相应比例的合金，铝的性能就会发生质的变化。

优在领导：三届班子 一个调门

平果铝从80年代末开始筹建、1991年5月全面建设、1995年底竣工并于1996年全面投产以来，已历经三届领导班子。三届班子都有着共同的认识：一定要把事关邓小平同志心愿、事关百色发展也事关我国铝工业未来希望的企业建设好和管理好，进而把发展的“硬道理”落到实处。

企业投产以来的这几年，每年1月6日，公司都为“总结上年决胜当年”召开全体大会，从高层领导到普通职工，一律齐刷刷在露天站着，那锣鼓与旗帜，那标语和横幅，那醒目的当年目标，那激奋的干群情感，都在表明这不像一支生产大军，倒像一支行将出征的军队。

重视思想政治工作，在平果铝并不限于少数公司领导。可以说，在这家充满“自强不息、艰苦创业”氛围的新型企业，各个层面的管理者，都必须同时兼备生产经营和思想政治工作的“两手硬”。看看露天作业较为艰苦的矿山部在这方面的“凝聚”和“转化”实例。矿上有一个青年，1999年10月因家里房改买房资金无着落，一时起了歪念，给几位矿领导写匿名信威吓勒索钱。事发后，对他是“推”还是“拉”，矿领导经反复分析讨论，一致同意将已被拘留的那位年轻人保释出来，专门成立帮教组耐心对其批评教育挽救。如今，这位年轻人已用实际行动改造自己和证实着自己。帮扶“这一个”，激励“一大片”。当矿山部职工在全公司职工联欢大会上声情并茂放声高歌《爱我中华》并获评奖第一时，当矿山部近年提前完成任务而率先得到大红喜报时，人们感觉到了“有思想、有信念”的“大写的人”的无穷力量！

优在制度：以人为本 严格严密

在平果铝，思想政治工作已成为人们工作生活中不可缺少的一部分。公司已形成一套思想政治工作与经济结合得浑然一体的制度。

进入煤气厂，全然看不到想象中的煤气生产单位的“脏、乱、灰、臭”，这家已摘取全国“安全生产标准化工厂”和“全国部门造林绿化400佳”等一系列荣誉的企业，简直就是一个整洁可人的花园。厂长赵月军说，在实际工作中常常是思想政治工作中有经济工作，经济工作中有思想政治工作。我们刚刚开了一个既属于制度建设、也与经济发展有关、同时又需要做大量思想工作的职工代表会，讨论的两个问题按过去眼光看都很棘手，一个是技术人员职称“评聘分离”问题，一个是职工“末位待岗”问题，事关大家切身利益，有争论，但没有争吵。最后大家都表示理解与认同，一致通过。他由此得出体会：只要心中常有江泽民总书记强调的“三个代表”，一切着眼于企业发展和职工利益，又能出以公心以真诚换取真诚，思想工作就会变得简单有效；如果搞假，搞空，搞偏，就会把简单的事复杂化和艰难化。

煤气厂坚持每月一次党员生活会，一次有车间主任和党支部书记参加的党政联席会。两个会，把一个月中重要的需要学习、贯彻和沟通的问题都解决了。还有每周一次的学习会，随时有针对性地协商解决问题。这样，问题不断产生又不断解决，思想政治工作就在这样的良性循环中发挥了应有的作用。

平果铝，这个耗资40多亿元建设起来、投产4年多、有上百亿资金出出进进的大型企业，至今没有发现一起重大的经济案件。这是因为平果铝在党风建设和购销业务中，从一开始就建立起铁一般的戒律！这些戒律，既防范了经济损失，又有效保护了干部。例如，所有重大决策，须由班子集体作出；所有购销合同，须有公司纪委、监察人员参加和签字方能生效，财务才给予结付资金；从基建项目到技术改造项目，必须全部在有效的监督下进行公开、公平的招标；每年都召开两次党风廉政教育会，还召开一次有钱、物经管权的人员的会议，意在向有权者昭示：管好自己，别乱伸手！

第一任党政一肩挑的“班长”、后来被评为全国劳模并长期被平果铝人念念不忘的汪师伦，就是最早定下“铁律”的人。这位当年每年手握10亿元建设资金的风云人物，在工程招标上坚定和“清高”得没有丝毫商量余地。他的另一件“毫无商量”的事情是：公司建成一栋又一栋职工住宅楼后，任多少人苦口婆心劝说他搬出又破又旧又窄、连卫生间也没有的“简易房改造楼”，但他就是“顽固不听”，直到退休要回南宁定居了才离开简陋的“改造楼”。很多人都说，平果铝能有今天，与汪总当年打下的坚实基础大有关系。

优在队伍：志在一流 永不停步

平果铝职工无疑是一支优秀的现代产业队伍。他们既是思想政治工作的动力，也是思想政治工作的主体；既是物质文明的创造者，也是精神文明的建设者。

刚自学考取大专文凭的筑炉技师纪昌星，在全公司青工技术大比武中夺得第一名，在电解槽大修中创造的多项施工法为公司节约了数百万元的费用和宝贵的人力及时间，公司首届“科技十杰”中，他是惟一来自工人的代表。

薛志全，8年前大学毕业来到平果铝，主动要求到电解车间当电解工。他现任电解一车间主任，他领导的车间月月年年超额完成任务，生产的铝锭100%优质高品位。

可以说，在平果铝，人人都是思想政治工作的政工师，人人都是这方面的建设者和受益者。因为这个缘故，全公司近几年发展了500多人入党，至今仍有660多人申请入党；虽身处贫困老区，1900多名技术骨干也极少有人跳槽调走；在生产上，投产两年便奇迹般地“达产达标”，而产品质量又雄居全国铝行业之首，其中“右江牌”氧化铝是国内惟一全砂状氧化铝，质量可与进口产品媲美；“右江牌”铝锭已被评为广西名牌产品和“全国用户满意产品”；在技术设施上，1999年自行设计、安装、投产成功的30台320千安超大型铝电解槽，使平果铝成为继美国和法国之后第三个拥有世界上最先进铝电解技术的企业。

（摘自2000年6月22日《人民日报》）

新疆塔里木油田塔中作业区

大漠深处写青春

塔中作业区位于塔克拉玛干大沙漠的腹地。这里年降水量一般小于60毫米，而年蒸发量则高达2100—2400毫米；夏季最高气温达47摄氏度，地表温度高达74摄氏度，冬季最低气温可达零下32摄氏度；3月至9月风期，大风可达10—12级；地下水是人、畜不能直接饮用的苦咸水。因此，这里曾被称为“生命禁区”。

塔中油田自1996年投产到2000年5月底，已累计生产原油795.4万吨，实现销售收入近80亿元。塔中作业区党团组织紧密结合生产实际，针对青年人的特点，以创建青年文明号为载体，开展思想政治工作，营造了朝气蓬勃的团队精神，为塔中油田的兴旺提供了保证。

立志报国——戈壁滩上实现人生价值

塔中作业区现有职工96名，平均年龄只有29岁。他们中绝大部分是90年代从各地大专院校毕业，主动报名要求分配到这里的大中专学生。塔里木油田分公司开发事业部党委和塔中作业区的党团组织认识到，做好思想政治工作必须与青年人的成长结合起来，不但要鼓励他们安心工作、扎根沙漠，还要为他们的成长铺路。他们以创建全国“青年文明号”为契机，提出“造就一流开发队伍，创造一流工作业绩，建设一流沙漠油田”的目标。

1994年毕业于华东石油大学的张强，主动报名来到塔里木。因工作突出，工作才2年，就被派到澳大利亚参加集散控制系统的培训。他先后与同志们一道攻克了计量问题、外输泵密封、污水系统综合治理等多项技术难关。1997年从华东石油大学毕业的颜文豪，具有采油专业和英语专业的双学位证书。他从采油工最简单的巡检工作干起，很快便能熟练掌握实际操作技能，由于各方面表现突出，工作 2 年后就被提拔为采油队副队长。作业区先后已有 4 位青年人走上经理、副经理的岗位，8 人成长为站长、副站长。

塔中油田是目前全国惟一的沙漠油田，自动化程度很高，地面工艺设备基本都是进口的。作业区采用轮岗工作机制，培养每个青年人多种业务技术和全面工作能力；对个人也提出一岗多能的具体要求，如驾驶、英语、机械、自动控制、电脑等。作业区给青年人创造一种机制，使其人生价值的实现融入企业的发展中。

爱岗敬业——青春在本职工作中闪光

对于这些主动来到沙漠中工作的大中专毕业生，任何说教都显得软弱无力。党团组织根据青年们的所思所想和某一时期的热点问题，举办以“扬起时代风帆，铸造塔里木精神”、“理想、信念、人生”为主题的演讲会、座谈会。让青年们深受触动的是塔里木“铁人”式的优秀共产党员王光荣，他一心扑在工作上，最后晕倒在本职岗位上。1990 年临终前，还想着塔里木油田出油的事。还有 1993 年主动从华北来塔里木参加会战的“青年知识分子楷模”黎万林，为找到大油田，他在沙漠里一呆就是 6 个月，因劳累过度患重病离开了人世。这些事迹引起了塔中青年人深深的思索，如何为石油事业的发展、为塔里木油田建设做贡献。一位大学生在诗中写道：“我选择了石油，选择了沙漠/选择了艰苦，也选择了奋斗/青春有期，选择无悔。”2000 年 3 月，电视连续剧《钢铁是怎样炼成的》播出期间，作业区组织青年观看，并开展“立足岗位学保尔，扎根大漠做贡献”系列讲座活动，使大家进一步认识到自己在西部大开发中肩负的责任。

在塔中，一本名为《自己的故事》的小册子，书中每个人都讲述发生在自己身边、在创建青年文明号活动中立足本职、爱岗敬业的感人故事。这也是做好思想政治工作最好、最实际的教材。“引导青年发现自己身边的闪光点是出版这本小册子的初衷”，作业区党总支书记、29 岁的张伟说：“目的是启发大家，自我提高，在总结自己和宣传别人的过程中完成一次深刻的自我教育，激发大家爱岗敬业的责任感。”

团队精神——营造一种朝气蓬勃、团结向上的企业文化

沙漠生活是枯燥的。作业区党团组织把解决职工生活之忧和丰富青年业余文化活动作为重要工作来抓。他们经常与库尔勒市有关单位联系，组织“情系大漠”青年联谊活动，积极为青年人解决个人婚恋问题牵线搭桥。每逢节假日，作业区领导都要组织对职工家庭的慰问，将职工家属接到一线联欢，每年都组织家属外出旅游，把温暖送到每一位职工和家属的心中。他们引进咸水淡化装置，改造淡化水系统，解决职工喝水、洗澡的问题。在塔中公寓有多功能厅、图书馆、游艺机、健身房、台球桌、乒乓球台，每天向职工开放。还修建了篮球场和沙漠足球场。每周二和周五，都举办卡拉 OK 歌舞晚会，每周播放一部录像片，还经常组织沙漠足球赛、篮球赛、棋牌比赛等，丰富职工的业余生活。

人人都能讲出许多关爱互助、“小家”和“大家”的故事。职工的家一般都安在 500 多公里以外的库尔勒，家里有事，往往管不了，这时倒休的同志会主动帮助。家里一旦有急事需要回去时，别人会主动帮助顶班。生病了，大家都争着照护。晚上遇到特殊情况如停电，有不少人自发去工作场所，看有事没有。

（摘自 2000 年 6 月 26 日《人民日报》）

四川省江油市白玉村党支部

致富路上领头雁

白玉村又叫唐家坪，位于四川江油最南端三县交界处，十几年前是远近闻名的贫困落后村，1986年全村人均纯收入仅266元。

当地有民谣说："有女不嫁唐家坪，红苕芋子胀死人。"这些年，白玉村走上了致富路，1999年，全村人均纯收入3186元，高出江油市平均水平1000元。问起脱贫致富的缘由，正在柚子园修枝的谭志友由衷地说："要致富，靠党支部；要想富得快，全靠党员带。党支部是我们致富路上的领头雁。"

白玉村土地贫瘠，水源缺乏，农民劳累一年，连温饱也解决不了。1987年，当过基层干部的邓怀才贷款2100元，建起了4亩葡萄园。第二年，刚摘下的3.5公斤葡萄拿到绵阳卖了31元，这在村子里简直引起了轰动。

村支部决定大力调整产业结构，带领乡亲们发展以优质水果为龙头的多种经营，带领白玉村人脱贫致富。这个决定在当时引起了轩然大波。"种水果浪费土地"，"卖不脱能当饭吃?"许多人怀疑、打退堂鼓。怎么办？党支部鲜明地提出，村里的党员、干部都带头种果树。结果，党员们先一步摆脱了贫困。

党员富了，干部富了，老百姓怎么办？党支部没有撇下老百姓。让所有人都过上好日子，是党支部的奋斗目标。党支部及时地引导村民学习邓小平理论，党员干部天天跑农户家，讲白玉村的现状，分析各家的实际情况，又带上几十个村民代表到成都参观果园，到市场买水果。嘴皮磨破，口水说干，使大部分村民接受了村党支部的决定。1994年，村党支部规定：党员干部必须通过培训和自学，掌握1—2门以上的实用技术，发展一亩以上的专业项目，帮带一户农民脱贫致富。他们把这"三个一"作为考核党员干部的主要内容，使党员干部发挥作用有了具体的形式和目标。

党员干部们为群众买苗、打窝、修枝，果熟季节四处奔波推销。在白玉村与大自然抗争摆脱贫穷的道路上，处处都有党员的身影。村民称赞说："咱们村没有一个闲着的党员。"

贫困户谭显忠兄弟5个，仅有2间草屋，日子过得凄惨。1991年，先富一步的邓怀才掏钱买苗，帮助他在7分地上种下380株葡萄苗。这380株葡萄每年收入1万多元，谭显忠盖起了楼房，1997年又买了摩托车，1999年还装修了房子。如今，谭显忠已是马角镇聘请的果树技术员。谈起家里的变化，憨厚的他反复只说一句话："没得党支部，哪有我的今天喔。"村主任税清佐上任以来，为群众跑种苗、跑化肥、跑市场，骑坏了5辆摩托车。

不懈的努力换来了丰硕的回报，全村已有5600多亩、60万株的优质水果。1999年水果总产量达2100多万吨，产值657万元，农民纯收入的70%来自水果，白玉村的水果卖到了成都、新疆、满洲里。白玉村被江油市委、市政府命名为"小康示范村"，成了一片投资的热土，1994年至今，已有18家客商投资2200万元在白玉村搞农业开发，开发面积达3400亩，为白玉村的经济发展注入了新的活力。白玉村富了，楼房、汽车、摩托、电话、手机这些过去想也不敢想的东西已进入寻常百姓家。然而，村民收获的又何止是金钱！

在白玉村，党组织的凝聚力不断增强，干群关系十分融洽。1999年党支部改选时，村支书邓怀才以全票当选连任。村里要求入党的人数不断增加，6年来共发展党员24名，平均每年4名。全村学文化、信科学蔚然成风。党支部牵头成立的果品科研所，培养出了50多名“土专家”。全村182人参加了“中华函授大学”和“绿色证书”工程培训，93人取得了合格证书，48人获得农民技术职称。1996年，村里最信神的刘恩富大爷带头封了小庙，把它改成了卫生站。1999年刘大爷又发动群众集资9万元，建起了1000平方米的礼堂，逢年过节，婚丧嫁娶，都请城里的文艺队来演一场。6年来，白玉村无一例超生，未发生一起治安案件，漫山遍野的果园都没有围墙、栅栏，1999年村里撤消了闲置的治安室。邓怀才说：“我们以经济发展为切入点抓思想政治工作，用经济的发展来促进各项工作，这条路我们走对了。”

（摘自2000年8月22日《人民日报》）

农业银行浙江省南浔支行

办文明学校　创文明单位　育文明新人

提起3年前文明学校的诞生，支行行长张建新坦言：这是一所“逼出来”的特殊学校。

地处江浙沪三地交界的湖州南浔，市场发育早，流动人口多，个体私营经济异常活跃。作为湖州市下辖县级区，小小南浔聚集着7家金融机构。正值向商业银行转轨之际，陡然激烈的行业竞争，让吃惯计划饭的员工深感不适。与此同时，大河奔流，泥沙俱下，清清浔溪水，一时间蒙上一层锈浊。

面对社会生活的日趋多样，如何管好自己的人、看好自己的门、办好自己的事？面对改革开放的不断深入，如何增强员工队伍的承受力、竞争力和战斗力？

几经讨论，南浔农行党委一班人形成共识：以现代科技提高队伍素质，以先进文化充实职工生活。利用现有的会议室、多功能厅，每月3个晚上将员工集中到自己的阵地里来，讲时事、学业务、同联谊，育一片绿洲，扶一缕清风！1997年9月28日，南浔农行文明学校挂牌开课。它既非普通的技术夜校，也与一些地方的政治学校不同。它向每个员工敞开大门，理论研讨、时事报告、法律讲座、电脑操作、信贷知识、公共关系、服装礼仪……思想教育、业务培训、文化活动三位一体；在这里你能听到春雨润物般的心理素质讲座，也可以参加紧张有趣的临柜技能比赛；走上讲台的，有各方专家、领导，身边的劳模、骨干，或者就是你自己！在这里，你甚至可以随时“点菜”，想听什么提出来，再由校务管理委员会统一安排。

2000年8月的一个晚上，别开生面的一课，又让文明学校座无虚席。主讲人：南浔农行的老客户，著名青年企业家、依多金集团董事长盛云龙。题目是：加入WTO在即，银企如何共谋发展求得“双赢”。

商战实例、经营理念、国际信息，台上讲得尽情，台下听得过瘾。两个小时悄悄过去，学员们意兴犹酣。业务管理部经理陈鑫林感慨地说：“与企业家面对面探讨银行发展，耳目一新！”年轻的营业厅会计沈伟伟有些激动：“文明学校的每一堂课对我们都是一次知识充电、观念更新。今天的市场、企业、企业家都和过去大不相同，不努力提高自己，又何谈作好服务、参与竞争?!”

3年来，这所“逼出来”的特殊学校牢牢抓住了南浔支行员工的心。83堂课吸引了5700多人次，到课率几近100%。用支行员工的话说：“听得进，用得上，开眼界，不来就是个遗憾！”

盈盈绿意，诸多昭示：思想政治工作重点在基层，关键在教育。内容要实，形式要新，联系社会生活要紧，让广大职工能参与、易接受、有收益，这就是生命力。农行浙江省分行行长蒋志华说得好："南浔支行文明学校创新了一种载体，更打造出一种精神！"1999年夏天，南浔遭遇特大洪灾，古镇顿成泽国。暴雨汪洋中，从机关到分理处、储蓄所，南浔农行没有一个人迟到，没有一间营业所关门。身处经济热土，天天与"大款"打交道，农行员工请客不到、送礼不要。支行成立至今，没有一起违法违规经济案件，不良贷款不到1%。蛰居僻静老街的三清桥储蓄所，不抱怨不坐等，早夜市服务、兑换小钞、代收水电费……点点滴滴，主动出击，创出南浔金融业第一个亿元所。

年交易额70亿元的南浔建材市场，车水马龙、商贾云集。正是南浔农行以敏锐的眼光和真诚的责任，在此率先设立分理处，以主办行的身份，鼎力扶持出这个华东地区最大的建材集散地。

从南浔区、湖州市到浙江省文明单位"三级跳"，从当年无地位、无网点、无生气的"三无"窘况，到现今在南浔同行中存贷款总量、当年存贷款增量、资产质量、盈利水平"四个第一"，农行南浔支行交上了一份思想政治工作促经济发展、两个文明协调并进的出色答卷。

文明学校，进一步拓展三尺讲台，在内容、形式、方法上不断创新。他们将"三讲"教育、"双思"教育与企业改革发展中遇到的实际问题联系起来，找准了一个个结合点：

与金融工作的实际需求相结合，增强持久性。一段时间金融犯罪频仍，文明学校就举办合同法、金融法规系列讲座；加强职业道德呼声日隆，他们便请来湖州市明星企业的当家人，面对面传授服务管理经验。"警营一日"共建活动，就是一堂生动的组织纪律课；"双思教育"心得交流，又引发出一场居安思危、开拓进取的全员讨论。

与深入细致的思想工作相结合，加大针对性。在南浔农行，带有普遍性、倾向性的问题，文明学校集中教育，着眼于提高整体素质；同时，一人一事、一点一滴，时刻把握员工思想脉搏，及时化解群众心中块垒。

与领导班子的自身建设相结合，赢得有效性。琐细如日常考勤，敏感如利益分配，重大如财务公开，要求普通员工做到的，南浔农行一班人首先做好，要求别人不做的，自己坚决不为。支行职工说，跟着这样的带头人，少了眼福口福，却让人口服心服！

农行南浔支行的实践与探索，引来四面八方热切的目光，在湖州市、浙江省乃至农行系统产生了强烈的示范效应。全国农行系统涌现出278所文明学校，浙江省分行就有65所，工商银行的分支机构也办起了文明学校。从乡村到机关，从专业市场到工矿企业，105所文明学校遍布南浔，浔溪重拾往昔之澄碧。湖州市创造性地将文明学校引入工地、社区、个体私营企业，300多所民工学校、市民电视学校、光彩学校争相吐翠。城建集团的一支支工程队开赴他乡，文明学校便随之走出太湖水乡，绿染大江南北……

（摘自2000年8月27日《人民日报》）

内蒙古草原兴发集团

一腔真诚凝聚人　动人心处味最长

草原兴发，中国最大的草原肉食品基地，内蒙古赤峰腾起的绿色产业巨龙。

走进兴发，一股旺盛的人气让我们几乎忘了眼下正是落木萧萧雁南飞的深秋。塞外北疆，远离都市，为何几年间一批批大学毕业生、专家教授、技术干部纷至沓来，扎根创业？

倾听一个个兴发人的故事，叩问一段段难忘的心路历程，我们开始体味集团董事长张振武的那句肺腑之言：人心是兴业的大根本，草原兴发的吸引力，来自思想政治工作的魅力。

以一腔真诚凝聚人

初识兴发，周立业还是农学院大四女生。滴水成冰的塞北隆冬，远离总部的简陋鸡场，让前来探望男友的周立业心里发凉。除夕夜，一阵敲门声突然响起，几个一身寒气的“雪人”闪了进来，打头的正是时任公司总经理的张振武。几句暖乎乎的问候，焐热了两颗年轻的心，也决定了一个重要的人生选择。

毕业分配如愿以偿，周立业既高兴又担心，在以畜禽养殖为主业的兴发，自己学的蔬菜种植专业能派上用场吗？入厂锻炼刚结束，周立业几乎不敢相信自己的眼睛：兴发公司蔬菜办的牌子已高高挂起！信任，会激发出无限潜能。5 年过去，当年的女大学生，已是兴发天然食品厂独当一面的种植科长；有机蔬菜栽培加工，也成为兴发集团充满生机的创汇产业。

1300 多名大中专毕业生陆续加盟兴发，故事虽不同，感受一样深。一张小小的生日卡片，一场隆重的集体婚礼，让这些来自八方的年轻人倍觉温馨；严格的入厂锻炼、新颖的职业生涯规划，更激起他们强烈的责任心和兴趣。在这里，职务任命不论年龄、资历，只看能力、业绩；岗位分配不搞长官意志、流动壁垒，尊重个人选择、专长发挥。没有说教、标榜，而是真诚关心、全力扶助；不比工资、待遇，却让每个人清清楚楚地看到成长机遇、创业空间。

将营造良好的成才环境作为思想政治工作的切入点，凝聚起无数有志青年扎根草原、艰苦创业。兴发 281 位中高级管理者中，近年来脱颖而出的大中专毕业生就占了 222 名！

同为兴发人，周淑芬却是年过不惑时“被迫”走进兴发大门的。从主抓销售的副经理、多年的先进工作者，一夜之间变成被兼并企业的再就业职工，失落、不解、委屈，像一堵墙横亘心里。

周淑芬怎么也想不到，兴发迎接她的是一团火。大会动员、分组讨论、上门谈心，从党委书记、总经理到部门领导，一次次讲市场经济优胜劣汰的规律，讲下岗并不意味着知识与能力的贬值，讲“不分你我他，携手建兴发”……更想不到的是，3 个月后，她被任命为新成立的四野事业部副总经理。风风火火跑市场，扎扎实实抓管理，45 岁的周淑芬说自己“又年轻了一把!”

近几年，进入高速发展期的草原兴发先后兼并、收购了 20 多家国有和集体企业。真诚的关怀、平等的待遇，拂去了重重疑虑，打开了个个心结，1500 余名再就业职工心情舒畅、心劲高涨，全身心融入兴发大团队。所有被兼并的企业，都在半年内走上了发展正轨，那种企业改组中常见的低成本扩张高成本消化怪圈，在兴发悄然遁迹。

让过硬的班子感染人

1999 年，董事长张振武赴京洽谈项目。时值盛夏，酷暑难当。在约好的宾馆大堂等客人时，望着董事长干涩的嘴唇，同去的小阎想替他要杯咖啡。得知“30 元一份”时，张振武挥挥手拒绝了：“咱兴发人到啥时候也不能充大款啊!”

一支过硬的干部队伍，就是一个个流动的正气课堂。市里奖励张振武 200 万元，他全部用作“助老基金”。公司发的年终效益奖，许多集团领导悉数存入工会账户。出差在外，只要有下属公司，兴发公司一班人总是与员工一起挤集体宿舍、吃食堂快餐。他们把这看做是“和大家伙说点话”的好时机，员工们则将其一言一行当成了艰苦创业的活教材。

吕永利，脑子活性子倔，加入兴发短短两年，就从普通业务员迅速成长为总经理助理。一次喝酒闹事令他丢了“官”，一番深长的谈心则让他醒了闷。沉入基层从头再来，搞野菜开发，建兴发涮园，工作任劳任怨，事业有声有色，很快又被任命为部门总经理。这段沉浮在兴发上下引起极大震动。感触最深的，还是吕永利本人。用他的话说，兴发是个大熔炉，每个人到了这里，都要经受一番锤打冲压，而后由铁成钢。

让育人者先受教育。破除包打天下的能人思想，提倡终身学习的现代观念，引入能上能下的组织机制，强化防微杜渐的自律意识——思想政治工作从干部队伍抓起，说服力、感染力大增，一股团结进取、清正奉献之风在兴发升腾。

用先进的文化提升人

1998 年初，具有重大生态效益的“羔羊育肥”产业战略在兴发启动。为获取第一手数据，大学毕业刚两年的巴图和一位同事主动请缨，来到千里之外的锡林郭勒大草原。

3月，锡盟草原依然雪地冰天。简陋的蒙古包、烧红的羊粪砖，挡不住长风寒流，往往一觉醒来，鼻子已被冻掉一层皮。为测得准确的羔羊初生体重，夜里轮流蹲守羊圈；为拿到翔实的采食量，跟随羊群在荒原上一走就是一天。赶上下雪，小刀子般的北风眨眼间变成铺天盖地的“白毛风”，将100多只羊安全带回基地就成了大问题。雪野牧羊，一呆仨月，到底图个啥？巴图坦坦一笑：羔羊育肥是场“生态牧业革命”，草原持续发展，牧民长远致富，就看它了。能参与这项大事业，觉得特荣幸，特满足，特带劲！

心有理想，方能致远。“草原兴发、绿色天然”描绘出发展蓝图，“兴千里草原，发万户人家”昭示了社会责任，“忠诚、敬业、协作、服务”规范着日常言行。丰富多彩的图片展览、宣传讲座、演讲比赛、读书活动，将一种共同理想深植在每个兴发员工心中。2000年，紧密结合“双思”教育、“三个代表”的学习加强思想建设，兴发更是士气大增。

动人心处味最长。将先进的企业文化融入生产经营，用积极向上的企业精神感召人、激励人、提升人，让每位员工工作有成、前途有梦，一段寻常人生，平添点点光彩。而今，拥有13亿元资产、年创利税1.3亿元的草原兴发，正擎着推进草原牧业现代化的大旗，担起内蒙古农牧业产业化龙头的重任，带动近7000户农民、2万多牧户奔向富裕。

（摘自2000年11月5日《人民日报》）

山西省西山煤电（集团）有限责任公司

紧跟时代　贴近群众　寻找最佳结合点

西山煤电（集团）有限责任公司的建筑物显得很普通，甚至有些寒酸。但下矿井接触一些矿工，上山走进几户人家，感到这里的人心很齐，有一股向心力。凝聚人心的，就是这个企业充满时代特色的思想政治工作。

紧贴时代才有生命力

西山煤电（集团）公司是生产优质动力煤和炼焦煤的特大型煤炭企业，总资产150亿元，现有职工8万人，加上家属约20多万人，形成了一个占地500平方公里的庞大煤矿社区。1998年开始，公司推行思想政治工作“责任法人制”：行政一把手为责任法人代表，党委书记为责任保证人，党政一把手共同负总责。

思想政治工作“责任法人制”，增强了党政班子的责任感。西铭矿制定了企业思想政治工作的长远规划和年度目标，矿长决定每年拿出8万元作为思想政治工作奖励基金。政工部门也改变了以往单凭组织活动开展工作的路子，进行调查研究和职工思想预测、企业形象设计和经营理念总结，使工作活跃起来。

1998年的一个冬夜，西山煤电（集团）公司水泥厂厂长范俊宇到车间检查，发现个别职工在工作岗位上睡觉。按惯例这要罚款。经过思索，他采取了另外一个方法，拟了一个对联的上联：“你睡我睡大家都睡，莫管它设备转否质量高低。似这样上班睡觉两不误，该有多美！”第二天，他把上联贴到厂里的公告栏里，公开征集下联。此事在全厂引起了震动，职工对出下联80余条。还引发一场“爱岗敬业”的讨论，上上下下受到了一次深刻的职业道德教育。

贴近群众才有凝聚力

思想政治工作做什么？怎么做？公司董事长、

党委书记梁兴保说："职工群众越来越关心企业的前途和命运，越来越注重自己的认识和情感，越来越需要有人解答和消除自己的疑虑和困惑，也越来越需要理解、关心和帮助。这就是新时期思想政治工作的内容。"围绕这个内容，西山煤电（集团）公司实施了三大工程：素质工程、阳光工程、温暖工程。

"素质工程"：进行全员培训，在内部实行竞争上岗、公开招聘。几年来，公司先后送43名职工到北京学习，全部取得了律师资格，成为企业的法律顾问；选拔部分副处级以上干部进行工商管理和工程管理等高层次业务培训，为企业发展造就高层次管理人才；对井下一线工人，则着重进行现代化、机械化生产知识的培训。杜儿坪矿一采区，为了提高井下工人操作现代化设备的技术，将大学生充实到采煤一线，成立技术协会，进行强化培训，使采区内职工个个成了采煤能手。

"阳光工程"的核心内容是企务公开。官地矿是一个老矿，近两年为改善职工住房条件，接连盖了几幢新楼。可有些领导搬进了新居，就是不退旧房，职工意见很大。实施"阳光工程"后，在全矿科级以上领导干部大会上，矿长、书记向职工公开承诺，"收不回房子，就引咎辞职"。对拒不退房的干部，在党政联席会议上，矿长张能虎提出"先免职，强制退房"的办法，得到广大干部群众的支持。没过几天，22套住房退了出来，分配到了因工死亡职工的家属、因工致残职工和困难户手中。集团公司物资供应公司是大宗物资采购部门。实施"阳光工程"以来，先后制定了大宗物资竞标采购制、工程发包招标制，并随时接受组织、群众、舆论监督。如今，小到领导干部每月用的水、电、气、暖，大到干部任用、工程承包、工资发放都能做到公开、公正、公平。

"温暖工程"被职工们称为"最感人的思想政治工作"。近年来，由于煤炭企业的困难，一些职工面对工作和生活的压力，产生了困惑。集团公司和各单位经常举办报告会，向职工介绍企业摆脱困境的对策和出路，解释有些问题一时还不能解决的原因和难处，赢得了职工群众的理解和支持。同时，举办各种技能培训班，帮助职工掌握一技之长，并发挥大企业的优势，使职工成建制再就业。

1999年，公司抓住国家加强基础设施建设的机遇，组织2000多名下岗职工参加公路建设，在此基础上组建山西省煤矿职工筑路集团军，积极参加省内外的公路建设。官地矿成立了青年志愿者协会，帮助待业青年和特困职工寻找就业门路，与太原市149个用人单位签订了用工意向合同，帮助100多名青年和职工实现就业。全公司建立送温暖基金会52个，送温暖基金257万元，许多贫困职工和家庭在组织和大家的帮助下走上脱贫之路。

（2000年11月8日《人民日报》）

中建八局921—520工程项目部

为"神舟"腾飞建造太空港

1999年11月20日，巨型运载火箭成功地将"神舟"号试验飞船运送到太空，并正常运行。这其中也凝聚了中国建筑职工的心血。

直到90年代中期，我国还停留在火箭水平安装、水平测试，再垂直安装、垂直测试的阶段，而美、法、俄等航天事业发达的国家，火箭垂直安装、测试一次完成。为了使我国载人航天工程顺利实施，在火箭安装、测试上达到发达国家水平，中央决定在酒泉卫星发射中心建设我国的太空港——火箭垂直总装测试厂房，此工程被命名为921—520工程。

理想信念稳人心

在中国建筑工程总公司第八工程局竞标该工程获胜的第3天，1994年10月13日，中建八局第三建筑公司西北公司副经理常俊峰就带着先遣队进入沙漠。“一年一场风，从春刮到冬，天上无飞鸟，地上不长草，风吹石头跑。”这是他们所处戈壁滩的典型写照。拉肚子、患感冒、流鼻血，是建设者人人要过的三关。开始的一个多月，全体人员都天天吃方便面，由于没有蔬菜，许多人的嘴角都烂了。值了一夜班的工地技术负责人邓军，背靠着保温水箱站立着进入梦乡，他梦见眼前就有一盘翠绿的菠菜，可怎么也够不着，一急，醒了，他多希望这个梦能做得长久一些。

这时有的职工动摇了，出现了畏难情绪，有的想离开。工程指挥部的领导及时发现了苗头，决定以理想信念稳定人心。他们以工程的重大意义激励职工为国争光，为民族争气，为企业争荣誉。职工们信服了，表示：身在戈壁，志在报国。

1999年12月12日，是测试厂房混凝土底板施工开盘的日子，但就在前一天，气温骤降到零下19摄氏度。在这么低的气温下浇筑混凝土，质量能否保证？如果现在不开盘，工期就要拖半年。工程指挥部反复论证，决定按时开盘。工程实行三班倒，由于人手缺乏，有的职工连续干20多个小时不下施工现场。经过半个月的努力，底板浇筑顺利完工。他们开创了沙漠高寒地区冬季施工浇筑大体积混凝土的成功先例。

行动是无声的语言

工程指挥部认为今后可能会出现更困难的情况，要求党员干部要以身作则，冲锋在前，越是困难的时候，越要发挥党员干部的模范作用，这比靠口头做思想政治工作更有效。

测试厂房箱形屋盖的施工是技术难度最高的。国外都是钢架结构，而我国从实际出发，采用混凝土结构，造价低，抗风力强，但无先例可循。箱形屋盖净高81.6米，重量达13000吨。常俊峰站在模板上风力最大的地方指挥施工。三班倒时，困了，就和衣趴在桌上或靠着墙打个盹，但手上不忘拿着报话机，一有声音就醒来。半个月后晚上12点，箱形屋盖的最后一方土入模。

1996年6月，安装项目部经理刘国治扁桃体严重发炎，脖子肿得跟脸一样粗，正躺在沙发上输液，突然接到消息，给工地送6台卷扬机的货车在六盘山翻了，卷扬机全部报废。这是拆除箱形屋盖支撑急需的设备。支撑不拆除，其他工作就不能进行。急得刘国治拔下针头，找来司机轮流开车去1000公里外的兰州拉货。自古戈壁夜不行车，天黑了下来，车开进了河道，陷入沙窝。搭车的人吓得哭了，刘国治和司机几番努力才使车冲出沙窝，连续行车10多个小时，在第二天上午赶到兰州，第3天，装着卷扬机的卡车开进了工地。

装饰公司经理王志成的妻子得了胃癌，1997年元旦刚过，当王志成得知妻子快不行了，他昼夜兼程赶到妻子身旁。没过几天，是王志成的生日，王志成特意做了几个菜端到病房里，妻子说，往年这时候都是我做菜给你吃，没想到今天你做给我吃，虽然吃不下，也要尝尝。两人在病房里都哭了。妻子的最后一句话是“照顾好孩子”，但办完妻子的丧事后，工地就发电报催他返回。那正是厂房内外墙抹灰的关键时期。当他决心返回工地时，双胞胎儿子一人抱着他一条腿，他就这么拖着走到门口。他狠狠心让大女儿停薪留职回家照顾弟弟，毅然返回大西北。

思想政治工作结硕果

在党员干部的带动下，职工也发挥出自己的最大能力，工程顺利完工。从1994年10月进场，到1997年6月竣工，历时2年8个月，完成了定额工期4年的工作量，建成了集现代建筑与高科技于一体的中国第一座太空港。该项工程的建成，使火箭总装测试工艺由水平转为垂直，使我国航天事业跨上一个新台阶。工程荣获1999年度国家建筑质量最高奖——鲁班奖；工程开发应用的“火箭垂直总装测试厂房综合施工技术”，获得国家科技进步一等奖，这是我国建筑业至今首次获得该奖。921—520工程项目经理部荣获全国“五一”劳动奖，工程项目部经理常俊峰被评为全国劳动模范。

（摘自2000年12月22日《人民日报》）

广州市海珠区人民检察院

造就无坚不摧的反贪铁军

多次被评为全国先进的广州市海珠区人民检察院，1993年以来共查办处级以上贪官75人，其中厅局级大贪官7人。

小小区级检察院，却以专打“大老虎”而威震羊城。是什么造就了这样一支无坚不摧的反贪铁军呢？

常抓不懈的思想政治工作打造了一支年轻、朝气蓬勃、英勇无私的反贪奇兵

走进海珠区检察院，你不能不惊讶于一张张年轻得让人羡慕的面孔，许多竟是中层以上领导干部。正是这支35岁以下青年占70%的队伍，1993年以来立案查办贪污贿赂案件345件共377人，为国家挽回直接经济损失4100多万元，75名处级以上贪官栽在脚下，赫赫战绩居广东省基层检察院之首。

1993年，以刘树选检察长为首的新班子上任后，就开展了“岗位成才，多做贡献”、“我爱我家海检院”、“艰苦奋斗大家谈”等形式灵活多样的活动，引导全院同志怎么看待检察事业的工作艰苦、生活清贫，使大家感到献身检察事业是何等神圣、光荣，认识到干工作不能单纯为了钱，更重要的是在自己从事的工作中作出成就。他们大力倡导反贪局以查办了大案、公诉人以在法庭上胜诉为自身价值的实现，通过灵活有效的思想政治工作，全院同志焕发出四种“海检精神”：开拓进取、集体主义、艰苦奋斗、乐于奉献。

陈思民，由于进步神速、敢办大案，1995年被评为广州市十佳青年检察官，被任命为反贪局侦查科长。1997年，在院领导全力支持下，他带领干警不畏强权，查办了交通部广州海上安全监督局局长金天保受贿案，将重权在握、不可一世的正厅级干部金天保送上审判席，带破“窝案”一批。1998年，年仅32岁的陈思民被任命为副检察长兼反贪局长。

研究生陈明香进院后上进心不强，得过且过，混了两年日子。刘树选不动声色地和他谈心，“小陈啊，你可是咱们院里惟一的研究生，你看看院里那些本科生、大专生的实际工作能力、调研能力、控辩口才和你这研究生比怎么样？你有什么感受？”轻轻一句，振聋发聩，陈明香很快振作精神，全身心地投入到反贪侦查工作中，办了不少大案，后来在竞争上岗中当上了反贪局侦查一科副科长。

把思想政治工作延伸到了办案第一线、家庭和社会中，形成高效的“互联网”

海检院班子制订了《关于加强八小时以外队伍管理的决定》等规章制度，明确要求干警做到“四个一样”：无人监督与有人监督一个样，业余时间和工作时间一个样，在院外与院内一个样，在外地与本地一个样。

检察官在高举反贪利剑、维护国家利益的同时，很自然地成为各路经济违法犯罪分子进攻、腐蚀的对象。但在海检院，由于成功地把思想政治工作延伸开来，拒贿防腐蔚然成风。1996年，该院在查办私营企业主关悦佳偷税1200多万元大案时，此人动用各种关系来说情和施压，但在海检院形成规定的“说情有两人以上一起热情接待，施压理都不理”面前根本无效，关被逮捕后向刘树选检察长提出给海检院50万元和一辆小汽车，放他一马，被严辞拒绝。

海检院通过开展贤内助、廉内助活动，使思想政治工作走入家庭。他们规定家属不能打听案件，更不能参与说情。此外，还设立社会监督员，监督检察干警是否依法办案，有无利用工作机会吃拿卡要。就这样，海检院成功地把思想政治工作延伸到了办案第一线、家庭、兄弟单位和社会中，形成思想政治工作的“互联网”。

讲理想和信念的同时要与客观实际紧密结合，与市场经济的时代同步

前几年，海检院干警90%无房，生活较清贫，如果在这种情况下一味地要求干警艰苦奋斗、无私奉献是不切实际的。当时院领导的住房也十分困难，刘树选检察长的儿子结婚没房子，还得让自己的老父亲回河南老家去。但海检院领导并不是先想着替自己解决问题，而是千方百计地筹集资金，争取区委、区政府的支持，努力建成了干警宿舍大院，使每位干警都分到了一套住房，且逐步使干警的实际收入达到了略高于同级别党政干部的水平。

刘树选检察长说，在当今时代，处处都要讲实际效果，思想政治工作更不能就字面理解为务虚的理论教育，而要点点滴滴深入人心，使干警在内心深处自觉地形成积极向上的思想基础，每项工作都要务实。

个性化、人情化思想政治工作措施和方法产生令人惊叹的凝聚力

敢打“老虎”使海检院威名远扬，干警不得不长年超负荷工作。为解除干警的后顾之忧，海检院制定了“后方支援”制度和家访制度，坚持后方的同志帮助前方的干警照顾家属；规定了“生、老、病、死、喜、干警长期出差办案”六个必访，检察长亲自到医院探望因病或因公负伤住院的干警。

2000年7月，在查办广东省教育厅设备处处长陈冰峰受贿案时，天气酷热，几名废寝忘食查案的干警发热、拉肚子，一名检察官突然疲劳性双目失明。院领导闻报立即召开检委会，决定让院伙房自己调理伙食送饭上前线；院领导亲自带上花旗参茶、清凉饮料到办案地点慰问在一线战斗的干警。办案干警士气大振，很快查清了陈冰峰的犯罪事实。

主诉检察官方健是办案骨干，其妻不在广州，工作、生活两头跑。院领导了解情况后，想方设法帮其妻调到海珠区。几年来，院领导先后帮助4名干部将外地工作的家属调入广州。

身在海检院，如在和睦温馨的大家庭。全院同志形成互助互励的风气，使海检院的思想政治工作进入了“良性循环”。

（2000年12月25日《人民日报》）

中国科技大学

开拓网上大课堂

面对信息网络大趋势，思想活跃的大学校园如何做好莘莘学子的思想政治工作？培育新的有用人才？中国科学技术大学从容应对网络挑战，利用快捷高效的校园网络，开展丰富多彩的思想教育，探索新的育人机制，先后被评为安徽省和全国党建、思想政治工作先进高校，为高校网上思想政治工作闯出了一条新路子。

迎接挑战，抢占思想工作新阵地

中国科大从1994年建成校园网至今，全校上万名师生中有5800台计算机联网，所有系、部、处实验室全部上网，90%的在校师生成为电子邮件用户，平均每天进出的电子邮件总数约为1.5万件。

网络极大地满足了大学校园对信息的需求，但也不可避免地带来诸多的负面影响。有的大学生社会阅历浅，面对网上负面信息，容易造成思想混乱；有的学生过于迷恋网络，沉溺其中，影响了学业。

网络是把双刃剑，有利又有弊。科大选择了兴利除弊。校长朱清时分析说：“信息技术的迅速发展，正在使地球从‘绝缘体’变成‘超导体’，大学校园也不例外，必须顺应时代潮流，探索新的管理方式和思想政治工作规律。”

为此，科大制定了一系列网络管理规则，使无序、虚拟的网络运行，纳入到有序、实在的管理之中。富有创意的“版主负责制”，既增强了BBS上各版主的责任心，又加快各信息版块建设。对党政干部计算机和网络知识的培训，使新老政工干部，有了开展网上思想工作的本领。学校还拨出专款，为分管学生工作的党总支副书记配备电脑，开通网络，设立电子邮件账号，让思想工作者真正进入网络思想政治工作主阵地。

正面引导，唱响网上主旋律

浏览科大校园网，让人感到时刻有一种冲动，一种昂扬向上的情调，时时处在奋发向上的激情之中。校党委副书记李国栋告诉记者，科大有一批善做学生思想政治工作的热心人，他们以平等的身份，和学生一起在网上交心、交流、交朋友。他们与学生一样，都有自己的网上昵称，都是大学生们耳熟能详的大“网虫”。冰糖、小胖、皮猴、大眼睛，这些名字在网上一闪现，众多网迷就会围追上来，涌到聊天室去聊天。他们有的是班主任、老师、专职思想工作者，更多的是高年级学生，是硕士生和博士生，因为充满爱心，因为善于点拨，善于引导，在网上名声大振，在学生中享有很高威望，被推上科大校园网BBS上222个版块“版主”的宝座，成为学生心目中的旗帜，生活中的良师益友。

1997年冬，网虫“冰糖”的一篇《长风破浪会有时》，讲述了湖北籍艰难求学四兄妹的故事，因为家庭贫困，妹妹弃学助哥哥，哥哥打工助弟弟，父母拼力撑子女。一行行无声的话语，有如一枚枚重磅炸弹，在科大网上炸开了花。有同学提议：“我们要组织起来，帮助身边生活有困难的同学。”

这一提议立刻得到网虫们热烈响应，于是由“冰糖”牵头，“爱心行动小组”在科大应运而生。几年来“爱心行动”不断，由校内到校外，由国内到国外，爱心连接了科大人，爱心牵动万人心，“爱心行动”成了科大校园网上最具吸引力的版块之一。版主“冰糖”原来是校学生处干部钱若华。

科大虽以科技学术为重，但理论学习的风气还特别浓厚。学生自发地成立了邓小平理论研究会，几年如一日，坚持不懈。他们将《邓小平文选》搬上网站，供人下载，同学们有关邓小平理论研究的文章不断在网上交流。现在60多个分会的数百名成员分布在科大各院系。邓小平理论研究，给科大学风、校风注入了强劲的生命活力。

虚功实做，构筑育人“立体网”

有人说，科大网上思想政治工作的成功，不仅在于网上引导得好，更在于网上网下、课内课外结合得好，虚功实做，使科大构筑起可贵的育人“立体网”。

科大积极营造健康向上的政治氛围和丰富多彩的校园文化。配合网上思想政治工作，他们在全校开展有声有色的党建和德育教育活动，“三讲”集中教育和“回头看”活动中，学校先后三次以民主测评的方式在全校范围内征求意见，制定德育和思想政治工作等六个长远和全局性问题的整改方案。学校每年都要组织学生深入厂矿、农村调查研究，开展扶贫支教、科教支农和“三下乡”、科学探险考察等活动，让学生在社会实践中陶冶情操。学生要求入党的积极性高涨，有的系1/3的学生递交了入党申请书，最高的达半数之多。

网上网下思想政治工作的核心是造就具有创新意识的一流人才，学校为此开设了“研讨班”课程，在全国高校中率先实施“大学生研究计划”，受到高年级大学生的普遍欢迎。学校几乎每周都有国内外知名学者举办学术报告会，有300多名中国科学院著名学者任兼职教授，常年有100多名“两院”院士来校讲学，他们的演讲内容和科研成就，全都上了科大校园网。

为了把网上思想政治工作与网下解决实际问题相结合，科大把“校长信箱”“挂”上校园网，在各职能部门的网络版块上设立了16个“问题、建议与答复”版块，每个意见箱每天都有人专门上网查询，分析处理意见，组织解决问题，及时答复反馈，为教书育人创造了良好环境。

（2000年12月26日《人民日报》）

八达岭特区办事处

坚持更高标准　塑造文明形象

八达岭长城是国务院确定的第一批全国重点文物保护单位，是享誉世界的风景旅游区。1999年10月，中央文明办、建设部、国家旅游局命名八达岭长城为第二批全国文明风景旅游区示范点。

他们以人为本，把强化和提高职工文明素质贯穿于各项工作当中。加大机关工作作风整顿，树立为基层、为职工、为顾客服务的思想观念，建立健全规章制度，加强文明观念、文明言行的宣传和规范，使景区的创建氛围空前浓厚。

开展创建文明景区以来，八达岭旅游区在资金紧张的情况下，投入巨资加强配套服务设施、娱乐设施、环境美化改造等基础设施建设，为游人提供文明优质的服务，健康丰富的游览内容，清新优雅的旅游环境，提高景区的游览品味。他们按照大长城博物馆的指导思想进一步丰富游览内容，提高硬件建设档次，提升文明建设水平，进一步加大景区的绿化美化力度和文化内涵。

为了创建文明景区，保持稳定良好的秩序，为游人创造安全舒适的游览环境，他们对景区秩序开展了大力度的综合治理。首先，成立了由特区、周边乡镇村、公安、工商、市容等执法管理部门组成的综合治理机构，统一领导协调景区秩序的综合治理工作。第二，明确责任制，加强统一指挥与协调，各负其责。他们与景区内的56个单位签订综合治理“一保三优”目标管理责任书，并逐级签订，责任到人。各执法部门建立了严格的岗位责任制，采取定岗定责、阵地控制、死看死守的岗位责任制，并建立严格的监督考核机制。做到问题及时发现、及时解决、及时查处。第三，采取联合执法管理，加大监督检查和管理的力度。实行公安、工商、市容、综治办、市场办等执法部门混合编组联合管理的办法，对景区划分管理区域，管理责任包干。第四，加大整治力度，打击违法行为。针对景区存在的无照销售、强买强卖、乱搭乱建、黑车宰客等不法行为，组织专门力量开展专项整治。成立了70余人的联合执法检查队伍，对景区内的违法行为进行专项治理和重点打击。第五，实行规范化管理，全面提高遵纪守法、文明服务水平。成立了市场办公室，对分散、杂乱的摊点采取集中统一管理，对经营工具、服装、价格、敬语服务、工作人员仪容仪表等方面都制定了规范和要求，并与每位经营者签订协议书，制定各项管理规章制度56项，从而使景区的市场秩序管理有力度、有标准、见成效。

加强教育培训，提高职业道德、业务技能和服务水平。几年来他们把抓职工的教育培训列入主要议事日程，对新上岗的职工进行职业道德、业务技能、遵纪守法等培训，考核合格后持证上岗。每年对百余名职工实行脱产培训，各单位利用旅游淡季实行在岗轮训和班前班后训练，培养良好的业务素质和文明服务技能。

加强企业思想政治工作和企业文化建设，挖掘弘扬中华民族悠久历史文化，使八达岭成为传播文明、教育人们的阵地。他们成立了长城文化艺术协会，创办了《八达岭长城报》。2000年又投资近300万元成立了八达岭长城文工团，编演以长城历史文化为主题的节目，每天演出。举办长城国际登山节、长城文化节、消夏避暑节、国际文化节、长城之声音乐会等文体活动。八达岭长城被中国关心下一代委员会、北京市政府列为青少年教育基地。

（首都文明办）

北京颐和园管理处

坚持文化建园 深化景区创建

颐和园贯彻“文化建园”的工作方针，坚持两个文明一起抓，以一流的工作目标，一流的工作态度，一流的管理服务和一流的工作业绩，向社会展示了文明旅游景区的风范。1998 年 6 月被中央文明办、建设部和国家旅游局命名为第一批全国文明风景旅游区示范点。

一、领导高度重视，制度规范健全

颐和园在实际工作中坚持“文化建园”宗旨，深挖颐和园文化内涵，对两个文明建设共同部署，共同考核，逐级负责，狠抓落实。建立一套有利于精神文明建设健康发展的监督、制约、考核和激励机制，健全完善《颐和园职业道德行为规范》，将精神文明建设工作纳入《颐和园综合管理检查评比规定》。向社会公布投诉监督电话，聘请社会义务监督员对园内的管理服务工作进行监督，促进了管理服务工作的提高。积极组织职工技能培训和文化素质培训。请专家学者来园进行文化讲座，开展颐和园知识竞赛活动，组织职工参观公园近年来的成果，进一步提高对颐和园的再认识，逐步缩短职工与颐和园文化内涵之间的差距。在全园开展工人技术等级鉴定，通过园内培训与送出培训相结合的方法提高职工的业务技能，为不断提高文明景区的管理服务水平打下基础。

二、狠抓环境设施建设，创造最佳园容景观

颐和园有步骤地开展各项环境设施建设，力争为游人创造一流的游览环境，有效保护古建文物，充分展示园林文化内涵。他们本着“保护为主，抢救第一，不改变原状，修旧如旧”的文物保护方针，对古建进行有序维修复建和合理利用。大力开展园容基础设施建设，不断完善设施服务，使园容设施更好地为游人服务。提高景区绿化水平，保持一流绿化景观。经过多年的建设调整，绿化布局已形成规模，为在细微之处进一步完善提高，使游人观赏到更加优美的绿化景观，在继续巩固发展 3 年绿化调整后溪河绿化改造的基础上，坚持更精、更细、更美的工作管理原则，不断加快绿化美化建设步伐。高标准开展卫生保洁工作，确保环境整洁清新。

三、优质服务，文明经商，巩固两个文明建设成果

随着社会对颐和园各方面要求的不断提高，以“视今天为落后”和“不进则退”的紧迫意识，坚持不懈地开展规范化服务活动。严格服务管理，狠抓规范化服务的终端落实，将“双无”（无投诉、无安全服务责任事故）活动、党员责任区活动、“双十佳”竞赛、“百名一线服务窗口能手”评比竞赛等，贯穿于全年各项工作当中，并将服务投诉与 8 项恶性事故并重，把投诉率列入领导干部年终考核和干部职工处罚条例当中。

坚持以文化建园为宗旨文明经商，取消了影响景观、易造成环境污染的商业摊点和严格餐饮业的食品卫生管理。

四、加强安全管理，确保景区安全稳定和游览秩序井然

为确保景区安全和游人的愉快游览，充分发动和依靠群众，采取人防、技防相结合的方式有效开展安全保卫。在园内建立了综合管理办公室，成立护园队和专职保安队伍，逐一落实安全生产责任承包书，使安全责任切实落实到人。制订安全生产操作规范，将安全生产责任制和岗位责任切实落实到各单位和每名职工。

（首都文明办）

北京同仁堂集团公司

创建文明单位 促进企业发展

北京同仁堂自1996年至2000年连续5年荣获"首都精神文明标兵单位"的称号。同仁堂在开展创建文明单位活动中，以"以德治企"为指导思想，以培育"四有"职工队伍为根本目标，以提高职工思想道德素质和业务技术素质为主要内容，以弘扬同仁堂文化理念为有效载体，以激励和调动广大职工的积极性和工作热情为动力，促进企业全面发展。

一、坚持以德治企，促进企业健康协调发展

同仁堂集团坚持以德治企，确立了以企业文化建设和思想政治工作协调并进，为企业发展注入新动力的文化战略。

他们注重培养强烈的质量意识、服务意识、效益意识、竞争意识、市场意识和集团意识，使之成为全体员工思想和行为的基础。培育"同修仁德、济世养生"的企业精神，树立正确的道德观、义利观，并努力使同仁堂精神，融合到每个岗位的操作规程上、每件事情的处理程序和风格上、每个企业管理的环节和要求上。创造尊重、理解、合作的人际关系，创造有利于职工身心健康和提高劳动技能的生产和生活环境，创造有吸引力的文化生活环境，提高职工的思想和文化素质，使之成为企业发展所需要的合格主人。树立一批既有时代精神，又具有同仁堂风采的销售状元、革新能手、管理标兵和科技模范等先进典型，开展学先进的群众活动，提高职工队伍素质。全方位地塑造货真价实、质量一流、服务优良、用户信任、同行领先、社会公认、独具特色、综合发展的新时代同仁堂企业形象，提高企业知名度，使信誉优良的企业形象更具光彩。逐步建立精简、高效、服务的领导体制和组织机构，逐步建立健全一套能够激发职工平等竞争、奋发向上的用人机制和分配机制，促进企业健康而充满活力地向前发展。

二、坚持以人为本，把传统道德和现代文明相融合，培育现代文明的职工队伍

他们不断挖掘和整理同仁堂传统的经营道德观念，并结合工作的具体内容加以运用。提出了全体同仁堂人必须共同遵守德、诚、信的行为规范，建立以职工全面发展为目标的教育机制，将职工培养成既有理想道德，又能精通业务的复合型人才。通过实施文化战略，同仁堂集团的职工保持了以"德、诚、信"为核心的6种企业意识，从1992年至2000年，共有500多人被树立为各岗位的先进典型，其中88人被评为北京市、全国的先进个人、标兵和劳动模范。这些先进典型，把同仁堂的精神和优秀传统变为活生生的具体形象，为职工的行动树立了榜样。坚持以人为本，把培养人、教育人、鼓励职工成才并逐渐形成人才成长的良好氛围，是企业发展的内在需要，更是同仁堂搏击市场的长远之计。

三、坚持以义为先，义利并举，塑造现代企业新形象

在企业的经营活动中，同仁堂人自觉实践着企业的经营宗旨和道德规范。90年代初，我国南方曾流行甲肝，致使特效药板蓝根冲剂的需求量猛增，一些药厂、药店趁机抬高售药价格。与此同时，到同仁堂拉板蓝根冲剂的汽车也排起了长队。面对市场急需，同仁堂动员职工放弃春节休假，昼夜不停，加紧生产高质量的产品供应疫区。有人提出，该药需求量太大原辅料要高价收购才能满足生产，如果还按原价出厂显然不划算，应适当提高价格。但一向把治病救人视为天职的同仁堂明确表示，不能乘人之危发民难财，药品一律按原价出厂。不但如此，药厂还专门派出一个车队，把大批药品直接送到疫情最重的地区。同仁堂集团还把塑造良好的企业形象作为一项工程来抓，开展了一系列有效的宣传活动，树立企业形象，取得了明显的效果。

四、发挥党组织的政治优势，为精神文明建设提供强有力的组织保证

集团党委把加强各级干部的思想建设作为一项重要任务，每年都根据企业发展的不同的状况，提出明确的教育目标，制订切实可行的培训、教育计划，通过采取多种学习、培训方式，使广大干部树立起改革意识、创新意识和发展意识。充分利用社会人才市场和企业内部人才流动机制，开发和积蓄人才，营造人才成长的良好氛围；通过实行“助理制”、“见习制”和“让贤离岗”制度，给青年干部创造条件，促进他们早日成才。同仁堂公开向社会招聘了9大类25名中高级专业人才。这些社会招聘的人才融入到同仁堂中来，不但解决了同仁堂人才匮乏的问题，而且非常有利于形成市场化的人才建设机制。

集团党委在职工中经常开展“讲形势、议竞争、谈责任”的活动。做到集团上下都了解同仁堂奋斗目标的具体内容，并逐渐形成共识，用目标凝聚全体职工，充分发挥各级工会、共青团等群众组织的作用，做好各类人员的思想政治工作，保证企业有一个良好稳定的发展环境。

（首都文明办）

北京市公安局牛街派出所

模范执行党的民族政策　树立为民服务公安新风

北京市公安局牛街派出所现有民警58名，平均年龄28岁。该所辖区1.39平方公里，居民1.9万余户，5.9万余人，以回族为主的22个少数民族占总人口的1/4。全所民警连续22年无违纪，先后受到部、市多次表彰。

一、模范执行党的民族政策，全心全意为牛街地区群众服务

针对牛街的特殊性，新民警来所后，所里都要进行党的民族政策和尊重少数民族风俗习惯教育。根据民警变化和每次保卫工作的不同特点，他们请牛街清真寺大阿訇等宗教人士和市局、分局业务处领导介绍回族群众的生活习俗、礼节、常用称谓以及清真寺历史、回族发展史，围绕执勤中如何处理涉及少数民族问题进行系列教育和专题教育。他们结合学习、工作，常年为回族群众敬仰的牛街清真寺办好事、办实事。牛街清真寺要用很多煤和劈柴，民警利用休息时间把这些脏活、累活全包下来。为尊重少数民族的饮食习惯，从建所的第一天起，就坚持只开回民灶，并多年坚持这个规矩。著名的宗教人士牛街清真寺石昆宾大阿訇，曾代表全体穆斯林群众，给牛街派出所送匾，上书“爱民楷模”。

二、全力维护辖区社会治安秩序，确保一方平安

针对牛街地区涉及敏感宗教方面问题多的特点，该所十分重视情报信息工作，特别是民族方面的情况信息，他们专门成立信息领导小组。近几年来，他们每年上报这方面信息逾千件，有许多重要信息被上级采用。该所在做好违法犯罪青少年及劳改释放、解除劳教人员工作的同时，注意发动和依靠群众，做好各项保卫工作。针对管界回族等少数民族每年都要过开斋节、宰牲节等节日的特点，派出所在每次节前节后，都像投入“五一”、“十一”保卫工作一样，发动群众，精心做好防火、防盗、防灾害事故的安全检查，及时排除隐患。

多年来，他们坚持对地区发案情况进行具体分析，集中力量主动出击，抓现行、打流窜，收到了明显效果。2000年，他们通过确定重点地区加强蹲、巡结合的方法，抓获犯罪分子102起，破案87起，有力地保障了牛街地区的安全。

三、锐意改革，开拓进取，树立为民服务的公安新风

为加大防范和打击犯罪的力度，牛街派出所在深入调研的基础上，不断改革勤务制度。

为保证接警后5分钟到达现场的要求，该所制定了“五个结合”的措施，即：接警巡逻车与自行车相结合；巡逻民警与值班民警相结合；派出所巡逻接警车与分局紧急警务车相结合；巡逻值班民警与治保积极分子、联防队员相结合；派出所求助专线电话与110报警台相结合。他们收到群众报警、求助电话后，都能及时赶到现场，抓获现行犯罪分子，并帮助人民群众解决困难，受到了居民群众的一致好评。

牛街派出所坚持便民利民制度。如办理户口证件时，手续齐备的一次办理完毕，不让群众跑第二趟；对孤寡老人和有特殊困难的居民打电话预约或上门服务；外勤民警对于住在本管界的居民群众保证3日内将身份证发放到居民手中；坚持24小时办公；继续推行警民联系卡制度，已向管界居民发放1.7万余张。全管界32个居委会已有80%达到安全文明居委会的标准。

（公安部宣传局）

河北省秦皇岛交通局

树文明形象　让群众满意

秦皇岛市交通局坚持高站位、高标准，把文明行业创建作为两个文明建设的结合点和重要载体，明确提出“三提高、三突破”、创建文明行业、让群众满意的工作目标，扎扎实实地搞创建，收到了很好的效果，被中央文明委授予精神文明建设先进单位。

抓机关带基层，树立文明高效的机关形象。从机关做起，推行两化建设（正规化、自动化）。年终按市局《创“三讲”文明机关达标标准》评选“三讲”文明科室，创造优美整洁的办公环境。修改完善各项规章制度，使各项工作的开展有章可循。机关工作人员强化服务意识，提倡办事主动热情，优质高效，从言谈举止、仪表着装、办事效率上都发生了新的变化。

坚持寓管理于服务之中，树立严格执法、热情服务的管理队伍形象。交通局在全系统推行了执法责任制、“两错”责任追究制，规范执法行为。执法人员按严格的执法程序办事，没有发生一起公路“三乱”事件，没有发生因执法过失引起的纠纷。在依法行政的同时，各单位强化服务意识，改善服务环境，健全服务设施。结合工作特点，推出服务新举措。

以加强出租车管理为龙头，树立规范有序、文明优质服务的“窗口”形象。落实例会制度，暑期前开展培训；在全省首家安装出租车专用牌照，治理车容车貌，净化乘车环境；继续在出租车中开展“讲文明树新风、奉献的士真情”竞赛活动；与团市委联合在全市35岁以下出租车司机中开展争创“青年文明号”活动；试点推行出租车司机统一着装，车辆统一座套，推动出租车行业管理上水平；整顿经营秩序，查处非法营运，维护合法经营者权益和乘客利益。通过加大管理力度，塑造了出租车行业良好形象。

强化养护工作，树立畅洁绿美的道路形象。

按照与旅游城市相适应的高标准，以建设文明样板路为契机，增加绿化、美化、亮化投入。对重点旅游线路进行整治，加大路政执法力度，清理路阻路障，规范路边广告牌匾，清除路边垃圾，清退占路集贸市场，确保公路的良好形象。

（河北省文明办）

山西省南风化工集团股份有限公司

创建精神文明　促进企业发展

南风化工集团股份有限公司是全国最大的无机盐、洗涤剂、硫酸钾生产基地，国家520家重点企业之一。2000年1月，南风集团被中宣部、国家经贸委树为国企改革十面旗帜之一。

创建一个模式：即“一二三四五”党建和思想政治工作模式

南风集团始终坚持把党建和思想政治工作放到精神文明建设的重要位置，不断探索创新，加强改进。他们在多年探索实践、总结提炼的基础上，创建了适应市场经济条件，具有南风特色的“一二三四五”党建和思想政治工作模式。“一”就是确定一个指导思想，即把南风做大做强是最大的政治。“二”是依托两个载体，即党建主题活动和企业文化建设。“三”是坚持“三个同时”，即党建和思想政治工作与企业的生产经营同时安排，同时实施，同时考核。“四”是创新四个思路：（1）针对知识经济到来的要求，提出把学习作为衡量合格南风人的重要标准，大兴学习之风，提高全员素质。（2）提出“党员必须是骨干，骨干就应是党员”的组织建设新思路，加强党的队伍建设。（3）针对新时期的特点，实行党员分类管理，实现了党员管理系统化。（4）把培养“市场人”作为社会主义市场经济条件下企业思想政治工作的重要任务，着力培养适应时代发展要求的新型职工。“五”是推行“五三”思想政治工作法，即企业思想政治工作要突出五个方面内容，每个方面抓好三个重点：在思想政治工作对象上，重点抓好领导干部、共产党员和先进模范人物；在思想政治工作内容上，重点抓好“三观”、“三爱”、“三德”教育；在思想政治工作阵地上，重点抓好宣传舆论阵地、文化娱乐阵地和职工家庭阵地；在思想政治工作基本制度上，重点抓好月职工思想分析会、季政工例会、年经验交流会；在思想政治工作基本措施上，重点抓好“三大”（大学习、大宣传、大发动）、“三导”（典型引导、思想疏导、事实开导）、“三包”（三级领导包单位、部科领导包部门、一般党员包职工）。“一二三四五”工作模式的创立，为南风集团各级党组织更有力有效地开展党建和思想政治工作，加强精神文明建设提供了机制保障，使南风集团的党建和思想政治工作上了一个大的台阶。

开辟两个载体，即企业文化和社区文化

南风集团在精神文明建设中，充分发挥企业文化的载体作用，使企业精神文明建设焕发出时代气息。他们相继制定出台了《关于加强企业文化建设的决定》、《企业文化创新条例》，对企业的形象文化建设、制度文化建设和精神文化建设进行创新和整合，推出企业精神文明理念。包括南风目标、南风精神、南风价值观等的十大理念已成为南风人建设世纪南风、世界南风的精神支柱。

加强企业文化建设的同时，加大社区文化建设的力度，制定了《关于开展社区文化活动的规定》，建立健全组织机构，各家属区都设立了社区活动站。他们一方面坚持开展文明小区、五好家庭、好媳妇、好婆婆等竞赛评比活动；一方面组织社区居民中的文体骨干开展秧歌、健身操、木兰扇、交谊舞等丰富多彩、健康向上的文化活动；组织文工团深入小区居民中演出、联欢，极大地丰富了职工的业余文化生活，陶冶了情操，有效地占领了生活区这个阵地。

做到三个渗透，即把精神文明建设渗透到生产管理中，渗透到人才工程中，渗透到企业改革中

南风集团除了要求职工在工作中严格遵守《职工文明手册》规定，讲文明、讲礼貌外，还把精神文明建设与生产经营结合起来，开展清洁文明工厂活动，对企业的生产现场、职工操作、设备管理、环境卫生等方方面面进行了严格规定。他们在多年的实践中，坚持把培养高素质人才作为精神文明建设的重要目标之一，把企业的人才工程与精神文明建设有机结合起来。引导帮助职工解放思想，更新观念，支持改革，参与改革，推动企业改革发展。

南风集团先后被授予全国五一劳动奖状、中国企业管理杰出贡献奖、全国优秀职工之家、全国化工文明单位、山西省精神文明建设标兵单位、全国精神文明建设先进单位等荣誉。

（山西省文明办）

山西省五台山风景区

强化景区管理　树立文明形象

五台山风景名胜区为了保护五台山这一我国佛教文化的宝库，充分发挥五台山景区龙头旅游企业的作用，近年来，五台山风景区政府一方面大力投资改善基础设施，全面增强了景区的综合服务功能；另一方面，狠抓软件建设，在管理上狠下功夫，大力开展各种形式的精神文明创建活动，使五台山逐渐在广大游客中树立起了良好的文明形象。

一是从治“脏”入手，创优美环境，建设卫生山。景区党委、政府把每年的4月11日定为全山爱国卫生运动日，发动机关干部、农村群众、寺庙僧尼进行义务劳动，开展轰轰烈烈的爱国卫生运动，卫生状况一年好似一年。加强监督监测，严把餐饮服务人员体检关和食品卫生关，每年定期对全山所有的公共场所、宾馆招待所及个体饭店、旅社进行消毒，几年来，未发生一例传染病和食物中毒事故。认真贯彻省人大颁布的《五台山风景名胜区环境保护条例》，每年对全山各单位的司炉人员进行操作技术培训并颁发上岗证，同时大力推广使用液化气、柴油、无烟煤等清洁性燃料，有效地控制和减轻了环境污染。

二是从治“乱”入手，创优良秩序，建设安全山。严格按照《五台山风景名胜区规划大纲》要求，加强对风景区的规划建设管理和寺庙维修监督管理，始终把保护资源放在第一位，严格审批制度，严禁破坏景观、损坏自然和人文景物、违章建设等行为发生。加强对工商集贸市场的管理。按照“管而不死、活而有序、繁荣经济”的原则，建立了“定地段、定人员、定指标”和“包管理、包秩序、包卫生”的岗位目标责任制，对集贸市场采取划行归市、定点经营、设置禁区的办法加强管理。加强对社会治安的综合治理。充分发挥公安机关的作用，以创建安全山为目标，严厉打击刑事犯罪活动，集中惩治欺行霸市、坑蒙拐骗等游客反映强烈的问题。加强对客运秩序的管理。交警、运管部门严把司助人员和车辆审验及车辆上路检查关，严禁“三无”车辆进入景区。按规定设置道路交通标志，保障道路畅通，确保交通安全。加强消防安全管理，严格执行《消防条例》和《古建筑消防管理规则》，建立了消防安全组织，专人负责。多年来，古建筑、古树名木及其他场所未发生重大火灾事故。

三是从治“差”入手，创优质服务，建设文明山。先后开展了规划教育、法制教育和以社会公德、职业道德、家庭美德为主要内容的文明教育，大力提倡文明用语，礼貌待客，微笑服务。出台了旅游从业人员“八不准”规定。开展“假如我是游客”的换位思考，进一步确立“游客是上帝”、“质量是生命”的观念，公开向社会承诺：如果游客的合法权益受到侵害，政府将予以加倍赔偿。

五台山风景区以其严格的管理、良好的服务、文明的形象受到了广大游客的赞誉。1998 年获得山西省文明委授予的省级文明景区称号。1999 年 9 月获得国家建设部授予的全国文明风景名胜区称号，获得中央文明委授予的全国创建文明行业先进单位的称号，2000 年 9 月，获得中央文明办、建设部、国家旅游局授予的全国文明风景旅游区示范点的光荣称号。

（山西省文明办）

山西省忻州行署地方税务局

围绕中心抓创建　两个文明上台阶

忻州行署地方税务局紧紧围绕税收中心工作，坚持“两手抓，两手硬”的方针，一手抓收入，严治税，一手抓教育，严治队，把创建文明单位作为“带好队、收好税、执好法、服好务”的治本措施来抓，高标准、高起点、创造性地开展各项工作，取得显著成效。先后被中宣部、人事部、中央文明办授予人民满意的公务员集体荣誉称号，被中央文明委授予全国精神文明建设工作先进单位的称号。

一、从抓思想政治工作入手，找准开展创建活动的切入点

针对地税行业战线长、人员散、任务重、困难大的特点，忻州地税局党组把做好全局干部职工思想政治工作摆在突出位置。他们在全局干部职工中深入开展“双学”、“三讲”和“三个主义”教育活动。在全区地税系统特别是基层税务所广泛开展外学孔繁森、内学李久平的学习先进活动。开展创建“青年文明号”、“文明税务所”、“最佳办税厅”活动和以“守六则、创四优”为主要内容的文明办税员评选活动，并重视培养和选树了一批先进典型，用身边事教育人。使广大税务干部树立了热爱地税事业、努力干好本职工作，争做人民满意公务员的思想。

二、抓业务素质提高，找准开展创建活动的着力点

1994 年机构分设后，面对税收任务繁重，干部素质极不适应的状况，局党组确立了“全员培育，施教为本”的战略思想。制定和实施了《忻州地区地税系统“九五”教育规划》和《全员素质培训规程》，重点狠抓了两项教育。一是坚持自学考试为主、离职深造为辅的原则，狠抓干部学历教育，二是狠抓干部业务培训。在培训内容上，紧密结合工作实际，有的放矢，主次分明；在培训方法上，确立统一规划，逐级负责，分级培训，分类指导，多形式开展干部培训教育的工作思路；在培训纪律上，坚持和探索全封闭式教学、半军事化管理的教学方法。通过长期努力，摘去了忻州地区税务干部业务水平低的帽子。

三、创建文明办税环境，找准开展文明创建活动的立足点

一是狠抓全区地税系统的基础设施建设，改善和美化办税环境。他们在资金十分困难的情况下，动员全体税务干部艰苦奋斗，高起点规划，高水平设计，高质量施工，力争把各基层单位建设成为“优良风纪、优质管理、优质服务、优美环境”的四优机关。二是大力推进征管改革。各基层单位都建立了多功能办税服务厅（室），并逐步建立起以计算机网络为依托，集中征收、重点稽查的征管新机制，起到了内防不廉、外防偷漏的作用。三是全面推行公开办税制度。各征收单位对群众普遍关注的政策法规、税政定额、税款征收等各个环节进行全面公开，接受群众监督，净化税收环境，促进廉洁办税。四是推行《办税服务承诺制度》。制定文明服务标准和违背承诺的处罚措施，公开向纳税人发放服务承诺卡，接受群众监督。五是狠抓党风廉政建设和行风建设。深入开展党风廉政建设和民主评议行风活动。以创建文明行业为目标，坚持“纠风”与建设并举，“服务”与“管理”并重，实行行风评议工作“一把手”负责、“一票否决制”，有效地促进全区地税系统的党风廉政建设和行风建设。

他们牢记为国聚财的宗旨，克服全区经济落后、税源贫乏、征管手段落后等重重困难，不断强化征管，堵塞漏洞，使全区地税收入持续快速增长，有力地支持了全区的改革开放和经济建设，为全区“两个文明”建设作出了积极贡献。

（山西省文明办）

辽宁省鞍山市公用事业管理局

实践“三个代表” 做人民满意公仆

鞍山市公用事业管理局以经济建设为中心，自觉坚持“两手抓，两手都要硬”的方针，围绕创建文明行业这条主线，深入实施公用事业发展战略和精神文明建设“三项工程”，努力实践“三个代表”的要求，切实履行人民公仆的神圣职责。

他们以文明行业为目标，推动行业精神文明建设。继续以规范服务升级活动为主线，围绕鞍山市创建“文明城、卫生城、旅游城”的工作重点，推出“创建文明行业再上新水平”活动。对原有规范服务的规定、标准进行重新核定，重新确定便民利民的服务措施，紧紧把握“服务人员，奉献社会”这个永恒主题，开展普及面100%的“三职”教育，积极参加省市“绿叶杯”竞赛活动，并在验收中取得优异成绩，举办了抄收经验交流会，开展“欢庆千禧年再上新水平便民利民活动月”活动，进一步弘扬“辛苦我一个，方便千万家”的公用事业精神。不断强化以表计量工作，更换水表31174块，更换煤气表1290块，自来水、煤气的机关团体户、工商用户的装表率达99%，以表计量率达100%。在公交行业开展了以运营、服务、卫生、票款、线路整体形象、便民利民措施为内容的“争创公交名牌线路活动”，推动了综合服务素质的提高，赢得了良好的社会信誉。继公用事业市民投诉分中心确定为统一对外服务投诉窗口之后，局又发布文件，正式在煤气、自来水配套实施一个窗口对外。全面推行“政务公开，厂务公开”，强化民主监督。

以人民的利益为标准，内强素质，外树形象，切实树立良好行业风尚。他们坚持“抓班子、带队伍、正行风、树形象”的思路，狠抓各级班子建设。继续坚持开展树立“五个形象”活动，大力加强干部队伍建设。号召全体党员干部严于律己，自强不息，争当模范，树立又红又专的学习形象、开拓进取的改革形象、爱岗敬业的勤政形象、和谐一致的团结形象和实践宗旨的廉洁形象。在党员中组织开展《中国共产党纪律处分条例》知识竞赛活动、向市特等劳模孟继春学习活动；在局机关开展“争创十佳机关、争当优秀干部”

活动，组织干部深入地区挨家挨户复查验表收费准确率，到基层义务劳动，清查非法营运出租车等，收到良好效果。建立健全局领导班子反腐纠风分片包干责任制，严格执行《局党政领导班子成员廉洁自律约法三章》和“四项”制度，实行收入申报制度，增强群众对领导住房、用车、招待费使用的监督；举办全局处级以上干部廉洁自律学习班，开展声势浩大的警示教育，落实《班子成员重点工程联系点制度》和行业部门分工负责制，保证领导干部下基层调查研究和解决实际问题经常化、制度化；坚持办公例会、党政联席会制度，规定重大问题民主议事规则，防止重大问题“个人说了算”。

（建设部文明办）

黑龙江省哈尔滨市南岗区市容环卫局

努力拼搏进取　塑造行业良好形象

哈尔滨市南岗区市容环卫局负责全区的街路清扫保洁、垃圾拉运、厕所管理清掏、市容管理和冬季清运冰雪等工作。他们坚持思想道德建设抓规范，科学文化建设抓教育，民主法制建设抓制度，公益事业建设抓服务，社会环境建设抓效果的原则，被评为全国创建文明行业工作先进单位。

一、延伸创建内涵，实现三个突破

创建领导水平有突破。建立了由局党政一把手负全责，副书记、副局长协助抓，党政工青妇齐抓共管的责任网络体系。局文明单位创建领导小组定期听汇报、解难题、定计划，从而使创建工作有目标、有行动、有结果。

创建措施方法有突破。坚持机关为基层服务、办公室为一线服务、一线为社会服务的原则，全方位启动创建文明行业网络功能。局领导班子经常深入一线，跟踪服务，及时发现和处理问题，使职工的困难和群众反映的热点难点问题及时得到解决。

创建经费投入有突破。2000年投资2万余元，订阅各种报刊254份，理论刊物168份。举办各类培训班10期，开展文化活动43次。改善机关和基层各队所的办公条件，维修了基层队所食堂、浴池，并对13处职工休息室进行了装修、翻新。

二、强化素质教育，塑造行业形象

以系列教育为载体，提高职工队伍思想道德素质。一是注重理论教育，提高职工思想政治觉悟。组织全局党员学习十五大报告、《邓小平文选》、江泽民总书记“三个代表”重要思想。2000年，在哈尔滨市第六届邓小平理论研讨会上，有两篇论文获市社会科学优秀科研成果奖。二是注重活动教育，提高职工思想道德水准。组织开展了以参观铁人纪念馆为内容的爱岗敬业教育；以参观赵尚志、赵一曼烈士纪念馆、萧红故居为内容的传统教育；以祭扫东北烈士墓为内容的爱国主义教育，受教育人数中，党员达到100%，职工达到85%以上。三是注重典型教育，塑造良好形象。在职工中开展学“十年如一日的老黄牛”省级劳动模范清厕队司机张友，学义务献工不计报酬的市劳动模范、市双十佳职业道德岗位明星保洁队清扫工李秀娟的活动，全系统掀起学先进、赶先进、当先进的热潮。

以文体活动为载体，提高职工科技文化素质。一是加强培训，提高文化档次。举办初高中补习班，普及高中知识；举办岗位技能培训班，提高技能水平；开办宣传报道员、财会人员、安技员等专业知识培训班，全面提高专业水平。二是抓好活动、陶冶职工情操。开展符合形势需要的歌咏比赛、演讲、座谈、书画展、文艺汇演、岗位技能比赛等活动。环卫节举办大型庆祝活动，树立环卫职工的自信心和荣誉感。

以制度建设为载体，加强民主法制建设。一是健全制度，规范职工职业道德。编写了《职能职责制度汇编》，汇编了20项职能、164项岗位职责及118项制度。对每个基层单位、科室的职能进行了详细的规定，对每一个岗位责任都作出细化分工，严格各项制度。二是抓好落实，发挥制度的规范作用。《职能职责制度汇编》人手一册，采取党委抓、支部讲、班组学的办法，让全局干部职工结合自身岗位与所编写的职责、制度相对照，从而使管理制度化、工作规范化。

三是弘扬正气，提高职工职业道德素质。编印下发《环卫行业职业道德教育手册》后，全局职工无一例违规现象，好人好事不断涌现，仅2000年，就收到表扬信8封，锦旗3面，当面致谢32人，返还失主钱物折合人民币6万余元。

三、丰富创建内容，夯实业务工作基础

在文明单位创建工作中，始终立足服务职工，为职工办实事、办好事，解决职工的实际困难，让职工自觉投入到创建工作中来，以此增强队伍的凝聚力。

以改革为启动点，以加快基础设施建设为根本点，全面提高城区市容环境卫生水平，将文明单位创建工作融入到日常工作之中。

以改革为先导、增强自身发展实力。一是建立区清扫保洁总公司。以原清扫保洁大队为主体，实行事业单位企业化管理。二是建立牌匾审批办公室。收回了原18个街道办事处环卫驻在员牌匾审批权，实行一次审批的办法，简化了办事程序。三是两队合一，建立了市容环境卫生监察中队。解决了重审批、轻管理的弊端。四是在16个街道办事处设立了市容环卫所。负责三四类以下街路市容环境卫生的管理。五是公开竞聘11个副科级职位和97名市容监察员。六是对公厕实行承包制。对环卫局产权的23座水冲公厕全部以公开竞包的办法承包。

以严格日常作业标准为手段，提高城区整体卫生水平。各基层队所、业务科室把加强日常作业管理、检查放到首位，突出抓好长效管理。街路清扫保洁实现了主干街路免检开放，三四类以下街路卫生合格率达到了98%以上。垃圾拉运工作达到了日产日清、日清日净的标准。在公厕内进行了绿化彩化，并设置了公厕导向牌，提高了服务质量。厕所清掏质量长年符合国家规定标准。

（建设部文明办）

江苏省徐州市电信营业处

切实做好新时期企业思想政治工作

江苏省徐州电信分公司电信营业处担负着全市的综合性电信服务工作。他们紧紧围绕服务工作中心，以加强和改进思想政治工作为突破口，用心营造暖融融的“大家庭”，不断加强职业道德建设，促进企业两个文明建设协调发展，先后荣获全国青年文明号、全国巾帼文明示范岗、中国电信集团基层思想政治工作先进单位、江苏省创建文明行业示范点、江苏省“五一”劳动奖状。他们做好思想政治工作的基本经验是：

一是“调子不能高，内容不能空”。思想政治工作要在“结合”二字上作文章，在“融会贯通”上下功夫，使广大职工看得见，摸得着，具体亲切，实在管用，听起来有劲头，谈起来对胃口，做起来有抓手。二是思想政治工作的任务不在执

"教鞭"而在当"导演"，不在于谋划"独唱"，而在于组织"合唱"。基层思想政治工作高明的老师、丰富的教材、生动的课堂，都在群众当中。三是用润物细无声的情怀和艺术，把思想政治工作渗透到职工群众思想、工作、学习、文化、娱乐等各项活动中去，在满足群众多种需求和兴趣爱好的过程中，陶冶情操、感染心灵、升华境界、提高觉悟。四是坚持在暖人心中"理"人心，把解决思想问题同解决实际问题结合起来，坚持为群众办实事。五是善于鼓励，敢于批评。坚持激励以坚持正面教育为主，开发人的潜能，调动人的积极性、创造性，让群众自己教育自己。六是干部的言行是最好的"教科书"。领导者的言行，关联着职工的利益和得失，影响着职工的情绪和行动，干部的表率作用是一堂最实际最有效的思想政治课。

（江苏省文明办）

河南省登封市

嵩山脚下文明城

登封市地处中岳腹地，东临省会郑州，西接古都洛阳，历史悠久，文化灿烂。市委、市政府坚持"两手抓，两手都要硬"的方针，在抓经济建设的同时，广泛深入开展创建文明城市活动，优化美化城市环境，提高市民文明素质，促进了经济和社会各项事业的发展。1999年登封市被中央文明委命名为全国创建文明城市工作先进城市。2000年，被命名为国家卫生城市、中国优秀旅游城市。

一、思想统一方向明，领导重视有保证

1995年登封市财政收入仅7711万元，经济实力相对薄弱。市委领导一班人带着问题，联系市情进行分析，进一步认识到，创建文明城市是加强社会主义精神文明建设的有效载体，一手抓经济，一手抓文明城市创建，体现了邓小平同志"两手抓，两手都要硬"的思想。在统一思想认识的基础上，市委、市政府作出以开展"三优杯"竞赛活动为突破口、全力争创文明城市的决策。成立了由市委书记任主任、市长任常务副主任的登封市精神文明建设指导委员会，下设办公室。市几大班子领导分片包干责任制，深入基层，亲临一线，分工把口，强力推进。

二、全民共谱创建曲，城市面貌展新颜

从1996年以来，他们动员社会各方面的力量，积极参与，大打一场文明城市创建的人民战争。首先从治理硬件入手，先后完成了"十大创建工程"。即：旧城改造工程；道路建设工程；卫生设施工程；市容绿化工程；河道治理工程；市场建设工程；农村改厕工程；灯光照明工程；供水工程；景区治理工程。并制定和完善一系列管理制度。不断提高市民文明素质，紧密结合新形势下精神文明建设的特点，积极开展丰富多彩、形式多样的群众性创建活动。开设市民文明学校和农民夜校，组织编印《登封市民文明手册》、《市民必读》等资料6万多份，免费发放给市民学习。开展文化广场活动，组织市民自编自演群众身边喜闻乐见的文艺节目和体育健身活动，使市民在潜移默化中增强健康意识、城市意识、文明意识。他们还把窗口地区整治、城市环境整治、市场秩序整治、社会治安整治、交通秩序整治和提高人民群众文明素质作为"增辉登封"重头戏，紧抓不放，又在全市实施内部查"暗点"，外部找"亮点"，抓出"闪光点"的形象、精品工程。

三、打好旅游品牌、提高创建水平

市委抓住登封作为旅游城市的特点，在塑造旅游品牌上作文章。他们以2000年争创中国优秀旅游城市和申报世界文化遗产的契机，多渠道筹措资金，对景区的软硬件加快了建设步伐。改造完善景区基础设施，整顿治理景区秩序，并开展优质服务活动，对导游队伍进行规范，加强培训教育，实行佩卡持证上岗，热情礼貌服务。经过全市人民几年来齐心协力的共同努力和创建，登封市已发展成为整洁美丽、秩序井然的现代化文明城市。

（河南省文明办）

江西省南昌市滕王阁管理处

提高服务质量　树立名牌形象

江南名楼滕王阁坐落在南昌市沿江北大道，依城临江，气势雄伟。滕王阁管理处努力塑造文明形象，创建文明旅游区示范点，取得较好的经济效益和社会效益。管理处先后被省委、省政府授予“文明庭院”先进单位、“文明接待”单位、“文明窗口”示范单位，2000年被中央文明办、建设部、国家旅游局确定为第三批全国创建文明风景旅游区示范点。

一、找准基本点，树立名牌形象

管理处成立创建文明风景旅游区示范点领导小组，从各科室抽调精兵强将组成工作小组。并将创建任务分解到各科室，落实到每个人，切实做到目标明确、各负其责，上下同心，形成合力，突出企业形象。积极倡导“团结文明、拼搏进取、敢为人先、争创一流”的滕王阁精神，强化员工的主人翁精神和爱岗敬业精神。重视旅游宣传，弘扬滕王阁深刻的文化内涵，提升景区的文化品味，树立品牌意识。

二、找准着眼点，提高服务质量

首先，加强业务培训。通过一系列的学习和训练，滕王阁讲解员形成了仪态大方、语音清晰、内容丰富的讲解风格，多次受到中外游客的赞赏。其次，狠抓规范服务。规范讲解内容、规范服务用语、规范服务程序、规范服务制度。根据不同岗位，制定了《滕王阁员工考勤规定》、《导游人员工作守则》、《票房工作守则》、《停车场工作守则》等20多个有针对性的工作规章。

三、找准切入点，创造优美环境

滕王阁重建开放之初，地方窄，面积小，只有一座孤楼耸立，游客要照个全景像都十分困难。管理处利用沿江路改造契机，于1994年建成了周边仿古街；于1997年将北区建成了富有江南特色的园林——俯畅园，并改造了园区的广场、道路和灯光。1999年，多方筹集资金在园区广场铸造了千禧钟和千年鼎。2000年，安装了多媒体触摸式导游系统、电子售检票系统、电视保安监控系统，重新制作了园区内所有公共信息图形、标识碑、警示牌等。几年来，通过不断绿化，园区内绿地面积达2万多平方米，占总面积65%。在花色品种上，着重香化、美化，做到月月有花，四季飘香。

四、找准立足点，加强安全防范

加强防火安全工作的监督、检查和整改。对阁内的消防、电力设施做到每日有巡视，每月有检查，以确保火险隐患彻底改正。加大消防安全宣传教育力度，提高员工的消防意识。一方面每年以书面材料、黑板报、观看录像等形式向员工宣传在特定季节、条件下的防火安全注意事项；另一方面每年都组织员工学习灭火器的使用及维护，熟悉报警及安全疏散程序，举行消防演习等。同时，加强设施的管理和维护。

（江西省文明办）

河南省济源市公安交警五大队

大山深处的模范守护队

济源市公安交警五大队长年驻扎在晋豫两省交界的太行山腹地山口村，担负着207国道17公里路段和其他道路70余公里的交通管理任务，工作环境和条件都十分恶劣艰苦。

一、党的需要就是民警的选择

207国道出晋入豫这一段，是晋煤南运的重要出口，每天车流量都在5000辆次以上，由于该路段是在海拔800米以上的太行山区环绕，坡陡、弯多、路险，依崖傍沟，交通事故频发。一些不法分子也乘此段路车速慢之机拦截车辆，殴打司机，抢夺钱财，治安、刑事案件不断。为了加强对这一路段的管理，保障人民的生命财产，1989年8月，交警五大队奉命进驻国道旁的山口村。来到这里，他们才发现这里的工作环境和生活条件是何等的恶劣、艰苦。面对严峻的挑战，大队不妥协、不气馁，从抓青年民警思想政治工作入手，引导大家树立正确的人生观、价值观。为了给民警作表率，增强民警的向心力，大队历届领导都响亮地提出“向我看齐，跟我走”的口号。榜样的力量是无穷的，一级做给一级看，一级带着一级干。凭着坚定的信念，铁的纪律，十几年如一日，全队民警没有发生一起违纪违法事件，没有一个伸手要待遇，没有一人找组织申请调离。

二、路畅、民安，再苦再累心也甜

为了维护国道畅通，打击车匪路霸，确保一方平安，更好地给群众和过往司机解决实际问题，大队民警们克服重重困难，练本领、强素质，默默地为党和群众奉献着自己的青春年华。2000年1月11日，太行山被一场大雪覆盖。中午从驻地山口村帮助群众打扫完积雪的民警刚回到队部就接到报警，说是距此约15公里的207国道山西境内，两辆车相撞后堵在路中央，导致交通严重堵塞，300多辆车和400多名群众被困在山上。接警后，大队领导迅速带领民警和施救车赶到事故现场。他们兵分两路，一路负责清吊事故车辆，一路轮流清除路面积雪。民警们手脚被冻麻木了，脸上也冻得发紫。跌倒了爬起来，谁也记不清究竟摔了多少跤，一个个成了泥人。为了让乘客尽快到达目的地，民警们又驾驶着自己的吉普车一趟趟地把等车的80多名乘客送到山下的客车站。经过8个多小时的奋战，路通了，险情排除了。

2000年7月4日凌晨2时，执勤民警在省界巡逻时，发现一辆牌号为晋E—31150号的红色“昌河”微型车走走停停，形迹可疑，遂示意停车。这时从车里下来三个神色慌张的人，手里拿着一沓百元钞票走到民警面前，说要赶路请给个方便。民警们觉得其中肯定有问题，迅速向大队领导报告后将车带回队部。经查，车内放着几大箱清代建筑龙雕，系被盗省级保护文物。经与案发地的山西高平市警方联系，很快使多次倒卖文物的犯罪嫌疑人落入法网。

多年来，五大队共纠正各类违章1.8万余次，摧毁犯罪团伙83个，抓获各类犯罪分子330多人，疏导交通堵塞250余次，辖区道路从未发生过群死群伤交通事故。

三、优质服务为民，勤政廉洁对己

他们开展“警民共建对子”活动，要求每个民警与当地的6户群众结对子，了解对方的基本情况，并登记在本子上。工作之余，到对子家帮助解决困难。对过往司机和群众提供来有迎声，去有送声，问有答声，服务不周有歉声，积极配合有谢声。开展一张笑脸相迎、一杯热茶解渴、一盆清水洗尘、一把椅子让座等优质文明的全方位服务。还专门印制1万份警民联系卡、青年文明号服务卡、民警提示卡、交警五大队便民服务手册，分发给南来北往的司机和辖区群众。为了给一时遇到麻烦而无法行驶的车辆提供方便，五队建立了“司机之家”，供司机免费住宿，并配备修车工具和帮助司机修车，直到使司机满意上路。

五大队管辖的路段被人称为“黄金路段”。不少车辆为在这条道上多拉多载，赚大钱，把重金和“糖弹”抛向民警，想尽方法妄图贿赂和腐蚀民警。但大队民警时刻保持清醒头脑，严格按纪律、制度办事，几年来，五大队民警拒吃请累计达2200余人次，拒贿现金、实物折价16.5万余元。

该大队两次荣立集体二等功，一次荣立集体一等功，被公安部授予全国公安路线廉政爱民先进集体，被团中央、公安部命名为青年文明号，被中宣部、人事部命名为人民满意的公务员集体。

（河南省文明办）

广东省深圳市龙岗区布吉镇坂田村

以“六高”为目标 创建高标准文明村

深圳市龙岗区布吉镇坂田村，在村支部书记刘日兴的带领下，以“六高”（高速度经济、高起点规划、高标准建设、高效能管理、高品位文化、高文明素质）为目标创建文明村，取得了卓越成绩。被中央文明委授予全国创建文明村镇工作先进单位称号。

高速度经济

1987年冬，在深圳市区当小学校长的刘日兴出任村支部书记。刘日兴带领村委一班人，团结一条心，拧成一股绳，大力发展经济，大搞山地开发，多渠道招商引资，使坂田村的经济跳跃式飞速发展，1989年就脱掉了贫困村的帽子。1993年以雄厚的经济实力跻身于“全国百强村”之列，2000年，该村实现国内生产总值6.5亿元，创汇1.5亿港元，人均收入2万元，集体总资产15亿元。昔日贫穷落后的山村变成经济繁荣的现代化高标准文明村。

高标准建设

1987年下半年，刘日兴统一了班子的认识：坂田要充分发挥身处特区、毗邻港澳的地理优势，以高起点的科学规划引导经济腾飞，实现经济跳跃式的发展，建设现代化的社会主义新农村。他们依靠40万元的集资款，又向银行借贷款130万元，请来了广东省规划设计院等3家40多位专家为村里搞规划。他们以发达国家现代化农村为蓝本，对坂田的山、水、田、林、路、住宅、工业、商业、文化娱乐用地进行科学的统一规划。

有了科学规划，坂田人坚持高标准建设。他们先后推平200多座山头，拆迁了7个自然村，共投资4亿元兴建高标准的基础设施。今日坂田的建成区已拓宽至12平方公里，宽阔的道路四通八达，工厂厂房鳞次栉比，学校、幼儿园、影剧院、体育运动场所、医院、商场、市场、酒店宾馆错落有序，一派生机盎然的景象。

高效能管理

坂田村在大力发展经济的同时十分重视文明村的管理，针对农村日益城市化的实际，学习引进全套的城市管理办法来管理农村。他们建章立制，用规章制度来约束和规范村民的行为。

对外来人员的管理，坂田村探索出了以规范出租房管理为突破口的管理模式，得到广东省综治委充分肯定和推广。

高品位文化

坂田村大力发展弘扬群众喜闻乐见的高尚的健康的文化，村里兴建了图书馆，订阅和购买了大量报刊杂志和书籍，创办了《坂田文艺》；投资兴建了影剧院、投影场、旱冰场和桌球室，成立了“坂田文学社”、“文艺演出队”、“舞蹈妈妈队”、“足球队”等文体队伍。通过健康向上的文娱活动，丰富群众精神生活的时空，提高村民的文化意识和文化修养，提高村民的文化品位。

高文明素质

坂田村在精神文明建设中，着力提高人的现代文明素质。一是重视教育，注重提高人的文化素质。二是针对富裕后出现的小富则安、不思进取、贪图享受的“富贵病”，开展“致富思源，富而思进”教育活动，提高村民的思想道德素质。三是坚持开展创建文明村、评选文明户、文明村民活动。他们把股份分红同文明户评选相挂钩，用经济杠杆制约不文明行为，取得显著成效。坂田村人遵纪守法、移风易俗、尊老爱幼、助人为乐、见义勇为、邻里团结、家庭和睦蔚然成风，树立了良好的村风、民风、家风。

（广东省文明办）

广西壮族自治区桂林市观光701号游船

把优质服务当作生命线

观光701号游船把优质服务当作生命线常抓不懈。强化员工的服务技能培训，制定提高优质服务水平培训的长期目标和短期计划，认真抓好员工“岗前培训”、“岗中练兵”和“岗后交流”三个工作环节，通过“角色换位”，举办“假如我是一名游客，需要什么样的服务”等专题讨论，把自己摆在游客的位置，让员工从被服务的角度去想游客之所想；开展“亲情服务”，让整个服务过程融入一股浓浓的亲情氛围；倡导“服务导游化，导游服务化”、“动态导游讲解”等服务模式的改革，逐步达到一专多能、团结协作的人才要求，形成比、学、赶、帮的优质服务热潮。701号游船推出了“船长负责制”、“岗位责任制”等管理模式，制定落实了“青年文明号”、“星级船员”的奖惩制度；通过航前检查、航长申明、航前航后会议等方式，保证各项质量安全服务措施落实到位；每航班实行管理人员跟船和在游客中推选义务监督员制度，直接监督和评价游船各项安全质量工作，不断改善和提高服务水平。

701号船突出自身优势，以创观光特色为突破口，形成了一整套行之有效的服务理念，制定了“五主动、五做到”服务操作规范，即：主动了解游客需要，做到热情周到；主动解决游客困难，做到尽职尽责；主动维护游船秩序，做到照顾老弱病残；主动打扫客舱卫生，做到干净整洁；主动添茶送水，做到不怠慢客人。船员还大胆创建服务体系，实现服务观念上的四大转变：变单一服务为系统服务，变一般服务为精细服务，变常规服务为特色服务，变随意服务为承诺服务。船员们根据游客爱好、信仰、素质千差万别的特点，推出了“五心”服务标准，即：对普通客人全心服务，对重点客人精心服务，对挑剔客人耐心服务，对反常客人热心服务，对特殊客人贴心服务。

观光701号游船已经成为漓江的品牌，被誉为“漓江的旗帜”。2000年度安全运送游客1.5万多人次，完成周转量86万多公里，取得了社会效益和经济效益的双丰收，先后荣获了全国文明客船、全国青年文明号、全国五一劳动奖、全国交通系统先进集体、广西十佳文明窗口、李向群号游船等光荣称号。

（广西壮族自治区文明办）

海南省琼山市云龙镇

发扬革命老区传统 推进文明村镇建设

近年来，云龙镇始终坚持“两手抓，两手都要硬”的方针，从革命老区农村的特点出发，赋予精神文明建设新内涵，创出新特色，使这块曾经为中国革命和海南岛解放作出重大贡献的红土地的精神文明花香果硕。1996年被评为海南省基层党组织建设先进单位和省村镇环境综合整治单位；1997年被评为海南省文明村镇创建活动先进单位，被中央文明委确定为全国文明创建示范镇，琼岸红军云龙改编旧址被中宣部确定为全国百个爱国主义教育示范基地之一；1998年被评为全国优美小城镇；1999年被中央文明办授予全国精神文明创建活动示范点，被中央文明委评为全国创建文明村镇工作先进单位；2000年被海南省委、省政府授予文明标兵。

一、坚持“两手抓，两手都要硬”，切实抓好文明村镇创建活动

一是领导重视，目标明确。镇成立了精神文明建设领导小组，并确定“以争创文明户为基础，以创建文明村镇为主要内容，以提高农民文明素质为根本目标”的指导思想，制定精神文明建设的规划和具体措施。

二是责任明确，措施落实。镇领导班子成员实行下村分片包干的办法，深入群众，为农民解决难题，办实事。发挥农村基层党组织的战斗堡垒作用，增强了凝聚力，提高了战斗力。把精神文明建设的目标和任务落实到村、户、人。让群众心中有数，树立理想目标，人人参与。

三是以人为本，强化教育。坚持不懈地用邓小平理论武装党员，教育农民，为文明村镇建设提供有力的精神动力和智力支持。充分利用“琼岸革命23年红旗不倒”的革命传统特点和优势，筹集资金500多万元，建设了“琼岸红军改编旧址”和“冯白驹将军故居”两个爱国主义教育基地和14间农村科技文化活动室，并利用会议、广播电视宣传，大力开展党的基本路线、方针、政策教育和农村爱国主义、集体主义、社会主义思想教育和科学文化教育、道德法制思想教育等活动，带动农民移风易俗，打破用地界限、打破利己主义，重新规划统一建设，发展经济，改造旧村面貌。

二、围绕经济建设，切实推进文明创建活动向纵深发展

在创建文明村过程中，按照市委、市政府《关于调整农业生产结构，推进农业产业升级的决定》的部署，紧紧围绕经济建设中心，推动全镇农村经济向前发展，为创建文明村打下了良好的经济基础。

一是抓调整。经过多方努力，规划坡仑村千亩农业综合生产基地，获得了良好经济效益，带动了产业结构的调整。二是办基地。创办4个水果生产基地和3个花卉生产基地，带动文明村农业生产迅速发展。三是上品牌。发挥品牌农业是云龙镇调整农业产业结构的一大举措，进一步优化镇农产品的结构，提高农产品的科技含量，增强市场竞争力。四是创效益。通过调整农业产业结构，使全镇农业生产向规模化方向发展。通过抓好农业产业结构调整工作，做好经济建设大文章，有效地增加了农民的收入，赢得了物质文明和精神文明双丰收。2000年全镇农业生产总值1.363亿元，比上年增长14.9%，农民人均纯收入4324元，比全市农民人均纯收入增加694元，比上年增长8%。

三、突出重点，有效带动全镇文明片区建设

长泰村是冯白驹将军的故乡，规划和建设好

长泰村具有带动作用。镇成立由镇长带领的专门队伍，积极配合省市有关部门抓好长泰村的道路、水利等建设。由省交通厅出资建成长泰村5.1公里长的高标准、高质量水泥公路。由市水利部门投资80多万元建设长泰村水利工程，主灌渠2.5公里，支灌渠1.3公里，主排渠3.3公里，其他排渠5条3.2公里和机耕路、人行桥、涵闸等，解决长泰村300多亩和周边村庄100多亩水田的灌溉问题。全村19户已全部用上自来水。为了实现两年内长泰村人均收入水平赶上或者超过云龙镇先进村庄水平的目标，镇里利用云龙农村信用社为每户提供5000元的支农贷款和省农业厅计划支持该村的10万元资金，积极动员该村农民大力种植反季节瓜菜，发展淡水养殖和饲养乳鸽等项目，增加农民收入。

在长泰村的带动下，云岭、云裕、云阁、云龙墟镇4个片区、20个村庄以文明创建为重点，修建农村道路，综合整治村容村貌，改水改厕，加快了农村文明片区建设。开展党员联系户文明创建活动。每个党员联系5—10户农民家庭，发动群众积极参与“十星级”文明村、户的创建活动，尤其是对后进家庭，做到“五包”：包思想进步、包脱贫致富、包生产任务、包遵纪守法、包计划生育。由于云龙镇把精神文明建设当作硬任务来抓，一级抓一级，层层抓落实，有力地促进了文明村镇的建设。

（海南省文明办）

海南省海口市新华区人民法院

人民满意的好法院

海口市新华区人民法院将精神文明建设作为公正执法、加强队伍建设的重要工作来抓，结合审判工作实际，抓廉政，讲服务，树形象，使精神文明建设和审判工作都取得了显著的成绩，带出了一支作风过硬、业务精通的文明法官队伍。继1999年12月该院被最高法院授予全国法院模范集体的光荣称号后，2000年又被海南省委、省政府评为文明行业创建先进单位；被共青团中央和最高法院评为优秀青少年维权岗，被省高院评为人民满意的好法院。

一、抓廉政建设，确保司法公正

该院首先抓好领导班子的廉政建设，加强规范化管理，制定了《院领导班子职责权限、决策程序的规定》等若干规定，在院领导班子的模范带动下，全院干警不徇私情，秉公办案，涌现出一批廉政、勤政的好典范。以提高素质为中心开展思想政治教育，贯彻落实江总书记“三个代表”的重要思想，坚持每周一次的政治学习，对干警进行廉洁自律、防腐拒变的教育，完善内外监督机制，对内实行廉政一票否决制、廉政责任层层责任制、错案责任追究制。对外则聘请15名人大代表担任执法监督员，设立举报箱、干部廉政档案，对不良苗头及时纠正。而对业务精通、文明公正的文明法官，树为精神文明的先进典型，予以大力表彰和宣传。以司法公正为中心，狠抓廉政建设，干警的廉政意识大为增强。据不完全统计，2000年该院干警拒礼、拒贿167次，折合款项10多万元，有6人被上级法院记功。

二、抓文明审判，创一流法院

该院坚持文明执法与高效执法相结合。通过执法检查、加强对超审限案件的查处以及对被发回复审、改判案件的查处，提高了办案的质量和效率。坚持文明执法与严肃执法相结合。在加强精神文明建设中，他们狠抓严肃执法，敢于碰硬，使法院充分发挥了审判职能，较好地维护了债权人的合法权益，树立了司法权威。在秉公执法的同时，他们也注意文明执法，注重办案的社会效果，在审理民事、经济案件时，不是一判了之，而是耐心疏导、化解矛盾。

三、坚持服务宗旨，一切为了人民满意

该院以为人民服务为宗旨，以便民、为民为精神文明建设的出发点。实行院长接待日制度，由正副院长每周轮值。设立了专门的接待室，设专人负责信访、接待工作，信访接待员就信访接待事宜的处理情况直接向院长汇报，疏通了法院与群众联系的渠道，充分体现了直接办理制的方便、高效的优点。结合法院工作实际，继续推行符合法院特点的窗口服务制、直接排期开庭制、司法服务承诺制，以“三制”的推行促进文明单位的创建工作。通过小额债务巡回法庭的审判活动，实现高效优质服务。通过立案庭的窗口服务，体现法院良好的工作作风和精神风貌。推行直接排期开庭制，促进廉政建设和审判效率的提高。

此外，还注意增强干警的为民服务意识，开展了一系列对社会有意义的活动，使干警能关心社会，关心人民，用好手中的审判权。该院干警积极捐款，继续在澄迈县太平乡实施“春蕾计划”，为10名失学女童献爱心，负责她们上完小学的学习费用。

（海南省文明办）

四川省国税局

树立文明行业新形象

四川省国税局从国税系统的实际出发，坚持“带好队、征好税，执好法、服好务”的基本思路，以“服务人民，奉献社会”为宗旨，以加强职业道德建设、行风建设，提高职工的思想道德素质和科学文化素质、职业技能为目标，以先进典型和窗口单位为示范，以尽职业责任、讲职业道德、守职业纪律、树行业新风和优质规范服务为主要内容，在四川省国税系统广泛深入开展创建文明行业活动。

三年迈出三大步，一年上一个台阶。第一步，1997年召开全省国税系统创建文明行业动员大会，进行具体部署，提出了分层次的创建目标；第二步，在绵阳市、宜宾市分别召开全系统文明行业现场经验交流会，抓典型、做示范、促深化；第三步，1999年在泸州市召开全系统创建文明窗口单位经验交流暨表彰大会，再次动员全行业创建省级文明行业，推动两个文明建设再上台阶。他们创建省级文明行业的特点是：完善机制，建立健全领导机制、工作机制、奖励机制、投入保障机制；抓好载体，创建“四好班子”、“文明单位”、“文明税务所”、“青年文明号”、“文明办税服务厅”，以及争当“人民满意公务员”、“优秀税务工作者”等活动；突出重点，努力把办税服务厅建成“依法征税的场所、宣传税法的阵地、为人民服务的窗口、树立新风的样板”，为纳税人提供“一条龙”、“一站式”服务；搞好结合，辩证处理严格执法与优质服务的关系，把精神文明建设与国税征收任务有机结合，取得了突出成效。

全省国税系统面貌发生显著变化：一是国税形象显著改善，全省各市地州、县市区国税局参加当地行风评议测评满意率达80%以上，全系统建成79个省级文明单位，省局机关1998年建成省级文明单位，建成18个市地州级文明行业，建成面达85%，建成157个县级文明行业，建成面达87%。有11个基层单位被省文明委确定为文明服务示范窗口单位，2000年有1个单位被中央文明委表彰为全国创建文明行业活动先进单位，建成全国税务系统最佳文明办税服务厅2个，全国青年文明号4个，省级青年文明号42个，全国税务系统文明单位12个，省级文明税务所（分局）205个，涌现出全国十佳人民满意的公务员廖太洪、全国见义勇为先进个人邱英、李永成等先进模范人物。二是优质规范服务意识明显增强，与纳税人关系显著改善。三是国税干部素质明显提高，全省国税系统干部大专以上学历比例达到50%，各类公务员培训人数已达1600人，占职工总数的85%。2000年7月12日，中共四川省委、省人民政府召开大会，隆重命名表彰了四川省国税系统为四川省文明行业。

（四川省文明办）

陕西省交通厅

重点突破　整体推进　努力创建文明行业

陕西省交通厅在创建文明行业活动中，形成了“健全机制、条块结合、规范运作、严格管理、重点突破、整体推进”的工作思路，有力地推进了两个文明建设协调发展，先后6次被省委、省政府命名为“最佳厅局”称号。

一、健全创建机制，保障活动健康运行

一是完善组织领导机制。省厅、各地市交通局、厅属各单位和县交通局相继成立精神文明建设领导机构共272个，规定职责和任务，制定了工作制度。坚持两个文明建设同步规划部署，同步检查落实，同步考核奖惩，同步协调发展。二是推行目标管理机制。根据全省交通系统的实际情况，着手制定《陕西省交通行业精神文明建设“十五”计划和2001年远景目标》，各基层单位共制定创建规划200多份，明确奋斗目标和工作思路。三是制定建设考核标准体系。按照交通部对行业窗口“三优”、“三化”的总体要求，制定19项规范化建设考核标准。四是形成内外监督机制。五是坚持奖惩激励机制。

二、抢抓新的契机，加强职工思想教育

他们根据形势和任务，抢抓新的契机，利用新的载体，适时地对广大职工进行基本理论教育、爱国主义教育、思想道德教育和法制教育，不断提高交通职工的思想道德素质。一是抓住贯彻十五大精神的契机，掀起学习邓小平理论的热潮。二是运用“三个代表”思想，检查落实“三讲”教育整改措施，进一步对领导干部进行党性党风教育。三是利用多种形式，广泛开展“西部大开发，交通大发展”教育。

三、治理建设并举，认真解决热点难点问题

公路“三乱”、工程质量、客运市场是近几年人民群众反映较多的热点问题，也是容易反复的难点问题。他们按照“领导负责、综合治理，标本兼治、巩固成果，反弹摘牌、重点整治”的工作思路，对国、省道进行重点整治，加大监督检查力度，保持和巩固了国、省道基本无“三乱”的成果。

严格规范和管理建设市场，确保每项工程质量。他们完善政府监督、工程监理、企业自检三级质量保证体系，坚持厅领导分工负责具体项目制度。强化资信审查、严格基建程序、健全管理制度，严格规范建设市场。制定《加强建设市场管理、确保工程质量实施办法》、《文明工地考核实施办法》，开展创建文明工地活动，加强现场管理。加强对国债资金的使用管理，确立了“谁主管、谁负责”的领导责任制，严肃查处违纪违法案件，确保国债资金的合理有效使用。针对客运市场的无照经营、乱串线路、倒客、甩客、宰客等现象，坚持不懈地一手抓治理、一手抓创建，反复治理整顿，加大稽查力度，规范客车营运行为，实行车进站、人归点、跑专线的管理模式，有效地遏制和治理了无序混乱现象。建设“精品线路”、发展“服务名牌车辆”，开展“文明汽车站”、“文明运管所”、“文明客车”、“客车服务明星”等创建活动，客运服务质量明显提高。

四、硬件软件齐抓，提供规范优质服务

按照“三优”（优美环境、优良秩序、优质服务）和“三化”（服务质量标准化、服务管理规范化、服务过程程序化）的要求，努力抓好交通“窗口”单位的硬件和软件建设。一是加大投入，改善服务设施。以创建文明样板路为龙头，以治理环境“脏、乱、差”为突破口，全面提高公路干线的养护质量和运行能力。投入大批资金，改善车站、港口、码头、收费站、征稽所、运管所的基本设施，使服务“窗口”的环境有了较大的改观，大大方便了群众。二是完善服务标准，规范服务行业。在全系统各个服务“窗口”普遍开展推行文明用语，规范服务行为，提高服务质量活动。三是开展岗位技能竞赛活动，不断提高服务质量。各基层单位开展“讲文明、树新风、强责任、练内功、岗位知识、技能竞赛”活动，激发了职工练技术的热情，培养了爱岗敬业、奋发向上的精神，提高了各个岗位的服务质量。

五、坚持依靠和发动职工，广泛深入地开展创建活动

他们把各单位职工群众的参与率和职工活动的质量作为考核创建工作的首要标志，采取多种形式，积极引导职工自觉参与创建活动。一是推行岗位责任制。在全系统的领导机关、企事业单位、交通行政执法部门普遍实行了创建工作岗位责任制，每年初逐级签订创建责任书，层层落实、责任到人。二是坚持参加地方政府组织的创建文明单位活动。采取制定规划、明确目标、落实任务、创建达标、逐步升级的措施，积极主动地参加地方的创建文明单位活动。三是广泛开展创建行业文明“窗口”。在全系统的车、船、港、站、路、领导机关、执法部门、学校、企业，普遍开展创建行业文明“窗口”活动，充分调动广大职工群众的积极性，逐步形成了浓厚的创建文明行业氛围。

（陕西省文明办）

甘肃省兰州市公安局车辆管理所

热情服务社会　创建满意窗口

兰州市公安局车辆管理所是公安交通管理部门对全市车辆和驾驶员进行管理的专门机构。车管所以人民满意为标准，深入开发精神文明建设和争创群众满意单位活动，树立窗口意识，提高工作效率，坚持优质服务。连续多年被市公安局、省交警总队、市交警支队评为先进集体，树立为省、市公安系统文明示范单位，先后被省委省政府授予省级文明单位荣誉称号，被中央文明委授予全国精神文明建设先进单位。

一、抓政治思想工作，努力提高队伍整体素质

车管所党支部加强团结，发扬民主作风，坚持集体领导，带头讲学习、讲政治、讲正气；带头遵纪守法，廉洁自律；带头树立群众观念，增强服务意识。坚持政治建警的原则，强化政治思想工作，加强精神文明建设，逐步提高民警的整体素质。坚持理论教育和实际工作相结合，有针对性地开展政治思想工作。1995 年以来，全所共办理各类机动车手续 46 万多件，驾驶证手续 58 万多件，基本上做到了无差错。

二、强化便民利民措施，深入开展优质服务活动

他们立足车管工作，提高认识、转变观念，把群众满意作为工作的最高标准。一是公布办理各类机动车和驾驶证业务的规定、程序、收费标准等内容；二是设置《车管所业务机构工作职责公开栏》和《业务流程图》，公布民警的相片、姓名、岗位、警号、窗口和工作职责，全所民警一律挂牌上岗；三是设立咨询岗，解答群众提出的问题，提供引导服务和代写服务；四是在业务大厅内设置便民桌椅，免费提供开水、口杯、书写工具、拓号工具、粘贴用品；五是提供办理业务手续的必备清单和《退办单》，尽量减少群众跑车管所的次数；六是坚持实行所长值班制度和接待日制度；七是在业务大厅工作间公开《兰州车管所岗位责任制》，公布各业务岗位工作职责和工作纪律；八是按照中央文明委的要求和公安部制定的规范化服务标准，提出了文明服务、规范服务的12条标准、14项措施。

三、实施规范管理，争创群众满意的车管所

他们结合工作实际，先后制定了《业务岗位考核办法》、《限时办理车管业务规定》、《业务岗位文明服务规定》、《规范化服务实施方案》等一系列规章制度，严格规范每个民警的执法行为，有力地加强了监督制约力度。为督促和检查各业务岗位人员提高工作效率和服务质量，开展了群众满意民警的民主评议活动。发动群众，内外结合，召开座谈会，征求群众意见，请车管干部直接参加评议评选，以人民满意为标准，不断提高优质服务水平。

四、加强廉政建设，树立车管民警的良好形象

一是坚持“热点”业务集体讨论研究制度。对重大疑难和热点问题，集体研究，集体决定。二是坚持“热点”岗位交流制度。每年在支队的统一部署下，对车管所民警和车管所内部热点岗位和非热点岗位进行轮岗换岗，定期交流。三是实行工作量化考核。落实《限时办理车管业务制度》、失误和被投诉追查制度，定期考核，并将考核结果与民警的年终评选、升级、晋升挂钩。四是不断完善内部监督制约机制，实行办理业务、收费、签证三权分离。一个民警只能办理一项业务中的一部分，不准越权办理，不准违规办理。五是车管所领导与民警在年初签订《干警守纪责任书》，将廉政措施落实到具体人头上。六是通过严格评选和考核，树立文明办事、勤政廉政标兵，弘扬正气，激励先进。

（甘肃省文明办）

甘肃省靖远第一发电有限责任公司

戈壁滩升起耀眼的明珠

甘肃靖远第一发电有限责任公司承担甘肃省近1/4年发电量，该公司始终坚持“两手抓，两手都要硬”方针，贯彻“以安全生产为基础、以经济效益为中心、以职工队伍为保证”的总思路，大力创建双文明单位和一流企业，提高职工队伍素质，取得突出成绩。近年来，先后获得全国精神文明建设先进单位、甘肃省文明单位、国家电力公司安全生产达标企业、思想政治工作先进单位、双文明单位等荣誉。

一、以人为本，建设好队伍

从1997年以来，公司以实施“工程”的方式来抓职工队伍建设。1997年组织实施了七项文明整治工程、1998年重点实施青工思想道德教育重塑工程、1999年起实施职工思想道德文化建设工程。每个“工程”都有明确目标、具体项目，排定“工程”进度和计划，落实责任措施和牵头部门，在实施中党委组织定期的检查和协调，做到有整改、有考核、有评定、有总结，“工程”项目得到逐项落实。2000年实施职工思想道德文化建设工程，由14个部门牵头，负责完成全部84项工程项目，达到优质工程目标。坚持重点人的工作重点做，个别人的工作个别做。针对职工中极个别自我控制能力较差、纪律观念较淡薄的职工，列为“重点”对象，确定帮教联系人，进行重点帮教。坚持以邓小平理论和“三个代表”思想为核心内容，全面加强对党员、干部和职工的教育。公司党校坚持每月办一期培训班，几年来共办班58期，培训人员达2479人次。开展“干部树形象、做楷模”主题活动、党员“五带头五制止”活动、“一个支部一座堡垒、一个干部一个楷模、一个党员一面旗帜”为主题的党建“三个一”活动、“建设一个好班子、带出一支好队伍、培养一种好作风、树立一面好形象”活动、“一个党员带一名职工，争做文明职工带头人”活动，以这些具体活动为载体，促进党员干部发挥带头作用。

二、求真务实，形成好作风

按照“计划—实施—检查—总结”的工作程序，每年从第四季度开始，党委对下年度精神文明建设的总体思路和重点任务提前作出安排，再通过年初的政治工作会议全面部署。各部门针对重点工作，分别制定相应的细化措施，为保证任务落实，建立了严格的考核奖励制度。

近年来，企业先后投入50多万元升级改造了广播和闭路电视系统，投入近30万装设精神文明广告灯箱。企业政工工作与行政一道实现了计算机办公。在靖电的计算机MIS网系统中还开通了“政工网页”。针对企业地域和社情特点，企业在职工住房、交通、饮用水、子女就学入托等生活福利方面做了大量凝聚人心、稳定队伍的实事。

公司先后建成了十大活动功能场所，如：职工活动中心、老年球场、水上公园、职工俱乐部、旱冰场和游泳池。开辟了十大宣传阵地，即：靖电厂报、靖电技术、文明简报、安全简报、电视台、广播站、黑板报、新闻专栏橱窗、安全陈列室和双文明展览室。利用这些活动阵地，企业经常开展丰富多彩的活动。公司把企业文化建设成为精神文明建设的重要载体和主要内容，有计划有步骤地向前推进，形成了“团结、诚信、求实、创新”的企业精神。积极参与社会公益事业，靖电与白银市复兴乡结成帮扶对子，资助其修建“雨水积蓄工程”。公司还先后投入数百万元，支援地方经济建设。共青团组织的以“服务群众、奉献社会”为主题的青年志愿者活动，少先队组织的“保护母亲河行动”等，得到了当地政府和人民群众的肯定，树立了良好的公益形象。

三、狠抓创建，塑造好形象

抓好文明窗口建设，辐射驱动。公司在与职工联系紧密、生产管理作用显著、服务职能突出、形象效果重要的工作活动场所设立了50个窗口建设点，同类窗口之间开展友好竞赛，每次检查树优评差，2000年有20个窗口被党委表彰命名为文明窗口。

四、紧扣中心，提高好服务

1997年开始，公司对4台机组实施达产改造，大修指挥部专门成立思想政治工作小组，深入大修现场，采访报道，工会组织开展大修立功竞赛活动，共青团组织在历次大修中均成立大型青年突击队，创建青年文明工程。截至2000年11月，一期4台机组达产改造工程全部竣工，恢复出力16万千瓦，相当于新建一座中型电站，取得了依靠科技进步挖潜增效的突出成绩，得到国家电力公司的高度评价。随着企业改革的推进，公司精神文明建设为经营管理工作的日益规范和逐步加强发挥着重要的作用。

（甘肃省文明办）

第六届全国职工职业道德建设十佳单位

辽宁省大连大商集团
创造无限发展的跨国公司

大商集团是以大连商场为骨干企业发展起来的。在邓小平南方谈话精神鼓舞下，企业制定了“股份制、集团化、跨国公司”的发展目标，确立了事业“无限发展”、服务“无微不至”的企业理念，经过不懈努力，把一个具有60多年历史的国有商场发展成为跨行业、跨地区、跨所有制经营的东北地区最大的商业集团。1999年，集团实现销售收入50亿元，比1992年增长8倍，税后利润8600万元，比1992年增长6倍，连续6年居东北地区同行业利润第一名，销售收入居全国商业第一位。

大商集团加强职业道德建设，是紧紧围绕行业特点，对顾客从“购物放心，服务满意”做起，进而达到“无微不至”的境界。为解除消费者购买大件商品的后顾之忧，早在1987年大商率先在大连市推行售出商品实行“五试一退换”的服务承诺制，并决定每年拨款10万元，列为“退换货基金”。这一制度的推出，在全市引起了强烈震撼，受到了社会各界的赞誉和广大消费者的欢迎。

（全国总工会）

山东省临沂环卫处
“铁 军”临 沂 环 卫 人

临沂城位于沂蒙山腹地，以革命老区闻名全国。这里有一支号称“铁军”的环卫队伍，这就是一直为临沂人所称道的临沂市环卫处。就是这个专门管理城市环境卫生的部门，以其良好的职业道德教育，激发广大环卫职工爱岗敬业的热情和职业责任感，创造性地开展环卫工作，用自己勤劳的双手为临沂人营造了一个洁净的城市环境。先后被评为省级文明单位、山东省文明行业示范点、山东省十佳职业道德建设先进集体、全国建设系统精神文明建设先进单位、全国职业道德建设先进单位，先后有18人次荣获国家、省、部级表彰奖励。

他们在全国同行业中率先打破事业单位“铁饭碗”，提出了一业为主、多种经营、以环卫养环卫、走产业化发展的工作思路，于1992年率先在全省环卫行业成立了以建筑垃圾统管统运为主的第三产业办公室，对建筑垃圾、化粪池抽吸等实行有偿服务。

（全国总工会）

北京图书大厦
传播精神文明的“窗口”

北京图书大厦在国家新闻出版署组织的社店互评中被评为“讲信誉，重服务，全国第一店”，同时被北京市命名为精神文明建设先进单位，楼层被评为市级模范集体。

作为传播社会主义精神文明的窗口，北京图书大厦始终把“宣传马克思主义、毛泽东思想、邓小平理论，传播科学文化知识、丰富人民群众的精神文化生活”作为自己的根本任务。正确处理社会效益和经济效益的关系，并坚持把社会效益放在首位。经营各类图书、音像制品、电子出版物20万种，一直保持着丰富的品种。

面对新的世纪，面对激烈的竞争，北京图书大厦决心以更高的标准要求自己，继续加强职业道德建设，不断提高服务水平，向人民群众提供更加丰富的精神食粮，为社会主义精神文明建设作出更大的贡献！

（全国总工会）

深圳机场（集团）公司

特区窗口中的“窗口”

深圳特区是我国改革开放的窗口，全国惟一集海陆空口岸于一体的深圳黄田国际机场，被人们亲切地称作“窗口中的窗口”。

从1991年10月深圳机场通航之日起，公司党委就清醒地意识到，企业要生存、要发展，必须始终坚持两个文明一起抓。

机场通航短短8年来，公司两个文明建设逐年上台阶，成为备受国内同行瞩目的新秀。1999年旅客吞吐量达到524.7万人次，货邮吞吐量突破15.47万吨，飞机起降达6.4万架次，实现总收入16.15亿元，创造净利润达1.2亿元，分别比上年大幅增长18%和23%，跻身全国最繁华空港之列。

1995年，被中国质量管理协会用户委员会评为全国用户满意企业；1995年至1997年，连续被深圳市政府评为文明单位；1997年，荣获广东省委、省政府授予文明单位，被民航总局授予中国民航优质服务奖，并以总分第一名的成绩被中国民航授予全国文明机场；1998年，被广东省总工会授予“五一劳动奖章”。

（全国总工会）

黑龙江省哈尔滨电业局

电 业 先 锋

哈尔滨电业局是国家大型供电企业，担负着哈尔滨市及周边9个市县的供电任务。几年来，哈尔滨电业局着眼于企业形象，立足于企业发展，将职业道德建设纳入精神文明建设的总体规划之中，坚持以服务社会、奉献群众为宗旨，以实行社会承诺制、完善各种制度为突破口，以“树行业新风、创一流业绩、做文明职工”为主题，坚持“深、实、精”的原则，大力开展职业道德建设，积极培育跨世纪的“四有”职工队伍，有力地促进了企业整体素质的提高。连续3年在全市行风测评中保持第一名，并荣获了全国职工职业道德建设先进单位，道里供电局变电亭一班荣获了全国职工职业道德建设先进班组。

哈尔滨电业局将“以人为本，创新超越”的企业精神贯穿到职业道德建设的实践中，将提高职工的思想道德素质和科学文化素质，培育“四有”新人作为一项长期、根本性的任务来抓，常抓常新、常抓不懈。

（全国总工会）

福建省漳州市工商局12315消费者投诉服务台

我们的“12315”

“12315”既是一支公正严明的执法队伍，也是一支热诚为民的服务队伍，又是弘扬社会主义职业道德的宣传队伍。老百姓说：“这是我们的12315，它是消费者的保护神，经营者的贴心人。”国际消费者联盟主席陈黄穗女士在访华期间称赞说：中国保护消费者权益工作不是被动受理，而是主动查案，这一点在全世界有推广意义和警示作用。中国开通 12315 消费者投诉举报专线，值得世界其他国家学习。

1996 年 5 月 2 日，“漳州 12315”自成立的第一天，就努力加强职业道德建设。通过开展“假如你是消费者”的讨论，增强全体队员爱岗敬业、诚实守信、办事公道、服务群众、奉献社会的职业道德的自觉性。同时，制定和完善了《职业道德规范》。还根据投诉服务台的工作特点，制定《消费者申诉记录表》、《调解书》、《移送函》等 14 种法律文书，把服务台的工作纳入程序化、法制化和规范化的轨道。引进竞争机制，实行了“小组积分制考核评分办法”，依据政治表现、调解处理、群众反馈等 20 项内容，对每日的工作情况进行量化考评，在全队营造比学赶帮，人人争创一流的良好氛围。

（全国总工会）

上海和平饭店

文明窗口　服务楷模

上海和平饭店隶属锦江集团，是一家历史悠久、具有浓郁欧式建筑风格的著名饭店。和平饭店坚持“两手抓，两手都要硬”的方针，根据行业特点和企业实际，着力提高员工队伍素质和企业文明程度，促进了饭店的两个文明建设。

和平饭店连续 9 年在锦江集团饭店业中经济效益名列前茅。与此同时，两个文明建设也取得丰硕成果，1998 年荣获全国五一劳动奖状，1999 年被评为全国创建精神文明先进单位，1995—1999 年，连续 5 年获上海市文明单位称号。

规范服务、优质服务使饭店高朋满座，重大接待任务日益增多。两年来，汪辜会谈、汪郝会谈、万国邮联大会、世界 500 强会议宴请任务等都在饭店举行，和平饭店员工每次都以出色的服务和精美的菜点赢得了各国贵宾和各级领导的赞扬。克林顿回国后还亲笔来信，信中说：“我们在中国度过了一段美好的时光，我们非常感谢大家的盛情招待，我们全家都十分感谢你们周到的服务，并致以良好的祝愿”。

（全国总工会）

江西高速公路管理局
邹家河管理所

文明窗口　文明路

邹家河管理所建于 1993 年，现有职工 65 人，主要担负着江西昌九高速公路北大门九江站段的管理、养护、收费任务。7 年来，共征收车辆通行费 1.04 亿元，超额完成 180 多万元，查处来往车辆损坏路段设施事故 460 多起，为国家挽回直接经济损失 320 多万元，所辖路段运行率、良好率年年均达 100%，年年超额完成上级交给的各项目标管理任务，连续 7 年被评为全省交通系统两个文明建设先进单位，1996 年被评为全国交通系统学习华铜海先进集体和江西省青年文明号，1997 年被评为江西省第一批文明服务示范窗口单位，1999 年被评为省级文明单位、全国青年文明号、江西省绿化先进单位和省职工职业道德建设十佳单位。

在职业道德建设中，管理所一是抓典型示范教育；二是灌输道理；三是借助艺术形象教育；四是把深入细致地做好思想政治工作与解决实际问题相结合。

（全国总工会）

湖南省长沙市自来水公司

生　命　之　源

长沙市自来水公司是一个拥有固定资产 7.8 亿元的国有大型企业。现有职工 1721 名，设计日供水能力 104 万立方米，管道长度 1010 公里，年供水量 3.3 亿立方米。供水能力全国排名第 11 位，人均供水量在全国省会城市排名第四位。近几年来，公司根据行业特点，狠抓职业道德建设，不断提高职工思想道德素质，使企业的服务水平得到了很大提高。所属6个水厂，1个被评为省级文明单位，5个被评为市级文明单位。公司先后被评为长沙市“比团结、赛实绩”十佳领导班子和长沙市优秀领导班子称号、省思想政治工作优秀企业、湖南省优秀企业、全国建设建材系统先进工会、建设部精神文明建设先进单位，1999年9月被评为全国创建文明行业工作先进单位。近4年，公司共获得市级以上的各种荣誉称号84项。

（全国总工会）

新疆吐哈石油勘探开发指挥部井下作业公司
沙漠戈壁中的石油“铁军”

新疆吐哈石油勘探开发指挥部井下技术作业公司位于著名的古丝绸之路和欧亚大陆桥通过的新疆鄯善县。

吐哈石油井下公司是评价和改造油气层、提高单井产量、为石油天然气勘探开发提供依据的专业化技术服务单位。

多年来，井下作业公司坚持“两手抓，两手都要硬”的方针，两个文明建设走在了油田前列。公司成立以来，每年都超额完成了油田指挥部下达的各项生产经营指标，并先后获得了自治区级文明单位、职工职业道德十佳集体和卫生红旗单位；中国石油天然气集团公司先进井下工作公司、设备管理先进单位和自治区总工会模范职工之家等荣誉称号。先后涌现出了中国石油天然气集团公司先进基层党组织、劳动模范、优秀共产党员、青年岗位技术能手、先进团支部、优秀青年工作者等一大批先进集体和先进个人。共取得省部级科技成果5项，地局级科技成果35项。

（全国总工会）

经验交流

EXPERIENCES

总结推广经验 更好地发挥爱国主义教育示范基地作用

为了贯彻《爱国主义教育实施纲要》，1997年6月，中宣部公布了首批百个爱国主义教育示范基地。三年来，在各级党委、政府的高度重视下，各地普遍加大对示范基地的投入。河北、北京、上海、天津等省市投入经费都在数亿元以上，基地的面貌发生了明显变化，有的示范基地已经成为当地精神文明建设的重要窗口。各示范基地加强管理，挖掘自身潜力，积极探索搞好基地工作的新途径，通过声、光、电等科技手段改进布展方法，以及资料上网和采取“走出去、请进来”等办法，大大地扩大了基地的影响，收到了很好的效果。

为了认真总结推广示范基地建设、管理和使用方面的经验，带动其他基地的工作，使爱国主义教育基地的作用得到更好地发挥，2000年5月11日至13日，中宣部组织召开了全国爱国主义教育示范基地工作座谈会。上海、天津、河北、大连、南京等地文明委员会同志介绍了他们的经验。

许德明：开发教育资源 丰富教育内容

上海是中国工人阶级的发源地，是伟大的中国共产党的诞生地，具有光荣的革命传统，有着丰富的爱国主义教育资源。改革开放以来，上海人民牢记邓小平同志提出的“一年一个样，三年大变样”的嘱托和江泽民同志希望上海两个文明建设都走在全国前列的要求，经济建设健康发展，城市面貌日新月异，一大批标志性建筑拔地而起。这些代表上海改革开放以来社会主义现代化建设成就的工程已经成为我们对广大干部群众进行爱国主义教育的一部部生动的教材。目前，全市已建立各级爱国主义教育基地近1000个，其中中共“一大”会址纪念馆、龙华烈士陵园、上海博物馆、宋庆龄陵园4个基地在1997年6月被中宣部命名为“全国爱国主义教育示范基地”，有36个基地被市政府命名为市级教育基地，200多个基地被命名为区、县级教育基地，在全市基本形成了国家、市、区县以及街道、乡镇为主体的四级教育基地网络。这些基地在爱国主义教育的实践中发挥了重要作用。平均每年约有1300万人次到各基地进行参观、瞻仰和祭扫活动。广大干部群众，特别是广大青少年，在参观活动中接受了深刻的思想教育，有效地激发了爱国主义情感。

每个爱国主义教育基地展示的都是一段丰富的历史，每个爱国主义教育基地都像一部生动的教科书，发挥着教育群众、感召人民的特殊作用。上海各级教育基地在充分发挥现有纪念场馆作用的同时，还运用多种形式和手段，开发教育资源，拓展教育内容，对广大群众进行丰富生动的爱国主义教育。如龙华烈士陵园1999年4月在全国出版发行了由中共中央政治局委员、上海市委书记黄菊同志作序的大型画册《龙华烈士陵园》，并运用高科技手段，积极策划制作了《丹心碧血为人民》多媒体电脑光盘。宋庆龄陵园编写的《国之瑰宝——宋庆龄的思想与实践》、《宋庆龄与中国名人》等书籍，多视角、深层次地反映了宋庆龄的爱国思想和人格魅力；《缔造未来——宋庆龄陵园》一书对加强陵园建设、探索儿童教育新思路发挥了重要的作用。

根据形势的需要，举办各种图片史料展，不断丰富爱国主义教育的内容，充分发挥教育基地的社会功能，是教育基地开发教育资源，拓展教育内容的又一个成功的实践。如中共“一大”会址纪念馆和宋庆龄陵园分别举办“迎香港回归图片史料展”、“香港回归祖国图片展”等展览，举办了“我们的总设计师——邓小平”、“光辉永照人间——纪念周恩来总理诞辰100周年图片展”、“宋庆龄诞辰100周年书画作品展”、“刘少奇在上海图片史料展览”等流动展。展览主题突出，切合形势，受到了广大干部群众，特别是学生的欢迎。

这些教育基地不仅立足于上海开展教育活动，而且还走出上海，面向全国，不断扩大受教育面。如中共“一大”会址纪念馆筹办的“中国共产党创建史”流动展先后到12个省、市、自治区的19个城市巡回展出，观众累计46万人次。1998年，龙华烈士陵园成功举办了“全国部分省市革命纪念馆陈列工作研讨会”，邀请全国38个纪念性博物馆的专家学者来上海参加研讨交流活动。各级基地不断挖掘自身的教育资源，极大地拓展了爱国主义教育基地的功能。

（许德明：上海市委宣传部副部长、市文明办主任）

叶厚荣：扎实推进爱国主义教育基地建设

建设爱国主义教育基地是加强爱国主义和社会主义精神文明建设的一项基础性工程。近年来，天津市委、市政府深入贯彻党的十四届六中全会和《爱国主义教育实施纲要》精神，把爱国主义教育基地的建设纳入全市精神文明建设的总体规划。经过几年的开发努力，全市分两批相继建成52个市级爱国主义教育基地。这些基地既包括传统教育基地，也包括反映改革开放和现代化建设成就的重点工程和标志性的文化设施。几年来，在中央有关部门的大力支持下，我市新建了平津战役纪念馆、周恩来邓颖超纪念馆、天津科学技术馆、自然博物馆等4个规模、设施、馆藏均处于国内一流水平的基地。仅在周恩来邓颖超纪念馆等4个新建重点基地上的投资即达4.8亿元，总占地面积16.7万平方米，总建筑面积5.3万多平方米。这些重点基地建设由于坚持了高标准、严要求，在很大程度上改变了我市过去基地规模小、设施相对落后、影响力较差的状况，提高了基地建设的档次和水平，为我市深入持久地开展爱国主义教育和思想道德建设创造了必要条件。

按照市委、市政府的统一部署，全市各区县都把爱国主义教育当作精神文明建设重点工程来抓，相继成立了由主管领导挂帅，由宣传、文化、民政、教育、旅游等部门及工、青、妇等群众团体参加的爱国主义教育工作领导小组，协调各方面力量，发挥各自优势，形成整体合力，加强了对基地建设的领导。津南区等区县制定出台了本地区利用基地开展爱国主义教育细则，塘沽区委、区政府在市里的支持下，投资300万元，对原大沽口炮台遗址进行了大规模整修，使基地建设在原有基础上又上一个新台阶。同时，每年拨出专款用于基地管理。我市盘山烈士陵园是中宣部命名的全国爱国主义教育示范基地，为了加强基地建设，蓟县县委一直坚持把有经验、有才能的干部充实到陵园领导班子中去。经过几年的努力，全市已初步形成了市、区县（系统）和基层上下共建、军地共建、各方出力，多渠道开发建设爱国主义教育基地的可喜局面。现在全市共有市级爱国主义教育基地52个，市、区县两级爱国主义教育基地200多个，形成了集历史文化遗产、革命纪念馆、烈士陵园和重大建设工程等于一体的多种类、多方面、多层次的爱国主义教育基地新格局，为全市深入开展爱国主义教育提供了重要的场所和阵地。

（叶厚荣：天津市委宣传部常务副部长、市文明办主任）

张士儒：增强基地发展的自身活力

在抓硬件建设的同时，我们还抓了基地管理，队伍建设，环境整治，自身积累。

首先，强化内部管理，狠抓队伍建设。河北在基地工作中抓了四支队伍。一是领导班子队伍。省委对基地的领导班子建设提出了明确要求，对不适应的6个班子进行了调整。举办了省级基地负责人学习培训班，一定程度上提高了他们的业务水平和领导能力。二是讲解员队伍。各基地与大中专院校挂钩，请有关专家学者到基地为职工讲课，或由院校代培，提高他们的政治业务素质。省文物局和省民政厅多次举办讲解员讲解比赛和讲解员培训班，培训内容包括专业知识、形体仪态、普通话及讲解技巧等各个方面。三是抓好“五老队伍”。即老党员、老干部、老八路、老民兵、老房东队伍。这些人是亲历者、见证人，其口头资料，真实感人。通过颁发革命传统教育证书、签订帮教协议、请他们担任学校校外辅导员等形式，发挥他们的优势和长处，通过现身说法，对青少年进行教育，取得了良好的社会效果。四是抓好研究员队伍。爱国主义教育基地建设带动了基地自身和社会各界对基地内涵的理论研究。李大钊研究会、西柏坡精神研究会、抗大精神研究会先后成立，他们的研究成果大大丰富了基地教育内容。据不完全统计，近两年来，社会各界共发表关于基地蕴涵精神的社科成果122部(篇)，时运生在《人民日报》发表的《论西柏坡精神》还获得了中宣部“五个一工程”奖。

其次，搞好综合治理，优化基地周边环境。随着市场经济的发展和城镇规模的扩大，有些基地尤其是陵园周围建起了工厂，开设了游艺厅等娱乐场所，与基地的气氛很不协调。为此，我们与文化、民政、城建等部门一起，专门进行了研究和整治。西柏坡纪念馆主动拆除了8处饭店，收入减少了80多万元，但换来了革命纪念地环境的庄重与协调。经过几年的整治，各基地整体环境明显改善，教育功能日益加强，社会效益大大提高。

第三，努力增加积累，探索自我发展之路。近几年来，一些教育基地在兴办“三产”和社会筹资方面做了一些有益的尝试。如西柏坡纪念馆在石家庄、北京、天津等城市设立办事处，一方面联系观众，扩大教育面；另一方面，通过加强宣传，进一步拓宽社会筹资渠道，提高品牌价值，增强自身活力。

（张士儒：河北省委常委、宣传部长）

董志慧：基地建设与精神培育相结合

广泛发动社会各界参与基地建设，既可以充分调动各方积极性，促进基地建设，也可以使广大群众在参与中受到潜移默化的感染、熏陶和教育，从而使基地建设与精神培育有机结合。

1994年11月21日，是中日甲午战争旅顺2万殉难同胞的百年祭日，我区利用这一契机，发动全区人民第四次重修万忠墓，兴建万忠墓纪念馆。在万忠墓重建过程中，从土建工程到整修绿化，从开工奠基到安葬仪式，我们都组织军地群众共同参与。当人们将分分、角角投入捐款箱时，当人们把一捧捧泥土洒在墓地上时，当人们将一株株树苗栽种在陵园里时，人们心中的爱国情愫也在汇聚凝结、澎湃激荡。于是，万忠墓建设过程也成为思想教育和精神建设过程。万忠墓重建后短短6年时间里，大连市及旅顺口区各界在这里举办的各种大型纪念、教育活动就有百余次，参加人数达60

万人次。仅1999年5月,社会各界在万忠墓举行反对以美国为首的北约轰炸我驻南使馆的声讨活动就有13次，有近2万人参加了这一活动。

随着教育活动的不断深入，特别是万忠墓被确立为全国百家爱国主义教育基地后，在原有基础上又投资200多万元，扩建了3个展厅，增设了灯光图片、人物塑像、战舰模型。邀请长春电影制片厂的专家制作了占地312平方米，运用声、光、电等技术手段，栩栩如生地展示旅顺人民反抗侵略情景的半景画，充实了教育内容，扩展了教育空间，提高了教育效果。

（董志慧：大连市旅顺口区委副书记）

孙志军：规范基地运作　健全管理体制

走规范化、制度化的道路，是爱国主义教育基地不断发展的保证。

1. 制定教育基地的管理办法。1996年5月，市委办公厅转发了市委宣传部《关于加强爱国主义教育基地建设的意见》，提出把社会效益放在首位、提高参观组织程度、加大投入等基本原则和政策措施。1998年6月，我市出台了《南京市市级爱国主义教育基地命名及管理办法》，对爱国主义教育基地的申报条件、申报程序、教育基地的权利和义务以及有关部门的工作职责等作出明确的规定。最近，市政府还专门对中山陵园、雨花台烈士陵园的管理和建设颁布了政府令，省人大对重要教育基地管理进行了立法，为依法管理教育基地建设提供了保证。

2. 加强教育基地的内部管理。近年来，我市各教育基地在狠抓硬件建设的同时，丝毫不放松软件建设，大力培养和提高工作人员的政治、业务素质，建立健全各项管理规章制度，在提供优质服务上想办法、下功夫。中山陵园孙中山纪念馆连续十多年开展“创三优、做文明职工”活动，深化社会服务承诺制，使纪念馆成为精神文明建设的窗口。中共代表团梅园新村纪念馆坚持“热情、纯朴、团结、求是”的八字馆风，热心为观众服务，讲解员在各类比赛中屡获佳绩。

3. 强化参观教育的制度保证。为了充分发挥教育基地功能，抓好以青少年为重点的爱国主义教育，市里还出台了必要的规定加以保证。一是对我市中小学学生有组织参观实行免票规定。3年来，近百万人次的中小学生到教育基地进行了参观，为此市里已拿出约300万元对教育基地进行补偿。二是实行参观教育基地记录册（卡）制度。为保证中小学生参观教育基地活动落到实处，从1996年开始，我市逐步实行参观爱国主义教育基地记录册（卡）制度，规定不同年级的中小学生必须参观的和选择参观的基地，并要加盖基地印鉴，由家长或班主任签字，新学期开学凭成绩册和记录册（卡）报到，学生毕业时凭成绩及记录册（卡）领取毕业证书。三是双向考评制度。基地考评学校的组织程度和遵守社会公德的程度，学校考评基地的服务态度和服务规范水准，这样相互促进、相互监督，使依托基地开展的爱国主义教育更加扎实、有效。

近年来，我市各教育基地积极主动地适应社会主义市场经济体制的要求，在中宣部的关心、指导下，在省、市委重视、支持下，经过不断的实践探索，初步实现了社会效益与经济效益的有机结合，走出了一条两个效益同步增长的路子。我们从中得到以下四点启示：第一，要坚持爱国主义教育的主旋律，找准搞好教育基地的立足点，只有这样才能赢得领导支持、群众认可，才能走活教育基地建设这盘棋。第二，要树立改革的思想，找准搞好教育基地的结合点，从而实现两个效益的有机结合。第三，要建立与市场经济相适应的管理体制和运行机制，找准搞好教育基地的着力点，逐步建立起与社会主义市场经济体制相适应的目标明确、责权分明、关系协调、渠道畅通的教育基地管理体制和运行机制。第四，要加强班子建设，找准搞好教育基地的关键点，确保基地健康、稳定、持续的发展。

（孙志军：南京市委常委、宣传部长）

清 华 大 学

两个课堂有机结合 两支队伍密切协作 推动邓小平理论“进学生头脑”

1992年以来，清华大学在邓小平理论教育教学工作中，一方面提出了“一门为主、多门渗透”的课程设置规范，根据“学马列要精，要管用”的原则，构建适合学生特点和需要的教学体系；另一方面部署了以社会实践和课外教育工作为载体的主题教育活动，围绕邓小平理论的精神实质开辟自我教育的“第二课堂”，课内系统教学与课外实践深化两个课堂有机结合，政治理论课教师与学生党团组织和学生骨干两支队伍密切协作，为邓小平理论“进学生头脑”取得实效形成了有利条件。

一、内容上互相呼应

1992年江泽民同志在党的十四大报告中明确提出：学习马克思列宁主义、毛泽东思想，中心内容是学习邓小平同志建设有中国特色社会主义的理论。当年，清华大学开设了“中国特色社会主义建设概论”课，按照六大方面的基本理论组织教学内容，进行“什么是社会主义、怎样建设社会主义”的集中教育。在广大同学对改革开放新阶段建立起比较清晰、系统的理性认识基础上，第二课堂与此相呼应，开展了有目的、有计划的主题教育活动。从1992年开始，围绕“国情·道路·责任”的主题开展活动，广大学生利用寒暑假走出校门感受改革开放的春风，回到校内深入体会邓小平同志南方谈话的精神。1996年国企改革进入攻坚阶段，理论课程安排“国有经济为主导与国企改革和发展”、“对外开放与振兴民族工业”等重点专题教学内容，而课外教育活动提出“以中华富强为己任，为民族经济做贡献”的鲜明主题。1997年十五大召开，又迎来改革开放20周年，清华大学的邓小平理论课程建设进一步完善，课外教育活动开展以“学小平理论，与改革同行”为主题的“导航计划”，各种形式的学习研讨活动形成了热潮。

二、环节上互相衔接

清华大学邓小平理论课程教学采取了“三段式”的安排。课前阶段，要求学生利用寒假走亲访友、接触社会、收集改革开放的实际问题，上交调查作业；春季学期开课阶段，教师根据调查报告分析学生的认识起点，组织、调整教学专题，针对热点、难点开展教学，同时，在学期开始时由学生自选课题做小论文，组织答辩会，以此作为课程成绩；课后阶段为暑假，再要求学生参加社会实践，应用理论去分析解决实际问题，并鼓励学生将实践中的感受上升为更高层次的理性认识，进一步写出专题分析论文。另一方面，第二课堂的主题教育活动又按三个步骤进行。首先以围绕主题的暑假社会实践为开始，包括考察调研、科技服务、下乡支教等；回到校内接着进行社会实践成果的交流，把主题教育引向深入；最后，校系通过演讲比赛、征文、经验座谈、人文社科学术节论文报告会、表彰先进等形式总结教育活动的收获。从安排上看，清华大学两个课堂的教育教学工作衔接于暑假社会实践，一学年一轮，从感性到理性，遵循着“实践、认识、再实践、再认识”的思想认识发展规律不断推进。

三、队伍上互相配合

学习邓小平理论的两个课堂是贯通的，主导两个课堂的工作队伍互相配合是实现这种贯通的关键。理论课教师是课内教学的组织者，又是课外教育活动的顾问和辅导员。党团组织和学生骨干既是第二课堂的组织者，又是理论课程的“参谋”和“课代表”。他们向理论课教师反映学生思想状况，反映学生在课外教育活动中对于理论课程的意见和建议。不仅是政治课教师，其他干部、教师参加学生活动也已成为一种惯例。在几次全校统一举行的主题班会活动中，与政治课教师一起来到各班的还有学校党政领导和几十位院系、部处干部。校长和教授与学生共同交流学习体会。这种教书育人的实际行动进一步加强了推动理论学习的力量。

四、方法上互相借鉴

邓小平理论课程教学成效的取得还在于教学方式方法的改革。他们在工作中力戒“教师照本宣科、学生死记硬背”的模式，恰当地引入课外教育活动的方法。讲授中穿插提问，师生双向交流；在规定教材之外开列导读书目鼓励自学，深入理解；课堂上放映音像资料，配合专题教学加深印象；针对热点、难点问题安排专题讨论课，活跃理论思维。另一方面，在课外教育工作中既开展生动活泼的活动，又通过安排高规格的讲座报告加以引导，增强了教育内容的学术性、权威性，扩展了常规的理论教学课堂，提高了教育活动的实际效果。

五、组织上统一领导

清华大学党委一直把用邓小平理论武装广大师生头脑作为学院思想政治工作的中心环节和根本任务。学校成立了以党委书记牵头的“两课”教育领导小组，统筹邓小平理论“三进”工作，主管思想理论建设与主管学生工作的两位副书记具体负责两个课堂和两支队伍的协调配合。在一些重大政治活动中，校党委总是不失时机地发挥两个课堂、两支队伍结合的优势，开展深入细致的思想工作，取得了显著效果。

（教育部）

中国青年政治学院

再接再厉　促进校园精神文明建设不断向纵深发展

中国青年政治学院是共青团中央直属的普通高等院校，担负着为全国培养政治素质高、专业基础扎实、实践能力强、具备现代管理素质、从事青年工作的复合型应用人才的重任。近年来，学院党委把加强精神文明建设作为做好学院工作的龙头，通过加强精神文明建设来促进以教学为中心的各项改革，各项工作取得了突出的成绩。学院年年被团中央机关评为精神文明建设先进单位，1995—1999 年连续被首都文明委授予“首都精神文明建设标兵单位”称号。

一、深化教育教学改革，推动精神文明建设

学院在以教学工作为中心的前提下，通过深化教育教学改革推动精神文明建设。先后研究出台了规范教学二级管理方案、推进完全学分制方案以及奖学金调整方案等一系列制度、政策，以加强教学基本建设，规范教学管理制度。同时重视上岗培训，进一步加强师资队伍建设，通过鼓励在职教师攻读博士、引进高学历人才，提高师资水平。学院重视对教师的师德教育，聘请专家成立教学督导组，加大对教师的考核力度。学生会推出了评选“我最喜爱的教师”活动，以提高教学质量，促进师德建设。

2000 年，学院启动了新一轮内部管理体制改革，逐步建立“按需设岗、择优聘任、合约管理”

的用人制度，建立“以岗定薪、按劳取酬、优劳优酬”的分配制度。学院后勤社会化改革于1999年上半年完成了“小机关、多实体、大服务”的改变，基本实现管理、服务、经营的分离，转变了运作机制，使后勤服务水平得到了进一步提高。学院新建教学综合楼和学生宿舍楼已投入使用。校园一期改建工程的完成，大大改善了校园育人环境，有利于学院扩大办学规模，在进一步提高学院办学实力的同时，也从硬件上促进了学院精神文明建设水平的提高。

三、坚持“育人为本”、全面落实素质教育

学院坚持“育人为本”的办学理念，积极推进全面育人、全程育人、全员育人的系统育人工程。结合学院特点，组织干部教师讨论调整学院办学指导思想，进一步明确了学院的定位及发展战略。2000年初，学院在全体师生员工中开展了素质教育大讨论，促进教职工转变教育观念，增强进行素质教育的自觉性和主动性，从而进一步促进教育教学质量和办学水平的提高。

在加强学生全面素质教育方面，学院通过德育课、业余党校、军事训练和社会实践等途径加强对学生的思想品德教育。98%的学生积极申请入党，参加党校学习的热情很高，学生党员占学生总数的26%。以党建带团建促班建成为该院学生工作一大特色，学生党建成为学院精神文明建设的重要组成部分。学院在北京、上海、宁夏等地设立实习基地，通过推荐学生担任居委会助理、到贫困地区进行调研、学生艺术团演出等，增强了学生适应社会的能力。毕业生综合素质高，实践能力强，获得用人单位普遍赞誉。

四、群众性精神文明建设活动蓬勃开展

近年来，学院群众性精神文明创建活动蓬勃开展，并逐渐形成了一定的形式和规模，总体上有7项活动3项工程。家属宿舍小区开展的创文明住户、文明单元、文明单元标兵的“三创”活动，在实行封闭式管理的基础上，以“楼长负责制”为保障，形成了一个整洁、安全、有序的环境；工会每年组织评选爱学院、爱岗位、爱家庭的“三爱”标兵活动；由教职工自发组织的各类文体协会开设的各类小型多样的合唱团、舞蹈协会、足球协会、登山协会、钓鱼协会等因地制宜地开展经常性活动；学院文化基础部、教务处等部门联合开展的人文素质系列教育活动，结合素质教育大讨论，开办各类讲座，扩大了广大师生员工的知识面；学生工作部、团委组织学生开展的金秋艺术节活动、社团文化节活动和寝室文化节活动，这些活动，不断丰富了校园文化生活，成为群众性精神文明建设的有效载体。师生通过各类活动得到了锻炼和提高，在校外各类文娱、体育比赛中多次获奖。学院的“宣传网络工程”逐渐形成了包括广播站、院报、橱窗等宣传舆论阵地的一套体系，成为学院精神文明建设的窗口。“平房改造工程”使原先杂乱无章的平房小区变得整洁划一；学院每年组织的“五个一工程”评选表彰活动，是学院精神文明建设的主要抓手，院党委重视发挥学院的特色和优势，把多出人才、多出好的精神产品作为学院办学宗旨和自身发展的必然要求，在共青团历届“五个一工程”的评选中，学院均有优秀作品入选，在1999年共青团第四届“五个一工程”评选中，学院有2部图书、3篇文章获“入选作品奖”，并荣获“组织工作奖”。

（中央直属机关文明办）

国家体育总局

全民健身计划第一期工程取得丰硕成果

1995年6月20日，国务院颁布了《全民健身计划纲要》（以下简称《纲要》）。1995—2000年是实施《纲要》的第一期工程，五年来，在国务院的领导下，在各有关部门和全社会的大力支持下，全国的全民健身工作取得了世人瞩目的成绩。经常参加活动的人数明显增加；人民体质明显增强，群众体育健身的环境和条件正在逐步改善，各项工作普遍取得明显成效。

各级党政领导更加重视群众体育。《纲要》是与实现社会主义现代化目标相配套的一项增强国民体质的系统工程和跨世纪的发展战略规划，得到了党和国家领导人的高度重视。江泽民总书记为体育工作题词："全民健身、利国利民、功在当代、利在千秋"，进一步明确了体育工作的任务，并对《纲要》的实施给予了充分肯定。各级地方党委和政府把全民健身工作作为当地社会主义精神文明建设的一项重要内容，列入了"九五"计划和为群众办的好事、实事之中。

群众体育健身意识日益增强。为了有效地推动《纲要》的实施和全民健身活动的广泛开展，每年举行一次"全民健身宣传周"活动，产生了广泛的社会影响，有效地增强了群众的体育健身意识。

群众体育工作队伍日益壮大。《纲要》的实施，促进了群众体育工作队伍的建设。据2000年对24个省（区、市）调查结果表明，省级体育行政部门中群体干部的数量占干部总人数的比例由1995年的12.3%上升为14.6%。社会体育指导员队伍已是开展社会体育活动的一支重要力量。全国已有各级社会体育指导员15万余人，其中国家级1446人，初步形成了一支以体育行政管理人员为主导，以体育社会团体人员和乡镇、街道体育干部为主线，以社会体育指导员为主体的群众体育工作队伍。

群众体育组织网络正在形成。随着体育体制改革的不断深化，体育社会化程度的不断提高，逐步形成了中央、省级、市（地）、区（县）、街道（乡镇）的体育社团的层次结构，基本覆盖了全国城乡的广大地区。据对26个省（区、市）调查统计，省以下有各级体育社会团体53220个，团体会员212959个，个人会员8664455人。

群众体育健身场地逐年增多，群体经费逐年增加。为了解决群众体育健身场地不足并充分利用现有体育设施为全民服务，全国现有各类体育场馆615693个中，绝大多数公共体育场馆已向社会开放。1998年和1999年共建"全民健身工程"1182个，分布在全国77个城市，911个社区。

群众体育竞争和激励机制更趋完善。为表彰和鼓励基层开展群体工作的积极性，推动群众体育和全民健身工作的开展，从中央到基层运用竞争激励机制并逐步成为制度，形成一套表彰体系。1995—2000年期间，国家体育总局命名了三批全国体育先进县，共306个；命名了全国城市体育先进社区322个。表彰了全民健身宣传周优秀省（区、市）77省次、优秀单位2283单位次。

群众体育健身逐步走向科学化。2000年，在全国31个省（区、市）3岁至69岁的中国国民中开展体质监测工作，以获取本世纪末中国国民体质状况的基本数据，有针对性地对群众体育健身进行科学指导，改善和增强国民体质状况。为满足群众体育健身活动的需求，国家体育总局还在全国征集并组织编写了《中华体育健身方法》1—4卷，向社会推出健身方法177种。同时，编制推广第八套广播体操，为引导广大群众科学健身，起到了良好的效果。

以青少年为重点的学校体育得到了加强。国家体育总局积极配合教育部改革学校体育，修订国家体育锻炼标准，将实施《标准》作为学校体育考试的一项内容。会同教育部共同制定了《少年儿童体育学校管理办法》、《体育传统项目学校管理办法》等法规文件，进一步加强对青少年的素质教育，培养学生德智体全面发展。2000年，各级体育行政部门用体育彩票公益金共6000万元，资助现有体育场馆创建了593个青少年体育俱乐部。此项计划逐年投入，滚动发展，以此构建我国青少年学生校外体育活动阵地并形成网络。

（国家体育总局机关党委）

北　京　市

深入开展创建文明村镇活动 大力推进首都农业和农村的现代化

首都农村创建文明村镇活动，以提高农民素质、致富奔小康和建设富裕、文明、民主的社会主义新农村为目标，紧紧围绕“建首善、创一流”的工作思路，坚持创建活动与农村各项工作紧密结合，坚持“达标”与“创优”相结合的原则，以农村环境整治工作为突破口，以“户、村、镇”创建活动为基础，以“十、百、千”工程为重点，使农村精神文明建设蓬勃发展，村镇面貌发生了明显的改观，有力地推进了首都农村的现代化建设。

一、把农村精神文明建设摆在更加突出的地位，努力形成创建文明村镇工作的新机制

1. 抓领导机制，夯实创建基础。全市建立了由首都文明办、市委宣传部、市委农工委、市农办等部门紧密配合、共同参与、协调指导的工作格局，对农村的创建活动经常共同研究，落实责任，分工协作。把创建文明村镇活动作为文明城市建设的重要组成部分，列入《首都文明城市建设规划》，各级领导坚持把文明村镇创建工作和其他工作紧密结合，列入重要工作议程。各区县、乡镇也制定了《创建文明村镇工作实施细则》，为农村的创建活动打下了坚实的基础。各区县形成了主要领导挂帅、主管领导具体抓、党政工团齐抓共管、齐创共建的工作网络。实行统一领导，统一规划，统一部署，统一落实，统一考核。同时，注意充分发挥人大代表、政协委员和各民主党派及无党派人士的作用，组织他们深入农村调研、检查、指导创建文明村镇活动。

2. 抓宣传机制，营造创建氛围。发挥中央和市属地方电台、电视台、有线广播、有线电视、报社等新闻媒体的优势，利用板报、墙报、墙壁标语、印发宣传材料等形式，加强对创建文明村镇活动的宣传，并有计划地掀起宣传文明村镇和先进个人的高潮，为创建文明村镇活动营造了良好的氛围。顺义、怀柔等区县每年组织精神文明建设巡回报告团，深入乡镇农村，广泛宣传。首都文明委要求：凡是申报和被命名的首都精神文明建设先进单位都要向社会公示。首都文明乡镇、文明村要在本地区公布文明村镇的标准，公布监督电话，欢迎社会监督，从而增强了评选工作的透明度。

3. 抓共建机制，形成创建合力。利用资源优势，建立了各种共建网络。一是领导干部分别与所属乡镇、行政村“结亲”共建。领导干部通过与农村群众“结亲”，常年深入基层，面对面指导、帮助农民致富，从而拉近了干群之间的距离。

二是党政有关部门与乡村“对口”共建。怀柔县、通州梨园等地区采取了宣传部门帮富村，政法部门帮乱村，组织部门帮弱村，经济管理部门帮差村，教育科技部门帮穷村的工作方法，较好地解决了村镇建设中的实际问题，促进了农村经济和社会的全面进步。三是首都科研机构、高等院校与农村结对共建。大兴县鹅房村主动邀请中国农科院和市农科院专家教授，为农民传授农业管理知识和科学种植果树技术。四是以先富帮后富，促进共同富裕。一些经济实力较强的村把帮助相对落后地区经济发展、走共同富裕道路作为农村精神文明建设的重点。如：房山区韩村河村通过艰苦奋斗，白手起家成为首都文明村后，先后与芦子水村、曹章村、赵各庄村和西东村结成扶贫关系，还与新疆、西藏等地的村建立了友好关系，对这些村投资加以扶持，带动这些村共同富裕。

4. 抓创新机制，增强发展后劲。京郊农村在改革开放和农村市场经济的大潮中，抓住机遇，依靠自身区位的优势，努力发展农村经济，并不断创造新的发展机制，促进农村社会全面进步。以优惠的政策吸引外资，促进了乡镇企业的发展。全市乡镇企业已达近10万个，并且普遍开展了创建文明乡镇企业活动，建立健全了各级党团组织和工会、妇女组织，乡镇企业已经成为首都农村经济发展的生力军。以优厚的待遇广招英才。韩村河村的企业先后招收了6000名专业技术人才，其中大专以上1200人，给农村企业带来了勃勃生机。以优良的资源创新发展。京郊农村自然资源丰富，尤其是山区风光怡人，生态环境良好，是城市居民旅游度假的好去处。密云县开展了“百万市民游密云”活动，先后推出住农家院、吃农家饭等山区旅游服务项目，得到了很好的经济效益。门头沟区妙峰山乡开荒山建果园，发展观光旅游农业。大兴县创办西瓜节，以瓜为媒发展经济。平谷县利用大桃资源优势，创办桃花节，促进果品贸易。

二、狠抓农民素质教育工程，努力提高首都农村整体文明水平

1. 狠抓教育内容，提高农民素质。首都农村以思想教育为切入点，狠抓农民素质的提高。主要采取：抓“三基”教育。即进行党的基本理论、基本路线、基本方针的教育。特别是进行邓小平理论和“三个代表”重要思想的教育，提高了广大干部群众思想政治觉悟和政策理论水平。抓“五爱、四有、三德”教育。使农村群众牢固树立了共同的理想和精神支柱。抓“四种知识”教育。即文化知识、科技知识、市场经济知识和民主法制知识的教育。引导农民破除迷信、抛弃愚昧、崇尚科学、走向文明。抓“致富思源、富而思进”教育，克服了小富即安、固步自封、不思进取的落后观念，使农村的两个文明建设不断有新的发展。

2. 狠抓活动载体，深化教育形式。京郊农村以“讲文明树新风”、“四要四不要”活动为契机，深入开展各种形式的“争做文明北京人”活动。朝阳区坚持评选“十佳百名朝阳人”活动；通州区坚持开展“讲文明、树新风，争做文明通州人”活动；通过广泛评选“文明人”，为农村群众树立了榜样。广大农村群众还自发地组织了秧歌队、拳术队、舞龙队、锣鼓队、艺术团、体育运动队等，自娱自乐，歌颂农村的新气象。京郊农村已有各类文艺队1838个，体育队912个，每年全市都要举办农民艺术节，展示农民精神风貌。各有关部门积极开展“三下乡”活动。主动开展送书、送戏、送医、送药、送科技进乡村活动，并组织政策宣讲团、致富报告团、科技服务团深入到乡村，向农民提供科技服务、政策咨询和致富经验。一些村镇还自发成立了“三老会”(老党员、老干部、老村民)、“禁赌会”、“红白理事会”、“治保会”等民间组织，以老年人的威望和民间组织的形式开展各种宣传教育活动，这些组织在创建文明村镇活动中发挥了积极的作用。

3. 狠抓阵地建设，教育效果显著。一是抓文明市民学校的建设。农村文明市民学校达1000余所，这些学校在提高农民的思想道德修养、科学文化素质和农村的文明程度等方面发挥了积极的作用。2000年全市投入近300万元支持文明市民学校示范校建设。二是抓各种教育基地建设。北京市有着丰厚的教育资源，博物馆、纪念馆、图书馆、革命战争遗址等，有关部门和农村结合旅游开发、根据需求投资对这些教育基地进行了修复和重建，为农村进行爱国主义、集体主义和社会主义教育提供了阵地。三是抓文化设施的建设。为了适应社会发展和满足农民群众日益增长的文化需求，京郊农村努力为群众开辟新的活动场所，一些区县在中心地区建立了大型的文化广场，许多村镇建立了不同层次的文化娱乐设施、图书室、文化室和体育场地，为农民群众提供了良好的休闲娱乐场所。全市拨出200万元专用资金，对10个优秀乡镇文化站进行了表彰。

三、大力开展各种群众性精神文明创建活动，推动文明村镇建设跃上新台阶

1. 以农村环境整治工作为突破口，努力使首都文明村镇建设向高水平发展。区县、乡镇、村都成立了环境综合整治工作机构，明确了职责，落实了责任，加强了考核，把环境整治工作落到了实处。一是抓城乡结合部的整治，建立健全了管理责任制，逐级签订了责任书，加强了日常管理。结合拆除违法建设，清理整顿出租房屋，取缔制售假冒伪劣的窝点，改变了城乡结合部的环境面貌。二是县城主要大街的整治。三是旅游景区的整治。全市把旅游景区纳入城市环境综合整治的工作之中，通过开展评选文明旅游景区活动，大力整治旅游景区内环境和周边环境，一批旅游景区被评为文明旅游景区。四是抓好乡村两级的环境建设。全市对农村环境整治提出了“五个一”的具体要求，即各村要有“一个领导、一项制度、一支专业保洁队伍、一个垃圾填埋场所、一辆垃圾保洁车”。“五个一”的落实，为郊区环境建设打下了可靠的基础。

2. 以实现“十、百、千”工程为目标，大力推进文明村镇建设向多层次、全方位发展。1998年全市提出了“十、百、千”工程，即重点巩固抓好10个文明乡镇、100个文明村、1000个达标村。把对农村的基本要求“达标”工作与争创市区级文明村的“创优”结合起来，争取用4年的时间全市农村基本达到“经济稳步发展，治安秩序井然，村容村貌整洁，村规民约落实，村风文明良好”的标准。各区县结合本地区的实际情况，也分别提出了明确的工作计划和目标，“达标”、“创优”活动取得了明显成绩。涌现出首都文明乡镇35个，首都文明村147个，达标村2288个。

3. 以开展“户、村、镇”创建活动为基础，不断推动文明村镇建设向深层次发展。全市下发了《关于在郊区深入开展创建“文明户”、“文明村”、“文明乡镇”活动的意见》，制定了《文明村镇建设管理办法》，创建文明“户、村、镇”活动，目标明确，任务落实，活动经常。至2000年底全市4000多个行政村，评选出区县级以上文明村919个，约占行政村总数的1/4，区县级以上文明乡镇87个，约占乡镇总数的1/3，各类文明户50多万户，提高了农村整体文明水平。为充分发挥首都文明村镇的示范辐射作用，全市每年举行首都文明村镇观摩座谈活动，组织文明村镇互相观摩学习，取长补短，共同提高，切实推动了文明村镇建设不断向深层次发展。

（首都文明办）

北 京 市

以“建首善创一流”为目标
深化文明社区建设

一、以文明社区建设为重点，全面提高首都文明城市建设的整体水平

1. 从全局战略高度认识社区建设的重要性和紧迫性，是文明社区建设的重要保证。北京是全国的政治中心、文化中心，北京的精神文明建设在一定程度上代表着改革开放社会主义中国的形象。北京市第八次党代会提出了“建首善，创一流”，努力建设精神文明“首善之区”的总目标，进一步从全局、战略性的高度充分认识文明社区建设对首都经济和社会发展的重要性和紧迫性。通过几年创建工作实践，全市初步形成了以创建文明居民区活动为重点，以居（家）委会建设为依托，以创建文明社区活动为基础，逐渐向创建文明区县和地区延伸辐射，党政群团齐抓共管，部门各负其责，群众广泛参与的文明城市建设的工作格局。

2. 坚持从创建文明居民区活动入手，采取达标与创优相结合的方法。北京市针对文明居民区创建活动提出了分层推进，分步实施，达标与创优相结合的原则。对基础环境较差的居民区，通过3年的努力达到“五有五无”的达标标准（即：有治安防范，无重大案件、重大火灾；有卫生保洁，无卫生死角、垃圾渣土；有严格管理，无私搭乱建、乱停乱放；有便民服务，无无照摊商、违章市场；有市民教育，无重大民事纠纷、赌博现象）；对基础较好的地区，要求创建文明社区。并选择了基础较好的一些社区，作为文明社区创建活动的示范点。通过树立典型，以点带线，以线连片，以片促面，有力地推动了全市创建文明社区活动的深入开展。

3. 把解决群众关注的热点、难点问题与为群众办实事结合起来，是文明社区建设的重要基础。坚持精神文明建设从办实事抓起，特别是抓住那些影响首都整体形象，群众最关心、反映最强烈的问题，集中力量予以解决。撤销占路市场、绿化美化环境、建设社区服务中心、创建精品街等。全市拆除违法建筑855万平方米，撤销占路市场276个，建成社区服务中心109个，规模不等的社区服务设施1507个，净化了社区环境，方便了居民生活，健全了社区服务，促进了城市文明建设。

4. 人人参与，齐创共建，是文明社区建设全面发展的重要经验。注意发挥首都优势，充分动员中央、部队在京单位开展创建活动。全市229个文明居民区中，中央和部队的就占1/3。以航天部一院、二院为主体的东高地、永定路街道还被命名为首都文明社区。西城区在文明社区建设中，充分发挥驻区近百家中央、部队单位的积极性，开展了“八十万双手，共建美好家园”的主题活动，形成人人参加，共建文明社区的良好局面。

5. 勇于开拓、不断创新的精神，是文明社区建设保持生机和活力的重要源泉。开展多种丰富多彩的社区活动。在社区中开展“欢庆龙腾新千年，十万春联送京城”公益文化活动，“绿色志愿者活动”，保护生态环境活动，科普进社区活动。还组织了北京社科院、市委党校、北京师范大学等科研机构和院校参加的文明市民教育研讨会。与北京行政学院、全国社区教育委员会、北京伦理学会等联合主办“北京——台湾社区教育研讨交流活动”。

6. 完善社区建设与管理的科学机制，是推进文明社区建设规范化、制度化发展的重要环节。北京市在创建文明社区过程中，不断探索适应首都城市社区建设和发展的管理体制和工作机制。成立了由市长刘淇任组长的社区工作领导小组。在制定《北京市城区文明综合评价指标体系》基础上，制定了《北京市社区文明综合评价指标体系》，提出了8项90条对社区文明进行科学量化的考核标准，完善了社区建设与管理的科学考评机制。

二、以培育“四有”新人为根本，全面推进首都文明社区建设的深化

1. 以生动活泼的教育方式教育人。北京市现已创办文明市民学校3200所，固定学员达70万人。一些区县还与有关职能部门配合，建立外来人员分校、下岗人员分校。大众读书会吸引了近10万户家庭、40万群众坚持常年读书，求知、求乐、求美蔚然成风。

2. 以整洁优美的生活环境影响人。北京市以环境治理为突破口，创建了一批精品街、示范街和亮丽工程，使首都的城市环境面貌发生了深刻变化，进一步增强了居民群众“住社区、爱社区、建社区”的意识。

3. 以丰富多彩的文体活动吸引人。全市建有19个文化馆，96个文化站，居（家）委会文化室2098个，街道建立文化站（文体中心）已占全市街道总数的85%。夏日文化广场、五月鲜花歌咏比赛等大型文化活动，各种书画、诗歌、摄影、戏曲、合唱等活动越来越受到居民群众的欢迎。

北京市建立了社区体育协会，已有114个街道成立了街道体协，对辖区体育工作进行指导、协调、组织，61个街道、乡镇修建了全民健身工程。市里为每个社区街道配备了不同数量的体育活动指导员，在12个城区的96个街道建立了成年人体质测试站，便于广大群众根据体质状况有针对性地进行锻炼，以达到科学指导健身的目的。

4. 以体贴入微的便民服务关心人。北京市社区服务以国家福利设施为骨干，街道服务设施为主体，居委会便民服务网点为基础，其他社会力量举办的福利服务机构为补充，建立起纵分层次、横结网络的市、区、街、居四级服务网络。全市已开通社区服务便民热线电话137条，入网居委会4243个，占总数的90%以上。社区服务志愿者队伍有60余万人，其中具有一技之长的技术服务骨干近23万人。10个城近郊区共建社区卫生服务站200多个，有1500余名医务人员从事社区卫生服务工作。初步形成了五大类十大系列服务体系，逐步实现居民基本生活服务需求不出社区的目标。

5. 以先进典型激励人。充分发挥了先进典型的示范辐射作用，在各个社区中，通过评选居民身边的"五好文明家庭"、"卫生之家"、"十佳公仆"、"学雷锋先进分子"、"下岗职工再就业先进典型"、"好婆婆"、"好媳妇"等活动，激励广大居民，掀起了争创文明家庭、争做先进个人的热潮，促进广大居民整体文明水平的提高。

（首都文明办）

北京西站地区管理委员会

以精神文明建设为龙头　推动地区各项工作

北京西站地区管委会以精神文明建设为龙头，以三大创建（创文明单位、文明经商户、文明大院）为突破口，以文化、体育活动为载体，以提高地区文明程度为目标，达到优美环境、优良秩序、优质服务，两个文明建设协调发展。

一、坚持一条主线

北京西站地区管委会确定了一条工作主线，就是：确保一个中心（以铁路运营为中心），规范五个秩序（治安、交通、市容、环卫、经济），争创三优（优质服务、优美环境、优良秩序）。西站地区的精神文明建设以这条主线为目标，扎扎实实开展创建活动，全面推动地区各项工作的开展。

二、狠抓两项重点工作

北京西站地区管委会坚持精神文明建设要"虚工实做"，把工作的结合点归纳为两个方面的工作：一个是服务，一个是执法。他们将工作重点放到狠抓"文明服务、文明执法"上，地区管委办及各单位紧紧围绕这个重点，采取切实可行的措施，狠抓落实。

三、加强三项建设

1. 队伍建设，坚持抓好三个层次，一是党政一把手，二是主管领导，三是宣传干部、信息员队伍。采取组织学习、培训、工作交流、座谈等多种形式，提高干部的认识水平及自身的政治业务素质。

2. 制度建设，根据工作需要，建立了一些必要的例会制度、工作制度、评比制度，同时注意引导各单位根据实际情况，制定各自相关的制度。

3. 组织机构建设，在管委办内部设置的三个对外处——综合管理处、精神文明建设处、城市建设规划管理处，成立了地区社会治安综合治理委员会、环境整治领导小组、精神文明建设指导委员会、地区经济发展指导委员会等。各单位也相应设立领导小组或指定专人负责。

四、坚持做到四个结合

第一，思想政治教育与文明行为的培养相结合，寓教于丰富多彩的活动之中。组织先进人物报告会，对外来务工人员进行职业道德培训，组织干部职工培训班，对过往旅客居民进行宣传教育。结合党和国家重要会议召开、重大活动的举行、重要的节日、纪念日等营造声势，组织专题宣传活动。利用升空气球、悬挂大幅标语，宣传“讲文明树新风”，宣传《首都市民文明公约》、《乘客文明公约》。

第二，法制教育与规范化管理相结合，将各项工作纳入法制的轨道。坚持有重点、分层次地对地区的干部职工、管理人员进行法制培训，将普法教育与专项法律学习培训结合起来，先后组织地区领导干部法制培训班、《消防法》培训班、特行管理知识培训班和税法知识讲座等等。地区集中治理整顿与职能部门日常工作紧密结合，有计划、有步骤地对社会治安秩序、市容环境卫生、工商市场秩序进行整顿和规范。

第三，内部监督与外部监督相结合，加大监督力度。聘请了10名监督员对地区工作进行内部监督，他们来自不同单位，代表各个系统，有明确的工作职责，定期不定期地对各单位服务和执法情况进行检查。同时，为加强自身的建设，铁路系统、税务系统、工商系统及部门、企业也聘请了各自的监督员，使单位内部监督落到实处。外部监督主要是三条渠道，一是该单位上级主管领导部门；二是新闻单位；三是设立群众意见箱。

第四，职业道德教育与文化素质的提高相结合。各单位有计划、有步骤地组织各种文化知识的培训，支持员工利用业余时间进修、学习，掌握外语、电脑知识，钻研业务。1998年成立了地区文化艺术协会。每年定期组织体育比赛、展览、演出。

五、体现了五个特点

1. 领导重视。各单位主要领导亲自抓精神文明建设，并把这项工作列入重要工作日程，不断健全组织，完善规划，狠抓落实。

2. 思路清楚。各单位在工作中重视联系工作实际，探索规律，研究行业特点。

3. 措施得力。各单位在工作中注意从实际出发，善于找到工作的结合点，采取有效措施，切实抓出工作实效。

4. 作风扎实。形成了教育有重点，管理有规范，工作有制度的管理体系。

5. 发展协调。在各级领导的关怀下，地区各单位积极努力，使地区的精神文明、物质文明协调发展，各项工作有了明显的提高。

（首都文明办）

天　津　市

开展创建文明社区“五个一”活动
推动社区建设

一、适应新形势要求，精心设计创建文明社区“五个一”活动

天津市委、市政府高度重视社区精神文明建设，1996年以来，先后两次专门下发文件，推出一系列重要举措，对全市社区精神文明建设提出明确要求。他们在实践中逐步形成了一套比较完整的工作思路，即：坚持“一切为了群众，一切依靠群众”的方针，以实现和维护群众利益为出发点和落脚点，尽心竭力为群众办好事、办实事；坚持抽象的往具体抓，虚的往实处抓，软任务往硬处抓，虚功实做、真抓实干；坚持从实际出发，适应新形势任务的要求，积极探索新方式、新方法、新手段和新机制；坚持在社区建设中软、硬件并举，在抓好软件的同时，不断加大硬件建设力度。2000年以来，按照市委关于“乘势而上，开拓创新，全面上水平”的工作基调，广泛开展创建文明社区“五个一”活动，要求每个建制街建立和完善一个社区服务中心、一个社区文体中心、一个社区集贸市场、一所社区市民学校、一个社区广场花园，并充分发挥其教育、管理、服务功能，加强和改进社区思想政治工作。

二、采取有力措施，大力推动创建文明社区“五个一”活动的实施

一是深入调研，明确标准。在制定“五个一”创建标准过程中，市文明办认真征求各区街意见，深入不同类型的社区进行实地勘察，把“高、新、实、好”作为基本原则，“高”，就是起步高，标准高；“新”，就是项目新，形式新；“实”，就是项目实、工作实、投入实；“好”，就是管理好、发挥作用好、社会效益好。根据这一原则，他们分别从软件、硬件及管理等方面，提出了15个方面的具体要求，使创建标准更加符合实际，更加符合群众的需求。

二是以点带面，现场推动。从2000年开始，用4年左右的时间，在各街道普遍完成高标准的“五个一”项目建设，建成一批环境整洁优美、服务便利全面、风气健康向上、治安稳定有序、基础设施完善、文化生活丰富的文明社区。各区把创建文明社区“五个一”建设，纳入本地区经济社会发展总体规划，统筹安排、分步实施。为推动“五个一”活动的深入开展，市文明委在和平区小白楼街召开现场推动会，推出了和平区、河北区、河西区尖山街等先进典型，市领导向示范社区颁发了“以奖促投”资金。

三是建立机制，狠抓落实。第一是领导机制。把创建文明社区“五个一”活动作为加强社区精神文明建设的重点工程来抓，各区街成立了由文明委主要领导任组长、有关部门参加的领导小组，具体指导、协调“五个一”创建工作。第二是投入机制。2000年以来，通过采取市财政奖一点，区财政拨一点，街道办事处拿一点，有关部门投一点，驻社区单位支持一点的“五个一点”多渠道投入办法，较好地解决了创建活动所需资金。第三是激励机制。在市财政压力较大的情况下，专门拿出100万元，采取以奖促投的方法，推动创建文明社区“五个一”活动的深入开展。市委、市政府还适时对在创建文明社区“五个一”活动中作出突出成绩的社区进行表彰。

三、充分发挥阵地作用，确保创建文明社区“五个一”活动取得实效

开展创建文明社区“五个一”活动以来，全市共新建“五个一”项目37个，扩建128个，新增面积9.3万多平方米，新添置计算机、电视机、录像机、健身器材和各类乐器2000余台（套）。各区街坚持把设施建设和增强功能、加强管理结合起来，充分发挥“五个一”的阵地功能。

一是发挥教育功能，进一步加强社区思想政治工作。各区街以各级市民学校为阵地，有的放矢地进行思想政治教育。组织社区党员学习邓小平理论，在社区“亮党员牌、挂服务牌”，带头发挥先锋模范作用，受到群众的好评。以《天津市民行为道德规范》和《市民必读》为基本教材，在居民中开展“双思”、“三德”和形势政策教育，组织文明市民报告团巡回演讲，促进了广大市民文明素质的不断提高。对下岗职工进行家政服务、烹饪技术等培训，帮助他们掌握新技能，已有10余万人通过社区培训，实现了再就业。各级市民学校还组织20余万群众参观“崇尚科学文明，反对封建愚昧”大型展览，进一步提高了广大群众自觉抵制各种伪科学的能力。

二是发挥娱乐功能，满足群众精神文化需求。各区街以社区文体中心、社区广场花园等为阵地，通过健康向上的文体活动，寓教于文、寓教于乐。有的社区组织合唱队、舞蹈队等群众自娱自乐团队，有的社区举办书画展、手工艺制作展、摄影展，有的社区自编具有天津特色的文艺节目，演社区的事，唱身边的人，有的社区创办了社区文化展示月、社区体育节等。此外，他们还组织社区文体辅导员队伍，深入到群众业余文化社团和5000多个晨练点，指导居民开展各种有益身心健康的文体活动，吸引了上百万群众热情参与，使人们从中得到陶冶和提高。

三是发挥服务功能，为广大居民群众办好事、办实事。在社区精神文明建设中，始终把发展社区服务作为一项重点工程。2000年通过完善社区服务中心的功能，规范社区集贸市场的管理，扩大志愿者队伍，使社区服务得到进一步延伸和拓展。全市拥有志愿者50余万人，建立了市、区、街、居四级社区服务网络，形成了多渠道、多形式、全方位及无偿、低偿、有偿相结合的社区服务格局。每个社区服务中心都能提供10种以上的服务项目。各社区服务中心还对下岗职工、老年人、残疾人等特殊群体，逐一登记造册，广大社区服务志愿者根据自身特点和技术专长，主动提供多方面服务。基本做到居民一般需求不出小区，特殊需求不出社区和城区。

（天津市文明办）

天　津　市

虚功实做　真抓实干　把社区精神文明建设落到实处

天津市始终坚持“一切为了群众，一切依靠群众”的基本工作思路，以实现和维护群众利益为出发点和落脚点，尽心竭力为群众办好事、办实事；坚持抽象的往具体抓、虚的往实处抓、软任务往硬处抓，虚功实做、真抓实干，社区精神文明建设取得了明显的成效。截至目前，全市共建成市、区两级文明小区500个、文明社区40个，和平区1999年被中央文明委授予全国创建文明城市工作先进城区荣誉称号。

一、抓认识，努力实现领导工作“五到位”

天津市把加强社区精神文明建设作为重大课题和城市两个文明建设的战略重点，作为提高市民素质、提高群众生活质量、提高社区整体文明程度的系统工程，作为把天津建设成国际港口大都市和我国北方重要经济中心的重要内容来抓，各级党政领导在工作上做到“五到位”。一是摆位到位。全市和各区每年都把社区精神文明建设作为“一把手工程”和“精神文明建设1号工程”。二是机制到位。形成了符合天津社区精神文明建设实际的“党委统一领导，党政主要领导亲自抓，文明委协调指导，文明办组织推动，各方面分工负责，广大群众积极参与”的领导体制和工作机制，每年将社区精神文明建设任务进行细化、量化和层层分解，落实到具体工作部门、岗位和人头，实行量化考核。三是措施到位。近几年，市委、市政府先后下发了《关于加强社区精神文明建设的通知》、《关于加强和改进思想政治工作的若干意见》和《天津市加强社区精神文明建设的若干意见》等文件，并配套印发了区街管理体制改革和加强街道、社区党建工作的若干意见，为搞好社区精神文明建设提供了可靠保证。四是指导到位。把社区分为三种类型进行具体指导：基础和设施较好的社区，主要抓巩固、提高，再上新水平；新建居民区，主要抓高起步、严管理，走出一条新路；工作基础薄弱或硬件设施较差的社区，主要强调选准切入点，下力量攻坚。五是工作到位。市委、市政府主要领导经常深入社区检查推动工作。市人大、市政协每年都听取全市精神文明建设工作汇报，并深入社区视察。

二、抓实事，坚持在五个提高上下功夫

把为群众办实事作为加强社区精神文明建设的重要内容，从大处着眼、从实处入手，努力实现群众生活质量、市民素质、社区凝聚力、社区管理和服务水平、社区整体文明程度的“五个提高”。

自1997年以来，在坚持不懈地抓好市委、市政府每年改善城乡人民生活20件实事的基础上，市文明委每年围绕群众关心的热点、难点问题，确定精神文明建设10个方面的实事。包括改善群众居住环境、活跃社区群众文化体育生活、开展科学技术知识普及教育、打击假冒伪劣商品、帮助下岗职工再就业、搞好便民利民的社区服务、实施建厅退路等，进一步改善了市民居住环境，丰富了群众文化生活，增强了社区居民的舒适感和安全感，提高了城市整体功能，弘扬了社会新风尚。

天津市把发展社区服务作为加强社区精神文明建设的一个重要方面，在巩固提高的基础上不断辐射和延伸，服务对象由照顾孤老病残和军烈属为主，发展到服务社区全体居民；服务内容由解决群众日常生活困难，扩大到满足群众多种精神文化需求；服务主体由少数个人和企事业单位提供服务，发展为各行各业都来服务；网络化建设实现了市、区、街、居四级社区服务网络，推进社区服务信息化、产业化进程。

三、抓载体，强化五大社区阵地功能

天津市始终坚持加强创建文明社区的载体建设，在为群众提供文体活动场所的同时，充分发挥阵地作用，把思想政治工作寓于各种创建活动之中，努力营造积极健康向上的社区氛围，做到寓教于文、寓教于乐。

办好市民学校，完善社区教育。全市已有各类市民学校、家长学校、外来务工学校3400多所，共培训市民300多万人次，形成了居委会、街道、城区三级社区教育网络。各级市民学校以《天津市民守则》、《天津市民行为道德规范》、《市民必读》等为基本教材，在广大居民群众中，广泛开展社会公德、职业道德、家庭美德和形势政策教育。同时，针对待业下岗人员和个体经济从业人员，开办实用技术技能和政策法规培训班，先后培训下岗人员10余万人，为他们实现再就业创造了条件；针对离退休老人，开办卫生保健、书法绘画等培训班，帮助他们科学健身，养成健康有益的生活情趣；针对外来务工人员，开办法律法规和文明言行培训班，帮助他们尽快熟悉城市环境，养成科学文明健康的生活习惯。

建立阅报栏、宣传栏、生活信息栏，强化社区宣传阵地功能。各小区普遍设置了阅报栏、宣传栏、生活信息栏，大力宣传先进典型特别是群众身边的先进典型，把思想教育辐射到家庭。建立社区三级文化网，满足群众精神文化需求。近年来，天津市根据群众日益增长的精神文化需求，不断加强社区文化阵地建设，全市已拥有公共图书馆42个，文化馆19个，形成了以区文化（图书）馆为龙头，以街道文化（图书）站为骨干，以居委会文化（图书）室为基础的三级社区文化网。同时，每年都组织“海河之春”艺术节、消夏纳凉晚会、灯展庙会等大型文化活动，丰富群众业余文化生活。

加强体育设施建设，开展全民健身活动。建立了以遍布全市的体育场馆、公园、业余体育俱乐部、基层体育协会等为主体的社区体育阵地，拥有各类体育场地4721个。不断加快体育公园化的步伐，政府拨款，多方筹资，建成“全民健身工程”74项。各个街道全部建立了社区体育协会，创办了社区体育节等大型群体活动，每天有上百万群众参加中老年健身操、广播操、大秧歌、武术、健身路径等社区体育锻炼。

建立群众自律组织，发挥社区舆论监督作用。先后成立了道德评议会、文明言行督导队、红领巾护绿小分队等群众自律组织，进一步增强群众自我管理、自我约束的社区意识，使越来越多的居民对不文明、不道德的言行勇于进行批评和规劝。同时注重发挥舆论监督作用，以摒弃乱堆乱放、乱搭乱盖、乱贴乱画、乱倒垃圾、乱摆乱卖等陋习为主题，在《今晚报》开辟“告别五陋习，共建文明家园”专栏，将讨论、曝光、追踪报道、宣传先进典型融为一体，吸引了广大群众踊跃参与，掀起了“倡导文明新风，共建美丽津城”活动热潮。

四、抓骨干，充分发挥五支队伍作用

一是充实居委会干部队伍，发挥他们的桥梁纽带作用。针对原有居委会干部年龄偏大、文化水平偏低、缺乏专业知识的现状，从优化结构入手，采取从党员大学生、下岗职工中招聘，从优秀街道干部中选派等措施，初步建立起一支年富力强、朝气蓬勃的居委会干部队伍，为加强社区精神文明建设提供了重要保证。

二是加强社区党的建设，发挥党员先锋模范作用。全市从搞好基层政权建设、巩固党的执政基础的战略高度，不断加强社区党建工作，基本实现了“一个居民区一个党支部”，普遍建立在职党员联络站、活动站等组织协调机构，建立党员责任区，和平区、河北区、河西区等还印发了《共产党员社区生活守则》、《党员联系卡》，实行“党员亮牌、挂牌服务”，广大党员以自己的实际行动，为群众做出了表率，受到身边居民的称赞。

三是抓好楼幢长队伍，发挥他们的骨干带头作用。全市7万多名楼幢长在社区精神文明建设中，以居委会为单位，组成各种宣传小分队，凭着一副热心肠，挨家挨户地宣传，逐门逐户地走访，把各个家庭串在一起，融入社区。

四是抓好志愿者队伍，发挥他们的示范带动作用。社区服务志愿者是天津市精神文明建设的“名牌”。全市志愿者已发展到50余万人。他们以“上为政府分忧，下为百姓解难”为宗旨，常年活跃在全市各个社区，以自己的知识、技能和劳动，为居民群众解决大量生活难题，向全社会传播了文明，展示了文明。

五是建立文体辅导员队伍，发挥他们的组织指导作用。全市逐步建立起以专业文体工作者为骨干，以业余爱好者为基础的2万余名文体辅导员队伍。他们组织和指导社区居民群众开展丰富多彩的文体活动，帮助人们进行科学健身，培养良好的业余爱好，提高社区的文化品位。全市还拥有小天使电子乐团、时装表演队、老年合唱团、戏曲演唱队等上千支群众业余文化社团，5000余个晨练点。

（天津市文明办）

天津市和平区

实现社区精神文明建设新突破

1996年，天津市和平区作为社区精神文明建设的重大典型向全国推出后，他们没有满足已取得的成绩，而是按照中央文明委“巩固、提高、延伸、辐射”和市委、市政府“以创新求发展，全面上水平”的要求，针对企业办社会职能的剥离、政府职能向社区下移、家庭小型化、人口老龄化、居民消费结构多元化以及下岗职工多、流动人口管理等新情况和新问题，不断探索新规律，推出新举措，逐步形成了“三三三”的长效措施，实现了社区精神文明建设的新突破。

近年来，和平区先后被命名为“全国社区服务示范区”、“全国社区建设实验区”、“全国创建文明城市工作先进城区”。1999年10月，江泽民总书记到和平区视察工作，对他们加强社区精神文明建设的作法给予了充分肯定。

一、抓住薄弱点，夯实三个基础

1. 夯实组织基础。一是积极探索街道和居委会新的管理模式及组织形式。他们把原有的12个街道办事处调整为6个，把原有的261个居委会调整为102个，并更名为社区居民委员会。新的社区管理模式及组织形式，解决了街道抓精神文明建设精力不够集中，社区资源配置不合理等问题。二是构建新的社区组织形式。建立以社区基层党组织为核心，以社区成员代表大会为民主决策机构，以社区议事协商委员会为议事机构，以社区居民委员会为执行机构的“议行分开”社区组织形式，使“便于居民自治、便于城市管理、便于社区建设”的原则得到充分体现。

2. 夯实队伍基础。他们从两个方面着力建立高素质的社区工作者队伍。一是实行任用制度改革。社区居委会主任和党支部书记由街道选派45岁左右、大专以上文化程度的党员科级干部或科级后备干部担任。社区居委会干部由居民中推荐并经过法定程序选举产生。同时，组建社区学院，开设社区建设和管理的高职班，对社区干部分期分批进行培训，逐步实现社区工作者的职业化、专业化、年轻化、知识化。二是积极创造拴心留人的环境。区、街先后投资700万元用于改善办公条件，使社区居委会办公用房全部达到100平方米以上。为保障办公经费，区政府每年给每个社区居委会下拨1万元办公经费。

3. 夯实相关的工作基础。他们把社区精神文明建设的目标纳入党政目标责任制，逐步健全了组织领导体制、工作运行机制、社会共建机制、目标考核和激励检查机制。制定6个方面的深化社区精神文明建设目标，即：3年内社区服务三级网络达到100%；社区教育规范性、一般性培训分别达到50%和90%；社区环境实现“绿、亮、净、美、优”；社区文体活动普及率达到90%；治安小区达标率达到85%；区财政每年用于小区硬件建设投入不少于300万元。在每个社区居委会建立社区服务求助站、社区文化教育站、社区卫生服务站、社区环境卫生管理站和社区治安综合治理工作站，使各项工作有了依托和保证。

二、把握着力点，健全三个网络

一是社区服务网络。1998年，投资1500万元建成了采取先进计算机管理手段，内设18个服务部，可为群众提供300余项服务的和平区社区服务求助中心；1999年，投资建立了6个1000平方米左右的街级社区服务求助中心，并为102个社区居委会的社区服务求助站配备了电脑，实现了区、街、居委会电脑联网，更加方便了群众的求助，把社区服务提高到了全新水平，初步形成了符合系统工程要求，向信息化、产业化发展的社区服务模式。在搞好群众生活服务的同时，他们还把社区服务向经济领域延伸，1998年投资400万元，建立了集中27个执法部门、设有31个窗口的经济发展服务中心，实行全方位、一站式服务，收到了良好的经济和社会效益。

二是社会治安网络。按照属地管理的原则，建立了由区、街社会治安综合治理办公室和社区治安综合治理工作站组成的三级治安网络，组织了由专业队伍、居民群众、驻区单位“三位一体”的专群结合的治安防范体系。他们还广泛开展家庭自防、户院联防、社区群防活动，组织居民群众共保一方平安。

三是社会保障网络。在全区建立了三级再就业中心，通过多种形式，广开就业门路，先后安置下岗职工8000余人，安置率达到89%；对700余户丧失劳动能力和双下岗的特困家庭。动员全区机关干部、企事业单位、驻区部队、个体工商户开展“一帮一”、“一助二”、“送温暖”活动。区财政每年拨出100余万元专款，为全区485户特困家庭发放解困卡。每个社区都建立起了一整套“扶贫济困献爱心”制度，帮助困难家庭渡过难关，使社区群众深深地感受到党和政府的温暖。

三、找准切入点，加强三个建设

1. 加强社区党组织建设。一是建立街道党工委，配备两名专职副书记，集中精力抓好社区精神文明建设和党的建设。二是建立社区精神文明建设指导委员会和社区党建协调委员会，在街道党工委的领导下，组织开展多种形式的教育活动，形成“优势互补、资源共享、区域联动、整体推进”的新格局。三是在102个社区居民委员会全部建立党组织。四是建立社区在职党员活动站、流动党员临时党支部和外来党员活动之家，充分发挥党员在社区建设中的先锋模范作用。

2. 加强社区阵地建设。他们把精神文明硬件建设和市容环境的综合整治作为阵地建设的重要内容，多渠道加大投入。另一方面充分发挥各类社区教育阵地、文体娱乐阵地的功能和作用，广泛开展以爱国主义、集体主义、社会主义为主旋律，以社会公德、职业道德、家庭美德为主要内容的思想道德教育；广泛开展坚持唯物论和无神论，崇尚科学，破除迷信的教育；广泛开展建立科学文明健康生活方式，培养情趣，提高文化素养和各种技能的教育，促进市民素质不断提高。

3. 加强载体建设。为满足群众精神文化的需求，他们先后组织了青年秧歌队、合唱队、晨练队、舞蹈队、舞剑队、时装表演队等79支业余文化队伍。组建了12支家庭文明传播团和153支小分队，广泛开展了“千条格言进万家”活动，编辑出版了《治家格言集录》，在12个小区建立了治家格言林。在巩固提高“和平之春”、“纳凉晚会”、“中秋赏月”、“上元观灯”、“和平杯”中国京剧票友邀请赛等群众文化活动的基础上，坚持群众性、多样性和持续性。丰富多彩的思想文化和体育娱乐活动，已成为社区群众自我教育、陶冶情操、寓教于乐的有效载体。

（天津市文明办）

天津市塘沽区

深入开展创建文明机关活动

自1997年以来，天津市塘沽区以提高党政机关为基层、为群众服务的质量为目标，以提高机关干部素质为重点，以整治党政机关环境秩序为突破口，在全区处以上党政机关深入开展创建文明机关活动，发挥党政机关在精神文明建设中展示文明、传播文明、带动文明的作用，有力地促进了全区两个文明建设协调发展，在社会和群众中产生了良好反响。该区连续二届被评为天津市创建文明城市竞赛活动先进区。

一、标准明确，认识高

塘沽区把创建文明机关活动作为密切党群关系，提高理政水平，树立良好形象的重要载体，作为推动全区各项工作全面上水平的龙头工作常抓不懈。以群众拥护不拥护，赞成不赞成，满意不满意，作为衡量创建文明机关活动是否取得成效的标准，扎扎实实地深化创建文明机关活动，让广大群众切身感受到机关作风的转变。

二、重点突出，起点高

他们制定了关于创建文明机关的4项12条标准，着重解决制度不健全、纪律松懈的泡机关（不干工作），走机关（露一面就走），玩机关（空挂名）的现象；着力解决工作秩序不规范，机关脏乱差的问题；着力解决服务意识不强的衙门作风；着力解决“门难进、脸难看、话难听、事难办”及吃拿卡要等腐化问题。同时，采取四项具体措施：一是把强化机关的思想政治建设作为机关精神文明建设的根本内容，加强机关干部的理论学习和理论修养，提高机关干部的理论功底、政策水平和办事能力。二是把加强干部队伍的职业道德建设作为重点内容，把培养一支业务精、作风好的干部队伍作为一项硬任务，按照爱岗敬业、诚实守信、办事公正、服务热情、奉献社会的基本标准，各机关普遍制定了职业道德规范，表彰了一批立足本岗，无私奉献和文明执法、刚直不阿的好典型，使争做人民满意的公务员、好公仆，让人民满意在机关等一系列活动落到了实处。三是把加强机关的环境建设作为精神文明建设的突破口，把机关环境秩序建设作为一项基础工作和硬性指标，狠抓机关环境卫生和绿化、美化工作，规范和约束机关干部在工作交往中的用语、着装和行为，树立机关干部的良好形象。四是把加强机关文化建设作为机关精神文明建设的重要载体，不断提高机关干部的思想文化素养和道德情操，组织开展新知识、新技能的学习培训，开展机关干部喜闻乐见的文化、艺术、体育等活动，提高机关的凝聚力和战斗力。

三、措施有力，成效高

塘沽区把创建文明机关工作作为各级机关的“一把手”工程。首先区文明委主任（区委书记）亲自抓，区文明委常务副主任（区委副书记）直接抓，区文明办主任具体抓。区属各机关积极效仿，形成了党政一把手亲自抓，分管领导直接抓，两办主任具体抓的工作格局，使文明机关创建工作做到了领导到位。其次加大督查力度，区委组织部、区纪检委、区文明办对工作态度不积极，工作不扎实，效果不明显，年内不能达到文明机关标准的单位，在年终考核时，该单位领导班子不能评为优秀班子，该单位党政主要领导也不能评为称职干部。三是建立谈话制度，对问题突出，不能达标的单位，由区委、区纪检委领导同其机关主要领导谈话，提出严肃批评并限期整改。四是建立经常检查制度，区文明办会同有关部门和有关方面代表每年进行不少于4次检查，检查时不打招呼，看真情；不听汇报，重实效；不提表扬，查不足。对问题突出的机关，通知新闻单位予以曝光。

（天津市文明办）

河北省唐山市

学雷锋月评十佳　十年不断　贵在坚持

从1990年开始，唐山市广泛深入地坚持开展月评学雷锋十佳事迹活动，促进了良好社会风气的形成。

一、自上而下，层层评选

全市城乡各基层单位，普遍设置了好人好事登记簿，把本单位当月发生的好人好事逐件登记。然后，经过群众评议，选出本单位的先进事迹，在本单位进行表扬，并从中选出突出事迹逐级上报。村、居委会到乡镇、街道办事处，再到县(市)、区、农场，以及市直各厂矿企事业单位和市直机关各部门，每个月都评选出本单位的突出事迹。市文明办从全市上报的成百上千件突出事迹中精选出10件，作为全市学雷锋十佳事迹，每月在全市公布，供各战线、各个单位进行学习。广大群众反映，评出的好事就发生在我们身边，看得见，摸得着，真实亲切，可敬可学。在10年时间内，全市城乡各基层单位共评出学雷锋先进事迹1200件。市文明办每年底把月评10件、全年评出的120件十佳事迹编辑成《学雷锋十佳事迹》书，印发全市集中学习。

二、立足岗位，重在奉献

月评十佳事迹，到底评什么内容，这是在实践中遇到的一个问题。唐山市专门召开研讨会、经验交流会，统一认识，把月评十佳的内容确定为“学习根本、围绕中心、立足岗位、面向社会、重在奉献”。只要是在改革开放、经济建设和促进社会进步中涌现出来的先进事迹，都可以参加评选。无论事迹大小，只要体现出无私奉献的精神，就值得宣传提倡。

在全市评出的1200多件十佳事迹中，有65%是反映在全市改革开放、经济建设方面的事迹。有35%是反映在助人为乐、拾金不昧、见义勇为等方面事迹，这些都充分反映了全市人民在两个文明建设中奋发向上的精神风貌。

三、广泛宣传，大力表彰

对每月评选出的十佳事迹，唐山市都及时进行广泛宣传，给予大力表彰。一是进行通报表彰。二是新闻宣传。市委机关报《唐山劳动日报》以及《唐山晚报》，每月在头版显著位置刊登十佳事迹。三是文艺宣传。市各文艺团体和基层单位，把十佳事迹编成文艺节目进行演出，市精神文明建设委员会还组织了十佳事迹文艺演出比赛，受到群众热烈欢迎。

市文明委对被评为全市十佳事迹的单位和个人，专门发给“学雷锋十佳证书”。各单位对评为十佳的给予一定的物质奖励。有些基层单位还专门召开表彰大会，给评上十佳的披红戴花，进行表彰。由于常年按月宣传表彰十佳事迹，克服了学雷锋“三月来 四月走”的现象，做到了月月评选，月月表彰宣传，月月报上有字，广播有声，电视有影，做到学雷锋活动长流水，不断线，促进了社会风气的好转。

四、领导重视，常抓不懈

从1990年到1999年10年时间里，唐山市先后换了6任市委书记。无论市委书记任期长短，都把月评学雷锋十佳事迹作为全市精神文明建设的一项重要工作来抓。各级财政部门积极为评选表彰十佳批拨经费，各级新闻单位把宣传十佳列入长期宣传的重要内容，及时编排播出。全市自下而上建立了比较稳定的信息员队伍。市和各级文明办经常对信息员进行业务培训，对评选中需要注意的问题及时引导，始终保持正确的舆论导向，保证了十佳评选的常抓不懈，常抓常新。

（河北省文明办）

河北省承德石油高等专科学校

创建高标准文明学校

河北省承德市石油高等专科学校针对以往高校中普遍存在的重智育轻德育，精神文明建设缺少统筹操作方法，群众参与程度低等问题，努力寻求解决途径，在全校实行精神文明建设操作系统工程，以创建文明校园为载体，把教育育人、管理育人、服务育人融为一体，制定具体的标准体系，形成了一个可控系统工程。

一、启动精神文明建设操作系统，使校园文明走上规范化、科学化的轨道

根据高校的特点，该校建立了严格的工作标准和操作运行体系，称之为“精神文明建设操作体系”，其内容是把高校对于师生员工在精神文明建设方面的内涵要求制定成具体的标准体系，并把它纳入到一个可控系统中去，通过对这个系统的操作，使标准发挥作用，从而达到推动精神文明建设的目的。

二、党政各级领导实行“一岗双责”机制，把精神文明建设的责任落到实处

该校从校领导到基层领导，层层实行“一岗双责”制，各级领导既对教学、科研和管理等业务工作全面负责，又对精神文明建设全面负责。“一岗双责”机制，使得精神文明建设真正实现了党政工团一起抓的局面。每年学校都要组织自上而下、上下结合的考核工作，并将精神文明建设的考核结果直接与基层单位的工作实绩、干部的工作业绩以及评优选先和提拔使用干部挂钩。“一岗双责”制，使两个文明一起抓，两个文明成果一起评，学校各级党政领导干部的工作状态和师生员工的精神面貌发生了深刻的变化。

三、实行群众广泛参与的群众性机制，使精神文明建设活动具有扎实的群众基础

该校积极采取措施，为师生员工参与精神文明建设活动创造各种有利条件。一是设立体育文化节、艺术文化节、科技文化节、文明广场，创建文明家庭，在女教工中开展争做“优秀女工、好媳妇、好妈妈、好女儿”等活动，使创建活动有更多的载体。二是把个人的文明言行、道德素质同本单位的文明建设挂钩，个人行为直接影响集体荣誉，形成联动效应，使文明建设中个人与集体息息相关，小单位与大单位息息相关。三是在学生中广泛开展道德修身活动。根据大学生的特点，学校以理想、道德建设为主线，按照加深道德认识——树立道德观念——规范道德行为——提高道德修养的顺序开展工作。学校编辑了《大学生道德修身谱——忌行忌语篇和心理篇》、《成才之路》和《警钟长鸣》。在大学生中组建学马列、学党章小组，开展道德修养主题讲座、知识竞赛、主题班会、演讲赛活动；开展青年志愿者、文明使者、扶贫助困等有助于提高思想道德修养的活动，在学校营造一种“治国平天下，先自修身始”的气氛，使大学生树立献身祖国、献身石油、献身社会的崇高理想和责任感，有力地推动了学风建设，大学生的素质有明显的提高。四是学校先后与承德市武警支队、承德市治安警察支队、承德市第五监狱、热河烈士纪念馆等单位实行共建文明校园活动，多次参加承德市各项重大活动，拓宽校园文明创建渠道，促进学校文明建设的发展。

（河北省文明办）

河北省华北制药集团

向精神文明建设要效益

华北制药集团有限责任公司是我国“一五”期间建成投产的特大型医药生产联合企业，是目前中国最大的抗生素原料药生产营销基地和最大的粉针制剂生产企业。多年来，华药始终坚持以邓小平理论为指导，坚持“两手抓，两手都要硬”的基本方针，围绕企业生产经营、提高经济效益这个目标，建立并实施“效益型”思想政治工作运行机制，在群众性的精神文明创建活动上加大力度，一手抓指引，一手抓机制推进，努力形成良性工作机制，向精神文明建设要效益，为企业发展创造了积极的思想基础、舆论环境和文化氛围。在企业生产经营快速发展的同时，华药精神文明建设也形成了自己的特色。华药先后荣获全国“五一”劳动奖状、全国用户满意企业、全国质量效益型先进企业、全国思想政治工作优秀企业等国家级奖励100多项，连续多年是全国500家最大工业企业和最佳效益工业企业之一。并荣获全国医药系统先进集体、河北省工业企业最佳企业形象单位、河北省思想政治工作优秀企业、河北省文明单位等多项荣誉称号。

一、以制度建设为基点，推进精神文明建设

华药集团公司根据中央、省、市有关精神文明建设的要求和《华药政工战略》的要求自觉地把精神文明建设摆到重要议事日程，做到了“思想认识，组织领导，工作措施，物质投入”四个到位，在完善“效益型”政工运行机制上做了四篇文章：一是建立强有力的领导机制，二是建立严格的考评管理机制，三是建立竞争激励机制，四是健全监督制约机制。

二、以创建为重点，为精神文明建设提供有效的运作载体

华药集团公司在抓精神文明建设中注意从全局着眼、从小处着手，抓住牵动全局和职工切身利益的共性问题，把企业深化改革和生产经营工作中的热点、难点作为工作重点，选准突破口。一是“四创”活动不断创新，以开展创建文明单位、文明集体、文明班组、文明职工的“四创”活动作为企业两个文明建设的结合点和切入点。二是职业道德建设结硕果，采取有效措施，狠抓职业道德建设，取得了很好的效果。具有华药特色的“文明窗口竞赛活动”开展4年来，累计已有200多个窗口申报参赛。各单位不断完善了争创计划和措施，将文明服务纳入企业管理之中，大大提高了服务质量。在文明窗口竞赛活动的带动下，评选文明之星、文明家庭、文明示范小区等活动蓬勃开展。三是形成企业文化氛围，公司始终把企业文化建设作为一件大事来抓，使企业文化渗透到了企业的各个环节和方方面面。“人类健康至上，质量永远第一”是华药的企业精神。与华药人一贯遵循的“好药治病，劣药致命”，“以金牌的工作质量，生产金牌产品”等质量观一起，形成了华药独具特色的质量文化，成为企业文化的重要组成部分。同时公司还着手规范华药企业文化体系和价值观念体系，制定了华药企业文化战略目标和措施。

（河北省文明办）

河北省邯郸钢铁集团

加强精神文明建设 促进企业持续发展

一、加强领导，健全机构，保证精神文明建设顺利实施

在组织机构上，邯钢建立了精神文明建设指导委员会，成立精神文明建设办公室，负责精神文明建设目标规划和任务实施，制定了《邯钢“九五”社会主义精神文明建设规划实施纲要》和与模拟市场核算机制相适应的思想政治工作保障体系——“凝聚力工程”有重点、有步骤地稳步实施。与此同时，还建立了精神文明建设目标责任制。在具体操作上，党政工团齐抓共管、分工负责，把精神文明与物质文明建设作为统一奋斗目标，一起部署，一起落实，一起检查，一起考核。

二、以“凝聚力工程”为核心，加强队伍建设，全面提高职工综合素质

“凝聚力工程”是邯钢按照“九五”发展规划总体要求，推出的企业思想政治工作和精神文明建设的系统工程。“凝聚力工程”以塑造企业形象为重点，兼顾两个标准，即思想道德标准和工作标准。在全公司开展制定岗位职业道德规范活动，力求以此规范职工的工作行为，全面提高职工综合素质。

三、建设企业文化，创造健康向上的文化氛围

邯钢厂风是艰苦奋斗，务实创新。邯钢精神是“四讲三重三创”，即讲大局、讲团结、讲民主、讲贡献，重改革、重科学、重效益，创业绩、创新路、创一流。长期以来，在邯钢建设发展中，邯钢精神为企业提供了精神支柱和前进动力。

企业文化阵地建设在邯钢蓬勃发展。邯钢把文化建设从 8 小时以内拓展到 8 小时以外，坚持利用文化阵地，引导广大职工摒弃陋习，追求生动活泼、健康向上的生活方式。

四、加强工农共建，促进工农双方两个文明建设共同发展

邯钢地处邯郸市西郊，被 11 个自然村环抱。他们把加强工农关系建设列入公司的重要日程，公司与地方政府成立了由双方党政主要领导组成的工农共建委员会，每年召开一次工农共建交流会，总结交流工农共建的经验与做法，安排部署下一年的主要工作。下属厂（处室）也分别与相邻乡村结成“对子”，成立了工农共建小组。以“互利互惠，相互依托，共同发展”为原则，实现经济联手。以文化下乡、举办大型体育活动为内容，进行文化交流。

（河北省文明办）

山西省太原市

持续开展“我是文明太原人”活动

“我是文明太原人”活动，是300万太原人民在发展社会主义市场经济新的历史条件下向往文明、追求进步、锐意创新、加快发展的创造。按照“抓基础、抓基层、抓典型、抓载体”的工作思路和“一年打基础，三年上台阶，五年见大效”的工作目标，扎实推进，稳步拓展，现已成为在全市、全省有一定影响的群众性精神文明创建活动。

一、以人为本，夯实基础，着力提高市民文明素质

“我是文明太原人”活动开展5年来，始终着眼于努力实现以思想道德修养、科学教育水平、民主法制观念为主要内容的市民素质的提高，坚持以先进的榜样激励人，以文明的言行规范人，以优美的环境影响人，以优质的服务温暖人。一是理论教育。利用各级各类宣传阵地和分布在各基层单位的文明市民学校广泛深入地宣传邓小平理论、江泽民总书记“三个代表”重要思想和党的基本路线、基本纲领、基本方针，让科学理论和党的路线、方针、政策进入课堂，进入车间，进入家庭，入耳入脑。二是环境陶冶。大力加强软环境的营造和硬环境的建设。市文明委在广泛征求社会各界意见的基础上，制定颁布了“文明太原人”10条标准和太原市民10条要求，在全市各条战线、各个行业开展了10条要求达标竞赛活动，初步形成了“讲文明树新风”的良好社会风气。同时，加强了城市基础设施建设，拓宽道路，绿化城市，治理污染，使居民的生活环境、生活质量得到了明显改观。三是强化管理。创建活动在全方位进行道德教育和行为约束的基础上，把依法管理作为巩固创建成果的重要措施，根据《太原市市容卫生管理办法》、《太原市交通管理处罚办法》、《关于加强对城市占道经营管理若干规定》等一系列法规、制度，对违法、违规现象依法进行惩处，使创建工作逐步纳入法制化轨道。四是寓教于乐。连续8年举办了“文明之春”、“晋阳之秋”、广场文化节、全民健身活动等大型群众文体活动，组建了形式多样的群众文化队伍，完善了基层文化站和体育健身设施，极大地丰富和活跃了市民群众的精神文化生活。五是群众参与。群众参与创建活动的过程就是提高文明素质的过程。2000年，在汾河公园蓄水时，全市数万名干部职工积极响应市文明委的号召，仅用3天时间，完成了汾河河道中80余万平方米的除草任务，保证了汾河美化工程如期蓄水。六是典型示范。在“我是文明太原人”活动中，太原市在全社会推出了代表城市建设效率的“西大街干劲”、“一桥两路速度”，代表最佳服务水平的“叶晋庆式服务”、“五一人风采”，代表文明执法的“秦红军形象”等一批代表“文明太原人”时代风采的先进典型，起到示范带动作用。

二、虚功实做，服务大局，把解决思想问题同解决实际问题有机地结合起来

虚功实做，最根本的是围绕中心、服从服务于发展、稳定的大局。在国有企业深化改革、调整产业结构期间，有相当多的职工下岗分流。全市文明单位开展“献真情，创新业”活动，组建“帮困志愿者服务队”，开展再就业技能培训班，利用多种形式和多条渠道帮助下岗职工再就业。为支援山区农民脱贫致富，文明单位的干部职工连续几年开展文明单位送文明活动，主动为老区、为贫困山区捐款、捐书、捐物，用“文明太原人”的实际行动在城乡之间架起了一座真情桥梁。

三、兴办实事，服务群众，以群众的根本利

益为创建活动的最高利益

“我是文明太原人”活动的出发点与落脚点都是人民群众，每项具体活动无不是以为群众服务为最终目的。5年来，全市建成一批环境优美、设施齐备地“安居工程”小区，拓宽改造了数十条交通干道，规范了生活垃圾倾倒、清运办法，扩大了绿化、绿地面积，更新了公交、出租车辆，新建一批大型超市和覆盖全市的生活服务网点，架设了宽频有线电视电缆，清洁生产和环境污染综合治理取得了大的进展。尤其是在企业社会功能逐渐剥离的情况下，创建文明小区、文明社区活动适时兴起，门类齐全的社区服务，减轻了企业的“包袱”，解除了职工生活上的后顾之忧。针对群众普遍反映的突出问题，在开展“我是文明太原人”活动过程中，市委、市政府和有关部门组织了一系列集中整治工作：治理交通秩序、清理占道经营、清除“小广告”、打击黄赌毒、整顿文化娱乐场所、销毁假冒伪劣产品等，取得了人民群众看得见、摸得着、感受得到的阶段性成效。使得为群众服务，替群众着想，使群众参与，让群众满意成为“我是文明太原人”活动最突出的特点。

四、常抓不懈，久久为功，在巩固中发展，在创新中提高

市委、市政府及市文明委把“我是文明太原人”活动列入日常工作重要议程，抓基础、抓基层、抓载体、抓阵地，坚持数年如一日，一天也不放松。全市各县（市、区）、各系统、各部门都建立了党政“一把手”负责的创建工作领导体制和齐抓共管、多方配合、高效顺畅的工作运行机制，健全和完善考核机制、奖惩机制、监督机制，制定了精神文明创建活动发展规划，保证了创建工作有条不紊、富有实效地进行。文明行业、文明单位、文明小区、文明村镇全部实行动态管理，每年有计划、有检查、有考核、有总结，采取重大问题“一票否决制”，凡未能达标者随时撤销原有的荣誉称号。同时，坚持以创新精神推进创建活动，努力适应形势的发展和变化，不断拓展创建内容，创新活动载体，丰富创建方式，探索有效途径。

（山西省文明办）

山西省阳城县甲口镇下孔村

习习新风下孔来

山西省阳城县甲口镇下孔村，有2000多口人，620亩耕地。改革开放以来，在物质文明建设发展的同时，坚持以德治村，不断加强精神文明建设的力度，两个文明建设都取得了可喜的成绩。到2000年底，全村总收入达4385.3万元，农民人均纯收入达4069元。全村投资240多万元，建起了农民文体娱乐中心，投资80万元建起面积1000余平方米的高标准教学楼，投资30余万元装备起农民管乐队、民乐队和文艺宣传队。85%的村民住上庭院式楼房，家家都有农家书屋。

一、坚持思想政治工作“十上门”

下孔村长期坚持加强思想政治工作不放松。党支部把全村划为38个党员责任区，50名党员每人联系8户村民，坚持党员与村民交朋友，坚持实行“十上门”：党的方针政策上门宣传；党对群众的温暖上门传送；实用农科技术上门推广；村民办了好事上门表扬；村民的意见、建议上门征求；村民有了困难上门解决；村民邻里之间不和上门调解；计划生育工作上门服务；有违法违纪现象上门教育；发现封建迷信活动上门制止。

村党支部在全体干部和党员中倡导实行“五提倡、五反对”，即：提倡克己奉公、多做贡献，反对只顾自己，政绩平庸；提倡襟怀坦白、言行一致，反对拉帮结派、口是心非；提倡顾全大局，积极工作，反对个人主义，消极应付；提倡清正廉洁，艰苦朴素，反对以权谋私，铺张浪费；提倡敢讲真话，讲求实效，反对虚情假意，形式主义。他们还成立了“道德评议会”，由村里德高望重的老党员、老干部、老教师、老民调等组成，根据村里某个阶段存在的思想道德方面的问题，或“十上门”过程中发现的一些问题，不定期地进行思想道德评议活动。

二、坚持村务公开制度

针对群众关心的热点问题，下孔村实行了9项村务公开制度。即：财务公开，计划生育指标公开，宅基地审批公开，集体经营项目公开，农民负担公开，村内大事公开，救济优抚公开，水电费公开，招待费用公开，并制定了包括公开的程序、监督的办法，实行公开的细则在内的配套制度5章26条。村里还设立了公开栏，定期公开各项内容，由村务公开监督小组监督执行。增强了办事的透明度，密切了党群、干群关系，许多思想问题迎刃而解，激发了广大村民热爱集体，关心集体，做好各项工作的积极性，同时也极大地推动了民主建设的进程。

（山西省文明办）

山西省阳泉矿区

实施“三动”战略　创建文明社区

阳泉矿区是山西省确定的首家社区建设实验区。区委、区政府科学规划创建格局，积极探索运作方式，把创建文明社区融入社区建设的全过程，初步形成了“管理拉动、服务带动、环境促动”的战略格局，推动了文明社区创建工作健康发展。

一、管理拉动，形成有序推进的运行态势

1. 健全组织管理，着力解决“到位”的问题。在社区改革中，他们将过去150个居民委员会及44个临时居民区重组划分为39个社区。新的组织形式给管理工作提出了新的要求。他们首先从干部队伍建设入手，通过个人报名、文化考试、面试答辩、组织考查、民主选举的方式，选拔任用了183名年纪轻、文化高、有朝气的社区干部，为社区管理工作注入了活力，做到人员到位。制定下发了《关于加强社区党建工作的实施意见》、《关于进一步加强社区支部工作的意见》，狠抓社区党支部建设。同时建立了社区成员代表大会、社区居民委员会和社区议事会，做到了组织到位。

2. 实行制度管理，着力解决“规范”的问题。为了保证创建工作有章可循，区委、区政府制定了《区级文明社区标准（试行）》、《区级文明社区评比细则》，出台了《关于开展创建文明社区活动的实施方案》。按照“争创文明社区，共建美好家园，服务企业发展，造福人民群众”的创建要求，结合社区建设的新实践，围绕“群众需要美好生活环境，企业需要宽松发展环境，社区需要美好环境”展开讨论，提出了建设环境优美、治安良好、生活便利、人际关系和谐的新型现代社区创建任务；明确了“一年构建框架，两年整体推进，三年全面创新”的工作步骤；形成了企地共建办法、资源共享办法，楼（院）管理办法等一系列措施，为推进创建工作提供了具体规范。

3. 探索自律管理，着力解决“自觉”的问题。他们以社区居民自我教育、自我提高为切入点，积极探索增强居民自律意识的有效途径。注重发挥思想政治工作的作用，化解矛盾，维护稳定。注重发挥群众性精神文明创建活动的引导作用，在社区内加强了文明市民学校、文化活动阵地、文化宣传长廊（图版）三大阵地的建设，广泛开展“文明居民”、“文明家庭”、“文明楼院”等形式多样的创建活动，吸引居民广泛参与，使他们在活动中受到感染，获得启迪，得到提高。

二、服务带动，形成造福居民的共建合力

一是以发展经济为支撑点。社区服务既是创建文明社区的一个重要组成部分，又是发展区域经济新的增长点。矿区把搞好社区服务与转变政府职能结合起来，与解决经济和社会中的热点、难点问题结合起来，与产业结构调整结合起来，实行“社区搭台，行业唱戏，无偿联系，有偿服务”的管理模式，建立起多形式、多层面、多功能的社区服务体系。

二是以企地共建为突破点。为了协调各方面的力量，各街道办事处协调社区与驻地单位签订了《社企共建文明社区协议》，明确了双方的职责。驻地各单位积极转变观念，抛弃那种将应承担的创建任务看做是额外负担，把单位资源让社区共享看做是吃亏的事等错误观点，主动参与创建。

三是以群众参与为着力点。他们在社区党员中开展了“一个党员一面旗，共建文明新社区”活动，组建了以党员为主体的志愿者服务队伍，活跃在矿山，服务着居民。同时，老年志愿者、少年红星志愿者、青年志愿者等社区志愿者活动也在矿区蓬勃兴起。

三、环境促动，形成健康向上的文明氛围

一是居住环境求“美”。他们采取政府主导、社会共建的办法，充分调动各方面的积极性，全面拓宽环境建设筹资渠道。先后融资2.5亿元，对平潭街进行改造，建成了集商贸、娱乐、住宅为一体的具有欧式风格的现代化小区；阳泉辰光电力有限公司投资240万元将光源小区改造成有老年活动中心、网球场、篮球场、文化广场等设施的活动园地，硬化、绿化覆盖率分别达到了60%和30%；区政府投资160万元，对平潭社区中的4个小区进行改造，建设园林小区6个，完善了公共设施，增强了服务功能。

二是文化环境求“活”。矿区现有体育场馆34个，文化站（室）174个，图书室62个，中老年演出队20支，青少年艺术团8支，军乐团4支，锣鼓队9支。为了有效利用文化资源，丰富群众精神生活，他们实行以社区为龙头，以驻地单位为依托，以街道、社区、驻地单位联办的方式开展文体活动，大型活动协调搞，小型活动街道办，日常活动在社区。

三是治安环境求“稳”。先后出台了《关于加强基层社会治安综合治理工作的实施方案》、《关于在全区开展企地共建安全社区活动的实施意见》，区、街道、社区逐级成立了综治领导机构和企地共建领导机构，各社区都建立了“两会一队”，即治保委员会、调解委员会、治安巡逻队，并建立健全了各项制度。社区还实行了企业包社区，社区包企业，共同包稳定的综治互包制度，在驻地企业效益不佳、居民收入相对减少的情况下，仍然保持了人心稳定、治安稳定、社会稳定。

（山西省文明办）

山西省太原市三桥文明市民学校

运用新载体 探索新途径

太原市三桥地区文明市民学校于1996年5月开办，学校坚持“服务居民、提高素质”的办学宗旨，坚持从实际出发的办学原则，坚持思想教育同解决具体问题相结合的工作方法，充分运用这一社区教育的新载体不断提高居民素质和社会文明程度，为加强新形势下的居民思想政治工作、夯实创建文明社区的思想基础、推动三桥地区两个文明建设的蓬勃发展，探索出了一条有效的途径。

一、讲实际，因地制宜，改革传统办学模式，始终保持社区教育的活力

三桥文明市民学校除总校外，已建立文明市民分校 121 所，在市场经济大潮的冲击下，三桥地区文明市民学校之所以办得有声有色，最主要的原因就是在办学过程中始终突出了一个“实”字。

1. 按居民的思想实际办学，帮助居民解疑释惑。每年岁尾年初，三桥文明市民总校都要在认真总结办学经验教训的基础上，仔细分析本地区特点和居民群众的思想实际，结合实际制定总体教育计划，确定工作重点，并认真扎实地组织实施。同时，特别注意抓住一个阶段在精神文明建设中反映出来的带有倾向性的问题及居民关注的国际、国内重大事件，有的放矢地进行教育，增强教育的针对性。为了取得良好的教学效果，三桥文明市民总校专门成立了讲师团，在全市范围内精心选聘了 19 位既有较高政治理论素养又有丰富教学和实践经验的领导同志、专家、学者担任学校的兼职教授。

2. 按居民的生活特点办学，拓展居民受教育面。由于社区教学对象的松散性和层次性，决定了文明市民学校的办学工作必须面向实际，创新观念，打破传统的办学模式，由等待学生上课变为主动寻找群众去传授，教学方式因地制宜，教学内容因人而异，把抽象的理论讲通俗，把大道理讲实在。

3. 按居民的具体需求办学，激发居民群众参与热情。根据学员的需要，选择最受群众欢迎的教学内容，促进学员身心健康不断得到发展，这是三桥文明市民学校在办学中的又一鲜明特色。

二、重实际，虚功实做，坚守居民思想文化阵地，加大社区教育工作力度

1. 高度重视，常抓不懈，为文明市民学校发展完善提供可靠的保证。三桥街道成立了由街道办事处和驻地单位领导组成的三桥街道文明市民总校领导组，设立了办事机构，确立了以邓小平理论为指导，以“做文明太原人、做文明三桥人”为主题，以开展“三爱”、“三观”、“三德”教育为重点，以争创全市“首善之区”为目标的办学思路。

2. 人尽其才，加强管理，着重解决办好学的关键环节。三桥街道特别加强了两支队伍的人才选择。一是管理人才的选择。街道党委经多方考察，聘请了连任四届区人大代表、从事教育工作 40 余年、刚刚从太原市第十九中学党支部书记岗位上退下来的高级教师卫中奇为总校常务副校长。二是教师队伍人才的选择。三桥文明市民总校根据教学的需要和教师的特长，在全市范围内精心选聘各方面的专家、学者，形成了一支高素质、高层次的教师队伍。

3. 健全制度，规范办学是办好文明市民学校的基础。在办学过程中，总校结合本地区的实际，制定《三桥文明市民学校工作章程》，建立健全了办学审批、档案管理、考核评比、会议、聘请教师等一套较为完善的规章制度，从而使文明市民总校对驻地单位和居委会的文明市民分校在业务指导上，实现了统一组织，协调管理，使辖区内的精神文明建设活动与文明市民学校有机结合起来，并逐步走了上系统化、网络化、规范化的道路。

三、求实效，知行统一，不断提高居民素质和社区文明程度

1. 居民的精神面貌发生深刻变化，关爱他人、奉献社会蔚然成风。太原冶金工业学校文明市民分校的部分学员，自发地组建了一支青年志愿者服务队，经常深入孤寡老人和特困户家中，帮做家务。

2. 居民的思想观念出现新的飞跃，自立自强。辖区内有部分下岗女职工，下岗以后总是沉闷不乐，认为这辈子无所事事了。参加文明市民学校的学习后，激发出自强自立的意识，从等政府、靠政府、怨政府变为想思路、寻门路、找出路，组建起下岗大嫂便民服务队，既充实了个人的精神生活和物质生活，又为其他居民生活提供了便利。部分离退休老干部、老工人组织起社会治安综合治理联防队，昼夜值班巡察，保证了一方平安。

3. 居民的生活环境有明显改善，安居乐业，营造祥和、美满、文明的氛围。根据学员的不同爱好，组建了老年秧歌队、门球队、歌咏队、棋牌队，开展丰富多彩的文体活动，吸引了众多居民的参与。文明市民总校和各分校还组织学员开展春季植树种草活动，清理乱贴乱画小广告等社会公益活动，使居民在改造生活环境中陶冶情操，提高素质。

（山西省文明办）

山西省晋中市邓小平理论学院

积极探索　勇于创新
努力实现干部理论学习的新突破

晋中市委将邓小平理论学院作为在职干部理论学习的重要阵地，在推动和促进干部理论学习的系统化、经常化、制度化方面，进行了有益的探索和尝试。学院成立两年来，以邓小平理论为主课，对全市500余名县处级领导干部进行系统培训，提高了广大干部的思想理论素养，受到干部的普遍欢迎和社会各界的好评。

一、严谨的教学体系

学院在教学上坚持了“两严一活”，即制定教学计划要严谨，选聘教师要严格，教学形式要灵活。在制定教学计划时，注重内容的系统性、针对性和超前性。教学内容主要包括邓小平理论、市场经济知识、法律法规和现代科技知识等四个方面；在聘用授课教师时，根据教学内容，按照“内选和外聘相结合”的原则，从市内及省内外选聘理论造诣高、教学经验丰富的知名专家、教授。在教学形式上，以专题报告为主，同时采用电影、电视、投影等多种手段，增强教学的吸引力。

二、科学的管理体系

学院把科学化管理作为重中之重来抓，形成了具有自己特色的一套管理体系。一是自愿报名，建立档案。学院采取自愿报名的形式确定培训对象。市直党政机关和具有行政职能的事业单位县处级领导干部99%报名参加。二是建章立制，运作有序。两年来，学院根据实际需要，先后建立和完善了《学籍管理办法》、《培训纪律》、《班组长管理制度》、《联系员职责》、《请销假制度》、《考勤管理办法》、《告诫通报制度》等11项行之有效的制度，做到了有章可循，有章可依。三是建立班组，强化管理。学院按学员的行业分布，以系统建班，以单位建组，系统和单位的“一把手”分别担任班、组长，每系统确定一名联络员，并制定了班、组长和联络员职责。

三、有效的监督体系

为了保证教学效果，督促学员圆满完成学习任务，学院采取了课前签到、课后抽查、半年通报、年底考试考核等办法。每年年底学院组织一次考试，并对每个学员一年的考勤情况进行考核。考试、考核结果装入学籍档案，并纳入干部考核管理，作为评先评优、升降去留的重要依据。

（山西省文明办）

内蒙古赤峰市

以人为本 铸魂塑形

赤峰市坚持以人为本，铸魂塑形，对小城镇精神文明建设进行了有益的探索，取得了明显的效果。1999年被中央文明委命名为全国创建文明村镇工作先进市。

一、加强领导、科学规划，从根本上保证小城镇两手抓方针的落实

赤峰市委、市政府切实加强对小城镇精神文明建设的领导，制定了《赤峰市文明城镇建设纲要》，对小城镇规划、建设、管理、居民教育、创建活动、保障措施等方面提出了明确的目标和要求。赤峰市把全市73个建制镇分成三个档次，即9个旗县所在地的城镇为第一档次，34个有一定基础、地处交通干线和旅游景点的小城镇为第二档次，其余30个基础条件稍差的小城镇为第三档次，从而形成了小城镇精神文明建设规划体系。几年来，赤峰市坚持财政投入、社会资助和自我发展相结合，逐步形成了多层次、多形式的小城镇精神文明建设投入体系，保证了小城镇精神文明建设的健康发展。赤峰市本着实事求是的原则，采取突出重点、典型引路、整体推进的工作方法，狠抓小城镇文明示范点建设。目前，全市涌现出了40个市级文明村镇示范点，2个自治区级文明村镇示范点，1个全国文明村镇示范点。这些示范点在文明村镇创建活动中，充分发挥了示范辐射作用。

二、强化建设、完善功能，塑造现代文明城镇新形象

赤峰市把文化阵地建设作为小城镇精神文明建设的重要内容，按照“立足城市化、体现开放化、走向现代化”的思路，不断加强文化站、广播电视站、图书室、科技培训中心、市民学校等文化阵地建设，形成了旗县区、镇、村三级文化设施网络。全市73个建制镇全部建有文化站、广播站、市民学校、图书室；村村建有文化室、广播室、文明村民学校。元宝山区山前镇，在6个小区都建起了多功能、综合性的文化活动中心，组织居民“学文化、学科学、学技术”，使大部分乡镇企业职工进厂能“工”，回家能“农”，节假日和工闲时间能“文”，成了多面手的新型农民。

为提高现代城镇的文明档次，组织实施了小城镇精神文明建设“五个一”精品工程：每个镇建造一条路面硬化、绿化、美化，道路亮化，环卫设施完善并各具特色的主街路；一个设施齐全、功能完善、环境优美的住宅小区；一个整洁有序的集贸市场或小商品市场；一所高标准的文化中心；一座综合性的娱乐场所。

赤峰市围绕“把小城镇建设成经济繁荣、环境优美、文化发达、社会稳定”这一总体目标，组织开展了以街路绿化和公共绿地建设为重点，以小区绿化和家庭绿化为依托，广泛发动社会力量参加的“绿色行动”。实施了以清洁墙体门窗、拆除违章建筑、清除卫生死角等为主要内容的“容貌工程”和“亮美工程”。元宝山区在各城镇实施“蓝天、绿树、碧水”工程，坚持绿化与城镇建设同步，公路绿化与小区绿化并举，使城镇绿化面积达到了30.1%。翁牛特旗广德公镇投资150多万元，对主街排水、路面硬化等进行配套建设，使街道面貌焕然一新。

三、抓好载体、分层创建，营造小城镇精神文明建设的浓郁氛围

赤峰市在开展“十星级文明小康户”活动过程中，不断创新形式、充实内容，使其保持鲜明的时代主题。元宝山区山前镇积极引导农民树立正确的价值观，营造健康向上的家庭文化，开展了“五个一”文化户评选活动（即每户订阅1份报刊，室内有1个书架，有100册以上图书，有1盆以上花卉，有1套健身器材）。在“五个一”活动的基础上，部分农户发展到有字画、有琴棋、有电脑，向社会展示了现代文明家庭的新风采。这些活动地域特色鲜明，寓思想道德教育于活动之中，不仅活跃了群众的文化生活，而且陶冶了居民的道德情操。

本着因地制宜，分类指导的原则，赤峰市注意了突出区域优势，规划建设不同特色、不同风格、不同发展模式的小区。如元宝山区山前镇按照小城镇建设总体要求，聘请有关方面专家对小城镇建设进行总体规划和设计，建成了7个环境优美、功能齐全、建筑美观的公寓式农民住宅小区。农村文明小区建设的成功，改变了居民的精神风貌，增强了小城镇精神文明建设的底蕴。

四、依靠群众、加强管理，使小城镇精神文明建设走上规范化、科学化、法制化的发展轨道

市委、市政府相继制定了《赤峰市市民文明行为养成教育和管理规定》、《赤峰市小城镇规划建设管理暂行办法》、《文明村镇标准与管理办法》等一系列地方性法规文件，使小城镇的建设与管理做到了有章可循，有法可依，从而使小城镇的管理水平不断提高。各城镇还结合自己地区的实际，制定了相应的文明公约。如翁牛特旗广德公镇制定了《广德公镇文明公约》、《文明公民六要六不准》等，加大规范小城镇居民行为的力度。宁城县小城子镇在镇区建设与管理过程中推行了包硬化、包成活、包净化、包管理等责任制。同时设立举报电话，对发现的问题可以随时举报，城建部门对问题及时解决处理，对举报有功人员进行奖励。翁牛特旗梧桐花镇为使环境卫生常抓不懈，把集中整治同阵地管理结合起来，对主要街道、镇区出入口、集贸市场等实行以“四定”（即定人、定时、定点、定责）为主要内容的阵地式管理。巴林右旗大板镇通过对各类摊点、摊位实行定位招标拍卖等形式，树立了监管部门的权威。这些有效措施，使小城镇的镇容镇貌及环境建设有了明显好转，受到了广大居民的好评。

（内蒙古自治区文明办）

内蒙古赤峰市巴林右旗

草原上有一座美丽的城

近年来，巴林右旗各族干部群众大力推进文明小城镇建设，把旗政府所在地大板镇建设成为处处体现时代特色，富有地方和民族特点的草原小城。

一、制定精神文明建设的高起点

他们在创建文明城镇工作格局上始终坚持“三个一”原则：一是在宏观布局上坚持创建文明城镇与经济建设一体化的指导思想，始终把创建文明城镇的任务纳入全旗经济社会发展的统一目标，紧紧围绕经济建设这个中心，服务、服从于全旗改革、发展、稳定的大局，同促进全旗经济发展和社会进步紧密结合，使创建文明城镇活动具有强大生命力。创建文明城镇活动中，他们把精神文明建设同城镇树形象、企业增效益、行业树新风相结合，通过解决环境面貌、交通秩序、社会治安、服务质量等方面的具体问题，通过加大城镇基础设施建设，改善城镇总体服务功能，逐步提高城镇的综合实力和文明水平。二是在领导体制上坚持实施一体化的工作机制。旗委旗政府把创建文明城镇工作纳入“一把手工程”，实行领导目标责任制，全面推行专项推进目标化管理，同有关部门主要领导签订创建工作目标责任状，并纳入领导任期考核的内容，做到了创建任务、责任、措施三落实。在创建工作中，充分发挥党政部门的配合作用，对创建工作同研究、同部署、同检查、同考核，克服各拉各的套、各吹各的调的弊端，形成了上下联动、合力运作的工作局面。三是在实际运行中坚持建立一体化的保障体系。在操作方式上，全面推进目标化管理，并实行奖优罚劣的激励机制，激发全旗干部群众的创建积极性，推动各项任务落到基层，落到实处，增强了创建文明城镇活动的可操作性和实效性。

二、探索两个文明建设的最佳结合点

巴林右旗认为：文明城镇是物质文明建设和精神文明建设相融合的最佳载体，是两个文明建设一体化的最佳结合点。明确提出“六个结合”的工作思路，就是在两个文明建设上，要总体和局部相结合；长远和近期相结合；重点和一般相结合；经济场所和科教文卫场所相结合；生产性和服务性相结合；城镇和农村牧区相结合。

在地方财源紧张的情况下，他们多方投资，累计投入城镇基础设施建设资金5000万元，使大板城镇区域规模不断扩大，城镇道路骨架建设明显改善。大板镇已形成南北三条路、东西六条街的方格网式道路系统，城镇主干道全部硬化。人均居住面积达到12平方米，程控电话用户已突破万户。居民液化石油气普及率达80%以上，实现了热电联产，城镇绿化覆盖率达32.5%，环镇营造了3万亩林地，使城镇置于绿色环绕中。

三、找准精神文明建设的着眼点

巴林右旗旗委、旗政府把小城镇建设的着眼点放在与群众利益密切相连、受到群众欢迎的事情上，老百姓看得见、摸得着，从而在群众中迸发出巨大的参与热情，使得一种追求美好生活的文明之风在城乡劲拂。

全旗38个窗口单位全部推行了服务承诺制。自治区级文明单位、旗农电局在工作中坚持“人民电业为人民”的宗旨，积极为全旗的经济建设当好“先行官”，被群众亲切地称为“草原光明使者”。旗国税局围绕“文明执法树形象”活动，使“全心全意为国家征税，主动热情为纳税人服务”的思想深深根植于广大税务职工的心里。自治区级文明单位旗军供粮站多年来一直保持和发扬双拥共建的优良传统，用自己真诚的服务，温暖着驻地武警官兵的心。

城镇居民、个体工商户、中小学生积极开展义务劳动，对镇区186条小巷集中进行整治，每年出动1万余人次。镇区10个居委会，调动1万多名家庭成员清扫垃圾。

（内蒙古自治区文明办）

内蒙古伊克昭盟准格尔旗

文明兴镇 经济强镇

薛家湾镇是在国家重点工程——准格尔煤田开发建设带动下，随着准格尔旗政府驻地搬迁而兴起的新型工矿城镇。在创建文明城镇的实践中，该镇把工矿城镇规划和地方特色挖掘，政府组织建设与社会融资投入，城镇秩序管理同居民素质教育，城镇功能发挥与城乡经济发展有机结合起来，在较短时间内，建设成了鄂尔多斯高原第一镇。

一、突出特色，高起点规划小城镇

为了提高准格尔旗的城市化水平，把薛家湾建成别具一格的现代化文明城镇，镇里邀请城市规划设计专家，按照统一规划、合理布局的要求，精心编制了薛家湾市政建设总体规划。从生态环境考虑，薛家湾镇的规划突出了周边环境绿化防护带与城区园林绿化网的建设特点，构成了薛家湾独具特色的园林绿化体系；从经济发展考虑，薛家湾镇的规划针对工矿城镇特点，借助煤电厂、露天煤矿煤电能源相对丰富的优势，积极发展高耗能、高新技术产业；从社会进步考虑，薛家湾镇规划将工业区、住宅区、商业区、文化区合理布局，水、电、路、讯配套，完善城镇服务功能，促进城镇健康发展。规划的制定，为规范市政建设奠定了基础。

二、多方融资，高投入建设小城镇

薛家湾镇抓住准格尔煤田开发建设的大好时机，以提高城市化水平为目标，通过政府政策引导和社会市场运作，采取社会融资、群众集资等形式，多元化、多成分筹措建设资金，加快城市建设步伐。特别是在1998—2000年，抓住准格尔旗政府驻地搬迁薛家湾的机遇，大胆引进5亿元资金用于城镇建设，吸引了开发商、个人和企业以多种方式投资城镇建设，走出一条在政府引导下依靠社会资金建设城镇的路子。投资新建的金川路、开源南路、水晶南路已硬化交付使用，与过去建成的准格尔路、昭君路、商业路形成“四纵两横一环”的框架；建成二级无害污水处理厂，达到华北地区领先水平；建成日产5万立方米煤气厂，达到自治区旗县领先水平；主要街道已形成“一街一树一花”、“一路一灯一景”的风格，点、线、面结合，构成薛家湾独具特色的立体形象，充分展示了准格尔地方文化风情和薛家湾煤海太阳城风采。

三、以人为本，高效能管理小城镇

大力实施铸魂工程，努力提高居民文明素质。以“建设美好家园”为主题，以文明市民学校、基层党校为阵地，深入开展职业道德、社会公德、家庭美德教育，提高居民文明意识，培养居民文明习惯。先后制定了《文明市民守则》、《文明市民公约》，教育广大居民从大处着眼，从小处着手，为维护城镇秩序添砖加瓦，发挥作用。开辟两个爱国主义教育基地，进行国情、旗情、镇情教育，发放《文明市民读本》近万册，激发居民“热爱薛家湾、建设薛家湾”的热情。广泛开展家庭评选“新风户”、单位评选“主人翁”、学校评选“三好学生”、市场评选“消费者信得过门点”等活动。全镇涌现出国家二级英模杨勇、全国劳模白彦芳、全国优秀民警杨荣耀等一大批先进人物。建设美好家园正在成为全镇居民的自觉行动。

认真开展文明创建工程，吸引居民广泛参与管理。镇内广泛开展群众性精神文明创建活动。全镇建成了6个自治区级文明单位、7个盟级文明单位、27个旗级文明单位。国税局薛家湾办税厅被命名为全国“青年文明号”、准煤白云市场被评为“自治区文明市场”，准格尔路、昭君路被命名为全盟“文明示范街”，白云小区被命名为全盟“文明示范小区”。群众性精神文明创建活动，吸引了各行各业参与城镇管理，整体推进了全镇文明创建水平。

积极实施综合治理工程，提高依法治镇水平。镇政府与有关部门完善了《建设用地管理办法》、《公用设施管理办法》、《环卫管理办法》。组建了城镇巡逻监察大队，对市容环境、社会秩序、环境保护进行综合巡查，使薛家湾城镇管理实现了由多头管理向依法综合治理的转变，理顺了旗镇两级管理体制，走上了法制化、高效能的管理轨道。镇区基本实现了“座商归店、农贸归市、摊位归区、停车归场、建筑归线、广告归栏”。广大居民反映：优美环境，顺应了民心；优良秩序，安定了民心；优质服务，温暖了民心。

（内蒙古自治区文明办）

内蒙古巴彦淖尔盟杭锦后旗

开展“双创” 坚持“五抓” 努力提高小城镇文明水平

陕坝镇是巴盟杭锦后旗政治、经济、文化中心，也是全旗对外开放的窗口。全镇以创建星级文明城镇和国家卫生城镇（以下简称“双创”）为载体，坚持“五抓”，以点带面，小城镇精神文明建设跃上了新的台阶。

一、抓组织领导，建立强有力的工作机制

一是实行一把手抓到底。旗委书记、旗长对全旗精神文明建设负总责；陕坝镇党委书记、镇长对辖区的精神文明建设负总责；各部门、各单位的一把手对本部门、本单位的精神文明建设负总责。

二是实行一把尺子量到底。坚持两个文明建设同步安排、同步考核、同步奖惩。旗委、旗政府每年都同陕坝镇及各部门和单位签订目标责任状，把精神文明建设的成果作为检验工作、考核班子、选任干部的重要依据。

三是实行一个规划落实到底。1997 年，旗委、旗政府提出到 2000 年把陕坝镇创建成自治区高星级文明城镇、国家卫生城镇的奋斗目标，并制定出台了创建工作三年规划和实施方案。各部门、各单位都按照确定的目标和规划抓落实。“双创”工作既有长远规划又有年度安排，既有奋斗目标又有可操作性强的措施，确保了创建活动能够扎实有效地开展。

二、抓思想道德建设，提高市民的文明素质

在教育对象上，重点抓领导干部、机关干部、青少年学生。抓领导干部在精神文明建设中的决策和表率作用，激发广大群众参与的积极性；抓机关干部的思想道德建设，树立全心全意为人民服务的公仆形象；抓青少年学生的思想道德建设，培养跨世纪的接班人。

在教育内容上，重点抓“三观”教育和“三德”教育，深入开展了爱国主义、集体主义、社会主义教育。注重开发各种教育资源，充分发挥其在思想道德教育中的重要作用。一是开发爱国主义教育资源。先后建成了奋斗中学、人民英雄纪念碑、黄河控导工程等 3 处爱国主义教育基地。近 3 年来共举行各种形式的爱国主义教育活动 150 多次。二是开发重大历史事件教育资源。有计划有步骤地在广大市民中组织开展升国旗仪式、文艺晚会、诗歌朗诵、演讲比赛、知识竞赛、报告会等一系列爱国主义教育活动。三是开发先进典型教育资源。注重培养、树立各条战线涌现出来的先进人物，先后推出了农民英雄段永胜、勇斗歹徒的陈国俊、少年英雄苑海松等英雄模范人物，树立了“十佳”先进群体和个人，全镇掀起学习英模、爱岗敬业的热潮。

三、抓资金投入，搞好基础设施建设

旗、镇两级党委、政府采取“五个一点”的筹资办法，解决资金不足的问题。一是向上级争取一点。积极发动各行各业向上级争取专项资金，形成多家搞开发建设的新局面。二是向银行贷一点。采取贷款搞旧城改造，当年付息，逐年还本的办法，为旧城改造注入资金和活力。三是地方财政挤一点。在旗、镇财政十分困难的情况下，政府每年都要挤出一部分专项资金用于旧城改造。四是干部群众集一点。弥补了资金不足。五是从外引一点。吸引社会各界有识之士来投资搞开发。先后引进旗外投资近 1000 万元，全部用于城镇建设。先后完成了胜利路、中山路等 25 条主次道路的硬化、雨水污水排放及照明、广播通讯等配套设施建设；完成了占地14.9公顷的陕坝公园和北环游乐园的绿化、美化、硬化工程；改造旧城区140处计31万平方米。

四、抓城市管理，创造良好社会秩序

一是建立领导责任制度。旗党政军六大班子领导每人负责联系一条街道，每个机关单位都有自己的责任街道、路段，并建立了周末街巷清洁大扫除制度。二是强化门前“四包”、“三化”责任制度。把任务落实到单位、门点和人头。三是加大交通秩序整顿力度。投资100万元完成了对汽车站、停车场的改造工程。在主要路口增设了交通管理设施，从根本上整治了道路交通秩序。四是大力整顿了市场秩序和公共场所秩序。清理了马路工厂、马路仓库、店前摊点。五是净化文化市场。重点对影剧院、录像厅、歌舞厅、游戏厅进行整顿，查处封建迷信、淫秽、色情书刊、音像带，取缔无证经营和违法经营摊点、游戏厅，净化了社会风气。

五、抓创建载体，优化社会细胞

一是开展文明窗口达标竞赛活动，选树了10个优质服务示范单位挂匾服务，起到了很好的带动辐射作用。二是开展创建文明单位、文明家庭竞赛活动，把精神文明建设由单位延伸到家庭。三是在党政机关开展机关良好形象工程建设活动，树立党政干部的公仆形象；在行政执法部门和窗口单位普遍实施社会服务承诺制，并制定了践诺监督机制，将公示和承诺的内容公布于众，公开接受群众的监督。四是广泛开展创评“十佳”先进集体和个人活动，并在《陕坝周报》、《巴彦淖尔青年报》上开辟专栏，大力宣传他们的先进事迹，把群众性的争先创优活动不断推向前进。

（内蒙古自治区文明办）

吉林省吉林市

以教育为先导　以育人为根本
大力推进文明社区建设

2000年，吉林市委、市政府把社区教育作为创建文明社区活动的中心环节来抓，作为城市的无形资产来运营。通过创新社区教育体系，活化思想教育载体，实施引导、启迪、熏陶等方法，使市民素质不断提高，文明社区建设取得了显著成绩。

一、以文明市民学校为依托，全方位构建社区教育体系

1.加强阵地建设，夯实教育基础。按照“六有”(有教材、有教师、有机构、有规划、教学有记录、学员有登记)标准，建立文明市民学校网络。在新建、新改造以及条件比较好的小区，建立“四栏”(宣传栏、报刊栏、创建栏、公开栏)，设置宣传灯箱和标语牌匾。在省、市级文明小区(楼院)，开辟楼道文化、墙体文化。

2.延伸学校功能，拓展教育外延。一方面，在全市设立流动讲台100余个。通过组织精神文明宣讲团、爱国主义教育团、先进人物事迹报告团深入社区巡回演讲，把讲台延伸到居民楼前、室内，为更多群众创造了学习和接受教育的机会。另一方面，积极将市民学校延伸到厂矿、机关、学校和窗口单位。市民教育培训率达90%以上，有力地促进了市民素质的提高。

3.实现“五个转变”，确保教育实效。在教育内容上，实现单一的思想文化教育向综合素质教育的转变。在大力加强思想道德教育基础上，根据形势发展的需要，增加市场经济、科普知识、城市精神、市民形象、礼仪知识、再就业技能及生活健康常识等内容。在教育方法上，实现灌输式教育向综合运用环境影响、典型示范、活动熏陶、自我教育等方法的转变。因时施教，因人施教，收到良好的教育效果。在教育对象上，实现了以居委会干部和少数居民为主向以老龄人口、下岗职工、外来务工人员、刑释解教人员等为重点的全员转变，扩大教育覆盖面。在教育形式上，实现了偏重文化娱乐式教育向既有文化娱乐又有陶冶情操、知识普及的复合式教育的转变，使教育形式多样化。在教育主体上，实现了单纯依靠区街干部向依靠驻区单位、专职教员、社会“六老”、学校和家庭的转变。经过努力，全市已形成以思想道德教育为主线，以街道、居委会为核心，以市民学校为主阵地，以社区力量为依托的社区教育模式，实现社区教育组织的网络化，社区教育力量的社会化，社区教育方法的多样化，社区教育阵地的规范化。

二、以“万名文明市民评选”活动为载体，不断增强社区教育效果

开展以“做文明市民、创优良环境、兴江城经济”为主题的评选万名文明市民活动。活动中，市委、市政府重心下移，从社区抓起，活跃基层；从思想解放抓起，破除陈旧观念和认识误区；从基本行为规范抓起，普及文明知识，明确行为规范；从青少年抓起，组织小红花监督岗、雏鹰小分队。把改善群众生活环境作为突破口，着力净化、美化、优化城市环境与秩序，使评选活动收到了实实在在的效果，一批典型脱颖而出。

三、以三个机制为保障，推动社区教育常态化运行

1. 建立领导责任机制。实行“一把手抓到底、一把尺子量到底、一个规划落到底”的“三个一”制度。在责任上明确党政一把手为社区教育第一责任人，建立了由主要领导挂帅、有关部门参加的社区教育领导体系。对社区教育规划、机构、经费等问题，一把手亲自抓，自上而下建立目标责任体系，明确任务，落实责任，层层包保。实行月抽检、季检查、半年初评、年终总评，把检查结果作为检验工作、考核班子、任用干部的重要依据。将社区教育纳入社区经济和社会发展的总体规划，使社区教育既有长远规划，又有短期安排，既有可操作措施，又有运行保障。

2. 建立部门协调机制。注重发挥四个优势，即职能部门主要优势、社区单位共建优势、广大居民群体优势、干部队伍主导优势。精心构筑责任共担、思想共育、管理共抓、活动共搞的社区教育格局，形成社区教育合力。全市普遍成立了街道党委牵头，社区机关、团体、部队、学校、企事业单位、居民群众代表等参加的社区教育联席委员会、社区教育协调组等机构，成员单位定期联系、相互协调、检查考核、各司其职。坚持每季度召开一次社区教育协调会，半年向联席会成员单位通报社区教育工作情况等制度。

3. 建立表彰奖励机制。通过开展评选万名文明市民，举办先进人物事迹报告会，评选“双十佳”好人好事，组织文明市民代表赴外地学习考察等活动，对积极参与社区教育，并做出突出贡献的先进个人和单位，给予表彰奖励。

（吉林省文明办）

黑　龙　江　省

三级联动分级排序　建立行风评议运行机制

黑龙江省开展了“为经济建设服务、树行业新风”最佳最差单位评议活动（简称“双评”），把加强行业作风建设与经济建设有机地结合起来。

一、既评最佳，又评最差，形成外加压力内增动力的激励机制

针对以往对评议结果缺乏奖惩力度的情况，在行风评议时明确提出：既评最佳，又评最差。前3名为最佳单位，给单位每个成员发放500元以内的奖金；后3名且总分低于60分的为最差单位，第一年“黄牌”警告，并作为重点对象进行面对面评议，连续两年被评为最差单位的，要对领导班子进行必要的调整。在“双评”中采取省市县三级联动、分级排序的办法。如果基层工作滞后，将直接影响到本级的排名，从而形成了上下责任共担、荣誉共享的连带机制，调动了上级部门认真抓好下级部门行风建设的积极性和主动性。由于评议结果与领导干部本人评优、奖励乃至职务升迁挂钩，促使各参评部门真正在思想上重视、行动上把行风建设当作“一把手工程”。省直25个参评部门，一年来共召开全系统纠风和“双评”动员会、工作会、现场经验交流会87次，查处刁难勒卡、“三乱”等问题221个，处理161人。纠正违纪问题的力度和所产生的社会效应，都是前所未有的。一年来，全省通过“双评”，共评出最差单位114个，调整领导班子83个；有276名领导被诫勉谈话；有236名干部被取消了评优资格。

二、围绕中心，主题评议，形成争相为经济建设献计出力的竞争机制

从评议的对象、评议的内容到测评主体的选择，都紧紧围绕更好地为经济建设服务这个主题来确定。在评议的对象上，把25个与经济工作关系密切、制约和影响作用大的司法和行政执法、经济管理和监督部门列为参评对象。在评议的内容上，确定了围绕为经济建设服务、树行业新风的五项内容。在测评主体的选择上，规定各级各类企业的测评票要占70%，大大增加了企业参与的机会。“双评”活动的鲜明主题引导各参评部门在认真解决企业和群众反映强烈的问题上，切实转变工作作风，提高为企业和群众服务的水平，出现了竞相为企业和群众办好事、办实事的可喜局面。

三、调动内因，自我完善，形成内强素质外树形象的约束机制

采取多种形式调动参评部门的主观能动性。一是组织参评部门的主要领导在新闻媒体上向社会作出公开承诺，表明本部门在“双评”中要抓什么事，达到什么目标，公诸于众，请社会各界监督，又使参评部门自加压力，千方百计实现自己的承诺。二是开展半年初评，年底总评，变一时压力为全年压力。扭转一些参评部门上半年不紧不慢、下半年集中突击的现象，使参评部门始终有一种紧迫感。三是开展专项举报，将参评部门置于群众的广泛监督之下。省市县三级共设立专项举报中心138个、公开举报电话167部。对群众的举报，各级纪检监察机关和纠风办在快查快结的同时，将情况通报给有关部门，使其及时了解存在的问题，举一反三，积极整改。四是开展明查暗访，掌握参评部门行风建设的真实情况。各级纠风办把明查暗访作为考核参评部门工作的一个重要手段，建立了比较完善的办法和考核档案。对明查暗访中发现的问题，能当场解决的立即纠正，不能当场解决的向有关部门发《纠风建议书》、《情况通报》，要求限期纠正。五是严肃查处违纪案件，充分发挥查处的警示作用。对利用行业特权谋私和破坏经济环境的案件，发现一起严肃查处一起，特别典型的进行公开曝光，以儆效尤。

四、评测结合，公开公正，形成群众广泛参与的监督机制

一是在全省发了5万张问卷，各地还从社会各界聘请了一批行风监督员和评议代表，经常请他们检查参评部门的行风情况，听取对“双评”的意见。二是实行科学的评议办法。在问卷测评时，测评主体随机抽取，统一组织现场填票，就地密封，由各市地使用省里统一设计的软件进行录入和汇总。在集中考核时，考核小组由厅级干部带队，从各参评部门抽调人员，编组互不交叉，被考核部门人员不参加座谈和走访。三是评议结果实行百分制。尽量找出25个参评部门的共同点，以此来确定测评和考核的内容，并量化评分标准，增强了可操作性，减少了人情分和印象分。四是建立了严明的纪律。为了保证“双评”活动健康有序地进行，防止出现弄虚作假、拉选票、搞不正之风等问题，对参评部门和“双评”组织人员提出了严格的纪律要求，规定如违规将进行通报批评并扣减测评分或考核分，情节严重的给予党纪政纪处分。

（黑龙江省文明办）

黑龙江省环保局

抓机关 带直属 促战线

黑龙江省环境保护局坚持以邓小平理论和江泽民同志“三个代表”重要思想为指导，坚持抓机关、带直属、促战线的工作思路和工作方法，使系统精神文明建设工作取得显著成效。省局机关连续3年荣获省级文明单位标兵称号，全省环保系统连续三届被命名省级文明行业先进系统，有11个市地局晋升为省级文明单位。1997年、2000年，省环保局被国家环保总局评为全国环保系统精神文明建设先进单位。

一、抓机关，充分发挥省局机关的“龙头”示范作用

一是加强领导班子建设，增强省局党组的凝聚力和感召力。省环保局党组领导带头落实“树形象，讲威望，做榜样，争向上”12字自律准则，受到了广大群众的好评。

二是加强机关干部队伍建设，提高机关干部职工的整体素质。在干部培养方面，有年度培训计划，有5年长远规划，确定干部培养的梯次结构和培养目标。在用人机制方面，处级干部竞争上岗，科级干部双向选择，重要岗位定期轮岗，并引入竞争机制。在实际工作中，敢于用干部，为干部的培养成长创造了良好的环境。

三是加强制度建设，保证精神文明建设健康发展。制定了《省环保局精神文明建设若干规定》、《党组成员精神文明建设工作目标责任制》等20多项工作制度和规范性文件，使精神文明建设走上了规范化、制度化的轨道。

二、带直属，充分发挥省局机关的领导和监督作用

统一规划，明确要求。对直属单位的精神文明建设工作，做到与机关统一部署、统一检查、统一考核，每年至少两次听取各直属单位精神文明建设工作的汇报，对存在的问题和差距及时给予指导。

区分类别，分类指导。把职工人数超过100人的监测站和研究院两个大单位，作为重点，要求严格，着力帮助解决存在的问题和实际困难，对辐射环境管理站和监理站两个“窗口”单位，侧重帮助他们强化一线执法队伍的整体素质，树立良好的职业道德；对刚刚成立不久的危险废物管理中心和信息中心及两个企业性质的公司，提出具体的创建目标和任务。截至2000年底，省环境监测中心站通过省级文明单位的检查验收，有4家进入省直文明单位标兵行列。

三、促战线，充分发挥省局机关的指导和协调作用

一是搞好与各市、地党委、政府、文明办、行风办的协调。通过经常性联系与协调，及时了解各地环保局在创建工作中的整体情况，给予有针对性的指导。同时，及时向当地党委、政府及文明办、行风办介绍当地环保局在系统创建活动中所取得的成效和存在的困难，争取他们的支持和帮助。

二是加强对系统环保部门的工作指导。从实际出发，引导各地环保部门，相互交流经验，取长补短，共同促进。把评比表彰工作机制引入到环保系统中。从1992年开始，坚持每年评一次系统文明单位和文明单位标兵的制度，实施定期检查、评比和奖励，并采取摘牌通报制，有效地形成了各级环保部门争先创优、不甘落后的局面。

三是抓典型，促进精神文明建设健康发展。几年来，他们把抓典型，促一般，作为加强精神文明建设的重要工作方法，大力培养、总结、宣传环保战线的先进典型。七台河市环保局局长乔文国荣获全国十佳人民满意公务员，植树造林老模范马永顺荣获“全球500佳”称号。对这些先进典型，大张旗鼓地宣传，组织全省环保系统干部、职工开展向先进典型学习的活动。通过学先进，全省环保系统形成“比学赶帮超”的热潮。

（国家环保总局文明办）

上海市教工委　上海市教委

加强理想信念教育　用邓小平理论构筑当代大学生的精神支柱

一、以“三重”建设为抓手，加快“两课”改革和建设

1998年，中宣部和教育部颁布了“两课”课程设置新方案。上海市教育党委、市教委进行了认真的研究，认为上海所有高校都必须高标准贯彻落实“两课”课程新方案。

构建以邓小平理论为中心内容的“两课”新课程体系和教学体系。上海市教育党委、市教委在1995年市统编《邓小平理论教程》的基础上，组织全市“两课”骨干教师编写了《邓小平理论概论》教材。“两课”其他课程教材也根据十五大精神完成了编写或重新修订。

全面启动邓小平理论重点学科、重点课程和重点课题建设。从1999年起，上海市教育党委、市教委将“马克思主义理论和思想政治教育”列入上海市重点建设学科，《邓小平理论概论》课程列入市重点建设课程，同时将“如何正确处理两课教学体系和思想政治教育针对性和有效性关系”等课题列入市重点研究课题。

积极推进邓小平理论教学和考试方式的改革。改革理论教学中一张试卷定成绩的做法，着重考察学生的理论实际理解和运用能力。一般将学生最后的成绩分解成基本常识测试、平时课堂讨论、学习论文或调研报告撰写等部分，有的还进行口试，对于撰写出有较高质量论文并在学校或市级论文评比中获奖的同学，学校准予免试。

二、丰富教育内容和载体，拓展“三进”工作新领域

通过形势政策教育丰富理论教育内容。上海市将形势政策教育作为理论教育不可或缺的补充和延伸，引导大学生从形势中把握政策，从政策中掌握理论。他们每月都要结合学生关注的形势热点，邀请领导、专家为大学生进行形势政策教育，他们在报告中通过改革开放和社会主义现代化建设的丰硕成果，教育学生要“大变思源”，认识在当代中国，只有邓小平理论而没有别的理论能够解决社会主义的前途和命运问题。

通过理论社团增强学生的自我教育能力。在各级党团组织的推动和支持下，上海30多所高校都成立了大学生邓小平理论研究会，骨干会员达2.3万。学生“邓小平理论研究会”成为学校发展最快、规模最大也最富活力的学生社团。这些社团都有校、院系、班级三级网络。不少学校“邓小平理论研究会”还建立了理论骨干“中心组”学习制度。

通过党团组织活动培养具有理论素养的学生骨干。在学生党员和入党积极分子中广泛开展了“学理论、学党章”的“双学”活动，在团组织中开展了以抓基层团支部理论学习的普及率、原著文献的通读率和实践活动参与率为主要内容的邓小平理论学习系列活动。高校团组织还将理论学习作为“推优”工作和“示范群体”建设的重要抓手。

通过校园网建立理论学习信息传递网络。上海许多高校积极利用网络大容量、互动性、快捷性和易检索等特点，在校园网中建立邓小平理论学习、形势政策教育、揭批“法轮功”等主页。有的主页由学生自己设计、制作和维护。网络这一新的“虚拟课堂”的出现，为学生突破时空限制，进行自主、自由和远程的理论学习创造了条件。

通过开展理论研讨加深对理论的理论思考。在大学生中广泛开展撰写小论文活动，2000 年征文活动中，不少同学自发组成课题组，结合理论学习和专业学习开展江泽民同志“三个代表”的论述、批判“法轮功”等课题攻关，写出了一批洋溢着学生真情实感又锋芒犀利的研究论文。不少高校学生还与教师“邓小平理论研究中心”联手开展学术探讨，形成师生相互学习、相互促动的可喜局面。

通过社会实践将理论认知转化为理论实践。上海市每年要组织 10 万大学生参加各种形式的社会考察和实践活动，在实践中培养学生“胸怀祖国、服务人民”的远大志向。大学生理论学习骨干还深入到社区、工厂、农村、中小学进行理论宣讲。

通过向中学生和研究生两头延伸实现“三进”工作的纵向衔接。上海 90% 以上的重点中学和寄宿制高中建立了“青年马克思主义学校”和“邓小平理论读书会”。在研究生科学社会主义理论与实践、马克思主义经典著作选读等政治理论课程中不断深化邓小平理论专题研究，着重阐述邓小平理论对马克思主义的继承和发展。

三、加强领导、培养师资、增加投入，建立健全“三进”工作保障体系

1. 加强领导，形成支持关心“三进”工作的共识与合力。上海高校的“三进”工作得到了各级领导和社会各界的指导和鼓励。上海市委宣传部始终把高校学生作为重点，市委组织部将“三进”工作作为高校党建工作的重要内容，为“三进”工作提供了有力的组织保证。团市委直接组织了高校邓小平理论第二课堂活动。上海各新闻媒体对高校“三进”工作做了大量的有深度的宣传报道。

上海市教育党委和教委成立了上海高校“两课”领导小组和“两课”教学指导委员会，并将“三进”工作列入高校文明单位评估指标。上海各高校也建立了由校党政一把手任组长的“三进”工作领导小组。在党委统一领导下，高校系统形成了宣传部、学工部、教务处、科研处，以及社科部、团委、文科专业院系等各司其职又通力合作的工作格局。

2. 建设高素质师资队伍，充分发挥教师在“三进”工作中的主导作用。依托重点高校建立了师资培训基地，将在 3 年内完成全市所有 40 岁以下“两课”教师在职攻读硕士学位的工作。上海高校以邓小平理论公共课教学为专业方向的多个硕士点已招生，一些文科专业也积极为“两课”培养硕士和博士研究生。同时，承担全市“两课”师资岗位培训的上海德育师资培训中心正式启动。各高校还采取特殊政策，积极从外单位和专业学科中引进骨干教师充实“两课”队伍。

鼓励“两课”教师积极参与大学生第二课堂理论学习，努力做到“三个一”，即深入一个班级、一个寝室、一个党章学习小组或理论学习社团；每年组织邓小平理论研究征文评选，召开论文交流会，汇编出版科研成果。全市 10 多所高校成立了邓小平理论研究中心或研究所，这些研究单位集邓小平理论学习、宣传和研究三位于一体，为“三进”工作的开展提供了重要的学术底蕴；为使优秀师资作用得到更充分的发挥，从 1999 年开始积极推动优秀“两课”教师跨校互聘和联聘，实现优秀师资资源的充分运用。每两年评选一次市优秀“两课”教师，大力推广他们的先进经验。他们还着手组织选拔优秀“两课”教师出国进修考察。上海已经有一批优秀中青年邓小平理论教学骨干和学术带头人脱颖而出，受到学生的敬重，成为学生的知己。在全市高校开展的“我心目中的好老师”评选中，多名邓小平理论任课教师获得大学生的高票推荐。

3. 不断加大投入，为“三进”工作提供必要的物质保障。上海已经形成了以行政拨款为主、教育发展基金会和社会各界资助为辅的多渠道的资金投入格局。上海市教委设立了“三进”工作专项经费，每年都有大幅度增加。2000 年仅支持邓小平理论重点学科、重点课程、重点课题建设的专项经费就达50万元。各高校也设立了相应的专项工作经费。上海高校“三进”工作的设施、活动、科研、师资进修培训等经费需求基本得到了保证。

（教育部）

上海市卢湾区

科普传四方 文明进社区

一、科普第一村 劲吹文明风

卢湾区瑞金二路街道巨二居委会的延安中路385弄又名“安乐村”，有193户人家。然而，10多年前，安乐村里难安乐。这里环境杂乱，垃圾随地可见；烧香、拜佛、算命等封建迷信活动比较普遍，不少居民家屋檐下还挂有所谓辟邪的“照妖镜”，由此引发的邻里纠纷接二连三。

居委会坚持宣传和倡导科学文明健康的生活方式，从居民共同关心的环境问题着手，发动群众搞居宅外墙白化、里弄环境净化、道路两侧绿化。用了几个月的时间使安乐村一改原先的脏乱面貌。他们又请来科普专家向居民作破除封建迷信的报告，渐渐地封建迷信活动没有市场，屋檐下“照妖镜”也纷纷被自觉地取下。居委会还充分利用有科普知识的人才资源，成立了科普兴趣小组，开展科普精神文明教育活动。以后，安乐村又先后成立了各种科普兴趣小组14个。安乐村里学科学、讲科学的气氛日趋浓郁。著名科学家苏步青教授闻讯亲临视察，欣然命笔题写了“科普村”三个大字。从此“上海科普第一村”诞生了。

二、南国科普苑 户户学科学

卢湾区五里桥街道是上海市委、市政府推行“两级政府、三级管理”新体制的试点街道，是首批市文明社区之一。他们首创的科教文卫体法“六进家庭”经验中将科普放在第一位。街道将创建科普村作为创建文明小区的重要任务，科普村建设卓有成效。

这个街道的南园新村是上海市首批市级科普村，新村内有个“科普苑”。瞿南居委会每年按季、按月有计划地在“科普苑”内唱起了“科普四季歌”，如“春季家庭科学养花展”、“夏季科学与卫生科普活动”、“秋季家庭科普摄影展”和“冬季保健与科普画廊”，还有每月一次的健康保健科普讲座。一些与街道共建精神文明的出版社为“科普苑”赠送科普读物，使小区市民沐浴到科普的阳光雨露。

三、科普小沙龙 为民造福多

卢湾区淮海中路街道的浏河居委会组织了一个“科普兴趣沙龙”，坚持开展创建文明小区、倡导科学的生活方式，前后打了“三大战役”。

居委会的大姐们首先在小区宣传氛围上下功夫，建起了10多块科普文明宣传牌、科普宣传栏，丰富了小区里的科学文化精神生活，深受居民欢迎；“第二战役”是因势引导，在居民中开展了“科学利用公用部位最佳设计方案”的评比，动员居民整治公用部位脏乱差的局面。经过层层发动，评出最佳方案，具体实施后，做到了“一白三整齐”，即墙面刷白，灶头、吊橱、水斗整齐划一。科学利用公用部位既改变了脏乱差局面，又促进了邻里之间的和睦团结，促进了文明楼组的创建活动；“第三战役”是“绿色行动”。居委会在街道绿化办和科普协会等部门的帮助下，开展植树造绿、科学养花等宣传活动。他们在空地有限的巷子里建起了10多个大小不一的花坛，种上各种树木花卉。组织了红领巾护绿队、老年护绿队、家庭认绿等各种形式的护绿活动，有效地保护了绿化，使科普文明小区春色常在。

四、科普大篷车 驶进各小区

打浦桥街道的“科普大篷车”浩浩荡荡地驶进各个小区，以科普知识版面、科普书籍借阅、科普知识宣讲等形式开展群众性的科普宣传活动。这是卢湾区科协组织的“揭露李洪志，批驳法轮功，科普系列专题精神文明建设宣传教育”活动内容之一。

“大篷车”在“科普宣传教育”活动中义不容辞地唱起了“主角”，组织居民一起推出“你我话科普”系列宣讲活动，请科普专家和科普积极分子结合揭批“法轮功”，宣传科普知识。“大篷车”还将“崇尚科学、破除迷信”的内容贯穿到“科普纳凉晚会”和“科普节”活动中去，在广大市民中形成普及科学知识的宣传声势，形成一个人人学科学、个个讲科学、户户懂科学的良好局面。

五、科普第一街　消费有导向

创建“淮海中路商业科普文明一条街”，是上海卢湾区科协和商委在开展城区科普工作中率先提出的新思路。根据淮海中路200多家商店不同的行业特性和消费者的生活需求，先后建立10家商业科普示范店，实现了“店堂盛开科普花，引导消费科学化”，促进商业街精神文明建设的根本目的。

淮海中路商业街各具特色的科普示范店各有侧重地向消费者传播商品科普知识，引导消费者如何科学、正确地使用各类商品。如长春食品商店设立“绿色食品专柜”，向市民介绍绿色食品知识，红星眼镜公司对消费者进行眼镜及选配、眼睛卫生的咨询；益民商厦每周六都要组织“科普特色服务队”，为消费者提供各种科普技术服务。在引科学进店过程中，许多商店与现代广告艺术手段、商品陈列技巧相结合，让消费者易懂易记。如益民商厦根据设柜台的经营项目，配以独特的灯光照明，柜台后面还有大型的“科普灯箱”宣传商品的科学知识。以消费科普为特色的“淮海路消费者假日俱乐部”，采取免费听课形式，邀请80多位专家教授、厂长经理、技监专家，围绕市场流行、生活热点、打假识劣、益智修养等四大消费科普知识进行授课，开设科普知识讲座200多期，倡导了现代科学生活方式，传播了科学消费的观念。

（上海市文明办）

共青团上海市委

把青年卫生志愿者扶贫接力对口支援工作做实做深

动员、组织青年卫生志愿者到经济相对落后地区从事医疗卫生服务，是青年志愿者扶贫接力计划的一个重要组成部分。1998年以来，上海、云南两地团组织积极争取党政支持，广泛依靠社会力量，携手动作，先后招募6批共52名上海青年医生到云南省8个国家级贫困县开展以医疗诊治、卫生培训、健康教育、送医送药为主要内容的志愿服务，为帮助当地医院改善治疗条件、完善医疗制度、增强农民健康意识、提高经济和社会效益作出了一定的贡献。同时，也帮助青年医生在实践中增加对国情、民情的了解，丰富了他们的人生阅历和知识结构，使他们的思想道德素质和医疗专业水平有了比较大的提高。

一、把青年卫生志愿者扶贫接力计划做成一个既是政府项目，同时又是按照青年志愿者工作规律进行建设的志愿服务项目

青年卫生志愿者扶贫接力计划涉及劳动人事、工资福利、两地关系等一些非常具体又政策性很强的问题，需要借助政府的行政手段，形成必要的政策来解决，从而保障这项计划长期有效开展。

一是在1998年6月，将有关选派青年卫生志愿者赴云南服务的内容写进了上海、云南两省市政府签署的《关于进一步加强沪滇两地对口帮扶协作工作纪要》和两地人才交流的工作之中，体现了这一项目的权威性、稳定性和可操作性。二是将选派出的青年志愿者纳入到市委组织部有关援边干部的干部名单之中。还与市卫生部门商定，把选派青年卫生志愿者到农村开展医疗扶贫与青年干部锻炼结合起来，与职称晋升挂钩。三是与市委组织部、市人事局、市财政局、市劳动和社会保障局、市政府协作办、市文明办等共同研究制定有关政策，联合下发了《关于本市选派青年志愿人员到云南省三地州进行扶贫工作的有关待遇问题的通知》，明确规定志愿者在服务期内应该享受到的基本福利待遇。由于把青年卫生志愿者扶贫接力计划纳入到整个政府协作项目之中，因此，在人员选拔、政策保障、关系协调、舆论宣传等方面形成了一套比较合理的运作机制，为工作的顺利实施提供了有力的组织保证和政策支持。

二、把青年卫生志愿者扶贫接力计划做成一个贫困地区需要、青年医生又能充分发挥专业特长和积极性的志愿者工作品牌项目

从1998年至今，团市委每年都由书记班子成员带队，与云南团省委的领导一起到山区进行调研，力求使选派的青年医生在当地有用武之地，真正是当地所欢迎的人才。在志愿者服务期限的确定上，定为半年，既可以满足相当一部分城市青年渴望到贫困地区服务的愿望，让更多的青年医务人员增加锻炼的机会，同时也适应了青年医生需要不断吸收充实新知识、掌握新技能的岗位特点，可有效地服务于青年医生自身医术的提高，不至于因参加扶贫接力计划而与上海城市医疗卫生事业迅猛发展的要求相脱节。在服务层面的选择上，将医生选派在当地县级医院，一方面更适合青年志愿者的特长发挥。另一方面县医院辐射周边山区，志愿者也有用武之地。在医疗科目的安排上，坚持既突出重点、又力求全面的原则，确定骨科、妇科等为重点医疗科目，同时兼顾普外、中医等科目。在医务人员的选派上，根据当地对医生的实际需要，主要招募、选拔那些具有一定实践工作经验和较高医学学历的青年医务人员。

三、把青年卫生志愿者扶贫接力计划做成一个由团组织牵头协调、全社会广泛关注支持的社会公益项目

经过几年的探索和实践，青年志愿者行动已有了良好的工作基础和社会氛围，它所倡导的“奉献、友爱、互助、进步”的时代精神已逐步为社会所认同并得到广泛响应和支持。实施青年卫生志愿者扶贫接力计划，一方面立足于现有的工作基础，另一方面力求运用社会资源，用社会化的方式来丰富它的内容和手段，拓展它的领域和空间，形成由团组织牵头协调，全社会都来广泛参与支持的工作机制，形成上海精神文明建设的一个新的亮点。一是形成后援机制，让包括医学院校、机场、航空、新闻、出版、保险以及志愿者的选派单位等所有关心志愿者工作的单位组成后援团，让这些单位通过参与志愿者工作，来展示他们自身的形象，体现全社会齐心协力抓精神文明建设的成果。二是建立动员机制，除团市委面向社会公开、直接招募志愿者外，全市各医院还鼓励青年医生报名，在此基础上，医院团委把符合条件的人选推荐给医院组织人事部门，经组织人事部门面试考核，最终确定人选报医院党政班子讨论。由于经历自愿报名、组织选定这几个环节，因此志愿者的政治素质和业务水平均得到保证。三是形成两级对口机制，即团市委直接组织的志愿者主要由云南省团委确定的地方服务；基层医院团委组织的志愿者经两地医院自行联系对口后，由上海市的医院选派。四是形成宣传机制。上海新闻媒体每年都要组成采访团赴云南采访报道，已有反映志愿者工作的书籍、画册、戏剧、电视专题片，还将把志愿者的先进事迹拍摄成电影故事片，以进一步弘扬志愿者精神，形成全社会关心、参与志愿服务事业的良好氛围。

（共青团中央）

上海强生集团

万名员工争当“文明使者”让申城“流动的窗口”亮起来

上海强生是一个具有81年历史的出租汽车企业，随着社会主义市场经济的逐步建立和企业改革的不断深化，如今已经发展成为以出租汽车为主业，客运、房地产、进出口贸易、科技产品制造四大产业为支柱，多种经营并举的大型国有股份制企业集团。

集团在取得经济效益的同时，也向上海人民和社会各界交出了一份“满意、放心和高兴”的精神文明建设的答卷。

一、抓规范管理，树企业形象，让市民满意

出租汽车是强生的主业，客运服务质量直接体现企业的品牌形象。

集团始终坚持以规范服务达标活动为抓手，从加强职业道德建设入手，从制定和落实岗位规范着眼，不断强化从业人员乘客至上的意识，提高客运服务水平。对全体从业人员分类分批进行岗位职业道德教育，进行行业规范、岗位规范的培训。在全体驾驶员中开展以规范服务、文明驾驶为主要内容的“新风窗口”创建活动，对管理人员进行以规范管理、严格管理、科学管理为主要内容的目标考核，确保车不达标不出场、人不达标不上岗。针对出租客运服务中市民反映强烈的“不找零”、“拒载”、“车内吸烟”和“车辆不洁”等四大顽症加强整治，先后设定了“四无四不”等营业禁区，公布了“社会服务连环承诺与建约”赔偿制度。同时，自我加压建立“监督哨”和“啄木鸟”制度，并先后推出“申城文明使者”示范车、“巾帼劳模小队示范车”、“党员形象”示范车、“李民红旗小队”服务车、“流动卫士”小队、“青年的士徐虎”、“的士阳光热线”等一系列便民利民服务措施，把方便与实惠带给了千家万户和广大乘客。

在规范服务基本达标的基础上，强生集团围绕“出租汽车行业乘客满意度指数”评比，把质量管理、品牌塑造、形象建设作为中心环节，同时也作为企业精神文明建设工作渗透到运营管理的一个重要任务，及时推出了十大系列服务新举措：一是全员强化执行“3+1”规范服务要领，即上车“请”字开口问路、选择线路等尊重乘客意向、下车提醒勿忘物品和车内严禁吸烟作为上岗司机的基本功。二是建立全行业第一支“服务质量稽查大队”，实行“全天候、全路段、全方位、全过程”车辆查检。三是率先推出“员工单方过失认定法”，从而使“乘客永远是正确的”这句话由理论变为现实。四是首次实行投诉总量与管理层全员工资总额挂钩考核，打破传统经济责任只考核领导而忽视管理层群体团队质量意识的框架。五是推出“营运驾驶员服务质量积分制”试点。即以正负积分的形式把每一次乘客的表扬或批评量化到车、考核到人，并与星级驾驶员的晋升或降级相结合，与企业各项福利待遇挂钩。六是“62581234”强生监督热线实行“首问负责制”。七是创建“强生与乘客对话”的新载体，将原来一年一次的“乘客代表座谈会”改为每季度一次约见投诉人直接与公司领导见面。八是推出“行车道检”新举措，即凡被公司服务质量监督巡视专车或稽查人员因例行稽查作短暂停留的出租车，其车内乘客均免去10元“起步费”。九是完成硬件的改造和扩容。批量选购新车型逐步取代现有普通桑塔纳车种。十是将持续改革策略纳入公司长效管理体系。

二、以人为本，建立机制，岗位育人

一是以全面提高人的素质为核心，以“献身上海，勇于领先”的企业精神为主线，造就温馨友爱、宽松舒心、文明健康、奋发向上的企业氛围，激励员工在深化企业改革、推动企业发展中振奋精神，更新观念，开阔思路，促进职工的文明意识不断增强和企业整体素质全面提高。

二是坚持用科学的管理思想和管理方法引导企业管理者和窗口从业人员确立正确的价值观和全新的经营、服务理论。在“强生”营运系统率先导入质量标准管理体系，在全员中贯彻执行“强生服务质量管理标准体系”，把强生的管理和服务体系纳入制度化、规范化、科学化的轨道，从而，在全体员工中建立起“要让乘客满意在乘车之后，必须先让乘客信任在乘车之前”的服务意识，形成“形象决定前途、质量决定生命、效益决定存亡、素质决定成败”的强生价值观和“繁荣强生、振兴上海、奉献社会”的强生人志向。

三是努力净化、优化企业环境。在狠抓出租车车容车貌“硬环境”建设的同时，十分重视“软环境”建设。先后建立视觉识别系统、行为指导系统、理论导向系统，先后实施了为职工造福的安居工程、帮困工程、再就业工程、健康普查工程、补充养老等八项爱心工程，初步形成了“救助、安置、保险、福利”四大保障体系。在职工中产生了巨大的凝聚效应，形成“企业爱职工、职工爱社会”的良好氛围。

四是大力倡导争先创优的企业风气，激励职工爱岗敬业、乐于奉献。建立了见义勇为基金、育苗基金、意外伤害和重病帮困基金，每年召开表彰大会向优秀员工颁发荣誉奖章。实行驾驶员等级考评，让优秀等级驾驶员享受较为丰厚的待遇。对评上“服务明星”、“管理精英”、“模范党员”、“杰出青年”和“文明职工标兵”的员工，除分别授予金、银、铜质奖章，并在企业养老基金个人账户中得到一份2000—5000元不等的“特殊礼遇”。在典型示范的激励下，出现了一大批劳模群体、先进群体和见义勇为标兵。

（建设部文明办）

上海海事局

加强队伍建设　坚持依法行政　促进航运发展

一、把提高海事执法队伍素质作为基础工程

1. 认清使命，树立正确的执法指导思想。上海海事局把引导、帮助海事执法人员树立正确的执法指导思想作为队伍建设的基础，大力倡导依法行政、文明执法、寓监督管理于服务之中。把有利于促进安全畅通，建立良好的水上交通秩序，有利于提高航运效率和社会经济效益，作为海事执法的基本出发点。

2. 全面培训，提高执法人员的执法水平和业务技能。实施了第一个“人才工程”计划，普遍提高了全局职工的学历和知识素养，分层次地对执法人员进行了培训。基本形成了严格管理、优胜劣汰的机制。执法人员做到了持证上岗，亮证执法。

3. 建设窗口，从执法窗口规范服务抓起。根据交通部海事局下发的《海事系统“文明执法示范窗口”规范》的要求，制定了主要工种的职业道德规范及《执法窗口达标考核细则》，并配套制定了《港航单位举报接待处理办法》，使执法窗口规范有章，工作有序。

4. 典型引路，用身边的事教育身边的人。通过树立先进典型、总结典型经验、召开现场交流会、组织观摩等，大力宣传弘扬各类先进典型，逐步形成了“比、学、赶、帮、超”的良好氛围。

二、把坚持依法行政作为治局方略

1. 制定行为规范，明确依法行政的标准。制定局机关干部守则，重要岗位和热点岗位行为规范，监督员操作行为标准等。将“亮证检查”和“文明执法”列入轮艇一线监督员岗位的标准之一；将“首问责任制”、“一次受理、两次办结”，列入签证点、值班室监督员岗位的标准之中。

2. 实行政务公开，增强依法行政的透明度。以抓公开办事制度为突破口，增强依法行政的透明度。按照执法依据和程序、办理时限和结果、收费标准和义务等内容，公开了56项执法项目，把船户、船舶、港航单位关注的热点、重点项目全部公开，以公开促公正、以公开保公正。

3. 加强制度建设，建立依法行政的约束机制。第一，建立了对行政执法的事前、事中、事后的监督机制，使水上安全监督机关纵向在上下级之间形成监督，横向在部门之间形成制约。第二，建立执法责任制和执法过错追究制度。建立了从局领导到执法部门负责人和岗位执法监督员的三级执法责任制和过错追究制度。第三，实行罚款决定与收缴分离制度。有些项目，如船舶签证已实行IC卡收费，既方便船方，又有利于规范执法行为。第四，健全行政执法程序，做到执法规范化。

三、把坚持创新作为加强管理的重要手段

拓展管理视野，提高反应能力。从建设高素质海事执法队伍着眼，从严要求，整肃队伍，履行神圣职责，确保一方平安。

加强信息化建设，不断提高工作效率。依托中国船位报告中心建成了全局计算机信息网、上海海事局网站、吴淞监督站局域网。通过全局计算机网络，逐步推行了办公自动化，提高了办事效率。

依托高新技术，加大监管力度，确保船舶航行安全。建成了目前国内规模最大、现代化程度最高的水上交通管制系统一期工程。减少水上安全事故，通航能力大大提高。

依托先进设备，扩大执法覆盖面。投入先进设施，使海事执法队伍如虎添翼，大大提高了应急能力，扩大了执法覆盖面。

（交通部体法司）

江苏省南京市

抓服务　抓活力　抓素质
整体推进创建文明社区工作

南京市从文明小区创建入手，立足为居民群众的物质文化生活提供服务，不断推动社区创建工作向建设美好家园、发展服务产业、提高居民文明素质方面拓展，基本形成了“小社区、大创建”的工作格局，涌现出鼓楼区、玄武区、秦淮区等全国社区建设和社区服务的示范典型。

一、不断提高社区服务的整体水平

一是健全社区服务网络。南京市逐步建立起以区、街道社区服务中心为骨干，以各居委会社区服务站为基础的社区服务网络。全市共建成区、街两级社区服务中心54个、各类便民服务网点6000多个、老年公寓70所、文化活动室663个。社区服务队伍不断壮大，参与服务工作的各类人员10余万，全市基本形成了组织健全、服务配套、网络健全、方式灵活、内容广泛的社区服务格局。

二是不断拓展社区服务内容。各级社区服务机构在为居民群众提供送奶、送报、卫生清洁、家电维修、管道疏通、家教、钟点工、服装缝纫、家居装修等基本生活服务的同时，逐步引导服务内容向文化、医疗、卫生、教育、科技、法律等领域渗透，由单纯民政服务向为社区所有单位和居民服务发展，服务项目达到5大类100多项，适应了居民群众日益增长的物质和文化生活需求。

三是不断提高服务质量。制定和完善社区服务的规范、收费、监督、投诉等制度，统一工作程序，突出社区服务的方便快捷、优质低价。加强对社区服务人员的培训和管理，建立专业服务队伍，充实专业服务人员。在居民群众中广泛开展自我服务、相互服务和志愿服务活动，大力倡导"社区为我、我为社区"、"借万家力、帮万家忙、解万家难"的社区意识和服务精神，营造社会化、大服务的氛围。

四是促进社区服务产业化发展。在投入方式上，一方面引导亏损企业实行"退二进三"，盘活资产存量，进军社区服务产业；另一方面，鼓励多种经济成分的组织和个人投身社区服务行业，实现了投入主体多元化。在运作手段上，实行有偿服务、低偿服务和无偿服务相结合，引入市场竞争机制，逐步引导社区服务由原来小型、零散、低层次的状况，向规模化、系列化、科技型转变，既增强了自身实力，又为城市经济发展提供了新的增长点。

二、积极开展丰富多彩的社区文化活动

一是开展群众性文化活动。全市各街道全部建立了文化中心（站）、文化馆和图书馆，并利用楼台、长廊、小区花园，设立了风格各异的休闲走廊、阅报栏、黑板报和艺术画廊，营造了浓郁的社区长廊文化。各区县建设了各类文化市场、休闲广场、市民广场和小区内的广场绿地，组织开展文化活动。白下区的社区歌会、晚会、花会、街会四季不断，秦淮区有"春之声、夏之夜、秋之色、冬之乐"等主题娱乐活动，建邺区有春夏秋冬四季的广场文化活动等。全市还结合创建星级文明楼幢，在许多院落组织居民开展音乐欣赏会、家庭作品展览和手工艺品制作比赛等活动，营造健康向上的社区氛围。

二是开展社区体育活动。全市各街道都成立了体育协会或体育工作领导小组，配备了专职工作人员。90%以上的居委会成立了体育工作指导站，组织和带领居民群众开展健身操、武术、太极拳、交谊舞等各种体育锻炼活动和比赛。

三是开展全方位的社区教育。利用全市450多所基层党校、48所市民学校及多所社区大学，进行系列主题教育活动，增强市民的文明意识。以青少年思想道德教育为重点，建立起学校、企业、街道、居委会和家庭相结合的社区教育网络。对老年人进行文化、艺术、保健方面的教育，对下岗职工进行再就业技能的培训和教育，对流动人口进行法律法规、市民守则、计划生育等方面的教育，对"两劳"释放人员实行结对帮教，在思想、生活、就业上予以教育和帮助，使社区成为一所没有围墙的大学校。

四是开展健康有益的社区科普活动。全市各街道都成立了社区科协，共建成128个科普教育基地、3个科普俱乐部、2个科普学校、28个科普活动室、36个科普画廊。充分利用市区大专院校、科研院所的优势，围绕市民的日常生活开展科普教育。还开展了"创建科普文明街道"活动，弘扬了科学精神，倡导了健康文明的生活方式。

（江苏省文明办）

江苏省南京市

文明管理 道路通畅

外地人到南京，往往会感到惊讶：怎么见不到交通指挥岗台？原来，1998年年底，南京就陆续拆除了城区所有的48个岗台，改由交警驾驶摩托车分区巡视，变守点指挥为巡逻管理，扩大了管理覆盖面，使城区交通管理上了新台阶。

一、向科技管理要畅通

针对南京城区大多是平面交叉路口、交通节点不畅的情况，交管部门开展科研攻关，研究开发城市交叉路口综合管理理论和技术，建成了一批交通智能化路口：在120个路口设立了“电子警察”，通过地面的感应器，全天候自动拍摄机动车违章；在156个路口安装多相位信号和信号倒计时器，使机动车启动延误时间由1.5秒减少到0.5秒；在多股车道交汇的路口安装了长臂式线道牌和大型指路牌，实行交通设施地空一体化，大大提高了交通标志提示效率。220个信号灯控制路口机动车通行能力平均提高20%以上，直行速度提高40%，主要干道机动车平均时速由19公里提高到31公里。

二、在提高市民素质上下功夫

南京交警部门开展了一系列活动：发放50万份“致全市骑车人的公开信”；组织10万名中小学生以倡导交通文明为内容，撰写“给家长的信”；在万余名出租汽车司机中进行投入“畅通工程”的签名承诺活动，建立了集沟通信息、法律咨询、接受投诉于一体的“驾驶员之家”；与新闻媒体联手开展“我为‘畅通工程’献计策”活动，向广大市民征集交通管理的“金点子”等等，均在社会上产生了良好的效应。南京200万辆自行车中，有20万骑车人是中学生，他们是自行车违章的高发人群。南京市交警首创了学生骑车持卡制度，对违章者不扣车、不罚款，而是登记卡号，开具违章通知单一式两联，一联带回输入与区教委联网的微机，一联交给学生，由学校对其进行批评教育，从而把培养学生交通文明意识和思想品德教育挂钩，使学生骑车违章现象基本消失。

三、当好交通文明的使者

“当人民警察，让人民满意”，南京市交警部门转变观念，坚持服务在先，管在其中，以服务促进管理，推出了一系列便民利民措施。从支队到各大队，普遍实行了领导对外接待日制度，开通了监督电话，设置了公开办事程序的电脑触摸屏，对反映交警问题的来信来电做到有诉必接，有疑必查，有错必纠。

交通事故处置快速，限时结案。接到事故报警，城区和县城10分钟、干线公路20分钟内赶到现场，其他道路5分钟内出警，轻微事故5日内结案，重大事故20日内结案。对交通事故的处理实行了“阳光作业”，建立了听证制度、跟踪回访制度、执法责任倒查制度，主动接受社会各界的监督。针对交警在执法中有时碰上“刺头”，受到委屈的情况，市交警支队特地设立了“文明执法委屈奖”，凡是交警在执勤过程中骂不还口、打不还手，坚持心平气和解决问题的均可获奖，从而以执勤交警的“委屈”传播文明新风，换来市民对文明执法的理解和支持。

（江苏省文明办）

江苏省常州市

非公经济领域精神文明创建活动取得新进展

常州市已有个体工商户10多万户，私营企业1.2万多户，从业人员32万余人。已成为推动地方经济发展的一支重要力量。1998年以来，常州市在私营企业和个体工商户中开展了文明单位、文明个体工商户、文明摊点等系列精神文明创建活动，取得了明显成效。2000年初，已有22家私营企业跨入市级文明单位行列，既在私营企业中引起了较大反响，又在工商行业的精神文明建设中开拓了崭新的领域。

一、坚持实事求是，制定创建标准

常州市通过对私营企业现状的分析，实事求是制定了切合私营企业实际的6条文明单位创建标准，即爱党、爱国、爱社会主义，企业建有党、团组织或工会组织；遵守国家的各项法律法规，守法经营，依法纳税，企业具有一定规模；精神文明创建活动正常开展，有创建计划、经费、措施，有良好的社会形象；关心职工利益，维护职工权益；社会治安秩序良好；企业环境整洁、优美，环保达标。对违反计划生育政策、发生重大安全事故和违法犯罪案件，与国有、集体企业参创标准一样，实行一票否决。同时，还相应制定了文明个体工商户、文明摊点的创建标准。并与市工商局、个私协会一起，正式下发《关于在城区私营企业、个体工商户中开展文明单位等创建活动的意见》。

二、精心培育典型，全面推动创建

确定了“培育典型、以点带面、逐步推开”的工作方法，经过慎重筛选，确定了10家重点私营企业作为创建试点单位，由市文明办和工商局派人负责联系，定期上门指导企业制定创建规划，建立创建组织，策划创建活动等，并组织模拟检查，保证了试点单位创建工作的顺利开展。常州市首批7家文明单位向全市广大私营企业和个体工商户发出倡议，动员大家积极参与全市精神文明创建活动，为提高常州城乡文明程度而贡献力量，受到了广大私营企业的积极响应。

三、设计活动载体，吸引全员参与

在创建活动中，许多私营企业充分发挥自身优势，积极参与再就业工程、抗洪赈灾、扶贫帮困和希望工程等公益性创建活动。1998—2000年，全市个体私营企业共吸纳下岗职工1.5万余名，抗洪赈灾捐款133.7万元，物品价值378.2万元，占全省个私企业捐资总额的1/4。其中，江苏月星家具集团董事长丁佐宏个人捐助达68万元。1998年被评为江苏省第二届精神文明建设新人新事。2000年，该集团又捐资100万元，设立了“月星助困基金”。常州百老汇集团积极参与知识扶困活动，为溧阳贫困乡建光彩银杏林、资助永和中学建立电脑室等。

(江苏省文明办)

江苏省张家港市

创立新的载体 推进农村精神文明建设

江苏省张家港市针对农民思想观念、道德标准、心理素质、价值取向等发生的变化，积极创立农村精神文明建设新的载体，运用农村特有、农民喜闻乐见的“早市”和“夜市”，通过举办“科技早市、周末早市、服务街市、文化夜市、社区书市”等，努力在应用现代科学技术推动农村经济发展、帮助农民解决生产生活中的突出问题、不断满足人民群众精神文化生活需求上下功夫，使全市农村精神文明建设呈现出良好的发展态势。

一、科技早市重在提高农民素质，帮助农民尽快走上科技致富之路

为解决不少农民发展种养业没有经验，投资办厂缺乏技术，经商营销没有门路，外出打工又无特长等困难，一方面将文明市民的素质教育与农村实用技术培训有机地结合起来，将“三下乡”发展为“三入户”，真正使科技、文化、卫生进村入户；另一方面依托农贸市场，定期举办“科技早市”，宣传科学新知识、介绍种养新品种、推广种养新技术，现场咨询与跟踪服务、板报宣传与印发资料相结合，进一步增强了农民群众“科学种植、科学养殖、科技致富”的信心和能力。为推动农村产业结构调整，发展农村经济起到了积极的促进作用。

二、周末早市、服务街市重在服务群众，实实在在地解决农民生活中的“热点、难点”问题

根据农村集镇“早市”人员流量大、覆盖面广的特点，张家港市开展了集宣传教育、接待来访、咨询服务于一体的“周末早市”。通过上情下达、来访接待、法律咨询、农技指导、教育之窗、建房指南、社保知音、保健信箱、计生服务等10多个服务项目，宣传群众，服务群众，得到了群众的一致好评，密切了党群关系，改善了干群关系，进一步增强了农民群众积极参与创建活动的主人翁意识。与此同时，市直机关一些职能部门利用自身的技术、人才、信息优势，定期举办“服务街市”，为广大农民提供生产、生活服务，把宣传教育群众与帮助群众解决实际困难结合起来，为农村精神文明创建活动增添了生机和活力。

三、文化夜市、社区书市注重寓教于乐，不断满足人民群众的精神文化需求

文化夜市利用村镇原有的阵地设施，把自发的、分散的群众文化活动，引导到有组织、有品位的发展轨道，充分发挥先进文化的导向作用。张家港市注意丰富农村文化，开设了文艺广场、健身广场、青春广场、露天电影、露天茶座、才艺展示、知识画廊、科技书摊、家庭文化展示、家庭趣味运动会等10个寓教于乐、深受农民群众欢迎的活动项目。在一些乡镇，还根据科技、文化、卫生“三下乡”、“三入户”的要求，以“千家藏书、万人读书”为主题，定期举办“社区书市”，激发了广大农民学科技、学文化的积极性，进一步丰富了广大农民的业余文化生活。

（江苏省文明办）

江苏省太仓市

开展创建文明示范户活动 推进文明村镇建设

一、选准切入点，探索新载体

太仓市是江苏省率先开展农村“文明户”评选活动的县市之一。从1998年起，太仓市提出并组织开展了“文明示范户”创建活动。这一活动贴近农村实际和农民需求，使农民群众发展有方向，致富有榜样，追求有目标，因而受到了干部群众的普遍欢迎。创建活动很快在全市推开。“文明示范户”创建分“三个层次、五种类型”开展。“三个层次”，即村里在继续抓好“文明户”评选活动的同时，挖掘一批各具特色的示范家庭向镇里推荐；各镇在村推荐的示范家庭中重点培育、扶持和评选、表彰一批镇级“文明示范户”；市文明委在各镇表彰的“文明示范户”中，再评选命名一定数量的市级“文明示范户”。“五种类型”，即科技致富示范户、特色文化示范户、卫生健康示范户、知法守法示范户、家庭美德示范户。

二、把握着力点，拓展辐射面

1. 坚持典型引导，发挥辐射作用。在创建活动中，十分注意抓好对各类示范户的培育、宣传和推广。一是积极培育典型。市、镇和有关部门经常组织人员深入农村、深入群众，挖掘各类典型家庭，并从多方面对他们进行帮助和指导，使他们进一步发展，从而在全市培育、选树了一批既具有时代特征又与普通群众非常贴近的先进典型。二是广泛宣传典型。市里组织“两台一报”对50户市级“文明示范户”进行专题报道。各镇采用多种形式，使典型宣传进村入户，通过召开各种会议、开展各项活动进行宣传，将示范户先进事迹制作成宣传板报到各村巡回展览，印发示范户事迹材料，义务宣讲员挨家挨户进行宣传，深入介绍示范户的先进事迹和经验。三是大力推广典型。利用各种途径充分发挥示范户的示范带动作用，开展邻里帮带，成立各类专业协会和互助会等，形成了“一户带多户、多户带全村、一村连多村”的格局。

2. 坚持重点突破，扎实有效推进。把创建“科技致富示范户”作为整个活动的重点，并采取一系列措施，力求重点突破：一是扩大规模。组织各镇对具有一定种养基础的农户进行排队摸底，对具有开拓精神的农户加以培育，引导他们努力创出特色，从而扩大“科技致富示范户”的培育面。二是提高层次。挑选有代表性的示范户进党校和文明市民学校进行培训，帮助他们掌握更多的农业科技知识，增强依靠科技闯市场的本领。注重对一些科技含量较高的种养门类及新产品开发的宣传，以引导示范户朝着代表农业结构调整的方向去探索，求得新发展。还积极组织示范户外出参观学习，引导示范户富而思进，帮助他们确定新的发展目标和新的致富路子，使示范户的队伍更大更强，更好地发挥示范带动作用。三是搞好服务。市、镇及有关部门积极为农户提供技术、信息和各种服务，组织科技人员上门辅导和现场指导，为农户解决一些种养技术上的问题。通过召开“科技致富示范户”座谈会，听取示范户的意见，了解示范户的需求，从而更好地为他们搞好服务。四是政策扶持。市科委、农业局等部门制定了对示范户的有关扶持政策，大力培育扶持各类种养大户和规模经营大户，为其发展创造条件。

3. 坚持动态管理，不断深化拓展。一是对创建内容根据形势的发展变化及时调整补充完善，对“文明示范户”的评比标准重新进行修订；二是对“文明示范户”的荣誉不搞“终身制”，如果发现示范户出现问题，失去了先进性和示范性，就要摘牌，从而形成竞争机制；三是对创建过程也实行动态化管理，市镇两级经常对示范户的创建情况进行检查指导，激励示范户向更高、更新的目标迈进，引导其他农户向示范户看齐，进而实现滚动发展。

4. 坚持齐抓共建，形成工作合力。成立了由市委分管副书记任组长的创建活动协调小组，确定了5个分类协作指导小组，明确了18个部门为考核责任部门，共同推动创建活动顺利开展。各镇各部门按照市里的要求，加强协调、密切配合，充分发挥各自的职能优势，通过不同形式和渠道，既在思想观念上引导，又在财力、物力、技术、信息、服务等各方面予以大力支持。各考核责任部门经常下乡指导创建工作，并重点联系了一批“示范户”，各镇组织四套班子领导以及有关部门与“文明示范户”及培育对象建立挂钩联系制度，形成了齐抓共建的良好局面。

（江苏省文明办）

江苏省徐州市沛县

立足县情 一创三促 建设文明小城镇

沛县县委、县政府立足基本县情，深入持久地开展文明城市创建工作，促进城乡环境的优化、居民素质的提高、国民经济的发展，被省委、省政府首批命名为江苏省文明城市。

一、抓创建促环境优化，把改善城市面貌作为创建工作的基础工程

一是抓好基础设施建设，构建文明城市的基本框架。按照高起点抓好规划、高标准搞好建设的要求，先后投资8000万元兴建了县职教中心，投资1.5亿元兴建了沛县汉城等。在此基础上，实施了以一个滨河公园、两条景观大道、三个市民广场和一批街头公园为重点的城区绿化工程，体现了生态园林城市的基本特色。二是治理脏乱差，塑造文明城市的外部形象。首先是改变落后的思想观念，挖掉脏乱差的思想根子；其次是从改变生活方式入手，培养健康文明的好习惯。在农村，坚持从灶台抓起，从厕所抓起，从房前屋后的草垛抓起。在城区，坚持从一堆垃圾、一只烟头、一个包装袋抓起，着重解决一些居民乱扔乱倒的习惯。第三是改变落后的卫生设施，提高对脏乱差治理的调控功能。新建了一座日处理100吨垃圾的无害化垃圾处理厂，沿街厕所全部改成水冲厕所。三是以法制化的手段加强城市管理，落实文明城市的长效管理措施。先后出台《沛县城市管理暂行规定》、《沛城“门前三包”管理暂行办法》、《沛县城区绿化管理办法》等10多个规范性文件。着力强化县四套班子领导定点挂钩责任制、沿街单位“门前三包”责任制、环卫人员区段包干责任制和由各部委办局一把手任路段城区主干道路责任制。

二、抓创建促素质提高，把思想道德教育作为创建工作治本之策

一是坚持教育为主，用先进的思想武装人们头脑。每年冬季都利用1—2个月的时间对农民进行理想信念教育、唯物论和无神论教育、民主法制教育、社会主义道德教育、科技知识教育。在城区开展经常性的文明市民主题教育，组织编写《文明知识读本》、《文明知识百题问答》，分期分批对市民进行培训，每年举办1—2次文明知识竞赛活动。制订《沛县居民守则》、“十要十不”居民行为规范，大张旗鼓地印发宣传，并在公共场所制作成壁画。在全县大力宣传先进典型，组织英模事迹报告团巡回演讲。二是选好活动载体，让文明行为成为社会风尚。在农村，大力开展创建十星级文明户、文明示范村、文明示范乡镇活动，实行动态管理。全县农户参评率达到100%。在城区，大力开展创建文明小区与创建文明行业、文明示范窗口活动。参创单位向社会公布，接受广大群众监督，年终组织考核。三是抓好阵地建设，让科学文明占领人们的生活空间。加大教育投入，形成普教、职教、成教三教统筹、融为一体的办学格局。投资兴建和改建了县博物馆、图书馆等文化基础设施，镇镇都建成了设施配套的文化中心。大力开展普法教育、“创三安”活动。全县成立了红白理事会511个，妇女禁赌协会539个，村村建立健全了村规民约，有效解决了农村聚众赌博、封建迷信、婚丧事大操大办等影响社会风气的突出问题。

三、抓创建促经济建设，把加快发展作为衡量创建工作的根本标志

首先，以创建增强凝聚力，激发干部群众的工作热情。他们为解决行路难，对城区60多条小街小巷进行改造，全部建成水泥路，安装了路灯；为解决住房难，实施安居工程建设，在城区建成了6个高标准居民住宅小区，全部实行物业管理；为解决入学难，大力增加教育投入，新建改建了一批中小学校；为加快农民致富步伐，把农村党员组织起来，开展“一园两会”（党员科技示范园、党员扶贫基金会、党员农副产品销售协会）活动，全县建立了480个扶贫基金会和410个农副产品销售协会。县里安排57个县直单位挂钩扶贫，抽调150多名机关干部帮助镇村调整产业结构、发展农村经济，受到广大群众的拥护和欢迎，从而使广大群众真切感受到创建活动带来的新气象、新成果，极大地激发了建设沛县、发展沛县的热情，形成了“团结奋进、求实创新、勇于争先、弘扬汉魂”的沛县精神。其次，以创建增强吸引力，为对外开放创造商机。2000年举办第三届刘邦文化节，受到来自美、法、德、意、日、韩等25个国家和地区以及国内来宾的一致称赞。2000年又大力开展整治经济发展软环境活动，排出20多个部门和单位作为重点整治对象，对查出的和群众举报的案例进行了处理通报，取消了不合理收费项目。进一步建立健全政务公开、举报查处、规费收取、重点企业挂牌保护、服务承诺、“一站式”服务等制度、规范，大力营造高效、快捷、优质的服务环境，文明、诚信、热情的人文环境，安全、稳定、和谐的社会环境。创建工作为沛县经济发展注入了新的活力，创造了新的商机，加快了发展步伐。

（江苏省文明办）

江苏省总工会

抓住特色品牌　做好思想政治工作

江苏省总工会于1993年在全省职工中开展的“在发展社会主义市场经济中，创企业精神，树主人翁形象”主题教育活动（简称“创、树”活动），这项跨年度的思想道德建设工程至今已走过了8年的风雨历程。得到了各级党政的广泛认同、众多企业的积极响应、职工群众的踊跃参与，初步探索了一条新时期加强精神文明建设和职工思想政治工作的路子。

一、贯穿一条主线，突出理想教育

全省各级工会始终贯穿理想教育这条主线，坚持用科学的理论武装职工、教育职工，构筑职工的精神支柱，重点组织职工学习邓小平理论，围绕“什么是社会主义，怎样建设社会主义”这个根本问题，引导职工领会和把握邓小平理论的精神实质，树立正确的思想观念。为了推动群众性的大学习、大宣传、大普及，全省各级工会主要从三个方面入手，狠抓落实：一是丰富学习内容。把学习邓小平理论与学习党的基本理论、基本路线和基本纲领结合起来，引导职工把理想牢固建立在对社会发展客观规律的认识上；与学习社会主义市场经济基本知识结合起来，引导职工树立正确的思想观念，激发参与经济建设的积极性、创造性和奉献精神。二是落实学习教材。组织专门力量编写了《社会主义市场经济基本知识问答》(市场、企业、职工)、《“四德”教育职工读本》、《爱国、爱厂、爱岗》(班前5分钟宣讲材料）等3本职工读本，作为“创、树”主题教育系列材料，印发到大中型企业的班组，并配套出了思考题。三是坚持面向实践。以两个文明建设呈现的大开放、大开发和经济高速发展为活教材，尤其是改革开放20多年来取得的巨大成就，在广大职工中进行广泛深入的教育，引导职工“致富思源，富而思进”，增强抢抓新机遇、增创新优势、赢得新发展、再创新辉煌的紧迫感和使命感。

二、把握一个着力点，坚持服务基层

全省各级工会始终把着力点放在基层，把心操在基层，劲使在基层，工作做在基层，积极推进“创、树”活动进企业、入车间、到班组、落人头。第一，深入基层，领导促动。省总工会领导每年都深入基层调查研究，既了解职工思想活动中不断出现的新情况新问题，有针对性做好思想教育和引导工作，又把握活动的进展情况，针对基层实践中存在的具体问题，及时提供指导服务，有的放矢地解决问题，促进了“创、树”活动的落实。第二，深入宣传，舆论推动。全省工会系统的各种宣传工具、宣传手段形成整体合力，坚持正确舆论引导，直接指导和推动面上的活动，为“创、树”活动的健康发展创造了良好的舆论氛围。第三，培育先进，典型带动。全省各级工会精心培育典型，使之成为本地区、本系统“创、树”活动的样板工程，并通过现场经验会、表彰“创、树”活动先进集体和先进个人等形式，推广先进经验，进行示范引导，推动“创、树”活动的全面展开。

三、坚持一条原则，注重三个“贴紧”

“创、树”活动始终坚持贴紧经济、贴紧企业、贴紧职工的原则，强调主题教育要虚实结合，虚事实做，把思想道德建设渗透到生产经营活动的全过程。一是紧密结合企业实际，找准最佳结合点和主攻方向，制定具体实施方案。特别是与人民群众日常生活密切相关的“窗口”行业和单位，将“创、树”活动与树立行业新风结合起来，促进了行风建设，重塑了自身的形象。二是以人为本，让职工唱主角。围绕每年的工作重点，通过“大发动、大讨论、大展示、大设计”，吸引职工广泛参与，并坚持必要的民主程序，保障职工参与管理的权利，引导职工自我设计，创建企业精神，制定职业道德规范、文明职工标准和主人翁形象。同时，尊重职工的首创精神，将他们在实践中创造的成功做法和经验，认真加以总结和整理，上升到理性认识的高度，再到职工群众中推广，使职工真正认识到自己是活动的主人。三是注重用企业实实在在的目标，引导职工将在“创、树”活动中激发出来的工作热情转化为促进企业转换机制的精神动力，广泛开展岗位练兵、技术比武、拜师学艺等群众性竞赛活动，唱响奋进歌，演活效益戏，推动企业进市场、上台阶。

四、树立一种意识，积极开辟阵地

全省各级工会牢固树立阵地意识，坚持守土有责，突出主旋律、丰富多样化。一方面，积极开辟和拓展阵地。不少地方和企业本着因地制宜、突出特色、量力而行的原则，初步建立了开展“创、树”活动的三个主要阵地，即：以职工学校、职工技协等为主体的教育阵地；以文化宫、图书馆、俱乐部等为主体的文化娱乐阵地；以报刊、广播电视、黑板报、宣传栏、阅报栏等为主体的宣传阵地，形成了家庭、学校、社会相结合的教育格局。另一方面，依托这些阵地，广泛开展融思想性、知识性、趣味性于一体的教育活动，正确引导舆论，传播精神文明、陶冶职工情操、提高职工素质，形成了推进“创、树”活动的整体优势。各级各类工会职工学校，在课堂教学增设与“创、树”活动有关的内容和加强思想道德教育的同时，紧紧围绕职工群众求知、求新、求发展的要求，及时调整办学思路和教育结构，把办学重点转移到职业技能培训上来，为经济的快速发展做出了贡献。

五、形成一种合力，强化组织保证

江苏省总工会始终坚持“两手抓，两手都要硬”的方针，坚定不移地把“创、树”活动放在工作的突出位置，抓深抓实。主要领导亲自抓、主管领导直接抓，职能部门具体抓，有关部门配合抓的局面一直延续至今，形成了强劲的组织合力。同时，把“创、树”活动列入到年度工作计划之中，努力渗透到工会的各项工作中去，成为工会上下齐抓共管、联手共唱的一台重头戏，并且及早部署，在每年11月就提出“创、树”活动第二年的工作思路，省总工会每年都专题行文，对“创、树”活动全年工作做出部署。各市、县(市)、产业和基层单位也层层建立了“创、树”活动领导组织，形成了一级抓一级，层层抓落实，整体推进的良好态势。

（全国总工会）

江苏省水利厅

强化思想教育　提高队伍素质

多年来江苏省水利厅坚持发挥思想政治工作优势，从教育管理入手，紧紧瞄准水利现代化这个宏伟目标，狠抓人的思想建设，努力提高干部职工队伍素质，在探索和建设现代化水利进程中取得了初步成绩。连续5年被评为全国水利系统先进单位、连续3年被评为江苏省政风建设先进单位和省级机关“三优三满意”单位。

一、提高思想水平，增强水利队伍的向心力

江苏省水利厅党组认为：实行水利现代化，关键在思想的现代化；思想的现代化，关键在教育。他们坚持用先进的思想教育引导干部职工，把水利队伍的思想认识提高到一个新的水平，增强了水利队伍的向心力。

第一，坚持用科学理论武装职工队伍。在坚持学习制度、规范考核内容、丰富教学形式的同时，着力在理论联系实际上下功夫。通过组织理论辅导报告、专题调查研究、论文评比交流等活动，引导干部职工进一步坚定建设有中国特色社会主义和实现江苏水利现代化的信念，树立具有时代精神的马克思主义世界观、人生观和价值观。

第二，坚持用水利现代化思想教育引导职工队伍。在教育实践中，他们以“面向21世纪江苏水利现代化”为主题，通过举办系列活动，引导广大干部职工充分认识水利现代化的意义和内涵，深刻领悟水利事业光荣和历史的重任，进一步增强了求实意识、责任意识、奉献意识。

第三，坚持用江苏水利精神塑造职工队伍。他们以“人民满意不满意、高兴不高兴、赞成不赞成”为标准，坚持弘扬“艰苦奋斗、乐于奉献、团结拼搏、争创一流”的江苏水利精神，通过深入开展“三优三满意”创建活动，进一步强化了行业服务意识，提高了服务质量。特别是在新的治水实践中形成的“深入基层、现场办公”、“调查研究、急事急办”以及“想群众所想、急群众所急”等优良作风，已逐渐成为广大干部职工的自觉行动。

二、解放思想观念，增强水利改革和发展的推动力

第一，推动思想观念的转变。他们从水利行业实际和职工思想实际出发，通过“解放思想大讨论”，引导广大干部职工在思想观念上打破旧的条条框框的束缚，确立了不等不靠大胆闯大胆试和科学实践的观念。

第二，推动水利改革的突破。思想观念的更新，有效地推动着水利改革由点到线、由线到面的不断深化，在政策、投入机制、所有制、水资源管理体制、供水体制等各方面都取得较大发展。

第三，推动治水思路的调整。面对21世纪江苏现代化水利的发展课题，他们进一步解放思想，调整治水思路，树立把水利摆在人口、资源、环境和经济社会协调发展的大目标中的治水观念，确立了可持续发展水资源的治水战略，提出了建立高标准防灾减灾体系、水资源优化配置供给体系、水环境保护体系、水利科技创新体系和水利发展体系等“五大体系”目标。围绕这一目标，实施治水思路的“三个转变”，即由工程水利向资源和环境水利转变，由农村水利向城乡水利转变，由传统水利向现代水利和可持续发展水利转变。

三、培养合格人才，增强实现现代化水利的战斗力

第一，深化人事制度改革，营造良好的政策环境。一方面，逐步建立健全了适合水利系统管理人员、专业技术人员和工勤人员各自特点的用人、分配、职称、考核等制度。另一方面，为构筑新的人才优势，建立了江苏水利科技奖励基金，实施了《江苏省水利科技进步和推广奖励办法》，对有突出贡献人员敢于重奖，为促进水利人才资源开发注入了动力。

第二，实施“继续教育工程”，坚持实践锻炼的路子。先后与南京大学、河海大学等联合开办研究生班，重点培养了一批懂法律、会经营、善管理的高级管理人才；积极鼓励在职职工通过函授、夜大、自学等途径，培养了一大批一专多能的复合型人才。同时，分期分批选派年轻干部，到大中型水利工地实地锻炼，增强了驾驭水利建设和管理的能力。一批德才兼备的年轻干部脱颖而出。

第三，加大技术培训力度，强化岗位成才意识。先后组织举办了基层防办骨干等岗位培训班和机电、水闸技工职业技能竞赛等，促进了岗位成才。

（水利部文明办）

江苏省国税系统

在文明行业创建中坚持“四个延伸”

一、在创建工作环节上，从侧重于基层窗口建设向基层全面建设延伸

江苏省国税系统提出：不仅要抓好征收服务厅内工作人员的文明服务，而且要抓好“后台”人员的文明服务；不仅要抓好基层分局的业务建设，而且要抓好政治思想建设和党风廉政建设；不仅要加强对分局所在地人员的严格管理，而且要加强对小、散、远单位和零散执法人员，特别是驻乡所税务干部和助征员、代征员的管理，做到不留死角，不留盲区。

二、在创建内容上，从侧重于优质服务向提高执法质量延伸

江苏省国税系统既要为广大纳税人提供文明、高效、便捷的服务，更要为社会主义市场经济和广大纳税人创造一个公平竞争的、良好的税收法制环境，坚持文明办税与依法治税并重，在公开、公正、公平执法中提供优质服务。全面提高依法治税水平是当前工作的重点。通过强化法制教育，提高基层干部的法制观念和依法治税观念；通过实行公开办税，提高税务工作的透明度，促进公平、公正执法；通过规范征、管、查各环节的执法行为，提高办税的质量和效率；通过严格实行执法责任追究，加强对执法权力的监督制约。

三、在对创建工作的考核上，从侧重于对单位、部门考核向个人、岗位考核延伸，从定性为主向定量为主的考核延伸

他们在千分制考核的基础上，进一步完善考核机制，把考核的重点转向对个人、对岗位的考核，细化考核内容，量化考核指标。重视考核结果的运用，把对干部的岗位考核结果与评先创优、职务变动、留岗待岗以及奖金福利待遇结合起来，做到奖惩分明。

四、创建工作的检查从明查为主向以暗访为主延伸

他们对创建工作的检查不搞“大呼隆”、走马观花。各项检查既要听汇报，更要实地考察；少看表面现象，多分析征管质量和效率；少看“亮点”，多看边边角角；少听自我评价，多听纳税人和广大干部群众的反映，加大暗访力度，对检查中发现的问题，及时通报，限期整改，不断加大创建工作的力度，促进创建工作再上新台阶。

（江苏省文明办）

浙江省宁波市

创建文明社区　推进精神文明基础建设

一、坚持机制创新，实现从突击型向制度型的转变

一是创建规划体系。宁波市按照系统工作的要求，把整个城区划分成285个创建社区，制定了“两步走”的10年规划，全方位开展创建活动。二是组织领导机制。市委、市政府建立创建领导小组，由市委副书记、市长任组长，市级四套班子和军分区有关领导任副组长，搞好总体部署。由市文明办牵头，城区办、爱卫办、综治办、共建办各司其职、分工合作，实施组织计划、检查指导、考核验收等工作。同时建立“三级挂钩”制度：即市委、市人大、市政府、市政协22位领导和市级部门与创建社区挂钩结对；区级领导、区级部门与创建社区挂钩结对；街道及区域内机关、团体、部队、企事业单位与创建社区挂钩结对，定人定点指导创建工作。三是目标考核机制。市里每年把创建文明社区任务具体分解到5个城区和各创建责任单位，实行目标管理。各责任单位层层分解目标任务，实行定部门、定领导、定任务、定进度、定责任“五定”责任制，使创建工作做到层层有责，人人参与。市文明办在年终根据考核标准和目标任务，组织有关职能部门，严格进行考核。四是依法管理机制。市委制定了《关于加强城市社区党建工作的决定》，以市人大和市政府名义颁布11个法规性文件，创建工作做到有法可依、有章可循，强化对创建工作的管理。五是投入保障机制。按照“四个一点”原则，即市、区两级财政拨一点，街道补一点，共建单位出一点，建设单位让一点，形成多渠道投入机制，保证创建文明社区工作必要的投入。

二、坚持以人为本，实现从事务型向人文型的转变

一是思想教育网络化。完善区、街道、居委会三级思想教育网络，建好教育阵地。二是文体活动多样化。随着创建文明社区活动的不断深入，社区文化活动的形式、内容和服务对象都有了很大发展，形成社区文化系列活动。三是邻里关系亲近化。创建文明社区活动，促进了社区新型人际关系的形成，增强居民的认同感和归属感。

三、坚持根本宗旨，实现从说教型向务实型的转变

坚持从群众最关心、最急需解决的问题抓起。一是美化工程。把为广大居民群众创建一个整洁优美的居住环境作为文明社区建设的切入点，大力开展净化、绿化、美化工作。二是便民工程。努力健全服务设施，提升服务功能，拓展服务领域，提高服务质量，形成社区服务体系，为广大居民群众创造一个舒适便利的工作生活环境。三是平安工程。采取物业管理、庭院式管理、电控技术管理、群防群治管理，着力构建社区治安体系。

四、坚持齐抓共管，实现从单一型向综合型的转变

抓社区党建，促进社区文明创建。全市建立以街道党工委为核心，居委会党支部为基础，三支队伍（居住地在职党员、离退休党员、辖区内单位党员）为骨干的社区党建网络。通过社区党建联席会、居民区党员联络站，把社区内党员组织起来，充分发挥党员在创建工作中的先锋模范作用。抓共建组织，健全共建工作制度。积极发挥社区内各单位的群众优势和专业优势，整合开发社区内的各种资源，建立了以街道、居委会、辖区内各企事业单位和住宅产权单位组成的共建理事会。抓条块结合，发挥机关带头作用。发动市级57个部门参与共建，签订共建责任状，明确各自创建职责，并列入年度目标考核，根据工作情况，实施奖惩。

五、坚持科学管理，实现从静止型向动态型的转变

一是加强监督检查。注重搞好日常管理，实行年中初查和年末复查、定期明查和随机暗访相结合等检查制度。二是加强规范工作。根据创建工作实际，不断完善创建内容和创建管理工作。三是严格坚持标准。通过组织检查、群众评议、认真考核，对文明社区不搞终身制，实行动态管理。

（浙江省文明办）

浙江省交通厅

坚持以人为本　搞好文明执法

一、抓思想教育，提高认识

1996年以来，浙江省交通厅在全省交通行业开展了以“实现建设文明、服务文明、执法文明，全面提高干部职工队伍素质”为主要内容的创建文明行业活动。制定了《浙江省交通行业社会主义精神文明建设工作纲要（1996—2010年）》，明确加强交通行政执法队伍建设的目标、措施和任务。强调各级交通主管部门不仅要抓好交通基础设施建设，更要抓好人头，要把执法队伍建设作为交通行业文明建设的重中之重来抓，做到执法队伍建设有规划部署，有检查考核。

二、抓岗位培训，提高交通行政执法人员的业务素质和依法行政的能力

把提高执法人员素质作为改进执法工作的基础，采用集中培训、岗位练兵、个人自学、知识竞赛和考试考核等形式，加大对执法人员的教育培训力度。尤其是交通部在全国实行执法岗位资格认证制度以来，他们根据交通部对执法人员岗位培训的要求，下发《交通行政执法人员岗位培训工作规划实施意见》，制定了相应措施：一是把每年应完成培训任务的指标，列入省厅与市（地）交通局（委）的目标考核责任制之中；二是未经培训或培训不合格的执法人员将予以通报、调离执法岗位；三是分类指导、集中培训，与市地联合办班相结合；四是严格选聘教师，保证师资教学水平。他们还结合社会主义市场经济的发展以及国家颁布新的法律法规情况，先后组织领导干部法制讲座，对全省1万余名交通行政执法人员普遍进行《行政处罚法》、《行政复议法》轮训。通过这些业务学习和培训，提高了交通行政执法人员的法律素质和业务素质。

三、抓执法责任制，提高行政执法的效率和质量

针对交通执法部门存在的有法不依、执法不

严等问题，在全省实施了交通行政执法责任制。按照省政府批准的责任制目标，必须做到：按时规范办理行政许可，正确率达到95%以上，行政复议结案率和正确率达到100%，行政错案追究率达到100%；行政处罚做到罚缴分离。按照考核目标，层层签订了责任书，结合政务公开，将执法的工作目标具体分解到人，明确执法岗位、执法权限、执法程序、执法责任，并相应完善了行政执法的各类台账，为严格依法行政，保障全面正确实施交通法规，达到执法工作的“六化”（即：执法权限法定化、执法内容标准化、执法程序合法化、执法制度规范化、执法监督经常化、执法管理制度化）打下了基础。同时针对执法中存在的一些问题，先后制定了11个相互配套的既符合法律规定又切合实际的执法办案制度，建立执法档案，以保证各项执法责任的落实和执法目标的实现。

四、抓执法监督，规范执法行为

注重健全内部执法监督制约机制。一是实行“两公开、一监督”、“公开办事程序”等行之有效的公示制度。省、市（地）、县三级交通主管部门和行政执法部门建立政务公开制度，推行行政许可事项、许可程序、收费项目及标准、办理时限、办事部门及人员、监督管理机关及监督电话“六公开”；并与纪检、监察等部门互相配合，形成执法监督工作合力。同时采取正面引导、制度把关、明查暗访、社会监督、严肃查处的办法，加强对交通行政执法队伍的监督。对个别违反法律、违反党纪政纪的人员，予以坚决查处。

（交通部体法司）

安　徽　省

创建文明城市　努力实现“五个突破”

2000年是安徽省创建文明城市活动实现“半年初见成效，一年大见效，三年大变样，五年步入良性循环”目标的最后一年。在创建中实现五个方面的突破：第一，在加强街道建设和社区建设上有所突破。第二，在摊点管理上有所突破。第三，在城市环卫管理体制上有所突破。第四，在探索综合执法上有所突破。第五，在市民教育上有所突破。

为了实现街道建设和社区建设上的突破，安徽省各地着力加强“两级政府，三级管理，四级网络”的管理体制建设，确立街道在管理中的基础地位，把创建文明社区的工作落到实处。

摊点管理方面的主要问题是占道经营、秩序乱、卫生差。摊点管不好的主要原因是体制上扯皮，自觉管理的机制还未形成。安徽省文明委在实际管理中，做到统一规划布局，规范管理标准，明确管理主体，实行收支分离，完善基础设施，加强摊主教育，依法实行严管。

在环卫管理体制上，进一步解放思想、转变观念，改变用工比较多、工资比较低、效率比较差的管理方法，探索市场化、社会化的新路子。全省各地采取减人增效、招标承包的办法，实行定人员、定质量、定标准、定经费的“路段承包”，实行环卫车队对垃圾运输作定点、定车、定量的“单车承包”，实行上门收集垃圾，作定户、定员的“收集承包”，成立不同类型的保洁公司，由保洁公司对环卫管理部门实行承包等等，逐步使环卫工作步入质量提高、费用下降、效益增长的良性循环。

在综合执法上，从以行政手段为主逐步转为以法律手段为主，并辅之以行政的、经济的、教育的多种手段综合运用，按照“新队伍、新职能、新体制、新面貌，真正改变执法体制”的指导原则，加强执法队伍建设，建立综合执法组织，推行综合执法，解决以往职权分散、管理不落实、重复执法的问题，消除存在的“有权的看不见、看见的无权管”的现象。

在市民教育方面，注重建立创建宣传基地，营造争创文明的社会舆论环境；在党员干部、广大居民、青少年学生等不同层次中进行文明意识和文明知识教育；树立文明创建的先进典型，用直观的办法去引导改变人们的行为规范；力求组织更多的群众投入创建活动的实践，使大家在实践中接受熏陶；采取说理、感化、示范、预防、矛盾转化、对症下药的办法，引导市民自觉纠正不文明行为。

（安徽省文明办）

安 徽 省

创建文明村镇 突出“三个覆盖”强化“六个管理”

安徽省创建文明村镇工作一直坚持以县城创建为龙头，不断向农村延伸辐射，带动农村集镇的创建工作。

一、立足“三个覆盖”，县城创建成效明显

“三个覆盖”即四个延伸覆盖全城，垃圾袋装化覆盖全城、环境绿化覆盖全城。强化“六个管理”即：强化对规划、垃圾、车辆、门点和摊点、公厕、市场的管理。

一是垃圾袋装化取得可喜的成绩。各地都开展广泛的宣传教育活动，尽力使垃圾袋装化家喻户晓、人人皆知。各地加大强行入轨的力度，纷纷拆除露天垃圾池、封闭垃圾通道，设置了一批封闭式的垃圾车或垃圾房，使垃圾从产出到收集、转运、处理形成较为规范的程序。

二是“四个延伸”得到较好的落实。集贸市场建设得到进一步加强，市场管理也得到进一步规范。小街小巷一直是创建工作的重点和难点。各县城从为群众办实事的高度出发，不断加大整治小街小巷的力度。建设环境优美的居民生活区，提高人民群众的生活质量，是创建文明县城的重要内容。各县按照属地管理的原则，加快老城区的改造步伐，建设了一批功能较为齐全的具有现代气息的居民住宅区，并着力推行物业化管理；许多单位也本着“看好自家门、管好自家人”的精神，加强对单位生活区的建设与管理。

三是环境绿化初步形成了乔、灌木结合，花、草、树相间，点、线、面一体的立体化格局。环境绿化成为县城创建工作新的增长点。安徽省大部分县城都新建了一批公共绿地、游园、广场，提高了县城的品位，给广大群众提供了休闲娱乐健身场所，改善了群众的生活环境，提高了群众的生活质量。不少县城拆墙透绿、拆违房建绿地、增加绿量，逐步提升绿化的品位和档次。各地还兴建了一批灯饰工程，把县城装扮得格外亮丽。

二、注意延伸拓展，推动村镇创建

各县（市）都注意在抓好县城创建的同时，认真贯彻省文明委对村镇创建的具体要求，坚持城乡联动，不断把创建工作向农村集镇延伸辐射，提高集镇的创建水平，增强对县城创建的支撑力，以此推动整个农村精神文明建设的发展。不少县（市）结合城市规划，对农村集镇一并进行规划，重点抓好村镇道路、排水设施、园林绿化、环卫设施、集贸市场、住宅区、工业小区、文化场所等方面的配套建设。

各地在要求村镇“把马路让出来、把垃圾管起来、把门前包起来、把空地绿起来、把路灯亮起来”的同时，坚持不懈地开展了形式多样的“评三户”、评“十星级文明户”等创建竞赛活动，积极推进家庭美德和社会公德教育，涌现出一大批文明程度相对较高、环境建设相对较好的农村集镇。

（安徽省文明办）

福　建　省

开展“创文明行业、建满意窗口”竞赛活动取得明显成效

福建省认真组织全省25个直接面向基层生产单位、与群众日常生活密切相关的社会服务行业和行政执法部门，围绕“满意服务、情暖八闽”主题，广泛开展“创文明行业、建满意窗口”竞赛活动。以服务人民为宗旨，以群众满意为标准，以职业道德建设为重点，以先进典型为示范，从建立领导机制、强化思想教育、规范办事程序、创建优美环境、提高综合效益等五个方面入手，努力提高各行业服务工作水平，取得明显效果。

一、思想教育与业务培训相结合

在创建活动中，各行业坚持以人为本，把加强思想道德教育，提高干部职工的整体素质作为创“满意服务”的立足点，把邓小平理论和党的基本路线教育与职业责任、职业道德、职业纪律、职业技能的教育培训工作有机结合起来，普遍树立以爱岗敬业、艰苦奋斗、争创一流、服务奉献为主要内涵的行业精神。各行业都结合举办培训班、讲习班、专业知识竞赛、岗位练兵、观摩交流等，组织开展“人民群众在我心中”的大讨论，在干部职工中扎实开展以服务对象为中心、以满足社会需求为己任的社会主义职业观教育，为创建文明行业奠定了比较牢固的思想基础。

二、创建活动与行业发展相结合

福建省把促进生产经营作为行业精神文明建设的主要任务，通过创建活动使各行业增强市场竞争能力、提高经济效益和提高业务管理水平。各服务性行业努力改善服务环境，增设服务项目，优化流程管理，增加技术含量，扩大服务层面，以取得良好经济效益。

三、解决实际问题与制度创新相结合

各行业在创建活动中注意集中解决服务过程的态度、质量、效率、收费、环境等方面群众最不满意的一些问题。根据不同行业的特点，制定有针对性的服务标准，明确的量化要求，并形成一套考核督查制度，使从业人员工作有章可循，奖罚有据。

四、行业自建与社会联动相结合

福建省各行业想方设法前移窗口、延伸服务。全省先后组建了比较完备的巡警110、医疗120、交警122、邮电180、工商315等特殊服务网络。在实践过程中，各相关行业联合建立以110报警服务台为龙头，以各行业服务网络为依托，实行统一呼号、统一接警、统一调度、快速反应、高效协作的社会救助服务体系。大大增强了社会生活的安全感和方便感，深受广大人民群众欢迎。

五、落实责任与社会监督相结合

各地高度重视建立健全条块结合的创建工作领导体制。开展“创文明行业、建满意窗口”竞赛活动，由各级文明办进行统筹和协调，行业主管部门直接负责。各行业在内部普遍实行创建活动目标责任制和领导责任制，逐级签订责任状，推行一岗双责。各行业加大督促检查力度，普遍

成立服务监察机构，定期自查自纠，广泛听取群众意见，及时发现存在的问题，适度进行公开报道以督促整改。

六、树立典型与学赶先进相结合

各行业在创建活动中注重培育典型、树立榜样、抓点带面、整体推进，宣传推广了一批在全国有影响、过得硬、学得来的行业服务工作先进集体典型和先进人物典型，产生积极的社会效应。各行业普遍掀起学习先进、勇于改革创新的热潮，典型经验在实践中得到进一步深化和提高，促进了创建文明行业活动的全面展开。

（福建省文明办）

福建省福州市

大力加强社区文化建设

福州市在文明小区创建活动中，以“倡导文明新风，共建美好家园”活动为载体，着力抓好社区文化建设，推动社会文化向高水平、高层次发展，塑造了文明社区新形象。

一、从多方位着手，开展多形式的文体活动

福州市组织了“八个百场”进小区活动，即百场电影进小区、百场评话进小区、百场尺唱进小区、百场闽剧小段进小区、百场读书演讲会进小区、百场科普宣传进小区、百场歌舞进小区、百场小型体育活动进小区。一些地方还开展了各具特色的系列文化活动。鼓楼区在各街镇举办了“社区文体周”活动，晋安区开展文化家庭评选、家庭盆景艺术评比展和“百人百场宣讲”等活动，使小区文化活动异彩纷呈。社区文化由最初的开辟宣传栏、单纯的文艺演出逐步向综合性、多类型、高品位的方向发展。

二、加强阵地建设，健全基础设施

各区采用不同方式设置社区文化活动场所。台江区政府投资17万元在亚峰小区建设了集娱乐、休闲为一体的露天舞台；晋安区投资100万元整修王庄公园，并设立18个文化分站、9个老体协会。全市还依托723所市民文明学校开展各类活动。

三、提高队伍素质，建立工作网络

在稳定社区文化站工作队伍的基础上，各区都建立了文化指导员制度，组织一批关心群众生活、热心事业，对文化活动有浓厚兴趣的信息员、监督员、联络员等下基层，协助制定发展社区文化建设的规划，修建必要的文化场所，建立规章制度，促进社区文化活动健康有序地发展。

四、广泛发动群众，搞好“共建联办”

各街居积极与社区内外的省、市社会组织、驻军单位、工厂企业合作，形成强大合力。“全国青年文明社区示范点”王庄街道团委与福州师专建立了街校共建关系，聘请36名优秀大学生担任街道18个村（居）委会主任助理和社区少先队校外辅导员，协助居委会开展社区文化活动。省贸易厅等单位在共建中山文明安全小区活动中，先后投资200万元，铺设水泥路面，增添绿化景点。省二建公司为树兜支部提供70平方米的社区家庭文化活动室等，使小区的文化基础设施得到改善。形成了多方“共建联办”的良好局面。

（福建省文明办）

福建省漳州市

依托三个载体　增强思想政治工作的实效性

漳州市依托110社会服务联动、机关夜谈联动、机关效能建设活动等有效载体，增强思想政治工作的实效性。

一、深入开展110社会服务联动，推动行风转变

漳州市以110为龙头，把与群众生产生活密切相关的职能部门联合起来，引入快速反应机制，在全省率先启动110社会服务联动机制，及时解决人民群众生产、生活、工作中遇到的各种困难和问题，提供更大范围、更快捷更方便、更直接有效的服务。全市有16个部门32个单位参与社会服务联动，就各自的服务范围、内容、质量、时效向公众作出承诺，基本涵盖了社区服务的方方面面。同时向11个县（市、区）和一些主要乡镇延伸。群众碰到困难，既可以拨打110求助，由110转接有关职能部门，也可以根据求助事项直接拨打相关联动单位的求助电话。开展110社会服务联动工作，为群众办了大量实事、好事，有效地解决了群众反映的热点、难点问题，充分发挥了思想政治工作理顺情绪、解疑释惑、化解矛盾、凝聚人心的功能。

二、深入开展"机关夜谈"联动，推动干部作风转变

市委在总结推广"组织部长夜谈"活动的基础上，推出了"机关夜谈"联动机制，市、县、乡三级450个部门单位，每月15日晚同步实行"机关夜谈"联动，接待来访群众，受理群众反映的问题，解决了一批长期累积的难题和现实生活中的紧迫问题，凝聚了民心。群众赴省上访大为减少，信访总量明显下降，有效地维护了社会的安定、稳定。

三、深入开展"机关效能建设"，推动政风转变

全市机关建立了"全方位受理，高效率运作，高质量回复"的效能建设机制，并从离退休老干部、新闻记者、律师、企业经营者中聘请250多名机关效能监督员，全市统一开通投诉电话"96615"，接受群众投诉，有效地克服了机关长期存在的"三乱"、"四难"、"中梗阻"等作风问题，进一步密切了干群关系，促进了党风廉政建设，实现了窗口前移，有效地防止了机关工作人员利用职权谋取私利行为的发生，树立了党政机关勤政高效的良好形象。

（福建省文明办）

江 西 省 樟 树 市

扎实开展"双思"教育 促进经济与社会全面发展

樟树市是有名的"药都、酒乡、商埠、盐化城"。改革开放20年来，该市经济获得长足发展，人民生活日益改善，并跻身于全国综合经济实力"十强县（市）"行列。为进一步加强和改进新时期思想政治工作，樟树市从2000年3月下旬开始，抽调市、乡两级干部1000余名，组成宣教团，分赴农村、企业，集中两个多月时间广泛深入地开展了"致富思源、富而思进"教育活动，取得了明显成效。

一、加强领导，精心组织，确保"双思"教育活动顺利进行

1. 成立组织机构。市里成立了由市委书记任团长、市委常委任副团长的千人宣教工作团，下设22个工作分团和325个工作队，并从有关部门抽调干部设立了"双思"教育活动办公室，负责日常工作，拨出专项活动经费。各乡镇（街道）、企业成立了相应的组织机构，由市六套班子领导牵头挂帅，基层党委书记为第一责任人。

2. 层层动员部署。市委结合樟树实际制定了详细的工作方案，先后召开了两次动员大会，各基层党委根据总体工作方案，制定具体的实施意见。通过召开党委会、干部职工大会、党员大会和群众大会，进行广泛动员，使全市党员干部群众统一了思想，提高了认识，为"双思"教育深入有序地开展打下良好的思想基础和群众基础。

3. 建设队伍。"双思"教育在全市铺开之前，该市利用一周时间，在机关以支部为单位，组织广大党员干部先学习、先讨论，使教育者先受教育。同时实施目标考核，将宣教工作队干部参加"双思"教育活动情况纳入年终考核内容，作为评优的重要依据。

4. 加强督查。由市委督查室牵头，从市纪委、组织部、宣传部、农组办等部门抽调人员组成督查小组，先后4次对各分团的到岗到位及活动开展情况进行不定期督查，并对市六套班子领导在"双思"教育活动期间下乡住宿情况进行通报。各分团也相应成立了督查小组，对各宣教工作队进行监督。

二、形式活泼，寓教于乐，确保"双思"教育活动深入人心

1. 进行广泛宣传。充分发挥宣传媒体的作用，大造舆论声势。市、乡两级电台（站）、电视台（站）开设了"双思"教育专题节目；各部门（单位）、各宣教分团充分利用办墙报、书写张贴标语、印发宣讲材料、映前播放幻灯片等形式进行宣传，营造了"双思"教育的浓厚氛围。

2. 开展大讨论活动。在广大党员干部群众中组织开展"富从何来，富了以后怎么办"、"小富思困、未富思过"、"党员干部如何实践'三个代表'思想"以及"如何做好新时期农村工作"等系列大讨论，通过座谈讨论，使广大干部群众饮水思源，思出了方向，思出了信心，思出了凝聚力，进一步增强了加快改革建设步伐的紧迫感。

3. 上门宣讲。广大宣教人员深入田间地头、车间班组，与群众谈心交友，进行宣讲，通过问卷调查、算账对比、介绍身边的致富典型对群众进行"思源"、"求进"教育。各分团还充分利用农村老党员、老干部、老教师的优势，组织他们走村串户宣讲"双思"，群众受教育面达98%以上。

4. 编印《八思歌》。组织人员编写了以"致富思源、富而思进”为主题的《八思歌》（富而思源歌、富而思富歌、富而思俭歌、富而思教歌、富而思廉歌、富而思管歌、小富思困歌、未富思过歌）10万多份，免费发放到农户和企业车间、班组。各地充分利用这本琅琅上口、易懂易记的小册子，通过谱曲、编快板、举办背诵比赛等形式，对干部群众进行教育。

5. 组织文艺演出。该市“双思”教育活动文艺演出团编排了融教育与娱乐为一体的富有浓郁地方色彩和生活气息的文艺节目，在全市巡回表演。同时，制作了反映全市经济发展的图片展板随演出团到城乡巡回展出。

6. 组织演讲比赛。各基层党委均组织了以“思源、求进”为主题的演讲比赛。在全市农村广泛开展“五学五比”（学党的政策，比贡献大小；学法律法规，比遵纪守法；学道德规范，比家庭和睦；学科学知识，比科技致富；学卫生常识，比村庄、庭院环境美）竞赛活动，为“双思”教育注入了生机和活力，使广大干部群众在潜移默化中受到教育。

三、紧扣“中心”，虚事实做，确保“双思”教育活动取得实效

1. 释疑惑，重引导，着力解决干部群众的思想认识问题。针对部分群众存在的一些模糊认识，引导广大干部群众正确理解“富”的内涵，引导广大干部群众认识到，这些年农村发生显著变化，农民生活水平明显提高，关键在于邓小平理论的指导，在于党的富民政策，在于以江泽民同志为核心的党中央的正确领导，引导大家树立不断开拓、再创大业的进取意识，从而激发了二次创业热潮。

2. 找差距，理思路，重点解决改革发展稳定中的实际问题。市委在组织市六套班子领导深入调查研究的基础上，对近年来的发展历程进行反思，查找差距，针对梳理出的问题，进一步理清了工作思路，明确了前进方向。

3. 办实事，树形象，切实转变工作作风。广大宣教干部在“双思”教育期间，通过记“民情日记”等形式，上百家门、知百家情、暖百家心，及时了解群众思想动态以及他们关心的热点、难点问题，实实在在地帮助他们解决生产生活中的实际困难，密切了党群干群关系，树立了党和政府的良好形象。

（江西省文明办）

江西省瑞金市

实施“6+1”工程　不断提高农民素质

瑞金市坚持以群众的情绪为第一信号，以群众的愿望为第一需求，从整体推进社会主义新农村建设着眼，抓住提高农民素质、培育“四有”新型农民这个关键环节，在全市组织实施农村精神文明建设“6+1”工程，即开展国情乡情、科技文化、市场知识、农村政策、法律法规、思想道德等“六项教育”，构筑“一大阵地”即精神文明活动主阵地，取得良好成效。

一、从解决制约农民致富奔小康的关键问题入手，开展“六项教育”活动

针对瑞金农民在奔小康进程中存在的“等靠不想干、想干不敢干、敢干不会干、小干不大干、单干不同干”的心理，该市着力对农民进行六个方面的教育：一是国情乡情教育，增强“干”的意识。重点安排“社会主义初级阶段”、“发展才是硬道理”等专题教育及讨论，开展“双思”教育及“无私奉献、开拓创新”的红都精神教育，引导农民掌握初级阶段的基本国情和市情。二是科技文化教育，增强“干”的本领。重点安排农民实用致富技术讲座及课程，对农民进行新技术、新品种传授，组织文化科学知识学习，解决生产技术疑难，提高农民的致富能力。三是市场知识教育，增强“干”的能力。重点安排市场经济基本知识的教育，让农民掌握生产经营规律，按市场规律搞好生产经营。四是农村政策教育，增强“干”的信心。重点安排党在农村的路线、方针、政策教育，让农民明白政策，顺心顺气，消除农业生产经营中的短期行为，着眼长远，放手大干。五是法律法规学习，增强“干”的勇气。组织开展与农民生产生活密切相关的法律法规学习，增强农民法制观念、法律意识和自律能力，让农民挺直腰杆在市场经济中敢闯敢干。六是思想道德教育，增强“实干”精神。大力加强爱国主义、集体主义、社会主义教育，引导农民树立正确的劳动观、义利观，增强“实干”精神，走共同富裕之路。

市委宣传部及时组织编写通俗易懂的《农民实用读本》、《农民教育七字歌》、《村干部培训教材》等乡土教材；拍摄富有感染力的《奋斗者的足迹》、《红色中华》等反映本市典型事迹和革命历史的电教片；创作《只生一个好》、《种烟风波》等一批群众喜闻乐见的戏剧节目；印发十大种养状元、十星级文明户标兵等一批先进典型的事迹材料，送往千家万户，开展形式多样的教育活动，使“六项教育”内容在农民心中落地生根。

二、从解决农村精神文明建设有形化问题入手，努力构筑“一大阵地”

为了把“6+1”工程落到实处，瑞金市根据新时期农村工作的新特点、新要求，结合瑞金市农村的实际，在全市272个行政村普遍建起了具有辐射、延伸、服务功能的精神文明建设活动主阵地。

一是上下联动，全社会共同参与。采取财政挤、部门送、社会捐、上级扶等形式，多管齐下。市直各单位以“一帮一”结对形式，出资金，送物资予以帮扶；广大干部职工积极参与，踊跃捐赠书籍书架，各乡村及农民也积极筹资参与共建。

二是着眼全局，整体推进。行政村建设好“三个一”，即一所农民文化科技夜校、一个文化活动室、一条宣传长廊；“三个会”，即村民议事会、红白理事会、妇女禁赌会。乡镇建设好两站，即文化中心站、有线电视广播站；“两队”，即电影放映队、农村政策宣讲队。

三是纵横延伸，辐射千家万户。组织实施每户一个书架、一百本书、一份报纸的“三个一”家庭读书活动，着力建设家庭图书室、培植文化科技示范户。

三、从把握农村精神文明建设的基本规律增强实效性入手，着力抓好“四个结合”

一是教育内容与教育形式相结合。力求“六项教育”队伍、阵地及载体的相对稳定。国情乡情教育，侧重发挥乡村干部的作用以村史教育室为主阵地，以村情讨论会为主形式，引导农民进行纵横比较，看到变化，摸清家底，找出差距，认清优势，增强发展信心；科技文化教育，侧重发挥乡村农技骨干的作用，以文化科技夜校、乡村示范基地、文化科技宣传长廊（栏）为主阵地，以课堂辅导、实地观摩为主形式，传授农村适用技术等。

二是干部教育与群众教育相结合。在对农民进行教育的同时，坚持对广大干部进行教育，不断增强干部服务群众、引导群众的水平。利用本地丰富的革命传统教育资源，建立领导干部上任前进行传统教育和新党员缅怀先烈宣誓入党等制度；在全市党员干部中开展“干部作风建设年”、“爱岗敬业、乐于奉献”等活动，切实转变干部作风、提高干部素质。组织编写了《瑞金市处理农村问题50法50例》一书，组织广大干部认真学习，帮助农村基层干部提高工作水平。

三是解决思想问题与解决实际问题相结合。坚持实行“一联二帮三挂四驻”制度，抽调各级干部驻村入户，开展教育活动，帮助农民建夜校、办实事。组织干部职工开展“千名干部服务万家农户”、扶贫攻坚“手拉手”等为民、便民活动，为群众送科技、传信息、帮资金，与贫困户结成“1+1”帮扶对子。

四是广泛性与先进性要求相结合。在全市农村广泛开展“十星级文明户”创评活动，吸引农民积极参与。同时突出重点，大力培养典型。在全市范围内开展科技示范大户、种养状元、十佳杰出青年、十件文明新风新事等创评活动。

四、从“两手抓，两手都要硬”的高度入手，建立健全一套机制

一是加强组织领导。建立健全领导责任制、

部门责任制及考核、奖惩、监督、激励机制。成立领导小组，组建专门办公室，制定考核细则，切实做到一把手负总责、各部门齐抓共管，做到指导、督查、考核、表彰配套运作，使“6+1”工程落到了实处。二是落实目标规划。从服务中心、教育农民、促进发展出发，充分结合市情、乡情、民情，制定了五年规划和年度实施计划，做到整个工程的实施有计划、有步骤，稳步推进。三是加强规范管理。先后制定了《“6+1”工程考核细则》和“红旗夜校”等一系列先进典型创评标准，建立了《农民文化科技夜校总则》、《阅报栏、宣传栏管理办法》等10多项制度，对农村宣传文化阵地实行规范化管理。

（江西省文明办）

江 西 省 靖 安 县

建立社情民意反馈网络
增强农村思想政治工作预见性

靖安县从1999年开始，建立健全县—乡（镇）—村三级联动社情民意反馈网络，把上情下达和下情上报的渠道合二为一，既做到上情下达落实，又保证下情上报畅通；既及时收集情况，又就地解决问题，成为理顺农民心气的“绿色通道”，大大增强了农村思想政治工作的预见性、针对性和实效性。

一、以村为基石，建立村思想政治工作协会

协会以党支部为核心，由村组干部、老劳模、老干部、老教师等组成，既负责收集反映社情民意，又做农民群众的思想政治工作。每两位协会会员包一个村民小组，每人联系5—10户农户，经常与联系户交友谈心，加强教育引导工作。村协会每月27日召开一次工作例会，学习上级文件精神，探讨交流开展农村思想政治工作经验体会，收集村民反映的意见和问题，分析村民的思想动态，并研究相应的解决办法，整理需要上报乡镇党委的社情民意。协会的日常工作由村党支部宣传委员负责，除重大突发事件外，每月将《农村社情民意月报表》上报乡镇党委。

二、以乡（镇）为纽带，成立乡（镇）思想政治工作领导小组

领导小组每季度召开一次工作会议，如遇有重大突发事件随时召开，及时做好化解矛盾、理顺情绪的工作，防止事态扩大和激化。乡镇党委宣传委员负责农村思想政治工作领导小组的日常工作，每月负责收集各村及挂片蹲村包组联户干部反映的社情民意，并向乡镇党委和思想政治工作领导小组汇报属乡镇职权范围内应解决的问题，将需要上报的社情民意梳理、归纳后，书面报县委宣传部，并抓好上级部门对问题的处理措施和信息反馈工作的落实。

三、以县为龙头，建立县委思想政治工作联系会议和领导干部思想政治工作联系点

联系会议的全体成员会议每季度召开一次，对涉及全县性的社情民意问题进行研究并提出处理意见和解决办法，必要时可临时召开。县领导班子成员经常深入联系点开展调查研究，指导基层的思想政治工作，解决工作中的重大问题。县委宣传部每月将各乡镇上报的社情民意进行分析、整理、归纳，视情况或向县委、县政府报告，或向县有关领导汇报，或责成有关部门和单位解决；并在《靖安宣传》上开辟专栏，通报有关情况。同时，负责将县委、县政府、县直有关部门和单位的处理意见或解决办法及时反馈给乡镇党委或直接反馈到农户。县委还建立了对重大突发性事件限时专报制度。村协会会员向村协会汇报不超过2小时，村支部宣传委员向乡党委宣传委员汇报不超过1小时，乡党委宣传委员向县委宣传部汇报不超过1小时。

（江西省文明办）

江 西 省 宁 都 县

发挥“五老”作用 开展思想政治工作

江西省宁都县在开展农村思想政治工作的过程中，充分发挥老党员、老劳模、老军人、老教师、老干部的作用，培养了一支与群众心心相印，善于把工作做到群众心坎上的基层思想政治工作队伍，基层干部称呼他们是“五老”思想政治工作队，乡亲们亲切地夸他们是自家的“贴心人”、“知心队”。

大力宣传党的农村政策。这些长期生活在群众中的长者，情况熟、威望高、说话灵，他们经常用快板、小品、说唱等形式，宣传党的路线、方针和政策。广泛开展移风易俗活动。在农村，不少人大操大办红白喜事，互相攀比，造成债台高筑，浪费很大。针对这一现象，“五老”率先垂范，要求自己家人喜事新办，促进村风民风焕然一新。大力开展道德教育。“五老”工作队把弘扬中华民族美德，建设精神文明作为己任。谁家婆媳关系紧张，邻里不和，“五老”就登门调解；谁家评上“五好”家庭，“五老”就敲锣打鼓送奖状。积极开展法制宣传。“五老”工作队经常选择一些发生在群众身边的典型案例，“以案说法”，教育群众。

宁都县发挥“五老”工作队的特殊作用，努力多办实事好事，融洽干群、党群关系，开拓了农村思想政治工作的新天地。这支“五老”工作队共有4200多名骨干，2.4万多名队员，活跃在田间地头，担负起“乡村思想教员”的重任，形成了覆盖全县3200多个村小组的思想政治工作网络。如今的宁都农村，党风正、民心顺、新风浓，社会稳定，经济持续发展，老百姓的日子一天比一天红火。

（江西省文明办）

山 东 省 军 区

做到“七好七带头”建设文明之师

山东省军区认真贯彻党中央、中央军委和济南军区关于加强社会主义精神文明建设的一系列指示，积极组织发动全省民兵投身于精神文明建设的伟大实践。总结他们的做法，主要体现为

“七好七带头”。

一、在加强思想政治建设上示范作用好，带头坚定理想信念

省军区政治部联系形势任务和民兵思想实际，编发教育材料，组织民兵预备役人员认真学习邓小平理论基本观点，广泛开展社会主义教育、艰苦奋斗教育和形势任务教育，基干民兵和预备役部队的学习教育落实面达到85%以上。为及时掌握情况，改进指导，在全省建立了20个政治教育联系点，并与地方宣传、民政、共青团、教委等部门建立协作关系，借助社会力量，促进教育落实。

二、在提高思想道德素质上示范作用好，带头讲文明树新风

省军区始终把工作着眼点，放在提高广大民兵的思想道德和科学文化素质上，立足实际，构筑载体，发动民兵积极参加文明城市、文明村镇、文明行业三大创建活动，引导民兵带头树立社会公德、职业道德和家庭美德；带头创造优美环境、优良秩序和优质服务；带头参加社区文化、村镇文化和企业文化建设，活跃城乡文化生活；带头学雷锋做好事，大力弘扬优良传统，创造了许多具有时代特色的民兵带头建设精神文明的好形式。

三、在树立科学观念上示范作用好，带头破除封建迷信

针对社会上封建迷信有所抬头，烧香拜佛、算命卜卦屡禁不止的现象，省军区在深入调查的基础上，把倡导科学、破除迷信作为加强精神文明建设抓具体的一项重要措施，在民兵中大力倡导科学、文明、健康的生活方式。各级先后编发了马克思主义唯物论、无神论等系列教育教材，配发了有关录像片，组织了“什么是伪科学、生活中的迷信与危害、封建迷信为什么还在流行”的大讨论，引导民兵明辨是非，划清与伪科学、封建迷信的界限，自觉摒弃陈规陋习，做到喜事简办、新事新办，许多农村民兵连成立了移风易俗宣传队、红白喜事理事会。

四、在履行国防义务上示范作用好，带头弘扬爱国主义精神

全省民兵在强烈的爱国热情激励下，着眼增强高技术条件下执行任务的能力，广泛开展技校军训、岗前军训、脱产军训，掀起了新一轮科技练兵热潮。在拥军优属、双拥共建活动中，广大民兵充分发挥自身优势，带头当骨干做表率，帮助驻军和烈军属排忧解难。全省共成立11.9万个民兵拥军优属服务组织，巩固和发展了新型的军政军民关系。

五、在对待利益关系调整上示范作用好，带头拥护支持改革

各级积极适应市场经济发展新形势，教育发动广大民兵正确认识改革，带头拥护改革，积极投身改革。滨州、德州、东营等地作出了鼓励民兵发展个体私营经济的决定，组织引导广大民兵带头闯市场，发展个体私营经济。全省2.9万民兵毛遂自荐或被群众推荐担任了厂长、经理，有6.8万民兵被表彰为“先进个体劳动者”。

六、在学用科技上示范作用好，带头扶贫帮困

省军区把抓好民兵带建工作与实施“科技兴鲁”战略结合起来，积极发动广大民兵根据当地生产发展的需要，带头学科技、用科技，提高自身科技素质，增强脱贫致富和扶贫帮困的能力。各地普遍依托民兵训练基地、青年民兵之家，有针对性地开设科技夜校，举办科技培训班，向民兵、群众传播实用技术。

七、在维护社会稳定上示范作用好，带头参加综合治理

各级人武部门紧紧围绕稳定大局，积极组织民兵带头参加社会综合治理，为经济和社会发展创造了一个安定的环境。全省调整组建民兵应急分队4300多个，民兵治安执勤队12.8万个，海防巡逻执勤民兵队（组）8000多个。省军区与省委、省政府签订了社会治安综合治理责任书，明确了各级人武部门协助地方政府维护社会治安的主要任务和责任要求，并把落实责任目标情况列入单位主要领导的政绩考核内容。

（山东省文明办）

山东省济南市

依靠群众监督 创建文明行业

2000年以来，济南市在创建文明行业方面以"规范行业行为、树立行业新风"为主题，认真贯彻中央关于加强职业道德建设的"20字"方针，把行业的行风和职业道德建设严格置于群众监督之下，走出了一条从一言一行抓起、开展承诺服务、实行热线联动、文明规范化服务的路子，创建文明行业工作取得了显著成效，涌现出像交警、工行、民政、卫生等一批在全国全省具有一定影响的先进典型，全市有60多个行业（部门）先后受到省委、省政府和国家部委的表彰。

一、选准活动载体，吸引群众参与

在全市广泛开展"行风万人评"活动，将窗口服务性行业、行政执法部门和垄断性行业的职能范围、服务标准和时限公之于众，让市民享有知情权、评议权，实施有效监督。市委、市政府专门成立了领导小组，市文明办负责活动的指导协调、督促检查工作。每半年进行一次初评，年底进行总评，评选结果向社会公布，形成了"千好万好不如老百姓说好，金奖银奖不如老百姓夸奖"的共识，呈现出一个比着干、争着上、谁也不甘落后的良好局面。

二、强化监督措施，促进服务规范

济南市从各级人大、政协和工青妇群团组织以及街居聘请了1000名行风社会监督员，统一证件，赋予监督员既可明查也可暗访的权力。市里还设立了监督电话，建立行风督办制度，对群众反映的行风问题，采取督办单的形式及时查办，做到事事有回音，件件有着落。各参评行业也都聘请了社会监督员，设立监督电话、监督信箱、投诉举报箱、局长（经理）信箱、接待日等，印发致市民的公开信，广泛征求意见，诚恳接受社会各界的监督。同时，还加强新闻舆论监督，在报纸、电台、电视台分别设立了《读者热线》、《社会传真》、《窗口形象大家谈》、《公仆公民话行风》、《热线联动连万家》等栏目，组织参评行业负责人通过新闻媒体听取市民意见建议，解答群众关心的热点问题。各行业均制定了简明具体、易于操作、便于考核的服务规范，对员工强化职业责任、职业道德、职业纪律教育，向社会推出"一站式"服务和首问负责制，对基层和群众实行全程跟踪服务。

三、推广先进经验，深化行风建设

在"行评"活动中，各参评行业都以老百姓需要为第一信号，瞄准老百姓关注的热点问题，内强素质、外树形象，在办实事办好事上作文章、下功夫，得到市民的高度赞扬。济南市及时总结先进经验，把行业的行风和职业道德建设推向了一个新的发展阶段。先后总结推广了市公安局的"开门评警"、市法院的"原告被告评法官"、市工商局的"市场巡查制"、市国税局开设"廉政灶"、市一商局"打假退货奖励基金"等做法，使江泽民总书记为济南交警题词"严格执法、热情服务"的指示精神变为行业效应和全市效应。同时，为更方便群众办事，在行业内部热线联姻的基础上，实现了全市热线联动。现在济南市已建立起以"110"热线为龙头，以"小白热线"、"光明热线"、"蓝光热线"、"温暖热线"为主体的36条便民服务热线。

四、建立激励机制，做到奖惩分明

济南市委、市政府把行业的行风和职业道德建设纳入全方位目标考核管理，纳入干部任期目标责任制，建立激励约束机制，制定了《市直部门工作目标考核评价办法》、《不称职党政领导干部评定办法》，解决了过去那种"行风优劣一个样，干好干差一个样”的问题。年底评选结果除向社会公布外，还向市六大班子通报，对被评为标兵行业、十佳行业的单位进行大张旗鼓的表彰奖励，对名次倒数的行业主要负责人进行谈话，指出存在的问题，对群众意见大的行业领导出示黄牌警告。

（山东省文明办）

山东省诸城市

实施“为民服务联动工程”推动经济社会全面发展

诸城市在加强行业精神文明建设的过程中，从整顿行业作风、营造优良的经济社会发展环节入手，努力探索精神文明建设的切入点，在行业部门中大力实施了“为民服务联动工程”。通过这项工程，各行业部门、单位把“服务人民、奉献社会”与各自的业务工作紧密结合起来，在“服务中求有为，在奉献中求有位”，积极改进服务手段和服务措施，形成了推动经济发展和社会进步的强大合力，实现了全市两个文明建设的协调发展。

一、加强组织领导，明确责任目标，实行“责任联担”带动

他们主要抓“一统两分三落实”，“一统”即市委、市政府和文明委统一调度指挥。成立了由市级班子主要领导和联动部门主要负责人组成的领导小组，从全局上指挥协调各项工作的开展。各乡镇、部门、单位也相应成立了联动工作组织领导机构，并层层建立了文明办，达到人员、经费、办公条件“三到位”。“两分”即将各项服务目标任务细化、量化、具体化，先由市里分解到各个联动部门，再由各部门分解到基层单位和服务队伍。“三落实”即层层落实责任制，层层签订责任书，人人立下“军令状”。用契约的形式，把联动服务工作谁主管、谁落实，怎么操作、干到什么程度、达到什么效果，落实到单位和服务人员。使之“千斤重担众人挑，层层肩上有责任，个个身上有指标”。

二、改进服务措施，健全服务网络，实行“网络联通”引动

强化四大网络建设。一是领导指挥网络。由各级领导班子组成，各部门、单位在统一领导基础上，都确定一名领导具体分管这项工作，同时建立固定的办公机构。二是服务信息网络。以电话为依托，构筑起横向到边、纵向到底的信息传输网络。三是服务阵地网络。为提高服务水平和质量，在部门内部和基层站（所）设立了400多个一条龙服务厅（室），有些部门还在管区、村一级设立了分支机构。服务厅（室）内，各项承诺、服务项目、标准公开展示，办事、查询、信息各项设备一应具备，工作人员端庄大方的形象和文明优质的服务使人感到特别轻松、愉快。四是服务队伍网络。在联动部门和基层站（所）组建了2200多人的联动服务专业队伍，活跃在全市城乡。所有人员配备了服务胸牌、服务文明牌和服务卡，随时保持与人民群众的联系，接受群众的监督和评判。

三、加大监管力度，强化制约措施，实行“监管联手”促动

重点抓行政监督和民主监督两个方面。行政监督：第一，建立起与为民服务相配套的监督体系。市里专门成立了督查中心，设立了监督举报电话。各部门自身也都层层设立了监督电话、投诉台、举报箱等。第二，实施规范化服务。在开展规范化服务中，各行业根据自身的特点，从服务的内容、形式、标准、纪律、设施、环境及服务人员的仪表、言行等方面进行了具体明确的规定，形成了各具特色的优质文明服务规范，保证了联动服务的有效运作。第三，实行制度化管理。市里出台了以实施为民服务联动为重点的精神文明建设六大制度，在组织领导、分工负责、协调调度、督导检查、考核奖惩等方面实现了制度化。同时，各部门立足规范管理、文明服务、优质高效、廉洁自律，建立健全了行风建设、道德建设、优质服务、考核奖惩等一系列规章制度。

四、坚持联抓联办，丰富活动内容，实行“活动联抓”拉动

按照抓活动促服务的思路，他们始终把精神文明创建活动贯穿为民服务联动工作的全过程，不断拓展活动领域，丰富创建形式。主要开展五大系列活动：一是连续几年开展了以“讲文明树新风”为主题的“我为龙城添光彩”跨行业优质服务竞赛活动；二是以“整顿行业作风、树立文明形象”为重点的文明行业、文明窗口创建活动；三是以“青春建功立业”为主线的青年文明号、巾帼示范岗创建活动；四是以“送温暖、献爱心、办好事”为基本内容的“六送九下”的精神文明普及活动，即：送技术、送文艺、送书籍、送医疗、送电影、送广播电视，组织政策理论报告团、科技报告团、医疗义诊团、文艺演出团、文化创作团、家庭美德事迹报告团、文明市民演讲团、先进事迹报告团、致富能手报告团“九团下乡”；五是以“摸实情、结对子、解难题”为基本要求的一帮一文明单位共建活动。

五、建立激励机制，完善奖惩措施，实现“奖惩联手”推动

市委、市政府按照把社会效益放在首位的原则，制定出台了一系列奖惩考核政策，使联动工作形成有效的激励机制。第一，把为民服务联动工作与各项工作的奖惩挂钩联用，对这项工作开展不好的部门和单位取消评先树优的资格，使软工作变成了硬任务。第二，对精神文明荣誉称号实行文明委成员单位联评联考制度，对重要项目实行“一票否决”的同时，对其他单项工作的最差者，实行“末位淘汰”，从而增强了监督部门的权威性。第三，对先进典型进行联合表彰奖励。除市里每年一次公开隆重表彰外，各主管部门和行业还开展了多种形式的评先树优活动，新闻舆论部门长年开辟专栏进行高密度、全方位的宣传报道。文化教育部门还把许多典型事迹搬上了舞台和讲台。

（山东省文明办）

山东省威海市交通委员会

强化队伍建设　努力提高执法水平

一、以人为本抓教育，全面提高交通执法人员的综合素质

一是坚持政治领先，加强执法人员思想政治教育。用科学的理论武装人，是搞好执法队伍建设的关键。围绕解决好世界观、人生观、价值观问题，威海市交通委员会通过多种形式、多种渠道，在执法队伍中深入开展了读书学习活动，坚持用马列主义、毛泽东思想和邓小平理论武装人，坚持用党的路线、方针、政策教育人，引导执法人员弘扬爱国主义、集体主义、社会主义的主旋律，讲学习、讲政治、讲正气，自觉抵制拜金主义、享乐主义、极端个人主义等腐朽思想的影响。

针对交通执法队伍党员多、转业军人多的构成特点，在理想信念教育中，注意发挥党员干部、转业军人的传帮带作用，开展了“比奉献、向党员看齐”活动，用党员的先进事迹教育职工，用军人的优良作风要求职工，较好地使执法人员明确了工作方向，增强了工作责任心。

二是以文明创建为载体，大力加强执法队伍的职业道德教育。结合交通系统开展的“三学一创”活动，把职业道德教育纳入“文明行业创建”的统一要求之中，先后在全市公路、运管、交通稽查和航管系统组织开展创建“全省交通系统文明行业”活动。活动中坚持把工作实绩考核和培训教育相结合，对执法人员深入进行职业道德教育，认真组织职业道德、职业责任、职业纪律基本知识的学习培训。坚持正面引导和重点整改相结合，一方面在创建活动中树立了一批典型，并注意发挥他们的示范导向作用，引导广大执法人员爱岗敬业、无私奉献；另一方面对创建活动中暴露出少数执法人员“门难进、脸难看、话难听、事难办”的工作作风问题和服务态度问题，进行严肃认真的整改，对暴露问题较多的执法单位进行通报批评。坚持以活动为载体，努力达到自我教育和自我提高的目的。

二、坚持文明执法，努力规范执法行为

威海市交通委员会在交通行业管理上进行了大胆有益探索，做到有法必依，规范执法。全市各级交通执法部门积极转变职能，自觉规范执法行为，注重在宏观指导、市场监督和协调服务上下功夫，积极探索新形势下规范执法的新途径新方法。在路政管理方面，依据《公路法》，严格公路两侧红线控制，集中清理农村集贸市场占路问题，维护路产路权，保证公路的畅通运行。在道路运政方面，依据《山东省道路运输管理条例》，在全省率先实行了道路运输五大市场从业人员岗位培训、持证上岗制度和车辆维修卡、客运车辆营运牌证有偿使用制度，并把汽车配件经营、非营业性车辆纳入了行业管理的范围，从源头上强化对道路运输全行业的管理。在水路运政方面，依据《威海市海上旅游客运管理暂行办法》，重点加强海上安全生产管理；在港政方面，针对海岸线长、沿海码头众多、码头作业条件参差不齐的实际，把货主码头纳入了行业管理，对码头的建设程序、作业条件提出明确要求，实行经营资质办证管理，并加强从业人员的业务培训，有效地促进了货主码头安全生产，控制了重复建港和岸线资源的浪费。在规费征收方面，坚持源头管理和稽查相结合，户查和路查相结合，加强运管、公路与交通稽查部门的工作联系和沟通，建立起有力的协防机制，有效地防范了偷、逃、拖、漏现象发生。

威海市各交通执法单位在认真搞好文明执法的同时，积极发挥行业管理的优势，以文明服务活动为载体，通过有效的管理和组织，推动全行业的文明建设。在认真贯彻落实交通部《交通执法人员职业道德规范》的同时，制定了《交通执法人员“十不准”》、《禁酒令》、《交通执法文明服务用语、文明服务忌语》等规定，重点解决执法人员对管理对象态度“冷、横、硬”和“吃、拿、卡、要”等不良问题。对业户单位做到文明管理。各执法部门先后组织各业户单位开展了创建“文明站、队、处、所、车、船、路”活动和争创“文明客运线路”、“文明标兵车”、“雷锋车”、“文明航线”、“文明客船”、“文明客运站”等一系列创建活动，在社会上收到了良好的反响。

（交通部体法司）

河南省郑州市

坚持市长例会制度 切实解决热点难点问题

一、建立“市长例会”制度

一是固定时间，保证“市长例会”召开经常化。每季度第一个月的第一个周末下午由市长主持召开例会，广泛征求对创建工作的意见和建议。仅2000年先后召开了4次例会。

二是诚邀各界人士参加，保证“市长例会”征集意见的广泛性。每次例会，除市文明委主要领导和市直有关委、局、办、市内各区以及部分街道办事处、居民委员会的主管同志参加外，还邀请在郑州的三级人大代表及政协委员、驻郑部队、大专院校、中央驻郑单位、省直机关的代表参加，保证了市长例会代表的广泛性和意见的全面性。

三是规范程序，保证“市长例会”召开的长期性和实效性。对各界人士提出的问题和建议，逐项逐条明确职责、任务和完成时限。

二、扎扎实实解决问题

一是将多年积存垃圾进行彻底清除。市内各区、市直有关部门共组织力量清理积存垃圾1.1万余吨。

二是对占道经营回潮现象进行有效遏制。市内各区共取缔占道摊群14.3万余户次，制止门店外经营3.6万户次，拆除违章搭建324处，清理露天烧烤摊点600余个，取缔城区庙会12处。

三是集中对市容市貌进行整治。市内各区、市直有关部门共组织拆除违章广告1500余处，查处、收缴各类小广告4万余张，拆除破损门头、灯箱等设施163处，清理乱贴乱画小广告2000余处。集中力量打击“三假”广告（办假证件、假文凭、假手续），清除“三假”广告8275余处，查获“三假”案件858起，抓获违法犯罪人员97人，收缴假文凭、假证件4197份。

四是对客运市场进行整顿。针对群众意见较大的郑州中巴车乱停乱拉客现象，由市创建办、市政委、公安局、交通局、工商局、规划局等有关部门联手对客运秩序混乱状况进行检查和整顿。

五是治理楼房屋顶违章搭建。在市区范围内以治理建筑物顶部的违章搭建、乱堆放及垃圾杂草为重点，分三个阶段对市内建筑物进行梳妆理容。在各区、街道办事处、农业乡镇及辖区单位和居民的共同努力下，拆除楼顶建筑物近6000平方米，清除了楼顶垃圾及杂草。

六是绿化美化工作进一步开展。进一步完善公园、游园景点和道路的绿化，全市新增绿地36万平方米，为居民提供了环境优美的生产生活环境。

（河南省文明办）

河南省审计厅

抓机关带基层　推动文明行业建设

一、提高思想认识，强化组织领导

一是成立了省厅文明单位建设指导委员会，下发《关于创建文明系统的通知》，规定各市地、县审计局都要成立相应机构，由主要负责人亲自抓。二是坚持每年召开一次全省审计机关文明单位建设会议，交流经验，找出差距，制定新的奋斗目标，从而形成了系统文明单位创建工作领导层层抓，一级带一级，齐抓共管的局面。

二、加强教育培训，注重提高素质

一是组织广大审计人员认真学习马克思列宁主义、毛泽东思想，学习邓小平理论和江泽民“三个代表”思想。学习市场经济知识，以科学的理论武装人，提高审计干部的政治理论素质；二是坚持不懈地抓好职业道德教育，提高审计干部的思想道德素质；三是培育爱岗敬业精神，提高审计干部的作风素质；四是狠抓专业技术培训，培养审计业务骨干；五是大力倡导岗位练兵，并实行轮流担任审计组长或主审制度；建立完善干部选拔任用机制和管理监督机制，对促进干部素质的提高起到了重要作用。

三、狠抓行业作风，促进廉政建设

他们始终把廉政建设作为一项中心内容抓紧抓好。一是紧紧抓住领导干部这个“龙头”，使其身体力行，率先垂范，做出榜样，以实际行动倡廉，大大提高了审计机关领导干部廉洁自律的自觉性。二是教育领先，警钟长鸣。结合审计工作的性质、任务和特点，采取个别谈话、组织参观、专题学习等形式，坚持不懈地抓好思想教育、艰苦奋斗传统教育、审计纪律和政治纪律教育，使广大审计人员树立正确的世界观、人生观、价值观，在思想上筑起拒腐防变的坚强防线。三是完善制度，狠抓落实。认真贯彻执行领导干部“三十一个不准”、收入申报、收受礼品报告登记等制度和审计机关内部制定的审计人员守则、审计人员六项纪律、廉政奖惩等制度。四是自觉接受社会监督。通过聘请特约审计员、义务监察员、定期回访、挂牌审计、设立举报电话和举报箱等形式，敦促审计机关和审计人员廉洁自律。

四、坚持建管并重，不断深化创建内涵

他们坚持建管并重的方针，不断强化创建意识，正确处理好“保”与“创”、“建”与“管”的关系，做到保创结合、建管并重，立足在上台阶、上档次、上质量、上水平上下功夫。一是选好载体，开展多种多样的创建活动。推行系统文明用语，举办关于开展世界观、人生观、价值观教育及演讲比赛活动。广泛开展文明科室、文明个人、文明楼院、文明家庭等创建活动。二是树立先进典型，弘扬行业正气。注意树立系统、内部的先进典型，用身边的人、自己的事，鼓舞和激励广大职工积极向上的工作热情，取得很好的效果。三是思想政治工作与解决实际问题并重，解除审计人员的后顾之忧。

（河南省文明办）

河南省郑州市建设工程招标投标办公室

以整顿规范有形建筑市场为契机 推进创建文明行业活动的深入开展

郑州市建设工程招标投标办公室围绕建立统一开放、竞争有序的建筑市场秩序这个目标，认真推行竞争激励机制，强化对招标投标活动的监督，完善有形建筑市场功能，健全内部各项规章制度，不断提高服务质量和管理水平，积极推进创建文明行业活动，在加强建筑市场管理、推进工程招标投标健康发展及“双文明”建设等方面开展了一些卓有成效的工作，先后被评为全国建筑市场与招标投标管理先进单位、全国建设系统精神文明建设工作先进单位、全国建设系统文明服务示范窗口等多项荣誉称号。

一、建立有形建筑市场，不断完善有形市场功能，创造公平竞争、有序运行的建筑市场秩序

郑州市建设工程招标投标办公室认真学习有关建设工程管理的法律、法规，积极贯彻、落实全国有形建筑市场现场会精神，本着“信息公开、依法管理、公平竞争、闭合运行、办事公正”的原则，确立了以“工程报建为龙头、招标投标为核心、提高工程质量为目的”的行业管理指导思想，强化和完善了有形建筑市场功能，实行了一体化管理、“一条龙”服务：

1. 宣传建设工程政策法规。利用有形市场开展多种形式的教育和培训，向市场主体各方积极宣传有关建筑市场与招标投标管理方面的法律、法规、政策，举办建设行政法规培训班，将有关政策法规、办事程序、服务指南印刷成册广泛宣传，将内部运行机制、规章制度悬挂上墙，警示市场主体和管理人员共同遵守，提高依法行政水平。

2. 统一发布工程建设信息。开发建立郑州市建设工程交易中心计算机管理系统，通过信息网络和信息发布厅设置的大屏幕电子墙，及时、准确、翔实地发布工程建设有关信息，为市场主体各方提供优质服务，对全市建筑市场与招标投标的工作程序实行网上管理，有效规范了工程交易行为，减少了人为因素对建设工程项目市场交易行为及其管理活动中的干扰和影响。

3. 实行“窗口式”集中办公，为承发包交易活动提供优质服务。市场内设置联合办事窗口，把从工程报建、招标投标直至施工许可证发放等工程建设有关手续，纳入市场集中统一办理，方便、快捷、高效，树立文明、廉洁的办公形象，做到了政府部门管理工作的程序化、规范化、公开化，为市场主体各方提供了一个良好的公开、公正、平等竞争的市场环境。

二、确立行业管理指导思想，整顿和规范有形建筑市场

他们以“工程报建为龙头、招标投标为核心、提高工程质量”为目的，作为行业管理指导思想，采取措施整顿和规范有形市场建设：

1. 抓好工程报建管理，把好市场准入关。明确规定，建设工程项目一立项就必须到有形市场进行登记备案，对按规定应报建而未报建的工程项目，有关部门不予办理规划、招标、施工许可、质量监督等手续。有效遏制了业主发包工程的随意性。

2. 强化招标投标管理，确保工程交易行为公开、公正、公平、有序竞争。制定并逐步完善各项规章制度，培育发展了 126 名评标专家成员，开发建立了供政府部门随时监控、管理人员办事高效、方便服务市场主体各方的招标投标计算机管理系统，并在招标、投标、评标、定标各环节实行“三公开”、“四确定”、“五监督”。规范了工程招标投标活动，有效遏制工程交易环节中的标底泄露、评标不公、监督不严等现象。

3. 建立计算机管理系统，减少有形市场管理活动中人为因素的影响。研制、开发了郑州市建设工程交易中心计算机管理系统和建设工程信息网络，初步实现了运用先进科学技术手段对建筑市场各运行环节的监督、管理，做到了工程信息公开化、业务管理规范化、政府监督同步化，大大减少了招标投标活动中人为因素的影响，为防止工程交易过程中的腐败行为提供了有力保障。

4. 实行动态管理，做到“两场联动”。在成立郑州市建设工程执法稽查大队，加大对违章、违规工程的执法查处力度的同时建立了施工企业投标证制度，实行动态管理，做到施工现场和建筑市场管理的有机结合，有效保证了招标投标成果，减少和防止施工中的现场管理乱、安全意识差、工程质量低劣等现象的发生，大大促进了企业以质量占领市场的意识。

5. 纪检监察部门积极参与，加大对建筑市场综合治理力度。与市纪检监察部门联合，在市场设立了“郑州市监察局工程建设执法监察办公室”、举报信箱和举报电话，由纪检监察部门派出纪检监察员进驻市场，对有形市场进行监督，有力地震慑了规避招标等违法违纪行为的发生。

三、实施竞争激励机制，加强单位自身建设，树立行业窗口形象

郑州市建设工程招标投标办公室注重加强单位自身建设，积极开展职业道德建设，不断提高职工队伍整体素质和行业文明秩序，以此带动和推进创建行业文明活动的深入开展。

一是组织职工认真学习党的路线、方针、政策和有关建设工程管理的法律、法规，做到学习有计划、有安排、重落实、见成效；同时，分步骤、有秩序的开展了“三讲”教育、争创五好基层党组织、创建文明行业窗口等活动，制定具体实施方案，积极查摆问题，及时整改。二是建立“政务公开栏”，将“建设工程管理的法律、法规、政策”、“建设工程办事程序”、“工作人员的职责范围”等内容公开，并采取办公桌摆放公示牌、工作人员戴胸卡等措施，实行政务公开，增加了工作透明度。三是推行社会服务承诺制，制定了具体的承诺内容、服务标准、服务时限、违诺责任和投诉程序等，规定每个工作人员必须认真履行的服务标准，主动接受社会监督，有效克服了工作中的办事拖拉、推诿扯皮现象，做到了秉公办事、优质服务。

（建设部文明办）

湖北省武汉市

明思路建机制　抓重点出特色

一、突出“五位一体”，探索文明社区建设的新思路

武汉市于1998年提出“社区服务、社区文化、社区环境、社区教育、社区治安”五位一体的文明社区创建思路。为了推进“五位一体”创建工作，他们又提出了“抓点带面、滚动发展、因地制宜、因势利导、分层推进、分段达标、社会联动、注意实施”的工作思路，逐步走出了一条文明社区建设社会化的路子，形成了以老城区社区自建为主要特征的水塔、满春、汉正模式；

以政企共建为主要特征的青山模式；以单位联建为主要特征的关山模式；以业主管理为主要特征的扬子、台北小区模式；以建管结合，管理、服务、育人融为一体同步发展为主要特征，以百步亭、常青、鹦鹉、南湖花园社区为代表的新型社区创建模式。

在分类实施的基础上，武汉市文明社区创建工作主要沿着两个方面推进：一是由文明家庭到文明楼栋，由文明小区到文明社区；一是分类培植创建典型，利用典型的示范作用推动全市文明社区的创建工作。文明社区建设不再是文明城市建设的盆景，而成为一个个、一批批、一片片文明城市建设的基础。

二、突出“三个一批”，探索文明社区创建工作的新机制

社会联动，形成市区领导机制和社区共建机制。市区两级成立了由宣传部、文明办牵头，规划、市政、园林、房地、公安、民政等部门组成的文明社区创建活动领导小组，街道、社区形成了以街道党工委、办事处为主导，以居委会为依托，辖区单位、行业部门、居民代表共同参与的文明社区共建机制。在创建活动中，注意把文明社区创建与市、区、街专业部门的创建要求相结合，与文明单位创建相结合，与文明城区、文明街道创建相衔接，初步形成各有侧重、优势互补、整体联动的态势。特别是文明单位在自身建设的同时，积极为社区精神文明建设作贡献。

细划小区，形成全面推进的工作机制。以城区原有居委会辖段为基点，按照“有相互联系的生活环境、相对独立的地域环境、较为相近的文化环境、较为完备的生活服务设施和便于管理、利于服务、资源共享”的原则，打破原有居委会的管辖局限，对全市所有居民区进行了文明小区创建活动的区域切划，列出分类创建规划，做到有计划运作，全方位覆盖。

立体发展，形成“三个一批”滚动递进的创建机制。一是从横向上，根据各社区的不同基础，提出不同要求，使不同基础的社区都可根据情况参与创建；二是从纵向上，提出硬指标，保证创建工作的质量，稳步推进创建活动的深入。

目标管理，形成“四个结合”的考评监督机制。推出考核指标体系和市民评价、舆论监督、人大代表政协委员视察和领导考察、专业部门评估四结合的考评监督办法。

三、突出典型的示范作用，探索新形势下社区思想政治工作的新载体

武汉市始终把“吴天祥小组”活动作为得人心、暖人心、稳人心的思想政治工作的新载体和“民心工程”来抓，围绕社会热点、难点，把群众反映最强烈的问题作为小组活动的重点，坚持不懈地开展了立足本职办实事，扶贫帮困送温暖，服务社会献爱心等系列利民、便民、为民的活动。吴天祥小组成为改善社区生活环境的一支重要力量。

四、突出网络化、系列化和产业化方向，构建社区服务新体系

转变观念，按照“小政府、大社会”、“小政府、大服务”的思路，拓宽社区服务渠道，强化社区服务功能，着力探索政府组织指导、社会和群众唱戏的组织形式，配套建设与软件服务同步的建设形式，志愿者公益性服务、半公益服务与有偿服务相结合的服务形式，逐步走出了一条以社区服务网络化、系列化和产业化为特色的社区服务新路子。各社区普遍建立了社区服务站、社区保健站、社区计生站、社区文化站、法律调解室等。以这些配套建设的站室为基础，形成了老弱病残系列服务、少年儿童系列服务、文化娱乐系列服务、卫生保健系列服务、拥军优属系列服务、优生优育系列服务等系列化的便民服务体系，开通了社区求助热线，全天候为社区居民提供帮助和服务，“吴天祥小组”、“青年文明号服务卡进万家”、“巾帼家政志愿者服务”等一大批社区志愿者队伍，以无偿提供服务的实际行动弘扬着社区文明建设的新风尚。

五、唱好“四季歌”，探索社区文化的新特色

武汉市始终把丰富群众的精神文化生活，满足他们求知、求美、求乐的需要，作为社区精神文明建设的一件大事来抓。突出唱好社区文化“四季歌”，建阵地，抓活动，创特色，形成了较为浓郁的社区文化氛围。在全市组织了群众性文化活动的“四季歌”，唱响主旋律。春季是“五月的鲜花”广场文艺汇演，夏季是“武汉之夏”文体联手活动，秋季是“金桥”书评（“金秋艺术节”）活动，冬季是“迎春月”民俗风情活动。发掘文化底蕴，形成特色文化。

加强基础建设，创造社区文化条件。市、区、街各级党委和政府高度重视文化基础设施建设，相继建成了一批大型城市绿化广场、社区文化广场。在各街、居委会和住宅小区，分别建立和完善了社区文化站（室）、报刊图书馆、书画室、游泳池、社区会馆等文化体育场馆及配套设施，建立健全各项制度，坚持用健康有益的文化牢牢占领社区文化阵地。

六、突出常住人口教育与暂住人口教育并举，探索社区育人新途径

以市民文明学校为主阵地，有计划地对社区居民开展教育培训活动。坚持两手并举，一手抓常住人口教育，一手抓暂住人口教育，形成了“先拿培训证、后拿暂住证、再拿就业证”的外来人口教育管理模式。

创造良好社会风尚，养成社区居民良好道德素养。组织辖区居民广泛开展争做“文明市民”、争创“五好文明家庭”、“五好文明门栋”活动，大力倡导“文明礼让、诚实守信、互助友爱、扶正祛邪、邻里和睦、遵纪守法”的文明风尚，形成了一批为军烈属、孤寡老人、残疾人献爱心、送温暖的志愿者队伍。

营造优美的社区环境，用环境感染人、规范人。从市民关心的事入手，开展社区环境卫生整治活动，并精心设计活动载体，组织社区群众参与，使广大群众在参与改造环境的实践中养成文明风范。

强化服务与管理，在他律中强化自律。在文明社区建设实践中，各社区加强了环境卫生的综合治理，加大了日常管理、维护力度，为社区创造了良好的育人环境，居民在良好的环境熏陶中不断增强自律意识和公德意识，养成了良好的行为习惯。

（湖北省文明办）

湖北省武汉市硚口区

融教育于管理　形成制约机制
寓教育于服务　体现人文关怀

硚口区创办暂住人口学校，并在实践中不断探索教育手段，创新教育形式，取得了初步成效。

硚口区是武汉市的“市场大区”，辖区有以汉正街市场、西汉正街市场、顺道街市场为主体的诸多市场群，吸引了众多的暂住和流动人口。全区现有个体工商户2.5万余户，从业者13万余人，每天平均流动人口15万多人，市场旺季，外来流动人口占本区常住人口的1/3。硚口要保持市场繁荣，就必须有大量的外来人员、外来资金加盟，必须在城区软件和硬件上适应人口自由流动的要求，并切实提高外来人口素质。从1998年起，硚口区在全区范围内，广泛开展了外来人口教育。

一、“结业证”、“暂住证”，双证“上岗”

硚口区将外来人口与当地居民一样，作为享受市民教育的平等主体，同时针对外来人口急需完成从“农民”向“市民”转化的现状，采取了一系列特殊教育措施。硚口区将暂住人口教育纳入户籍主管部门——公安派出所，通过派出所对“暂住证”发放的把关，实现街所的联手教育、连锁管理。规定暂住人口在正式办理“暂住证”入住之前，必须接受计划生育、法律法规、市民公约、“十不”行为规范等教育，取得培训“结业证”并办理“暂住证”。未取得市民教育“结业证”的，不得领取“暂住证”，变外来人口教育软要求为硬约束。外来人口正式入住后，其接受的教育与常住居民内容一致。通过市民学校，“城里人”和“外地人”融为一体，成为“学友”，共同接受思想道德文明言行、时事政策、守法经营、劳动技能等多方面的教育熏陶。各职能部门在教育工作中，寓教育于管理中，切实通过教育培训，提高外来人口素质，促进城市管理水平上新的台阶。

二、依托市民教育网络构筑外来人口教育平台

1998年，硚口区创设了“10万市民进课堂”的育人载体，计划用5年时间将全区50余万市民轮训一遍，形成覆盖全区各职能部门、街、乡的市民教育网络。1999年硚口区通过创办外来人口学校的方式，将外来人口教育纳入全区“10万市民进课堂”的总体体系中来。依托已有的区、街、居委会三级教育网络，成立区文明办宏观指导，以各街工委具体领导，居委会为依托，派出所及各管段户籍警为主体，各街、乡宣传、文明、工商、税务、司法、计生、民政、个协、市容等职能部门为成员的市民教育领导小组，制定了外来人口培训计划，明确各部门的教育职责，将外来人口教育任务分解到各职能部门，落实到各个居委会，完善了教育的考勤、考试、联合授课、教学档案管理、总结表彰等制度。使外来人口教育有了阵地依托和制度保障。

三、贴近外来人口实际，采取灵活多样的教育形式

一是采用各种方式，进行舆论引导。区文明办印制宣传材料发放到全区市民及外来人口家庭；各街道在居委会普遍建立有线广播网，定时播放“十不”行为规范、公约、市民礼仪等；组织“21世纪外来人新形象”、“硚口区跨世纪个体、私营者新形象”等讨论会，使常驻与暂住人口共议硚口形象，形成共建文明的意识。二是根据外来人口特点，合理安排教学。积极推进教育进市场、进工厂、进社区、进门栋、进家庭，做到“四个结合”：即授课形式上，集中上大课与上门个别辅导相结合；授课时间上，白天和晚上相结合；授课方法上，抓重点人群与突破难点相结合；授课内容上，针对性与实用性相结合。三是开展实践活动，进行引导。在文明小区创建活动中，广泛开展了“四个一”的文明实践活动，即“接受一期培训、遵守一个行为规范、告别一个不文明习惯、为创建文明城区做一件好事”，常住和外来人员积极参与。

四、寓教育于服务之中，体现人文关怀

一是依据外来人口需求，建立健全服务网络。针对外来人口文化素质相对较低、经营观念落后的现状，硚口区成立了汉正街商贸社区教育学院、个体工商户文明学校和个体工商户子女学校，帮助外来人口提高经商水平，解决后顾之忧，增强接受教育的积极性；该区个体工商户协会专门设立了硬件设施完备的教育课堂，面积达到200平方米。各市场也相应设立个体工商户学校；区、街、居委会建立三级服务体系及志愿者服务队，不断完善服务设施，增强服务辐射力；选派250名工作人员到居委会从事治安民调工作，保证社区平安；抽调28名教师组成社区教育讲师团，发挥整合教育智力资源的作用。

二是创设各类载体，帮助外来人口融入社区。制定了文明市民、最佳文明市民的评选标准。让外来人口与常住人口平等参加评选。开展了“同在一个社区，共建美好家园”的活动，吸引外来人口积极参加文明社区创建工作。开展文明市场和文明经营户创建活动。区委、区政府每年隆重表彰一批文明经营户。

（湖北省文明办）

湖北省宜昌县航务港监所

队伍建设是根本　文明执法创一流

一、抓队伍，提高执法水平

湖北省宜昌县航务港监所本着实事求是、标本兼治的原则，从夯实基础工作入手，完善组织机构，狠抓教育培训，牢固奠定了文明执法的基石。

强化组织领导，提高领导的法制意识。他们特别注重强化领导和执法人员的法律意识，制定严格的考核标准和评分等级。根据执法人员的工作岗位和业务水平，对每个执法人员在案件办理中所承担的职责作了明确分工，层层建立领导责任制和工作运行机制，按照统一、公开、公正、规范的原则，确保行政执法工作的质量。

强化教育培训，提高执法水平。始终坚持以人为本，通过抓学习、抓教育、抓培训、抓练兵，全面提高执法人员素质。一方面，坚持政治理论学习，帮助提高执法人员的政治理论水平，增强抵制拜金主义、享乐主义和极端个人主义腐朽思想的免疫能力；另一方面，以《交通行政执法职业道德教程》、《交通职业道德规范》为教材，不仅提前完成了交通部关于交通行政执法人员3年岗位培训的目标任务，而且在执法人员中广泛开展职业道德、职业责任、职业纪律和廉政勤政教育。

二、抓制度，建立执法“四制”

按照依法治国的要求，以依法治水运为主线，在全所范围推行了行政执法责任制、行政执法公示制、行政执法错案（过错）追究制、行政执法督察制（即执法“四制”），增强了责任机制、监督机制和约束机制，有力推动了全所的执法队伍建设。

2000年初所长分别与全所43名执法人员签订了《水路交通行政执法责任书》，对执法人员约法三章。增强了执法工作的责任感，减少和杜绝了失职、渎职、玩忽职守等问题的发生，做到了执法主体到位、执法责任到位、保障措施到位。

将该所的主要职责、行政执法主体、执法依据、执法程序、行政许可条件、期限、收费的依据、标准以及行政执法职业道德规范、服务承诺、监督岗、监督电话等向社会公示，增强了行业管理和政策法规的透明度。

三、抓监督，规范执法行为

他们在加大行政执法力度的同时，不断建立和完善行政执法监督机制，有效克服和解决了执法过程中的以情代法和“人治”行为，基本杜绝了随意审批、违规操作、以权谋私现象，为严格行政执法提供了保障。

制定了《宜昌县航务港监所党政管理实施办法》，用制度来进一步规范职工的行为。建立了党务监督、行政监督、社会监督等系列监督保障机制，在社会上、在客户中聘请了义务监督员，广泛接受了社会各界的监督。结合行政执法“四制”的落实，每季度定期邀请有关单位领导，对执法工作进行检查。组织人员深入省内各单位和江苏、安徽、四川等省市走访客户，听取他们的意见、建议和要求。

四、抓创建，树立执法形象

开展创建文明执法单位的活动，并将文明执法单位的创建和“示范窗口”的创建有机结合起来，收到了很好的效果。

开展规范化服务，树立“窗口”形象。面向广大客户提出了“强化执法保畅通、依法行政促管理、五从五公优服务、两个文明争一流”的社会承诺服务，工作中力求服务质量从优，服务程序从简，服务速度从快，行政执法从严，服务收费从低；做到收费标准依据公开，业务配载情况公开，辖区船舶规模缴纳情况公开，行政执法处罚情况公开，规费收缴上解情况公开，对各类案件的受理处理，各种证件的办理，运输业务配载等工作从时间、程度、质量方面都提出严格的要求。全体职工着装上岗，自觉使用“十字”文明用语，在待人接物中达到了“五个一”的优质服务标准，即：一张笑脸相迎、一句热情问候、一杯茶水解渴、一把椅子让座、一个满意回答。

文明执法，秉公办事。该所规定，每月必须有2/3的执法人员上船下港，每名执法人员每月必须有2/3的时间在现场检查，必须着装整齐、挂牌上岗、亮证执法、按章处罚。为保证执法工作的顺利开展，他们十分注重和法院、公安等部门的配合，在日常执法检查特别是在清理取缔“三无”船舶、整顿和规范水运市场的活动中，及时与法院、水上派出所、工商、税务等部门取得联系，得到了他们的支持和配合，取得了很好的效果。

（交通部体法司）

湖 南 省

开展“四种结对共建”推进农村精神文明建设

2000年湖南省开展城镇文明单位与乡、村共建精神文明等“四种结对共建”，拓宽了农村精神文明建设的领域，推动了农村精神文明创建活动向纵深发展。

一、大型厂矿企业、高等院校与周边村镇结对共建

长沙市、株洲市、岳阳市等率先开展厂、校与周边村镇共建精神文明活动。湖南大学、中南大学、国防科技大学、长岭炼油化工总厂、益阳电业局等一批院校和企业在与周边村镇结对共建中，由院校和企业出技术、出人才，帮助村镇制定和完善经济社会发展规划，指导村民种植果树、苗木和蔬菜，改良作物品种，加强对村办企业的技术指导，帮助联系产品销路，为结对村镇兴建和充实完善文化室、图书室、活动室。村民群众主动为学校、企业建设排忧解难，为学校师生和企业职工优惠提供无公害蔬菜，无偿提供人力和苗木，绿化美化学校、企业环境。每逢节假日，学校、企业组织与村民联欢。

二、省、市、县机关与对口扶贫村结对共建

省委、省政府注重把扶贫攻坚、农村基层组织建设整顿工作与创建文明村镇结合起来，既抓经济发展，又抓精神文明建设，实行对口帮扶、结对共建。各级机关部门接受扶贫任务后，想方设法为对口扶贫村送资金、送物资，帮助农民群众解决生活、生产困难，帮助建设必要的文化设施。扶贫工作组常年吃住在农村，与农民群众朝夕相处，在帮助结对村镇选配好班子，找准经济发展路子的同时，把精神文明建设纳入对口村发展的整体规划，开展评选星级农户活动，狠刹封建迷信和红白喜事大操大办歪风，引导村民学科技、学文化，整治村容村貌，树立文明新风，使对口扶植村在3年内逐步达到物质、精神双脱贫的目标，并力争部分对口扶贫村在脱贫致富奔小康的同时，步入文明村的行列。

三、城市的文明单位与文明村镇结对共建

湖南省从2000年下半年起，每个地级市选择10个文明单位，县级市及县城选择5个文明单位与所在市、州、县的文明村镇结对共建，不断探索经验，不断扩展，实现文明单位与文明村镇的相互促进，相互提高。

四、文明村镇与贫困村镇结对共建

开展文明村镇与贫困村镇的结对共建，充分发挥文明村镇的示范带动作用，实现富乡、村帮穷乡、村，带穷乡、村。桃源县明月村帮扶邻近的山河村共同致富，共创文明，取得良好成效。省里抓住这一典型大力宣传，并组织各市、州开展这一活动。

（湖南省文明办）

湖南省长沙市

立足实际　加大文明社区建设力度

一、加强社区民主政治建设，强化社区自我管理、自我服务、自我教育的功能

大力加强街道办事处的建设，规范办事处的行为。按照《城市居委会组织法》，抓住居委会换届时机，进行组织体制改革，由点到面，逐步推行公开招聘、提高待遇、年终考核三项制度。1996—2000年，街道居委会干部素质明显提高，平均年龄下降10岁，党员、大中专文化以上和具有经营管理经验的居委会干部的比例大幅度上升。推行“小区——家庭双向承诺制”，居委会向驻区家庭承诺，家庭向居委会承诺，为创建文明小区共同努力。“双向承诺”使居委会工作置于居民的监督之下，大大增强了居民参与文明小区创建的积极性。

二、实行条块结合，动员社会力量，使创建文明社区成为群众性的创建活动

文明社区建设遵循“块块为主，条条配合，单位为骨干，家庭为细胞，社区管理抓当前，素质教育抓长远”的原则，部门、单位各司其职、互相配合。市文明委积极解决条块之间的统筹、协调、配合问题，各展所长，上下一致，形成创建合力。将文明社区建设列入区级领导联点制，每个区级领导联系一个小区，负责指导、协调该小区的文明创建工作。市区各职能部门也大力支持文明社区创建，积极配合区、街、委的创建工作，按照文明小区的要求进行绿化美化，为创建文明社区提供了硬件基础。

三、建阵地、抓载体，构建社区教育立体网络

一是阵地建设实施“五个一”工程，即在社区内建设一个市民学校、一个图书阅览室、一个健身场、一支文艺宣传队、一个高标准宣传橱窗，为社区教育和社区文化活动创造良好条件。二是建立各种社区群团组织，开展社区文化活动。社区内成立了志愿者社区服务队、义务巡逻队、义务护绿队、老有所为协会等。广泛开展体育比赛、天心之夏、雨花之夏、开福之春、芙蓉之春、元宵灯展、重阳诗会等文化艺术活动，丰富居民文化生活。三是发挥传统载体的作用。坚持每年开展学雷锋活动周，评选表彰年度“学雷锋最佳集体”、“学雷锋最佳个人”。

四、建立健全激励约束机制，促进文明社区创建步入良性循环轨道

一是完善激励、监督约束机制。1998年市委明确提拔使用干部与文明创建成绩挂钩，把文明创建纳入年终检查评比、领导班子和干部年度考核的内容，作为干部提拔使用、升降奖惩的重要依据。

二是初步建立健全了文明社区创建的评价考核反馈机制。1998年市委、市政府制定完善《长沙市文明建设先进区、县（市）、文明单位、文明小区、文明村镇管理办法》，1999年进一步完善了考核评估细则。

三是不断改革投入保障机制。市政府下发

《关于进一步加强社会主义精神文明建设，落实有关文化经济政策的通知》，对精神文明建设的投入进行适度倾斜。市委、市政府加大对城市文明建设的投入，不断探索投入机制，拓宽文明创建的投资渠道，充分调动了各方面的积极性。

（湖南省文明办）

湖南省株洲市

立足创建文明城市　改革城市管理体制

湖南省株洲市为加大创建文明城市工作力度，提高城市管理水平和城市品位，提高市民素质，围绕理顺城市管理体制，切实解决城市管理职责不明，改革滞后，执法乏力，投入不足等问题，对环境卫生管理和城管监察体制进行改革。

一是建立有权威的决策指挥机构。成立株洲市城市管理委员会，领导指挥全市城管工作，对城市管理的重大事项作出决策，制定和审议有关城市管理工作的重要政策和重大措施。

二是建立高效城市管理机构。设立株洲市城市管理委员会执行委员会，作为城市管理委员会的日常工作机构，代表市政府行使全市城市管理的组织、综合、协调、监督和考评职能。改革现行环境卫生管理和城管监察体制，撤消市级环境卫生管理处和城管监察支队，城市四区均分别设立区城管局、区环境卫生管理处和区城管监察大队，把责任落实到区。

三是“管好社区、服务经济”，强化区政府、街道办事处、居委会的职能。区政府、街道办事处、居委会对辖区内的市容环境卫生、文明建设等负总责。为保障街道办事处和居委会的职能落到实处，从2000年7月1日起，由市、区财政安排每个街道办事处和每个居委会必要的工作经费。

四是建立严格的监督考评机制。设立市容环卫考评委员会，按照行业管理标准、职责分工和市政府制定的城市管理目标任务，结合讲文明、树新风活动和城市爱卫工作等，对城市四区和职能部门的城市管理工作进行检查考核，奖优罚劣。

（湖南省文明办）

湖南省东江水电厂

狠抓精神文明　创一流水电企业

湖南省东江水电厂认真贯彻“两手抓，两手都要硬”的方针，围绕“创一流水电企业”这一中心，形成了党委统一领导、党政共同负责、党政工团齐抓共管、职工群众广泛参与的两个文明建设工作新局面，促进了企业改革与发展。2000年，被省委、省政府授予湖南省文明标兵单位称号。

一、抓关键，把文明生产作为创建活动主要任务

一是合理规划，使企业的总体布局合理、美观。二是目标管理，分解落实。在制定年度目标时，水电厂把文明生产工作作为重要的管理目标，层层分解落实到班组。三是抓好应修必修。对系统的渗漏点和一般漏点等部位及时检修，设备完好率连年保持100%。四是强化管理，重在建设。在全厂开展创建文明班组和文明岗位活动。五是全厂动员，分片包干。对生产现场一些文明生产难度比较大的场地，采取车间、机关党总支分片包干的办法，一抓到底。六是加强监督，及时教育。设立文明监督岗，对存在问题当面提出批评，还利用电视、厂刊予以曝光，起到教育和警示作用。

二、抓根本，注重职工文明素质的培养和提高

第一，以爱国爱厂爱岗教育为主线，提高职工的思想政治素质。水电厂运用生动活泼的形式，在全厂开展学习中国近代史、中共党史和东电创业史的“三史”教育活动，教育青年了解祖国的昨天，热爱东电的今天，创造东电美好明天。引导职工树立正确人生观、价值观和道德观，自觉抵制享乐主义、拜金主义。第二，深入开展厂风厂纪教育，严格规范职工的日常行为。

三、抓基础，积极开展企业文化创建活动

东江水电厂制定了企业文化“八化”建设目标：一是企业园林化。二是内容完善化。确定了厂徽、厂歌和企业精神，汇编了《东江水电厂文明建设制度管理》等书。三是制度健全化。制定各类制度318个，建立健全了企业文明建设的组织领导机构，以及分类负责制度、目标管理制度。四是行为规范化。按照“双达标”、“创建文明单位”和“创一流”的具体要求，规范职工的文明行为。五是职业道德优化。要求职工坚持做到“八惟”。即：从业惟实、从业惟严、从业惟勤、从业惟俭、从业惟忠、从业惟专、从业惟廉、从业惟公，努力塑造良好的职工人格和企业形象。六是设施现代化。七是标准一流化。企业文明建设必须适应创建文明单位活动和创一流工作的需要，高标准、高要求。八是行动自觉化。发动职工自觉把创建活动推向深入。

四、抓硬件，积极为创建活动提供物质保证

除文明生产、文明环境和文体建设的投入外，东江水电厂加大了党团活动经费投入，设立了100万元的精神文明奖励基金。先后投资数百万元建立了业余党校，各党支部建有党员活动室，配备了必要的电视、录像等设备。制作了一批相当数量的标语牌和奖牌，每年均举行全厂性的大型文艺演出活动及职工运动会，建起设备齐全的厂有线电视台，实现了无线广播。

（湖南省文明办）

广东省广州市海珠区南华西街

创建美好家园

南华西街是广州市一条古老的街道。改革开放的20多年，他们坚持“两手抓，两手都硬”的方针，两个文明建设取得丰硕的成果，先后获得全国双文明建设先进集体、全国最佳街道、全国精神文明建设工作先进单位等荣誉。

一、抓好社区党建“龙头工程”

他们一方面抓住城市管理体制改革的契机，优化基层党组织的队伍，30个居民区党支部书记均由具有高中以上文化程度的中青年人担任，并通过健全和完善“德、能、勤、绩”的培训和考核，促进居委会专职人员综合素质的提高。另一方面成立党的地区工作委员会，把街道党建的着力点放在协调辖区内中央、省、市、区单位党组织的关系和工作上，做到资源共享，相互配合，实现在社区中凡有人群的地方一定有党的声音，进一步密切了党群关系。

二、以方便群众、服务群众为工作出发点，不断完善社区服务体系

在30个居委会分别设立社区服务站，在街道建立“五个中心”，即：老人中心、幼儿中心、残疾人中心、文化娱乐中心、医疗康复中心。先后投入2000多万元建设生活设施和公益设施，方便了居民生活、学习、娱乐与休闲，基本实现了“老有所养，壮有所用，青有所学，幼有所教，婴有所托，残有所辅，孤有所助，困有所帮”。

三、寓教于乐，广泛开展健康向上、丰富多彩的群众文体活动

将思想政治工作渗透到各类活动中去，以社会主义思想占领群众性文体活动阵地，使迷信、不健康的活动和宣扬唯心论、有神论的活动难以立足。为了使社区群众有一个良好的活动空间，街道加大对文体设施和群众文体活动的投入，形成了企业、居委会两级文体网络，街文化站下设两个分站，负责对19个企业文化室和30个居委会文化室业务指导；成立了合唱团、戏曲乐团、小品队等群众业余活动团队52支。街道每年的文化、艺术、娱乐、体育活动达300多项次，投入活动经费达100万元以上，逐步形成一批有本街特色、群众喜闻乐见的传统项目。

四、努力拓展社区思想政治工作的新领域、新途径

南华西街党工委建立起思想政治工作的又一块阵地——南华西街网站，不仅为社区居民提供更周全、方便的服务，还能快捷、准确地了解各阶层群众的思想情绪和他们所关心的热点，及时获取大量有价值的信息，丰富思想政治工作的资源和视野。南华西街网站开设九个栏目：党群建设、政窗明亮、经济之星、绿街文明、阳光服务、珠水花溆、街谈巷议、海天四望、走进IT。生动有趣的页面设计和翔实丰富的内容引起人民群众的关注和兴趣。

（广东省文明办）

广东省深圳市宝安区

在工业化城市化市场化的进程中推进农村精神文明建设

深圳市宝安区以实现农村城市化、现代化和建设生态文明为目标，以提高人的现代文明素质为根本，以提升环境质量为重点，以丰富多彩的文化活动为载体，以完善城市现代化设施和建设标志性工程、形象工程为基础，大力开展创建高标准文明村镇活动，取得了良好成效。

一、坚持以人为本，实施“育人工程”，培育现代文明宝安人

一是针对一些干部群众缺乏远大理想，小进则满、小富则安、不思进取的思想倾向，开展“致富思源、富而思进”的教育。二是针对富裕以后出现的“不做工、不经商、不务农、不读书”的后进青年，做好转化工作。三是针对村民城市意识淡薄的问题，开展移风易俗教育，强化群众现代化城市意识。四是针对干部文化素质不能适应现代化建设要求的状况，推进干部的学历教育。

五是针对产业结构大变动，人员大流动的形势，关心和爱护外来工，强化劳务工的“主人翁”意识。

二、坚持可持续发展战略，实施生态文明工程，为人民群众创造良好的生活、工作环境

一是在发展指导思想上，坚持可持续发展战略。摒弃传统的以牺牲环境为代价的“先污染，后治理”的发展模式，较好地保护了自然生态和有价值的人文景观。二是在规划上，以超前的眼光建设生态文明，按建设园林式、花园式现代化经济强区的标准进行定位。建设高新技术产业和先进工业、加工贸易出口、创汇农业和生态旅游“四个基地”，把宝安建设成为花园式园林式现代化经济强区。三是大力治理污染，兴建环保设施。四是大力整治脏乱差。五是高标准实施绿化、美化、亮化工程。近两年来，全区新增绿化面积800多万平方米，种植树木近百万株，全区绿化覆盖率达35%以上。

三、坚持造福于民，高标准建设标志性工程，塑造良好形象

建区以来，宝安区累计投入基建资金180.64亿元完善城市现代功能网络，建立形成以高速公路和快速干道为骨架，以航空港和码头为羽翼，以现代信息技术为手段的立体交通网络；形成了功能齐全、快捷、设备先进的现代化邮电通讯网络。

在完善城市现代基础设施的基础上，精心实施了“四个一”形象工程，即“一镇一广场、一村一公园、一街一景点、一路灯树花”。城市雕塑、灯光工程、公益广告成为时尚。

四、坚持为人民大众服务，实施文化建设工程，丰富人民群众的精神生活

一是大力发展广场文化。每到节假日和晚上，宝安各个文化广场华灯四射，人山人海，成千成万的人唱歌、跳舞、健身、下棋、聊天、欣赏电视节目。二是全面启动并完成了“百村书库”工程。全区共有高标准农村图书馆107个，基本上做到了村村都有图书馆。三是积极开展特色文化村建设。形成了沙一“电脑村”、清湖“生态示范村”、岗村“足球村”、万丰“文化村”、牛栏前“商业村”等区级先进典型。四是构建了三大文化阵地网络。即：以区文化艺术馆为中心，镇文化站为骨干，村文化活动室为基层单位的文化活动网络；以区图书馆为中心，镇图书馆为骨干，各企事业单位及农村图书馆为基层单位的读书学习和信息情报咨询网络；以区广播电视台为中心，各镇有线电视台为基点的广播电视网络。

五、坚持城乡联动，上下联动，实施全民参与工程，形成创建的良好氛围

一是健全齐抓共管的启动机制。全区上下形成了党政一把手亲自抓，分管领导具体抓，部门（单位）配合抓，一级抓一级、层层抓落实的工作格局。二是建立竞争激励机制，与经济利益挂钩。对被评为文明镇（街道）的镇奖励100万元，对评为文明单位、文明村的相应给予经济奖励，对完成创建任务的镇领导奖励500元，相反扣发当年度所有奖金。在创建文明户活动中，对当年评不上“文明户”的年终分配予以扣减。三是建立创建活动的物质保障机制。1998年以来，区委、区政府每年给每个镇（街道）下拨创建经费100万元，同时要求各镇（街道）以不低于1∶3的比例配套创建经费。各镇（街道）直接投入创建的经费已达2.8亿元。

（广东省文明办）

广东省广州市海珠区人民检察院

加强精神文明建设 锻造检察铁军

广东省广州市海珠区检察院在坚持全面正确履行检察职责的同时，坚持抓精神文明建设，取得检察工作和精神文明建设双丰收，分别被市、省、中央评为精神文明建设先进单位。2000年12月，被中宣部确定为思想政治工作的先进典型。

一、把精神文明建设定位在队伍教育管理中，锻造一支思想过硬、作风过硬、业务过硬的检察铁军

该院领导工作目标明确，标准高，抓精神文明建设措施得力。无论业务工作多忙，他们都坚持抓好自身和干警的政治理论学习、思想政治工作和职业道德建设，带领和引导干警运用邓小平理论指导检察工作。该院发动干警写文章踊跃参与“广州市检察机关邓小平理论与检察工作实践研讨会”，获得了最佳组织奖。坚持开展比成绩争贡献，学习身边闪光点，争当合格检察官，评选办案能手、工作能手，评选模范家属、贤内助、廉内助、文明家庭等系列活动，把思想政治工作做到办案第一线，延伸到8小时以外、延伸到家属中，创造出“五个结合”的思想政治工作经验。

二、把精神文明建设落实到公正执法，文明办案全过程

该院干警认真履行检察职责，团结拼搏，不畏艰难、不畏权势，坚持查办各种犯罪，特别是对党中央提出的严厉打击贪污贿赂的反腐败斗争，全力以赴、无坚不摧，敢打“老虎”，敢啃“硬骨头”，能破难案大案，创出了查办贪污贿赂案件全市第一、查办处级以上要案全省基层院最多的声誉。该院反贪局被评为全省检察机关“反贪劲旅”。

三、把精神文明建设渗透到服务大局，服务人民中

他们积极发挥检察职能作用，为地区的工作大局、经济发展、社会稳定及精神文明建设和依法治区服务，主动做实事好事。该院根据职务犯罪的特点和原因，积极开展预防犯罪工作，建立了26个预防职务犯罪工作联系点，深入企业，送法上门，为领导、干部讲法律课，帮助培训纪检监察干部，协助建立健全规章制度，减少了贪污贿赂案件的发生。他们根据地区复杂、刑事发案高的社情，积极参与开展创建安全文明小区活动，以小治安的好转促大治安的稳定。针对学生法制观念薄弱，在10多所中小学校开展“加强青少年法制教育，预防违法犯罪，搞好学校治安综合治理，促进教育、教学质量提高”的精神文明共建活动，建立青少年法制教育基地，探索出一条社会、学校、家庭“三结合”共建校园精神文明的新路子。

（广东省文明办）

广东省广州市白云小汽车出租公司

创“五个一流” 塑“白云”新形象

广州市白云小汽车出租公司始终奉行“乘客至上，服务第一”的宗旨，以促进城市公共交通建设，改善市民出行条件为己任，以信誉为根本，以改革为动力，以强化职业道德教育为基础工程，努力塑造“信得过的出租车”的良好形象，在建立严格、规范的企业管理制度、优质服务等方面，取得显著成效，先后被中央文明办、国家建设部和广东省、广州市授予“全国精神文明创建活动示范点”、“文明服务示范窗口单位”、“广东省文明窗口”、“广州市文明服务示范单位”等荣誉称号，1999年9月，被中央文明委授予“全国创建文明行业工作先进单位”。

一、以人为本，培养一流员工队伍

白云公司以“狠抓员工培训教育，提高文明服务素质，培养新一代白云人”作为强化企业服务品牌，奠定“白云”的名牌企业地位的核心工作，从根本上提高企业的管理和职工队伍的综合素质，将企业经济的发展和品牌的凝炼构筑在较高的文明水平上。

白云公司提出了一个训导的理论：要学会开车，先学会做人。针对行业不正之风，要求每位司机进入白云公司上的第一课，就是“文明规范服务课”，都要接受岗前的“五课”教育，即职业道德教育、安全技术教育、遵纪守法教育、服务规范教育和计划生育教育。让每个新司机一进入白云公司就了解和掌握企业精神、服务宗旨，引导他们自觉恪守职业道德，自觉兑现社会服务承诺，自觉遵守各项规章制度，使他们在营运中能自觉约束自己，以新一代白云人的文明风貌延续和发扬“白云”的优良传统。

二、严格管理，创一流服务

白云公司坚持为乘客提供一流的服务，为使服务规范落到实处，真正产生实效，严格执行了一整套行之有效的规章制度，并且向社会和乘客公开服务承诺，将内部监督与外部监督有机地结合起来。一方面发挥公司稽查队的职能作用，各运营单位管理人员定期外检，公司机关组织人员不定期、全方位地进行路检查车，发现问题及时处理，对一些带普遍性、典型性问题组织现场分析，找出根源。公司还设立领导接访日、意见箱、投诉电话。对所有的投诉，都做到有专人跟踪、有认真调查、有处理意见、有明确答复。另一方面，坚持聘请社会各界人士组成乘客代表委员会，征求意见、吸取建议，掌握驾驶员对服务规范和社会服务承诺的执行情况。

公司领导班子把“计价器”管理列为提高企业品牌优势的关键硬件来抓，设有专门的技术监管部门和人员，建立了一整套详尽、周密的管理制度，对计价器的使用、铅封、轮胎等规格、规范和检查，都有严格的规定和要求，有效地保障了乘客的利益，维护了企业的信誉。

三、保持良好服务信誉，创一流品牌

“白云”公司目前拥有800多辆出租汽车，员工2100多人，是广州市出租汽车行业中国有大型骨干企业之一，保持国有大企业良好的服务信誉，坚持开展“信得过的出租车”活动，是他们管理的特色之一。白云公司始终将社会信誉作为企业的立足之本、市场竞争之本，坚持开展富有白云特点的“信得过的出租车”竞赛活动。公司要求每一辆出租车都要达到“服务信誉信得过、安全快捷信得过、里程收费信得过、卫生整洁信得过”。在新世纪到来之际，他们又推出了“创文明、献爱心、重诚信、爱环保”的服务新举措和主动征询乘客挑选行车路线、白云出租车全部换上亮丽的新型车顶灯的经营新策略，使企业的品牌服务进一步体现现代城市文明服务流动窗口的本色，让广大市民、乘客更深切地感受到现代化中心城市社会文明的氛围。

（建设部文明办）

广东省东深供水局

建立健全责任制　加强和改进思想政治工作

东深供水局是担负对香港和深圳及工程沿线供水任务的广东省属大型水利企业。多年来，他们逐步建立健全了以组合力量、强化责任、规范管理、改进方法、提供保证“五个落实”为主要内容的思想政治工作责任机制，促进了思想政治工作的全面落实，保证了各项任务的圆满完成。

一、党、政、工、青、妇五个系统各负其责，齐抓共管，形成合力

坚持党组织对思想政治工作的领导、行政领导对两个文明建设全面负责、工青妇组织认真履行职能的基本原则，分别明确了五个系统的职责。构建了以党组织为核心，以党员和各级领导为骨干，党、政、工、青、妇五个系统互相配合，齐抓共管，横向到边的格局，形成了合力。

二、局、处、科、站、班组五个层次各司其职，逐级负责，强化责任

明确了25种岗位的责任，详细规定了各级负责人的具体职责。各个层次职责明确，各负其责，上下协调，形成了纵向到底的思想政治工作网络，强化了责任。

三、目标、任务、职责、考核、奖罚五个环节环环相扣，贯穿始终，规范管理

1. 确立目标。围绕提高企业经济效益，培养“四有”新人的总目标，结合各个时期企业的中心任务和职工思想实际，确定思想政治工作的长远目标和阶段目标，并根据目标制定年度、半年的工作计划。

2. 分解任务。围绕长远和阶段目标，明确了各级各类组织思想政治工作的基本任务。

3. 明确责任。根据每项具体任务与各级各类组织的相关责任，提出具体的时间、内容、形式以及主办、协办单位、责任人、考核人、完成质量标准等方面的具体要求，做到项项工作都有标准、有人管、有人帮、有人考核。各种责任的明确，为考核增强了可操作性。

4. 严格考核。在分解各项任务和责任时，注重定性、定量两个方面的分解，凡能量化的都按百分制提出量化考核指标。严格考核既全面掌握了责任制的落实情况，又为合理奖罚提供了依据。

5. 奖罚兑现。坚持以精神鼓励为主、物质奖励为辅，奖励为主、处罚为辅的原则。把考核结果作为每个季度奖金发放的依据、评先评优的基本条件、政绩考核的重要内容、晋级晋职的基本依据。由于目标、任务、职责、考核、奖罚五个环节环环相扣、贯穿始终，长年坚持，形成制度，从而规范了管理。

四、宣传、学习、教育、活动、研究五种形式全面展开，求真务实，改进方法

宣传方面，通过编辑出版《东深人》企业旬报、《东深政工研究》季刊和每两年编辑一册《东深优秀政工论文选》，利用黑板报、宣传橱窗等载体，通过宣传车、发行党报党刊等形式，宣传邓小平理论和党的路线、方针、政策，宣传先进典型，形成正确的舆论导向。学习方面，坚持以邓小平理论为重点，并与学习党的十五大精神和党的路线、方针、政策结合起来，采取分散自学与集中学习相结合，以分散自学为主；在职学习与脱产培训相结合，以在职学习为主；自我总结与交流体会相结合，以自我总结为主的形式和方法，落实学习内容，提高学习效果。教育方面，采用报告团巡回讲演、演讲比赛、征文活动、参观、办展览、电化教育等形式，进行爱国主义、社会主义和革命传统教育，树“三观”、讲“四德”教育等系列教育。活动方面，开展了讲政治、抓学习，讲正气、抓廉洁，讲团结、抓班子，讲管理、抓落实的“四讲四抓”活动；创建文明单位、安全文明小区、青年文明号活动；评选优秀青年、优秀女工、文明家庭活动；开展了各种形式、各个阶段的劳动竞赛活动；举办了文艺演出、体育比赛和企业歌曲创作等文化活动，东深供水局创作的《春天的故事》、《多情东江水》等歌曲分别获得中宣部“五个一工程”奖和全国 MTV 大赛银奖。研究方面，围绕企业改革、管理、生产经营和职工思想中的热点、难点、疑点开展研究，召开政研会年会和精神文明建设研讨会，组织撰写和发表论文。

五、地位、经费、人员、时间、队伍五个要素步步到位，全面落实，提供保证

东深供水局思想政治工作责任制的建立和实施，有效地实现了“五有”：一是有地位。思想政治工作成了企业管理的重要组成部分，从局长到基层领导都非常重视，认真组织，积极参与，政工人员的待遇做到了一视同仁。二是有经费。订阅报纸杂志、出版报刊和文集、购买学习资料、组织各种教育活动，创建安全文明小区，只要是思想政治工作所需经费，都能得到保证。三是有人员。在三班倒的情况下，各级领导都能妥善安排，抽调人员参加各种学习、培训和教育活动。四是有时间。局规定每月两个半天为职工政治学习日。五是有队伍。由于建立了横向到边、纵向到底的政工网络，由“小政工”变成了“大政工”，形成了一支由 400 多人组成的专兼结合的政工队伍。其中，专职政工人员 12 人，有政工职称的 48 人，高级职称 6 人，中级职称 27 人。

（水利部文明办）

广西壮族自治区桂林市

创建文明小区　建设文明城市

2000 年，桂林市决定从城市的小区（庭院）抓起，整体推进文明城市创建，确定 2000 年为城市文明小区（庭院）创建年。全市各县、区、单位以抓文明小区（庭院）创建为契机，大规模绿化美化环境、整治环境卫生，推进城市精神文明整体水平的提高。

一、深化组织，强化管理

从市到县区都成立了创建活动领导机构。市文明委制定以“机构制度健全、治安秩序稳定、环境整洁优美、居民生活方便、社会风气良好”等五大项 26 个细目为内容的创建标准。以点带面，全面铺开，层层抓落实。各县区把创建文明小区作为为民办实事的工作纳入精神文明建设规划和经济与社会发展规划，列入重要议事日程，精心设计，形成了一套有效的规章制度。各县区先后建立领导机制、共建机制、目标管理责任制、治安防范机制等。各小区（庭院）也制定了一系列的管理规定，如《居民文明公约》、《暂住人员管理规定》、《房屋装修管理规定》、《守楼护院人员职责》等，为小区（庭院）的文明创建活动走上制度化、规范化轨道奠定了基础。

二、统一规划，分类指导

桂林市文明委在调研的基础上，制定出台了 2000—2005 年文明小区（庭院）建设 5 年规划，把文明小区、庭院的创建纳入经济和社会发展的总体规划。桂林市还从实际出发，在统一规划的基础上，搞好分类指导，支持小区（庭院）创造性地开展工作。在实际工作中处理好软件与硬件的关系，在加强小区、街道的公共配套设施、环境卫生、绿化管理、社区服务等硬件建设的同时，强化社会治安、社区文化、邻里关系、文明户（楼、院）评比等软件建设；处理好点与面的关系，抓好典型示范、试点工作与全面推广的结合；处理好教育和规范的关系，加强思想道德教育，强化制度化管理和规范性建设；处理好条与块的关系，把文明小区（庭院）创建和街道、城市建设结合起来，由单位的庭院建设向街道城区延伸。

三、分工协作，齐抓共管

各级党委政府全面负责本辖区内创建各级文明小区的领导，把小区（庭院）内各方面的力量组织动员起来，落实分工，明确职责。市县（区）文明办在各级文明委领导下抓好创建文明小区活动具体工作的组织、协调、指导和督促工作。房产部门抓好小区物业管理。建设规划、公用事业部门协助各县区对小区（庭院）做好规划，搞好配套设施建设。综治办、司法、公安等部门负责指导协助各县区加强对小区（庭院）社会治安的管理和普法教育。园林部门指导协助各县区加强小区（庭院）的绿化、美化工作。文化体育部门指导协助各县区加强小区（庭院）内文化体育设施建设，广泛开展丰富多彩的、健康向上的文体活动。工会、共青团、妇联发挥社会团体的作用，积极配合各县区在小区内开展各项精神文明创建活动。民政部门指导和支持做好社区服务工作。新闻、舆论部门加大对创建活动的宣传力度，提供有效的舆论监督。通过开展文明小区（庭院）系列创建活动，有力地促进和推动了桂林市文明城市的创建和建设。

（广西壮族自治区文明办）

海南省儋州市军屯村

勇于开拓　大胆创新　努力争创海南第一村

海南省儋州市军屯村以提高农民素质，争创海南第一村，迈向都市化为目标，勇于开拓，大胆创新，深入开展精神文明建设活动，促进了两个文明建设快速、健康地发展，昔日远近闻名的“烂仔村”、后进村已成为先进村、文明村。先后荣获海南省先进基层党组织、文明单位、文明单位标兵，全国模范村委会，全国先进基层党组织等光荣称号。

一、立足长远，规划建设都市化村庄

军屯村地处城区北郊，村民长期生活在贫困线以下，打架斗殴、盗窃、争宅基的事经常发生，是远近闻名的“烂仔村”、落后村。面对压力和挑战，党支部书记王玉麟带领支部一班人知难而上，高起点规划、高标准建设、高效能管理都市化的村庄。他们先后请来北京部队设计院，华南“热作两院”专家、教授对全村的建设和开发做出总体规划。村民住宅区、旧房全部拆迁，重新规划建设，按住宅小区、商业区、服务配套设施重新做村建规划，按发展高效农业、旅游、观光、休闲搞田园建设规划。先后投入近8000万元，修建了东坡路、军屯大道和总长5000多米的新村道；规划了3个新住宅区，建成别墅440间，92%的村民住上了现代化楼房；建起了3个街心花圃和4个高级公厕；铺设10公里长的排水管，种树6000多株，铺草皮1.2万平方米；对村内两株古树和“见血封喉”珍贵树种进行景点保护和美化；建成集购物、商住为一体的现代化农贸商场和集吃、住、玩为一体的观鱼山庄；成立有12名专职成员的环卫小组，配备洒水车，加强环卫管理，使昔日贫穷落后的小村庄彻底改变了旧貌，向人们展示了现代都市化村庄的魅力。

二、加强教育，提高村民文明素质

一是抓思想道德教育。村里先后建成文化室、广播室、图书馆、电教室、文明学校等文化宣传阵地，定期组织农民学习邓小平理论和市场经济知识，不定期邀请市文明办、爱卫办、司法局等单位讲授环卫、法律、道德知识，组织老人对青少年进行革命传统教育。在全村广泛开展争创“十星级文明户”活动，将计生、教育、经济发展、卫生等作为争创内容，每年度评比一次，实行动态管理，促成了“学、比、赶、超”的良好风气。

二是抓文化教育。投资500多万元建起军屯村儿童文化园。在寒暑假、双休日让村里的儿童免费到文化室参加电脑、美术、舞蹈、英语、武术等培训学习；办了3间幼儿园，免费让本村儿童入学，使他们从小受到良好的教育。

三是抓科普教育。在军屯花果园创办青年科技培训基地。每年都组织中专、高中毕业生及退伍军人到基地集中训练3个月，让他们一边学习科技，一边参加劳动，经培训合格后，分到下属的各企业工作。村里还组织现代技术培训班，让农民们学习汽车驾驶、电器维修等技术。参加培训班的学员大多已成为发展第三产业的骨干，全村已有96家个体企业从事电器维修、机动车维修和服装加工等工作。

三、把握要点，增强精神文明建设的实效性

一是增强党员干部的模范带头作用。他们通过党员民主生活会，党员联系户，座谈会等形式，教育党员干部坚持为人民服务的宗旨，做“两个文明建设”的带头人。

二是抓好结合，为发展集体经济注入活力。军屯村注重将精神文明建设与各项工作结合到一块。土地开发热潮时期，他们在市场调查的基础上，通过共同协商，民主决策的办法，瞄准市场，准确定位，先后兴办了现代农贸市场、土方工程队、加油站、客运站共8个企业，取得了良好的经济效益。他们投入巨资兴办的集休闲、度假为一体的军屯花果园，由于设备齐全，管理到位，现在也已步入收获的季节。

三是规范管理，凝聚人心，形成合力。军屯村多年来形成了一套完整的管理制度。在工作中，他们认真执行制度，规范管理，做到用制度管村、管人、管事，不管是谁，只要违反了制度，就必须按规定处理；村委会还建了一个村务公开栏，每季度向村民公开一次财务收支、项目承包、计划生育等情况，加强了对各项工作的监督，化解了矛盾，凝聚了干群的合力。

（海南省文明办）

海南省人民医院

强化服务意识　抓好文明建设

一、强化宗旨教育，抓好医疗行风建设

统一思想认识，抓好行风评议工作。海南省人民医院认真开展民主评议行风工作，强化全体职工对行风建设重要性和紧迫性的思想认识，以“群众满意是医疗服务工作的准则”为主题，多次召开有关会议，要求医务人员切实做到善待每一个病人、提供满意的医疗服务，从讲政治的高度对群众提出的行风问题加以整改。

坚持以群众满意为标准，从根源上查找行风建设的差距。一是思想认识上有差距。对行风建设的要求有所放松，一些医务人员重技术、轻行风。二是在对待群众意见上有差距。近年来群众医疗费用增长过快，对群众这方面的意见关注不够。三是工作力度上有差距。因综合管理措施落实不到位，特别是思想政治工作有所松懈，行风监督检查力度不够，使部分职工的人生观、价值观出现了偏移。从根源上找出行风建设差距，使整改更有成效。

该院在行风建设中坚持做到求真务实讲实效。一是抓好整章建制。成立院科两级行风建设整改组织机构，先后制订《海南省人民医院行风评议整改措施》和《海南省人民医院“三讲”教育整改方案》，要求各科室根据存在的主要问题制订相应的整改措施，认真抓好落实。医院领导定期听取病人或家属对医疗服务工作的意见和建议，带领机关处室负责人深入各临床科室了解情况，主动指导督促临床科室抓好医疗工作和行风建设工作，及时解决医疗服务工作中存在的问题。做到行风建设与业务工作同研究、同部署、同落实、同考核。二是强化宗旨意识。以江总书记“三个代表”重要思想为指导，摆正医院与人民群众利益的关系，加强行政管理，改进工作作风，增强服务意识。建立机关职能部门服务承诺制和医院领导去向动态告示制度，严格执行下科室调研规定和医院领导接待日制度，加强劳动纪律督查工作，督促检查机关后勤下科室服务的情况并每季度公布。建立临床医技科室各种申请报告的处理规定，要求申请报告在两天内送达承办处室，由承办处室三天内给予处理，医院领导一周内作出回复。三是坚持从严治党、治院。进一步落实医院有关党风廉政建设责任制的规章制度，制定和实施《关于实行党建工作责任制的规定》、《关于加强和改进医院思想政治工作的若干意见》和《关于加强医院党支部建设的若干意见》，每季度召开一次党委、党支部书记联席会议，切实加强党组织、党员干部的思想和作风建设。四是加强民主集中制。制定实施了《医院督查工作条例》，坚持每月召开一次领导班子民主生活会，设立告诫制度，改进干部选拔任用和教育管理工作，强化对中层领导干部的管理和监督。五是实行院务公开。制定实施《院务公开工作方案》，对干部任用、财务管理、基建项目、药品、医疗仪器和物资采购、职称评聘、人员准入等方面公开告示，增强办事透明度，接受干部群众的监督。严格执行领导干部廉洁自律规定。六是强化质量管理。医院领导每月主持召开一次医疗质量管理例会，每季度召开一次临床医技科室主任座谈会，研讨医疗管理、医疗质量、医疗纠纷等处理对策和监控措施，检查各项医疗质量管理措施的落实情况。

二、维护群众利益，推进医疗服务创新

加强药品经营管理，减轻病人负担。一是推动医药分开核算分别管理制度，制定药品占收入的比例指标，超标处罚。二是执行药品公开招标采购制度。三是严格执行禁止药品回扣的规定。四是狠刹医药购销活动中的不正之风。五是成立药品监督稽查队。六是自行降低部分药品价格。

积极清理和调查不合理的医疗收费项目。一是设立医疗收费价格监督机构。二是强化制度管理。三是公开收费标准。四是建立健全医疗费用“一日清”制度。五是实行单病种费用限额制度。

进一步落实服务窗口医德医风责任制。一是解决门诊“三长一短”现象（挂号、收费、取药时间长，看病时间短)。二是全面推行病人选医生方案。三是执行医德医风责任制奖罚分明。四是继续完善整治“红包、回扣”的措施。

三、加快改革步伐，树立医院整体形象

加快人事制度和分配制度改革。一是制定各类人员聘用条例和中层领导干部竞聘上岗的方法，引入竞争机制，优胜劣汰。二是实行责权利相结合的绩效工资制，调动干部职工的积极性。三是不断健全和坚决落实有关制度，做到按规定办事。四是加快总务后勤部门改革，逐步走向企业化、社会化管理，减员增效，为临床医技科室提供优质服务。五是加大人才引进及培养的力度，把优质的业务骨干送出去培养，建立起比较合理的人才梯队，为进一步搞好医院精神文明建设创造良好的条件。

塑造优质、文明服务的整体形象。一是加强思想政治教育和职业道德教育。开展查思想、查质量、查服务、查纪律、查作风的“五查”活动，使每个职工的思想有了明显进步，医疗质量明显提高，服务态度明显改善，组织纪律明显加强。二是加大对患者及家属投诉的查处力度。凡投诉医务人员“冷、硬、顶、推”或缺乏爱心、细心、耐心、责任心的问题，第一次扣罚当事人 50 元，第二次扣罚 100 元，第三次停职办学习班。学习期间只发给 300 元生活费，并根据学习后的思想认识和态度，重新安排工作。如投诉医务人员发错药、发错各类检查报告单、错收或多收费者，一经查实，视情节轻重，加重处罚。三是努力培养医务人员文明服务的仪表举止。邀请专业老师对医务人员的仪表举止进行训练，对接诊、导诊、陪护等岗位人员，做到语言文明、举止规范，使病人到医院后有一种热情、亲切、温馨的感觉。四是不断充实职工文化生活。通过举办文艺汇演、球类比赛、健美操大赛、服装表演等活动，陶冶职工文化情操，强化医院文化建设，进一步促进医院精神文明建设。

（海南省文明办）

海南省海口市第二十七小学

创建面向新世纪的校园文明建设体系

海口市第二十七小学坚持以素质教育为中心，以精神文明建设促进素质教育发展的思路，在校园精神文明建设方面创建自己的体系，抓出自己的特色，连年被评为省、市精神文明建设先进单位，2000年被评为全国精神文明建设先进单位。

一、精神文明建设与德育相结合

与德育基地活动相结合，全面提高学生思想素质。二十七小早在80年代就创办了五大德育基地：学工、学农、学军、学商、学优秀传统。这些基地都有名副其实的实体依托，成功地进行了精神文明建设实体效应的尝试。同时加强少先队工作，积极开展“五自”活动，在“雏鹰争章活动”中，先后被团中央评为雏鹰活动先进单位、雏鹰活动特优单位。

与德育科学实验活动相结合，系统升华学生道德水平。多年来，二十七小进行“在学校做个好学生，在家里做个好孩子，在社会做个好少年”的德育实验，二十七小确立了自己的德育理论框架：德育内容系列化、德育方法科学化、德育途径网络化、德育管理制度化。“九五”期间，国家教委指定二十七小实施劳动素质教育科学实验计划。

与教育网络活动相结合，学校、家庭和社会共筑文明长城。二十七小率先在全省成立家长学校和家长委员会实现学校与家庭有机沟通，增强了家长与学校共同担负文明教育重任的使命感。

二、精神文明建设与劳动教育相结合

德育同劳动教育相结合。两育在同一基地上进行，相互融合，相得益彰，学生在学习生产劳动或学军、学技术的同时，也受到了深刻的精神启迪。通过各学科劳动教育的内容，在养成教育中陶冶儿童健康的身心，如思想品德、语文、数学等学科以及自编教材中，凡有关劳动教育内容的，教师都不失时机地挖掘出来，并在教学过程中，培养学生的劳动意识和健康的劳动情感。

三、精神文明建设与校园建设相结合

首先，发挥“一把手”的表率作用。其次，发挥师德的关键作用。二十七小有一支思想过硬、业务过硬的教师队伍。第三，发挥环境建设的熏陶作用。学校还根据学生的年龄特征和接受能力，利用校园所有的醒目空间，张挂各种具有教育功能的图像、字画，让学生足之所至、目之所及之处，都能受潜移默化的感染。

（海南省文明办）

重庆市荣昌县

城乡联动 同创共建 努力建设社会主义新农村

荣昌县充分发挥市、县级文明单位物质条件较好、文明程度较高、创建经验较丰富的优势，实行对口帮扶，城乡联动，共建文明村镇，带动了农村精神文明建设的健康发展。

一、明确主题，找准切入点

1999年9月，县委、县政府下发《文明村镇战略实施意见》，明确提出建设文明村镇的主题是：实施“五改”（改路、改水、改厨、改厕、改圈），“六好”（经济发展好、思想道德建设好、科学文化教育好、社会治安好、村容镇貌好、精神面貌好），“七无”（无违反计划生育政策户、无青壮年文盲、无虐待妇女儿童老人事件、无黄赌毒等“六害”丑恶事件、无各类重大刑事案件、无重大责任事故、无严重环境污染），做到“五抓五不忘”：抓物质文明，不忘精神文明；抓企业，不忘农业；抓发展，不忘保护生态环境；抓先富，不忘共富；抓改革开放，不忘党的建设。

二、城乡联动，对口帮扶

结成一批对子。县委、县政府确定1999—2002年首先在广顺镇等9个中心镇的10个村进行试点，以示范点带动全县开展文明村镇创建活动，“示范带动，城乡联动，同创共建”。10年后，在全县基本实现县级文明村创建规划。县委、县政府确定全县73个市、县级文明单位负责联系10个文明示范村，结成对子。召开文明村镇建设工作会议进行专题部署，市、县级文明单位在信息、技术、物资、资金等方面进行对口帮扶。

坚持“三条原则”。一是坚持以经济建设为中心的原则，积极引导农民群众大胆调整产业结构，发展特色经济。二是坚持以提高农民的素质为根本任务的原则，努力培养和造就“有理想、有道德、有文化、有纪律”的新型农民。三是多办实事、多办好事的原则，努力抓好农民应办、想办而又办不了的事情。

采取“三大措施”。一抓思想教育。在村镇兴办党员干部学习室、文化图书室、广播电视室、群众娱乐室，计划生育生殖健康保健室等，编印《努力开创荣昌县农村精神文明建设新局面》大型挂图和《农民四字歌》等，对农民进行政策、科技、法制教育。二抓经济发展。通过信息传递、科技示范、技术指导等，千方百计引导农民办企业、闯市场，调整产业结构，广开致富门路。三抓环境建设。以“五改”为中心，整治家庭环境，发展庭院经济，实现家庭环境的净化、绿化、美化、香化，逐步改变农民的生存条件。

做到“三个落实”。一是领导力量落实。由县主要领导和分管领导牵头，部门负责人对口帮扶，乡镇党政一把手亲自抓、具体干，真正做到“领导抓、抓领导、一抓到底、抓出成效”。县领导现场办公，带头示范做出样板。二是规划方案落实。按照突出重点，缺啥补啥，典型示范，单项突破，整体推进的原则，根据各村的实际和特点，制定出各示范村3年内分步实施规划。三是帮扶政策落实。对口帮扶实行“农户投入为主，县里扶持为辅，乡镇以奖代补”的投入机制，认真做好“政策宣传引导，信息传递服务，技术示范推广，经济物资扶持”。

（重庆市文明办）

四川省南江县

改掉陈规陋习 建设文明新村

一、创建文明新村，抓住农村两个文明建设的最佳载体

南江县委、县政府提出“建设文明新村、改变落后面貌”的构想。重点解决好农民的房、水、路、厕、圈的问题，彻底改变农民生产生活环境，提高生活质量。将改变农民生产生活环境同农村基层组织建设、池园经济发展、党员干部队伍建设、基层民主法制建设、农民思想政治教育、科技推广应用和社会治安综合治理融为一体。

二、建立一套运行有效的领导体制，形成齐抓共管、责任分明的工作机制

第一，成立了文明新村建设领导小组，负责统筹规划和协调指挥。各区、乡（镇）也成立了领导小组，党委书记任组长，区、乡（镇）长任副组长。党委书记是第一责任人，主要抓好文明新村的建设和经验推广工作。各村党支部书记、村主任是文明新村建设的直接责任人，负责文明新村建设的具体规划和实施。第二，制定县级部门帮扶责任制。全县64个县级部门每个部门重点帮扶一两个村，指导文明新村规划，协调解决建设中的资金、技术、物资等问题。第三，实行领导干部挂联责任制。每个县级领导干部抓1个村，区（镇）党政一把手各抓1个村，把乡村干部作为责任人“捆”在一起，层层签订目标责任书，实行“目标同向、责任同负、风险同担”的办法，建立起以各级党委一把手为直接责任人的目标责任制。同时也安排科技人员实行帮扶挂联。第四，建立考核奖惩制度。把文明新村建设纳入干部年度工作实绩进行考核。对各级各部门挂联文明新村的领导干部和科技人员实行绩效挂钩，经严格考核验收，对当年完成目标任务的先进单位和个人，实行重奖。对当年完不成目标任务的，实行“一票否决”。第五，精心指导，督查督办。县文明新村建设领导小组办公室深入区乡村社进行巡回督查，及时进行信息反馈。区乡党政领导和农建办人员每年不少于1/3时间在基层调查指导。县委每季度组织召开一次现场会，总结推广经验。

三、从实际出发，改善生产生活条件与经济建设相结合

县委、县政府从实际出发，从改善生产生活条件入手，启动文明新村建设，“虚功”实做，让农民群众成为文明新村建设的最大受益者。他们实施“五改三建”，发展“池园经济”。“五改”：即改水、改路、改厨、改厕、改圈。“三建”即建池、建园、建家。“池园经济”就是一家一户建一口水池，池里种藕，养鱼或养鳝，池上养禽，池边栽果树，一水多用，成为家庭骨干财源项目。农民从文明新村建设中得到了巨大利益，激发了建设文明新村的巨大热情。

（四川省文明办）

贵州省黄果树风景名胜区管委会

创建文明景区 诚招中外游客

一、开展综合治理，改善景区环境，提高服务质量

为了建设一个风景秀丽的黄果树景区，风景区以开展“黄果树杯”活动为载体，以整治景区卫生、秩序为重点，坚持不懈地抓环境治理。与有关部门配合，抓发动、抓宣传、抓整治，取得明显成效，景区面貌焕然一新。治理环境卫生，塑造优美整洁的形象。他们结合景区实际，认真组织，精心安排，在景区开展以机关、企业、学校为主的“卫生与秩序”主题创建活动，组织干部、职工、群众、驻黄果树预备役官兵定期到景区内进行环境卫生维护活动。通过采取这些措施，景区卫生状况得到明显改观。

加强景区秩序整治。一是加强制度建设，建立健全安全、卫生、服务等各种规章制度，打印张贴上墙，依据制度进行严格管理，做到有章行事。二是加强对导游和摄影从业人员的业务水平和职业道德教育，景区管委会组织有关部门以公告、传单、会议等不同形式组织群众学习《环境保护法》、《风景名胜区管理办法》、《导游人员管理条例》等法律法规，对从业人员统一安排经营。加强对景区职工的管理，建立健全文明服务奖惩制度，实行持证上岗。三是强制拆除乱搭乱占乱建的棚架和摊点，规范个体摊点，教育个体工商户遵纪守法、文明经商。四是抓景区治安和交通秩序治理，组织旅游稽查大队、治安大队、交警大队昼夜巡查，查处治安事件，保证游客安全。五是设置便于游客游览的标志标牌，在游道出入口、岔路口、休息点、危险地段均设置提示性的标志、标牌、景点游览图和说明，公布旅游稽查、工商、公安的电话，这些标志牌规范美观、清楚醒目，方便了游客。

二、抓员工教育培训，提高他们的素质

他们把教育培训提高员工的素质作为创建文明景区的一项重要工作来抓。每年都要派出一批员工到北京、天津、上海、深圳、广州、武汉、昆明、贵阳等地脱产学习受训，使其增长见识、提高素质。同时每年聘请专家和英语教师到风景区授课，举办员工培训班。旅游淡季组织员工参加军训，每周安排固定的理论和业务学习时间，抓岗位技能培训，分层次、分阶段对员工进行职业道德、法律法规、景区制度以及岗位职责的教育和培训，提高员工的思想道德水平和业务素质，并把学习成绩同工资奖金挂钩。为了提高管理水平，他们还从国内知名的锦江宾馆聘请高级管理人员、高级厨师到黄果树宾馆任职，促进宾馆管理水平提高和员工素质的增强。

三、积极开展共建文明景区活动、推动景区和周边农村的共同发展

景区管委会在创建活动中，一方面对当地农民群众进行景区环境绿化保护法律法规的宣传教育，使大家自觉热爱景区、关心景区，积极投入景区开发建设保护。另一方面在加快景区建设过程中，不忘帮助当地群众脱贫致富，为他们办实事、办好事，为当地群众安装自来水，修公路，架电杆，拉电线，安装闭路电视等。同时，把一些修路、造林、护林等工作交给当地群众来做，使他们从中受益，并组织他们发展第三产业，引导他们走上脱贫的路子。

（贵州省文明办）

云 南 省

托起西部明天的太阳

——认真实施“西部开发助学工程”

一、在宣传发动上狠下功夫

云南省经过认真调研和反复讨论确定资助人员和运作方案后，召开了两次新闻发布会和两次受助学生座谈会，还制作了《今日话题》专题片，在省内重点院校中广泛开展了“西部开发助学工程与我”的宣传教育活动，使“西部开发助学工程”不仅引起全社会的广泛关注，而且得到了一些大型企业的热烈响应。在省文明办的协调下，玉溪红塔集团决定连续三年对省内22所高校每年捐资60万，资助600名家庭经济困难的优秀大学生完成学业；同时，每年由高校评出10名品学兼优的大学生，由红塔集团出资设立“红塔高校十佳大学生奖”进行奖励；还由集团提供部分困难学生勤工俭学和社会实践的机会。在红塔集团的带动下，全省大中小学都兴起了“西部开发助学工程与我”的宣传教育和募捐活动。

二、在选准资助对象上狠下功夫

为实现“西部开发助学工程”的政治效应和示范作用，云南省逐步建立起“三个机制”：即省、地、县三级领导小组和办公室的工作机制；由上而下、层层推荐、广泛协商、核实审查的运行机制；联合社会、院校和受助学生的反馈机制，使这项活动真正让品学兼优的贫困学生得到帮助。2000年受资助的100名学生都是家庭人均收入不足100元、品学兼优的好学生。自2000年10月向社会公示受资助者后，未接到任何检举揭发意见。

三、在公正无私上狠下功夫

在推荐审核资助对象过程中始终坚持“四公开”：一是条件公开。将“云南省西部开发助学工程实施方案”以云南省文明办文件形式下发全省。同时，将资助的一系列政策规定、条件要求通过新闻发布会的形式向社会公布。二是调查公开。明确规定资助对象优先在73个国家级贫困县中挑选。县文明办会同教育局逐校逐乡逐村开座谈会进行调查，组织考察核实。三是平衡公开。在确定资助对象时，切实听取乡镇、学校、教育部门的意见，由各级党委、政府的分管领导主持审定，确保把资助款用于最困难的学生。四是名单公开。不仅受资助学生名单通过新闻媒体公开，而且整个推荐过程都向社会公开，广泛听取意见。为防止以权谋私的问题发生，专门作出“公务员及其亲属的子女不在受资助范围”的规定，在社会和受资助者中产生了良好的影响。

四、在加强管理上狠下功夫

一是抓制度规范。除了《实施方案》中的规定外，省内7所重点院校把受资助学生的思想品德、专业学习、资助款发放捆在一起，分别制定出管理细则，达到制度化、规范化。二是抓管理网络。纵向抓省地县文明办和教育厅的检查督促；横向与省内外院校保持交流联系，同时关注社会和群众的反响，使受助学生享有一种健康氛围。三是抓思想汇报。要求每一个受助学生每一学期都要向省地县交一份思想和学习汇报，专门建立了受助学生档案。四是抓组织活动。在省内院校广泛开展“西部开发助学工程与我”的教育活动，促进他们之间的思想和学习交流。通过细致的管理工作，使这项工作成为“塑造人一辈子”的社会工程，为西部开发培养合格的建设者。

（云南省文明办）

西 藏 自 治 区

以“治乱治愚”为重点 大力加强农牧区精神文明建设

一、各级党委重视，党政齐抓共管

各地市认真贯彻区党委指示精神，相继成立了精神文明建设领导班子，县以上单位设置了办事机构，村镇也建立了相应的组织。从实际出发，制定了精神文明建设五年规划和阶段性目标，对文明村镇创建活动提出明确要求，与经济指标一起部署，一起检查，一起落实。实行目标管理责任制，与乡镇主要领导签订责任书，进行量化，采取打分的办法，进行综合评比考核，将结果与干部的使用和奖惩挂钩。通过县抓乡、乡抓村、村抓户的办法有效地促进了创建文明村镇任务的落实。

二、突出反分裂斗争教育，统一干部群众的思想

区党委派工作组深入到寺庙开展爱国主义教育。各地市把反分裂斗争教育贯穿创建文明村镇活动过程中，组织农牧民群众学习邓小平《立足民族平等，加快西藏发展》等文章，学习中央和自治区揭批达赖的一系列重要指示精神，使绝大多数僧尼和农牧民群众认清了达赖的反动本质，自觉把达赖与宗教区分开来，铲除了达赖集团祸藏乱教的群众基础，消除了达赖在人民群众思想上造成的混乱，使创建活动具有丰富的思想内涵，为农牧区经济发展、社会稳定提供了坚实的思想基础。

三、健全制度，完善机制

各地市先后制定文明村、文明户检查评估制度、奖惩制度、群众学习制度、环境卫生制度以及文明公约、文明守则等符合实际的各项制度，从而使创建活动逐步走向制度化，保证了各项任务落到实处。同时完善各种创建机制，尤其是领导机制。各县在健全文明委、文明办组织的基础上，建立了乡（镇）、村两级创建活动领导小组，乡（镇）、村“一把手”任组长，负总责。

四、依靠群众，充分调动群众的积极性

一是紧密结合实际，从群众最关心的问题入手。一些地方的基层干部和群众在创建活动中不是照搬照抄，而是从陈规陋习抓起，收到了很好的效果。二是从根本上着眼，在更新观念上下功夫。一些地方的干部群众在传统的宗教仪式和节日开展文体活动和物资交流活动，充实了内容，推动了两个文明建设。三是通过典型引路，发动群众自己教育自己。一些地方在创建过程中，运用新旧对比的办法教育群众，通过科技示范等方法引导群众学科学用科学，通过致富典型教育群众克服宗教消极影响，效果十分明显。

（西藏自治区文明办）

西藏自治区气象局

内强素质　外树形象　重在建设

一、完善运行机制，健全规章制度

西藏自治区气象局和各地（市）气象局相继成立了由一把手挂帅的精神文明建设指导小组，负责指导、组织、协调全区气象部门的精神文明创建活动，明确“内强素质，外树形象，重在建设”的指导思想，建立健全各级领导干部抓精神文明建设的岗位责任制，形成在党组统一领导下，各部门主要领导亲自抓，党、政、工、团齐抓共管的领导体制和工作机制。先后制定《西藏气象部门“九五”精神文明建设计划》和《西藏气象部门精神文明建设达标标准》，使创建活动既有建设目标，又有阶段任务，具有较强的操作性，确保创建活动深入持久地开展。

二、开展“八个教育”，突出思想道德建设

一是爱国主义教育。通过开展中国近代史、西藏历史、中共党史和基本国情教育，使广大气象职工树立“自尊、自信、自强”的民族精神；深入揭批达赖集团分裂祖国的阴谋，旗帜鲜明地反对分裂，维护统一，坚决反对“骑墙派”；把爱国主义教育与马克思主义民族观、宗教观、文化观教育结合起来。二是民族团结教育。教育职工做到不利于民族团结的话不说，不利于民族团结的事不做，以自身的言行维护民族团结。三是艰苦奋斗教育。倡导“自力更生，艰苦奋斗”精神，精神文明经费短缺，能自己动手干的，就自己干。反对和制止“讲排场、比阔气，挥霍浪费”的行为。四是无私奉献教育。“没有吃苦精神不要到西藏，不具备奉献精神不要搞气象”。党组的同志走到哪，就宣传到哪，同时注重树立典型，大力宣传全国优秀共产党员、模范气象工作者陈金水的事迹。五是敬业爱岗教育。党组一班人把职业道德教育同热爱气象事业、立足本职做贡献的教育结合起来，通过开展“热爱气象事业，争当文明新人”演讲比赛、“征集职业道德用语”等活动，鼓励职工干一行，爱一行，钻一行，不断提高业务水平。六是唯物史观教育。充分发挥气象科技的优势，进行科普宣传，让群众了解气象，相信气象科学，用气象科技指导农牧业生产。七是民主法制教育。结合国家实施“三五”普法教育的有利时机，在职工中深入进行遵纪守法教育。八是党纪教育。党组一班人始终坚持要求别人做到的，自己首先做到，要求别人不做的，自己坚决不做，从制度上制止腐败问题的产生。以江泽民同志“三个代表”的重要思想为指导，从严治党、从严治政，争当精神文明创建工作的模范。

三、狠抓“五个工程”，树立文明形象

一是抓气象服务工程，为经济建设服务。自治区气象台和部分地区气象局先后出台了文明服务规范化管理措施，实行气象服务承诺制，提高气象服务质量和服务效果。二是抓环境美化工程，创舒适工作环境。全区气象部门始终将绿化、美化工作纳入议事日程，创建“花园式单位”。三是抓综合治理工程，促单位治安工作。按照“谁主管，谁负责”的原则，分解任务，层层签订治安责任书，把社会治安综合治理落到实处。四是文明办公工程，促机关作风好转。将具有“窗口”形象的局办公室定为“文明服务示范单位”，制定具体措施，加强作风建设。把创“三优一满意”形象活动推向各地市气象局、局机关各职能处室、直属事业单位，改善工作作风。五是文体活动工程，增强队伍凝聚力。坚持开展不同形式的文艺活动和全民健身活动，丰富职工业余文化生活。

（西藏自治区文明办）

陕西省延安市

弘扬延安精神 树立圣地新形象

延安市委市政府以“弘扬延安精神，树立圣地新形象”为载体，以“设施完善、功能齐全、服务优质、环境优美、道德高尚、经济繁荣”为目标，深入开展创建文明城市活动，取得显著成效，受到陕西省委省政府的表彰。

一、加强领导，建立有效创建机制

一是坚持把“弘扬延安精神，树立圣地新形象”创建文明城市活动列入各级党委、政府的重要议事日程，制定实施意见，成立领导机构，下设办公室和5个专门小组，负责有关任务的具体落实。二是建立“条块结合，以块为主”的责任制。坚持实行地方党政领导、单位和行业主要领导对活动负责的第一责任人制度。每年由市委、市政府领导同县（区）和行业签订目标任务书，各县（区）、行业与基层单位签订任务书。从上到下落实各级责任，一级抓一级，一级带一级，齐抓共管，形成合力。三是加大督促检查工作力度。组建环境综合治理办公室，成立联合执法检查工作队，定期召集有关部门负责人会议，听取工作汇报，进行具体指导，落实职责，奖优罚劣，使创建活动呈现出条块密切配合，整体推进的良好态势。

二、弘扬延安精神，塑造延安人新形象

他们用“艰苦奋斗、坚强勇敢、忠厚朴实、勤劳开放、热情大方、开拓创新、上进好学”28个字为新时期延安人新形象进行定位。全市各级部门、单位充分利用延安的政治优势，开展了“发扬老传统、树立新形象、做现代延安人”宣传教育活动。一是强化宣传教育，形成浓厚的思想舆论氛围。市、县（区）层层召开动员大会，以“人人都是圣地形象”、“人人都是改革主体”、“人人都是投资环境”为题，组织干部群众开展“告别不文明言行，争做文明市民”的大讨论、知识竞赛和演讲比赛，各新闻媒体开办专栏、专题，加大宣传力度，号召和动员全市干部群众为圣地增光添彩。通过兴办文明市民学校、文明村民学校、业余党校、职工夜校等，组织干部、职工和居民学习道德知识、道德规范和市民、村民公约。二是强化道德养成。在全市开展“十不准”活动，评选文明市民；组织数十万人参加“告别不文明行为、做文明市民签名活动”；由联合检查队进行经常性的监督、巡察，奖优罚劣，严格管理，促进道德行为规范的养成。三是开展“五星级单位”创评活动，加强职业道德建设，纠正行业不正之风，树立廉洁、高效、务实的机关形象和便民、利民、热情周到服务行业形象。

三、重在建设，塑造延安新风貌

延安市突出“建设”二字，着重抓了四方面工作。一是加大投入，加强基础设施建设，建设延安新面貌。截止到2000年底，累计投资40多亿元，对城市道路、供水、供气、卫生、排污、照明、通讯等基础设施进行改造。加大对文化设施、群众生活设施的投资力度，先后出台了加强城管监察、园林绿化、市容环境等管理办法10余件，理顺了城建、市容、爱卫、公安、文化、工商等部门的管理体系。开展交通秩序、社会治安、环境卫生、农贸市场、大气污染、文化市场、广告牌匾、校园环境等方面的治理整顿。组织创建园林城市、园林单位、园林居住区活动，加强净化、绿化、美化、亮化工作，使延安的空气清新了、山绿了、水清了、夜晚亮了。二是教育和整顿双管齐下，大力倡导科学、文明、健康的生活方式。不断开展科普宣传教育，推行文明施工、文明作业、文明生产经营和文明生活方式，重点整治严重损害延安形象的“黄、赌、毒”现象和封建迷信活动。深入揭批“法轮功”的斗争。三是纠正行业不正之风，推行优质规范服务，树立行业新形象。延安市以强化全心全意为人民服务的宗旨教育为核心，以“创佳评差”竞赛活动为载体，坚持不懈地纠正行业不正之风，全面推行优质规范服务，营造诚实、守信、平等竞争的经济秩序。各行业均制定了行业形象标准，推行服务承诺，推广文明用语；加强工作环境标准化建设，服务内容程序化建设和内部管理规范化建设。市文明委会同有关部门对行业的服务状况进行定期和不定期的检查评比，有效地推动了各行各业服务质量的不断提高，营造良好的投资环境和经济发展秩序。四是培养树立先进典型，为全市各行业的精神文明建设提供了样板，带动全社会整体文明水平的提高。

（陕西省文明办）

陕西省宝鸡市渭滨区经二路

建精品街道　树文明形象

经二路是宝鸡市政治、经济、商贸、文化中心。宝鸡市委、市政府和经二路所在地的渭滨区委、区政府把创建经二路文明示范街当作“形象工程”大事来抓，加大投入，加强管理，使经二路成为宝鸡市对外开放的窗口。

一、加大投入，改善基础设施，精心组织“三大工程”

他们从建设西北地区文明大都市的高度着眼，投资5000多万元，对经二路实施整体改造，建成一条设施完备、功能齐全的现代化街道，实现了全市人民多年的梦想。在拥有了宽敞平坦的四车通行干道，港湾式的公交车停靠站，美丽整洁的隔离栅栏和制作精美的喷绘广告牌匾的基础上，渭滨区又精心组织“点亮工程”、“绿化工程”、“洗脸工程”等专项基础建设，使经二路在“新”起来的同时，不断“亮起来”、“绿起来”、“美起来”，建成白天干净整洁、整齐有序，夜晚流光溢彩的文明大街。

二、实施规范管理，创建精品街道

按照措施可行、责任明确、管理规范的要求，制定《经二路文明卫生示范一条街管理办法》，提出“六个一”标准，即：卫生整洁一条街；交通秩序良好一条街；社会治安稳定一条街；绿化美化一条街；优质服务一条街；霓虹灯闪烁一条街。根据这个目标，区政府对经二路一条街坚决实施“三管”（即管严、管住、管好）。集中抓好五件事：取缔占道经营；规范管理自行车；严格广告管理；严格人行道固定设施审批程序；加强清扫保洁。经过努力经二路变得亮丽、整洁、有序，2000年3月，被中宣部、中央文明办等六部委命名为全国“百城万店无假货”示范一条街。在此基础上，区政府又提出努力创建经二路精品街道工程，以此辐射带动区城市管理工作上水平、上台阶。他们采取两条实际措施：一是全面推行垃圾筒装化，二是设立城市管理流动督查队。本着“督管分离”原则，由区城建局设立城市管理流动督查中队，统一着装，统一行动，每天督查经二路的清扫保洁、绿地管护和秩序维持等管理情况，发现问题及时处理。

三、加大宣传力度，强化精品意识，形成共建局面

广泛向社会宣传经二路文明卫生一条街规划，把范围扩大到大中小学校，深入到机关事业单位，发挥全区187所文明市民学校阵地作用，坚持活动经常化，不断加强市民的环境意识和都市意识。“宝鸡渭滨是我家，管好城市靠大家”口号如今已深入人心，成为市民的自觉行动。为进一步组织群众管理经二路，形成全民管理城市的浓厚氛围，他们采取以下措施：一是“绿地认养”。贯彻“人民城市人民管”的原则，将经二路32组花坛作为管理对象，在区属中小学和部分青年文明号企业中推行“一对一”认养活动。二是开展“我是城管小卫士”活动，每逢星期日，选择20名左右热爱城市、环境意识较强的学生，在经二路担任“城管小卫士”，对行人中乱扔杂物等不文明行为进行劝阻，另外辅之以生动活泼、主题鲜明的文艺节目，既教育了广大市民，也提高了中小学生的文明卫生意识。三是设立城市管理广播站，定期宣传城市管理相应法规、表彰好人好事，提高广大市民都市意识。四是在新闻媒体开办以经二路为主的城市管理“民心栏”，集思广益，调动群众积极性，接受社会监督。五是开展“我为经二路添光彩”活动，使广大市民行动起来，对在沿街乱贴广告，随意损害公用设施等不文明行为做斗争，共同维护良好的城市文明形象。

（陕西省文明办）

陕西省西安市长乐西路国税所

内强素质　外塑形象　夺取两个文明建设双丰收

西安市长乐西路国税所坚持“两手抓，两手都要硬”的方针，严格规范税收征管行为，积极开展精神文明创建活动，内强素质，外塑形象，取得两个文明建设双丰收。被国家税务总局和团中央命名为青年文明号，先后荣获陕西省创佳评差活动最佳单位、十佳文明单位、基层建设达标示范单位、省级文明单位等荣誉。

一、开展创建活动，提供优良周到的服务

一是组织开展文明服务活动。积极推行“三声、四心、五个一”服务标准，即：为纳税人服务要做到“来有迎声、办事有应声、走时有送声，生人熟人一样热心、忙时闲时一样耐心、批评表扬一样虚心、大户小户一样尽心，送一张笑脸、道一声问候、让一个座位、倒一杯茶水、听一条建议”。二是实行“首问负责制”。即纳税人询问的第一位税务人员必须负责解答纳税人提出的所有问题，帮助、引导纳税人顺利办完各项事宜，不得以任何理由推诿或回答“不知道”。三是设置各种便民设施。在征收服务大厅配置桌椅，添置笔墨纸张，配备杯子和茶水，安装磁卡电话，解决他们在休息、书写、饮水和通讯等方面的实际困难。设置触摸式电子显示屏，纳税人能够快捷地查询到各种有关税收征管方面的政策法规和信息资料，为纳税人提供方便。四是广泛开展文明服务竞赛活动。开展“承诺服务”活动，限时践诺，违诺处罚。开展“青年文明号”服务活动，发放“青年文明号服务卡”，组织青年文明号助万家活动。设立“共产党员岗”、“共青团员岗”，开展“青春献税收、文明建功业”主题活动。开展“创建文明单位”活动，“创佳评差”竞赛活动，评选“最佳窗口”、“最佳税务员”等。五是送法上门。定期或不定期地举办税法学习班、税务知识专题讲座，对一些热点难点和重点问题，及时进行解答，利用下企业、查账、调研等机关，送法上门，积极为纳税人提供法律服务和经营发展信息。六是广泛开展扶贫济困献爱心活动。全所团员、青年坚持数年照顾一位孤寡老人。连续三年为蓝田县三官庙乡21名失学儿童捐资助学，共送去近万元的桌椅、教具、书包、课本等教学用品。捐款购买1000多株板栗树苗送到蓝田县辋川，并帮助当地农民栽好。积极主动为下岗职工再就业牵线搭桥，为特困职工捐助钱物。

二、加强教育培训，建设高素质的队伍

坚持不懈地抓教育培训。一是坚持学习制度，所里一直坚持每周三的半天学习和每天班前半小时学习制度，并把学习内容、时间、效果作为目标考评的硬指标与工作任务一同考评，严格检查落实。定期组织学习心得交流会，开辟“学习园地”专栏，交流、展示学习心得笔记。二是鼓励自学成才，所领导带头坚持自学，并用报刊上自学成才的典型引导大家克服工学矛盾，努力成为“复合型”人才。在时间、物力等方面大力支持全所人员参加各种学习教育。三是采取走出去参观学习，请进来作报告，参加各种社会活动，组织开展各种文体活动等方式，引导职工坚定理想、信念，树立正确的世界观、人生观和价值观。四是采取集中培训、自学为主、严格考核的方法对全所人员进行业务培训，使所有人员熟悉税法，能熟练地运用微机。五是不断组织岗位练兵，将《税务稽查工作规程》等业务知识，按内容分给每位同志备课讲解，做到“人人备课人人讲，人人出题人人考”，形成研究业务，争当技术尖子的风气。在市局、分局的历次业务考核中，该所成绩名列前茅。

坚持不懈地抓廉政建设。他们首先从思想教育入手，经常组织全所人员学习“三个代表”重要思想以及中纪委的有关文件、法规，特别是用胡长清、成克杰等反面教员向税干敲响警钟，教育大家在思想上筑起清正廉洁的防线，做到一身正气、一尘不染。其次，狠抓廉政制度建设，他们实行“八公开”：公开纳税人权利义务、税收机关政策法规、税务机关管理服务工作规程、税务稽查规程、违法违章处罚标准、税干廉洁自律规定、税干违法规定的责任追究等。增强征管工作的透明度，向社会公布监督举报电话，接受纳税人监督。第三，建立廉政责任制，层层签订廉政责任书，实行“一票否决制”。第四，强化廉政监督，所里成立廉政监督小组，每月开展“纪检检查日”活动。在纳税人中聘请了21名廉政监督员，加强社会监督，形成内外监督机制。这些举措使全所形成了不以权谋私、不收人情税、不吃请、不收受礼品，廉洁征管的良好风气。

（陕西省文明办）

陕西省户县供电分局

坚持“四结合” 创建文明企业

陕西省户县供电分局把精神文明建设纳入企业的发展、规划之中，以“建设一流的电网，实现一流的安全，实施一流的管理，创建一流的效益，提供一流的服务，锤炼一流的队伍”为目标，坚持“四结合”原则，齐心协力，团结奋战，使创建工作取得显著成果，获得省级文明单位称号。

一、精神文明建设与企业管理有机结合，向管理要效益

户县分局结合生产实际和精神文明建设的实际，提出“四加强一提高”的管理工作目标：加强领导班子和干部队伍建设，加强基础管理，加强安全管理，加强职工培训和人事管理，不断提高企业的综合水平和经营效益。根据这一目标户县分局建立健全了以岗位责任制为主体和内部模拟市场为考核手段的管理体系，按照“严管、重处、狠罚”的原则，大力开展“反违章保安全”活动，实现了两个150天安全生产周期。

二、精神文明建设与坚持“三为”方针有机结合，为地方经济发展提供良好的投资环境

户县分局始终坚持将电力“三为”方针作为精神文明建设的出发点。电力客户服务中心实现了报装接电、修校电度表、电力紧急抢修、地区

营业收费等项目“一厅式办公”，极大地方便了客户。营业人员统一着装，挂牌上岗，微笑服务，将供电服务承诺真正落实在行动上，受到了电力客户的一致称赞，树立了良好的窗口形象。狠抓行风建设，首先修订完善有关规章制度，制定了“禁止乱收费、乱摊派”等制度，严格执行。其次坚持在社会各界及用电客户中常年聘请行风监督员，做到定期召开座谈会，接受社会监督。设立举报箱、举报电话，管理干部开展“走千家万户、做光明使者”活动。

三、精神文明建设与减轻农民负担有机结合，让群众享受到国家政策的温暖

农村的用电秩序和电价问题是人们一直关注的热点问题，户县分局加大了农电管理和农村电价整治力度。首先整顿了农村电管队伍。全县设立20多个供电营业所、举办电工学习班，对全县电工进行应聘考试，使农村电工队伍由原来的600多名减少到目前的301名，彻底取缔村电工承包；向全社会公布电价政策及收费标准，组织宣传、咨询，散发各种宣传品。设置电费公布栏，在全县512个行政村建立起电力营销体系，让群众用上放心电、明白电。为了减轻农民负担，组建了一支义务校表队，走乡串户，义务为群众修校电度表，仅此一项，就可减负60多万元。此外，他们还对全县512户军烈属、特困户、五保户实施爱心工程，免收表外工料费5万元，受到群众和地方政府的赞誉和好评。

四、把精神文明建设与培养“四有”职工队伍有机结合，提高职工队伍的整体素质

户县分局坚持以人为本的原则，狠抓职工的素质教育，制定《职工行为规范》，规范《文明用语》，坚持从日常抓起，从一点一滴做起。培养良好的习惯。在生产任务十分繁重的情况下，对职工进行了军事化轮训，还专门把周六下午定为“学习、卫生日”。在强化职工业务理论、技能培训的同时，还注重思想政治素质教育。他们建立图书阅览室，明确规定每人每年在图书室自学时间。面对电力企业经济关系发生的重大变化，在职工中开展了“讲形势、转变思想”和“规范化服务，开拓电力市场”教育。党支部开展了“立功献礼”和“党员责任区”活动，要求党员做到无违章、无事故、无高损、无欠费，完成任务好。成为“五大模范”：贯彻执行党的基本路线的模范，扎实工作维护团结的模范，勤奋学习、克己奉公的模范，遵纪守法、廉洁自律的模范，崇尚科学、反对迷信愚昧的模范。

（陕西省文明办）

甘肃省平凉地区华亭县公安局

强素质　树形象　争创一流文明行业

甘肃省平凉地区华亭县公安局，坚持“抓精神文明建设从抓干部素质入手，抓干部素质促进各项工作”的总体思想，加强理论学习，狠抓内部管理，有力地推动全局各项工作的全面发展，被公安部连续三年评为“全国优秀公安局”。

一、加强领导，统一思想，形成整体合力

局党委一班人始终坚持“精神文明以人为本、重在建设、贵在坚持、务求实效”的原则，把精神文明建设作为行风建设和公安队伍建设的一项重要内容，一把手亲自抓，把精神文明建设纳入公安工作整体规划，与公安业务工作同检查，同考核，同奖罚。与24个基层单位签订年度精神文明目标管理责任书，制定考核奖励办法，使精神文明建设工作做到有领导、有计划、有投入、有考核、有结果，使软件变成硬指标。同时，与工会、团委、妇联等群众组织协调配合，政工部门具体抓落实，形成党、政、群齐抓共管的良好局面，为推动精神文明建设形成合力。

二、以人为本，提高素质，广泛开展理论学习活动

局党委始终坚持以党的十五大精神和邓小平理论来武装民警的头脑，坚持不懈地开展政治理论和法律法规学习。坚持四个落实，即领导落实，时间落实，制度落实，任务落实。局党委每年都要召开理论学习专题会，研究讨论理论学习的重点，对阶段性学习活动的主题、内容、方法、时间作出明确规定。制定《理论学习制度》12 条。县局每年组织局警对党的十五大精神和邓小平理论的学习进行两次考试，通过狠抓各项措施的落实，全局理论学习的气氛日益浓厚、民警的整体素质和精神风貌明显改观，受到华亭县委、县政府和社会各界的好评，成为全县理论学习的典型。

三、健全制度，严格要求，向管理要警力

华亭县公安局坚持“建一流班子，带一流队伍，创一流业绩”的思路，以严格要求，严格执法来推动精神文明建设协调发展。他们从实际出发，制定了《党委会议议事规则》、《局务会议制度》、《机关卫生制度》、《公安民警职业道德规范》、《公安民警行为规范十不准》等 14 种规章制度，将民警的德、能、勤、绩同职务晋升、警衔晋级、住房分配挂钩，坚持竞争上岗。局党委主要领导严以律己，实行党委成员定期思想、工作汇报交流和集体学习制度，确保局党委决策正确，指挥有力。

四、开展活动，外树形象，在创建上求效果

精神文明重在建设，华亭县公安局紧紧抓住这根主弦不放松，在全局广泛深入开展“争先创优”、“遵纪爱岗”、“学先进比贡献”等一系列竞赛活动，建业余体育队、业余文艺队，开展形式多样的文体活动，活跃了民警业余文化生活。先后举办“金盾杯”卡拉 OK 大奖赛、公安业务知识竞赛、争做人民满意民警演讲比赛。推行“民心工程”和“形象工程”，在全局广泛开展“争创人民满意”活动，公开办事程序，推行警务公开、警务反馈制度，在窗口单位普遍开展“四个一”服务活动（即为办事群众让一个座、倒一杯水、问一声好、给一个满意答复），为群众办实事。

五、加大投入，优化环境，切实加强基层基础建设

他们坚持精神文明建设抓硬件不放松，做到领导力量，思想认识，组织措施，计划安排，资金投入“五到位”。多方筹资，先后搬迁西华派出所，新建山寨派出所和神峪派出所，搬迁新建安口标准化派出所宿办楼；续建东华派出所，组建了编制 30 人的华亭消防中队，建起消防中队宿办楼，给县局刑警大队、缉毒队等配备业务专用车。

（甘肃省文明办）

中国建设银行青海省分行

坚持创建不停步　巩固成绩上水平

中国建设银行青海省分行认真贯彻“两手抓，两手都要硬”的方针，把精神文明建设作为全行事业发展的统一目标，与各项业务工作同部署、同检查、同落实。在积极拓展各项业务，支持国家重点项目和地方经济建设的同时，广泛深入地开展群众性的精神文明创建活动，使两个文明建设取得了显著成效。

一、领导重视，机构健全，制度完善，职责明确

分行把精神文明创建活动作为衡量整体工作水平的一个重要标志，常抓不懈。制定一整套适合行业特点的工作制度和创建目标。各级行均成立精神文明建设工作领导小组，由党委书记担任组长，对精神文明创建活动负全责，班子其他成员按照工作分工分头抓，党政工团依据各自的工作特点密切配合，实现了一把手抓两手，班子成员积极协助，党政工团齐抓共管的工作格局。制定了《中国建设银行青海省分行精神文明建设“九五”规划》。将精神文明建设工作列入年度综合考评之中，与业务工作共同考核，有力地推动了精神文明创建工作的深入开展。

二、强化六项教育，促进创建工作上水平

分行把建设一支政治过硬、业务优良、作风清正、纪律严明的金融职工队伍当作创建活动的头等大事，突出强化六项教育，提高员工整体素质，促进精神文明创建工作上水平。

加强建设有中国特色社会主义理论的学习，强化政治理论教育。抓好党委中心组的学习，制定了《党委中心组学习制度》，按年度列出详细的学习计划，以制度来促进学习；选派处级以上领导干部参加金融工委和总行党校学习，增强领导干部学习理论的系统性；建立副处级以上领导干部读书笔记审读制度，增强领导干部业余自学的自觉性，巩固学习效果。抓好一般员工的学习，制定《关于进一步加强全行干部员工政治理论学习的意见》，从制度上确保全行员工政治理论水平的整体提高。

加强行风行规教育。从推行 CIS 战略，构筑新型企业文化，塑造良好企业形象出发，以突出“为人民服务，树行业新风”为主题，以贯彻落实“人才、科技、产品、服务、市场、客户、风险、效益”和“不断创新，追求卓越”的企业理念为己任，不断规范内部管理和服务标准，教育约束员工严格遵守建设银行员工职业道德规范，树立正确的职业理想，养成良好的职业习惯，以良好的行业风貌提升建行形象。

加强党风廉政建设和艰苦奋斗精神教育。分行认真贯彻中共中央和建设银行党委关于党风廉政建设的一系列规定、制度，不间断地对领导干部进行“讲学习、讲政治、讲正气”为主要内容的党性、党风、党纪教育。着重按照《廉政准则》、制止奢侈浪费若干规定和要过好“政治关、权力关、金钱关、享乐关、亲朋关”的纪律要求入手，建立领导干部廉政档案，并经常进行督促和检查，狠抓落实。各级领导干部自觉做到自警、自重、自省、自励。全行干部员工时刻不忘以特别能吃苦、特别能忍耐、特别能战斗的青海高原精神和无私奉献精神来激励、鞭策自己，崇尚节俭，厉行节约，反对铺张浪费。

加强爱国主义教育。按照《爱国主义教育实施纲要》要求，结合重要纪念日重大历史事件，通过各种渠道，对广大员工进行爱国主义教育，引导员工树立民族自信心和民族自豪感。

加强法制教育，增强依法经营的自觉性。把依法治行作为有效防范金融风险的可靠保证，建立健全普法工作机构。在精简机构，缩减人员的情况下，省分行增设了法律处，负责全行的普法工作。结合金融行业的特点，围绕全行的中心工作，制定了法制教育规划，组织员工重点学习《人民银行法》、《商业银行法》、《金融违法行为处罚办法》和金融系统内部制定的各项规章制度等。2000 年 8 月 3 日，第二营业部员工成功地堵截了一起 360 万银行承兑汇票诈骗案，确保了客户的资金安全。

加强业务知识培训，提高业务水平。举办新业务、新知识为主要内容的培训班 413 期，有 9600 多人（次）参加了学习培训。为规范操作，对 11 个岗位的员工进行了上岗考试，参考人数 3500 多人（次）。在本行培训提高的基础上，鼓励员工积极参加成人高考和研究生考试。

三、积极开展“扶贫济困，献爱心”活动，为保持社会稳定做贡献

一是先后为定点扶贫单位捐助 40 多万元，建设桥梁和卫星地面接收站，捐助面粉 2 万多斤，衣物 4 万多件，桌椅 80 件，捐款 1.26 万元资助 11 名贫困小学生。二是为企业特困职工、受灾群众、残疾人以及“希望工程”和见义勇为基金捐款 68 万元，为 30 多家特困企业发放特定贷款 5062.8 万元。三是自 1996 年起，由职工捐助的“建行爱心基金”每年以 4 万元资助青海大学、青海师范大学 40 名贫困大学生，连续 10 年共计人民币 40 万元。四是省分行机关职工从 2000 年起，捐款 7.2 万元，分 6 年时间，每年资助南方小学和前营街小学 40 名贫困小学生。

四、加强党的建设，充分发挥政治核心作用，以“党建”促“创建”

一是积极开展了以“争创先进基层党组织和优秀共产党员、优秀党务工作者”的“争先创优”活动，充分发挥党组织在精神文明创建活动中的战斗堡垒作用和先锋模范作用；二是从提高基层党组织和共产党员的创建意识入手，把争当文明单位和文明员工作为“争先创优”活动的主要内容列入考核指标；三是大力宣传先进党组织和优秀共产党员的先进事迹，发挥表率作用；四是当好“公仆”，为职工办实事。各级党委不仅在思想上帮助职工奋发向上，而且在生活上关心职工，千方百计为他们排忧解难。为丰富职工的业余文化生活，增强体质，利用节假日组织职工开展各种文体活动外，还克服重重困难，先后建起了健身房、乒乓球室、阅览室和职工之家等，为职工参加业余活动提供了必要的场所。

（青海省文明办）

宁夏回族自治区沙湖旅游区

精神文明建设见成效

一、培养高素质的员工队伍

沙湖旅游公司把员工素质和服务水平作为沙湖旅游事业发展的大事来抓，按照“优质、高效、文明、规范”的服务宗旨，以人为本，坚持不懈地抓好职工队伍的素质教育。

用科学的理论武装人。一是坚持对干部职工进行邓小平理论教育、党的基本路线教育、形势教育、理想信念教育和法律知识教育，引导职工树立正确的世界观、人生观、价值观，做艰苦奋斗、奉公守法的好职工。二是用英模的事迹引导人。教育职工学英模、赶先进，在精神文明建设中唱主角、打头阵。三是用无私奉献的精神激励人。广泛深入地开展爱岗敬业、乐于吃苦、无私奉献的教育活动，培养员工“见危险就冲、遇困难就上、有好处就让”的高尚品质。四是用寓教于乐的方式感染人。针对员工思想活跃、爱好广泛的特点，积极开展读书演讲、书评影评、知识竞赛等多种教育手段，寓教于乐、陶冶情操，以增强教育的效果。

抓好科技文化教育。公司从各方面积极支持和鼓励员工学习深造，通过参加各级各类函授和自考，有近百名员工获得大专以上学历。

抓好岗位技能培训。利用冬季时间，举办旅游服务技能培训班。帮助员工丰富业务理论知识，提高导游讲解水平和处理突发事件的能力。同时，开展导游工作大比武活动，在比武中互相学习，互相促进。

二、建设优美的旅游生态环境

沙湖把生态环境建设视为旅游的生命线，在发展旅游事业的同时，全面保护自然环境，最大限度地保护生态资源。

建立自然保护区。聘请国内著名的鸟类、治沙、环保、生态建设专家考察论证、制定规划，加强指导，定期监测，促进生态建设与经济建设的相互促进和协调发展。对景区沼泽生态、沙漠景观、鸟类等采取了专业的保护措施，以拯救濒危、珍稀动植物种。

加强景区绿化建设，强化管理，责任到人，措施到位。近年来植树成活率达80%以上，生态环境得到较大改善。

净化美化景区环境。沙湖坚持开展旅游环境整治活动，重点抓了五项工作。一是加强区容卫生综合治理。对湖面、沙滩做到“四无一禁止”，即：无垃圾、无大颗粒硬物、无漂浮物、无污染源、禁止烧烤。对饭店、餐饮及商业网点，坚持“四自一包”责任制，即：自觉清扫、自觉维护、自觉管理、自觉宣传、门前包片，提高了卫生保洁质量。加强垃圾管理，加强厕所建设，极大地方便了游客。二是加强环境污染治理，严格控制“三废”排放。三是加强环境秩序治理。对商业网点、摊点实行有序管理，加强交通秩序管理。四是加强景区环境建设的监督和检查，发现问题及时处理。

广泛宣传，增强环保意识。公司大力宣传环境保护知识，既让游客在观光中领略了大自然的秀美景观，又增强了生态环境保护意识。为了增强广大职工的环保意识，公司一方面制定各项环保制度，并与工资、奖金挂钩，做到奖罚分明，另一方面定期聘请专家学者作环保知识专题讲座，职工的环保意识普遍增强。

三、发展高品位的旅游文化

为了增强沙湖的文化底蕴，公司在沙湖新建具有较高文化品位和内涵的荷花公园，筹建沙湖文化艺珍藏馆。同时，积极开展文化艺术活动。2000年，成功地举办了第二届“宁夏沙湖荷花艺术节”、“中国西部沙湖杯民歌（花儿）邀请赛”、“沙湖杯龙舟邀请赛”、参加第六届全国少数民族传统运动龙舟赛，取得了好成绩。

（宁夏回族自治区文明办）

新疆乌鲁木齐市

坚持不懈地实施“三个一”教育工程

乌鲁木齐市在加强和改进党员干部和广大青少年思想政治教育方面，坚持不懈地实施“三个一”教育工程，取得了明显的成效。“三个一”，是指牢固树立一个信念——共产主义的崇高信念，认真实践一个宗旨——全心全意为人民服务的宗旨，大力发扬一种精神——江总书记倡导的64字新时期伟大创业精神。乌鲁木齐市委在对全市党员干部思想状况和精神文明建设的形势进行认真分析的基础上，从着力提高各族党员和干部特别是领导干部思想道德素质，促进全市两个文明建设顺利发展的高度出发，在全市党员干部中深入开展“三个一”教育活动，把这项具有鲜明特色和带有根本意义的育人工程，作为新形势下加强党的建设，建设一支高素质干部队伍的一项重要举措。乌鲁木齐市先后被中央、自治区文明委授予全国创建文明城市工作先进城市和自治区文明城市的荣誉称号，充分展示了“三个一”教育的生机与活力。

一、从理想信念教育入手，狠抓干部理论素质

抓认识，解决“为什么学”的问题。他们认真总结全市干部理论教育的经验，全面分析面临的形势任务以及新形势下党员干部队伍建设现状，从历史的必然、时代的要求、现实的需要，充分认识学习邓小平理论是讲政治的前提，是树立正确世界观、人生观、价值观的需要，是提高领导干部的工作能力的根本途径，是新时期发展的客观要求，不断增强学习的紧迫感和自觉性。

抓重点，解决“学什么”的问题。紧紧围绕什么是社会主义，怎样建设社会主义这个首要问题，坚持把学习邓小平理论同学习马克思主义经典原著结合起来，学习党的十五大报告和江总书记考察新疆工作时的重要讲话，学习党中央三代领导核心关于讲学习、讲政治、讲正气和有关宗旨、信念的重要论述；学习以马克思主义民族观、宗教观、历史观、文化观为主要内容的民族团结教育政策；学习江泽民总书记倡导的64字新时期艰苦创业精神；学习经济、历史、法律、科技等知识，特别是反映当代世界发展的各种新知识，努力使党员干部的思想水平、政治水平和知识水平适应时代前进的需要。

抓学风，解决“怎样学”的问题。坚持以一个中心、三个着眼于作为理论学习的出发点和落脚点，把学习理论与实现全市跨世纪宏伟目标紧密结合，与解决当前经济、社会生活中的突出矛盾紧密结合，与个人思想和工作实际紧密结合，在解决改革开放和现代化建设的重大问题上下功夫，在解决群众关心的热点难点问题上下功夫，在改造主观世界上下功夫，真正使理论学习的过程成为提高思想理论素质的过程。

抓制度，解决“保证学”的问题。先后建立了领导干部在职自学制度，理论考试制度，心得体会理论文章登记制度，集中学习脱产培训制度，调研制度，检查抽查制度，经验交流会制度等。制定《关于加强科级干部学习的管理规定》、《乌鲁木齐市党员教育管理实施办法》。

抓落实，解决“学了怎么样”的问题。乌鲁木齐市委坚持把想问题、办事情、做决策以人民拥护不拥护、赞成不赞成、高兴不高兴、答应不答应作为检验各项工作得失成败的根本标准，任何时候、任何条件下做任何工作都要坚持走群众路线，真心诚意为群众办好事、办实事，抓住群众反映最强烈的热点、难点问题，以强烈的事业心和责任感，创造性地开展工作，集中力量去解决。

二、从倡导勤勉敬业精神入手，强化为人民服务的宗旨意识

在实施“三个一”教育工程中，他们始终坚持“三个一”教育重在实践的方针，把实现远大理想和干好本职工作结合起来，倡导勤勉敬业精神，把为谁服务、怎样服务的现实表现，作为考核各级领导干部在社会主义市场经济条件下的奉献精神强弱的重要依据。要求党员干部尤其是领导干部要围绕跨世纪宏伟目标和本单位本部门的工作实际，大胆探索改革和发展的新路子，在本职岗位上创造性地开展工作。

三、从党员干部的示范作用入手，推出一批各行各业的先进典型

他们坚持从领导干部的表率作用、党员干部的示范作用入手，要求每一位党员干部把“三个一”作为自己的思想行为准则，坚持从我做起，从点点滴滴、实实在在的小事抓起，用自己的言行去引导群众，用自己的形象去塑造党在人民心目中的形象。教育中，及时发现、总结、推出了一批立足本职工作、热心为民服务、反映时代精神的先进典型，树立了一批开拓进取、艰苦创业、做出突出贡献的榜样，用英模感人的事迹来教育干部，感召群众，凝聚群众，带领群众完成各项工作任务。

四、从选择有效载体入手，突出针对性和实效性

他们坚持以活动为载体，先后在全市领导干部中开展了“当官为什么、有权干什么、上班图什么”的大讨论，在党员干部中开展了“当初入党为什么，入党以后干什么，入党以后留什么”的大讨论，开展“党员挂牌上岗”、“奉献在岗位”、“我为企业献计策”等活动。在全市基层党组织中开展了优秀党课竞赛活动，市委宣传部与组织部联合举办了十五大精神及“三个一”知识电视竞赛等活动。

（新疆维吾尔自治区文明办）

理论成果

THEORY WORKS

理论文章摘要

刘云山：始终坚持先进文化的前进方向 繁荣发展有中国特色社会主义文化

——学习江泽民同志关于“三个代表”重要思想的体会

（2000年6月1日）

最近，江泽民同志反复强调：“只要我们党始终成为中国先进社会生产力的发展要求、中国先进文化的前进方向、中国最广大人民的根本利益的忠实代表，我们党就能永远立于不败之地，永远得到全国各族人民的衷心拥护并带领人民不断前进。”这一重要论断高瞻远瞩，涵义深刻，是江泽民同志运用辩证唯物主义和历史唯物主义的观点和方法，面对新的历史任务，总结过去，规划未来，进行跨世纪战略思考得出的科学结论，是关于党的性质、根本宗旨和历史任务的新概括，是对马克思主义党建理论的丰富和发展。认真学习和深刻领会这一重要思想，对于全面加强新时期党的建设，深入推进改革开放和现代化事业，进一步繁荣发展社会主义文化，都具有重大的现实意义和长远的历史意义。

一、从“三个代表”的相互联系中，深刻理解坚持先进文化前进方向的重要意义

江泽民同志在“三个代表”的论述中，把代表先进文化的前进方向，同代表先进社会生产力发展要求和最广大人民群众根本利益统一起来，进一步明确了建设先进文化在全党工作中的重要位置，明确了建设先进文化在有中国特色社会主义事业中的重要作用。这一重要思想不仅是新形势下加强党的建设的重要指导方针，也是加强社会主义精神文明建设的一个重要指导方针。

“三个代表”是一个密切相关、辩证统一的整体，是衡量一个政党是否具有先进性的基本准绳。先进生产力决定着文化的形成和发展前景，并为文化发展提供物质基础；先进文化反映着生产力发展水平，并成为推动社会进步的重要力量。无论是发展先进社会生产力，建设社会主义物质文明；还是发展先进文化，建设社会主义精神文明，其目的都是不断实现亿万人民的根本利益，这是我们党的立党之本、执政之基、力量之源。能不能解放和发展生产力，增强国家经济实力，提高人民群众的物质生活水平，关系着党的事业的兴衰成败；能不能大力加强精神文明建设，繁荣有中国特色社会主义文化，满足人民群众日益增长的精神文化生活需求，同样关系到党的事业的兴衰成败。中国共产党的先进性质和领导地位，要求我们党必须站在时代前列，创造出体现时代前进要求和历史发展趋势，既反映我国社会主义经济和政治的基本特征，又对社会经济政治的发展起着巨大促进作用的先进文化，为改革开放和现代化建设提供强有力的精神动力和智力支持。因此，按照“三个代表”的要求，紧密结合新的历史条件，把繁荣发展社会主义先进文化作为党的建设的重要内容，把坚持“两手抓，两手都要硬”的战略方针、推动社会全面进步内化为党的建设的自觉行动，这标志着我们党对社会主义的本质认识进一步深化。

二、中国现代历史发展证明，我们党始终代表着先进文化的前进方向

无产阶级政党不仅是优秀文化遗产的集大成者，而且是人类新文化的创造者。“五四”运动以后，中国人民掌握了马克思列宁主义的新文化，在精神上就由被动转入主动，产生了由共产党所领导的完全崭新的文化生力军，形成了无产阶级领导的人民大众的反帝反封建的新民主主义文化。这支文化新军锋芒所向，从思想到形式无不发生了极大的革命。其声势之浩大，威力之猛烈，简直是所向无敌；其动员之广泛，响应之热烈，超过中国任何历史时代。中国人民正是在马列主义、毛泽东思想指导下，终于推倒了三座大山，取得了新民主主义革命的伟大胜利。新中国成立以后，我们在努力发展经济的同时，高度重视思想文化建设，在全社会大力倡导爱祖国、爱人民、爱集体、爱劳动、爱科学的社会风气，认真贯彻百花齐放、百家争鸣的基本方针，大力发展繁荣科学教育文化事业，社会主义文化取得了长足的进步。

十一届三中全会以来，我们党认真总结社会主义文化发展的经验教训，在坚持以经济建设为中心的同时，把社会主义精神文明和文化建设摆到了突出位置。新时期一开始，邓小平同志就强调两个文明一起抓，提出了一系列重要观点，成为邓小平理论的重要组成部分。江泽民同志坚持和发展了邓小平同志关于精神文明建设的重要思想，强调只有经济、政治、文化协调发展，只有两个文明都搞好，才是有中国特色社会主义；强调任何时候都不能以牺牲精神文明为代价，去换取经济一时的发展。这一时期，在党中央的正确领导下，社会主义文化建设实现了从适应以阶级斗争为纲向适应以经济建设为中心的根本转变，实现了从适应计划经济向适应市场经济的根本转变，开创了繁荣发展有中国特色社会主义文化的新局面，进入了一个崭新的境界，为促进改革发展、维护社会稳定做出了重要贡献。

三、代表先进文化的前进方向，就是建设有中国特色社会主义文化

先进文化顺应历史潮流，反映时代精神，代表未来方向，是人类文明进步的结晶，是推动社会前进的精神动力。它包括先进的思想道德和先进的科学文化两个部分。其中思想道德规定着整个文化的性质和方向，是先进文化的核心内容。在当代中国，先进文化就是有中国特色社会主义文化。这一概念最早是江泽民同志在1991年纪念建党70周年重要讲话中提出的。党的十四届六中全会作出的精神文明建设决议，对进一步加强有中国特色社会主义文化建设提出了要求。党的十五大把建设有中国特色社会主义文化与建设有中国特色社会主义经济、政治一起，共同纳入社会主义初级阶段的基本纲领。这是对邓小平同志创立的建设有中国特色社会主义理论的重大发展，是我们党对马克思主义理论宝库的新贡献。

建设有中国特色社会主义文化，我理解，至少包括五个方面的基本内涵：一是必须始终坚持以马列主义、毛泽东思想、邓小平理论为指导；二是必须以爱国主义、集体主义、社会主义的思想道德为核心；三是必须继承发扬中华民族优秀文化和革命文化传统，积极吸取和借鉴一切外国的优秀文化成果；四是必须面向现代化、面向世界、面向未来，充分体现时代精神；五是必须是民族的科学的大众的社会主义文化。这一文化的先进性最集中最具体地表现在，它是社会主义社会的重要特征，是社会主义优越性的重要表现，是现代化建设的重要目标和重要保证，是凝聚和激励全国各族人民的重要力量，是综合国力的重要标志。这一文化渊源于中华民族五千年文明史，植根于有中国特色社会主义的伟大实践，不仅反映与体现社会主义经济和政治的本质要求，而且反映与体现最广大人民群众的根本利益，带有鲜明的社会主义意识形态特点。坚持先进文化的前进方向，就是要适应改革开放和现代化建设的需要，着力提高中华民族的思想道德和科学文化素质，培育一代又一代有理想、有道德、有文化、有纪律的社会主义公民，团结动员全国各族人民把我国建设成富强、民主、文明的社会主义现代化国家。这既是社会主义文化建设的根本目标，也是推动先进文化发展的一项长期而又艰巨的历史任务。

四、国际国内形势的深刻变化，迫切要求我们坚持先进文化的前进方向

世纪之交，我们正处在一个承前启后、继往开来的重要历史关头。国际国内形势发生了深刻而又复杂的变化，有中国特色社会主义文化的发展既有机遇，又有挑战。

首先，我们的文化建设面临着极好机遇。一是和平与发展仍然是当今世界的主题，科学技术日新月异，经济全球化使各国间经济联系更加紧密，信息传播更加迅速，文化交流更加广泛，这为我国科技、教育、文化的发展提供了更加广阔的空间。二是改革开放和现代化建设取得了举世瞩目的巨大成就，我们成功地找到了一条建设有中国特色社会主义的新道路。代表先进文化的马克思主义在中国得到新的发展，邓小平理论成为我们党和国家的指导思想，成为各族人民的精神支柱，这为发展社会主义文化提供了强大的思想武器。三是在以江泽民同志为核心的党中央坚强有力的领导下，确立了精神文明建设的总体布局，形成了精神文明建设的一系列方针原则，坚持两手抓，两手都要硬，爱国主义、集体主义、社会主义，科学文明、开拓进取、健康向上的思想观念和道德风尚，成为当今中国人民精神世界的主流，这为发展社会主义文化奠定了良好的社会基础。四是随着物质生活水平不断提高，人民群众对精神文化的需求迅速增长，成为推动社会主义文化发展的内在动力。

同时，我们的文化建设也面临着严峻挑战。一是随着高新科技和信息网络化的迅猛发展，各种思想文化的相互激荡更加剧烈，西方敌对势力对我进行意识形态渗透的压力将进一步加大。二是国内改革深化带来的“四个多样化”，决定了不同社会群体的价值取向、道德观念、文化选择必然趋于多样化。市场经济的发展在带来历史进步与文化活力的同时，也对社会生活产生着不容忽视的负面影响。三是在对外开放和发展市场经济的条件下，思想政治领域的斗争将会是长期的、复杂的，有时甚至还会是尖锐的。违反党的基本理论、基本路线、基本纲领的错误思想时有出现。四是资本主义腐朽文化和封建主义残余思想在新的历史条件下沉渣泛起，造成精神生活领域出现不少问题，有的还相当严重。这都需要我们高度重视，认真对待。

面对国际形势的深刻变化和各种思想文化的相互激荡，面对国内改革的深入发展和群众文化需求的日益增长，我们的文化不前进就意味着落伍，不发展就意味着倒退。我们一定要有强烈的忧患意识，增强坚持和发展先进文化的责任感、使命感和紧迫感，抓住机遇而不能丧失机遇，勇于应对挑战而不能畏缩不前，唱响主旋律，打好主动仗，不断开创有中国特色社会主义文化事业的新局面。

五、代表先进文化的前进方向，必须坚持和巩固马克思主义的指导地位，反对指导思想多元化

马克思主义是有史以来从根本上揭示了自然、社会和思维发展规律的科学理论体系，是我们认识世界、改造世界的强大思想武器，是人类文化的瑰宝，是先进文化的核心和灵魂。在当前非常复杂的历史条件下，要保持有中国特色社会主义文化的先进性质和正确方向，马克思主义的指导地位只能加强，不能削弱，更不能搞指导思想多元化。如果动摇了马克思主义的指导地位，就会失去全党全国人民共同前进的政治思想基础，导致思想上政治上的混乱，进而引起社会的动乱。

坚持和巩固马克思主义在我国意识形态领域的指导地位，必须坚定不移地把用邓小平理论武装全党和教育人民作为建设先进文化的首要任务，在全党全社会树立共同理想和精神支柱。要制定并实施正确的文化建设方针、原则和政策，努力把马克思主义的立场、观点、方法融入到各种形式的精神文化产品和思想道德教育内容之中，用马克思主义牢固占领社会主义思想文化阵地。要以我们正在做的事情为中心，着眼于马克思主义理论的运用，着眼于对实际问题的思考，着眼于新的实践和新的发展，深入研究改革开放和现代化建设的重大理论和实践问题，从初级阶段的实际出发，积极探索有中国特色社会主义经济、政治、文化的发展规律，用在新的实践经验基础上形成的新的理论成果，来丰富和发展马克思主义。这样，我们就能更高地举起邓小平理论的伟大旗帜，更好地坚持和巩固马克思主义的指导地位。

坚持和巩固马克思主义在我国意识形态领域的指导地位，必须坚定不移地贯彻重在建设的方针，坚决抵制各种错误思想和腐朽文化的侵蚀。要严格区分学术问题和政治问题的界限，对事关政治方向、事关全局的重大原则问题，必须旗帜鲜明，分清是非。对违反以经济建设为中心、违反改革开放政策、违反四项基本原则的错误观点，要严肃批评，决不能听之任之。对那些腐朽没落的文化垃圾和生活方式，要坚决禁止，决不能任其泛滥。如果我们放弃了对错误思想和腐朽没落文化的斗争，先进文化就难以健康发展，我们就会在激烈的国际文化竞争中吃败仗。

六、代表先进文化的前进方向，必须抓紧建立与社会主义市场经济相适应的思想道德体系

思想道德建设是有中国特色社会主义文化建设的核心内容。建立与社会主义市场经济相适应的思想道德体系，是当前建设和发展先进文化的一项紧迫而重要的任务。

建立与社会主义市场经济相适应的思想道德体系，从理论上讲，应包含三个方面的要素：一是与社会主义制度的根本性质相统一；二是与社会主义市场经济的发展规律相吻合；三是与社会主义法律体系相配套。当前要重点抓好以下三个方面的工作。

一要在全党全社会加强理想信念教育。围绕树立正确的理想信念，着力加强党的基本理论、基本路线、基本纲领教育，加强爱国主义、集体主义、社会主义和艰苦创业精神教育，加强形势政策教育，宣传和普及科学知识、科学思想、科学方法、科学精神，引导广大干部群众正确认识社会发展规律，正确认识国家的命运和前途，进一步坚定对马克思主义的信仰，坚定对社会主义的信念，增强对改革开放和现代化建设的信心，增强对党和政府的信任。

二要在全社会倡导社会主义的思想道德。要在全体人民中提倡以为人民服务为核心、以集体主义为原则的社会主义思想道德，提倡尊重人、关心人，热爱集体，热心公益，扶贫帮困，为人民为社会多做好事，反对和抵制拜金主义、享乐主义和个人主义。要引导人们正确处理国家、集体和个人三者关系，坚持把国家、集体和人民利益放在首位，反对小团体主义、本位主义，反对损公肥私、损人利己。

三要积极探索和不断完善有利于发展社会主义市场经济的思想道德规范。坚持把先进性要求与广泛性要求结合起来，共产党员特别是党员领导干部要身体力行，带头实践社会主义、共产主义思想道德，同时要积极鼓励和支持一切有利于解放社会生产力、有利于社会主义市场经济发展的思想道德，引导人们正确处理竞争与协作、自主与监督、效率与公平、先富与后富、经济效益与社会效益的关系，树立把国家与人民利益放在首位而又充分尊重公民个人合法利益的社会主义义利观，形成健康有序的经济和社会生活规范。

七、代表先进文化的前进方向，必须继承和借鉴人类一切优秀文化成果，立足本国实际不断开拓创新

继承和借鉴是先进文化形成和发展的重要途径。有中国特色的社会主义文化是在批判继承和吸收借鉴人类创造的一切优秀文化遗产基础上建立和发展起来的。只有深深植根于民族土壤，继承优秀传统文化，才能保持中国特色；只有借鉴外来优秀文化成果，才能更好地面向世界，保持先进文化发展的旺盛活力。

建设有中国特色社会主义文化，仅有对优秀文化遗产的继承和借鉴是远远不够的，必须立足本国国情、结合新的实践加以创新，使先进文化不断丰富和发展。我们党把马克思主义基本原理同中国的具体实践相结合，创立了毛泽东思想和邓小平理论，这是当代文化创新的最辉煌的成果。江泽民同志明确指出："创新是一个民族进步的灵魂，是一个国家兴旺发达的不竭动力。"灵魂、动力都是思想、意识、精神、观念领域的内容，没有创新的观念和精神，其他方面的创新都谈不上。我们面临着一个知识创新、文化创新、科技创新的时代，其中最重要、最核心的是文化的创新。一个没有创新能力的民族，难以屹立于世界先进民族之林；一种缺乏创新意识的文化，难以代表先进文化的前进方向。只有不断创新，才能促进文化的发展，保持文化的先进性，才能使社会主义文化永远立于不败之地。我们要积极倡导和大力培育民族的创新精神、创新意识，形成有利于先进文化创新的有效机制和社会环境。

21世纪是高科技发展的世纪。科学技术不仅成为生产力发展的关键因素，也对先进文化的发展产生着越来越重要的作用。能否充分利用高科技手段发展先进文化，直接影响到我们能否在文化建设中具有创新能力，影响到能否在知识经济时代抢占制高点，实现中华民族文化的伟大复兴。我们应当从社会主义事业兴旺发达和民族振兴的高度，充分认识利用现代科技加快社会主义文化建设的重要性和紧迫性。我们要善于把握世界高新技术发展趋势，提高知识创新和技术创新能力，提高文化产品的科技含量，增强中华民族文化产品的竞争力，不断推进有中国特色社会主义文化建设，树立中国作为文化大国的形象。

八、代表先进文化的前进方向，必须加强优秀精神产品的创作生产，满足人民群众日益增长的精神文化需求

精神产品是文化的重要组成部分，是人们思想观念、社会意识和审美情趣的直接载体和物化形态，它作用于人们的思想和心灵，对人们特别是青少年的思想意识、人生理想和价值观念有着潜移默化的作用。

坚持先进文化的前进方向，就要多出优秀精神产品。文化精品是一个国家文化发展水平的标志。优秀精神产品数量的多少，反映着文化发展和整体态势，影响着先进文化的前进方向。我们要满足12亿人民群众日益增长的精神文明需求，不仅需要增加精神产品的数量，更需要注重提高精神产品的质量。只有多出精品力作，才能带动文化事业的全面繁荣。要鼓励精神产品创作和生产部门多出有利于提高人民思想道德水平、科学文化素质、弘扬民族优秀文化、反映时代主旋律的优秀作品，抑制平庸、低劣精神产品的生产，坚决抵制不健康的、有害的精神产品。

多出精品的关键是人才。文化大师越多，传世之作也越多，这是被古今中外文化史所不断证明的真理。没有亚里士多德，就没有古希腊哲学的辉煌；没有莎士比亚，就没有西方戏剧发展的顶峰；没有孔子等诸子百家，就没有春秋战国时期中国文化思想的活跃局面；没有李白、杜甫和苏轼，就没有把汉字汉语提高到至纯至美境地的唐诗宋词。正是因为有了鲁迅、郭沫若等一代大师，中国现代文学才有了时代的“呐喊”和前进的旗帜。实现中华民族伟大复兴的过程，必然是一个培育优秀人才和创造传世佳作的过程。我们要珍惜来之不易的历史机遇，引导文化工作者加强理论和业务学习，不断提高思想文化素养和艺术创作水平；深入实际，深入生活，自觉地在人民生活中汲取题材、主题、情节、语言、诗情和画意，用人民创造历史的奋发精神来哺育自己；紧跟时代步伐，体现时代精神，努力用更多思想精深、艺术精湛、制作精致的优秀作品，体现社会主义文化的前进方向。

多出人才、多出精品，必须深化文化领域的改革。建立社会主义市场经济体制，为有中国特色社会主义文化建设注入了新的活力，同时也使精神产品的创作生产面临许多新情况、新问题。我们要深化文化领域的改革，建立起适应社会主义市场经济发展、符合精神文明建设要求、遵循精神产品创作生产规律的管理体制和运行机制，进一步调动广大文化工作者的积极性和创造性，走出一条有中国特色的社会主义文化发展道路。精神产品的生产既要面向市场，又不能听任市场的自发选择；既要满足群众的文化需求，又不能放弃以优秀作品鼓舞人的社会责任。要加强对精神产品创作生产的宏观调控，把握导向，优化结构，提高质量，力求经济效益与社会效益的统一；要综合运用经济、法制、行政等多种手段，加强文化创作生产和文化市场管理；要利用财政、税收、信贷和价格等经济杠杆，重点扶持一批标志性的文化机构和重点文化项目，在文化产业的资金投向、产业布局等方面加大调控力度，使宏观环境更加有利于先进文化的发展与传播。

在强调精品生产的同时，要特别重视文化的普及工作。要适应社会主义初级阶段的实际，创作更多的内容健康、思想向上、形式多样、为人民群众所喜闻乐见的精神产品，满足人民群众不同层次的文化需求，使人们得到教育和启发，得到娱乐和美的享受。只有坚持不懈地把普及与提高有机结合起来，才能不断培育起人们健康的审美情趣，提高全民族的文化素养，为先进文化的前进和发展奠定更为坚实的文化基础。

我们正处在一个伟大的变革时代，我们正从事一项前无古人的开创性事业，孕育和发展与这个伟大事业相称的先进文化，是时代的要求和人民的呼唤，是历史赋予我们这代共产党人的神圣使命。我们一定要遵循江泽民同志“三个代表”的重要指导思想，按照党中央的要求，坚定不移地加强社会主义物质文明和精神文明建设，让高扬时代精神主旋律、展示社会主义制度优越性、体现现代文明成果的社会主义新文化，呈现在世界人民面前。

（2000年6月1日《人民日报》）

刘云山：全党思想政治建设的一件大事

——认真学习《毛泽东邓小平江泽民论思想政治工作》

为深入贯彻中共中央《关于加强和改进思想政治工作的若干意见》，认真落实江泽民总书记关于宣传思想工作和精神文明建设的重要批示精神，中宣部编辑出版了《毛泽东邓小平江泽民论思想政治工作》一书。该书选录了毛泽东、邓小平、江泽民关于思想政治工作的重要论述，集中反映了我们党思想政治工作的基本理论和基本经验。它的编辑出版，为我们学习、研究和宣传党的思想政治工作基本理论提供了重要教材，对加强和改进新形势下的思想政治工作具有重要意义。认真学习领会党的三代领导核心关于思想政治工作的论述，切实加强和改进思想政治工作，是当前全党思想政治建设的一件大事。为此，我们在思想认识和实际工作上，有这样几个方面需要很好把握，抓好落实。

高度重视思想政治工作的重要作用

高度重视思想政治工作，充分发挥思想政治工作在革命和建设事业中的重要作用，是我们党的优良传统和政治优势。在领导中国革命和建设的实践中，毛泽东、邓小平、江泽民三代领导核心，根据党在不同历史时期的中心工作任务，对思想政治工作作出了一系列重要论述。毛泽东、邓小平关于思想政治工作的论述，是毛泽东思想、邓小平理论的重要组成部分。江泽民同志关于思想政治工作的论述，是对第一代、第二代党的领导核心关于思想政治工作理论的继承、丰富和发展。党的三代领导核心关于思想政治工作的论述一脉相承，是我们党宝贵的精神财富，是对党的思想政治工作理论和实践的高度概括，是指导我们加强和改进新形势下思想政治工作和建设有中国特色社会主义的强大思想武器。

长期以来，我们党一直高度重视思想政治工作的优良传统和政治优势。毛泽东同志说：“掌握思想教育，是团结全党进行伟大政治斗争的中心环节。如果这个任务不解决，党的一切政治任务是不能完成的。”（《毛泽东邓小平江泽民论思想政治工作》第2页）我们党正是依靠思想政治工作这一政治优势，唤起工农大众，获得了广泛而坚实的群众基础，才使党能够在艰难困苦的条件下不断发展壮大，并领导人民取得一个又一个革命斗争的胜利；正是依靠思想政治工作这一政治优势，才纠正了党内各种错误思想，有效地克服了非无产阶级思想的影响，提高了党的战斗力；正是依靠思想政治工作这一政治优势，才得以用共同的理想和信念把人民紧紧地团结起来，取得新民主主义革命的伟大胜利；正是依靠思想政治工作这一政治优势，才顺利地进行新时期工作布局的调整，实现工作重心的战略转移，增强了党和国家的凝聚力，巩固和发展了安定团结的政治局面。

我们党的历史表明，加强党的建设，做好广大干部群众的思想政治工作，是实现我们革命和建设目标的根本保证。在新的历史时期特别是改革开放和现代化建设的历史条件下，如何进一步发挥思想政治工作的重要作用？这是摆在全党同志面前的一个现实而紧迫的课题。近年来，国际政治经济领域的尖锐斗争和国内思想政治领域的复杂情况使我们深深感到，如果不切实抓紧这项关系党和国家前途命运的大事，就会犯不可饶恕的历史错误。我们必须从讲政治的高度，从巩固党的执政地位、完成党的历史任务的高度，充分认识加强和改进思想政治工作的重大意义，增强做好这项工作的政治责任感和历史使命感。早在80年代初，邓小平同志在谈贯彻调整方针，保证安定团结时就强调："加强思想政治工作，改进宣传工作，已经作为保证这次调整的顺利实现、巩固安定团结的政治局面的一项极端重要的任务，摆在全党同志面前。"（同上，第6页）在发展社会主义市场经济的新形势下，江泽民同志指出："搞好精神文明建设，抓好思想政治工作，是我们办好一切事情的保障，绝不能'一手硬、一手软'。物质文明建设和精神文明建设必须一起抓。思想政治工作只能抓好，不能放松。"（同上，第7页）实践充分证明，切实加强和改进新形势下的思想政治工作，是扎实推进改革开放和现代化建设，把建设有中国特色社会主义伟大事业全面推向二十一世纪的必然要求。

最近，中组部、中宣部联合下发了《关于学习〈毛泽东邓小平江泽民论思想政治工作〉的通知》，对学习活动做出安排和部署；解放军总政治部和共青团中央也发出学习通知。各级党委组织、宣传部门和其他有关部门要充分认识学习党的三代领导核心关于思想政治工作重要论述的重大意义，把这项工作作为加强和改进新形势下思想政治工作的重要环节，切实抓紧抓好。要根据《通知》的要求，把《毛泽东邓小平江泽民论思想政治工作》列入理论学习计划，作为干部理论学习、基层党校培训的重要内容。要结合学习原著，认真学习党的十一届三中全会以来我们党关于加强和改进思想政治工作的重要文献，全面准确地掌握党的三代领导核心关于思想政治工作重要论述的基本观点和精神实质，全面准确地掌握思想政治工作的方针原则、主要内容和方式方法。要结合学习原著，认真学习领会江泽民总书记最近在广东考察工作时的重要讲话精神，紧密联系思想政治工作面临的新形势，联系干部群众思想观念发生的新变化，联系思想政治工作遇到的新问题，学以致用，指导工作。要进一步加大《毛泽东邓小平江泽民论思想政治工作》一书的宣传力度，报刊、广播、电视、通讯社等新闻媒体要充分发挥自身的特点和优势，开辟专栏、专题，组织系列文章，努力为广大干部群众学习创造良好的条件和氛围。

用党的思想政治工作理论统一全党的认识

学习、宣传党的三代领导核心关于思想政治工作的论述，首先要进一步提高全党同志对思想政治工作重要性的认识。党的三代领导核心对思想政治工作的重要地位和巨大作用，都作了十分精辟的论述。其要点概括起来是：掌握思想教育，是团结全党进行伟大政治斗争的中心环节；思想政治工作是经济工作和其他一切工作的生命线；改善党的领导，最主要的就是加强思想政治工作；在工作重心转到经济建设以后，全党要研究如何适应新的条件，加强党的思想工作，防止埋头经济工作、忽视思想工作的倾向；越是深化改革、扩大开放，越是发展社会主义市场经济，越要重视和加强思想政治工作。这些重要论述，是我们党的历史经验特别是改革开放实践反复证明了的真理，要在全党同志中经常讲、反复讲。

用党的思想政治工作理论统一全党的认识，就需要我们认真研究国际国内新情况下的意识形态问题，进一步增强政治敏锐性和政治鉴别力，切实巩固马克思主义在我国的指导地位。历史经验教训告诉我们，在思想意识形态领域，马克思主义、无产阶级的思想不去占领，各种非马克思主义、非无产阶级的思想，甚至反马克思主义的思想就会去占领。特别是在对外开放和发展市场经济条件下，思想政治领域的斗争不仅会长期存在，而且相当复杂，有时甚至还会是尖锐的。这就要求我们既要有做长期斗争的思想准备，又要进一步增强抓紧解决现实问题的紧迫感。要坚持以马列主义、毛泽东思想和邓小平理论为指导，深入分析当前思想政治领域存在的各种问题，及时找出带倾向性的问题，认真剖析产生这些问题的深层次原因，开展积极健康的批评，加以正确有力地引导，始终把工作着力点放在统一思想、凝聚力量上，为改革开放和现代化建设提供强有力的思想政治保证。

用党的思想政治工作理论统一全党的认识，就需要我们认真分析当前思想政治工作的现状，进一步增强做好思想政治工作的自觉性和紧迫感。近些年来，在以江泽民同志为核心的党中央领导下，思想政治工作取得了明显的进展，广大干部群众对思想政治工作重要性的认识得到提高，用党的思想政治工作理论指导实践的自觉性逐步增强。但是，我们也要清醒地看到，“一手硬、一手软”的现象仍然存在，特别是一些领导干部对思想政治工作重要性的认识还不够强，有的甚至把思想政治工作与经济工作和各项业务工作对立起来。这些思想的存在，严重妨碍了思想政治工作的深入进行。“法轮功”邪教问题的暴露，给我们上了一堂很深刻的政治教育课。“法轮功”邪教给我们党、国家和人民造成的损害，绝不可低估。为此，我们一定要坚持不懈地用党的思想政治工作理论统一全党的认识，引导广大党员干部进一步增强政治意识、大局意识、责任意识，从巩固党的执政地位、完成党的历史任务的高度，从维护改革发展稳定大局的高度，认真领会党的三代领导核心关于思想政治工作的重要论述，深刻理解思想政治工作的重要地位和作用，牢固树立“两手抓、两手都要硬”的思想，真正把思想政治工作作为全党的一件大事，抓得很紧很紧。

积极探索新形势下加强和改进思想政治工作的规律和办法

学习党的三代领导核心关于思想政治工作的重要论述，关键是要以党的思想政治工作理论为指导，认真研究新时期思想政治工作的新特点、新方式、新内容，真正摸索出一些带规律性的新东西来，增强工作的针对性和实效性。

现阶段，我国的社会情况发生了复杂而深刻的变化，思想政治工作面临许多新情况和新问题。比如，人们的思想更加活跃，观念不断更新，精神文化需求日益增长且复杂多样，要求思想政治工作进一步增强针对性和实效性；比如，社会成员的活动空间更为广阔，群众物质文化生活丰富多彩，出现了大范围、远距离、长时间的人员流动，产生了新的社会群体和社会组织，要求思想政治工作建立有效覆盖全社会的工作网络；比如，因特网等高新传媒技术的出现，为思想政治工作提供了现代化手段和新的渠道，拓展了思想政治工作的空间，同时国内外一些错误思想和不良文化也乘机扩大传播范围，要求思想政治工作进一步提高时效，增强影响力，等等。面对这些新情况和新问题，各级党组织特别是思想政治工作部门就必须在党的思想政治工作理论指导下，认真调查研究社会各种动态以及群众思想活动的新情况新变化，积极探索新形势下做好思想政治工作的规律和办法，使思想政治工作与时俱进，始终保持强大的生机和活力。根据历史经验和现实情况，在实际工作中特别要注意把握好以下五个方面的问题：

一是要以理想信念教育为核心，大力开展党的基本理论、基本路线、基本纲领的教育，大力开展爱国主义、集体主义、社会主义的教育，大力开展世界观、人生观、价值观的教育，大力开展讲学习、讲政治、讲正气的教育，大力开展科学知识、科学思想、科学方法、科学精神的教育，引导广大干部群众进一步坚定对马克思主义的信仰，坚定对建设有中国特色社会主义的信念，增强对改革开放现代化建设的信心，增强对党和政府的信任。

二是要坚持把思想政治工作与经济工作和各项业务工作结合起来，把解决思想问题与解决群众工作和生活中的实际问题结合起来，把团结、动员、教育群众与帮助、服务群众结合起来。要尊重人、理解人、关心人，从群众最关心、与群众切身利益最密切的问题入手，有针对性地做好思想教育和引导工作，把工作做到群众心坎上。

三是要把工作着力点放在基层，进一步扩大思想政治工作的覆盖面。在切实抓好农村、企业、机关、学校、科研院所等基层单位的思想政治工作的同时，认真做好居民特别是下岗职工、老龄人口、进城务工人员的教育引导工作，及时了解他们的思想状况，关心他们的实际困难；认真做好青少年学生的思想工作，帮助他们树立正确的理想信念，增强纪律法制观念，为青少年身心健康成长创造良好条件和氛围。

四是切实加强党对思想政治工作的领导。坚决贯彻党要管党、从严治党的方针，充分发挥共产党员特别是领导干部的表率作用；不断加强党的基层组织建设，充分发挥基层党组织的战斗堡垒作用；按照政治强、业务精、作风正的要求，努力建设一支密切联系群众、关心群众生活、善于做群众工作的基层思想政治工作队伍，为思想政治工作提供强有力的组织保证。

五是宣传思想战线的各项工作，都要围绕加强和改进思想政治工作这个重中之重，充分发挥各自优势，齐抓共管，形成合力，打好总体战。

宣传思想战线的同志要进一步增强历史责任感和使命感，坚持“唱响主旋律、打好主动仗”的工作方针，全面落实“以科学理论武装人、以正确舆论引导人、以高尚精神塑造人、以优秀作品鼓舞人”的任务，努力在全社会形成引导人们奋发向上、积极进取的思想舆论文化氛围。要着眼基层、用好载体、加强阵地，采取有效措施，切实加大思想政治工作的力度，把思想政治工作的各项任务落到实处，使全党特别是基层思想政治工作力度明显增强，社会正气明显上升，为全面实现跨世纪的宏伟目标提供强有力的支持和保证。

（2000 年 3 月 21 日《光明日报》）

胡振民：以“三个代表”的思想指导精神文明建设

（2000 年 7 月 11 日）

江泽民同志关于“三个代表”的重要思想，是从党和国家前途命运的高度作出的战略思考和精辟论断。认真学习和实践“三个代表”的重要思想，对于我们在把物质文明建设搞得更好的同时，切实把精神文明建设提到更加突出的地位，促进两个文明建设协调发展，具有重要的现实意义和长远的历史意义。

从“三个代表”的高度，充分认识精神文明建设的重要意义

加强精神文明建设，是代表先进社会生产力发展要求的客观需要。生产力是推动人类社会发展的最终决定力量。同时，生产关系又影响生产力的发展。十一届三中全会以后，我们党在深刻总结历史经验的基础上，领导各族人民进行全面改革，为解放和发展生产力开辟了一条康庄大道。与此同时，我们党还明确提出要在建设高度物质文明的同时，建设高度的社会主义精神文明，强调“两手抓，两手都要硬”是我国社会主义现代化建设的一个根本方针，并采取一系列重大举措加强思想道德建设和教育科学文化建设，为解放和发展生产力提供强大的精神动力和智力支持，有效地保证了物质文明建设的顺利进行。当今世界，科学技术的突飞猛进给生产力的迅速发展注入了新的巨大的生机和活力。面对新形势，我们党要始终代表先进社会生产力的发展要求，大幅度提高我国社会生产力的发展水平，不但要敏锐地把握世界生产力的发展趋向，继续推进以建立和完善社会主义市场经济体制为中心的各项改革，更加自觉地调整生产关系与先进生产力发展不相适应的部分，而且要充分看到人是生产力诸要素中最活跃、最重要的因素，继续推进以培育“四有”公民为目标、以提高整个中华民族的思想道德素质和科学文化素质为主要内容的精神文明建设，为发展先进生产力提供更加强大的精神动力、智力支持和思想保证。

加强精神文明建设，是代表先进文化前进方向的题中应有之义。先进文化是人类文明进步的结晶。它影响人的精神和灵魂，引导人们积极向上，是推动人类社会前进的强大动力。在当代中国，我们党要代表先进文化的前进方向，就必须站在时代前列和世界科学文化的制高点上，努力建设面向现代化、面向世界、面向未来，为改革开放和现代化建设提供强大精神动力和智力支持的有中国特色社会主义的文化。同时，坚决抵制一切消极、颓废、落后、阻碍社会前进的腐朽和反动文化。为此，必须坚持和巩固马克思主义在思想文化领域的指导地位，用邓小平理论武装全党、教育人民，在全党和全国人民中牢固树立建设有中国特色社会主义的共同理想和坚定信念；必须大力加强思想道德建设，在全社会提倡以为人民服务为核心、以集体主义为原则的社会主义思想道德；必须在坚持既继承中华民族优秀文化和革命文化传统，又积极吸收世界各国、各民族的优秀文化成果的基础上，繁荣发展社会主义文化事业；必须坚持一手抓繁荣，一手抓管理，有效抵御西方敌对势力的思想文化渗透，坚决扫除毒害人民的精神文化垃圾。总之，只有大力加强精神文明建设，才能始终代表先进文化的前进方向。

加强精神文明建设，是代表最广大人民根本利益的重要体现。全心全意为人民服务是我们党的根本宗旨。建设物质文明和精神文明都是为了实现最广大人民的根本利益。我们党近80年的历史经验充分说明，什么时候真正把人民群众的根本利益实现好、维护好和发展好，党和群众的联系就会更加密切，党的事业就能兴旺发达；反之，党和群众的联系就会受到损害，党的事业也会面临挫折。应该清醒地看到，在新的历史条件下，能不能始终代表先进社会生产力的发展要求，建设高度的物质文明，满足人民不断增长的物质生活需要，关系到人民群众的根本利益和党的事业的兴衰成败；能不能始终代表先进文化的前进方向，建设高度的精神文明，满足人民不断增长的精神文化需要，同样关系到人民群众的根本利益和党的事业的兴衰成败。我们必须从这样的高度充分认识社会主义精神文明建设的重要意义，进一步增强做好工作的责任感和紧迫感。

以“三个代表”重要思想为指导，正确分析精神文明建设面临的新形势

世界正在向多极化方向发展，经济全球化进程也在不断加快，和平与发展依然是当今时代的主题。随着对外开放的进一步扩大特别是加入WTO后，我国同世界各国间的经济、科技、文化交流将更加广泛。这既为我们学习和借鉴外国先进科技和优秀文化成果提供了有利条件，为我们集中力量加快经济发展，增强综合国力，提供了难得的机遇，也为我们进一步加强精神文明建设提供了有利条件。同时又要看到，以美国为首的西方国家在经济、科技和军事领域占据明显的优势，“西强我弱”的格局短期内不会发生根本改变。我们将长期面临西方敌对势力对我进行意识形态渗透的压力，抵御“西化”、“分化”和“和平演变”的任务十分艰巨。

随着高新科技特别是信息技术的迅猛发展，互联网已经成为传播思想文化的新阵地和开展舆论斗争的新舞台。近年来我国互联网发展很快，这为我们加强精神文明建设提供了现代化手段，拓展了工作渠道和容量。同时又要看到，西方发达国家也把互联网作为传播资本主义思想观念、反共反社会主义观点和政治谣言，对我进行精神、文化渗透的便利工具，加紧利用互联网同我争夺群众、争夺青年。而网上信息传播分散点多、交互性强、流量巨大、管理复杂，确实给我们抵御西方意识形态和腐朽思想文化的侵袭带来新的困难。

对外开放的扩大和社会主义市场经济的迅速发展，已经和正在引起我国社会生活发生复杂而深刻的变化。经济的快速发展，人民群众的自主意识、竞争意识、效率意识、民主法制意识和开拓创新精神的进一步增强，将为精神文明建设创造更好的物质条件和精神条件。同时又要看到，经济成分、组织形式、物质利益和就业方式的日益多样化势必带来人们思想观念、价值取向、生活方式的多样化，从而给精神文明建设提出更高的要求。此外，一些地方腐败现象滋长蔓延，拜金主义、享乐主义、极端个人主义抬头，经济领域假冒伪劣成为社会公害，非法宗教活动和封建迷信活动猖獗，都在严重抵消精神文明建设的实际效果。社会思想政治领域里的斗争不但将长期存在，而且有时还会十分尖锐和复杂。对此，我们必须有清醒的认识和足够的思想准备。

应该看到，机遇和挑战是辩证的、相对的，面对挑战，善于应对，可以变挑战为机遇，变不利为有利。尤其应该看到，马列主义、毛泽东思想和邓小平理论为我们统一思想、凝聚力量提供了强大思想武器；以江泽民同志为核心的党中央的坚强领导为我们战胜各种困难和风险提供了根本保证；日益强大的经济实力为加强精神文明建设提供了必要的物质条件；在实践中形成的一系列正确的方针政策和行之有效的工作机制为我们继续前进打下了坚实的工作基础。只要我们坚定信心，头脑清醒，抓住机遇，开拓进取，就一定能够把精神文明建设搞得更好。

按照“三个代表”的要求，扎实推进新形势下的精神文明建设

江泽民同志关于“三个代表”的重要思想，为大力加强社会主义精神文明建设进一步指明了方向。我们一定要把学习和实践“三个代表”的重要思想放在总揽精神文明建设全局的重要位置，把贯彻落实“三个代表”的要求体现到精神文明建设的各项具体工作之中。当前，要注意把握好以下几个问题。

坚持“两手抓，两手都要硬”的方针，牢固树立全面的发展观。江泽民同志不久前指出，我们讲发展是硬道理，讲的是经济和社会的全面发展，既包括物质文明的发展，也包括精神文明的发展。在坚持以经济建设为中心的同时，一定要切实抓好社会主义精神文明建设，促进社会生产力和思想、道德、文化的全面进步。在关于“三个代表”的重要论述中，江泽民同志又把代表先进文化的前进方向与代表先进社会生产力的发展要求、代表最广大人民的根本利益一起作为我党的立党之本、执政之基、力量之源，鲜明地提到全党的面前。这就再次提醒全党特别是党的领导干部，应充分认识经济建设和精神文明建设的辩证关系，牢固树立全面的发展观，增强代表先进文化前进方向的政治意识和责任意识，自觉坚持“两手抓，两手都要硬”的战略方针，真正做到越是深化改革、扩大开放，越是发展社会主义市场经济，越要重视和加强精神文明建设。

紧紧围绕树立正确的理想信念，切实加强和改进思想政治工作。加强和改进思想政治工作是全党的一件大事，是宣传思想工作和精神文明建设的重中之重。精神文明建设的各项工作都要贯穿重中之重，体现重中之重，服务重中之重。紧密结合干部群众在思想认识和工作、生活中产生的新问题，着力加强党的基本理论、基本路线、基本纲领教育，加强爱国主义、集体主义、社会主义和艰苦创业精神的教育，加强形势政策教育，加强科学知识、科学思想、科学方法、科学精神的教育，引导广大干部群众进一步坚定马克思主义的信仰，坚定建设有中国特色社会主义的信念，增强对改革开放和现代化建设的信心，增强对党和政府的信任。应针对不同地区、不同部门、不同领域干部群众思想活动的特点和要求，努力在内容、形式、方法、手段、机制等方面进行改进和创新，特别要在增强时代感和针对性、实效性、生动性上下功夫。

大力加强思想道德建设，不断提高全体人民的思想道德素质。思想道德建设集中体现精神文明建设的性质和方向。加强思想道德建设必须坚持对党员领导干部和先进分子从严要求，强调共产党员要做全社会的表率，党的领导干部要做全党的表率。同时，又要把先进性要求和广泛性要求结合起来，在全社会大力倡导一切有利于国家统一、民族团结、经济发展、社会进步的思想道德，反对和抵制拜金主义、享乐主义和个人主义，反对见利忘义、损公肥私、损人利己、以权谋私等不道德行为。努力建设与发展社会主义市场经济相适应的社会主义道德体系，为改革、发展、稳定创造良好的社会环境。

坚持一手抓繁荣一手抓管理，加强思想文化领域的阵地建设。思想文化领域的阵地，马克思主义不去占领，非马克思主义、反马克思主义的东西就必然会去占领。对此，应该保持清醒的头脑，牢固树立阵地意识，坚持和巩固马克思主义在思想文化领域的指导地位，用丰富多彩、健康向上的思想文化去占领阵地。要坚持党的文艺方针，鼓励作家、艺术家真正投身于人民群众进行改革开放和现代化建设的伟大实践，从丰富的社会生活中汲取营养，不断创作出无愧于我们这个时代的优秀作品。要深化改革，加强管理，优化配置，调整结构，逐步形成优秀精神文化产品大量涌现的良好机制。同时，进一步加大扫除黄赌毒等社会丑恶现象的力度，加大对文化娱乐场所的管理力度，加大对小报小刊、书籍出版、电影电视、光盘磁带、网络以及其他传媒阵地的管理力度。通过“占领”和“清除”双管齐下，使一切思想文化阵地都成为我们宣传科学理论、传播先进文化、塑造美好心灵的阵地，决不给错误的思想观点和危害人民特别是青少年身心健康的东西提供滋生场所和传播渠道。

总之，面对复杂的国际国内形势和前进中许多深层次的矛盾和问题，我们必须按照“三个代表”的要求，对照检查精神文明建设的各项工作，符合的就毫不动摇地坚持，不完全符合需要调整补充的积极调整补充，不符合的就坚决纠正。同时，根据“三个代表”对精神文明建设提出的新要求，进一步解放思想，实事求是，积极探索，勇于创新，以充分体现党的先进性和时代精神的新风貌，不断开创社会主义精神文明建设的新局面。

（2000年7月11日《人民日报》）

胡振民：大力加强社会主义精神文明建设

党的十五届五中全会通过的《中共中央关于制定国民经济和社会发展第十个五年计划的建议》，在规划未来五至十年国民经济和社会发展的宏伟蓝图时，把精神文明建设摆在了重要的位置，强调要全面推进经济发展和社会进步，要求精神文明建设要取得明显进展。这再次表明了党中央对精神文明建设的高度重视。我们要认真学习、坚决贯彻五中全会精神，推动精神文明建设各项工作不断上新的台阶。

立足社会主义现代化建设全局，充分认识精神文明建设的地位和作用

关于精神文明建设在社会主义现代化建设全局中的重要地位和作用，《建议》明确指出：“建设社会主义精神文明，发展有中国特色社会主义文化，是社会主义现代化建设的重要内容和保证，在改革日益深入，开放不断扩大，各种思想文化相互激荡的背景下，必须坚持两手抓，两手都要硬，切实加强精神文明建设，满足人民群众日益增长的多方面的精神文化需求，全面提高国民素质，增强民族凝聚力，为改革开放和现代化建设提供强大的思想保证、精神动力和智力支持。”我们必须按照《建议》对精神文明建设提出的更高要求，充分认识精神文明建设的重要地位和作用。

第一，加强精神文明建设是全面提高国民素质、增强民族凝聚力和综合国力的迫切需要。我国的社会主义现代化建设是在错综复杂的国际环境中进行的。当今世界国与国之间的较量，不仅包括经济实力、科技实力、军事实力等物质力量，而且包括民族凝聚力、向心力等精神力量。全体公民思想道德和科学文化素质、民族精神、凝聚力、向心力如何，是衡量一个国家综合国力强弱的一个重要尺度。在不断增强我们的经济实力、国防实力的同时，增强中华民族的凝聚力和战斗力，这是社会主义中国永远立于不败之地的根本保证，也是实现中华民族全面复兴的重要条件。

第二，加强精神文明建设是为改革开放和现代化建设提供强大的思想保证、精神动力和智力支持的迫切需要。在现代化建设的总体布局中，精神文明建设是不可或缺的重要支柱之一，它直接关系经济发展和社会的全面进步，关系社会主义现代化建设的兴衰成败。加强精神文明建设，不断提高人们的思想觉悟和道德水平，增强坚持党的基本路线不动摇的自觉性和坚定性，统一思想，凝聚人心，振奋精神，同心同德，这是社会主义现代化建设充满生机和活力、始终沿着正确方向发展的重要保证。正如邓小平同志所指出的，“光靠物质条件，我们的革命和建设都不可能胜利”。

第三，加强精神文明建设是提高全社会的文化生活质量，满足人民群众日益增长的多方面的精神文化需求的迫切需要。从新世纪开始，我国将进入全面建设小康社会，加快推进现代化的新的发展阶段。广大群众对物质和文化生活都提出了新的更高要求。特别是在温饱问题基本解决之后，人民群众对精神文化生活的需求迅速增长，更加迫切。能不能按照江泽民同志提出的“三个代表”重要思想的要求，始终代表中国先进文化的前进方向，建设高度的社会主义精神文明，解决精神文化产品的生产与人民群众日益增长的精神文化需求之间的矛盾，满足人民群众新的精神文化需要，关系到人民群众的根本利益和党的事业的兴衰成败。

正确认识精神文明建设面临的形势，增强做好精神文明建设工作的信心

五中全会对“九五”期间社会主义精神文明建设取得的成绩给予了充分肯定。“九五”期间的五年，是精神文明建设不断得到加强的五年，是精神文明建设取得显著成效的五年，也是精神文明建设开创新局面的五年。以江泽民同志为核心的党中央高度重视精神文明建设，作出了一系列重要部署和重要指示。1995年10月，党的十四届五中全会通过的《中共中央关于制定国民经济和社会发展第九个五年计划的建议》中，提出要把精神文明建设提到更加突出的位置；1996年10月，党的十四届六中全会通过了《关于加强社会主义精神文明建设若干重要问题的决议》；1997年5月，中央成立了精神文明建设指导委员会；1999年10月，中央下发了《关于加强和改进思想政治工作的若干意见》；今年“七一”前夕，又召开了中央思想政治工作会议，江泽民同志发表了重要讲话。五年来，精神文明建设坚持用邓小平理论武装全党、教育人民，全党和全国人民坚持党的基本理论和基本路线的自觉性和坚定性明显提高；坚持进行以理想信念为核心的思想道德教育，全体人民的政治觉悟和民族凝聚力明显提高；新闻宣传事业健康发展，以正确舆论引导人的水平明显提高；大力开展形式多样的群众性精神文明创建活动，广大城乡的文明程度和人民群众的文明素质明显提高；努力发展和繁荣文化艺术事业，人民群众的精神文化生活水平明显提高；讲学习、讲政治、讲正气的“三讲”教育深入发展，各级领导干部坚持两手抓，两手硬的自觉性明显提高。可以说，五年来的成就，为在新的世纪推动社会主义精神文明建设有新的发展，打下了很好的基础。

在肯定成绩的同时，也要清醒看到，当今世界和当代中国正在发生深刻而复杂的变化，精神文明建设既面临良好机遇，又面临严峻挑战。

首先，世界正在向多极化方向发展，国际形势总体上趋向缓和，和平与发展成为当今时代的主题。这为我们集中力量加快经济发展，加强精神文明建设，增强综合国力提供了难得的机遇。同时又要看到，以美国为首的西方敌对势力在经济、科技和军事领域占据明显的优势，“西强我弱”的格局短期内不会发生根本改变。我们将长期面临西方敌对势力对我进行意识形态渗透的压力，抵御“西化”、“分化”的任务十分艰巨。

其次，随着对外开放的进一步扩大，特别是我国加入WTO后，同世界各国间的科技文化交流将更加广泛。这为我们学习和借鉴外国先进科技和优秀文化成果提供了有利条件，也为我国文化走向世界扩大了国际空间。同时又面对西方发达国家在国际文化市场竞争中的雄厚实力，面临西方文化产品、文化资本和文化价值观的更大冲击。

第三，随着高新科技特别是信息领域的高新科技迅猛发展，互联网已经成为传播思想文化的新阵地和开展舆论斗争的新舞台。这为我们加强精神文明建设提供了现代化手段，拓展了工作渠道和空间，同时因网上信息传播不受国界限制、分散点多、交互性强、流量巨大、管理复杂，也给我们抵御西方意识形态和腐朽思想文化的侵袭带来新的困难。

第四，随着改革开放的进一步深化，我国将建立起比较完善的社会主义市场经济体制，人民群众的自主意识、竞争意识、效率意识、民主法治意识和开拓创新精神将进一步增强，社会管理和经济活动将进一步规范，这为精神文明建设提供了更加有利的条件。同时，经济成分、组织形式、物质利益和就业方式日益多样化，势必带来人们思想观念、价值取向、生活方式的多样化，这给精神文明建设提出了更高要求。对社会丑恶现象、腐败现象、封建迷信现象等也需采取有力措施加以治理。

第五，对外开放和发展社会主义市场经济，有利于我国思想理论界开阔视野，活跃思想，研究探索，发展创新。同时，由于受国际国内各种因素的影响，我国思想政治领域的斗争不仅会长期存在，而且很复杂，有时甚至还会是尖锐的。

面对精神文明建设存在的机遇与挑战，我们一定要坚定信心，头脑清醒，抓住机遇，开拓进取，不断研究新情况，探索新规律，掌握新方法，解决新问题，努力把精神文明建设搞得更好。

按照“三个代表”重要思想的要求，深入扎实推进社会主义精神文明建设

江泽民同志关于“三个代表”的重要思想，是在新的历史条件下全面加强党的建设的伟大纲领，也是做好各项工作的行动指南。“三个代表”的重要思想为精神文明建设进一步指明了方向。在贯彻十五届五中全会精神，加强社会主义精神文明建设工作中，我们要把学习和实践“三个代表”的重要思想放在总揽精神文明建设全局的重要位置，全面推进社会主义精神文明建设各项工作。

第一，坚持“两手抓，两手都要硬”的方针，牢固树立全面的发展观。江泽民同志前不久指出，我们讲发展是硬道理，讲的是经济和社会的全面的发展，既包括物质文明的发展，也包括精神文明的发展。这就再次提醒全党特别是各级领导干部，要充分认识经济建设和精神文明建设的辩证关系，牢固树立全面的发展观，自觉坚持“两手抓，两手都要硬”的战略方针，真正做到越是深化改革、扩大开放，越是发展社会主义市场经济，越要重视和加强社会主义精神文明建设。要把是否重视精神文明建设作为讲不讲政治的重要标准，把精神文明建设的工作实绩作为考核和评价领导班子、领导干部的重要依据。

第二，紧紧围绕树立正确的理想信念，切实加强和改进思想政治工作。加强和改进思想政治工作是精神文明建设的重中之重。要巩固和加强马克思主义的指导地位。要紧密结合干部群众在思想认识和工作、生活中产生的新问题，围绕树立正确的理想信念，着力加强党的基本理论、基本路线、基本纲领教育，加强爱国主义、集体主义、社会主义和艰苦创业精神教育，加强形势政策教育，加强科学知识、科学思想、科学方法、科学精神的教育，引导广大干部群众进一步坚定马克思主义的信仰，坚定建设有中国特色社会主义的信念，增强对改革开放和现代化建设的信心，增强对党和政府的信任，在全社会形成共同理想和精神支柱。要针对不同地区、不同部门、不同领域干部群众思想活动的特点和要求，努力在内容、形式、方法、手段、机制等方面进行改革和创新，特别要在增强时代感和针对性、实效性、主动性上下功夫，警惕和防止形式主义。

第三，把先进性和广泛性要求结合起来，大力加强思想道德建设。思想道德建设集中体现精神文明建设的性质和方向。要坚持先进性和广泛性要求相结合，在全社会大力倡导一切有利于国家统一、民族团结、经济发展、社会进步的思想道德。提倡自力更生、艰苦奋斗的创业精神，形成全民族奋发向上的强大动力。大力倡导社会公德、家庭美德和职业道德，特别是加强青少年的思想政治和道德品质教育。反对和抵制拜金主义、享乐主义和个人主义。努力建立适应社会主义市场经济发展的思想道德体系，不断提高全体人民的思想道德素质。

第四，坚持多办好事、多办实事，深入扎实开展群众性精神文明创建活动。群众性精神文明创建活动是人民群众改造社会、移风易俗的伟大创造，有助于两个文明建设有机结合，落实到基层。创建活动也是对群众进行思想教育、提高全社会文明程度的有效途径，是加强党的群众工作和思想政治工作的新方式，具有较强的感召力和渗透力，受到群众的普遍欢迎。要按照巩固、提高、延伸、辐射的思路，继续深入开展各种群众性精神文明创建活动。开展创建活动中，要始终把着眼点放在提高干部群众的思想道德和科学文化素质上，放在不断满足群众日益增长的精神文化需要上，倡导科学文明健康的生活方式。要按照江泽民同志提出的“多办影响大、作用大、群众满意的实事”的要求，按照五中全会提出的“以提高人民生活水平为根本出发点”的要求，多办实事，给群众带来实实在在的、看得见的利益，为人民创造幸福生活。

第五，大力繁荣社会主义文艺，促进优秀精神文化产品的创作和生产。要坚持为人民服务、为社会主义服务的方向和百花齐放、百家争鸣的方针，以繁荣社会主义文化为中心，弘扬民族优秀文化，吸收外国文化有益成果，抵制不良文化，提高全社会的文化生活质量。坚持新闻舆论的正确导向，发展新闻出版、广播影视等各项事业。鼓励作家、艺术家投身人民群众进行改革开放和现代化建设的伟大实践，繁荣文学艺术创作，努力提高精神产品的质量，生产出更多的无愧于时代和人民的艺术精品，把美好的精神食粮奉献给人民。

第六，坚持一手抓繁荣、一手抓管理，加强思想文化领域的阵地建设。江泽民同志强调，思想文化领域的阵地，马克思主义不去占领，非马克思主义、反马克思主义的东西就必然会去占领。

对此，我们要保持清醒头脑，牢固树立阵地意识，坚持和巩固马克思主义在思想文化领域的指导地位，用丰富多彩、健康向上的思想文化去占领阵地。要加强对新闻舆论、国民教育、社会文化、休闲娱乐等各种思想文化阵地尤其是新闻网站的建设和管理。要加强科技馆、文化馆、博物馆、图书馆和青少年活动场所等文化设施建设。要加强对文化市场的管理，加大扫除黄赌毒等社会丑恶现象力度。要努力使一切思想文化阵地都成为我们宣传科学理论、传播先进文化、塑造美好心灵的阵地。

我们正处在世纪之交的历史新起点上。在建设高度物质文明的同时，建设高度的精神文明，是摆在中国共产党人面前的一项光荣而艰巨的历史任务。我们要认真学习、坚持贯彻十五届五中全会精神，以“三个代表”重要思想为指导，不断开创社会主义精神文明建设的新局面！

（《学习·研究·参考》2000 年第 12 期）

邢贲思：马克思主义的指导地位不容动摇

江泽民同志在中央思想政治工作会议上的重要讲话中指出：“加强和改进思想政治工作，最根本的是坚持和巩固马克思主义在我国意识形态领域的指导地位。”这一论断为我国的意识形态工作指明了正确方向。

我国意识形态领域的形势，总的来看是好的。但也要清醒地看到，意识形态领域也存在着一些复杂情况，如果我们不加以注意，不能及时解决各种矛盾和问题，就会影响甚至削弱马克思主义在意识形态领域的指导地位。

首先，要看到我国目前的文化是一种多元文化，这是由我国现阶段经济成分多样化、利益关系多样化决定的。在这种多元文化中，必须保证指导思想的一元化，而决不能搞指导思想的多元化，这个指导思想就是马克思主义。也就是说，我们的多元文化，必须是马克思主义指导下的多元文化，马克思主义的指导地位是这种多元文化的主心骨。如果马克思主义的指导地位得不到保证，在多元文化中缺少了这个主心骨，这样的多元化只能是一种无序的多元化、混乱的多元化，最终必将导致我国文化的变质和转向。这是十分危险的。总之，坚持指导思想的一元化，是当前意识形态领域的一项十分突出的任务，决不能掉以轻心。

其次，要看到西方敌对势力的“西化”、“分化”图谋对我国意识形态领域造成的影响。当前，这种“西化”、“分化”的一个重要表现，就是通过各种渠道和手段包括互联网对我国进行文化渗透。西方的文化渗透并不是权宜之计，而是一项长期的战略，它对我国文化的影响将是深远的。在对外开放的条件下，我国同外国也包括西方国家的文化交流还会扩大，这是正常的，对我国文化事业的发展也是有利的。但与此同时，对西方的文化渗透，一定要保持高度的警惕。

最后，要看到新中国的建立虽已有半个世纪，但来自旧社会的思想、观念、习惯没有也不可能完全退出历史舞台，一有机会它们就会冒出来兴风作浪，干扰我们的改革、发展、稳定的大局。这就是为什么在我国会出现来自右的和来自“左”的对马克思主义怀疑、否定的思潮的原因。正因为社会上存在着来自右的和来自“左”的两股怀疑和否定马克思主义的思潮，因此，我们就更要坚定不移地自觉维护马克思主义在意识形态领域的指导地位。

坚持和巩固马克思主义在意识形态领域的指导地位，必须进一步发挥党在政治上的优势，其中加强党的领导尤其是关键。而要加强党对意识形态工作的领导，首先就要提高各级党委特别是党委主要领导同志对意识形态工作重要性的认识。不管经济工作和其他工作多么繁忙，各级党委也决不能不重视思想政治工作，决不能不注意意识形态领域的动态，决不能不关心马克思主义在意识形态领域的指导地位。这就是江泽民同志要求各级党委特别是党委主要领导同志所必须具有的大局意识、责任意识和阵地意识。

坚持和巩固马克思主义在意识形态领域的指导地位，一项基础性的工作，就是要继续用马克思列宁主义、毛泽东思想、邓小平理论武装全党，坚持不懈地对党员和群众进行理想和信念教育，进行爱国主义、集体主义、社会主义的教育。

坚持和巩固马克思主义在意识形态领域的指导地位，还必须引导干部和群众不断克服和抵制错误思想的影响和侵蚀。目前，错误的观点、错误的思潮在我国意识形态领域虽不占主导地位，但要防止它的扩散，防止它对马克思主义指导的意识形态的冲击。我们一定要防患于未然，把一些错误的东西消灭于萌芽状态，不使它畅行无阻，不使它恶性膨胀，不使它弄乱人们的头脑，不使它干扰我们的大局，为党在社会主义初级阶段的总目标和总任务的实现打好思想基础。在当代中国，坚持和巩固邓小平理论的指导地位，就是坚持和巩固马克思主义的指导地位。

邓小平理论是当代中国的马克思主义，是党的十五大确定的全党的指导思想，并且写进了党章。邓小平理论继承了马克思列宁主义、毛泽东思想，又结合新的时代特征，结合中国社会主义建设的实际，对马克思列宁主义、毛泽东思想作出了重大发展。在当代中国，只有把马克思主义同当代中国实践和时代特征结合起来的邓小平理论，而没有别的理论能够解决社会主义的前途和命运问题。邓小平理论是当代中国的马克思主义，是马克思主义在中国发展的新阶段。以江泽民同志为核心的党中央，既坚持了邓小平理论，高高举起邓小平理论的伟大旗帜，又结合新的情况、新的经验，在经济、政治、科技、教育、文化、民族、军事、外交、统一战线、党的建设等各个方面丰富和发展了邓小平理论，为邓小平理论的科学体系增加了新的内容。实践证明，以江泽民同志为核心的党中央，是邓小平理论和邓小平同志开创的建设有中国特色社会主义事业的真正继承者。

原文出处：2000年8月17日《人民日报》

陈泽勤：浅议邓小平的德育思想

邓小平的德育思想可以概括为三个部分：一是“德育地位论”——德育在教育中处于重要的地位，在整个社会中德育要服从并服务于经济建设。二是“德育目标论”——德育的目标应定位于培育“四有”新人，并围绕着“四有”目标提出了德育的具体内容。三是“德育方法论”——从关心人、爱护人的角度出发，提出了一系列讲求实效的德育工作原则和方法。这三者相互联系，相互作用，共同构成了邓小平德育思想这一理论体系的完整性。

邓小平提倡德智体全面发展，而且深刻地指出德育在教育中的地位以及德育与智育的相互关系。邓小平要求德育为智育提供保证、导向和服务等作用，从而为德育摆正了位置。

德育服从、服务于经济建设，是邓小平德育思想的基本观点。一方面，德育服从于经济建设，体现了经济基础对上层建筑、社会存在对社会意识的决定作用。另一方面，德育服务于经济建设，体现了上层建筑对经济基础、社会意识对社会存在的能动的反作用。邓小平强调必须坚持物质文明和精神文明建设一起抓，他在德育地位的界定中，把物质可以变精神与精神可以变物质两个方面都讲全了。

在德育目标方面，邓小平提出了“四有”标准。邓小平德育思想，既坚持了教育机制的全面性，又坚持了人才标准的全面性，是对马克思主义关于人的全面发展学说的实际运用和理论深化。

在德育方法方面，邓小平主张废止用群众运动来解决思想认识问题。他提倡用批评的方法、民主的方法来做人的思想工作，要求在德育工作中要耐心说服，坚持说理，以理服人，以事实服人；要关心人、爱护人，以情动人。他主张，在德育工作中，要坚持理论与实际相结合等原则。邓小平的德育原则和方法，表现出两个特点：一是强调要尊重教育对象，即尊重群众；二是强调教育对象自我教育，主张让教育对象在实践中提高认识，特别是用实践的成果来教育人、说服人，即尊重实践。

原文出处：《探求》2000 年第 4 期

李　涛：新形势下精神文明建设的根本要求

——学习江泽民同志关于“三个代表”重要思想的体会

一、牢牢把握精神文明建设的根本要求，就要坚持和巩固马克思主义的指导地位，绝不能搞指导思想的多元化

马列主义、毛泽东思想、邓小平理论，是当代先进文化的核心和灵魂，决定着社会主义精神文明建设发展的性质和前进的方向。我们必须在任何时候、任何情况下，始终不渝地坚持马克思主义在我国思想文化领域的指导地位，决不能搞指导思想多元化。

一个国家和社会，无论存在多少不同的意识形态，但作为该社会的指导思想的意识形态只能有一个。任何一个社会的统治思想，始终都不过是统治阶级的思想。这是历史唯物主义的一个基本观点。

坚持和巩固马克思主义的指导地位，也就是要坚持用邓小平理论武装全党教育人民，作为精神文明建设和文化建设的首要任务，在全党和全社会树立起共同理想和精神支柱。

坚持和巩固马克思主义的指导地位，要善于驾驭意识形态领域复杂局面，讲究领导艺术，提高工作水平。

二、坚持遵循精神文明建设的根本要求，加强和改进新形势下的思想政治工作

党的思想政治工作，既是精神文明建设、文化建设的重中之重，又是搞好两个文明建设的有力保证。“三个代表”要求的各项任务要落到实处，就必须加强和改进思想政治工作。

加强和改进思想政治工作，要立足于加强，着眼于改进，这就要进一步增强思想政治工作的针对性和实效性：一是紧紧围绕经济建设这个中心，坚持把思想政治工作同各项业务工作紧密结合起来，寓思想教育于实际工作之中，决不能搞“两张皮”。二是要抓住思想政治工作的核心。这个核心就是理想信念教育。三是坚持把解决思想问题同解决实际问题紧密结合起来。四是坚持把教育群众与服务群众紧密结合起来，坚持把灌输引导与自我教育紧密结合起来，坚持把思想教育与加强管理紧密结合起来。五是坚持从社会主义初级阶段的实际出发，从本部门、本地区的实际出发，从广大干部群众的思想实际出发，把先进性要求同广泛性要求结合起来，区分层次，有的放矢，注重实际效果。

遵循始终代表先进文化的前进方向这个根本要求，加强和改进新形势下的思想政治工作，就一定要增强阵地意识、创建意识和基层意识。

要把群众精神文明创建活动作为加强和改进新形势下思想政治工作的重要载体。各种创建活动都要把着眼点放在提高群众的思想道德和科学素质上，使群众在参与中受到教育、得到提高。一方面，要运用创建活动，吸引人民群众广泛投身到思想道德建设中来。另一方面，要运用创建活动，引导社会各方面共同承担思想道德建设的任务。

三、认真落实精神文明建设的根本要求，必须在继承借鉴的基础上不断创新

落实“三个代表”的要求，加强精神文明建设，必须在继承和借鉴的基础上发扬创新精神。我国社会主义精神文明建设不是对前人和别人文明成果的简单组合和照抄照搬，而是在继承与借鉴的基础上进行超越和创新。要根据时代的要求，从我国的国情出发，使社会主义精神文明建设的内容既体现优良传统又反映时代精神，既突出民族特点又借鉴外国所长。要在全社会大力倡导和培育创新意识、创新精神。并把这条作为精神文明建设的一项重要任务。

作者：广西壮族自治区党委宣传部副部长
原文出处：《广西理论学习》2000 年第 7 期

杨　岚：论正确把握中国先进文化的前进方向

一、在世界文化发展大潮中把握中国文化发展走向

目前现代化的模式主要有资本主义现代化和社会主义现代化两种。资本主义现代化模式确实创造了辉煌的成就，但绝非人类文明最后的最佳的模式。社会主义现代化模式正是以此为起点展示出新的希望和新的可能性。在一定意义上，只要资本主义的弊端存在，社会主义的合理性就存在；只要资本主义社会的基本矛盾自身无法解决，社会主义替代它的可能性就存在，社会主义建设实践中的挫折不能泯灭其理论的合理性。有中国特色社会主义的文化事业的建设不仅对中国有重要意义，对世界文化的健康发展也有重要意义。改革开放 20 年后的中国已在工商文明发展的基础上步入了现代化的正轨，成为探索新的现代化模式的重要力量，对现代化的西方经验极具挑战性。

有中国特色社会主义的现代化既是与西方文化构成互补关系的东方文化的重要代表，又是对资本主义文明模式采取有力的批判视角的社会主义文化的主要代表，还是在全球性问题愈演愈烈的背景下后发型现代化模式探索的先锋，在当代世界文化发展潮流中是极具生命力的新生力量。我国处在社会主义初级阶段，面临许多问题和困难，但正确的文化导向却很可能使我们拥有一个光明的未来。

二、在中国现代文化出路的探索中把握其前进方向

要把握中国先进文化的前进方向，应对文化发展规律有理性的认识，这需要对文化理论的发展脉络和动向有清楚的把握。改革开放以来，中国走向世界，世界走入中国，伴随着文化冲突、文化交流和文化融合的热潮，中国学界出现持久的“文化热”，迄今已经历四个阶段：第一阶段重点在中西文化的形态对比，第二阶段深入一步研究中西思维方式的差异，第三阶段集中在探索中国当代文化的走向，第四阶段重在研究文化建设问题。在第三阶段关于文化走向的讨论中，早在五四时期便出现的三种观点重提，以其新的内涵而变得格外醒目：马克思主义派、西化派、现代新儒家学派，分别指出中国文化发展的三种路向。马克思主义派目前仍是主流学派，指明中国社会主义现代化的方向，是构成意识形态和精神文明体系的主体部分，中国当代人文社会科学发展尚未脱离此语境。西化派认为西方现代化模式是目前惟一成功的现代化模式，是中国走向现代化的主要参照系，中国要现代化就必须西化，更极端的是指出全盘彻底的西化。极端的全盘西化论，则没有必要在理论上花费很多笔墨去批判它，因为它在实践中根本不可行。现代新儒家学派则强调返本开新，从力争民族文化的生存权，到探索传统文化在现代的生存与发展，再到探索中国内生式现代化道路，逐步由被动到主动回应现代化大潮，主张复兴和弘扬中国传统文化的独特价值，在国内外有广泛影响。现代新儒家学派第三代代表人物还提出西化派、马克思主义派、新儒家学派三者互动的主张，颇有进击性。在这种错综复杂的情况下，作为执政党，中国共产党必须对中国文化的当代走向问题作出正面回答。十五大报告提出的与社会主义市场经济和民主政治相对应的"有中国特色社会主义的文化"，勾勒了中国现代文化体系的基本框架，对文化建设起到了导向作用，有重要的理论价值和实践指导意义。

三、在文化建设的实践中把握和引导先进文化的前进方向

中国共产党作为执政党要想在文化建设中起到主导作用，必须注重以下五个问题：

第一，应了解文化转型与社会转型的内在联系，看到目前中国在以由农业文明转向工业文明和信息文明、由计划经济转向市场经济为基础的社会转型过程中，也伴随着传统文化向现代化的全面转型。

第二，对现代文化发展的基本规律、趋向和特点的把握是领导文化建设的前提。

第三，依照文化发展的规律建设文化，以文明的精神建设文明，才能有效地推进文化建设。

第四，正确的文化建设方针应当是依循文化发展的客观规律，批判地继承传统文化，吸收全人类文明精华来建设社会主义现代文化体系。

第五，文化建设是一个系统工程，包括指导思想建设、理论体系建设、思想道德建设、科教文化事业的发展、文明工程建设等，是一项群众性的事业，执政党要在文化建设中把握文化前进方向，应该成为文化建设的先锋队和主力军，引导现代经济文化、政治文化、观念文化和日常生活文化的新潮流。

原文出处：《理论与现代化》2000 年第 10 期

陈炳璋：论当代中国先进文化的基本特征

一、当代中国先进文化是以马列主义、毛泽东思想、邓小平理论为指导的文化

这是中国先进文化的根本特征，是由党和国家的性质决定的。有中国特色的社会主义政治和经济，决定了中国先进文化必定以突出党的领导、坚持社会主义初级阶段的基本路线、倡导社会主义精神文明为其根本特征。惟其如此，才能称其为先进文化，才能起到社会主义建设中不可或缺的作用。

马列主义、毛泽东思想、邓小平理论是严密完整的科学体系，是科学的世界观和方法论。坚持以这一理论为指导，才能保证我国社会主义文化的先进性，使之成为凝聚和激励全国各族人民的重要力量，在全社会中形成共同的理想和信念，在全体人民中树立正确的世界观、人生观、价值观。

二、当代中国先进文化是服务于社会主义初级阶段基本路线，具有鲜明时代性的文化

作为当代中国的先进文化，必然反映我国社会主义经济和政治的基本要求，又对其产生巨大的促进作用。这种反映和巨大促进作用，集中体现在它必须服从和服务于社会主义初级阶段的基本路线。

肩负着培养现代化高素质人才的当代先进文化，必定要站在时代的前列，把握时代前进的方向，适应信息社会的要求，迎接未来社会的挑战，因而具有鲜明的时代性。

三、当代中国先进文化是为改革开放和现代化建设提供精神动力和智力支持的文化

我国现代化的进程，在很大程度上取决于国民素质的提高和人才资源的开发。先进的教育、科学和文化可以作为一种力量，有效推动社会主义现代化。现代生产的发展、国际间的经济竞争，已主要表现为科学技术竞争，其实质是人才的竞争。社会主义中国要在国际间的竞争中立于不败之地，就要大力发展科学教育文化事业。从这个意义上说，具有中国特色的当代先进文化，必须也必然为改革开放和社会主义现代化提供智力支持。

四、当代中国先进文化是弘扬民族精神，凝聚全国各族人民力量的文化

主旋律文化是当代先进文化的核心和集中反映，当代中国先进文化以弘扬民族精神，促进民族团结、社会进步和人民幸福为己任，具有积极、健康、向上的生命力。当代中国先进文化，表现着中华民族、中国人民伟大的民族精神，反映着全民族积极向上的精神状态。

五、当代中国先进文化是继承和发扬中华民族优秀传统的文化

建设有中国特色的社会主义文化，离不开也不可能离开源远流长的中华民族优秀文化传统。这一方面是文化本身的繁衍性、延续性和独立性所决定的，另一方面也是文化建设的客观需要。一切有中国特色的先进文化，必定深深植根于华夏沃土，继承几千年来形成的优秀文化传统，必定能更好地反映和促进时代的发展和进步。

六、当代中国先进文化是广泛采纳各国优秀文化成果的文化

当今世界，面对日新月异的科学技术发展和迅速传播的信息，我们务必要以开阔的视野、健康的心态和“融汇百川”、“兼容万物”的博大胸怀，借鉴、吸收世界各国各民族优秀的文化成果，特别是现代以来反映人类文明进步发展方向和趋势的先进文化，寓时代精神和现代文明于当代我国先进文化之中，永葆先进文化的时代性和旺盛生命力。

七、中国先进文化是人民大众的文化

有中国特色的社会主义文化尤其是先进文化，其最深厚的根源在广大人民群众之中，先进文化只有植根于人民大众之中，贴近人民大众的情感和生活，反映人民大众创造美好生活的伟大实践，才能受到人民的欢迎，才能具有旺盛的生命力，才能称其为当代中国的先进文化。

作者：兰州高等师范专科学校副研究员
原文出处：《兰州大学学报》（社会科学版）
2000年5月

杨爱民：精神文明是先进文化的主要标志

精神文明是先进文化的主要标志，因为先进文化包括先进的思想道德和先进的科学文化两个部分，与精神文明建设内容是同一的。在当代中国，先进文化就是有中国特色的社会主义文化。我们党始终代表先进文化的前进方向的阐释，是对党加强社会主义精神文明建设指导思想的一个新的发展。党的第三代领导核心在领导我国社会主义精神文明建设中，结合中国的实际和时代特征，继承和发展了马克思主义文明观，丰富了毛泽东思想和邓小平理论宝库，是中国先进文化前进方向的伟大代表。

在长期的革命战争年代及和平建设时期，毛泽东从各个不同角度论述了思想文化建设的重要地位和作用。

作为当代中国的马克思主义的邓小平理论，第一次把马克思主义文明观科学地分为物质文明和精神文明，并创造性地把精神文明从科学的概念发展成为科学的体系。

江泽民同志坚持运用马克思主义、毛泽东思想、邓小平理论领导全国人民，把精神文明建设提到更加突出的地位，社会主义精神文明建设在继承的基础上又有了新的发展。江泽民同志在党的十四大报告中提出“精神文明重在建设”的指导方针，这是把精神文明建设的突出地位从认识转入实践的重大举措，从一个侧面反映出以江泽民为核心的党中央对我国现代化建设规律认识的深化。江泽民同志在党的十五大报告中首次提出："有中国特色社会主义文化，是凝聚和激励全国各族人民的重要力量，是综合国力的重要标志。"这一思想是以江泽民为核心的第三代领导集体对精神文明战略地位认识新的发展。

社会主义物质文明和精神文明协调发展的战略方针，这一思想源头起于毛泽东。毛泽东把政治和经济作为一方面，文化作为另一方面，要"两面抓"；都上去。

在物质文明和精神文明协调发展战略方针上，论述最科学的是邓小平提出的"两手抓，两手都要硬"的思想。

江泽民同志进一步完善和发展了邓小平"两手抓，两手都要硬"的思想，强调精神文明建设要"纳入国民经济和社会发展的总体规划"。江泽民还提出"精神文明建设要同经济发展战略相适应"的思想，指明了"可持续发展战略"同精神文明建设的紧密关系，是对邓小平"两手抓，两手都要硬"思想的延伸和发展。

为了建设一个新中国，毛泽东在提出了中国革命必须分民主革命和社会主义革命两步走，通过新民主主义革命建设社会主义社会，包括实施新民主主义政治、经济、文化三位一体的新民主主义革命纲领。

以邓小平理论为指导的党的十二大报告明确指出，我们不仅要进行经济建设，而且要进行精神文明建设和民主政治建设，这是三位一体的全面建设社会主义的纲领。

党的十五大江泽民同志的报告，科学地总结了党的十一届三中全会以来特别是十四大以来的实践经验，第一次完整地制定了党在社会主义初级阶段的基本纲领，即建设有中国特色社会主义经济、政治、文化的基本纲领。这三位一体的基本目标和基本政策有机统一、互相促进、不可分割，共同构成有中国特色社会主义。

作者：河北省精神文明研究所副所长
原文出处：《河北学刊》2000年第5期

于振华：党的宣传文化事业应当始终代表先进文化的前进方向

一、始终代表中国先进文化的前进方向，阐明了党的宣传文化事业的历史使命

当代中国先进文化的前进方向，就是建设有中国特色社会主义文化，即以马克思主义为指导，以培育有理想、有道德、有文化、有纪律的公民为目标，发展面向现代化、面向世界、面向未来的，民族的科学的大众的社会主义文化。代表中国先进文化的前进方向，核心就是要把党的十五大提出的建设有中国特色社会主义文化不断推向前进。

宣传文化事业是党的事业中的一个重要组成部分。宣传文化事业已经成为经济社会发展中一支不容忽视的力量。只要我们始终代表先进文化的前进方向，党的宣传文化事业就发展壮大、欣欣向荣。

二、建设有中国特色社会主义文化，是党的宣传文化事业的重要任务

代表先进文化的前进方向，必须始终坚持马克思主义的指导地位。在当前复杂的国内外环境中，要保持宣传文化事业的先进性质和正确方向，马克思主义的指导地位只能加强，不能削弱，更不能搞指导思想多元化。

代表先进文化的前进方向，必须善于吸纳人类创造的一切文明成果来创造和丰富自己的民族文化。既要以海纳百川的胸怀善于吸收外来先进文化的成果，为我所用；同时也要以鲜明的立场和态度，抵制外来文化中腐朽和衰败的东西，大力弘扬和发展我们的民族文化，这才是代表先进文化的前进方向的着眼点和立足点。

代表先进文化的前进方向，必须在继承历史文化传统的基础上勇于创新，创新是宣传文化事业保持活力的重要环节。

代表先进文化的前进方向，必须建设为人民群众服务并为他们喜闻乐见的大众文化。

三、加强和改善党的领导，是推进宣传文化事业发展的根本保障

加强和改善党对宣传文化事业的领导，是社会主义文化的性质决定的，是“两手抓，两手都要硬”的题中应有之义，是宣传文化事业始终代表中国先进文化的前进方向的根本保障。

一是必须始终坚持党对宣传文化工作的领导。各级党组织要从战略的高度重视宣传文化工作和精神文明建设，坚持做到两手抓，两手都要硬。要经常研究、分析宣传文化事业的现状和存在的问题，下力量解决宣传文化事业发展中迫切需要解决的困难和问题。

二是必须遵循宣传文化工作的特点和规律。

三是进一步深化宣传文化事业改革，推进文化产业发展。从现在起到2010年，我省要初步形成比较齐全的文化产业体系，重点发展报业、出版业、文艺演出业、旅游业、民间艺术业等文化产业，使文化产业成为我省一个新的支柱产业。要大胆实践，勇于创新，着力壮大宣传文化事业的实力。要坚持特色，大胆地对各种文化资源进行优化组合，开拓出自己的文化品牌。

作者：河北省委宣传部常务副部长
原文出处：2000年6月29日《河北日报》

张士儒：牢牢把握前进方向　大力推进文化建设

一

先进文化作为一个动态的系统，在丰富多彩的实践中不断完善和发展自己。在今天，这种社会主义文化就是有中国特色社会主义的文化，它体现了当代中国先进文化的前进方向，是人类文明进步的结晶。具体地说，这种文化首先属于现代中国无产阶级文化体系；其次，这种文化反映和促进了当代中国先进生产力的发展；再次，这种文化反映和促进人的全面发展，以培育“四有”新人为目标；第四，这种文化反映和促进社会全面进步和发展，因此它与社会主义精神文明建设内容是一致的。

由于建设有中国特色社会主义文化体现着当代先进文化的前进方向，因此全面推进建设有中国特色的社会主义文化，是我们党在新形势下的重要使命。

二

在实现中华民族伟大复兴的新时期，我们党要一如既往地保持先进文化品格，一如既往地走在时代前列，一如既往地代表中国文化的前进方向，很关键的一点在于必须不断加强和搞好党的自身建设，切实把“三个代表”作为党的建设的指导原则，正确处理文化建设和党的建设的关系，按照“代表中国先进文化的前进方向”的要求，不断加强有中国特色社会主义文化建设，促进两个文明协调发展，实现社会的全面进步。为此，一是必须旗帜鲜明地坚持马列主义、毛泽东思想、邓小平理论的指导地位。二是必须坚持为经济发展和社会进步提供精神动力和智力支持，坚持培育适应社会主义现代化建设要求的“四有”新人。三是必须坚持“二为”方向，满足广大人民群众日益增长的文化需求。四是必须坚持百花齐放、百家争鸣，古为今用、洋为中用，兼收并蓄、推陈出新的方针。

三

大力推进有中国特色的社会主义文化建设，关键是把先进文化推向社会，让广大人民群众认可先进文化，让先进文化成为全社会文化生活的主旋律。首先，我们要特别强调坚守文化阵地的历史使命，强调弘扬主流文化，引导亚文化，遏制反文化，而不能用文化形态的多元化代替指导思想一元化。其次，要大力发展反映先进文化的文化事业和文化产业。第三，要搞好群众性精神文明创建活动。第四，要加强发展先进文化的组织领导。各级领导干部都要从讲政治、讲大局的高度不懈努力，不断探索，以强烈的使命感、责任感和勇于进取的精神状态，大力推进有中国特色社会主义文化建设。

作者：河北省委常委、宣传部长

原文出处：2000 年 7 月 11 日《光明日报》

陈立旭：论文化的超越性功能

在一个健全的市场经济社会体系中，经济、政治、文化三个领域分别满足人类的物质资料、社会秩序与公共职能以及生活意义三个方面的基本要求。

由市场扩张引发的人类生活的五花八门的问题，需要社会各方面的综合治理，而其核心处则离不开市场经济社会体系中政治、经济、文化三个（次）体系或三股力量之间的平衡。

面临市场的扩张可能引发的失衡，政治（次）体系应当充分利用其强制性和公共性力量，提供有效的制度安排，抑制市场机制对人们的消极的、负面的影响，并使之朝着有利于增加整个社会财富、促进社会全面进步以及人的全面发展的方向运转。政治体系的这种功能，尤其集中地体现于国家（政府）对源自市场私人性和自发性特征的缺陷之弥补和校正方面。而在国家（政府）诸功能中，对公平与正义的维护，显得尤为重要。没有公平正义，就无市场秩序和效率可言，更遑论建立一个健全的市场经济社会了。

在市场经济社会诸（次）体系中，除了政治（次）体系之外，文化（次）体系能在匡正由市场扩张而引发的社会失衡方面担当重要的使命，发挥其应有的社会功能。当然需要特别申言的是，正如市场和政府不是万能的一样，文化活动也并非万能的。但是，在确认市场经济乃是基于人们深层心理的理性选择，确认市场经济是现阶段社会经济运作的最有效、最直接的动力源泉的同时，弘扬文化的最高价值取向（真善美的价值取向），强化文化的超越性功能，对于建立一个健全的市场经济社会是重要的措施。

在市场经济社会，文化的一个重要使命就是对市场经济及其他社会消极面的批判和否定。它不仅表现为对经济活动中各种消极丑恶现象的谴责，而且包括对某些合法而不合理的经济行为的扬弃，特别是对经济活动所指向的社会价值目标的矫正。文化的这种批判性和否定性的使命，是由其在整个社会体系中的目标定位即提供生活意义所决定的。正因如此，在一定程度上，文化活动具有“世俗拯救的功能”，它为人们提供了一种从日常生活的刻板状态中解脱出来的途径。

文化对市场经济负面因素的批判并不与探索新的社会理想相对立。对市场经济负面因素的批判，一方面在于调整、矫正市场的单维性，另一方面则在于催生、塑造、支持新的社会理想。当经济主体在市场领域将利益最大化作为最高追求时，文化则向人们展现真、善、美的理想天地；当市场机制迫使人们把所有精力投入到竞争之中时，文化则致力于培育人的完整性；当市场中人仅仅关注个人的、局部的世俗利益时，文化则向人们呈示人类的普遍利益以及普遍和超越的价值；市场经济的扩张导致意义丧失以及人们精神上的不定感和迷失感时，文化则给人们提供心灵停泊的家园和安身立命之所，在一定程度上缓解精神无所依的困境。

但是，在充分发挥文化的社会功能的同时，如何又不压抑由市场经济引发的人们追求物质利益的适度冲力，实现一个健全的市场经济社会所必需的文化与市场（以及政治）之间的平衡？

要阻挡市场经济对文化领域的过度扩张，防止市场目标和运作逻辑对文化目标和运作逻辑的主宰，首先需要提高人们的认识，使人们普遍地树立市场的效率目标乃社会众多重要目标之一而非全部目标这种意识。更重要的是，社会应当提供合理的制度安排，一方面必须对市场过度侵入和蚕食文化领域形成有效的约束，将市场的运作逻辑限制在经济领域，使市场活动在满足人们对物质利益需求的同时，也肩负社会目标，进而把人们的行为引向有利于促进物质文明和精神文明共同发展以及社会全面进步的轨道上来，另一方面必须用有效的激励方式保障社会对文化事业的投入，保障文化事业发展的活力，鼓励文化创造活动。

文化最高价值取向与市场最高价值取向的关系问题，事实上也可以具体落实到以维护、弘扬真善美为使命的知识分子与自身利益的关系问题上来。知识分子既然以对人类基本价值的维护、以对真善美的弘扬作为神圣而崇高的职责，那么他在从事文化活动时就不能不对自身的利益诉求有所约束。“社会良心的代言人”这一角色要求他看待世界、批判现实应当更多地不是从一己之私利，而是从“良心”或“良知”出发。良心或良知即个人对正当与否的感知，是个人对自己的行为、意图或品格在道德上好坏与否的认识，以及一种要正当地行动或做一个正当的人的责任感。良心或良知表明的是人的非利己的态度。

知识分子和理想形象主要是文化性的，他们所从事的是有关价值、观念、符号等的文化性的活动。他们的角色是把人们带进较广大的宇宙秩序中。人不止是生物性的存在，他还有一种生命意义的追求，一种最终的价值之追求，一种跟宇宙世界接触的追求。但一般人虽有了解外在世界的情景的需要，但什么是外在世界的情景却不是容易掌握的。因此，知识分子将提供他们之所“见”或他们的“解释”。这种“见”或“解释”，当然是他们的价值观念的反映，这可以说是理念，也可以说是文化的符号系统。而这种理念或文化的符号系统可以安顿人心，产生生命的意义与精神的秩序。由于这个形象，知识分子成为了一极为特殊的形态的人物。也因此，他们被浪漫地认同为社会时代的眼睛与良心。“社会时代的眼睛与良心”这一角色定位，无疑要求知识分子对于自身的主观倾向，尤其是对于自身的利益诉求，保持应有的自省精神、距离意识和超越能力。否则，如果任由一己私欲膨胀而没有应有的自觉与制约，便将遮蔽自己的“眼睛”与“良心”，从而难以准确地把握批判对象，更无法建构可以安顿人心的理念或文化的符号。结果，便会使文化批判成为个人的情绪发泄，对建立健全健康的、透明的公共领域毫无裨益。因此，惟有从良心或良知和公共立场出发而不是从一己之私利出发，才能产生激情、正义感、责任感和使命感以及敢于说真话的勇气，才能比较准确而公正地对整个国家的社会文化及发展方向作出理性的分析、评判和把握，才能在市场功利价值急速扩张的情势下，维护和弘扬真善美这一文化领域内的最高价值取向。

作者：浙江省委党校文化学教研部研究员
原文出处：《中国社会科学》2000年第2期

陈　伟：文化精神三题

本文从三方面作论析，试图认识和把握建设有中国特色社会主义文化精神的若干实质内容。

一、具有新的科学特质的文化精神

具有新的科学特质的文化精神，主要包括观

念层面的文化精神和知识层面的文化精神两方面的内容。

首先，从观念层面看，要确立以邓小平理论为科学内核的文化精神。邓小平理论之所以当之无愧地成为有中国特色社会主义文化精神的科学内核，就在于它包含着几方面新的科学特质：

1. 体现了对当代中国国情正确认识的新的科学精神。

2. 体现了对社会主义认识的新的科学精神。

3. 体现了对时代和世界认识的新的科学精神。

4. 体现了对中国式现代化认识的科学精神。

其次，从知识层面看，要确立以吸纳现代科技教育优秀成果为显要标志的文化精神。

这里所说的科学技术，主要指反映人对自然规律认识水平的知识性文化。我国是后发的建设现代化的国家，经济文化相对落后，由于国情使然，全力加快科技和教育事业的发展，尽快扭转落后的局面，不仅具有普遍性，而且具有特殊性意义。我们除了瞄准世界科学文化发展进步潮流，不失时机地大胆吸收现代科技教育的物化成果、有形成果、显性成果之外，尤其要善于学习、借鉴和消化吸收蕴含于人类现代文化成果中的科学思想、科学精神、科学方法、科学思维方式等非实物性成果、无形成果、隐性成果。作为最大的发展中国家，重点消化吸收这部分可“廉价”共享的人类现代文化资源，由表及里地得其精髓，不失为明智的选择。

在观念性文化建设和知识性文化建设中，必须培育、确立和发展具有新的科学特质的文化精神，这是建设中国式社会主义现代化的思想文化基础。

二、具有新的民主内涵的文化精神

我们所追求的社会主义，具有新的内涵和特点：一是内含民主主体的新定位——以劳动者为主体而不是以剥削者为主体；二是内含民主价值的新取向——民主不仅是一种手段，而且是社会主义的重要目标和重要保证；三是内含民主追求的新走向——致力于社会主义在现代的民主化或民主的现代化；四是内含民主结构的新扩展——民主建设从制度到观念到实践全面推进、有序发展。那么，在今天，怎样才能将这些内涵融入我们的文化精神世界？

首先，要把民主的精神与社会主义的精神有机结合起来。其次，要把民主精神与法治精神有机结合起来。再次，要把民主精神与改革精神有机结合起来，形成民主改革的文化精神。最后，要把民主精神与社会主义市场经济伦理精神有机结合起来，形成新型的经济民主的文化精神。

三、具有新创造活力的文化精神

从广义文化的角度看，一个国家的国情和实际状态，其实相当大程度也是一种文化资源或文化现实。它表征着一个国家和民族文化发展的现状、需要和追求，是文化主体创造力及程度的体现。为此，将马克思主义的基本原理同中国的实际相结合，实质上是本土或本民族文化发展性资源同外来文化优秀成果中的时代精华有机结合的文化变迁，它是我国实现中国式现代化内生机制的必然要求，是实现民族文化更新和激发全民族创造力的正确选择。在当代中国，作为毛泽东思想的继承和发展的邓小平理论，是当代中国的马克思主义，是有中国特色社会主义新文化的灵魂，是具有新创造活力的民族文化精神的代表。这里，新的创造活力包含两层含义：一是指这种精神本身是新的创造物，是蕴含新生命力的思想成果；二是指其具有指导民族文化进行创造和再创造，使实践永葆蓬勃生机的功能。

实践证明，邓小平理论作为当代中华民族文化的主导精神，其新的创造活力突出表现在以下方面：

其一，非“教条”性。其二，非守旧性。其三，非封闭性。其四，非片面性和狭隘性。

综上所论，我们完全有理由认为：解放思想、实事求是既是邓小平理论的精髓，也是民族创造精神永葆活力的基质。

作者单位：中共广州市委党校

原文出处：《新华文摘》2000 年第 2 期

丁尔钢：社会主义文化生产与人民的文化需求

在社会主义市场经济的条件下，要解放与发展社会主义文化生产力，不仅要突破计划经济条件下社会主义文化生产关系与体制之局限性的束缚，还要突破历史上遗留下来的“左”的文化观念与新的历史条件下产生的右的文化观念的束缚。只有从有形的物化的束缚与无形的观念化的束缚这双重束缚中解放出来，社会主义文化生产力才会有重大的发展、突破与飞跃。

对文化生产力的有形的物化的种种束缚，仍必须依靠加大并深化体制与机制的改革力度来解决。这方面的问题已经引起了有关方面足够的重视，通过试点也取得了一定的经验。相比之下，倒是各种无形的思想观念方面的束缚仍然相当严重。旧的极“左”的思想观念的束缚与新产生的右的思想观念对文化生产力及其运作方向的束缚，共同影响着文化生产力进一步发展。要解决这些问题，一个重要方面是必须正确处理社会主义文化生产的本质属性与人民群众广泛而又复杂的文化需求之间的关系。

其一，社会主义文化生产，必须体现主旋律与多样化的辩证统一关系。

其二，正因为人民群众是由不同的文化层次构成的，他们的文化需求是多方面、多样化的，就要求社会主义文化生产必须正确处理高雅文化与大众文化的有机统一关系，从而把人民群众的目前文化需求与长期文化需求统一起来。

通常对文化生产有多种分类。毛泽东所说的“文野之分，粗细之分，高低之分”是文化品位与层次的分类标准。大体说来，它是由两种文化构成。一种是体现高层次、高品位、高水准的高雅文化。另一种是具有普及性、通俗性的大众文化。如群众性的娱乐文化（歌厅、舞厅、影院、广场演出等等），社区与行业性的自教自娱文化（社区文化、校园文化、军营文化、企业文化等等），深入浅出的宣教文化（如大型雕塑《收租院》等），消闲性的通俗文化（如武侠、侦破小说，惊险影视、风光名胜旅游）等就是大众文化。高雅文化与大众文化都是人民群众的需要，两者缺一不可。

其三，必须正确处理社会主义文化生产独创性、精品性与文化生产普及性、规模化的关系。俗话说：“宁吃鲜桃一口，不吃烂杏一筐”。为保证文化生产的社会主义先进性质与较高水平，当然要求多出精品，以满足人民群众日益提高的文化需要。因此提高文化生产者的精品意识是个关键。而精品又往往与独创性紧密相联，且具有不可重复性。《水浒》、《红楼梦》的续书与仿作，多达数部以至十数部，但大都被历史所尘封和淹没。出文化精品的关键在于文化生产者必须具备较高的思想文化品格与雄厚的生活积累，以及由此形成的真知灼见与独创性。此外，还要具备“十年磨一戏”和“一戏磨十年”的精益求精的严肃、严谨的创作态度。因此，“少而精”就成了约定俗成的原则。

然而人民群众的文化渴求既广泛又普遍，这给文化生产的质量与速度不断加大压力。所以社会主义文化生产既需要独创性、精品化，也要在保持正确方向的前提下，做到普及性、规模化、批量化。

作者：山东社会科学院研究员
原文出处：《发展论坛》2000年第9期

赵诗清　曾瑞芝：论 文 明

文明的真谛

中国古代尚书《舜典》的疏解对“文明”一词的解释是：“经天纬地曰文，照临四方曰明”。中国古代先民创造文明一词本是借用自然界的现象来说明人类社会的理想与追求。地上高山大川就是经天纬地之文，天上红日皓月就是照临四方之明。我们今天所说的文明固然不是指的自然现象，但是人类的文明一词显然是受此启发借鉴而来的，并在此基础上使文明概念至少包括了三层含义：

第一，具有创造性含义。因为文象征着人类活动在宇宙中打下的印记，刻下的划痕，它们仿佛高山大川一样，经天纬地，是人类自己的创造杰作。

第二，具有变化性含义。这种人类活动的印记不仅改变了宇宙的面貌，而且改变了人类自身和人类生活的环境。

第三，具有进步性含义。因为明能够像日月一样，给人类带来光明，带来幸福，带来利益和安全，从而推动人类社会进步。

文明的构成

在人类和人类文明史上，不论什么时间也不论什么地域，构成文明的要素都必须包括物质文明、人本文明、制度文明、精神文明和环境文明五个方面。

文明是人类活动的产物，是人类不断进步的体现，也是人类生产劳动的成果。从广义的人类生产活动来说，有五种生产形态，即物质资料生产、人类自身生产、社会制度生产、精神产品生产和人类环境生产。这五种生产形式所产生的成果便分别表现为物质文明、人本文明、制度文明、精神文明和环境文明。正是这五种文明要素之间相互联系、相互制约的关系之总和，构成了一幅五彩斑斓的文明图景，构成了整个人类文明的有机系统。

文明的理想

回溯往古，史前时期人类所经历的一个漫长而艰难的时代，历史学家称之为原始时代。即使在原始蒙昧野蛮的状态下，人类的劳动仍然在大自然中刻上了自己的印记，留下了自己的足迹，引起了自然界的变化，推动了社会的前进和人类自身的进步，创造了不同于自然文明的人类文明。如果没有这些史前文明的积累和探索，就不可能使人类进入有史文明时代。

文字的发明是人类进入有史文明的标志。有史文明虽然只有几千年时间，但人类创造的文明成果却超过了几十万年的史前文明成果。在人类社会进入资本主义社会以后不到一百年的时间所创造的文明成果又超过了几千年有史文明的总和。而20世纪后半叶不到半个世纪的时间里，人类创造的文明成果再次超过了有史以来所有文明的总和。但是，当人类即将进入21世纪和又一个千年之际，反思有史文明的发展历程，既感到骄傲却又不无遗憾。遗憾之一，自有文字以来的文明史就是一部阶级斗争的历史，人类文明的发展是建立在少数人对大多数人的压迫和剥削基础之上的；遗憾之二，由于人类分裂为对立的阶级而使得文明的五种要素之间的相互联系遭到割裂，使物质文明、精神文明、制度文明、环境文明、人本文明彼此缺乏协调发展的机制；遗憾之三，由于处理人与人的矛盾和关系所费的精力大大超过了处理人与自然的矛盾的关系所费的精力，人与自然的和谐遭到破坏，人类生态环境开始恶化，人类文明的延续受到威胁。

二战以后，社会主义制度的发展，世界时代

主题由战争与革命向和平发展的转变，人类可持续发展战略的提出，表明人类已经意识到并正在着手消除这些遗憾，展现了人类文明的理想前景。人类文明的理想，就是要在处理人与自然的矛盾中克服人类对生态环境的破坏，实现物质文明与环境文明建设的统一，实现人与自然的和谐相处与可持续发展；在处理人与人的矛盾中消除剥削和不平等，制止战争，维护世界和平，实现共同富裕和共同进步；在处理各种文明要素的关系中克服孤立片面割裂的倾向，求得物质文明、精神文明、制度文明、环境文明和人本文明的协调和平衡。

总结人类文明发展的历史，史前文明的时代是人类艰苦摸索、自发创造文明的时代；迄今为止的有史文明的时代是人类不断探索文明发展规律，自觉创造文明的时代；人类未来的发展方向将是通过五种文明的协调发展和可持续发展，把握文明发展规律，进入一个自由创造文明的时代，那就是人类文明的理想时代。

原文出处：2000年12月5日《光明日报》

黄钧儒：发展精神文明也是硬道理

一、发展精神文明也是发展现代化事业

邓小平同志关于“发展才是硬道理”的名言，言简意赅地揭示了人类社会发展的真谛。发展，是当代世界的主题之一，是当代中国的主旋律，是中国人民的强烈愿望，是解决中国全部问题的关键。发展，既包括物质文明，也包括精神文明；既包括当前发展，也包括可持续发展。两个文明都搞好，才是有中国特色社会主义。

发展精神文明，为现代化建设事业提供了强大精神动力、智力支持和思想保证，是现代化事业的重要保证。

二、发展精神文明也是发展综合国力

发展精神文明，也是发展社会生产力。在生产力的要素中，劳动者始终是最积极活跃的因素，在生产力中处于主导地位。资金、技术、管理、营销、人才等等，人才最重要。从这个意义讲，发展精神文明，加强思想政治工作，就是发展社会生产力。精神产品生产是社会生产的重要组成部分，精神产品生产形成的精神生产力，是社会生产力的重要组成部分。

综合国力包括经济力量、科技力量、军事力量、人口与资源等物质力量，也包括政治力量、思想和文化力量等精神力量。提高我国的综合国力，既要加强物质文明建设，大大增强自己的物质力量，又要发展精神文明，大大增强自己的精神力量。

三、发展精神文明对改革开放和发展社会主义市场经济有巨大促进作用

在当代中国，发展精神文明，是与坚持改革开放和发展社会主义市场经济结合在一起的。当前改革处于攻坚阶段，发展处于关键时期，稳定面临许多新情况，社会发生着复杂而深刻的变革，发展精神文明也面临着新挑战。改革开放中出现的新问题，只有进一步深化改革、扩大开放来解决。社会主义市场经济发展中的消极影响，也只有在健全完善社会主义市场经济体制的过程中来解决。大力发展精神文明，加强和改进思想政治工作，这是解决当前思想政治领域存在问题的主要途径。大力发展精神文明，充分发挥精神动力的反作用，抑制消极影响，就能保证和促进改革开放社会主义市场经济的顺利发展。

四、发展精神文明也是巩固与扩大马克思主义阵地

发展精神文明，要强化阵地意识。思想领域的阵地，马克思主义不去占领，非马克思主义和反马克思主义的东西就必然会去占领。唱响主旋律，打好主动仗，必须增强阵地意识，用马克思主义去占领思想文化阵地。在社会生活日趋多样化的条件下，要占领社会的思想文化阵地，任务艰巨，工作难度大。因此，要研究，要适应，要引导，要创新，要领导，要机制，要队伍，要投入。

作者：贵州省社会科学院院长

原文出处：《贵州社会科学》2000年第5期

顾作义：新世纪精神文明建设的基本思路

在迈向新的世纪时，研究精神文明的基本思路，必须站在经济、文化、科技、信息"全球化"，经济市场化，政治民主化，文化多元化，农村城市化、工业化的高度，用发展的眼光选择正确的基本思路。

一、抓住一个核心：以理想信念建设为核心，培育精神支柱

我们在理想信念建设上，要着重阐明如下的几个问题：

第一，苏东的失败是一种僵化的社会主义模式的失败，而不是科学社会主义的失败。第二，苏东演变的外部原因是西方"和平演变"得手，但最重要的原因还是内部的原因。第三，阐明社会主义的科学内涵。第四，阐明社会主义的目标与现实的关系。第五，阐明共产主义的远大理想和中华民族的共同理想。共产主义是共产党人的理想，我们不能用这一理想去要求广大的人民群众。中华民族的共同理想是建立一个富强、独立、民主、自由、统一和文明的新中国。第六，把社会理想与个人理想统一起来，把个人的远大抱负和实现个人的自我价值融化在为国家、为人民、为社会主义建功立业的伟大实践之中。第七，要对共产主义的理想进行新的研究和描述，对马克思主义进行正本清源的工作。

二、突出一项任务：清除封建主义的残余影响

封建思想仍然是改革开放的大敌、现代化建设的巨大障碍。清除封建主义残余影响，要大力弘扬科学理性精神。要弘扬民主、自主精神。要树立体现社会主义的现代文明公民的民主意识、权利意识、义务意识，树立起自主精神，拓宽其参政议政的渠道。

三、贯穿一条主线：解放思想、更新观念，掀起新一轮的思想解放

破除"经验主义"，树立开拓创新意识；破除"本本主义"，树立实践第一的观念；破除非此即彼的形而上学的思维方式，树立辩证科学的思维方式；破除夜郎自大意识，树立忧患意识；破除片面追求物的增长观，树立以人的全面发展为核心的发展观。

四、大力倡导两种精神：社会主义的人文精神和人道主义精神

（1）以人的全面解放和自由发展，作为最高的准则。（2）高扬科学、民主、自由、平等这面旗帜。反封建的任务远未完成，科学是社会进步的强大杠杆，自由、平等是实现"能力本位"的前提条件。（3）大力倡导人道主义。提倡尊重人、爱护人、关心人，弘扬真善美。（4）尊重人的基本权利。维护人的价值和尊严，包括民主权利、人身自由、合法的经济权益，生存、自由、享受的权利。（5）要倡导重亲情，重人性，反对人际的疏远和冷漠，倡导尊老爱幼，团结互助。

五、坚持一个结合：精神文明建设与制度文明建设的有机结合

第一个层次是对最不道德的、危害他人生命安全和社会公共利益的、人民群众反映强烈的，给予立法。第二层次，对比较不道德的，通过政府的法规加以约束。第三层次，对一般不道德的，通过建立公约、守则和完善管理制度加以约束。

运用利益杠杆调节人们的道德行为。要充分

发挥舆论导向的作用，通过社会舆论的力量，使社会公德评价成为扬善抑恶的“道德法庭”，成为对社会成员强有力的公德监督。

六、依托一个载体：群众性创建精神文明的活动

以提高城市的整体文明程度为目标，开展创建文明城市活动。以树立行业崭新形象为目标，开展创建文明行业活动。以致富奔小康为目标，以“五高”、“五改”为内容，分类指导，分层次推进，进一步提高创建文明村镇、文明户活动的水平。

作者单位：广东省文明办

原文出处：《广东社会科学》2000 年第 6 期

游世友：浅析精神文明建设出生产力

人的素质高低决定生产力水平，精神文明建设正是一项提高人的素质的系统工程，它是通过提高人的科学文化素质以增强人的劳动技能，通过提高人的思想道德素质以增强人的劳动积极性来发展生产力的。

第一，劳动者的思想道德素质决定着劳动者劳动能力的发挥程度。

第二，劳动者的思想道德素质直接决定着劳动者的劳动态度和劳动纪律，而劳动态度和劳动纪律的状况又影响着生产力的状况。

第三，劳动者的思想道德素质也影响着良好的群体环境的形成。

在实际工作中，我们要辩证地处理“两个文明”的关系，正确处理精神文明建设与生产力的关系，反对两种倾向：

第一，把精神文明建设等同于生产力，搞“空头政治”。精神文明建设对生产力的促进作用只能通过精神激励来实现，对其成效的评估如果机械地套用生产力标准是不对的。过去一个时期那种用政治代替经济的“左”倾路线，可以说与精神文明建设等同于生产力的“简单取代”同出一辙。历史的教训警示我们，应当承认精神文明建设产生生产力的有限性及适用范围，防止“左”的“空头政治”的悲剧重演。

第二，把精神文明建设同生产力对立起来，出现精神文明建设和物质文明建设的“两张皮”现象。当前，有些人认为发展生产力纯粹是物质生产部门的事情，物质文明建设可以代替精神文明建设；有的甚至把精神文明建设看成是阻碍生产力发展的因素，主张取消精神文明建设部门。精神文明建设与物质文明建设就其工作性质而言是有本质区别的，二者产生生产力的特点也有着明显的差异，但不能因此而把二者简单地分割开来。一是要看到精神文明建设的长效性。劳动者一旦形成了优良的思想道德素质和科学文化素质，他对于生产力的增长所发挥的作用将会是持续的、长期的。二是要看到精神文明建设产生生产力的潜在性。精神文明建设主要是通过思想意识、观点和道德观念来影响劳动者的，这种影响作用所产生的生产力不会像物的投入所产生的生产力那样直接、明显、见效快。由此可见，只有树立“两手抓”的指导思想，才能真正处理好精神文明建设与物质文明建设的关系。

原文出处：《学习导报》2000 年第 9 期

樊建国：关于精神文明建设几个问题的思考

强化“三个意识”

强化整体意识。所谓整体意识，有两层含义：一是将物质文明建设和精神文明建设作为不可分割的整体，二是将精神文明建设本身也看成一个整体。

强化主体意识。所谓主体，就是依靠谁、为了谁的问题。主体即是人民群众，人民群众既是社会主义精神文明建设的动力也是目的，既是“建设主体”也是“受益主体”，社会主义精神文明建设必须依靠主体，提高主体。强化主体意识，首要的是要吸引人民群众参与。再者，要从“主体”的实际出发，既要注意特殊性和先进性，又要注意普遍性和层次性，使人民群众在精神文明建设中都能找到比较合适的切入点。还要善于引导和指导主体，要通过广泛深入的宣传、教育和引导，使群众更充分、更明确地认识到社会主义精神文明建设的重要意义、基本内容和根本目标，从而更自觉地意识到自己在社会主义精神文明建设中的主体地位和历史作用。

强化载体意识。所谓载体意识，就是重视精神文明的创建活动以及活动舞台、活动方式等，解决好精神文明建设如何落到实处的问题。

突出“三个重点”

突出抓好道德建设。我们的精神文明建设要极大地提高人们的道德水平，不断地完善道德准则和道德规范，在重构和加固道德堤坝、提高和强化道德水平、营造和优化道德风貌方面，做出更大努力。

突出抓好文化建设。要通过精神文明建设不断地提高全民族的文化素质，要充分发掘和利用传统文化中的优秀成分，并使之与社会主义文化融为一体，筑起具有中国特色的社会主义文化长城。我们主张吸收全世界的一切优秀文化，为我所用，我们同时也反对用西方文化吞噬和取代我们的民族文化。我们要用民族文化的精髓真义塑造人们的纯净心境和高尚灵魂，激发人们的爱国热情和创造精神，培育人们的先进思想和优秀品格。

突出抓好价值建设。在建设社会主义精神文明过程中，我们要努力为人们健康向上的价值体系的形成，构建良好的外部环境和内在机制，坚持以马列主义、毛泽东思想和邓小平理论作为人的价值体系建设的思想理论基础，赋予人们以辨别美丑和评判是非的榜样与标准，用社会主义的文明之火，把人们淬炼成富有创新、开拓、发愤图强精神的社会主义“四有”新人，培养健康向上的人格伟力。

坚持“三个着眼”

着眼于弘扬我们社会主义的主旋律。

着眼于创新发展，赋予精神文明新的内容和时代精神。我们要建设的精神文明，既要具有社会主义的先进性，又要适应社会主义初级阶段的实际；既要继承发扬优良传统，又要充分体现时代精神；既要立足本国，又要面向世界。

着眼于健全机制，保证精神文明建设的健康发展。当前，要重点健全和完善以下几大机制：一是领导机制。二是激励机制。三是反馈机制。四是动力机制。要通过政策、社会环境和舆论氛围的感染，使广大人民群众逐渐形成一种努力提高思想理论素养、道德水平、科学文化素质的内在追求，并把这种内在追求转变为规范自己行为的动力，从而变“要我文明”为“我要文明”。五是投入机制。

原文出处：2000年4月4日《光明日报》

顾　悦：可持续发展的理念　生态文明意识的呼唤

工业革命使人类掌握了变革自然的强大能力，创造了前所未有的技术文明和物质文明，人类也由自在阶段转变为自为阶段，形成了被称之为“现代性”的工业文明意识。这种意识在发挥着巨大进步作用的同时，也使人类逐渐习惯于以地球的主人自居，完全把自己凌驾于包括一切其他生命形式在内的大自然之上，随心所欲地开发利用各种自然资源，甚至认为人类可以用自己创造的“技术圈”取代“生物圈”。其结果是生态系统被有害物质和因素所破坏，造成人类和生物的生存环境不断恶化。

生态文明意识作为一种现代文明意识，认为人类文明发展的历史也是人类与环境相互关系的历史。人类应把自己视为自然界的一部分，并与之和谐相处，协调发展。它要求人们不断深化对自己同自然界的同一性和整体性的认识，高度控制自己的行为，使之不超越大自然所允许的生态阈限。人类只有尊重自然界的完整与健全，才能使人类继续生存和进一步发展成为可能。整个生命系统的前途、命运都取决于人类与自然界的和解、与生态系统协调相处的决心。因此，生态文明意识应作为可持续发展的理念，用于指导、规范人类的经济行为与环境的协调发展。生态文明意识的树立及在其理念支配下的可持续发展战略，将决定人类的未来，建立与中国特色的可持续发展模式相适应的伦理价值基础和道德规范，确立可持续发展的道德意识已迫在眉睫。

树立生态文明意识，核心是重新摆正人与自然的关系，使环境与经济协调发展，人类与自然界和谐相处，保持大自然生物圈的生态平衡。生态文明意识对工业文明意识的突破和拓展，就是把人与自然的对立关系扭转为人与自然的和睦关系。这不是对原始文明意识、农业文明意识被动地适应自然的简单回复，而是在较全面、深刻地认识人与自然关系的基础上，主动与自然的和解。

中国作为发展中的大国，可持续发展的压力比许多发达国家和发展中国家要大得多，严峻得多。呼唤可持续发展的理念——生态文明意识是当务之急。中国能否可持续发展，理念的建树是至关重要的。要拯救人类、拯救地球，必须先从可持续发展的理念——生态文明意识的树立和教育抓起。

原文出处：《科技·人才·市场》2000年第5期

国家环保总局机关党委：按照“三个代表”的要求　全面推进环保事业发展

一、按照代表先进生产力的发展要求，坚持以经济建设为中心，实现环境保护与经济发展“双赢”

先进生产力的发展应该是可持续的发展。可持续发展是世界性的大课题，也是我国经济发展所必须坚持的一条重要战略。高科技含量、低资源能源消耗、清洁生产的可持续发展模式，是先进社会生产力的重要标志。环境保护工作要监督发展是硬道理，围绕经济建设这一中心，贯彻环境与经济“双赢”的方针，制定并落实好环保“十五”计划，紧密结合国有企业改革、经济结构调整、科技创新、扩大内需、西部大开发和加入世贸组织，积极做好环境保护工作，坚持污染防治与生态保护并重，坚持生态建设与生态保护并举，坚持城镇污染防治与农村环境综合整治并重，建设一个天蓝、水清、地绿的山川秀美的环境，促进经济建设可持续发展。

二、按照代表先进文化的前进方向的要求，坚持“两个文明”一起抓，促进社会全面进步

环境保护工作其本身就具有精神文明的特有属性，是先进文化的重要组成部分。一个国家、一个地区的环境意识、环境质量、环境文化，是这个国家和地区精神风貌、文明形象、文化品位先进程度的重要标志。各级环保部门要坚持“两个文明”一起抓的战略方针，做到“两个文明”工作一起布置、一起检查、一起总结、一起落实，决不能就环保论环保，防止和克服“单打一”、“两张皮”的现象，使“两个文明”建设协调发展，比翼齐飞，共结硕果。要努力塑造环境文化，陶冶人们情操，提高人们文化品位，为全社会的精神文明建设作出我们应有的贡献。

三、按照代表最广大人民根本利益的要求，坚持为人民服务的宗旨，努力为人民群众创造良好的生存环境

环境保护事业是一项功在当代、利在千秋、为民造福的崇高事业，它直接地体现出广大人民群众的切身利益。要把不断提高人民群众的生活质量作为环境保护工作的根本出发点，牢固树立宗旨意识、公仆意识、服务意识，真心实意地为人民群众着想，急群众所急，想群众所想，对人民群众反映的环境问题，要以高度的责任感、严肃认真的科学态度、雷厉风行的工作作风，千方百计为人民群众排忧解难。要一切从人民的利益出发，排除环境隐患，保证环境安全，改善环境质量，维护群众利益，为人民群众创造一个良好的生存环境和美好的家园。

原文出处：2000 年 7 月 8 日《中国环境报》

黄灿章：老子“天人合一”的道德观与两个文明建设协调发展

一

作为老子哲学思想核心的道，是宇宙生成的本原，也是物质世界运动的规律。万物由道而生，最终复归于道。大到天地宇宙，小到日常生活，无所不包。天有天道，地有地道，人有人道，人世之道是人类社会的行为准则，也是老子哲学思想的出发点和落脚点。

天人合一是老子哲学思想的理论基础，也是中国哲学思想的根基。人是自然界的一部分，和万物一样从属于道的法则，构成老子“天人合一”的道德观。

老子认为，当人的本性战胜了形体硬件本能的驱使时就复归天道，当人的形体硬件本能覆盖了人的本性时就远离天道而堕落到低级层次。所以老子主张依道而生、持德而存。背道而驰就失去力量，循道而行就获得无穷的力量。

二

老子生逢春秋乱世，这是中国由奴隶社会向封建社会过渡的转型期，正值人性物欲炽盛时期。老子看到人类的本能放纵、丧失本性的危害，从悟道中洞察宇宙演化到人类的出现，是道的本原演化的高级阶段，也是人类本性逆反的始点。老子主张，不要把物质生产作为社会发展的惟一目标，在发展物质生产的同时，清心为治本，要净化人们的心灵，遏制人们的贪欲邪志，强化人们的气质。坚持教育人们不奸诈不纵欲，使那些有贪欲邪志的人不敢轻举妄为。按照人与社会协调发展的客观规律治理国家，就能促进人类社会的健康发展。天道的本质是自然，自然的本质是和谐，人道的本质也应是和谐，人与社会的和谐发展，才能实现人类完美的社会形态。老子告诉人们，善于养炼本性，不受纵欲的诱惑；善于修养道德，不能间断，而且要坚持从自身做起，贯彻到一家、一邦，直到普及于天下，子子孙孙继承不间断。引导人与社会的协调发展，是实现世界大同的正确途径。

三

老子天人合一的道德观是中华民族优秀文化遗产之一，对中华民族的文化心态有深刻的影响。

社会主义社会的建立，是人类历史上前所未有的以高度自觉性来创造一个崭新的社会，这种高度自觉性是基于对社会历史发展一般规律的认识。当然，人们只能大致了解新社会的发展方向，而不可能事先就掌握新社会发展的具体规律，因此人们不可能一下子就建立起社会主义的大厦来。中国建设社会主义的实践证明，精神万能论和金钱万能论都违背了人类社会发展的根本规律。我们只有在注重社会生产力发展的同时注重道德建设和人的全面发展，才能保证社会主义物质文明建设和精神文明建设持续、健康、稳定地发展。

原文出处：《浙江师大学报》2000年增刊

李萃英：21世纪人文精神探微

人文精神是人类文化发展的内在灵魂，是人类精神文明建设的基础和核心。21世纪是一个充满激烈竞争的新世纪，人们要想在竞争中赢得主动权，应该具备和树立哪些基本的人文精神呢？

第一，振兴中华的强大动力——爱国主义精神。爱国主义精神，是人文精神的首要内容，是凝聚中华民族的精神动力。

第二，不为外物所役使的主体精神。人的主体精神，是指将人作为社会活动的主体，在生活中居于核心和主导地位的思想。确定人在外部宇宙世界中的主体地位从而确立人的支配地位和价值，充分认识和把握人的主体意识，充分培养、发展和利用人的主体能力，积极发挥主观能动作用，不仅是“人之所以为人”的重要原则，而且是人类主宰自己命运、不断求得发展所必须的环节。积极向上、不断进取的人生观和科学的世界观，带给人们的不仅是改造客观世界的丰厚的物质成果，而且也使人们自身的认识水平和实践技能得到逐步提高，使人类的文明得到不断进步。保持不为外物所奴役的主体精神，树立科学的世界观和积极进取的人生观，是21世纪迈向成功之路的重要的精神动力。

第三，具有远大理想和胸怀大志的精神。人的信仰、人生理想，对于人的成长和发展有重大影响，是影响人的素质提高和成才不可缺少的精神动力因素。只有确立远大人生理想的人，把全社会和人类的共同福利作为自己奋斗目标的人，才能够获得最强大的精神动力，从而能够在实践中坚韧不拔，战胜一个又一个困难。简言之，理想是面向新世纪的青年人在成才道路上必不可少的精神营养品。

第四，关心社会与他人的忘我奉献精神。奉献不仅仅是一种道义上的善举、伦理上的美德，它还是人生的一种境界，具有这种人生境界的人，对他人、对集体、对社会、对人类奉献越多，贡献越大，那么他就越是对社会有用的人。

与奉献精神相联系的是献身精神。献身是比一般奉献更加崇高的一种精神境界。跨世纪的人，需要这种献身精神。如果有更多的青年知识分子能够满怀热情，献身科学研究事业，献身于育人工程的教育事业，献身于中国社会主义现代化建设最需要的事业，何愁祖国不强大！

第五，自强自立、艰苦奋斗的拼搏精神。艰苦奋斗是世纪之交需要大力提倡的时代精神。当今时代提倡的艰苦奋斗精神，应该是在继承传统的基础上，突出现代特色，即把艰苦奋斗的精神与科学求真精神结合起来，与快速高效的效率观念结合起来。

第六，追求真理、崇尚科学的求实精神。追求和坚持真理，崇尚科学，是一种可贵的精神品质。坚持真理，崇尚科学的求是精神，过去需要，面向21世纪的中国人更需要它给以智慧，给以光明，给以力量。

第七，勇于开拓，善于创新的精神。勇于开拓，善于创新，是最能体现时代精神的一种思想素质和人生境界。开拓创新精神，是21世纪科技大发展、人才大竞争所需要的精神。面向新世纪的中国人，惟有永不自满，不断进取，才是我们永远立于不败之地的内在精神动力。

作者单位：山东科技大学

原文出处：《发展论坛》2000年第4期

张武华：知识经济与人类精神家园重建

现代文明下出现人文精神危机。其一是社会道德滑坡。其二是个体精神危机。人类精神家园失落的根源在于：第一，功利主义及物化世界观的泛滥。第二，工具理性的扩张和商品意识的泛化。知识经济来临对人文精神发展产生两方面的影响。第一，科学技术革命对人文精神的冲击。在人类进步的发展过程中，科学技术的发展既给人类带来了福音，也给人类造成了危害和潜在的危险。第二，知识经济的来临是人文精神重建的一个契机。首先，知识经济强调创新，关注人的个性。其次，知识经济需要竞争，也提倡合作。再次，知识经济人与自然的关系将更加协调。

在知识经济时代建设人类精神家园。第一，注重科学技术发展的人文关怀。知识经济的主要特征之一就是科学技术的高度发达，因此未来精神家园的重建不能不考虑科学技术的人文关怀问题。

第二，当代人在精神家园重建中要承担自己的责任与义务。在知识经济社会中，每个人对精神家园的重建都负有不可推卸的责任。现代人精神危机的重要方面在于失去了人的主体价值和生存本意，沦为物质的奴仆，人们了解自己的物质需求，却看不清自己的精神世界。因此拯救人类的精神危机，首先就要重新树立人的个体主体性（即个性）意识。只有每一个人都充分认识到个性的价值，社会才有不断创新的精神源泉。在未来社会里，个性的充分发挥，不仅仅是社会的需求，更将成为人的一种基本精神需求。其次，整体价值观是与个性发展相反的价值趋向，但它又是人类持续发展不可缺少的。20世纪末有越来越多的征兆表明，人们如果一味热衷于自我扩展，自我膨胀，前景是不妙的。我们只有一个地球，任何人、任何国家，都没有以自我为中心无限制发展的自由。未来世界是一个相互依赖的发展整体，个人的发展必须和他人、社会、自然和谐统一。

社会的发展，不仅包括物质增长，还意味着广泛意义上的人文精神的发展。美好的生活，应该是精神和物质的双重富有与和谐。

原文出处：《学术论坛》2000年第4期

张艳国：新世纪人类需要终极关怀

新世纪人类将在前进的道路上遇到新的、更多的困难，其具体表现如下：

首先，从科技的层面来看。在过去的100年里，科技取得了巨大的发展。科技一方面在创造美，但另一方面也在制造恶。“克隆”技术一旦用于人类自身，这把双刃剑就会对人类自身造成有力的杀伤，维系人类秩序的伦理道德观念就会受到严峻挑战；核技术一旦变成大国争霸世界的武器，人类就会陷入万劫不复的毁灭之中。

其次，从人文的层面来看。一方面，科学的思想日益昌明，理性的力量日益强大；但是，在另一方面，愚昧、迷信、野蛮的思想与势力在世界的任何角落都还有其市场。在西方发达国家是如此，在一些发展中国家为患尤烈。譬如，在20世纪末期，迷信、反科学的邪教，成为一个世界性问题。更为严重的是，人类在审视自身积弊与寻找自救之方时过分倚重科技的力量，在世界范围内出现了重科教轻人文的思潮。这是人类在精神文明演进上的一大误区。

再次，从与自然关系的层面上看。社会的可持续发展立足于人同自然协调相处。但是，人类在很大的范围内从眼前与局部利益出发，对于生态环境缺乏爱护与保护意识，以致自然频频惩罚人类自己。同时，人类自身从个人主义、利己主义、享乐主义出发，无节制地性欲与贪欲，乃至于吸毒、嫖娼，导致艾滋病的流行，社会伦理与道德理念不断遭受破坏。

在跨入21世纪的时刻，为了人类的发展不至于在文明、科学、民主、进步的大道上误入歧途，有赖于用马克思主义的人类的“终极关怀”价值原则进行观照乃至督促、呵护。

“终极关怀”在马克思主义理论中既是一个神圣的字眼，又在其思想体系中占有十分重要的地位。马克思主义阐述“终极关怀”的客观依据是：在由人类与自然构成的社会与历史系统中，人类是一切社会活动的主体，而个人则是人类整体的坚实基础，即社会生活的承担者、表现者和实现者。人不是抽象的，是一种最具体、最直观、最基础的社会存在。在社会历史中，只有人才是一切社会活动的出发点和目的。

马克思主义“终极关怀”理论强调，要从真实的社会的个人出发。在马克思主义经典作家看来，尽管社会现实中的人们对于人生的意义有着各不相同的理解，但是，只要是追求人性的完善与人类的进步的言行，都可视为价值的终极关怀。

马克思主义在探讨终极关怀的价值原则时，总是一方面着眼于社会关系中个体的真实性，另一方面着眼于社会历史发展的阶段性。马克思主义认为，只有在资本主义社会之后的历史阶段，即“以人的全面发展为基础的自由个性”阶段，终极关怀才能彻底消除它在前阶段的异化形态，不再追求“神圣形象”或“非神圣形象”的他物崇拜，而是直接指向现实个人的自由而全面的发展。

受马克思主义终极关怀思想的启发，我认为，21世纪人类必须强化以下价值信念：

第一是真、善、美。第二是公开、公平、公正。公开、公平、公正是人类正常发展的基本准则，也成为人类共同的社会意识。第三是全人类普遍的爱心。

原文出处：《学习月刊》2000年第7期

唐代剑：论宗教邪教迷信的区别及现实意义

在新的形势下如何同邪教组织作斗争，是事关党和国家前途命运的大事，也是摆在我们理论工作者面前的一个亟待解决的新的重大课题。本文试从宗教学的角度探讨宗教、邪教、迷信三者的内涵、特征及区别，以在理论上划清界限，在实践中明辨敌友，集中精力依法打击邪教顽固势力。

邪教不是宗教。宗教与邪教的区别在于：首先，宗教是一种社会历史现象，是我国宪法允许存在的合法组织，而邪教则是非法组织。其二，宗教追求超越自我的精神，而邪教则大肆宣扬现在教主“万能”。其三，宗教寻求生活的乐趣，而邪教则大肆宣扬恐惧，鼓吹“世界末日来临”。所以，包括“法轮功”在内的邪教都是与宗教背道而驰的非法组织。

邪教的本质是反政府、反人民、反社会。所谓邪教，是指冒用宗教名义或打着宗教旗号，盗用宗教文字掺杂迷信和伪科学内容而拼凑“教义”，神化首领，蒙骗和胁迫群众，以传教的方式来发展成员，散布歪理邪说危害社会的非法组织。邪教主要有四大特征：

反对科学，鼓吹虚妄；自我吹嘘，神化教主；坑骗信徒，敛聚钱财；散布恐怖言论，残害信徒身心。“法轮功”对社会的危害，除上述谈及邪教的共同危害之外，对中国社会至少还有三方面：一是占领思想意识阵地，以李洪志的歪理邪说取代马克思主义、毛泽东思想、邓小平理论。二是诋毁科学技术，阻碍社会进步。三是破坏社会安定，企图颠覆政权。

邪教具有极端迷信思想。迷信是指人神情专一地崇拜某种事物或某种现象的心态。众多此种心态的长久演化，便形成了一种特殊的社会意识，我们称为“迷信思想”。迷信一般分为两类：崇拜、信奉封建社会所产生的神灵或方术如测字、算命、看风水等，称“封建迷信”。在当今社会里制造新的神灵信仰或利用现代科学技术包装、改造封建迷信加以贩卖如科学预测人生等，称“现代迷信”。迷信具有如下特征：追求实利目标；操纵神灵；个体活动。我们在深入批判“法轮功”的过程中，不仅要揭露其反动本质，还应该充分认识到它的极端迷信性，从而加大科学知识和无神论的宣传力度，教育和帮助受蒙蔽的群众，打击少数顽固的邪教分子。

分清敌友，依法惩处邪教顽固势力。理论上区别宗教、邪教、迷信三个范畴，在实践中有如下重大意义：保护宗教信仰，巩固统一战线。认识邪教本质，依法惩治顽固分子。教育、帮助有迷信意识的群众，把反对邪教的斗争进行到底。最后，还应当清醒地认识到：我们同邪教的斗争是一场严肃的思想政治斗争，它有着严重性、长期性和复杂性的特点。

原文出处：《广西社会科学》2000 年第 2 期

陈耀彬：精神文明建设应制度化法制化规范化

我们进行的是社会主义初级阶段的精神文明建设，在社会主义初级阶段人们的认识水平、道德水准参差不齐，道德约束的自觉性和自律精神还不高，要使与社会主义市场经济相适应的思想道德、价值取向为人们普遍认同，除了运用教育手段提高公民素质，还需要有行之有效的法律、制度、规范等手段，从社会规范、约束力上来推动精神文明建设。把社会主义精神文明建设同法制建设有机结合起来，使社会主义精神文明建设制度化、法制化、规范化，是两个文明建设发展的客观规律提出的要求。

第一，要进一步增强全党大局意识、法律意识，不断推进新形势下精神文明建设向纵深发展。要提高对“两手抓，两手都要硬”方针的认识，从讲政治的高度，从社会主义事业的兴衰成败的大局认识精神文明建设的地位和作用，从制度化、法制化、规范化认识精神文明建设的发展趋势，在新形势下推进精神文明建设。

第二，依法加强和完善精神文明建设领导体制，使党政领导抓精神文明建设有法可依，执法有据，赏罚分明。形成坚强统一的组织指挥系统，使精神文明建设有坚强的组织领导和法制的保障。

第三，要建立健全精神文明建设依法管理体系，使组织机构、运行机制、管理措施纳入法制轨道。运用法律手段进行精神文明建设的管理。在规划、指挥、协调、检查等环节，都要形成有法可依、执法必严的工作秩序。特别是对宏观规划的制定和论证，控制指挥系统和精神文明建设目标的实施和评估都应当做到有法可依。具体管理手段上应当是法律的、行政的、经济的有机结合。精神文明建设主管部门制定的方针、政策、法令、倡议，既有行政权威性又有法律权威性。要使精神文明建设中的资金投入机制、税收机制等环节纳入法律规范，进行强有力的管理。

第四，运用法律手段保护精神生活的正常秩序和文化市场的健康发展，营造精神文明建设长期稳定发展的良好环境。

第五，依法建立精神文明建设考核评估体系，使精神文明建设考核评估体系制度化、法制化、规范化。精神文明建设是一项科学的基础工程，它的发展规律要求建立一套科学的完整的考核评估体系，这种评估考核体系应当是有法可依的、有权威的科学尺度，既要反映不同地区不同行业的特点，制定相应具体的考核标准，又要建立健全统一的考核评估体系，使这种考核评估体系制度化、法制化、规范化。只有这样才能使新形势下的精神文明建设更加科学化。

作者单位：河北省社科院精神文明所
原文出处：《探索与求是》2000年第6期

黄亮宜：完善精神文明建设中的导向示范机制

面对社会价值取向呈现出多样化的格局，在精神文明建设中进一步完善导向示范机制，显得尤为重要。

一、切实发挥科学理论的先导作用

在社会主义精神文明建设中，人们内在素质和文明程度的提高，只有通过思想深处的自我认知才能实现。在发展市场经济的条件下，需要坚持用邓小平理论来统一人们的认识，使人们明确应该树立什么样的理想信念，应该以什么样的精神状态去适应社会的变革和进步，应该如何正确处理竞争和协作、自主和监督、效率和公平、先富和共富、经济效益和社会效益等关系，应该继承哪些有利于社会发展的文明成果，抛弃哪些不利于社会发展的文化糟粕，等等。引导和激励人们积极投身于改革开放和现代化建设事业。

二、大众传媒要坚持正确的舆论导向

为了保证舆论导向的正确性，有关媒体工作者要用邓小平理论武装自己的头脑，熟悉党的路线、方针和各项政策，善于运用唯物辩证法，透过现象揭示事物的本质。舆论导向的实施，并非居高临下地说教和训导，需要讲求引导艺术，提高引导水平，努力贴近生活，贴近大众，使之喜闻乐见。在新闻报道工作中，必须突出正确的导向，并借助对新闻价值的深入发掘，完善传播媒体的导向机制，避免误导。

三、高度重视管理行为的引导功能

为了借助管理行为形成正确的导向，必须首先使这种管理行为本身遵循正确的指导思想，符合正确的管理原则，如党的领导、人民当家作主、民主集中制、依法行政、廉洁从政、高效施政、公平竞争、赏罚分明、责权一致等。

管理工作所依据的各项政策，应当正确规定要做什么和如何去做，不要做什么以及防止哪些偏向，从而对人们进行正确的引导。

四、努力强化先进典型的示范效应

为了强化先进典型的示范作用，一要注意先进经验由点到面的推广，扩大榜样作用的辐射面和覆盖面。二是促进先进典型的示范作用向深度发展，逐步把先进经验的推广活动提高到新层次。先进典型不能一直停留在原有的水平上。如果人们的整体素质有了一定的提高，那么，对先进典型也要相应地提出更高的标准。有些地方要求一些突出的先进典型创造新经验，推出新成绩，做出新贡献，这有助于促进精神文明建设迈上新台阶。

五、突出党员干部表率作用在社会导向中的主导地位

面对当前价值取向多样化的局面，共产党员特别是党的各级干部，应当弄清楚适用于自己的思想道德标准同社会上的一般标准和某些通行标准的区别，努力达到对社会无私奉献、为人民竭诚服务的人生境界。必须坚持对各级党员领导干部的先进性要求，并确认和突出他们的表率作用在正确的社会导向中的主导地位。

我们党的各级干部代表着人民群众的共同利益，没有个人的特殊利益可以追求。与此同时，却应当对他们提出不同于一般群众的特殊要求，如有些群众能干的事，他们不能干；有些群众能挣的钱，他们不能挣。这是由共产党的宗旨和社会主义国家政权的性质所决定的。

作者：河南省委党校常务副校长、教授
原文出处：《党的生活》2000年第2期

叶　蓬：精神文明建设的保障制度

当前的精神文明建设不仅仅是一种单纯的政治性活动，而且是一种渗透于整个社会生活领域之中的全民性活动。因此，它需要与市场经济相适应的完善机制和系统制度。

一

精神文明建设的深入发展提出了无可回避的客观要求，那就是运用历史唯物主义方法，对制度范畴的本质和作用进行分析，阐清制度范畴在社会运行过程中的性质、地位和作用，以指导精神文明的制度化建设。

社会运行机制总是与一定的制度（体制、法规、法律、规则、准则、方法、措施、典范、机构等）相联系，并通过制度具体落实为实践层次的人类行为活动。在社会运行过程中，从抽象到具体存在着规律、机制、制度、行为活动的层面，因此，社会运行过程起码包括规律——机制——制度——实践四个基本环节或要素。机制是人类保持符合规律的社会关系或行为活动的方式，而制度则是凝结社会机制的种种具体的体制、法规、法律、规则、准则、方法、措施、典范、机构等等的总和。制度是物质文明和精神文明之间相互作用的重要环节。随着精神文明建设的进一步深化，作为社会发展规律和社会实践之间的中介的社会运行机制和社会制度的要素已日益为人们所明确认识。

精神文明建设是否与物质文明建设协调发展，很重要的在于体现社会运行机制、符合社会发展规律的一整套完备的精神文明建设制度。

二

精神文明建设制度是由决策制度、调控制度、保障制度等组成的有机整体，其中保障制度是精神文明建设的坚强堡垒。完善的精神文明建设资金的投入、管理和运用的制度，是精神文明建设走向良性循环的投资起点。最重要的是，通过资金投入的保障制度，精神文明建设的目标可以具体化为行动方案之内的利益调控机制，促使精神文明建设加快发展。

设置使党和国家有关精神文明建设的方针、政策形成目标规划和决策管理的保障制度，将确保党和国家关于精神文明建设的要求和部署制度化，从而在全社会形成上下一心、齐抓共管的合力，使精神文明工作制度化和常规化。

外在的、强制的、明文的精神文明立法强制保障制度，与内在的、非强制的、约定俗成的社会道德机制相互补充、相互支持，就可以形成有效的整体约束系统，在监督检查制度的配合下，从根本上确保精神文明建设的政策、措施、法规和规章对人们行为的规范性和制约性，从而加大精神文明建设的力度。

三

精神文明建设保障制度体系包括投入规划制度、领导考核制度、法规强制制度和检查监督制度四个相互联系的子系统。

投入规划制度是确保精神文明建设所需资金的根本保障。领导考核制度是从根本上保障对精神文明建设的领导和管理的重要制度。法规强制制度是精神文明建设的法治保障，包括精神文明建设的人大立法、法规、政策、规章和行为规范的保障。检查监督制度渗透于精神文明建设的整个过程，是精神文明建设向更高过程迈进的重要临界点。检查监督制度的实质是使精神文明体系成为具备主动接受和吸引舆论监督和其他形式监督的系统，激发大众对某些精神文明建设现象进行判别和评估，促进人们在思想道德方面的自我教育和自我修养。

原文出处：《广东社会科学》2000 年第 3 期

陈贵兰：必须健全保护志愿者的社会机制

在改革开放处于攻坚的年代、在整个社会处于非常特殊的转型时期，志愿者精神对减少社会震荡，整合社会资源，传递党和政府的温暖，建设有中国特色社会主义有着十分重要的意义。

要使志愿者工作具有强大的生命力和发展力，需要完善和建立以下八种机制。

一、倡导机制 要充分发挥新闻媒体的舆论导向作用，切实加大宣传优秀志愿者、志愿者工作的力度。

二、示范机制　充分发挥党员干部在志愿者组织中的主导作用。因人而异，提供舞台，使其能各施其能，各展所长。

三、关心机制　要构筑全社会都来关心志愿者的机制，切实帮助志愿者排忧解难，要形成网络。要让他们感受到“我为人人，人人为我”的组织温暖和社会温暖，激发更高的志愿服务热情，进而激励更多的社会成员因此而加入志愿者组织。

四、法律机制　在志愿者工作尚需社会广泛参与和支持的今天，以法律手段来保障志愿者工作是一种重要手段。

五、储蓄机制　志愿者的服务时间存入志愿者服务银行，这在国外并不鲜见。随着我们的社会步入老龄化社会，支取“存款”会越来越多，从现在起就要对这个问题有足够的考虑，如果不广泛深入开展志愿者工作，我们将会面临“银行”透支的危险。

六、激励机制　一是建立“星级志愿者评比制度”；二是先进表彰制度，每年评比一批优秀志愿者（集体），并以大会演讲事迹、照片上版面巡回展等方式扩大影响；三是每年评为优秀志愿者的，向其所属单位发喜报，对一般注册志愿者春节发慰问信，年末向单位发表扬信；四是借新闻舆论之力，经常报道宣传优秀志愿者事迹；五是重大节假日分别对表现突出的志愿者上门慰问。

七、人才机制　一流的志愿者活动需要一流的志愿者来实现。要特别重视志愿者组织挖掘人才，培养人才，用好人才的制度建设。

八、志愿工作专职干部机制　志愿者组织是一个涉及面很广、工作范围很广、极易为群众所接受和欢迎的组织。在社区和居委会层面，应建立党支部书记领导，各条战线干部对应职责分工，一批居民志愿者工作积极分子协同管理的组织机制，使志愿者工作能向广度、深度平衡深化发展。

作者单位：上海市杨浦区江浦路街道
原文出处：《上海精神文明》2000 年第 1 期

人民日报评论员：十论抓紧新形势下党的思想政治工作

一个不可动摇的原则

坚持马克思主义为指导，是做好思想政治工作的一个根本原则。新形势下的思想政治工作，需要研究和解决一系列问题，作出多方面的努力。但是，最根本的影响全局的是，进一步加强马克思主义对于思想政治工作的指导作用。

改革开放，以及经济全球化、信息网络化的迅猛发展，给我们的思想政治工作同时带来两个方面的影响。一方面，人们的思想观念发生深刻变化，各种思想文化相互碰撞激荡，给思想文化发展和思想政治工作带来新的课题和生机；一方面，由于改革开放前无古人，我们在思想理论上面临着一系列未知领域，加之外来的不健康思想观念和生活方式的乘虚而入，西方敌对势力对我进行挤压渗透，妄图通过“西化”、“分化”从思想上瓦解我们，致使人们在一些重要问题上界限模糊。马克思主义面临着新的考验和挑战，进一步加强马克思主义的指导作用，不仅有利于我们辨别真伪，更加清醒坚定地做好新时期的思想政治工作，同时有利于马克思主义的自身发展，这是一个辩证统一的过程。

马克思主义世界观是我们对于世界的总看法总指针，也是缔造我们的党和建立社会主义制度，制定党的路线方针政策的根本指导思想。离开马克思主义的指导，我们就很难认清形势，把握全局，在思想上软弱无力，在实践中寸步难行。在指导思想上，绝不能搞多元化，这是一个重大原则问题。

马克思主义是关于人类历史发展规律最严整最科学最有生命力的理论。其他理论和学说，只是部分地丰富着人们对于世界的认识，丰富和推动着辩证唯物主义和历史唯物主义的发展。“双百”方针，符合科学文化的发展规律，有利于通过比较、鉴别、探讨和争鸣，推动科学文化的发展繁荣，推动马克思主义的发展壮大。“双百”方针，不是放任自流的“自由化”方针，更不是妄图取消马克思主义指导作用的“多元化”方针。至于企图通过“全盘西化”，改变我们的指导思想和社会制度，则是西方敌对势力的痴心妄想。对于马克思主义的指导地位，丝毫不能动摇；对于敌对势力的政治图谋，必须提高警惕。

坚持马克思主义为指导，就要认真学习学懂马克思主义，真正改变领导干部队伍中那种不懂装懂、似懂非懂、知之不多又不以为然的状况。马克思主义是人类文明成果的集大成，坚持马克思主义为指导，就要不断更新知识，及时吸收人类文明最新成果，始终保持马克思主义的先进性、权威性。要充分关注意识形态领域问题，特别注意在一些重大问题上划清马克思主义与非马克思主义、反马克思主义的思想界限。这是思想政治工作最前沿的，需要不断做反复做的基础性工作，也是一种艰巨的创新工作。只有这样，才能使更多的人学习、接受和运用马克思主义，在改造客观世界的同时，改造主观世界，从而发展壮大马克思主义。

马克思主义的历史命运和整个人类的命运紧密相连，在中国和中华民族的命运紧密相连。坚持马克思主义为指导，必须坚持理论和实际相结合，和人民群众改变自己命运的实践活动相结合。本世纪以来，马克思主义和中国实际相结合产生的两大理论成果——毛泽东思想和邓小平理论，从根本上改变着中华民族的命运，也改变了整个世界的政治格局。在当代中国，坚持马克思主义为指导，就要高举邓小平理论伟大旗帜，始终不渝地将邓小平理论作为我们观察世界，研究新情况，解决新问题，开辟新道路的思想武器。思想政治工作归根到底是做人的工作，最重要的就是给人以科学真理和思想武器，就是以马克思主义为指导，用邓小平理论武装全党、教育人民。

(2000年4月10日《人民日报》)

一条贯穿始终的主线

做好新形势下党的思想政治工作，要始终贯穿理想教育这条主线，引导广大干部群众进一步坚定对马克思主义的信仰，坚定对社会主义的信念，增强对改革开放和现代化建设的信心，增强对党和政府的信任。这是我们的事业取得胜利的重要保证。

理想，是追求真理，追求进步的巨大动力；是凝聚人心，团结奋斗的精神支柱；是战胜困难，夺取胜利的力量源泉。没有理想，就没有方向，没有灵魂；没有对理想的追求，就没有人类进步，没有社会发展。

以马克思主义为指导，教育党员干部和人民群众，为振兴中华直至实现共产主义的伟大理想而奋斗，历来是我们党的思想政治工作的核心内容和鲜明主线。中国的革命和建设事业，艰难曲折，历经坎坷，但无论遇到怎样的困难甚至险境，我们都能够巍然挺立，从胜利走向胜利，最根本的原因就是我们的党，我们的军队和我们的人民始终满怀着远大的理想，并为之生生不息地奋斗。推翻三座大山，建立新中国证明了这一点；改革开放，全面推进社会主义现代化建设的宏图伟业同样证明了这一点。无论过去、现在和将来，这都是我们的真正优势。

我们国家正处在建立社会主义市场经济的变革时期，面临着错综复杂的国际形势。我们的党员干部的思想观念在发生积极变化的同时，也出现种种思想问题：个别党员干部动摇了自己的理想，有的政治意识、党的观念、奉献精神淡化，甚至卷入了“法轮功”邪教组织之中；有的滋生了极端个人主义和享乐主义；有的以权谋私，行贿受贿，腐化堕落。形势和任务以及党员干部的思想状况告诉我们，加强理想教育，是思想政治工作的一个重大而紧迫的问题。

科学理论是确立远大理想的指南。进行理想教育，最重要的是用邓小平理论武装全党，教育人民。要通过党的基本理论、基本路线、基本纲领的宣传教育，通过讲学习，讲政治，讲正气，使广大党员干部将理想牢固建立在对社会发展客观规律的认识上，建立在马克思主义的科学基础上。这样，不论遇到多复杂的情况，多艰难的局面，我们的干部和人民都能坚定、清醒、自觉地为实现我们的理想而奋斗。

爱国主义、集体主义和社会主义是建立共同理想的基石。要将三者有机统一于建设有中国特色社会主义的伟大实践，使广大党员干部积极投身我们国家正在进行的伟大变革，从历史发展和现实成就中认识到，只有社会主义能够救中国，只有社会主义能够发展中国，建设有中国特色社会主义是实现中国经济繁荣和社会进步的康庄大道，努力将自己的工作同实现远大理想结合起来。

现代科学文化是树立正确理想的条件。科学文化使人胸怀宽广，思路开阔，目光远大，奋发向上。只有不断地学习科学文化知识，我们才能在比较和鉴别中，确立正确的理想和信念。我们要深入开展科学知识、科学思想、科学方法、科学精神的宣传教育。

理想教育包含着丰富的内容，是具体的和实在的，不是虚无飘渺的。“理想就在岗位上，信念就在行动中。”我们要善于把理想教育同改革和建设的实践结合起来，同干部群众的思想实际结合起来，同树立正确的世界观、人生观、价值观结合起来。要通过扎实持久的工作，使邓小平理论在广大干部群众中深深扎根，使全党同志和全国人民更加紧密地团结在以江泽民同志为核心的党中央周围，为实现党的最高理想和全国各族人民的共同理想，万众一心，团结奋斗，开拓进取，不断夺取新的胜利。

（2000年4月15日《人民日报》）

一个清醒的阵地意识

加强和改进思想政治工作，充分发挥思想政治工作的威力，必须把思想、文化、舆论阵地牢牢掌握在党和人民的手里，服务改革、发展、稳定的大局。这一点应当十分明确，毫不含糊。

树立阵地意识，“清醒”二字至关重要。这些年来，我国思想、文化、舆论阵地主旋律突出，多样化丰富，人民群众是满意的。但一些错误有害的、格调低俗的、封建迷信的东西，在我们的书刊、报纸、课堂、讲坛、银屏、舞台和娱乐场所时有出现，有的屡禁不止。而一些单位、一些同志，又自觉不自觉地采取放任自流的态度。人民群众对此是不满意的。我们必须对这种状况有一个清醒的认识。阵地意识是政治意识、大局意识、责任意识的具体体现，也是社会主义思想和群众观点的具体体现。

一个国家政权，要实现其政治、经济和社会发展目标，总要紧紧抓住思想、文化、舆论阵地。用科学理论武装全党、教育人民，用健康向上的思想陶冶人们的道德情操，塑造人们的美好心灵，提高人们的精神境界，对于统一思想，凝聚力量，振奋精神，鼓舞斗志，具有重要意义。我们必须从维护社会稳定，增强民族团结，促进社会进步，加快经济发展的战略高度，充分认识思想、文化、舆论阵地的极端重要性。

树立阵地意识，核心是坚持和加强马克思主义在意识形态领域的指导地位。在意识形态领域，马克思主义、无产阶级的思想不去占领，各种非马克思主义、非无产阶级的思想，甚至反马克思主义的思想就会去占领。“法轮功”在一些地方泛滥，绝不是因为歪理邪说有“魅力”，而在于一些地方、一些同志疏于警惕，给了它滋生的舞台。我们不去用正确的思想教育群众，就有人用错误的东西影响群众；我们不去争取群众，就有人要和我们争夺群众。这个教训一定要吸取。对于违反改革开放政策、违反四项基本原则的错误思想政治观点，一经发现就要进行批评和纠正，绝不能给错误的言论提供传播阵地。对于那种淡漠“二为”方向、远离群众实践的倾向，那种迎合低级趣味、“一切向钱看”的倾向，那种鄙视革命文化传统、推崇腐朽文艺思想的倾向，也应当坚决反对。

树立阵地意识，关键是管好用好各种思想、文化和舆论阵地。我们的事业发展迅速：报纸、刊物数量很多，广播、电视覆盖面很大，各种文化娱乐设施建设也很快。这是我们发挥阵地优势的物质基础，但也提出了更高要求，加大了管理难度。我们要坚持依法管理、科学管理。要坚持把社会效益放在首位，把社会效益和经济效益统一起来。对于那些见利忘义、背弃社会责任的行为要坚决予以纠正。应该明确，我们的思想、文化、舆论阵地，在建设有中国特色社会主义的伟大事业中，肩负着光荣的任务和崇高的职责，必须坚持有利于两个文明建设和提高人民群众精神文化生活水平的原则，大力弘扬时代精神，弘扬社会正气，倡导文明新风，倡导科学思想，反对迷信愚昧，抵制歪理邪说，为人民群众提供更多更好的思想理论、精神文化产品，引导和鼓舞人民群众奋发向上，积极进取。展览馆、博物馆、科技馆、图书馆、文化馆、电影院、娱乐场所、旅游景点等,都应成为传播精神文明的场所。要注意扫除死角,绝不能让一些地方成为藏污纳垢的盲区。

树立阵地意识，还要不断拓展我们的事业。当前以国际互联网为标志的各种信息传播技术发展很快。我们要密切关注和深入研究新形势下思想、文化、舆论工作的特点，积极主动地开展工作。要调整结构，增加投入，集中力量建设一批有影响的优质阵地工程。要大力加强人才培养，努力造就一支政治素质高、业务技术精的思想、文化、舆论工作队伍。

占领、巩固和拓展社会主义的思想、文化、舆论阵地，是艰巨的工程和长期的任务。在以江泽民同志为核心的党中央领导下，只要全党同志和社会各方面齐心协力，继续努力，我们完全可以充分利用有利条件，有所作为，有所前进，为我国的改革开放和社会主义现代化建设提供更有力的思想保证、文化环境和舆论支持。

（2000 年 4 月 23 日《人民日报》）

一个重要的切入点

做好新形势下思想政治工作的一个重要切入点，就是充分运用新中国成立 50 年特别是改革开放 20 多年来取得的巨大成就，在广大干部群众中进行广泛深入的教育，进一步坚定建设有中国特色社会主义的理想信念。

新中国的 50 年，是我们国家发生翻天覆地变化的 50 年。特别是改革开放以来的 20 多年，是我国社会生产力发展最快，综合国力增长最快，人民群众得到实惠最多的 20 多年，也是有中国特色社会主义经受了国内外各种风浪的严峻考验蓬勃发展的 20 多年。人民群众是新中国的创建者，是现代化建设的主力军，是社会主义制度的最大受益者，也是改革开放的最大受惠者，他们亲眼看到了我们国家的变化，亲身感受到了自己身边的变化。因此，新中国成立 50 年特别是改革开放 20 多年的巨大成就，是进行思想教育最形象、最直观、最亲近、最有说服力的教材。以此作为当前思想政治工作的切入点，就能够更好地提高认识，统一思想，使广大干部群众坚信邓小平同志领导我们开辟的建设有中国特色社会主义道路是完全正确的，“一个中心、两个基本点”的基本路线和一系列方针政策是完全正确的。尽管国际风云变幻，世界社会主义事业遭到严重挫折，但社会主义在中国生机勃勃，前景光明；就能够有力地推动“致富思源、富而思进”教育的深入，使大家充分认识到党的基本理论、基本路线、基本纲领是致富之“源”，富了之后，更要积极进取，艰苦奋斗，开拓创新；就能够更好地凝聚力量，使大家更加清醒地看到，以江泽民同志为核心的党中央，具有在任何错综复杂的国内外环境中驾驭全局，引导全党和全国人民夺取胜利的能力，增强对党中央的信任，增强全党和全国人民的紧密团结。

把握思想政治工作的切入点，一个重要内容就是要经常进行贴近群众、贴近实际的生动的形势教育。在这一教育过程中，要坚持全面的、历史的、发展的观点，提高干部群众科学地观察分析形势的能力。坚持把新中国成立50年特别是改革开放20多年的辉煌成就、发展历史放到国际大环境中、改革开放大格局中、社会发展大进程中观察，既看到我们已经取得的成就来之不易，也看到我们同发达国家的差距，需要继续艰苦创业；既看到发展的潜力，也估计到难以预测的变化。要结合本单位、本部门和个人家庭、个人工作生活所发生的变化来看国家的变化，社会的进步。同时要用辩证唯物主义和历史唯物主义的观点看待局部的、暂时的困难，坚信这些都是前进中的问题，排除困难、踏平坎坷，有中国特色的社会主义道路，必然会越来越宽广。

形势教育是我们的传统，在革命、建设、改革的每个重大历史关头，我们党总是通过形势教育认清大局，凝聚民心，鼓舞士气。当今世界，政治多极化，经济全球化，科技信息网络化的出现和发展，国际和国内形势互相激荡，互相影响，使形势的发展变化更加迅速，形势教育的任务更加艰巨，更为重要。党的各级领导和思想政治工作部门的同志，一定要适应新形势对思想政治工作提出的新要求，结合本地区本单位的实际，抓好这个切入点，抓紧做好新形势下党的思想政治工作，使广大干部群众进一步坚定信念，增强信心，以更加昂扬的姿态迈向新世纪，创造更加美好的未来。

(2000年5月5日《人民日报》)

一个基本的着力点

着力点放在基层，心操在基层，劲使在基层，工作做在基层，是做好新形势下思想政治工作的基本要求。

基层组织是我们全部工作的基础，是国家政权的基础。党和政府的各级领导机关是为基层服务的，各项方针政策、各项工作任务，最终靠基层落实，最终要落实到基层。将思想政治工作着力点放在基层，是党的群众路线的体现，是党的全心全意为人民服务宗旨决定的，是人民政权的性质决定的。基层的思想政治工作做好了，广大干部群众的积极性充分调动起来了，有中国特色社会主义事业就有了最广泛最坚实的群众基础，就经得起任何风险的考验。

着力点放在基层，各级领导干部首先要深入基层。在利益主体多元化、经济成分多样化、就业方式多样化、人们的活动方式和社会组织形式多样化情况下，社会各个阶层、各个群体的各种动态以及群众思想活动不断出现新情况新变化新问题，要通过认真调查研究，有针对性地做好思想教育和引导工作。浮在上面，既不从群众的实践中来，又不到群众的实践中去，一般化地开几次会，空泛地喊几句口号，是解决不了问题的，是不会产生效果的。

着力点放在基层，应当着眼调动基层干部的积极性。广大基层干部是党和政府密切联系群众的桥梁和纽带，他们长期工作在基层，生活在群众中，和群众有比较深厚的感情，对社会主义市场经济条件下基层发生和发展变化着的各种情况比较熟悉，对群众的愿望、群众的利益、群众的疾苦比较了解。发挥他们的积极性和主动性，就能形成一支强大的思想政治工作队伍，使思想政治工作深入到车间、地头、机关、学校，深入到千家万户。

着力点放在基层，迫切要求把思想政治工作做到群众心坎上。思想工作的内容要贴近群众，善于从群众最关心、与群众联系最密切的问题入手，替群众打算，为群众着想，多办好事，多办实事，把解决思想认识问题同解决群众工作和生活中的实际问题结合起来，把团结、动员、教育群众和服务群众结合起来。我们的思想教育工作只有成为发自群众内心的需要，成为群众生活中不可或缺的营养，成为群众自觉自愿的行动，才能充满活力，收到实效。

着力点放在基层，就要下功夫下本钱培养一支基层思想政治工作队伍。要选派一大批政治强，业务素质高，有培养前途的年轻同志到基层去锻炼，把有没有基层工作经验，能不能做好基层的思想政治工作作为选拔和任用干部的一项内容。努力建立一支身在基层、心想基层、苦在基层、乐在基层，能够与群众心心相印，整天与群众一起摸爬滚打，又善于做工作的基层思想政治工作队伍。

着力点放在基层，必须管好用好和不断拓展基层的思想文化阵地。黑板报、广播站、文化室、俱乐部等原有的阵地，在新形势下仍有独特的、不可替代的作用，应当继续用好；报纸、电视要更多地面向基层，面向群众，多报道多介绍基层的情况，多做思想引导的工作。这些年来，群众在建设社会主义精神文明实践中创造出来的“三下乡”、“心连心”、手拉手、志愿者、青年文明号、星级文明户、军警民共建等活动，要抓住不放，抓出成效，在提高群众思想道德素质和科学文化素质上，发挥更大的影响和作用。

基础不牢，地动山摇；基础坚实，稳如泰山。基层的思想政治工作做好了，人民群众方向明确了，情绪理顺了，干劲鼓足了，就能凝聚成排山倒海、无坚不摧的力量，推动改革开放和社会主义现代化建设事业健康发展。

（2000年5月10日《人民日报》）

一个相辅相成的体系

许多地区和单位的工作实践证明，思想政治工作也要坚持两手抓，两手都要硬。这就是：一手抓道德建设，一手抓法制建设；一手抓教育工作，一手抓管理工作，两手配合协调，构成相互作用、相辅相成的体系。这是在发展社会主义市场经济条件下，做好思想政治工作的客观要求和有效途径。

与社会主义市场经济体制相适应的道德体系与法律体系密切相关，不可分割，并发挥各自独特的作用。道德和法律、教育和管理辩证统一。高尚思想道德的培养，良好社会风尚的形成，要靠耐心细致的思想教育，又要靠科学规范的严格管理。严格的法纪管理，有利于人们增强思想道德意识；深入的思想教育，有利于人们更好地遵守法律法规。一个社会治理水平的高低，与人们的思想道德素质有密切的关联；社会主义精神文明特别是思想道德建设，又会有力地促进社会主义民主和法制建设。

要把思想道德建设与法律制度建设结合起来。思想道德是人的伦理观念、价值观念、审美观念等的社会反映，是由一定的社会环境、社会经济条件、文化传统等所决定的。社会主义的道德观念，集中反映着社会主义的社会风尚和人民群众对真善美与假恶丑的认识。我国的社会主义法律制度，是我们党领导人民进行革命、建设和改革实践经验的总结，是人民意志的体现，是我国社会主义制度的组成部分。把法律法规建设与思想道德建设结合起来，把应当做什么，不应当做什么，与允许做什么，不允许做什么结合起来，就能使人们的思想和追求健康向上，使人们的社会行为文明有序。

要把教育引导与严格管理结合起来。纠正各种不正之风，形成良好的社会秩序和社会风尚，仅仅靠说服教育不能完全解决问题，还必须把社会主义的思想道德原则融于科学有效的社会管理之中，使自律与他律、提倡和禁止、内在约束与外在约束有机地结合。要在全体人民中坚持爱国主义、集体主义、社会主义教育，加强社会公德、职业道德、家庭美德建设，引导人们树立建设有中国特色社会主义的共同理想和正确的世界观、人生观、价值观，不断提高全民族的思想道德水平。同时要在全体人民中进行遵守宪法和法律的教育，普及法律常识，增强民主法制观念，使人们懂得公民的权利和义务，懂得与自己工作和生活有关的法律，依法办事，依法律己，依法维护自身的合法权益，善于运用法律武器同违法犯罪行为做斗争。要综合运用教育、法律、行政、舆论等手段，规范和养成良好的行为习惯，约束和制止不文明行为，达到标本兼治的效果。

要把弘扬社会正气与惩治不法行为结合起来。事实说明，没有健全的法律和有力的执法保障，社会的正常秩序就得不到维护，更谈不上良好道德风尚的形成。一方面，我们要大力弘扬正气，倡导文明新风，理直气壮地讴歌先进，树立正面典型；一方面，要坚决反对社会上种种不文明现象，打击各种歪风邪气，严惩各种腐败行为。紧密联系现实生活中的新情况新问题，在加强正面宣传、正面教育的同时，依法加强对社会生活各个方面的管理，制裁和打击危害社会的不法行为，这样我们就能扎扎实实推进全民族的思想道德素质的提高，形成扶正祛邪、扬善惩恶的社会环境，创造出充分展示中华民族优秀文化传统的、充分展示社会主义制度优越性的良好道德风尚。

(2000 年 5 月 24 日《人民日报》)

一个明确的工作目的

从事任何工作，都必须有明确的目的。做好新形势下的思想政治工作，更要有一个明确的目的，这就是坚持以经济建设为中心，为全党全国工作大局服务，为改革开放和现代化建设提供强有力的精神动力和思想保证。

我们党和国家的工作中心是经济建设，社会主义的根本任务是发展社会生产力。思想政治工作必须围绕这个“中心”，服务这个“根本任务”。思想政治工作只有紧紧围绕并融会贯通在这个中心工作之中，才能有新的活力，新的凝聚力，才能受到干部和群众的欢迎。我国社会主义现代化建设正处在关键时期，国企改革，扶贫攻坚，完成“九五”计划，实现小康目标，一系列改革和发展中的重大问题需要研究和解决。形势和任务迫切需要思想政治工作有新的更大的作为。改革开放的实践表明，强有力的思想政治工作是我们的优势，越是在艰巨任务面前，越是在困难和挑战面前，越要发挥这个优势，通过深入细致的思想政治工作，统一思想，凝聚力量，鼓舞斗志，使广大干部群众满怀信心地为实现现代化建设的宏伟目标而奋斗。

围绕和服务于经济建设这个中心，思想政治工作要着力做好解疑释惑、振奋精神的工作。随着改革的深入、发展的加快，各种新情况、新问题不断出现，必然会带来种种思想问题。思想政治工作最重要的任务就是要向广大干部群众宣传党的方针政策，把人们的思想统一到党中央一系列重大决策上来，把力量凝聚到实现现代化建设宏伟目标上来。要针对干部群众的思想问题开展工作。对于改革和建设的形势怎么看，对于本地区本单位改革和发展中的问题怎么看，这些都要加以正确的引导，从而使干部群众认识到，改革和发展是自己的根本利益所在，为着实现这个根本利益，要自觉地艰苦奋斗。要进一步增强当代中国 12 亿人民群众的使命感和主人翁意识，真正把自己的切身利益与国家经济建设的大局联系在一起，自觉地焕发热情和干劲，凝聚聪明和力量，建设更加美好的生活。

围绕和服务经济建设这个中心，需要不断地帮助干部群众树立和社会主义市场经济相适应的新思想新观念。要研究在经济生活中出现的经济成分和经济利益多样化、社会生活方式多样化、社会组织形式多样化、就业岗位和就业方式多样化等诸多新情况新问题，紧密结合改革和发展的实践，引导人们正确处理竞争与协作、效率与公平、先富与后富、经济效益与社会效益的关系，使思想政治工作能够真正体现新的时代精神。要紧紧抓住“致富思源、富而思进”的教育，引导干部群众破除陈旧观念，树立创新精神；破除自满情绪，树立进取思想；破除畏难情绪，树立迎难而上、抢抓机遇的意识。

围绕和服务于经济建设这个中心，一定要把思想政治工作同经济工作和各种业务紧密结合起来。要在深入基层，深入群众上下功夫，在宣传党的理论路线和方针政策、激发广大人民群众投身改革和建设的积极性上下功夫。实践证明，思想政治工作在内容和形式上都要有变化，靠一个办法不灵，靠一个模式搞“标准件”也不行。只有善于结合本地区、本部门、本单位经济工作和各项业务工作的特点、重点、难点和热点，把思想政治工作渗透到经济建设的各环节和全过程之中，才能把握时代脉搏，发现问题，解决问题，增强工作的主动性和针对性，为推动经济发展、保持社会稳定发挥更大作用。

我们的经济建设和各项业务工作十分繁重，这绝不意味着思想工作可以放松。在深刻的社会变革和生气勃勃的群众创造实践中，思想政治工作是应该而且能够发挥极大作用的。紧紧围绕经济建设这个中心，奋发进取，积极探索，真抓实干，思想政治工作必将创造新的经验，做得更有成效。

(2000 年 5 月 27 日《人民日报》)

一个大有作为的工作领域

这些年来，思想政治工作和思想政治工作队伍建设，越来越得到各级党委的重视，认识在提高，工作在加强。但仍有一些同志还有模糊认识。有的认为：只要经济工作搞好了，人们生活改善了，思想问题自然而然就会解决，思想政治工作可有可无；有的认为，思想政治工作学问不大，难题不小，什么人都能做，什么人也做不好；有的认为，思想政治工作看不见、摸不着，没实惠、没干头，等等。

思想政治工作面临新环境、新问题、新矛盾，确有难度，这是客观事实。但这绝不是说思想政治工作可有可无，没有干头。事实上，思想政治工作的主要问题恰恰是我们的工作做得还不够好，需要进一步加强和改进。

一切工作的进步都应以思想进步为基础。人们有没有明确的奋斗目标，有没有良好的精神状态和积极的工作态度，有没有积极性、主动性和创造性，对于经济工作和其他业务工作关系极大。思想迷惑，心气不顺，精神不振，经济工作和其他业务工作不可能搞好。思想政治工作的目的就是要通过广泛和深入的思想教育，把人们的思想和认识统一到党的理论、路线、方针、政策上来，使人们的智慧和力量投入到改革开放和现代化建设中去。人们在工作生活中的问题，也要通过思想政治工作来加以说明和解决。增强人们之间的沟通与理解，化解各种社会矛盾，形成良好的社会风尚，才能创造一个稳定和谐、有利于经济发展的社会环境。思想政治工作是其他工作不能代替的，不仅是一件大事，而且必须抓得很紧很紧。

思想政治工作的根本任务是培育有理想、有道德、有文化、有纪律的“四有”新人。人是万物中最复杂的，特别是在社会生活发生深刻变革时期，人们的思想就更为复杂。思想政治工作是一门综合性的学问，是一项看来似乎平凡实则很艰苦的工作，绝非轻而易举就能做好。常言说，给人一碗水，自己要有一桶水。思想政治工作者必须具有正确的理想和信念，具备较高的理论水平，对新时期党的路线、方针和政策有准确深刻的理解，还要有丰富广博的学识，对国内外形势有清醒认识，对群众的思想动态有比较全面的把握，对社会问题有比较透彻的了解。同时要满腔热忱，作风深入，方法得当。这样，我们的工作才能有理有情，打动人心。

思想政治工作不像经济工作和其他业务工作那样看得见、摸得着。敷衍了事，可以整天无所事事；尽心尽力，就有干不完的工作。问题不是这项工作有没有干头，而是我们认识不认识这个岗位的重要和职责的崇高，愿意不愿意在这个舞台上敬业奉献，扎实苦干。思想政治工作者的成就感和劳动价值，体现在人民群众的精神面貌上，体现在良好的社会风尚上，最终也体现在两个文明建设的成就上。新形势下思想政治工作的难度和复杂性，既说明加强这项工作的重要性和紧迫性，同时也为我们施展才华提供了用武之地。我们的同志特别是思想政治工作者应当进一步认清肩负的重任，增强光荣感、责任感和使命感，抓住机遇，努力工作，知难而进，开拓进取，不辜负党和人民的期望。

事实将证明，在思想政治工作这个当前迫切需要加强改进、开拓创新的广阔领域，是应当而且能够大有作为的。

(2000年6月3日《人民日报》)

一个突出的作用

既要言传，又要身教，身教重于言传，是我们党的思想政治工作的优良传统。“重于”就是说，行动是无声的教育，形象是有形的道理，喊破嗓子不如做出样子。领导干部以身作则，作出表率，对于做好思想政治工作的突出作用正在于此。

领导干部是各行各业的骨干，肩负着带领群众前进的重要责任。就思想政治工作而言，岗位和职责决定了各级领导干部必须在各方面起模范带头作用。“村看村，户看户，群众看党员，党员看干部”，过去是这样，在改革开放新的历史时期仍然是这样。一个党员一面旗帜、一个干部一个标杆。党员干部特别是领导干部的一言一行无论是正面的还是负面的，对群众影响都很大。实践证明，哪里的领导思想正派，作风廉洁，正气发扬，严于律己，哪里的思想政治工作就比较扎实有效。反之，有的地方和单位人心涣散，精神不振，纪律松弛，风气不正，一个重要原因也是领导干部不能在各方面起模范带头作用。

讲道理，做表率，历来是思想政治工作的两个重要方面。“欲影正者端其表，欲下廉者先立身。”在我们的干部队伍中有许多先进模范人物，焦裕禄、孔繁森、张鸣岐、李国安等，他们的思想、作风、品德和业绩，本身就是最生动的教材。有理想的人讲理想，有道德的人讲道德，守纪律的人讲纪律，思想政治工作才有说服力、感召力，为群众所乐于接受。在新的历史条件下，加强和改进思想政治工作一定要研究新情况，解决新问题，探索新办法，同时一定要恢复和发扬领导干部以身作则的优良传统。如果领导干部言行不一，说做脱离，要求别人克己奉公，自己以权谋私；要求别人艰苦奋斗，自己贪图享乐；要求别人遵纪守法，自己违法乱纪，只能损害党的形象，败坏思想政治工作的威信。这是当前加强和改进思想政治工作要着力解决的一个突出问题。

领导干部既是思想政治工作的组织领导者，也是思想政治工作的对象；既是教育者，也是受教育者。领导干部无论其职务有多高，都需要在改造客观世界的同时改造自己的主观世界。要给人们以教育，必须自己先接受教育；凡是动员群众做的，必须首先从自己做起。这样，我们才能和群众心连心，才能团结和带领群众前进。

江泽民同志提出的“三个代表”重要论述，是新时期党的建设的伟大纲领，也为思想政治工作指明了方向。“三个代表”，根本是“先进”，关键在“代表”，最终要通过广大党员特别是领导干部的模范行动体现出来。我们要深刻领会“三个代表”的精神实质，以“三个代表”为思想武器，探索解决加强和改进思想政治工作面临的新问题，并且严格按照“三个代表”的要求，身体力行，做出表率。只要坚持这样做，我们的思想政治工作就能发挥巨大的威力。

（2000年6月11日《人民日报》）

一套科学的考评机制

逐步建立健全一套比较完善的、科学的考评机制，是思想政治工作制度化、规范化，并形成良好运行状态的重要一环，也是加强和改进思想政治工作的一项具体措施。

思想政治工作是我们的政治优势，对经济发展、政治稳定、社会进步起着重要推动作用。但长期以来，我们对思想政治工作成效缺乏科学的考核评价，也缺少对这个问题的摸索研究。从而导致有的地方“说起来重要，做起来次要，忙起来不要”的现象还比较常见；“一阵风”、表面文章和形式主义的东西还比较常见；思想政治工作干与不干、干好干不好一个样的现象也比较常见。科学考评机制涉及思想政治工作效果的特点、效果的表现形式、效果的评估原则和办法等等，是比较复杂的问题。但从实践来看，要切实纠正“一手硬，一手软”，真正把思想政治工作落到实处，真正提高思想政治工作水平，又是一个必须解决的问题。

今年以来，思想政治工作的力度明显加大，各地在考评机制的建设上取得了不少成功的经验。从多年实践来看，总起来说，思想政治工作取得明显成效的标志应表现在以下几个方面：一是各级党委贯彻“两手抓，两手都要硬”战略方针的自觉性明显增强，对思想政治工作和精神文明建设的领导力度明显加大；二是思想政治工作和精神文明建设的舆论氛围更加浓郁，社会正气明显上升；三是广大党员干部的“四信”即信仰、信念、信心、信任明显增强；四是群众性精神文明创建活动有明显进展。这些应该成为考评的重要内容。

提高认识、营造氛围、加强教育、推进文明创建这四个方面，是一个互为联系的整体。认识到位，组织领导才能到位；组织领导到位，措施保障才能到位；措施保障到位，教育工作和创建活动才能到位。实践证明，是不是把思想政治工作摆在“一件大事”的位置上抓得很紧很紧，关键还是要看社会风气、干部群众思想、精神文明创建是否发生“明显”变化。围绕上述四个方面，各地各单位应结合自己的实际，确定长远目标和阶段性目标。这个目标要把必要性和可能性相结合，看得见、摸得着、抓得住、量得准，重点明确，思路清晰。同时应采取社会民意测验、代表人士评议、宣传思想工作部门自我考核等办法，对思想政治工作的成效以及存在的突出问题进行比较科学的评估和分析。还要把思想政治工作成效，作为考察领导班子、领导干部政绩的一项重要依据。目标明确，任务具体，指标量化，责任落实，奖罚分明，就有利于各级党委和有关部门对思想政治工作规划部署、督促检查，有利于各单位认清自己的职责，承担起做好思想政治工作的任务，有利于振奋广大干部群众的精神，扎实推进思想政治工作。

思想政治工作是一门科学，有其实践检验的标准。在这方面有许多问题还需要我们进一步研究。只要努力探索，勇于实践，不断总结经验，不断完善措施，我们应该也可以逐步形成一套比较科学和完善的考评机制。这是思想政治工作在新形势下进一步发展的紧迫要求，也是各级领导特别是思想政治工作者应尽的责任。

（2000 年 6 月 18 日《人民日报》）

中共天津市委：凝聚人心　服务大局

——做好新形势下的思想政治工作

一、抓住理想信念这个根本，敢于理直气壮地讲大道理

加强和改进思想政治工作，首要的一条就是教育和引导干部群众树立正确的理想信念，树立正确的世界观、人生观、价值观，增强贯彻执行党的基本路线的自觉性和坚定性。这是一个大道理。

理直气壮地讲大道理，既是思想政治工作的一个重要内容，也是坚持正面教育的一个基本方法。讲大道理不仅是一个认识问题，更是一个政治问题。全市党员、干部在任何时候、任何情况下，都要理直气壮地讲大道理，坚持正确的政治方向，做讲政治的模范；坚持党的宗旨，做全心全意为人民服务的模范；坚持民主集中制，做遵守纪律的模范；坚持解放思想、实事求是，做开拓创新的模范。

讲大道理，要旗帜鲜明，敢于碰硬。当前社会上确实存在一些消极现象和不健康的东西，如果任其泛滥下去，必然会助长歪风邪气的上升，涣散我们的斗志，削弱我们的战斗力。“法轮功”事件发生后，我们坚持果断采取措施平息了事态，并认真总结经验，吸取教训，及时召开市委全会，提出加强和改进思想政治工作的重大举措。我们注重从群众亲历的改革、建设成就和身边的变化中挖掘生动的素材，启发和教育群众,使大道理讲得实在,讲得具体,讲得生动,使群众易于接受。

运用先进典型教育和感染群众，是讲大道理的重要途径。树立典型、宣传典型，让先进典型现身说法，更具有说服力。

二、紧紧围绕中心工作，统一思想，凝聚力量

从党的基本路线的内在要求出发，思想政治工作一定要紧紧围绕经济建设这个中心，服务改革、发展、稳定这个大局。具体到天津的实际，就是要大力实践建设现代化港口城市和我国北方重要经济中心的发展战略，积极推进两个根本性转变，加快科技兴市步伐，努力走出依靠科技进步、提高整体素质，实现加快发展、增强经济实力的路子，围绕集中力量把经济搞上去这个中心，最大限度地把干部和群众的思想统一起来，把大家的积极性调动起来，把民心士气激发起来，把智慧和力量凝聚起来。

天津是一个老工业基地，国有企业多，历史包袱重，经济结构调整和技术改造任务十分艰巨。针对这一情况，每出台一项重大政策，每完成一项重点工作，我们都坚持做好深入细致的思想政治工作，因而得到人民群众的支持和拥护，取得了做好工作的主动权。

我们在全市范围内开展了“树立创新意识，加快天津发展”的大讨论和实践活动，紧紧围绕影响和制约天津经济社会发展的重大问题，立足新形势找差距，着眼新世纪求发展，在转变观念、保持良好精神状态上下功夫，使全市上下开阔了眼界，拓宽了思路，找到了办法，形成了鼓励创新、大胆创新的良好氛围。

三、着眼于中低收入的大多数群众，扎扎实实地为老百姓办实事

把解决思想问题同解决实际问题结合起来，为群众办实事，是思想政治工作的重要原则。当前群众中存在的思想问题，有相当一部分是由于实际问题得不到妥善解决而引起的。我们下大力量解决群众遇到的实际问题，努力把群众的切身利益实现好、维护好、发展好，让群众从中领悟大道理，增强对党和政府的信赖，取得了很好的效果。

采取有效的手法，在坚决贯彻鼓励一部分人先富裕起来的政策的同时，使大多数群众在改革中得到更多的实惠，这是新时期坚持马克思主义群众观点、群众路线的重要内容。

我们坚持“一切为了人民，一切依靠人民”的基本工作思路，把全心全意为人民服务作为根本职责，坚持想问题、定政策、办事情都着眼于大多数群众，把关系人民基本生活和切身利益的事作为头等大事来抓。市政府坚持每年为群众办20件实事，并结合天津经济社会发展的实际，从1993年开始，把解困和再就业、稳定物价、农村扶贫作为三件大事常抓不懈。全市各级领导干部想群众之所想，办群众之所需，尽心竭力为老百姓办实事，充分调动了群众的积极性、主动性和创造性。

改革过程中出现的许多矛盾和问题，从根本上说，都与群众的思想和情绪息息相关。群众心气顺了，情绪稳定了，积极性和创造性才会充分发挥，社会才会稳定，事业才会发展。这几年，天津各项事业呈现出加快发展的态势，原因之一就是把群众情绪作为第一信号，时刻把握群众的思想脉搏，了解他们想些什么，盼些什么，为他们排忧解难，雪中送炭。在这方面，我们做了大量深入细致的工作，开辟了多种联系群众的渠道。比如，政府领导成员定期与人大代表、政协委员座谈，介绍各方面工作的进展情况、遇到的困难、存在的问题，征求他们的意见和建议；市委、市政府领导带头，并要求各级干部经常深入农村、企业、街道等基层单位，直接听取群众的意见，不断改进工作；市政府每年拨出专款，组织力量集中开展社情民意调研，为领导决策提供重要依据；市、区两级政府开辟为民服务专线电话，受理涉及群众生活的各项投诉；新闻媒体开设办公热线节目和“公仆坐堂”栏目，及时回答当前群众关心的热点问题，等等。通过不懈的努力，使领导干部主动听取群众意见、体察群众意愿，逐渐形成制度，形成风气。

四、面向基层，面向群众，狠抓思想政治工作的薄弱环节

当前，基层思想政治工作薄弱是一个突出问题。随着改革攻坚和经济结构调整，政府的一些管理职能转移到社区，企事业单位承担的社会职能剥离给社区，大量离退休人员和下岗职工进入社区，加强城市社区的思想政治工作已是当务之急；务工经商外来人员大量涌入，给城市就业、社会治安和环境秩序造成很大的压力，强化对这部分人的教育和管理仍是一个空白点；个体、私营、外商投资企业大量涌现，使所有制结构发生很大变化，做好非公有制企业中的思想政治工作还缺少有力的措施；各种现代传媒手段迅速发展，既加快了东西方文化交流，也给整个社会特别是青少年的思想教育带来了难题。面对新形势，我们感到，狠抓思想政治工作的薄弱环节，不能沿袭原有的思维定势和工作程式，应当以一种全新的视角，正确认识思想政治工作所面临的新情况、新问题，采取切实有效措施，突出重点，增强针对性，使思想政治工作入室入户，“入脑入心”。

党政机关要突出抓好党的宗旨教育和艰苦奋斗教育，激励干部廉政勤政，做人民的好公仆；国有企业要围绕建立现代企业制度，解放思想，转变观念，增强克服困难的信心和决心；农村要全面落实党在农村的各项政策，努力改善干群关系，切实调动农民的积极性；学校要着力抓好理想信念和社会责任教育，提高教师和广大青少年的思想政治素质和道德水平；城镇街道要适应新情况，采取多种形式，加大对居民和暂住人口教育、管理的力度。

思想政治工作重在落实，贵在坚持。为了扎扎实实、一步一个脚印地推进这项工作，我们重点抓了相互联系的六个环节：一是深入基层，深入实际，调查研究，总结经验；二是分类管理，因人施教，特别是下大力气抓好对下岗职工、离退休人员、外来人口和青少年等特殊人群的思想教育；三是加强阵地建设，用科学理论占领思想阵地，用健康有益的活动占领群众的文化生活阵地；四是提高现有政工干部的政治素质和业务水平，同时选拔年富力强、德才兼备的人员充实到政工岗位；五是加强制度建设，建立健全思想政治工作责任制度、干部群众思想状况分析制度、领导干部“报告员”制度、干部谈心家访制度、党员责任区制度、职工班前班后学习制度等；六是组织力量，挖掘典型，宣传推广。1999年，我们及时召开社区工作会议，出台了《加强社区精神文明建设的若干意见》等三个文件，下放管理权限，明确街道职责，为牢牢占领城市社区这个重要阵地，加强街道思想政治工作提供了强有力的保障。我们还加强了基层党校、市民（村民）学校、文化活动中心等教育和文化阵地的建设，通过充实调整，加强管理，开展多种形式的社区文化活动，吸引了广大群众积极参与，活跃了群众业余文化生活。

原文出处：《求是》2000年第7期

任彦申：抓住机遇　勇于创新　开创思想政治工作的新局面

一、要珍惜当前思想政治工作的好形势、好机遇

在全党致力于加强和改进党的建设和思想政治工作的新的实践中，有两件大事意义极为重大和深远：

第一件事情，是江泽民总书记提出“三个代表”的重要思想。随着时间的推移，人们会越来越看到“三个代表”思想的理论创新价值和关系全局、关系未来的重大实践意义。

第二件事情，是中央召开思想政治工作会议。

这次中央思想政治工作会议是开创新世纪思想政治工作新局面的一次大动员。江泽民同志的重要讲话，反映了党中央对跨世纪思想政治工作的战略构思，是指导我们加强和改进思想政治工作的纲领性文献。会议之后，各地区、各部门都在认真地学习、领会、贯彻、部署，加强思想政治工作的舆论氛围之好，工作力度之大，实践活动之活跃，队伍士气之高，都是过去求之不得、多年未有的。一个加强和改进思想政治工作的新气象、新局面已经显露端倪，这是多么难得的一个机遇！

二、要充分肯定思想政治工作取得的成绩

这些年来党的思想政治工作取得的最大思想成果，就是实现了党的指导思想的历史性飞跃和人民精神状态的深刻变化。

这些年思想政治工作的另一个重大成绩，就是实现了从服务政治运动为中心到服务经济建设为中心的根本转变，比较彻底地抛弃了在以阶级斗争为纲、以政治运动为中心时期形成的一套思维方式和行为方式，同时又坚决地抵制了资产阶级自由化的干扰，形成了邓小平同志所期盼的那种聚精会神抓建设、同心同德搞改革的局面。

这些年思想政治工作的第三个重大成绩，就是比较好地处理了改革、发展、稳定的关系，为我国的改革开放和现代化建设提供了有力的舆论支持、精神动力和思想保证。

在新时期思想政治工作的实践中，创造和积累了许多重要的经验。中宣部总结出的关于高举旗帜，保持一致；围绕中心，服务大局；着眼育人，立足建设；弘扬主旋律，提倡多样化，以及团结、稳定、鼓劲，正面教育为主等原则，都是这些年行之有效、带有全局性和根本性的经验。

三、要认真研究思想政治工作面临的新形势

加强和改进思想政治工作，必须研究国际的、国内的、省内的、单位的新形势、新情况、新问题。以下几个问题值得我们关注和思考：

其一，关于改革攻坚阶段、发展关键时期的社会矛盾问题。在当前社会变革、体制转换的时期，社会基本矛盾的表现形式，社会主要矛盾的表现形式，人民内部矛盾的表现形式，都出现了错综复杂的情况和许多新特点，需要我们高度关注，精心研究。

其二，关于利益多元化问题。当前，经济成分的多样化，组织形式的多样化，就业和分配方式的多样化等，归根到底是利益的多元化。如何在利益多元化的情况下树立社会的共同理想，寻找国家利益、集体利益和个人利益的结合点，制止个人主义的膨胀，是思想政治工作的一个重大课题。

其三，关于选择机会多样化问题。当前人们有了更多的选择机会，双向选择、多向选择，这是社会进步、活力增加的一个表现。选择机会的增多，意味着人们自主性、自由度的增加，但也带来了选择中的困惑、疑虑、彷徨。选择机会的增多还带来了流动性的增加和竞争的加剧，社会管理的难度加大了，思想教育的盲点增多了，人们面对的风险也增加了。如何在选择机会多样化的情况下，帮助人们树立健康稳定的心态，确定一个正确的价值取向，也是思想政治工作面临的一大课题。

其四，关于信息多元化的问题。当前是一个开放的社会，信息发达的社会，信息的来源、传播的渠道及其内容都多样化了，“信息庞杂多样”，“各种思潮相互交错、相互激荡”，“各种观念大量涌现，正确的思想与错误的思想相互交织，进步的观念与落后的观念相互影响。”这对人们思想政治素质的要求更高了。它要求人们既要有获取信息的能力，求知的能力，又要学会筛选，学会分辨，学会吸收，学会抵制。当前国际互联网迅猛发展，正在成为一个重要的媒体，成为各种政治势力争夺青年、争取群众的重要领域，成为思想政治工作的重要阵地。我们应当抓紧网络建设，努力争取网上斗争的主动权。

四、要在创新中改进和加强思想政治工作

在思想政治工作的创新和改进方面，有几个问题值得我们注意：

第一个问题，必须正视思想政治工作中存在的弊端，努力改善思想政治工作的形象。

第二个问题，改进思想政治工作必须牢固树立以人为本、服务群众的观念。

第三个问题，必须加强理论创新。

在各项工作的创新中，理论创新具有关键性的意义。我们的思想工作者、理论工作者，应当在邓小平理论的指导下，弘扬理论联系实际的学风，在理论说明、理论总结、理论创新方面有更大的作为。

作者：江苏省委副书记、宣传部长
原文出处：《群众》2000 年第 8 期

潘　琦：增加思想政治工作的针对性和实效性

思想政治工作的内容要实。要做到“实”，首先是理论教育要实在，要管用。要做到理论问题通俗化，通俗问题理论化。其次一定要实话实说，要讲真话，讲实理，不能讲假理和空理，要解决群众的实际问题，回答群众的热点难点问题。教育一定要切合实际，贴近生活，贴近群众的文化水平，贴近群众的心理承受能力，不要随便拔高。再次必须把道理讲明、讲清、讲透。

思想政治工作的方法要活。思想政治工作要因人而异，因事而异，因地而异，区分层次，对症下药，有的放矢。要针对人们的不同的思想实际来做思想政治工作。要抓住人的特点、缺点、弱点和闪光点。特别是针对农村的特点，用农民的语言、农民喜闻乐见的方式进行思想政治工作。

思想政治工作的感情要深。思想政治工作一定要做到“春风化雨，润物无声，耐心细致，潜移默化”，做到入情、入理、入心。人的感情容易激发、调动，也容易冲动，容易感染，只要我们抓住了人的感情这个关键的一环，很多事情都可以迎刃而解。

思想政治工作者人品要优。从事思想政治工作的同志是灵魂的工程师。打铁必需自身硬。做思想政治工作要靠真理的力量、人格的力量和感情的力量。要做到这一点，要求每一位从事思想政治工作的同志要具有以下几种本领：一是要有用理论指导实践的本领。二是要有正确观察和分析形势的本领。三是要有用马克思主义的思想和正确的世界观来影响人们的思想和思维方式的本领。四是要有团结人、凝聚人心的本领。五是要有从群众中来，到群众中去的本领。六是要有艰苦奋斗和埋头苦干的本领。

思想政治工作的领导力度要大。根据思想政治工作面临的新形势、新任务，在实际工作中，领导要做到“四个关键”：关键的时候要讲话，关键的问题要敢于拍板，关键的部门要用好人，关键的项目要给钱。如果每个领导同志都能在这个“四个关键”上真正下功夫，我们的思想政治工作没有理由搞不好！

作者：广西壮族自治区党委宣传部长
原文出处：2000年10月8日《广西日报》

马正跃：加强和改进思想政治工作的重要载体

把群众性精神文明创建活动作为加强和改进思想政治工作的重要载体，对加强和改进思想政治工作，推进社会主义精神文明建设具有重要意义。

一

作为精神文明建设的一种具体形式，创建活动一开始就是作为加强和改进思想政治工作的重要载体出现的。这种载体作用主要体现在：一是群众自我教育、自我提高的重要方式；二是把两个文明建设落实到基层的有效途径；三是加强群众工作的新方式。

二

在当前，要继续发挥创建活动的载体优势，把加强和改进思想政治工作作为贯穿各项创建活动的一条主线，作为深入开展创建活动的重中之重，抓好几个重要的工作环节。

——抓好基层，激活细胞，夯实基础，把思想政治工作落实到村镇、社区和所有基层单位。

——树立典型。运用先进典型的感人事迹和高尚品质教育群众，远比一般的讲道理更具生动性、鲜明性，说服力、感染力和号召力。

——开展群众文化活动，丰富群众文化生活，用社会主义思想占领城乡文化阵地。

——严格管理。建立和健全有关法律法规和规章制度，依法加强对社会生活各个方面的管理，形成扶正祛邪、扬善惩恶的良好社会环境。

——多办实事。把实事办好，好事办实，提高群众的生活质量和社会文明程度，使群众得到实实在在的利益。

三

发挥群众性精神文明创建活动在思想政治工作中的重要作用，还要把思想道德教育摆在各项创建活动的首要地位，把深刻的教育内容寓于生动的活动形式之中，同时发挥党员特别是各级领导干部的表率作用，增强教育的吸引力、感染力、说服力。

一是强化教育意识，增强创建活动的思想道德教育含量。始终把培养人、教育人的工作放在创建活动的首位。最根本的是要坚持进行爱国主义、集体主义、社会主义教育。要紧密结合发展社会主义市场经济的新要求，努力加强社会主义道德教育，不断提高全体人民的思想道德素质。

二是精心设计载体，把深刻的教育内容寓于生动的活动形式之中。通过生动的活动形式，把党的路线方针政策、社会主义的思想道德观念和法律知识、先进的科学文化知识、广泛地传播到全社会，为广大干部和群众所掌握。

三是发挥党员特别是党员干部的表率作用。特别要解决好各级领导干部的立言和立行问题，努力把真理的力量和人格的力量统一起来。要求群众做到的，党员干部首先做到，禁止别人做的自己坚决不做，以身作则，言行一致，这就是最有说服力的思想政治工作。

原文出处：2000 年 11 月 28 日《光明日报》

李永胜：思想政治教育是素质教育的灵魂

现代教育的理念是以人为本，而不是以知识为本，主张把培养人放在第一位，通过培养和造就适应社会需要的人以促进社会发展。因而，现代教育的核心在于教育学生学会做人。素质教育的实施体现了以人为本的教育理念，顺应了现代教育的潮流和规律。全面推进素质教育的真谛，在于全面贯彻党的教育方针，培养德、智、体、美等全面发展的社会主义建设者和接班人。这里的“全面发展”包括人的知识、智慧、才能、人格、身体和心理素质等方面的有机统一与和谐发展，即综合素质的提高和发展。而在人的综合素质中，思想政治素质是灵魂。

从人的素质结构来看，思想政治素质是根本的素质。人的素质结构系统大体包括思想道德素质、科学文化素质、身体心理素质等几个方面的内容。我们之所以说思想政治素质是最根本的素质，是因为综合素质中的思想道德部分对于调动和发挥其他素质的潜力起着价值导向和调控作用。它统帅和决定着人的综合素质的状态、性质、价值量之大小。人的知识的积累、运用不仅仅取决于各种认知要素，而且要受到健康和谐的情感的激励，顽强意志的支配，高尚人格的诱导，一定的世界观、人生观和价值观的驱动。人的能力的形成、扩充和未来的发展状态，除了知识因素在起作用之外，还受制于一定的理想、信念、意志、品质等人格因素和价值观的引导。人的智慧的获得与运用也要受到一定的世界观、人生观和价值观的制约。

其次，从社会对人的需要来看，人们最看重的也是一个人的思想政治素质。这道理十分简单：人的思想政治素质从根本上决定着一个人的理想、信念、道德品质以及他的行为方式。用传统的说法表述，我们需要的最好是德才兼备的人。不得已而求其次，是思想道德品质好、才能上有点欠缺的人。如果其他方面的素质很好，惟独思想政治素质很差，那他能否很好地履行自己所应该承担的社会责任、义务，就是个疑问。

第三，为适应激烈的国际竞争的要求，我们培养的人才必须首先是思想政治素质过硬的人才。21世纪是一个信息化时代。作为第三媒体的网络向社会生活各个方面的广泛渗透等等，对人的素质提出了一系列新的挑战。最为严重的挑战，不是经济的挑战，也不是科技的挑战、文化的挑战、产品的挑战，而是潜藏在文化、技术、产品、管理经验等等背后的价值观的挑战。在科技、经济、文化、信息走向全球化的时代，如何使我们培养出来的人能够清醒地站在正确的立场上，坚持正确的指导思想，正确地评价信息的意见，洞察信息的内涵，捕捉信息的价值，善于在各种内容、形式的文化产品和信息资源中识别隐藏在其中的精华与糟粕，在各种文化的交融汇合中保持正确的价值观，坚定自己的社会主义理想信念，把自己的才华毫无保留地贡献给社会主义祖国和人民，思想政治素质的高下起着关键性的作用。

正因为思想政治素质是人的根本素质，因而，思想政治教育理所当然就成为素质教育的灵魂。针对我国教育领域长期以来重智育、轻德育，重视知识传播，轻视素质教育等弊端，当前我们首先要切实采取措施加大思想政治教育的力度，真正把它作为素质教育的核心内容来抓。以加强和改进思想政治教育为突破口，不断深化教育改革，全面推进素质教育。

作者：西安交通大学人文学院副教授
原文出处：《求是》2000年第10期

崔志宏　周　进：网络化给思想政治工作带来的思考

一、网络化为加强和改进思想政治工作提供了新机遇

网络的全球性，使思想政治工作有了更为广阔的空间。

网络的开放性，为思想政治工作社会化创造了条件。

网络的交互性，有利于发挥思想政治工作的主体的作用和参与意识。

网络的时效性，大大提高了信息传播的速度。

网络的综合性，有利于增强思想政治工作的效果。互联网实现了“多媒体”整合优势，思想政治工作利用多媒体，可以实现内容和形式的结合与互补，效果是其他手段所无法比拟的。

网络的多样性，增强了思想政治工作的吸引力。

网络的超容量性，为思想政治工作提供了大量信息源。

网络经济性，为思想政治工作提供了最为经济、便捷的有效渠道。

二、网络化给加强和改进思想政治工作提出了新挑战

西方资本主义国家技术上的领先地位，使其在这一领域处于垄断地位。

国际敌对势力利用网上优势，对我们进行政治、思想、文化渗透。

网上黄毒的影响。互联网给色情、暴力等文化垃圾提供了新的传播手段和生存土壤。

网上危险的交流。由于网络上多匿名在线交

往，这种交流会呈现相当的复杂性，也给一些别有用心或心理不健康的人以可乘之机，极易引发社会的不稳定。

网上黑色信息。一些非法组织利用互联网发布搞乱人们思想、危害社会的黑色信息，突出的就是“法轮功”邪教组织。

三、适应趋势，抓住机遇，使互联网成为思想政治工作的重要阵地

充分认识利用网络技术开展思想政治工作的重要性。

加大投入，加快网络建设。一是集中力量重点扶持、加快建设一批在国内外有重大影响的名牌网站，开展有针对性、有战斗力的宣传，尽快打破西强我弱的国际舆论态势。二是以中央网站为轴心，以各省市区网站和主要新闻网站为支撑，建设全国思想政治工作网络系统，使人民群众随时可以接受形象的马克思主义教育。

充分利用现有网络开展网上教育，进行网上斗争。

研究网上动态，加强网上舆情分析。建立网上社情舆情收集、分析、处理、反馈系统，充分利用网上交互性功能优势，观察网上动态，加强对网民思想观念、心理需要和文化背景等的研究，及时发现苗头性、倾向性、突发性问题，为领导决策提供依据。

积极开发网上教育软件。

重视网络行为道德教育。

建立和完善网络管理法规。

加强思想政治工作网络专业队伍建设。

作者单位：天津市委宣传部
原文出处：《全国优秀政研成果汇编》
学习出版社 2000 年 11 月版

王大鹏：网络空间　网络文化
宣传思想工作的新课题

一、“网络空间”概念的提出

“网络空间”指的是利用计算机网络（信息高速公路）或单一计算机实现交流思想和信息的虚拟空间。

“网络空间”作为一种与人们能看得到的物质空间相对应的数字化空间，不仅存在于电脑屏幕等硬件之中，也存在于电脑软件之中；不仅存在于计算机网络之中，也存在于不上网的单机之中。随着人们对网络空间的应用越来越普及，人类将由“汽车轮子上”的时代进入信息高速公路的“网络空间”时代。

二、“网络文化”的基本表现

所谓“网络文化”，就是指网络空间所反映出来的文化特征。网络文化主要表现如下：

内容的无限性；发展的高速性；传播方式的普遍性；造就了传媒的新形式；逐步改变了传统的教育模式，使“文化反哺”现象更为明显；逐步改变人类的生活方式和社会结构。

三、适应网络文化的发展，把宣传思想工作推上新台阶

新时期的宣传思想工作，必须积极主动地适应、研究网络空间、网络文化现象，借鉴、利用相关技术手段，从而达到加强和改进思想政治工作的良好效果。

要充分了解、认识网络空间、网络文化的基本含义和特点，提高对主动利用相关技术手段的必要性和紧迫性的认识。

要尽快加大投入，从建立本单位、本系统的电子服务系统开始，直到建立自己的网址。

引导青少年正确对待网络文化现象，帮助他们逐步确立积极、健康、创新的价值取向。如何帮助、引导青少年通过网络空间学习有用的东西，摒弃消极的东西，是加强对青少年思想教育的重要课题。一方面要通过建立网站向社会传播人类文明的成果，本地人文、地理及经济社会发展方面的知识和情况，并注意针对青少年的身心特点与国内有关的教育网站建立协作关系；另一方面，要通过其他传媒及各种宣传方式介绍相关知识及技能，并组织有关的培训或知识讲座，拿出抓“青春期教育”或“远离毒品教育”的劲头来抓好这项工作，从而尽可能帮助青少年不接触网络空间内的消极信息。

要通过传输线路、站址监控等方式，对网络空间中的消极信息进行有效遏制。

原文出处：《特区理论与实践》
2000年第7期

任仲平：伟大事业需要伟大精神

一个重要的时代话题。信仰、信念等问题，涉及我们的指导思想、社会制度、干部队伍建设等诸多重大问题，事关人之思想灵魂，党之兴衰成败，在我们面对新千年的严峻挑战，将我们的事业全面推向新世纪的时候，就更加需要强大的精神力量。这是在新的形势下做好思想政治工作的一个重大课题。这一课题的重要性，可以从社会主义新中国所取得的辉煌成就和马克思主义在世界范围内取得的重大胜利得到证明，也可以从一些错误观点、错误倾向、错误思潮对我们的影响和干扰得到反证。“法轮功”邪教组织蛊惑人心，祸国殃民，造成严重的社会危害，是一个典型例证。

关于信仰——马克思主义，是迄今为止关于人类历史发展规律最科学最严整最有生命力的思想理论体系。马克思主义是将科学的世界观方法论、彻底的唯物主义、无产阶级的党性原则、全心全意为人民服务的精神融为一体的崇高信仰。我们信仰马克思主义。不是固守和照搬其个别结论，而是信仰其整个理论学说。信仰马克思主义，不只是为了解释世界，而是为了改造世界。信仰马克思主义，因为马克思主义是我们的立国之本。

关于信念——通过社会主义实现共产主义是我们的最高社会理想，建设初级阶段的社会主义，是我们的近期目标。人类社会由低级阶段向高级阶段发展，是一种“自然历史过程”，从社会主义走向共产主义，是现代社会生产力发展的最终目标和必然结果，也是共产党人的最高社会理想。建设初级阶段的社会主义，是我们的近期目标，是中国共产党人坚定不移的信念。社会主义是针对资本主义的弊端产生的一种崭新的社会制度。衡量一种社会制度的优越，最根本的是看在多大程度上推动了社会生产力的发展和人民生活水平的提高。社会主义的优越性不会自动实现。它的发挥，要靠各种条件，要做不懈努力。社会主义制度的建立和完善是一个历史过程，在其初级阶段尤其不可能一帆风顺。要正确对待社会主义的挫折和失误。邓小平理论的形成，使马克思主义发展到一个新阶段，使社会主义焕发了生机，为马克思主义赢得了声誉。

关于信心——中国大有希望，社会主义大有希望，人类大有希望。我们的世界很不安宁，我们的国家在前进的道路上也面临着许多困难，潜伏着很多隐患，但总的形势是，中国大有希望，社会主义大有希望，人类大有希望。

关于信任——“关键在党，关键在人”，从某种意义上说，关键在领导干部。在信仰—信任—信心这个互动结构中，信任是一个重要环节，而领导干部是这个环节上的承重点。“关键在党，关键在人”，从某种意义上说，关键在领导，在领导干部的境界、素质和能力。取得人民群众的信任，一是坚决清除害群之马，将反腐败斗争进行到底，以纯洁党的组织和干部队伍。更重要的是提高在职干部的素质，解决其在信仰、信念、信心和信任方面存在的问题。

我们的力量在人民。信仰、信念、信任，归结为一点，就是人民必胜，人民的事业必胜。对于马克思主义和社会主义的信仰、信念和信心，归根到底建立在人民群众的利益、人民群众的力量上。

原文出处：2000 年 6 月 21 日《人民日报》

任仲平：大力弘扬时代和民族精神的主旋律

——论爱国主义、集体主义和社会主义

一个国家，一个民族，没有精神力量不行。一个前进的时代，总有一种奋发向上的精神；一个发展的民族，总有一种积极进取的意志。我们所说的时代和民族精神的主旋律，就是这些思想、意志、情感的集中体现。改革开放 20 多年特别是 10 年来的实践充分证明，爱国主义、集体主义、社会主义是我们时代和民族精神的主旋律。这种主旋律越鲜明，越有力，我们的思想就越统一，力量就越凝聚，人民就越团结，社会就越稳定，改革就越顺利，经济建设的持续快速健康发展就越有保证。

爱国主义——一面最具凝聚力和生命力的伟大旗帜。爱国主义是我们民族几千年来凝结起来、积淀起来的对祖国最纯洁、最高尚、最神圣的感情。中华民族是富有爱国主义光荣传统的伟大民族。爱国主义是我们的民魂，也是我们的国魂。中国共产党人是最坚定、最彻底的爱国主义者。中国共产党的爱国主义，是中华民族、中国人民爱国主义的升华和风范。同时，也是将爱国主义和无产阶级国际主义有机统一起来的典范。爱国主义是一个历史范畴，在社会发展的不同阶段、不同时期有不同的内涵。当代中国，爱国主义和社会主义本质上是一致的，建设有中国特色社会主义是新时期爱国主义的鲜明主题。党的基本理论、基本路线、基本纲领，改革开放和社会主义现代化建设的辉煌成就，丰富了爱国主义的内容，升华了我们民族的爱国主义情感，激发了全国人民的爱国主义热情。弘扬爱国主义精神，是我们倡导一切进步思想和先进文化的永恒主题。

集体主义——一条社会主义思想道德的基本原则。集体主义是人类文明发展的必然。同任何事物的辩证发展一样，集体主义的发生、形成和发展，也经历了一个曲折复杂的历史过程。社会主义制度的建立，社会化生产的发展，消除了集体利益和个人利益根本对立的根源，为集体主义的产生提供了坚实的物质基础和根本的制度保障。社会主义集体主义的实践说明，只有集体才能为个性的充分发展提供舞台，个性也只有在集体中才能得到丰富发展。在社会主义条件下，集体利益与个人利益是协调一致的。集体主义原则的确立、坚持和贯彻，是一项长期的历史任务，也是一项宏大的社会系统工程。

社会主义——一个不可动摇的根本信念。马克思主义的诞生，使社会主义变成科学。社会主义取代资本主义是人类历史发展不可逆转的总趋势。但是，前进的道路是曲折的。世界社会主义的挫折，决不表明社会主义没有优越性，绝不意味着社会主义的失败。战后资本主义国家经济相对稳定和发展，并不能消除其生产社会化同生产资料私人占有之间的固有矛盾。社会主义制度优越于资本主义制度，是就根本政治经济制度而言的，公有制比私有制优越。社会主义的产生和发展已经初步地显示了进步性和优越性。坚持社会主义，是顺应历史规律，坚信真理力量，追求人民利益。当代中国，国家强盛，民族振兴，人民幸福，同社会主义紧紧联系在一起。

原文出处：2000 年 6 月 28 日《人民日报》

李乐刚：爱国主义　社会主义现代化事业的精神动力

爱国主义对社会主义现代化事业的巨大精神动力作用主要表现在以下几个方面：

激发我们全民族居安思危的忧患意识，增强加快社会主义现代化建设的紧迫感和责任感。具有强烈的忧患意识，是中华民族爱国主义的一个显著特点，也是一个突出的优点。爱国主义的忧患意识是民族觉醒程度的重要标志，是一种催人奋进的自我加压机制，是推动国家和民族加快发展步伐的巨大力量。正是从这个意义上讲，忧患意识是爱国主义的基础，它可以激发人们维护民族团结统一的责任感和使命感，增强人们谋求国家振兴的自觉性和积极性，把热爱祖国的炽热感情转化为报效祖国的动力。

激发民族自尊心、自信心和自豪感，增强社会主义现代化一定实现的坚定信念和坚强决心。中华民族历来就是一个有着很强民族自尊心和自信心的民族。纵观我们中华民族的历史，尤其是新中国建立50年来的历史，我们有充分的理由相信，以勤劳、勇敢和智慧著称于世的中华民族一定会兴旺发达起来。当前要进一步发扬爱国主义精神来激发我们干部和群众的民族自尊心、自信心和自豪感。要更加重视爱国主义的宣传和教育，增强广大人民群众特别是青年一代的民族自尊心、自信心和自豪感，从而更加坚定信念、坚强决心，自觉担负起振兴中华的崇高责任。

激发中国人民为社会主义现代化事业艰苦奋斗、建功立业的奉献精神和顽强拼搏精神。社会主义现代化事业需要大力弘扬艰苦创业的精神。人们在从事任何一项事业时，都需要有一定的精神力量来支持和推动。这种力量，可以是出自个人的利益，可以是出自集体的利益，也可以是出自国家的利益。显然，出自个人利益和集体利益的精神动力存在着很大的局限性，而只有爱国主义这种有着更为宽广胸怀的精神动力，才能使人的生命融入更加远大、更加辉煌的事业中去。爱国主义是一种深厚的内在精神动力，当一个人的精神真正为爱国主义所浸染，就会产生一种取之不尽、用之不竭的力量源泉，从而极大激发出为社会主义现代化事业艰苦奋斗、建功立业的奉献精神和顽强拼搏精神。

激发全民族良好的道德风尚和精神风貌，极大地促进社会主义物质文明和精神文明建设。爱国主义与人们的道德风尚和精神风貌有着十分密切的联系。从某种意义上讲，爱国主义也是一种重要的道德规范，是调整个人利益与国家利益之间的行为准则。通过弘扬伟大的爱国主义精神激发全民族良好的道德风尚和精神风貌，在当前具有很大的现实意义。

激发对社会主义的热爱，从而更加自觉地、坚定地在党的领导下朝着社会主义现代化的宏伟目标迈进。在当代中国，爱国主义和社会主义在本质上是统一的，爱国就是要爱我们的社会主义祖国，就是要自觉地为社会主义现代化事业贡献力量。发扬爱国主义精神，是中国革命也是中国社会主义建设取得胜利的一条根本经验。新中国成立50年来所取得的辉煌成就是爱国主义的胜利，同时也是社会主义的胜利。

激发全民族的巨大凝聚力，团结全国各族人民和海内外炎黄子孙为社会主义现代化事业共同奋斗。爱国主义是一面能够最广泛地动员和团结海内外炎黄子孙为社会主义现代化事业贡献力量的旗帜。蕴藏于民族共同的历史文化传统、共同的道德规范、共同的心理机制和共同的生活环境中的爱国主义，已经并且必将继续成为凝聚人心、产生共鸣、达到共识、动员和鼓舞海内外炎黄子孙同心同德为社会主义现代化事业奋斗的一面伟大旗帜，必将谱写出中华民族爱国主义新的历史篇章。

原文出处：《学术研究》2000年第6期

龚育之：论科学精神

马克思主义历来把科学看做是在历史上起推动作用的、革命的力量。这种力量，既是物质的力量，又是精神的力量。科学“一方面和哲学，另一方面和实践结合起来了”。科学和哲学结合的结果就是唯物主义、启蒙时代和法国的政治革命(恩格斯语)。科学和实践结合的结果就是产业革命和英国的社会革命。这是说的18世纪。19世纪、20世纪更是如此：科学和哲学结合的结果，使唯物主义进到辩证唯物主义和历史唯物主义，进到马克思主义的科学世界观和科学社会主义，进到马克思主义指导和影响下的世界范围的社会主义革命和民族解放革命；科学和实践结合的结果，就是一次又一次新的技术革命，从蒸汽机的技术革命，到电力化的技术革命，到原子能的技术革命，到信息化的技术革命。21世纪正在到来，科学作为推动历史前进的革命力量的巨大作用，将超越以往的时代，而为过去的人们所难以想象。

科学通过技术转化为生产力，而成为物质的力量。科学知识、科学思想、科学方法、科学精神，相互交织，相互贯通，结为一体，而成为精神的力量。

五四时期的新文化运动，提出了民主和科学两大口号。那时呼唤科学，固然包含用科学技术来发展生产力、救国家于贫困的意思，但更多的是强调科学作为新思想、新文化，是同旧思想、旧文化中的愚昧落后、迷信盲从相对立的革命的精神力量。

延安时期毛泽东写《新民主主义论》，提出“民族的科学的大众的新民主主义文化”的口号，用“科学”来规定中国新文化的特点和方向，并且对“科学的”作了解释：“它是反对一切封建思想和迷信思想，主张实事求是，主张客观真理，主张理论和实践一致的。”还提出中国无产阶级的科学思想要同自然科学家和资产阶级唯物论者的科学思想建立反帝反封建反迷信的统一战线。这既继承了五四传统，又把它发展到了新的高度。

建国之初，《共同纲领》不仅规定了民族的科学的大众的文化方针，规定了发展科学技术和普及科学知识的任务，而且把“爱科学”列为国民公德的“五爱”之一，这是极富于创见的。

这些至今对于我们仍有指导意义。十五大报告仍然用“民族的科学的大众的”，加上“面向现代化面向世界面向未来”，规定有中国特色的社会主义文化的特点和方向。现行宪法仍然把爱科学列入国民公德。在“三个代表”中，代表“中国先进社会生产力的发展要求”就包括科学技术这个第一生产力发展的要求，代表“中国先进文化的前进方向”就包括普及科学知识、提倡科学思想和科学方法、弘扬科学精神的方向，代表“中国最广大人民的根本利益”也需要科学理论的指导和科学方法的运用，这样才能正确地认识这种根本利益，正确地处理根本利益和当前利益的关系。

科学精神最根本的一条就是实事求是

科学发展的成果，不仅表现为科学知识、思想和方法，更宝贵的是贯穿于科学知识、思想和方法之中的、经过长期科学实践形成为优良传统的科学精神。科学精神是使科学之所以成其为科学，使科学之所以能够不断前进的本质的东西。什么是科学精神？近来理论界多有讨论。人民日报任仲平文章提出一种概括：探索求真的理性精神，实验取证的求实精神，开拓创新的进取精神，竞争协作的包容精神，执著敬业的献身精神。科技导报上发表的蔡德诚的文章把它概括为五个要素：客观的依据，理性的怀疑，多元的思考，平权的争论，实践的检验。我也提出过一种说法：科学精神就是尊重事实、尊重真理、反对迷信、反对盲从；就是不断创新、不断开拓、反对守旧、反对因循；就是实践的检验，批判的头脑，理性的思考，自由的讨论。各种概括有不尽相同的意见和视角，但主要之点是一致的，同时又相互补充、相互发挥。

如果用最简洁的语言来概括，用我们国家多数人熟悉的语言来概括，那么应该说：科学精神最根本的一条就是实事求是。

“主张实事求是，主张客观真理，主张理论和实践一致”，毛泽东所说的这“三个主张”，就是对科学精神的解释。“以实践作为检验真理的唯一标准”，邓小平倡导和支持的关于真理标准问题的大讨论，就是主张实事求是的科学精神，就是要求用科学态度对待马克思主义。党中央两个关于精神文明建设的决议在总结新时期的进展时，都把重新确立解放思想、实事求是的思想路线，恢复和发扬马克思主义的科学精神和创造活力，列为第一条。

邓小平领导我们党拨乱反正，纠正错误，回到毛泽东思想的正确轨道上来，特别强调实事求是是毛泽东思想的精髓。在南方谈话中，邓小平又强调实事求是是马克思主义的精髓。邓小平理论的精髓也在这里。解放思想、实事求是的思想路线不仅是新时期确立以“一个中心，两个基本点”为主要内容的政治路线的前提，是在各项工作中贯彻这条政治路线的前提，也是现在不断改进和完善我们的工作，面向新世纪开拓新局面的前提。现在阻碍我们前进的东西，诸如弄虚作假、形式主义、惟书惟上、故步自封，原因很多，说到底还是由于违背了实事求是的科学精神。

检验自然科学理论的实践，是实验，不是表演。而鼓吹神秘功能的一些大师们却热衷于会堂、客厅、饭桌上的表演。看了表演的一些人又热衷于向别人去宣传他所见到的表演。说什么“眼见为实”，不信，你就是不承认“事实”和“科学”。但是，表演属于魔术、娱乐、茶余饭后谈笑助兴的范围。应当让人们懂得，只有按科学方法设计的，向科学界交代清楚其全部条件和过程的，科学界可以加以检查和验证的科学实验，才能确认在科学研究上有意义的事实。朱光亚在“捍卫科学尊严，反对迷信和伪科学”论坛第一次会议上作总结时说得好：自然科学中的真伪是非“只能由科学实验来检验”，而科学实验“虽然在不同学科领域可以有不同的规范要求，但都不能由表演、演示来代替”。

开拓创新是科学精神的本质要求

开拓创新同解放思想、实事求是密切相关。客观世界和人类实践是无穷展开和无限发展的，人对客观世界的认识和凭借这种认识而对世界进行变革、改造和保护的能力是无穷无尽的。科学之所以有生命力、创造力，就在于不断开拓创新。一部科学史，就是一部在实践和认识上不断开拓创新的历史。

自然科学和技术的生命在于开拓创新，马克思主义作为随着人类实践和整个科学发展而发展的科学也一样。邓小平说过：“世界形势日新月异，特别是现代科学技术发展很快。现在的一年抵得上过去古老社会几十年、上百年甚至更长的时间。不以新的思想、观点去继承、发展马克思主义，不是真正的马克思主义者。”他一方面强调“老祖宗”不能丢，一方面又强调一定要说出一些老祖宗没有说过的有科学根据的新话，这样才能使社会主义理论和实践适应时代的发展而进入新境界。墨守成规的观点只能导致落后，甚至失败。

批判精神是科学精神的鲜明体现。没有怀疑批判的精神，把现有的一切认识尊为绝对，那就阻塞了科学前进、超越、开拓、创新的道路。但怀疑批判精神也有两种，一种是科学的怀疑批判精神，一种是非科学、反科学的怀疑批判精神。前者建立在实践源泉和检验的基础之上；后者则脱离实践源泉和检验，建立在主观臆想的基础之上，从认识论上说就是否认客观真理的相对主义。列宁在论述实践标准的相对性和绝对性时深刻指出：这个标准也是这样的“不确定”，以便不至于使人的知识变成“绝对”，同时它又是这样的“确定”，以便同唯心主义、不可知论、相对主义划清界线和进行斗争。

在伪科学和迷信盛行之中，开拓创新、怀疑批判，在一些人那里被歪曲为否定科学。“不要迷信科学！”“现有科学还不能解释的自然奥秘多得很。科学历史上被事实推翻的理论多得很。为什么不能创新、突破，来一场科学革命?”其实，现在争论的关键并不在于现有科学能不能突破，而是在于有些人所宣扬的那些神秘现象，到底是不是用科学方法确认的实验事实或观察事实。只有人们掌握了被科学地确认的事实，才发生现有科学能不能解释、要不要突破的问题。科学界当然承认科学历史上不乏被突破了的理论，但这些理论不是被别的什么东西，恰恰是被科学地确认了的新的实验事实和观察事实所突破的，没有这样的事实，靠什么神奇表演和狂言高论，是推翻不了被实验证明了的科学理论的。历史表明，现有科学已经成熟到这样的程度，只有尊重科学的基础，遵循科学的方法，才能不断发现新的真理。离开科学的基础和方法，依靠各种修炼和狂言，在科学上不能得到成果而只能走到错误和荒谬的道路上去。

这里还涉及科学发展中新旧理论之间的关系，涉及科学理论嬗变的规律性问题。新的科学理论，既是概括新确认的科学事实的结果，也不能无视原来已经确认的科学事实（除非科学地证明了原来对事实的确认并不完备和准确），不能摒弃原来的理论中为科学事实所检验了的科学内容。新旧科学理论的嬗变，不是全盘否定，而是把原有理论的科学内容包括到新的理论之中。周光召以一些人常讲的牛顿力学被相对论、量子力学“推翻”的例子说明：具体真理在一定的适用条件和范围内是不能违反的，但在变化了的新条件和新范围内，则可以突破和创新。新理论可以扩展真理，创新精神是科学精神的组成部分；扩展了的理论必须包含原有理论体现的客观规律。在继承中发展真理，也是科学精神的组成部分。

科学精神和人文精神的结合

在强调弘扬科学精神的同时，学术界还有一种强烈的声音，即呼唤人文精神。关于人文精神的学术讨论存在着诸多歧见，就得到人们较广泛反响的意见来说，是针对着这些年不少人物质欲望恶性膨胀，精神追求、道德理想出现滑坡而发的。我们党也强调要把精神文明建设摆到更加突出的战略地位。而精神文明包括两大方面，一是科学、教育、文化，二是理想、道德、纪律。这两个方面的结合，从一定意义上也可以说是科学精神和人文精神的结合。在反思迷信和伪科学盛行的教训时，许多同志指出，我们教育的缺失，不仅在于科学精神不足，而且还在于人文精神不足。

什么是人文精神？我以为，通俗地说，讲世界观、人生观、价值观，就讲到了人文精神。人的意义，人生的追求、目的、理想、信念、道德、价值等等，这里面的高尚的、善良的、健康的精神，就属于我们要发扬的人文精神。一些人精神空虚，是由于这方面的失落、混乱和迷误而来的。生老病死，得失际遇，穷达祸福，顺利和挫折，机会和风险，在这些问题面前，如果没有科学的通达的态度，没有高尚的坦荡的情操，就容易被神秘主义和迷信所俘虏。

马克思主义讲世界观、方法论，这是解决认识问题，属于科学精神；马克思主义还讲人生观、价值观，这是解决价值问题，属于人文精神。马克思主义的世界观、人生观、价值观，是科学精神和人文精神的统一。不应该把人文精神同科学精神对立起来。否则，就容易流入神秘主义和反理性主义。

科学精神本身，也有深刻的人文意义。近代科学的诞生，把人从神权的奴役下解放出来，这不是充满着人文精神吗？自动化和信息化技术的发展，提供了把人从繁重的单调的劳动中解放出来的可能，控制论奠基人维纳有一本著作，书名就叫《把人当人来用》，希望改变把人当机器来用的状况，这不也是充满着人文精神吗？

科学界的优良传统中的道德观念，也是一种宝贵的人文精神。古往今来，科学界的优秀分子，为真理，为科学，为人类进步而斗争，充满着献身精神，甚至不惜牺牲生命。他们在科学研究中孜孜不倦，锲而不舍，自甘淡泊，不求闻达，把精力倾注在事业中，而不是花费在享乐上。他们意识到自己从事的科学工作对于社会、人类的责任，积极地参加反对侵略、维护和平和人道、保护生态和环境的种种斗争。这都是科学精神和人文精神高度结合的体现。

总之，我们提倡的人文精神应该是具有现代科学（自然科学和社会科学）意识的人文精神，我们提倡的科学精神应该是充满高度人文关怀的科学精神。

原文出处：2000年10月10日《人民日报》

任仲平：大力提高全民族的科学文化素质

——论科学知识、科学思想、科学方法和科学精神

“三个代表”中，有一个是代表“中国先进文化的前进方向”；影响人们思想活动的客观环境和重大理论与实践问题中，有一个是人类知识总量迅猛翻番、现代科技突飞猛进、世界范围的“知识经济”已见端倪的现实背景。这都涉及科学文化知识问题。由此可见，坚定不移地始终代表先进文化的前进方向，在全党全社会大力加强科学知识、科学思想、科学方法、科学精神的宣传教育，努力提高全民族科学文化素质，这对于不断运用发展着的科学文化力量去解决科学文化迅猛发展带来的问题，促进党的思想政治工作和党的建设，推进社会主义物质文明和精神文明建设，具有极其重要的意义。

科学文化力量，越来越是改造世界推动历史前进的重要力量。科学文化的力量，越来越深刻地影响着人类生活，全方位地提高着人的素质和能力，成为改造世界、推动历史前进的重要力量。国与国之间的竞争，越来越多地表现在是否拥有科学文化力量，以及多大程度上拥有科学文化力量。这个道理并不难理解：人类历史是科学不断进步的历史，人类智力所达到的高度，从来都是那个时代科学文化所达到的高度。人类历史的难题从来都是那个时代的人民在前人的基础上通过科学创造解决的。我们的基点在于，努力提高全民族的科学文化素质，科教兴国，科教富民，使我们的国家更加强盛，使我们的人民更加富裕，为人类和世界的进步作出更大贡献。

普及科学知识，是百年大计，也是当务之急。在我国，普及科学知识，是百年大计，也是当务之急，原因有三：科学知识是人类进步的阶梯，国家发展的重要资源；人类知识总量迅速翻番，我们民族科学文化比较落后，亟须科学知识；国际竞争给我们提出了尖锐的挑战。实现现代化，不仅要脱贫，而且要脱愚。在愚昧的基础上无法摆脱贫困，只有整个民族摆脱愚昧，才能真正脱贫。而脱愚、脱贫，都必须大力普及科学文化知识，在全社会形成崇尚科学的良好氛围。

科学思想是人类智力的集结、智慧的结晶，是认识和改造世界的锐利武器。知识，只有集结为思想，才可能形成力量。科学思想一旦形成理论体系，并同社会需要、技术发展结合起来，同亿万人民改造世界的实践活动结合起来，就会变成巨大的物质力量。社会科学理论指导社会革命，自然科学理论引导科技革命的情况屡见不鲜。宣传和发展科学思想的一个重要任务是，不仅要揭示其产生的客观实际和发展规律，而且要帮助和引导人们划清唯物论和唯心论、无神论和有神论、科学与迷信、文明与愚昧的界限，增强识别和抵制各种唯心主义、封建迷信及伪科学的能力。科学思想的确立，为科学的世界观的确立奠定了基础。一个具有正确世界观的人，才是更加自觉、自在的人。帮助人们树立正确的世界观，是倡导科学思想的核心问题。

科学方法的确立，思维方式科学化的形成，比具体的知识学习更重要。普及科学知识，形成科学思想，运用所学得的知识去认识和改造世界，都有一个方法论问题、思维方式科学化的问题。科学方法是一个多层次的体系，最重要的是唯物辩证法。马克思主义的唯物辩证法，是科学的世界观，又是科学的方法论。

科学精神是推动科学创新的动力，弘扬科学精神就要求真务实、开拓创新。弘扬科学精神，对于提高全民族科学文化素质具有根本性基础性意义。江泽民同志指出，弘扬科学精神的基本要求，就是求真务实，开拓创新。“创新是一个民族的灵魂，是一个国家兴旺发达的不竭动力。”把科

学创新与国家兴衰连在一起，也就把科学创新提高到一个前所未有的高度。弘扬科学创新精神，基本的要求是，坚持解放思想，实事求是，勇于面对新情况新问题，反复研究，反复实践，不断前进；热爱科学，崇尚真理，重视科学决策，一切按规律办事；勤于学习，勤于思考，努力用科学理论、科学知识以及人类所创造的一切优秀文明成果武装头脑；勇攀高峰，甘于奉献，为祖国和人民贡献一切智慧和力量。

关键是领导干部要提高科学文化素质。领导干部是社会的先进分子，肩负着动员组织人民群众提高素质、建设家园的重任，必须在科学文化方面走在前面。提高领导干部科学文化素质，要有目标，有日程，有具体方案，要同干部的考核、提拔和使用结合起来；提高人民群众的科学文化素质，也要有目标，有日程，有具体方案。

原文出处：2000年7月26日《人民日报》

马来平：科学精神及其培养途径

人们看到，在“法轮功”一类的迷信、伪科学和反科学活动中，上当受骗的，不仅有普通群众，而且还有一些高级知识分子和科学家。这种情况十分耐人寻味，它表明，科学知识对抗迷信、伪科学和反科学固然有效，但效力是有限的。首先，高级知识分子和科学家尽管术有专攻、学识渊博，但相对于分支丛生、急剧膨胀的科学知识整体，任何个人的知识都不过是沧海一粟；其次，相对于未知世界，已知世界永远是较小的、有限的。俗话说的“学，然后知不足”、“人生有涯，知无涯”，就是这个意思。那么，有没有一种较之科学知识更有效的反对迷信、伪科学和反科学的武器呢？有的，这就是蕴含于科学知识和贯穿于科学活动之中的科学精神。

科学精神是整个科学界在科学活动中所表现出的一以贯之的思想和行为特点。它是科学的本质和灵魂。有了它，不仅可以使已有的科学知识发挥更大的效力，而且可以使人们在暂时缺乏某些具体科学知识的情况下，采取一种正确的态度和方法，以不变应万变，有效地击败迷信、伪科学和反科学的进攻。

科学精神包含哪些内容？科学是人类最高级、最重要的认识活动，科学精神则是人类区别于动物的理性精神的集中体现。它的核心内容即是理性精神。其具体内容主要包括如下几项：

普遍怀疑的态度；彻底客观主义的立场；逻辑思维原则；继承基础上的创新精神；精神明晰的表达方式。

如何学习科学知识、树立科学精神？关于学习科学知识，需要强调以下两点：

第一，就学习的目标而言，应当量力而行，循序渐进。第二，就学习的重点而言，除了科技工作者对本专业需要精通以外，科技工作者对专业以外的科学知识，以及一般人学习科学知识的重点，主要在于了解自然科学各学科的基本概念和基本理论，尤其是当代各学科最重大的成就。此外，对于地球的起源、生命的起源、人类的起源、思维的起源，以及世界的宏观结构、微观结构、人体结构和重要疾病的原理等事关树立正确自然观、宇宙观和人生观的重大科学问题，要特别予以注意。

关于科学精神，需要强调以下几点：

（1）参加科学实践。亲身参加科学实践是培养科学精神的基本途径之一。（2）反思科学知识。学习科学知识并对科学知识进行反思的过程，往往也是接受科学精神熏陶的过程。（3）熟悉科学发展史。（4）推进教育变革。（5）防范科学主义。反科学者任意贬低科学、夸大科学的消极作用是错误的；同样，主张科学万能、拒绝承认科学存在消极作用的观点也是错误的。后者即是通常所说的科学主义。首先，科学知识和科学方法都不是万能的。其次，科学方法可以广泛地应用于人文社会科学领域，但这种应用不仅有限度，而且不能照搬，需要创造性转换。第三，科学既能用于造福，也能使其为患。科学家和全社会应当齐心协力，从科学研究的方向、科学知识应用的范围，以及社会制度的变革、价值目标的完善、伦理观念的教化和社会发展战略的调整等方面着手，努力缩小和消灭科学的消极作用。

原文出处：《理论学刊》2000年第4期

郑　镇：科学精神的百年苦旅

在今天，当我们强烈地呼唤科学精神的时候，应该对我国传统文化、特别对近代百年以来科学精神在我国传播的历程作一番检讨。

从对科学知识的认同到科学精神的朦胧。鸦片战争以后，一批社会精英在西方列强的炮火震撼中觉醒，认识到科学技术在社会发展中的重要作用，从根本上改变了对科学技术的偏见与歧视的传统思维观念，对科学技术表现出空前的热情与浓厚的兴趣。然而，从19世纪中叶到20世纪初的半个多世纪的时间里，中国人所认识到的只是科学的表层的功利价值，而对蕴涵于科学知识与技术深层的精神价值却远远没有认识到。只是到19世纪末，当严复把科学知识推广到社会历史领域，作为社会变革的工具时，科学精神才开始了它在中国的艰难之旅。

“五四”新文化运动：科学精神的阐扬与科学主义的抬头。科学与民主是“五四”时期两面鲜艳的旗帜。在这一时期，科学之所以获得至高无上的地位，首先不是因为人们进一步认识到科学技术对于发展社会经济的重大作用，而是因为科学的内涵在新文化运动倡导者那里获得了实质性的把握，并成为社会价值评判的标准和推动社会变革的工具。“五四”是科学精神大弘扬时期，科学与民主两轮并转，凯歌前进，猛烈地冲击着封建旧文化。然而，封建旧文化有几千年的历史积淀，有深厚的社会根基，它不会轻易退出历史舞台，要伺机进行反扑。在“五四”时期，文化保守主义者就发起两次反扑：一次是东方文化派的反扑，一次是玄学派的反扑。无论科学派，还是唯物史观派，不但不能从根本上驳倒玄学派的观点，而且他们在论战过程中还表现出了科学主义的倾向，对日后科学精神的弘扬产生了不良的影响。

弘扬科学精神任重而道远。在新中国建国50年的发展历程中，科学精神得到了一定程度的弘扬。马克思主义唯物论、辩证法和唯物主义历史观的普及，科学无神论思想的宣传，以及正确的人生观、价值观的教育，等等，都使我国科学精神提高到了新的水平。但从总体上来说并不理想。我国科学精神的状况至今不尽如人意，如不加以改变，将影响我国现代化的进程。今后我们在物质文明建设的同时，不要放松了精神文明建设工作：在狠抓科学技术的同时，不要忽视了对公众的科学理论方法、科学理性精神的培育工作，特别是不要忽视唯物论辩证法的普及和教育工作，从而在全社会塑造起一个具有健全理性的社会主体。

原文出处：《中共福建省委党校学报》2000年第10期

任仲平：努力培育适应社会主义现代化要求的“四有”公民

——论世界观、人生观、价值观

培育“四有”公民和树立正确的世界观、人生观、价值观密切相关。“三观”是“四有”的基础，“四有”是“三观”的体现。在新的形势下，树立正确的世界观、人生观、价值观，是加强和改进思想政治工作的一个紧迫任务和重大课题。

世界观——并非虚无缥缈，而是具体实在的思想指南。一般地说，任何一个思想健全的人都在其生活实践中形成一定的世界观。世界观对每个人来说，不存在有和无的问题，只有系统还是零散，自觉还是盲目，清晰还是模糊，坚定还是摇摆，正确还是错误，先进还是落后的区别。马克思主义世界观是迄今为止人类历史上最科学最先进的世界观。这个科学的世界观一旦同人民群众认识世界、改造世界的实践活动相结合，就会化为强大的物质力量。中国革命的实践证明了这一点，改革开放和社会主义现代化建设的实践也证明了这一点。今天我们确立正确的世界观，核心就是要牢固树立马列主义、毛泽东思想和邓小平理论的指导地位，坚持用邓小平理论武装全党，教育人民。无神论是唯物论的思想基础，树立正确的世界观首先要确立无神论的观点。无神论思想不确立，世界观问题不解决，就不可能对我们生活的世界有一个正确的看法，甚至会坠入到一个“颠倒”的世界中去。

人生观——并非空洞乏味，而是无法回避的选择。人活着为什么？人生的意义是什么？人应该怎样度过自己的一生？对这些问题的不同认识和态度，形成了不同的人生观。始终一贯地坚持正确的人生观，这是一件看似容易实则很难的事情。做人须讲求“做人之道”。这里，没“机”可投，无“巧”可取。惟有辨清方向，锲而不舍，千锤百炼，奋力攀登，方能不断提高人生的境界。每个共产党员都应该在人生的征途上，交出合格的答卷。经受住了考验，我们党就会永远立于不败之地。

价值观——并非可有可无，而是时刻发挥作用的准则。价值观是由世界观和人生观决定的。有什么样的世界观和人生观，就有什么样的价值观。马克思主义的价值观以辩证唯物主义和历史唯物主义为指导，以全心全意为人民服务的人生观为取向。邓小平同志提出的“三个有利于”，是判断改革开放和一切工作是非得失的根本标准，是对马克思主义价值观的丰富和发展。江泽民同志提出的“三个代表”的重要思想，闪烁着马克思主义价值观的光芒，同样是对马克思主义价值观的丰富和发展。价值观念的形成和变革，往往要经历一个曲折复杂的过程。树立正确的世界观、人生观、价值观，不会一蹴而就，也不能一劳永逸。周恩来同志说，活到老，学到老，改造到老，可谓至理名言，可谓人生真谛。

原文出处：2000年7月10日《人民日报》

徐正初　张万苍：关于社会转型期价值观教育的思考

一、关于社会转型期价值观教育的定位

要正确认识和处理几个方面的关系：

1. 一元与多元的关系

从计划经济旧体制到市场经济新机制，我国社会发生着快速而深刻的变化，出现了经济成分和经济利益多样化、社会生活方式多样化、社会组织形式多样化、就业岗位和就业方式多样化，“四个多样化”作为一种客观的社会存在，必然集中反映到社会意识形态领域之中，表现为人们价值取向的多元化。面对这种现实状况，社会转型期的价值观教育必须站在“始终代表先进文化的前进方向”的制高点上，坚持用辩证唯物主义与历史唯物主义的立场、观点和方法统率、指导价值理论，正确把握社会转型期价值取向多元化与价值导向一元化的关系，具体问题具体分析，区分多元价值取向中积极、合理的成分与消极、不合理的成分，有区别、有针对性地加以评判和引导，把多元价值取向融合于一元价值主导的共同理想之中。

2. 传统与现代的关系

处在社会转型期，人们的内心深处既有对传统习惯的留恋，又有对未来世界的企盼，面临着眼花缭乱、身不由己、甚至非常痛苦的选择，产生着这样那样的疑虑、迷茫和困惑。面对这种情形，当代的价值观教育确实任重道远。引导人们走出困惑，既要“向前看”，又要“回头看”；既要树立时代精神，面向世界、面向现代、面向未来，又要坚持优秀的民族传统、历史传统、革命传统，不割断历史、数典忘祖，以免陷入民族虚无主义、历史虚无主义的误区。要把传统教育与创新思维有机结合起来，在继承民族优良传统的同时，建立现代意识，推动、促进有中国特色社会主义价值观体系的完善和发展。

3. 一般与具体的关系

价值观教育的内容一定要从城市、农村、社区、企业、学校的实际出发，开展有针对性的教育；一定要加强调查研究，切实掌握第一手资料，紧密联系受教育者的思想实际、工作实际、生活实际、心理实际，开展实实在在、有血有肉、具体生动的教育活动，切忌言之无物的空洞说教。教育方法要从受教育者的需求出发，注重研究“接受心理”，寓思想道德教育于新颖活跃、生动多样的活动形式之中，体现内容与形式的统一、质量与效果的统一。要把教育引导与切实为群众解决实际问题结合起来，明理顺气，排忧解难，帮助受教育者解决价值取向上的疑点、难点问题，走积极健康、文明向上的人生之路。

二、关于社会转型期价值观教育的原则

把个人的价值追求与集体的价值目标统一起来；把积极奉献与正当回报统一起来；把先进性要求同广泛性要求结合起来

三、关于社会转型期价值观教育的方法

自悟，学习提高素质，修养丰富人生。为此，活动不在轰轰烈烈，而在扎扎实实；不在做给他人看，而在深入人心。总结长期以来的实践经验，探索新时期思想教育的新规律，可以概括下列途径方式：

第一，教育培训的途径方法。以党员、干部、骨干为重点，以群众为对象，有组织地开展针对性的教育培训。上海社区在实践中形成的“社区学校”、老年读报评报组、居民科普宣传活动以及社区党课团课等形式，有效开拓了价值观教育的新途径。

第二，环境熏陶的途径方法。转型期的价值观教育，要重视发挥城市舆论、社区文明、乡镇文化、企业精神、校园风气的导向、激励作用，用好充足的社会教育资源，特别是分布上海城乡的众多爱国主义教育基地、城市发展的标志性建筑、社区的绿化美化工程等等融思想性、服务性、影响性为一体的教育资源，形成思想道德教育的长效机制。

第三，典型示范的途径方法。教育要设立参照系，行为要建起坐标杆，通过挖掘和树立大量既具有集体价值理念，又显示丰富个性特色的先进典型人物，用他们的成长轨迹、精神风貌、执著追求、无私奉献来教育人、引导人、鼓舞人、激励人，示范人生价值的路标。同时，充分运用反面典型的教育作用，来对照、清醒、反省人生，为价值判别高悬起明净的镜子。

第四，人格感召的途径方法。每一个党员、党员干部、国家公务员以及身为家长、为人师表的教师和从事经营管理工作的人，都应该发挥个体的人格力量，以身作则，模范行为，用实际行动去体验和展示正确的价值观、人生观。

第五，自我修养的途径方法。价值观教育有一个鲜明的特点：一靠教育，二靠觉悟。从根本上解决问题的是个体自身的内省。价值观的教育要重视个体的研究，研究个体思想、个体心理、个体需求，用“一把钥匙开一把锁”的方式，引导个体通过体验、思考、自省等自我修养的方法，把自我的点滴体验提炼上升为做人的道理，转化为追求积极人生的内在动力。

第六，行为实践的途径方法。在加强理论教育的同时，加强行为的规范和指导，也是价值观教育的重要途径。转型期的价值行为引导，一定要抓具体、讲落实，要从工作、生活、学习的“小节”入手，以岗位、家庭、社会的行为规范为重点，通过构筑行为基准来落实责任，规范行为。

第七，知识提升的途径方法。大力提倡学习，动员和组织全社会的学习活动，不仅是实现社会主义现代化的需要，是提升全民族整体素质的需要，也是加强社会转型期价值观教育的需要。

原文出处：《上海精神文明》2000 年第 9 期

张昌文：论提高人的综合精神素质

我国公民素质的状况，决定着综合国力的强弱，民族的兴衰和社会主义建设的成败。

一、人的综合精神素质的构成

健全的人的素质是德智体美的统一。作为精神文明范畴的人的素质是指人的综合精神素质，它是在实践基础上形成和发展起来的，是一定经济政治文化环境和教育的产物。构成综合精神素质的要素主要是：

政治素质；思想素质；道德素质；科技文化素质；能力素质；心理素质。

二、发展社会主义市场经济与提高人的综合精神素质

提高人的素质是人的发展问题。马克思考察了人的发展历史，把人的发展划分为三个大的历史阶段。人的依赖关系占统治地位是最初的形态。人的独立性是人的发展第二大形态。商品和市场经济的发展，促进了社会生产力的巨大发展和科学技术与文化的长足进步，形成了普遍的社会物质交换、全面的关系、多方面的需求以及全面能力的体系。在这样的条件下，人的素质迅速得到提高，人从人的依赖关系下解放出来，获得了独立性。但是，这种独立性是以物的依赖为基础的。“自由个性”是人的发展第三阶段。这是产品经济时期，社会是“自由人的联合体”，即共产主义的高级阶段。

商品和市场经济的充分发展，是人的发展不能避免的重要历史阶段。人的独立性发展为自由个性创造条件，只有经过人的独立性阶段才能步入自由个性阶段。

我国改革开放以来的历史发展证明，发展社会主义市场经济对提高人的综合精神素质的积极作用是巨大的、广泛的和深刻的。第一，人的以价值观为核心的思想观念发生了革命性的变革。第二，人的精神状态发生了积极的变化。第三，人们的科技文化管理知识有了较为普遍的显著的提高。第四，劳动者的能力向多方面发展。

只要存在市场经济，人的独立性仍然不能摆脱对物的依赖，对人的价值观、精神状态、知识和能力的评价，不能完全以人的要求为标准，而是在不同程度上以物的要求为标准。人还不能成为惟一目的，人的目的屈从于市场的需要。我国的现实生活表明，拜金主义已经腐蚀了不少人的灵魂，重功利轻道义、重金钱轻理想、重物欲轻人性的各种畸形的病态人格在滋生和发展。这就需要大力发展社会主义的经济政治文化，努力提高人的综合精神素质，抵制和克服人对物的依赖。

三、加强两个文明建设，塑造社会主义的现代人格

提高人的素质又是塑造现代人格的问题。为了适应我国社会主义现代化建设的需要，邓小平提出培养有理想、有道德、有文化、有纪律的社会主义新人。“四有”是对社会主义现代人格的高度概括。

塑造社会主义的现代人格是一项复杂的艰巨的系统工程，除了加强有利于人的素质提高的组织建设和制度建设以外，还要大力加强社会主义的物质文明建设和精神文明建设。

发展社会主义市场经济，为塑造社会主义的现代人格提供经济条件和社会环境。加强社会主义精神文明建设，为塑造社会主义的现代人格提供良好的人文环境和精神条件。只有在加强社会主义物质文明建设的同时加强社会主义精神文明建设，提高全民族的现代科学文化水平和思想道德水平，才能形成和发展社会主义的现代人格。

在思想建设中，最根本的是加强马克思列宁主义毛泽东思想邓小平理论的教育，在全社会确立正确的价值导向。价值观是思想观念的核心。

在道德建设中，要依据先进性和广泛性相结合的要求，在全社会提倡以为人民服务为核心的集体主义道德。

原文出处：《理论与实践》2000 年第 4 期

公方彬：雷锋、李向群精神与高素质军人的契合点及启示

一、雷锋、李向群精神具有普遍意义和历史可继承性，高素质军人符合历史发展规律，具有可持续性

雷锋、李向群事迹中所蕴含的精神实质，反映着那个时代全社会的精神风貌和人生价值取向，体现着那个时代社会的发展方向和发展轨迹，是时代的主旋律。雷锋、李向群精神是时代的产物，因此具有很强的普遍意义和历史可继承性。

今天我们提出并大力开展的培养高素质军人的活动，实际是在原有的“有理想、有道德、有文化、有纪律”的基础上，结合了知识经济和高技术革命的特点，针对广大青年官兵现有科学文化素质还没有完全适应未来高技术战争的需要而提出来的。如果我们把这种要求放到一个历史过程中加以认识，高素质又是随着社会和时代的发展而发展，是动态的、无止境的，因而具有可持续性。

二、雷锋、李向群精神是社会进步的结果，高素质军人也必将在时代发展潮流的裹挟下，真正成长起来

雷锋、李向群的成长及其精神的形成，都是在社会的规范和促进下，加上自己的努力和自觉而成长起来。雷锋、李向群精神是社会发展及这种发展校正和促进的结果。高素质军人的培养也是如此。知识经济的挑战，高技术局部战争给人们思想观念的冲击，世界各国为在军事领域抢占

科技制高点以赢得新世纪而进行的激烈竞争等等，无疑构成了一种强烈的环境氛围。在这样的氛围中，人们清楚地认识到，单个的人要在当今社会立足，一支军队要在世界竞争中充当胜者，没有高素质是不可能实现的。这是社会环境对每一个青年官兵最直接、最强烈的昭示。一个富有上进心的年轻军人，必然会产生强烈的危机感和努力成长起来的思想和感情冲动。

三、雷锋、李向群成熟于他们对革命人生价值观的理性认识与不懈追求，具有很强的自觉性；高素质军人是当代青年官兵的精神诉求和价值依归，他们必将在这种原动力的推动下成长起来

雷锋、李向群精神的成熟，都是源于正确的人生价值观的确立，他们的行为是理性的选择，具有很强的自觉性。高素质军人这一目标所以说能够实现，也是由于广大官兵普遍把这一目标视作完成党和人民赋予的使命的具体体现，视作履行职责、实现人生价值的基本途径。

既然雷锋、李向群精神与培养高素质军人存在以上三个方面的本质联系和契合点，我们有必要通过抓好新形势下学雷锋，学李向群的活动，促进高素质青年军人的培养。

第一，通过学习雷锋、李向群精神，帮助广大青年官兵确立使命感、责任感，把做高素质军人这一社会要求和组织行为内化为自我的人生追求。

第二，借助学习雷锋、李向群精神，在广大青年官兵中营造浓厚的学习成才的环境氛围，激发青年官兵的危机意识和不甘落后的精神，使其产生学习成才，做高素质军人的强烈欲望。

第三，把学习雷锋、李向群精神的活动具体化，增强针对性和有效性，强化制度的导向功能，为广大官兵读书成才提供良好的物质保证。

为使学习雷锋、李向群精神的活动虚功实做，应着重抓好几个方面的工作：首先，发挥政策的导向功能，通过制定相应的政策来约束和引导官兵。这些政策应当与广大官兵的切身利益紧密相联，包括军官的职务晋升、待遇标准、专业军士选改等等。其次，变革管理教育的观念，在为广大官兵提供必要的学习时间的同时，借助地方的科技力量、教学力量，在军民共建和“双拥”活动中使广大官兵学习成才有所补益。再次，要舍得投入，把培养高素质人才作为部队建设和战斗力提高的基本组成部分，最大限度为广大青年官兵提高素质奠定坚实的物质基础。再次，制定奖惩措施，大力表彰成绩优异者，以典型的示范作用来促进青年官兵读书学习热情的提高。

原文出处：《西安政治学院学报》2000 年第 2 期

谢琼桓：中华体育精神是全民族的精神财富

中华体育精神，作为全民族的宝贵财富突出表现在以下六个方面：

一、为国争光。爱国主义是中国人民团结奋斗的一面旗帜，也 是我国运动员勤学苦练、顽强拼搏的精神支柱。许多优秀运动员自觉地树立“祖国培养了我”的意识，并把为国争光作为自己人生的最大追求。

二、无私奉献。在党的教育和培养下，我国涌现了一批忠于职守、无私奉献的优秀体育人才。值得称道的是，在体育明星的背后，往往站着一些不为人知的英雄。在中国乒乓球队，今天之所以群星灿烂，尖子辈出，在世界体坛形成无与伦比的优势，原因之一是有一批肯于无私奉献的陪练队员。中国乒乓球队的胜利，是团队精神的胜利和一个庞大集体的胜利。

三、科学求实。我国实施的是以奥运会为最高层次的竞技体育发展战略，在项目布局上，在人、财、物投入上，都以奥运会的比赛项目为重点。在奥运项目范围内，根据我国的国情，突出优势项目，突出金牌效益好的项目，同时兼顾有潜在优势的项目，而不是平均使用力量、全面铺开。从技术、战术层面上说，我国一向强调“学众家之长，走自己的路”，既不固步自封，也不邯郸学步，锐意创新而又注意继承优良传统。例如排球、乒乓球、跳水、体操等项目，在运动员、教练员、科研人员的共同协作下，遵循科学求实的精神，首创了不少新技术、新战术，成为该项目制胜的“绝招”。

四、遵纪守法。鉴于运动队伍的特点，运动员必须接受比普通人更多的纪律约束。体育界一向提倡尊重对手、尊重裁判、尊重观众，教育运动员作遵纪守法的模范。我国运动员在悉尼奥运会上没有发生任何服用兴奋剂的事情，这也是遵纪守法的表现。团结、友谊、进步、公平、公正、公开，是我国努力遵循的原则，是引导我国体育健康发展的一项指针。

五、团结协作。我国体育界一向强调运动队伍内部要团结协作，互相帮助，取长补短。多年来，“举国体制”、“全国一盘棋”已经成为体育界的共识，指引着我国竞技体育的快速发展。

六、顽强拼搏。顽强拼搏是中国女排精神的体现，后来拓展成为整个体育队伍服膺的格言。体育界向来认为，竞赛既是技术、战术的较量，也是心理、意志品质的较量。因此，一方面要懂得“艺高人胆大”的道理，重视训练，提高技术、战术水平；另一方面也要懂得“两军相逢勇者胜”的道理。

原文出处：《求是》2000年第21期

夏秀英　姜龙虎：精神卫生与精神文明建设

随着社会生产力的发展和人们生活水平的提高，精神卫生事业在我国社会主义精神文明建设和物质文明建设中具有愈来愈重要的地位。探讨精神卫生事业的发展与社会主义精神文明的辩证关系，精神卫生能否成为社会主义精神文明建设的内容以及通过精神卫生工作的发展，保障和促进人类精神健康、合理发展精神卫生事业，促进精神文明建设就显得十分重要。

一、精神卫生在精神文明建设中的作用

精神卫生也即是心理卫生，有狭义和广义之别；狭义的精神卫生，目的在于预防精神疾病的发生；而广义的精神卫生，主要是指人们的精神健康，提高心理素质，使人们在工作和生活中发挥更大的精神效能和工作效率。世界卫生组织提出人类健康的定义是：健康不仅是指没有疾病和虚弱，而应是躯体、心理和社会适应的完好状态。即医疗保健要求人类不仅需要有健康的体魄，还要保持精神健康和完好的社会功能。世界各国的精神卫生专家，精神卫生工作者必须从广义的精神卫生研究预防精神疾患，因为精神卫生有不同的要求。随着我国社会现代化和文明化，要求人人讲究精神卫生，在建设中国特色的社会主义国家中，为了适应我国政治经济和两个文明建设的健康发展，需要有健康的心理状态和良好的心理素质的个体和群体。

精神卫生事业发展的社会效应和对社会主义精神文明建设的影响有两个方面：积极发展精神卫生事业，使人人讲究精神卫生，使人体保持精神健康，即产生正面和积极的社会效应。相反，如果我们社会不重视精神卫生工作，就会产生负面的和消极的社会效应。

二、精神卫生与社会主义精神文明建设的关系

虽然精神卫生在理论、研究方法、研究技术、研究对象和任务以及目标等方面与精神文明有明显的区别。但是，由于两者内在的联系和发展对整个社会的影响和辐射作用而发生关系，因而在某些方面和层次有互通作用并互相影响。重视精神卫生工作，保持个体良好的心理素质，提高群体的心理健康水平，使人体发挥更大的工作效率，

已经成为精神文明建设的一个方面。加强全民族的心理教育和精神卫生工作，保持个体良好的心理素质，提高群体的心理健康水平，使人体发挥更大的工作效率，已经成为精神文明建设的一个方面。加强全民族的心理教育和精神卫生工作有助于精神文明和物质文明协调发展。精神文明是主导，它支配着人们的精神生活。精神卫生则应服从和服务于精神文明的发展需要。二者共同形成积极、健康、文明的社会。

在全社会大力提倡崇高的理想教育和讲究精神卫生，消除个人主义，及时行乐的消极影响，建构起正确的人生观、价值观。

积极发展卫生事业，提高全民族的精神卫生保健知识和文化素质。

在提倡科教兴国的今天，提高全民族科学文化水平，必须包括心理健康教育，特别是青少年的心理健康教育。

把职业心理卫生特点和职业道德结合起来，使不同职业道德意识结合起来，使不同职业的人群了解职业特点和心理要求。培训职工坚守本职工作的事业心和荣誉感，使人们服从一定职业秩序和职业道德，人们团结协作，刻苦钻研，提高工作能力和工作效率，可以提高整个社会主义精神文明水平。

将精神卫生工作作为社会主义精神文明建设的内容和企事业单位文化建设项目。

作者单位：上海市精神卫生中心

原文出处：《上海精神文明》2000年第11期

杨秀香　何英慧：道德视角　从权利走向义务

道德权利重在个人所得，道德义务重在个人的付出。道德权利和义务本质上是相互包容的。但是在建立社会主义市场经济体制的过程中，人们承认个人权利的道德合理性的同时却使相当一部分停留在个人权利上而拒绝社会义务，这是当前最具普遍意义的道德问题。因此，提高人们履行社会义务的自觉性是道德建设的基础性内容。

从本质上，权利和义务是统一的。这是由人的存在的个体性和社会性这二重性决定的。但是在实际生活中，人的权利和义务却常常相互分离。这种背离的深层原因依然在于人的存在的二重性。作为个体的人是为了自己的生存、生活才相互合作，所以，个人的生存生活的要求是第一位的，履行义务从属于权利要求，是第二位的。可见，人的权利要求是与生俱来、根深蒂固的，而义务意识则是后天获得的。义务观念的强弱取决于个人对他人、对社会共同利益的认同，取决于对社会反映，体现个人利益的程度，对于社会成员的号召力和感召力，甚至取决于社会对其成员的控制能力。所以，人们要求权利和履行义务常常是不对等的。

在现代社会中，人的公民身份的确定，使权利和义务成为公民资格的两个构成因素。

公民的权利义务观念以及社会对公民权利义务保障制约机制是现代社会运行的基础。没有明确的个人权利观念及其对个人权利的实施，社会就将失去活力和效率；没有明确的义务观念、社会对公民的义务要求及其制约机制协调社会成员间的利益关系，社会就将失去秩序和稳定。所以现代社会的公民应是既具有自主的权利意识又具有协调的义务意识，并把二者有机地融于公民的角色之中。

市场经济体制的建立加速了我国的现代化进程。同西方国家不同，中国的这一过程不仅以个人的独立、自主、平等、自由冲击着封建道德意识的影响，而且也以个人权利的极端化冲击着在几十年革命过程中形成的伦理思想、价值观念。所以，中国在这一转化过程中出现的情况远比西方社会复杂。在所谓转变观念这一主题之下，一些人在否定封建伦理纲常、否定其对个性发展的压抑、对个人权利排斥的同时。在纠正社会道德忽视个人权利的同时，对集体主义道德原则本身产生了怀疑，认为应该用个人主义、功利主义等等作为社会道德的基本原则。结果是个人权利意识增强了，社会义务观念淡漠了，只知道要求社会保护个人权利，不懂得个人应当履行社会义务。这就必然导致个人主义泛滥，使人变得自私、冷漠甚至不择手段。

权利和义务是共生的。没有无权利的义务，也没有无义务的权利。

从个人权利的实现必须借助于他人义务的角度看，义务具有优先价值。义务的优先价值表明了人实现权利的合理方式，这就是任一权利主体要实现自己的权利就必须尊重他人的权利。道德权利的主体是个人，所以权利总是个人的权利，但是任何一个道德主体的存在只有在同其他主体的相互关系中才能获得其意义，所以主体的权利就只能在同其他主体的相互关系中才能实现。

从义务可能产生的效果看，义务具有大于权利的价值。

义务有可能使更多的人获得自己的所求，使更多的人实现权利。

从道德境界上看，义务高于权利。权利是一种个人要求，权利为个人利益所局限，就容易导向个人主义、利己主义。义务则超越了个人利益，表现着对他人、社会利益乃至人类命运的关心，它将人引向了一个更为广阔的生活空间。

总之，义务以其对个人利益的超越，对他人和社会利益的关怀而显示出高于权利的价值。因此，道德的变化不能止于确立个人权利或为个人权利正当性的辩护上，而应当同时引导人们树立义务观念，培养人们的道德义务感，用义务来引导权利的发展方向。

只有当履行义务成为公民的一种稳定心理、稳定的行为品质时，才会使履行义务真正成为人的一种自觉。贯穿于品德培养过程的是以公民的角色责任而不是以抽象的观念、原则对人们进行义务教育，使公民消除对义务的疏离而达到认同。

原文出处：《中共沈阳市委党校学报》
2000年第1期

冯修青：论思想道德建设的阶段性和层次性

一、思想道德建设要立足社会主义初级阶段的国情

从社会主义初级阶段这个实际出发，我国明确提出了建立社会主义市场经济体制的目标。在这个历史转折时期，我国不仅经历着从计划经济向市场经济的转变，而且伴随着从自然经济半自然经济向商品经济的转变；经济体制的改变，又不仅引起人们经济生活的重大变化，而且会引起人们价值观念和精神状态的重大变化。为此，在新形势下，正确把握社会主义市场经济与精神文明建设的关系至关重要。这一时期，社会主义市场经济与社会主义思想道德建设应该是二者的内在统一，应体现为思想道德建设既要适应市场经济，为市场经济服务，又要克服市场经济的负面影响，发挥思想道德建设在社会经济生活中的先导作用。

一方面，社会主义思想道德建设是一个历史过程，思想道德建设要适应社会经济状况和经济体制。社会主义、共产主义思想道德风尚在该阶段还无法作为人们道德行为的惟一准则。因之，思想道德建设，不能脱离实际，拔苗助长。

另一方面，社会主义市场经济是一种新型的经济组织形式，是社会主义制度和市场经济的有机结合。社会主义市场经济较资本主义市场经济更具优越性之处在于在一般市场经济的伦理规范之上，更蕴含着社会主义的价值原则和目标。要在发展市场经济过程中自始至终地保持社会主义方向，充分体现进步思想意识、道德观念对社会经济发展所起的先导作用。所以，在初级阶段整个时期，要同样重视思想道德建设的能动作用，大力弘扬社会主义、共产主义高尚思想道德，狠抓不辍。

思想道德建设相对于社会主义市场经济既适应又超越的关系，需要我们在正视现实的基础上，向高引导，从低做起。

二、思想道德建设要区别层次

现实生活中思想境界的高低有差，道德价值取向的多元化，要求我们立足现实，注意先进性与广泛性的结合，注意长远性目标与阶段性任务的结合，在思想道德建设工作中，从最基础的层面抓起，从根做起。这个“根”就是社会公德。

社会公德在思想道德规范体系中处于最低层次，是道德对每个公民的最低或最基本的要求。社会公德不立，简直就无法再进一步进行更高层次的道德建设。只有自觉地以社会公德规范自己约束自己的人，才有可能去践行社会主义道德，并进而达到共产主义道德崇高境界。

由易到难，循序渐进，是教育的规律，也是事物成长的规律。违背这规律，当然只能是事倍功半，欲速不达。

思想道德建设是庞大的系统工程。实际工作，需要充分认识其艰巨性和复杂性。在方式方法上，以下几个方面有特别提出以引起更多关注的必要。

第一，思想道德建设也要因地制宜。围绕精神文明建设的指导思想、奋斗目标、基本任务，党中央已做了全面部署，各地区经济文化发展不平衡，一地有一地的特点。各地应该结合当地群众反响强烈、社会各层面均很关注的焦点难点，抓重点突破，又注重全面推进，由小到大，积少成多，促使一地社会精神风貌整体改观。

第二，走群众路线。思想道德建设要从文件规划转化为可供遵循的标准，切实唤起社会大众的参与热情，使之成为实际可行的广大群众的具体实践。各地区党政领导班子在实现政府行为向群众自发行为的转变中，应巧妙地充当导演兼演员的双重角色。

第三，教育化与法制化并举。教育的手段是必要的，然而仅靠教育的软约束是不够的。道德本身不具有强制力。加强社会公德法制化当前尤具迫切性。

第四，认可多元化标准，朝一元化最终目标趋同。针对社会群体的多元化道德价值取向，鼓励倡导人们努力实践以为人民服务为核心，以集体主义为原则，以爱祖国、爱人民、爱劳动、爱科学、爱社会主义为基本要求的社会主义道德观；号召以共产党员为代表的一切先进分子在模范遵守社会主义道德基础上，身体力行共产主义道德，以现实的表率作用，使人们的思想境界不断升华，从而带动社会风气、民族素质的全面提高。

作者单位：内蒙古自治区党委宣传部
原文出处：《实践》2000 年第 5 期

马宜章：试论道德评价的科学操作

道德评价是对评价对象的行为进行肯定或否定的道德判断。它对形成道德舆论，调整道德行为，弘扬良好的道德风尚具有重要的作用。

第一，要明确评价主体的身份和立场。我们进行道德评价时，必须站在中华民族、中华人民共和国和广大人民群众的立场上，才能得出正确的评价结论。

第二，要掌握科学的道德评价标准和方法。道德评价归根结底是判断被评价对象的善与恶。而要决定善恶，就要有评价标准做依据，只有评价标准科学统一，才能准确地界定对象的善与恶。评价从不同的层次和角度进行时有不同的标准。大致有：道德评价的利益标准；道德评价的阶级标准；道德评价的历史标准；评价的道德规范标准；道德评价的生产力标准。

道德评价中经常会发生同一行为用不同的标准判断会得到不一致的评价结论。在这样的情况下道德评价操作的科学性就显得特别重要。正确的做法应该是：首先用生产力标准和历史标准作为“标准”的标准，检验阶级标准及其道德规范标准。然后用符合生产力标准和历史标准的道德规范标准去进行具体的道德评价，这样得到的结论就会是正确的。

当然，实际道德评价过程中还有更复杂的情况，需要采取灵活巧妙的操作方法才能得到正确的结论。其一，有些评价对象不能直接用道德规范标准进行评价，需要用价值推导的办法进行评价。其二，当某些评价对象既有积极的价值意义、又有消极的价值意义时，对其进行道德评价，可用价值权衡的办法得出结论。

第三，要把行为的主观动机和客观效果有机结合起来。道德评价的对象是人的行为表现，而行为是由其背后的主观动机驱动的。

道德评价应坚持动机效果统一论，把二者紧密结合起来进行道德评价。需要特别关注的是动机效果不一致的情况，即“好的动机造成不良的效果”和“坏的动机却有好的效果”，必须掌握科学的评价方法。

道德，要从效果出发进行道德评价。

其次，对于行为效果不好的情况，要深入地分析其动机，根据动机效果统一原则，判定其道德善恶。这可能有几种情况：其一是效果不好，但能证明其动机是好的，譬如医生竭尽全力也没能把病人治愈。那么应确认该行为是善的，道德的。其二是效果不好，又能证明动机是坏的（无论卑劣的动机藏匿得多么隐秘，都有可能会露出破绽和痕迹）。那就无疑判断该行为是非道德的，恶的。其三是效果不好又确实无法通过实践确证行为背后的动机是好的情况，一般应判断为非道德的。

第四，要分析行为的目的和手段。

人的行为都是有目的的。为达到目的，必定采取一定的手段。二者紧密联结，都具有道德意义。进行道德评价时，既要关注行为的目的，又要重视行为的手段，要在对它们全面分析把握中判断行为的道德性质。

第五，要全面分析能力水平、主观努力程度和劳绩的大小。

在道德评价中，有时人的劳绩大小是重要的判断依据。而影响劳绩大小的多种因素中能力水平和主观努力程度是最重要的两个因素，具有重要的道德意义。所以，道德评价过程中要在全面分析能力水平、主观努力程度和劳绩大小的相互关系中进行道德判断。

第六，对人的人格品质和偶然行为的道德评价分别进行。

所谓人格品质，是指人在生活实践中的一贯行为所体现出来的稳定的道德特征，偶然行为是人在特定环境条件下的即时的行为表现，这里主要指有悖于人格品质特征的反常行为。人格品质是人的行为的内在基础，人的行为是人格品质的外在表现。大多数情况下二者是一致的。但是，二者也有分离的可能性。在特定的情况下，人会因为某些特殊的原因做出不符合自己人格品质特征的偶然行为：其一，对个别问题的认识偏差的判断失误，会使人做出偏离人格品质的偶然性行为。例如一个一贯关爱子女的家长因听信“不打不成材”的误导，对子女进行了体罚，就属于这种情况。其二，人的潜人性突现，会使人产生有悖于人格品质的偶然行为。人性是复杂的，有多重性。往往其中一种占优势，使人形成相对稳定的人格品质。但当遇到特殊情况时，平时潜伏不露的人性会突然显现出来，支配人做出“反常”行为。其三，人的突发性欲望冲动会支配人做出违反常态的偶然行为。

所以，在进行道德评价时，要把人格品质和偶然行为区别开来分别判断。

人格品质和偶然行为的分离现象特别要求我们在对人的人格品质进行道德评价时，要慎重细致，不能简单轻率。

原文出处：《北京青年政治学院学报》2000年第2期

罗国杰：新时期思想道德建设的问题与对策

我国正处在发展社会主义市场经济和实现社会主义四个现代化的新时期，这个新时期向我国的思想道德建设提出了前所未有的新情况、新问题和新矛盾，要求我们根据马克思主义的立场、观点和方法，创造性地对这些问题加以认真地分析和研究，从而找出解决的对策。

一、新时期思想道德建设面临的新情况、新问题

经济全球化、政治多极化和科学技术的迅速发展，尤其是信息技术、互联网的出现，带来了政治、思想、道德和文化方面的更加直接、更加迅速的相互激荡、相互冲突和相互影响。我国发展社会主义市场经济以来，经济生活和社会生活领域出现了许多复杂的情况。这种多样化的出现，使人们的个人意愿得到更大的满足，为个人的充分发展提供了更多的机遇，但同时也产生了个人就业的某些困难，产生了个人要求同国家和社会需要之间的新的矛盾。值得注意的是，我们在发展社会主义市场经济的过程中，还必须充分认识到“市场”本身所带有的消极的、负面的影响。

二、新时期提高道德素质的重要意义

在发展社会主义市场经济的新时期，提高人民群众的道德素质具有重要的意义。实践证明，有了良好的道德素质，就能使人们自觉地扶正祛邪，扬善惩恶，就有利于形成追求高尚、激励先进的良好社会风气，保证社会主义市场经济的健康发展，促进整个民族素质的提高。我们应当全面认识法律和道德的作用，使道德规范和法律规范相互结合，统一发挥作用。

三、认清新形势，有针对性地加强思想道德建设，正确对待价值取向的多样性

根据上述的分析，我们认为，在新时期应当从以下几个方面来有针对性地加强思想道德建设。我国发展社会主义市场经济以来，在思想道德领域最重要、最关键、最有决定意义的变化，就是随着经济成分多样化和利益主体的多样化的出现而带来的人们价值取向的多样化。价值取向的不同，也必然要导致世界观、人生观和价值观的不同。问题的关键在于，我们是社会主义国家，我们所实行和发展的是社会主义的市场经济，在意识形态领域，必须坚持价值导向的一元化；重视理想、信念和“三观教育”；辩证地解决个人利益与集体利益的关系；把道德的先进性同群众性很好地结合起来。总之，思想道德建设必须随着时代的发展而发展。

原文出处：《中国人民大学学报》2000 年第 5 期

夏伟东：现时代道德理想的抉择问题略议

一、关于伦理抉择的“务实化”问题

“务实化”，现在是使用频率很高的一个概念。在以经济建设为中心的时代，如果从扎扎实实搞经济建设，把工作做实、落到实处的角度而言，“务实化”确乎是一种基本的工作方法和工作态度，无可非议。然而，一些同志是把“务实化”

当作一种时代精神来把握的，这个时代精神，又是与另一种被概括出来的时代精神相对立的，这个与“务实化”相对立的时代精神，就是所谓的“理想化”。在这样一种思维方式中，“务实化”与“理想化”是一个对立的两极：“务实化”被用在褒义的层面上，代表着新时代、新观念、新精神，因而代表着应被选择的新的价值导向目标；而“理想化”则基本被用在贬义的层面上，代表着过时的时代、过时的观念、过时的精神，因而代表着应被抛弃的过时的价值导向目标。由此可见，“务实化”这个概念深层的意识形态含义的错误，就在于它是对过去年代的“理想化”的一种直接相对立的反思，甚至毫不掩饰地对所谓“理想化”进行否定和批判。

从目前的社会思潮来看，大体包括对两种传统的“理想化”的否定：一种是对中国古代传统道德理想的否定，一种是对中国革命传统道德理想的否定；前者大致包括对鸦片战争以前的以儒家传统伦理道德为核心的理想的否定，后者大致包括对从“五四”运动以来的、以中国共产党的伦理道德为核心的理想的否定。

把“现代经济活动方式没有首先产生于中国”的原因，主要归结于“整个古代漫长的历史上，中国社会都处在一种道德理想主义的精神氛围中”，这样的论证是相当片面的。仅仅从伦理道德上去寻找中国社会经济停滞不前的一切答案，是无法让人信服的。

中国自近代以来的大大小小的革命，特别是自“五四”运动以来由中国共产党领导的新民主主义革命，是使中国创造经济和社会发展奇迹的最深刻的动力源泉，“为什么我们过去在非常困难的情况下奋斗出来，战胜千难万险使革命胜利呢？就是因为我们有理想，有马克思主义信念，有共产主义信念。”

这样的“理想化”的抉择，不仅适应于战争年代这种特殊的历史环境，而且在社会主义建设和改革开放中也产生巨大的精神动力。

二、关于伦理抉择的基础问题

如果不对“理想化”持有一种曲解或者偏见，如果不是刻意把“务实化”树为对立面来否定甚至批判“理想化”，那么，“理想化”和“务实化”，在伦理抉择中，决不是对立的两极，而是一件事情的不同的过程。

理想绝不是同务实相对立的。任何理想都是对现实生产关系和生活关系的认识的折射，它总是基于现实的关系，来对改良或者变革现实，提出心目中十全十美的未来蓝图。任何理想又必须从现实出发，都必须“务实化”，才能一步一个脚印达到理想的最终目标。

理想又绝不是对现实的简单临摹。理想的一个基本特征是对现实关系的不满足性，因此，实现思想的动力无论是来自改良还是来自革命，理想的蓝图总必须优于现实的生活，理想的内涵都必须带有价值导向性，都必须提出更有意义的生产和生活关系的追求目标。

在理想与现实的关系问题上，需要讲一点辩证法：既不能用理想的远大来否定现实的奋斗，也不能用现实的艰难来否定理想的导向；既必须胸怀雄心壮志，也必须一步一个脚印。

正确理解和把握理想与现实的辩证关系，需要慎重对待伦理抉择的基础问题：统一理想与现实，是应该以个人的需求满足为基础，还是应该以社会的需求满足为基础？

个人与社会的关系，始终是伦理道德的基本问题，这是我们考虑伦理道德问题的一个首要的出发点。纵观人类伦理思想史，一般而言，只要不持极端化的伦理道德观，大多数的伦理道德流派都主张“兼顾”个人利益与社会利益、“兼顾”个人需求的满足与社会需求的满足；根本的分歧不是要不要“兼顾”，而是“兼顾”以什么为基础。

近代以来，个人主义和集体主义，成为划分伦理道德思想流派阵营的两条基本界限。一个伦理流派划归为哪一阵营，其根本的标志，是看其选择什么样的“兼顾”基础。

严肃的集体主义思想家（如马克思、恩格斯），他们丝毫没有无视个人的利益和需求，但他们更加强调：人在其现实性上，不过是一切社会关系的总和，离开社会去谈论个人，都是不切实际的；特别是，在私有制造成的严重扭曲关系的情况下，个人的解放（这里似乎可以理解为个人利益与需求的最大满足）只有通过解放社会的途径才是惟一现实的。

我国在社会主义市场经济条件下，选择以为

人民服务为核心、以集体主义为原则的伦理道德价值导向，这决不仅仅只是从伦理道德本身来考虑的，而是同时包融了深刻的社会经济发展的含义。简言之，我们所从事的，是建设有中国特色社会主义的伟大事业，一切都要围绕着这个大目标来进行。

原文出处：《中国党政干部论坛》2000年第2期

王　曦：转型期道德失范的原因及对策

随着改革的深入由此带来了整个社会，包括道德观念和道德风貌在内的各方面的变化。转型期社会道德建设究竟存在哪些问题？应该如何更好地建立起社会主义市场经济下的道德规范，这对我国现代化建设至关重要。

目前理论界对市场经济与道德建设的关系问题的争议。目前理论界对市场经济与道德建设的关系众说纷纭，甚至针锋相对。单从市场经济对道德观念的影响上划分，大体有“滑坡”论、“爬坡”论、“分疏”论。持“滑坡”论者认为市场经济带来了道德滑坡，伴随着金钱至上、拜金主义、享乐主义、个人主义，造成了人际关系中的某些深层的不和谐因素。持“爬坡”论者认为，市场经济带来了道德观念的更新和道德的进步。持“分疏”论者认为，道德与市场不是一个领域，并非一条轨道，市场经济领域的运动机制，不会干扰道德建设的主流，两者也并不矛盾。以上观点，虽看似各有合理性，但都失之笼统。

转型期道德失范的原因。当前道德状况失落现象的原因十分复杂，本文重点从以下四个方面作些探讨：一是中国道德传统两重性的负面影响；二是文革后期的信仰危机和道德危机。三是转型期的社会不公正现象是道德信仰危机的主要根源。四是转型期社会流动性增强必然带来道德失范。

转型期道德建设的对策。江泽民同志的十五大报告，在提出到下世纪的前十年建立完善的社会主义市场经济体制的同时，强调要深入持久地开展社会主义道德教育，加强社会主义道德建设。转型期加强与市场经济相适应的伦理精神的培育和伦理规则的建构十分重要。为此，要以建立公民道德为基础，有层次的构建体系。要道德与制度建设、管理方式相配合。要加强道德意识中的健康的心理引导。

原文出处：《山西高等学校社会科学学报》2000年第1期

陈炳水：论道德教育实践中的道德能力培养

一个社会道德文明的提高，一方面需要社会用一定的道德原则和规范来教育其各个层次的成员，使受教育者明确道德上的善恶标准；但另一方面，更需要社会在进行道德教育实践的过程中，注重个体践行道德能力的培养。只有做到这样两者的统一，才能从根本上正确解决一个人在现实生活中所遇到的道德问题。

道德能力的涵义及理论分析。所谓道德能力，也就是人所特有的一种超乎自身功利而履行人所确认的道德原则或规范的本领及心理特征。它包括人的道德认识能力、道德判断评价能力、道德选择能力、道德实践能力、道德担载能力以及道德抵抗能力等。道德能力作为人的生存能力的一个重要组成部分，它既表现为是人的一种本质能力，又体现出成功地完成道德行为所必需的心理特征。

道德能力的形成与发展。从历史的角度看，人类自律的要求和能力，人的道德能力运用的对象范围，经历了一个形成、发展并从总体上呈现出日趋提高和扩大的趋势。在原始社会，人类精神的自律，人的道德能力运用的对象范围只限于本民族部落。进入阶级社会以后，一方面各种反社会性质在人身上发展起来，使人与人对立，使社会存在者变成非社会的，即利己的、个人主义的存在者；另一方面，阶级、国家、民族乃至人类利益的出现及对它们程度不同的自觉，也使人的道德能力的对象范围越出氏族和部落血缘关系的界限，扩大到阶级、国家、民族乃至人类。尽管大部分人的道德能力的强化和扩大是与这种能力在少部分人身上的退化同时并进的。在当代，出现了一种不仅要求道德地对待整个人类，而且要求把这种态度扩大到一切生物及环境的道德倾向。

培养道德能力的意义及应把握的几个问题。培养道德能力，有助于人类道德认识的发展。培养道德能力，有助于人们迅速作出道德评价和选择符合道德原则和道德规范要求的行为。培养道德能力，有助于塑造主体性的道德人格。培养道德能力，是塑造科学认识主体和艺术创作主体的一个十分重要的条件。

在目前道德教育的实践活动中，应把握哪几个问题呢？在道德教育中，教育者要确立受教育者的教育主体地位，充分发挥他们的主体性作用；在道德教育中，教育者要不断充实道德教育的内容，使受教育者能够全面地把握道德的理性知识。在道德教育中，教育者要不断引导受教育者注意道德经验的积累；在道德教育中，教育者对受教育者要进行多样化的道德思维训练。

原文出处：《宁波大学学报》2000 年第 1 期

杨芷英：自省慎独与当代青年道德人格培育

增强当代青年的自省意识，培养他们的自律精神，是提高当代青年的道德修养、培育道德人格的关键环节。

自省是儒家提出的重要修身方法。儒家进一步从“为己之学”的观点出发，规定了道德人格所应达到的理想境界——慎独。这里，“为己”不是指为自己谋私利，而是指道德修养不是做给别人看的而是自我在道德上的充实与完善。

道德人格是指个体人格的道德性规定，是个人的德性、情操和品行的总和。道德人格作为衡量个体人性的标志是人类弘扬人性，减少或摆脱兽性的艰辛努力的结果。道德人格并非天生自成，而是人们通过接受各种道德教育，并在自身努力修养和践行的过程中逐步形成的。在道德人格的形成过程中，自省、慎独始终起着重要的作用。

首先，通过自省、慎独可以使当代青年增强培养高尚道德人格的自觉性和紧迫感。青年朋友通过自省慎独，可以经常检查自己的言行，思考自己的得与失、善与恶、对与错，开展积极的思想斗争，自觉纠正言行偏差，并不断为自己提出更高的道德要求，完成从自发到自觉、从外表到内心、从被动到主动、从他律到自律的行为转变，从而使自己的道德修养提高到一个新的境界。

其次，通过自省、慎独可以使当代青年提高道德认识水平，增强道德情感。

青年朋友通过不断的善与恶的对比，正与邪的认识，公与私的斗争，理性和欲望的较量，来提高自己的道德认识，坚定道德信念，培养道德情感，自觉克服品行中的弱点，形成良好的道德习惯，构建高尚的道德人格。

再次，通过自省、慎独可以培养当代青年的道德意志，坚定道德信念。

高尚道德人格的形成并非易事，它是一个自我否定、自我改造、自我教育的痛苦过程，需要通过“自省、自讼”来革除自身的弊端，消除自身的痼疾，向自我宣战；需要通过“慎独”来“与自己过不去”，为自己提高更高的道德要求，实现道德的自我超越。在这一过程中，没有“自省”，道德意志就不可能得到锤炼和铸造；没有“慎独”，道德意志也不可能得到提高和升华。

最后，通过自省、慎独可以培养当代青年的自律意识，养成良好的道德习惯。

《中国青年政治学院学报》2000 年第 1 期

龚友德：道德素质需要学校家庭社会的合力

我国教育界对学校、家庭、社会三方面合作提高学生的素质并无疑义，认为三者相互配合才能强化教育效果。有些学者提出了学校、家庭、社会“一体化”或“三结合”的理论。本文在确认“一体化”、“三结合”重要意义的基础上，试图探讨三方面合力的切入点和三方面各自的特殊使命，以求使这种理论更臻完整、科学。

三方共同的切入点：蒙以养正。教育的目的是培养全面发展的人。我们培养的大学生应当具有坚定正确的政治方向，应当掌握马克思主义、毛泽东思想和邓小平理论的基本观点，应当具有与现代社会发展相适应的世界观、人生观和价值观，应当具备高尚的道德品质和文明素质。为了实现这样的目标，我们应该从何做起呢？简单地说，我们应从头做起——从小孩子的教育做起——蒙以养正。道德教育始于人生的第一所学校——家庭，蒙以养正是各级各类学校德育的先导与基础。学校、家庭、社会三结合道德素质教育的切入点就在蒙童身上，共同的使命就在于教他们如何做人，首先是如何做子女和孙子女，如何做兄弟姐妹。

学校的特殊使命：指导。家庭道德教育如此重要，似乎不应该有多大疑义。那么谁来进行这种教育呢？道德当然是“第一任教育”。一个很不情愿又不得不作出的结论：目前我国大多数家长不能承担对孩子进行道德教育的责任。他们大多不知道如何教育。人们不是在大声疾呼“救救孩子”吗？其实首先要“救”的是父母，如果父母“救”不上来，能把孩子“救”上来吗？“救救父母”，这是我们的当务之急！谁来救父母？答曰：舍学校其谁也？学校的首要任务是教人做人，其次才是教人学问。而做人又首先是做儿子、女儿、兄弟姐妹，要是连儿子、女儿、兄弟姐妹都做不好，怎么能做个好的社会成员呢？

家庭的特殊使命：参与。家长在大学生思想品德教育中绝不是消极被动的，家长应当主动参与学校的某些活动，配合学校对孩子进行教育。一是访问学校。二是家长联谊会或称家长——教师协会。三是继续教育子女。

社会的特殊使命：调控。为了全面提高大学生的思想品德素质，社会应在下述三方面有所作为。第一，坚持正确导向。必须理直气壮地弘扬正气，弘扬高雅，弘扬中华民族的优秀传统。第二，营造良好社会环境。目前，社会有关部门组织的某些抽奖活动与社会主义精神文明建设尖锐冲突，与学校、家庭对青少年的道德教育相去甚远。第三，开展社区教育活动，如参观访问本地历史文化纪念地。组织当地老干部、老党员、劳模、英雄给学生作优秀事迹报告等。

原文出处：《常熟高专学报》2000 年第 3 期

刘同舫：道德建设的全新领域

网络道德建设是道德建设适应现代科技发展的表现，它是道德教育主体根据传播学的有关理论和原理，利用计算机网络所进行的道德教育。其主要方式是在了解计算机网络、多媒体知识以及掌握现代化传播技术手段的基础上，通过制作、监控和传播网络信息，引导道德教育客体（网民）全面地、客观地接触信息，选择、吸收正确的信息，从而达到道德教育目的。随着现代网络社会的来临，道德建设将进入一个全新的领域，进行网络道德建设具有十分重要的现实意义。

现代网络社会需要道德建设的支撑。首先，现代网络社会不是道德教育的真空地带。现代网络社会复杂的矛盾斗争不仅需要道德建设，而且对现代道德建设提出了更高的要求。

其次，现代网络社会诸多网络问题需要道德建设来解决。现代网络社会提供了一个独特的“虚拟”环境电子空间，网民以“隐形人”的身份在网上自由操作，他们摆脱了现实社会诸多伦理关系的束缚，极易放纵自己的行为，忘却社会责任，丧失道德感，出现如电脑黑客、信息垄断等严重的网络道德行为问题，还存在更为严重的网上战争和网络犯罪问题。由于文化传统、社会价值观和社会制度不同，色情信息在西方有些国家视为合法，网络的国际化使这些黄色信息毫无障碍地在网络中传播，造成对现代网络社会的污染和威胁。由于世界还存在着对立的政治制度和意识形态，文化渗透和思想侵略在没有硝烟的战场上是主要的武器。四通八达的信息网络打破了过去的自然屏障，使恶意的政治信息在现代网络社会恣意横行，西方道德、文化价值观念对我国青少年网民的影响不容忽视。

网络道德建设对传统的超越。首先，道德教育主体发生变化。网络中的道德教育主体不仅相互之间地位平等，不具有上级和下级的层级性，而且与道德教育客体的地位也是平等的，因而更具有亲和力、人情味，也就更具有取得良好教育效果的魅力。

其次，道德教育客体发生变化。网络道德建设以“网络人”即以广大网民为对象，以学校中青年学生和知识分子为主体。

再次，道德教育内容发生变化。教育内容的形态从静态变为动态，从平面化走向立体化，从现实时空趋向超时空，变得丰富而全面，并且具有客观性和可选择性。道德教育内容具有极高的文化与科技含量，政治性隐含在历史文化知识和现代科技信息之中，由多媒体技术——声、色、光、画等多种现代手段而演绎，从而化抽象为具体、化枯燥为情趣、化疑惑为理解。当然与此同时，计算机网络也不可避免地会出现过滤不了的负面教育信息内容。

再次，道德教育方式发生变化。不使用传统的“灌输”方式。而借助多媒体计算机的一切手段向网民提供信息，并引导网民正确选择道德信息。将传统的道德教育方式现代化，在网络中为道德教育所使用的哲学的、心理学的和社会学的方式和方法穿上现代科技的外衣。

关于网络道德建设的几点设想。把加强网络道德建设作为网络道德建设的首要任务。把开展网上道德教育活动作为网络道德建设的关键任务。把建立道德教育网络体系作为网络道德建设的主要任务。把加强网络道德建设的理论研究作为网络道德建设的主导任务。

原文出处：《青海社会科学》2000年第5期

徐 红 李红军：网络道德教育发展的新趋势

现代信息网络技术的发展尤其是因特网在中国的迅速普及，使中国人的社会存在方式大大地扩展与延伸，中国也开始步入一个网络在社会生活中不可或缺的时代。中国青年在享受着这顿“世界大餐”的美味时，也不可避免地碰到了前所未有的道德难题。某些负面的、消极的道德影响甚至严重的道德失范行为引起了社会对构筑网络道德观念体系的关注。

它给道德教育提出了前所未有的挑战：传统的道德教育如何去适应并满足网络社会对道德教育的新需求，并形成网络时代新的道德观念体系？面对这个挑战，道德教育工作者必须去思考、探索、行动，绝不能够视而不见，自行其是；也不能被动防御，疲于应对；而应该主动出击，在这个全新的网络空间中去占领阵地，开辟一条网络道德教育发展之路。

一、大力发展研究，构建出符合网络环境下的网络道德观念体系，教育在前、预防为主

网络道德体系是人们对网络社会条件下的道德理论、道德原则和道德规范的认识和掌握。由于网络是一个新生事物，简单地用既有社会道德去代替网络社会道德是不可想象的，但抛弃既有社会道德去构筑网络社会道德也是不可能的。网络社会的道德体系也只有在既有社会道德的基础上才可能建立起来。

构建新的网络道德观念体系应该坚持以下原则：首先应该反映出网络时代特殊的道德要求；其次要反映社会主义的本质特征；第三，要从中国传统的道德观念体系中吸收营养，继承和发展中华民族的传统美德；第四，要以开放的心态吸引西方可资借鉴的道德观念。

在网络道德观念体系中尤为紧迫和尤其应该重视的是网络规范的研究、制订与教育。

首先，应该加强网络社会公德规范的教育，要求各个网络主体都必须遵从，比如在媒体上进行网络社会公德的宣传、在学校开设网络社会公德教育课程、网络主体在加入网络前必须接受网络管理机构的网络公德培训并宣誓确认等等；其次，在今后可能从事网络职业工作的高校学生的专业教育中，应该增加网络从业人员职业道德规范教育，使其明确这个职业领域特殊的道德要求；第三，在网络行业协会中，社会还应通过法律的、行政的手段，要求网络行业协会确立自己的行业职业道德规范，把行业职业道德规范作为行业管理的一个重要组成部分。

二、主动占领网络道德教育的空间，借助于网络的广泛影响力，以高尚的道德价值观影响青年人

网络给道德教育提供了一个新的阵地。如果我们主动占领网络教育的空间，我们的主体思想道德观念在青年人接受的网络信息中占据较大的比重，青年人就可以在一定程度上抵制反动、色情、暴力和种族歧视等信息垃圾的入侵，我们就有可能对青年人的思想道德观念加以影响。比如在网络中开设栏目宣传我们社会的主体思想道德价值观念信息，形式可以活泼多样，在“德育教室”中开设德育讲座，在“与圣人同行”中引导阅读中华传统道德经典，在“德育调查”中就青年人最为关心的时事政治、社会问题进行调查，在“心理指导”中进行心理诊断与治疗，在“成长与发展”中对大学生的人生选择提供帮助等等。

三、借助于丰富多彩的道德教育方法，依靠多种多样的网络载体，全方位地进行道德教育，道德教育者要力求成为网络德育专家

随着网络社会的日益发展和渐趋成熟，道德教育可以借助于多种多样的文化、艺术、体育甚至游戏等多种网络载体，来宣传我国社会的主体网络道德观念。道德教育工作者要敢于面对全球信息技术飞速发展和网络世界对青年人影响越来越大的客观事实，因势利导，争取政府支持，我国社会主义现代化在经济建设、文化教育、科学技术领域的重大成果都是极其宝贵的信息资源，开发这些信息资源，并通过网络把它传播到世界各地，不仅扩大了中华民族文化在世界上的影响，更重要的是在一定程度上抵制了反动、色情、暴力、犯罪等信息的入侵。大力开发中文界面的网络信息资源，在其中传播生动直观的网络德育教育信息，让社会主义道德价值观、中华民族的优秀道德和网络时代生长出来的先进道德观念能够通过网络影响青年人。

原文出处：《思想·理论·教育》2000 年第 6 期

张旭晨　李炳毅　张继革：因特网对大学生思想道德教育的影响初探

近 10 年来，现代传媒中发展最快的就是国际因特网（Internet）。可以说，以因特网为主要标志的全球信息化正在对社会政治、经济、科技、文化等各个方面产生巨大影响，它改变着人们的生产方式、生活方式和工作方式，影响着人们的思想观、行为规范和价值取向。而受影响最大的便是掌握着先进的科学技术，接受新知识、新信息最快，最具活力和创造力的当代大学生。因此，认真分析因特网对大学生群体的影响，尤其是对大学生思想道德素质的影响并研究教育对策，具有重要的理论意义和现实意义。

因特网的迅速发展及其特征。自从 1993 年 9 月美国政府提出实施“国家信息基础”计划（NII）以来,全球化互联网运动蓬勃兴起。目前全球因特网用户以每年 160%的增长速度发展,每天有 6.7 万人加入因特网,其中发展最快的是中国。

就现阶段来讲,因特网已表现出以下四方面的特征:传递速度非常迅速;传播的信息密度大、覆盖面广;传播的内容量大、庞杂;传播效率极高。

因特网为大学生思想道德教育提供了新的发展空间。因特网在拓展大学生思想道德教育的发展空间方面至少有以下积极意义：丰富多彩的信息资源，能极大地充实思想政治工作的思想资源。网络信息尤其是 BBS（即可以隐名不隐名地与网上其他人交谈）将成为随时把握师生思想动态和热点的晴雨表。网络文化是高校进行思想道德教育的一种新载体。

因特网对大学生思想道德教育的负面影响。从目前看，因特网对大学生思想教育带来的负面影响主要表现在以下几个方面：西方的思想渗透和文化侵蚀进一步加剧，这给思想道德教育的客观环境增加了新的更大的压力。大学生利用网络形成的违法和不道德行为将日趋增多，加之我们缺乏积极进取、针对性强和行之有效的工作手段，致使一些地区的思想道德教育流于形式，形如槁木。大学生的各类社会心理问题日益增多，身心的健康成长面临新的困惑，导致思想道德教育的任务进一步加重。

网络思想道德教育的对策。要利用好因特网这一现代重要传媒，就必须扬长抑短，致力于建设一个网络思想教育系统。网络思想教育建设是一项庞大的系统工程，它既需要正确的观念指导和领导的高度重视，又需要人力、物力和财力的支持与配合。目前，我们应着力完成以下四项任务：培养网络思想教育工作者，是网络思想教育建设的首要任务。建立思想道德教育计算机网络体系，是网络思想教育建设的主要任务。进一步加强优秀民族文化教育和社会主义思想道德教育，抓紧国内重点新闻和教育网站的建设，是网络思想教育建设的关键任务。加强网络思想道德教育的理论研究，是网络思想教育的主导任务。

原文出处：《兰州大学学报》（社会科学版）
2000 年第 28 期

陈 颖：医德教育在医院精神文明建设中的作用

一、医德教育是医院精神文明建设的中心课题

职业活动是人类社会中最基本的社会活动。社会风貌的形成，城市文明的程度，人们生活质量的高低，行业作风，都是通过人们的职业活动体现出来的。建设良好的社会主义职业道德有助于社会道德水平的提高。

职业道德建设关系到医院的兴衰成败。良好的医德能激励职工完善知识结构，提高医疗技术，全心全意为病人服务，在岗位上充分发挥自己的聪明才智，从而使医院在激烈的市场竞争中以优质服务取胜。

二、医德教育必须针对职工思想实际，讲究实效

激励性。重视典型人物的示范作用，对职工高尚品德、高尚情操的养成是最好的催化剂。近年来虹口区卫生局以多种形式学习赵雪芳、吴孟超、顾玉东等优秀医务人员的事迹，对职工教育很大。

警示性。医德教育要真正发挥实效还必须注重从实际出发，重视反面典型事例的解剖，从反面事例中吸取教训，对人们道德规范的养成起到警示作用。

渗透性。医德教育只有紧紧围绕着提高医疗质量，改善服务态度这一核心来开展，将其渗透到医院服务业务中去，才能真正收到实效。

多样性。医德教育要使群众心悦诚服，易于接受，还必须注意教育的多样性、生动性、寓教于乐。医德教育的多样性、生动性会大大激发医务人员的参与意识，强化服务意识，使便民措施落到实处。

利益性。坚持社会效益第一，是社会主义医德的基本原则，是医院必须坚持的办院方向。但现阶段的医德要求在坚持社会效益第一的前提下，还必须兼顾国家、医院和个人利益的统一，应遵循价值交换的原则，采取正当的措施规范医务人员的求利行为，引导医务人员树立正确的利益观。

三、医德教育必须与规范医疗行为相结合

医务人员是医德建设的主体，在医院职业道德建设中起到主导作用。要使医务人员树立正确的价值取向和医德境界，具有高效的敬业精神，必须将医德教育与规范医疗行为结合起来。

制定服务规范，加强行为监督；坚持医疗质量第一，将医德教育与医疗业务工作紧密结合；针对薄弱环节，加大行风建设力度；构建医院文化，为规范医疗行为营造良好氛围。

医院文化必须构建以“病人为中心”的医疗服务整体格局，坚持“以人为本”，要紧紧围绕“以病人为中心”这一文化建设的根本宗旨来设计医院精神、医院管理、医院服务模式等，要以无私爱心和人道情怀培育医院的核心价值观。倡导积极向上的医院精神是建设医院文化的内涵，如倡导“敬业、爱岗、团结、奉献”的职业精神等等，为病人提供一流的优质服务。

作者单位：虹口区卫生局

原文出处：《上海精神文明》2000 年第 2 期

许启贤：经济伦理研究述评

什么是经济伦理？经济伦理包括哪些内容？如何使经济伦理的研究进一步深化？不少人并不十分清楚。探讨这些问题很有现实意义和理论意义。

什么是经济伦理？根据我的归纳，当前主要有三种看法。第一种看法，是从伦理学的角度来理解经济伦理。认为经济伦理就是关于人们经济生活和经济活动的道德观念，以及人们对这种道德观念的认知和判断。第二种看法，是从经济学角度来理解经济伦理。认为经济伦理就是由经济运行的内在规律原则提升的道德价值体系。第三种看法，是从伦理学和经济学结合的角度来理解经济伦理。认为应将伦理的经济功能和经济的伦理意义有机地结合起来。三种看法都有一定的道理。但我更倾向于第三种看法。

经济伦理包括哪些基本内容？经济伦理不是一个抽象的概念。不同社会不同国家的经济伦理是不同的，就是同一个国家，不同时期的经济伦理也是不一样的。我们实行以市场为主配置资源的社会主义市场经济，使国家有限的人力、资金、土地、物资等资源得到合理、优化的配置，从而大大加速了社会生产力和社会经济的发展，同时，也为市场经济伦理道德的建立与发展，提供了坚实的基础。通过几年来的建设实践，我国社会主义市场经济有了很大的发展，初步形成了社会主义市场经济体制。同时社会主义市场经济伦理也有了很大的发展，初步建立了宏观经济伦理、中观经济伦理和微观经济伦理。

如何使经济伦理研究进一步深化：第一，认真研究社会主义市场经济的经济伦理。我认为，不论是建设社会主义市场经济，还是建立适应社会主义市场经济的经济伦理，学术界思想理论准备是很不充分的。第二，研究市场经济的经济伦理和利益的关系问题。经济伦理需要研究的问题很多，但是，利益问题始终是一个核心问题。只要我们紧紧抓住这个问题不放，社会主义经济伦理就会有实实在在的内容，而不会使它陷入抽象的、空洞的议论之中。第三，与各方面协作，共同研究经济伦理问题。

原文出处：《高校理论战线》2000 年第 2 期

钟阳胜：改革实践促进社会思想不断进步

改革开放伟大实践不仅极大地解放和发展了生产力，而且极大地解放了人们的思想，深刻地改变了人民群众的精神面貌，促进社会思想不断进步。

人民群众亲身体验改革开放的实践和伟大成就而衷心赞成社会主义，以伟大的创造热情参与改革开放和现代化建设，用实际行动拥护和实践社会主义，坚信中国的现代化只能走符合中国国情的有中国特色的社会主义道路。

解放思想，开动脑筋，独立思考，已成为全民族的新风气；勇于实践，勇于创新，敢为人先，已成为时代的新风尚。树立新观念，接受新事物，迎接新挑战，为社会发展和进步注入了新活力。

在党内和人民群众中，肯动脑筋、肯想问题的人愈来愈多；排除干扰、打破迷信、从实际出发独立思考的精神得到发扬光大、勇于思考、勇于探索、勇于创新受到支持和鼓励；讲真话、讲实话、老老实实地表达群众意愿的人为人民所拥护。改革开放进一步解放了人们的思想，振奋了民族精神。社会主义物质文明和精神文明的进步不断涤荡着旧思想、旧观念，与社会主义市场经济相适应的自主意识、创新意识、竞争意识、开放意识等先进的思想文化意识，促进社会生产力发展的效率观念、效益观念、法制观念等文明进步的社会观念逐渐深入人心。人民群众的首创精神得到尊重，敢想、敢干、敢为人先的精神为社会所推崇，基层群众创造的新鲜经验成为党制定政策的有力根据。从过去思想上的保守封闭到今天的活跃开放，人们的改革精神和创造活力一下迸发出来。

人们在实践中，通过比较和鉴别，选择能够代表人民群众自身利益的正确主张。努力客观全面地分析社会生活中的种种现象，形成自己的正确认识，思想日趋成熟。

人们不再盲从迷信，而是以实践为标准来检验思想观念，根据实践来观察事物，思考问题，依据实践的结果讲真话、讲实话。既不把书本上的个别论断当作束缚自己的教条，也不把实践中已见成效的东西看成完美无缺的模式，坚持实践的观点，不断地丰富思想，完善认识。对社会生活中出现的各种现象努力做出客观全面的分析，形成自己的正确认识，这也是人们的思想日趋成熟的标志。

对于思想领域存在的一些问题，既不能掉以轻心，也不必把问题看得过重。重要的在于引导，要相信实践的力量，重视群众的自我教育。

在当代中国，以马克思主义为指导的正确的进步的思想观念是整个社会思想的主流，而违反马克思主义的错误的落后的观念则只是一些支流。既不忽视问题，也不夸大问题，有什么问题就解决什么问题，包括解决在一部分人中存在的信仰、信念和信心、信任等问题。真理是在同谬误的较量中闪现其光芒的，正确的思想只有同错误的思想作斗争，才能促进社会的文明和进步。重要的在于引导。所谓引导，就是坚持马克思主义理论正气，理直气壮地代表先进文化的前进方向，唱响主旋律，用先进的思想文化指引群众，帮助群众辨别真假，分清是非；就是打好主动仗，走在群众的前头，指导群众排除干扰，在纷繁复杂的环境中作出正确的选择。相信实践的力量，用改革开放的实践成果来说服群众，帮助群众在实践中自己教育自己。

作者：广东省委常委、宣传部长
原文出处：2000年9月12日《人民日报》

鱼小辉：科教兴国战略与社会主义精神文明建设

科教兴国是我们当前的战略方针，而科教本身则是社会主义精神文明的重要组成部分。

如果没有发达的教育和文明的科学，不仅我们的物质文明建设无法顺利进行，社会主义精神文明建设也无法落到“实”处，而只能处于残缺不全的低水平上。

坚持科教兴国的战略方针，促进生产力迅猛发展，提高全民族的思想道德水平，这乃是大力加强社会主义精神文明建设的必不可少的条件。

精神文明的范围很广，但其主要内容则必须包括以下两个方面：一是教育、科学、文化、艺术、卫生、体育等事业的发展规模和水平；一是社会政治思想和伦理的发展方向及水平。社会主义精神文明的范围，自然也概莫能外。如果说，上述前者是社会主义精神文明建设的“基础”；那么，后者则是衡量社会主义精神文明建设的“标准”。二者必须并重，如此才能全面建设社会主义精神文明的宏伟工程。

在当前的社会主义精神文明建设之中，要想将其建设“基础”的教育、科学、文化、艺术、卫生、体育等事业的发展规模和水平这一方面抓好。就必须把科教放在优先发展的战略地位，继续加大投入。只有充分发挥科教的龙头作用，才能为社会主义精神文明的宏伟工程奠定牢固的“基础”。在这里，我们所说的科学不单是指自然科学，而且也包括社会科学；我们所说的教育不单限于在学校中对青少年学生所进行的“传道授业解惑”的知识教育，而且还包括对社会上广大干部、群众所进行的思想、文化、科技等方面的素质教育。在致力振兴中华、为使中国在21世纪中叶基本实现社会主义现代化而奋斗的今天，科学和教育正相互促进，相辅相成，共同发挥着巨大的作用。

在当前的社会主义精神文明建设之中，要想将其衡量“标准”的社会政治思想和伦理这一方面抓好，从而真正确立社会主义精神文明的发展方向和水平，除党和政府各级部门大力抓好马列主义、毛泽东思想特别是邓小平理论的宣传和学习外，同样也有赖于实施科教兴国的战略，推动生产力迅速发展，加快实现经济振兴，尽早实现社会主义的现代化。在当前的社会主义精神文明建设中，要想将其衡量“标准”的社会政治思想和伦理这一方面抓好，还应通过科教兴国战略的实施，大力提高全民族的思想道德水平。

作者：陕西省社会科学院研究员

原文出处：《理论导刊》2000年第5期

张雪峰：扩大消费需求中的精神文明建设

以精神文明建设来促动消费需求的扩大，并在扩大消费需求中介绍健康文明的生活方式，引导树立良好的消费观念，促进精神文明建设，这是物质文明和精神文明二者互动关系在我国经济、社会生活中的具体体现。

一、发展教育、科学、文化，推动消费需求的扩大

教育、科学、文化建设能够直接以产品的形态出现、不仅有利于提高全民整体素质，而且对扩大消费需求将产生直接推动作用。

我国教育发展水平低和教育消费需求旺盛的矛盾，不仅为教育产业提供了广阔的市场和发展潜力，更要求教育事业要以社会效益为主。据专家估计，若高校在目前办学水平基础上扩大一倍，可增加直接支出约240亿元，拉动投资和最终消费达1000亿元，对GDP的贡献率每年将超过半个百分点。在注重经济效益的同时，更要注重充实内涵、提高全民素质的社会效益。要从我国目前社会经济发展不平衡的实际出发，在个人教育费用不断增加的情况下，不让一个孩子因贫困而失学，在智力发展上做到共同进步，从整体上推进精神文明建设的程度。

以科学技术的发展推动消费需求的扩大，既是经济发展的内在规律，也是精神文明建设的本质要求。扩大以科技为内涵的消费的生产，不仅可以缓解供求矛盾，而且有利于引导消费者从传统的消费方式走向现代，使人们在消费科技产品的过程中，改变自己的知识结构、价值观念，提升对科学技术的认同，从而推动科学技术的普及，动摇和拆除封建迷信赖以存在的社会基础，在全社会形成“尊重知识、尊重人才”的社会风气。

加强社会主义文化建设，坚持要以现代化为目标，以科学的理论武装人，以正确的舆论引导人，以高尚的精神塑造人，以优秀的作品鼓舞人，切实弘扬主旋律。同时还要适应文化市场化发展的趋势，倡导文化的世俗化和多元化，满足不同消费者的文化口味，不断繁荣社会主义文化市场。

二、扩大消费需求中的思想道德建设

第一，要坚持不懈地抓好邓小平理论的宣传教育。用这一理论统一全党、全国人民的思想，引导群众正确认识中国社会发展规律、国家的命运和前途，澄清各种错误观点和模糊认识，建立起强大的消费伦理支柱。

第二，要进一步树立建设有中国特色社会主义共同理想，引导人民群众增强对中国未来发展的信心和改革前景的乐观心理预期，增加个人消费的信心。

第三，要大力倡导健康、积极、文明消费的生活方式。

第四，要努力给人们提供精神家园，固置安身立命之所。

第五，要引导人们树立生态环境意识。这是社会发展为思想道德建设提供的新内容。要在全社会形成的消费规模、合理的消费结构和健康科学的消费行为，减少人与自然环境的矛盾。

作者单位：天津师范大学经济与管理学院
原文出处：《道德与文明》2000年增刊

焦俊卿：在群众性精神文明创建活动中充分发挥载体的作用

群众性精神文明创建活动有哪些载体

创建活动载体呈现多样化和开放性的发展态势。首先，创建活动载体日趋多样化。就拿襄樊市来说，原来有军民共建、警民共建、青年志愿者活动、社会服务承诺制活动等创建载体。近些年不断创造，出现了新的群众性精神文明创建载体，如小城镇的文明创建，还有“文明行为常识教育活动月”“十佳文明市民”、“十佳城市美容师”、“十佳公仆”、“十佳三老义务员”、“十佳居委会干部”、“十佳特色家庭”评选活动等等，在精神文明创建中很有作用。这些“十佳”系列评选活动起到典型引路、现身说法的教育，有亲切感、有说服力、有激励作用。形象工程建设通过塑造城市形象、单位形象、产品形象、市民形象，达到了“半年见成效，一年上台阶，两年大变样”的工作目标。其次，是活动载体更具开放性。这里所说的开放性主要是指载体的社会公众性更强，不再是过去那样仅仅局限于某个单位，某一段时间或某一个行业而是广泛地开展，全面地普及。

一般载体和特殊载体。群众性精神文明创建活动由于其创建内容和方式的不同，对创建活动载体也会有不同的要求。因此，就有一般载体和特殊载体之分。常规性的、大面积的创建活动所需要的载体，我们姑且称之为一般载体，如各级各类文明单位创建“讲文明树新风”活动的一般形式等等都属于此类。而在某些特定时间，以特定对象进行的文明创建活动所需要的载体则属于特殊载体。

不管是一般载体还是特殊载体，都会随着群众性精神文明创建活动的日益丰富而不断更新，这就要求我们精神文明建设工作者必须具有远大的目光、开拓的精神和创新的本领，不断发现新载体、创造新载体、用好新载体。

在开展群众性精神文明创建活动中发挥载体的作用应注意哪些原则和方法

要坚持可行性和实效性相结合的原则，精心设计载体。一是办好市民学校，发挥阵地教育作用。二是编好用活一本书，发挥行为规范作用。1997年我们组织力量编写了《文明行为常识》一书，针对市民在人际交往、衣食住行等10个方面存在的问题，用一问一答的形式介绍了有关的146个文明常识，通俗易懂，深受市民欢迎。1998年又编写了《市民文明常识365问》。以只问不答的形式，要求市民对照《文明行为常识》找答案，自查自省，规范行为，提高素质。1999年则编写了《职业道德、社会公德、家庭美德100题》，从更高层次对市民进行了文明行为教育。一年一书，既有渐进性，也有阶段性。正所谓“十年树木，百年树人”持之以恒，方见成效。三是开展好常识教育月活动，发挥舆论导向作用。四是确定义务劳动日，发挥干部表率作用。五是树一批文明市民典型，发挥示范作用。

在方法上要坚持传统性和创新性相结合。过去的优良传统和有效的方法我们应该继承发扬，同时也要从新形势、新情况出发，用改革的精神和方法来加强精神文明建设，推动群众性精神文明创建活动向更高层次发展。所谓改革创新的精神：道德是指要有勇于探索的精神。其次是要善于利用新的载体，吸引广大市民踊跃参与精神文明建设活动。再次，要力戒形式主义，把群众性精神文明创建工作抓实抓好。

作者：襄樊市委宣传部部长
原文出处：《汇政论坛》2000年第3期

徐学庆：构筑社会主义精神文明建设的目标体系

社会主义精神文明建设是一项目的性极强的社会系统工程，构筑社会主义精神文明建设目标体系要求我们要把精神文明建设看做一个发展变化着的历史过程，充分考虑这个过程的时代背景、现实条件和工作基础，以构筑科学合理的社会主义精神文明建设目标体系。

坚持以马克思列宁主义、毛泽东思想和邓小平理论为指导。中国共产党以马克思列宁主义、毛泽东思想、邓小平理论作为自己的行动指南。作为贯穿精神文明建设始终，既是出发点又是落脚点的精神文明建设目标体系的构筑也必然要以马克思列宁主义、毛泽东思想和邓小平理论为指导。以这一理论为指导，是社会主义精神文明区别于资本主义精神文明的基本原则和根本标志。

坚持重在建设的方针。精神文明重在建设，就是把“建设”作为工作的出发点和落脚点，以立为本，持之以恒，贵在落实，务求实效。这是我们党在深刻总结历史经验的基础上，从社会主义初级阶段实际出发，提出的一个重要指导方针。精神文明重在建设，反映了社会主义现代化建设的客观要求。归根到底，要集中到促进社会生产力的发展上来，服从和服务于经济建设这个中心，决不能离开或干扰、冲击这个中心。

把精神文明建设纳入经济和社会发展的总体规划。各地各部门都应把制定与国民经济和社会发展相协调的精神文明建设发展规划列入重要日程。制定精神文明建设的目标规划，一定要从实际出发，注意针对性、可行性和可操作性，既要有长远目标和总体要求，又要有阶段性目标和具体项目，从而形成一个相对完备的目标体系。

把精神文明建设的长远目标和阶段性目标结合起来。社会主义精神文明建设是一个历史过程，具有阶段性和层次性。因此在构筑精神文明建设目标体系时要遵照循序渐进，务求实效的原则，把长远目标同阶段性目标结合起来。

目标要分层次，把先进性要求同广泛性要求结合起来。一定的上层建筑和意识形态是一定社会经济基础的反映。我国正处于并将长期处于社会主义初级阶段，生产力发展水平不高且各地又不平衡，经济文化比较落后，社会经济关系是以公有制为主体，多种所有制并存，分配制度是以按劳分配为主，多种分配方式并存，而且在共同富裕目标下鼓励一部分人先富起来。这样的经济基础就决定了不同层次社会成员之间科学文化素质和思想道德素质必然参差不齐，必然是多层次的。这就要求我们要遵循渐进原则，从社会主义初级阶段出发，针对不同层次的对象制定不同层次人的精神文明建设目标，把先进性要求与广泛性要求结合起来，体现出主导性与层次性的统一。

目标要尽可能量化，把软任务变成硬指标。精神文明建设同其他事物一样，也是质和量的统一，其建设目标既包含质的要求，又包含相应的量的指标，对社会主义精神文明建设由质的要求而达到量的规定，是认识的深化，也是精神文明建设的必然。

建立精神文明建设目标责任制。实行目标责任制有利于改进精神文明建设工作，有利于增强精神文明建设的针对性和主动性。抓好精神文明建设目标责任制，关键是在领导，关键是在于考评、奖惩挂钩。

原文出处：《社会主义研究》2000 年第 1 期

苏光建：精神文明建设也要注重品牌意识

一、精神文明建设同样具有明显的品牌效应

精神文明建设的品牌效应具有整体性和社会性，其影响力和覆盖面，可以大到一个地区、一个行业。上海以“安、居、乐、业”为标志的文明小区、文明社区建设，深受人民群众的欢迎和支持。

精神文明建设的品牌效应，也可以是一个部门、一个岗位乃至一个个人，其影响力和覆盖面，也具有整体性和社会性。马桂宁、徐虎、包起帆等著名劳动模范，早已是家喻户晓，深入人心，其精神已化为文明建设中的“精品”，推动着全社会的发展。

精神文明建设的品牌效应，既是各行业职业道德的集中体现，又是全社会文明素质提高的生动反映。“文明单位”、“窗口行业”，通过“文明用语”、“微笑服务”、“政务公开”、“民主监督”等方法，创建自身品牌，树立文明新风。

二、注重品牌意识有利于精神文明建设的发展

首先，创建品牌有利于体现自身的特色。

其次，创建品牌有利于树立明确的目标。

其三，创建品牌有利于调动群众的参与。

三、创建品牌必须与精神文明建设实际相结合

第一，结合自身特点，创建文明品牌。在产品生产中，普遍讲究“人无我有，人有我优”的精神，在文明创建活动中，同样也不能“盲目攀比”、“千篇一律”。

第二，结合自身优势，创建文明品牌。由于各行业、各单位的服务范围、工作内容等不尽相同，各自在创建活动中显示的优势也不尽相同，看准自身优势，创建文明品牌，是十分重要和有效的。

第三，结合自身条件，创建文明品牌。品牌需要有社会影响力，但创建活动过程中，还需要遵循“量力而行”的原则，不搞一时的“轰动效应”。成果不在大小，只要是真正的品牌，就同样会发出灿烂的光辉。

作者单位：上海旅游高等专科学校
原文出处：《上海精神文明》2000 年第 1 期

雷瑁梓 周迎妍：创建文明单位与“CIS”的建立

一部分企业在创建文明单位时引入国外经营管理中“CIS”战略的一些做法，对于创建的深化、优化和规范颇有成效。

一、文明单位创建和“CIS”具有共同性

“CIS”的含义和团体的形象塑造战略。之所以把这一做法引入单位创建，是因为创建工作和“CIS”有很多共同和共通之处。一是目标的同一性。“CIS”是通过一系列内外形象的塑造来提高单位的素质、提高员工的素质，以树立社会和公众认可的形象，促进单位的发展。文明单位创建毫无疑问，也是如此。二是生存和发展的需求性。“CIS”本身就是随着激烈的市场社会的竞争而逐步生产、发展，最后形成为一门新的管理科学的。“CIS”的实施贯穿单位的整个发展过程，并与之的生存和发展息息相关。而文明单位的创建也应该是单位的一种自觉行为，是单位发展的内在需求，而不是行政命令式的强制推行的要求。三是实施过程具有系统性。“CIS”顾名思义是一项系统性工程，包括理念系统，涉及哲学、文化、经营，甚至美学等多个方面。文明单位的创建工程也是全方位、多层次、多维立体的体系，包括思想道德、科技教育、文化体育、环境治安等各个方面。

二、文明单位创建和“CIS”具有互动性

为文明单位创建提供机制和体制的保证，使创建更规范化、制度化。“CIS”已经成为一门比较成熟的管理科学，从形象的定位到各种管理体制和运行机制都相当完备和规范。把“CIS”的模式运用到文明单位的创建中无疑能使其创建工作在规范化、制度化建设上上一个新台阶。

为文明单位创建提供整体规划，使创建更具计划性、系统性。“CIS”就是通过调查、研讨、决策、立案来确立总体计划和阶段性计划，通过导入、推广、实施、反馈、修正、调整、更新对计划的实施过程进行管理，并能及时适应单位的动态运转。文明单位创建中推行“CIS”的计划制定和管理的做法，能极大地提高创建的计划性，提高创建过程的管理水平。

促进文明单位创建与日常经营和管理工作的结合，使创建更具实施性。“CIS”就是一个支撑单位运转的体系，每个环节都指导着一项或几项常规工作，丝丝入扣，无法肃离，创建通过上述制度和计划的确立，融入到常规的经营管理中，贴近单位的日常工作，成为文明单位创建的抓手和着力点，这样，创建工作不仅更具有实际可操作性，而且能降低文明单位创建的成本，实效性更强。

推进文明单位创建的长效管理，使文明单位的质量不断巩固和提高。对“CIS”一说，它的建立仅仅只是开始，因为它本身就是一个管理系统，它的着力点在于建立以后的运行机制，而且它具有动态性和时代性的特征，它的着眼点在于单位外部的变化和单位的长远发展。在文明单位的长效管理中引入“CIS”的一些做法，或者把它的一些内容纳入“CIS”的管理中，无疑对文明单位的长效管理是十分有利的，对巩固和提高文明单位的质量将是十分有效的。

三、文明单位创建与“CIS”具有相融性

“CIS”涵盖的三大模块：一是“MIS”，指理念识别系统，包含单位经营或管理的指导思想，所倡导的价值观，凝聚人心的单位精神等等；二是“BIS”，指行为识别系统，其对内是指对员工的组织管理、教育培训、文明礼貌、道德规范等等，对外是指公共关系、参与公益活动、广告宣传、产品展示等等；三是“VIS”，指视觉识别系统，包括单位标识、色彩、象征图案、品牌标志等等。

文明单位的创建首先是要同建立 MIS 相结合。其中至少要把握两点。第一点，在构筑单位理念的内容时必须体现社会主义思想道德建设的核心。

在构筑单位理念时必须把追求单位的发展放在首位，但同时也必须把对社会和公众承担的责任和贡献放在重要的地位，这也体现一个单位所倡导的价值取向。单位的理念（包括价值观、精神支柱）应该是两个文明的有机统一。第二点构筑单位理念时必须富有个性特色。

文明单位的创建要同建立 BIS 相结合。这方面的结合要把握三点。第一点，员工的培训教育必须包括精神文明的内容。要突出思想理论、精神道德方面教育的重点，要进行社会主义思想道德教育，要进行形势任务教育，要进行礼仪风范、文明举止的教育等等。第二点，文明单位创建中的行业规范服务达标活动同建立 BIS 结合。BIS 的内容以行为规范为主，而岗位行为规范又是行为规范的核心，文明单位的创建也要特别注重这方面的建设。第三点，把参与社会精神文明共建活动同建立 BIS 结合起来。BIS 对外的表现方式主要有：专题公关活动，赞助社会公益事业，策划新闻报道等。其中参与社会公益事业是实现对社会和公众责任的一种表现，也是文明单位创建的基本要求，其中很重要的做法就是走进，同所在地区开展各种精神文明建设的共建活动。

文明单位的创建要同建立 VIS 相结合。这方面的结合要把握两点。第一点，把文明创建中的环境的整治和建设同 VIS 建立的环境规划和设计结合起来。第二点，把单位的文化建设贯穿于 VIS 建立的过程中。VIS 建立包括基础系统和应用系统，具体为：单位识别标志，专用品牌和字体，厂（单位）旗，厂（单位）徽，厂（单位）歌，工作环境及其设备，工作制服及饰物，单位的报纸刊物等，所有这些都是单位文化内涵的外在表现。把单位的文化建设贯穿于 VIS 建立的过程中，无疑能够增加文明单位创建的文化含量，提高创建的档次和质量。

作者单位：上海市嘉定区文明办

原文出处：《上海精神文明》2000 年第 11 期

孙家正：关于西部大开发中的文化建设问题

文化建设既是西部大开发的重要组成部分，同时也是促进西部大开发的重要保障力量，因而西部大开发中的文化建设问题应该引起我们的高度重视。

一、充分认识文化建设在西部大开发中的地位和作用

经济、政治、文化的协调发展和社会的全面进步是西部大开发的整体目标，文化建设在西部大开发中具有十分重要的地位。要以“三个代表”的思想和十五大精神为指导，在发展西部经济、改良西部环境的同时，大力加强西部地区的文化建设和精神文明建设，使这里的经济建设和文化建设协调发展，相互促进，推动社会全面进步，达到西部的全面振兴。

文艺作为“精神的火炬”和“奋进的号角”，要为西部的开发和振兴作好宣传和舆论引导，鼓舞和激发广大群众，以奋发昂扬的精神状态积极投身到西部的基础建设、退耕还林、防沙治沙等实践中去。其次，要为西部大开发提供智力支持。文化建设的根本目的是培育有理想、有道德、有文化、有纪律的“四有”公民，不断提高全民族的思想道德素质和科学文化素质。这是直接服务于经济建设，包括教育、科技和文化艺术等多方面的综合性系统工程。作为面向全社会的文化工作，其作用广泛而直接，不可替代。第三，加强西部地区的文化建设，对于增进民族团结、保持社会安定具有特殊重要的作用和意义。国外敌对势力一直利用我国西部地区的民族和宗教问题，对我进行渗透和分裂活动，我们必须加强正面引导和宣传，丰富各族人民的文化生活，增强中华民族的凝聚力，保持国家长治久安。第四，文化自身也要在西部大开发中发展壮大，成为一个地区综合实力的标志。特别要借助西部大开发的东风，加快发展文化产业，使之成为新的经济增长点。

二、对西部地区丰富的文化遗产和文化资源必须实行保护性开发战略

西部地区拥有大量的历史文化遗存和丰富多彩的文化资源，包括有形文化遗产如文物古迹，无形文化遗产如民族民间艺术，对这些文化遗产和文化资源如何进行抢救保护和开发利用，这是西部大开发中面临的一项非常紧迫而重要的任务。

西部地区是中华文明的重要发祥地，具有丰厚的中国传统文化历史底蕴和鲜明的民族特征。西部地区也是中国革命的重要发源地，遵义、延安、红岩村等孕育了深厚的革命文化传统。西部地区又是我国少数民族及其文化的集萃地，特色鲜明、丰富多彩的多民族文化艺术，成为中华民族文化的有机组成部分。要认真贯彻“保护为主，抢救第一”的方针和“有效保护，合理利用，加强管理”的原则，实施保护性开发战略，正确处理好抢救保护与开发利用的辩证关系。一是要把这些方针和原则体现在开发的整体规划之中；二是要制定有利于经济发展和文物保护的相关政策；三是在实际工作中，切实克服重利用，轻保护，重眼前，轻长远的倾向。要进一步加大对破坏、盗掘、走私文物的打击力度。要发挥西部地区历史文物、文化遗址尤其是革命文物对人民群众的爱国主义教育作用，发展以文物资源和其他人文、自然资源为基础的旅游产业，努力把西部的文化资源优势变成文化发展的优势和经济发展的重要增长点。同时，又要特别注意保护好文化资源和文化生态环境，要着眼长远，合理利用，防止盲目的、过度的、甚至是破坏性的开发，更不能片面追求经济效益，急功近利，竭泽而渔。

三、在西部大开发中努力创造西部新文化

第一，解放思想，更新观念，服务大局，营造有利于西部大开发的文化氛围和文化条件。

第二，鼓励作家艺术家积极投身到西部大开发的洪流中去，努力创作出无愧于这一伟大壮举的优秀作品。

第三，加强西部地区的文化普及工作，丰富人民群众的文化生活，提高人民群众的整体文化素质。

第四，加强领导，制订规划，把文化建设真正纳入西部大开发和当地经济社会发展的整体规划之中。

作者：文化部部长

原文出处：2000年9月8日《人民日报》

沙国臻　闫树群等：论西部大开发中的精神文明建设

一、精神文明建设在西部大开发中的战略地位

建设社会主义精神文明是西部大开发的一个重要目标，在西部大开发中不仅要重视经济和政治方面的发展，而且要重视文化事业的发展；不仅要努力促进物质文明建设上台阶，而且要努力促进精神文明建设上水平。社会主义精神文明建设关系西部大开发的成败。西部大开发是一项宏伟的社会系统工程，需要不断地解放思想、更新观念、振奋精神、凝聚力量、大力发展科学技术和文教事业，大力加强思想道德教育，优化社会环境，化解各种矛盾，为大开发营造良好的社会环境。精神文明建设搞不好，西部大开发就难以顺利进行，整个社会主义现代化建设事业就会遭受挫折。西部地区的特殊性决定了西部大开发中，尤其是初期，迫切需要大力加强精神文明建设。

西部地区地处内陆，基础设施建设落后，与外界交流难度大，成本高；生态失衡，生存与建设环境较差，开发建设任务艰巨；社会发育程度低，自然经济面广量大，国有企业比重大，小农经济的保守观念与计划经济体制下形成的僵化观念并存；教育事业相对落后；西部边境线长，接壤国家多，处在反对境外敌对势力分裂国家活动的前沿等等，这些实际情况就为精神文明建设提出了更为艰巨的任务。

二、从陕西省的实践看西部大开发中加强精神文明建设的必要性

陕西是西部大开发的桥头堡，党的十四届六中全会之后特别是十五大以来，陕西省委要求各级领导要充分认识社会主义精神文明建设的巨大作用和历史地位，紧紧围绕经济建设这个中心开展精神文明建设活动，为改革、发展和稳定提供了精神动力、智力支持和思想保证；日趋深入的思想道德建设为全省经济发展奠定了良好的思想基础，机遇意识、市场意识、竞争意识、开放意识普遍增强；思想道德素质明显提高，精神面貌发生深刻变化；群众性精神文明创建活动提高了全省城乡文明程度，“五大创建”即：创建文明机关、文明城市、文明行业、文明村镇、文明校园活动涵盖面广、力度大，极大地改变着城乡面貌；丰富多彩的文化体育活动不断满足人民群众日益增长的精神文化需求，陕西省“五个一工程”评奖连获佳绩，村镇文化、企业文化、社会文化、广场文化等群众文化活动方兴未艾，活跃了群众精神文化生活，营造了欢乐、喜庆、健康向上的氛围。精神文明建设有力地促进了全省经济的快速发展，从1996年起，陕西省连续四年国内生产总值增长速度高于全国平均水平。事实证明，在社会主义现代化建设的进程中，只有坚持“两手抓，两手都要硬”，才能使经济社会全面发展。

三、在西部大开发中进一步加强精神文明建设

在西部大开发中加强精神文明建设，应着重增强“五个意识”，把精神文明建设纳入西部大开发的总体规划，确定精神文明建设工作目标，制定工作计划，采取过硬措施，切实做到“两手抓，两手都要硬”。中心意识，紧紧围绕西部大开发来组织开展工作，要把大力发展科技教育作为精神文明建设的重要内容，实施科教兴国战略；要把改善生态环境作为精神文明建设所追求的重要目标，实施可持续发展战略。责任意识，健全和完善加强精神文明建设的有效领导体制和工作机制，加大工作力度，为精神文明建设注入强大动力。素质意识，突出思想道德建设这条主线，促进西部地区干部群众进一步解放思想，转变观念，加强文化科技普及工作，丰富人民群众的文化生活，全面提高人民群众整体素质。阵地意识，不断提高精神文明建设的实效性和影响力，要大力弘扬民族优秀文化传统和革命文化传统，毫不手软地抵制假恶丑，警惕不良文化的入侵。要不断深化群众性精神文明创建活动，巩固提高多年来形成的各种行之有效的载体，要加强各种科技文化体育活动场馆的建设，使西部地区基础文化设施建设薄弱的状况得到明显改变。

作者单位：陕西省文明办

原文出处：2000年12月21日《陕西日报》

吴雅琦：对少数民族地区精神文明建设可持续发展战略的思考

将可持续发展运用于精神文明建设工作中，一是有助于我们提高思想认识，坚持实事求是唯物主义科学态度，避免在意识形态领域出现或“左”或“右”的错误倾向。二是有助于完善计划措施，改进工作方法，有效清除在工作作风上形成的“假、大、空”和图形式、走过场等不良影响。三是有助于指导我们的实践，正确处理好长远利益和眼前利益、局部利益和全局利益的关系，调整解决好工作中的各种矛盾和问题，使精神文明建设真正定位于为经济建设保驾护航这一坐标之上。

一、实施精神文明建设可发展战略的历史基础和现实环境

现实要求我们对人类文明的实质做深刻的反思，并对未来发展做更新的取舍和选择。在少数民族地区，有正反两种情况：一是由于历史与现实的制约，经济文化落后，因而精神文明建设也相对滞后。二是由于这一地区“经济植被”尚未被开采，精神文明的原始生态保护较为完好。表现在：首先，严酷的自然环境造就并保持着人民扎根高原、无私奉献、团结奋进、吃苦耐劳的美好品格；其次，幅员辽阔、人烟稀少的地理特点，形成了人与人亲善和睦、团结互助的人际氛围；再者，与自然和谐共处的天人合一生活理念，形成了重义轻利、诚实守信的良好风气。这一历史基础和现实环境决定了少数民族地区确立和实施精神文明建设可持续发展战略是惟一正确的选择。

二、精神文明建设可持续发展战略的目标、方法及政策

1. 战略目标——确立少数民族地区社会主义精神文明建设的“绿色观念”。用可持续发展指导少数民族地区的建设，不仅是一种经济发展模式的选择，更是一种生存价值观的选择。可持续发展理论的“天人合一”的基本观点告诉我们：人与自然、个体与社会的关系，应是尊重生命、尊重自然，有节奏、有节制、按规律发展的关系，这是人类生存发展的最高道德境界，我们将这一认识称之为经济发展道德观，在此基础上也就形成了精神文明建设的“绿色观念”。所谓“绿色观念”，就是用生态保护与平衡的理论对精神文明建设进行操作的新理念。

2. 战略方法——合理配置和有效利用精神文明建设信息资源。

精神文明建设的理论、方针、政策、办法和措施作为一种信息资源，其特性是将凝结在物质现象表层的精神因素开掘出来，使其具有传播、昭示和宣传鼓舞的功能，其开发产生的定位应与现实经济运行的状态和可能承受的能力相匹配，才能使精神文明信息资源得到最大限度地有效利用。

3. 战略政策——现代文明与地域文明（宗教）之间要长期共存、协调发展。从文化生态的角度论，宗教是少数民族地区最为古老和永恒的文化生态系统，它囊括了少数民族的所有文化样态，汇集了深厚的民族情感沉淀，是地域文化发展的结果和标志。可持续发展理论确立的经济文化运行模式，在人类发展道德论上与宗教有着某种契合，如尊重生命、尊重自然、因果关系、行善积德等，这种观念上某种程度的契合，说明不同类的文化生态和生命圈内相互补充和依赖的规律性。因此，从更积极的意义上理解现代文明与地域（宗教）文明间的本质关系，在对立统一中形成少数民族地区特有的文明特质，是精神文明建设中长期探索的重要课题。应本着相互理解、相互监督、长期共存、协调发展的方针，做好几项工作：一是减少对立，求同存异。善于发现和开采地域（宗教）文明中有价值和进步意义的思想精髓，为我所用。在广大信教群众中进行道德观、价值观、爱国家等精神文明教育。二是相互监督，守土有责。在全社会倡导增进民族团结、促进家乡繁荣、维护社会稳定、人民幸福安康的社会道德观，揭露和抵制各种敌对势力渗透和分裂祖国的图谋。三是相互促进，协调发展。要鼓励和帮助宗教界及信教群众积极参加社会道德建设、经济建设和各项社会公益事业。

三、可持续发展战略在少数民族地区精神文明建设中的实践与操作

城镇功能建设和形象塑造是精神文明建设工作的重要任务。

行风建设是少数民族地区精神文明建设的核心内容。

治贫先治愚，是少数民族农村牧区精神文明建设的基本方略。

要对广大农牧民进行“治愚系统工程”教育，实施这项教育要做好四项工作：一是要不断开展文化科技卫生三下乡活动；二是不断开展破除陈规陋习、反对封建迷信、反对赌博、反对非法宗教，倡导科学卫生、文明健康的生活方式；三是要不断抓好发展规划的制定与实施工作；四是要不断抓好学法律、学文化、学市场经济知识的教育活动。在实施治愚系统工程的同时，把创建文明乡村、文明农牧户活动作为此项工程的保障机制和主要手段，科学有效的加以操作，使两个文明建设在提高巩固农牧民科学文化素质基础上，得以扎实稳定、健康持久的发展。

广泛的社会民主监督是少数民族地区精神文明建设的重要保证。

作者单位：中共青海省海南州委宣传部
原文出处：《青海学刊》2000 年第 2 期

张占梅：加强少数民族地区精神文明建设需要注意的几个问题

在加强少数民族地区精神文明建设方面，除要结合本民族的特点之外，还需要注意下面几个问题：

1. 要以物质文明为基础。我国少数民族地区大多地处偏僻，交通不便，经济落后。建国以来，特别是改革开放以来，我国少数民族地区的发展速度是惊人的，但与发达地区相比仍存在巨大差距。因此，我们在重视建设精神文明的同时，一定要重视进一步加强物质文明建设，只有这样，精神文明建设才能更上一个新台阶。

2. 要以爱国主义为核心。爱国主义教育，或者说，少数民族地区在精神文明建设过程中以爱国主义为核心，其理由：在于一是爱国与爱社会主义有共同之处。在这一点上，江泽民在《爱国主义和我国知识分子的使命》中曾明确提出，在当代中国，爱国主义与社会主义本质上是统一的，它集中体现着国家、民族、人民的根本利益。二是爱国与热爱自己的民族是相通的。国家由各民族组成，国家利益实质上就是各民族的最高利益，其最终结果就是为了促进各民族的共同繁荣与发展。反之，各民族的利益也是国家利益的一部分，只有各民族充分的发展才能推动整个国家的兴旺。三是爱国主义也是目前各民族最易于接受，最易于为之奋斗的共同理想。通过爱国主义教育，可以把不同民族牢固地凝聚在一起。

3. 要以民族团结为内容。民族团结是精神文明建设的重要内容，是建设社会主义强大国家这一共同理想的内在要求。江泽民曾指出，把我国各民族维系于一个统一的大家庭中而又世代传承的纽带，主要有三个：一是国家的长期统一；二是各民族相依共存的经济文化体系；三是近代以来各民族在抵御外来侵略和长期革命斗争中结成的休戚与共的关系。因此，在这种基础上去加强各民族团结，不仅是可能的，而且是完全必要的。为了切实加强民族团结教育，在具体实施过程中，必须把坚持正面教育和反对各种不利于民族团结的错误思想结合起来。要努力去创造一种民族间的友爱、信任、和谐的环境和气氛，并以此来动员全国各族人民为建设社会主义现代化的强国而努力；要充分认识大汉族主义和地方民族主义对民族团结的危害。

4. 要以人民群众为主体。精神文明建设必须动员广大各族人民群众积极参与，自觉行动。充分依靠本地区群众的力量，把政府行为与群众参与有机地结合起来，形成推动精神文明建设的强大动力。改革开放以来，我们党把群众路线贯穿于精神文明建设的全部工作之中，深入持久地开展群众性精神文明创建活动，它以多种形式的有益活动为载体，使群众在参与中受到教育、在实践中得到提高。在广大群众自愿的基础上，由群众自己逐步改变旧思想、旧习俗，从中建立起新的有利于发展的风尚和习俗，从而使少数民族真正成为开放的、奋发进取的民族。

5. 要以提高素质为关键。从我国民族教育落后所形成的“教育落后——人口素质差——生产力水平低——人口膨胀——教育落后”的恶性循环看，教育是决定这个民族兴衰的关键因素。江泽民同志在九十年代民族工作的重要任务中指出，民族教育是整个教育事业的组成部分，是民族工作的重要方面，应在教育结构、专业设置、具体内容、学制、办学形式等方面，逐步走出一条适应少数民族和民族地区实际的路子。另外，在加快民族教育发展的同时，也必须加快科技的发展。科学技术不仅是促进生产力发展的决定手段，同时也是破除愚昧落后思想的极为重要的精神武器，是加强少数民族地区精神文明建设的重要环节。

6. 要以法制建设为重点。是搞法治还是搞人治，标志并代表一个国家的文明程度。依法治国强调的就是法制建设。法制建设是精神文明建设的基本内容之一。与精神文明建设的其他内容相比，法制建设更加具有根本性、基础性。同时，法制建设还是连结物质文明建设和精神文明建设的纽带。法制建设与思想道德建设也有着密切的关系，它们是相辅相成协调发展的。加强社会主义法制建设。一个重要的任务就是不断提高广大干部、群众的法律意识和法制观念。这在少数民族地区尤为重要。

7. 要以文化载体为途径。少数民族地区的独特的地理位置与其本民族发展的历史条件相结合，形成了迥然不同的民族文化。在精神文明建设过程中，既要坚持适应本民族、本地区的具有较强生命力的积极因素、同时也要大力破除文化中的封闭性；既要弘扬传统文化中的优秀遗产，也要批判其落后的因素，使地域性的传统文化在经济发展和文化交融中获得新生。在抓这方面工作时要以各种文化载体为途径，一方面要树立少数民族地区的先进典型，以典型促全体；另一方面要运用民族的尤其是群众喜闻乐见的形式寓教于乐，激发少数民族地区特别是落后地区群众的积极性和创造性，使其尽快投入到经济建设的热潮中去。

作者单位：包头市委党校
原文出处：《前沿》2000 年第 11 期

曾德盛　胡彩芬　凌云志：
城市文明社区建设研究

怎样认识创建文明社区在建设文明城市总体工作中的地位和作用，如何搞好文明社区的创建工作，是一个需要深入研究的重要课题，也是各个城市需要切实抓好的一项重要工作。

创建文明社区的重要意义。创建文明社区是改革开放和社会主义现代化建设的迫切要求。创建文明社区是巩固城市基层组织建设的有效途径。创建文明社区是保持社会稳定的重要基础。创建文明社区是繁荣基层文化生活，加强社会主义精神文明建设的有效措施。

我国城市社区建设的理论与实践。关于城市社区的组织建设。新中国建立后，废除了传统的保甲制度，在城市中普遍建立了居民委员会。“文化大革命”期间，城市基层行政管理瘫痪，街道办事处和居委会的工作也由对居民生活事务和经济事务的管理转向开展政治运动，成为“阶级斗争”的工具。党的十一届三中全会后，随着全国范围的拨乱反正，街道革命委员会被撤消，恢复了街道办事处和居民委员会的名称。随着改革的深化和经济的发展，城市基层社会结构和人们就业方式、生活方式正在发生着深刻变化，为了推进社区建设，1999 年前后，全国有 26 个城市建立社区建设实验区，对于城市社区建设进行试点。关于城市文明社区的创建工作。1987 年初民政部率先公开提出“社区服务”的概念，同年9月在武汉召开了“全国社区服务工作座谈会”，全国社区服务由此普遍展开。进入90年代以来，全国广泛开展了群众性精神文明创建活动。城市文明社区创建工作的基本经验：创建文明社区要以人为本，以提高居民素质和社区文明程度为主要目标。加强领导，规划要科学，目标要具体，措施要有力。坚持党的群众路线，调动各方面的积极性，形成创建文明社区的整体合力。

当前我区城市文明社区建设工作的思路。一是有计划有步骤地推进文明社区建设工作；二是协调、理顺好各种关系，加快整合社区资源的步伐；三是加强教育，提高社区居民素质；四是解放思想，大胆开拓，勇于创新。

原文出处：《广西社会科学》2000年院级课题

陈逸清：加强和改进社区思想教育工作的几点思考

一、充分认识加强城市社区思想教育工作的重要性

当前突出强调社区的思想教育工作，强化社区的教育功能，至少有以下三方面的考虑：

一是顺应社会主义市场经济发展的新要求，主动占领社会思想阵地的需要。如果我们的思想教育工作不把触角更多的延伸到社区，不努力强化社区的思想教育功能，使社区成为马克思主义意识形态占主导地位的重要阵地，成为体现社会主义精神文明的重要领域，就可能形成一些社会“空白”，各种非马克思主义和反马克思主义的东西就会乘虚而入，甚至占领我们的思想阵地。

二是扭转一部分社区思想教育功能弱化现状，把党的思想政治工作全面落实到基层的需要。我们把这方面的工作做好了，就会在社区筑起一道抵制各种错误思潮的钢铁屏障，就能有效地把各种矛盾和问题解决在基层，从而为全社会的进步和稳定打下坚实的基础。

三是丰富社区精神文明建设的思想内涵，提升城市文明程度的需要。

二、强化社区教育功能的基本思路

一是强化阵地意识。二是充实教育内容。既要抓爱国主义、集体主义、社会主义思想教育和形势、方针政策教育，又要抓以“三德”为主要内容的道德规范和道德实践教育；既要有思想道德教育的内容，又要有法规纪律教育的安排，还要着眼于全面提高居民素质而开展的各种形式的科学文化普及教育。三是更新活动形式。要善于依托各种载体开展教育活动。还要通过设计各种主题教育活动，如以“我爱我家环境美”、“素质教育育新人”、“改革开放话国力”等主题，寓教于乐，努力提高市民的道德水准、文化程度和科技素质。四是注重典型示范。五是落实保障措施。思想教育措施大体包括两个方面：一是软措施，主要是指加强思想教育工作的软件工程，包括召开会议、制定文件、发出号召、理论研讨、舆论宣传等；二是硬措施，指硬件工程，如编制、制度、队伍、投放等等。

三、当前搞好社区思想教育工作需要深入研究的几个问题

要在解决深层次问题上下功夫。要在改进创新、完善经验上下功夫。通过深入实际，调查总结出一套比较成形配套的，具有社区特点的思想教育的做法和经验。要在做好社区重点对象的教育工作上下功夫。社区的思想教育工作要把重点放在老龄人、下岗职工、外来务工人员身上。要在进一步理顺关系、健全机制上下功夫。社区思想教育工作是一个社会系统工程，要研究如何妥善处理好街道、居委会、物业管理机构等组织以及社区内有关单位的关系，调动社区各方面力量，形成教育工作的合力；要加强社区基层组织建设，选拔一批高学历、高素质、年富力强的人员充实到街道和居委会领导班子中来，改变年龄偏大、文化偏低的现状，使基层党组织在加强社区思想教育工作中更好地发挥政治核心作用。

原文出处：《加强和改进思想政治工作新探索》学习出版社2000年1月版

陈　宁：外来人口的增加与城市社区文化建设的加强

一、外来人口的增加给城市文化建设带来巨大压力

1. 外来人口的增加给城市社区的道德建设带来了困难。这些年随着外来人口，特别是农村人口大量涌入城市社区，给本来就滞后于经济建设的社区道德建设带来了相当的困难。

2. 随着外来人口的增加，城市社区普遍出现"文化断层"的现象。历史的原因造成外来农民的文化程度与文化品位总体上落后于城市市民。这样，就出现了一种差异的现象：在城市社区的运转与发展和在居民日常生活需要的层面上，原社区居民几乎是一刻也离不开包括农民工在内的外来人口的；但在精神文明的层面上，原社区居民是不认可、藐视，甚至是排斥这些外来户的。

3. 外来人口增加助长了城市社区功利主义的倾向，从而不利于社区文化建设的开展。随着经济体制的改革和社会的转轨，如今人们看重的是利益尤其是金钱，普遍认为，只要有了钱，没有办不成的事情。这一来，邻里间的那种照应、守望相助的情感就显得无足轻重了。外来人口的涌入更是给这种倾向带来雪上加霜的后果。

4. 外来人口的急剧增加致使城市社区文化个性逐渐消解。随着外来人口的涌进，使原社区的文化个性存在着被消解的趋势。这是因为，第一，外来人口由于原有的文化背景各自不同，因此，他很难在短时间里对其居住不久的城市社区的文化个性产生认同感。第二，外来人口涌进城市的最主要目的是挣钱，他们的思想、行为主要受到金钱的制约，还谈不上有什么文化自觉，更谈不上会主动地维护城市社区的原有文化个性。

二、当前我国城市社区文化建设不适应外来人口的剧增状况

1. 管理层在社区文化建设中对外来人口增加所造成的影响重视严重不足。第一，相当部分的社区领导对城市化的理解只是停留在经济和人口的层面上，面对文化建设的重要性则认识不足。第二，某些社区干部往往热衷于文化建设上"大手笔"，比如，常常见诸于报端的某某社区办个体户普法学习班、民工思想政治教育培训班，而不甘心做那些产生不了哄动效应却符合外来人口需要的"小事情"。第三，社区管理层普遍缺乏现代社会领导者所应该具有的基本的人权观念与平等观念，这种带有封建色彩的把人分成三六九等的思想意识对社区文化建设是十分不利的。

2. 外来人口对社区文化建设的参与度不够。因为，第一，一些文化建设的内容与社区百姓的需要有较大距离。外来的"新移民"在他们眼里往往成为文化建设中"被遗忘的角落"。从外来人口的角度看，他们无论在名分上还是心理上都与城市社区的"官方"缺乏天然的联系。反过来也当然一样。第二，他们在城市社区的生存压力大，往往工作时间很长，甚至没有休息日（据笔者的了解，这是极普遍的情形），因此与"官方"的疏离感就更增加了一层；而从"官方"的角度看，因此很自然地把文化建设的注意力放在老居民身上。

3. 目前的行政体制不适应外来人口急剧增加情形下的社区文化建设。

三、关于加强外来人口迅速增加情形下社区文化建设的几点思考

1. 城市的各级领导应更新观念，重视在外来人口剧增的情形下社区文化建设的意义与作用。

一是要较为系统地学习城市化理论。二是要努力学习文化与精神文明建设的理论，特别是人的发展理论。三是要努力学习海外在社区文化建设中的先进经验。

2. 提高居民特别是“新居民”在社区文化建设中的参与度。首先，要树立社区全体居民是社区文化建设的主体的观念。其次，要积极鼓动、动员“新移民”，使他们能积极参与到社区文化建设中来。

3. 社区文化建设中，要注意保持并弘扬原有的文化特色。在这里，要处理好如下几方面的关系：一是传统文化特色与现代文化的最佳结合。二是传统的社区文化特色与外来居民所带来的异质文化的完美整合。

作者：杭州市委党校理论研究所所长、学报主编
原文出处：《浙江省委党校学报》2000 年第 5 期

闻世震：以城带乡 城乡共建精神文明

首要的是把城市精神文明建设抓好。各地在创建文明城市的过程中，以创建文明社区为重点，切实抓好社区教育、社区文化、社区服务、社区管理、社区基础建设，城市文明程度有了较大提高。在文明行业创建中，大力推行社会服务承诺制、生产经营信誉制、行政执法公示制，规范服务行为，提高服务水平。多年来辽宁省坚持深入开展“学雷锋，学先进，树新风”活动，涌现了一批诸如秉公执法、一心奉献的铁法官谭彦，人民的好校长包全杰，人民的好医生李秋实，人民卫士马卫华等先进典型，在社会上起到了很好的导向作用。

把以城带乡、城乡共建的工作思路转化为具体的可操作的机制与途径。开原市在这方面的做法很有借鉴意义。该市从 1998 年初开展城乡共建活动，组织城里的文明单位和农村的文明村结成共建对子，双方共同加强农村思想文化阵地建设，整治村容村貌，发展农村经济，加快农民致富奔小康步伐。短短两年，开原的共建对子已经由 24 对发展到现在的 93 对。在建设一批有较高水平、较高标准的文明村的同时，城里共建单位的精神文明建设水平也有了新的提高，从而带动了开原城乡精神文明建设整体水平的提高。辽宁省委在全省推广了这一经验，并把这一经验写进省委加强和改进思想政治工作的《决定》。现在，全省已形成城乡共建的良好势头。丹东凤城市推行“三位一体”共建活动，由一位市领导人带一个市直部门和一个乡镇结成共建对子；抚顺市清原县组织县直机关五十七个单位与文明村开展“局村共建”等，都取得了良好的效果。同时，农村还广泛开展了“十星”系列（“十星级文明户”、“十星级文明村”、“十星级文明乡镇”和“十星级文明乡镇企业”）创建活动，推广辽阳县开展“专项整治”和西丰县“净化工程”的经验，重点整治村容村貌、乡村道路和封建迷信活动，使农村精神文明建设涌现出一大批先进典型，抓住“十五”期间发展的良好机遇，进一步营造团结奋进、昂扬向上的气势，为改革、发展、稳定提供强大的精神动力和智力支持。

在深化改革、加快发展的同时，要保持社会稳定、政治安定，为改革开放、现代化建设创造良好环境。这一切，都迫切要求干部群众进一步解放思想、转变观念，保持良好的精神状态。这就需要通过强有力的思想政治工作和精神文明建设，加强引导，弘扬正气，营造有利于改革开放和现代化建设的良好社会环境。

从本地实际出发，坚持“以城带乡，城乡共建精神文明”的发展战略。第一，在总结经验、

探索规律上下功夫。特别是总结比较成熟的经验如开原做法和各地一些其他形式的做法，从实际出发，勇于创新，从实践中得出普遍性规律，用以指导城乡共建活动。第二，在完善机制、确立规范上下功夫。城乡共建的生命力在于充分调动城乡两个方面的积极性，使其持久开展下去，形成使两个方面的积极性得以持久保持的机制，形成规范的制度，从而构成城乡共建活动深入持久开展的重要保障。第三，在巩固提高、延伸辐射上下功夫。一方面巩固已有成果并进一步加以提高，另一方面有计划、有步骤地进行大面积普及推广，吸引更多的城市单位和农村乡镇参加，以此推动全省城乡精神文明建设水平的整体提高。

作者：辽宁省委书记

原文出处：2000 年 12 月 14 日《人民日报》

梁周敏：加强农村精神文明载体建设

改革开放以来，我国亿万农民在精神文明建设实践中，创造了丰富多彩的活动载体。

“文明农户”评选活动。包括各地农村广泛开展的诸如“十星级文明农户”、“新风户”、“双文明户”等活动。“文明村镇”创建活动。这是开展最早的一项创建活动。村规民约活动。一般以村为单位制定，被群众称为“小宪法”。群众文化活动。诸如“文化大院”、“文化集市”、“广场文化”、“万村书架”等。多种形式的共建活动。有军警民共建文明村镇活动、“城乡携手、共建文明”活动，还有文明单位与文明村“结对子”活动等。文化、科技、卫生“三下乡”活动。

上述载体大都体现了这样的特点：一是对新经济体制的适应性；二是强化了发展经济奔小康的中心任务，三是突出了农村精神文明建设的目标；四是坚持了正确的价值导向。

多年的实践告诉我们，加强农村精神文明的载体建设，并不断加以创建发展，是推进农村精神文明建设深入发展的一个重要课题。

(1) 切实加强领导。要求各级领导对农村精神文明建设给予更多的关注，把精神文明建设工作提到议事日程，采取切实措施，提供必要条件，从思想、组织、财力、物力等方面给予有力的指导和充分的保障。(2) 明确使用载体的目标。无论采取何种载体形式，都要自觉树立服务和服从于农村经济建设的指导思想，坚持将活动渗透到农民的生产实践活动中去，渗透到农村改革开放和社会发展中去，使活动的形式、内容与方法服从经济建设的需要，为经济建设服务。(3) 因地制宜选择载体。在选择和使用载体时既要坚持对群众精神文明活动进行正确引导，又要坚持群众性的原则，既要宣传引导，又要切实从实际出发，反对简单的行政命令。(4) 完善载体运行机制。好的活动载体的坚持，要靠健全的机制来保证，力求避免搞运动的方式。(5) 自律与他律相结合。一方面对于党和政府倡导的要求和主张要切实用制度加以保证，同时又要克服治标不治本，单纯靠法律制度约束或惩罚的简单做法，发挥自律与他律在精神文明建设中的双重效应。(6) 坚持正确激励导向。激励首先要坚持正确的导向，无论是先进的评比还是典型的树立，都要倡导积极向上、弘扬正气的精神，给人以追求真善美，反对假恶丑的力量；其次，激励还要注意其全面性，要注重采用多种激励方法，调动广大农民群众的积极性。(7) 发挥典型载体作用。先进典型具有强大的示范带动作用，要注意宣传和推广。发挥先进载体作用应当注重创新，有创新才有更大的发展，同时还要坚持载体使用的稳定性。(8) 着眼于多办实事。精神文明活动载体要做到常用常新，有生产力和吸引力，不能离开为广大农民办实事、办好事。

作者：河南省委党校教授

原文出处：2000 年 12 月 29 日《光明日报》

曹 智：试析“十星级文明户”创建活动的优点和社会效应

“十星级文明户”（以下简称“十星户”）创建活动，从其产生和发展的过程看，它是我国农村在精神文明建设实施中的一个创举，是已有10多年发展历程，正在全农村推广的一项群众性活动。

根据云南省大理州开展“十星户”创建活动实践的总结和思考，相对于其他文明户创建活动而言，笔者认为，“十星户”创建活动的优点和社会效应至少可以概括以下10条。

1. 内容更系统。大理州制定的“十星户”内容是：五爱星、致富星、计生星、义务星、团结星、新风星、法纪星、文教星、科技星、卫生星。这些内容贯彻了两手抓的要求，体现了以经济建设为中心，包括了农村两个文明建设的主要任务，便于落实，可以考核。

2. 设计更切实。“十星户”创建活动从内容到形式，符合农村综合性的客观实际。一是符合农村改革的实际。农村实行家庭承包责任制后，农户是基本的生产单位，家庭的自主性、独立性增强了，农村两个文明建设的任务只有充分依靠千家万户的独立性、自主性、积极性才能落到实处。二是符合农村发展的实际。按小康目标，按照“十星”条件要求，朝着更高、更全面的目标迈进既必要又可能的实际。符合农村地区之间发展不平衡，需要进一步推动先进带后进、后进赶先进的实际。三是符合农村社会的实际。符合农村社会稳定必须充分依靠家庭内部和村民内部自我教育、自我管理的实际。符合提高农民思想道德素质，改善社会风气，要充分运用社会舆论等手段的实际。四是符合农民的实际。符合农民实现小康、改善风气、维护稳定、繁荣文化、优化环境的切身利益和共同追求。符合农民珍爱荣誉、不甘落后、随大流等心理实际，符合对农民的教育和要求要尽可能通俗、直观、具体、便于操作的实际。五是符合农村工作要具体，不能空泛，要全面，不能“单打一”，要加强思想政治工作，不能“见物不见人”，才能把任务落到实处的实际。

3. 切入更准确。不仅是指它从家庭这个社会细胞切入，更重要的是指，它从统领和牵动家庭两个文明建设协调发展的位置切入，而不是从家庭建设的某个局部切入。

4. 形式更巧妙。“十星户”创建活动把每个家庭的文明程度量化和公开化。另外，通过民主评选、张榜公布、授星挂牌，充分地借助社会舆论，充分发挥家庭成员之间和个户之间相互监督、约束、促进的作用。

5. 参与更广泛。开展此项活动的村社，除五保户和全家常年在外户不参加评选外，所有农户都要参加评选并挂牌。“十星户”创建活动的内容涉及农村政治、经济、文化各个领域，各个部门在农村开展工作都可以与这一活动相结合，使之相互促进，因此，能形成许多部门和组织支持、配合、广泛参与的局面。

6. 主体更能动。由于“十星户”创建活动能给农民带来实惠，能充分发扬民主、体现公开、公正，增强农民的主人翁意识，能激励先进、触动后进，促进中游，能增强农民的荣誉感和竞争意识，形成互动的争创“十星户”局面。所以，农村精神文明建设的主体——农民，在“十星户”创建活动中，能积极参与创建评选，积极按照“十星”的条件要求自己，积极办好自家的事、管好自家的人，积极开展农户之间的互相教育、监督，积极办好集体的事。

7. 操作更规范。大理州在借鉴其他地方经验的基础上，形成了既包含外地经验，又具有大理州特点的一套比较完善的做法，使这一活动一开始就有一个较高的起点。

8. 管理更科学。实行动态管理，一是内容动态。二是方法动态。三是评选结果动态。

9. 活动更稳定。“十星户”创建活动作为农村精神文明建设的基础工程、基本途径，要狠抓下去，做到“不放松，不换主题，不变花样”，成为我们创建精神文明长期依托的载体。

10. 效果更显著。“十星户”创建活动，能有效地把党在农村的路线、方针、政策贯彻到千家万户；有效地提高农民的思想道德和科学文化素质，激活家庭细胞，调动农民两个文明建设的积极性、创造性；有效地把两个文明建设的任务结合起来，分解到户，落到实处；有效地促进基层组织建设，密切党群干群关系。

作者单位：中共云南省大理州委宣传部
原文出处：《社会主义论坛》2000 年第 4 期

朱清敏：精神文明建设是当前扶贫攻坚最紧迫的任务

精神文明落后的地区，物质文明和各项社会事业难以得到全面协调发展。近几年，随着扶贫攻坚力度的加大，贫困地区农民群众的绝对温饱问题逐步得到解决，加强以提高劳动者素质和科技进步为重点的农村精神文明建设，进一步推动贫困地区经济社会的全面健康协调发展，解决相对贫困问题，已成为当前扶贫攻坚工作中越来越紧迫的任务。

一、精神文明建设是农村经济社会发展中亟须解决的问题

发展社会主义市场经济需要农民群众转变观念，面向市场。当前，在农村中生产结构单一，尚以粮食生产为重点，以种植生产为主体，以分散家庭作业为特点，这种粗放的生产方式适应不了市场竞争的要求，经济效益比较低。一些农村的土地、劳力资本等生产要素尚未得到最优的配置，未能得到应有的市场效益，其根本原因是农民尚未树立起市场经济的观念。因而从思想上、观念上帮助农民充分认识市场经济的内涵，把握市场经济的本质，适应市场经济的发展，才能真正使广大群众在市场经济大环境中不断进步。

脱贫致富需要艰苦奋斗、自力更生精神。由于贫困地区的农民群众长期生活在经济文化落后的农村环境中，他们缺乏对现代文明生活的了解、向往和追求，缺乏自力更生、艰苦奋斗的创业精神，缺乏强烈的脱贫致富的信心和决心。扶贫先扶志，治穷先治愚，否则扶贫攻坚工作就难以打开新局面，脱贫致富目标就难以实现。

调整产业结构需要农民群众掌握本领、掌握信息。新一轮的产业结构调整是以市场为导向，以效益为中心，是朝着“优、高、精”的方向进行的战略性调整，而不是简单的少种什么、多种什么的问题，因而需要对农业生产的产品结构、区域布局和市场份额进行全面的调整和提高。做好这次新一轮的产业结构调整工作，一是要改变目前尚存在的较为单一的生产格局。二是要改变产品市场竞争能力不强状况。三是要加快一些传统产业的产业化进程。这一切都需要精神文明工作给予智力支持，帮助农民得到有关科技知识和需要的信息。

农村生活质量的提高需要全面整治农村环境。农村生活质量的提高指物质生活和精神生活双重水平的同步提高。当前农村居住环境“脏乱差”是贫困村庄普遍存在的通病。要改变农村的“脏乱差”环境，首先需要通过精神文明建设改变农村干部和农民群众的环境观念，树立文明卫生的环境意识。

推进农村社会文明的进程，需要大力破除愚

昧迷信、改变陈规陋习。破除愚昧迷信，改变陈规陋习是农村精神文明建设的重要内容，是农民思想解放、观念转变、素质提高的过程，也是农村全面实现社会文明的重要标志。

推进农村民主法制建设进程，需要强化农民的法制意识和建立健全依法治村的规章制度。随着形势的不断向前发展，农村的民主法制建设务必抓早抓紧。

二、当前扶贫攻坚工作要突出抓好精神文明建设

切实把精神文明建设列入扶贫攻坚的重要内容。各级党委和政府要把精神文明建设作为扶贫攻坚的重要任务，层层签订责任状，把精神文明与物质文明的各项工作任务同时布置落实，同时检查验收，广泛发动群众及社会各界的力量，掀起农村精神文明群众性创建活动的新高潮。

切实抓好以提高劳动者素质为主要内容的宣传培训教育工作。要针对当前农民群众中存在的问题，通过有计划、有组织地开展诸如课堂教育、基地示范、观念教育、科技讲座、请进来、走出去等多形式、多渠道、多类型的宣传教育和培训工作，逐步使农民树立大农业、大开发、大生产和市场观念，树立社会化、基地化、商品化、专业化和产业化的现代生产意识，树立起现代生产、生活消费和积累观念，树立艰苦奋斗、自力更生的创业精神。

切实抓好以整治脏乱差为主要内容的农村环境建设。一是要列入年度工作计划，二是要建立责任制，三是要与当前的小城镇建设结合起来，四是要多方组织投入，确保资金和物资投入到位。通过全面有计划、有组织的整治，切实提高环境卫生水平。

切实采取措施扫除愚昧迷信，革除农村陈规陋习。

切实开展以依法治村为重点内容的法律知识的宣传教育。要通过法律知识的宣传教育，逐步增强农民的法制观念，使村民懂法、知法、按法办事。要引导和帮助农村开展依法治村，村务公开，财务公开，实行民主管理，民主监督，不断推进民主法制建设的进程。

切实抓好以文明村、文明户为重点的典型示范工作。

作者：海南省琼中黎族苗族自治县委书记
原文出处：《海南省理论研讨会文集》2000 年版

孙淑丽：论中国现代企业的文化特色

21 世纪，中国企业文化的创新将面临着三个方面的挑战，一是发达国家跨国公司的挑战，二是规范市场经济的挑战，三是知识经济的挑战。这三大挑战将使中国企业的文化更加具有鲜明的个性特色。

企业文化与其他文化形态一样，在自己的更新、完善和现代化的过程中都要遇到这样两个问题：即把握过去——自身的传统和所处的大文化背景；注重现实——当今时代其他文化模式中的优良因素。创新企业文化，既要努力保持和发扬文化传统中的宝贵财富，又要吸收外来文化的精华。这种企业文化将体现出以下的特点。

1. 在企业创新精神方面，主要体现时代精神和民族精神。作为群体意识的企业文化，必须反映出这一历史阶段改革、探索、开拓、创新的一系列新观念，反映出符合知识经济客观规律的现代意识。这是创新企业文化首先要体现的鲜明的时代特征。

传统文化对于我们每个人都具有不同程度、不同性质的影响，人们对传统文化也有各自的取舍，传统文化中的人文精神有助于形成具有中国民族特色的企业文化。

2. 在理念文化方面，被动性借鉴理念为创新性理念所取代。在市场开放、竞争日益激烈的背景下，如果没有创新的价值观作为基石，企业的持续性经营就无从谈起。

3. 在管理文化方面，由传统的管理向知识化管理转变。随着知识经济时代的来临，企业的知识管理作为信息管理发展的新阶段，必须将信息与信息、信息与活动、信息与人连接起来，在人际交流的互动过程中，通过信息与知识的共享，运用群体的智慧进行创新，以赢得竞争优势。

与此同时，要实行跨文化管理，克服“文化障碍”，实现“文化沟通”。跨文化管理及在管理中克服“文化障碍”，实现“文化沟通”，已成为现代企业文化创新的新的热点。

4. 在经营文化方面，“竞争合作型模式”会取代恶性竞争状况。

5. 在服务文化方面，以顾客为中心去提升服务品质是每个企业的努力目标。在21世纪，“以顾客为中心”将成企业一个恒定的竞争策略。领先的服务理念和高超的服务技能已逐步得到企业员工的认同，并成为企业持续性经营的根本保证。

6. 在形象文化方面，不仅企业形象对外功能，而且强化对内的功能。在21世纪，企业形象会继续发挥其对外的宣传功能，“形象消费”依然相当重要。同时，企业文化建设又带动着员工素质和企业文化水平的提高。

7. 在营销文化方面，逐步挣脱“营销+文化”的单一方式而展现营销行为本身的文化内涵。在当代的营销文化创新中，不再只是把“文化”和“营销”进行外在的“嫁接”，而是在营销实践中致力于贯彻明确、鲜明的理念，致力于实施系统科学的营销制度，致力于向顾客展示良好的企业形象，最终使顾客接受企业的产品。

8. 在企业家文化方面，由企业家观念的初步市场化走向企业家经营观念、选拔使用和绩效评价机制的全面市场化。

9. 在网络文化方面，呈现出由形式化向具有实质性的多元化网络转变。

原文出处：《现代企业教育》2000年第11期

王奎俭　李玉琢　邹笃锋：论企业精神文明建设中的几个相互关系

一、企业精神文明建设与党的建设的关系

建设精神文明关键在党。企业党的建设，对企业精神文明建设上有本质意义和决定性影响。

企业党的建设，必须紧紧围绕企业的生产经营目标，以保证搞好企业改革、转换经营机制、提高经济效益为立足点，才能在参与企业重大决策、保证监督党和国家方针政策贯彻执行的过程中，充分发挥党对企业精神文明建设的领导作用，把精神文明与物质文明作为统一的奋斗目标，一起部署，一起落实，一起考评。

随着改革的深入和所有制结构的调整，国有企业将呈现出产权多元化、体制多样化的特点，这要求党建工作积极探索与生产经营管理相适应的工作新机制，摸索和创造在新型经济组织中加强党的建设的新思路和新方法，以保证企业党组织政治核心作用和党员先锋模范作用的发挥，使企业特别是国有大中型企业的精神文明建设在全社会保持领先水平。

二、企业精神文明建设与思想政治工作的关系

思想政治工作作为国有企业独特的政治优势，是企业一切工作的“生命线”。它在保证党和国家方针、政策的贯彻执行，推动企业深化改革，促进企业全面发展方面发挥着不可替代的重要作用。企业思想政治工作，就是用教育、说服、引导等方法，提高职工的思想道德素质，解决职工的思想认识问题，调动职工的积极性和创造性。思想政治工作既是一项打基础、管长远的工作，体现

着精神文明建设的长期艰巨性；又是一项抓时机、讲时效的工作，体现着精神文明建设的现实紧迫性。

企业精神文明建设的目标任务，决定着思想政治工作的内容和方式方法，而有效的与思想政治工作相统一的方式方法又对精神文明建设起着极为重要的推动作用。

三、企业精神文明建设与企业文化建设的关系

加强企业文化建设，要把着眼点放在提高职工的整体素质上，确立与整个社会的正确价值导向相符合的企业价值目标，大力开展群众性文化活动，积极营造良好的文化环境，培育富有时代特征和鲜明个性的企业精神，塑造良好的职工形象和企业形象，从而有利于从整体上推进企业精神文明建设不断向前发展。

四、企业精神文明建设与民主法制建设的关系

加强民主法制建设是促进企业精神文明建设必不可少的前提条件，而企业精神文明建设本身即是一个民主法制建设的过程。

企业的民主法制建设一是要形成充分发挥职代会作用的民主氛围。二是要深入进行普法宣传教育，使干部职工不断增强法制观念。三是要加强社会治安综合治理，严厉打击各种违法犯罪活动，保护良好的生产生活秩序，创造安全稳定的社会环境，不断提高厂区的文明程度。

五、企业精神文明建设与基层建设的关系

基层是企业精神文明建设的主阵地。基层建设是企业精神文明建设最直观的尺度，基层建设的状况和水平最直接最生动地展现着企业两个文明建设的具体成果。

企业深化改革与精神文明建设的目标任务，对基层建设不断提出新的更高的要求，应从实际出发，制定并落实好基层建设规划，有重点有步骤地解决好基层的实际问题。建立争强创优的工作机制，把先进性和广泛性结合起来，坚持用各具特色的高尚精神凝聚和塑造职工队伍。

原文出处：《石油大学学报》2000年第1期

夏伟东：教育在精神文明建设中的地位和作用

一、从精神文明的内涵和教育的社会功能来认识和理解

早在1980年，邓小平同志就明确提出："所谓精神文明，不但是指教育、科学、文化（这是完全必要的），而且是指共产主义的思想、理想、信念、道德、纪律，革命的立场和原则，人与人的同志式关系，等等。"邓小平同志对精神文明内涵的这种精辟的概括，得到了党内和社会上广泛的认同，可以说，正是在这一概括的基础上，逐渐形成了人们对我国的精神文明建设，包含思想道德建设和教育、科学、文化建设以及法制建设和党的建设等方面的共识。

教育的主要社会功能是培养人，这在学校教育中表现最为明显。教育同一定的生产力、生产关系和上层建筑（政治、法律、哲学、艺术、宗教等）的密切联系，均是围绕着培养人这一环节而发生的。教育事业的发展，影响面是多层次的，牵动力是综合性的。教育事业的发展，通过培养出高素质的社会成员，而对一个社会从生产力、生产关系到上层建筑的各个方面，都产生出十分积极的连动效果。教育事业的发展对精神文明建设的贡献作用是直接的、巨大的和深刻的。

二、从精神文明建设为物质文明建设提供智力支持来认识和理解

教育作为精神文明建设中提供智力支持的重要手段，是教育在精神文明建设中独特的地位和作用的典型表现。

所谓“智力支持”，一是从人，二是从知识来说。这里所说的人，主要是指具有各种知识的专门人才，如科学家、工程师、教授等，同时指具有高素质、熟练掌握各种技能的劳动者，如工人、农民、各类职员等。这里所说的知识，主要是指科学文化知识、劳动生产技能知识等。无论是有知识、有技能的各类人才的培养，还是科学文化知识和劳动生产技能知识的传播与传授，在一个健康发展的现代社会中，都主要是通过教育、尤其是通过各级各类的学校教育来实现的。学校教育对全面提高人的素质具有举足轻重的地位，这就决定了精神文明建设对物质文明建设的智力支持的使命，将更多地由教育、特别是由各级各类的学校教育来担当。

三、从精神文明为物质文明提供精神动力和保障发展方向来认识和理解

党的十二届六中全会和十四届六中全会通过的两个精神文明决议，在强调加强精神文明建设中的思想道德建设时，都指出思想道德负着为物质文明提供精神动力和保障发展方向的重要使命。精神文明的这一重要使命，与教育、特别是学校教育也息息相关。

在一定意义上，学校的德育课程和德育工作，是青少年在成长过程中接受思想道德教育的主渠道，是我国社会思想道德教育的奠基工程，为青少年一代长大成人奔赴不同的工作岗位、担当不同的社会角色之后，进一步形成稳定的、优良的思想道德素质，提供了前提条件。

教育事业作为精神文明事业的一个组成部分，在为物质文明建设提供精神动力和保障发展方向时，还有一个重要的方面，这就是具有增强民族凝聚力的重大作用。

原文出处：2000 年 4 月 12 日《中国教育报》

高万能：论加强高等院校社会主义精神文明建设

一、高等院校在社会主义精神文明建设中的地位和作用

高等院校是传播和建设社会主义精神文明的重要基地。高等院校的精神文明建设理应先于社会、高于社会和优于社会。

高等院校是培养社会主义事业建设者和接班人的坚强阵地。高等学校培养高素质人才教育功能的发挥，是建设社会主义精神文明最主要最关键的战略措施，是高校精神文明建设对全社会精神文明建设发挥辐射作用的最集中体现。高等教育的这种特殊功能，决定了高校在社会主义精神文明建设中应当成为排头兵，成为精神文明建设的窗口，成为培养高素质“四有”人才的坚强阵地。

二、高等院校社会主义精神文明建设的指导思想、奋斗目标和实施内容

指导思想应是：以马克思列宁主义、毛泽东思想和邓小平理论为指导，坚持党的基本路线和基本方针，全面贯彻落实党的十五大精神，全面贯彻落实党的教育方针，大力推进教育改革和发展，全面提高教育质量和办学效益，大力加强党的建设和思想政治工作，大力加强思想道德建设和校园文化建设，不断提高师生员工的思想道德水平和校园文明程度，以科学的理论武装人，以正确的舆论引导人，以高尚的精神塑造人，以优秀的作品鼓舞人，努力把高等院校建设成为培养有理想、有道德、有文化、有纪律的社会主义事业建设者和接班人的重要基地。

奋斗目标应是：在广大师生员工中牢固树立建设有中国特色社会主义的共同理想，牢固树立坚持党的基本路线不动摇的基本信念；努力实现以邓小平理论为主要内容的政治素养的显著提高；实现以爱国主义精神、民主法制观念、职业道德和基础文明修养为主要内容的思想道德素质的显著提高；实现以内容健康、格调高雅、丰富多彩为基本要求的校园文化生活质量的显著提高；实现以优良校风、教风、学风、良好的校园秩序和优美的校园环境为主要标志的校园文明程度的显著提高；形成教学、科研、开发与思想道德文化建设协调发展的良好局面，使高等学校真正成为建设和传播社会主义精神文明的重要阵地和示范窗口，成为文明整洁、环境优美、氛围高尚、秩序井然、团结向上、充满生机的高素质人才培养基地。

为了实现上述奋斗目标，高等院校就要把社会主义精神文明建设作为一项系统工程，全面实施。其主要内容可概括为“六大工程”，即：以邓小平理论武装师生员工头脑为主要内容的支柱工程；以加强党团建设为主要内容的凝聚力工程；以加强思想道德建设，形成优良校风、学风、教风为主要内容的文明校园工程；以培养师生员工爱党、爱国、爱家乡、爱学校为主要内容的爱国主义教育工程；以加强宣传阵地建设，形成正确舆论导向为主要内容的舆论工程；以促进青年学生全面发展为主要目标的文化素质工程。

三、高等院校加强社会主义精神文明建设的主要措施和着力点

一是领导重视，健全机构，使精神文明建设有可靠保证。二是制订规划，统一思想，使广大师生员工形成共识。三是明确主题，重点突破，使精神文明建设不断深入。四是创建活动，常抓不懈，使精神文明建设制度化和经常化。五是明确职责，执行奖惩，使精神文明建设由“软”变“硬”。六是增加投入，改善设施，使精神文明建设有物质条件基础。七是课程保证，注重养成，使精神文明建设的成果得到巩固和发展。

加强高校精神文明建设，还需要注重在以下几方面着力：一是要切实加强领导班子自身建设，增强精神文明建设向心力。二是要建立健全组织制度体系，增强学校精神文明建设的约束力。三是要构筑完整的激励机制，增强学校精神文明建设的吸引力。四是要运用先进典型效应，增强学校精神文明建设的影响力。五是要注重校园文化建设，增强学校精神文明建设的渗透力。

作者：贵州大学党委副书记
原文出处：《贵州大学学报》（社会科学版）2000 年第 4 期

杜生一　曹　红　张继革：校园文化建设是促进素质教育的重要手段

一、校园文化与素质教育

1. 校园文化的积极作用

加强校园文化建设，关键就是扶正压邪，充分发挥校园文化的积极作用。

一是导向作用。校园文化，特别是培养目标、校训、校风，就是一面鲜明的旗帜，它引导广大青年学生成长的道路和方向。二是规范作用，三是筛选作用。一个学校的校园文化，以及在影响下形成的集体心理定势，对一切外来信息、社会影响有筛选的作用。这种筛选作用源于校园文化的相对稳定性。它的形成需要较长时间，但一旦形成就不易改变，表现出较大的坚定性和独立性。四是激励作用。优良的校园文化有一种催人奋进的积极作用，对崇高理想的执著追求，对祖国对人民的责任感和使命感，可以激发个体巨大的工作热情和学习热情。五是凝聚作用。校园文化的核心是追求和树立一种群众的共同价值观，从而对青年学生形成一种无形的向心力，把青年学生的行为系于一个共同的文化精神上。优良的校园文化，具有强大的吸引力，这种吸引力不仅表现为师生的认同感、自豪感和荣誉感，也表现为全社会的瞩目和认可。六是塑造作用。校园文化使青年学生在深层心理结构中，把校风传统内化为自己的价值体系，从而完成世界观的确立和人格的初步成熟。

2. 校园文化的积极作用与素质教育的目标在根本上是一致的

大学校园文化建设，对丰富学生的精神文化生活，培养其高尚的道德品质，提高其综合素质是极为重要的。一所大学，若能把学生的学业与校园文化活动妥善地结合起来，便会有力地推动校园内的精神文明建设。我们的学生，尽管智力爱好性格情趣有异，但共同的文化活动，往往能产生极大的凝聚力与荣誉感，使校园内的生活更为和谐轻松，更为活跃高雅，青春的活力便得以高度发挥，个性爱好也得到发展。

大学校园文化建设，能提高学生的活动能力，掌握更多的生存与竞争的本领，更能适应社会发展的需要。

大学校园文化建设，能发展学生的智力，扩大视野，培养特长，补充课堂教学的不足。大学校园的文化建设，还能促进身心健康，提高综合素质，对培养德智体全面发展的人才，其作用是不可低估的。

大学校园文化建设，可以触及到素质教育目标的各个方面，有利于素质教育目标的内化，校园文化建设是促进素质教育的重要手段。

二、实施素质教育，搞好校园文化建设

根据实施素质教育的要求，搞好校园文化建设，需从以下几个方面着手：

(1) 加强对校园物质环境的建设。(2) 在校园文化建设中把贯彻和落实德育教育放在首位。(3) 重视校园文化的制度建设。文化制度包括学校颁布实施的《大学生守则》等一系列规章制度，这是约束大学生的基本准则，是从党的教育方针出发，对高校学生的培养目标和发展方向的进一步规定和具体要求。学校应通过文化制度的建立健全来规范大学生的言行，形成良好的校园文化风貌。(4) 组织和推动丰富多彩的科技文化体育活动。

作者单位：共青团兰州大学委员会
原文出处：《兰州大学学报》(社会科学版)
2000年素质教育专辑

王　纬：校园文明建设在素质教育中的功能

校园文明建设是精神文明建设的重要方面。校园文明建设的范围十分广泛，包括学校传统、学校的地位和名誉，校风、学风、学校的管理，各种学术活动以及校园环境，教师治学态度、学生文明行为，等等，所有这些因素对学生的世界观、人生观、价值观及综合素质的形成都有重大的影响。校园文明建设在素质教育中的作用主要表现在以下方面。

1. 凝聚功能

建设了良好的校园文明，就能以微妙的方式来沟通人们的思想，产生对学校宏观目标的认同感和对学校工作的责任感，树立“校荣我荣、校损我损”的观念，从而形成很强的凝聚力量，消除孤独感、失落感，促进全体成员的团结，使学校教育、管理发挥出巨大的整体效应，有利于学生素质提高。

2. 导向功能

学校各级领导的责任之一就是通过建设校园文明，把师生员工引导到实现学校目标确定的方向上来，使之在确定的目标下从事教育、教学、管理和服务活动，从而营造“教书育人、管理育人、服务育人”的良好氛围。有了高度的校园文明，学生就会在潜移默化中自觉接受共同价值准则和责任意识，进而形成一种坚定的信念和蓬勃向上的朝气，以一种个体和集体的自觉意识向既定目标努力。

3. 规范功能

校园文明的特点是在高度文明观念指导下形成一种环境气氛和舆论，以一种无形的约束力，使学生在校园各种信息的刺激下，通过模仿、暗示、出众、认同等过程，发生协同作用，促使每个成员产生一种自觉自愿的心理愿望，而不是强制的、他律的行为方式。

校园文明的规范功能就是要通过陶冶、浸润、渗透、熏陶等特殊方式，使置身于其中的学生逐步养成自觉规范自己言行，向文明、高雅转化，将自己融合于学校全体成员和社会整体目标之中，也就是提高道德素质的过程。

4. 辐射功能

校园文明一经形成特定的模式（价值准则、校风学风、文明行为等），会通过各种渠道和形式对社会环境产生影响，丰富和发展社会文化，校园文明的这种对社会大环境的影响作用便是其辐射功能。

正因为校园文明具有这种辐射作用，所以它不仅能在学校素质教育中起作用，对整个社会成员素质提高也可产生深刻影响，对社会文化起着巨大的推动作用。所以我们才有必要努力建设高度的校园文明，以促进社会主义精神文明建设，促进社会风气的根本好转和全体社会成员文明素质的提高。

作者单位：合作民族师范高等专科学校
原文出处：《兰州大学学报》（社会科学版）
2000年素质教育专辑

精神文明报评论员：牢固的基石

新的世纪，即将翻开中华民族文明史上最为辉煌的篇章。

曾经创造了人类历史灿烂文明的中华民族，从19世纪走向衰落之后，在“八国联军”火烧圆明园，疯狂摧残中国文明的耻辱中，开始了历经沧桑的一个百年历史。

100年，对于中华民族的悠久历史而言是短暂的。但正是在这短暂的历史瞬间，中国却发生了天翻地覆的变化。中国共产党的诞生，中华人民共和国的成立，建设有中国特色社会主义道路的开创，中国人民一步一步地走上了实现伟大的文明复兴的光明之路。

站在世纪之交的历史阶梯上，我们清楚地看到，从马克思主义传到中国，到毛泽东思想的形成和发展，再到确立邓小平理论的指导地位，是中国共产党在理论与实践的不断统一过程中，找到了“什么是社会主义”、“怎样建设社会主义”这个根本问题的答案，提出了社会主义精神文明建设理论，铸就了中华民族振兴和发展的强大精神支柱。

历史的呼唤

自从《共产党宣言》问世一个半世纪以来，社会主义经历了由空想到科学，由一国实践到多国实践的凯旋进军，也遭遇各种挫折，乃至像东欧剧变，苏联解体那样的严重曲折。

面对严峻的形势，中国共产党人认真总结历史的经验教训，对什么是社会主义，怎样建设社会主义进行了认真探索。邓小平坚定地说：“我坚信，世界上赞成马克思主义的人会多起来的”，“社会主义经历一个长过程发展后必然代替资本主义，这是社会历史发展不可逆转的总趋势，但道路是曲折的。”中国共产党没有退却，没有放弃社会主义。相反，坚持了符合实际的有中国特色的社会主义，坚持两个文明一起抓，保证了中国的改革开放和现代化建设的方向。

世界社会主义运动和中国社会主义建设的历史经验教训告诉我们，社会主义不仅要有高度的物质文明，而且要有高度的精神文明。坚定的社会主义信念和坚实的社会主义运动实践，是精神文明建设的前提和基础。

源于中国和世界，源于历史和现实，中国共产党把马列主义、毛泽东思想关于人类文明理论中所包含的精神文明思想内容，邓小平关于社会主义精神文明建设的一系列重要思想加以系统化，形成了社会主义精神文明建设理论，科学地解决了精神文明建设的一系列重大问题。

从社会主义精神文明建设重大命题的提出，到确定社会主义重要特征；从制定社会主义精神文明建设指导方针和具体措施，到确定物质文明建设和精神文明建设是统一的奋斗目标；从确定社会主义市场经济同精神文明建设相结合，到提出“三个代表”的重要思想，中国共产党对精神文明建设的认识逐步深化，更加科学。

先进文化的前进方向

江泽民在“三个代表”的重要论述中，要求中国共产党始终代表先进文化的前进方向，这是加强社会主义精神文明建设指导思想的一个新的发展。社会主义精神文明建设理论的形成、完善和发展过程，充分体现了先进文化的前进方向。

针对十年浩劫给人的思想道德文化素质和教育科技文化事业所造成的严重破坏，邓小平在精神文明建设领域进行了拨乱反正。他反复强调要完整准确地理解毛泽东思想，恢复实事求是的思想路线；要搞好党风、社会风气；要尊重知识，尊重人才，把教育科学搞上去。

十一届三中全会后，中国共产党把思想建设和科学教育文化建设方面的任务，集中概括到“社会主义精神文明”这一科学概念之中。十一届四中全会讨论并通过的叶剑英在国庆30周年庆祝大会的讲话和邓小平在全国第四次人代会上的讲话，集中体现了党中央的这一思想。《关于建国以来党的若干历史问题的决议》，把“社会主义必须具有高度的精神文明”作为适合我国国情的社会主义现代化建设的正确道路，作为新时期全党奋斗目标的重要组成部分。社会主义精神文明建设理论的轮廓开始显现出来。

党的十二大从理论原理、具体内容到方针、方法，对社会主义精神文明建设作了比较完整的论证和阐述，明确指出社会主义精神文明是社会主义的重要特征，在社会主义现代化建设中具有重要战略地位，坚持两个文明一起抓是建设社会主义的战略方针。

为进一步从根本上解决精神文明建设的实际问题，党的十二届六中全会，做出了我们党历史上第一个关于社会主义精神文明建设的决议，着重解决新形势下精神文明建设指导方针问题，进一步明确了精神文明建设的指导思想、战略地位、主要任务和基本方针，把精神文明建设纳入了社会主义现代化建设的总体布局。决议坚持了党的十一届三中全会以来提出的精神文明建设的基本观点，同时在许多方面又有了新的发展。它是精神文明建设理论发展的一个重要里程碑，标志着社会主义精神文明建设理论已经形成了一个比较完整的科学体系。

1992年春天，邓小平来到广东、珠海、深圳等沿海经济特区，用改革开放和现代化建设取得的成就来回答建设有中国特色社会主义的许多重大认识问题。邓小平的南巡讲话把精神文明建设提升到一个新的高度，明确指出两个文明都搞好，才是有中国特色的社会主义，他还首次提出了“两手抓，两手都要硬”的方针。

党的十四届六中全会通过了《中共中央关于加强社会主义精神文明建设若干重要问题的决议》，认真分析精神文明建设的形势，总结了经验教训，明确提出了社会主义市场经济和对外开放条件下，精神文明建设的指导思想、目标任务、基本方针和重要措施，全面部署了跨世纪的精神文明建设，特别是思想道德和文化建设的各项任务。《决议》在理论上、思路上、措施上都有创新。

十四届六中全会决议是我党历史上第二个关于加强精神文明建设的重要文件，是精神文明建设理论发展的又一个重要里程碑，标志着精神文明建设理论的进一步完善和深化。

邓小平关于社会主义精神文明建设的一系列重要论述，创造性地回答了社会主义精神文明建设的重大问题，为社会主义精神文明建设理论的创立和完善作出了历史性的贡献。

江泽民立足国内外形势发生的深刻变化，运用马列主义毛泽东思想和邓小平理论的立场、观点和方法，对社会主义精神文明建设的若干重要问题作了全面、系统、深刻的论述，继续坚持“两手抓，两手都要硬”的方针，采取一系列重大举措，大力加强社会主义精神文明建设，进一步坚持和丰富发展了社会主义精神文明建设理论。

他提出了建设有中国特色社会主义文化的重要思想，强调社会主义现代化应该有繁荣的经济和繁荣的文化。他还指出精神文明是综合国力的重要组成部分，事关建设有中国特色社会主义事业大局，越是深化改革、扩大开放，越是发展社会主义市场经济，越要重视和加强精神文明建设。要坚持“以科学的理论武装人，以正确的舆论引导人，以高尚的精神塑造人，以优秀的作品鼓舞人”。

世纪之交，江泽民站在历史的高度，着眼我国改革开放和现代化建设全局，继承历史、立足现实，前瞻未来，提出了“三个代表”的精辟论断，是对马克思主义建党学说在新的历史条件下创造性的运用，是对党的先进性的科学概括和总结，也是加强社会主义精神文明建设指导思想的一个新发展。

走进文明新时代

中华民族在百年的文明复兴道路上，经历了翻身作主站起来，改革开放富起来的伟大历程后，步入了继续奋斗强起来的新时代。放眼中华大地，经济持续发展，社会全面进步，人民幸福安康。社会主义精神文明建设绽放的花朵，是那样的多姿多彩，璀璨夺目。

邓小平理论深入人心，中华民族思想和道德素质显著提高。

——社会主义道德风尚发扬光大，中国人民的政治觉悟和民族凝聚力显著提高。

——文化事业欣欣向荣，人民群众精神文化生活水平显著提高。

——群众性精神文明创建活动深入开展，城乡文明程度和人民群众的文明素质显著提高，文明城市、文明村镇、文明行业不断涌现。精神文明建设逐步从80年代初的街头治理“脏、乱、差”和季节性的便民义务活动向着培育“四有”新人、提高人的思想道德水平的纵深方向发展。

——教育和科技事业获得了很大发展，人民群众的科学文化素质显著提高。

社会主义精神文明建设的辉煌成就，汇成了一股强大的动力，推动着我国改革开放和现代化建设蓬勃发展。中国人民正以崭新的面貌跨入21世纪。

原文出处：2000年12月26日《精神文明报》

精神文明报评论员：伟大的实践

世纪之交，回顾社会主义精神文明建设的光辉历程，我们看到群众性精神文明创建活动谱写了多姿多彩，波澜壮阔的篇章，这是中国人民的伟大实践，也是中国人民的伟大创造。

80年代初，在历经十年浩劫之后，人们开始寻找失落的精神世界。各地相继开展“五讲四美三热爱”活动，呼唤真、善、美，为我国群众性精神文明创建活动吹来第一缕春风。

1984年6月，中央五讲四美三热爱活动委员会在福建三明市召开会议，总结大中城市开展“五讲四美三热爱”活动情况，推广三明市建设新型文明城市的经验，从此，多种形式的群众性精神文明创建活动全面展开。

1989年，十三届四中全会之后，江泽民同志为核心的党中央认真纠正过去一个时期内曾经出现的“一手硬、一手软”的失误，把精神文明建设摆上全党工作的重要位置，群众性精神文明创建活动进入了一个新的发展阶段。

党的十四届六中全会做出的《关于社会主义精神文明建设若干重要问题的决议》，吹响了群众性精神文明创建活动的号角。人民群众参与的主动性、积极性空前高涨，创建活动在全国风起云涌，波澜壮阔，从内容到形式，从深度到广度都有新的发展，迎来了它的辉煌时期。

1997年，中央精神文明建设指导委员会成立，组织开展“讲文明树新风”活动，突出解决老百姓反映强烈的文明言行、服务质量、环境卫生、交通秩序等四个方面的问题，并以此统领全国群众性精神文明创建活动。

目前，一个以“讲文明树新风”为主要内容，以创建文明城市、文明村镇、文明行业为主体，以创建文明单位为基础，多种形式创建活动共同发展的工作格局逐步形成。

拓展文明的生存空间

时代的车轮推动我国步入加速推进城市化和城市现代化的历史阶段。

这是一个光明而充满艰辛的过程。这个过程中不仅是物质文明建设的发展过程，也是精神文明建设的发展过程。城市经济的发展有利于带动整个国民经济的发展，城市文明程度的提高有利于带动整个社会文明程度的提高。

特殊的历史背景和时代要求使文明城市的创建应运而生。

自诞生之日起，我国的文明城市创建活动始终着眼于提高市民素质和城市文明程度，努力实现以思想道德修养、科学教育水平、民主法制观念为主要内容的市民素质的显著提高，实现以社会风气、公共秩序、生活环境为主要标志的城市文明程度的显著提高。

三明、张家港、大连、上海、厦门、西安、南宁、绵阳、合肥、宜昌、中山、杭州、深圳，一个个文明城市带着浓郁的时代气息和鲜明的创建特点向人们走来。

1997年，全国推出100个文明城市示范点。春华秋实，两年后，中央文明委表彰了58个创建文明城市工作先进城市（城区）。

实践证明，创建文明城市活动是推动城市经济发展和社会全面进步的重要载体，是加强城市精神文明建设的有效途径，是群众性精神文明创建活动的龙头工程，在各种创建活动中居于主导地位。

伴随文明城市创建的深入，文明社区走到创建的前台。

文明社区是文明城市建设的具体化。近年来，各地的社区建设工作在社区服务、社区管理、社区教育、社区环境等方面大胆探索，开拓创新，涌现了天津、上海、南京等先进经验和典型。

随着社会主义市场经济的深入发展，社区在加强城市管理、服务市民生活、促进社会进步等方面的作用越来越大。

社区建设，任重而道远。

为了大地的希望

这是一个广阔的天地，这是一个巨大的舞台。在农村，在那广袤的大地上，群众性精神文明创建活动播撒着文明的种子，浇灌着大地的希望。

作为一个农业大国，我国农业、农村和农民问题，始终关系改革开放和现代化建设全局。特殊的国情要求我们在大力发展农村经济，不断解放和发展农村生产力的同时，必须大力加强农村精神文明建设，推动农村社会的全面进步。

我国农村精神文明建设始于十一届三中全会以后。各地根据中央的精神，紧密结合农村的实际，切实加强了精神文明建设，先后出现了评选遵纪守法户、五好家庭户、双文明户，十星级文明户，三下乡三扎根，军民共建、工农共建和建设文明村镇等多种形式的创建活动，为提高广大农民素质和改善农村环境面貌发挥了重要作用。

党的十三届四中全会后，第三代领导集体全面加强精神文明建设，农村精神文明建设也走进了春天。

从首都到边陲，从中央到地方，从理论到实践，人们处处感受到建设社会主义新农村的文明风采。

从1994年起，中央文明办每两年召开一次全国农村精神文明建设座谈会，河南林州会议、湖北武汉会议、山东文登会议和辽宁开原会议，不断地推广农村精神文明建设的新经验。

创建文明村镇、评选文明户、举办农村文明

学校、实施改水改厕工程、创建文明县城、进行民情座谈会、写民情日记、坚持“三下乡，三扎根”、开展“双思教育”等经验相继在各地涌现，如山花烂漫，春意盎然。

近年来的文明村镇、文明户等创建活动都立足于全面提高农民的思想道德素质和科学文化素质，为奔小康和建设社会主义新农村提供精神动力、智力支持和思想保证。1997 年全国推出 200 个创建文明村镇示范点。1999 年中央文明委表彰 500 个创建文明村镇先进县（市）、乡（镇）、村。

我们不难发现，文明村镇、文明户等创建活动牵一发而动全身，全面推动了农村精神文明建设，它们的开展，有利于为农业现代化建设提供高素质人才；有利于为实现农业现代化提供良好的投资环境；也有利于为实现农业现代化提供良好的文化条件。

近年来，农村绿色的田野上还涌动着文化、科技、卫生“三下乡”的暖流。它如阵阵春潮，为亿万农民群众送去欢乐，送去知识，送去健康，送去党和政府的关怀。

实实在在地帮助农民解决问题，坚决防止和克服形式主义，是“三下乡”活动最为响亮的口号之一。据不完全统计，五年来共送图书 3 亿多册，送戏下乡近 700 万场，电影下乡近 2000 万场；科技人员下乡 600 多万人次，举办科技培训班 170 多万场，2 亿多农民参加了培训；下乡医疗队 12 万支，培训乡村医疗人员 400 万人，给 9000 多万农民看了病，一大批农民在“三下乡”活动中走上了脱贫致富奔小康的希望之路。

“三下乡”活动使农民在娱乐中陶冶着高尚的情操，在咨询中明白科技的威力，在防病治病中领会着健康的概念，在参与中享受着文明的成果。

提高社会文明服务水平

敞开心灵的世界，擦亮文明的窗口，让情操在服务中升华，让关爱在工作中传递。这是多数人在领略文明行业创建风采时的感受。

行业直接面向群众，面向社会，与广大老百姓的生活息息相关，行业的服务质量和工作水平代表党和政府的形象，开展文明行业创建活动是保证行业建设和发展正确方向的需要；是密切党和人民群众关系的需要；是促进行业业务工作发展的需要。

文明行业创建活动就像一条纽带，一座桥梁，把政府和老百姓紧紧连在一起。

近年来文明行业创建活动立足于服务人民，奉献社会。各行各业紧紧围绕这个中心，深入开展职业道德教育，以“窗口行业”和“窗口单位”为突破口，普遍推广优质服务，认真组织各具特色的系列活动，切实纠正行业不正之风，促进两个文明建设协调发展。

1997 年全国推出 500 个创建文明行业示范点。1999 年中央文明委表彰 503 个创建文明行业先进窗口。

推崇真诚与公平，抵制虚假与伪劣，带来信心与保证，“百城万店无假货”活动是文明行业创建过程中一道亮丽的风景线。

这项发端于 1997 年的活动不断改进活动方式，服务内容不断创新。目前已由城市延伸到农村，由点扩散到线，由示范店发展到示范街。

2000 年春节前夕，合肥市组织几家大商场为农民送去 3000 多种、价值 70 多万元的年货。揣着钞票的农民们直奔各大商场的售货点，抢着挑选服装、家电、烟酒、食品、日用百货、种子等商品。一位姓李的老农说，现在农村假烟、假酒特别多，买年货最怕买到这些假货。省城的大商场给我们送货，我们买得放心。

随着这项活动的逐步深入，它已超越以打假为主的初衷，进入促进两个文明建设的重要阶段，成为传播文明新风的重要载体。

事实告诉我们，深入开展创建文明行业活动，对于提高行业职工素质，提高服务质量，纠正行业不正之风，促进精神文明建设任务的落实，实现行业两个文明建设的协调发展，具有重大的作用。

原文出处：2000 年 12 月 28 日《精神文明报》

精神文明报评论员：不朽的丰碑

今天，面临世纪之末，喜迎新的纪元，面对丰富的社会主义精神文明建设的实践，我们没有理由不理性地思考一下这最具中国特色的伟大实践的成功经验。

经验是过去的结晶，也是将来的基石。

两手抓，两手都要硬

这是一句通俗而寓意深远的话。

但在处于社会主义现代化建设过程中的中国大地上，这恰似一声春雷。1979年10月30日，邓小平同志指出：我们要在建设高度物质文明的同时，提高全民族的科学文化水平，发展高尚的丰富多彩的文化生活，建设高度的社会主义精神文明。由此拉开了新时期精神文明建设的序幕。

1992年邓小平同志在南巡讲话中，又再次强调“两手抓，两手都要硬”的战略方针：他语重心长地指出，只有两个文明建设都搞好，才是有中国特色的社会主义。

春雷声阵阵入耳，响彻中国大地。

两手抓，不是党政领导分别抓，而是一把手两手抓，一手抓物质文明建设，一手抓精神文明建设。一把手抓两手，体现了精神文明建设领导重视尤为先。

两手抓，不是先抓物质文明后抓精神文明，或者一手硬一手软，而是两手同时同等抓。坚持两手抓，两手都要硬必须一以贯之，任何时候、任何情况下都不能有丝毫的动摇和懈怠。

我们有过失败的教训，或者是极端夸大意识形态作用的问题，也出现过对两手抓，两手硬执行不一贯的情况。这两方面的深刻教训都要永远记取。

我们也有过探索的迷惑，在社会主义现代化建设中，先抓物质文明，后抓精神文明？或者以牺牲精神文明为代价换取经济的一时发展？

我们同样也有过成功的喜悦。

正是因为两手抓，两手都要硬，我们才能从国庆五十周年庆典的华丽气氛中，领略到全国1000多个创建单位的文明风姿；

正因为两手抓，两手都要硬，神州大地才能涌现或正在涌现一个个经济建设和社会文化共同繁荣的文明城市；

正是因为两手抓，两手都要硬，我们广袤的农村天地才能展现两个文明比翼齐飞的动人画面。

春风化雨，春华秋实。

如果说，在这个世纪，中国给这个世界创造了很多奇迹，那么，由“两手抓，两手都要硬”这最富中国特色的两个文明建设的实践，使得精神文明建设与物质文明建设能够比翼齐飞，一个焕发着现代文明气息的社会主义强国即将崛起在世界的东方。

重在建设，以人为本

重在建设，贵在坚持。这一来自广大人民群众创建实践的经验掷地有声。

建设，方能使精神文明之树常青；坚持，是精神文明历久不衰的保证。

1998年，党的十四大进一步明确提出了“精神文明建设重在建设”。党的十四届六中全会强调精神文明要坚持重在建设的方针。

我们常说，精神文明重在建设，贵在坚持，这就是说，人们的理想信念、道德操守的形成和精神文明素质的提高，不能靠枯燥的说教和灌输，而必须给人们能够参与、乐于参与、便于参与的具体活动，来吸引人们自觉地加入到精神文明创建活动中来，并且这种创建活动必须深入持久，不能走过场，摆花架子，忽冷忽热。

重在建设，以人为本，就是要把“建设”作为工作的出发点和落脚点，把工作的着力点放在提高人的思想道德素质和科学文化素质，培育“四有”（有理想、有道德、有文化、有纪律）新人上。

环境改造是建设。全国城乡创建优美环境，

下大力气整治环境污染，普及推广亮灯工程、绿化工程、硬化工程、美化工程等。人改造了环境，同样环境也改造了人。

机制健全是建设。精神文明建设的各种机制是广大群众的伟大创造，领导机制、工作机制、考核机制、奖惩机制，这一系列健全的制度和完善的机制使得群众性精神文明创建工作呈现蓬勃向上的健康态势。

文化繁荣是建设。满足人民群众日益增长的精神文化需求，成为社会主义精神文化生产的根本立足点。百花齐放、百家争鸣；弘扬主旋律，提倡多样化；一手抓繁荣、一手抓管理；以农村文化、企业文化、校园文化、军营文化、社区文化为主体的群众性文化活动，日益向广度和深度发展；“五个一工程”建设的日趋繁荣；文化、科技、卫生“三下乡”活动深入开展；各种精神文明标志性工程的纷纷落成。缤纷的硕果，昭示着我们这个时代健康向上的精神文化氛围业已形成。

素质提高是建设。以科学的理论武装人，以正确的舆论引导人，以高尚的精神塑造人，以优秀的作品鼓舞人，引导人们树立正确的世界观、人生观、价值观，大力弘扬爱国主义、集体主义、社会主义和艰苦创业精神，人的精神面貌发生了翻天覆地的变化。

共建活动是建设。军民共建、警民共建、工农共建、厂校共建，在今天的中国大地上，共建这种全新的尝试最大范围地吸引广大人民群众参与精神文明建设的实践，他们的文明素养在普及中提高。

道德完善是建设。深入持久地开展以为人民服务为核心，集体主义为原则的社会主义道德教育，让广大群众自觉地参与学雷锋做好事、送温暖献爱心、希望工程、志愿者等道德实践活动，全社会团结互助、平等友爱、共同前进的新型人际关系正在巩固和发展。

一步一步去积累，一点一滴去创造，一件一件去落实，一时一刻不放松。

建设，扎实的建设，卓有成效的建设，塑造了一代新人。

围绕中心，服务大局

历史的教训是我们心头永远的痛。“文革”期间那种“空头政治”、“政治挂帅”的思想曾使我们的事业遭受严重的挫折。

今天，我们虽不再也没有必要纠缠于中心与核心的争论，但当我们面对现代化建设一日千里的勃勃生机时，有一个中心总让我们为之倾力奋进，有一个大局总让我们为之牵肠挂肚。“我们进行的精神文明建设，是以经济建设为中心、坚持四项基本原则和坚持改革开放的精神文明建设。”党的十四届六中全会《决议》为我们拨开思想的迷雾，坚定了在精神文明建设的航程中围绕中心、服务大局的信念。经济建设是全党全国工作的中心，精神文明建设必须自觉地服从服务于这个中心；

改革、发展、稳定是全党全国工作的大局。精神文明建设必须从这个大局出发，一切着眼于大局，一切在大局思考下，一切在大局下行动；

把全党全国人民的思想和行动统一到中央的决策上来，把各方面的力量和智慧凝聚到建设社会主义的伟大事业上来。

为中心、为大局，精神文明建设与经济工作和各项业务工作紧密结合，成为我们必然的选择。

正因如此，我们的文明社区创建工作同社区建设、社区服务、社区管理有机结合起来；文明城市创建工作同加强城市规划、建设、管理，发展城市经济和改善投资环境结合起来；创建文明村镇同广大农民求发展、奔小康、建设社会主义新农村结合起来；创建文明行业同规范行业行为、树立行业新风，提高经济效益和社会效益结合起来。这一切，既是明天我们坚实的足迹，也是明天我们启航的起点。

齐抓共建，形成合力

精神文明建设不是“独角戏”，而是一台规模宏大、盛况空前的“大合唱”。

精神文明建设也不是“单打一”，而是一个纷繁复杂的社会“系统工程”。

文明就在大家身边，文明涉及你我他。社会主义精神文明建设由于其齐抓共建、形成合力而呈现群众性、社会化的景观。

政府部门承担起精神文明建设的具体任务；机关、企事业单位、学校、街道把精神文明建设任务落实到基层；工、青、妇等人民团体广泛组织和动员群众参与精神文明建设；社会科学、新闻出版、文化艺术等部门在精神文明建设中发挥积极的作用。文明的力量集结了大家的智慧，链接着社会的方方面面，形成一个大有作为的广阔天地。

在全国各地的文明办的办公室里，我们都能看到这样的工作准则；组织协调好群众性精神文明创建工作。协调，这是这一组织形式诞生的历史要求，也是其天职。协调，体现了精神文明建设工作的独特个性。不齐抓共建，哪需要协调？又岂能形成合力？

社会主义精神文明建设的丰富实践，业已建立了互相配合、协调运转的有效机制：党委统一领导制度、各负其责的责任制度、检查落实的监督制度。真正在全社会形成一个方方面面都积极参与精神文明建设、层层都有人负责抓精神文明建设、人人都自觉关心精神文明建设的良好局面。

我们没有忘记改革开放之初，全国上下开展的“五讲四美三热爱”活动的影响之深之广之大；我们同样也惊喜于近些年波及全国的“讲文明树新风”活动境界之高、效果之大、普及之广。在一定时期，集中社会各方面的力量，解决突出问题，打总体战，事实证明，这是精神文明建设形成合力的必然之道、成功之道。

我们从陕西省西安市的实践中得到例证：西安作为一个文明古都，在精神文明建设中发生了巨大变化，1996 年，西安市委、市政府根据精神文明建设的战略思想，启动了西安的“八大形象工程”（支柱工程、形象工程，容貌工程，繁荣工程等）建设，动员全社会力量齐抓共建文明城市，使西安迅速成为祖国西北大地上的文明城市，获得了全新的声誉。

我们从神州大地精神文明无处不在的氛围中得到启示：大到国家形象、民族尊严、社会风气，小到行为举止、家庭伦理、邻里关系；从群众到干部，从城市到乡村，上至中央，下到基层，方方面面，男女老少，人人谈精神文明，事事想精神文明，处处做精神文明，时时现精神文明，社会主义精神文明已深入人心，蔚为壮观！

走群众路线，务求实效

“群众是真正的英雄，而我们自己却往往是幼稚可笑的。”毛泽东一语道破党的群众路线的“天机”。

“抓精神文明建设，抓党风、社会风气好转，必须狠狠地抓，一天不放松地抓，从具体事件抓起。”邓小平高瞻远瞩。

1997 年 5 月 26 日，江泽民总书记在中央精神文明建设指导委员会第一次全体会议上的重要讲话要求：每年办几件作用大、影响大的实事，以此推动整个精神文明建设工作的开展。

一切为了群众，一切相信群众，一切依靠群众，这是我们工作的力量源泉之所在。

人民群众需要精神文明建设，精神文明建设更需要人民群众。这信念和责任构成了精神文明建设者们的伟大心魄，这伟大的心魄，是照耀他们心胸的最精纯的火焰。

立足群众，依靠群众，服务群众，不断满足人民群众日益增长的精神文化需要。只有这样，才能得到人民群众的衷心拥护；

精神文明建设工作的着眼点，要放在与群众密切相关、为群众所欢迎的事情上，尊重群众意愿，以人民满意不满意为标准，把解决思想问题与解决实际问题结合起来，既讲道理，又办实事，多做得人心、暖人心、稳人心的工作，把实事办好，把好事办实，使人民群众从开展精神文明建设中得到实实在在的好处；

精心设计群众喜闻乐见的活动载体，广泛吸引群众自觉参与。始终以人民群众拥护不拥护、赞成不赞成、高兴不高兴，作为一切活动的出发点和落脚点。

这些不平凡的探索和跋涉的足迹让我们顿悟，让我们明察。

1997 年 7 月，中央文明委发起了“讲文明树新风”活动，自此，这项统领全国群众性精神文明建设的重大工程，着力解决群众迫切希望解决的服务质量、文明言行、环境卫生、交通秩序等具体问题。

“讲、树”活动为精神文明建设开创了一个崭新的天地。我们已经深深感受到，精神文明建设离自己近了，跟自己的切身利益更加息息相关：窗口行业文明服务承诺制使群众感受到社会服务水平的逐步提高；“百城万店无假货”活动让人们体验到作为消费者应有的尊重；做人民满意的公务员活动拉近了干部与群众的距离；给下岗职工“送温暖、献爱心”活动展现出人们精神上的风采。大连、南宁、宜昌、中山、绵阳等一个个文明城市的涌现，促使创建文明城市活动不断推向深入，无数城市居民成为精神文明建设的直接受益者。

寒来暑往，风云际会。

当精神文明建设不再是20多年前的春风消息，当我们迸发出昨天开拓的节奏和奋进的乐章，当我们极目放眼社会主义精神文明的无限江山，当我们感受到精神文明一枝一叶的关爱和暖意……我们发现：其实我们已经树立起了一座座精神文明建设的不朽丰碑。

原文出处：2000年12月30日《精神文明报》

图书简介

毛泽东　邓小平　江泽民　论思想政治工作

中央宣传部编　学习出版社　148千字

1999年9月29日中共中央发出了《关于加强和改进思想政治工作的若干意见》，针对国内外新形势下思想政治工作面临的新情况、新问题和严峻挑战，对思想政治工作做出了新部署，提出了新要求。本书正是为帮助广大干部群众更好地学习毛泽东、邓小平、江泽民同志关于思想政治工作的论述，认真贯彻落实中央的《意见》而编辑的。辑录的内容分别选自《毛泽东选集》、《毛泽东文集》、《邓小平文选》、《十三大以来重要文献选编》、《十四大以来重要文献选编》以及中央文献出版社、人民出版社、《人民日报》公开发表的文献。

本书内容按专题分类，题内语录以时间先后为序编排。所列五个专题分别是：要把思想政治工作放在非常重要的地位；思想政治工作要坚持正确的方针原则；深入扎实地进行思想政治教育；探索新形势下做好思想政治工作的规律和办法，把各项任务落实到基层；切实加强党对思想政治工作的领导。这样安排，体现了作为毛泽东思想、邓小平理论重要组成部分的思想政治工作理论的科学性、完整性、系统性，也体现了我们党的三代领导核心为思想政治工作理论所作出的重大贡献，体现了思想政治工作理论在不同历史时期随着革命和建设实践的发展而不断丰富和发展。学习、研究和宣传党的三代领导核心关于思想政治工作的论述，对我们更好地加深理解和贯彻落实党中央《关于加强和改进思想政治工作的若干意见》精神，切实做好思想政治工作，具有极其重要的意义。

（杨庆文）

马克思主义唯物论和无神论基层党员教育读本

陈逸清　主编　　厦门大学出版社　　150千字

本书是福建省委宣传部组织编写的对广大基层党员进行马克思主义唯物论和无神论教育的通俗教材。针对近年来“人体特异功能”、巫术、伪气功特别是“法轮功”邪教在社会上的传播流行、骗人、害人的现象，本书结合生产、日常生活和科学技术史上的大量事实，通俗生动地讲解了马克思主义唯物论和无神论的基本观点，帮助广大党员树立马克思主义的辩证唯物主义、历史唯物主义的科学世界观、人生观、价值观。

全书由绪论和五讲组成。绪论中心阐明加强马克思主义唯物论和无神论教育是党的思想建设的重要任务这一问题。全书五讲便围绕这一中心任务展开。第一讲共产党员必须牢固树立正确的世界观、人生观和价值观，比较系统地讲解了什么是世界观、人生观、价值观及三者之间的关系，从总体上讲解了马克思主义科学世界观即辩证唯物主义和历史唯物主义的基本内容。第二讲共产党员必须学习和掌握马克思主义唯物论的基本观点，重点讲解了马克思主义世界观关于世界物质性的观点、世界的联系、运动和发展的观点、人类社会物质性的观点、人类社会的本质是实践的观点和人民群众创造历史的观点。第三讲共产党员必须崇尚科学反对迷信，重点讲解了马克思主义关于科学和迷信本质对立的观点，以生动的事实揭露和批判“人体特异功能”、伪气功和巫术等反科学的唯心主义实质和骗人把戏。第四讲共产党员不能信仰宗教，主要讲解了马克思主义关于宗教的本质、宗教的起源和消亡的基本观点；介绍了当代中国宗教的问题，阐明了合法正当的宗教同邪教的界限和党的宗教政策；讲清了共产党员对待宗教的正确态度是党员不能信仰宗教、党员必须积极宣传唯物论和无神论、党员必须在贯彻党的宗教信仰自由政策的前提下积极为逐步消除宗教得以存在的社会根源和认识根源而奋斗。第五讲共产党员要坚决与“法轮功”做斗争，主要是分析揭露“法轮功”反科学、反文明、反人类、反社会、反政府的邪教本质及其对社会主义改革、发展、稳定大局和人民生命财产的严重危害性，分析了“法轮功”产生的社会文化根源和这一事件的教训，强调共产党员必须坚决与“法轮功”做斗争的职责与意义。最后，本书把《中共中央关于共产党员不准修炼“法轮大法”的通知》和《毛泽东邓小平江泽民论唯物论和无神论》附于书末，供广大基层党员进一步学习。

（杨庆文）

邓小平思想政治教育理论与实践

李玉华　李景平　谭 林　主编　　西安交通大学出版社　　244 千字

本书是适应党的思想政治工作的需要而撰写的一本结合实践研究邓小平思想政治教育理论的专著。全书除绪论之外包括两大部分。绪论主要通过总结改革开放以来我们思想政治教育的经验教训，阐明思想政治教育是我们党的真正优势及其重要作用，并提出新时期我们思想政治教育面临的新课题和新任务。

第一章到第九章为第一部分，侧重于邓小平思想政治教育思想的理论内容的阐述，其中包括邓小平思想政治教育理论的理论基础、思想政治教育的地位和作用、思想政治教育的目的和任务、思想政治教育的内容、方针和原则、途径和方法、思想政治教育与精神文明建设、思想政治教育与党风建设、思想政治教育与群众利益，共九项内容。

第十章和第十一章为第二部分，侧重于研究邓小平思想教育政治教育理论在新时期的实践过程，梳理了自“文革”结束邓小平复出力主批评“两个凡是”、重新恢复党的解放思想、实事求是的思想路线，特别是党的十一届三中全会开辟改革开放的历史新时期以来直到20世纪末，我们党进行思想政治教育的各项重大举措，总结了实践经验，阐明了实践效果，展现了邓小平思想政治教育理论在实践中的威力。

（李景平）

社会主义精神文明建设概论

中央文明办组织编写　　学习出版社　　230千字

本书是中央文明办组织部分理论宣传工作者集体编写的，完整准确地阐述我们党关于有中国特色社会主义精神文明建设的理论和方针、政策、原则的一部专著。“前言”说明本书的编写宗旨，是“帮助广大党员干部特别是从事精神文明建设工作的同志从历史的、战略的高度，深刻认识社会主义精神文明建设的重要性，增强坚持‘两手抓，两手都要硬’的自觉性和坚定性，努力促进两个文明建设协调发展”。本着这一宗旨，本书以马列主义、毛泽东思想、邓小平理论为指导，从历史和逻辑、理论和实践的结合上对社会主义精神文明建设的基本问题作了系统准确的阐述。全书除前言简要说明编写宗旨和过程之外，理论内容共分十章，按照总论、分论和结论的逻辑顺序展开。

前四章可视为总论，系统论述社会主义精神文明建设总体方面的理论问题。第一章为社会主义精神文明建设理论形成和发展的历史概述。先是简要介绍马克思、恩格斯关于人类社会文明及其发展的观点和列宁、毛泽东关于社会主义思想文化建设的思想，旨在肯定马列主义、毛泽东思想为社会主义精神文明建设理论奠定了坚实的思想基础；继而重点阐述邓小平关于社会主义精神文明建设的理论和江泽民同志关于加强社会主义精神文明建设的一系列重要论述，旨在阐明以邓小平为核心的第二代党中央领导集体创立了社会主义精神文明建设理论和以江泽民为核心的党中央第三代领导集体丰富和发展了社会主义精神文明建设理论。第二、三、四章则分别阐述社会主义精神文明建设的地位、目标任务和方针原则，这三方面构成的社会主义精神文明建设理论体系的总体问题。第五至第九章为全书的分论，分别阐述社会主义精神文明建设中的思想道德建设、文化事业建设、教育事业建设、科学技术事业建设和群众性精神文明创建活动这五个方面的问题。最后第十章为全书的结论，把社会主义精神文明建设的成功归结为加强和改善党的领导。本书总结改革开放20余年来社会主义精神文明建设的基本经验，提出要切实加强和改进党对社会主义精神文明建设的领导，必须坚持做到这样五个方面：按照“三个代表”要求切实加强精神文明建设，建立和完善精神文明建设的领导体制和工作机制，发挥党员干部和党政机关的表率作用，加大精神文明建设的投入，建设一支高素质的精神文明建设队伍。实践证明，这些确实是加强和改进党对社会主义精神文明建设领导的有力措施，我们应在实践中继续坚持并加以发展。

本书为广大干部群众学习和研究社会主义精神文明建设问题提供了一本基本教材。

（杨庆文）

社会主义精神文明建设概论

王文承　杨先农　主编　　四川文艺出版社　　376 千字

此书系国家哲学社会科学基金“九五”规划重点项目“社会主义精神文明建设层次结构、发展规划和运行机制”的最终成果。全书共十六章，五十三节。第一章至第七章是关于社会主义精神文明建设总体上的基本问题，即分别论述了社会主义精神文明的形成、社会主义精神文明建设的指导思想、战略地位、性质和特点、目标任务体系和层次、主要规律、基本方针和原则等问题。第八章至第十二章分别论述了社会主义精神建设中的思想道德建设、教育科学文化建设、社会主义精神建设和发展社会主义市场经济的关系、和民主法制建设的关系、和对外开放的关系等问题。第十三章至第十五章分别论述了市场经济条件下精神产品的消费、流通和生产、群众性创建活动、社会主义精神文明建设的方式方法等问题。最后第十六章以社会主义精神文明建设关键在党作全书的总结。

总之，本书以马列主义、毛泽东思想、邓小平理论为指导，总结了社会主义精神文明建设的实践经验，探讨了社会主义市场经济条件下社会主义精神建设的新问题，提出了一些新见解，对社会主义精神文明建设的实践有一定的参考作用。

（杨庆文）

当代中国道德建设

郭广银　杨　明　著　　江苏人民出版社　　170 千字

有中国特色的社会主义建设内在地包含着经济建设、政治建设和文化建设三个方面。道德建设作为文化建设的一个侧面，在有中国特色的社会主义建设中占有举足轻重的地位。道德作为一种特殊的社会意识形态，广泛而深入地渗透于经济建设、政治建设和文化建设之中，理所应当受到重视。本书围绕着当代中国道德建设这个论题在纵向上将传统道德、现代道德和未来道德糅合在一起，在横向上广泛涉及到经济、政治、文化建设的方方面面。全书由立论篇、本质篇、策略篇和探索篇 4 篇 9 章组成。立论篇旨在解决当代中国道德建设的根本出发点问题。作者认为，一方面基于历史的逻辑，当代中国道德建设离不开对传统道德的扬弃。另一方面，基于实践的逻辑，当代中国道德建设离不开对现实经济关系的依赖。总体而言，当代中国道德建设受传统道德和现实经济关系的双重制约，二者共同构成了当代中国道德建设的根本出发点。

本质篇旨在揭示中国道德建设自身的特殊运动形式。作者认为，当代中国道德建设有其外部联系和内部联系。其一，当代中国社会的健康发展离不开经济制度、政治制度和文化制度相互依赖、相互作用的有机制衡，因此经济建设、政治建设和文化建设共同构成了当代中国社会进步的三大主动轮。当代中国道德建设作为文化建设的重要组成部分，与经济建设、政治建设之间存在着互动互融的关系，既有联系又有区别。在这种联系和区别当中，当代中国道德建设表现出特殊的地位、边界和功能，构成了当代中国道德建设的外部联系。其二，道德建设作为一个复杂的系统工程，其复杂性既体现在它与经济建设、政治法律建设的对立统一当中，又体现在其内部诸要素之间的对立统一之中。其内部诸要素的对立统一关系主要表现在道德建设的主体自律、准则他律和内化中介三者之间的特殊矛盾运动上，这就构成了当代中国道德建设的内部联系即本质。这一本质在当代中国道德建设中占主导地位。

策略篇着眼于制定和论证当代中国道德建设的实践方针和措施。作者认为，研究当代中国道德建设的核心任务，就是要立足于其历史制约和现实制约，着眼于其外部联系和内在本质，从而制定出科学的道德建设策略。这一策略，首先要确立当代中国道德建设的准则体系；其次，要构筑当代中国道德建设的优良环境；最后，要正视并突破当代中国道德建设中的若干理论和实践的难点。

探索篇的主要意图是对中国道德建设的发展方向作总体上的把握。作者指出，要对当代中国道德建设有一个宏观的把握，必然要涉及到当代中国道德建设的目标定位和性质定位问题。本篇对这两个重要问题分别作了有益的探讨。

总体看来，本书具有重要的现实价值。作者通过对当代中国道德建设一般现象与基本规律的系统研究，以开阔的理论视角和敏锐的现实眼光，向世人展现了当代中国道德建设的立体风貌和理论争论的众多焦点，这不仅为当代中国道德建设的策划者们提供了重要的参考依据，而且能引导读者在理性与冷静的立场上进行方方面面的思考。

（左　衡）

WTO与中国文化

刘小敏　李振连　著　　广东经济出版社　　285千字

本书是在中国加入WTO前夕，探讨中国加入WTO对中国文化带来的机遇、挑战以及中国应采取的对策的专著。全书分“文化开放篇”、“文化产业篇”、“文化生活篇”三篇，共十五章，28.5万字。

“文化开放篇”主要分析了入世之前中国文化开放的历史嬗变和入世之际中国文化开放的历史使命。作者认为，开放的文化心态是中华民族在童年时期便已深深扎根的文化心态，从秦始皇统一中国直到明朝中期，中国文化在对外开放方面迈出了雄伟的步伐，有力地促进了中国经济社会的发展和繁荣，也有利地推进了世界文明进步的历史进程；自明末清初以来，中国文化对外开放经历了由沉醉到痛苦到蜕变新生的觉醒历程。作者据此作出的结论是，中国加入WTO后，只要以健康的心态正确对待外来文化和传统文化，真正朝着中国先进文化的前进方向不断推进中国文化对外开放的历程持续、稳定、健康发展，就一定能像党的十一届三中全会后拥抱科学的春天那样，再造中国文化对外开放的春天，进一步复兴和繁荣中国文化，再向世界展示中国文化的新的繁华和辉煌。

“文化产业篇”主要分析了中国加入WTO后文化产业面临的机遇和挑战及应对措施。作者指出，文化产业是当今世界最具竞争力的产业之一，在一些发达国家和地区已成为国民经济的重要支柱产业，而我国的文化产业发展还比较慢，入世后必将面临更加激烈的国际竞争。该书较为系统地分析了中国新闻出版、广播影视、文化艺术、科学技术、教育、体育卫生等六大文化产业的现状及其与国际水平的差距，并分析了加入WTO的影响，提出了一些如何使中国文化产业在新的形势下求生存求发展的对策建议。

“文化生活篇”主要分析中国加入WTO后文化生活面临的机遇和挑战及应对措施。该书指出，文化生活是人类生存和发展的内在需求，是现代社会人们日益关注的重要领域。在中国，繁荣文化生活是发展社会主义文化事业的迫切要求，是步入小康社会后满足人民群众日益增长的精神文化生活需求的迫切需要。该书前瞻性地分析中国加入WTO后的观念文化、网络文化、休闲文化和社会文化将出现的新变化，认为在五彩缤纷的文化生活中必须铸造中华民族的精神脊梁，高扬爱国主义、集体主义和社会主义的主旋律，抵御西方敌对势力的文化渗透和文化扩张，以及全球性的问题如腐败、“黄”、“赌”、“毒”、“黑”等在中国的蔓延；同时认为，中国人民的传统价值观念也必须实现现代性转变，建构起适应社会主义市场经济发展和现代文明生活方式需要的新观念。

该书具有三个突出特点：一是开拓性比较强。本书在多数从经济的角度研究WTO的图书之外，独辟蹊径，从加入WTO与中国文化的关系来研究，具有一定的开拓性。二是研究WTO的分寸把握得比较好。作者怀着强烈的社会责任感和政治敏锐性，既分析了国际社会文化产业和文化生活的现状，也分析了中国社会文化产业和文化生活面临的挑战和机遇；既不固步自封，也不妄自菲薄。三是资料翔实，文笔清新朴实，能够适合众多读者的口味。可以说，这部著作，对政府有关部门制定文化发展战略和文化产业政策，对繁荣百姓文化生活，对人们深入研究“入世”对中国的影响，进而对推进有中国特色的社会主义文化建设，将有所裨益。

（广东省文明办）

农村精神文明建设

边雪城　主编　　当代中国出版社　　160千字

该书比较翔实地论述了农村精神文明建设方方面面的问题。共分13章。第一章农村精神文明建设的历史回顾和现实挑战，回顾了新中国成立50余年来社会主义精神文明建设的经验，特别是回顾改革开放以来的经验；在分析农村发展社会主义市场经济和国内外形势的基础上，提出了农村精神文明建设所面临的新问题、新挑战。这些问题成为全书定论的基础。

第二章农村精神文明建设的地位、指导原则和根本任务，第三章农村精神文明建设的基本途径、主要形式和主要方法，从总体上论述了农村社会主义精神文明的基本问题。第四章至第八章分别论述了农村精神文明建设中的思想道德建设、农业科技教育、文化建设、教育发展、医疗卫生事业等方面的问题。第九章至第十一章针对农村存在的某些生活陋习、封建宗法思想、愚昧迷信等现象，分别论述了对农民进行破除封建宗法思想教育、无神论教育，引导农民建设科学、文明、健康的生活方式的问题。第十二章和第十三章论述了要把农村精神文明建设落到实处，必须增加资金物质投入和加强领导的问题，作者提出各级领导要不断深化和提高思想认识，建立一套健全有效的领导体制和工作机制，把农村精神文明建设的各项方法、措施真正落到实处。

（张占辉）

农村精神文明建设读本

黄林龙 主编　　安徽人民出版社　　105千字

本书是《安徽省乡村干部规范化培训教材》丛书（共8册）的一个分册，全书分为农村精神文明建设的指导思想和主要内容、农村精神文明创建活动的主要做法和具体要求、农村基础教育和职业科技教育、农村文化建设和农村文化市场的管理、农村医疗卫生事业、农村计划生育工作、乡镇社会治安综合治理，共七个部分。

为了建设高素质的农村基层干部队伍，安徽省按照党的十四届六中全会和十五届三中全会精神以及中央、省委的一系列部署，采取得力措施，多管齐下，高强度、大规模地开展建设高素质农村基层干部队伍活动，力争通过3—5年的努力，使安徽省广大农村基层干部队伍的整体素质有一个明显提高。《安徽省乡村干部规范化培训教材》丛书正是顺应这一形势编写出版的。

《农村精神文明建设读本》是为了提高农村基层干部队伍素质，为落实党的十四届六中全会《决议》关于创建文明村镇的要求而编写的。本书在介绍党的十四届六中全会和十五届三中全会有关农村精神文明建设要求的同时，强调了安徽省农村精神文明建设的指导思想和总体思路，阐述了在农村开展群众性精神文明创建活动的重要意义，并着重介绍了农村精神文明创建活动的主要做法和创建文明村镇活动的具体要求。本书还就普及九年制义务教育、推进农村教育综合改革实验、办好农村职业教育等方面，对农村基础教育和职业科技教育的走向进行了思考和研究。关于农村文化建设，本书探讨了农村文化市场管理的方法。在农村医疗卫生事业、农村计划生育工作方面，本书不光有政策性指导，也有工作思路和相关要求。对于乡镇社会治安综合治理，本书既指出了方针、任务和重点工作，也阐明了工作机制。

（盛大文）

市场经济与村镇文化建设

李保林　丁　素　田宪臣　　河南人民出版社　365千字

本书中心是论述在社会主义市场经济条件下村镇文化建设的问题。全书从六个方面展开论述。

一、中国村镇文化建设的历史沿革。作者认为，村镇文化是以村镇为依托，以所在地域的地理环境、民族分布、经济贸易及社会条件不同而形成的各具特色的文化模式。村镇文化是一个历史范畴，有它产生、发展和演变的历史。中国村镇文化建设的历史沿革包括中国村镇教育文化建设的沿革、中国科技文化建设的沿革和中国村镇思想道德教化的沿革。

二、社会主义市场经济条件下村镇文化建设的新课题。作者指出，社会主义市场经济的发展为村镇文化建设提供了强大的动力，同时也给村镇文化建设提出了新课题、新任务，因此，村镇文化在新的社会经济条件下，在多变的社会约束方式下，在由传统走向现代的多元文化趋向中，必须保持强劲的良好势头，其建设才有意义，其发展才会常新。

三、社会主义市场经济条件下村镇文化的主要特征。作者认为，国际国内政治、经济、文化等诸方面的变革与创新，影响和促进着村镇文化的变迁，使得村镇文化带上时代性；市场经济发展的内在品性以及生产力的发展、传播媒体的进步等，使得村镇文化呈现出开放性；传统文化的滞留，现代文化的渗透，外来文化的进入，社会主导文化的加强，以及文化表现形式的多样化和各种新兴文化的崛起，使得村镇文化呈现出多元性；随着市场经济的发展，村镇文化赖以存在的地理特征——地域性也增加了新的内容，表现为地域性文化的扩大与辐射，在更广大范围内的血缘与地缘交融，地域文化与经济发展相映生辉，寻“根”现象的回复等；虽然市场经济的发展为村镇文化注入了新的内容，但村镇文化的基因——血缘性与地缘性没有发生根本改变，内聚性仍然是村镇文化的基本特征。

四、社会主义市场经济条件下村镇文化的功能。作者提出，随着农村经济的发展、农村科技的普及和各种教育活动、文化活动的蓬勃开展，使得村镇文化融入经济，并充分发挥其促进经济发展的效益功能；村镇文化的展开运行，使得村镇居民之间联系紧密，感情增强，了解加深，更大地发挥着沟通功能；建立在一定经济基础之上的思想文化观念一经产生并被村镇居民认同，便会约束和自律居民的思想和行为，起到规范作用；不断去芜存菁，继承发展，传承文明，是村镇文化的基本功能。作者指出，现阶段村镇文化的发展，归根到底取决于城镇经济的发展，同时，为农村社会主义市场经济发展服务，为乡镇企业发展服务，为培育农村“四有”新人服务。

五、社会主义市场经济条件下村镇文化建设的基本准则。作者指出，首先，村镇文化建设要遵循科学性，以科学的理论武装群众；其次，村镇文化建设要强调艺术性；第三，村镇文化建设要注重实用性；第四，村镇文化建设要突出鲜明性，要体现中国村镇的本地特色和民族特色；第五，村镇文化建设要照顾差异性，要有重点、有步骤、有区别，有层次地进行，绝不能搞“一刀切”，均衡发展；第六，村镇文化建设要体现群众性。

六、社会主义市场经济条件下村镇文化建设的有效途径。作者根据当地和其他地区村镇文化建设的实践经验，概括出村镇文化建设的有效途径，包括：抓好基层组织建设；抓好建设规划制定；抓好基础设施建设；抓好政策措施建设；抓好文化队伍建设；抓好文化市场建设；抓好有效机制建设；抓好文化体育活动；抓好文明村镇创建活动；抓好舆论宣传教育；抓好农民素质提高。

（河南省文明办）

现代都市的社区文明

——甘泉社区精神文明建设调查报告

上海市文明办课题组 著 上海教育出版社 114千字

该书是按照中央文明办关于社区精神文明建设的课题调研要求，对上海最早提出创建文明社区的普陀区甘泉路街道进行典型调查研究之后的成果。

该书通过对甘泉社区精神文明建设的调查，分析了上海加强社区建设、推进社区精神文明创建活动的宏观背景、相关影响和理论意义；回顾总结了上海贯彻落实江泽民总书记对宣传思想工作和精神文明建设的重要批示，在探索和完善“两级政府、三级管理”社区建设新机制进程中，全面推进社区精神文明建设的主要经验和特点，深入分析和研究社区精神文明建设面临的新情况、新问题，并提出了进一步深化社区精神文明建设的基本思路和主要对策。

（上海市文明办）

河北省精神文明建设发展战略研究

赵金山　白 石　主编　　红旗出版社　　300千字

本书系河北省社科规划课题的研究成果。全书共分十七章，分别就精神文明建设的战略方针、战略目标、战略主体、战略实施、战略保障以及精神文明评估和创新等问题进行了深入研究，实现了研究内容、评价体系、主体战略、体例形式上的突破和创新。

本书比较系统地总结了河北省近20年来精神文明建设的基本经验，研究探讨了河北省精神文明建设发展战略，结合实践对群众性精神文明创建活动发展规律和趋势进行了探索，具有较强的可操作性、针对性、前瞻性，体现了河北省精神文明建设发展战略研究的成果。不仅具有较高的理论价值，而且具有较强的应用价值。

关于河北省的社会主义精神文明建设的战略目标，本书认为精神文明建设战略目标的实现关系到全省经济社会的全面发展与进步，社会主义思想道德集中体现精神文明建设的性质和方向，能否把为人民服务和集体主义原则落实到各项工作中去，是搞好社会主义思想道德的根本，而搞好基层思想道德建设工作是搞好整个思想道德工作的基础。发展科学教育文化是精神文明建设的基础工程，文化艺术的繁荣关键任务是多出优秀作品。

关于河北省精神文明建设的战略主体，本书提出公民素质战略、燕赵文化发展战略和机制保障战略是河北省精神文明建设的三大主体战略。三大主体战略的提出和实施对推进全省精神文明建设具有重大意义，三大主体战略是相互联系、相互促进、密不可分的整体，制订和实施三大主体战略，必须坚持马克思列宁主义、毛泽东思想、邓小平理论的指导地位。提高公民的思想道德素质和科学文化素质是精神文明建设的根本任务。实施燕赵文化发展战略，就是要发扬燕赵优秀文化传统，促进燕赵文化的繁荣与现代化。机制是实现精神文明建设战略目标的保障，建立严格的领导机制、激励机制、监督约束机制是精神文明建设深入发展的关键。

关于河北省精神文明建设的战略实施，本书提出科教兴冀是河北省精神文明发展战略的重要内容，要明确总体思路、制订发展战略，适应经济全球化和知识经济时代来临的总趋势，把科教放在优先发展的战略地位。环境生态文明是精神文明的重要内容，是可持续发展的本质要求。从对河北省环境生态文明的现状分析说明，在实践中通过科技手段对自然环境保护和理性化管理的必然性和必要性。河北省应从本省省情出发，努力提高全民的环境意识，加大环境保护投入，促进产业结构调整，使环保状况达到经济强省要求。群众性精神文明创建活动既是河北省精神文明建设的重要组成部分，又是实现全省精神文明发展战略目标的重要保证。开展城市、村镇、行业的多种形式的群众性创建活动，形成具有本省特色的创建形式和载体，是精神文明建设持续深入的表现，军民共建是我国军民共同建设社会主义精神文明的一个创举。

关于河北省精神文明建设的战略保障，本书提出社会治安的好坏是衡量精神文明建设状况的重要尺度，是社会文明的标志。化解民间纠纷和解决人民内部矛盾是实施精神文明建设社会保障工程的一项重要工作，维护北京安定的“护城河工程”既是中央的要求也是河北省的义务。建立科学的精神文明建设量化评估体系必须掌握正确的方法论原则，明确具体程序和具体方法，而权重的设定是重要的一环。领导干部的形象具有价值取向、榜样示范、无形命令作用，以身作则、廉洁自律、表里如一、诚实守信是各级领导干部必须具备的品格，是对领导干部最基本的要求。精神文明贵在创新，观念的创新是提高精神文明建设水平的思想前提。除此外，战略思想、思想政治工作、传统文化、文明社区、活动载体、思想阵地、科技手段、领导素质等都要坚持不断地创新，以适应精神文明建设深入发展的需要。

（杨爱民）

大事记

CHRONICLE

1月1日

首都举行迎接新世纪新千年庆祝活动，江泽民发表贺词并点燃中华圣火

1999年12月31日深夜到2000年1月1日凌晨，首都迎接新世纪新千年庆祝活动在北京中华世纪坛隆重举行。中共中央总书记、中华人民共和国主席、中央军委主席江泽民等党和国家领导人出席庆祝活动，2.5万多名各界人士参加了庆祝活动。

江泽民发表2000年贺词（见本年鉴“文献·讲话”），向全国各族人民和海外侨胞，向世界各国的朋友们，祝贺新年快乐，并致以新世纪、新千年的最良好祝愿。

2000年1月1日零点，江泽民在中华世纪坛中央平台按动电钮，点燃中华圣火。也就在这一刻，首都各界的20位代表撞响世纪钟，21响雄浑悠长的钟声传达出对世界和平与发展这一崇高事业的衷心祝福。

1月3日

中央宣传文化部门召开会议，认真学习贯彻江泽民对宣传思想工作和精神文明建设的重要批示

在2000年即将来临的时刻，中共中央总书记江泽民在宣传思想工作的一份报告上作了重要批示，强调指出，宣传思想工作和精神文明建设，事关建设有中国特色社会主义事业的大局。越是深化改革、扩大开放，越是发展社会主义市场经济，越要重视和加强这方面的工作。这一点，要在全党特别是领导干部中经常讲、反复讲。

江泽民在《批示》中指出，几年来，宣传思想战线坚持贯彻党的路线方针政策，努力以科学的理论武装人，以正确的舆论引导人，以高尚的精神塑造人，以优秀的作品鼓舞人，为改革开放和现代化建设提供了有力的思想舆论保证。去年，在庆祝新中国成立50周年和澳门回归祖国这两大庆典活动中，在三场大的政治斗争中，你们按照中央的部署，唱响主旋律，打好主动仗，作出了新的成绩。大家工作很努力、很辛苦，中央是满意的。

《批示》指出，全党同志务必始终坚持“两手抓、两手都要硬”的方针，在做好经济工作的同时，切实加强宣传思想工作和精神文明建设。加强和改进新形势下党的思想政治工作，是全党的一件大事，也是宣传思想工作的重中之重。要深入进行邓小平理论和党的基本路线教育，深入进行马克思主义的唯物论、无神论教育和科学精神教育，树立正确的理想信念，树立正确的世界观、人生观、价值观，在全党形成讲学习、讲政治、讲正气的良好氛围，在全社会形成反对迷信愚昧、抵制各种歪理邪说的健康气氛。希望宣传思想战线的同志们，牢牢把握正确舆论导向，适应形势发展的要求，深入研究人们思想活动的新情况新特点，探索新形势下做好思想政治工作的规律和办法，把工作做得更好。

江泽民在《批示》中向宣传思想战线全体同志表示亲切问候，祝大家新年愉快。

1月3日，中央宣传文化部门召开会议，传达学习江泽民总书记的重要批示。大家一致认为，江总书记的重要批示，高瞻远瞩，意义重大，深受教育，深受鼓舞。

中共中央政治局委员、书记处书记、中宣部部长丁关根主持会议。他说，江泽民总书记的重要指示，对我们搞好跨世纪的宣传思想工作和精神文明建设具有十分重要的指导意义。全国宣传思想战线要紧密联系实际，认真学习、坚决贯彻。

中央宣传文化部门的主要负责人出席了会议。

1月6日

中宣部等联合召开电视电话会议，要求把“百城万店无假货”活动引向深入

中宣部、中央文明办、国家内贸局、国家工商局、国家质量技术监督局、共青团中央等在北京联合召开全国深入开展“百城万店无假货”活动电视电话会议,要求各地把这项活动不断引向深入。

会议指出，“百城万店无假货”活动是一项深得民心的活动，在新的一年里，各地一定要总结经验，把这项活动扎扎实实向纵深推进。一是加强部门之间的协调配合。各有关部门在党委和政府的统一领导下，认真做好“百城万店无假货”活动的组织、协调工作，各司其职，各尽其责，各展其长，齐心协力地把这项活动抓下去，不断引向深入。二是坚持思想教育与规范管理并重，使“百城万店无假货”活动走上制度化、规范化的轨道。三是加大执法检查和社会监督的力度，对经销假冒伪劣商品的行为，要发现一起，查处一起。商业企业特别是示范街和示范店，要普遍设立投诉台和举报电话，派专人负责，及时解决和处理消费者的投诉。四是注重集中行动与平时工作的结合。五是认真做好宣传报道工作。

根据会议部署，3月13日，中宣部、中央文明办、国家国内贸易局、国家工商行政管理局、国家质量技术监督局公布了北京王府井大街、北京市蓝岛大厦等全国“百城万店无假货”活动第三批示范街和第二批示范店，使全国示范街达到54条、示范店达到200家。同时，重申了“百城万店无假货”活动示范街、示范店标准。

1月9—11日

全国宣传部长会议在北京召开

全国宣传部长会议总结去年，部署今年工作。中共中央政治局委员、书记处书记、中宣部部长丁关根主持会议并讲话。他强调指出，要学习好、贯彻好、落实好江泽民总书记、朱镕基同志、胡锦涛同志对宣传思想工作的重要指示，高举旗帜，保持一致，围绕中心，服务大局，把加强和改进思想政治工作作为重中之重，抓得很紧很紧，务求取得明显成效。

会议认真学习江泽民总书记和朱镕基、胡锦涛同志对宣传思想工作的重要指示，一致认为，中央对宣传思想工作高度重视，对宣传思想战线高度信任，大家深受教育，深受鼓舞，深感使命在肩，责任重大，表示一定要以高度负责的精神，更加努力地完成好党和人民交给的任务。

会议认为，过去的一年，宣传思想工作取得明显成效。在三场重大政治斗争中，兴起了抵御外侮、强我中华的教育热潮，兴起了维护民族团结、实现祖国统一的教育热潮，兴起了马克思主义唯物论、无神论和弘扬科学精神、反对封建迷信的教育热潮。在庆祝新中国成立50周年和澳门回归祖国的活动中，隆重报道庆典盛况，集中展示50年成就，深入宣传“一国两制”的伟大实践，唱响了祖国颂、社会主义颂、改革开放颂。

会议指出，2000年宣传思想工作的指导思想是：深入学习、宣传、贯彻党的十五大精神，高高举起邓小平理论伟大旗帜，紧紧围绕经济建设这个中心，牢牢把握正确舆论导向，大大加强精神文明建设力度，坚持党的基本路线不动摇，坚持同以江泽民同志为核心的党中央保持一致，坚持为人民服务，为社会主义服务，为全党全国工作大局服务。要继续贯彻唱响主旋律、打好主动仗、促进改革发展、维护社会稳定的工作方针，以科学的理论武装人，以正确的舆论引导人，以高尚的精神塑造人，以优秀的作品鼓舞人，着力营造中国要发展、民族要团结、社会要稳定的良好氛围。

会议提出全年宣传思想工作10个方面的主要任务：围绕贯彻十五大精神、迎接新世纪，深入进行党的基本理论、基本路线、基本纲领的宣传教育；围绕贯彻十五届四中全会精神和总结“九五”、规划“十五”，加大改革开放和经济建设宣传教育的力度；围绕全党全国工作大局，努力做好维护稳定的宣传教育工作；围绕坚持正确舆论导向，进一步提高新闻宣传水平；围绕为改革和建设提供有力的思想保证，把加强和改进思想政

治工作的任务落到实处；围绕提高公民素质和城乡文明程度，深入扎实开展群众性精神文明创建活动；围绕满足人民群众精神文化生活需求，加强优秀作品生产和文化阵地建设；围绕树立良好国际形象，进一步扩大对外宣传，让世界更好地了解中国；围绕增强事业发展活力，加强调查研究，深化宣传文化领域的改革；围绕政治强、业务精、作风正的要求，加强宣传思想工作队伍建设。

中宣部常务副部长刘云山对全年宣传思想工作作了部署。有关部门负责人王茂林、赵启正、徐光春、刘奇葆、于友先在会上通报了情况。各省区市党委宣传部长、中央宣传文化系统及中央有关部门负责人出席了会议。参加全国文明办主任会议的同志列席了会议。

1月9—11日

全国文明办主任会议在北京召开

会议的主要任务是，认真学习贯彻江泽民总书记和其他中央领导同志关于精神文明建设的一系列重要指示，认真学习贯彻中央文明委第九次全体会议精神，提高认识，统一思想，认清形势，明确任务，制定措施，做好工作，把一个充满生机和活力的精神文明建设新局面带入21世纪。各省、自治区、直辖市文明办主任，新疆生产建设兵团文明办主任，中央和国家机关有关负责同志出席了会议。

会议认为，过去的一年，精神文明建设各项工作整体推进，保持了积极、健康、向上的工作态势。

会议指出，新的一年，精神文明建设工作必须花更大力气，下更大功夫，努力促进改革发展，维护社会稳定，为实现第二步战略目标，胜利进入小康社会，把有中国特色社会主义事业全面推向21世纪，提供更加强大的思想保证和精神动力，创造更加良好的社会环境。

会议强调，2000年精神文明建设工作要认真贯彻江泽民总书记对宣传思想工作和精神文明建设的重要批示精神，认真落实中央《关于加强和改进思想政治工作的若干意见》精神。

会议指出，2000年要重点抓好五项活动：一是“讲文明树新风”活动要按照主题不变、充实内容、一抓到底、抓出成效的要求和巩固、提高、延伸、辐射的思路，适应形势发展，着力抓好“一点、一线、一面”。一个点，就是抓好开展“倡导文明新风，共建美好家园”活动这个重点；一条线，就是抓好公路、铁路交通干线的综合治理；一个面，就是抓好延伸辐射，扩大覆盖面。二是创建文明城市活动要在全面推进各项工作的同时，把创建文明社区作为基础工程，摆上重要日程，切实抓紧抓好。三是创建文明村镇活动要紧紧围绕提高农民素质，发展农村经济，建设小康生活的目标，抓好农户这个细胞，抓好城镇这个关键，抓好城乡联动，进一步提高创建文明村镇活动的水平。四是创建文明行业活动要以加强职业道德建设、纠正行业不正之风为重点，抓住与群众工作、生活密切相关的问题，从窗口行业和行政执法部门入手，在抓好重点示范、普遍推广规范化服务、强化监督三个环节上下功夫。五是科学普及活动要作为群众性精神文明创建工作的一项重要内容，扎实开展起来。

会议指出，2000年大体上要按四个季度组织四个战役，形成四个活动热潮：一季度，打好弘扬文明新风、倡导科学精神战役，形成“讲文明树新风，反对迷信、崇尚科学”的热潮；二季度，打好创建文明社区战役，形成“齐心协力同创建、我为社区添光彩”的热潮；三季度，打好创建文明行业战役，形成“推广规范服务，树立行业新风”热潮；四季度，打好创建文明村镇战役，形成“城乡携手，共建文明”的热潮。

中宣部常务副部长、中央文明办主任刘云山作了工作报告。

1月13日

李淑敏先进事迹座谈会在北京举行

中宣部、国家经贸委在京联合召开学习李淑敏先进事迹座谈会。与会代表表示要把学习李淑敏先进事迹与深入学习贯彻中央《关于加强和改进思想政治工作的若干意见》和江泽民总书记关于宣传思想工作和精神文明的重要批示结合起来，进一步探索和交流加强企业思想政治工作办法和经验。

山东小鸭集团党委书记李淑敏在座谈会上介绍了自己在企业开展思想政治工作的一些经验和体会。

中宣部副部长刘鹏主持今天的座谈会。他说，山东小鸭集团党委书记李淑敏同志是新时期思想政治工作者的榜样，作为一个企业党务工作者，牢记自己的使命和责任，在思想政治工作的岗位上做出了不平凡的成绩。

中国石油天然气集团公司、河北冀东水泥股份有限公司、北京铁路局、山西南风化工集团、北京燕山石油化工有限公司、天津碱厂、山东省济南市委宣传部等单位从事企业思想政治工作的同志参加了座谈会，并就如何结合自身工作和特点学习李淑敏先进事迹发了言。

1 月 18 日

江泽民手迹“香港沧桑”、“澳门岁月”入藏中国革命博物馆

国家主席江泽民为中央电视台拍摄的大型电视纪录片《香港沧桑》、《澳门岁月》亲笔题写的片名手稿，1 月 18 日被中国革命博物馆收藏。

中央电视台台长赵化勇、国家文物局局长张文彬等参加了捐赠仪式。

1 月 18 日

中宣部组织召开座谈会，京沪交流社区思想政治工作经验

中宣部在京组织全国思想政治工作先进单位、上海市闸北区临汾路街道与北京市西城区月坛街道召开座谈会，交流了开展社区思想政治工作的经验和做法。大家认为，社区思想政治工作是新时期思想政治工作的重中之重，必须下苦功夫、真功夫，做实、做细、做好。

临汾路街道办事处主任宋强在座谈会上介绍说，随着“两级政府、三级管理”新体制的不断完善，临汾路街道开展社区思想政治工作的主要做法是：以生动的思想政治教育引导人，以为群众办好事、办实事温暖人，以先进的典型激励人，以良好的干部形象鼓舞人，以健康的文化陶冶人，以优美的环境改造人。

北京月坛街道工委副书记张杰也在会上介绍了月坛街道加强和改进思想政治工作的经验和做法：以提高居民群众的素质为目的，根据社区对象多元化、社会生活方式多样化的特点，开展多渠道、多层次、多形式的教育活动，建立学校、社会、家庭三位一体的社区教育格局；以社区服务为切入点，便民利民，开展全方位的社区服务；以群众性精神文明创建活动为结合点，拓宽渠道，运用载体，广泛吸引群众参与；以社区文化体育活动为兴奋点，寓教于乐，努力满足社区群众多层次的精神文化需求。

1 月 24 日

《邓小平外交思想学习纲要》出版，江泽民题写书名

为贯彻落实党的十五大精神，配合“三讲”教育的深入开展，由中央有关部门组织编写的学习邓小平理论的重要辅助材料之一——《邓小平外交思想学习纲要》一书由世界知识出版社出版，江泽民总书记为该书题写了书名。

邓小平外交思想是邓小平理论的重要组成部分，内容丰富，博大精深，是新时期中国外交政策和外交实践的指南。该书比较全面、系统地阐述了邓小平外交思想的基本观点，论述严谨，深入浅出，具有较强的针对性和权威性。

1 月 29 日

中宣部等 8 部门联合召开全国电视电话会议，部署开展 2000 年“扫黄”、“打非”行动

中央宣传部、中央政法委、全国“扫黄打非”工作小组、公安部、文化部、广播电影电视总局、

新闻出版署、国家版权局联合召开第十二次全国“扫黄”、“打非”工作电视电话会议，部署2000年“扫黄”、“打非”行动。会议要求在加强对出版物市场日常监管的同时，分阶段、有重点地开展“扫黄”、“打非”集中行动，解决出版物市场存在的突出问题。要全面清缴“法轮功”类出版物和其他宣扬愚昧迷信与伪科学的气功类非法出版物；继续取缔政治性非法出版物和淫秽色情出版物；打击盗版盗印和光盘走私活动；坚决刹住买卖书号的歪风；扭转部分出版物市场特别是音像和电子出版物市场失控的局面；完善和健全“扫黄”、“打非”工作体制和机制，从整体上把“扫黄”、“打非”工作推向前进，把良好的“扫黄”、“打非”工作态势带入21世纪。新闻出版署署长、全国“扫黄打非”工作小组副组长于友先宣读了《2000年“扫黄”“打非”行动方案》。

国务院副秘书长、全国“扫黄打非”工作小组副组长刘奇葆主持会议。中宣部副部长、全国“扫黄打非”工作小组副组长龚心瀚及有关部门、北京市人民政府的负责同志出席电视电话会议。各省、自治区、直辖市党委、政府分管领导同志及有关部门的负责人在各地收听收看了电视电话会议。

1月

江泽民寄语青年志愿者不懈奋斗、不断创造、奋勇前进

江泽民近日在杰出青年志愿者的来信上作出重要批示：青年志愿者行动，是当代社会主义中国一项十分高尚的事业，体现了中华民族助人为乐和扶贫济困的传统美德，是大有希望的事业。努力进行好这项事业，有利于在全社会树立奉献、友爱、互助、进步的时代新风。希望你们在新的世纪里继续努力，发扬我国青年的光荣传统，不懈奋斗，不断创造，奋勇前进，为实现中华民族的伟大复兴作出新的更大的贡献。

2月7日

《毛泽东邓小平江泽民论干部监督》出版

由中共中央组织部编辑的《毛泽东邓小平江泽民论干部监督》一书，由党建读物出版社出版发行。

该书辑录了党中央三代领导核心关于干部监督工作的重要论述。学习掌握这些论述，对加强监督工作和建设高素质的干部队伍，具有重要意义。

2月17日

《毛泽东邓小平江泽民论思想政治工作》出版发行

为了帮助广大干部群众更好地学习毛泽东、邓小平、江泽民关于思想政治工作的论述，认真贯彻落实中共中央《关于加强和改进思想政治工作的若干意见》，中央宣传部编辑了《毛泽东邓小平江泽民论思想政治工作》一书，由学习出版社出版。

该书以专题内容分类，以时间先后为序，选录了毛泽东、邓小平、江泽民关于思想政治工作的地位作用、方针原则、主要内容、规律办法，以及加强党对思想政治工作的领导等五个方面的重要论述。

中央组织部、中央宣传部于2月21日发出《关于学习〈毛泽东邓小平江泽民论思想政治工作〉的通知》。

2月25日中央宣传部召开了学习《毛泽东邓小平江泽民论思想政治工作》座谈会。

2月21—25日

江泽民提出“三个代表”的重要思想

中共中央总书记江泽民在广东考察工作时强

调，要把中国的事情办好，关键取决于我们党，取决于党的思想、作风、组织、纪律状况和战斗力、领导水平。只要我们党始终成为中国先进社会生产力的发展要求、中国先进文化的前进方向、中国最广大人民的根本利益的忠实代表，我们党就能永远立于不败之地，永远得到全国各族人民的衷心拥护并带领人民不断前进。所有的共产党员和领导干部，都要深刻认识和牢牢把握这“三个代表”，用以指导自己的思想和行动，这样才能使自己真正成为一个合格的党员，合格的党的领导干部。

2月21—25日

江泽民提出要在广大干部群众中开展“致富思源、富而思进”教育活动

中共中央总书记江泽民在广东考察工作时提出，要在广大干部群众中开展“致富思源、富而思进”教育活动。

江泽民强调，经过20多年的改革开放，我国的经济和社会发展取得了巨大的成就，人民生活水平显著提高。越是在这样的情况下，我们越有必要在广大干部群众特别是在发展较快地区的干部群众中开展“致富思源、富而思进”的教育活动，使广大干部和群众都弄清楚，为什么我们能够取得改革和建设的显著成就，怎样坚定信念，戒骄戒躁，在已经取得的成绩的基础上继续不懈地奋斗。要使广大干部群众都充分认识到，党的正确领导和社会主义制度集中力量办大事的优越性。邓小平同志指导我们党制定的改革开放和现代化建设的正确的路线方针政策，是我国实现经济和社会快速发展的根本保证。这样做的目的，就是为了激励全国人民继续沿着改革开放和社会主义现代化建设的正确道路奋勇前进，实现我国跨世纪发展的宏伟目标。

2月23日

中央精神文明建设指导委员会召开第七次全体会议

中央精神文明建设指导委员会第七次全体会议学习江泽民总书记关于加强和改进思想政治工作的重要指示精神，部署进一步加强社会主义精神文明建设，切实抓紧新形势下党的思想政治工作。中央政治局委员、书记处书记、中央文明委主任丁关根主持会议并讲话（见本年鉴“文献·讲话”）。中央文明委委员出席了会议。

会议要求，以理想信念教育为核心，大力开展党的基本理论、基本路线、基本纲领的教育，大力开展爱国主义、集体主义、社会主义的教育，大力开展世界观、人生观、价值观的教育，大力开展讲学习、讲政治、讲正气的教育，大力开展科学知识、科学思想、科学方法、科学精神的教育，引导广大干部群众坚定对马克思主义的信仰，坚定对社会主义的信念，增强对改革开放和现代化建设的信心，增强对党和政府的信任。

会议指出，要把加强和改进思想政治工作的着力点放在基层。多开展适合群众需要、为群众欢迎的活动，城市抓社区，农村抓村镇，行业抓窗口。多宣传介绍基层思想政治工作的好经验，使群众通过身边事例、身边人物，真切感受到思想政治工作在加强。要坚持把思想政治工作同各项业务工作紧密结合起来，把解决思想问题同解决实际问题紧密结合起来，把教育群众同服务群众紧密结合起来。尊重人、理解人、关心人，善于从群众最关心、与群众切身利益最密切的问题入手，把工作做到群众的心坎上。对下岗职工和进城务工人员，要及时了解思想状况，关心他们的实际困难，满腔热情地教育引导。要加强对青少年学生的思想工作，为青少年身心健康成长创造良好氛围，帮助他们树立正确的理想信念，增强纪律法制观念。要努力建立一支密切联系群众、关心群众生活、善于做群众工作的基层思想政治工作队伍。加强思想政治工作，关键是以身作则，共产党员要做全社会的表率，领导干部要做全党的表率。

会议强调，要增强阵地意识，大力唱响主旋律，大力弘扬社会正气，广泛宣传思想政治工作的先进典型和工作经验。组织一批有分量、有深度的文章，有针对性、有说服力地回答群众关心的问题。出版一批好的图书、影视作品，陶冶情操，寓教于乐，丰富群众文化生活。展览馆、博物馆、科技馆、图书馆、文化馆、电影院、娱乐场所、旅游景点等，都要成为精神文明建设的阵地。近年来形成的三大创建活动、“讲文明树新风”、“三下乡”、送温暖、心连心、手拉手、希望工程、志愿者、青年文明号、五好家庭、星级文明户、人民满意的公务员、军警民共建、百城万店无假货等，群众欢迎，效果明显，要抓住不放，更好地发挥示范作用。

会议要求，要认真学习《毛泽东邓小平江泽民论思想政治工作》，深入研究新时期思想政治工作的新特点、新方式、新内容，真正摸出些带规律性的新东西来，增强针对性和实效性。围绕贯彻江泽民总书记的重要指示精神和中央《关于加强和改进思想政治工作的若干意见》，各部门、各单位要作出具体安排，认认真真地抓，锲而不舍地抓，有计划有步骤地抓，齐抓共管，形成合力，落到实处，务求实效。

2月24日

马永顺先进事迹报告会在北京举行

林业老英雄马永顺先进事迹报告会在北京人民大会堂举行。中共中央政治局委员、中央书记处书记、国务院副总理、全国绿化委员会主任温家宝出席会议并讲话。会议号召林业战线的广大职工和全国人民向马永顺学习。

马永顺是黑龙江省铁力林业局退休工人，共产党员。2000年2月10日，因心脏病突发去世，享年87岁。作为新中国第一代伐木工人，他时刻听从党的召唤，当国家建设需要木材的时候，他是伐木的劳模；当国家需要保护生态环境的时候，他是造林的英雄。他生命不息，奋斗不止，退休后仍带领子孙坚持年年植树造林，到他去世前，马永顺全家已义务植树5万余棵，被称为“当代活愚公”，先后获得全国劳动模范、全国十大绿化标兵、全国“五一”劳动奖章和联合国环境规划署颁发的全球500佳生态环境奖等荣誉称号。毛泽东、周恩来等党和国家领导人多次接见过他，江泽民称赞说：“马永顺同志很了不起。”

报告团成员黑龙江省铁力林业局党委书记曹力卓、马永顺林场场长贾焕以及马永顺的长女马春华在会上作了关于马永顺先进事迹的报告。

温家宝在讲话中说，马永顺身上体现了无私奉献和艰苦奋斗的精神。无私奉献和艰苦奋斗，是中国共产党的优良传统，也是中华民族的传统美德，在进行社会主义现代化建设的今天，仍然是凝聚全国人民力量的精神支柱。

会上，宣读了《全国绿化委员会、人事部、国家林业局关于追授马永顺同志“林业英雄”称号的决定》和《全国绿化委员会、国家林业局关于开展向马永顺同志学习的决定》。

会议由中共中央宣传部、全国绿化委员会、国家林业局、全国总工会、中共黑龙江省委联合举办。首都各界及林业系统500多人共同听取了马永顺的先进事迹报告。

2月28日

中央文明办等10个部门和团体部署开展“倡导文明新风，共建美好家园”活动

中央文明办、民政部、公安部、建设部、文化部、卫生部、国家体育总局、团中央、全国妇联、中国科协等10个部门和团体，联合在京召开电视电话会议，对开展“倡导文明新风，共建美好家园”活动作出部署。

会议确定，2000年的“讲文明树新风”活动，要在巩固过去已有成果、提高工作水平的同时，以加强社区建设为重点，抓好“倡导文明新风，共建美好家园”活动。活动的主要任务是：美化居住环境、维护治安秩序、丰富文体生活、普及科学知识、拓展社区服务、密切人际关系。

会议指出，“倡导文明新风，共建美好家园”活动要贯穿思想道德教育这条主线。工作中要抓住两个重点：一是发展社区服务。二是活跃居民

文化生活。要建好三支队伍：一是社区志愿者队伍。二是文体活动辅导员队伍。三是科普宣传员队伍。在队伍建设中，尤其要注意发挥好离退休老党员、老干部、老教师、老工人、老劳模等在思想教育方面的作用。

会议强调，深入开展“讲文明树新风”活动，要把握好四个问题。第一，充分依靠群众。要围绕群众反映强烈、迫切要求解决的问题，精心设计载体，广泛吸引群众参与，为群众多办好事和实事，使群众得到实际利益。第二，搞好阵地建设。要在加强社区居民活动场所建设的同时，提倡驻区单位开放文体活动场地和设施，实现资源共享。第三,坚持齐抓共管。充分发挥各有关职能部门的作用,调动社会各界的积极性,协同配合,形成合力。第四,加强舆论宣传。及时报道活动进展情况,介绍先进经验,加大舆论监督力度。

3月15日

中组部中宣部发出《关于组织开展“致富思源、富而思进”教育活动的通知》

《通知》指出，江泽民同志在广东考察时提出，要在广大干部群众特别是发展较快地区的干部群众中开展“致富思源、富而思进”的教育活动，含义深刻，催人奋进，对于进一步激励和动员全国各族人民，推进建设有中国特色社会主义伟大事业，具有十分重要的意义。为认真贯彻江泽民同志的重要讲话精神，决定在全国范围集中组织开展“致富思源、富而思进”教育活动。

该《通知》指出，在教育活动中，要着重抓好进一步用改革开放的巨大成就鼓舞人心；进一步坚定理想信念；进一步增强改革发展的紧迫感；进一步弘扬艰苦创业精神；进一步推动精神文明建设等问题。

8月10日，中组部、中宣部在北京联合召开“致富思源、富而思进”教育活动汇报会，总结交流了活动经验，并就进一步深入开展“双思”教育活动进行安排和部署。北京、广东等15个省（区、市）的有关负责同志作了汇报。

3月22日—4月2日

“崇尚科学文明,反对迷信愚昧”大型展览在北京举办

中央文明办和中国科协在北京联合举办的这个展览共分“维护稳定，严惩邪教”，“愚昧迷信，贻害无穷”，“掌握科学，识假辨伪”，“坚信科学，迈向未来”四个部分。展览以翔实、生动、形象的大量图片资料、实物模型和录像，深刻揭露“法轮功”邪教组织和各种封建迷信活动及伪科学的本质和危害，展示科学发展对人类进步的巨大贡献，宣扬崇尚科学、反对迷信的精神，表现了我国政府坚决打击邪教组织的坚定决心。

4月2日晚，中共中央总书记、国家主席江泽民等党和国家领导人来到中国人民革命军事博物馆，观看了“崇尚科学文明，反对迷信愚昧”大型图片展览。

江泽民称赞展览办得好，很有教育意义，对帮助人们进一步认清“法轮功”等邪教组织的本质和危害，加强精神文明建设和提高人民群众科学素养有积极作用。中共中央政治局常委胡锦涛、李岚清等中央领导也观看了展览并给予肯定。首都各界群众10万多人次观看了展览，社会反响强烈。

根据中央领导指示精神，主办单位将展览复制后，在全国2345个城市和县城展出。据不完全统计，有近7000万人次观看了展览，收到很好的社会效果。

3月28日

中宣部等4部门联合召开加强职业道德建设禁止有偿新闻电视电话会议

中央宣传部、广播影视总局、新闻出版署、中国记协在北京联合召开2000年度加强职业道德建设、禁止有偿新闻电视电话会议，要求全国新闻系统深入贯彻十五大精神，贯彻落实中央关于加强报刊管理的重要指示精神和中纪委四次全会

精神，深入开展加强职业道德建设、禁止有偿新闻工作，着力于总结经验、分类指导、巩固提高、扩大成果，继续推进“两分开”。充分发挥全国新闻系统43家精神文明示范单位的作用，树立新闻工作和新闻工作者的良好形象，更好地为人民服务，为社会主义服务，为全党全国工作大局服务。

会议认为，1999年电视电话会议以来，中央、地方大多数新闻单位狠抓新闻报道活动和经营活动分开，新闻采编队伍和经营队伍分开，成效明显。新闻宣传工作，唱响了祖国颂、社会主义、改革开放，激励了爱国热情，凝聚了民族精神，维护了社会稳定，营造了昂扬向上、团结奋进的舆论氛围。党中央满意，人民群众满意。

会议指出，当前在整个新闻宣传呈现积极健康向上工作态势的同时，一些报刊特别是部分小报小刊，在宣传上还存在一些突出问题。主要是办报指导思想出现严重偏差，党性原则和政治意识淡漠；受经济利益驱动，片面追求市场卖点；纪律不严格，制度不健全，管理不到位；“两不分”现象依然存在，严重违背社会主义新闻工作的基本原则和职业道德。

会议强调，各新闻宣传单位要抓住机遇，着力探索和建立既有利于坚持党的新闻工作的基本原则、根本性质，又与市场经济相适应的工作体制，构筑禁止有偿新闻的有效机制，真正从根本上解决“两分开”。

会议要求，加强职业道德建设、禁止有偿新闻工作，关键是要坚持党的新闻工作的基本原则，进一步端正办报、办台指导思想；要总结经验，继续大力推进“两分开”；探索和建立在市场经济条件下新闻工作的新体制、新机制；要进一步加强管理，把自律和他律结合起来，使新闻宣传工作置于有力的监督之下，以良好的精神状态和工作作风，完成新闻宣传任务。

4月18日

何家庆先进事迹座谈会在北京举行

中宣部、国务院扶贫办、农业部、安徽省委在京联合举行何家庆先进事迹座谈会，号召各条战线进一步学习何家庆同志的先进事迹，大力弘扬何家庆同志身上所体现的优秀品质和崇高精神，顺利推进国家西部开发战略的实施。

与会者认为，何家庆是随着我国改革开放事业不断前进而成长起来的先进典型。他的身上，体现了一个先进知识分子热爱人民，无私奉献，刻苦钻研，艰苦朴素的崇高精神和优秀品格，具有鲜明的时代特征。

会议指出，何家庆是新时期我国知识分子队伍中涌现出的又一个先进模范，代表了新时期广大知识分子的本质和主流。他的先进事迹和崇高精神，不仅值得知识分子学习，也值得广大党员干部和群众学习。向何家庆学习，就是要像他那样，热爱人民，无私奉献；到祖国最需要的地方去，到人民最需要的地方去；具有艰苦创业精神；在本职工作中发扬刻苦钻研精神。

何家庆在座谈会上谈了自己的体会。科技部以及河北、内蒙古、山东的代表在会上也发了言。中宣部副部长刘鹏主持了座谈会。

4月29日

全国劳动模范和先进工作者表彰大会在北京召开

中共中央总书记、国家主席、中央军委主席江泽民在会上发表重要讲话强调，我们肩负的改革开放和现代化建设的任务光荣而艰巨。伟大的事业需要伟大的精神力量。全社会都要学习和弘扬先进模范人物的崇高精神，以坚定的信心和旺盛的热情投身到建设有中国特色社会主义事业中去（见本年鉴“文献·讲话”）。

这次表彰大会是继1995年后由国务院召开的又一次全国劳动模范和先进工作者表彰大会。

李鹏、朱镕基、李瑞环、胡锦涛、尉健行、李岚清等党和国家领导人出席表彰大会。中共中央政治局常委、国务院总理朱镕基主持大会。

中央党政军群等有关方面和北京市的负责人，香港、澳门工会“五一”参观团的成员也应邀参加了表彰大会。

4月29日

中国科技馆新展厅开放

具有国际一流水平的中国科学技术馆新展厅即起向公众开放。中共中央总书记、国家主席江泽民为中国科学技术馆题词：“弘扬科学精神普及科学知识　传播科学思想和科学方法”。

据介绍，中国科学技术馆是中国科协所属的国家综合性科学技术博物馆。它的建设得到了党和国家领导人的亲切关怀，凝结着全国广大科技工作者的心血和智慧。1988年，中国科技馆一期工程（旧馆）2万平方米建成后向社会开放，12年来共接待国内外观众近400万人次。今天开放的二期工程新展厅面积达2.2万平方米，新展厅展出了300余项高科技展品和250余项我国古代科技成就的展品。整个展厅既富有时代气息，又有相当的游乐色彩，展品的科技含量明显提高，参观者自己动手的机会也增加了。

4月

江泽民为光彩事业题词

中共中央总书记、国家主席江泽民为光彩事业题词：“发扬中华民族传统美德促进共同富裕”。

光彩事业是我国非公有制经济人士发起并参与的一项社会扶贫事业。实施6年来，光彩事业取得了显著成就；参与光彩事业项目投资的民营企业家有3508位，实施项目3829个，到位资金105.21亿余元，贸易总额87.13亿元，安排就业76.15万人，捐资办学及其他公益事业12.17亿元，扶助192.92万贫困人口解决了温饱问题。

4月

《中国历史大辞典》出版发行

凝聚近千名专家学者智慧心血、体现我国史学研究最高成就的《中国历史大辞典》，历经22个春秋的精心编纂，在世纪之交、千年更迭之际奉献给国家、民族和历史。这部中国历史学科的鼎力之作，填补了中国学术界一项巨大空白，为中国文化建设史写下浓重一笔。

1978年，由中国社会科学院发起，组织了《中国历史大辞典》编纂委员会，聘请著名历史学家郑天挺、谭其骧、吴泽、杨志玖、翁独健、蔡美彪、李学勤等共主其事，动员全国史学界800多名一流专家学者共同撰写。经过20多年艰辛劳作，在先后出版了《先秦史》、《民族史》等9部断代史分卷和5部专史分卷后，这部气势恢宏的巨著日前由上海辞书出版社隆重出版。

据介绍，《中国历史大辞典》是迄今为止新中国第一部由国家组织编纂的特大型历史专科辞典。辞典共收词近7万条，字数达1100万，贯通古今，系统完整，包罗了中国从先秦时代到清朝灭亡的各个断代史和大量专门史的重要历史内容。举凡历史学科的名词术语、古国朝代、政权年号、民族部落、阶级阶层、历史人物、历史事件、社团组织、史籍文献、典章制度、社会经济、风俗礼仪、文物考古、科技发明、中外关系等，应有尽有，涵括中国古代政治、经济、军事、思想、文化、教育、法律、科技等各个领域。全书还附有1745幅图片，5项附表，24幅各朝代历史地图，被认为是当今世界上最全面、最权威的中国历史百科全书。

5月5日

江泽民致信祝贺第五届全国残疾人运动会召开

值此第五届全国残疾人运动会开幕之际，我代表党中央、国务院向大会表示热烈的祝贺！向全国残疾人及其亲属，向致力于残疾人事业的同志们，致以亲切的问候和良好的祝愿！

在世纪之交举办全国残疾人运动会，是六千万残疾人的一件喜事，也是全国人民很关心的一件事。残疾人的命运，同祖国的命运紧密相连。新中国的成立，使旧社会苦难深重的残疾人开始了新的生活。社会主义制度保障了残疾人的基本权利，社会主义建设的发展促进了残疾人状况的不断改善。随着改革开放和社会主义现代化事业的向前推进，我国残疾人必将拥有更加美好的未来。

全党和全社会都要继续热情关心和支持残疾人事业。残疾人是一个特殊而困难的群体，始终给予他们帮助和特别扶持，维护他们的公民权利和人格尊严，支持他们实现平等、参与、共享的理想，是国家和社会的重要责任，是我们社会主义制度优越性和为人民服务宗旨的体现，也是人类文明进步的要求。

要在全国全社会进一步弘扬人道主义精神，广大干部和群众都要充分理解、尊重、关心和帮助残疾人。希望广大残疾人继续发扬自尊、自信、自强、自立的精神，热爱祖国，热爱生活，积极投身改革开放和社会主义现代化建设的伟大实践，满怀信心地与祖国一道迈向新的世纪。

最后，预祝第五届全国残疾人运动会取得圆满成功！

5月6日

第五届全国残运会在沪隆重开幕

5月6日晚，第五届全国残疾人运动会在上海体育馆隆重开幕。中共中央政治局常委、全国政协主席、第五届全国残运会名誉主席李瑞环宣布：中华人民共和国第五届残疾人运动会开幕。开幕式结束后，举行了大型文艺晚会《生命礼赞》。

改革开放以来，我国已经先后成功举办了4届全国残疾人运动会。本届残疾人运动会是历届残运会中规模最大、参加人数和项目最多的一届，共有35个代表团的1805名运动员参赛，共设11个竞赛项目。本届全国残运会于5月14日闭幕。

5月11—13日

中宣部召开爱国主义教育示范基地工作座谈会

在河北省石家庄市召开的这次会议指出，爱国主义教育基地是思想政治工作的重要阵地，要认真总结推广示范基地建设、管理和使用方面的经验，带动其他基地的工作，使爱国主义基地的作用得到更好的发挥。为深入贯彻《爱国主义教育实施纲要》，1997年6月，中宣部公布了首批百个爱国主义教育示范基地。3年来，在各级党委、政府的高度重视下，各地普遍加大对示范基地的投入。河北、北京、上海、天津等省市投入经费都在数亿元以上，基地的面貌发生了明显的变化，有的示范基地已经成为当地精神文明建设的重要窗口。各示范基地加强管理，挖掘自身潜力，积极探索搞好基地工作的新途径，通过声、光、电等科技手段改进布展方法，以及资料上网和采取“走出去、请进来”等办法，大大地扩大了基地的影响，收到了很好的效果。

会议指出，党中央领导同志十分关心爱国主义基地建设，对基地建设作出了一系列重要指示，我们要认真贯彻，狠抓落实。从各地实践看，示范基地要在以下5个方面进一步发挥示范作用：一是在征集保护文物史料、挖掘教育内容方面发挥示范作用。二是在改进丰富展出方式、增强教育感染力上发挥示范作用。三是在教育活动的设计、组织方面发挥示范作用。四是在拓展教育范围、扩大基地影响方面发挥示范作用。五是在传播精神文明方面发挥示范作用。

会议就进一步加强示范基地建设提出了明确要求。会议期间，一些示范基地分别介绍了加强基地建设，开展爱国主义教育的经验和做法。

5月15日

全国青年学习邓小平理论经验交流会在北京召开

这次会议由中宣部、教育部、共青团中央在北京联合召开。中共中央政治局常委、国家副主席胡锦涛出席会议。中共中央政治局常委、国务院副总理李岚清在会上发表讲话强调，坚持用邓小平理论教育青年一代，是党中央的一项重大决策。我们一定要按照党中央和江泽民同志的要求，把用邓小平理论教育青年一代的工作持之以恒地抓紧抓好，把全国青年学习邓小平理论的活动组织好、引导好。

中共中央政治局委员、书记处书记、中宣部部长丁关根主持会议。出席会议的有各省区市党委宣传部、教育部门、共青团的负责同志，解放军总政治部宣传部负责同志，教育部直属高校负责同志，以及青年学习邓小平理论先进单位的代表共260余人。

5月22日

中共中央在北京举行座谈会 纪念李富春蔡畅同志 诞辰100周年

中共中央在人民大会堂举行纪念李富春、蔡畅同志诞辰100周年座谈会。中共中央政治局常委、国务院总理朱镕基出席座谈会并发表讲话(见本年鉴“文献·讲话”)。他在讲话中回顾和高度评价了李富春、蔡畅夫妇对中国人民的解放事业和社会主义建设事业所作出的丰功伟绩。

中共中央政治局委员、国务院副总理温家宝和宋平、彭珮云、陈锦华、张劲夫、谷牧、吕正操、马文瑞、雷洁琼、邓力群、韩光等同志，中央和国家机关、军队有关部门及湖南的负责同志，李富春和蔡畅同志的亲属及生前好友等出席座谈会。座谈会由中共中央候补委员、书记处书记曾庆红主持。

5月23日

中国现代文学馆新馆开馆

由江泽民总书记题写馆名的“中国现代文学馆”新馆隆重开馆。中国作家协会主席巴金等积极倡议兴建的中国现代文学馆，受到党和政府及全国文学界的极大关注。巴金等一批著名文学家为此付出很多心血，并捐款献物。这座兼有文学博物馆、文学图书馆、文学档案馆和文学研究、文学交流等多种功能的文学馆，不仅是我国20世纪文学宝库的标志性载体，更将记载新世纪中国文学的繁荣发展历程。

作为中国现代文学的资料中心，整个文学馆的装饰充满了浓郁的文学艺术氛围。馆内有国内外著名画家、雕刻家和工艺家以我国现代文学史上的代表作品为主题精心创作的油画、壁画、彩色玻璃镶嵌画和精美的藏书票等艺术品；馆外庭院花木中，鲁迅、郭沫若、茅盾、巴金、老舍、曹禺、冰心、丁玲、艾青、沈从文、朱自清、叶圣陶、赵树理等13尊真人大小的作家塑像姿态各异，栩栩如生。

中国现代文学馆现有藏品30万件，很多藏品非常珍贵。目前，在新馆的展厅内，分别展出了“20世纪文学大师风采展”、“中国现当代文学展”和“作家文库展”等大型展览。这些展览从不同侧面回顾了中国文学的百年辉煌，集中展示了现代作家群体和经典作品的风貌。据了解，中国现代文学馆馆舍占地46亩，现在完成的一期工程建筑面积1.4万平方米。

5月25日，中共中央总书记、国家主席、中央军委主席江泽民，中共中央政治局常委、国务院副总理李岚清参观了新馆展览。中共中央政治局委员、书记处书记、中宣部部长丁关根于5月23日参观了新馆展览。

5月25日

中宣部教育部等部署 大中专学生志愿者暑期 “三下乡”活动

中宣部、教育部、团中央和全国学联召开全国电视电话会议，动员、部署大中专学生志愿者暑期文化科技卫生“三下乡”社会实践活动。

1997年以来，在中宣部、教育部、团中央和全国学联的组织下，每年暑期数十万青年学生有组织地深入农村基层，开展形式多样的支教扫盲、文艺演出、科技服务、卫生医疗、法律咨询、环境保护等服务，促进了农村两个文明建设的发展，受到了人民群众的欢迎和社会各界的肯定。

2000年的活动将在以往基础上，进一步扩大活动规模，吸引和组织更多的大中专学生参加到活动中来；充分发挥高学历学生的知识技能优势，重点开展百支博士团“三下乡”志愿服务行动，为农村发展特别是西部大开发办实事，求实效。

5月

中央新闻单位集中宣传 南京市交通管理经验， 倡导文明科学管理

5月12日，《人民日报》以《道路通畅，心情

舒畅》为题，报道了南京市交通管理经验，倡导文明科学管理。

南京市区有300万人口，拥有机动车22万辆、非机动车200万辆。近几年来，市区先后拓宽、改造和新建了104条道路，打通了30个卡脖子路段，道路总长1600公里，人均道路8．2平方米，为城市交通管理打下了良好的基础。

针对南京城区大多是平面交叉路口、交通节点不畅的情况，交管部门开展科研攻关，研究开发城市交叉路口综合管理理论和技术，建成了一批交通智能化路口：在120个路口设立了“电子警察”，通过地面的感应器，全天候自动拍摄机动车违章；在156个路口安装多相位信号和信号倒计时器，使机动车启动延误时间由1．5秒减少到0．5秒；在多股车道交汇的路口安装了长臂式线道牌和大型指路牌，实行交通设施地空一体化，大大提高了交通标志提示效率。目前，220个信号灯控制路口机动车通行能力平均提高20%以上，直行速度提高40%，主要干道机动车平均时速由19公里提高到31公里。仅因减少停车延误，减少车辆启动油耗和机械磨损，每年可产生百万元的经济效益。

良好的交通秩序离不开严格管理，更有赖于广大群众素质的提高。为此，南京交警部门开展了一系列活动：发放50万份“致全市骑车人的公开信”；组织10万名中小学生以倡导交通文明为内容，撰写“给家长的信”；在万余名出租汽车司机中进行投入“畅通工程”的签名承诺活动，建立了集沟通信息、法律咨询、接受投诉于一体的“驾驶员之家”；与新闻媒体联手开展“我为‘畅通工程’献计策”活动，向广大市民征集交通管理的“金点子”等等，均在社会上产生了良好的效应。

“当人民警察，让人民满意”，南京市交警部门转变观念，坚持服务在先，管在其中，以服务促进管理，推出了一系列便民利民措施。从支队到各大队，普遍实行了领导对外接待日制度，开通了监督电话，设置了公开办事程序的电脑触摸屏，对反映交警问题的来信来电做到有诉必接，有疑必查，有错必纠。

交通事故处置快速，限时结案。对交通事故的处理实行了“阳光作业”，建立了听证制度、跟踪回访制度、执法责任倒查制度，主动接受社会各界的监督。

市交警支队设立了“文明执法委屈奖”，凡是交警在执勤过程中骂不还口、打不还手，坚持心平气和解决问题的均可获奖，该奖设立一年多来，共有87名民警获奖。

南京市交警部门分设14个活动点，举行了“万名群众、千名驾驶员、百家运输单位评议交警”活动，发放调查问卷1万份，收回9252份，对交警执法执纪满意率达91．5%。

5月

江泽民对中国文联“万里采风”活动5周年作重要批示

批示指出：“中国文联组织开展‘万里采风’活动，是一件很好的事情，促进了文艺家们的思想进步和创作活动。‘问渠那得清如许，为有源头活水来。社会生活是文艺创作的惟一源泉。只要我们坚持贯彻落实党的文艺方针，真正投身人民群众进行改革开放和现代化建设的伟大实践，深入体验当代中国发展和进步的历史进程，就一定能不断创作出无愧于我们这个时代的优秀作品。希望你们再接再厉，把采风活动深入持久地开展下去。”

5月22日，中国文联举行“万里采风”活动5周年座谈会，学习江泽民总书记的重要批示，总结了文艺家们深入生活和取得的成果。中宣部常务副部长刘云山在座谈会上转达了中共中央政治局委员、书记处书记、中宣部部长丁关根对文艺家们的希望和祝愿。丁关根说，江泽民总书记的批示十分重要。我们一定要认真学习、深入领会、贯彻落实；要按照总书记的要求和期望，深入生活、深入基层，真正投身到人民群众进行改革开放和现代化建设的伟大实践，深入体验当代中国发展和进步的历史进程，不断创作出无愧于我们时代的优秀作品，把美好的精神食粮奉献给人民。丁关根祝愿“万里采风”活动取得丰硕成果。

6月1日

中国少年先锋队第四次全国代表大会开幕

在欢度六一国际儿童节的喜庆气氛中，带着全国1.3亿少先队员的期盼和心声，来自祖国各地的600名少先队员、少先队辅导员和少先队工作者代表，6月1日下午欢聚在中南海怀仁堂，出席中国少年先锋队第四次全国代表大会。大会开幕前，党和国家领导人江泽民、李鹏、朱镕基、李瑞环、胡锦涛、尉健行、李岚清等亲切会见了全体代表，向大会表示热烈的祝贺，向全国各族少年儿童致以节日的问候。

中共中央政治局常委、国家副主席胡锦涛代表党中央、国务院向大会致祝词。他在祝词中指出，当代少年儿童的人生历程是与祖国在新世纪的前进步伐紧紧相伴的。他殷切希望广大少年儿童，按照德、智、体、美全面发展的要求，从小树立远大理想，养成优良品德，培养过硬本领，锻炼强健体魄，在学校里做一个好学生，在家庭中做一个好孩子，在社会上做一个好少年，为长大以后推进祖国新世纪大业做好全面准备。

胡锦涛说，少先队是少年儿童健康成长的摇篮，也是少先队员学习社会主义和共产主义的大学校。面对新的世纪，少先队要坚持以邓小平理论为指导，全面贯彻党的教育方针，始终把竭诚为少年儿童健康成长服务作为全部工作的出发点和落脚点，切实把广大少年儿童团结好、教育好、带领好。

会上，少先队员代表汇报了在少先队组织里学习实践、锻炼成长的情况。

6月4日

《院士科普书系》首批书出版发行，江泽民作序

中国科学院和中国工程院组织176位院士撰写的跨世纪出版工程——《院士科普书系》首发式在北京举行。中共中央总书记江泽民为这套书系作序《提高全民族的科学素质》（见本年鉴“文献·讲话”）。

《院士科普书系》是中国科学院和中国工程院在1998年两院院士大会期间发起组织的一项跨世纪科普出版工程。176位院士与出版社签约撰写175本科普书。经过两年努力，第一辑和第二辑各25本已于日前由清华大学出版社和暨南大学出版社出版发行。

《院士科普书系》由中国科学院院长路甬祥任编委会主任，周光召、宋健、朱光亚院士为名誉主任，两院各学部的主任、副主任均为编委会副主任。外籍院士李政道最先一批送来富含科学哲理与文采的书稿《对称与不对称》；担任中科院副院长的青年科学家白春礼院士占用了几乎全部业余时间创作了《来自微观世界的新概念》；许多院士放下手头正在进行的科研论文“改行”写科普书。

这套书将采取滚动出版的模式，长期进行下去。一方面随着院士们的创作进程，成熟一批出版一批；另一方面，随着科学技术的进步和创新，不断有新的题材由新的院士作者撰写。

6月5日

中国科学院第十次院士大会、中国工程院第五次院士大会召开，江泽民发表重要讲话

中共中央总书记、国家主席、中央军委主席江泽民在讲话（见本年鉴“文献·讲话”）中指出，弘扬科学精神更带根本性和基础性。科学界要大力弘扬科学精神，各条战线、各个部门都要大力弘扬科学精神。要使实事求是、探索求知、崇尚真理、勇于创新的精神在全党全社会大大发扬起来。

江泽民代表党中央、国务院和中央军委向大会表示热烈的祝贺，向为我国科技事业和经济建设作出杰出贡献的两院院士，向辛勤工作在各条战线上的广大科技工作者，致以崇高的敬意。

千余名两院院士济济一堂。他们中有为新中国科学技术事业开拓和奠基的老一辈科学家，有

在各自领域卓有建树的中青年科学家。在这世纪更替之际，群英荟萃，共商新世纪我国科技创新发展大计。

李鹏、朱镕基、李瑞环、胡锦涛、尉健行、李岚清出席大会。

大会由全国政协副主席、中国工程院院长宋健主持。中国科学院院长路甬祥致开幕词。

会前，江泽民等党和国家领导人亲切会见了出席大会的两院院士和外籍院士。

这次大会的中心任务是动员和组织两院院士，广泛团结全国科技专家和广大科技工作者，在新的世纪里大力推进科教兴国战略的实施，积极投身建设国家创新体系，参与国家经济建设重大项目决策咨询，为胜利实现“九五”计划进而迈向第三步战略发展目标而奋斗。

6月28—29日

中央思想政治工作会议在北京召开，江泽民发表重要讲话

中共中央总书记江泽民等党和国家领导人出席会议。江泽民在讲话中强调大力加强和改进思想政治工作（见本年鉴“文献·讲话”）。

与会同志认真学习、讨论了江泽民同志的重要讲话，交流了各地区各部门加强和改进思想政治工作的经验和做法。

会议指出，江泽民同志的重要讲话，把马克思列宁主义的普遍原理同我国改革和建设的伟大实践相结合，深刻阐明了加强和改进新时期思想政治工作的重大意义，充分肯定了思想政治工作取得的成绩，进一步明确了面向新世纪思想政治工作肩负的历史任务，是新时期加强和改进思想政治工作的纲领性文件。

会议指出，做好新时期的思想政治工作，要在继承和发扬党的优良传统的基础上，坚持马克思主义的指导地位，增强针对性、实效性、主动性。要紧密结合实际，在工作的内容、形式、方法、手段和机制等方面进行创新和改进。要注重研究新形势下思想政治工作的规律和特点，把握发展态势，紧紧围绕经济工作、围绕解决人民群众关注的热点和难点问题，加大工作力度，切实把思想政治工作提高到一个新水平。做好新时期思想政治工作关键要加强党对思想政治工作的领导。各级党组织都要切实承担起做党的思想政治工作的职责，要建立党委统一领导、党政各部门和工会、共青团、妇联等人民团体齐抓共管、各负其责的思想政治工作的体制，建立健全思想政治工作的责任制。要培养和造就一支忠诚党的事业、有较高思想政治素养、热爱思想政治工作，热心服务群众、与群众心心相印、善于做群众工作的思想政治工作队伍。要强化阵地意识，用马克思主义、无产阶级思想占领思想文化阵地，拓宽工作渠道，扩大工作的覆盖面，唱响主旋律，打好主动仗，为人民群众提供高质量的精神产品。

会议指出，当前思想政治工作总的工作精神和目标任务都已明确，关键就是抓好落实。一定要把思想和行动统一到江泽民同志重要讲话精神上来，从战略的高度、全局的高度，充分认识思想政治工作的重要地位和作用，增强贯彻“两手抓、两手都要硬”的自觉性，增强做好思想政治工作的责任感和使命感。要深入调查研究，摸清基本情况，找出存在差距，抓住问题症结，克服薄弱环节。要精心组织，周密部署，既有长远规划又有近期安排，既有宏观要求又有具体措施，持之以恒，常抓不懈，切实把中央要求落到实处。

中共中央政治局委员、书记处书记、中央宣传部部长丁关根在会议总结讲话中指出，江泽民同志在中央思想政治工作会议上的重要讲话，从国际国内两个大局的高度，全面分析了思想政治工作面临的新形势新情况，强调了思想政治工作的重要地位，明确了面向新世纪思想政治工作肩负的历史任务，深刻阐明了一系列带有根本性、全局性的重大理论和实践问题。讲话高瞻远瞩，总揽全局，思想深邃，内涵丰富，论述精辟，语重心长，具有很强的政治性、理论性、针对性、指导性和鲜明的时代感，是对跨世纪思想政治工作的战略性思考，是开创思想政治工作新局面的纲领性文献，具有重大的现实意义和深远的历史意义。我们一定要认真学习，深刻领会，切实贯彻。

在闭幕会上，有8位与会同志就学习、贯彻江泽民同志重要讲话作了发言。在京的中央党、政、军、群各单位主要负责人和分管思想政治工

作的负责人，各省、区、市党委分管思想政治工作的副书记和组织部长、宣传部长，部分大型企事业单位有关负责人和各大军区有关负责人出席了会议。

6月

中央新闻单位集中宣传杭州市创建文明城市经验

6月5日至7日，《人民日报》连续发表《文明城市，温馨家园》等长篇通讯，并配发评论员文章，介绍杭州市的经验。

杭州市创建文明城市的基本经验可以概括为“五个一”，即：有一个清醒的认识，有一个坚定的目标，有一个鲜明的着力点，有一套高强度而又实实在在的措施，有一个好的领导体制和工作机制。

认识提高才能行动自觉。杭州市委、市政府提出，创建全国一流文明城市，是实现现代化的重要内容、加快经济社会发展的内在要求和人民群众的迫切愿望。他们认真贯彻“两手抓两手都要硬”的战略方针，在集中精力抓好经济建设的同时，把精神文明建设放到突出位置，自觉做到狠狠地抓，一天不放松地抓，从具体事件抓起。

目标明确才能实在。杭州市提出创建文明城市要实现“四优四感”，即优良秩序、优美环境、优质服务、优化管理，安全感、舒适感、亲切感、文明感；实施“蓝天、碧水、绿色、清静”工程，争创全国一流文明城市。这样，各单位、各部门以及社会各方面任务具体，知道自己要做什么，该怎样做，有很强的可操作性。

有着力点才能抓住关键。群众呼声是创建的第一信号，把解决热点、难点问题作为创建活动的着力点，这是杭州创建工作的一大特色。“12345”市长公开电话受理中心、朝晖街道残疾人服务中心、延安路创建“百城万店无假货”示范街等，都是从群众的生活和工作需要出发，为群众排忧解难而开展的创建项目和活动，因而赢得了群众的支持，基础深厚，富有活力。

措施有力才能落实任务。杭州市从城市整体发展出发，总体规划，抓住重点，软件、硬件配套，教育、管理结合。他们组织了整治市容环境、整治治安秩序、整治交通秩序、整治违法建筑“四场硬仗”，收到了良好效果。

体制、机制健全才能各司其职又团结协作。坚持做到书记、市长亲自抓，四套班子共同抓，职能部门配合抓，专门班子具体抓。他们能够做到分工负责，齐抓共管，两个文明建设任务一起部署，一起落实，一起检查，形成了合力。

杭州市委、市政府紧紧依靠广大市民，下大力气抓文明城市创建工作，取得显著成效。短短一年时间，城市面貌为之一新，社会秩序明显改观，人们的精神状态积极向上，党和政府的凝聚力得到增强，整个城市的精神文明建设上了一个台阶。

7月7日

中央精神文明建设指导委员会召开第八次全体会议

中央精神文明建设指导委员会第八次全体会议认真学习贯彻江泽民总书记在中央思想政治工作会议上的重要讲话精神，研究部署精神文明建设工作。中共中央政治局委员、书记处书记、中央文明委主任丁关根主持会议并讲话，中共中央政治局委员、中央文明委副主任李铁映出席会议并讲话。中央文明委委员出席了会议。

会议认为，中央思想政治工作会议是我们党在迈向新世纪的历史时刻召开的一次重要会议，是以江泽民同志为核心的党中央坚持“两手抓、两手都要硬”的战略方针，全面推进改革开放和现代化建设事业的一项重大举措。江泽民总书记的重要讲话，高瞻远瞩，总揽全局，内容丰富，思想深刻，具有鲜明的时代特色和很强的针对性，对于面向新世纪加强和改进党的思想政治工作，全面推进社会主义精神文明建设，具有重大的现实意义和深远的历史意义，一定要很好学习、认真贯彻。要充分认识加强精神文明建设的重要性、长期性、艰巨性，牢固树立政治意识、大局意识、责任意识、阵地意识、创新意识，进一步增强使命感、紧迫感、时代感，把精神文明建设搞得更加有声有色、扎扎实实。

会议强调，加强精神文明建设，必须认真学习贯彻江泽民总书记重要讲话精神。要坚持以马列主义、毛泽东思想、邓小平理论为指导，研究回答关系党和国家事业发展全局的重大战略问题，研究回答现实生活提出的、干部群众关心的重大思想理论问题；要坚持以经济建设为中心，紧密配合党和政府的中心任务开展工作，努力实现两个文明建设协调发展；要深入开展以理想信念为核心的思想道德教育，弘扬社会正气，不断提高全体人民的思想道德素质；要坚持唱响主旋律，打好主动仗，用社会主义精神文明占领思想文化阵地；要大力发展积极健康、丰富多彩的文化生活，不断满足人民群众日益增长的精神文化需要；要从解决群众最关心、反映最强烈的问题入手，多做得人心、暖人心、稳人心的工作；要从不断变化的实际出发，在继承的基础上，努力探索新方式、新方法、新手段、新机制，特别要在增强针对性、实效性、主动性、创造性上下功夫，切忌形式主义。

会议指出，精神文明建设要坚持群众路线，树立群众观点，带着深厚的感情去做。必须关心群众的切身利益，吸引群众自觉参与，精神文明建设才能有生命力。要切实了解群众的思想和要求，倾听群众的呼声，理解群众的心情，把解决思想问题同解决实际问题结合起来。既讲道理又办实事，既以理服人又以情感人，满腔热情地帮助有困难的群众解决实际问题，诚心诚意为人民服务。要继续推动创建活动向深度和广度发展。城市抓社区，农村抓村镇，行业抓窗口。

会议强调，要把加强社区建设、深入开展创建文明社区活动，作为贯彻落实江泽民总书记在中央思想政治工作会议讲话精神的重要举措。创建文明社区是新生事物，是一项开创性的事业，必须在加强社区制度建设上下功夫。要以改革创新的精神，努力探索建设有中国特色社会主义社区制度，探索新形势下精神文明建设的规律和途径。要正确处理社区与居民、与驻区单位、与政府有关管理机构的关系，深入探索与精神文明建设要求相适应的社区组织形式和体制，积极创新人们乐于接受的社区管理制度和活动方式。要把服务居民作为创建文明社区的出发点和落脚点，不断完善社区服务，积极发展社区文化，满足居民不断增长的物质文化需求。要不断增强社区发展的实力，通过实现居民群众的共同利益，增强社区的凝聚力和创建活动的影响力。

会议审议了《中央文明委关于在城市深入开展创建文明社区工作的若干意见》。

7月9日

“双百佳”电视艺术工作者受表彰

下午，第二届全国“百佳电视艺术工作者”和全国“百佳老电视艺术工作者”颁奖仪式在中央电视台举行。中共中央政治局委员、书记处书记、中宣部部长丁关根亲切会见了“双百佳”代表。全国人大常委会副委员长布赫、全国政协副主席万国权出席了颁奖仪式。

丁关根向获得“双百佳”的电视艺术工作者表示热烈祝贺，向广大电视人表示亲切慰问。他说，电视越来越受到人民群众的喜爱，成为人们文化生活中不可缺少的部分，希望广大电视艺术工作者要学习马克思主义理论，坚持“二为”方向，贯彻“双百”方针，传播先进文化，弘扬社会正气，塑造美好心灵，把握正确导向；要学习专业知识，丰富文化底蕴，提高思想素养；要深入生活，深入群众，创作出更多思想精深、艺术精湛、制作精良的电视艺术佳作，把最美好的精神食粮奉献给人民。

全国百佳电视艺术工作者评选活动是中国电视艺术家协会为贯彻江泽民总书记对文艺工作者提出的“德艺双馨、继往开来”的指示精神而开展的。这项活动从1998年开始，每两年举办一次，表彰从事编剧、导演、摄像、美术、音乐、录音、制片、评论、教学等专业的优秀电视艺术工作者。今年，在评选“百佳电视艺术工作者”的同时，评选了“百佳老电视艺术工作者”，以表彰在我国电视艺术发展历程中做出过重要贡献的离退休同志。经各地视协推荐、组委会评选，于知峰等100位同志为全国第二届“百佳电视艺术工作者”，王保华等100位同志为全国“百佳老电视艺术工作者”。

7月17—19日

中宣部召开理论工作座谈会

中共中央政治局委员、书记处书记、中宣部部长丁关根出席会议并讲话。他指出，必须坚持以马列主义、毛泽东思想特别是邓小平理论为指导，我们的事业才能大有希望，我们的国家才能大有希望。理论工作要坚持解放思想，实事求是，紧密联系实际，运用马克思主义的立场、观点、方法，对于部群众关心的重大思想理论问题，作出科学的、有说服力的、符合实际的解释和说明，统一思想，凝聚力量。要深入群众，深入实际，切实改进文风。多运用群众亲身经历的事情，多采取群众喜闻乐见的形式，深入浅出，清新简明，使逻辑的力量同情感的力量更好结合起来，以真理服人，以事实服人。

丁关根强调，在建设有中国特色社会主义伟大进程中，广大理论工作者辛勤劳动，作出了重要贡献。面对新的世纪，理论工作者肩负着中央的嘱托，人民的企盼，任重道远，大有可为。广大理论工作者一定要在以江泽民同志为核心的党中央领导下，高举邓小平理论伟大旗帜，增强责任感、时代感，坚定信心，振奋精神，团结一致，扎实工作，努力在马克思主义理论研究和宣传中做出新的贡献。

与会同志认真学习领会江总书记在中央思想政治工作会议上的重要讲话，研究分析理论工作形势，明确当前理论工作任务。

会议认为，坚持和巩固马列主义、毛泽东思想、邓小平理论在意识形态领域的指导地位，是保证全党全国人民加强团结、始终沿着正确方向前进的根本思想基础，决不能在指导思想上搞多元化。理论工作要紧紧围绕理想信念这个核心，深入进行党的基本理论、基本路线、基本方针教育，深入进行爱国主义、集体主义、社会主义教育，深入进行世界观、人生观、价值观教育，深入进行马克思主义唯物论、无神论和科学精神教育。理论工作要唱响主旋律，打好主动仗，科学生动地宣传马克思主义，引导干部和群众不断克服和抵制错误的、落后的、腐朽的思想文化的影响与侵蚀。

7月27日

海军大连舰艇学院先进事迹报告会在北京举行

报告会由中央宣传部、教育部、解放军总政治部、共青团中央在北京联合举行。海军大连舰艇学院是在毛泽东、周恩来等老一辈无产阶级革命家亲切关怀下成立的我军第一所海军院校。建院50多年来，海军大连舰艇学院始终坚持正确的办学方向，为人民海军的建设发展培养了一大批优秀军事指挥人才。在新的历史时期，海军大连舰艇学院坚持以毛泽东思想、邓小平理论和江泽民同志一系列重要论述为指导，认真贯彻新时期军事战略方针，着眼“打得赢”和“不变质”，努力培养高素质新型海军人才，为建设一支强大的人民海军做出了积极贡献。他们的经验主要是：坚持把思想政治建设置于首位，注重理想信念教育；把识才、选才、用才作为建设高素质教员队伍的一项永久性工程，不拘一格引进“将才”，以“将才”育人才；打破过去“专科育专才”的教学方法，创造了复合式通科教育模式，培养适应现代化战争需要的“通才”；精心设计实践性强的教学内容和形式，让学员们把掌握的高科技知识转化为实践能力。

海军大连舰艇学院培育高素质新型军事指挥人才的事迹和经验，集中体现了江泽民同志关于“三个代表”的重要思想，体现了人民军队的优良传统，体现了高等院校建设的正确方向，具有鲜明的时代特征。他们的经验不仅对部队具有很强的指导意义，而且值得全社会尤其是高等院校和科研单位学习借鉴。

海军司令员石云生、政治委员杨怀庆，教育部、共青团中央领导和驻京陆海空三军、武警部队官兵及首都高校师生、各界群众2500多人参加了报告会。

8月2日

《毛泽东邓小平江泽民论青少年和青少年工作》出版

共青团中央和中共中央文献研究室共同编辑的《毛泽东邓小平江泽民论青少年和青少年工作》一书，由中央文献出版社和中国青年出版社联合出版发行。

该书收入党的三代领导核心在不同历史时期有关青少年和青少年工作的重要论述，共110篇，包括报告、讲话、文章、书信、题词和批语。这些文献充分反映了毛泽东、邓小平、江泽民同志对广大青少年的亲切关怀、严格要求和殷切期望；充分说明了我们党历来高度重视青少年的培养工作，把青少年视为民族的希望、事业的未来；充分体现了我们党关于青少年工作的基本观点、基本方针和工作方法。共青团中央发出通知，要求在全团和广大青少年中认真学习，形成一个学习热潮。

8月6日

党中央国务院邀请文化界优秀工作者代表到北戴河休假

近日，党中央、国务院邀请文化界优秀工作者代表到北戴河休假。这次被邀请到北戴河休假的50位代表是由中宣部、文化部、广电总局、新闻出版署、中国文联、中国作协推荐的，他们是文化界各个方面卓有成就的学者、专家、艺术家。中共中央政治局常委、国务院副总理李岚清8月6日在北戴河会见了正在这里休假的文化界优秀工作者代表，并同他们举行座谈。李岚清指出，当前文化战线面临的重要任务，就是要认真贯彻落实江泽民同志“三个代表”的重要思想，落实中央思想政治工作会议的部署，进一步深化文化体制改革，提高文化艺术产品的质量，促进文化艺术的繁荣和发展。

李岚清指出，做好文化工作，必须认真学习贯彻江泽民同志“三个代表”重要思想。当代中国先进文化的前进方向，就是建设有中国特色社会主义文化，就是以马克思主义为指导，以培育“有理想、有道德、有文化、有纪律”的公民为目标，发展面向现代化、面向世界、面向未来的，民族的科学的大众的社会主义文化。代表中国先进文化的前进方向，核心是把党的十五大提出的建设有中国特色社会主义文化不断推向前进，这是党和政府重要的职责，是广大文化工作者义不容辞的光荣任务，也是在新的世纪繁荣发展文化艺术事业的根本保证。李岚清要求文化战线的同志，进一步加强团结，互相尊重，互相借鉴，为推进有中国特色社会主义文化事业的建设而不懈努力，为在新世纪形成文化艺术更加繁荣昌盛的局面，作出更大的贡献。

座谈会上，欧阳逸冰、李默然、红线女、常香玉、滕进贤等发言，畅谈了文化界近年来取得的喜人成绩，就进一步做好文化工作，发展文化事业等方面提出了意见和建议。

丁关根、张万年、曾庆红、王忠禹等领导同志参加了会见和座谈。座谈会由丁关根主持。

8月25日

中宣部中央文明办教育部组织实施西部开发助学工程

为配合中央实施西部大开发的战略决策，帮助西部地区培养人才，经中央领导批准，中央文明委决定组织实施“西部开发助学工程”。8月25日，中宣部、中央文明办、教育部联合发出《关于实施“西部开发助学工程”的通知》，决定从2000年至2004年（学年）间，每年在西部12省（区、市）和新疆生产建设兵团选择1100名当年考入全国和省（区、市）重点高等院校的品学兼优特困本科生，每人资助2万元（分四个学年陆续拨付）。所需经费从中央文化事业建设费中支出，受资助学生在校期间的学费由所在学校减免50%。

西部12省（区、市）和新疆生产建设兵团对“西部开发助学工程”十分重视，都组成由有关领导同志负责的专门小组，明确责任，狠抓落实。

首先在认真调查摸底的基础上，结合本地实际，制定下发了具体实施办法。同时在新闻媒体上对实施这项工程的意义及有关事项进行广泛宣传。有些地方还设立了举报电话，加强社会监督。经过层层把关，严格审核，并在本省（区、市）主要新闻媒体公示，最后确定受助学生名单。

“西部开发助学工程”的实施，在社会各界和广大青年学生中引起了热烈反响，受到赞誉。

8 月 27—29 日

全国农村精神文明建设工作座谈会在辽宁召开

中宣部和中央文明办在辽宁省铁岭市召开全国农村精神文明建设工作座谈会，学习贯彻江泽民总书记在中央思想政治工作会议上的重要讲话精神，分析农村精神文明建设的形势，总结交流各地创造的新鲜经验，研究部署下一阶段的工作。

中宣部常务副部长、中央文明办主任刘云山讲话，国务院副秘书长、中央文明办副主任刘奇葆主持会议，中央文明办专职副主任胡振民作会议总结，辽宁开原市、河北衡水市、内蒙古锡林郭勒盟、黑龙江绥化市、江苏张家港杨舍镇、福建省文明办、山东济南北园镇、广东东莞市、重庆荣昌县、四川犍为县、陕西耀县孙原村、吉林省文明办、湖北襄樊市的代表在大会上介绍经验。

这次会议重点推广了辽宁省开原市以城带乡、城乡共建的经验。

座谈会提出了农村精神文明建设新任务。一要把思想道德教育作为农村精神文明建设的基础性工作，坚持不懈地进行党的基本理论、基本路线、基本纲领教育，正确的世界观、人生观、价值观教育，爱国主义、集体主义、社会主义和艰苦创业精神教育，社会公德、职业道德、家庭美德教育，民主法制教育；二要把普及科技知识、移风易俗作为农村精神文明建设的重要任务，广泛进行马克思主义的唯物论和无神论教育，大力普及科学知识，帮助农民划清科学与迷信、文明与愚昧的界限，自觉抵制“法轮功”等邪教胡说，逐步形成科学文明、健康向上的生活方式和社会风尚；三要加强农村思想文化阵地建设，下功夫建设好包括农村广播电视网、村镇文化站、图书室、阅报栏、电影放映站、农民夜校、乡镇党校的思想文化阵地；四要坚持开展创建文明户、文明村活动；五要积极推进创建文明小城镇活动，力争用10年时间把一批基础好的小城镇建成规模适度、规划科学、功能齐全、环境整洁、具有较强辐射力的农村经济文化中心，成为农村精神文明建设新的增长点；六要广泛开展以城带乡、城乡共建活动，学习辽宁开原市的成功经验，组织城里的文明单位与农村的文明单位结对子，帮助农村改善文化设施，美化村容村貌，提高农民素质。

9 月 5—7 日

全国创建文明社区工作座谈会在南京召开

中央文明办在南京召开全国创建文明社区工作座谈会。中共中央政治局委员、书记处书记、中央文明委主任丁关根出席会议并讲话（见本年鉴“文献·讲话”）。会议学习贯彻江泽民总书记在中央思想政治工作会议上的重要讲话精神和关于加强城市社区工作的重要指示，总结交流创建文明社区的工作经验，具体部署下一步创建文明社区工作。会议讨论了中央文明委《关于在城市深入开展创建文明社区工作的若干意见（征求意见稿）》。

中宣部常务副部长、中央文明办主任刘云山在总结讲话中指出，深入开展创建文明社区活动，必须突出重点，抓好重点，带动创建工作全面开展。一要抓教育，重点抓好思想道德教育、科普教育和民主法制教育。二要抓活动，重点抓好“讲文明树新风”活动、“倡导文明新风，共建美好家园”活动、创建文明家庭、文明楼院、文明小区活动和各种形式的共建活动。三要抓阵地，重点抓好社区教育阵地建设、社区文化阵地建设和休闲娱乐阵地建设。四要抓管理，重点抓好社区环境的综合治理、社区物业管理的规范服务和社区规章制度建设。在工作中，要加强调查研究，着重解决好创建文明社区活动中一些带根本性、原则性的问题。要制定规划，增强创建工作的前瞻性；完善机制，增强创建工作的主动性；分类指导，增强创建工作的针对性；创新方法，增强创建工作的实效性。

南京市重点介绍了创建文明社区的经验。北京、天津、上海、河南、深圳、大连市西岗区也介绍了经验。中央文明办负责同志、中央有关部委和人民团体的负责同志分别作了讲话。

9月15—17日

第三批全国创建文明风景旅游区示范点确定

在十一国庆旅游高潮即将到来之际，为了更好地发挥先进典型的示范带头作用，继续推动创建文明风景旅游区活动的深入开展，9月15日中央文明办、建设部、国家旅游局联合发出通知，向全国推出第三批创建文明风景旅游区示范点的10个景区。

它们是：云南昆明世界园艺博览园、福建厦门鼓浪屿风景区、吉林长春净月潭风景名胜区、宁夏沙湖、江西南昌滕王阁、浙江雁荡山风景名胜区、山西五台山风景名胜区、山东青岛崂山风景名胜区、河南洛阳龙门风景名胜区、重庆大足石刻风景旅游区。

联合通知要求各地进一步加强全国风景旅游名胜区建设，传播先进文化，促进假日旅游健康发展。

自1998年中央文明办、建设部、国家旅游局在全国开展创建文明风景旅游区活动以来，全国已有安徽黄山、江西庐山、昆明石林、福建武夷山等三批30个景区获示范点称号。这一活动有力地推动了旅游环境的改善和服务质量、管理水平的提高，产生了很好的社会反响，增强了风景旅游区的吸引力、竞争力，带来了经济效益和社会效益双丰收。

中央文明办、建设部、国家旅游局要求各地加强领导，明确目标，落实责任，力争用5年的时间使省属风景旅游区基本建成文明景区，用10年的时间使市地级风景旅游区基本建成文明景区，用20年的时间使全国所有风景旅游区都能建成文明景区。

9月15日至17日，中央文明办、建设部、国家旅游局联合在广东省肇庆市召开全国创建文明风景旅游区工作座谈会，认真贯彻中央思想政治工作会议精神，总结、交流、推广创建文明风景旅游区工作的经验，研究部署进一步加强风景旅游区精神文明建设工作。

9月21日

中宣部中央文明办召开支持西部地区宣传文化事业电话会议

这次会议强调为西部大开发鼓实劲、办实事。会议指出，宣传思想工作部门要遵照江泽民总书记关于西部大开发的重要讲话精神，紧紧围绕中央关于实施西部大开发战略的方针政策，宣传实施西部大开发战略的重大政治、经济意义。要报道西部地区经济发展的喜人变化，介绍西部地区的历史、文化和秀美的自然风光，展示西部地区各族人民自力更生、艰苦奋斗的生动实践，传递东西部合作信息和全国人民对西部大开发的热情支持，努力营造推进西部大开发的舆论氛围，激励人们为建设一个经济繁荣、社会进步、生活安定、民族团结、山川秀美的西部地区而努力奋斗。

会议提出，要以邓小平同志关于“两个大局”的战略构想和江泽民同志关于西部大开发的重要讲话精神为指导，全面准确地宣传中央关于西部大开发的重要方针政策。把思想和行动统一到中央的决策部署上来。理论工作者要深入实际，认真研究西部大开发的重大理论和现实问题，提供有战略性、前瞻性的见解和建议，为党和政府开发西部的决策服务。文艺工作者要到西部去，投身火热生活，热情讴歌西部开发的伟大实践，使更多的人了解西部、热爱西部、建设西部。大力宣传在西部大开发中艰苦奋斗、无私奉献、开拓进取的先进典型，带动更多的人在西部大开发中建功立业。

会议强调，宣传思想文化部门要为西部文化建设办实事。尽力扩大广播覆盖面，尽力实现村村通电视，使党和国家的声音进入千家万户。配合乡镇宣传文化工程及万里边疆文化长廊建设，近期要在西部地区的100个贫困县资助建设文化馆。为西部地区300多个贫困县每县赠送一套用于农村的电影放映设备，一套《新中国舞台影视艺术精品选系列光盘》，一套“万村书库”。每年给西部地区1100名品学兼优、家庭贫困的大学生发放助学金，帮助他们完成学业。分期分批培训西部地区地市以上宣传思想文化战线的领导干部，组织西部宣传文化干部到东部挂职锻炼。坚持把好事办实，实事办好，扎扎实实推进西部地区精神文明建设。

9月21日

“长江学者奖励计划”取得重要进展

下午，教育部、香港李嘉诚基金会在人民大会堂举行“长江学者奖励计划”第三批特聘教授、讲座教授受聘暨第二届“长江学者成就奖”颁奖典礼。中共中央政治局常委、国务院副总理李岚清在会见“长江学者奖励计划”特聘教授、讲座教授时表示，在知识经济时代，人才将成为一个国家科技创新、经济发展和社会进步的根本保证。我们必须坚定不移地实施科教兴国战略，将培养和造就高层次创造性人才作为一项重要战略任务来抓。

李岚清向特聘教授、讲座教授和“长江学者成就奖”获奖者表示祝贺。他对“长江学者奖励计划”在延揽海内外优秀科技人才、培养造就高层次创造性人才方面发挥的作用给予高度评价，认为这一计划对于加快高层次创造性人才队伍建设发挥了重要的示范作用。

李岚清强调，各级政府、各有关部门和高等学校应不遗余力地在体制、政策、环境等方面为特聘教授、讲座教授创造更好的工作条件。特聘教授、讲座教授担负着培养新一代优秀人才的重要使命，要在学术和思想各方面率先垂范，成为育人楷模。他希望特聘教授、讲座教授进一步继承和发扬中华民族自强不息、锐意创新的优良传统，学习老一辈科学家拼搏奉献、团结协作的精神，坚持在世界科学前沿创新、创新、再创新，为祖国的科技进步和繁荣昌盛作出更大的贡献。

教育部部长陈至立、香港著名爱国实业家李嘉诚等向“长江学者奖励计划”第三批特聘教授、讲座教授颁发聘书，向第二届“长江学者成就奖”获奖者、西北大学教授舒德干颁奖。

“长江学者奖励计划”经过两年的实施，共有114所高等学校的689个学科分4批获准设置特聘教授岗位，有64所高等学校的273个学科聘任了287位特聘教授、20位讲座教授，产生了两届“长江学者成就奖”获奖者。

9月26日

中宣部等4部门召开新闻界精神文明示范单位经验交流电视电话会

中央宣传部、广播电影电视总局、新闻出版署、中国记协在京联合召开全国新闻界精神文明示范单位经验交流电视电话会议，要求全国新闻系统深入贯彻落实中央思想政治工作会议精神，加强思想作风建设特别是职业道德建设，树立新闻工作者的良好形象，统一认识，加大力度，狠抓落实，在禁止有偿新闻方面取得新的进展。

会上，山西人民广播电台、人民日报社湖南记者站吴兴华、浙江电视台和长春晚报介绍了加强职业道德建设、禁止有偿新闻的做法和取得的成效。中宣部副部长王晨讲话，他代表中宣部等4部门总结了“精神文明示范单位”活动开展以来的情况，对新形势下加强新闻工作者队伍职业道德建设工作作了部署。会议由广播电影电视总局副局长吉炳轩主持。中央和北京市新闻宣传单位的负责人在主会场出席了会议。

各省、自治区、直辖市和省会城市的党委宣传部门、广电部门、新闻出版部门、记协的负责同志，省级新闻单位以及驻省会城市新闻单位的负责同志在分会场出席了会议。

9月26日

第六届全国职工职业道德“双十佳”表彰大会举行

中共中央宣传部、中央文明办、国家经贸委、国务院纠风办、中华全国总工会在人民大会堂联合召开表彰会，隆重表彰第六届全国职工职业道德“十佳标兵”和“十佳单位”。中共中央政治局常委、书记处书记、全国总工会主席尉健行出席会议。中共中央政治局委员、书记处书记丁关根，中共中央政治局委员、国务院副总理吴邦国也出席了会议，吴邦国在会上讲了话。吴邦国强调，职业道德建设是新形势下社会主义物质文明和精神文明建设的主要内容，是提高职工整体素质、建设“四有”职工队伍的内在要求，是纠正社会不正之风的重要措施之一。党中央一贯重视职业道德建设。他指出，加强职业道德建设，必须以理想信念教育为核心；必须紧紧围绕深化改革、促进经济发展、保持社会稳定这个大局来展开；必须注意抓好当前职工关心、反映最强烈的问题；必须增强针对性、实效性。吴邦国说，职业道德建设是一项系统工程，涉及到各行各业、方方面面，各地、各部门要按照江泽民同志“三个代表”重要思想的要求，充分认识加强职业道德建设的重要意义，在党委的统一领导下，充分调动社会各方面的积极性，形成职责明确、齐抓共管的职业道德建设工作机制。

中宣部常务副部长刘云山在会上宣读了《全国职工职业道德建设指导协调小组关于表彰第六届全国职工职业道德十佳标兵、十佳单位、先进个人、先进单位和百佳班组的决定》。

9月28日

第六届中国艺术节在南京开幕

第六届中国艺术节28日晚在南京五台山体育馆隆重开幕。中共中央政治局常委、国务院副总理、第六届中国艺术节主席李岚清出席开幕式。

第六届中国艺术节是本世纪最后一届国家艺术节，是面向21世纪中国文化繁荣发展的艺术盛会，也是我国文化艺术工作者献给国庆51周年的厚礼。本届艺术节以“继往开来，繁荣创新”为主题，以“艺术的盛会，人民的节日”为宗旨，集中展示我国过去3年来社会主义文艺创作的艺术精品，促进中外文化和各民族文化的交流，推动社会主义精神文明和物质文明建设的协调发展。

第六届中国艺术节是历届艺术节规模最大、上演剧目最多、群众文化活动最丰富的一届。本届艺术节共有105台品种齐全、特色鲜明、异彩纷呈的优秀剧、节目参加演出，来自全国31个省市自治区和香港特别行政区及台湾地区的艺术家在艺术节上尽展风采，美国、德国、日本、奥地利等国外艺术团也登台献艺。艺术节期间，还举办丰富多彩的群众文艺演出和艺术展览展示活动，以及经贸、旅游、科技博览活动。

本届艺术节以南京为主会场，以苏州、无锡、常州、扬州为分会场。28日晚，各分会场以“音乐舞蹈专场”、“十月放歌——广场文艺演出”、“乡音乡情演唱大赛”、“二分明月文化节”等活动同时拉开第六届中国艺术节帷幕。

9月

《社会主义精神文明建设概论》出版发行

中央文明办组织编写的《社会主义精神文明建设概论》一书由学习出版社出版发行。书中简要介绍了马克思、恩格斯关于文明的阐述和列宁、毛泽东关于社会主义思想文化建设的思想，重点阐释了邓小平关于社会主义精神文明建设的理论和江泽民关于加强精神文明建设的一系列重要论述；正确反映了我们党关于精神文明建设的方针、政策、原则，全面回顾总结了改革开放以来精神文明建设的发展历程和基本经验；从实现跨世纪奋斗目标的高度，深入分析了精神文明建设的形势，系统阐明了精神文明建设的根本目标、主要任务和基本要求。该书坚持以马列主义、毛泽东思想和邓小平理论为指导，力求从历史与逻辑、理论与实践的结合上，对社会主义精神文明建设的一系列重要问题，作出比较系统和准确的阐述，为广大干部群众学习和研究社会主义精神文明建设提供了基本教材。

9月

中宣部民政部等发出通知，要求做好“扶贫济困送温暖”捐助月和宣传周活动

中宣部、民政部、国家广播电影电视总局近日联合发出通知，要求各省、自治区、直辖市有关部门采取措施，做好2000年的“扶贫济困送温暖”捐助月和宣传周活动。

通知中说，1996年9月，为响应江泽民总书记提倡的在大中城市开展经常性的支援灾区、贫困地区捐助活动的号召，中宣部、民政部、广播电影电视部等12部委、团体发出了《关于做好开展“扶贫济困送温暖捐助活动”宣传工作的通知》，规定每年的4月和10月为扶贫济困送温暖捐助月（简称捐助月），4月的第一周、10月的第三周为扶贫济困送温暖宣传周（简称宣传周）。2000年的捐助月从10月1日起至10月31日，宣传周从10月15日起至10月21日。

通知对活动提出四个方面的要求：（1）加强领导，突出主题，以江泽民总书记“三个代表”的重要思想为指导，组织好捐助月和宣传周的各项工作。（2）认真研究，精心设计，开展形式多样、内容丰富的宣传活动，营造良好的舆论氛围。（3）规范管理，建立机制，推进扶贫济困送温暖活动经常化。（4）捐助月和宣传周活动结束后，各地要认真总结经验，将活动开展情况按归口管理逐级上报。

10月3日

江泽民与载誉归来的中国奥运代表团座谈

中共中央总书记江泽民等党和国家领导人在北京人民大会堂会见了在第27届奥运会上取得优异成绩的中国体育代表团成员，并同他们亲切座谈（讲话全文见本年鉴“文献·讲话”）。江泽民强调，中华体育精神是我国社会主义精神文明的重要组成部分，是中华民族的宝贵精神财富。全国各个行业、各条战线的同志们都要大力发扬振兴中华、为国争光的爱国主义精神，大力发扬顽强拼搏、争创一流的革命英雄主义精神，勇于创新，力攀高峰，同心同德地把建设有中国特色社会主义的伟大事业不断推向前进。

9月15日至10月1日，第27届奥运会在澳大利亚悉尼举行。中国体育代表团为祖国夺得了28枚金牌、16枚银牌、15枚铜牌，这是我国运动员在历届奥运会上取得的最好成绩。

10月9—11日

中共十五届五中全会在北京举行，通过关于“十五”计划的《建议》

全会高度评价了改革开放20多年特别是“九五”计划以来，我国经济建设和社会发展所取得的巨大成就，深入分析了世纪之交我国改革开放和现代化建设面临的国际和国内形势，认为从新世纪开始，我国将进入全面建设小康社会，加快推进现代化的新的发展阶段。今后五到十年，是我国经济和社会发展的重要时期，是进行经济结构战略性调整的重要时期，也是完善社会主义市场经济体制和扩大对外开放的重要时期。

全会按照十五大对新世纪我国现代化建设的总体展望和部署，提出了“十五”时期我国经济社会发展的主要奋斗目标：国民经济保持较快发展速度，经济结构战略性调整取得明显成效，经济增长质量和效益显著提高，为到2010年国内生产总值比2000年翻一番奠定坚实基础；国有企业建立现代企业制度取得重大进展，社会保障制度比较健全，完善社会主义市场经济体制迈出实质性步伐，在更大范围内和更深程度上参与国际经济合作与竞争；就业渠道拓宽，城乡居民收入持续增加，物质文化生活有较大改善，生态建设和环境保护得到加强；科技教育加快发展，国民素质进一步提高，精神文明建设和民主法制建设取得明显进展。会议强调，制定“十五”计划并顺

利实现上述目标，必须把发展作为主题，把结构调整作为主线，把改革开放和科技进步作为动力，把提高人民生活水平作为根本出发点。

会议认为，推进社会主义现代化建设，必须实现经济发展和社会全面进步。建设社会主义精神文明，发展有中国特色社会主义文化，是社会主义现代化建设的重要内容和保证。要切实加强精神文明建设，满足人民群众日益增长的多方面的精神文化需求，全面提高国民素质，增强民族凝聚力。努力建立适应社会主义市场经济发展的思想道德体系。

10月25日

首都隆重集会纪念中国人民志愿军抗美援朝出国作战50周年

中共中央总书记、国家主席、中央军委主席江泽民出席大会并发表重要讲话（见本年鉴“文献·讲话”）。

中共中央政治局常委李鹏、朱镕基、李瑞环、李岚清出席大会。中共中央政治局常委、国家副主席、中央军委副主席胡锦涛主持大会。

大会是由中共中央宣传部、外交部、民政部、解放军总政治部和北京市联合举办的。

10月26日

文化部广电总局等举行座谈会纪念夏衍诞辰100周年

文化部、国家广电总局、中国文联、中国作协、中国人民对外友好协会、中国电影家协会共同举办座谈会，中共中央政治局常委、国务院副总理李岚清出席座谈会并发表了讲话（见本年鉴“文献·讲话”）。他勉励广大文化艺术工作者继承和发扬夏衍高尚的革命情操、不朽的创新精神与崇高的人格风范，为促进新世纪有中国特色社会主义文化的繁荣和发展而团结奋斗。

有关方面负责人、文化艺术界代表、夏衍同志的亲属和生前友好等各界人士200多人出席了座谈会。

10月29日

第四届全国农民运动会在绵阳开幕

这届农运会由农业部、国家体育总局、中国农民体育协会主办，四川省人民政府承办，是历届参加人数最多、规模最大、影响最广的一次盛会。比赛共设田径、篮球、乒乓球、游泳、中国式摔跤、象棋、自行车载重、武术、民兵军事三项、龙舟、舞龙舞狮、毽球花毽、风筝等13个大项。来自全国31个省、市、自治区以及台湾民间的河洛农民体育队的3300名运动员，参加410枚金牌的争夺。

农运会期间，还召开第五批全国“亿万农民健身活动先进乡镇”和“全国县（市、区）体育先进个人代表”表彰会。

10月

中央新闻单位集中宣传深圳市精神文明建设经验

中央新闻单位集中宣传深圳市精神文明建设的经验，强调坚持物质文明和精神文明协调发展。10月23至24日，《人民日报》以《一份满意的答卷》、《建设文化绿洲》为题，连续报道深圳精神文明建设经验，并配发了评论员文章《生机盎然的精神文明窗口》。

深圳是我国第一个经济特区，对外开放的“排头兵”。深圳经济特区创办初期，就根据毗邻港澳，实行对外开放的特点，提出了“有所引进，有所抵制，排污不排外”的口号，在大力引进外资，积极实行对外开放的同时，坚决抵制各种非无产阶级思想的侵蚀。深圳历届市委、市政府都把精神文明建设作为事关全局的大事，同抓经济建设一样，舍得花资金，下气力。从市委、市政府到各区、局、基层办事处，精神文明建设都是由“一把手”亲自负责，使全市的精神文明建设形成了领导负责、全民参与、齐抓共管的生动局面。深圳大力加强思想道德建设，培育和形成了符合社会主义市场经济要求的“深圳精神”和思想观念，全面发展教育、科技、文化、卫生、体育等各项事业，为深圳现代化事业提供强大的智力支持。广泛深入地开展群众性精神文明创建系列活动。在精神文明创建活动中，深圳探索出了“四个结合”的路子，即在社区把精神文明建设与创建安全文明小区相结合，在企业与企业文化建设、建立现代企业制度相结合，在村镇与股份合作经济管理相结合，在全市与创建文明区和文明市活动相结合。他们还大力开展军民共建、警民共建、“青年文明号”等创建活动，开展社区文化、村镇文化、广场文化等群众性的文化活动，严厉打击“黄、赌、毒”，进行社会治安综合治理和社会环境综合治理。一系列精神文明建设活动，使深圳的精神文明建设，既扎扎实实，又轰轰烈烈，营造了有利于经济发展的社会环境，提高了深圳人的思想道德和科学文化素质，锻造了新的思想、新的观念，交出了一份让全国人民满意的答卷，使两个文明建设得到了协调发展。1999 年 10 月，深圳市被中央文明委评为全国创建文明城市工作先进城市。

11 月 8 日

首都新闻界喜庆首届中国记者节

老中青新闻工作者代表 700 多人欢聚一堂，共同庆祝自己的节日。中共中央政治局委员、书记处书记、中宣部部长丁关根出席大会并讲话（见本年鉴“文献·讲话”）。受党中央委托，他向辛勤工作在新闻战线的全体同志致以节日的祝贺和诚挚的问候，向为党的新闻事业繁荣发展做出重要贡献的老一辈新闻工作者表示崇高的敬意。

庆祝大会由中华全国新闻工作者协会主席邵华泽主持。

11 月 9 日

《夏商周年表》正式公布

经过 200 多名老中青专家学者 5 年的努力，上溯中国文明起源，下启中国文明走向的夏商周三代终于有了较为明确的年代学标尺。11 月 9 日，“夏商周断代工程”正式公布的《夏商周年表》，把我国的历史纪年由西周晚期的共和元年，即公元前 841 年向前延伸了 1200 多年，弥补了中国古代文明研究的一大缺憾。

中华文明是举世公认的文明之一，又是世界上惟一没有中断、一直绵延传流的文明，但标志着中华文明由兴起到繁盛的夏商周三代却一直有世无年，成为中国历史以及世界历史上的重大缺憾。世纪之交得以完成的这份《夏商周年表》，为填补我国古代纪年中的空白作出了巨大而坚实的努力。

根据这份年表，我国的夏代始年约为公元前 2070 年；夏商分界约为公元前 1600 年；盘庚迁殷约为公元前 1300 年；商周分界为公元前 1046 年。年表还排出了西周 10 王具体在位年，排出了商代后期从盘庚到帝辛（纣）的 12 王大致在位年。

夏商周断代工程首席科学家李学勤在新闻发布会上说，于 1996 年 5 月启动的国家“九五”重点科技攻关项目“夏商周断代工程”，向从西汉开始历代学者便上下穷索的历史难题发起了冲击。5 年来，这一工程集中了我国历史学、考古学、天文学和科技测年学等学科门类的 200 多名老中青专家学者，依照系统工程的要求，分别设立了 9 个课题 44 个专题，从不同角度、不同侧面，以不同方法、不同方式对夏商周三代的年代学问题进行了全面和全新的研究、考证。与以往千余年传统年代学研究所不同的是，这一工程采取了多学科联合攻关、交叉研究的方法，尤其是对于那些有较大争议、又对整个断代框架至关重要的年代更是采取了非常谨慎的态度，力求使结论得到多线索、多角度的支持。

9 月，在各个专题分别通过验收基础上，“夏商周断代工程”提出了有多学科研究成果支撑的、满足了尽可能多条件的、与相关数据尽可能吻合的、各历史阶段年代互洽的《夏商周年表》和《夏商周断代工程阶段性1996—2000年成果报告》，并通过了国家验收。工程专家组和工程验收组认为，这是目前为止“最有科学依据”的夏商周年表，是在现有条件下所能取得的最好成果，代表了年代学研究的最高水平。

夏商周断代工程首席科学家李伯谦教授、仇士华教授、席泽宗院士及专家组其他成员也出席了新闻发布会，他们表示，年表只是阶段性成果，还有待完善和细化，今后随着更新的考古发现和研究将做进一步的更正调整。

11月27日

中宣部等11部委召开“三下乡”电视电话会议

中宣部、中央文明办、科技部、农业部、文化部、卫生部、国家计生委、国家广电总局、新闻出版署、共青团中央和中国科协在京召开全国文化科技卫生“三下乡”活动电视电话会议，贯彻落实党的十五届五中全会和中央思想政治工作会议精神，总结交流经验，研究部署工作，推动“三下乡”活动向纵深发展。

天津市副市长梁肃，重庆市委常委、宣传部长邢元敏，陕西省委常委、宣传部长张保庆，河南省许昌市委书记孔玉芳在会上介绍了经验。会议指出，几年来，各地各部门在活动中积极探索创新，总结和创造了一批好的经验，涌现了一批好的典型，河北衡水“三下乡”三扎根的经验，山东莱州建立“科技110”的经验，云南村村建成“万村书库”的经验，湖南开展“五下乡”的经验，江苏南京组织“送货下乡”等经验，都实实在在，值得学习借鉴。

去冬今春以来，各地认真落实中宣部等11部委《关于进一步做好文化科技卫生“三下乡”工作的通知》要求，扎扎实实地开展“三下乡”活动，为农村农民办了大量实实在在的事情。据不完全统计，共送书下乡1亿多册，送戏下乡45万场，电影下乡250万场；科技人员下乡近200万人次，举办科技培训班70多万场，8000万农民参加了培训；下乡医疗队5万多支，培训乡村医务人员230万人，给5600万农民看了病。

会议提出，今冬明春的“三下乡”，要按照十五届五中全会精神，抓住重点，整体推进。“京九文化列车”、“文艺慰问团灾区行”、“百万农村青年科技传播活动”、“九亿农民健康教育行动”、“大中专学生暑期三下乡”等大型集中活动，在全国产生了很大影响，起到了很好的示范带动作用。下一步，要在巩固成果的基础上继续抓好辐射延伸工作。各地要适应形势的发展变化，拓展活动内容，改进活动形式，推出一批有地方特色的集中活动，力争在元旦、春节期间形成“三下乡”活动热潮。

会议要求，各地各部门要按照中央的要求，配合西部大开发战略，在“三下乡”活动中，对西部地区进行倾斜。东部地区、中部地区在做好本地区、本单位“三下乡”工作的同时，要从实际出发，投入力量，组织人员，帮助西部地区。西部地区的“三下乡”活动，要坚持雪中送炭，把工作重点放在贫困地区和革命老区，把党和政府的温暖送到农民群众的心坎上。

会议强调，各地各部门要把“常下乡”作为深入开展“三下乡”的重要课题，不断研究探索。要采取无偿捐助、对口帮扶、政策引导等措施，建立和疏通多种“三下乡”的渠道，逐步形成把图书报刊、广播电视、电影戏剧、科技资料、卫生服务源源不断送到农村、送给农民的机制。要鼓励和支持城市有关部门、企事业单位与农村、乡镇企业和农户结成文化科技卫生的共建对子，对口帮，长期扶。要制定相关政策，吸引更多的人关注“三下乡”，参与“三下乡”。

11月28日

刘金国先进事迹报告会在北京举行

全国公安系统一级英模、河北省公安厅副厅长刘金国同志先进事迹报告会在人民大会堂举行。报告会前，中共中央政治局委员、国务委员罗干会见了刘金国和报告团全体成员。他希望广大党员和各级领导干部以刘金国为榜样，以对党和人民高度负责的精神，把各项事业推向前进。

罗干说，刘金国同志是在党和人民的哺育下，在改革开放进程中成长起来的一个先进典型。他参加工作24年来，时代在变，形势在变，他的工作岗位和领导职务也在变，但他始终坚持一个共产党员的信念不变，保持一个领导干部的公仆本色不变。他不愧是新时期领导干部的杰出代表，为全国广大党员干部树立了学习的榜样。

刘金国在报告会上说，权力是党和人民给予的，我没有任何理由用手中的权力谋取私利。我们每一个党员的一言一行都代表着党的整体形象，如果我们都把维护党的形象看得比自己生命还重要，永远不做对不起老百姓的事情，人民群众就一定会拥护我们，我们的党就会永远立于不败之地。

河北省公安厅齐根全、赵凯，河北省秦皇岛市政府办公室刘静洪、新华社河北分社记者罗绮及刘金国的姐姐刘金凤等围绕刘金国同志学习、工作、生活的成长经历，分别介绍了刘金国的感人事迹。

11月28—30日

中央经济工作会议在北京召开

会议提出了2001年经济工作需要把握的几个问题，其中之一是加强精神文明建设，促进社会全面进步。要坚持两手抓、两手都要硬，把加强精神文明建设摆到重要位置。要加快人才队伍建设和提高国民素质。制定和实施人才战略，加快培养和吸引现代化建设急需的各类人才，特别是高层次人才；进一步深化干部人事制度改革，营造尊重人才、鼓励创业的社会环境。要大力加强文化建设，把握时代精神，坚持正确方向，充分利用多种形式特别是广播影视、互联网等现代传媒手段，努力巩固和拓展社会主义文化阵地，形成健康向上的舆论环境、文明和谐的社会氛围和丰富多彩的文化生活。要积极建立适应社会主义市场经济发展的思想道德体系。实行继承优良传统与弘扬时代精神相结合，尊重个人合法权益与承担社会责任相统一，注重效率与维护社会公平相协调，把先进性要求与广泛性要求结合起来，努力形成与经济和社会发展相适应的健康和谐、积极向上的思想道德规范。要在全社会强化信用意识，加强公民诚实守信的道德教育。依法严厉打击制假售假、偷税骗税、经济欺诈、恶意逃废债务等行为，创造良好的市场秩序。

11月28—30日

中央电视台播出电视专题片《伟大的创造》

由中央文明办和中央电视台联合摄制的三集大型纪实性电视专题片：《伟大的创造——创建文明城市巡礼》，28—30日在中央电视台第一套节目播出，在社会上引起了强烈反响，受到普遍好评。

《伟大的创造——创建文明城市巡礼》，是在中央文明办指导下，由中央电视台专门组成摄制组，行程数万公里，采访30多个城市和近千人，掌握了大量第一手鲜活资料，历时一年摄制完成的。专题片分为《走向文明城市》、《塑造城市之魂》、《共建美好家园》三个部分。专题片既是对亿万人民群众投入文明城市建设取得的丰硕成果的深情礼赞，也是对社会主义条件下城市化道路如何发展的前沿探寻。从中既可以看到改革开放以来，尤其是党的十四届六中全会以后，文明城市建设所取得的丰硕成果，也看到了各级党委、政府及广大人民群众对于创建文明城市的坚定信念和不懈追求。

12月3—5日

党中央部署在全国农村开展“三个代表”重要思想学习教育活动

这次会议在成都召开，主要任务是认真学习贯彻中央《关于在农村开展“三个代表”重要思想学习教育活动的意见》，统一思想，提高认识，对学习教育活动作出部署。中共中央政治局常委胡锦涛等中央领导出席会议并发表重要讲话（见本年鉴“文献·讲话”）。

会议指出，在全国农村开展“三个代表”重要思想学习教育活动，是深入贯彻落实党的十五大和十五届三中、五中全会精神，深入贯彻落实江泽民同志“三个代表”的重要思想，切实提高农村基层干部素质，增强农村基层党组织凝聚力和战斗力的一项重大决策，是加强和改进党对农村工作的领导，推动农业和农村经济结构的战略性调整，促进农村经济发展和社会全面进步的一项重大举措。各级党委和领导干部一定要以高度的政治责任感和历史使命感来对待这次学习教育活动，按照中央的要求和部署，下大气力把这次学习教育活动抓紧、抓实，抓出明显的成效。

会议要求，这次学习教育活动，要严格按照中央规定的指导思想、目标要求、方针政策和方法步骤进行，尤其要注意把握好四个问题。第一，要着眼于提高广大农村基层干部的素质。第二，要把学习教育与促进农村工作结合起来。第三，要始终坚持正面教育、自我教育为主。第四，要坚持上下结合，综合治理，标本兼治。各级党委要把这项工作作为农村基层组织建设的重中之重，列入重要议事日程，精心部署，周密安排，真正做到认识到位，措施到位，工作到位，落实到位。要实行领导责任制，一级抓一级。地方各级党委都要切实负起领导责任。省、地、县三级党委都要有专门的工作机构，对学习教育活动进行具体领导和指导。各级党委要深入调查研究，加强分类指导。要坚持高标准、严要求，做到有布置、有检查、有落实、有总结，坚决防止和克服形式主义，严防走过场。

12 月 7 日

“网络文明工程”正式启动

旨在弘扬互联网络精神文明的“网络文明工程”今天在京正式启动。人民网、光明网、中央电视台网站等15家中国优秀文化网站在启动仪式上发出倡议，号召网络工作者文明建网，引导广大网民文明上网。

“网络文明工程”是由文化部、共青团中央、广电总局、全国学联、国家信息化推进办公室、光明日报、中国电信、中国移动等单位共同发起的。文化部部长孙家正、共青团中央第一书记周强任组委会主任。

开展“网络文明工程”，希望达到以下目的：一是以正面引导的方式，形成网上健康文明的道德规范；二是创造一种全新的网上生活方式，在全社会形成文明上网的风气；三是发现一批优秀的中文网站，从而引导和规范国内众多互联网站的建设，促进中国网络事业的发展。

人民网、光明网、中央电视台网站等15家中国优秀文化网站在题为“推进网络文明工程，发展中国网络事业”的倡议书中，向国内广大网络工作者提出五点倡议：(1) 遵守国家法律、法规，依法建网，杜绝各种网上违法现象；(2) 积极参加文化部等单位发起的网络文明工程活动，文明建网，摒弃各种消极的内容和虚假的信息；(3) 开展健康的网上活动，引导网民文明上网，树立良好的网络风气；(4) 严谨务实，不慕虚荣，消除急功近利的网站炒作思想；(5) 勇于开拓，不断创新，认真研究网络技术，深入探讨网络理论，积极推进网络物质文明和精神文明建设。这些倡议得到新华网、搜狐网等60余家知名网站的积极响应。

12 月 18 日

《邓小平领导理论学习纲要》出版

这本干部学习读物由中共中央党校、国防大学、国家行政学院、中国人民大学等单位组织的联合编写组撰写，中共中央党校出版社出版。专家们认为，邓小平领导理论是时代精神和中华民族奋斗的精华，是改革开放和现代化建设的实践产物，凝结着全党的集体智慧，是邓小平理论的重要组成部分。20多年来，中国人民从社会主义在中国出现的新局面和取得的新成就中，从对历史的比较和对国际环境的观察中，愈来愈认识到邓小平领导理论的科学性。

邓小平领导理论作为建设有中国特色社会主义领导本质和规律的反映，集中体现着新时期的领导思想和领导实践，是一个严谨的学术体系。解放思想、实事求是是邓小平领导理论的坚实基础。在此基础上，围绕“什么是领导，如何实现领导”这一主题，形成一系列相互联系的基本观点。以江泽民为核心的党的第三代领导集体，在现代化建设实践中，高举邓小平理论伟大旗帜，从社会主义初级阶段的实际出发，以邓小平领导理论为指导，对新的实践经验进行理论思考，提出了包括基本方针、基本纲领在内的一系列新的思想和观点，丰富和发展了邓小平领导理论，使具有中国特色的社会主义事业显示出蓬勃生机和活力。

12月20日

中央和国家机关100多个部门制定《反腐败抓源头工作实施办法》

截至12月20日，中央和国家机关106个部门（单位）按照中央统一要求，制定了本部门（单位）、本系统《反腐败抓源头工作实施办法》。这是中央部门为推进党风廉政建设和反腐败斗争，加大从源头上预防和治理腐败的力度所采取的一项重要举措。各部门（单位）制定的《实施办法》，从改革体制、机制和制度入手，针对滋生消极腐败现象的深层次因素，紧密结合实际，抓住要害问题，确定了当前和今后几年反腐败抓源头工作的重点，并提出了切实可行的措施和办法。

针对权力运行中存在的问题，国家计委、教育部、国土资源部、卫生部、科技部、国家计生委、国家税务总局、民航总局和国家工商局等部门把改革行政审批制度、规范审批权力的行使作为强化权力制约的重点，提出要取消缺乏法律、法规依据或不适应社会主义市场经济发展要求的行政审批事项；对能够用市场机制运作替代的行政审批事项，要用招标拍卖等市场手段来处理；对需要保留的行政审批权要进行分解，规范审批程序，严格进行监督。最高人民法院、最高人民检察院、外经贸部等部门对坚持和完善重大事项集体讨论决定制度、强化群众监督和利用科技手段加强对权力的制约制定了措施。

为加强资金监管，各部门都对建立健全财务管理制度，加强对资金使用的管理和监督，实行“收支两条线”管理等作了具体规定。财政部提出要改革财政体制，实行部门预算和国库集中收付制度，将所有收支都纳入财政预算管理，进行全过程监督。中央金融工委提出中国人民银行、中国证监会等金融监管部门要进行监管改革，规范监管操作，实行有限授权，逐步引入核准制、注册制和备案制。水利部、民政部、劳动和社会保障部、建设部等部门进一步明确了专项资金的划拨原则、标准、程序和监督办法，以保证资金的安全和使用效益。

就规范从政行为，中央纪委、中直纪工委、中央国家机关纪工委、监察部和审计署等部门按照从严治党、从严治政和依法行政的要求，就健全依法行使权力的制约机制，强化监督检查，实现廉政建设法制化提出了具体办法。中央办公厅、中央宣传部、中央政法委、《人民日报》和新华社等部门就坚持民主、公开和竞争的原则，对推行定期轮岗、竞争上岗、任前公示和民主测评等制度进行了部署。中央组织部提出要以解决干部能上能下为突破口，继续深化党政领导干部选拔任用制度改革，进一步扩大干部工作中的民主公开程度，建立干部选拔任用工作责任制和用人失误责任追究制度。人事部则就完善公务员考试录用制度，制定降职、辞职和辞退的配套措施，起草公务员法等项工作制定了方案。公安部提出要建立全国公安机关统一考录人民警察制度，实行干部竞争上岗制和民警低分培训、末位调整辞退等制度，加大干部交流轮岗力度。海关总署通过分析本系统近年来发生的违纪违法案件，着手建立海关人员尤其是领导干部的权力制衡和监督机制，形成灵敏高效的预防和纠错系统。

中央企业工委、国家电力公司、中国石油天然气集团公司等许多单位针对管理上存在的问题，就加强对国有企业领导人员的监督，建立健全基本的业务规范提出了措施，以使每个岗位都有明确的工作制度和工作标准，既能解决质量效益问题，又能加强廉政建设。

各部门(单位)制定的《实施办法》已经以党组(党委)文件的形式下发本部门、本系统执行。

12 月 25 日

中央精神文明建设指导委员会召开第九次全体会议

会议总结 2000 年工作，研究部署 2001 年工作。中共中央政治局委员、书记处书记、中央文明委主任丁关根主持会议并讲话。中共中央政治局委员、中央文明委副主任李铁映出席会议并讲话。中央文明委委员出席会议。

会议认为，2000 年的精神文明建设围绕中心、服务大局，抓基层、抓活动、抓阵地，责任落实、工作主动、措施有力。以学习宣传“三个代表”重要思想和开展“双思”教育为重点，党的基本理论、基本路线、基本纲领和根本宗旨教育深入人心；以认真落实中央思想政治工作会议精神为重点，基层思想道德教育和思想文化阵地建设得到加强；以创建文明社区、文明村镇、文明行业为重点，群众性精神文明创建活动深入展开，各项工作整体推进，对促进改革发展、维护社会稳定发挥了积极作用。

会议指出，2001 年精神文明建设工作要紧紧围绕中央总的工作部署，隆重纪念建党 80 周年，积极建立适应社会主义市场经济发展的思想道德体系，切实加强思想道德教育，深入开展群众性创建活动，全面推进精神文明建设，努力形成健康向上的舆论环境、文明和谐的社会氛围和丰富多彩的文化生活，为改革开放和现代化建设提供思想保证和精神动力。

丁关根在讲话中强调，要把“三个代表”的要求贯彻落实到精神文明建设各项工作之中。坚持以经济建设为中心，把精神文明建设工作与城乡经济发展和各行各业的业务工作结合起来去做，努力提高人的思想道德素质和科学文化素质，为现代化建设提供精神动力和思想保证；坚持马克思主义的指导地位，拓展社会主义文化阵地，用更多更好的精神产品满足人民群众日益增长的多方面精神文化需求；坚持全心全意为人民群众服务，在精神文明建设中多做得人心、暖人心、稳人心的工作，使人民群众得到实实在在的利益。

李铁映在讲话中指出，加强新世纪精神文明建设必须始终坚持先进文化的前进方向，加快社会主义文化建设步伐。要把满足小康社会人民群众日益增长的精神文化需求作为一项重要任务，努力推出一批团结、教育、鼓舞人民群众的精品力作，同时运用人民群众喜闻乐见的多种文化载体，提供更多内容健康、寓教于乐的精神产品，满足人民群众不同层次的文化需求。要把群众性创建活动与群众文化活动结合起来，把丰富群众文化生活作为创建文明单位、文明社区、文明村镇工作的重要内容之一，努力为人们提供更多的文体活动设施和多方面的文化服务，大力加强社区文化、村镇文化、企业文化建设，积极倡导健康文明科学的生活方式，不断提高群众生活质量。

12 月 25—27 日

中央纪律检查委员会第五次全体会议在北京召开

会议的主要任务是：坚持以邓小平理论为指导，按照江泽民同志提出的“三个代表”的要求，深入贯彻党的十五大和十五届五中全会精神，总结 2000 年党风廉政建设和反腐败工作，分析当前反腐败斗争形势，研究部署 2001 年党风廉政建设和反腐败工作，进一步加大反腐败斗争力度，更好地为全党工作大局服务。会议审议通过了中央纪律检查委员会书记尉健行代表中央纪律检查委员会常务委员会所作的《加大治本力度，狠抓工作落实，取得反腐败斗争的新成效》的工作报告。中共中央总书记江泽民在全会上作了重要讲话（见本年鉴“文献·讲话”）。

全会认真学习了江泽民同志的重要讲话，一致认为，江泽民同志的讲话科学地总结了近些年来我们党在反腐败斗争实践中形成的重要认识和经验，深刻阐述了正确认识党的执政地位及其带来的影响，精辟论述了人心向背决定政党、政权兴亡的历史规律，强调要从始终保持与人民群众血肉联系的政治高度来看待党风廉政建设和反腐败斗争，在继续抓好治标的同时，加大治本的工作力度，从源头上预防和治理腐败。江泽民同志的重要讲话，对于新世纪进一步从严治党，深入推进党风廉政建设和反腐败斗争，具有十分重要的指导意义。全会号召，全党同志特别是各级领导干部要认真学习、深刻领会江泽民同志的重要讲话精神，切实贯彻落实到工作中去。

全会指出，我国现阶段的反腐败斗争，是在深化改革，扩大开放，转换经济体制，诸多社会矛盾相互交织的历史条件下进行的。特别是在从计划经济体制向社会主义市场经济体制转换的过程中，由于适应市场经济发展要求的管理体制、监督制约机制不可能在短时期内建立和完善，行政行为、企业行为和市场行为不可能在短时期内得到严密规范和有效约束，社会主义民主法制的健全和完善也需要一个长期的过程，同时由于我们工作中存在一些缺点和问题，因此腐败现象呈现出易发多发的情况。我们既要看到斗争的复杂性、长期性，又要充分认识腐败问题的严重性、尖锐性，增强责任感和紧迫感，以改革创新的精神加倍努力工作。只要全党坚决按照中央要求，切实加大工作力度，就一定能够把腐败现象滋生蔓延的势头遏制住，进而经过坚持不懈的努力，把腐败现象减少到最低限度。我们要理直气壮地肯定我们党反腐败的指导思想和方针政策以及取得的明显成效；理直气壮地阐明我国现阶段出现的腐败绝不是根本制度性的腐败；理直气壮地肯定我们党和干部队伍的主流是好的，我们党完全有能力解决腐败问题。

全会指出，认真做好2001年党风廉政建设和反腐败工作意义重大。2001年党风廉政建设和反腐败工作的总体要求是：坚持以邓小平理论和党的基本路线为指导，实践“三个代表”重要思想，深入贯彻党的十五大、十五届五中全会精神，深化反腐败三项工作，进一步加大从源头上预防和治理腐败的力度，强化责任，狠抓落实，推进党风廉政建设和反腐败斗争深入开展，为实现“十五”计划的良好开局提供政治保证。各级党委、政府和有关职能部门，特别是中央和国家机关各部门、各行业主管机关都要切实负起责任，认真落实中央决定的以下各项任务。第一，进一步规范党员领导干部从政行为，加强领导干部廉洁自律工作。第二，继续加大查办违纪违法案件的力度，严厉惩处腐败分子。第三，继续抓好纠正部门和行业不正之风工作，解决群众反映突出的问题。

全会号召，全党同志要紧密团结在以江泽民同志为核心的党中央周围，努力学习、实践“三个代表”的重要思想，深入贯彻党的十五大和十五届五中全会精神，以高度的政治责任感和历史使命感，开拓进取，真抓实干，切实做好2001年党风廉政建设和反腐败各项工作，为保证“十五”计划的顺利实施，为实现党的十五大确定的反腐败五年目标作出新的贡献。

12月27日

中宣部等7部委召开全国电视电话会议部署“扫黄”、“打非”行动

中宣部、中央政法委、全国“扫黄打非”工作小组、公安部、文化部、广播电影电视总局、新闻出版署联合召开第十三次全国“扫黄”、“打非”工作电视电话会议，部署2001年“扫黄”、“打非”行动。

会议认为，在全国范围开展的“扫黄”、“打非”斗争，是加强社会主义精神文明建设的一项重要措施，在维护社会稳定、净化社会风气、促进出版繁荣、保护知识产权等方面发挥了显著作用，在国内外都产生了良好影响。2000年的“扫黄”、“打非”工作，在广度和深度上都达到了新的水平，各地收缴各类非法出版物1.1亿余件，破获案件6051起，查缴非法光盘生产线25条（查缴总数已达113条），首次以打击盗版盗印为主题的专项斗争“打盗版——中国2000大行动”实现了预期目标，法制建设和舆论宣传工作进一步加强，为把一个良好的“扫黄”、“打非”工作势头带入21世纪打下了坚实基础。会议指出，2001年是新世纪的第一年，是我国向现代化建设第三步战略目标迈进的开局之年。新的形势和任务，对出版物市场的建设和管理提出了更高的要求。必须清醒地看到，尽管“扫黄”、“打非”取得了重要成绩，但是出版物市场的形势还相当严峻。由于“制黄”“贩黄”和非法出版活动有着复杂的国际国内原因，“扫黄”、“打非”将是一场长期、艰巨、复杂的政治、经济和文化斗争。当前，以境外出版物为底本的各种政治性非法出版物在大中

城市仍时有发现，“法轮功”邪教组织的宣传品和其他宣扬伪科学的气功类非法出版物尚未绝迹，淫秽色情出版物在某些地区有重新抬头之势；成品光盘的走私活动还有相当规模，盗版音像制品和电子出版物在市场上仍占相当比例，书报刊盗版也有蔓延之势，非法教材和教学辅导读物大量流入校园；利用互联网制作、复制、发布、传播不良信息内容的问题相当严重，对“网吧”等信息服务场所的管理亟待加强和改进。如果不坚持“扫黄”、“打非”，听任这些问题存在和发展，先进生产力就不可能顺利发展，先进文化的发展方向就难以保证，广大人民的根本利益，特别是青少年的权益就得不到充分保障。我们一定要充分认识“扫黄”、“打非”的重要性，按照“三个代表”的要求，把新世纪的“扫黄”、“打非”工作推向前进。会议指出，2001年集中行动的重点和工作目标是，通过清市场、打走私、追源头、查大案，明显净化出版物市场，为新世纪“扫黄”、“打非”工作开好头，营造有利于改革发展稳定大局的文化环境。

会议对2000年“扫黄”、“打非”工作中做出突出贡献的集体和个人进行了表彰。《新官场秘经》专案组等33个集体被评为“2000年‘扫黄’‘打非’行动先进集体”，蔡素梅等26人被评为“2000年‘扫黄’、‘打非’行动先进个人”。新闻出版署署长、全国“扫黄”、“打非”工作小组副组长石宗源宣读了《关于2001年“扫黄”、“打非”行动方案》。

国务院副秘书长、全国“扫黄”、“打非”工作小组副组长徐荣凯主持会议。中宣部副部长、全国“扫黄”、“打非”工作小组副组长龚心瀚及中央有关部门负责同志出席了会议。各省、自治区、直辖市党委、政府分管领导及有关部门的负责人收听收看了会议。

12月29日

中国人民广播事业暨中央人民广播电台创建60周年大会在北京举行

中共中央总书记、国家主席江泽民为中国人民广播事业暨中央人民广播电台创建60周年作出重要批示。江泽民在批示中向全国广播战线的同志们致以亲切的问候。他指出，广播事业是党的新闻事业的重要组成部分。60年来，中央人民广播电台为宣传党的路线方针政策，弘扬中华民族精神，弘扬爱国主义、集体主义、社会主义思想，激励广大干部群众奋勇前进作出了贡献。希望中央人民广播电台和全国广播系统继续办好广播，让党和国家的声音传入千家万户，让中国的声音传向世界各地。

中共中央政治局常委、国务院副总理李岚清，中共中央政治局委员、书记处书记、中宣部部长丁关根出席纪念大会，向广播工作者表示热烈祝贺。

受党中央委托，丁关根在纪念大会上发表讲话（见本年鉴“文献·讲话”）。

中宣部副部长、国家广电总局局长徐光春在会上宣读了江泽民总书记的重要批示并讲了话。会议由国家广电总局副局长李树文主持。中央人民广播电台台长杨波，中国新闻界、广播界的老同志代表吴冷西和新一代广播工作者代表、中央人民广播电台播音员于芳分别在纪念大会上发言。

全国人大常委会副委员长铁木尔·达瓦买提、全国政协副主席杨汝岱出席纪念大会。

出席纪念大会的还有中央党政军有关部门的负责人、各民主党派和社会团体的代表、首都新闻界人士、新老广播工作者等。

附　　录

APPENDIXES

组织机构

中直机关精神文明建设委员会

主　　任：王景茂　中直机关工委副书记
副 主 任：姜异康　中央办公厅副主任、中直机关事务管理局局长
徐光春　中宣部副部长
办公室主任：赵　凯　中直机关工委宣传部长
副 主 任：刘兆田　中直机关工委宣传部副部长
张　辉　中直机关工委宣传部副部长
彭向东　中直机关工委宣传部副部长
张书坤（兼）中直机关事务管理局局长助理
办公室设：宣传处、教育处、活动协调处
地址：北京市西城区丰盛胡同21号
邮编：100032
电话：（010）66172321

中央金融工委精神文明建设委员会

主　　任：陈玉杰　副书记
副 主 任：梅兴保　宣传部部长
办公室主任：车光明
副 主 任：李玉平
地址：北京市海淀区阜成路18号
邮编：100037
电话：（010）68401409　68401983

教育部精神文明建设领导小组

组　　长：陈至立　部长、党组书记
副 组 长：吕福源　副部长、党组副书记
张天保　副部长
陈文博　党组成员
办公室主任：靳　诺（兼）社会科学研究与思想政治工作司副司长
地址：北京市西城区大木仓胡同37号
邮编：100816
电话：（010）66097336

建设部精神文明建设指导委员会

主　　任：俞正声　部长、党组书记
副 主 任：叶如棠　常务副部长、党组副书记
办公室主任：王德楼　文明办主任
地址：北京市海淀区三里河路9号
邮编：100835
电话：（010）68394038　68394303

交通部精神文明建设指导委员会

主　　任：黄镇东　部长、党组书记
副 主 任：李居昌　副部长、党组成员
　　　　　刘　锷　纪检组组长、党组成员
　　　　　洪善祥　副部长、党组成员
　　　　　胡希捷　副部长、党组成员
　　　　　张春贤　副部长、党组成员
　　　　　翁孟勇　副部长、党组成员
　　　　　张士辉　中国海员工会、公路运输工会主席
办公室主任：朱永光　体改法规司司长
副 主 任：付国民　体改法规司副司长
地址：北京市建国门内大街 11 号
邮编：100736
电话：(010) 65292608

水利部精神文明建设指导委员会

主　　任：汪恕诚　部长、党组书记
副 主 任：敬正书　副部长、党组成员
　　　　　刘光和　纪检组组长、党组成员
办公室主任：(缺)
副 主 任：陈秀清（主持工作）
地址：北京市宣武区白广路二条 2 号
邮编：100053
电话：(010) 63202815

国家体育总局精神文明建设委员会

主　　任：李志坚　副局长、党组书记
副 主 任：张发强　副局长、党组成员
办公室主任：刘　蓉　机关党委党务处副处长
地址：北京市崇文区体育馆路 5 号
邮编：100763
电话：(010) 67139066

国家环保总局精神文明建设指导委员会

主　　任：解振华　局长、党组书记
副 主 任：宋瑞祥　副局长、党组副书记
　　　　　王玉庆　副局长、党组成员
　　　　　曾晓东　纪检组组长、党组成员
办公室主任：蔡贤武　机关党委常务副书记
地址：北京市西直门内南小街 115 号
邮编：100035
电话：(010) 66155347

国家广播电影电视总局精神文明建设委员会

主　　任：王德新　党组成员、纪检组组长
第一副主任：王甘文　党组成员、办公厅主任
副 主 任：黄　勇　机关党委常务副书记
　　　　　雷元亮　人教司司长
　　　　　曲桂兰　机关党委副书记、总局工会主席
　　　　　李兰田　计财司副司长

方　源　保卫司司长
刘宝顺　电视台分党组副书记、副台长
陈　光　行管局局长
窦春起　中影集团公司党委副书记
赵子忠　总局团委书记

办公室主任：曲桂兰（兼）
副　主　任：郭湘娥　李承敏
地址：北京市复兴门外大街2号
邮编：100866
电话：(010) 66093280

新闻出版署精神文明建设协调领导小组

组　　　长：于友先　署长、党组书记
副　组　长：桂晓风　副署长、党组成员、直属机关党委书记
袁良喜　直属机关党委常务副书记
李敉力　人事教育司司长、直属机关党委副书记
刘义成　直属机关党委副书记、直属机关纪委副书记
张　伟　署办公室副主任
办公室主任：刘合欣　直属机关党委办公室主任
地址：北京市东四南大街85号
邮编：100703
电话：(010) 65231257

中国气象局精神文明建设指导委员会

主　　　任：温克刚　局长、党组书记
副　主　任：刘英金　副局长、党组成员
孙先健　纪检组长、党组成员
办公室主任：李士斌（兼）直属机关党委常务副书记
副　主　任：游有源（兼）直属机关党委副书记兼纪委书记
地址：北京市海淀区中关村南大街46号
邮编：100081
电话：(010) 62173229

团中央直属机关精神文明建设委员会

主　　　任：黄丹华　团中央书记处书记兼直属机关党委书记
副　主　任：李晓军　团中央办公厅主任
于振国　团中央机关服务局局长
辛志光　团中央直属机关党委副书记
办公室主任：辛志光（兼）
地址：北京市前门东大街10号
邮编：100051
电话：(010) 85212033

首都精神文明建设委员会

主　　　任：贾庆林　中央政治局委员、市委书记
第一副主任：刘　淇　市委副书记、市长
常务副主任：李志坚　市委副书记（11月前）
龙新民　市委常委、宣传部长（11月后）
刘敬民　副市长
副　主　任：王景茂　中直机关工委副书记
崔占福　国务院副秘书长
王伯廷　总政治部群工局局长
强　卫　市委常委、市政法委书记兼市公安局局长
杜德印　市委常委、秘书长

孟学农　市委常委、常务副市长
陶西平　市人大副主任
宋维良　市政协副主席兼秘书长

办公室主任：赵东鸣（兼）
副　主　任：赵津芳（兼）
滕　毅

办公室设：综合处、创建活动处、宣传调研处
地址：北京市东城区台基厂3号
邮编：100743
电话：（010）65193122　65193121

天津市精神文明建设委员会

主　　　任：张立昌　市委书记
第一副主任：李盛霖　市委副书记、市长
常务副主任：刘峰岩　市委副书记
副　主　任：罗保铭　市委常委、宣传部长
夏宝龙　市委常委、副市长
王文华　市委常委、秘书长
邢元敏　市委常委、教卫工委书记
庄公惠　市人大副主任
王德惠　副市长
俞海潮　副市长
张永根　市政协副主席、市委统战部部长
纪耀成　天津警备区副政委（8月调离）
陈洪江　市政府秘书长
叶厚荣　市委宣传部常务副部长

办公室主任：叶厚荣（兼）
副　主　任：沈志建

办公室设：综合处、创建处、调研处
地址：天津市和平区大沽路174号
邮政编码：300040
电话：（022）23327552

河北省精神文明建设委员会

主　　　任：叶连松　省委书记（6月前）
第一副主任：钮茂生　省委副书记、省长
常务副主任：赵世居　省委副书记
副　主　任：张士儒　省委常委、宣传部长
刘健生　副省长
陈敬托　省军区副政委

办公室主任：于振华　省委宣传部常务副部长
专职副主任：白　石
副　主　任：张国钧　省委副秘书长
尹亚力　省政府副秘书长

办公室设：秘书组、协调组、调研组
地址：石家庄市维明南大街46号
邮编：050052
电话：（0311）7907229

山西省精神文明建设指导委员会

主　　　任：田成平　省委书记
第一副主任：刘振华　省委副书记、省长
常务副主任：纪馨芳　省委副书记、省人大副主任
副　主　任：徐生岚　省人大副主任
王　昕（女）副省长
赵凤翔　省政协副主席
孙连元　省军区副政委
申维辰　省委宣传部长

办公室主任：韩树勋

地址：太原市迎泽大街369号
邮编：030071
电话：（0351）4045469

邮编：110006
电话：（024）23128467　23128464

内蒙古自治区精神文明建设委员会

主　　任：乌云其木格　自治区党委副书记
副 主 任：张国民　自治区党委常委、宣传部长
王秀梅　自治区人大副主任
宝音德力格尔　自治区副主席
关树人　内蒙古军区副政委
谭博文　自治区政协副主席、统战部部长
办公室主任：张国民（兼）（11月后）
巴特尔　自治区党委宣传部巡视员（11月前）
副 主 任：吴永刚　自治区党委副秘书长
周廷芳（兼）自治区政府副秘书长
专职副主任：张英伟　自治区党委宣传部副部长
办公室设：综合处、创建处
地址：呼和浩特市新城区青城巷1号
邮编：010015
电话：（0471）4812718　4812639　4812651
传真：（0471）4915418

辽宁省精神文明建设指导委员会

主　　任：张行湘　省委副书记
副 主 任：张锡林　省委常委、宣传部长
郭廷标　省委常委、副省长
王充闾　省人大副主任
张榕明　副省长
李国忠　省政协副主席
孙书贵　省军区副政委
办公室副主任：张仁地　王占山　李裕林
办公室设：活动指导处、调研处
地址：沈阳市和平区和平南大街45号

吉林省精神文明建设指导委员会

主　　任：石宗源　省委副书记（9月前）
林炎志　省委副书记（9月后）
副 主 任：李政文　省人大副主任
全哲洙　副省长
常万海　省政协副主席
张国珍　省军区副政委
办公室主任：房　俐　省委宣传部副部长
副 主 任：马　竞
办公室设：综合处、城市处、农村处
地址：长春市新发路32号
邮编：130051
电话：（0431）8929858

黑龙江省精神文明建设指导委员会

主　　任：徐有芳　省委书记
第一副主任：田凤山　省委副书记、省长
常务副主任：杨光洪　省委副书记
副 主 任：张　毅　省委常委、纪检委书记
刘东辉　省委常委、宣传部长
朱典明　省人大副主任
马淑洁　副省长
王佐书　副省长
沈根荣　省政协副主席
姚振普　省军区副政委
张明晨　81032部队副政委
办公室副主任：陈永芳
办公室设：秘书处、创建协调处、调研处
地址：哈尔滨市南岗区马家街43号

邮编：150001
电话：（0451）3649942　3649862
　　　　　　　3649911　3640395

地址：南京市北京西路70号
邮编：210013
电话：（025）3323637

上海市精神文明建设委员会

主　　任：黄　菊　中央政治局委员、市委书记
第一副主任：徐匡迪　市委副书记、市长
常务副主任：龚学平　市委副书记
副 主 任：刘云耕　市委副书记
　　　　　金炳华　市委常委、宣传部长
　　　　　宋仪侨　市委常委、秘书长
　　　　　胡正昌　市人大副主任
　　　　　左焕琛　副市长
　　　　　周慕尧　副市长
　　　　　陈正兴　市政协副主席
　　　　　李仰录　警备区副政委
秘 书 长：许德明　宣传部副部长
办公室主任：许德明（兼）
副 主 任：陈振民
办公室设：综合处、活动指导处、调研处
地址：上海市高安路19号
邮编：200031
电话：（021）64338071　64314225（传真）

江苏省精神文明建设指导委员会

主　　任：顾　浩　省委副书记
副 主 任：任彦申　省委常委、宣传部长
　　　　　王　珉　副省长
办公室主任：谭　跃　省委宣传部副部长
副 主 任：陈上应
办公室设：综合处、活动管理处、宣传教育处

浙江省精神文明建设委员会

主　　任：李金明　省委副书记
副 主 任：李从军　省委常委、宣传部长
　　　　　鲁松庭　副省长
　　　　　李忠才　省军区副政委
办公室主任：张仕英
副 主 任：黄健全
地址：浙江省杭州市省府大楼3号楼
邮编：310025
电话：（0571）7057132（传真）

安徽省精神文明建设指导委员会

主　　任：王太华　省委书记
第一副主任：许仲林　省委副书记、省长
常务副主任：方兆祥　省委副书记、省政协主席
副 主 任：王明方　省委常委、秘书长
　　　　　张　平　省委常委、副省长
　　　　　杨多良　省委常委、纪委书记
　　　　　骆惠宁　省委常委、宣传部长
　　　　　苏平凡　省人大副主任
　　　　　蒋作君　副省长
　　　　　岳书仓　省政协副主席
　　　　　杨洪立　省军区副政委
　　　　　陈　强　省委宣传部副部长
顾　　问：张宏贵　原省军区副政委
办公室主任：杨绿章
副 主 任：谢　新
地址：安徽省合肥市省委大院内

邮编：230001
电话：（0551）2607709　2607337

地址：江西省南昌市豫章路10号
邮编：330006
电话：（0791）6242547　6242477

福建省精神文明建设指导委员会

主　　　任：陈明义　省委书记
常务副主任：何少川　省委副书记、宣传部长
副　主　任：林　强　省人大副主任
潘心城　副省长
周厚稳　省政协副主席
黄文麟　原省人大副主任
秘　书　长：陈逸清　省委宣传部副部长
副 秘 书 长：朱　清　省委宣传部部务会成员
办公室主任：朱　清（兼）
副　主　任：唐万富
张　萍　《文明建设》杂志社社长
办公室设：综合处、创建活动处
地址：福州市华林路省委大院
邮编：350003
电话：（0591）7843945　7843946

江西省精神文明建设指导委员会

主　　　任：舒惠国　省委书记
第一副主任：舒圣佑　省委副书记、省长
副　主　任：钟起煌　省委副书记
张克迅　省委常委、宣传部长
胡振鹏　副省长
罗　明　省政协副主席
周日扬　省军区副政委
凌成兴　省长助理
办公室主任：张　剑（11月前）
杨　松（11月后）
办公室设：综合处、协调处

山东省精神文明建设委员会

主　　　任：吴爱英　省委副书记
副　主　任：陈光林　省委常委、宣传部长
邵桂芳　副省长
李养珍　省军区副政委
文明办主任：李凤梧　省委宣传部副部长
专职副主任：左中一
副　主　任：陈明甫（兼）　刘长允（兼）
刘保聚　王红勇
办公室设：综合处、调研处、活动协调处
地址：济南市纬一路482号
邮编：250001
电话：（0531）6917009

河南省精神文明建设指导委员会

主　　　任：王全书　省委副书记
副　主　任：孔玉芳　省委常委、宣传部长
张世英　省人大副主任
贾连朝　副省长
杨光喜　省政协副主席
王文甲　省军区副政委
办公室主任：常有功　省委宣传部常务副部长
副　主　任：刘　伟　省委副秘书长（兼）
董　豪　省政府副秘书长（兼）
专职副主任：马正跃
办公室设：协调处、创建处
地址：郑州市金水路18号
邮编：450003

电话：（0371）5904107　5904126（传真）

湖北省精神文明建设委员会

主　　任：贾志杰　省委书记
副 主 任：王生铁　省委副书记
缪合林　省委常委、宣传部长
王少阶　副省长
地址：武汉市水果湖省委大院
邮编：430071
电话：（027）87811742

湖南省精神文明建设指导委员会

主　　任：吴向东　省委副书记
副 主 任：文选德　省委常委、宣传部长
周伯华　省委常委、常务副省长
李贻衡　省委常委、政法委书记
乔新柱　省军区政委
颜永盛　省人大副主任
唐之享　副省长
石玉珍　省政协副主席、省委统战部长
办公室主任：邓吉雄
办公室副主任：李晓平　唐成红
办公室设：综合调研处、创建指导处
地址：湖南省长沙市韶山路1号
邮编：410011
电话：（0731）2217052　217445

广东省精神文明建设委员会

主　　任：李长春　中央政治局委员、省委书记
副 主 任：卢瑞华　省委副书记、省长
黄丽满　省委副书记
陈绍基　省委副书记、政法委书记
卢钟鹤　省委常委、副省长
于幼军　省委常委、宣传部长
李兰芳　副省长
办公室主任：石启仁　省委宣传部副部长
常务副主任：顾作义
副 主 任：张圣钦　政法委专职副书记
劳应勋　省建设厅厅长
严建强
地址：广州市东山区合群三马路
邮编：510082
电话：（020）87185239　87185260
87185210（传真）

广西壮族自治区精神文明建设指导委员会

主　　任：杨基常　自治区党委副书记
副 主 任：潘　琦　自治区党委常委、宣传部长
李振潜　自治区人大副主任
袁凤兰　自治区副主席
吴　恒　自治区副主席
俞曙霞　自治区政协副主席
刘代文　广西军区副政委
办公室主任：李　涛　自治区党委宣传部副部长
副 主 任：覃九宏
办公室设：综合秘书处、精神文明建设协调处、文化市场管理协调处

地址：南宁市民族大道东段103号
邮编：530022
电话：（0771）5898463

海南省精神文明建设指导委员会

主　　任：杜青林　省委书记、省人大主任
副 主 任：汪啸风　省委副书记、省长
　　　　　蔡长松　省委副书记、海口市委书记
　　　　　朱明国　省委常委、副省长
　　　　　洪寿祥　省委常委、宣传部长
秘 书 长：周文彰　省委宣传部副部长、省社科联党委书记、海南日报社社长
办公室主任：朱寒松（8月前）
　　　　　周洪晋（8月后）
副 主 任：黄宏和　符史霞
地址：海口市海府路49号
邮编：570204
电话：（0898）65371533　65336134（传真）

重庆市精神文明建设委员会

主　　任：刘志忠　市委副书记
副 主 任：邢元敏　常委、宣传部长
　　　　　程贻举　副市长
　　　　　冯克熙　市人大副主任
　　　　　窦瑞华　市政协副主席
　　　　　王玉昆　重庆警备区副政委
办公室主任：翁杰明　宣传部副部长
副 主 任：李继才
地址：重庆市渝中区中山四路36号
邮编：400015
电话号码：（023）63865804（传真）　63897958
　　63870715　63898231

四川省精神文明建设委员会

主　　任：席义方　省委副书记
副 主 任：柳斌杰　省委常委、宣传部长
　　　　　李　进　副省长
　　　　　柯尊平　副省长
办公室主任：徐有胜　省委宣传部副部长
副 主 任：张亚平
地址：四川省成都市商业街16号
邮编：610012
电话：（028）6600161　6600162

贵州省精神文明建设指导委员会

主　　任：王三运　省委副书记
副 主 任：张　健　省委常委、宣传部长
　　　　　龙超云　副省长
办公室主任：翟荣凯　省委宣传部副部长（5月前）
　　　　　黄汉林　省委宣传部常务副部长（5月后）
专职副主任：李从彬
副 主 任：向阳生　省委副秘书长（5月前）
　　　　　刘援朝　省委副秘书长（5月后）
　　　　　李克强　省政府副秘书长（5月前）
　　　　　姚亚飞　省政府副秘书长（5月后）
办公室设：秘书处、协调处
地址：贵阳市广顺路1号
邮编：550002
电话：（0851）5892523　5892547　5892869

云南省精神文明建设委员会

主　　任： 令狐安　省委书记、省政协主席
副 主 任： 王天玺　省委副书记
王义明　省人大副主任
梁公卿　副省长
王兆民　省政协副主席
章靖才　省军区副政委
办公室副主任： 尉琪瑛　省委副秘书长、办公厅主任
宋玉麟　省政府副秘书长
专职副主任： 陶国相
地址：昆明市西昌路249号
邮编：650032
电话：(0871) 4145445　4092314
4091380　4145445（传真）

西藏自治区精神文明建设指导委员会

主　　任： 郭金龙　自治区党委书记
副 主 任： 列　确　自治区党委常务副书记、自治区主席
丹　增　自治区党委副书记
肖怀远　自治区党委常委、宣传部长
次仁卓嘎　自治区副主席
办公室主任： 刘盛福
常务副主任： 丁　勇
副 主 任： 拉　巴
地址：西藏自治区拉萨市江苏路1号
邮编：850000
电话：(0891) 6330047　6328940
传真：(0891) 6340602

陕西省精神文明建设指导委员会

主　　任： 李建国　省委书记、省人大主任
第一副主任： 程安东　省委副书记、省长
副 主 任： 范肖梅　省委副书记、省人大副主任
张保庆　省委常委、宣传部长
潘连生　副省长
秘 书 长： 白智民　省委宣传部副部长
办公室主任： 白智民（兼）
副 主 任： 杨继祖　沈卡利
地址：陕西省西安市雁塔路南段10号
邮编：710054
电话：(029) 5582612　5582613　5582606

甘肃省精神文明建设指导委员会

主　　任： 李虎林　省委副书记
副 主 任： 马西林　省委常委、宣传部长
陈绮玲　省人大副主任
李重庵　副省长
邓成城　省政协副主席
办公室主任： 周文武
副 主 任： 赵延河
地址：甘肃省兰州市平凉路687号
邮编：730030
电话：(0931) 8885670　8829079
8879543　8828172（传真）

青海省精神文明建设指导委员会

主　　任： 桑结加　省委副书记
副 主 任： 田　源　省委常委、宣传部长
白　玛　副省长
徐作旭　省军区副政委
秘 书 长： 李世敬　省委宣传部常务副部长
办公室主任： 李世敬（兼）
专职副主任： 王致义
副 主 任： 赵理真　省委办公厅副主任
张　辉　省政府副秘书长
邵立存
巨积元
办公室设：综合调研组、创建协调组
地址：青海省西宁市七一路346号
邮编：810000
电话：（0971）8482563　8482512　8482074

宁夏回族自治区精神文明建设指导委员会

主　　任： 任启兴　自治区党委副书记
副 主 任： 王正伟　自治区党委常委、宣传部长
刘　仲　自治区政府副主席
办公室主任： 王正伟（兼）
副 主 任： 喻　通　自治区党委办公厅副主任
曾庆民　自治区政府副秘书长
张怡安
邓亚平
办公室设：综合协调处、创建活动处
地址：银川市新市区朔方路5号
邮编：750021
电话：（0971）2087011

新疆维吾尔自治区精神文明建设指导委员会

主　　任： 王乐泉　自治区党委书记
第一副主任： 阿不来提·阿不都热西提
自治区党委副书记、自治区政府主席
常务副主任： 克尤木·巴吾东　自治区党委副书记
副 主 任： 胡家燕　自治区党委常委、纪检委书记
米吉提·纳斯尔　自治区政府副主席
肉孜·吾守尔　新疆军区副政委
王贵振　新疆生产建设兵团副政委
李康宁　自治区党委宣传部长
董兆何　自治区党委副秘书长
努尔·拜克力　自治区政府副秘书长
办公室主任： 李向军
副 主 任： 阿米娜·马木提
吾买尔江·托乎提
地址：乌鲁木齐市健康路2号
邮编：830002
电话：（0991）2391253　2391910

新疆生产建设兵团精神文明建设指导委员会

主　　任： 王贵振　兵团党委常委、副政委
副 主 任： 伯塔依·库平　兵团党委常委、副司令员
陈生初　兵团党委副秘书长
杨振华　兵团党委宣传部长
办公室主任： 王运华　兵团党委宣传部副部长
副 主 任： 董　梅
地址：乌鲁木齐市光明路15号
邮编：830002
电话：（0991）2890498　2890591（传真）

表彰与获奖者名单

第二批全国“百城万店无假货”活动示范店名单

北京市

蓝岛大厦

贵友大厦有限公司

北京市海淀糖业烟酒公司

崇文门菜市场

北京菜市口百货有限公司

天津市

天津市滨江集团滨江购物中心

天津市一商集团友谊商厦

天津市国际商场

天津市金元宝商厦

天津市劝业华联集团公司劝业超市

天津市时代超市

河北省

石家庄市北国商城

保定百货大楼

邢台中桥商场

石家庄市燕风楼烤鸭店

廊坊明珠企业集团

山西省

太原五一百货集团股份有限公司

太原唐久超市有限公司

内蒙古自治区

海拉尔市友谊大厦

辽宁省

沈阳商业城

本溪商业大厦股份有限公司

沈阳铁百股份有限公司

吉林省

吉林亚泰超市有限公司

长春市同达酒店

延吉金达莱饭店有限责任公司

黑龙江省

哈尔滨奋斗路副食品商场

齐齐哈尔市第一百货商店

哈尔滨道里菜市场

上海市

上海第一百货商店

上海新世界城

上海第一食品商店

上海六百实业有限公司

上海三阳盛南货店

江苏省

南京商厦股份有限公司

南京华联商厦

苏州工业品商场购物中心

盐城市盐阜人民商场

镇江百盛商城有限公司

南通市百货大楼股份有限公司

浙江省

杭州解放路百货商店

杭州大厦购物中心

宁波长发商厦

宁波中百股份有限公司第二百货商店

浙北大厦购物广场

安徽省

阜阳商厦
乐普生商厦

福建省

厦门商业集团华联商厦
三明市三元百货大楼
厦门大同实业股份有限公司大陆商厦

江西省

南昌亨得利钟表眼镜公司
上饶市溢洲商厦

山东省

淄博商厦股份有限公司
三联商社
威海百货大楼
济宁糖酒（集团）吉客隆商城
济南银座购物广场
青岛东方集团股份有限公司
青岛利群集团股份有限公司

河南省

河南金博大购物中心
河南商城大厦集团有限责任公司
郑州友谊宾馆
洛阳酒家有限责任公司

湖南省

株洲百货股份有限公司
长沙玉楼东有限公司
娄底银海商业广场
岳阳商大购物中心

广东省

广州市百货大厦
中山市中山百货大厦
茂名市名城商场
广州市广州酒家企业集团有限公司

广西壮族自治区

南宁梦之岛购物中心
柳州工贸大厦
桂林华中华商厦

四川省

成都新通惠实业有限公司
成都红旗商场
德阳市旌城商场
四川和正百盛广场有限公司

重庆市

重庆百货大楼股份有限公司
重庆商社集团新世纪百货公司
重庆南坪商业大楼
重庆会仙楼宾馆

贵州省

贵阳喷水池商厦连锁经营有限公司喷水池连锁店

陕西省

西安开元商城购物中心
西安饭庄
宝鸡商场（集团）股份有限公司
咸阳市人民商场

甘肃省

兰州天乐商城
甘肃省天天商城

宁夏回族自治区

新华百货商店股份有限公司
宁夏华联商厦有限责任公司
宁夏糖酒副食总公司连锁经营公司总店

新疆维吾尔自治区

乌鲁木齐市伊斯兰大饭店
东方 100 商厦
克拉玛依市准噶尔商场
库尔勒市人民商场

新疆生产建设兵团

农四师花城商场
石河子市百货大楼

海南省

海南第一百货商场
海南生生百货商场
寰岛泰得大酒店

第三批全国“百城万店无假货”活动示范街名单

名称	监督电话
北京市	
王府井大街	010－65136268
崇文门外大街	010－67112029
天津市	
南市食品街	022－27272969
河北省	
邯郸市中华北大街	0310－3012247
保定市裕华路	0312－5013315
唐山市新华道	0315－2217398
辽宁省	
沈阳市太原街	024－23413315
沈阳市中街	024－24854038
吉林省	
长春市重庆路	0431－8540780
延吉市解放路	0433－2514762
上海市	
南京西路（青海路至华山路）	021－62565379
淮海中路（西藏路至陕西路）	021－63732204
四川北路（北苏州河路至虹口公园）	021－63240040 转 2490
江苏省	
苏州市观前街	0512－8999
浙江省	
杭州市延安路	0571－5252408
宁波市中山东路	0574－7361119
福建省	
厦门市中山路	0592－2204079
湖北省	
襄樊市解放中路	0710－3239860
广东省	
深圳市东门商业步行街区	0755－2232924
中山市孙文西路步行街	0760－8855797
重庆市	
沙坪坝区商业文化广场	023－65314971
云南省	
个旧市金湖南路	0873－2162315
陕西省	
宝鸡市经二路	0917－3214293
延安市大桥街	0911－2112903

全国公安系统一、二级英雄模范名单

一、一级英雄模范（7 名）

刘金国　河北省公安厅副厅长

王立军　辽宁省铁岭市公安局副局长

刘文功　河南省正阳县公安局雷寨派出所所长

姚建云　四川省大邑县公安局西岭派出所副所长（牺牲）

唐修维　云南省砚山县公安局平远分局民警(牺牲)

胡达拜地托合提　新疆泽普县公安局波斯卡木乡派出所指导员（牺牲）

丁　榕（女）　上海铁路公安局福州车站派出所

民警

二、二级英雄模范（52名）

袁时光 北京市公安局海淀分局东宫门派出所民警（牺牲）

陈昭成 天津市公安局大港分局政治处副主任（牺牲）

王志高 山西省阳高县公安局副局长

赛音巴雅尔 内蒙古自治区四子王旗公安局巨巾号派出所民警（牺牲）

冯 武 内蒙古自治区兴和县公安局白家营派出所所长（牺牲）

许 胜 内蒙古自治区商都县公安局刑警大队民警（牺牲）

王双奎 辽宁省抚顺市公安局刑警支队调研员

郑 义 辽宁省朝阳市公安局巡警支队支队长

孙闻金 辽宁省本溪市公安局明山分局张家派出所民警（牺牲）

李忠文 辽宁省阜新市公安局刑警大队民警（牺牲）

倪洪林 辽宁省沈阳市公安局沈河分局巡警大队四中队副中队长

许文有 辽宁省鞍山市公安局副局长兼刑侦支队支队长

战建国 辽宁省公安厅技侦总队助理调研员（牺牲）

陶玉田 辽宁省锦州市公安局古塔饭刑警大队三中队副中队长（牺牲）

宋宇寰 吉林省松原市公安局经济开发区分局民警（牺牲）

张真春 吉林省长春市公安局刑警支队二大队大队长

李 刚 黑龙江省集贤县公安局治安科副科长（牺牲）

董树成 黑龙江省伊春市公安局副局长

李承志 黑龙江省汤原县公安局鹤立刑警中队中队长兼鹤立派出所副所长

张首先 江苏省丰县公安局交巡警大队华山中队民警（牺牲）

徐 斌 浙江省嘉兴市公安局秀洲分局七星派出所民警

陆纪明 浙江省上虞市公安局刑侦大队技术中队民警

周 扬 浙江省温州市公安局鹿城分局刑警大队民警

杨春平 浙江省余杭市公安局巡特警大队民警

黄振顺 福建省福州市公安局盖山派出所民警（牺牲）

石建国 江西省临川市公安局刑警大队大队长

杨致贵 江西省丰城市公安局刑侦大队教导员（牺牲）

李文华 江西省乐平市公安局城北派出所民警（牺牲）

张谦龙 山东省平原县公安局指挥中心副主任（牺牲）

陈承德 山东省聊城地区公安处刑侦支队民警（牺牲）

张 杰 山东省莱西市公安局唐家庄派出所民警（牺牲）

冯献彬 河南省郑州市公安局巡警支队三大队二中队中队长

张冠军 河南省范县公安局副局长（牺牲）

吕宏伟 河南省郑州市公安局圃田派出所民警

雷海波 湖北省谷城县公安局巡警大队民警

王正平 湖北省谷城县公安局巡警大队民警

陈开源 湖北省麻城市公安局局长

向 辉 湖南省洪江市公安局黔城派出所所长（牺牲）

向国兴 湖南省张家界市公安局温塘派出所民警（牺牲）

陆锦棠 广东省新会市公安局棠下派出所民警（牺牲）

王诵伦 重庆市公安局城管治安支队三队民警（牺牲）

姜伯全 四川省泸县公安局太伏派出所民警

泽 翁 四川省白玉县公安局民警（牺牲）

刘志斌 四川省雅安市公安局碧峰派出所所长（牺牲）

龙 凡 贵州省黄平县公安局谷陇镇派出所所长

王登进 贵州省安龙县公安局龙山派出所民警（牺牲）

黄永通 云南省富宁县公安局110报警服务台民警（牺牲）

王亚洲 新疆维吾尔自治区泽普县公安局赛力乡派出所指导员

董长斌　新疆维吾尔自治区伊宁县公安局吉里于孜派出所民警（牺牲）
童光明　郑州铁路公安局武汉公安处刑警机动大队大队长
阿米子黑　西昌铁路公安处普雄车站派出所民警
杜海平　哈尔滨铁路公安局齐齐哈尔铁路公安处安达站派出所民警（牺牲）

全国特级优秀人民警察名单

北京市

高静波　东城公安分局交道口派出所所长
怀吉平（女）　市公安局刑侦处九队主任科员
王连海　延庆县公安局白河堡治安检查站站长

天津市

郭顺波　河东公安分局刑侦支队三大队大队长
李连群　河北公安分局墙子派出所副所长
刘永胜　市公安交通管理局南开支队南马路大队民警

河北省

刘生吉　石家庄市公安局郊区分局刑警大队大队长
仉新盛　枣强县公安局城关派出所所长
张广兴　固安县公安局辛立村治安检查站民警
尤小虎　秦皇岛市公安局技侦处三科副科长

山西省

董哲家　河津市公安局110指挥中心主任
杨梅喜　太原市公安局万柏林分局刑警大队副大队长
张中林　平遥县公安局刑警大队副大队长

内蒙古自治区

王　义　赤峰市公安局元宝山分局局长
王作发　乌兰浩特市公安局刑警大队民警
陈　向　包头市公安局东河分局河东派出所民警

辽宁省

曾　彦　沈阳市公安局沈河分局滨河派出所所长
于世富　大连市公安局西岗分局日新街派出所副所长
许文有　鞍山市公安局刑警支队支队长
杜文利　锦州市公安局刑警支队副支队长

吉林省

梁文成　长春市公安局朝阳分局重庆路派出所教导员
王福利　通榆县公安局副局长兼交警大队大队长
吴宝臣　前郭县公安局副局长

黑龙江省

刘剑秋　七台河市公安局交警支队副支队长
刘亚洲　佳木斯市公安局经侦支队支队长
卫铁臣　五常市公安局曙光派出所所长

上海市

陈　瑜　静安公安分局南京西路警察署民警
韩丽华（女）　黄浦公安分局南京东路警察署民警
卢鹤鸣　杨浦公安分局交巡警支队政委

江苏省

陈先岩　扬州市公安局广陵分局文峰派出所民警
戚长云（女）　南京市公安局白下分局出入境管理科科长
张思山　连云港市公安局交巡警支队七大队大队长
胡雪林　镇江市公安局京口分局刑警大队民警

浙江省

方旱国　奉化市公安局江口派出所副所长
张继红（女）　金华市公安局江北分局刑警大队民警
刘思常　岱山县公安局刑侦大队教导员

安徽省

吴　起　合肥市公安局交警支队二大队中队长

李若华　马鞍山市公安局金家庄分局塘西派出所民警

谢瑞龙　界首市公安消防大队大队长

福建省

蒋木仁　福州市公安局鼓楼东街派出所所长

柳新群　晋江市公安局副局长兼刑警大队大队长

洪通平　长汀县公安局交警大队城区中队指导员

江西省

谢润文　临川市公安局局长

邹国良　宜春市公安局洪江派出所所长

王信英（女）　信丰县公安局刑警大队副教导员

山东省

徐光利　淄博市公安局张店分局公园派出所所长

叶建平　潍坊市公安局潍城分局火车站派出所所长

袁月亮　菏泽市公安局丹阳派出所所长

张爱华（女）　青岛市公安局市南分局八大峡派出所民警

河南省

徐步礼　新乡市公安局巡警支队民警

苗顺义　新蔡县公安局李桥派出所指导员

拜双喜　开封市公安局刑侦支队大案大队大队长

李锋中　濮阳市公安局市区分局政委

湖北省

周美清　鄂州市公安局鄂城分局杨叶水陆派出所所长

彭宜举　武汉市公安局江汉分局民意街派出所所长

王　江　潜江市公安局广华分局民警

付建平　广水市公安局交警大队大队长

湖南省

周晓舟　南县公安局厂窖派出所所长

阳松林　衡山县公安局巡警大队大队长

祁永忠　资兴市公安局交警大队副大队长

广东省

张京穗（女）　广州市公安局九处二科科长

黄联明　深圳市公安局龙岗分局李朗派出所副所长

罗美胜　汕头市公安局升平分局政委

黄家武　省公安边防总队六支队十三中队中队长

广西壮族自治区

罗本有　梧州市公安局万秀分局局长

罗棋权　贵港市公安局港南分局副局长

唐桂宏　百色地区公安局缉毒支队副支队长

海南省

黎定琦　昌江县公安局刑警大队教导员

重庆市

魏　强　万州移民开发区公安局水上乘警支队二大队民警

邹　跃　南岸公安分局南坪派出所教导员

徐晓琴（女）　高新技术产业开发区公安处石桥铺派出所民警

四川省

朱　杰　成都市公安局刑警支队侦察一处一大队大队长

朱文新　西充县公安局太平派出所民警

张国华　宜宾市公安局交警支队直属一大队副主任科员

王　永　泸州市公安局纳溪分局白节派出所所长

贵州省

李　斌　安顺市公安局缉毒大队一中队副中队长

姚世凤（女）　赫章县公安局公路巡警大队民警

云南省

罗　杰　砚山县公安局副政委

和万军　丽江纳西族自治县公安局副局长

曹发友　沾益县公安消防大队副教导员

西藏自治区

大扎西　索县副县长兼公安局局长

陕西省

王崇一　西安市公安局新城分局自强路派出所所长

翟智祥　宝鸡市公安局交警支队金台大队大队长

王奇郎　合阳县公安局看守所所长

甘肃省

黄大功　榆中县公安局政委

朱建祥　玉门市公安局玉门镇派出所所长

青海省

马成德　循化撒拉族自治县公安局局长

宁夏回族自治区

孙远志　平罗县公安局刑警大队大队长

新疆维吾尔自治区

努尔拉·阿尤甫　喀什地区公安局政保支队支队长

克由木·买买提明　和田地区公安局刑侦科副科长

新疆生产建设兵团

张贤如　农四师公安处昭苏垦区公安局看守所教导员

铁道部公安局

王志平　北京铁路公安局北京铁路公安处北京西站公安段刑侦队队长

任晓路　郑州铁路公安局西安铁路公安处西安车站派出所所长

李甫余　上海铁路公安局南京铁路公安处祁门车站派出所民警

丁甲才　济南铁路公安局徐州铁路公安处徐州车站派出所民警

交通部公安局

蒋晓斌　大连海运公安局海洋岛轮乘警队民警

民航总局公安局

王　蒿　民航西南管理局公安局刑警支队缉毒缉私大队大队长

国家林业局森林公安局

王用华　吉林省八家子林业公安局森保大队大队长

王汉兴　黑龙江省东京城林业地区公安局局长

海关总署走私犯罪侦查局

林泽均　江门海关走私犯罪侦查分局侦查处副处长

水利系统文明单位名单

黑龙江省水利厅（机关）
水利部海委引滦工程管理局
陕西省石头河水库管理局
黄委河南黄河河务局（机关）
中国水利水电出版社
四川省水电厅农田水利管理局
牧区水利科学研究所
深圳市治理深圳河办公室
山东省水文水资源勘测局
江苏省水利物资总站
安徽省长江河道管理局
汉江集团水电公司
云南省水利水电厅（机关）
河南省安阳县水利局
贵州省水利水电勘测设计研究院
新疆水利水电勘测设计研究院
湖北省漳河工程管理局
福建省水利水电勘测设计研究院
海南天涯水业（集团）公司金鸡岭自来水厂
淮委沂沭泗局沂沭河管理处
天津引滦工程尔王庄管理处
浙江省水利水电勘测设计院
宁波白溪水库建设指挥部

白求恩奖章获得者名单

王忠诚　北京市天坛医院名誉院长
戴宗晴　湖北省东风汽车公司中心医院主任医师
杨公衍　云南迪庆藏族自治州人民医院名誉院长
沈为众　甘肃省中医院副院长
李国桥　广州中医药大学首席教授

2000 年全国十佳运动员名单

孔令辉（418762 票）
刘　璇（411695 票）
熊　倪（406357 票）
王　楠（367278 票）
伏明霞（355698 票）
李小鹏（341871 票）
占旭刚（298324 票）
王丽萍（267359 票）
陶璐娜（242133 票）
龚智超（231347 票）

第 27 届奥运会中国健儿光荣榜

总计 67 人　获得 59 项前三名

金牌获得者　　共 36 人　获得 28 项冠军

陶璐娜（上海）　射击女子气手枪冠军
蔡亚林（河北）　射击男子气步枪冠军
杨　凌（北京）　射击男子移动靶冠军
李小鹏（湖南）　杨威（湖北）
黄　旭（江苏）　邢傲伟（山东）
肖俊峰（广东）　郑李辉（湖北）　体操男子团体冠军
李小鹏（湖南）　体操男子双杠冠军
刘　璇（湖南）　体操女子平衡木冠军
杨　霞（湖南）　举重女子 53 公斤级冠军
陈晓敏（广东）　举重女子 63 公斤级冠军
林伟宁（山东）　举重女子 69 公斤级冠军
丁美媛（辽宁）　举重女子 75 公斤以上级冠军
占旭刚（浙江）　举重男子 77 公斤级冠军
唐　琳（四川）　柔道女子 78 公斤级冠军
袁　华（辽宁）　柔道女子 78 公斤以上级冠军

陈　中（河南、北京体育大学）　跆拳道女子67公斤以上级冠军
张　军（江苏）　高　峻（湖北）　羽毛球混合双打
龚智超（湖南）　羽毛球女子单打冠军
葛　菲（江苏）　顾　俊（江苏）　羽毛球女子双打冠军
吉新鹏（福建）　羽毛球男子单打冠军
王　楠（辽宁）　李　菊（江苏）　乒乓球女子双打冠军
王　楠（辽宁）　乒乓球女子单打冠军
王励勤（上海）　阎　森（江苏）　乒乓球男子双打冠军
孔令辉（黑龙江）　乒乓球男子单打冠军
王丽萍（辽宁）　田径女子20公里竞走冠军
李　娜（北京）　桑　雪（天津）　跳水女子跳台双人冠军
伏明霞（湖北）　跳水女子跳板冠军
熊　倪（湖南）　跳水男子跳板冠军
熊　倪（湖南）　肖海亮（湖北）　跳水男子跳板双人冠军
田　亮（陕西）　跳水男子跳台冠军

银牌获得者　共21人　获得16项亚军

王义夫（辽宁）　射击男子气手枪亚军
陶璐娜（上海）　射击女子运动手枪亚军
杨　威（湖北）　体操男子个人全能亚军
凌　洁（湖南）　体操女子单项高低杠亚军
吴文雄（广西）　举重男子56公斤级亚军
李淑芳（山东）　柔道女子63公斤级亚军
杨　维（广东）　黄楠雁（广西）　羽毛球女子双打亚军
孙　晋（解放军）　杨　影（江苏）　乒乓球女子双打亚军
李　菊（江苏）　乒乓球女子单打亚军
刘国梁（解放军）　孔令辉（黑龙江）　乒乓球男子双打亚军
郭晶晶（河北）　伏明霞（湖北）　跳水女子跳板双人亚军
郭晶晶（河北）　跳水女子跳板亚军
李　娜（北京）　跳水女子跳台亚军
田　亮（陕西）　胡　佳（广东）　跳水男子跳台双人亚军
胡　佳（广东）　跳水男子跳台亚军
王海滨（江苏）　叶　冲（上海）
董兆致（广东）　击剑男子花剑团体亚军

铜牌获得者　共21人　获得15项第三名

高　静（天津）　射击女子气步枪第三名
高　娥（辽宁）　射击女子飞碟多向第三名
牛志远（北京）　射击男子移动靶第三名
刘　璇（湖南）　凌　洁（湖南）
杨　云（湖南）　董芳霄（河北）
黄曼丹（广东）　奎瑗瑗（北京）　体操女子团体第三名
刘　璇（湖南）　体操女子个人全能第三名
杨　云（湖南）　体操女子高低杠第三名
刘玉香（北京）　柔道女子52公斤级第三名
张湘祥（北京体育大学、安徽）　举重男子56公斤级第三名
盛泽田（安徽）　摔跤男子古典式58公斤级第三名
叶钊颖（浙江）　羽毛球女子单打第三名
高　峻（湖北）　秦艺源（广西）　羽毛球女子双打第三名
夏煊泽（浙江）　羽毛球男子单打第三名
刘国梁（解放军）　乒乓球男子单打第三名
杨邵琦（山东）　梁　琴（江苏）
李　娜（辽宁）　击剑女子重剑团体第三名
姜翠华（辽宁）　自行车女子500米计时赛第三名

2000年我国运动员获世界冠军统计

田径——1
短池游泳——2
跳水——15
体操——4
举重——5
射击——9
柔道——2
跆拳道——3
羽毛球——5
乒乓球——8
短道速滑——16
花样滑冰——1
技巧——4
国际象棋——2
航海模型——4
航空模型——2
无线电测向——5
蹼泳——22

共计：18个项目110个世界冠军（包括奥运会冠军）。

世界冠军总数比历史上最高的1993年103个多7个，成为本世纪之最。

2000年我国运动员创世界纪录统计

举重：8人21次14项
射击：3人2队6次5项
航海模型：3人3次3项
总计：14人2队30次22项

中国十大杰出女税务工作者名单

张晓梅　北京市崇文区国家税务局第一税务所所长
张家林　天津市地方税务局和平区分局局长
韩钰华　吉林省长春市地方税务局朝阳分局局长
郭爱莲　福建省福州市台江区国家税务局征收分局副局长
余稳成　湖南省岳阳县国家税务局局长
邓绮文　广东省广州市地方税务局稽查局干部
黄若惠　贵州省安顺市国家税务局直属征收管理分局干部
边巴仓决(藏)　西藏自治区措勤县国家税务局副局长
诸葛晴霞　陕西省西安市国家税务局新城分局长乐西路税务所所长

刘德梅　新疆维吾尔自治区且末县地方税务局　局长

环保系统精神文明建设先进个人名单

杨忠义　北京市房山区环境保护局局长
彭会来　北京市丰台区环境保护局局长
陈六吉　天津市红桥区环境保护局局长
陈向党　天津市环境监测中心室主任
魏文娜（女）　河北省唐山市环境保护局局长
刘惠忠　河北省廊坊市环境保护局局长
张建明　山西省晋城市环境保护局管理科科长
张　靖　内蒙古自治区赤峰市敖汉旗环境保护局局长
吴锁柱（达斡尔）　内蒙古自治区呼伦贝尔盟环境监测中心站站长
王红军（女）　辽宁省沈阳环境科学研究所所长
刘龙海　辽宁省盘锦市环境监理处处长
傅　兴　吉林省环境保护局巡视员
包锡有　吉林省延吉市环境监理所所长
刘利柱　黑龙江省佳木斯市环境保护局局长
杨文斌　黑龙江省齐齐哈尔市环境保护局局长
黄克元　上海市闵行区环境保护局局长
徐建民　上海市环境保护局党委副书记
王　鹏　江苏省泰州市环境保护局管理科科长兼监理支队支队长
卢尚华　江苏省丰县环境保护局副局长
李绍文　安徽省临泉县环境保护局局长
唐庆明　安徽省淮南市环境保护局局长
周兆木　浙江省富阳市环境保护局副局长
楼福寿　浙江省磐安县环境保护局环保科科长
林光庆　福建省南平市环境保护局副局长
廖　贵　福建省福州市鼓楼区环境保护局局长
王亚平　江西省景德镇市昌江区环境监理站站长
朱和平　江西省南昌市东湖区环境保护局副局长
张兆荣　山东省济宁市环境保护局局长
朱胜满　山东省临沂市环境保护局局长
薛祖本　河南省焦作市环境保护局局长
程有良　河南省郑州市环境保护局局长
刘兰英（女）　湖北省武汉市新州区环境保护局局长
胡玉波　湖北省宜昌县环境监测站站长
黄德长（苗）　湖南省新晃侗族自治县环境保护局局长
高兴斋　湖南省环境保护科学研究所副总工程师
唐少芳（女，壮）　广西壮族自治区象州县环境保护局局长
廖　世（壮）　广西壮族自治区贵港市环境保护局宣教科科长兼工会主席
薛泗标　广东省汕尾市环境保护局局长
张振钿　广东省环境保护监测中心站站长
林　松　海南省万宁市环境资源局局长
陈正佑　海南省乐东县建设与环境资源局局长
瞿天申　重庆市渝中区环境保护局局长
曹永进　重庆市环境监理大队副大队长
罗学祥　四川省眉山县环境保护局局长
杜介塔（藏）　四川省九寨沟县环境保护局局长
罗珍丽（女，布依）　贵州省黔南州环境保护局局长
郎学超　云南省昭通地区环境保护局局长
杨正兴（拉祜）　云南省纳板河流域自然保护区管理所副所长
白永昶　陕西省延安市环境保护局调研员
薛鹏程　陕西省榆林市环境保护监测站站长
李　雄　甘肃省酒泉市环境保护局局长
唐永生　甘肃省陇南地区环境监测站站长
多杰措（女，藏）　青海省果洛州城乡建设与环境保护局环保科科长
岳立军　青海省大通县环境保护局局长
石雪梅（女）　新疆维吾尔自治区环境保护局信息中心工程师
张　晔（女）　新疆维吾尔自治区昌吉回族自治州环境保护局纪检组长

伦　珠（藏）　西藏自治区日喀则地区城乡建设环境保护局副局长
赵　锋　西藏自治区昌都地区城乡建设环境保护局环境监测站副站长
乔守俊　宁夏回族自治区固原地区环境保护局副局长
孔昭真　宁夏回族自治区银川市环境保护局局长
张洪芹（女）　青岛市环境保护局建设项目处处长
李维新　国家环境保护总局南京环境科学研究所环境评价与咨询中心室副主任
李国刚（回）　中国环境监测总站水监测技术室副主任
崔书红　国家环境保护总局自然生态保护司生态处处长
田为勇　国家环境保护总局污染控制司环境监理稽查处处长

环保系统精神文明建设先进集体名单

北京市
北京市环境保护监测中心
密云县环境保护局
天津市
天津市环境保护局
天津市经济技术开发区环境保护局
河北省
衡水市环境保护局
石家庄市环境保护局
山西省
汾阳市环境保护局
武乡县环境保护局
内蒙古自治区
内蒙古自治区环境保护局
通辽市环境保护局
辽宁省
辽宁省环境保护局
铁法市环境保护局
吉林省
长春市环境监理处
延边朝鲜族自治州环境保护局
黑龙江省
黑龙江省环境保护局
牡丹江市环境保护局
上海市
普陀区环境监理所
上海市环境监测中心
江苏省
江苏省环境保护局
南通市环境保护局
常州市环境保护局
安徽省
合肥市环境保护局
芜湖市环境保护局
浙江省
浙江省辐射环境监测站
杭州市环境保护局
福建省
莆田市环境保护局
漳浦县环境保护局
江西省
赣州市环境保护局
丰城市环境保护局
山东省
日照市环境保护局
泰安市环境保护局
河南省
河南省环境保护局
安阳市环境保护局
湖北省
黄石市环境保护局
十堰市环境保护局
湖南省
张家界市环境保护局

湖南省环境监测中心站

广西壮族自治区

崇左县环境保护局

桂平市环境保护局

广东省

南海市环境保护局

湛江市环境监理所

海南省

琼海市国土资源环境保护局

东方市国土海洋环境资源局

重庆市

渝北区环境保护局

万州区环境保护局

四川省

成都市青白江区环境保护局

绵阳市环境保护局

贵州省

贵阳市乌当区环境保护局

贵州省环境监理所

云南省

马龙县环境监理大队

华坪县环境保护局

陕西省

汉中市汉台区环境保护局

安康市环境保护局

甘肃省

武威地区行署环境保护处

华亭县环境保护局

青海省

青海省环境监理站

互助县环境保护局

新疆维吾尔自治区

乌鲁木齐市沙依巴克区环境保护局

巴音郭楞蒙古自治州环境保护局

西藏自治区

林芝地区城乡建设环境保护委员会地区环境保护局

山南地区城乡建设环境保护局

宁夏回族自治区

石嘴山市环境保护局

固原地区环境保护局

大连市环境保护局

宁波市环境保护局

深圳市环境保护局

中国环境报社总编辑室

第三届国家图书奖获奖书目

国家图书奖荣誉奖（8种）

书　名	著作者	责　编	出版社
韬奋全集	中国韬奋基金会韬奋著作编辑部	吴慈生等	上海人民出版社
张岱年全集	张岱年	牛素琴等	河北人民出版社
中国农业百科全书	本书编委会	宛秀兰等	中国农业出版社
中国近代文学大系	徐中玉等主编	范　泉等	上海书店
曹禺全集	田本相等主编	贾启森	花山文艺出版社
世纪伟人邓小平（画册）	徐佑珠	蔡雨龙等	中央党校出版社
中国大百科全书（简明版）	中国大百科全书出版社编辑部	刘伯根等	中国大百科全书出版社

中华大藏经	任继愈主编	毛双民	中华书局

国家图书奖（30 种）

社科类图书（7 种）

书　名	著作者	责　编	出版社
毛泽东传	中央文献研究室编	镡德山等	中央文献出版社
红军长征史	中央党史研究室第一研究部	李英健等	辽宁人民出版社
岭南文库	于幼军主编	曾宪志等	广东人民出版社
楚学文库	张正明主编	冯芳华等	湖北教育出版社
中国道教史	卿希泰	汪　瀰	四川人民出版社
中国政治制度通史	白　钢主编	张秀平	人民出版社
西方经济发展思想史（修订本）	谭崇台	陈　晓等	武汉大学出版社

科技类图书（7 种）

书　名	著作者	责　编	出版社
世纪之交：与高科技专家对话	朱丽兰主编	俞晓群等	辽宁教育出版社
转移核糖核酸——结构、功能与合成	王德宝等	吕粹芳	浙江科技出版社
中国针灸四大通鉴	邓良月等主编	李茗茗等	青岛出版社
肾脏病学	王海燕等	姚　冰	人民卫生出版社
中国农业现代化建设理论道路与模式	卢良恕等	王为珍等	山东科技出版社
中国地球物理图集	袁学诚等	王文孝等	地质出版社
复杂系统中的电磁波	金亚秋	林溪波	复旦大学出版社

文学类图书（3 种）

书　名	著作者	责　编	出版社
旷代逸才——杨　度	唐浩明	朱树诚	湖南文艺出版社
中国文学批评通史	王运熙等	邓韶玉等	上海古籍出版社
塞万提斯全集	董燕生等译	胡真才	人民文学出版社

艺术类图书（3 种）

书　名	著作者	责　编	出版社
敦煌石窟艺术	段文杰等	郭廉夫等	江苏美术出版社
齐白石全集	郭天民等编	李小山等	湖南美术出版社
潘天寿书画集	潘公凯编	王肇达等	浙江人民美术出版社

少儿类图书（2种）

书　名	著作者	责　编	出版社
神脑聪仔卡通系列丛书	聪仔工作室	黄　俭等	接力出版社
小鳄鱼丛书	孙幼军等	姜　华等	海燕出版社

少数民族类图书（2种）

书　名	著作者	责　编	出版社
丹珠尔（藏文）	崔成仁钦等	《大藏经》对勘局	中国藏学出版社
医药志（哈萨克文）	乌太波依达克	哈　比	新疆科技卫生出版社

教育类图书（2种）

书　名	著作者	责　编	出版社
中国著名特级教师教学思想录	柳　斌主编	徐　棐等	江苏教育出版社
教育投入与产出研究	王善迈	张　江等	河北教育出版社

辞书类图书（2种）

书　名	著作者	责　编	出版社
普通话基础方言基本词汇集	陈章太等	李守业	语文出版社
中国戏曲剧种大辞典	中国戏曲剧种大辞典编委会	张成濂等	上海辞书出版社

古籍类图书（2种）

书　名	著作者	责　编	出版社
船山全书	本书编委会	杨　坚等	岳麓书社
李白全集校注汇释集评	詹　锳	曾永辰	百花文艺出版社

国家图书奖提名奖（71种）

社科类图书（14种）

书　名	著作者	责　编	出版社
马克思主义史	庄福龄主编	郇中建等	人民出版社
特区经济丛书	戴园晨等	甘于黎等	鹭江出版社
当代中国的村庄经济与村落文化丛书	陈吉元等	陈宇华等	山西经济出版社
鸦片战争史	萧致治	祝闽影	福建人民出版社

法哲学经纬	倪正茂	张广勇等	上海社会科学院出版社
科学认识论	舒炜光等	王景海	吉林人民出版社
国学大师丛书	章　清等	钱　宏等	百花洲文艺出版社
人类服饰文化学	华　梅	成其圣等	天津人民出版社
汉字研究新视野丛书	臧克和等	李人凡等	广西教育出版社
中国回族史	岳树森等	汤晓芳等	宁夏人民出版社
新桂系史	莫济杰	欧薇薇等	广西人民出版社
西安历史地图集	史念海	康　锋等	西安地图出版社
美国行政法	王名扬	祝立明	中国法制出版社
跨世纪农村书库	张小刚等	吴星飞等	江苏省出版总社直属8家出版社

科技类图书（14种）

书　名	著作者	责　编	出版社
半导体超晶格物理	夏建白等	黄　华等	上海科学技术出版社
惯性约束核聚变	王淦昌等	王宏金	安徽教育出版社
变结构控制的理论及设计方法	高为炳	李淑兰	科学出版社
中国煤岩学图鉴	中国煤田地质总局	翁立平等	中国矿业大学出版社
清华大学建筑学术丛书	本书编委会	王明贤等	中国建筑工业出版社
化学工程手册（第二版）	时　钧等	陈　丽等	化学工业出版社
现代机械设备设计手册	辛一行主编	冯　铁	机械工业出版社
风湿病学	蒋　明等	王惠君等	科学出版社
手的修复与再造	顾玉东	高敬泉	上海医科大学出版社
全国中草药名鉴	谢宗万等	李　显	人民卫生出版社
蓝天绿地丛书	刘泽纯等主编	孙连民等	江苏科学技术出版社
20世纪科学大师与科学大事	周光召主编	李元君等	接力出版社
现代科学技术博览丛书	朱光亚等	朱惠霖等	上海科技教育出版社
中国少数民族科学技术史丛书	李　迪	黄　健等	广西科学技术出版社

文学类图书（10种）

书　名	著作者	责　编	出版社
鲁迅研究书系	袁良骏主编	傅美琳等	陕西人民教育出版社
中国文学简史	林　庚	张凤珠	北京大学出版社
人间正道	周梅森	赵水金等	人民文学出版社
中国抗日战争纪实丛书	王颖等主编	程步涛等	解放军文艺出版社
东方文学史	季羡林主编	张岩峰	吉林教育出版社
东北现代文学大系	张毓茂主编	李树权等	沈阳出版社
河南新文学大系	于友先总主编	袁喜生等	河南大学出版社
中国现代经典作家诗文全编书系	钱理群等编	张德强等	浙江文艺出版社
唐　弢文集	唐　弢	常君实	社会科学文献出版社

世界短篇小说精品文库	柳鸣九主编	林正让等	海峡文艺出版社

艺术类图书（9种）

书　名	著作者	责　　编	出版社
中国油画百年图史（1840—1949年）	刘　新	苏　旅	广西美术出版社
楚秦汉漆器艺术·湖北	陈振裕	贺飞白	湖北美术出版社
石涛书画全集	天津人民美术出版社编	王之海	天津人民美术出版社
鲁迅之世界全集	裘　沙等	姜玉敏等	广东教育出版社 河北教育出版社
中国电影图志	中国电影艺术研究中心	成　平等	珠海出版社
中国少数民族美术史	王伯敏等	刘昌华	福建美术出版社
中国巫傩面具艺术	薛若邻等	李一意等	江西美术出版社
中国设计年鉴	陈汉民等	原守俭	黑龙江美术出版社
汉西岳华山庙碑	故宫博物院	苏士澍等	文物出版社

少儿类图书（8种）

书　名	著作者	责　　编	出版社
刘先平大自然探险长篇系列	刘先平	刘　佳	中国青年出版社
花季·雨季	郁　秀	旷　昕	海天出版社
少年绝境自救故事	班　马等	汪晓军等	甘肃少年儿童出版社
中国儿童生存、保护和发展书系	晏开利等	杜定纪等	四川少年儿童出版社
露珠丛书	郭　风等	张杏坦	河北少年儿童出版社
精神之火——中华民族精神与当代青少年使命	沈其新等	刘杰英	湖南少年儿童出版社
神奇的北极	位梦华等	王舒妹等	海燕出版社
共和国儿童文学名著金奖文库	海　飞主编	温　航等	中国少年儿童出版社

少数民族类图书（4种）

书　名	著作者	责　　编	出版社
彝文典籍目录（彝、汉文）	贵州省毕节地区彝文翻译组	朱德齐等	四川民族出版社
甘珠尔（蒙古文）	舍·额尔敦朝鲁	朝　鲁等	辽宁民族出版社
维吾尔多郎木卡姆（维吾尔文）	多郎木卡姆研究会	努尔比亚	新疆美术摄影出版社
语言史（《中国朝鲜族文化史大系》第一卷）（朝鲜文）	北京大学朝鲜文化研究所	元　燮	民族出版社

教育类图书（4种）

书　名	著作者	责　　编	出版社
德育美学观	檀传宝	王宇鸿等	山西教育出版社
学科现代教育理论书系	马忠林等	赵汝明等	广西教育出版社
中国教育近代化研究丛书	田正平	彭玉彝等	广东教育出版社
数学教育研究丛书	曹才翰等	冯　贤等	上海教育出版社

辞书类图书（4种）

书　名	著作者	责　　编	出版社
材料科学技术百科全书	师昌绪等	程力华等	中国大百科全书出版社
世界地名词典（修订版）	毛汉英等	谢佩珍等	上海辞书出版社
金文大字典	戴家祥	陈达凯等	学林出版社
中国民间文学大辞典	钟敬文等	吕观仁	黑龙江人民出版社

古籍类图书（4种）

书　名	著作者	责　　编	出版社
中国古籍善本书目	丛书编委会	郭群一等	上海古籍出版社
吐鲁番出土文书	中国文物研究所等	张庆玲等	文物出版社
中国科学技术典籍通汇	任继愈主编	周常林等	河南教育出版社
韩诗外传笺疏	屈守元	陈大利	巴蜀书社

第二届全国优秀文艺音像制品奖获奖音像制品名单

一　等　奖

世纪携手共奏华章	VCD	北京音像公司
盘王之女	CD	武汉音像出版社
中国合唱极品（1－5）	CD	太平洋影音公司
小号——CHINA	CD	山东电子音像出版社
情归少年时	CD	四川电子音像出版社
中华乐苑——冰雪神韵	CD	吉林音像出版社
南极光	AT	上海音像公司

红楼梦	VCD	上海录像公司
方荣翔舞台艺术系列（1－6）	VCD	齐鲁音像出版社
甘肃歌舞戏剧集粹	VCD	甘肃省音像出版社
雍正王朝	VCD	中国国际电视总公司
一年又一年	VCD	北京电视艺术中心音像出版社
新中国从这里走来	VCD	河北音像出版社
都江堰	VCD	四川电子音像出版社
脊梁	VCD	甘肃省音像出版社

优秀选题奖

中国越剧（1－11）	VCD	浙江文艺音像出版社
白雪公主	VCD	浙江文艺音像出版社
死水微澜（川剧）	VCD	四川文艺音像出版社
生死抉择	VCD	上海声像出版社
傻阿甘	VCD	中华文艺音像出版社
说出你的秘密	VCD	贵州东方音像出版社
首都各界庆祝中华人民共和国成立五十周年……阅兵、游行、焰火晚会	VCD	中国国际电视总公司
香港、澳门回归特辑	VCD	中国国际电视总公司
古都北京	VCD	北京市青少年音像出版社
澳门一九九九	VCD	太平洋影音公司
浙江七千年	VCD	浙江音像出版社
还珠格格	VCD	武警音像出版社

第四届韬奋新闻奖获奖名单（10名）

（以姓氏笔划为序）

冯　并　副总编辑 高级编辑 经济日报
卢　勤（女） 副总编辑 高级编辑 中国少年报
毕福臣　编辑 高级编辑 中央人民广播电台
杨卫平　总编辑 高级编辑 楚天都市报
李　挺　新闻中心副主任 主任记者 中央电视台
李　群（女） 节目监制 记者 佳木斯人民广播电台
李尚志　国内部原主任 高级记者 新华社
陈特安　国际部主任 高级编辑 人民日报
陈锡添　总编辑 高级记者 深圳特区报
周锦尉　理论部主任 高级编辑 文汇报

第四届范长江新闻奖获奖名单（10名）

（以姓氏笔划为序）

于 芳（女） 播音员 主任播音员 中央人民广播电台
印永清 经济频道副主任 主任记者 天津人民广播电台
叶 研 采访中心副主任 主任记者 中国青年报
米 玛 新闻编辑组组长 记者 西藏电视台
吕岩松 记者 主任编辑 人民日报
李 兵 主持人 主任播音员 湖南电视台
李支援 主任编辑 中国国际广播电台
吴锦才 国内部副主任 高级记者 新华社
高艾苏 机动组长 主任记者 解放军报
海热提·阿布 维吾尔文采通部主任 高级记者
都 拉 新疆日报

全国百佳新闻工作者获奖名单（101名）

皮树义 经济部副主任 高级记者 人民日报
万武义 湖北分社社长 高级记者 新华社
杨 荣 山西记者站站长 高级记者 光明日报
吴明训 海外专题部主任 高级编辑 中央电视台
于 卓（女） 新闻中心主任 主任记者 科技日报
耿 军 首席记者 记者 中国新闻社
张世斌 河北记者站副站长 主任记者 工人日报
傅雪柳（女） 经济新闻中心执行主任 主任记者 农民日报
席淑君（女） 山东记者站站长 记者 中国妇女报
居 杨（女） 记者 法制日报
袁 力（女） 记者 北京青年报
何振虎 副台长 高级编辑 河北电视台
朱海虎 新闻中心主任 主任编辑 山西电视台
恩和巴雅尔（蒙古族） 台长助理 主任编辑 内蒙古人民广播电台
刘杰敏 摄影美术部主任 主任记者 沈阳日报
位崇华（女） 副台长 高级记者 长春有线电视台
郑 鸣 国际部主任 主任记者 哈尔滨电视台
唐 宁（女） 主任记者 新民晚报
姜 澜 新闻中心副主任 主任记者 上海东方电视台
郭 萍（女） 副台长 主任记者 徐州电视台
钱丽萍（女） 评论处副处长 主任编辑 新华日报
吴建平 理论部主任 主任记者 浙江日报
汪茂永 社教部主任 高级编辑 安徽人民广播电台
王海青 记者 厦门电视台
万沪金 记者 江西电视台
傅绍万 副总编辑 高级编辑 大众日报
郭战平 社教部副主任 高级编辑 山东电视台
江 华 记者 大河报
勾志霞（女） 新闻部主任 主任编辑 河南人民广播电台
张小陵（女） 新闻板块节目组组长 主任播音员 武汉人民广播电台
覃 红（女） 群工部副主任 主任编辑 湖南日报
张 坚 主任记者 广东人民广播电台
张洪潮 要闻部主任 主任记者 羊城晚报
王 军 记者 海南日报

吴文贾　编委 主任记者 广西日报
丹　泊　副总编辑 高级记者 阿坝日报
郭　月（女）　制片人 一级播音员 成都电视台
张小良　总编助理 主任记者 重庆日报
张　莉（女）　编委 主任记者 贵州日报
李　宪　新闻中心副主任 主任记者 云南电视台
刘长江　经济频道主任 记者 西藏人民广播电台
张富汉　总编辑 主任记者 华商报
徐　见　经济部主任 主任记者 陕西电视台
王龙军　新闻部副主任 主任记者 甘肃电视台
徐　畅（女）　播音组副组长 一级播音员 青海人民广播电台
田宝贵　新闻中心主任 主任记者 宁夏电视台
季琳萍（女）　总编室副主任 主任记者 新疆人民广播电台
王存政　总编室主任 主任记者 兵团日报
方　昭　文艺部副主任 编辑 海峡之声广播电台
邵清滢　总编室副主任 主任记者 人民公安报
孙荣刚　摄影部主任 主任记者 中国三峡工程报
李成华　国内政治部原副主任 高级编辑 人民日报
俱孟军　总编助理 高级记者 新华社
穆方顺　国际部主任 高级记者 光明日报
刘经哲　外台信息部主任 高级记者 中国国际广播电台
刘式南　发稿部主任 高级编辑 中国日报
徐九武　副总编辑 高级记者 科技日报
刘雨生　经济部主任 主任编辑 中国新闻社
董玉琴（女）　经济部主任 主任编辑 工人日报
常怀深　《现代农业周刊》主编 编辑 农民日报
黄淑清（女）　权益部主任 高级记者 中国妇女报
张　亚　经济部主任 主任编辑 法制日报
田苏东　体育部主任 主任记者 北京电视台
李　乔　理论部主任 高级编辑 北京日报
林　楠　出版部副主任 主任编辑 天津日报
刘向凯　体育部主任 主任编辑 天津电视台
李炳庠　总编辑 高级编辑 燕赵都市报
翁小绵　副总编辑 高级编辑 山西日报
毕力格　社会部编导 主任编辑 内蒙古电视台
孙　刚　总编辑 主任编辑 辽沈晚报
李　佳（女）　制片人 主任记者 辽宁有线电视台
王　坤（女）　总编辑 高级记者 长春日报
乐建强　新闻部副主任 主任编辑 上海人民广播电台
张家先　副台长 高级编辑 江苏人民广播电台
杨步才　副总编辑 高级编辑 新华日报
刘　郎　创研室主任 高级编辑 浙江电视台
江福全　总编辑 高级编辑 闽南日报
梁　勇　新闻部副主任 主任编辑 江西人民广播电台
张瑞云　总编辑 高级编辑 齐鲁晚报
王　玮　台长助理 主任编辑 青岛人民广播电台
杨诚勇　评论部主任 高级编辑 河南电视台
熊　伟　总编辑 高级编辑 长江日报
蒋　萍（女）　社教中心主任 三级导演 株洲电视台
杨兴锋　副总编辑 高级编辑 南方日报
李晓菊（女）　副台长 编辑 海口广播电视台
罗天鹏　编委 高级编辑 四川日报
邱朝举　记者 重庆电视台
管远祚　总编辑 高级编辑 贵阳日报
孙官生　总编辑 高级编辑 云南日报
仁增白姆（女）　时事编辑室主任 编辑 西藏日报
陆享童　青少部主任 高级编辑 陕西电视台
白彩翔（女）　主任编辑 甘肃人民广播电台
魏吉雅　社教部副主任 高级编辑 青海电视台
王宝三　副台长 高级编辑 宁夏人民广播电台
窦新国　评论组长 主任编辑 新疆日报
卡克西·海尔江　译审 新疆电视台
祝匡依　总编辑 主任编辑 石河子广播电视局
肖　福　社长 主任编辑 战士报
陆友良　编辑 高级编辑 人民前线报
刘佑生　社长 主任编辑 检察日报
吴国良　总编室副主任 高级编辑 人民铁道报

国家电力公司系统双文明单位名单

双文明公司（7个）

山东电力集团公司
天津电力公司
福建电力公司
湖南电力公司
甘肃电力公司
国家电力公司南方公司
华能国际电力股份有限公司

双文明单位标兵（34个）

北京供电公司
北京大唐发电股份有限公司陡河发电厂
天津第一热电厂
河北石家庄电业局
山西太原第二热电厂
辽宁大连供电公司
吉林长春热电二厂
黑龙江大庆电业局
上海电力修造总厂有限公司
浙江绍兴电力局
安徽合肥发电厂
江苏徐州电业局
湖北孝感供电局
河南平顶山电业局
江西贵溪火电厂
西北龙羊峡水电厂
陕西宝鸡供电局
甘肃盐锅峡水电厂
宁夏银川供电局
青海西宁供电局
四川成都电业局
重庆市城区供电局
云南漫湾发电厂
山东临沂电业局
福建漳平电厂
南方公司天生桥水力发电总厂
中南电力设计院
西北勘测设计研究院
水电二局建筑工程分局
葛洲坝集团电力工程有限责任公司
华能大连电厂
山东鲁能发展集团有限公司
浙江嘉善县供电局
山东烟台市牟平区电业局

双文明单位（403个）

一、主业双文明单位

华北北京十三陵蓄能电厂
华北北京大唐发电股份有限公司高井发电厂
华北天津大港发电厂
华北大同第二发电厂
华北唐山供电公司
华北秦皇岛电力公司
华北北京送变电公司
华北北京电力设备总厂
华北电力科学研究院
华北保定电力学校
天津军粮城发电厂
天津汉沽供电局
天津城南供电局
天津超高压供电公司
天津电力公司调度中心
河北衡丰发电有限公司
河北一五０发电厂
河北邯郸电业局
河北沧州电业局

河北保定供电公司
河北衡水电业局
河北省电力建设第一工程公司
山西太原第一热电厂
山西神头第一发电厂
山西大同供电分公司
山西临汾地区电业局
山西长治供电分公司
山西电力建设三公司
山西大同电力技工学校
东北白山水电厂
东北通辽发电总厂
东北丰满发电厂
东北通辽电业局
辽宁沈阳热电厂
辽宁沈阳供电公司
辽宁两锦供电公司
辽宁盘锦供电公司
辽宁营口供电公司
辽宁鞍山供电公司
辽宁电力送变电工程公司
辽宁电力科研研究院
辽宁电力调度通信中心
吉林双辽发电厂
吉林热电厂
吉林长山热电厂
吉林白山供电公司
吉林通化供电公司
吉林白城供电公司
吉林省送变电工程公司
吉林省电力科学研究院
吉林省电力勘测设计院
黑龙江鹤岗发电有限责任公司
黑龙江双鸭山第一发电有限责任公司
黑龙江富拉尔基发电总厂
黑龙江哈尔滨第三发电有限责任公司
黑龙江佳木斯第二发电厂
黑龙江哈尔滨电业局
黑龙江齐齐哈尔电业局
黑龙江佳木斯电业局
黑龙江送变电工程公司
华东望亭发电厂
华东马鞍山万能达发电有限责任公司
华东富春江水力发电厂
华东浙江湖州电力局
华东上海电力安装第一工程公司
华东上海电力安装第二工程公司
华东电力调度局
上海电力股份有限公司
上海市东供电局
上海送变电工程公司
上海电缆输配电公司
上海电力设计院
江苏谏壁发电厂
江苏徐州发电厂
江苏南通天生港发电有限公司
江苏戚墅堰发电有限公司
江苏南京热电厂
江苏镇江供电局
江苏盐城供电局
江苏电力建设第三工程公司
江苏电网调度所
浙江台州发电厂
浙江嘉兴发电有限责任公司
浙江乌溪江水力发电厂
浙江紧水滩水力发电厂
浙江嘉兴电力局
浙江金华电业局
浙江省火电建设公司
浙江省电力设计院
安徽芜湖发电厂
安徽马鞍山发电厂
安徽淮南平圩发电有限责任公司
安徽淮北发电厂
安徽淮南田家庵发电厂
安徽合肥供电局
安徽铜陵供电局
安徽阜阳电业局
华中三门峡华阳发电有限责任公司
华中电力调度通信局
华中动能经济研究所
华中财务有限责任公司
华中电力集团培训中心
湖北汉新发电有限公司

湖北青山热电厂
湖北超高压输变电局
湖北武汉供电局
湖北宜昌供电局
湖北鄂州供电局
湖北黄冈供电局
湖北荆州电力局
湖北电力调度通信局
湖北武汉电力学校
湖南株洲电厂
湖南石门电厂
湖南耒阳电厂
湖南五强溪水力发电厂
湖南益阳电业局
湖南娄底电业局
湖南湘潭电业局
湖南电力试验研究所
湖南电力调通中心
湖南变电修试安装公司
湖南长沙电力学校
河南郑州热电厂
河南洛阳首阳山电厂
河南焦作丹河电厂
河南许昌市电业局
河南郑州市电业局
河南濮阳市电业局
河南新乡市电业局
河南送变电建设公司
河南电力调度通讯中心
河南郑州电力高等专科学校
江西南昌发电厂
江西丰城发电有限责任公司
江西景德镇发电有限责任公司
江西柘林水力发电厂
江西万安水电厂
江西赣州供电局
江西南昌供电局
江西赣西供电局
江西赣东北供电局
江西抚州供电局
陕西韩城发电厂
陕西灞桥热电厂
陕西安康水力发电厂
陕西延安供电局
陕西安康供电局
陕西商洛供电局
陕西汉中供电局
陕西送变电公司
陕西宝鸡铁塔厂
西北电力试验研究院
甘肃靖远第一发电有限公司
甘肃碧口水电厂
甘肃刘家峡水电厂
甘肃兰州供电局
甘肃天水供电局
甘肃送变电工程公司
宁夏大武口发电厂
宁夏青铜峡水电厂
宁夏银南供电局
宁夏石嘴山供电局
青海桥头发电厂
青海黄化供电局
青海送变电公司
新疆玛纳斯发电厂
新疆哈密二电厂
新疆吐鲁番电业局
新疆送变电公司
新疆电力设计院
四川江油发电厂
四川内江发电总厂
四川宝珠寺水力发电厂
四川映秀湾水力发电总厂
四川绵阳电业局
四川乐山电业局
四川德阳电业局
四川攀枝花电业局
四川电力建设二公司
四川电力调度局
四川成都水力发电学校
重庆白鹤发电厂
重庆发电厂
重庆万州电业局
重庆市江北供电局
重庆市南岸供电局

云南小龙潭发电厂
云南昆明发电厂
云南鲁布革发电厂
云南绿水河电厂
云南个旧供电局
云南思茅供电局
云南昆明供电局
云南滇西电业局
云南滇东电业局
云南电力线路器材厂
贵州贵阳发电厂
贵州盘县发电厂
贵州遵义发电总厂
贵州都匀供电局
贵州贵阳市北供电局
贵州电力建设第一工程公司
贵州送变电工程公司
贵州电力试验研究院
贵州电力调度通信局
山东邹县发电厂
山东黄台发电厂
山东石横发电厂
山东黄岛发电厂
山东菏泽发电厂
山东烟台电业局
山东济宁电业局
山东淄博电业局
山东潍坊电业局
山东青岛电业局
山东聊城电业局
山东济南供电局
山东枣庄电业局
山东电力建设一公司
山东电力研究院
福建永安火电厂
福建厦门嵩屿电厂
福建沙溪口水电厂
福建水口水电厂
福建厦门电业局
福建泉州电业局
福建三明电业局
福建第一电力建设公司
福建电力调度通信中心
广西合山电厂
广西西津水力发电厂
广西岩滩水力发电厂
广西南宁供电局
广西梧州供电局
广西桂林供电局
广西送变电建设公司
广西电力试验研究院
广西电力工业勘察设计研究院
广西电网调度中心
西南电力设计院
东北电力设计院
华东电力设计院
中南勘测设计研究院
昆明勘测设计研究院
华东勘测设计研究院
水电一局一分局
水电一局基础处理分局
水电二局
水电二局第三工程分局
水电三局小浪底项目施工局
水电三局安装公司
水电四局
水电四局机电安装分局
水电五局机电安装分局
水电六局一分局
水电七局
水电七局一分局
水电七局机电安装分局
水电七局技工学校
水电七局基础工程分局
水电八局机电制造安装分局
水电八局常德机械厂
水电九局机电安装处
水电十局医院
水电十局机电安装分局
水电十一局
水电十一局第二分局
水电十三局第三分局
水电十四局机电安装工程总公司
水电闽江局南平分局

水电闽江局安装公司
水电闽江局机械工程公司
水电基础局科研所
水电夹江水工机械厂
葛洲坝集团清江建设承包公司
葛洲坝集团第一工程有限公司
葛洲坝集团第四工程有限公司
葛洲坝集团第五工程有限公司
葛洲坝集团第六工程有限公司
葛洲坝集团第八工程有限公司
葛洲坝集团机电建设有限公司
葛洲坝股份公司三峡建设承包公司
华能汕头电厂
华能珞璜电厂
华能南京电厂
华能福州电厂
华能南通电厂
华能上安电厂
华能榆社电力有限责任公司
华能淮阴发电有限公司
华能白杨河电厂
武汉华中华能发电股份有限公司
华能长兴电厂
华能德州电厂
华能辛店电厂
华能上海石洞口第二发电厂
南方公司电力调度通信中心
南方公司平果超高压局
华电公司武汉电力仪表厂
华电公司扬州电讯仪器厂
华电公司郑州机械设计研究所
中电国际江苏常熟发电有限公司
中电国际辽宁清河发电股份有限公司
中电国际平顶山姚孟发电厂
西安热工研究院
华北电力大学
中国电力科学研究院
贵州乌江公司乌江渡发电厂

二、多经双文明单位

北京供电实业开发总公司
唐山华北电力实业总公司
天津三源电力集团公司
河北石家庄电业局实业总公司
辽宁沈阳电业局多种经营总公司
辽宁大连电力建设有限公司
吉林电力工程公司
黑龙江齐齐哈尔德恩电力集团有限公司
黑龙江莲花实业集团有限责任公司
华东杭州富春江电力发展有限公司
上海电力电缆实业公司
江苏启东市电力安装公司
江苏广源电气有限公司
浙江杭州欣美成套电器制造有限公司
浙江绍兴大明实业公司
浙江宁波送变电建设公司
安徽安庆电力实业总公司
安徽芜湖新环电力实业总公司
湖北华源电力集团股份有限公司
湖北襄樊华电实业有限责任公司
湖南湘能股份电力有限公司
湖南长沙电业局长沙电力经济技术开发总公司
河南郑州祥和集团有限公司
河南三门峡富达电力集团有限责任公司
江西赣东北新星实业总公司
西北电力实业发展总公司
甘肃送变电多经总公司
青海华电铁合金总厂
新疆电力宾馆
四川电力疗养院
四川峨眉山电力股份有限公司
重庆南电实业开发总公司
重庆永川电力实业有限公司
云南昆明供用电实业总公司
贵州贵阳东方变压器厂
山东鲁能物业公司
山东鲁能燃料集团有限公司
福建厦门鹭能电力有限总公司
福建漳平电力发展总公司
广西南宁供用电工程公司
水电九局新发展混凝土商品公司
水电十一局三岛实业公司
葛洲坝股份公司水泥厂
葛洲坝集团财务有限责任公司
伊敏华能东电煤电有限责任公司一露天矿

三、农电双文明单位

华北北京昌平供电局
华北河北迁安市电力局
华北河北抚宁县供电分公司
天津宝坻供电有限公司
河北邱县电力局
河北深州市电力局
山西大同县电业局
山西沁源供电支公司
辽宁营口老边区供电局
辽宁锦州北宁市供电局
吉林供电公司桦甸市供电分公司
吉林长春供电公司双阳区供电公司
黑龙江望奎县电业局
黑龙江哈尔滨市市郊农村电气化局
上海奉贤供电局
江苏溧水县供电局
江苏扬中市供电局
江苏昆山市供电局
江苏高邮市供电局
浙江兰溪市供电局
浙江诸暨市供电局
浙江临安市供电局
浙江江山供电局，
安徽潜山县供电局
安徽太和县供电局
安徽东至县供电局
湖北江陵县电力局
湖南浏阳电力局
湖南石门电力局
河南获嘉县电业局
河南孟州市电力公司
江西南城县供电有限责任公司
江西高安市供电有限责任公司
陕西兴平市电力局
甘肃张掖市电力局
甘肃平凉庄浪供电所
宁夏中卫县供电局
青海湟源县电力局
新疆奎屯供电局沙湾供电公司
新疆吐鲁番供电局
四川内江电业局市区供电局
四川自贡电业局荣县供电局
重庆沙坪坝供电局
云南个旧供电局弥勒供电分公司
贵州乌当供电局
贵州惠水县供电局
山东曲阜市供电局
福建邵武供电局
广西灵川县供电局

第六届全国职工职业道德十佳标兵

范玉恕　天津市建工（集团）三建工程公司项目经理
唐方平　甘肃省酒泉钢铁（集团）公司工会主席
陈叶俊（女）　江苏省连云港市新浦汽车总站雷锋车组长
白靖英（女）　内蒙古包头市煤气公司抄报员
郭海庭　辽宁省本溪市养老院院长
闵建功　河南省正阳县建筑工程公司水暖维修班班长
李燕明（女）　广东省南海市和顺信用社营业员
黄　祥　四川省甘孜藏族自治州医院外科主任
杨家虎　重庆市南岸供电局下户线班长
孟庆春　吉林省吉林市客运处出租车司机

第六届全国职业道德建设十佳单位

大连大商集团
山东省临沂市环卫处
北京图书大厦
深圳机场集团公司
哈尔滨电业局
福建省漳州市工商局12315消费者投诉服务台
上海和平饭店
江西省高速公路邹家河管理所
湖南省长沙市自来水公司
新疆吐哈石油勘探开发指挥部井下作业公司

第六届全国职工职业道德先进个人

廖孝强　北京矿务局木城涧煤矿采掘队队长
李彰明　北京市种子公司推广研究员
袁大炳　河北省安新县电力工程公司董事长
赵国峰　河北省开滦（集团）有限责任公司
刘春年　中国农行河北省廊坊分行工会办公室主任
叶晋庆　山西太原煤气化（集团）有限责任公司维修工
郜玉兰（女）　山西省公路局忻州分局局长
马　坤　内蒙古通辽市奈曼旗八仙洞通道班班长
李　林　大连天百集团有限公司营业员
孙忠学　辽宁省沈阳市政工程修建公司工会主席
曲延全　辽宁省瓦房店市审计局局长
李取生　中科院吉林长春地理研究所研究室主任
张学民　大庆石油管理局物业管理一公司维修工
潘国林　黑龙江省海伦市第二粮库主任
俞卓伟　上海第二医科大学附属瑞金医院主任医师
李玉文　南京市新街口百货商店股份有限公司营业员
王茂章　江苏省无锡市工商局局长
张文艳（女）　安徽省蚌埠市邮政局营业员
颜立兰（女）　安徽省庐江宾馆总经理
陈欠水　福建省惠安县残联理事长
饶才富　中国农行福建省龙岩分行新罗支行主任
刘向东　江西省吉安公路分局养路队队长
方仉生　江西省崇仁县邮政局投递员
王丽华（女）　山东省烟台市福山区八角镇小学教师
杜全芳（女）　山东胜利石油管理局运输总公司司机
郜长青　河南省焦作市邮政局龙洞所投递员
阎　婕（女）　河南省新郑卷烟厂党委宣传部部长
戴宗晴　湖北东风汽车公司总医院外科主任
舒丽丽（女）　武汉市公共汽车公司四公司乘务员
邓鹏程　湖北省松滋市公安局陈店派出所所长
唐中秋　湖南省永州市妇幼保健院外科主治医师
刘卫平　湖南省邵阳市工商银行广场支行储蓄所主任
单水权　广州市公安局大河分局刑警大队副大队长
赖文惠　深圳深港实业（集团）有限公司司机
吴月珍（女）　中国南方航空公司海南分公司售

票处班长
徐秀成　重庆市南岸区房管所疏浚工
袁亚琼（女）　四川省长乐市电信局营业厅班长
成元春　中国民航贵州管理局机务适航处机械员
张位高　云南机床厂高级技师
胡长顺　陕西省长安大学公路工程学院院长
陈　虎　甘肃省靖远矿物局大水头煤矿综采队队长
吴启云　中国人民银行盐池县支行行长
王锁新　乌鲁木齐矿务局六道湾煤矿采煤机司机
艾克热木努尔　新疆巴州电信局传输中心技师
何远平　新疆生产建设兵团农三师四十五团工会主席
曾信祥　广州铁路（集团）公司怀化客运段列车员
卢义明　上海铁路局南京西站值班站长

第六届全国职业道德建设先进单位

北京供电局
北京市第四十二中学
天津市药业有限公司
河北涿州石油地球物理勘探局
河北省石家庄电业局
河北省唐山市地方税务局直属二分局
中国农行河北省霸州市支行
山西西山煤电（集团）有限责任公司
山西潞安矿业（集团）有限责任公司
太原五一百货集团股份有限公司
内蒙古巴盟医院
内蒙古通辽电业局
辽宁省沈阳市国税局和平分局
辽宁省丹东市自来水公司
沈阳飞机工业（集团）有限公司
沈阳天地建设集团公司
大连市出租汽车总公司
长春百货大楼集团股份有限公司
吉林化学工业股份有限公司炼油厂
牡丹江热电总公司
黑龙江移动通信局
京杭运河苏北航务管理处
江苏省无锡市工人文化宫
江苏苏州供电局
浙江绍兴电力局
中国工行安徽省马鞍山市分行营业部
安徽省铜陵供电局
福建省龙岩市急救中心
福建省晋江钻石体育用品有限公司
中国工行铅山县支行
江西省南昌市公安局东湖分局公园派出所
山东聊城电业局
山东淄博电业局
山东东营电业局
河南省南阳市汽车运输总公司
河南省新乡市电信局
河南省许昌市城市管理局
襄樊铁路分局客运段49/50车队
葛洲坝电厂三峡工程施工供电局
湖南省娄底电业局
汕头大学医学院第一附属医院
广州钢铁集团有限公司
广东省化州市人民医院
深圳市灯光环境管理中心
海南省海口火电股份有限公司
重庆市巴南区人民医院
重庆市江北区地方税务局
成都市运兴公交公司二分公司16路
四川省泸州市天然气公司
四川省双流县棠湖中学
贵州省华联旅业集团股份有限公司
贵州省遵义市邮政局储汇局
云南机床厂
西安印钞厂

甘肃省电力公司白银供电局
甘肃省长庆石油勘探局职工总医院
宁夏长庆石油勘探局地球物理勘探处
新疆棉麻公司大河沿棉麻站
新疆兵团农六师芳草湖农场
哈尔滨铁路局齐齐哈尔客运段47/48车队
西安火车站

全国职工职业道德建设百佳班组

北京市崇文区环卫局三队时传祥青年班
北京市公交总公司电车客运分公司103路“王桂荣”号车组
北京市东安饮食公司东来顺新东安饭店
北京市园林绿化服务中心
天津铁路分局天津车辆段客修车间轴承组
天津市自来水集团有限公司新开河水厂新滤站组
河北沧州市河涧廿里铺道班
华北石油管理局第二钻井工程公司6073钻井队
山西省天脊集团复肥厂一车间化工一班
山西省南风集团日化分公司洗衣粉二车间生产一班
山西神州煤电焦化股份有限公司焦化厂化产车间中控组
山西省大同供电分公司新开路营业所
内蒙古海拉尔市贝尔饮食服务（集团）有限公司贝尔大酒店餐饮服务组
内蒙古一通公司一车间车工二班
沈阳市电信局114查号台
辽宁省鞍山市自来水总公司西长甸管修所
辽宁铁煤集团铁路运输部客运段客运乙班
辽河石油勘探局热电厂供暖公司调度中队
沈阳电业局沈河供电局东顺城售电站
沈阳铁路局锦州分局阜新车务段小东车站
辽宁省朝阳发电厂继电班
大连市虎滩乐园
大连市公安局巡警支队女警大队
大连市国税局旅顺口分局铁山中心税务所
吉林市邮政局船营分局营业室
吉林省长山化肥厂动力车间
吉林省湾沟林业局仙人桥木材经销公司贮木车间
黑龙江省鸡西市环卫局清扫保洁大队南山西路清扫小组
黑龙江省鹤岗电业局供电售电班
黑龙江省佳木斯市东风公安分局南卫派出所
上海仁济医院老年病科
上海浦江隧桥发展有限公司打浦路隧道管理所三号井变配电站
上海正广和网上购物有限公司85818订购台
江苏省南通供电局变电工区监控操作中心
江苏盐阜人民商场集团有限公司黄金柜
江苏常州黑牡丹（集团）股份有限公司邓建军科研组
徐州铁路分局徐州火车站客运北区候车室
安徽省宿州市立人民医院
蚌埠铁路分局蚌埠火车站洪祥工作室
安徽省安庆市公安局110指挥中心
中国工商行安徽淮南分行城建办事处
安徽省芜湖市国税一分局办税服务厅
福建省晋江市邮政局英林支局
福建厦门电业局城区营业厅
福建炼化公司常减压车间三班
江西省奉新县上富林业工作站
山东兖矿集团公司兴隆庄矿综采一队
山东省淄博市周村区地方税务局南闫征收分局
山东省泰安市邮政局投递班
山东省济南粮食局槐荫分局二六粮店
河南省洛阳市电业局朝阳变电站
河南省开封市供水总公司管道安装维修处维修施工队

中国长城铝业公司电解厂二车间九大组
湖北江汉石油管理局物探处2325地震队放线班
武钢烧结厂二烧车间甲班二段烧结机班
湖北省襄樊市政设施养护管理处樊西下水道班
湖北省电力公司宜昌县电力局营销中心
中国南方航空股份有限公司湖南分公司客舱部乘务一分队
湖南省郴州市邮政局邮管科中心营业厅
广东省广州市第三公共汽车公司保安反扒队
广东珠海市濠江旅行社导游班
广东省清远市阳山县公路局分水坳道班
广州飞机维修工程有限公司地面保障设备部修理分队
深圳市皇城地产有限公司物业管理分公司
深圳出入境检验局笋岗分局动物检验疫科
海南省万宁市邮政局储蓄营业班
四川省长宁县公安局万岭镇派出所
四川省自贡市天然气总公司民用气营业所大安服务站
中国工程物理研究所流体物理研究所106室
云南昆钢集团公司炼铁厂渣铁车间砌罐组
交通部重庆公路科学研究所隧道工程室
重庆市巫溪县农村信用社营业部
重庆市电信传输局微波局一级干线维护中心
贵州省贵阳市公交总公司一分公司一路线（车队）
贵州省贵阳市电信局180投诉台
陕西省五环（集团）实业有限责任公司
陕西省宝鸡石油机械厂钻机分厂机加一车间车工小床组
甘肃省兰州铝厂动力厂运行车间空压站
中国石油兰州炼化公司油品储运厂原油厂车间陈宏章班
宁夏青铜峡铝厂第二电解分厂四车间S3大组
宁夏大元炼油化工厂有限责任公司炼油分厂联合车间横五班
新疆乌鲁木齐农场管理局永红针织总厂
新疆新啤(集团)有限责任公司包装分公司甲二段
兰州铁路局天水车站货场
乌鲁木齐铁路分局客运段上海八组
呼铁局包头东站货运甲班
北京铁路分局北京西站
河北涿州石油物探局研究院克拉工程项目组
石油地球物理勘探局第一地质调查处215队
宝钢集团上海五钢有限公司银亮钢分公司冷轧组
齐鲁石化公司胜利炼油厂检修分厂铆钳车间唐建军班
北京第一建筑工程公司顾平利石材安装队
中铁14局隧道处株六复线指挥部1队
乌鲁木齐铁路局哈密车站运转车间乙班二调
中国建筑第一工程局第四建筑工程公司崔永富机械加工班
河北华鑫集团公司小家电经营部
上海第一钢铁有限公司烧结厂丁班看火组
新兴铸管股份有限公司炼钢分厂转炉工段丙班
山西省大同市自来水公司机修厂钳工组
大连港务局客运总公司客运服务处客运一班

2000年全国劳动模范和先进工作者名单

（共2964名）

北京市

全国劳动模范

魏俊强　黄国诚　阎洪胜　赵福庭　贺燕铭
田　丽（女）　司徒泽湘　吴昉昀（女）
陈济民　李本海　王文华　刘　刚
陈二平（女）　韩天润　王庆武　张文良
刘晋平　王　峥　李素丽（女）　崔志闯
马植胜（满族）　苗晓光　杨桂茹（女）

周 平 葛建明 李继功 王春山
常桂春（女） 张增学 王宝申 王树云
赵林甫 高占强 张连忠 李之会
胡 燕（女） 刘秀玲（女） 芦秀岩
刘桂梅（女） 刘志萍（女） 温绍英
刘兆岐 朱玉岭 程俊云（女） 田桂英（女）
闻宝恒 臧法先 张进来 张廷铎 张秀全
陈瑞福（回族） 李桂英（女） 王 胜
哈云潮（满族） 刘振元 萨继承（苗族）
吴 恒 常俊英（女） 马翠清（女）

全国先进工作者

李桓英（女） 杨为民 肖蔚云 梁尤能
孙逢春 林崇德 于德泉 孙维刚 顾德希
张 楠（女） 王俊鸣 尹振水 赵春江
郑建秋 何永福 尚秀云（女） 杜启文
杨秀奇 宋朝锦（女） 全国安 王玉珍（女）
马元安 魏 红（女） 柯焕章 沈小克
赵桂云（女） 张国权 宋彦华 李永图
刘振春 田国生 马富银（女）

天津市

全国劳动模范

韩连雨 刘丽荣（女） 宋桂林 于金奎
王玉芝（女） 付均和 马学福 刘志嘉
张金钢 孟繁立 李正华（女） 张学松
张太川 张继香（女） 杨月霞（女）
刘生友（回族） 王桂荣（女） 刘化英（女）
董齐平 江永萍 师春生 牛星壮
董春梅（女） 王润身 张克栋 万会祥
刘凤英（女） 祁 虎 李庆宏 张国永
刘先丽（女） 袁红珠（女） 赵民立
王玉和 吕淑珍（女） 赵锡铭 陈 震
田 温 范玉恕 王华山 韩文彬 邱汝舜
田英凡 张 蓉（女） 贾明贵 岳增世
孙汝泉 张同生 王孝杰（回族） 李增坤
韩自贵 张振宏 李文明 张云赏
刘乃兰（女） 耿玉顺 于海介

全国先进工作者

张志忠 闻凤英（女） 李学忠 李长海
李振宽 郭 潇 叶声华 云景乾
赵淑珍（女） 张金英（女） 李寿康（女）
杜金霞（女） 冯 玲（女） 王天喜
李绍武 关牧村（女，满族） 杜 智
董 震 董喜宽 顾月海 马德起 方耀明
张家林（女）

河北省

全国劳动模范

刘汉章 郭福安 王兰云（女） 张道存
常继德 米义平 赵国峰 李水龙 郑海波
刘宝庆 孔庆成 周振德 杨振建 朱庆忠
尹凤权 陈兵剑 高国营 张国治 杨之彪
范秋乐 任兰秀（女） 赵迎春 王 丽（女）
汪利娟（女，满族） 霍福霞（女） 宋希田
蔡东晨 马爱时（女） 柳宝诚 梁凤君
张文志 陈永义 袁大炳 刘青春 李宝元
王 敏（女） 李俊杰 崔 华 李向前
田树申 刘之义 安路勤 焦建华（女）
满维才 李万昌 刘荣秀（女） 李玉萍（女）
解仁义 李兰珍（女） 刘 勇 贺建红（女）
王仁昌 王汉贵 刘凤海 刘彦彬 李白娃
殷丙戌 屈 信 董士发 刘国新 孙风波
李建社 曹宝华 刘金鱼（女） 吴付合
赵守坤 孙小军 李桂林 杨双牛 赵子跃
刘玉芬（女） 李集周 华生春 张银盾
姜桂学 李福华 黄术来 刘廷佑
许秀果（女）

全国先进工作者

张锦芬（女） 张玉江 杨 才 王恭祎
周希元 刘 纯（女） 赵 彦（满族）
吴国珍（女） 赵丽平（女） 苗连生
王墨森 孟凡忠 赵振兴 任凤蓝（女）
温秀玲（女） 卢广业 李瑞芳（女）
赵国珍（满族） 孙增耀 王学忠
姜淑琴（女，满族） 孙双锁 沈梦林
王现锁 谭祝平 康庆国 谢启文 张立榜
赵洪磊 武吉永 张虎柱 路正年 韩老黑
杨爱莲（女） 王建国 范振喜（满族）
韩瑞明 刘祥林

山西省

全国劳动模范

叶晋庆　谢东生　周双平　李玉兰（女）
梁宏伟　宋国生　邢　军　张根龙　牛树林
郭秀梅（女）　马忠伟　马常林　杨金华
康克勤　刘文革　孙国政　陈建平　谢轩生
秦斌青　邓和平　郭成会　张启星　梁忠保
孙自瑾　马怀义　刘晋萍（女）　郭宴庆（女）
马国民　王宜强　史改梅（女）　王梦飞
高　潮　张培林　周满祥　袁宗本　金普庆
李　平　索广娥（女）　申林德　张连水
赵锁祥　傅　英　王铁锁　陈忠孝　刘二土
崔润卿　陈步亮　何玉虎　李纯泰　史民志
张秀山　邢志权　李海仓　任朝贵　乔九崇
成拉旺

全国先进工作者

李立忠　邱恩忠　万占奎　刘玉虎　马世奎
侯晋川　曹学义　康亚荔（女）　智俊德
张景林　张玉英（女）　申公元　薄天岳
毛学正　刘惠民　吴永嘉　朱喜林　侯爱民
张隆光　孙晓青（女）　崔惠民　杨　荣
赵振田　吕留运　张　平　杨文水
武俊英（女）　孙予罕

内蒙古自治区

全国劳动模范

陈二翩　王文山　孟连城　王建中　靳九龙
赵国庆　莫日根（蒙古族）　弥新成　薛景林
王树藩　侯玉明　胡洪涛　高郁俊　刘怀玉
邬紫梅（女）　杨春光　杜连成（蒙古族）
马梦华（蒙古族）　郭顺喜　赵兴湖　郑云龙
李文玉　徐忠海　原智明　杨金华（女）
贾克彬　张文忠　范巧珍（女）　常万兴
韩金镯子（蒙古族）巴　图（蒙古族）
敖伦夫（蒙古族）　邬志刚
额尔敦苏（女，蒙古族）　徐进莲（女）
殷玉珍（女）　贾登科　张振武　李　臣
拉木苏荣（蒙古族）　白色柱（鄂伦春族）
林东鲁　王树桐（蒙古族）　白斯楞（蒙古族）
裴登泰　王学英（女）　智呼声　王　勃

全国先进工作者

高红玉（女，蒙古族）　乌　兰（女，蒙古族）
米德丽（女，蒙古族）　邢　旗（女，蒙古族）
翟兆屯（女）　夏冬梅（女，蒙古族）
赵士莹（女）　边建欣（女）　康　达
孙宝珍　陈　玉　韩贵平　曹凤光
关克勤（蒙古族）　张晓光　高紫东　王景涛
奈民夫（蒙古族）　王善堂（蒙古族）
张庆吉（满族）　达　来（蒙古族）
额尔德木图（蒙古族）　李　财　卢亚东（女）

辽宁省

全国劳动模范

孙士坤　周传淞　杜业兴　李广富（满族）
王珍玖　丛仁堂　杨桂春　丁　奇　王丙铎
赵世龄　曲仁山　李福祥　毛丰美（满族）
于学成　韩召善　张作玺（满族）　张智源
范守贵　刘中田　沈广顺　黄玉杰（女）
范香久　金连武（满族）　刘金刚　范甲柱
周　彬　侯瑞华　王月祥　张文成　杨建华
张振一　朱克信　郭维林　杜　雪（女）
梁鸿义　王春霞（女）　关维国　曲英年
陈友联　刘建美（女）　崔殿镇　刁培松
孙盛桐　杨维弟　董淑艳（女）　王双进
隋悦家　范传昌　王二江　李晏家　蒋慎言
曲金凯　张维东　何长龙（满族）　刘国福
祝振德　刘洪章　方维平　李　铭　于富荣
李茂章　毕　杰（女）　孔庆永　张宝才
孟庆和　刘国庆　马玉民　王丽迎（女）
魏英杰（女）　李　新　陈　鹏　王振圻
高明科　张志国　牟山岐　史丽辉（女）
李玉德　张瑞卓　王继坤　张忠礼　俞长东
姚国波（女）　张学红（女）　刘芝旭
陈　钢　张　义　牛　钢　杨俊祥（回族）
高益荣　王福成　刘　玠　张　伟　张营富
王成厚

全国先进工作者

张菊香（女）　王兆和　付　超　王　峰
牛继山（满族）　郭志贵　李倩胜（女）
马俊仁　孙昌志　张佩纶　苏建一
孙淑君（女）　池明宇　卢　柯　倪洪林
杨丽珠（女）　梁鑫森　方广吉　戚秀玉（女）
宋兰春（女）　孙静华（女）　姜云胜
巴福荣（女，满族）　张秀芬（女）　杨永威

许文有 王双奎 郭海庭 冷淑梅（女）
丛安生 王立科（满族） 张占宇
李 彦（女） 唐心忠 徐建华 张玉富
张晓华 兴仁轩 穆玉亭 王志仁 明志有
郑 义（满族） 江秀忱 赵喜忠 李 刚
任德君 刘文钦

吉林省

全国劳动模范

李黄玺 周立君 张春成（女） 李志新（女）
孙 倩（女） 梁 平（女） 王峥嵘
贺广庭 刘维彬 李春太 王瑞驹
苏秉义（满族） 刘延峰 倪维国 张 明
詹恒友 杨丽杰（女） 谷荣富 王德贵
孙寿旭 庞会祥 赵崇全 赵清旭
赵文光（满族） 孙永贵 吴守成 马振峰
张惠修 王凤岐 李贵哲（朝鲜族） 沈士度
崔基玉（女，朝鲜族） 孙 贵 崔 贵
王立祥 孙福发 乔明儒 曲 江 王玉坤
卢宪臣 高洪江 梁志芳 金日奎（朝鲜族）
曹维武 赵志昌 关万海（满族） 张东兴
唐万英（女） 李玉宗 竺延风 徐周文
焦海坤 傅万才 张守斌 曾宪君 李秀林

全国先进工作者

李荣和 钟 臣 颜炜群 孙正聿
詹柏华（女） 谢在皋 王定基 吴国龙
陈志岩（女） 郭长水 籍雅琴（女）
尹 红（女） 王益民 张铁琳（女）
郭心静 王绍文（蒙古族） 徐国文
郭顺香（女） 张广增 张殿龙 王恩荣
程秀琴（女） 吴佩臣（女，满族）
王正路 金光镇（朝鲜族） 姜日善（朝鲜族）
王孟春 冯 巍 邓惜华 禹秉熙（朝鲜族）
王明满 刘学勤 金书琪

黑龙江省

全国劳动模范

武永合 刘义明 高松梅（女） 李庆长
王殿贵 刘玉翠（女） 邢书明 孙普选
霍贵森 陈 宏 吕庆刚 邵惠培 韩金胜
张忠义 张桂琴（女） 焦集群 王 瑞
于中权 丁金光 朱惠云（女） 范宇光
李树林 董勤功 何兆利 崔云飞
刘金奇（回族） 肖 红（女） 万国金
孙英琦（女） 陈双印 李永江 董书河
曲宝财 尤树杰（回族） 宋国文 史庆明
李增洲 盖廷仁 王守志 冀宝发 孙永力
陈玉华（女） 孙海军 姚桂兰（女）
刘殿阁 王 明 张 磊 李恩瑞 原文成
隋在云 刘喜阳 刘泽林 远立伦 彭 河
姜淑清（女） 董 鑫（女） 刘存周
董孝利 崔学文 阎树忠 冯晓江 徐景波
孙玉庆 沈建华（女） 张卫东 杨 光
吴 坚（满族） 刘长发 高长河 王文君
宣士良 刘德良 隋秀海 张福贵 林庆富
郑学士 洪淳贵（朝鲜族） 韩志富
田焕成 蔡得植（朝鲜族） 李景河 刘长玉
朱忠植（朝鲜族） 孙乃奇（满族） 宋清晖
岳开鹏 丁振河 赵明军

全国先进工作者

杨士勤 关仁辅（满族） 徐秀珍（女）
王春娟（女） 王晓波（女） 尹国安
汪 春 李雅轩 苏 俊 何 实 张雅奎
姜洪池 王乐民 李丙仁 袁立华（女）
杨 博 张建华 王春才 张 伟 董树成
李 军 刘剑秋 王海滨 刘万春 张彦生
张 平 张 爽 庞永和 宋士云 刘 军
杨 扬（女） 梁春生

上海市

全国劳动模范

李 斌 范秉勋 袁建新 陈祖权 徐伟梧
曹洪元 徐叔平 鲁惠英（女）
陆爱新（女） 顾永林 杨靖基
蒋 莎（女） 马立行（回族） 张心一
华国雄 沈建芳 汪杏芬（女） 王小昌
徐昌俊 施 勇 杨加美 孔利明 郑 勇
叶 敏 戴玉岐 厉新礼 张建杰 任国强
高国强 林华卿（女） 王衡元 陆雄华
胡茂元 周家春 甘培贤（女） 张海虹
程 杰 何 颖 沈祖强 包起帆 许宏纲
朱宝琪 何自明 俞士海 毛伟华 熊安平

徐志成　王新全　倪介祥　吴尔愉（女）
杨　宏　石礼文　徐伯昌　季国安　周文波
张耿耿　吴祥明　杨国平　郑平山　朱耀星
章树强　姚立扣　黄斌香　徐建国
安君英（女）　徐　虎　王光裕　李根旺
庄永元　姚国华　龚天根　郑光裕　王　震
邵开平　王志成　马海燕（女）　乐振平
徐伟民　王济明　徐寿康　茅忠瑾
陶依嘉（女）　周金华　戴万莉（女）
樊水玉（女）　吕仲涛　吕　莉（女）
吴世琪　顾泉生　叶火良　夏道余　沈伟炳
俞充官　朱国权　储　峰　王志明　陆文忠
康祖建　郑宗鹤　丁瑜敏

全国先进工作者

丁文江　陆谷孙　曹家麟　孙立军
胡蕴琪（女）　丁晓禾（女）　顾爱玉（女）
宋珠凤（女）　俞卓伟　王正敏　曾溢滔
陈赛娟（女）　沈树权　孙　英（女）
尚长荣　尹　鹏　袁家福　洪国藩
陈桂林　贾安全　沈定中　黄仁伟
孙　雯（女）　陈　瑜　钱龙根
吴桂堂　张海华（女）　范金兰（女）
孟执中　费衡甫　韩建生　周在春
魏敦山　汪孝安　黄伯华

江苏省

全国劳动模范

周　勇　夏方顺　高友忠　董金春　李家森
金顺珠（女）　钟　宁　陈卫东　朱永宁
沈文荣　华金荣　徐　芳（女）　曹德法
张国富　万红根　王　伟　何　惠（女）
张现英（女）　李根奎　高仁林　刘德林
张邦国　潘美兰（女）　姚喜珍（女）
徐镜人　吉荣华　陈如根　陈永江　郑　宁
薛兆明　仇　英（女）　张　娟（女）
卢宗奎　朱瑞龙　卢克松　戴兴旺　鹿炳胜
骆应龙　刘兆彩（女）　庄德武
李　瑞（女）　王龙芳（女）　程学礼
郭建业　陆村宝　乔　梓　杨绍仪　王荣和
沈良兵　陈海荣　殷作喜　王传宪　李建夏
孔云生　朱玉忠　骆德龙　朱益林
薛中惠（女）　马建华（女）　朱俊永
陶金龙　尹　超　蒋洪齐　张双喜　江小来
王如红（女）　常德盛　杨根福　高德康
顾振华　卞兴才　濮永法　蒋锡培　金华友
李优民　方继生　张福龙　周长文　吴建华
昝圣达　唐永洲　张文德　栾福登　程巨悌
刘长贵　桂兆荣　朱相桂　徐荣春　夏自朗
刘家银　刘兰云（女）　张道轩

全国先进工作者

张伟明　倪志斌　姜德明　马代夫　薛禹胜
濮本华（女）　沈　琪（女）　孙德霖
周祥昌　尤仁德　孔国娣（女）　杨承久
蔡林森　孙汉洲　朱五华　钱鸣高
卓维恒（女）　周儒荣　沈晋良　钟振振
顾　芗（女）　邹元国　陶　菁（女）
许培箴（女）　袁志诚　薛巧凤（女）
葛　菲（女）　王德莉（女）　朱清明
张建清　赵志新　李灯兰（女）　唐永银
吴志杰　刘丽涛（女）　时　匡　丁万万
高明宏　薛　萍（女）　张景龙　苏　玮
张志民　钱云珠（女）　陆晓美（女）
施勤忠　许四男　谢德良　孙士美（女）
顾兰珍（女）　宋惠娟（女）　李淞泉
沈全丰　王学秀

浙江省

全国劳动模范

周　平　刘广明　谢惠良　李邦良
寿朵花（女）　汪力成　邵增民　杨阿六
孔胜东　李长根　周伟刚　竺韵德
马玉青（女）　柳建成　汤家孟　韩永盛
周宁芝（女）　何　良　童国民　卢兴满
谢远典　郑朋木　郑月兰（女）　张寿斌
庞振声　董国华　郁　伟　蒋利娟（女）
吴惠芳（女）　吕士林　陈金祥　施卫清
秦兰英（女）　郑　旭　竹丹英（女）
赵林中　赵爱根　施继兴　王水木　徐绍德
王荣华　曹润生　吴胜登　刘开耀
柯茜茜（女）　林华中　项雅美（女）
李阳升　王建华　张山明　陈银龙　田庆红
桂修铭　俞鹤鸣　何章才　沈建飞　郑庆南

兰兆祥（畲族） 王鑫炎 蒋坤庭 王水福
傅企平 孔根良 蔡日省 金宗伦 周阿龙
李勤夫 何伯金 石梦千 夏士林
薛春盛（女） 楼忠福 徐文荣
施探薇（女） 柯寿景 张小栩 张红良
刘炳凯 乐从明 刘位国 廖志成 陈 金

全国先进工作者

徐承楠 汪国璋 郦国瑜（女） 方颖明
李卫平 吴锡铭 裴仁治 陈洋珠 蒋裕源
杨凌娜（女） 马品荣 谢作黎（女）
陆永良 傅一鸣（女） 单志荣 秦丰明
王玲玲（女） 杨关忠 吴加澍 王火木
沈云华（女） 杨高益 郑志湖
陈桂枝（女） 王领香（女） 杨学俭
杨文西 蔡 瑢 徐佐洪 胡爱华 徐振元
杨国光 郑树森 宫先仪 吕昭华
胡志平（女） 刘 明

安徽省

全国劳动模范

张海银 金 杰 焦长礼 张世平 彭冬生
高德明 石正秀（女） 刘发传 程太平
郭文叁 刘 卫 王克占 姚传龙 李荣杰
武瑞玲（女） 刘 谊 蔡传洋 李建新
董传银 温业云 翟秋生 李 翔 吴子武
吴洪初 赵玉萍（女） 李子明 颜宪明
方小华 程水根 迟秋燕（女） 卢义国
朱学贵 章 良 杨续喜 万利云（女）
鲍彩鸾（女） 王晓晖 钱永言 蒋贵平
杨迎春 冯广林 锁炳勋（回族） 毕培元
朱慧秋（女） 徐淙祥 马景福
李向玲（女） 仰士玲（女） 刘孝科
张光洲 吕新路（女） 姜一勇 李文林
赵永成 余的娜（女） 张明昌
徐前兰（女） 杨正明 余结华 梅阳林
刘从艾 辛全龙 宣 虹（女） 刘志祥
左延安

全国先进工作者

黄书华（女） 江 涛 赵尔兰（女，回族）
王廷友 年介舜（女） 刘国平 易余哲
吴问潮 谢雅珍（女） 张秋妹（女）
朱翠瑛（女） 李长定 赵 红（女）
李 超 张友礼 况保华 宁广辉 陈传林
王麟祥 张兴才 胡志珍（女） 邢小青
吕绍英（女） 阮树生 万元熙 何家庆
杨基明 夏士珍（女）袁华音 蔡维艳（女）
朱启升 魏先礼 朱敬增 陈淑颖（女）
章观顺

福建省

全国劳动模范

林欣欣（女） 程汉川 黎昌泉 陈来茂
刘依妹 林钟春 郭仁宪 郑碧华（女）
翁秀英（女） 王国梁 卢金来 陈福胜
李寿光 邱宝万 王恒山 欧阳元和
李丹青（女） 林建顺 罗碧珍（女）
陈锦煌 陈永祥 郑发祥 张思流
洪连珍（女） 冯真恩 赖桂香（女）
喻方兴 王伟宏 黄全和 龚哲清 黄振裕
陈文化 王源楠 林哲龙 章伟望 陈惠海
吴海水 林金亮 章联生 葛兰妹（女）
张新明 赖木生 曾育湘（女） 黄文传
庄振生 苏尧棠 帅金高 许金和 陈振欣
邹志强 饶才富

全国先进工作者

魏可镁 郑 捷（女） 陈贞顺 陈昌生
庄水淡 林惠敏（女） 王秀芳（女）
潘鸿华 吕忠文 王少媛（女） 吴 熙
林丽香（女） 黄锦顺 蒋木仁 白鸿辉
郭韶翔 刘宝文 曹水金 吴建平 施维雄
周春霖 汤杨生 陈永加 林子淳 叶根元
郭福生 王邬金

江西省

全国劳动模范

石 屏 何 奇 李 凯 朱照友 左小星
章星火 熊林根 杨红兰（女）
熊志红（女） 张文标 马小立（女）
杨金槐 艾早红（女） 王湘萍 涂建民
甘公荣（女） 李全红 何云招
孔春妹（女） 罗义华 邹 毅 周兰华（女）
高建平 李洪应 杨石根 周 慧 倪风华

彭保强　王熙晏　金回香（女）　肖文金
雷亮福　杨灿龙　谢柏华　曹国洪　曹长员
黄兴中　华福寿　熊启东　敖思祥　徐等福
邓宜煋　黄正瑞　罗玉英（女）　聂自根
皮桂娣（女）高喜凤（女）　费成益　吕小云
高志俊　韩光海　吴木根　郭荣英（女）

全国先进工作者

邱娥国　龚腊根　李燕玲（女）　周　伟
涂赞珠　胡福兵　杨耀防　明接盛　高木龙
武智理　李小菊（女）　施华山　陈来生
罗晓航　谢金水　陈拱菊（女）　雷亦仲
黄雪刚　江顺德　郭世铁　范华平　覃兆松
江风益　曾昭智（女）　姚忠林

山东省

全国劳动模范

王翠华（女）　李淑敏（女）　李长顺
张家岭　盛桂兰（女）　杨绵绵（女）
周厚健　彭作义　王守纯　王友青　于光涛
于爱清（女）　曹永甲　狄成林
李　丽（女）　赵丰淑（女）　李福海
穆范敏　高　秀　张玉梅（女）
李雪芹（女）　陈华森　赵经彻　李云岭
张忠道　王月秀（女）　汪忠礼　柳富林
张平利　尹　焰（女）　郑晓廷　杜明勤
段月英（女）　刘秉章　张学信　卢恩光
刘义发　黄继友　刘汝山　杜全芳（女）
刘玉栋　毕研鹏　徐济明　赵树贵　董全温
刘振亚　林　勇　宋作家　苏学芬（女）
张丽霞（女）　赵全堂　刘德凤（女）
刘振岱　姚元臣　王秀珑　吴瑞桐　吕长泉
谭克锦　李振石　张桂玉　常俊峰
郭广霞（女）　王金友　陈桂云（女，布依族）
刘　岩（女）　冯佃之　彭荣均　马光业
孙士水　胡凉伦　胡崇进　王兴国　张忠正
高敬方　巴洪斌　宋作文　宫学斌　王乐义
郑和平　孙日贵　李洪信　江保安　牛宝伟
高慧娟（女）　李允轶　王庆龙　韩增旗
刘　伟　邵长学　朱守俊　李建华　刘锡潜
刘学景　王　勇　王银香（女）　张善绪
齐炳起　杨路平

全国先进工作者

黄宜进　刘长河　于素芹（女）　张继顺
付　强　朱剑粮　李寿德　王俊宝　朱崇跃
吴福增　王安东　刘伦学　赵博生　张　磊
李清玲（女）　杨风岐　李希贵　白　波
于振文　王厚龙　宋玉莲（女）　王可正
艾　兴　丁小秋（回族）　祝丽华（女）
郎咸芬（女）　张海迪（女）　曹务顺
杨伟程　王振华　梁恺军　张善印　刘乐泉
高延成　张仁强　徐克惠　刘　萍（女）
薛玉柏　张凤仙（女）　王明鹏
吴桂本（女）　宋全山　何启伟
周惠敏（女）　尹延勤　杨孝兰（女）
刘庆玲（女）　王重泉

河南省

全国劳动模范

张铁山　王焕成　李民忠　陆树拔　杨志斌
薛运州　刘先超　杨小春　徐家庆　吴建良
赵守义　李红彬　谢金康　潘建洛
曲绍惠（女）　朱宝玉　王富龙　张　玮
顾玉贞　刘海远　路用明　朱瑞萍（女）
史济春　许福卿　范青荣　刘全利　袁鸿安
海洪书（回族）　陈玉林　赵福运　郜长青
闪湘玲（女，回族）　王秀梅（女）
张光德　宋大国　苏明俊　李章顺　王中华
陈留拴　周遂德　宋志刚　徐德全　万　隆
席文学　朴玉山　高鸿雁（女）　戚国忠
费国华　张清海　范　华（回族）　刘　军
李向东　许心平　时兴荣　赵启三　朱祥杰
高　君　刘跃进　刘玉国　李　胡　李建设
王有瑞（女）　王永令　杨宗平（女）
赵同浩　王　贤（女）　王吉增　杨业斌
许志道　汤兆国　杨光良　熊维政
靳月英（女）郭文芹（女）　梁彦儒　李水泉
杨安国　张俊卿　张步远　冯凌云

全国先进工作者

虎美玲（女，回族）　李松林　赵清香
王蔚生　宋绍明　朱和平（女）
陈幸运（女，回族）　田良贵　杨淑萍（女）
郑志伟　吴汉卿　郎鸿志　于新方　王建平

钟会平　赵根元　李俊连（女）　焦　顺
张晓路　董建拴　邵敬春（女）　朱继先
朱普生　李振明（回族）　姚天恩　董丁修
郑启友　黄建民　冀丙祥　白中兴　曹冠东
张富君　刘树红　郑天存　郝桃枝（女）
陈志云（女）　刘文功　凌解放　孙光召
李玉东　强自喜　李全三　潘家铨　朱夏炎
王百姓

湖北省

全国劳动模范

吴克林　陈　晓　周烈桥　吕有农　程耀坤
卢昌汉　谢天健　张爱荣（女）
汪　彦（女）　严规方　潘兰英（女）
周红兵　施宝平（女）　曾胜利　江华章
蔡爱玲（女）　胡朝明　邱晓明（女）
王学会（女）　李林斌　岳祥明　熊亚平
徐海明　李大红　杜元华　方华志　李金生
王伟珍（女）　童吉山　操尚银　何　谧
杨国良　邓艺萍（女）　陈　琴（女）
王　涛　戴宗晴　付　强　李小梅（女）
冷映霞（女）　李怀银　李汉成
蔡建书（女）　彭启友　张文发
蒋再英（女）　陈　飞　肖正明　鲍广鉴
舒　健　陈国金　孔　俐（女）　杨世礼
刘正平　陈明洁　何光安　刘卫宁　周孟波
吴水生　操军英（女）　李述伟　李丹发
戴茂荣（女）　邓文振　赵发所　王贤田
孙良成　黄寿科　杨先龙　唐从柏
赵爱玲（女）　佘西龙　李小年　孙开林
肖明芝（女）　周兴仁　张耀武　张宗华
魏福桥　郑璋贵　倪敬东　袁利群　黎泗保
王书发　张晓林　邹家华　秦大海

全国先进工作者

吴天祥　陈昌龙　代英丽（女，蒙古族）
高爱云（女）　张群林　吴诗琦（女）
高太亮　梁新华　梁开全　汪元良　崔德新
李少华　周美清　杨金花（女）　王天才
张新莲（女，土家族）　刘丽英（女）
杨浦生　刘石泉　秦永平　毛超琪　胡小庄
章明龙　费　奇　张俐娜（女）　马　敏
夏世祥　刘克传　赵卫东　崔奕波　高广金
龚克华　朱承华（土家族）　胡显珍　闵开华

湖南省

全国劳动模范

吴新民　王小奇　陈彤新　邹文奎　周兆达
余克建　杨德泉　钟书援　彭泽全　刘竹生
闵　敏（女）　刘友梅　夏伯存　汤世明
张文辉　贺石头　朱毛奴　刘弼林　郭立宪
马水兴（女）　王爱群（女）
罗菊英（女）　余云林　李　玲（女）
喻峥嵘　何文德　高永香（女）　罗　毅
李梅英（女）　李　鹏　方友祥　陈苏生
周支援　雷健康　周明秀（女）　李建新
梁丽卿（女）　王石光　曾邦祥
王锡炳（土家族）　陈明宪　李震云
梁政辉（女）　李泽富　辜显旺　邓启发
顾家虎　唐建强　龚罗平　朱诗涤
张　英（女）　董先忠　胡伟清
康桂英（女）　李政球　李开喜
王开慈（土家族）　周海鳌　孟石源
李运光　唐刚民　毕由时　李永华（侗族）
彭图松（土家族）　刘秀华

全国先进工作者

宋少华　贺学禹　虢长服　尹新辉　杨期翔
周仕钧（女）　杨垣尧　邓国泰　陈远良
林芳仕　孙广生　曾海平　谭艳芳（女）
苏铁锚　周　泉　刘　芳（女）
李明菊（女）　王赛艳（女）　李其荣
唐智生（土家族）　傅其社
李芝兰（女，回族）何江波　龚秋光
雷井杏　杨彦昌（侗族）　蒙兰凤（女，侗族）
周福坤　石海澄　王义成　刘宝琛（满族）
程政红　熊　倪　夏家辉　钟　掘（女）
晏玲玲（女）　詹纯新

广东省

全国劳动模范

饶怀祖　梁　洪　陈路南　张　森　陈福春
黄石连　梁耀坤　吕岳祥　罗　伟　刘锦陵
何志彪　熊木海　黄思銮　张美建　吕雪亮

邓在芬　李家权　刘思荣　吴国生　曾　强
黄小池（女）　黄本坚　童志成　叶旭全
朱江洪　莫少山　曾德新　李东生　梁力平
洪志铭　王立军（女）　朱国干　李炳林
缪永强　李力锦　罗　丹　张金荣　朱醒波
苏建明　梁绍权　田少畴　吴有胜　靳传勇
李庆辉　吴金水　梁　亮　朱秀琴（女）
吕双岳　谭加加　邓颂华（女）
周玉珍（女）　王银喜（女）　罗能信
张　谋　黎绍英　李燕明（女）　任克雷
陈金水　罗惠芬（女）　陈韶章　肖尔能
张建好（女）　莫志林　刘炳麟　朱建洪
吴淑和　杜炳合　饶联永　陈　昌
黄定源　杨钦欢　潘　彝　关卷文
赵明月（女）　李国荣　陈训流　黎树根
关润尧　陈广富　陈亚汗　陈理常　刘树球
曾庆娟（女）　黄荣细　陈伟忠　黄扬付
林锦填　郑瑞香（女）　马兴田　温木辉
何享健　梁洁卿（女）　李亮高
张健欢（女）

全国先进工作者

谢明权　彭少麟　贾晓平　骆小筑（女）
舒　扬　李玉光　吴正光　罗文锋
招雪梅（女）　梁荣山　胡文红（女）
乐茂华　林天伦　计亮年　严小龙　胡炳榴
王佳纳（女）　郑　明（女）　程小雯（女）
朱小瑜　陈泉坤　卢金常　黄忠毅　吴广球
马如燕（女）　陈文献　李桂梅（女）
张发岐　吴若彬　刘秀华（女）　伍于汤
程新志　梁进海　卢伟琪　旋志强
张志萍（女）　许崇伟　管金华　郑亚兴
欧阳小佩　李淑明（女）　傅日赞
朱丽莲（女）　吴锡坤　温锡强　甘仁昌
梁丁强　彭春娴（女）

广西壮族自治区

全国劳动模范

孙爱群（女）　吴兆权　李胜香
苏　兴（壮族）　黄中才　潘爱群（女，壮族）
韦举忠（壮族）　余卫红（女）　张全海
吴顺香（女）　陈丽萍（女）　林善光
吴爱邦　李绍镇　零智勇　方　洲（壮族）
黄忠坚（壮族）　覃少明　王景春
陆青全（壮族）　张荣生　李盛富
韦志华（女）　覃庆桐（壮族）　郭之龙
梁秋恩（壮族）　邓兰英（女）　陆福生
郭起才　谢佐长　韦建南（壮族）　雷松声
陆志文（壮族）　刘良臣　刘仕英（女）
吴慧萍（女）　莫文珍（壮族）
黄根欲（壮族）　兰远均　何庆彬　詹开基
郭树泉　温昌伟　殷恩生

全国先进工作者

曾祥伟　陈彦华　饶伟文　范先觉　李景奋
刘雅丽（女，满族）　王世伟　傅松能
韩　青（壮族）　邓荫伟　梁家祥
刘连芳（女）　覃月明（女，壮族）
张　宁（女，壮族）　韦银花（女，壮族）
李高送（壮族）　莫振高（壮族）
莫　宁（女）　黄仕养　唐刊年　唐灵生
陈福生　冯金兰（女）　黄柏飞

海南省

全国劳动模范

卢修学　吴克盛　郑亚六　周国启
吴有新（黎族）　蔡爱春　李　燕（女）
庞启机　王玉麟　吴乾发　周运涛
石永轩（黎族）　符照帮（黎族）
王居东（黎族）　陈　峰　刘伯泉　邱国雄
卢裕萍（女）　刘国儒　梁琼美（女）
蒋金汉　林　文　吴嘉涟　党柱湘
刘学现（壮族）　邓桂琴（女）
曾英南（女）　杨　光　沈成相

全国先进工作者

傅映柏（女）　何启明　周经海
陈徽娥（女）　郑忠东　张绍伟　吴　岩
刘春花（女）　李善伟　王应才（黎族）
王庆煌　黎当贤　孙莲英（女）　韩吉定
符忠东

重庆市

全国劳动模范

杨成坤（女）　梁国富　吴显才

袁术国（女） 陈大金 向家和
周世梅（女） 程明仙（女） 赵孝春
陈安阔 廖清良 彭柏树 刘晓燕（女）
左家寿 童九英（女） 李华胜 刘支文
孔 琴（女） 曹元祥 牟来攀（土家族）
艾 新（女） 苟成荣 周庆忠 任新春
尹学成 窦好均 麦 勇 段吉泽 王永富
邓传海 张明富 张心佛 唐 宏 王和荣
马德银 陈仕琼（女，土家族） 李光辉
李祖伟 张荷香（女） 汪学才
董 毅（女） 周华安 叶 明 白礼西
尹家绪 何世斌 吴 云 韩泰军
余惠敏（女）钱书远（苗族） 杨声翠（女）

全国先进工作者

冯丽凰（女） 吴 波 段永国 刘作华
曹兴高 胡 源 唐继德 刘晓华 张群力
徐世六 鲜学福 陈善春 聂昭义（土家族）
黄维乾 何天宠（女） 唐文渊 张辉福
罗志惠（女） 刘中慧（女，土家族）
徐晓琴（女） 郭 斌 江平万
张建国（土家族） 李光慧（女）张 捷
冉绍之 贾 勇 车建忠 罗学萍（女）

四川省

全国劳动模范

熊绍华 朱蓬成 杨绍华 喻刚福 青世荣
裴 娟（女） 周 屏（女） 杨发秀（女）
李兴成 龚锦华 毛祖佑 陈胜久
拥忠贝姆（女，藏族） 潘顺才 金跃荣
王晓秋 罗尔依乓（藏族） 亢群富
宋万芳（女，彝族） 杨仲全 张开华
徐灵英（女） 刘慕北 邹正安 李家杰
刘亚雄 何碧英（女） 王 煜 叶宜良
卢 杰 邱长勇（藏族） 向明亮 岳庭华
邓 明 谢成宇 杜仁明 杜定慧（女）
王振和 陆裕祁 钱 超（白族） 秦登田
李荣寿 单金铭 陈书琼（女）
阿米子黑（彝族） 姜锡信 洪及鄙
王明成 肖方兴 康绍兰（女，彝族）
杨绍弟 袁志诚 彭追远 黎建功 刘 军
覃 诚 邓怀财 赵德丰（回族） 董兴顺
李传军 刘光基 彭邦杨 徐金贵 余文祥
范美华 王伦学 范国琼（女） 冯 涛
任国荣（女） 何义普 宋 斌 胡海清
余新民 李明节

全国先进工作者

陈涵德 宋文骢 钱 滨 黄光成 张汝全
黄 祥（藏族） 高 洁 修瑞龄 姜文汉
冯明才 朱森元 李远雪（女）
孙明全（羌族） 汪跃辉 高阳海
蔡 力（回族） 刘亮晖 雷树福 霍长福
王维春 李本维 蔡 改（女）
吴永娣（女） 冯孝庭 肖伦菊（女）
陈怀炯 徐隆发 李建军 王弟红 龚德明
廖太洪 袁万顺 成建波 石应康 罗平亚
杨森富 柴昌建 朱爱东（女）

贵州省

全国劳动模范

林开湖 王家惠（女） 彭 骞 马政华
刘伟超 黄达强 张永裕 肖邦群（女）
杨应康（侗族） 冷正学 毛腊生
王锦兰（女） 徐长福 陈家国（仡佬族）
齐小平（女） 张荣富 卢庆群（女）
齐国良 刘光禄 田秋英（女） 陈绍祥
唐克学 王邦全 张仁霞（女） 汪希文
姚朝贵（布依族） 杨光胜（穿青人）
杨德兴（侗族） 龙贵雄（苗族）
石国治（苗族） 张庭珍（女，苗族）
李耀星（苗族） 马世春 张大荣
殷毓符 向德洪

全国先进工作者

李平国 侯丹梅（女） 刘 群（女）
周 鲲（满族） 张书华（女） 徐华坤
普 仁 石录恒 涂志祥 郑永贵 钟清明
杨勇灵（苗族） 陶少刚 唐鹤恬（女）
赵 翔（满族） 金道超 杨发明（黎族）
罗德恕 崔国飞 侯国佐 侯立德 李洪明
康先妮（女，布依族）

云南省

全国劳动模范

段华生　钟　英（女）　邹韶禄　郑天一
李新华　党正彪　潘忠辉　彭凤元
保　慧（女）　卜庆清　罗家发（彝族）
尚秋云（女）　张新明　饶　飞　姚祖碧
熊　雄　张　云　杨映海　王建华（女）
徐志刚　顾树安　肖丽萍（女）
王福珍（女）　朱旭平　玉　波（女，傣族）
刘　伟　杨　科（白族）　李自轩（女）
杨文勇（纳西族）　李　平　柯福金
张小跃（彝族）　任新明　郭宗柱
王达昌（壮族）　李大福（拉祜族）　赵德彩
周　键　苟有生　王贵才　唐学莲(女,傈僳族)
安　荣（傣族）　黎佑铭　罗文良

全国先进工作者

唐朝霞（女）　范德康　肖如安
张桂梅（女，满族）　吴兴惠　张家和
李光德　李希国　杨建荣（彝族）　陈勤彦
杨仁华（白族）　李存信　徐爱民　唐　川
马加良（回族）　黄明龙　龙文会
柳五三（白族）　蔡启留　王立国　和喜平
李正元　黄仲权（壮族）　李宗华（藏族）

西藏自治区

全国劳动模范

强巴格桑（藏族）　达瓦次仁（藏族）
顿珠玉杰（藏族）　米玛次仁（藏族）
仁青嘎扎（藏族）　娥　色（女，藏族）
黄孝存　次仁平措（藏族）　董志升
嘎玛索朗（藏族）　张武汉　夏　加（藏族）
拉　巴（藏族）　培　杰（藏族）
洛松郎加（藏族）米　玛（藏族）
尼玛扎西（藏族）　多　拉（藏族）
次仁旺庆（藏族）　拉巴次仁（藏族）
次　登（藏族）　欧珠云典（藏族）
多　吉（藏族）

全国先进工作者

尼玛扎西（藏族）　丹巴绕旦（藏族）
陈江白（女，藏族）　西绕若登（藏族）
丹增贡布（藏族）　吾金次仁（藏族）
次仁多吉（藏族）　顿　珠（藏族）
刘宗文　王世东（藏族）　诺　章（藏族）

陕西省

全国劳动模范

李永军　王保印　袁瑞生　温长生　刘龙宇
庞玉芹（女）　周增耀　杨玉生　冯德玉
庞久春　肖春华　谢成杰　齐建庄　王建中
张普成　尚玉琴（女）　安远芳（女）
张世强　张莲莲（女）　辛文辉　杨正元
赵天恒　全贤文　石光银　樊文来　张鲁闽
蔡富平　杨会平　陶定原　彭代良　任志杰
徐宝凤（女）　刘国强　郝丽丽（女）
王崇旭　傅立新　王纪凯　杨炳庚　张彦生
武金赞（女）　赵黎明　张四栋　宋月华（女）
刘代文　高　峰　雷增光

全国先进工作者

王太川　张　沥（女）　白吉庆　尹珠珠（女）
张朝堂　王长春　蒙水田　曹延安　云　峰
张百忍　柯桂兰（女）　王兴治　李洪毅
张子良　叶定友　王宏儒　戴文晗　段同林
魏炳波　张国伟　卢宗凡　杜继稳　吴永琪
田　亮　张延平　王云侠(女)　薛希武　杨呈德

甘肃省

全国劳动模范

周修乐　李延平　任延顺　郝晓玲（女）
何其实　王成宗　崔广敏　王　杰　姚天基
赵满堂　任永福　魏其尧　王　社　杨吉青
杜利民　李小平　吕兴海　任生武　严新林
张志新　张万忠　王醒明　梅　伟　姚小成
卢定华（女）　贺廷泽　史玉平　顾天祥
刘　瑛（女）　王维江　张智慧
马占海（东乡族）　东　尕（藏族）
董喜海　袁绍根　雷　宏　范更生　程玉太
李承根　李全兴

全国先进工作者

呼丽萍（女）　鲁俊锦　罗彦仁　赵逵夫
冉树苍　白春永（回族）　雍致明　薛群基
沈为众　谢春凤（女）　王建仁　秦得玺
姚元生　车克钧　马艳萍（女）　范先令

青海省

全国劳动模范

李小松　高文革　刘治权　秦文贵　杨文旗
李世金　李克勤　高　丽（女）　陈常伟
苏万录（回族）　茹鹏孝　张生锋　高寿录
孙有佩　草　木（女，蒙古族）　李相贤
王生海　吕学华（女）　王建国
韩兴旺（撒拉族）　桑　杰（藏族）
跃　热（藏族）　多日杰（蒙古族）
叶　青（藏族）　索什多（藏族）　苟廷福

全国先进工作者

肖应凯　王　凯　刘万青（女）　吴彦俭
郭尖措（藏族）　张淑珍（女）　杜德志
刘书杰　卯生明　巨邦选　王红卫（女）
马成德（回族）　多　尕（藏族）
马有全（回族）　李金福

宁夏回族自治区

全国劳动模范

段成信　王惠君（女）　纳生金（回族）
邓　军（女）　孙立军　潘金林
石进儒（回族）　丁吉文（回族）　王忠祥
丁丽萍（女，回族）李维齐　刘崇喜　张志前
马生军（回族）　杨万珍　摆文贵（回族）
单发俊（回族）　马成明（回族）
赵胜玉（女）　林吉顺　冉照忠　杨发信
刘孟祥　张自华（回族）　顾　华　赵登文
曹永平　赵广生　唐光武　段金良　蒲建中

全国先进工作者

张素梅（女）　吴志美（女）　段新梅（女）
吴　群　马国兰（女，回族）李　星　王永强
王兴盛　杨强铭　杨树生（回族）
姜黛珠（女）　吴海波

新疆维吾尔自治区

全国劳动模范

张　新　张忠言　廖永远　吴梅官　王　磊
陆海泉　宋淑玲（女）　刘　琴（女）
徐岳成　陈仁全　肖兰新　胡清明
托乎鲁克（维吾尔族）
买合都木汗·巴吾东（女，维吾尔族）
尔西·谢尔夫丁（维吾尔族）
多力贡·加尼（塔吉克族）
吾甫·库尔班（维吾尔族）
乌斯曼·司马义（维吾尔族）　陈　军
哈力丁·艾拜都拉（维吾尔族）　李　勇
杨春荣（女）　高启英（女，回族）
张青华（女）　郭选忠（布依族）　瞿学忠
艾比保·安木都尔（维吾尔族）　伍元秀（女）
海尼沙汗·阿孜（女，维吾尔族）
苏立堂·哈德尔（柯尔克孜族）
木合买提·库尔班（维吾尔族）
吾买尔·依明（维吾尔族）
阿合玛什·孜克拜（哈萨克族）
买吐送·艾山（维吾尔族）
马俊兰（女，回族）
加合甫·比多拉（哈萨克族）库尔拉（蒙古族）
玉拉音·阿日甫（维吾尔族）
米吉提·艾力（维吾尔族）　孙　皓
周晓琴（女）　王秀英（女）

全国先进工作者

吴登云　阿不都西库尔·米吉提（维吾尔族）
叶尔夏提·马力克（乌孜别克族）　马　祁
艾琼华（女）　努尔·艾海买提（维吾尔族）
尹飞虎　叶尔道来提·斯拉别克（哈萨克族）
阿迪力·吾守尔（维吾尔族）
阿不都米吉提·依米提（维吾尔族）　郑旭光
阿不都外力·买买提（维吾尔族）　刘建军
朱国兴　热扎克·买提尼亚孜（维吾尔族）
路桂英（女）　米里干（女，维吾尔族）
卢新江　秦　静（女）

中共中央直属机关

全国先进工作者

姚增科　苟天林　曹荣飞　魏允韬
王智敏（女）　朱昌都　吕岩松
田　颖（女）　陆小娅（女）

中央国家机关

全国先进工作者

王连秀（女）　于国华　德德玛（女，蒙古族）
封世珍（女）　郑绵平　陈岱林　徐小岚（女）

董浩然　韩　夏（女）　方智远　王洪波（女）
赵有亮　王国相（女）　马　旭（满族）
邵安军　黄玉斌　刘伯根　花晓梅（女，回族）
赵墨田　俞永新　李国杰　章祥荪　郭华东
杨　佳（女）李毓芳（女）　杨克明　袁绍宏
马继兴（回族）

中央企业工委机关和在京直属单位

全国劳动模范

解苑明（女）　刘宝镛　刘永才　李晓红
韩光宗　田雨华（女）　方义生　石玉林
刘立名　易　军　王忠实　刘仲田　王　建
张　馨　郎中强　楼　捷　李　卫　尹　松
杨兴强　孙传尧　薛同祖（女）　顾真安
罗开富　常广生　吴湘峰　赵新先　任克明
纪为民　刘佳民（女，满族）　黄　岚（女）
康红普　王燕飞（女）　刘聚奎　沈忠芳

中央金融工委机关和在京直属单位

全国劳动模范

李乃云　凌　文　叶又升　赵红卫

军队直属单位职工

全国劳动模范

范英俊　陈春祥　李保国　朱祥光

全国先进工作者

高丕发　刘振钢　付金明　徐进荣　郑大伟
张英芳　洪金嘉　兰贵平　张志永　赵清芳
张　涤　晋　普　党　花（女）

法院系统

全国先进工作者

孙即华　李玉翠（女）　齐爱香（女）
罗东川　孟宪福　王家新（女）
岳　璐（女）　秦玲妹（女）　姬国庆
邹赵秋　任继友　王　跃　李　欣　张西岭
买买提明·依不拉音（维吾尔族）

检察院系统

全国先进工作者

刘金铃(女)　王晓森　孙桂华(女)　丁玉林
汪太云　杭巨平　白　云（回族）　于文举
吴才良　李宗炳　雷后康　谢向祥（白族）
张建华（彝族）　刘蕴玉（女）

第十一届中国十大杰出青年称号获得者名单

（按姓氏笔划排序）

于　果　江西省蓝天职业技术学院校长

乌日更达赖　内蒙古杭锦旗图古日格苏木青年农民

白岩松　中央电视台新闻评论部主持人

龙新平　中国工程物理研究院化工材料研究所所长

伏明霞（女）　湖北省跳水队运动员

许京军　天津南开大学物理科学学院教授

李大有　陕西西安惠群集团公司总经理

南存辉　浙江正泰集团公司董事长

袁家军　中国航天科技集团公司中国空间技术研究院副院长

曹雪涛　第二军医大学全军免疫与基因治疗重点实验室主任

第十一届中国十大杰出青年提名奖获得者名单

（按姓氏笔划排序）

母连云　海南省国营三道农场场长
任生武　甘肃省天祝县祁连乡石大板村副书记
伊力汗·奥斯曼　新疆电视台副台长兼新闻中心主任
刘小秦　湖南巴陵山石油化工厂厂长
刘丽娟（女）　长春电影制片厂副厂长
刘绍喜　宜华企业集团有限公司董事长、总经理
刘鸿志（女）　国家环保总局污染控制司水污染控制处处长
吉　林　江苏省长江公路大桥建设指挥部副总工程师
成会明　中科院金属研究所副所长
许光锋　解放军南京军区某集团军地空导弹团装备处处长
杨桂生　上海杰事杰新材料股份有限公司董事长、总经理
沈铁梅（女）　重庆市川剧院副院长
陈川平　山西太原钢铁（集团）有限公司总经理
陈攀峰　武警北京市总队五支队八中队副中队长
罗东川　北京市第一中级人民法院知识产权审判庭庭长
姜　明　河南天明集团有限公司董事长
胡飞跃　广西荔浦县胜利家庭网络应用研究所所长
柴永森　海尔集团常务副总裁、海尔集团电器产业有限公司总经理
莫莉萍（女）　贵州贵阳生产力促进中心主任
谢　毅（女）　中国科学技术大学化学与材料科学学院教授

中国十大杰出青年志愿者及中国青年志愿服务金奖奖章获得者名单

刘崇和　重庆市委党史研究室干部
李祥军　广西南宁人民路东段小学教师
张　毅（女）　北京医院妇产科副主任医师
张启龙　贵州台江县招商局局长助理
张海桥　天津南开大学化学学院新能源所98硕士研究生
陈春晓（女）　湖北姊归香溪一中教师
罗　丹　北京双鹤药业股份公司片剂分厂员工
寒　星（女）　内蒙古《心灵之旅》热线主持人
谢重新　甘肃定西县巉口中学教师
虞德才　安徽省立医院普外科主治医师

中国青年志愿服务金奖奖章获得者名单

王伟斌　北京双全天地科技发展有限公司总裁

林贞吟（女）　新加坡中学教师

中国十大杰出青年志愿服务集体名单

中国人民大学青年志愿者协会

内蒙古扶贫接力计划固阳项目第三批北京青年志愿者集体

上海电气青年志愿者服务总队

江苏扶贫接力计划苏陕项目服务团

河南中原油田青年志愿者文明监督队

西藏农牧学院青年志愿者服务总队

陕西西安铁路分局青年志愿者"一助一"服务总队

青海玉树州"三江源"青年志愿者环保宣传队

科技部青年科技志愿者服务团

中国青年志愿者扶贫接力计划安捷伦研究生支教团

中国百名优秀青年志愿者及中国青年志愿服务银奖奖章获得者名单

北京：李金明　王小虎　李　雷　侯中伟

天津：张　军　崔　妍（女）　贾书心（女）

河北：赵亚瑟　张　华（女）

山西：周　飞　李逸群　崔本元

内蒙古：孙晓丽（女）

辽宁：崔炳君　张绍华　常新莉（女）　王　芳（女）

吉林：岳士才　卢忠春　田　军　于海波（女）

黑龙江：栾景通　刘国强　孟广斌

上海：宫建新　解　峥(女)　龚　辉　张　颖(女)

江苏：钱建军　刘　成　郑文卫　杨映雪（女）

浙江：张国范　陈　晨　童菊英（女）　曹建华

安徽：邓国强　沈永俊

福建：林　琛　林小文

江西：胡　妍（女）　胡奕军

山东：国　强　李　军　胡　霞（女）　朱永环（女）　徐　明

河南：史孟军　刘俊锋　闵建功

湖北：方苏亭　潘定宇　余晓莉（女）

湖南：王明成　卓锦霞（女）

广东：张连新　欧丽华（女）　杨崇斌　谈韵旋

广西：廖　岚（女）　陈　虹　展学斌

海南：蔡　军　符东平

重庆：秦　健　宋福忠

四川：刘成勇　李　珠（女）　朱彬权
贵州：谭　瑾（女）　徐国强
云南：张光云　蒋文静（女）　赵俊海
西藏：达　盆（女）
陕西：王宝菊（女）　马建平
甘肃：赵兴文
青海：王晓勇
宁夏：刘　诤　张翔宇
新疆：姜守华（女）　阿曼古丽（女）
中直机关：陈卫华（女）
国家机关：刘成刚　洪　旭　卢　欣　崔顺九
鹿文媛（女）　赵　静（女）
全国铁道：李景富　陈志霞（女）
全国金融：玄　磊
中央企业：吴　涛
全国协会：彭健明　陈应武　陈　鹏（女）
赵鉴非　潘惜唇（女）　陈　曦（女）

中国百个优秀青年志愿服务集体名单

北京宣武区广内街道志愿者工作站
北京丰台区东高地街道青年志愿者服务总队
2000 北京朝阳国际商务节青年志愿者服务总团
北京顺义区成人预备期志愿者分队
天津石化炼油厂青年志愿者服务站
天津大伙巷派出所青年志愿者服务集体
天津市卫生局青年志愿者服务队
天津东丽区卫生局青年志愿者服务队
河北唐山钢铁集团公司青年志愿者服务总站
河北丰宁团县委
河北石家庄市精英中学“自然之子”环保协会
中国石油华北油田二连分公司哈南作业区青年志愿者服务队
山西经纬纺机股份公司榆次分公司纺纱机械部“为您服务队”
山西太原市煤气公司青年志愿者服务队
内蒙古呼和浩特市一中青年志愿者服务队
内蒙古工业大学机械工程系青年志愿者服务队
辽河油田公司兴隆台采油厂青年志愿者“一助一”服务队
辽宁丹东市振安区青年志愿者协会
辽宁沈阳市沈河区青年志愿者服务队
武警辽宁总队锦州市支队
吉林东北师范大学“红烛”志愿者协会
吉林白山市公安交警支队城区中队
吉林珲春矿物局青年志愿者协会
吉林通化市地方税务局直属征收分局青年志愿者服务站
黑龙江大庆红岗区解放街道青年志愿者服务站
黑龙江牡丹江环卫青年志愿者服务总队
黑龙江哈尔滨道里区青年志愿者服务中心
复旦大学研究生支教团服务队
上海商业会计学校青年志愿者服务队
华东师大化学系青春飞扬大学生志愿者服务队
复旦大学基础医学院九八临床（四）班
江苏常州市卫生局青年志愿者服务总队
江苏苏州农业学校青年志愿者服务队
江苏南湖社区青年志愿者服务站
浙江杭州 2000 西湖博览会青年志愿者服务队
杭钢动力公司青年志愿者服务队
宁波市志愿者协会
浙江温州师范学院青年志愿者服务队
浙江磐安县“天天”青年志愿者服务总队
安徽安庆石化股份公司安庆分公司炼油厂团委
安徽工业大学大学生志愿者协会
安徽亳州谯城区青年志愿者协会
福建福州台江区青年志愿者服务总队
福建龙岩市青年志愿者协会
福建三钢（集团）有限公司焦化厂青年志愿者为民服务队
江西医学院二系绿色基金会
江西崇仁县公安消防大队青年志愿者服务站

江西财经学院九江分院青年志愿者协会
青岛市卫生局青年志愿者服务队
山东烟台市卫生局青年志愿者服务队
山东东营市市政局青年志愿者服务队
山东荣城市卫生局青年志愿者服务总队
山东济南市供电局青年志愿者服务总队
河南南阳油田青年志愿者服务总站
河南省大中专青年志愿服务总队南阳经贸学校直属队
河南华新棉纺织厂布机车间丙班青年志愿者服务队
湖北江汉油田水电厂供水车间青年志愿者“一助一”敬老队
湖北中国荆州端午龙舟节青年志愿者服务总队
湖北秭归团县委
湖北孝感学院物理系青年志愿者服务队
湖南郴州山河实业集团有限公司青年志愿者服务队
湖南长沙市商业银行青年志愿者服务集体
广东暨南大学 warm touch 青年志愿者服务队
广东粤港供水有限公司青年志愿者服务总队
广东广州市番禺区青年志愿者协会
广东广州市文昌康龄邻居社区服务中心
广东广州市电信飞捷有限公司青年志愿者服务队
中国人寿保险公司深圳分公司志愿者（义工）服务队
广西贸易经济学校“小红帽”青年志愿者服务队
广西中医学院青年志愿者协会
广西柳州市地税局青年志愿者服务站
广西北海市海城区青年志愿者服务队
海南师范学院青年志愿者协会
海南琼山市向群青年志愿者协会
重庆四川外语学院青年志愿者服务队
渝州大学青年志愿者协会
四川省绵阳医药学校青年志愿者“一助一”服务队
四川攀煤集团精煤公司志愿者服务队
四川广安二中青年志愿者服务队
四川省自贡农业学校青年志愿者服务中心站
贵州贵阳市云岩区青年志愿者服务中心
贵州工业大学青年志愿者协会
云南大理州技工学校青年志愿者服务队
楚雄州青年志愿者服务中心
陕西西北大学“阳光”志愿者服务队
甘肃民航青年志愿者协会
甘肃玉门石油管理局“山鹰”青年志愿者服务队
青海铝业有限责任公司青年志愿者服务总队
宁夏银南供电局吴忠供电分局青年志愿者服务队
宁夏银川铁路分局青年志愿者协会
新疆塔西南勘探开发公司青年志愿者服务总队
新疆巴音郭楞蒙古自治州财校青年志愿服务队
新疆师范大学历史系“爱之队”
兰铁分局青年志愿者协会
济南铁路局济南站客运车间客运南方向候车室
民航华北空管局“未来与希望的握手”青年志愿者下乡援教小分队
武汉天河机场医疗急救中心青年志愿者服务队
青年卫生志愿者扶贫接力计划西部服务团库尔勒服务队
建设银行杭州市经开支行青年志愿者服务队
中国路桥集团第一工程局青年志愿者服务队

中国青年志愿服务奖奖章获得者名单

北京： 邓改霞（女）　郝静云（女）　郑　红（女）　杜　强　初幸之　卢庆彬　李晓华（女）

天津： 刘红卫（女）　于维臣　徐　岩（女）

河北： 李雪英（女）　董庆龄（女）

山西： 徐未欣（女）　杨旺利　寇红江　陈　杰

向　辉　刘宏宇
内蒙古：孙宝森　刘志琴（女）　乌英嘎（女）
刘晓燕(女)　周建宁　闵振伟　关慧明
辽宁：王　震　赵　志
吉林：翟世辉（女）　孙世福
黑龙江：王洪利
上海：傅　科　蔡　屹（女）　林凤程
江苏：苏　军　王建军　任　勇（女）　蒋惠明
陈广祥　朱一蒙　谢伟斌　严学锋
陈元龙　鞠佩峰　阎　宁　杨　峰
李　晔　王根元　张富贵　赵　洪
蔡　纯（女）
浙江：孙新民　柏承亮　傅金泉　何丁喜
安徽：宋佟梅（女）　张　旭　丁西平　段金传
路传新　盛炎炎　张东升　金晓平（女）
李正刚　李　惠（女）　马少华　李仕青
周　军(女)　陈晓枫　李方跃　盛敏玲(女)
解　萍（女）　戴廷山　李　蕾　许帮龙
叶俊良
福建：陈　华　肖　馨（女）　阙少波
江西：邓　伟　胡华爱　谭祖飞　胡　勇　胡　春
山东：林秀勇　汤煜春　谭　强　宋立峰
河南：张丽芳（女）　张少文　吴　勇　齐　刚
张志勇　蒙晓燕(女)　黄新刚　李明奎
梁海燕（女）　谢　波
湖北：陈登江　李　红（女）　孔　洪　李骏涛
曹秋霞（女）
湖南：黎　明　周丰年　赵全明　张　询（女）
杨　槐　韩　庆
广东：陶　静（女）　张小梨　张建忠　何导天
广西：黄　丹(女)　肖德刚　甘德权　陈　芳(女)
张超群　方卫东　赵晓艳（女）　刘剑波
陈雪飞　傅　国　骆泳薏(女)　唐　宁(女)
周桂森　黄九妹(女)　龙　斌　谭　惠(女)
王建平　冯国斌　陈　静(女)　许永忠
海南：王立强　林　锦
重庆：姚永宏　杨永春
四川：周玉辉　江孤迅　黎方军
贵州：刘文武　潘永红　许　霞（女）
云南：王　坚　普玉华
西藏：李　晶
陕西：王治国　党　颉　龚晓燕（女）
甘肃：谈朝发　沈晓茸(女)　郭智强　闫　琴(女)
刘　涵（女）　肖江峰　王　朗　孟　琦
张航宇　李春霞（女）　彭海纳　元冬维
窦洪文　周　倩
青海：王建林　李长慧　卓挺亚（女）　任吉东
崔　浩　彭文波　梅方权　徐艳玲（女）
曾　艳(女)　张　媛(女)　祁喜鸿(女)
宁夏：马正福　郭红平　周　鹏　解　帆
叶纪勇　程　龙　何　欣
新疆：李　英（女）　常　茜（女）　韦烈登
阿依古丽·依米提（女）　刘　刚
中直机关：范　明　刘兆辉
国家机关：于子勇　李鼎峰　孙建华　周　湘(女)
潘凌亚　贾友宏　何小东　张洪春
万伟琳　杨　毅　华　路　冯　强
梁学亚　王桂花（女）　周　海
全国铁道：常英春（女）　龚立钢
中央企业：李学谦

中国青年志愿者行动组织奖名单

北京天坛医院团委
北京首钢总公司团委
北京同仁医院团委
北京中医药大学岐黄爱心社
北京海淀区成人预备期志愿服务分队
天津青年志愿者协会秘书处
天津医科大学青年志愿者协会
河北华北石油管理局团委

河北承德钢铁集团有限公司团委
山西省青年志愿者协会秘书处
内蒙古固阳团县委
内蒙古包钢（集团）公司团委
辽宁葫芦岛团市委
辽宁锦州团市委
辽宁大连团市委
吉林长春青年志愿者协会
吉林松源青年志愿者协会
吉林北华大学青年志愿者服务总站
黑龙江齐齐哈尔团市委
黑龙江牡丹江团市委
黑龙江大庆团市委
黑龙江哈尔滨团市委
黑龙江佳木斯团市委
黑龙江中学团委
上海市卫生局团委
上海市嘉定区团委
江苏第六届中国艺术节青年志愿服务活动指挥部
南京团市委
浙江湖州市青年志愿者协会
浙江大学青年志愿者协会
浙江嘉兴市青年志愿者协会
浙江衢州市青年志愿者协会
安徽省青年志愿者协会秘书处
安徽阜阳市人民医院青年志愿者服务队
安徽巢湖市青年志愿者协会
福建莆田团县委
福建卫生厅团委
福建医科大学团委
江西省青年志愿者协会秘书处
江西华东地质学院青年志愿者协会“爱心小组”
江西宁都县人民医院青年志愿者服务队
山东潍坊团市委
山东济南市历下团区委
山东青岛市李沧团区委
河南省青年志愿者协会秘书处
河南洛阳市青年志愿者协会
湖北华中师范大学团委
湖北武汉青年志愿者协会
湖北省卫生厅
湖南省直机关青年志愿者协会
广东广州青年志愿者协会
广东广州公共青年志愿者社区（友爱）服务总队
汕头市青年志愿者协会
深圳义务工作者（志愿者）联合会
广西南宁市青年志愿者协会
广西柳州市青年志愿者协会
广西中医学院大学生青年志愿者协会
海南海口市中医药学校团委
重庆江津市青年志愿者协会
重庆铜梁县青年志愿者服务总队
四川成都市青年志愿者协会
四川德阳团市委
贵州省青年志愿者行动指导中心
贵州铜仁团地委
贵州贵阳青年志愿者协会
贵州紫云团县委
云南广南团县委
云南潞西市青年志愿者协会
西藏民族学院团委
西藏大学团委
陕西民航西北管理局团委
陕西西安建筑科技大学团委
甘肃兰州团市委
甘肃兰州铁路局团委
青海大通团县委
青海丁香粮油（集团）有限公司团委
宁夏石嘴山团市委
宁夏中宁团县委
宁夏西吉团县委
新疆交通青年志愿者协会
新疆喀什团地委
新疆农业大学团委
中共中央办公厅团委
卫生部直属机关团委
青年卫生志愿者扶贫接力计划西部服务团青海服务队
北京铁路局北京分局团委
南方航空（集团）湖北公司客舱部乘务队
中国银行宁波市分行机关青年志愿者服务队
航天科技集团公司五院508所青年志愿服务队

中国青年志愿者行动贡献奖名单

北京歌华阳光广告有限公司总经理　郑谊军
央视——索福瑞媒介研究公司总经理　王兰柱
天津豪隆投资发展有限公司总经理　吕强
英业达集团天津电子技术有限公司
中国平安保险公司天津分公司（寿险）团体部
河北唐山市地方税务局
河北唐山市陡电青宇水厂
河北迁安市马兰庄镇四方有限责任公司总经理　刘计
山西忻州师范学院　肖利民
山西省卫生厅青年志愿者服务总队
内蒙古诚信房地产开发有限责任公司董事长　白春生
内蒙古包头钢铁（集团）公司党委副书记　周茂森
内蒙古电视台副台长　赵春涛
吉林长春佳林实业集团有限公司董事长　潘国立
吉林长春汇丰实业集团董事长　王华威
黑龙江哈尔滨白桦林集团公司总裁　白俊华
黑龙江新三星集团股份有限公司副总经理　王彩凤
上海航空公司
中共江阴市委副书记、青年志愿者协会会长　刘建国
江苏南京奶业（集团）公司
江苏南通市《江海晚报》社
浙江萧山市卫生局长　商炜炜
浙江省教育厅　李敏强
浙江省农科院党委副书记　潘工政
宁波市卫生局局长　何一天
安徽卫生厅
安徽合肥市卫生局局长　刘军
安徽省立医院副院长　胡世莲
福建福州市邮政信函广告局
厦门东南融通系统工程公司
福建农资集团公司总经理　陈少华
福建昊泽律师事务所　于宁杰
江西纸业集团有限公司党委副书记　孙建明
江西省老年病医院党委书记　涂鸣华
山东大众报业集团副总编辑　张瑞云
山东济南市供电局副局长　张宁
山东省齐鲁户外运动俱乐部主任　吴军生
河南奥克啤酒实业有限公司总经理　孙志广
湖北省卫生厅直属机关党委书记　黄先铭
湖北武汉富豪集团有限公司董事长　郭连方
湖北江汉石油管理局五七物业服务处处长　庞良宏
湖南常德卷烟厂
湖南岳阳市岳阳楼区洞庭路办事处　朱平波
湖北长沙中南大学党委办公室　徐建军
广东深圳市一百在线网络有限公司　封昌红
广西柳州市地方税务局
海南省通什市公安局河南派出所
海南省定安县定成镇多校村知海书屋青年志愿服务队
四川西南科技大学副校长　游建军
四川应林企业集团有限公司董事长　童应林
四川泰康人寿保险公司成都分公司副总经理　邱希淳
四川成都市府南河管委会办公室
贵州省卫生厅党组成员、厅直机关党委书记　杨克勤
贵州贵阳新世纪经济适用住房公司总经理　陈万达
中共贵阳市委副书记　辛维光
贵州瀑布啤酒集团有限公司
云南曲靖市公安交警支队
云南报业工贸发展有限责任公司广告分公司经理　陈馐
西藏日喀则市珠峰农机有限公司总经理　多拉

西藏山南师范学校团总支
陕西咸阳团市委
陕西省西安市煤气公司经理　吴宏权
西安电子科技大学党委副书记　龙建成
甘肃省精神文明建设指导委员会办公室
甘肃省卫生厅
甘肃省扶贫开发办公室
宁夏吴忠市利通区国税局稽查分局
宁夏银川市文化局
宁夏华西村管委会
新疆电视台新闻部主任　杨洪新
新疆库尔勒市人事局局长　何南平
中共新疆维吾尔自治区委员会常务副秘书长　满宗洲
新疆乌鲁木齐市瑞福升咨询有限公司经理　吕笑龙
国务院体改办经济体制与管理研究所常务副所长　陈立
北京市卫生局党组副书记副局长　史炳忠
卫生部直属机关党委副书记兼纪委书记　窦熙照
广铁集团羊城总公司广州火车站
中国人民银行监察局副处长　杨小春
北京双全天地科技发展有限公司
安捷伦科技有限公司（中国）
263 网络集团
黑龙江齐梅保健食品有限公司
中央电视台广告部
中央电视台电影频道广告部
人民日报广告部
中国青年报团内生活部
中国证券报社
恒华（国际）集团总裁　张宁飞
中天信息产业有限公司董事长　张力军
中青爱心网络中心董事长　韩颐和
国家税务总局所得税司司长　董树奎
贵阳新世纪经济适用住房公司总经理　陈万达
北京合智通美广告有限责任公司　邵小权
法制日报广告信息部主任　郭恒忠
北京何创兴有限责任公司总经理　何可

中国青年科技创新行动组织奖名单

共青团北京市委、市青联
共青团天津市委、市青联
共青团河北省委、省青联
共青团山西省委、省青联
共青团内蒙自治区委、区青联
共青团辽宁省委、省青联
共青团吉林省委、省青联
共青团上海市委、市青联
共青团江苏省委、省青联
共青团浙江省委、省青联
共青团安徽省委、省青联
共青团山东省委、省青联
共青团河南省委、省青联
共青团湖北省委、省青联
共青团广西自治区委、区青联
共青团重庆市委、市青联
共青团四川省委、省青联
共青团贵州省委、省青联
共青团云南省委、省青联
共青团陕西省委、省青联
共青团青海省委、省青联
共青团甘肃省委、省青联
共青团新疆自治区委、区青联
总政治部组织部
全国铁道团委
中央国家机关团工委、青联

中国青年科技创新行动先进集体名单

北京　达因集团

河北　河北省青年科技发展协会
唐山钢铁有限责任公司团委
华北制药集团有限责任公司
石家庄市青年联合会

山西　太原理工大学煤化工研究所
山西创意科技实业有限公司

辽宁　共青团沈阳市委
中国科学院大连化物所经济技术开发区凯飞高新技术发展中心

吉林　中国兵器工业第五五研究所
中国农业科学研究院特产研究所

上海　华东理工大学化学物理研究所
上海杰事杰新材料有限公司
上海复旦金仕达计算机有限公司

江苏　南京钢铁集团有限公司团委
共青团春兰（集团）公司委员会

浙江　天正集团有限公司
宁波市青联

安徽　安徽科力信息产业有限责任公司
铜陵市三佳电子（集团）有限责任公司

福建　厦门市消防支队团工委
厦门大学细胞生物学与肿瘤细胞工程教育部重点实验室分子生物学课题组

江西　南昌先锋软件股份有限公司
江西省德兴市异 VC 钠有限公司
共青团鹰潭市委

山东　济南留学人员创业园
共青团青岛市委
山东电信公司烟台市分公司网管计算机中心
山东正大福瑞达制药有限公司

河南　共青团安阳市委

湖北　湖北省农业科学院团委
铁道部大桥工程局团委

广东　深圳市桑夏计算机与人工智能开发有限公司
共青团深圳市委

广西　共青团玉林市委
广西玉柴机器集团公司、玉柴机器股份有限公司
南宁胜利科技股份有限公司

海南　中国热带农业科学院热带香料饮料作物研究所

重庆　重庆海扶（HIFU）技术有限公司
重庆大学生物工程学院
重庆钢铁（集团）有限责任公司

四川　共青团泸洲市委
中科院成都分院分析测试中心
四川天一科技股份变压吸附分离工程研究所
四川银海经济技术有限公司

云南　云南大学团委

西藏　西藏农牧学院生态研究所

陕西　中科院西安光学精密机械研究所

青海　青海省新能源研究所

甘肃　共青团天水市委
中科院兰州分院

新疆兵团　神内新疆食品研究开发中心
新疆兵团农七师农科所
新疆兵团农一师农科所
生产建设兵团高级技工学校

总政　国防科技大学计算机所
第二军医大学免疫学研究所

铁道　济南铁路局济南西机务段团委

青科协　中国青年科技工作者协会新材料产业发展促进会

海外　中国留日同学总会（原全日本在职中国留学人员联谊会）

全国双拥模范城（县）名单

北京市 西城区 昌平区 东城区 朝阳区 石景山区 丰台区 崇文区 海淀区 大兴县

天津市 塘沽区 河西区 和平区 东丽区 武清县 河东区 河北区 蓟县

河北省 石家庄市 保定市 邯郸市 唐山市 廊坊市 秦皇岛市 承德市 张家口市 乐亭县 涉县 文安县

山西省 太原市 大同市 侯马市 榆次市 忻州市 左权县 长治市

内蒙古自治区 包头市 呼和浩特市 赤峰市 满洲里市 乌兰浩特市 额济纳旗 锡林浩特市 海拉尔市

辽宁省 沈阳市 大连市 鞍山市 本溪市 丹东市 葫芦岛市 辽阳市 盘锦市 抚顺市 长海县

吉林省 长春市 吉林市 通化市 洮南市 延吉市 四平市 梅河口市 敦化市

黑龙江省 哈尔滨市 鸡西市 大庆市 佳木斯市 伊春市 牡丹江市 齐齐哈尔市 抚远县

上海市 黄浦区 嘉定区 宝山区 杨浦区 闵行区 虹口区 长宁区 崇明县 徐汇区

江苏省 徐州市 南京市 无锡市 苏州市 镇江市 南通市 连云港市 扬州市 常州市 张家港市 盐城市

浙江省 舟山市 湖州市 宁波市 杭州市 绍兴市 义乌市 象山县 江山市

安徽省 合肥市 蚌埠市 淮南市 滁州市 宿州市 当涂县 祁门县

福建省 泉州市 厦门市 福州市 漳州市 三明市 莆田市 晋江市 福鼎市 长乐市 石狮市 长汀县

江西省 南昌市 景德镇市 九江市 新余市 井冈山市 萍乡市

山东省 济南市 淄博市 烟台市 潍坊市 济宁市 泰安市 威海市 日照市 莱芜市 临沭县 平原县 青岛市

河南省 郑州市 洛阳市 新乡市 商丘市 驻马店市 三门峡市 平顶山市 焦作市 安阳市 信阳市

湖北省 襄阳县 黄石市 孝感市 武汉市 十堰市 宜昌市 红安县 钟祥县

湖南省 长沙市 株洲市 绥宁县 涟源市 衡山县 会同县 吉首市 洞口县

广东省 深圳市 佛山市 汕头市 东莞市 江门市 曲江县 惠州市 湛江市 珠海市 广州市

广西壮族自治区 南宁市 桂林市 柳州市 贵港市 桂平市 玉林市 扶绥县

海南省 海口市 通什市 琼山市 琼海市 澄迈县

重庆市 渝中区 沙坪坝区 江津市 铜梁县 开县

四川省 成都市 泸州市 广元市 西昌市 平昌县 峨眉山市 绵竹市 大竹县 马尔康县

贵州省 贵阳市 福泉市 从江县 思南县 遵义市

云南省 建水县 昆明市 开远市 楚雄市 大理市 勐腊县

西藏自治区 拉萨市 亚东县 米林县 堆龙德庆县 错那县 察隅县

陕西省 西安市 宝鸡市 渭南市 咸阳市 延安市 武功县 合阳县

甘肃省 兰州市 嘉峪关市 金昌市 酒泉市 平凉市 天水市 武威市

青海省 西宁市 格尔木市 湟源县 共和县

祁连县

宁夏回族自治区　银川市　青铜峡市　固原县
平罗县　中卫县

新疆维吾尔自治区　乌鲁木齐市　阿克苏市
库尔勒市　昌吉市　富蕴县
克拉玛依市　石河子市
喀什市　和硕县

统 计 资 料

1. 全国行政区划（2000 年底）

单位：个

省级区划名称	地级区划数	地级市	县级区划数	县级市	地县级市个数	市辖区数
全　国	**333**	**259**	**2074**	**400**	**659**	**787**
北京市			5			13
天津市			4			14
河北省	11	11	138	23	34	35
山西省	11	10	97	12	22	22
内蒙古自治区	12	5	84	15	20	17
辽宁省	14	14	44	17	31	56
吉林省	9	8	41	20	28	19
黑龙江省	13	12	66	19	31	64
上海市			3			16
江苏省	13	13	58	28	41	51
浙江省	11	11	62	24	35	26
安徽省	17	17	61	5	22	45
福建省	9	9	60	14	23	25
江西省	11	11	80	10	21	19
山东省	17	17	92	31	48	47
河南省	17	17	110	21	38	48
湖北省	13	12	66	24	36	35
湖南省	14	13	88	16	29	34
广东省	21	21	77	31	52	45
广西壮族自治区	14	9	81	10	19	29
海南省	2	2	17	7	9	3
重庆市			26	4	4	14
四川省	21	18	140	14	32	40
贵州省	9	4	78	9	13	9
云南省	16	4	120	11	15	8
西藏自治区	7	1	72	1	2	1
陕西省	10	9	87	4	13	20
甘肃省	14	5	76	9	14	10
青海省	8	1	39	2	3	4
宁夏回族自治区	4	3	17	2	5	7
新疆维吾尔自治区	15	2	85	17	19	11
香港特别行政区						
澳门特别行政区						
台湾省						

2. 各部门机构数

部　　门		机构数		2000年比上年增长（%）
		1999	2000	
农村基层单位	**（万个）**			
基层组织				
乡政府		2.56	2.40	-6.3
镇政府		1.92	1.97	2.6
村民委员会		73.74	73.47	-0.4
乡村户数		23811	24149	1.4
乡镇企业		2070.9	2084.7	0.7
国营农场		**0.21**	**0.20**	**-4.8**
国有及规模以上非国有工业企业	**（万个）**	**16.20**	**16.29**	**0.5**
内资企业		13.52	13.44	-0.6
国有企业		5.07	4.24	-16.2
集体企业		4.26	3.78	-11.1
股份合作企业		1.01	1.09	6.9
联营企业		0.28	0.25	-9.4
有限责任公司		0.97	1.32	36.0
股份有限公司		0.45	0.51	13.5
私营企业		1.46	2.21	51.6
其他企业		0.02	0.04	55.9
港澳台商投资企业		1.58	1.65	4.5
外商投资企业		1.11	1.20	8.2
建筑业企业	**（个）**	**96648**	**97263**	**0.6**
国有企业		9394	9030	-3.9
城镇集体企业		25443	22905	-10.0
农村建筑队		49414	49745	0.7
邮电业	**（个）**			
邮电局所		66649	70968	6.5
卫生事业	**（个）**	**310996**	**324771**	**4.4**
医院、卫生院		66935	66509	-0.6
疗养院		503	471	-6.4
门诊部、所		226588	240934	6.3
专科防治所、站		1877	1839	-2.0
卫生防疫站		4023	4065	1.0
妇幼保健所、站		2630	2598	-1.2
社会福利	**（个）**			
社会福利事业单位		99569	101222	1.7
收养性福利事业单位		40430	40491	0.2
社会福利企业		44628	40670	-8.9
社区服务单位		7623	12674	66.3

续表

部　　门		机 构 数		2000年比上年增长（%）
		1999	2000	
教育事业				
普通高等学校	（所）	1071	1041	-2.8
普通中等学校	（万所）	9.53	9.39	-1.5
普通中学		7.72	7.73	0.1
小学	（万所）	58.23	55.36	-4.9
幼儿园	（万所）	18.11	17.58	-2.9
特殊教育	（所）	1520	1539	1.3
科技机构	**（个）**	**22223**	**28461**	**28.1**
艺术事业	**（个）**	**5131**	**5120**	**-0.2**
艺术表演团体		2632	2630	-0.1
艺术表演场所		1911	1912	0.1
剧场、影剧院		1875	1877	0.1
公共图书馆	**（个）**	**2767**	**2677**	**-3.3**
群众文化事化	**（个）**	**45837**	**45321**	**-1.1**
群众艺术馆		389	390	0.3
文化馆		2905	2907	0.1
文化站		42534	42024	-1.2
乡镇文化站		39719	39348	-0.9
艺术教育事业		**238**	**220**	**-7.6**
其他文化事业		**272983**	**225972**	**-17.2**
艺术创作机构		414	407	-1.7
艺术研究机构		184	185	0.5
艺术展览机构		47	49	4.3
文化艺术经纪与代理业		242	264	9.1
出版、发行事业	**（个）**	**14407**	**14499**	**0.6**
书刊出版社		530	565	6.6
国家定点书刊印刷厂		304	301	-1.0
书店		13573	13633	0.4
文物事业	**（个）**	**3553**	**3618**	**1.8**
博物馆		1364	1392	2.1
文物机构		2068	2109	2.0
文物商店		121	117	-3.3
广播电视台站	**（座）**			
广播电台		296	304	2.7
电视台		357	354	-0.8
县级广播电视台		1562	1446	-7.4
金融、保险业	**（个）**	**120858**	**138998**	**15.0**
银行系统合计		112141	130170	16.1
保险系统合计		8717	8828	1.3

注：广播电台和电视台未包括县级数

3. 国民经济和社会发展总量与速度指标

指标	总量指标					速度指标（%）						
						指数（2000为以下各年）				平均增长速度		
	1985	1990	1995	1999	2000	1985	1990	1995	1999	1986-1990	1991-1995	1996-2000
人口与就业												
人口　　（万人）												
年底总人口	105851	114333	121121	125909	126583	119.6	110.7	104.5	100.5	1.6	1.2	0.9
市镇人口	25094	30191	35174	38892	45844	182.7	151.8	130.3	117.9	3.8	3.1	5.4
乡村人口	80757	84142	85947	87017	80739	100.0	96.0	93.9	92.8	0.8	0.4	
男性人口	54725	58904	61808	64189	65355	119.4	111.0	105.7	101.8	1.5	1.0	1.1
女性人口	51126	55429	59313	61720	61228	119.8	110.5	103.2	99.2	1.6	1.4	0.6
就业　　（万人）												
从业人员数	49873	63909	67947	70586	71150	142.7	111.3	104.7	100.8	5.1	1.2	0.9
职工人数	12358	14059	14908	11773	11259	91.1	80.1	75.5	95.6	2.6	1.2	
城镇登记失业人数	239	383	520	575	595	249.5	155.3	114.5	103.5	9.9	6.3	2.7
宏观经济												
国民核算　　（亿元）												
国民生产总值	8989	18598	57495	80579	88190	377.1	257.8	149.2	108.3	7.9	11.6	8.3
国内生产总值	8964	18548	58478	82068	89404	383.0	262.3	148.8	108.0	7.9	12.0	8.3
第一产业	2542	5017	11993	14472	14212	178.2	145.3	118.5	102.4	4.2	4.2	3.5
第二产业	3867	7717	28538	40558	45488	547.6	356.4	159.9	109.6	9.0	17.4	9.8
第三产业	2556	5814	17947	27038	29704	372.6	238.0	148.1	107.8	9.4	10.0	8.2
支出法国内生产总值	8792	18320	58511	82673	89113							
最终消费	5773	11365	33635	49723	54617							
居民消费	4589	9113	26945	39334	42912							
政府消费	1184	2252	6691	10388	11705							
资本形成总额	3386	6444	23877	30702	32255							
固定资本形成	2641	4732	20301	29476	32624							
存货增加	745	1712	3577	1226	-369							
固定资产投资　　（亿元）												
全社会固定资产投资总额	2543.2	4517.0	20019.3	29854.7	32917.7	1294.3	728.8	164.4	110.3	12.2	34.7	11.2
国有单位	1680.5	2986.3	10898.2	15947.8	16504.4	982.1	552.7	151.4	103.5	12.2	29.6	9.9
集体单位	327.5	529.5	3289.4	4338.6	4801.5	1466.1	906.8	146.0	110.7	10.1	44.1	8.0
个体经济	535.2	1001.2	2560.2	4195.7	4709.4	879.9	470.4	183.9	112.2	13.3	20.7	14.0
财政　　（亿元）												
国家财政收入	2004.8	2937.1	6242.2	11444.1	13395.2	668.2	456.1	214.6	117.0	7.9	16.3	16.5
中　央	769.6	992.4	3256.6	5849.2	6989.2	908.2	704.3	214.6	119.5	5.2	26.8	16.5
地　方	1235.2	1944.7	2985.6	5594.9	6406.1	518.6	329.4	214.6	114.5	9.5	9.0	16.5
国家财政支出	2004.3	3083.6	6823.7	13187.7	15886.5	792.6	515.2	232.8	120.5	9.0	17.2	18.4
中　央	795.3	1004.5	1995.4	4152.3	5519.9	694.1	549.5	276.6	132.9	4.8	14.7	22.6
地　方	1209.0	2079.1	4828.3	9035.3	10366.7	857.5	498.6	214.7	114.7	11.5	18.4	16.5

续表

指　　标	总量指标					速度指标（%）						
						指数（2000 为以下各年）				平均增长速度		
	1985	1990	1995	1999	2000	1985	1990	1995	1999	1986-1990	1991-1995	1996-2000
物价总指数（上年＝100）												
商品零售价格总指数	108.8	102.1	114.8	97.0	98.5							
居民消费价格总指数	109.3	103.1	117.1	98.6	100.4							
农产品收购价格总指数	108.6	97.4	119.9	87.8	96.4							
利用外资　　（亿美元）												
签订利用外资协议额	98.7	120.9	1032.1	520.1								
实际利用外资额	46.5	102.9	481.3	526.6	593.6	1276.6	576.9	123.3	112.7	17.2	36.1	4.3
能源生产与消费（万吨标准煤）												
能源生产总量	85546	103922	129034	109126	109000	127.4	104.9	84.5	99.9	4.0	4.4	
能源消费总量	76682	98703	131176	130119	128000	166.9	129.7	97.6	98.4	5.2	5.9	
产　业												
农业												
耕地面积　　（千公顷）	96846	95673	94971									
农林牧渔业劳动力（万人）	30352	33336	32335	32912	32798	108.1	98.4	101.4	99.7	1.9		
农林牧渔业总产值（亿元）	3619.5	7662.1	20340.9	24519.1	24915.8	242.3	192.0	134.1	103.6	4.8	7.4	6.0
主要农产品产量（万吨）												
粮　食	37911	44624	46662	50839	46218	121.9	103.6	99.0	90.9	3.3	0.9	
棉　花	414.7	450.8	476.8	382.9	441.7	106.5	98.0	92.6	115.4	1.7	1.1	
油　料	1578.4	1613.2	2250.3	2601.2	2954.8	187.2	183.2	131.3	113.6	0.4	6.9	5.6
甘　蔗	5154.9	5762.0	6542.0	7470.3	6828	132.5	118.5	104.4	91.4	2.3	2.6	0.9
甜　菜	891.9	1452.5	1398.4	863.9	807.3	90.5	55.6	57.7	93.4	10.2		
茶　叶	43.2	54.0	58.9	67.6	68.3	158.1	126.5	116.0	101.0	4.6	1.8	3.0
水　果	1163.9	1874.4	4214.6	6237.6	6225.1	534.8	332.1	147.7	99.8	10.0	17.6	8.1
肉　类				5820.7	6125.4				105.2			
水产品	705.2	1237.0	2517.2	4122.4	4278.5	606.7	345.9	170.0	103.8	11.9	15.3	11.2
工业												
主要工业产品产量												
布　　　　（亿米）	146.7	188.8	260.2	250.0	277.0	188.8	146.7	106.5	110.8	5.2	6.6	1.3
机制纸及纸板（万吨）	911	1372	2812	2159	2487	273.0	181.3	88.4	115.2	8.5	15.4	
糖　　　　（万吨）	451	582	559	861	700	155.2	120.3	125.2	81.3	5.2		
家用电冰箱　（万台）	145	463	919	1210	1279	882.1	276.2	139.2	105.7	26.1	14.7	6.8
彩色电视机　（万台）	435	1033	2058	4262	3936	904.8	381.0	191.3	92.4	18.9	14.8	13.8
家用洗衣机　（万台）	887	663	948	1342	1443	162.7	217.6	152.2	107.5		7.4	8.8
房间空气调节器（万台）	12	24	683	1338	1827			267.5	136.5			21.7
原　煤　　（亿吨）	8.7	10.8	13.6	10.5	10.0	114.9	92.6	73.5	95.2	4.4	4.7	
原　油　　（万吨）	12490	13831	15005	16000	16300	130.5	117.9	108.6	101.9	2.1	1.6	1.7
发电量（亿千瓦小时）	4107	6212	10070	12393	13556	330.1	218.2	134.6	109.4	8.6	10.1	6.1

续表

指 标	总量指标					速度指标（%）						
						指数（2000 为以下各年）				平均增长速度		
	1985	1990	1995	1999	2000	1985	1990	1995	1999	1986-1990	1991-1995	1996-2000
钢 （万吨）	4679	6635	9536	12426	12850	274.8	193.8	134.8	103.5	7.2	7.5	6.2
成品钢材 （万吨）	3693	5153	8980	12110	13146	356.0	255.1	146.4	108.6	6.9	11.7	7.9
水 泥 （万吨）	14595	20971	47561	57300	59700	409.0	284.7	125.5	104.2	7.5	17.8	4.7
国有及限额以上非国有工业企业主要指标												
工业总产值 （亿元）				72707	85673.7							
固定资产原价（亿元）	6926	14390	44989	71847	78646	1135.5	546.5	174.8	109.5	15.7	25.6	11.8
固定资产净值年平均余额 （亿元）	4725	10139	32287	47281	51792	1096.1	510.8	160.4	109.5	16.5	26.1	9.9
利润总额 （亿元）		560	1635	2288	4393		784.5	268.7	192.0		23.9	21.9
建筑业												
建筑业企业人数（万人）	1701	1717	2512	2766	2741	161.1	159.6	109.1	99.1	0.2	7.9	1.8
建筑业总产值 （亿元）	985.1	1947.6	9505.0	15151.5	16780.9	1703.5	861.6	176.5	110.8	14.6	37.3	12.0
施工房屋面积 （万平方米）	35492	37923	89863	147263	160141	451.2	422.3	178.2	108.7	1.3	18.8	12.2
竣工房屋面积 （万平方米）	17073	19553	35666	73925	80715	472.8	412.8	226.3	109.2	2.7	12.8	17.7
交通运输												
货运量 （万吨）	745763	970602	1234810	1292650	1358124	182.1	139.9	110.0	105.1	5.4	4.9	1.9
铁 路	130709	150681	165855	167196	178023	136.2	118.1	107.3	106.5	2.9	1.9	1.4
公 路	538062	724040	940387	990444	1038813	193.1	143.5	110.5	104.9	6.1	5.4	2.0
水 运	63322	80094	113194	114608	122391	193.3	152.8	108.1	106.8	4.8	7.2	1.6
管 道	13650	15750	15274	20232	18700	137.0	118.7	122.4	92.4	2.9		4.1
空 运	20	37	101	170	197	985.0	532.4	195.0	115.9	13.1	22.2	14.3
客运量 （万人）	620206	772682	1172596	1394413	1478573	238.4	191.4	126.1	106.0	4.5	8.7	4.7
铁 路	112110	95712	102745	100164	105073	93.7	109.8	102.3	104.9		1.4	0.4
公 路	476486	648085	1040810	1269004	1347392	282.8	207.9	129.5	106.2	6.3	9.9	5.3
水 运	30863	27225	23924	19151	19386	62.8	71.2	81.0	101.2			
空 运	747	1660	5117	6094	6722	899.9	404.9	131.4	110.3	17.3	25.3	5.6
沿海主要港口货物吞吐量 （万吨）	31154	48321	80166	105162	125603	403.2	259.9	156.7	119.4	9.2	10.7	9.4
邮电通信业												
邮电业务总量 （亿元）	62.2	155.5	988.9	3330.8	4792.7	7704.1	3081.3	484.7	143.9	20.1	44.8	37.1
函 件 （亿件）	46.8	54.9	79.6	60.5	77.71	166.0	141.5	97.6	128.4	3.2	7.7	
报刊期发数 （万份）	30172	20078	21689	25035	20090	66.6	100.1	92.6	80.2		1.6	
局用交换机容量（万门）	613	1232	7204	15346	17826	2908.0	1446.9	247.4	116.2	15.0	42.4	19.9
中央国有	337	826	5456	11094	13306	3948.4	1610.9	243.9	119.9	19.6	45.9	19.5
地方国有	277	406	1747	4252	4519	1631.4	1113.1	258.7	106.3	7.9	33.9	20.9

续表

指　　标	总量指标					速度指标（%）						
						指数（2000为以下各年）				平均增长速度		
	1985	1990	1995	1999	2000	1985	1990	1995	1999	1986-1990	1991-1995	1996-2000
电话机（万部）	626	1233	5762	17567	25607	4090.6	2076.8	444.4	145.8	14.5	36.1	34.8
中央国有	476	1026	4346	9505	12634	2654.2	1231.4	290.7	132.9	16.6	33.5	23.8
地方国有	150	205	1152	3732	4519	3012.7	2204.4	392.3	121.1	6.4	41.2	31.4
移动电话用户		1.8	362.9	4329.6	8453.3		461929.0	2329.1	195.2		188.1	87.7
国内商业												
社会消费品零售总额（亿元）	3801	7250	20620	31135	34153	898.5	471.1	165.6	109.7	13.8	23.3	10.6
对外经济贸易												
进出口总额（亿美元）	696.0	1154.4	2808.6	3606.3	4742.9	681.5	410.9	168.9	131.5	10.6	19.5	11.0
出口额	273.5	620.9	1487.8	1949.3	2492	911.2	401.4	167.5	127.8	17.8	19.1	10.9
进口额	422.5	533.5	1320.8	1657.0	2250.9	532.8	421.9	170.4	135.8	4.8	19.9	11.3
国际旅游												
来华旅游人数（万人）	1783	2746	4639	7280	8344	468.0	303.9	179.9	114.6	9.0	11.1	12.5
旅游外汇收入（亿美元）	12.5	22.2	87.3	141.0	162.2	1296.0	729.7	185.6	114.9	12.2	31.5	13.2
金融保险												
金融机构各项存款（亿元）				108779	123804				113.8			
金融机构各项贷款（亿元）				93734	99371				106.0			
中外资保险公司保险金额（亿元）				666427	508579				76.3			
中外资保险公司保费（亿元）				1406	1598				113.6			
中外资保险公司赔款及给付（亿元）				508	526				103.5			
教育、科技、文化												
教育												
专任教师数（万人）												
普通高等学校	34.4	39.5	40.1	42.6	46.3	134.6	117.2	115.5	108.7	2.8	0.3	2.9
中等学校	296.7	349.2	388.3	459.6	473.4	159.6	135.6	121.9	103.0	3.3	2.1	4.0
小学	537.7	558.2	566.4	586.1	586.0	109.0	105.0	103.5	100.0	0.8	0.3	0.7
在校学生数（万人）												
普通高等学校	170.3	206.3	290.6	413.4	556.1	326.5	269.6	191.4	134.5	3.9	7.1	13.9
中等学校	5092.6	5105.4	6191.5	8002.7	8518.5	167.3	166.9	137.6	106.4	0.1	3.9	6.6
小学	13370.2	12241.4	13195.2	13548.0	13013.3	97.3	106.3	98.6	96.1		1.5	
教育经费支出（亿元）			1878.0	3349.0								
科技												
科学家、工程师数（万人）			155.4	159.5	200.4			129.0	125.6			5.2

续表

指　　标	总量指标					速度指标（%）						
						指数（2000为以下各年）				平均增长速度		
	1985	1990	1995	1999	2000	1985	1990	1995	1999	1986-1990	1991-1995	1996-2000
研究与发展经费支出（亿元）		125.4	348.7	678.9	897.7		715.9	257.4	132.2		22.7	20.8
技术市场成交额（万元）		750969	2683447	5234123	6507519		866.5	242.5	124.3		29.0	19.4
文化												
出版数量												
图　书（亿册．张）	66.7	56.4	63.2	73.2	62.7	94.0	111.2	99.2	85.7		2.3	
杂　志（亿册）	25.6	17.9	23.4	28.5	29.4	114.8	164.2	125.6	103.2		5.5	4.7
报　纸（亿份）	246.8	211.3	263.3	318.4	329.3	133.4	155.8	125.1	103.4		4.5	4.6
故事影片产量（部）	127	134	146	82	91	71.7	67.9	62.3	111.0	1.1	1.7	
电视节目制作时间（小时）	38056	91572	383513	526483	585007	1537.2	638.8	152.5	111.1	19.2	33.2	8.8
家庭、生活、环境												
家庭												
家庭总户数（万户）	23804	27738	31676	34153	34837	146.3	125.6	110.0	102.0	3.1	2.7	1.9
城镇居民平均每户家庭人口（人）	3.9	3.5	3.2	3.1	3.1	79.5	88.6	96.9	100.0			-0.6
农村居民平均每户家庭人口（人）	5.1	4.8	4.5	4.3	4.2	82.4	87.5	93.3	97.7			-1.4
婚姻												
结婚数（万对）	829.1	948.7	929.7	879.9	842.0	101.6	88.8	90.6	95.7	2.7		-2.0
离婚数（万对）	45.8	80.0	105.5	120.2	121.3	264.8	151.6	115.0	100.9	11.8	5.7	2.8
居住												
城市居民人均使用面积（平方米）		9.9	11.8	14.2	14.9		150.5	126.3	105.0		3.6	4.8
城市居民人均居住面积（平方米）	5.2	6.7	8.1	9.8	10.3	198.1	153.7	127.2	105.3	5.2	3.9	4.9
农村居民人均居住面积（平方米）	14.7	17.8	21.0	24.2	24.8	168.7	139.3	118.1	102.4	3.9	3.4	3.4
生活												
城镇居民人均可支配收入（元）	739	1510	4283	5854	6280	239.2	193.7	132.2	106.4	4.3	7.9	5.7
农村居民人均纯收入（元）	398	686	1578	2210	2253	179.8	155.4	126.0	102.1	3.0	4.3	4.7
城乡储蓄存款余额（亿元）	1622.6	7119.8	29662.3	59621.8	64332.4	3964.8	914.6	216.9	107.9	34.1	33.4	16.7
工资												
工资总额（亿元）	1383	2951	8100	9876	10656	770.5	361.1	131.6	107.9	16.4	22.4	5.6
职工平均工资（元）	1148	2140	5500	8346	9371	229.8	204.0	153.6	111.4	2.4	5.8	9.0

续表

指标	总量指标					速度指标（%）						
						指数（2000为以下各年）				平均增长速度		
	1985	1990	1995	1999	2000	1985	1990	1995	1999	1986-1990	1991-1995	1996-2000
离休、退休、退职费（亿元）	145.6	396.2	1305.6	2420.9	2733.3	1877.3	689.9	209.4	112.9	22.2	26.9	15.9
卫生												
医院、卫生院（个）	59614	62454	67807	66935	66509	111.6	106.5	98.1	99.4	0.9	1.7	-0.4
医生（万人）	141.3	176.3	191.8	204.5	207.6	146.9	117.8	108.2	101.5	4.5	1.7	1.6
医院、卫生院床位数（万张）	222.9	262.4	283.6	292.8	294.8	132.3	112.3	103.9	100.7	3.3	1.6	0.8
市政建设												
自来水供应量（亿吨）	128.0	382.3	496.6	467.5	469.0	366.4	122.7	94.4	100.3	24.5	5.4	-1.1
下水道长度（公里）	31556	57787	110293	134486	141758	449.2	245.3	128.5	105.4	12.9	13.8	5.1
城市煤气和天然气供气量（万立方米）	411853	2389354	1940248	2121481	2345091	569.4	98.1	120.9	110.5	42.1		3.9
公共汽(电)车总数（辆）	45155	62215	136821	209884	225993	500.5	363.2	165.2	107.7	6.6	17.1	10.6
铺装道路长度（公里）	38282	94820	130308	152385	159617	417.0	168.3	122.5	104.7	19.9	6.6	4.1
绿地面积（公顷）	159291	474613	678310	778161	865295	543.2	182.3	127.6	111.2	24.4	7.4	5.0
环境、灾害												
污染治理项目本年完成投资额（亿元）	22.2	45.4	98.7	152.7	239.4	1078.4	527.3	242.6	156.8	15.4	16.8	19.4
环境污染与破坏事故次数（起）	2716	3462	1966	1614	2411	88.8	69.6	122.6	149.4	5.0		4.2
环境污染直接经济损失（万元）			9938	5711	17808			179.2	311.8			12.4
环境污染事故赔罚款金额（万元）			4260	2116	3683			86.5	174.0			-2.9
火灾发生数（起）	34996	57302	37136	179955	189185	540.6	330.2	509.4	105.1	10.4		38.5
火灾损失（万元）	28422	51182	107777	143394	152217	535.6	297.4	141.2	106.2	12.5	16.1	7.1
交通事故发生数（起）	97573	250244	271843	412860	616971	632.3	246.5	227.0	149.4	20.7	1.7	17.8
交通事故损失（万元）	6599	35362	152267	212402	266890	4044.4	754.7	175.3	125.7	39.9	33.9	11.9

注：1. 本表价值指标除邮电业务总量按1990年不变价格计算外，其余均按当年价格计算。

2. 本表速度指标中，国民生产总值、国内生产总值及三次产业、物价指数、农林牧渔业总产值、工业总产值、邮电业务总量、城乡居民收入和平均工资指标均按可比价格计算。

3. 2000年人口数和家庭总户数均为第五次人口普查快速汇总数。

4. 1999年及以后职工人数为在岗人数，1995年及以前为全部职工人数，故不可比。

4. 旅游事业发展情况

指 标		1996	1997	1998	1999	2000
旅行社总数	**（个）**	**4252**	**4986**	**6222**	**7326**	**8993**
国际旅行社		977	991	1312	1256	1268
国内旅行社		3275	3995	4910	6070	7725
旅行社职工人数	**（人）**	**87555**	**94829**	**100448**	**108830**	**164336**
国际旅行社		53093	48881	52290	47153	68093
国内旅行社		34462	45948	48158	61677	96243
涉外饭店总数	**（个）**	**4418**	**5201**	**5782**	**7035**	**10481**
入境旅游人数	**（万人）**	**5112.75**	**5758.79**	**6347.84**	**7279.56**	**8344.39**
外国人		674.43	742.80	710.77	843.23	1016.04
华 侨		15.46	9.90	12.07	10.81	7.55
港澳同胞		4249.47	4794.33	5407.54	6167.06	7009.94
台湾同胞		173.39	211.76	217.46	258.46	310.86
三大旅行社接待入境旅游人数	**（万人）**	**171.46**	**189.68**	**167.00**	**205.11**	**223.30**
中国国际旅行社		80.80	88.45	77.45	100.25	91.16
中国旅行社		59.25	66.94	53.79	65.10	88.32
中国青年旅行社		31.41	34.29	35.76	39.76	43.82
国内居民出境总人数	**（万人）**	**758.82**	**817.54**	**842.56**	**923.24**	**1047.26**
因私出境人数		241.39	243.96	319.02	426.61	563.09
国内旅游人数	**（万人）**	**63900**	**64400**	**69450**	**71900**	**74400**
旅游收入						
国际旅游收入	（亿美元）	102.00	120.74	126.02	140.99	162.24
国内旅游收入	（亿元）	1638.38	2112.70	2391.18	2831.92	3175.54

5. 教育事业基本情况

指　　标	1985	1990	1995	1999	2000
学校数　（所）					
普通高等学校	1016	1075	1054	1071	1041
普通中等学校	104848	100777	95216	95255	93935
中等专业学校	3557	3982	4049	3962	3646
中等技术学校	2529	2956	3135	3147	2963
中等师范学校	1028	1026	897	815	683
普通中学	93221	87631	81020	77213	77268
高中	17318	15678	13991	14127	14564
初中	75903	71953	67029	63086	62704
职业中学	8070	9164	10147	9636	8849
小学	832309	766072	668685	582291	553622
幼儿园	172262	172322	180438	181136	175836
特殊教育	375	746	1379	1520	1539
专任教师　（万人）					
普通高等学校	34.4	39.5	40.1	42.6	46.3
普通中等学校	296.7	349.2	388.3	459.6	473.4
中等专业学校	17.4	23.4	25.7	27.4	25.6
中等技术学校	12.8	17.6	19.5	21.2	20.4
中等师范学校	4.6	5.9	6.2	6.2	5.3
普通中学	265.2	303.3	333.4	384.1	400.5
职业中学	14.1	22.4	29.2	33.6	32.0
小学	537.7	558.2	566.4	586.1	586.0
幼儿园	55.0	75.0	87.5	87.2	85.6
特殊教育	0.7	1.4	2.5	3.1	3.2
招生数　（万人）					
普通高等学校	61.9	60.9	92.6	159.7	220.6
普通中等学校	1789.8	1815.8	2354.1	2963.3	3103.2
中等专业学校	66.8	73.0	138.1	163.4	132.6
中等技术学校	45.4	50.3	107.3	134.3	111.6
中等师范学校	21.5	22.7	30.8	29.1	21.0
普通中学	1606.9	1619.6	2025.9	2546.0	2736.0

续表

指　标	1985	1990	1995	1999	2000
高中	257.5	249.8	273.7	396.3	472.7
初中	1349.4	1369.9	1752.3	2149.7	2263.3
职业中学	116.1	123.2	190.0	194. 1	182.7
小学	2298.2	2064.0	2531.8	2029.5	1946.5
幼儿园			1972.4	1617.5	1531.1
特殊教育	0.9	1.6	5.6	5.0	5.3
在校学生　（万人）					
普通高等学校	170.3	206.3	290.6	413.4	556.1
普通中等学校	5092.6	5105.4	6191.5	8002.7	8518.5
中等专业学校	157.1	224.4	372.2	515.5	489.5
中等技术学校	101.3	156.7	287.4	425.0	412.5
中等师范学校	55.8	67.7	84.8	90.5	77.0
普通中学	4706.0	4586.0	5371.0	6771.3	7368.9
高中	741.1	717.3	713.2	1049.7	1201.3
初中	3964.8	3868.7	4657.8	5721.6	6167.6
职业中学	229.5	295.0	448.3	533.9	503.2
小学	13370.2	12241.4	13195.2	13548.0	13013.3
幼儿园	1479.7	1972.2	2711.2	2326.3	2244.2
特殊教育	4.2	7.2	29.6	37.2	37.8
毕业生数　（万人）					
普通高等学校	31.6	61.4	80.5	84.8	95.0
普通中等学校	1279.1	1497.5	1636.9	2229.2	2302.3
中等专业学校	42.9	66.1	83.9	140.1	150.7
中等技术学校	26.2	42.8	59.4	109.3	119.6
中等师范学校	16.7	23.4	24.5	30.9	31.1
普通中学	1194.9	1342.1	1429.0	1852.7	1908.6
高中	196.6	233.0	201.6	262.9	301.5
初中	998.3	1109.1	1227.4	1589.8	1607.1
职业中学	41.3	89.3	124.0	167.8	176.3
小学	1999.9	1863.1	1961.5	2313.7	2419.2
特殊教育	0.4	0.5	1.9	3.8	4.3

注：1. 1999年普通高等学校招生数和在校学生数包括成人高等学校中招收的“新高职”学生数。

6. 研究生和留学生数

单位：人

年份	研究生数			出国留学人员	学成回国留学人员
	在学人数	招生数	毕业生数		
1952	2763	1785	627	231	
1957	3178	334	1723	529	347
1962	6130	1287	1019	114	980
1965	4546	1456	1665	454	199
1975				245	186
1978	10934	10708	9	860	248
1979	18830	8110	140	1777	231
1980	21604	3616	476	2124	162
1981	18848	9363	11669	2922	1143
1982	25847	11080	4058	2326	2116
1983	37166	15642	4497	2633	2303
1984	57566	23181	2756	3073	2290
1985	87331	46871	17004	4888	1424
1986	110371	41310	16950	4676	1388
1987	120191	39017	27603	4703	1605
1988	112776	35645	40838	3786	3000
1989	101339	28569	37232	3329	1753
1990	93018	29649	35440	2950	1593
1991	88128	29679	32537	2900	2069
1992	94164	33439	25692	6540	3611
1993	106771	42145	28214	10742	5128
1994	127935	50864	28047	19071	4230
1995	145443	51053	31877	20381	5750
1996	163322	59398	39652	20905	6570
1997	176353	63749	46539	22410	7130
1998	198885	72508	47077	17622	7379
1999	233513	92225	54670	23749	7748
2000	301239	128484	58767	38989	9121

7. 初中毕业生和小学毕业生升学率及小学学龄儿童入学率

年　份	初中毕业生升学率			小学毕业生升学率			小学学龄儿童入学率		
	初中毕业生数（万人）	高级中等学校招生数（万人）	升学率（%）	小学毕业生数（万人）	初级中等学校招生数（万人）	升学率（%）	学龄儿童数（万人）	已入学学龄儿童数（万人）	入学率（%）
1952	18.5	31.2	168.6	149.0	143.0	96.0	6642.4	3268.1	49.2
1957	111.2	44.2	39.7	498.0	219.9	44.2	8077.7	4986.6	61.7
1962	158.4	47.5	30.0	559.0	253.3	45.3	10836.0	6082.0	56.1
1965	173.8	121.6	70.0	667.6	550.7	82.5	11603.2	9829.1	84.7
1970	618.9	239.0	38.6	1652.5	1176.3	71.2			
1975	1047.7	633.1	60.4	1999.4	1810.5	90.6	12261.9	11868.5	96.8
1978	1692.6	692.9	40.9	2287.9	2006.0	87.7	12131.3	11585.4	95.5
1979	1657.9	623.3	37.6	2087.9	1727.8	82.8	12323.1	11580.1	93.0
1980	964.7	442.8	45.9	2053.3	1557.6	75.9	12219.6	11478.2	93.9
1981	1154.2	364.1	32.5	2075.7	1417.6	68.3	12018.5	11175.5	93.0
1982	1032.2	333.3	32.3	2068.9	1370.1	66.2	11762.7	10958.0	93.2
1983	960.3	340.5	35.5	1980.7	1333.8	67.3	11251.2	10577.8	94.0
1984	950.4	364.5	38.4	1995.0	1321.1	66.2	10669.0	10169.8	95.3
1985	998.3	416.2	41.7	1999.9	1367.0	68.4	10362.3	9942.8	96.0
1986	1057.0	429.2	40.6	2016.1	1402.0	69.5	10067.5	9702.1	96.4
1987	1117.3	437.0	39.1	2043.0	1410.9	69.1	9750.9	9477.2	97.2
1988	1157.2	439.6	38.0	1930.3	1359.0	70.4	9623.9	9351.4	97.2
1989	1134.3	434.6	38.3	1857.1	1328.4	71.5	9699.1	9450.7	97.4
1990	1109.1	450.4	40.6	1863.1	1389.2	74.6	9740.7	9529.7	97.8
1991	1085.5	462.9	42.6	1896.7	1435.1	75.7	9806.6	9594.8	97.8
1992	1102.3	478.1	43.4	1872.4	1491.7	79.7	11156.2	10845.5	97.2
1993	1134.2	500.5	44.1	1841.5	1505.6	81.8	11432.0	11170.9	97.7
1994	1166.4	541.1	46.4	1899.6	1644.9	86.6	11949.6	11758.2	98.4
1995	1244.3	601.6	48.3	1961.5	1781.1	90.8	12375.4	12192.5	98.5
1996	1297.8	633.4	48.8	1934.1	1791.4	92.6	12876.5	12723.3	98.8
1997	1463.3	721.6	44.3	1960.1	1836.5	93.7	13346.7	13202.5	98.9
1998	1603.1	812.2	50.7	2117.4	1996.3	94.3	13369.3	13226.8	98.9
1999	1613.9	807.0	50.0	2313.7	2183.4	94.4	12991.4	12872.8	99.1
2000	1633.5	834.6	51.1	2419.2	2295.6	94.9	12445.3	12333.9	99.1

注：1. 1952 年的初中升学率高于 100%，是因为当年毕业的初中学生数少于当年高级中等学校的招生人数。
2. 1994 年以后各年的初中毕业生数包括职业初中毕业生数。

8. 各级各类成人学校基本情况（2000年）

单位：所、万人

项目	学校数	毕业生数	招生数	在校学生数	教职工数	
						专任教师
总计	**655423**	**10138.31**	**8789.20**	**7516.54**	**107.93**	**46.88**
成人高等学校	**772**	**88.04**	**156.15**	**353.64**	**18.70**	**9.34**
广播电视大学	45	9.90	15.91	34.70	5.68	2.83
职工、农民高等学院	469	9.90	14.22	33.32	7.40	3.82
管理干部学院	117	6.41	7.35	16.70	2.84	1.20
教育学院	138	6.25	13.19	25.78	2.71	1.44
独立函授学院	3	0.44	0.59	1.27	0.08	0.05
普通高等学校办		55.16	104.88	241.87		
函授部		31.00	60.00	141.28		
夜大学		10.60	19.09	48.64		
成人脱产班		13.55	25.79	51.96		
成人中等学校	**494111**	**9545.77**	**8179.30**	**6677.66**	**73.16**	**32.93**
中等专业学校	4634	111.40	74.94	240.28	20.85	11.84
广播电视中等专业学校	148	20.30	13.43	48.30	1.88	0.95
干部中等专业学校	1807	29.67	19.27	65.09	7.83	4.26
职工中等专业学校	213	3.84	1.99	7.10	1.10	0.56
农民中等专业学校	381	6.99	5.87	16.48	1.81	1.17
函授中等专业学校	77	5.92	4.09	10.48	0.96	0.46
教师进修学校	2008	12.60	8.73	21.81	7.27	4.44
成人中学	3921	38.15	44.92	50.73	2.91	1.76
职工中学	1299	18.65	26.34	25.56	1.62	0.94
农民中学	2622	19.50	18.57	25.17	1.29	0.82
成人技术培训学校	485556	9396.22	8059.44	6386.65	49.40	19.33
职工技术培训学校	10630	588.89	542.88	364.07	8.89	4.74
农民技术培训学校	474926	8807.33	7516.56	6022.58	40.51	14.59
成人初等学校	**160540**	**504.49**	**453.76**	**485.24**	**16.07**	**4.62**
职工初等学校	627	10.97	11.18	11.78	0.19	0.09
农民初等学校	159913	493.52	442.58	473.46	15.88	4.53
扫盲班	107501	258.04	214.01	252.99	10.87	2.84

9. 文化艺术和文物事业机构、人员情况（2000 年）

机构类别	机构数（个）	从业人数（人）
文化事业合计	**282784**	**1476176**
艺术事业	5120	190032
艺术表演团体	2630	141440
话剧、儿童剧、滑稽剧团	86	7160
歌剧、舞剧、歌舞剧团	79	9038
歌舞团、轻音乐团	289	22025
文工团、文宣队、乌兰牧骑	419	12335
戏曲剧团	1531	79120
京剧	109	9583
曲艺、杂技、木偶、皮影团	209	9969
艺术表演场所	1912	42177
剧场、影剧院	1877	41187
书场、曲艺场	20	198
杂技、马戏场	3	74
音乐厅	12	718
公共图书馆事业	2677	51368
群众文化事业	45321	128420
群众艺术馆	390	11620
文化馆	2907	43246
文化站	42024	73554
乡文化站	39348	61675
艺术教育事业	220	15578
其他文化事业	225972	1021645
艺术创作机构	407	3006
艺术研究机构	185	3150
艺术展览机构	49	1380
美术馆	26	799
文化艺术经纪与代理业	264	2307
其他	225067	1011802
文物事业合计	**3618**	**68038**
文物保护管理机构	1984	24051
文物科研机构	57	2800
其他文物机构	68	4051
博物馆	1392	34199
综合性博物馆	829	17998
专门性博物馆	283	10352
纪念性博物馆	280	5849
文物商店	117	2937

10. 各地区文化艺术、文物事业单位数

单位：个

地 区	艺术表演团体	艺术表演场所	文 化 馆	公共图书馆	博 物 馆
北 京	20	25	22	25	25
天 津	16	32	18	31	14
河 北	138	101	166	145	43
山 西	159	49	118	121	76
内蒙古	116	30	104	108	25
辽 宁	77	71	102	128	30
吉 林	65	52	89	60	16
黑龙江	91	56	118	97	41
上 海	29	43	45	31	11
江 苏	133	142	107	101	86
浙 江	79	95	84	83	65
安 徽	92	104	103	84	37
福 建	96	80	80	81	81
江 西	79	62	101	104	81
山 东	118	105	140	133	59
河 南	205	166	191	134	70
湖 北	101	78	129	103	94
湖 南	91	94	125	115	71
广 东	138	76	119	125	131
广 西	118	32	99	94	39
海 南	21	18	18	19	15
重 庆	38	25	43	42	14
四 川	98	94	171	129	50
贵 州	28	14	85	89	8
云 南	129	40	127	148	30
西 藏	26	20	52	1	2
陕 西	118	112	111	114	67
甘 肃	76	46	83	91	65
青 海	14	2	43	38	14
宁 夏	15	19	22	22	4
新 疆	88	23	92	80	23

11. 艺术表演团体演出情况（2000 年）

种　类	演出场数（万场）	到农村演出	观众人数（万人次）
总　计	**43**	**26**	**46168**
国有剧团	28	14	30946
集体经营剧团	15	11	15213
按剧种分：			
话剧、儿童剧、滑稽剧团	0.8		1162.2
歌舞剧团	0.8	0.3	1259.4
歌舞团、轻音乐团	3.5	0.9	5082.1
文工团、宣传队、乌兰牧骑	4	2.1	3916.5
乐团、合唱团	–	–	–
戏曲剧团	23.8	18.3	31465.2
京剧	1	0.3	1458.3
曲艺、杂技、木偶、皮影团	6.7	2.9	3097.2

注：歌舞剧团包括歌剧、舞剧、歌舞剧团。

12. 群众艺术馆、文化馆站业务活动及经费情况（2000 年）

项　目		总　计	群众艺术馆	文化馆	文化站
单位数	（个）	45321	390	2907	42024
举办展览	（个）	91670	1837	14440	75393
组织文艺活动	（次）	276574	8462	60157	207955
举办训练班					
班　次	（次）	143370	7045	29432	160893
结业人次	（万人次）	494	21	89	384
群众艺术馆、文化馆负责指导单位					
农村集镇文化中心	（个）	22171	1613	20558	
文化俱乐部、室	（个）	104587	3200	101387	
文化户	（户）	180470	4622	175848	
群众业余演出团（队）	（个）	36151	1892	34259	
总支出	（万元）	188437	33010	78871	76557
业务费	（万元）	27909	6986	10065	10858
修缮费	（万元）	10147	1571	3731	4845

注：本表各项指标仅指文化部系统内的。

13. 公共图书馆业务活动及经费情况（2000年）

项　　目		总　　计	省级公共图书馆	县级公共图书馆
总藏量	（万册、件）	40953	13158	14524
书架总长度	（万米）	978	284	330
发放借书证数	（万个）	623	98	288
图书流通情况				
总流通人次	（万人次）	18854	2163	9953
书刊外借册次	（万册次）	16913	1508	9266
为读者服务举办各种活动				
次　数	（次）	40448	6953	25077
参加人数	（万人次）	1802	368	764
总支出	（万元）	157173	44422	43659
藏量购置费	（万元）	40575	16878	5269
本年新购藏量	（万册）	975	271	320
公用房屋建筑面积	（万平方米）	598	79	343
书　库	（万平方米）	139	30	63
阅览室座席	（万个）	42	3	27

14. 博物馆、文物机构业务活动及经费情况（2000年）

项　　目		文物保护管理机构	文物科研机　　构	其他文物机　　构	博物馆
藏品	（件）	2038940	570276	68392	9813923
一级品	（件）	6377	1208	159	43939
业务活动					
陈列展览	（个）				17752
参观人数	（万人次）	4319			8340
经费支出	（万元）	84759	17597	15524	144543
业务费	（万元）		3155	1046	25656
考古发掘费	（万元）	1230	3855	428	765
修缮费	（万元）	4725		1712	12685
增加值	（万元）	34264	22466	4377	63078

15. 摄制电影片产量

年　份	电影故事片厂（个）	故事片（部）	美术片（本）	科学教育片（本）	纪录片（本）
1952	4	4	2	41	157
1957	11	40	5	84	272
1962	16	34	17	94	133
1965	16	52	21	240	378
1975	15	27	11	214	313
1978	12	46	26	289	202
1979	17	65	25	349	317
1980	17	82	32	337	242
1981	19	105	33	277	276
1982	19	112	33	284	259
1983	19	127	37	343	299
1984	20	144	37	387	337
1985	20	127	45	357	419
1986	20	134	46	383	417
1987	22	146	45	353	347
1988	22	158	38	344	350
1989	22	136	53	334	259
1990	22	134	51	326	296
1991	22	130	46	351	283
1992	22	170	56	354	307
1993	22	154	47	252	300
1994	22	148	32	182	22
1995	30	146	37	40	111
1996	30	110	58	33	39
1997	31	88	28	34	95
1998	31	82	9	30	54
2000	31	91	1	49	10

注：本表电影故事片厂只包括国务院批准的厂。

16. 广播、电视事业发展情况

项　目		1999	2000	2000年为1999年%
广播电视系统职工人数	（人）	453405	494566	109.00
广播电台	（座）	296	304	102.70
广播发射台及转播台	（座）	767	737	96.09
广播发射机功率	（千瓦）	45535.9	46210.4	101.48
县级广播电视台	（座）	1562	1446	92.57
广播人口覆盖率	（%）	90.5	92.47	102.18
电视台	（座）	357	354	99.16
电视发射台及转播台	（座）	42094	51436	122.19
电视发射机功率	（千瓦）	8021.8	8862.1	110.47
电视人口覆盖率	（%）	92	93.65	101.79

注：广播电台、电视台未包括县级数。

17. 各地区新闻出版事业机构和人员数（2000 年）

地　区	书刊出版社		国家定点书刊印刷厂		书　店	
	机构数（个）	从业人员（人）	机构数（个）	从业人员（人）	机构数（个）	从业人员（人）
全　国	**565**	**46408**	**301**	**146399**	**13633**	**152219**
中　央	220	20788	38	16183	15	2327
地　方	345	25620	263	130216	13618	149892
北　京	16	809	9	4053	192	4318
天　津	12	1105	7	4136	116	2048
河　北	7	719	15	7327	582	8018
山　西	8	470	4	2291	438	4209
内蒙古	7	504	5	2062	295	2589
辽　宁	18	1175	13	7897	248	5995
吉　林	14	843	7	3225	179	4447
黑龙江	12	752	7	4632	252	4935
上　海	37	3666	17	5377	295	4471
江　苏	16	1092	13	6007	972	8922
浙　江	13	757	9	2952	513	5352
安　徽	9	499	7	3444	615	4672
福　建	11	699	6	2833	350	3887
江　西	7	485	10	7027	370	4662
山　东	17	1101	19	10926	1023	10398
河　南	12	664	14	8530	1460	11526
湖　北	15	1397	16	6699	681	7565
湖　南	12	977	13	6073	590	6814
广　东	19	1360	16	5632	548	9407
广　西	8	802	8	4321	350	4496
海　南	4	240	2	620	66	1289
重　庆	3	512	3	2195	274	3950
四　川	16	1234	11	5436	782	8495
贵　州	4	339	3	2137	489	2269
云　南	8	482	4	2299	544	3725
西　藏	2	75	2	461	72	245
陕　西	15	1363	8	4991	446	4526
甘　肃	9	344	6	3439	396	2507
青　海	2	100	3	774	144	1178
宁　夏	3	127	2	505	81	735
新　疆	9	928	4	1915	255	2242

注：全国出版社 565 家，其中含副牌 37 家。

18. 全国图书、杂志和报纸出版情况

地区	图书				杂志				报纸			
	种数（种）	新出版	总印数（亿册、张）	总印张数（亿印张）	种数（种）	每期平均印数（万册）	总印数（亿册）	总印张数（亿印张）	种数（种）	每期平均印数（万份）	总印数（亿份）	总印张数（亿印张）
全国	**88246**	**48950**	**53.5**	**287.2**	**6531**	**16009**	**22.1**	**71.2**	**1801**	**15050.7**	**269.5**	**685**
北京	2691	1519	0.5	3.8	158	374	0.5	3.9	34	479.7	9.0	37.8
天津	2744	1543	0.6	4.3	234	469	0.5	1.7	26	366.0	6.0	10.4
河北	2014	1090	3.1	14.6	214	450	0.5	1.4	66	469.8	9.0	16.5
山西	1532	1240	1.0	6.2	165	232	0.3	0.9	59	708.9	6.3	8.1
内蒙古	1545	904	0.7	4.5	154	136	0.2	0.5	63	114.4	1.8	2.0
辽宁	5008	2752	1.7	10.8	301	901	1.2	2.9	87	825.6	12.6	31.9
吉林	3581	1926	1.3	8.9	225	444	0.6	1.7	55	554.1	5.5	7.6
黑龙江	2099	1352	1.0	5.0	319	609	0.8	2.5	75	432.4	7.3	11.9
上海	12683	6926	2.5	19.0	613	1490	1.9	7.4	72	1119.3	16.7	44.5
江苏	5143	2794	3.5	20.1	423	635	1.1	3.3	92	1230.9	23.3	43.0
浙江	4106	1842	2.7	12.7	201	724	0.9	2.1	87	856.3	17.4	32.6
安徽	2326	1088	3.1	14.7	151	622	0.8	2.0	50	407.9	7.6	11.5
福建	2634	1515	2.0	9.7	187	372	0.4	1.5	47	369.0	6.9	13.5
江西	1726	1115	2.0	9.0	181	637	0.9	1.9	40	236.1	4.0	6.6
山东	3883	2151	4.1	21.5	270	802	1.3	3.9	97	891.2	20.1	47.2
河南	2419	1204	3.5	17.0	250	867	1.1	3.3	81	819.7	12.9	21.2
湖北	4529	2445	2.9	15.4	393	1227	2.2	7.5	98	549.9	13.4	33.9
湖南	3112	1734	2.4	12.1	245	966	1.1	2.1	54	590.5	8.3	12.8
广东	4374	2534	2.7	14.8	337	1596	2.6	9.2	101	1631.0	34.6	176.7
广西	2739	1500	2.4	11.5	191	412	0.5	1.5	60	294.2	5.6	8.3
海南	726	485	0.3	2.4	41	61	0.1	0.3	19	69.8	1.2	2.8
重庆	1706	869	1.1	5.7	123	287	0.3	1.4	31	247.8	4.9	15.6
四川	3907	2146	2.7	15.6	273	440	0.5	1.6	81	759.7	15.0	42.6
贵州	827	348	1.0	4.4	98	91	0.1	0.4	35	127.9	2.9	5.8
云南	1644	1002	1.3	6.6	125	236	0.3	0.9	47	173.3	3.6	6.8
西藏	301	53	0.1	0.3	25	9			16	13.3	0.2	0.3
陕西	3433	2080	1.6	8.3	260	353	0.5	1.9	48	346.5	7.0	21.7
甘肃	769	601	0.7	3.2	127	428	0.8	3.0	52	138.6	2.5	4.7
青海	209	98	0.1	0.4	43	13			18	24.6	0.4	0.4
宁夏	390	183	0.2	0.9	30	16		0.1	16	39.2	0.6	1.0
新疆	3446	1911	0.7	3.8	174	110	0.1	0.4	94	163.1	2.9	5.3

19. 全国图书出版分类构成情况（2000年）

类　　别	种数（种）	印数（万册）	印张（千印张）
总　　计	**143376**	**627449**	**37621440**
使用“中国标准书号”合计	141291	622965	37448385
马列主义、毛泽东思想	236	531	53747
哲　学	1461	1099	140523
社会科学总论	1731	1251	158815
政治、法律	5509	7475	859800
军　事	425	318	35666
经　济	9107	8842	1116981
文化、科学、教育、体育	58513	539671	27529245
语言、文字	6301	10067	1400103.
文　学	10756	10594	1290704
艺　术	7577	9970	553507
历史、地理	4402	3564	404239
自然科学总论	926	3883	200574
数理科学、化学	2530	2613	345437
天文学、地球科学	630	188	20847
生物科学	514	299	41728
医学、卫生	6329	4639	723488
农业科学	3384	2821	222177
工业技术	16267	11014	1858094
交通运输	1161	1153	143705
航空、航天	90	38	5340
环境科学	400	251	23725
综合性图书	3042	2684	319940
不使用“中国标准书号”图书	2085	4484	118004
年画	156	152	1231

20. 各地区少年儿童读物类图书和课本出版情况（2000 年）

地　区	种　数（种）		总印数（万册）		总印数（千印张）	
	儿童读物	课本	儿童读物	课本	儿童读物	课本
全　国	**7004**	**23694**	**16890**	**355988**	**635341**	**19464771**
中　央	1053	9009	1876	27623	111850	2140929
地　方	5951	14685	15014	328365	523491	17323842
北　京	264	374	247	2481	15223	142060
天　津	189	597	570	3737	18732	262949
河　北	147	386	204	21714	6575	990680
山　西	132	116	503	6495	9399	397535
内蒙古	109	433	288	5450	14790	304444
辽　宁	231	927	606	9486	17697	607729
吉　林	272	907	919	7536	47492	410459
黑龙江	79	402	135	7274	3226	366978
上　海	1212	1862	1845	7838	120074	593389
江　苏	371	1004	1370	18970	41557	1080190
浙　江	370	625	1385	10900	47654	565976
安　徽	235	109	372	19539	14215	904167
福　建	112	270	627	10855	9538	557528
江　西	209	149	639	10441	13645	583981
山　东	166	486	762	26011	23052	1298137
河　南	160	166	507	24936	10832	1327214
湖　北	127	881	97	16982	3094	910896
湖　南	158	389	380	17524	12008	871187
广　东	106	717	323	18292	6839	989839
广　西	308	274	1092	15499	27575	734520
海　南	20	5	41	1944	2157	98218
重　庆	102	501	720	7254	11448	383866
四　川	213	570	302	15740	9378	914254
贵　州	52	42	229	6742	3234	324992
云　南	164	180	381	9344	9327	436430
西　藏	10	230	20	448	1155	21786
陕　西	166	609	196	11909	10981	585719
甘　肃	24	36	47	5884	3117	276784
青　海	1	62	1	438	98	24806
宁　夏	24	12	21	1244	427	71322
新　疆	218	1364	185	5458	8952	285807

21. 各地区录像制品出版情况（2000年）

地区	录像带		数码激光视盘		高密度激光视盘	
	种数（种）	数量（盒）	种数（种）	数量（张）	种数（种）	数量（张）
全国	**1271**	**711351**	**7101**	**78803183**	**294**	**1309881**
中央	977	311668	2221	29364013	65	314314
地方	294	399683	4880	49439170	229	995567
北京	6	2120	161	6627505	4	35000
天津	18	15524	144	1132000	47	43350
河北			145	592000		
山西	26	39000	120	335000		
内蒙古			13	41970		
辽宁	15	27600	267	4247000	5	148000
吉林	11	96000	79	260800		
黑龙江	8	10200	26	49000		
上海	39	35351	329	3387555		
江苏			73	561200		
浙江	21	59000	205	1024590	18	26000
安徽			86	422800		
福建			237	4048867	16	80000
江西			233	1178300		
山东	2	5000	83	545650	1	3000
河南	26	22766	173	2089900	1	20000
湖北			513	2192300	3	9000
湖南	114	82042	337	2171100		
广东	5	1200	1045	12634707	107	501217
广西			115	917750		
海南			5	128000		
重庆			34	376544		
四川			172	977200		
贵州			41	2103100	24	117000
云南			73	447500	2	10000
西藏			3	90000		
陕西	1	380	98	617530		
甘肃			14	69300		
青海			1	3000		
宁夏	1	500				
新疆	1	3000	55	167002	1	3000

22. 各地区录音制品出版情况（2000年）

地　区	录音带		激光唱盘		高密度激光唱盘	
	种数（种）	数量（万盒）	种数（种）	数量（万张）	种数（种）	数量（万张）
全　国	**6175**	**11128.4**	**2799**	**1032**	**8**	**1.2**
中　央	2198	5442.3	948	281		
地　方	3977	5686.2	1851	751	8	1.2
北　京	211	136.3	43	65		
天　津	27	490.8	78	22		
河　北	38	70.4	75	34	7	0.7
山　西	31	27.9				
内蒙古	12	4.8	5	2		
辽　宁	50	226.0	38	44		
吉　林	16	5.1	11	2		
黑龙江	4	0.4	2	1		
上　海	1563	2589.0	419	80		
江　苏	70	163.2	129	45		
浙　江	117	173.9	129	50		
安　徽	89	110.7				
福　建	18	74.9	37	37		
江　西	74	116.9	32	12		
山　东	11	3.4	9	5		
河　南	30	8.5	4	2		
湖　北	124	91.7	116	54		
湖　南	400	189.9	29	10		
广　东	674	967.9	517	195		
广　西	68	41.4	64	29		
海　南			2	1		
重　庆	96	35.2	4	3		
四　川	40	37.7	52	26		
贵　州	1	0.3	17	8	1	0.5
云　南	16	6.4	15	12		
西　藏			2	6		
陕　西	149	97.0	5	1		
甘　肃	13	6.2	1			
青　海	4	2.0	3	2		
宁　夏	5	0.3	13	2		
新　疆	26	8.0				

23. 新建体育场地数

单位：个

项　　目	1980	1985	1990	1998	1999
总　　计	**709**	**700**	**3681**	**307**	**572**
体育场	10	47	27	11	6
体育馆	9	29	34	16	14
游泳馆		1	4		
室内外游泳池	44	135	105	32	15
有固定看台的灯光球场	96	137	60	13	14

注：从 1996 年起新建体育场地数为部分省(市)汇总数据。